METHODEN DER
ORGANISCHEN CHEMIE

METHODEN DER ORGANISCHEN CHEMIE

(HOUBEN-WEYL)

VIERTE, VÖLLIG NEU GESTALTETE AUFLAGE

HERAUSGEGEBEN VON

EUGEN MÜLLER

TÜBINGEN

UNTER BESONDERER MITWIRKUNG VON

O. BAYER · H. MEERWEIN † · K. ZIEGLER

LEVERKUSEN MÜLHEIM/RUHR

BAND V/1d

OFFENKETTIGE UND CYCLISCHE POLYENE; EN-INE

19 72

GEORG THIEME VERLAG STUTTGART

OFFENKETTIGE UND CYCLISCHE POLYENE EN-INE

BEARBEITET VON

L. BERLIN
HOECHST

W. K. FRANKE
DARMSTADT

P. J. GARRATT
LONDON

K. GROHMANN
HANOVER/N. J.

H. KESSLER
FRANKFURT/M.

H. NEUNHOEFFER
DARMSTADT

K. REPPE
LUDWIGSHAFEN/RH.

O. RIESTER
LEVERKUSEN

H. RÖTTELE
KARLSRUHE

MIT 54 TABELLEN

19 72

GEORG THIEME VERLAG STUTTGART

In diesem Handbuch sind zahlreiche Gebrauchs- und Handelsnamen, Warenzeichen u. dgl. (auch ohne besondere Kennzeichnung), BIOS- und FIAT-Reports, Patente, Herstellungs- und Anwendungsverfahren aufgeführt. Herausgeber und Verlag machen ausdrücklich darauf aufmerksam, daß vor deren gewerblicher Nutzung in jedem Falle die Rechtslage sorgfältig geprüft werden muß. Industriell hergestellte Apparaturen und Geräte sind nur in Auswahl angeführt. Ein Werturteil über Fabrikate, die in diesem Band nicht erwähnt sind, ist damit nicht verbunden.

Erscheinungstermin 23. 3. 1972

Satz und Druck: Druckhaus Sellier OHG, Freising, vormals Dr. F. P. Datterer & Cie.

ISBN 3 13 202504 6

Vorwort

Die von Th. Weyl begründeten und von J. Houben fortgeführten Methoden der organischen Chemie sind zu einem wichtigen Standardwerk von internationaler Bedeutung für das gesamte chemische Schrifttum geworden. Seit dem Erscheinen der letzten vierbändigen dritten Auflage sind zum Teil schon über 20 Jahre vergangen, so daß eine Neubearbeitung bereits seit Jahren dringend geboten schien. Verständlicherweise hat sich die Verwirklichung dieser Absicht, durch die Kriegs- und Nachkriegsverhältnisse bedingt, lange hinausgezögert.

Vor allem der Initiative von Herrn Prof. Dr. Dres. h.c. Dres. E.h. Otto Bayer, Leverkusen, ist es zu verdanken, daß das Werk heute in einer völlig neuen und weitaus umfassenderen Form wieder erscheint.

Diese neue Form wird in einer großen Gemeinschaftsarbeit von Hochschul- und Industrieforschern gestaltet. Ursprünglich planten wir, das neue Werk mit etwa 16 Bänden im Laufe von 4 Jahren abzuschließen. Inzwischen hat sich gezeigt, daß infolge der stark anwachsenden Literatur die einzelnen Bände z.T. mehrfach unterteilt werden mußten. Besonders durch die Mitwirkung von Fachkollegen aus der chemischen Industrie wird es zum ersten Male möglich sein, die große Fülle von Erfahrungen, die in der Patentliteratur und in den Archiven der Fabriken niedergelegt ist, nunmehr kritisch gewürdigt der internationalen Chemieforschung bekanntzugeben.

Der Unterzeichnete hat es als eine besondere Auszeichnung und Ehre empfunden, von maßgebenden Persönlichkeiten der deutschen Chemie und dem Georg Thieme Verlag mit der Herausgabe des Gesamtwerkes betraut worden zu sein.

Mein Dank gilt dem engeren Herausgeber-Kollegium, den Herren

Prof. Dr. Dres. h. c. Dres. E. h. Otto Bayer, Leverkusen,
Prof. Dr. Dres. h. c. Dr. E. h. Hans Meerwein, Marburg,
Prof. Dr. Dres. h. c. Dr. E. h. Karl Ziegler, Mülheim-Ruhr,

die durch ihre intensive Mitarbeit und ihre reichen Erfahrungen die Gewähr bieten, daß für das neue Werk ein möglichst hohes Niveau erreicht wird.

Ganz besonderer Dank aber gebührt unseren Autoren, die in unermüdlicher Arbeit neben ihren beruflichen Belastungen der Fachwelt ihre großen Erfahrungen bekanntgeben. Im Namen der Herren Mitherausgeber und in meinem eigenen darf ich unserer besonderen Freude Ausdruck geben, daß gerade die Herren, die als hervorragende Sachkenner ihres Faches bekannt sind, uns ihre Mitarbeit zugesagt haben.

Das Erscheinen der Neuauflage wurde nur dadurch ermöglicht, daß der Inhaber des Georg Thieme Verlags, Stuttgart, Herr Dr. med. h.c. Dr. med. h.c. Bruno Hauff, durchdrungen von der Bedeutung der organischen Chemie, das neue Projekt bewußt in den Vordergrund seines Unternehmens stellte und seine Tatkraft und seine großen Erfahrungen diesem Werk widmete. Es stellt ein verlegerisches Wagnis dar, das Werk in dieser Ausstattung mit der großen Zahl von übersichtlichen Formeln, Abbildungen und Tabellen zu einem verhältnismäßig niedrigen Preis dem Chemiker in die Hand zu geben.

In den nun zur Herausgabe gelangenden „Methoden der organischen Chemie" wird ebensowenig eine Vollständigkeit angestrebt wie in den älteren Auflagen. Die Autoren sind vielmehr bemüht, auf Grund ihrer eigenen Erfahrungen die wirklich brauchbaren Methoden in den Vordergrund der Behandlung zu stellen und überholte Arbeitsvorschriften oder sogenannte Bildungsweisen nur knapp abzuhandeln.

Es ist unmöglich, eine Gewähr für jede der angegebenen Vorschriften zu übernehmen. Wir glauben aber, dadurch das Möglichste getan zu haben, daß alle Manuskripte von mehreren Fachkollegen überprüft wurden und die Literatur bis zum Stande von etwa einem bis einem halben Jahr vor Erscheinen jedes Bandes berücksichtigt ist.

An dieser Stelle sei noch einiges zur Anlage des Gesamtwerkes gesagt. Wir haben uns bemüht, beim Aufbau des Werkes und bei der Darstellung des Stoffes noch strenger nach methodischen Gesichtspunkten vorzugehen, als dies in den früheren Auflagen der Fall war.

Der erste Band wird allgemeine Hinweise zur Laboratoriumspraxis enthalten und die gebräuchlichen Arbeitsmethoden in einem organisch-chemischen Laboratorium, wie beispielsweise Anreichern, Trennen, Reinigen, Arbeiten unter Überdruck und Unterdruck, beschreiben.

In Band II fassen wir die Analytik der organischen Chemie zusammen, die früher verstreut in den einzelnen Kapiteln behandelt wurde. Wir hoffen, dadurch eine wesentliche Erleichterung für den Benutzer des Handbuchs geschaffen zu haben.

Hieran schließt sich die Darstellung der physikalischen Forschungsmethoden in der organischen Chemie. Dort sollen die Grundlagen der Methodik, das erforderliche apparative Rüstzeug, der Anwendungsbereich auf dem Gebiet der organischen Chemie und die Grenzen der betreffenden Methoden kurz wiedergegeben werden. In vielen Fällen wird es hier nicht möglich sein, eine ausführliche Darstellung zu geben, die das Nachschlagen der Originalliteratur unnötig macht, wie bei den Bänden präparativen Inhalts. Unser Ziel ist es, dem präparativ arbeitenden Organiker die Anwendbarkeit der betreffenden physikalischen Methode auf Probleme der organischen Chemie und ihre Grenzen zu zeigen.

Der Hauptteil des Werkes befaßt sich mit den chemisch-präparativen Methoden. In einem gesonderten Band werden allgemeine Methoden behandelt, die Geltung haben für die in den weiteren Bänden behandelten speziellen Methoden, wie etwa Oxidation, Reduktion, Katalyse, photochemische Reaktionen, Herstellung isotopenhaltiger Verbindungen und ähnliches mehr.

Der spezielle Teil befaßt sich mit den Methoden zur Herstellung und Umwandlung organischer Stoffklassen. Auf die Methoden zur Herstellung und Umwandlung von Kohlenwasserstoffen folgen – in der Anordnung des langen Periodensystems von rechts nach links betrachtet – die entsprechenden Verbindungen des Kohlenstoffs mit den Halogenen, den Chalkogenen, den Elementen der Stickstoffgruppe, mit Silicium, Bor, und mit den Metallen. Abschließend behandeln wir die Methoden zur Herstellung und Umwandlung hochmolekularer Stoffe sowie die besonderen organisch-präparativen und analytischen Methoden der Chemie der Naturstoffe.

Im Vordergrund der Darstellung der speziellen chemischen Methoden, die den Hauptteil des Handbuches bilden, wird nicht die Beschreibung der einzelnen Stoffe selbst stehen – dies ist Aufgabe des „Beilstein" –, sondern die Methoden zur Herstellung und Umwandlung bestimmter Verbindungsklassen, erläutert an ausgewählten Beispielen. Dabei wird besonderer Wert auf die Vollständigkeit und kritische Darstellung der Methoden zur Herstellung bestimmter Verbindungsklassen gelegt, die als Schwerpunkt des betreffenden Kapitels angesehen werden können. Die darauf folgende Umwandlung ist so kurz wie möglich behandelt, da sie mit ihren Umwandlungsstoffen in die Kapitel übergreift, die sich mit der Herstellung eben dieser Verbindungstypen befassen. Die Besprechung der Umwandlung der verschiedenen Stoffklassen ist daher nur unter dem Gesichtspunkt aufgenommen worden, jeweils selbständige Kapitel inhaltlich abzurunden und Hinweise zu geben auf die Stellen des Handbuches, an denen der Benutzer die durch Umwandlung entstehenden neuen Stofftypen in ihrer Herstellung auffinden kann.

Es ist selbstverständlich, daß kein Werk der chemischen Sammelliteratur so dem Wandel unterworfen ist wie gerade die „Methoden der organischen Chemie"; beruht doch der Fortschritt der chemischen Wissenschaft darin, stets neue synthetische Wege zu erschließen. Ich darf daher alle Fachkollegen um rege und stete Mitarbeit bitten, sei es in Form von sachlichen Kritiken oder wertvollen Hinweisen.

Nicht zuletzt danke ich der deutschen chemischen Industrie, die unter beträchtlichen Opfern ihre besten Fachkollegen für die Mitarbeit an diesem Werk freigestellt hat und mit Literaturbeschaffung und Auskünften in reichem Maße stets behilflich war.

Auch der Druckerei möchte ich meine Anerkennung für die rasche und gewissenhafte Ausführung der oft schwierigen Arbeit aussprechen.

EUGEN MÜLLER

Vorwort zum Band V/1d

Den im Band V/1c behandelten Dienen schließen sich im vorliegenden Band V/1d die offenkettigen Polyene in Herstellung und Umwandlung an, dann folgen die polyenartigen Cyanine (Polymethine) und darauf die cyclisch konjugierten Polyolefine. Letztere werden in drei getrennten Kapiteln wiedergegeben, den Cycloheptatrienen, den Cyclooctatrienentetraenen sowie den höheren cyclisch konjugierten Polyolefinen, den Annulenen. Zwangsläufig spielen bei den letzten Verbindungstypen auch die cyclisch konjugierten Polyen-ine mit mehr als 8 Kohlenstoffatomen für die Herstellung der Annulene eine bedeutende Rolle. So folgt zum Abschluß ein Kapitel über die Methoden zur Herstellung und Umwandlung von En-inen und damit zugleich der Anschluß an den Band V/2, der mit der Besprechung der Allene und Acetylene beginnen wird.

In dem ersten großen Kapitel über Polyene, dessen Gliederung streng dem methodischen Aufbau dieser Verbindungen entspricht, finden sich neben nichtcarotinoiden Polyenen vor allem die carotinoiden wie Lycopin, Vitamin A sowie die Carotine selbst mit verschiedenen funktionellen Gruppen.

Wegen der großen Bedeutung zahlreicher Verbindungen dieser Stoffklasse ist gerade hier die Methodik zur präparativen Herstellung der z. T. sehr empfindlichen Substanzen hervorragend entwickelt worden. Das anschließende Kapitel über die „ionischen" Polyene, die Cyanine, umfaßt wegen ihrer großen technischen Bedeutung ein so weites Gebiet, daß eine sehr eingehende Beschreibung dem Charakter des HOUBEN-WEYL widersprechen würde. Daher haben sich die Autoren bewußt auf die Darlegung der Synthese-Prinzipien sowie die Herausstellung der wichtigsten Strukturen beschränkt, ohne allzusehr ins Detail zu gehen.

Die nachfolgenden Kapitel über cyclisch konjugierte Olefine beinhalten Verbindungsklassen, deren besonderes Interesse und Gewicht auf Seiten der theoretischen organischen Chemie, z. B. der Problematik des aromatischen Zustandes u. a. m., liegt. Die außerordentliche Wandlungsfähigkeit des heute dank der Arbeiten W. Reppes technisch herstellbaren Cyclooctatetraens und seiner Derivate hat zu rasch steigendem Interesse an diesem Arbeitsgebiet geführt, das neue und überraschende Befunde ergibt, wie – um nur ein Beispiel zu nennen – die Bildung des Bullvalens aus einem Dimeren des Cyclooctatetraens. Gleiches gilt für die beiden Kapitel über Cycloheptatriene und die Chemie der Annulene.

In dem den Band abschließenden Kapitel werden die konjugierten En-ine – insbesondere die Buten-ine – behandelt. Durch die Konjugation der Doppel- mit der Dreifachbindung kann sich ein besonderes Reaktionsverhalten ergeben, dessen Herausarbeitung Ziel dieses Kapitels ist. Bevorzugt behandelt werden En-ine ohne funktionelle Gruppen, um die Wiedergabe dieser Methoden in tragbaren Grenzen zu halten. Verweise auf die entsprechenden Kapitel mit funktionellen Gruppen am En-in-System sollen diese Lücke auffüllen. Die bei der Umwandlung der En-ine zitierte außergewöhnlich umfangreiche Literatur weist auf die Bedeutung dieser Stoffklasse zum Aufbau anderer Systeme hin.

Wir sind sehr dankbar, für die Bearbeitung der Kapitel dieses Bandes wiederum ausgezeichnete Sachkenner gefunden zu haben. Neben den im Text genannten Autoren standen sozusagen „Paten" für das Polyenkapitel Herr Prof. Dr. H. POMMER, Badische Anilin- & Sodafabrik AG, Ludwigshafen/Rhein, für das Cyclooctatetraen-Kapitel Herr Prof. Dr. SCHRÖDER, TU Karlsruhe und für das Annulen-Kapitel Herr Prof. Dr. SONDHEIMER, University College, London. Den ersten Entwurf für das Cycloheptatrien-Kapitel hat uns vor vielen Jahren Herr Dr. ERNST HARTWIG, damals Badische Anilin- & Sodafabrik AG, Ludwigshafen/Rhein, gegeben. Allen diesen „stillen" Helfern sei unser herzlicher Dank gesagt. Wir danken ferner den Direktionen der Badischen Anilin- & Sodafabrik AG, Ludwigshafen/Rhein, der Farbwerke Hoechst AG, Frankfurt/Main sowie der Agfa-Gevaert AG, Leverkusen, für die großzügige Förderung dieses Werkes. Wie immer hat uns auch diesmal Frau Dr. HANNA SÖLL, Leverkusen, dankenswerterweise unterstützt. Für die Bearbeitung des Sachregisters danken wir Frau Dr. ILSE MÜLLER-RODLOFF, Tübingen.

Schließlich danken wir dem Georg Thieme Verlag, insbesondere den Herren Dr. med. h. c. GÜNTHER HAUFF und Dr. ALBRECHT GREUNER für die stets und wirksam gewährte Unterstützung.

OTTO BAYER
EUGEN MÜLLER
KARL ZIEGLER

Tübingen, 20. Dezember 1971

Offenkettige und Cyclische Polyene; En-ine

Offenkettige Polyene 1
Bearbeitet von K. Reppe

Cyanine (Polymethine) 227
Bearbeitet von L. Berlin u. O. Riester

Cycloheptatriene 301
Bearbeitet von H. Kessler

Achtgliedrige Ringsysteme mit Polyenstruktur 417
Bearbeitet von H. Röttele

Höhere cyclisch-konjugierte Polyene und Poly-en-ine mit mehr als acht Kohlenstoffatomen 527
Bearbeitet von P. J. Garratt u. K. Grohmann

Konjugierte En-ine 609
Bearbeitet von W. K. Franke u. H. Neunhoeffer

Autorenregister 697

Sachregister 736

Zeitschriftenliste

A.	LIEBIGS Annalen der Chemie, Weinheim/Bergstr.
Abh. Kenntnis Kohle	Gesammelte Abhandlungen zur Kenntnis der Kohle (bis 1937), Berlin
Abstr. Kagaku-Kenkyū-Jo Hōkoku	Abstracts from Kagaku-Kenkyū-Jo Hokoku (Reports of the Scientific Research Institute, seit 1950), Tokyo
A. ch.	Annales de Chimie, Paris
Acta Acad Åbo	Acta Academiae Aboensis, Finnland Turku
Acta. chem. scand.	Acta Chemica Scandinavica, Copenhagen (Dänemark)
Acta chim. Acad. Sci. hung.	Acta Chimica Academiae Scientiarum Hungaricae, Budapest
Acta Chim. Sinica	Acta Chimica (Ha Hsüeh Hsüeh Pao; seit 1957), Peking
Acta crystallogr.	Acta Crystallographica [Copenhagen] (bis 1951): [London]
Acta latviens. Chem.	Acta Universitatis Latviensis, Chemiecorum Ordinis Series. Riga
Acta pharmac. int. [Copenhagen]	Acta Pharmaceutica Internationalia [Copenhagen]
Acta pharmacol. toxicol.	Acta Pharmacologica et Toxicologica. Kopenhagen
Acta physicoch. URSS	Acta Physicochimica URSS, Moskau
Acta physiol. scand.	Acta Physiologica Scandinavica, Stockholm
Acta phytoch.	Acta Phytochimica. Tokyo
Acta polon. pharmac.	Acta Poloniae Pharmaceutica (bis 1939 und seit 1947), Warschau
Adv. Carbohydrate Chem.	Advances in Carbohydrate Chemistry, New York
Adv. Enzymol.	Advances in Enzymology and Related Subjects of Biochemistry, New York
Adv. Fluorine Chem.	Advances in Fluorine Chemistry, London
Adv. Free Radical Chem.	Advances in Free Radical Chemistry, London
Adv. Heterocyclic Chem.	Advances in Heterocyclic Chemistry, New York
Adv. Org. Chem.	Advances in Organic Chemistry: Methods and Results, New York, London
Adv. Organometallic Chem.	Advances in Organometallic Chemistry, New York
Adv. Photochem.	Advances in Photochemistry, New York, London
Adv. Protein Chem.	Advances in Protein Chemistry, New York
Adv. Ser.	Advances in Chemistry Series, Washington
Afinidad	Afinidad [Barcelona]
Agr. Chem.	Agricultural Chemicals, Baltimore
Am.	American Chemical Journal, Washington
A. M. A. Arch. Ind. Health	A. M. A. Archives of Industrial Health (seit 1955), Chicago
Am. Dyest. Rep.	American Dyestuff Reporter, New York
Amer. ind. Hyg. Assoc. Quart.	American Industrial Hygiene Association Quarterly, Chicago
Amer. J. Physics	American Journal of Physics, New York
Amer. Petroleum Inst. Quart.	American Petroleum Institute Quarterly, New York
Amer. Soc. Testing Mater.	American Society for Testing Materials, Philadelphia, Pa.
Am. Inst. Chem. Engrs.	American Institute od Chemical Engineers, New York
Am. J. Pharm.	American Journal of Pharmacy (bis 1936), Philadelphia, Pa.
Am. J. Physiol.	American Journal of Physiology, Washington
Am. J. Sci.	American Journal of Science, New Haven, Conn.
Am. Perfumer	Americ. Perfumer and Essential Oil Reviews (1936–1939: American Perfumer, Cosmetics, Toilet Preparations), New York
Am. Soc.	Journal of the American Chemical Society, Washington
Anal. Chem.	Analytical Chemistry (seit 1947), Washington
Anal. chim. Acta	Analytica Chimica Acta, Amsterdam
Analyst	The Analyst, Cambridge
An. Asoc. quím. arg.	Anales de la Asociación Química Argentina, Buenos Aires
An. Farm. Bioquím, Buenos Aires	Anales de Farmacia y Bioquímica. Buenos Aires

Ang. Ch.	Angewandte Chemie (bis 1931: Zeitschrift für angewandte Chemie), Weinheim/Bergst.
Anilinfarben-Ind.	Анилинокрасочная Промышленность (Anilinfarben-Industrie), Moskau
Ann. Acad. Sci. fenn.	Annales Academiae Scientiarum Fennicae, Helsinki
Ann. Chim. anal.	Annales de Chimie Analytique (1942–1946), Paris
Ann. Chim. anal. appl.	Annales de Chimie Analytique et de Chimie Appliquée (bis 1941), Paris
Ann. Chim. applic.	Annali di Chimica Applicata (bis 1950), Rom
Ann. chim. et phys.	Annales de chimie et de physique (bis 1914), Paris
Ann. Chimica	Annali di Chimica (seit 1950), Rom
Ann. chim. farm.	Annali di chimica farmaceutica (1938–1940), Rom
Ann. Fermentat.	Annales des Fermentations, Paris
Ann. Inst. Pasteur	Annales de l'Institut Pasteur, Paris
Ann. N.Y. Acad. Sci.	Annals of the New York Academy of Sciences, New York
Ann. pharm. Franç.	Annales Pharmaceutiques Françaises (seit 1943), Paris
Ann. Physik	Annalen der Physik (bis 1943 und seit 1947), Leipzig
Ann. Physique	Annales de Physique, Paris
Ann. Rep. Progr. Chem.	Annual Reports on the Progress of Chemistry, London
Ann. Rev. Biochem.	Annual Review of Biochemistry, Stanford, Calif.
Ann. Rev. phys. Chem.	Annual Review of Physical Chemistry, Palo Alto, Calif.
Ann. Soc. scient. Bruxelles	Annales de la Société Scientifique de Bruxelles, Brüssel
Annu. Rep. Progr. Rubber Technol.	Annual Report on the Progress of Rubber Technology, London
Annu. Rep. Shionogi Res. Lab. [Osaka]	Annual Reports of Shionogi Research Laboratory [Osaka]
An. Soc. españ. [A] bzw. [B]	Anales de la Real Sociedad Española de Física y Química (1940–1947 Anales de Física y Química). Seit 1948 geteilt in: Serie A – Física. Serie B – Química, Madrid
An. Soc. cient. arg.	Anales de la Sociedad Científica Argentina, Santa Fé (Argentinien)
Appl. scient. Res.	Applied Scientific Research, Den Haag
Ar.	Archiv der Pharmazie (und Berichte der Deutschen Pharmazeutischen Gesellschaft), Weinheim/Bergstr.
Arch. Biochem.	Archives of Biochemistry and Biophysics (bis 1951: Archives of Biochemistry), New York
Arch. des Sci.	Archives des Sciences (seit 1948), Genf
Arch. Math. Naturvid.	Archiv for Mathematik og Naturvidenskab, Oslo
Arch. Mikrobiol.	Archiv für Mikrobiologie (bis 1943 und seit 1948), Berlin
Arch. Pharm. Chemi	Archiv for Pharmaci og Chemi. Kopenhagen
Arch. Sci. phys. nat.	Archives des Sciences Physiques et Naturelles. Genf (bis 1947)
Arch. techn. Messen	Archiv für Technisches Messen (bis 1943 und seit 1947), München
Arh. Kemiju	Arhiv za Kemiju, Zagreb (Archives de Chimie) (seit 1946)
Ark. Kemi	Arkiv för Kemi, Mineralogie och Geologi, seit 1949 Arkiv för Kemi (Stockholm)
Ar. Pth.	(NAUNYN-SCHMIEDEBERGS) Archiv für Experimentelle Pathologie und Pharmakologie, Berlin-W
Arzneimittel-Forsch.	Arzneimittel-Forschung, Aulendorf/Württ.
ASTM Bull.	ASTM (American Society for Testing Materials) Bulletin, Philadelphia
Atompraxis	Atompraxis, Internationale Monatsschrift, Karlsruhe
Atti Accad. naz. Lincei, Mem., Cl. Sci. fisiche, mat. natur., Sez. I, II bzw. III	Atti della Accademia Nazionale dei Lincei. Memorie. Classe di Scienze Fisiche, Matematiche e Naturali. Sezione I (Matematica, Meccanica, Astronomia, Geodesia e Geofisica). Sezione II (Fisica, Chimica, Geologia, Palaeontologia e Mineralogia). Sezione III (Scienze Biologiche) (seit 1946), Turin
Atti Accad. naz. Lincei, Rend., Cl. Sci. fisiche, mat. natur	Atti della Accademia Nazionale dei Lincei. Rendiconti. Classe di Scienze Fisiche, Matematiche e Naturali (seit 1946), Rom
Austral. J. Chem.	Australian Journal of Chemistry (seit 1952), Melbourne
Austral. J. Sci.	Australian Journal of Science, Sydney

Austral. J. scient. Res., [A] bzw. [B]	Australian Journal of Scientific Research. Series A. Physical Sciences. Series B. Biological Sciences, Melbourne
Austral. P.	Australisches Patent, Canberra
B.	Berichte der Deutschen Chemischen Gesellschaft; seit 1947 Chemische Berichte, Weinheim/Bergstr.
Belg. P.	Belgisches Patent, Brüssel
Ber. chem. Ges. Belgrad	Berichte der Chemischen Gesellschaft Belgrad (Glassnik Chemisskog Druschtwa Beograd, seit 1940), Belgrad
Biochem. Biophys. Research Commun.	Biochemical and Biophysical Research Communications, New York
Biochem. J.	Biochemical Journal, Kiew (Ukraine)
Biochem. Prepar.	Biochemical Preparations, New York
Biochem. biophys. Acta	Biochimica et biophysica Acta, Amsterdam
Biochimiya	Биохимия (Biochimia), Moskau, Leningrad
BIOS Final Rep.	British Intellegence Objectives Subcommittee. Final Report, London
Bio. Z.	Biochemische Zeitschrift (bis 1944 und seit 1947), Berlin
Bitumen, Teere, Asphalte, Peche	Bitumen, Teere, Asphalte, Peche und verwandte Stoffe, Heidelberg
Bl.	Bulletin de la Société Chimique de France, Paris
Bl. Acad. Belgique	Académie Royale de Belgique: Bulletins de la Classe des Sciences, Brüssel
Bl. Acad. polon.	Bulletin International de l'Académie Polonaise des Sciences et des Lettres, Classe des Sciences Mathématiques et Naturelles, Krakau
Bl. agric. chem. Soc. Japan	Bulletin of the Agricultural Chemical Society of Japan, Tokio
Bl. am. phys. Soc.	Bulletin of the American Physical Society, Lancaster, Pa.
Bl. chem. Soc. Japan	Bulletin of the Chemical Society of Japan, Tokio
Bl. Soc. chim. Belg.	Bulletin de la Société Chimique de Belgique (bis 1944), Brüssel
Bl. Soc. Chim. biol.	Bulletin de la Société de Chimie Biologique, Paris
Bl. Soc. Chim. ind.	Bulletin de la Société de Chimie Industrielle (bis 1934), Paris
Bol. inst. quím univ. nal. auton. Mé.	Boletin del instituto de química de la universidad nacional autonoma de México, Mexiko
Boll. chim. farm.	Bolletino chimico farmaceutico, Mailand
Bol. Soc. quím. Perú	Boletin de la Sociedad Química del Perú, Lima (Peru)
Botyu Kagaku	Bulletin of the Institute of Insect Control (Kyoto), (Scientific Insect Control)
Brennstoffch.	Brennstoff-Chemie (bis 1943 und seit 1949), Essen
Brit. Chem. Eng.	British Chemical Engineering, London
Brit. J. appl. Physics.	British Journal of Applied Physics, London
Brit. P.	Britisches Patent, London
Brit. Plastics	British Plastics (seit 1945), London
Bul. inst. politeh. Jasi	Buletinul institutuluí politehnic din Jasi (ab 1955 mit Zusatz [NF]), Jasi
Bul. Laboratoarelor	Buletinul Laboratoarelor, Bukarest
Bull. Acad. Polon. Sci., Ser. Sci. Chim. Geol. Geograph. bzw. Ser. Sci. Chim.	Bulletin de l'Academie Polonaise des Sciences, Serie des Sciences, Chimiques, Geologiques et Géographiques (seit 1960 geteilt in ... Serie des Sciences Chimiques und ... Serie des Sciences Geologiques et Geographiques), Warschau
Bull. Inst. Chem. Research, Kyoto Univ.	Bulletin of the Institute for Chemical Research, Kyoto University (Kyoto Daigaku Kagaku Kenkyûsho Hôkoku), Takatsoki, Osaka
Bull. Research Council Israel	Bulletin of the Research Council of Israel, Jerusalem
Bull. Research Inst. Food Sci., Kyoto Univ.	Bulletin of the Research Institute for Food Science, Kyoto University (Kyoto Daigaku Shokuryô-Kagaku Kenkyujo Hôkoku), Fukuoka, Japan
Bull. Soc. chim. belges	Bulletin des Sociétés Chimiques Belges (seit 1945), Brüssel
Bull. Soc. Chim. biol.	Bulletin de la Société de Chimie Biologique, Paris
Bull. Soc. roy, Sci. Liège	Bulletin de la Société Royale des Sciences de Liège, Brüssel

C.	Chemisches Zentralblatt, Weinheim/Bergstr.
C. A.	Chemical Abstracts, Washington
Canad. chem. Processing	Canadian Chemical Processing, Toronto, Canada
Canad. J. Chem.	Canadian Journal of Chemistry, Ottawa, Canada
Canad. J. Physics	Canadian Journal of Physics, Ottawa, Canada
Canad. J. Res.	Canadian Journal of Research (bis 1950), Ottawa
Canad. J. Technol.	Canadian Journal of Technology, Ottawa
Canad. P.	Canadisches Patent
Cereal Chem.	Cereal Chemistry, St. Paul, Minnesota
Ch. Apparatur	Chemische Apparatur (bis 1943), Berlin
Chem. Age India	Chemical Age of India
Chem. Age London	Chemical Age, London
Chem. Age N. Y.	Chemical Age, New York
Chem. Anal.	Organ Komisjii Analitycznej Komitetu Nauk Chemicznych PAN, Warschau
Chem. & Ind.	Chemistry & Industry, London
Chem. Commun.	Chemical Communications, London
Chem. Eng.	Chemical Engineering with Chemical and Metallurgical Engineering (seit 1946), New York
Chem. eng. News	Chemical and Engineering News (seit 1943), Washington
Chem. Eng. Progr.	Chemical Engineering Progress, Philadelphia, Pa.
Chem. Eng. Progr., Monograph Ser.	Chemical Engineering Progress. Monograph Series, New York
Chem. Eng. Progr., Symposium Ser.	Chemical Engineering Progress. Symposium Series, New York
Chem. eng. Sci.	Chemical Engineering Science, London
Chem. High Polymers (Tokyo)	Chemistry of High Polymers (Tokyo) (Kobunshi Kagaku), Tokio
Chemical Ind. (China]	Chemical Industry [China], Peking
Chemie-Ing.-Techn.	Chemie-Ingenieur-Technik (seit 1949), Weinheim/Bergstr.
Chemie Lab. Betr.	Chemie für Labor und Betrieb, Frankfurt
Chem. Industrie	Chemische Industrie, Düsseldorf
Chem. Industries	Chemical Industries, New York
Chemist-Analyst	Chemist-Analyst, Philipsburg, New York Jersey
Chem. Listy	Chemické Listy pro Vědu a Průmysl. Prag (Chemische Blätter für Wissenschaft und Industrie); seit 1951 Chemické Listy, Prag
Chem. met. Eng.	Chemical and Metallurgical Engineering (bis 1946), New York
Chem. N.	Chemical News and Journal of Industrial Science (1921–1932), London
Chem. pharmac. Techniek	Chemische en Pharmaceutische Techniek, Dordrecht
Chem. Pharm. Bull (Tokyo)	Chemical & Pharmaceutical Bulletin (Tokyo)
Chem. Process Engng.	Chemical and Process Engineering, London
Chem. Processing	Chemical Processing, London
Chem. Products chem. News	Chemical Products and the Chemical News, London
Chem. Průmysl	Chemický Průmysl, Prag (Chemische Industrie, seit 1951), Prag
Chem. Rdsch. [Solothurn]	Chemische Rundschau [Solothurn]
Chem. Reviews	Chemical Reviews, Baltimore
Chem. Techn.	Chemische Technik, Berlin
Chem. Trade J.	Chemical Trade Journal and Chemical Engineer, London
Chem. Week	Chemical Week, New York
Chem. Weekb.	Chemisch Weekblad, Amsterdam
Chem. Zvesti	Chemické Zvesti (tschech.). Chemische Nachrichten, Bratislawa
Chim. anal.	Chimie analytique (seit 1947), Paris
Chim. Chronika	Chimika Chronika, Athen
Chim. et Ind.	Chimie et Industrie, Paris
Chim. geterocikl. Soed.	Химия гетероциклических соединений (Die Chemie der heterocyclischen Verbindungen)
Chimia	Chimia, Zürich
Chimicae Ind.	Chimica e L'Industria, Mailand (seit 1935)
Ch. Z.	Chemiker-Zeitung, Heidelberg

Collect. czech. chem. Commun.	Collection of Czechoslovak Chemical Communications (seit 1951), Prag
Collect. Pap. Fac. Sci., Osaka Univ. [C]	Collect Papers from the Faculty of Science, Osaka University, Osaka, Series C, Chemistry (seit 1943)
Collect. pharmac. suecica	Collectanea Pharmaceutica Suecica, Stockholm
Collect. Trav. chim. Tchécosl.	Collection des Travaux Chimiques de Tchécoslovaquie (bis 1939 und 1947–1951; 1939: ... Tschèques), Prag
Colloid Chem.	Colloid Chemistry, New York
C. r. Acad. Bulg. Sci.	Доклады Болгарской Академии Наук (Comptes rendus de l'académie bulgare des sciences), Sofia
C. r.	Comptes Rendus Hebdomadaires des Séances de l'Académie des Sciences, Paris
Croat. Chem. Acta	Croatica Chemica Acta, Zagreb
Curr. Sci.	Current Science, Bangalore
Dän. P., Kopenhagen	Dänisches Patent
Dansk Tidsskr. Farm.	Dansk Tidsskrift for Farmaci, Kopenhagen
DAS.	Deutsche Auslegeschrift = noch nicht erteiltes DBP. (seit 1. 1. 1947). Die Nummer der DAS. und des später darauf erteilten DBP. sind identisch
DBP.	Deutsches Bundespatent (München, nach 1945, ab Nr. 800000)
DDRP., Ostberlin	Patent der Deutschen Demokratischen Republik (vom Ostberliner Patentamt erteilt)
Dechema Monogr.	Dechema Monographien, Weinheim/Bergstr.
Die Nahrung	Die Nahrung (Chemie, Physiologie, Technologie), Berlin
Discuss. Faraday Soc.	Discussions of the Faraday Society, London
Dissertation Abstr.	Dissertation Abstracts, Ann Arbor (Michigan)
Doklady Akad. SSSR	Доклады Академии Наук СССР (Comptes Rendus de l'Académie des Sciences de l'URSS), Moskau
DRP., Berlin	Deutsches Reichspatent (bis 1945)
Drug Cosmet. Ind.	Drug and Cosmetic Industry, New York
Dtsch. Apoth. Ztg.	Deutsche Apotheker-Zeitung (1934–1945), seit 1950: vereinigt mit Süddeutsche Apotheker-Zeitung, Stuttgart
Dtsch. Farben-Z.	Deutsche Farben-Zeitschrift (seit 1951), Stuttgart
Dtsch. Lebensmittel-Rdsch.	Deutsche Lebensmittel-Rundschau, Stuttgart
Dyer Textile Printer	Dyer, Textile Printer, Bleacher and Finisher (seit 1934; bis 1934: Dyer and Calico Printer, Bleacher, Finisher and Textile Review), London
Endeavour	Endeavour, London
Enzymol.	Enzymologia [Holland] Den Haag
Erdöl Kohle	Erdöl und Kohle (seit 1948), Hamburg
Ergebn. Enzymf.	Ergebnisse der Enzymforschung, Leipzig
Ergebn. exakt. Naturwiss.	Ergebnisse der exakten Naturwissenschaften, Berlin
Ergebn. Physiol.	Ergebnisse der Physiologie, Biologischen Chemie und Experimentellen Pharmakologie, Berlin
Europ. J. Biochem.	European Journal of Biochemistry, Berlin, New York
Experientia	Experientia [Basel]
Farbe Lack	Farbe und Lack (bis 1943 und seit 1947), Hannover
Farmac. Glasnik	Farmaceutski Glasnik, Zagreb (Pharmazeutische Berichte)
Farmaco (Pavia), Ed. sci.	Il Farmaco (Pavia), Edizione scientifica
Farmac. Revy	Farmacevtisk Revy, Stockholm
Farm. sci. tec. (Pavia)	Il Farmaco, scienza e tecnica (bis 1952), Pavia
Faserforsch. u. Textiltechn.	Faserforschung und Textiltechnik, Berlin
Federation Proc.	Federation Proceedings, Washington, D. C.
Fette, Seifen, Anstrichmittel	Fette, Seifen, Anstrichmittel (verbunden mit „Die Ernährungsindustrie") (früher häufige Änderung des Titels), Hamburg
FIAT Final Rep.	Field Information Agency, Technical, United States Group Control Council for Germany. Final Report

Finn. P.	Finnisches Patent
Finska Kemistsamf. Medd.	Finska Kemistsamfundets Meddelanden (Suomen Kemistiseuran Tiedonantoja), Helsingfors
Food	Food, London
Food Engng.	Food Engineering (seit 1951), New York
Food Manuf.	Food Manufacture (seit 1939 Food Manufacture, Incorporating Food Industries Weekly), London
Food Packer	Food Packer (seit 1944), Chicago
Food Res.	Food Research, Champaign, Ill.
Formosan Sci.	Formosan Science, Taipeh
Fortschr. chem. Forsch.	Fortschritte der Chemischen Forschung, New York, Berlin
Fortschr. Ch. org. Naturst.	Fortschritte der Chemie Organischer Naturstoffe, Wien
Fortschr. Hochpolymeren-Forsch.	Fortschritte der Hochpolymeren-Forschung, Berlin
Fr. P.	Französisches Patent
Fr.	Zeitschrift für Analytische Chemie (von C. R. FRESENIUS), Berlin
Frdl.	Fortschritte der Teerfarbenfabrikation und verwandter Industriezweige. Begonnen von P. FRIEDLÄNDER, fortgeführt von H. E. FIERZ-DAVID, Berlin
Fuel	Fuel in Science and Practice; ab 1948: Fuel, London
G.	Gazzetta Chimica Italiana, Rom
Génie chim.	Génie chimique, Paris
Helv.	Helvetica Chimica Acta, Basel
Helv. phys. Acta	Helvetica Physica Acta, Basel
Helv. physiol. pharmacol. Acta	Helvetica Physiologica et Pharmacologica Acta, Basel
Holl. P.	Holländisches Patent
Hoppe-Seyler	HOPPE-SEYLERS Zeitschrift für Physiologische Chemie, Berlin
Hung. P.	Ungarisches Patent
Ind. Chemist	Industrial Chemist and Chemical Manufacturer, London
Ind. chim. belge	Industrie Chimique Belge, Brüssel
Ind. chimique	L'Industrie Chimique, Paris
Ind. Corps gras	Industries des Corps Gras, Paris
Ind. eng. Chem.	Industrial and Engineering Chemistry. Industrial Edition, seit 1948 Industrial and Engineering Chemistry, Washington
Ind. eng. Chem. Anal.	Industrial and Engineering Chemistry. Analytical Edition (bis 1946), Washington
Ind. eng. Chem. News	Industrial and Engineering Chemistry. News Edition (bis 1939), Washington
Indian Forest Rec., Chem.	Indian Forest Records. Chemistry, Dehli
Indian J. Appl. Chem.	Indian Journal of Applied Chemistry (seit 1958), Calcutta
Indian J. Chem.	Indian Journal of Chemistry
Indian J. Physics	Indian Journal of Physics and Proceedings of the Indian Association for the Cultivation of Science, Calcutta
Ind. P.	Indisches Patent
Ind. Plast. mod.	Industrie des Plastiques Modernes (seit 1949; bis 1848: Industrie des Plastiques), Paris
Inorg. Chem.	Inorganic Chemistry
Inorg. Synth.	Inorganic Syntheses, New York
Interchem. Rev.	Interchemical Review, New York
Intern. J. Appl. Radiation Isotopes	International Journal of Applied Radiation and Isotopes, New York
Int. Sugar J.	International Sugar Journal, London
Ion	Ion [Madrid]
Iowa Coll. J.	Iowa State College Journal of Science, Ames, Iowa
Israel J. Chem.	Israel Journal of Chemistry, Tel Aviv
Ital. P.	Italienisches Patent

Izv. Akad. SSR	Известия Академии Наук Армянской ССР, Химические Науки (Bulletin of the Academy of Science of the Amenian SSR), Erevan
Izv. Akad. SSSR	Известия Академии Наук СССР, Серия Химическая (Bulletin de l'Académie des Sciences de l'URSS, Classe des Sciences Chimiques, Moskau, Leningrad
Izv. Sibirsk. Otd. Akad. Nauk SSSR	Известия Сибирского Отделения Академии Наук СССР, Серия химических Наук (Bulletin of the Sibirian Branch of the Academy of Sciences of the USSR), Nowosibirsk
Izv. Vyss. Uch. Zav., Chim. i chim. Techn.	Известия высших Учебных заведений [Иваново], Химия и химическая технология (Bulletin of the Institution of Higher Education, Chemistry and Chemical Technology), Swerdlowsk
J. Agr. Food Chem.	Journal of Agricultural and Food Chemistry, Washington
J. agric. chem. Soc. Japan	Journal of the Agricultural Chemical Society of Japan. Abstracts (seit 1935) (Nippon Nogeikagaku Kaishi), Tokio
J. agric. Sci.	Journal of Agricultural Science, Cambridge
J. Am. Leather Chemist's Assoc.	Journal of the American Leather Chemist's Association, Cincinnati (Ohio)
J. Am. Oil Chemist's Soc.	Journal of the American Oil Chemist's Society, Chicago
J. Am. Pharm. Assoc.	Journal of the American Pharmaceutical Association, seit 1940 Practical Edition und Scientific Edition; Practical Edition seit 1961 J. Am. Pharm. Assoc.; Scientific Edition seit 1961 J. Pharm. Sci., Easton (Pa.)
J. Antibiotics (Japan)	Journal of Antibiotics (Japan), Tokio
Japan Analyst	Japan Analyst (Bunseki Kagaku)
Jap. A. S.	Japanische Patent-Auslegeschrift
Jap. P.	Japanisches Patent
J. appl. Chem.	Journal of Applied Chemistry, London
J. appl. Physics	Journal of Applied Physics, New York
J. Appl. Polymer Sci.	Journal of Applied Polymer Science, New York
J. Assoc. Agric. Chemists	Journal of the Association of Official Agricultural Chemists, Washington
J. Biochem. [Tokyo]	Journal of Biochemistry, Japan, Tokio
J. Biol. Chem.	Journal of Biological Chemistry, Baltimore
J. Catalysis	Journal of Catalysis, London, New York
J. cellular compar. Physiol.	Journal of Cellular and Comparative Physiology, Philadelphia, Pa.
J. Chem. Educ.	Journal of Chemical Education, Easton, Pa.
J. chem. Eng. China	Journal of Chemical Engineering, China, Omei/Szechuan
J. Chem. Eng. Data	Journal of Chemical and Engineering Data, Washington
J. Chem. Physics	Journal of Chemical Physics, New York
J. chem. Soc. Japan	Journal of the Chemical Society of Japan (bis 1948; Nippon Kwagaku Kwaishi), Tokio
J. chem. Soc. Japan, ind. Chem. Sect.	Journal of the Chemical Society of Japan, Industrial Chemistry Section (seit 1948; Kōgyō Kagaku Zasshi), Tokio
J. chem. Soc. Japan, pure Chem. Sect.	Journal of the Chemical Society of Japan, Pure Chemistry Section (seit 1948; Nippon Kagaku Zasshi) Tokio
J. Chem. U.A.R.	Journal of Chemistry of the U.A.R., Kairo
J. Chim. physique Physico-Chim. biol.	Journal de Chimie Physique et de Physico-Chimie Biologique (seit 1939), Paris
J. chin. chem. Soc.	Journal of the Chinese Chemical Society, Peking
J. Chromatog.	Journal of Chromatograph, Amsterdam
J. Colloid Sci.	Journal of Colloid Science, New York
J. electroch. Assoc. Japan	Journal of the Electrochemical Association of Japan (Denkikwagaku Kyookwai-shi), Tokio
J. Electrochem. Soc.	Journal of the Electrochemical Society (seit 1948), New York
J. Fac. Sci. Univ. Tokyo	Journal of the Faculty of Science, Imperial University of Tokyo, Tokio
J. Heterocyclic Chem.	Journal of Heterocyclic Chemistry, New Mexico
J. Imp. Coll. Chem. Eng. Soc.	Journal of the Imperial College, Chemical Engineering Society

J. Ind. Hyg.	Journal of Industrial Hygiene and Toxicology (1936 bis 1949), Baltimore
J. indian chem. Soc.	Journal of the Indian Chemical Society (seit 1928), Calcutta
J. indian. chem. Soc. News	Journal of the Indian Chemical Society; Industrial and News Edition (1940–1947), Calcutta
J. indian Inst. Sci.	Journal of the Indian Institute of Science, bis 1951 Section A und Section B, Bangalore
J. Inorg. & Nuclear Chem.	Journal of Inorganic & Nuclear Chemistry, Oxford
J. Inst. Petr.	Journal of the Institute of Petroleum, London
J. Inst. Polytech. Osaka City Univ.	Journal of the Institue of Polytechnics, Osaka City University
J. Med. Chem.	Journal of Medicinal Chemistry, New York
J. Med. Pharm. Chem.	Journal of Medicinal and Pharmaceutical Chemistry, New York
J. Mol. Spektry	Journal of Molecular Spektroskopy, New York
J. New Zealand Inst. Chem.	Journal of the New Zealand Institute of Chemistry, Wellington
J. Nippon Oil Technologists Soc.	Journal of the Nippon Oil Technologists Society (Nippon Yushi Gijitsu Kyo Laishi), Tokio
J. Oil Colour Chemist's Assoc.	Journal of the Oil and Colour Chemists' Association, London
J. Org. Chem.	Journal of Organic Chemistry, Baltimore
J. Organometal. Chem.	Journal of Organometallic Chemistry, Amsterdam
J. Petr. Technol.	Journal of Petroleum Technology (seit 1949), New York
J. Pharmacol. exp. Therap.	Journal of Pharmacology and Experimental Therapeutics, Baltimore
J. Pharm. Belg.	Journal de Pharmacie de Belgique, Brüssel
J. Pharm. Pharmacol.	Journal of Pharmacy ans Pharmacology, London
J. Pharm. Sci.	Journal of Pharmaceutical Sciences (Washington)
J. pharm. Soc. Japan	Journal of the Pharmaceutical Society of Japan (Yakugakuzasshi), Tokio
J. phys. Chem.	Journal of Physical Chemistry. Baltimore
J. phys. Soc. Japan	Journal of the Physical Society of Japan, Tokio
J. Polymer Sci.	Journal of Polymer Science, New York
J. pr.	Journal für Praktische Chemie, Leipzig
J. Pr. Inst. Chemists India	Journal and Proceedings of the Institution of Chemists, India, Calcutta
J. Pr. Soc. N. S. Wales	Journal and Proceedings of the Royal Society of New South Wales, Sidney
J. Rech. Centre nat. Rech. sci.	Journal des Recherches du Centre National de la Recherche Scientifique, Paris
J. Res. Bur. Stand.	Journal of Research of the National Bureau of Standards, Washington
J. S. African Chem. Inst.	Journal of the South African Chemical Institute, Johannesburg
J. Scient. Instruments	Journal of Scientific Instruments (bis 1947 und seit 1950), London
J. scient. Res. Inst. Tokyo	Journal of the Scientific Research Institute, Tokyo
J. Sci. Food Agric.	Journal of the Science of Food and Agriculture, London
J. sci. Ind. Research (India)	Journal of Scientific and Industrial Research (India), New Delhi
J. Soc. chem. Ind.	Journal of the Society of Chemical Industry (bis 1922 und seit 1947), London
J. Soc. chem. Ind., Chem. and Ind.	Journal of the Society of Chemical Industry. Chemistry and Industry (1923–1936), London
J. Soc. chem. Ind. Japan Spl.	Journal of the Society of Chemical Industry, Japan. Supplemental Binding (Kōgyō Kwagaku Zasshi, bis 1943) Tokio
J. Soc. Cosmetics Chemists	Journal of the Society of Cormetic Chemists, London
J. Soc. Dyers Col.	Journal of the Society of Dyers and Colourists, Bradford/Yorkshire
J. Soc. LeatherTrades'Chemists	Journal of the Society of Leather Trades' Chemists, Croydon/Surrey, England
J. Soc. West. Australia	Journal of the Royal Society of Western Australia, Perth
J. Taiwan Pharm. Assoc.	Journal of the Taiwan Pharmaceutical Association, Taiwan
J. Univ. Bombay	Journal of the University of Bombay, Bombay

J. Vitaminol.	Journal of Vitaminology [Kyoto]
J. Washington Acad.	Journal of the Washington Academy of Sciences, Washington
Kautschuk u. Gummi	Kautschuk und Gummi, Berlin (Zusatz WT für den Teil: Wissenschaft und Technik)
Kgl. norske Vidensk. Selsk., Skr.	Kgl. Norske Videnskabers Selskab. Skrifter
Khim. Nauka i Prom.	Химическая Наука и Промышленность (Chemical Science and Industry)
Kinetika i Kataliz	Кинетика и Катализ (Kinetik und Katalyse), Moskau
Koll. Beih.	Kolloid-Beihefte (Ergänzungshefte zur Kolloid-Zeitschrift, 1931–1943), Dresden, Leipzig
Kolloidchem. Beih.	Kolloidchemische Beihefte (bis 1931), Dresden u. Leipzig
Kolloid-Z.	Kolloid-Zeitschrift, seit 1943 vereinigt mit Kolloid-Beiheften
Koll. Žurnal	Коллоидный Журнал (Colloid-Journal), Moskau
Kungl. svenska Vetenskaps-akad. Handl.	Kungliga Svenska Vetenskasakademiens Handlingar, Stockholm
Labor. Delo	Лабораторное Дело (Laboratoriumswesen), Moskau
Lab. Practice	Laboratory Practice
Lack- u. Farben-Chem.	Lack- und Farben-Chemie [Däniken]/Schweiz
Lancet	Lancet, London
M.	Monatshefte für Chemie (Wien)
Magyar chem. Folyóirat	Magyar Chemiai Folyóirat, seit 1949: Magyar Kemiai Folyóirat (Ungarische Zeitschrift für Chemie), Budapest
Magyar kem. Lapja	Magyar kemikusok Lapja (Zeitschrift des Vereins Ungarischer Chemiker), Budapest
Makromol. Ch.	Makromolekulare Chemie, Heidelberg
Manuf. Chemist	Manufacturing Chemist and Pharmaceutical and Fine Chemical Trade Journal, London
Materie plast.	Materi Plastiche, Milano
Mat. grasses	Les Matières Grasses. – Le Pétrole et es Dérivés, Paris
Med. Ch. I. G.	Medizin und Chemie. Abhandlungen aus den Medizinisch-chemischen Forschungsstätten der I. G. Farbenindustrie AG (bis 1942), Leverkusen
Meded. vlaamse chem. Veren.	Mededelingen van de Vlaamse Chemische Vereniging, Antwerpen
Mém. Acad. Inst. France	Mémoires de l'Académie des Sciences de l'Institut de France, Paris
Mem. Coll. Sci. Kyoto	Memoirs of the College of Science, Kyoto Imperial University, Tokio
Mem. Inst. Sci. and Ind. Research, Osaka Univ.	Memoirs of the Institute of Scientific and Industrial Research, Osaka University, Osaka
Mém. Poudres	Mémoirial des Poudres (bis 1939 und seit 1948), Paris
Mém. Services chim.	Mémoirial des Services Chimiques de l'État, Paris
Mercks Jber.	E. Mercks Jahresbericht über Neuerungen auf den Gebieten der Pharmakotherapie und Pharmazie, Weinheim
Microchem. J.	Microchemical Journal, New York
Microfilm Abst.	Microfilm Abstrats, Ann Arbor (Michigan)
Mikrochem. verein. Mikrochim. Acta	Mikrochemie vereinigt mit Mikrochimica Acta (seit 1938), Wien
Mod. Plastics	Modern Plastics (seit 1934), New York
Mol. Phys.	Molecular Physics, London
Nat. Bur. Standards (U.S.), Ann. Rept. Circ.	National Bureau of Standards (U.S.), Annual Report, Circular, Washington
Nat. Bur. Standards (U.S.), Tech. News Bull.	National Bureau of Standards (U.S.), Technical News Bulletin, Washington
Nation. Petr. News	National Petroleum News, Cleveland/Ohio
Natl. Nuclear Energy Ser., Div. I–IX	National Nuclear Energy Series, Division I–IX, New York

Nature	Nature, London
Naturf. Med. Dtschl. 1939–1946	Naturforschung und Medizin in Deutschland 1939–1946 (für Deutschland bestimmte Ausgabe des FIAT Review of German Science), Wiesbaden
Naturwiss.	Naturwissenschaften, Berlin, Göttingen
Natuurw. Tijdschr.	Natuurwetenschappelijk Tijdschrift, Vennoofschap
Neftechimiya	Нефтехимия (Petroleum Chemistry)
Niederl. P.	Niederländisches Patent
Nitrocell.	Nitrocellulose (bis 1943 und sei 1952), Berlin
Norske Vid. Selsk. Forh.	Kongelige Norske Videnskabers Selskab. Forhandlinger, Trondheim
Norw. P.	Norwegisches Patent
Nuclear Sci. Abstr. Oak Ridge	U.S. Atomic Energy Commission, Nuclear Science Abstracts
Nuovo Cimento	Nuovo Cimento, Bologna
Öl Kohle	Öl und Kohle (bis 1934 und 1941–1945); in Gemeinschaft mit Brennstoff-Chemie von 1943–1945, Hamburg
Öst. Chemiker-Ztg.	Österreichische Chemiker-Zeitung (bis 1942 und seit 1947), Wien
Österr. P., Wien	Österreichisches Patent
Offic. Gaz., U.S. Pat. Office	Official Gyzette, United States Patent Office
Ohio J. Sci.	Ohio Journal of Science, Columbus/Ohio
Oil Gas J.	Oil and Gas Journal, Tulsa/Oklahoma
Org. Chem. Bull.	Organic Chemical Bulletin (Eastman Kodak), Rochester
Org. Reactions	Organic Reactions, New York
Org. Synth.	Organic Syntheses, New York
Org. Synth., Coll. Vol.	Organic Syntheses, Collective Volume, New York
Paint Manuf.	Paint incorporating Paint Manufacture (seit 1939), London
Paint Oil chem. Rev.	Paint, Oil and Chemical Review, Chicago
Paint, Oil Colour J.	Paint, Oil and Colour Journal (seit 1950), London
Paint Varnish Product.	Paint and Varnish Production (seit 1949; bis 1949: Paint and Varnish Production Manager), Washington
Paper Ind.	Paper Industry (1938–1949: . . . and Paper World), Chicago
P. C. H.	Pharmazeutische Zentralhalle für Deutschland, Dresden
Perfum. essent. Oil Rec.	Perfumery and Essential Oil Record, London
Periodica Polytechn.	Periodica Polytechnica, Budapest
Petr. Eng.	Petroleum Engineer Dallas/Texas
Petr. Processing	Petroleum Processing, New York
Petr. Refiner	Petroleum Refiner, Houston/Texas
Pharmacol. Rev.	Pharmacological Reviews, Baltimore
Pharm. Acta Helv.	Pharmaceutica Acta Helvetiae, Zürich
Pharmaz. Ztg. – Nachr.	Pharmazeutische Zeitung – Nachrichten, Hamburg
Pharm. Bull. (Tokyo)	Pharmaceutical Bulletin (Tokyo) (bis 1958)
Pharm. Ind.	Die Pharmazeutische Industrie, Berlin
Pharm. J.	Pharmaceutical Journal, London
Pharm. Weekb.	Pharmaceutisch Weekblad, Amsterdam
Phillips Res. Rep.	Philips Research Reports, Eindhoven/Holland
Phil. Trans.	Philosophical Transactions of the Royal Society of London
Photochem. and Photobiol.	Photochemistry and Photobiology, New York
Physica	Physica. Nederlandsch Tijdschrift voor Natuurkunde, Utrecht
Physik. Bl.	Physikalische Blätter, Mosbach/Baden
Phys. Rev.	Physical Review, New York
Phys. Z.	Physikalische Zeitschrift [Leipzig]
Plant Physiol.	Plant Physiology, Lancaster, Pa.
Plaste u. Kautschuk	Plaste und Kautschuk (seit 1957), Leipzig
Plasticheskie Massy	Пластические Массы (Soviet Plastics), Moskau
Plastics	Plastics [London]
Plastics Inst., Trans. and J.	The (London) Plastics Institute. Transactions and Journal
Plastics Technol.	Plastics Technology

Poln. P.	Polnisches Patent
Polytechn. Tijdschr. [A]	Polytechnisch Tijdschrift, Uitgave A (seit 1946), Haarlem
Pr. Acad. Tokyo	Proceedings of the Imperial Academy. Tokyo
Pr. Akad. Amsterdam	Proceedings, Koninklijke Nederlandsche Akademie van Wetenschappen (1938–1940 und seit 1943), Amsterdam
Pr. chem. Soc.	Proceedings of the Chemical Society, London
Pr. Indiana Acad.	Proceedings of the Indiana Academy of Science, Indianapolis/Indiana
Pr. indian Acad.	Proceedings of the Indian Academy of Sciences, Bangalore/Indien
Pr. Iowa Acad.	Proceedings of the Iowa Academy of Science, Des Moines/Iowa (USA)
Pr. irish Acad.	Proceedings of the Royal Irish Academy, Dublin
Pr. Nation. Acad. India	Proceedings of the National Academy of Sciences, India (seit 1936), Allahabad/Indien
Pr. Nation. Acad. USA	Proceedings of the National Academy of Sciences of the United States of America, Washington
Proc. Amer. Soc. Testing Mater.	Proceedings of the American Society für Testing Materials, Philadelphia, Pa.
Proc. Egypt. Acad. Sci.	Proceedings of the Egyptian Academy of Sciences Kairo
Proc. Japan Acad.	Proceedings of the Japan Academy (seit 1945), Tokio
Proc. Roy. Austral. chem. Inst.	Proceedings of the Royal Australian Chemical Institute, Melbourne
Produits pharmac.	Produits Pharmaceutiques, Paris
Progr. Physical. Org. Chem.	Progress in Physical Organic Chemistry, New York, London
Promyšl. org. Chim.	Промышленность Органической Химии (bis 1941: Журнал Химической Промышленности) (Industrie der Organischen Chemie, Organic Chemical Industry, bis 1940), Moskau
Pr. phys. Soc. London	Proceedings of the Physical Society. London
Pr. roy. Soc.	Proceedings of the Royal Society. London
Pr. roy. Soc. Edinburgh	Proceedings of the Royal Society of Edinburgh, Edinburgh
Przem. chem.	Przemýsl Chemiczny (Chemische Industrie), Warschau
Publ. Am. Assoc. Advan. Sci.	Publication of the American Association for the Advancement of Science, Washington
Pure Appl. Chem.	Pure and Applied Chemistry (The Official Journal of the International Union of Pure and Applied Chemistry), London
Quart. J. indian Inst. Sci.	Quaterly Journal of the Indian Institute of Science, Bangalore
Quart. J. Pharm. Pharmacol.	Quaterly Journal of Pharmacy and Pharmacology (bis 1948), London
Quart. Rev.	Quaterly Reviews. London
Quím. e Ind.	Química e Industria. São Paulo (bis 1938 Chimica e Industria)
R.	Recueil des Travaux Chimiques des Pays-Bas, Amsterdam
R. A. L.	Atti della Reale Academia Nazionale dei Lincei, Classe di Scienze Fisiche, Matematiche e Naturali: Rendiconti (bis 1940), Rom
Rasayanam	Journal for the Progress of Chemical Science, Poona, India
Rend. Ist. lomb.	Rendiconti dell'Instituto Lombardo di Scienze e Lettere. Classe di Scienze Matematiche e Naturali (seit 1944), Mailand
Rep. Government chem. ind. Res. Inst., Tokyo	Reports of the Government Chemical Industrial Research Institute, Tokyo
Rep. Progr. appl. Chem.	Reports on the Progress of Applied Chemistry (seit 1949), London
Rep. sci. Res. Inst.	Reports of Scientific Research Institute (japan). Kagaku-Kenkyujo-Hokoku, Tokio
Research	Research, London
Rev. Asoc. bioquím. arg.	Revista de la Asociación Bioquímica Argentina, Buenos Aires
Rev. Fac. Cienc. quím.	Revista de la Facultad de Ciencias Químicas, Universidad Nacional de La Plata, La Plata

Rev. Fac. Sci. Instanbul	Revue de la Faculté des Sciences de l'Université d'Instanbul, Instanbul
Rev. gén. Matières plast.	Revue Générale des Matières Plastiques, Paris
Rev. gén. Sci.	Revue Générale des Sciences pures et appliquées, Paris
Rev. Inst. franç. Pétr.	Revue de l'Institut Français du Pétrole et Annales des Combustibles Liquides, Paris
Rev. Prod. chim.	Revue des Produits Chimiques, Paris
Rev. Pure Appl. Chem.	Reviews of Pure and Applied Chemistry, Melbourne
Rev. Quím. Farm.	Revista de Química e Farmácia, Rio de Janeiro
Rev. Roumaine Chim.	Revue Roumaine de Chimie (bis 1963: Revue de Chimie, Académie de la République Populaire Roumaine), Bukarest
Rev. sci.	Revue Scientifique, Paris
Rev. scient. Instruments	Review of Scientific Instruments, New York
Ricerca sci., Parte I	Ricerca Scientifica, Parte I: Rivista, Rom
Ricerca sci., Parte II	Ricerca Scientifica, Parte II: Rendiconti, Rom
Roczniki Chem.	Roczniki Chemii (Annales Societatis Chimicae Polonorum), Warschau
Rubber Age N. Y.	The Rubber Age, New York
Rubber Chem. Technol.	Rubber Chemistry and Technology, Easton, Pa.
Rubber J.	Rubber Journal (seit 1955), London
Rubber & Plastics Age	The Rubber & Plastics Age, London
Rubber World	Rubber World (seit 1945) New York
Sbornik Stateĭ Obshcheĭ Khim.	Сборник Статей по Общей Химии (Sammlung von Aufsätzen über die allgemeine Chemie), Moskau u. Leningrad
Schwed. P.	Schwedisches Patent
Schweiz. P.	Schweizerisches Patent
Sci.	Science, New York, seit 1951 Washington
Sci. American	Scientific American, New York
Sci. Culture	Science and Culture, Calcutta
Scient. Pap. Bur. Stand.	Scientific Papers of the Bureau of Standards [Washington]
Scient. Pr. roy. Dublin Soc.	Scientific Proceedings of the Royal Dublin Society, Dublin
Sci. Ind. phot.	Science et Industries photographiques, Paris
Sci. Progr.	Science Progress, London
Sci. Rep. Tôhoku Univ.	Science Reports of the Tôhoku Imperial University, Tokio
Sci. Repts. Research. Insts. Tohoku Univ., [A], [B], [C] bzw. [D]	The Science Reports of the Research Institutes, Tohoku University, Series A, B, C bzw. D, Sendai/Japan
Seifen-Oele-Fette-Wachse	Seifen-Oele-Fette-Wachse. Neue Folge der Seifensieder-Zeitung, Augsburg
Soc.	Journal of the Chemical Society. London
Soil Sci.	Soil Science, Baltimore
South African Ind. Chemist	South African Industrial Chemist, Johannesburg
Spectrochim. Acta	Spectrochimica Acta, Berlin ab 1947 Rom
Steroids	Steroids an International Journal, San Francisco
Studii Cercetări Chim.	Studii și Cercetări de Chimie [Bucuresti]
Suomen Kem.	Suomen Kemistilehti (Acta Chemica Fennica), Helsinki
Suppl. nuovo Cimento	Supplemento del Nuovo Cimento (seit 1949), Bologna
Svensk farm. Tidskr.	Svensk Farmaceutisk Tidskrift, Stockholm
Svensk kem. Tidskr.	Svensk Kemisk Tidskrift, Stockholm
Talanta	Talanta, International Journal of Analytical Chemistry, London
Tetrahedron	Tetrahedron, Oxford
Tetrahedron Letters	Tetrahedron Letters, Oxford
Textile Res. J.	Textile Research Journal (seit 1945), New York
Tiba	Revue Générale de Teinture, Impression, Blanchiment, Apprêt et de Chimie Textile et Tinctoriale (bis 1940 und seit 1948) Paris
Tidsskr. Kjemi Bergv.	Tidsskrift för Kjemi og Bergvesen (bis 1940), Oslo
Tidsskr. Kjemi, Bergv. Met.	Tidsskrift för Kjemi, Bergvesen og Metallurgi (seit 1941), Oslo

Abkürzung	Zeitschrift
Trans. electroch. Soc.	Transactions of the Electrochemical Society, New York (bis 1949)
Trans. Faraday Soc.	Transactions of the Faraday Society, Aberdeen
Trans. Inst. chem. Eng.	Transactions of the Institution of Chemical Engineers, London
Trans. Inst. Rubber Ind.	Transactions of the Institution of the Rubber Industry, London
Trans. Kirov's Inst. chem. Technol. Kazan	Труды Казанского Химико-Технологического Института им. Кирова (Transactions of the Kirov's Institute for Chemical Technology of Kazan), Moskau
Trans. Pr. roy. Soc. New Zealand	Transactions and Proceedings of the Royal Society of New Zealand (seit 1952 Transactions of the Royal Society of New Zealand), Wellington
Trans. roy. Soc. Canada	Transactions of the Royal Society of Canada, Ottawa
Trans. Roy. Soc. Edinburgh	Transactions of the Royal Society of Edinburgh, Edinburgh
Trudy Mosk. Chim. Techn. Inst.	Труды Московского Химико-Технологического Института им. Д. И. Менделеева (Transactions of the Moscow Chemical-Technological Institut named für Dr. I. Mendeleev), Moskau
Tschechosl. P.	Tschechoslowakisches Patent
Uchenye Zapiski Kazan.	Ученые Записки Казанского Государственного Университета (Wissenschaftliche Berichte der Kasaner staatlichen Universität), Kasan
Ukr. chim. Ž.	Украинский Химическнй Журнал (bis 1938: Українськнй, Charkau bis 1938, Хемічний Журнал) Ukrainisches Chemisches Journal), Kiew
Umschau Wiss. Techn.	Umschau in Wissenschaft und Technik, Frankfurt
U.S. Govt. Res. Rept.	U.S. Government Research Reports
US. P.	Patent der USA
Uspechi Chim.	Успехи Химии (Fortschritte der Chemie), Moskau, Leningrad
USSR. P.	Sowjetisches Patent
Vakuum-Techn.	Vakuum-Technik (seit 1954), Berlin
Vestn. Akad. Nauk SSSR	Вестник Академии Наук СССР (Mitteilungen der Akademie der Wissenschaften der UdSSR), Moskau
Vestn. Mosk. Univ., Ser II Chim.	Вестник Московского Университета, Серия II Химия (Nachrichten der Moskauer Universität, Serie II Chemie), Moskau
Vysokomolek. Soed.	Высокомолекулярные Соединения (High Molecular Weight Compounds)
Werkstoffe u. Korrosion	Werkstoffe und Korrosion (seit 1950), Weinheim/Bergstr.
Yuki Gosei Kagaku Kyokai Shi	Journal of the Society of Organic Synthetic Chemistry, Japan, Tokio
Z.	Zeitschrift für Chemie, Leipzig
Z. anal. Chemie	Zeitschrift für analytische Chemie (von C. R. FRESENIUS), Berlin, Göttingen
Ž. anal. Chim.	Журнал Аналитической Химии (Journal of Analytical Chemistry), Moskau
Z. ang. Physik	Zeitschrift für angewandte Physik
Z. anorg. Ch.	Zeitschrift für Anorganische und Allgemeine Chemie (1943–1950 Zeitschrift für Anorganische Chemie), Berlin
Zavod. Labor.	Заводская Лаборатория (Industral Laboratory), Moskau
Zbl. Arbeitsmed. Arbeitsschutz	Zentralblatt für Arbeitsmedizin und Arbeitsschutz (seit 1951), Darmstadt
Ž. éksp. teor. Fiz.	Журнал экспериментальной и теоретической физики ([Physikalisches Journal, Serie A] Journal für experimentelle und theoretische Physik), Moskau, Leningrad
Z. El. Ch.	Zeitschrift für Elektrochemie und Angewandte Physikalische Chemie (seit 1952 Zeitschrift für Elektrochemie, Berichte der Bunsengesellschaft für Physikalische Chemie), Weinheim/Bergstr.

Ž. fiz. Chim.	Журнал Физической Химии (Journal of Physical Chemistry), Moskau/Leningrad
Z. Lebensm.-Unters.	Zeitschrift für Lebensmittel-Untersuchung und -Forschung (seit 1943), München, Berlin
Z. Naturf.	Zeitschrift für Naturforschung, Tübingen
Ž. neorg. Chim.	Журнал Неорганической Химии (Journal of Inorganic Chemistry)
Ž. obšč. Chim.	Журнал Общей Химии (Journal of General Chemistry), London
Ž. Org. Chim.	Журнал Органической Химии (Journal of Organic Chemistry), Baltimore
Z. Pflanzenernähr., Düng., Bodenkunde	Zeitschrift für Pflanzenernährung, Düngung, Bodenkunde (bis 1936 und seit 1946), Weinheim/Bergstr., Berlin
Z. Phys.	Zeitschrift für Physik, Berlin, Göttingen
Z physik. Chem.	Zeitschrift für Physikalische Chemie, Frankfurt (seit 1945 mit Zusatz N.F.)
Z. physik. Chem. (Leipzig)	Zeitschrift für Physikalische Chemie (Leipzig)
Ž. prikl. Chim.	Журнал Прикладной Химии (Journal of Applied Chemistry),
Ž. prikl. Fiz.	Журнал Прикладной Спектроскопии (Journal of Applied Spectroskopy), Moskau, Leningrad
Ž. strukt. Chim.	Журнал Структурной Химии (Journal of Structural Chemistry), Moskau
Ž. tech. Fiz.	Журнал Технической Физики ([Physikalisches Journal, Serie B] Journal für technische Physik), Moskau-Leningrad
Z. Vitamin-, Hormon- u. Fermentforsch [Wien]	Zeitschrift für Vitamin-, Hormon- und Fermentforschung [Wien] (seit 1947)
Ž. vses. Chim. obšč.	Журнал Всесоюзного Химического Общества им. Д. И. Менделеева (Journal of the All-Union-Chemical Society named for D. I. Mendeleev), Moskau
Z. wiss. Phot.	Zeitschrift für Wissenschaftliche Photographie, Photophysik und Photochemie, Leipzig
Ж.	Журнал Русского Физико-Химического Общества (Journal der Russischen Physikalisch-Chemischen Gesellschaft. Chemischer Teil; bis 1930)

Abkürzungen für den Text der präparativen Vorschriften und der Fußnoten[1]

Abb.	Abbildung
absol.	absolut
Amp.	Ampere
Anm.	Anmerkung
Anm.	Anmeldung (nur in Verbindung mit der Patentzugehörigkeit)
API	American Petroleum Institute
ASTM	American Society for Testing Materials
asymm.	asymmetrisch
at	technische Atmosphäre
At.-Gew.	Atomgewicht
atm	physikalische Atmosphäre
BASF	Badische Anilin- & Sodafabrik AG, Ludwigshafen/Rhein (bis 1925 und wieder ab 1953)
Bataafsche (Shell) Shell Develop.	N. V. Bataafsche Petroleum Mij., s'Gravenhage (Holland) Shell Development Co., San Francisco, Corporation of Delaware
ber.	berechnet
bez.	bezogen
bzw.	beziehungsweise
cal	Calorien
CIBA	Chemische Industrie Basel, AG
cm^3	Kubikzentimeter
cycl.	cyclisch
D, bzw. D^{20}	Dichte, bzw. Dichte bei 20° bezogen auf Wasser von 4°
DAB	Deutsches Arznei-Buch
Degussa	Deutsche Gold- und Silberscheideanstalt, Frankfurt a. M.
d. h.	das heißt
DK	Dielektrizitäts-Konstante
d. Th.	der Theorie
DuPont	E. I. DuPont de Nemours & Co., Wilmington 98 (USA)
E	Erstarrungspunkt
EMK	Elektromotorische Kraft
F	Schmelzpunkt
Farbf. Bayer	Farbenfabriken Bayer AG, vormals Friedrich Bayer & Co., Leverkusen-Elberfeld (bis 1925), Farbenfabriken Bayer AG, Leverkusen, Elberfeld, Domagen und Uerdingen (ab 1953)
Farbw. Hoechst	Farbwerke Hoechst AG, vormals Meister Lucius & Brüning, Frankfurt/M.-Höchst (bis 1925 und wieder ab 1953)
g	Gramm
gem.	geminal
ges.	gesättigt
Gew., Gew.-%, Gew.-Tl.	Gewicht, Gewichtsprozent, Gewichtsteil
I.C.I.	Imperial Chemicals Industries Ltd., Manchester
I.G. Farb.	I. G. Farbenindustrie AG, Frankfurt a. M. (1925–1945)
IUPAC	International Union of Pure and Applied Chemistry
i. Vak.	im Vakuum
k (k_s, k_b)	elektrolytische Dissoziationskonstanten, bei Ampholyten, Dissoziationskonstanten nach der klassischen Theorie

[1] Alle Temperaturangaben beziehen sich auf Grad Celsius, falls nicht anders vermerkt.

K (K_s, K_b)	elektrolytische Dissoziationskonstanten von Ampholyten nach der Zwitterionentheorie
kcal	Kilokalorie
kg	Kilogramm
konz.	konzentriert
korr.	korrigiert
Kp, bzw. Kp_{750}	Siedepunkt, bzw. Siedepunkt unter 750 Torr Druck
kW, kWh	Kilowatt, Kilowattstunde
l	Liter
m (als Konzentrationsangabe)	molar
M	Metall (in Formeln)
$[M]_{\lambda}^{t}$	molekulares Drehungsvermögen oder Molekularrotation
mg	Milligramm
Min.	Minute
mm	Millimeter
ml	Milliliter
Mol.-Gew., Mol.-%, Mol.-Refr.	Molekulargewicht, Molprozent, Molekularrefraktion
n_{λ}^{t}	Brechungsindex
n (als Konzentrationsangabe)	normal
nm	Nanometer
p_H	negativer, dekadischer Logarithmus der Wasserstoffionen-Aktivität
prim.	primär
quart.	quartär
racem.	racemisch
s.	siehe
S.	Seite
s. a.	siehe auch
sek.	sekundär
Sek.	Sekunde
s. o.	siehe oben
spez.	spezifisch
Stde., Stdn., stdg.	Stunde, Stunden, stündig
s. u.	siehe unten
Subl. p.	Sublimationspunkt
symm.	symmetrisch
Tab.	Tabelle
techn.	technisch
Temp.	Temperatur
tert.	tertiär
theor.	theoretisch
Tl., Tle., Tln.	Teil, Teile, Teilen
u. a.	und andere
usw.	und so weiter
u. U.	unter Umständen
V	Volt
VDE	Verein Deutscher Elektroingenieure
VDI	Verein Deutscher Ingenieure
verd.	verdünnt
vgl.	vergleiche
vic.	vicinal
Vol., Vol.-%, Vol.-Tl.	Volumen, Volumenprozent, Volumenanteil
W	Watt
Zers.	Zersetzung
∇	Erhitzung
$[\alpha]_{\lambda}^{t}$	spezifische Drehung
⌀	Durchmesser
$\sim$	etwa, ungefähr
μ	Mikron

Methoden zur Herstellung und Umwandlung von offenkettigen Polyenen

bearbeitet von

DR. KÄTHE REPPE*

Badische Anilin- & Soda-Fabrik AG
Ludwigshafen/Rhein

Mit 11 Tabellen

Literatur berücksichtigt bis Ende 1969, teilweise 1970.

* Herrn Prof. Dr. HORST POMMER sei an dieser Stelle für sachliche Hilfe und fachlichen Rat herzlich gedankt.

Inhalt

Offenkettige Polyene 7

a) Definition, Nomenklatur 7

b) physikalische und chemische Eigenschaften 12

1. Theoretische Grundlagen 12
2. Stabilität (Neigung zur Verfärbung, Verharzung u.a.) 13
3. Stabilisierung und Reinigung 15
4. Verhalten gegenüber starken Säuren 16
5. Isotopenmarkierte Polyene 17
6. *cis-trans*-Isomerie 17
   α) Allgemeine Regeln 17
   β) spezielle stereospezifische Synthesemethoden 20
   γ) Umlagerungsreaktionen 21
   δ) Trennung und Nachweis von *cis*- und *trans*-Isomeren 23
7. Spektren und Analytik 25
   α) im Sichtbaren und Ultraviolett 25
   β) im Ultrarot 30
   γ) Raman-Spektren 30
   δ) Massenspektren 30
   ε) NMR-Spektren 31
   ζ) ORD-, CD- und Fluoreszenz-Spektren 31
8. weitere analytische Methoden 31

A. Herstellung 33

I. aus Kohlenwasserstoffketten unter Erhaltung des Kohlenstoffgerüstes 33

a) durch Dehydrierung von teilweise gesättigten Kohlenwasserstoffketten 33

b) durch Abspaltung von Heterosubstituenten aus teilweise gesättigten Kohlenwasserstoffketten 35

1. von Wasser 35
   α) nichtcarotinoide Polyene 37
      α_1) in der Gasphase mit aktiviertem Aluminiumoxid 37
      α_2) mit p-Toluolsulfonsäure bzw. ihren Derivaten in organischen Lösungsmitteln 39
      α_3) durch andere Methoden 39
   β) carotinoide Polyene 39
      β_1) durch allgemeine Dehydratisierungsmittel 41
      β_2) spezielle Dehydratisierungsreaktionen 42
2. von zwei Hydroxy-Gruppen 44
3. von Halogen oder Halogenwasserstoff 46
   α) von Halogen aus 1,2-Dihalogen-Verbindungen 46
      α_1) mit Zink 46
      α_2) spontane Abspaltung von Jod aus 1,2-Dijod-Verbindungen als Zwischenstufen 46
   β) von Halogenwasserstoff 48

4. von Alkohol 51
5. von Alkansäuren 54
α) durch Pyrolyse 54
β) photochemisch 55
γ) durch Basen 55
δ) durch spezielle Reaktion 56
6. von Ammoniak oder anderen Stickstoff-Derivaten 57
7. durch andere Abspaltungsreaktionen 57

c) durch Isomerisierung von C—C-Mehrfachbindungen 58
1. ohne gleichzeitige Reaktion von funktionellen Gruppen 58
α) von Kumulenen bzw. En-allenen 58
β) von En-inen 58
γ) von isolierten C═C-Doppelbindungen 63
δ) von anderen konjugierten Polyenen 66
2. in Verbindung mit Reaktionen (Wanderung) von funktionellen Gruppen . . 69
α) Anionotrope Allyl-Umlagerung 69
β) Homoallyl-Umlagerung 74
γ) weitere Umlagerungen 75

d) durch partielle Hydrierung von En-inen bzw. Allenen (Kumulenen) oder durch andere Additionen an C≡C-Dreifachbindungen 76
1. von Dien- oder Polyen-inen 76
2. von Kumulenen bzw. Allenen 76
3. weitere Anlagerungsreaktionen 77

II. durch Aufbaureaktionen (C—C-Verknüpfung) 77

a) durch C—C-Additionsreaktionen (Oligomerisierungen u.a.) 77

b) durch Abspaltungsreaktionen 81
1. von Halogenwasserstoff bzw. Halogen 81
2. von Schwefelwasserstoff bzw. Schwefel 82
3. von anderen Verbindungen 84

c) mit Hilfe von C-Metall-Verbindungen von Olefin- bzw. Dien-Ketten 85

d) durch „Carbonyl-Olefinierung" (Wittig-Reaktion, „PO-aktivierte Olefinierung" u. a. Verfahren) 88
1. Theoretische Grundlagen und allgemeine Regeln 88
2. Isolierte Polyenphosphoniumsalze 95
α) aus Halogen-Verbindungen 95
β) aus Alkoholen bzw. deren Estern 95
3. Carbonyl-Olefinierung nach Wittig 96
α) mit Triphenylphosphoniumsalzen ungesättigter Halogenide (Methode A) 96
$α_1$) Polyen-Kohlenwasserstoffe 96
$α_2$) Polyen-aldehyde 97
$α_3$) Polyenketone 98
$α_4$) Polyencarbonsäuren 99
β) direkt mit Alkoholen bzw. deren Carbonsäureestern im Eintopfverfahren (Methode B) oder mit Triphenyl-phosphoniumsalzen aus ungesättigten Alkoholen (Methode C) 99
γ) mit einem Retro-Polyen-Kohlenwasserstoff (Methode D) 117
δ) mit Dialkylamino-phosphinen 124
ε) Tritium- und Deuterium-markierte Polyene 125
ζ) Dimerisierung von Phosphoranen 126

4. PO-aktivierte Carbonyl-Olefinierung 127
α) Phosphonsäure-diester-Verfahren (modifizierte Wittig-Reaktion) 127
β) Phosphonigsäure-diester-Verfahren 131
5. Weitere Verfahren für eine Carbonyl-Olefinierung 131

e) Kurze Hinweise auf weitere Methoden zur C—C-Verknüpfung zum Aufbau von Polyenketten, bei denen die Verknüpfungsreaktion nicht direkt zur Polyenkette führt 138
1. Anlagerung der Gruppierung C≡C-M an C=O-Doppelbindungen 138
2. Kondensation von Carbonyl- oder Carboxy-Gruppen mit reaktiven Methylen- bzw. Methyl-Gruppen in Gegenwart von Basen 142
3. Reformatzky-Reaktion zwischen Carbonyl-Verbindungen und geeigneten Halogen-Verbindungen 148
4. Anlagerung von ungesättigten Acetalen bzw. Ketalen an Vinyläther oder 1-Alkoxy-diene usw. 154
5. Reduktive Dimerisierung von ungesättigten Aldehyden 158

III. Polyene durch Abbaureaktionen an Polyenketten (C—C-Spaltung) 158

a) Hydrolytische Spaltung von Polyen-carbonyl-Verbindungen durch Alkali (Retro-Aldol-Reaktion) 159
b) Oxidative Spaltung 159

IV. Polyene durch C-Gerüst-Umlagerungen (Ringöffnungen) 162

V. Polyene aus anderen offenkettigen Polyenen unter Erhaltung der Polyenstruktur in der Kette 165

a) Reaktion in alicyclischen Ringen an der Polyenkette 165
1. Isomerisierung von C=C-Doppelbindungen 172
2. Dehydrierung und Dehydratisierung 172
3. Einführung der Epoxi-Gruppe sowie deren Reaktionen 174
4. weitere Reaktionen 176

b) Reaktion von Substituenten an der Polyenkette 177
1. Reaktion an der Hydroxy-Gruppe 177
2. Reaktion an der Oxo-Gruppe 179
3. Reaktion an der Carboxy-Gruppe 179
4. Rückgewinnung der freien Hydroxy-Gruppe 180
5. Rückgewinnung der freien Formyl-Gruppe 180
6. Ersatz von Sauerstoff gegen Schwefel bzw. Selen in Polyenaldehyden . . . 180

c) Oxidation und Reduktion von Substituenten an der Polyenkette 181
1. Oxidation 181
2. Reduktion 184

d) Substitutionsreaktionen an der Polyenkette 186
1. Austausch von Wasserstoff 186
2. Austausch anderer Substituenten 187

e) C-Metall-Polyene und Metall-Komplex-Verbindungen 189

VI. Isolierung von offenkettigen Polyenen aus Naturstoffen 191

a) nichtcarotinoide Polyene 191
b) carotinoide Polyene 192

B. Umwandlung 193

I. Additionsreaktionen 193

a) von Wasserstoff 193

1. Perhydrierungen 193

α) von Polyen-Kohlenwasserstoffen 194

β) von Polyenen mit funktionellen Gruppen 195

2. 1,ω-Addition 196

3. stufenweise Hydrierung 198

b) von Halogen, Halogen-Verbindungen und sonstigen Addenden 198

1. von Halogen und Halogen-Verbindungen 199

2. von sonstigen Addenden 200

3. C—C-Additionen 203

c) Cycloadditionen an Polyenketten 204

1. unter Bildung von isocyclischen Ringen 204

2. unter Bildung von heterocyclischen Ringen 210

II. Oxidative und thermische Spaltung 212

a) oxidativ 212

1. Kaliumpermanganat-Totaloxidation 213

2. Ozonolyse 213

3. Chrom(VI)-oxid-Totaloxidation 215

4. Autoxidation 215

5. photochemisch 215

b) thermisch 216

III. Umlagerungen 216

a) Isomerisierung der C=C-Doppelbindungen 216

1. zur konjugierten Allengruppierung 216

2. weitere Isomerisierungen 217

b) C-Gerüst-Umlagerungen (Cyclisierungen) 219

1. reine Isomerisierungen 219

2. mit Begleitreaktionen 223

C. Bibliographie 224

Offenkettige Polyene

a) Definition, Nomenklatur

Die Gruppe der „offenkettigen Polyene" umfaßt alle Verbindungen mit unsubstituierten oder beliebig (auch durch Ringe) substituierten ungesättigten aliphatischen Ketten mit mehr als zwei konjugierten C=C-Doppelbindungen. Zahlreiche wichtige Naturstoffe, insbesondere die Carotinoide, gehören zu dieser Klasse.

Im vorliegenden Beitrag werden folgende Gruppen von Verbindungen mit Polyenketten *nicht behandelt*, da sie sinnvoller im Zusammenhang mit anderen Verbindungsklassen besprochen werden:

Cyanine und andere Polyenketten mit ionischer Struktur (s.S. 229).

Polyacetylene mit Ketten, in denen neben den konjugierten C≡C-Dreifachbindungen auch konjugierte C=C-Doppelbindungen enthalten sind (s. im Kapitel „Polyine", Bd. V/2).

Enole, bei denen erst durch die Enol-Doppelbindung ein System von mehr als 2 konjugierten Doppelbindungen entsteht, sind nur in Ausnahmefällen berücksichtigt (s. Kap. Enole, Bd. VI/1 b).

Verbindungen der allgemeinen Struktur,

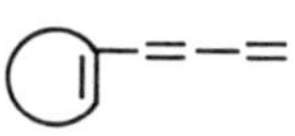

I 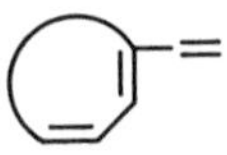 II 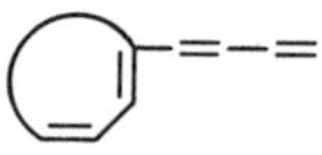 III

bei denen rein schematisch gesehen ein Teil der Polyenkette einem Ring angehört, werden ebenfalls nicht besprochen, da die offene Polyenkette nicht der eingangs gegebenen Definition entspricht, also weniger als 3 konjugierte Doppelbindungen enthält.

Verbindungen vom Typ I, II oder III mit nur 1 oder 2 C=C-Doppelbindungen in der Kette werden in ds. Handb., Bd. V/1c besprochen. In diesem Zusammenhang sei schon an dieser Stelle betont, daß speziell bei Carotinoiden mit β-Jonyliden-Struktur die Ringdoppelbindung die Konjugation der Polyenkette nur unvollständig fortsetzt und nicht einfach als „Verlängerung" bzw. Bestandteil der Polyenkette betrachtet werden darf. Dieser Punkt ist später ausführlicher diskutiert (vgl. S. 19, 29).

Da das große Gebiet der Carotinoide hier nur im Rahmen der Polyenchemie besprochen wird, geben wir in der Bibliographie (s. S. 224) Hinweise auf Übersichtsarbeiten und Monographien zu dem Gesamtgebiet der Carotinoide.

Im folgenden soll auf die *Nomenklatur* offenkettiger Polyene kurz eingegangen werden.

An die Stelle der *vollständigen* Strukturformel (Beispiel ⓐ) treten bei offenkettigen Polyenen häufig die unter ⓑ gezeigten „*Kurzformeln*"

ⓐ $H_2C{=}CH{-}(CH{=}CH)_2{-}CH{=}CH_2$

H_3C, CH_3 ... $CH{=}CH{-}\overset{CH_3}{C}{=}CH{-}CH{=}CH{-}\overset{CH_3}{C}{=}CH{-}CH_2OH$ ... CH_3

(b)

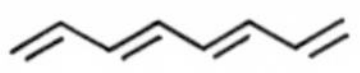

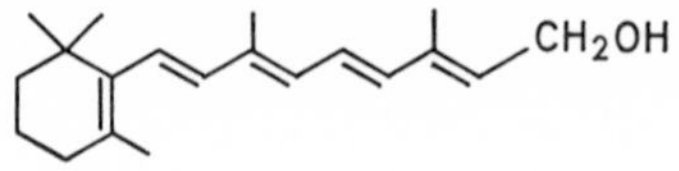

bzw.

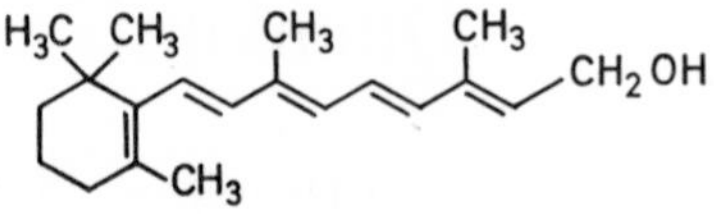

Ein Nachteil der übersichtlichen Kurzformel-Schreibweise ist das dabei entstehende Bild einer *all-trans*-Polyenkette auch in Fällen, in denen man sich nicht auf bestimmte Stereoisomere festlegen will.

In der Literatur werden teilweise zur Erleichterung der Lesbarkeit der Formeln im Bereich der Carotinoidchemie die Teile einer Polyenkette, die — schematisch gesehen — aufgespaltene Trimethyl-cyclohexen- oder -cyclohexadien-Ringe darstellen, in „gefalteter" Form geschrieben z.B.:

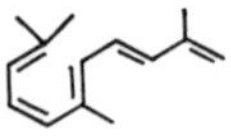

Hier erscheint z.B. eine *cis*-Doppelbindung, obwohl die *trans*-Form vorliegt.

Von IUPAC wurde für Carotinoide folgende Zählweise für die C-Atome festgelegt[1], z.B.:

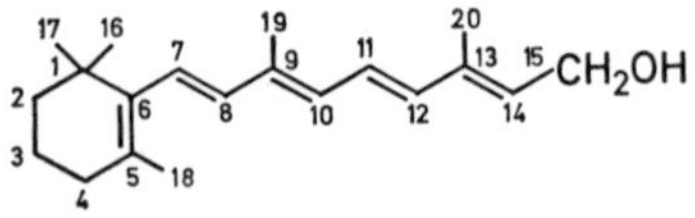

Vitamin A; *9,13-Dimethyl-7-[1,1,5-trimethyl-cyclohexen-(5)-yl-(6)]-nonatetraen-(7,9,11,13)-ol-(15)*

Bei symmetrischen Carotinoiden werden die beiden Hälften des Moleküls getrennt gezählt.

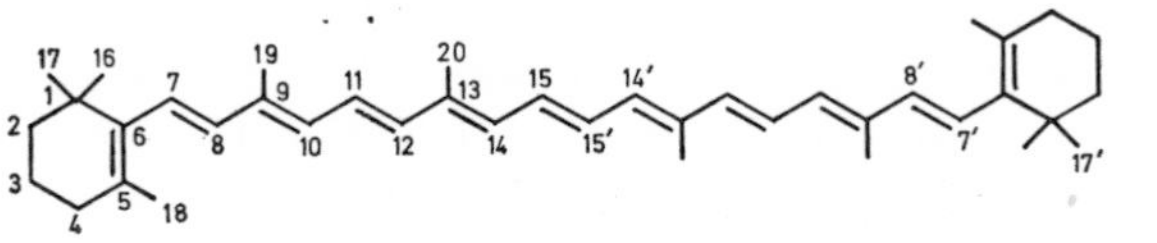

β-Carotin

Die systematische Bezeichnung gemäß den IUPAC-Regeln für die allgemeine organische Chemie würde dagegen z.B. für *Vitamin A* lauten: *3,7-Dimethyl-9-[2,6,6-trimethyl-cyclohexen-(1)-yl]-nonatetraen-(2,4,6,8)-ol.*

Im vorliegenden Handbuch sind weitgehend entweder diese systematischen Bezeichnungen oder aber allgemein übliche Trivial- und Kurzbezeichnungen im Kapitel über offenkettige Polyene verwendet worden.

Bei den Trivial- und Kurzbezeichnungen ist die speziell für Carotinoide vorgesehene IUPAC-Zählweise (s. o.) benutzt.

---

[1] IUPAC-Report of the Commission on the Nomenclature of Biological Chemistry, Am. Soc. **82**, **5575** (1960).

Tab. 1. Trivialnamen und Kurzbezeichnungen für offenkettige Polyene

Strukturformel	Name
Trivialnamen	
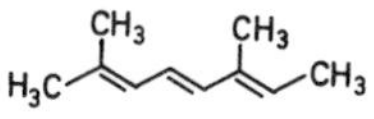	*Alloocimen*
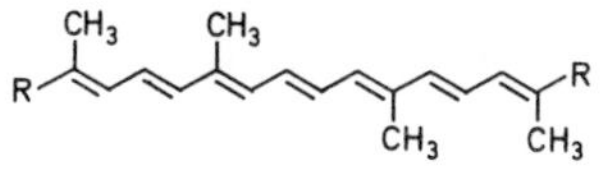	*Crocetin*: R = —COOH *Crocetindialdehyd*: R = CHO
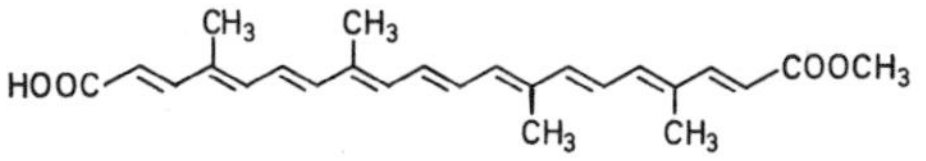	*Bixin* (*Norbixin* = freie Dicarbonsäure)
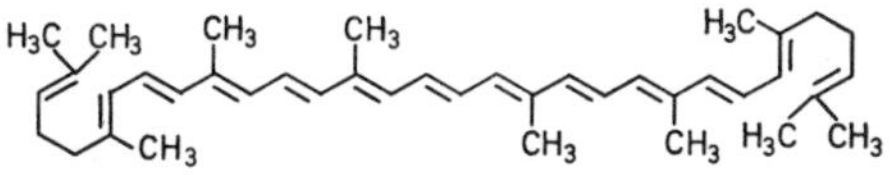	*Lycopin*
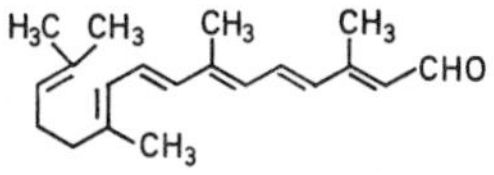	„*Pseudo-Vitamin A-Aldehyd*“ (mit dem C-Gerüst vom Pseudo-jonol)
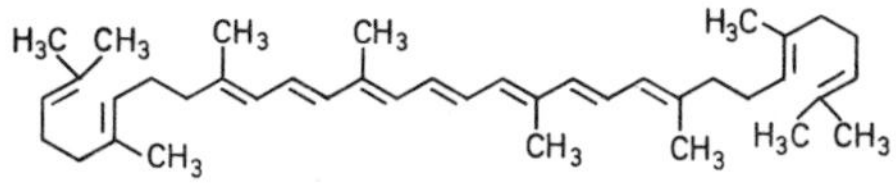	*ζ-Carotin*, symmetrisch
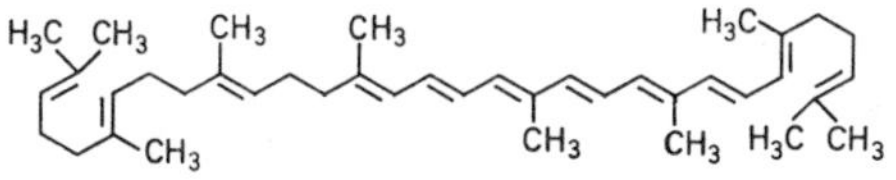	unsymmetrisch
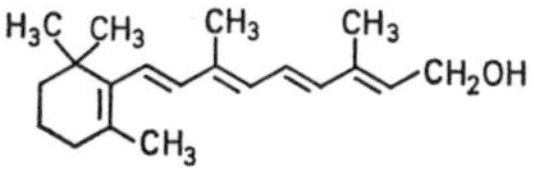	*Vitamin A* (-alkohol) (*Vitamin A 1*; *Retinol*; *Axerophthol*
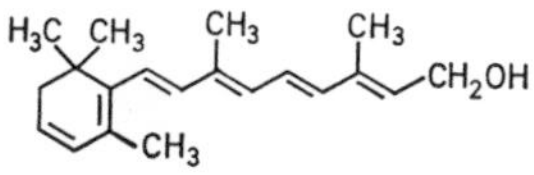	*Vitamin* A_2 (*Dehydro-retinol*; *3-Dehydro-retinol*, *3-Dehydro-Vitamin A*)
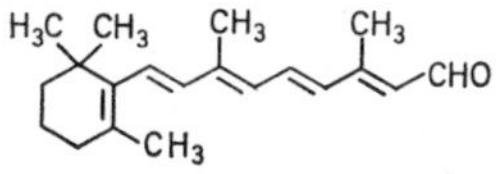	*Vitamin-A-Aldehyd* (*Retinal*) (Veraltete Bez.: *Retinen*, *Retinin*)
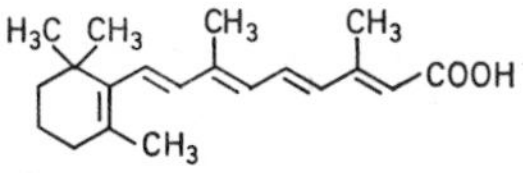	*Vitamin A-Säure* (*Retinoic-acid*)
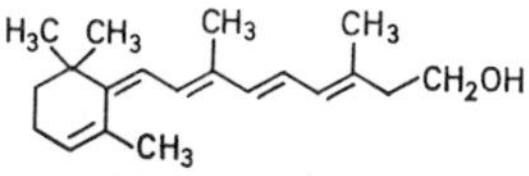	*Rehydro-Vitamin A* (*Retro-Vitamin A*)
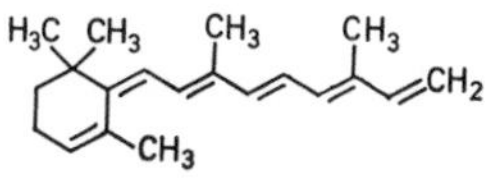	*Anhydro-Vitamin A*
Anlagerungsprodukt von Äthanol an die endständige Doppelbindung von Anhydro-Vitamin A, vgl. S. 202	*Isoanhydro-Vitamin A*

Tab. 1. (1. Fortsetzung)

Strukturformel	Name
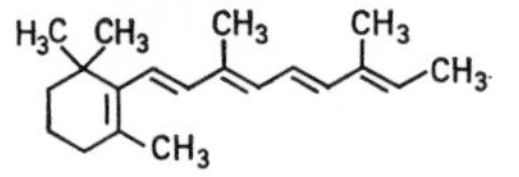 H_3C CH_3 CH_3 CH_3 CH_3 CH_3	*Axerophthen*
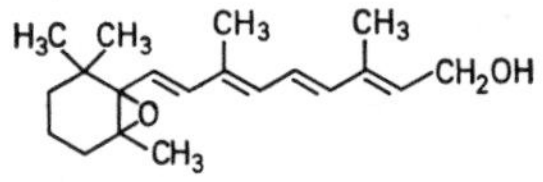 H_3C CH_3 CH_3 CH_3 CH_2OH O CH_3	*Hepaxanthin* (*5,6-Epoxi-Vitamin A*)
dimeres Vitamin A (s. S. 224)	*Kitol*
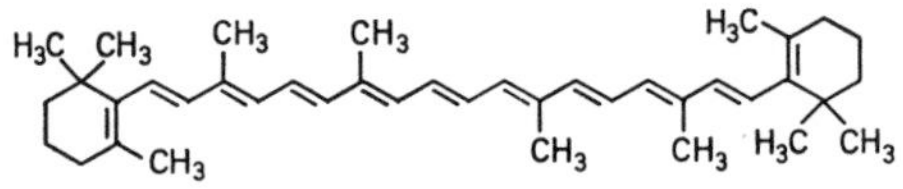 H_3C CH_3 CH_3 CH_3 H_3C CH_3 CH_3 CH_3 H_3C CH_3	*β-Carotin* (8 „Isopreneinheiten")
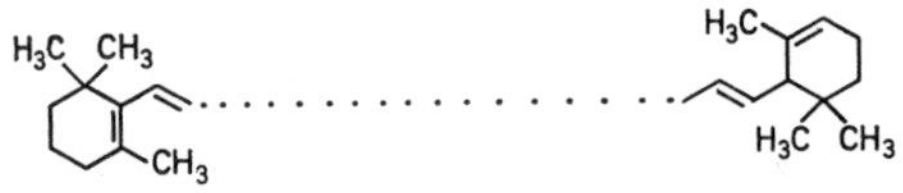 H_3C CH_3 CH_3 H_3C H_3C CH_3	*α-Carotin*
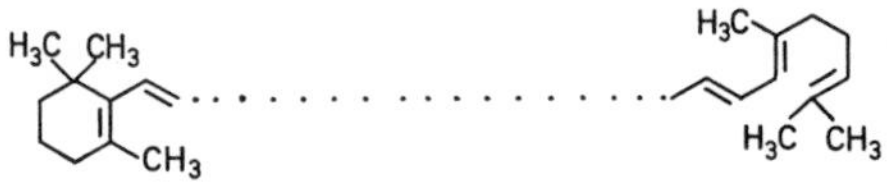 H_3C CH_3 CH_3 H_3C H_3C CH_3	*γ-Carotin*
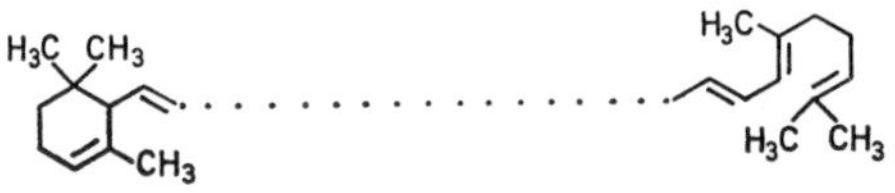 H_3C CH_3 CH_3 H_3C H_3C CH_3	*σ-Carotin*
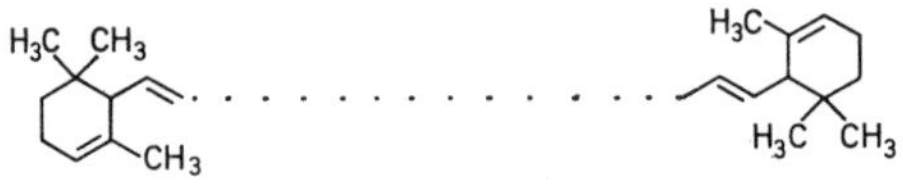 H_3C CH_3 CH_3 H_3C H_3C CH_3	*ε-Carotin*
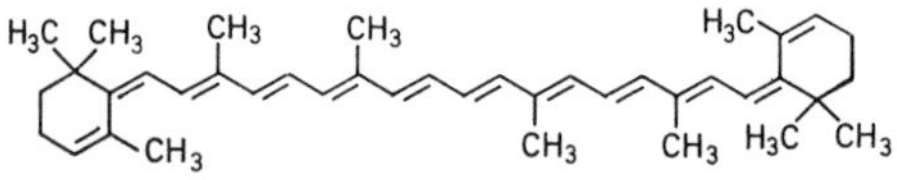 H_3C CH_3 CH_3 CH_3 H_3C CH_3 CH_3 CH_3 H_3C CH_3	*Retrodehydrocarotin* (*Isocarotin*)
Homologe vom β-Carotin mit 10 bzw. 12 „Isopreneinheiten"	*Decapreno-β-Carotin* *Dodecapreno-β-Carotin* usw.
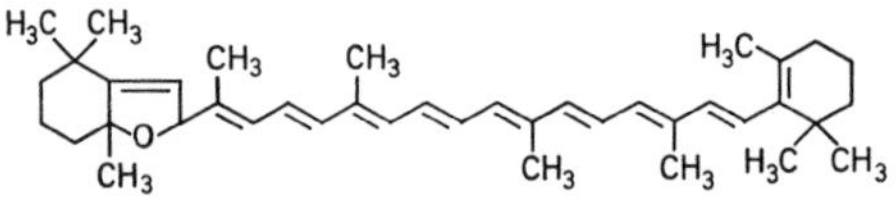 H_3C CH_3 CH_3 CH_3 O CH_3 H_3C CH_3 CH_3 H_3C CH_3	*Mutatochrom* (*β-Carotin-5,8-epoxid*)
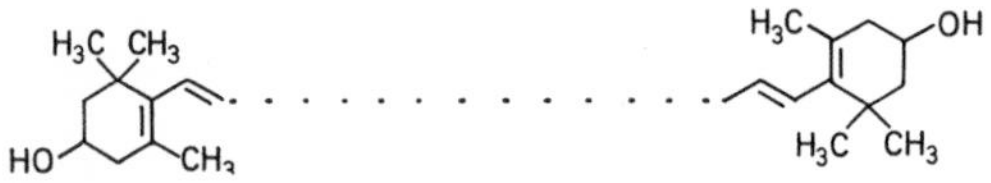 H_3C CH_3 HO CH_3 H_3C OH H_3C CH_3	*Zeaxanthin*
 H_3C CH_3 HO CH_3 H_3C OH H_3C CH_3	(*Xanthophyll*) *Lutein*

Tab. 1. (2. Fortsetzung)

Strukturformel	Name
H_3C CH_3 O CH_3 · · · · · H_3C O H_3C CH_3	*Cantaxanthin*
H_3C CH_3 CH_3 CH_3 CH_3 O CH_3 CH_3 CH_3	*Citranaxanthin*
Kurzbezeichnungen	
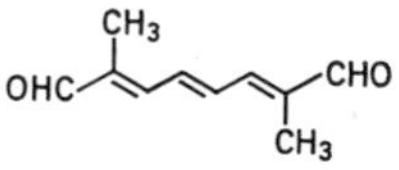 CH_3 OHC CHO CH_3	„C_{10}-*Dialdehyd*“ [*2,7-Dimethyl-octa-trien-(2,4,6)-dial;Apo-12,12′-carotindial*]
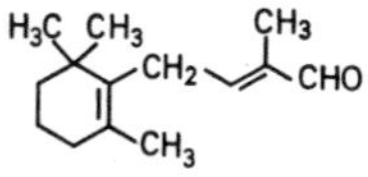 H_3C CH_3 CH_3 CH_2 CHO CH_3	*β-C_{14}-Aldehyd*
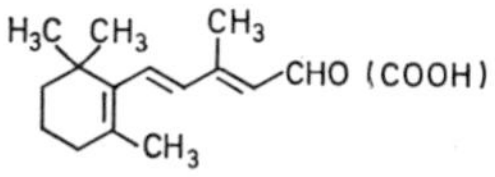 H_3C CH_3 CH_3 CHO (COOH) CH_3	*β-C_{15}-Aldehyd* (*-Säure*) (*β-Jonylidenacetaldehyd*; bzw. *β-Jonyliden-essigsäure*)
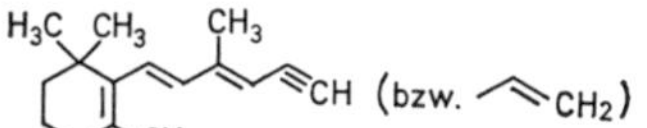 H_3C CH_3 CH_3 ≡CH (bzw. CH_2) CH_3	*β-C_{16}-KW-stoff*
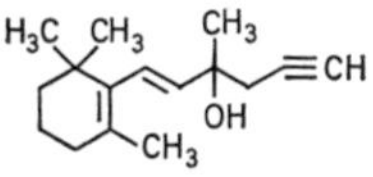 H_3C CH_3 CH_3 ≡CH OH CH_3	*β-C_{16}-Carbinol*
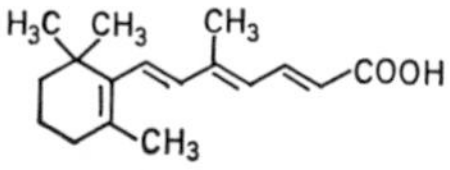 H_3C CH_3 CH_3 COOH CH_3	*β*-C_{17}-*Säure* (*β-Jonyliden-crotonsäure*)
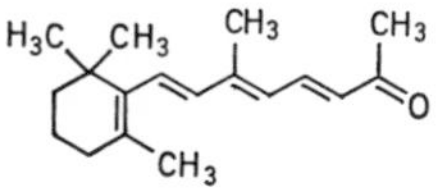 H_3C CH_3 CH_3 CH_3 O CH_3	*β-C_{18}-Keton*
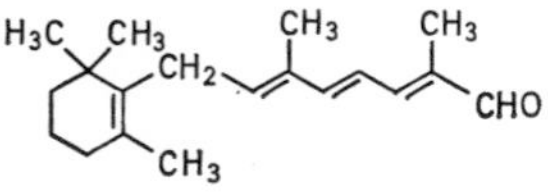 H_3C CH_3 CH_3 CH_3 CH_2 CHO CH_3	*β-C_{19}-Aldehyd*
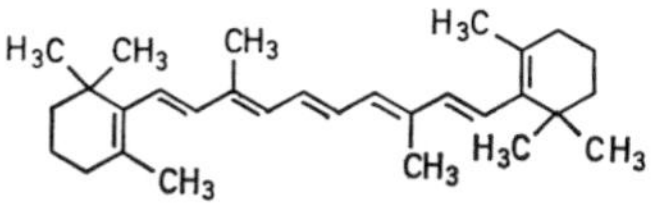 H_3C CH_3 CH_3 H_3C CH_3 CH_3 H_3C CH_3	*β-C-$_{30}$-KW-stoff*
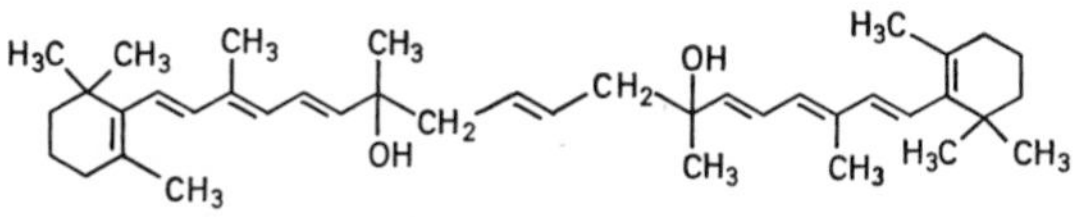 H_3C CH_3 CH_3 CH_3 OH CH_2 CH_2 OH H_3C CH_3 CH_3 CH_3 H_3C CH_3	*β-C_{40}-Diol-(13,13′)*
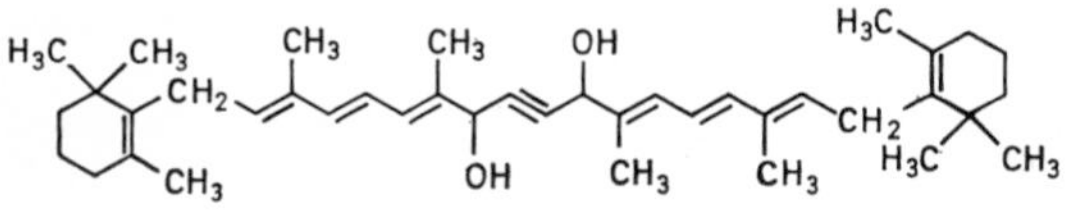 H_3C CH_3 CH_2 CH_3 CH_3 OH OH CH_3 CH_3 CH_2 H_3C CH_3 H_3C CH_3	*15,15′-Dehydro-7,7′-dihydro-β-C_{40}-diol-(14,14′)*

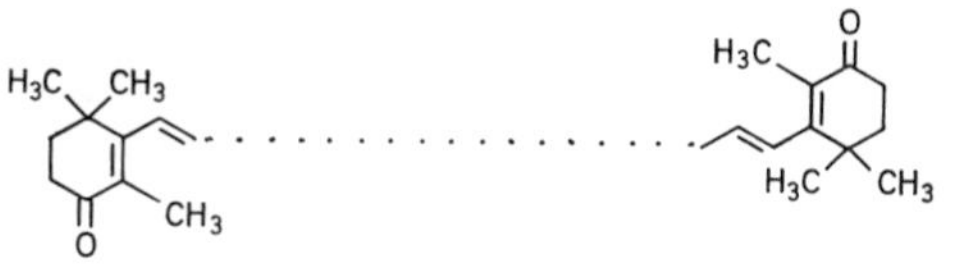

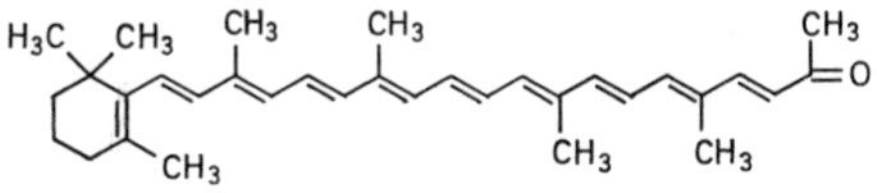

Die Vorsilbe „Apo“ gibt an[1-3], daß nicht mehr das ganze β-Carotin-Gerüst vorhanden ist. Es handelt sich um Spaltprodukte des β-Carotins bzw. um entsprechende synthetisch aufgebaute Verbindungen. Wenn noch einer der beiden Trimethylcyclohexen-Ringe anwesend ist, wird von einer β-Apo-Verbindung gesprochen. Entsprechend der speziellen C-Atom-Numerierung bei Carotinoiden wird im Anschluß an die Bezeichnung „Apo“ die Stellung der funktionellen Gruppe angegeben, z.B.:

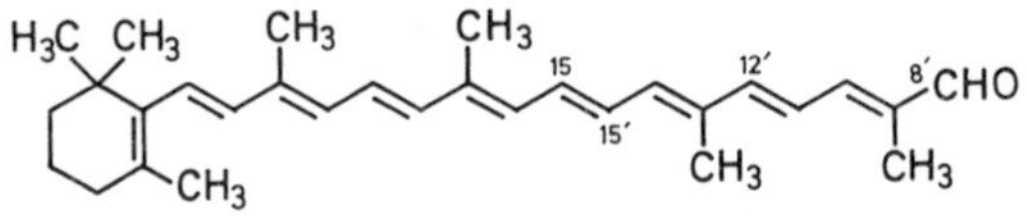

β-Apo-8′-carotinal

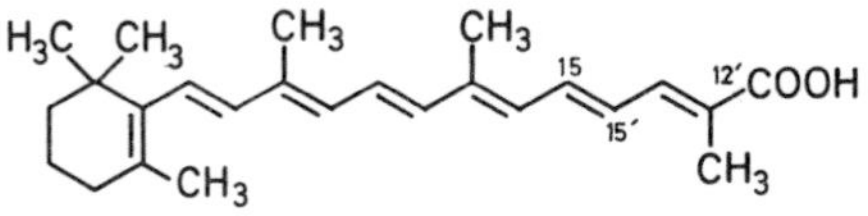

β-Apo-12′-carotinsäure

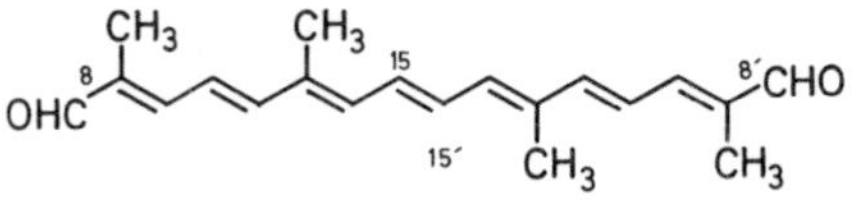

Apo-8,8′-carotindial

Zur Verdeutlichung setzt man günstig an den Schluß der Apo-Bezeichnung noch die Gesamt-C-Atomzahl der Verbindung:

β-Apo-8′-carotinal (C_{30})
β-Apo-10′-carotinal (C_{27})
β-Apo-12′-carotinal (C_{25})
β-Apo-14′-carotinal (C_{22}) usw.

Zu dem Begriff „Retro“-Carotinoide siehe S. 67.

b) Physikalische und chemische Eigenschaften

1. Theoretische Grundlagen

Offenkettige Polyene sind theoretisch interessante Verbindungen, deren physikalische und chemische Eigenschaften sich teilweise grundlegend von Dienen oder Mono-enen mit gleichem C-Gerüst unterscheiden. Mit wachsender Zahl der konjugierten C=C-Doppelbindungen verwischen sich die Unterschiede zwischen den C—C-Abständen bei Einfach- und Doppelbindungen jeweils vom Kettenende zur Kettenmitte hin immer mehr. Dennoch darf man die Verteilung der π-Elektronen in einer Polyenkette nicht vollkommen delokalisieren[4-9] (vgl. Bd. III/2,

---

1 IUPAC-Report of the Commission on the Nomenclature of Biological Chemistry, Am. Soc. **82,** 5575 (1960).
2 R. Rüegg et al., Helv. **42,** 847 (1959).
3 In der älteren Literatur werden „Apo“-Carotinoide nach etwas anderen Regeln beziffert, s. R. Rüegg et al., Helv. **42,** 847 (1959).
Vgl. S. 159.
4 J. H. Merz, P. A. Straub u. E. Heilbronner, Chimia **19,** 302 (1965).
5 L. A. Janovskaja, Russian Chem. Reviews **36,** 400 (1967).
6 C. A. Coulson, E. T. Stewart in S. Patai *„The Chemistry of Alkenes“*, Interscience Publ., London/New York/Sidney 1964.
7 J. N. Murrell, *„Elektronenspektren organischer Moleküle“*, B. J. Hochschultaschenbuch 250/250 a, 91 (1967).

(Fortsetzung s. S. 13)

S. 652). Auch im Grundzustand sind in langen Polyenketten alternierende Bindungsdichten anzunehmen, wobei die stärkste Bindungsdichte jeweils dort liegt, wo man in der klassischen Formel die C=C-Doppelbindungen einzeichnet. Die zentrale C=C-Doppelbindung eines längeren konjugierten Systems hat den geringsten Doppelbindungscharakter im Vergleich zu allen übrigen Doppelbindungen der Kette (vgl. S. 20, 162)[1-8]. Eine Fortführung dieser Gedankengänge findet sich in dem Abschnitt über UV-Spektren bei Polyenen (S. 27).

Die leichte Kristallisierbarkeit längerkettiger *all-trans*-Polyene, insbesondere bei Carotinoiden, wird durch die hohe Resonanzstabilisierung des *all-trans*-konjugierten Systems bewirkt[4].

Eine Sonderstellung unter den Polyenketten nehmen solche Ketten ein, die in der Gruppe der Carotinoide mit einem 1,1,5-Trimethyl-cyclohexen-(5)-Ring in 6-Stellung verknüpft sind,

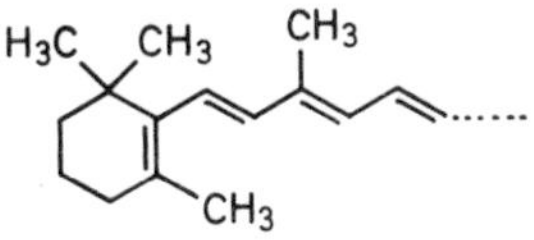

weil die Ringdoppelbindung zwar schematisch in Konjugation zur Polyenkette steht und auf verschiedene Weise das physikalische und chemische Verhalten der Polyenkette beeinflußt, aber aus sterischen Gründen nur unvollständig die Konjugation der Kette fortsetzt (Resonanzbehinderung; Näheres s. S. 19, 29).

2. Stabilität (Neigung zur Verfärbung, Verharzung usw.)[9]

Polyene sind allgemein wenig stabil gegen Sauerstoff (Autoxidation), Wärme oder Belichtung, es können Verfärbungen, Verharzungen (Polymerisation) usw. auftreten. Daher werden ganz allgemein alle Arbeiten mit Polyenen unter Stickstoff oder anderen inerten Gasen durchgeführt. Ebenso sollten Polyene unter inerten Gasen aufbewahrt werden. Bei allen im vorliegenden Kapitel aufgeführten Vorschriften wird diese Regel als bekannt vorausgesetzt und daher nicht besonders betont.

Je nach dem Grad der Empfindlichkeit der Polyene gegen Wärme oder Licht ist es außerdem günstig, bei möglichst tiefen Temperaturen und z.T. unter Abschirmung von Licht (dunkle Gefäße) zu arbeiten bzw. zu lagern. Über den Zusatz von Stabilisatoren wird auf S. 15 näher eingegangen.

---

[1] J. H. Merz, P. A. Straub u. E. Heilbronner, Chimia **19**, 302 (1965).
[2] A. Pullman u. B. Pullman, Proc. NAS **47**, 7 (1961); C. A. **55**, 11461^d (1961).
[3] A. Pullman, C. r. **251**, 1430 (1960).
[4] L. Pauling, Fortschr. Chem. org. Naturst. **3**, 203 (1939).
[5] L. Zechmeister et al., Am. Soc. **65**, 1940 (1943).
[6] L. A. Janovskaja, Russian Chem. Reviews **36**, 400 (1967).
[7] C. A. Coulson, E. T. Stewart in S. Patai „*The Chemistry of Alkenes*", Interscience Publ., London/New York/Sidney 1964.
[8] J. N. Murrell, „*Elektronenspektren organischer Moleküle*", B. J. Hochschultaschenbuch 250/250 a, 91 (1967).
[9] *Cis-trans*-Umlagerungen s. S. 21 f.

(Fortsetzung v. S. 12)

[8] M. J. S. Dewar u. G. J. Gleicher, Am. Soc. **87**, 692 (1965).
[9] G. Binsch, J. Tamir u. R. Dean Hill, Am. Soc. **91**, 2446 (1969).

Hier zunächst kurze Hinweise auf Zusammenhänge zwischen chemischer Konstitution und Stabilität der Polyene.

Vorauszuschicken ist, daß sinngemäß isolierte Polyene instabiler sind als ihre Lösungen, und daß sich bei Lösungen die Art des Lösungsmittels stark auf die Stabilität auswirken kann. Reine Polyene sind meistens sehr viel beständiger als Rohprodukte oder sonstige Gemische.

Mit wachsender Zahl der konjugierten Doppelbindungen sinkt die Stabilität von Polyenketten.

Rein aliphatische offenkettige Polyene ohne Substituenten H—(CH=CH)$_n$—H sind besonders instabil[1,2]. Bereits *all-trans-Hexatrien-(1,3,5)* ist nur bei Temperaturen unter 25° stabil[3]. *Octatetraen-(1,3,5,7)*[2] und *Decapentaen-(1,3,5,7,9)*[1] neigen durch Einwirkung von Luft zur ***Explosion*** (Polymerisation).

Polyene vom Typ Alkyl—(CH=CH)$_n$—Alkyl sind etwas beständiger, aber ab n = 4 auch noch sehr empfindlich gegen Luftsauerstoff und Wärme[4-8]. Bei 1,ω-Dimethyl-polyenen mit längeren Ketten (n = 6–10) wirkt sich die Reinheit der Produkte sehr stark auf die Stabilität aus[9].

Besonders stabil sind Polyene mit Aryl-Resten als End-Gruppen[5,10-14]. Bei Benzyl-Resten sinkt die Stabilität wieder ab[15].

Seitenständige Methyl-Gruppen erhöhen allgemein die Stabilität von Polyenketten [vgl. z.B. *2,6-Dimethyl-octatetraen-(1,3,5,7)*[16]]. Carotinoide bilden bei der Betrachtung von Stabilitätsfragen hinsichtlich Zersetzungserscheinungen, Verfärbungen usw. eine Sondergruppe. Eingehende Untersuchungen haben gezeigt, daß hier ein sehr komplexes Problem vorliegt, daß Gefäßmaterial, Lösungsmittel und „Vorgeschichte" der betreffenden Verbindungen die thermische oder photochemische Stabilität sehr stark beeinflussen und Vergleiche erschweren. Es ist aber in der Carotinoidchemie durchaus möglich, sehr lange relativ stabile Polyenketten herzustellen; z.B.:

β-Carotin mit 9 Kettendoppelbindungen kann technisch hergestellt werden.

Im Labor wurde „*Dodecapreno-β-Carotin*" mit 17 konjugierten Doppelbindungen in der Kette[17] synthetisiert.

β-Apo-carotinale mit z.B. 8 oder 10 konjugierten Kettendoppelbindungen sind seit einiger Zeit Handelsprodukte (Lebensmittelfarbstoffe), ebenso das carotinoide Keton *Citranaxanthin* mit 9 konjugierten Kettendoppelbindungen.

---

[1] A. D. Mebane, Am. Soc. **74**, 5227 (1952).
[2] G. F. Woods u. L. H. Schwartzman, Am. Soc. **71**, 1396 (1949).
[3] C. W. Spangler, J. Org. Chem. **31**, 346 (1966).
[4] F. Bohlmann, B. **85**, 386 (1952).
F. Bohlmann u. H. J. Mannhardt, B. **89**, 1307 (1956).
[5] R. Kuhn, Ang. Ch. **50**, 703 (1937).
[6] F. Sondheimer, D. A. Ben-Efraim u. R. Wolovsky, Am. Soc. **83**, 1675 (1961).
[7] R. Kuhn u. C. Grundmann, B. **71**, 442 (1938).
[8] P. Nayler u. M. C. Whiting, Soc. **1955**, 3037.
[9] F. Bohlmann u. H. J. Mannhardt, B. **89**, 1307 (1956).
[10] R. Kuhn u. A. Winterstein, Helv. **11**, 87 (1928).
[11] G. Wittig u. R. Wietbrock, A. **529**, 165 (1937).
[12] G. Wittig u. A. Klein, B. **69**, 2087 (1936).
[13] C. F. Garbers, C. H. Eugster u. P. Karrer, Helv. **35**, 1850 (1952).
[14] E. N. Marvell u. J. Seubert, Tetrahedron Letters **1969**, 1333.
[15] R. Kuhn u. A. Winterstein, Helv. **11**, 123 (1928).
[16] P. Nayler u. M. C. Whiting, Soc. **1954**, 4006.
[17] P. Karrer u. C. H. Eugster, Helv. **34**, 1805 (1951).

Damit wurden bereits einige Polyene mit funktionellen Gruppen erwähnt. Substituenten können erheblichen Einfluß auf die Stabilität von Polyenketten haben; z.B. steigt die Stabilität der Vitamin A-Struktur R in der Reihe an:

R—CHO $<$ —CH_2OH $<$ —Äther $<$ —Ester (R—Acetat $<$ R—Palmitat) $<$ Säure.
R—$\widehat{CH}$=N—R′ usw.

Reiner kristalliner *Vitamin A-Alkohol* ist sehr empfindlich gegen Sauerstoff und Wärme und wird nach der Herstellung am besten sofort in die stabileren Ester übergeführt. Der Alkohol selbst kann in pflanzlichen Ölen gelöst unter Zusatz von Antioxidantien aufbewahrt werden.

Das Vitamin A-Analoge mit substituiertem Tetrahydrothiophen-Ring[1] ist sehr instabil und polymerisiert sofort beim Versuch zur Isolierung.

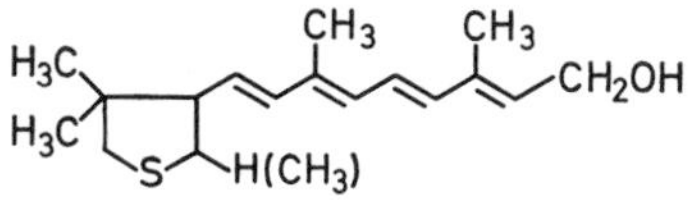

Auch *4-Thia-Vitamin A* ist weniger stabil[2] als Vitamin A.

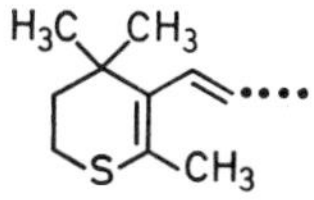

Polyendicarbonsäuren (R)HOOC—$(CH{=}CH)_n$—COOH(R) sind sehr stabil[3]. [Vgl. Stabilität von aliphatischen carotinoiden Carbonsäuren (*Crocetin, Bixin*)].

Es ist im Rahmen dieses Handbuches nicht möglich, auf weitere Strukturmöglichkeiten bei Polyenen im Zusammenhang mit Stabilitätsfragen einzugehen.

3. Stabilisierung und Reinigung

Zusätzlich zu den Möglichkeiten zur Erhöhung der Stabilität von Polyenen, wie sie sich aus dem Abschnitt „Stabilität" ergeben (Arbeiten unter Stickstoff, tiefe Temperaturen, Lichtschutz, gegebenenfalls Herstellung von stabilen Derivaten empfindlicher Aldehyde oder Alkohole bzw. Auswahl geeigneter Lösungsmittel) ist häufig der Zusatz geringer Mengen Stabilisatoren günstig, z.B. Phenole, Diphenylamine, Phenothiazin, Tocopherol.

Für Laboratoriumsversuche wird z.B. 2-Hydroxy-5-methyl-1,3-di-tert.-butyl-benzol (BHT), 2-Hydroxy-5-methoxy-1-tert.-butyl-benzol (BHA) oder Hydrochinon verwendet, von welchem man dann jeweils „eine Spatelspitze" dem Reaktionsansatz (bzw. der Polyen-Lösung) zufügt.

Die speziellen Probleme zur Herstellung von stabilen wasserlöslichen Vitamin-A- oder anderen Carotinoid-Zubereitungen können im Rahmen dieses Kapitels nicht behandelt werden. Versuche zur Stabilisierung von Vitamin A oder seinen Estern durch Herstellung von Einschlußverbindungen in Harnstoff, Thioharnstoff, Stärke, Dextrin oder Proteide haben bisher zu keinen praktisch verwertbaren Ergebnissen geführt.

---

[1] R. M. Acheson, J. A. Barltrop, M. Hichens u. R. E. Hichens, Soc. **1961,** 650.
[2] J. L. Baas, A. Davies-Fidder, F. R. Visser u. H. O. Huisman, Tetrahedron **22,** 265 (1966).
[3] R. Kuhn, Ang. Ch. **50,** 703 (1937).

Die Reinigung von Polyenen erfolgt schonend (s. S. 13) unter Stickstoff nach gängigen Methoden, wie Hochvakuumdestillation, Kurzweg-Hochvakuumdestillation, Umkristallisieren bei möglichst tiefen Temperaturen, Säulenchromatographie usw. – Häufig kann man bei substituierten Polyenen günstig — wie auch sonst üblich – über entsprechende Derivate (Hydrazone, Ester usw.) zu reinen Produkten kommen.

Besonders gründlich wurden Reinigungsmethoden für Vitamin A-(Derivate) und andere Carotinoide untersucht. Dabei fand man z.B., daß *Vitamin A-Acetat* am besten aus Heptan oder ähnlichen Kohlenwasserstoffen umkristallisiert wird. Carotinoide können auch durch Behandlung mit wasserlöslichen oberflächenaktiven Substanzen[1], die gleichzeitig als Lösungsmittel wirken, oder durch Anionenaustauscher auf Kunstharzbasis[2] gereinigt werden.

Für die zahlreichen Untersuchungen über den Zusammenhang zwischen chemischer Konstitution und biologischer Wirkung bei Polyenen verweisen wir auf die entsprechende Spezial-Literatur[3–5].

4. Verhalten gegenüber starken Säuren

Zahlreiche konz. Protonensäuren (Schwefelsäure, Salzsäure, Trichloressigsäure u. a.) und Lewis-Säuren [Antimon(III)- bzw. (V)-chlorid[6], Aluminiumchlorid, Bortrifluorid u. a.] geben mit carotinoiden und z.T. auch mit nichtcarotinoiden Polyenen intensiv gefärbte Reaktionsprodukte[6–12]. Diese Reaktionen werden z.T. für präparative Methoden[9] (s. S. 190) oder für analytische Bestimmungsmethoden (s. S. 32) verwendet. Die Konstitution der entstehenden Farbstoffe ist in den meisten Fällen noch nicht genau geklärt; bei der Zersetzung mit Wasser, Alkohol usw. entstehen vom Ausgangspolyen verschiedene Derivate[9] (vgl. S. 190).

Von verschiedenen Seiten wurden die aus Polyenen und konz. Protonensäuren oder Lewis-Säuren sich primär bildenden Carboniumionen untersucht[13–16]. Die aus aliphatischen Trienen entstehenden Kationen cyclisieren leicht , z.B. zu ungesättigten 5-Ringen[14,15].

1,6-Diphenyl-hexatrien-(1,3,5) wird durch konz. Schwefelsäure nicht zum Kation oxidiert, sondern in den Ringen sulfiert[17].

---

1 DBP. 1199258 (1963), BASF, Erf.: W. Sarnecki; C. A. **59**, 14189b (1963).
2 US. P. 2712515 (1952/1955), Merck & Co. Inc., Erf.: R. H. Beutel; C. A. **49**, 14277h (1955).
3 F. Bohlmann, Ang. Ch. **62**, 4 (1950).
4 O. Roels in W. H. Sebrell u. R. S. Harris, „The *Vitamins*", Vol. I, 2. Auflage, Academic Press, New York–London 1967.
5 B. C. L. Weedon u. R. J. Woods, Soc. **1951**, 2687.
6 J. Brüggemann, W. Krauss u. J. Tiews, B. **85**, 315 (1952).
7 P. Karrer u. E. Jucker, „*Carotinoide*", Verlag Birkhäuser, Basel 1948.
8 F. H. Carr u. E. A. Price, Biochem. J. **20**, 497 (1926).
9 L. Zechmeister, Fortschr. Chem. org. Naturstoffe **15**, 50 (1958).
10 K. Mackenzie in S. Patai, „*The Chemistry of Alkenes*", S. 451, Interscience Publishers, London–New York–Sidney 1964.
11 F. Körösy, Exper. **12**, 374, 375 (1956); **11**, 342 (1955).
12 A. Wassermann, Soc. **1954**, 4329.
13 P. E. Blatz u. D. L. Pippert, Tetrahedron Letters **1966**, 1117; Am. Soc. **90**, 1526 (1968).
14 T. S. Sorensen, Canad. J. Chem. **42**, 2768 (1964); **43**, 2744 (1965).
15 N. C. Deno et al., Am. Soc. **86**, 1871 (1964); **87**, 2153 (1965).
16 K. Hafner u. H. Pelster, Ang. Ch. **73**, 342 (1961).
17 J. A. Leisten u. P. R. Walton, Pr. chem. Soc. **1963**, 60.

Über farbige Polyencarbanionen wurde im Zusammenhang mit der Untersuchung von hochaciden Kohlenwasserstoffen (z.B. Biphenylensubstituierte Alkene) berichtet[1]. Aus Polyenen mit einer Äther-Gruppe in der Kette wurden durch Spaltung mit metallischem Natrium die entsprechenden Carbeniat-Salze erhalten[2].

5. Isotopenmarkierte Polyene

An dieser Stelle wird nur kurz hingewiesen auf die Bedeutung von ^{14}C-markierten Carotinoiden für die Klärung biochemischer Vorgänge. Nachstehend eine kleine Übersicht hergestellter ^{14}C-markierter Carotinoide:

all-trans-Vitamin-A-[6,7-^{14}C]	[3]
all-trans-Vitamin A-[14-^{14}C]	[3,4]
all-trans-Vitamin A-[15-^{14}C]	[3]
all-trans-Vitamin A-Säure-[15-^{14}C]	[3]
all-trans-Vitamin A-Säure-[6,7-^{14}C]	[3]
9-cis-Vitamin A-Säure-[14-^{14}C]	[3,4]
13-cis-Vitamin A-Säure-[14-^{14}C]	[4]
β-Carotin-[15,15'-^{14}C]	[3,5]
β-Carotin-[6,6'-^{14}C]	[3,6]

Zur Herstellung von tritium-markierten Polyenen im Rahmen der Carbonyl-Olefinierung s. S. 125.

6. *Cis-trans*-Isomerie

α) Allgemeine Regeln

Bei Polyenketten sind die sterischen Verhältnisse naturgemäß besonders kompliziert[7–12].

Der gesamte Molekülbau kann sich bei Polyenketten durch die *cis-trans*-Isomerie grundlegend ändern: *All-trans*-Polyene sind coplanare langgestreckte Ketten, *all-cis*-Polyene dagegen relativ „kompakte" Moleküle mit viel geringerem Kettenendenabstand bei gleicher Doppelbindungszahl z.B.:

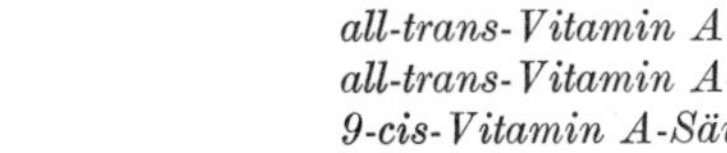

all-trans *all-cis*

---

[1] R. Kuhn et al., A. **654**, 64 (1962); **689**, 1 (1965); **690**, 50 (1965); **706**, 250 (1967).
[2] K. Hafner u. K. Goliasch, Ang. Ch. **74**, 118 (1962).
[3] W. H. Sebrell u. R. S. Harris, „*The Vitamins*" Vol. I, 2. Auflage, Academic Press New York–London, 1967.
[4] C. F. Garbers, Soc. **1956**, 3234.
[5] H. H. Inhoffen, U. Schwieter, C. O. Chichester u. G. Mackinney, Am. Soc. **77**, 1053 (1955).
[6] J. Würsch u. U. Schwieter, Helv. **39**, 1067 (1956).
[7] L. Zechmeister: „*Cis-trans Isomeric Carotenoids, Vitamins A and Arylpolyenes*", Springer-Verlag, Wien 1962.
L. Zechmeister, Fortschr. Chem. org. Naturst. **18**, 223 (1960).
[8] A. Pullman u. B. Pullman, Proc. NAS **47**, 7 (1961); C. A. **55**, 11461[d] (1961).
[9] K. Mackenzie in S. Patai „*The Chemistry of Alkenes*", Interscience Publishers, London–New York–Sidney 1964.
[10] H. H. Inhoffen u. H. Siemer, Fortschr. Chem. org. Naturst. **9**, 1 (1952).
[11] L. Zechmeister et al., Am. Soc. **65**, 1940 (1943).
[12] L. Pauling, Helv. **32**, 2241 (1949); Fortschr. Chem. org. Naturst. **3**, 203 (1939).

Mono-*cis*-Polyene mit einer *cis*-Bindung in der Mitte oder in der Nähe der Mitte sind stark gewinkelt; dies wirkt sich besonders bei längeren Ketten und/oder „großen“ Substituenten aus.

Die Zahl der mathematisch möglichen *cis-trans*-Isomeren erhöht sich mit wachsender Zahl der konjugierten Doppelbindungen beträchtlich[1]:

① unsymmetrisch substituierte Polyene (die zwei Hälften des Moleküls sind nicht identisch)

$$N = 2^{n}$$

② symmetrische Polyene mit ungerader Zahl n

$$N = 2^{\frac{(n-1)}{2}} \cdot \left(2^{\frac{(n-1)}{2}} + 1\right)$$

mit gerader Zahl n

$$N = 2^{\frac{n}{2}-1} \cdot \left(2^{\frac{n}{2}} + 1\right)$$

N = Zahl der mathematisch möglichen Stereoisomeren (gilt in endständig substituierten Polyenketten).

n = Zahl der sterisch wirksamen C=C-Doppelbindungen; bei Carotinoiden mit Trimethylcyclohexen-Ringen an der Polyenkette wird die Ringdoppelbindung nicht mitgezählt.

Danach sind z. B. für n = 5 in symmetrischen Polyenen 20, in unsymmetrischen Polyenen 32 mögliche Stereoisomere errechenbar; für n = 10 erhöhen sich diese Zahlen N bereits auf 528 bzw. 1024. Bei endständig unsubstituierten Polyenen $H(CH{=}CH)_nH$ erniedrigt sich die Zahl der möglichen Stereoisomeren, weil die endständigen Doppelbindungen „sterisch unwirksam“ sind.

Im Vergleich zu Einzel-Doppelbindungen ist zwar die Umlagerungsfähigkeit der Doppelbindungen in Polyenketten vergrößert, doch werden aus verschiedenen Gründen viel weniger *cis-trans*-Isomere bei den einzelnen Polyenen beobachtet, als die Zahl N angibt. Die theoretisch denkbare Möglichkeit, daß sich jedes *all-trans-*, *all-cis-* und *cis-trans*-Isomere bei geeigneter Behandlung in eine quasi-Gleichgewichtsmischung aller errechenbarer Stereoisomere umlagern müßte, wird in der Praxis nicht verwirklicht. Im Gleichgewicht findet man jeweils nur eine begrenzte Anzahl Isomere. Und auch gezielte Umlagerungsversuche zur Herstellung bestimmter Isomerer führen oft nicht zum Ziel. Hierbei sind 2 Faktoren ausschlaggebend[2]:

① die zur Umlagerung erforderliche Aktivierungsenergie

② die Stabilität des herzustellenden Isomeren.

Es gibt Isomere, die sich besonders leicht bilden und doch selten oder gar nicht gefunden werden, weil ihre Lebensdauer zu kurz ist[2]. Der Begriff der sogenannten „verbotenen“ *cis*-Isomeren an bestimmten Doppelbindungen ist aber überholt. Je nach der Art der Substituenten an den Doppelbindungen kann man zwar nach der „Pauling-Regel“ bei der Ausbildung einer *cis*-Doppelbindung von einer sterischen Hinderung

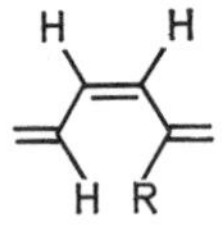

H H

H R

I

$R = CH_3, C_6H_5$

[1] L. ZECHMEISTER: „*Cis-trans Isomeric Carotenoids, Vitamins A and Arylpolyenes*“, Springer-Verlag, Wien 1962.
L. ZECHMEISTER, Fortschr. Chem. org. Naturst. **18**, 223 (1960).

[2] A. PULLMAN u. B. PULLMAN, Proc. NAS **47**, 7 (1961); C. A. **55**, 11461[d] (1961).

und von nichtgehinderten Konfigurationen

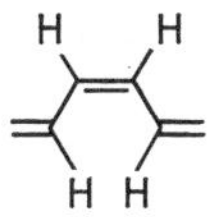

H H

H H

II

sprechen, aber auch die „behinderten" *cis*-Isomeren I (S. 18) sind durchaus herstellbar[1–5], und zwar nicht nur durch geeignete direkte Synthesemethoden (z.B. partielle katalytische Hydrierung einer C≡C-Dreifachbindung[6]), sondern auch durch *trans-cis*-Umlagerung; z.B. erfolgt die Umlagerung von *all-trans-Vitamin A-Aldehyd* mit Licht in das „gehinderte" *11-cis*-Isomere sogar besonders leicht[2]. *11-cis-Vitamin A-(Aldehyd)* wird auch beim Sehvorgang gebildet[1].

Daß „gehinderte" *cis*-Isomere häufig erst spät gefunden wurden, ist erklärbar durch ihre teilweise geringe Stabilität. Theoretische Diskussionen zur sterischen Hinderung bei substituierten *cis*-Doppelbindungen s. Lit.[1,2,3].

Besonders beachtet werden müssen die sterischen Verhältnisse an der 7,8-Doppelbindung und der 6,7-Einfachbindung in „normal konjugierten" Carotinoiden:

Typ I

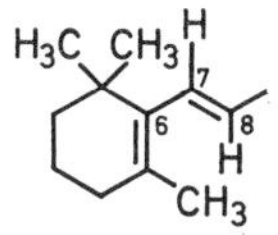

H_3C CH_3 H 7 6 8 H CH_3

s-cis-Konformation*(6,7)*

Typ II

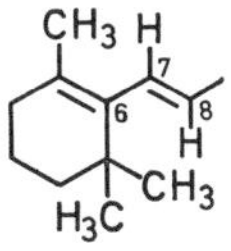

CH_3 H 7 6 8 H CH_3 H_3C

s-trans-Konformation*(6,7)*

In beiden Fällen liegt gegenseitige sterische Behinderung zwischen dem H an C_8 und einer Methyl-Gruppe am Ring vor. Ferner liegen in beiden Fällen Ring und Kette nicht in einer Ebene und an der 7,8-Doppelbindung ist keine *cis*-Form möglich. Untersuchungen mit Hilfe von Röntgenstrahlen haben bisher noch nicht klar ergeben, ob allgemein bei *all-trans*-Carotinoiden *s-cis*- oder *s-trans*-Konformation an der 6,7-Bindung vorliegt[1,2,7,8]. Bei *Vitamin A-Säure, β-Carotin, 15,15'-Dehydro-β-carotin* und einigen *cis*-Isomeren wurde *s-cis*-Konformation-(6,7) nachgewiesen[2,7,9].

Auf S. 7 wurde bereits erwähnt, daß die Ringdoppelbindung in *β*-Carotinoiden auf Grund der o.a. sterischen Hinderung nicht voll die Konjugation

---

[1] L. Zechmeister: „*Cis-trans Isomeric Carotenoids, Vitamins A and Arylpolyenes*", Springer-Verlag, Wien 1962.

[2] A. Pullman u. B. Pullman, Proc. NAS **47**, 7 (1961); C. A. **55**, 11461^d (1961).

[3] K. Mackenzie in S. Patai „*The Chemistry of Alkenes*", Interscience Publishers, London–New York–Sidney 1964.
vgl. a. E. A. Braude, E. R. H. Jones, H. P. Koch, R. W. Richardson u. F. Sondheimer, Soc. **1949**, 1890.

[4] H. H. v. Ziegler, C. H. Eugster u. P. Karrer, Helv. **38**, 613 (1955).

[5] C. F. Garbers, C. H. Eugster u. P. Karrer, Helv. **35**, 1850 (1952).

[6] W. Oroshnik u. A. D. Mebane, Am. Soc. **76**, 5719 (1954).

[7] U. Schwieter et al., Chimia **19**, 300 (1965).

[8] C. H. McGillavry, Chem. Weekb. **62**, 78 (1966).

[9] U. Schwieter u. O. Isler in W. H. Sebrell u. R. S. Harris, „*The Vitamins*", Vol. I, Academic Press, New York–London 1967.

der Polyenkette fortsetzt (vgl. a. UV-Spektren S. 29). Für die Betrachtung der *cis-trans*-Isomerie an Polyenketten ergibt sich daraus noch die Konsequenz, daß bei Angaben über die Mitte von Polyenketten z.B. bei Vitamin A-Derivaten die Ringdoppelbindung unberücksichtigt bleiben kann[1].

Im allgemeinen gilt die Regel, daß die langgestreckten coplanaren *all-trans*-Polyene wegen ihrer hohen Resonanzenergie besonders stabil sind. Aber bei längeren (substituierten) Polyenketten sind bei der Betrachtung der Stabilität der einzelnen *cis-trans*-Isomeren noch zahlreiche weitere Faktoren zu berücksichtigen. Auch die Art der Substituenten hat Einfluß auf die Stabilität. Durch eine größere Zahl von *cis*-Bindungen kann sich die thermische Stabilität des Moleküls erhöhen, gleichzeitig verringert sich jedoch die Beständigkeit gegenüber Licht.

Besonders empfindlich gegen Licht sind Polyene mit zentraler *cis*-Bindung. Entsprechend den theoretischen Ergebnissen für Polyenketten über die Abnahme der typischen Doppelbindungseigenschaften vom Kettenende hin zur Kettenmitte, lassen sich zentrale *cis*-Doppelbindungen sehr leicht zur *trans*-Bindung umlagern. Daraus folgt, daß längerkettige Polyene mit zentraler *cis*-Bindung nur unter jeglicher Vermeidung von Säure, Licht oder Wärme rein erhalten werden können[2]. *15,15'-Mono-cis-β-carotin* wird durch gewöhnliches diffuses Tageslicht bereits innerhalb 3 Stdn. nahezu restlos in die *all-trans-Form* umgelagert[2].

Die Labilität von „gehinderten“ *cis*-Bindungen wurde schon erwähnt. Es gibt hier aber auch Ausnahmen.

Poly-*cis*-Carotinoide gibt es zwar in der Natur, aber synthetisch konnten sie bisher noch nicht hergestellt werden. Bei rein aliphatischen Polyenen sind auch längerkettige Poly-*cis*-Verbindungen synthetisiert worden[3]. (Über die Auswirkungen der *cis-trans*-Isomerie an den Doppelbindungen von Polyenketten auf die Spektren s. S. 29).

Als allgemeine Arbeitsregel für die Herstellung von Stereoisomeren und den Umgang mit diesen Verbindungen (Aufbewahren) muß nochmals betont werden, daß man selbstverständlich diejenigen äußeren Bedingungen vermeiden muß, die eine unerwünschte spontane Isomerisierung zur Folge hätten. Gegebenenfalls darf nur unter Kühlung bzw. in Dunkelkammer-Rotlicht gearbeitet werden, je nach der Stabilität der betreffenden Verbindung. Letzteres gilt besonders für die Herstellung von längerkettigen Mono-*cis*-Polyenen mit zentraler *cis*-Bindung (s. oben). Im übrigen wurde bereits auf S. 13 darauf hingewiesen, daß bei längeren Polyenketten grundsätzlich schonende äußere Bedingungen eingehalten werden müssen. Diese verhindern dann gleichzeitig auch weitgehend unerwünschte *cis-trans*-Umlagerungen. Trotzdem bleibt stets die Gefahr, daß bei der Durchführung von Stereo-Umlagerungen auch irreversible „Zerstörungsreaktionen“ auftreten. Sonstige Nebenreaktionen vgl. S. 24.

β) Spezielle stereospezifische Synthesemethoden

Wenn man eine Aufbaumethode für eine Polyenkette verwendet hat, bei der an der Stelle einer gewünschten *cis*- oder *trans*-Doppelbindung zunächst eine C≡C-Dreifachbindung eingebaut ist, läßt sich durch katalytische partielle Hydrierung

---

1 A. PULLMAN u. B. PULLMAN. Proc. NAS **47**, 7 (1961); C. A. **55**, 11461^{d} (1961).

2 H. H. INHOFFEN, F. BOHLMANN u. G. RUMMERT, A. **571**, 75 (1951).

3 K. MACKENZIE in S. PATAI „*The Chemistry of Alkenes*“, Interscience Publishers, London–New York–Sidney 1964.

leicht die reine *cis*-Form herstellen oder soweit partielle Hydrierung mit Lithiumalanat möglich ist, die reine *trans*-Form.

Zur stereospezifischen Carbonyl-Olefinierung s. S. 93f.

γ) Umlagerungsreaktionen

cis-trans-Umlagerungen erfolgen teilweise automatisch während der Herstellung der Polyenketten. Werden z.B. bei Polyensynthesen zu Dehydratisierungen, Allyl-Umlagerungen oder Doppelbindungsverschiebungen Bromwasserstoff, Jod usw. verwendet, kann sich bei der Reaktion bereits die gesamte Polyenkette zur *all-trans*-Form umlagern.

Nach der partiellen Hydrierung von 8,8′-Dehydro-crocetindialdehyd lagert sich die primär entstehende 8,8′-*cis*-Verbindung sofort weiter um zur *all-trans*-Form[1].

Bei der Säulenchromatographie von Polyenen an Aluminiumoxid usw. kann es nur unter speziellen Bedingungen zu *cis-trans*-Umlagerungen kommen[2,3].

Meistens erhält man bei der Herstellung von Polyenketten *cis-trans*-Isomere, die umgelagert werden müssen. So haben Verfahren zur *cis-trans*-Isomerisierung neben ihrem theoretischen Interesse auch sehr große präparative Bedeutung. Für Synthesen von Carotinoiden durch C—C-Verknüpfung ist folgendes zu beachten: Da sich die verschiedenen *cis*-Isomeren verschieden schwer in die meist gewünschte *all-trans*-Form umlagern lassen, ist es z.T. wichtig, die Bausteine so zu wählen, daß die anschließende Isomerisierung der neu gebildeten Doppelbindung mit guten Ausbeuten verlaufen kann[4]. Zur *cis-trans*- bzw. *trans-cis*-Isomerisierung dienen allgemein folgende Verfahren[2,5-7]:

① Thermische Umlagerung in Lösung
② Photochemische Umlagerung in Lösung (evtl. auch in der Wärme)
③ Jod-katalysierte Umlagerung in Lösung (evtl. auch in der Wärme)
④ Säure-katalysierte Umlagerung in Lösung (evtl. auch in der Wärme)
⑤ Umlagerung durch Schmelzen von Kristallen

Der Verlauf von *cis-trans*-Isomerisierungen kann oft günstig spektrometrisch verfolgt werden.

Wenn man bei *all-trans*-Polyenen diese Umlagerungsverfahren durchführt, erhält man Gleichgewichtsmischungen von jeweils verschiedener Zusammensetzung je nach der angewendeten Methode. Poly-*cis*-Verbindungen konnten bisher in Gleichgewichtsmischungen nicht nachgewiesen werden.

Eine Umlagerung mit Jod als Katalysator ist bei C_{40}-Carotinoiden nur in Gegenwart von Licht möglich (Tageslicht).

Für photochemische Umlagerungen ist Licht aus dem Wellenlängenbereich, in dem das Polyen am stärksten absorbiert, am wirksamsten[5]. Meistens verwendet

---

1 O. Isler et al., Helv. **39**, 463 (1956).
2 L. Zechmeister: „*Cis-trans Isomeric Carotenoids, Vitamins A and Arylpolyenes*“, Springer-Verlag, Wien 1962.
L. Zechmeister, Fortschr. Chem. org. Naturst. **18**, 223 (1960).
3 C. W. Spangler, J. Org. Chem. **31**, 346 (1966).
4 H. Pommer, Ang. Chem. **72**, 811 (1960).
5 H. H. Inhoffen, F. Bohlmann u. G. Rummert, A. **571**, 75 (1951).
6 H. H. Inhoffen u. H. Siemer, Fortschr. Chem. org. Naturst. **9**, 1 (1952).
7 H. H. Inhoffen, U. Schwieter u. G. Raspé, A. **588**, 117 (1954).

man Licht mittlerer Wellenlängen, z.T. auch einfach Tages- bzw. Sonnenlicht. Zu photochemischen *cis-trans*-Umlagerungen in Gegenwart von Sensibilisatoren s. Literatur [1–3].

Für Säure-katalysierte Umlagerungen wird im allgemeinen Chlorwasserstoff oder Bromwasserstoff verwendet. Aber auch Maleinsäure-diester, p-Benzochinon u.a. π-Säuren können isomerisierend wirken[4], dies ist insbesondere für Diels-Alder-Reaktionen von Bedeutung.

***all-trans*-Octatrien-(2,4,6)-al[5]:**

$$H_3C{-}(CH{=}CH)_3{-}CHO$$

Ein *cis-trans*-Gemisch von Octatrien-(2,4,6)-al wird in Benzol mit einer Spur Jod 1 Stde. unter Rückfluß gekocht. Die nach dem Einengen erhaltenen gelben Kristalle werden in Äther gelöst und mit Magnesium-Spänen von Jod befreit. Danach wird filtriert, der Äther abgedampft und der Rückstand 2mal aus wenig Petroläther umkristallisiert; F: 59–62°.

***all-trans*-Docosadecaen-(2,4,6,8,10,12,14,16,18,20)[6]:**

$$H_3C{-}(CH{=}CH)_{10}{-}CH_3$$

Di-cis-Docosadecaen wird in Benzol gelöst und mit einer Spur Jod auf dem Wasserbad 15 Min. erwärmt. Beim Versuch, die *all-trans*-Verbindung unter Erwärmen in Benzol zu lösen, entsteht bereits wieder ein *cis-trans*-Gemisch.

***all-trans*-Bixin-dimethylester[7]:**

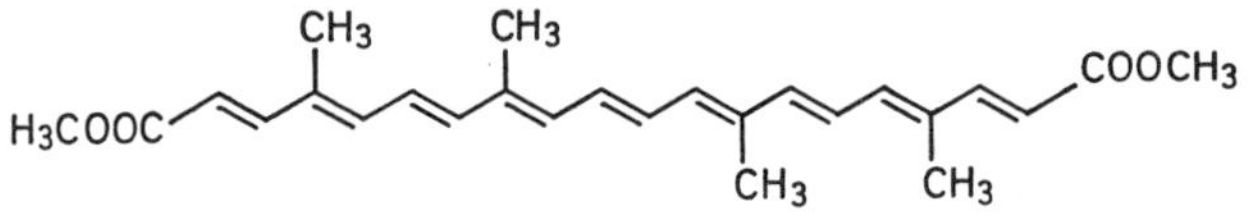

Die 10,10′-Mono-*cis*-Verbindung wird in Cyclohexan unter Zusatz einer geringen Menge Benzol 12 Stdn. am Rückfluß gekocht. Nach Aufarbeitung durch Chromatographie an Aluminiumoxid (Aktivitätsstufe I)[7] erhält man violette Blättchen; F: 207°.

***all-trans*-Crocetin-dimethylester[8]:**

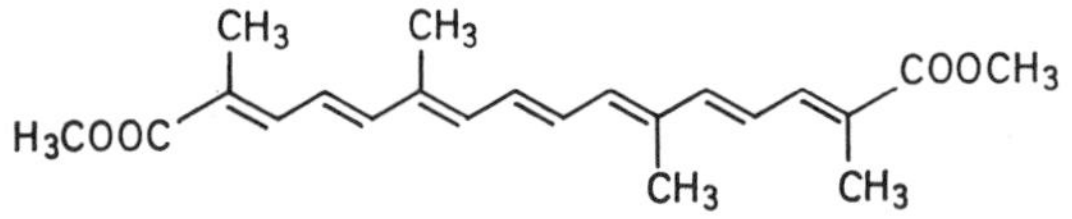

30 mg 8,8′-Mono-*cis*-Crocetin-dimethylester werden in 75 *ml* Petroläther (Kp: 50–70°) gelöst, mit 2 mg Jod versetzt und 20 Min. mit einer 500 Watt-Philips-Photolampe aus 35 cm Entfernung bestrahlt. Die Petroläther-Lösung wird mit 0,1 *n* Thiosulfat-Lösung gewaschen, getrocknet und eingedampft. Der gelbrote Rückstand wird in 30 *ml* absol. Benzol gelöst und an Aluminiumoxid (Aktivitätsstufe I) chromatographiert[8]; Ausbeute: 14 mg (45% d.Th.); F: 222° (rote Blättchen).

***all-trans*-β-Carotin[9]:** Eine Suspension von 100 g 15,15′-Mono-*cis*-β-Carotin in 500 *ml* Petroläther (Kp: 80–100°) wird unter Rühren 10 Stdn. auf 80° erwärmt. Nach einigen Stdn. Stehen bei 0° wird das auskristallisierte Produkt abfiltriert, mit Petroläther gewaschen und i. Vak. getrocknet; Ausbeute: 95–97 g (95–97% d.Th.); F: 180°.

---

1 S. C. Foote et al., Am. Soc. **92,** 5218 (1970).
2 H. Claes, Z. Naturf. **16 [b],** 445 (1961).
3 G. S. Hammond et al., Am. Soc. **86,** 3197 (1964).
4 E. Koerner v. Gustorf, Tetrahedron Letters **45,** 4689, 4693 (1968).
5 M. Kröner, B. **100,** 3172 (1967).
6 F. Bohlmann u. H. J. Mannhardt, B. **89,** 1307 (1956).
7 H. H. Inhoffen u. G. Raspé, A. **592,** 214 (1955).
8 H. H. Inhoffen et al., A. **580,** 7 (1953).
9 O. Isler et al., Helv. **39,** 249 (1956).

Mono-cis-Lycopin mit zentraler *cis*-Doppelbindung isomerisiert besonders leicht, es wird schon durch kurzes Erwärmen auf 80–100°, z.B. beim Umkristallisieren, in *all-trans*-Lycopin umgelagert[1].

Bei zahlreichen C—C-Aufbaureaktionen zur Synthese von Polyenketten kristallisiert die *all-trans*-Verbindung nach der Aufarbeitung leicht aus, und man erhält einen öligen Rückstand mit *cis-trans*-Isomeren. Durch Isomerisierung dieses *cis-trans*-Gemisches nach einem der o.a. Verfahren kann man dann weitere Ausbeuten an *all-trans*-Verbindung gewinnen.

***all-trans*-Crocetin-dialdehyd**[2]: Der bei der Herstellung von Crocetin-dialdehyd durch Carbonyl-Olefinierung nach Abtrennung des auskristallisierten *all-trans-Crocetin-dialdehyd* (s. S. 106) verbliebene Rückstand wird in Essigsäure-äthylester gelöst und nach Zusatz von Jod über einer 250-Watt-Philips-IR-Lampe 6 Stdn. zum Sieden erhitzt. Nach dem Einengen des Lösungsmittels wird weitere *all-trans*-Verbindung erhalten.

***all-trans*-β-Carotin**[3]: Die bei der Herstellung von β-Carotin durch Carbonyl-Olefinierung (s. S. 114) nach Abtrennung der kristallinen *all-trans*-Verbindung anfallende Mutterlauge wird mit verd. Mineralsäure versetzt, mit Benzol extrahiert und die Benzol-Lösung mit etwas Jod 6 Stdn. unter Rückfluß gekocht. Die dunkelrote Benzol-Lösung wird dann mit Wasser, verd. Natriumthiosulfat-Lösung und wieder mit Wasser gewaschen und eingeengt. Bei Zugabe von Methanol-Äthanol (4:1) fällt beim Stehen *all-trans*-β-Carotin aus.

Rückstände mit *cis-trans*-Gemischen von β-Carotin oder ähnlichen Carotinoiden lassen sich auch häufig sehr günstig durch Erwärmen in einem Lösungsmittel isomerisieren, in dem die *all-trans*-Verbindung schwer löslich ist (Petroläther) und dadurch leicht auskristallisiert. So läßt sich die *all-trans*-Verbindung leicht aus dem Gleichgewicht entfernen.

Ausführliche Angaben über die Isomerisierung von *all-trans*-Carotinoiden zu *cis-trans*-Isomeren[4,5, s.a. 6] und entsprechende Umlagerungen von 1-Mono- und 1,ω-Diphenyl-polyenen[4] entnehme man der Literatur.

δ) Trennung und Nachweis von *cis*- und *trans*-Isomeren

Teilweise lassen sich *cis-trans*-Isomere offenkettiger Polyene durch Destillation[7] oder auf Grund unterschiedlicher Kristallisierfähigkeit bzw. Schmelzpunkte (s. oben) trennen. Zur Trennung carotinoider *cis-trans*-Isomerer mit Hilfe von Phenol-Komplexen s. S. 190.

Bei der Säulenchromatographie werden *cis-trans*-isomere Polyene verschieden stark adsorbiert[4,8] und können daher auf diesem Wege getrennt werden. Isomere mit zentraler *cis*-Doppelbindung findet man in der Säule unterhalb der *all-trans*-Verbindung[9]. Auch bei Papier- oder günstiger bei der Dünnschicht-Chromatographie werden Gemische von *cis-trans*-isomeren Polyenen aufgetrennt.

---

[1] O. Isler et al., Helv. **39**, 463 (1956).
[2] U. Schwieter et al., Helv. **49**, 369 (1966).
[3] DBP. 1068703 (1958), BASF, Erf.: H. Pommer u. W. Sarnecki; C. A. **55**, 13473ⁱ (1961).
[4] L. Zechmeister: „*Cis-trans Isomeric Carotenoids, Vitamins A and Arylpolyenes*", Springer-Verlag, Wien 1962.
L. Zechmeister, Fortschr. Chem. org. Naturst. **18**, 223 (1960).
[5] H. H. Inhoffen u. H. Siemer, Fortschr. Chem. org. Naturst. **9**, 1 (1952).
[6] M. Mousseron-Canet u. J. L. Olivé, Bl. **1969**, 3242.
[7] K. Alder u. H. v. Brachel, A. **608**, 195 (1957).
Weitere Literatur s. S. 204 f.
[8] A. Härtel, Z. anal. Chem. **206**, 188 (1964).
[9] H. H. Inhoffen, F. Bohlmann u. G. Rummert, A. **571**, 75 (1951).

Die Trennung von *cis-trans*-Isomeren durch Gas-Chromatographie wird bei den verschiedenen Arbeitsvorschriften angegeben.

Für die Bestimmung der Struktur von *cis-trans*-Isomeren können die Stabilität oder Fluoreszenz-Eigenschaften Hinweise geben. Vor allem aber sind hier spektroskopische Messungen (UV-, NMR-Spektren u.a.; s. S. 29, 30, 31) von Bedeutung.

Ausführliche Strukturuntersuchungen über *cis-trans*-isomere Polyene mit Hilfe der Diels-Alder-Reaktion (vgl. S. 204 f.) wurden von verschiedenen Autoren durchgeführt[1,2]. Auch Abbaureaktionen können Aufschluß geben über die Lage von *cis*- bzw. *trans*-Bindungen[3].

Zur Bestimmung der *cis*-Anteile speziell in Isomerengemischen von *Vitamin A* (-Derivaten) (*all-trans, 9-cis, 11-cis, 13-cis, 11,13-di-cis*-Isomere) hat sich die „Maleinsäure-anhydrid-Methode" bewährt[4, vgl. 5]. Man nützt hier die unterschiedliche Reaktionsgeschwindigkeit der Isomeren bei der Addition von Maleinsäure-anhydrid aus[4]. Mit Maleinsäure-anhydrid reagieren nur die C_{11}- und C_{13}-Doppelbindungen (1,4-Addition) und diese nur dann leicht und schnell, wenn beide in *trans*-Stellung vorliegen. Das ist der Fall beim *all-trans*- oder *9-cis*-Isomeren. Wenn man die Behandlung des Isomerengemisches mit Maleinsäure-anhydrid (bei Raumtemp.) z.B. nach 30 Minuten abbricht und anschließend die Änderung der Extinktion der Isomeren-Lösung im Absorptionsmaximum mißt, hat man ein Maß für die ursprünglich vorhandene Isomeren-Zusammensetzung.

Zum Abschluß einige Bemerkungen zu speziellen sterischen Verhältnissen bei einzelnen Polyen-Gruppen

① Bei der thermischen oder photochemischen Behandlung von Trienen oder auch Tetraenen erfolgen neben *cis-trans*-Isomerisierungen leicht Cyclisierungsreaktionen (s. S. 219; vgl. a. En-allen-Bildung S. 216). Reines *cis-Hexatrien-(1,3,5)* ist wegen seiner starken Neigung zur Cyclisierung sehr schwer zu isolieren.

② Bei der Isomerisierung von carotinoiden Polyenen kann es unter ungünstigen Bedingungen in Einzelfällen zu Retro-Umlagerungen kommen (s. S. 67 f.).

③ Ein stereospezifischer Einfluß der Kondensationsmittel Kalium- bzw. Natriumamid wurde bei der Herstellung von *Vitamin* A_2-*Säure*-Isomeren beobachtet[6].

④ Bei der UV-Bestrahlung von *all-trans-Vitamin A-aldehyd* in Hexan-Lösung wird nur die endständige C_{13}-Doppelbindung angegriffen (Umlagerung in die *cis*-Form)[7].

⑤ Wie leicht oder schwer sich einzelne *cis*-Isomere in die *all-trans*-Form umlagern lassen, kann auch durch funktionelle Gruppen an der Polyenkette beeinflußt werden.

⑥ Ausführlich untersucht wurden die *cis-trans*-Isomere von Vitamin A-(Derivaten) und *β-Carotin*[vgl. 8,9]. Besonders auffällig ist hier, daß sich jeweils die 9- bzw. 9,9'-*cis*-Isomeren nur sehr schwer in die *trans*-Form umlagern lassen.

---

1 K. Alder u. H. v. Brachel, A. **608**, 195 (1957).
Weitere Literatur s. S. 204 f.

2 H. P. Kaufmann u. R. K. Sud, B. **92**, 2797 (1959).

3 H. H. Inhoffen u. G. Raspé, A. **592**, 214 (1955).

4 L. Zechmeister: „*Cis-trans Isomeric Carotenoids, Vitamins A and Arylpolyenes*", Springer-Verlag, Wien 1962.
L. Zechmeister, Fortschr. Chem. org. Naturst. **18**, 223 (1960).

5 C. D. Robeson u. J. G. Baxter, Am. Soc. **69**, 136 (1947).

6 U. Schwieter, C. v. Planta, R. Rüegg u. O. Isler, Helv. **45**, 528 (1962).

7 M. Mousseron-Canet, J. C. Mani, C. Favie u. D. Lerner, C. r. [C] **262**, 153 (1966); vgl. Adv. Photochem. **4**, 194 (1966).

8 H. Pommer, Ang. Ch. **72**, 811, 911 (1960).

9 C. D. Robeson et al., Am. Soc. **77**, 4111 (1955).

Grundsätzlich durchzieht das *cis-trans*-Isomerie-Problem die gesamte Chemie der offenkettigen Polyene. Bei fast allen im vorliegenden Kapitel beschriebenen Herstellungs- und Umwandlungs-Methoden muß mit *cis-trans*-Umlagerungen gerechnet werden, auch wenn dies bei der Beschreibung nicht besonders hervorgehoben wurde.

7. Spektren[1] und Analytik

α) im Sichtbaren und Ultraviolett

Die Absorptionsspektren im sichtbaren und ultravioletten Lichtwellenlängenbereich haben für die synthetische und analytische Polyenchemie große Bedeutung.

Im Band III/2 (S. 627ff., 650ff., 720) des vorliegenden Handbuches sind die theoretischen Grundlagen dieser Spektren und die Zusammenhänge mit der chemischen Konstitution – auch speziell bei offenkettigen Polyenen – unter Berücksichtigung der Literatur bis 1954 besprochen.

Hier wird daher nur die neuere Literatur berücksichtigt.

Abgesehen von zahlreichen Veröffentlichungen über spektrale Untersuchungen einzelner Polyene sind seit 1954 Übersichtsarbeiten über Elektronenspektren offenkettiger Polyene erschienen mit zum Teil neuen theoretischen Erkenntnissen[2–17].

---

[1] Für die Lage der Absorptionsbanden werden – entsprechend den Gepflogenheiten in der präparativen organischen Chemie – Wellenlängen (λ) in mμ angegeben. Tabelle zur Umrechnung in Wellenzahlen siehe z.B. ds. Handb., Bd. III/2, S. 888ff.
λ_{max} = Wellenlänge, bei der die Absorption die größte Intensität (Extinktion) besitzt.
Für die Höhe der Absorptionsbanden (Extinktion) werden die in der jeweiligen Originalarbeit verwendeten Koeffizienten angegeben (Zur Umrechnung ineinander vgl. Bd. III/2). Diese Extinktionskoeffizienten genügen in der Laborpraxis des Chemikers meistens als grobes Maß für die Intensität der Absorption. Ein genaueres Maß für theoretische Überlegungen und Berechnungen ist die Oszillatorenstärke (dimensionslos), die proportional zur integrierten Intensität der Absorptionsbande ist und in den in üblicher Weise graphisch dargestellten Absorptionskurven der Gesamtfläche des Absorptionsbereiches entspricht; vgl. J. N. Murrell, *Elektronenspektren organischer Moleküle*, B. J. Hochschultaschenbuch 250/250a, 29 (1967).

[2] L. Zechmeister, „*Cis-trans-Isomeric Carotenoids, Vitamins A and Arylpolyenes*", Springer-Verlag, Wien 1962.

[3] L. Zechmeister, Fortschr. Chem. org. Naturst. **15**, 63 (1958).

[4] L. Zechmeister, Fortschr. Chem. org. Naturst. **18**, 223 (1960).

[5] S. L. Jensen in „*Carotenoids other than Vitamin A*" (IUPAC 1966) Pure Appl. Chem. **14**, 227 (1967).

[6] U. Schwieter et al., Chimia **19**, 294 (1965); Pure Appl. Chem. **20**, 365 (1969).

[7] B. C. L. Weedon, Fortsch. Chem. org. Naturst. **27**, 81 (1969).

[8] J. H. Merz, P. A. Straub u. E. Heilbronner, Chimia **19**, 302 (1965).

[9] F. Feichtmayr et al., Tetrahedron **25**, 5383 (1969).

[10] J. N. Murrell, „*Elektronenspektren organischer Moleküle*", B. J. Hochschultaschenbuch 250/250a, 29 (1967).

[11] W. Liptay in „*2. Internationales Farbensymposium*" über „*Optische Anregung organischer Systeme*", S. 263, Verlag Chemie, Weinheim 1966.

[12] J. Dale, Acta chem. Scand. **11**, 265 (1957).

[13] K. Mackenzie, C. A. Coulson in S. Patai „*The Chemistry of Alkenes*", Interscience Publishers, London–New York–Sidney 1964.

[14] R. Zahradnik, Fortschr. chem. Forschg. **10**, 1 (1968).

[15] H. Kuhn, Fortschr. Chem. org. Naturst. **16**, 169 (1958).

[16] H. Preuss, „*Die Methoden der Molekülphysik und ihre Anwendungsbereiche*", Akademie-Verlag, Berlin 1959.

[17] H. Fischer, Tetrahedron **25**, 955 (1969).

Ein wesentlicher Gesichtspunkt ist stets die Abhängigkeit der Lichtabsorption bei Polyenen von der Anzahl der konjugierten Doppelbindungen. Obwohl eine Fülle von Material an Polyenspektren in der Literatur vorliegt, ergeben sich Schwierigkeiten, wenn man einheitliche Angaben über die Abhängigkeit der Absorptionsmaxima von der Anzahl der konjugierten Doppelbindungen (n) in Polyenketten machen will[1]. Die geringe Stabilität der Polyene gegen Sauerstoff, Licht oder Wärme, die Neigung zur *cis-trans*-Isomerisierung, Lösungsmitteleinflüsse, der Einfluß von an der Polyenkette vorhandenen Substituenten u. a. sind Faktoren, die bei Vergleichen berücksichtigt werden müssen.

Von besonders großer Bedeutung für die Untersuchung von UV-Spektren der Polyene ist der Lösungsmitteleinfluß, durch den sich die Lage des Absorptionsmaximums bei gleichbleibender Kettenlänge beträchtlich verändern kann. Für die Art und das Ausmaß der Bandenverschiebung durch die verschiedenen Lösungsmittel muß grundsätzlich unterschieden werden zwischen

① Lösungen, in denen zwischen den gelösten Molekülen und den Lösungsmittel-Molekülen im wesentlichen nur Dispersionswechselwirkungen auftreten[2,3] (unpolare oder wenig polare Verbindungen in unpolaren oder polaren Lösungsmitteln).

② Lösungen, in denen die polaren Kräfte zwischen den gelösten Molekülen und den Lösungsmittel-Molekülen („Reaktionsfeld") maßgebend sind für die Abhängigkeit der Absorption vom Lösungsmittel (polare Verbindungen in unpolaren oder polaren Lösungsmitteln).

Die Grenze zwischen Gruppe ① und ② läßt sich in einzelnen Fällen nicht scharf ziehen.

Seit langem ist in der Polyenchemie aus der Praxis bekannt, daß sich bei unpolaren Polyenen (Gruppe ①) die Lage des Absorptionsmaximums mit steigendem Brechungsindex des Lösungsmittels nach längeren Wellen verschiebt. Theoretische Berechnungen[2,3] über Dispersionswechselwirkungen lassen die experimentellen Befunde verstehen. Besonders stark ist die Verschiebung der Absorption von Polyenlösungen nach längeren Wellen beim Übergang von Hexan zu Schwefelkohlenstoff als Lösungsmittel.

Von verschiedenen Seiten wurde auch die Änderung dieses Lösungsmitteleinflusses als Funktion der Polyenkettenlänge untersucht, z. B. an carotinoiden Kohlenwasserstoffen verschiedener Kettenlänge[2,4]. Wenn man für die Verschiebung der Absorptionsbanden die Wellenlänge λ_{max} als Maßstab nimmt, ergibt sich eine Proportionalität zwischen $\Delta\,\lambda_{max}$ und der Zahl der konjugierten Doppelbindungen in der Polyenkette. Dieser Tatbestand ist in der Literatur stets sehr stark betont. Diskutiert man aber mit der Wellenzahl als Maßstab, also im linearen Energiemaß, ergibt sich, daß die Verschiebung des Absorptionsmaximums innerhalb homologer Polyenreihen um einen Mittelwert schwankt, der seinerseits unabhängig von der Zahl n ist[2]. Das gleiche gilt für die mit der Verschiebung der Wellenzahl verbundene Verringerung der Oszillatorenstärke.

In der Gruppe ②, wo das „Reaktionsfeld" die Lage der Absorptionsbande eines gelösten polaren Polyenmoleküls bestimmt, sind die Verhältnisse komplizierter[3] und teilweise noch nicht genau geklärt.

---

[1] J. H. Merz, P. A. Straub u. E. Heilbronner, Chimia **19**, 302 (1965).
[2] F. Feichtmayr et al., Tetrahedron **25**, 5383 (1969).
[3] W. Liptay in *„2. Internationales Farbensymposium"* über *„Optische Anregung organischer Systeme"*, S. 263, Verlag Chemie, Weinheim 1966.
[4] P. Karrer u. C. H. Eugster, Helv. **34**, 1805 (1951).

Je nach der Größe des Dipolmoments des gelösten Polyen-Moleküls im Grund- und Anregungszustand wird das Absorptionsmaximum bei wachsender Polarität des Lösungsmittels nach längeren oder kürzeren Wellen verschoben:

ⓐ Wenn das Dipolmoment des gelösten Moleküls im Grundzustand kleiner ist als im angeregten Zustand, verschiebt sich λ_{max} durch polare Lösungsmittel nach längeren Wellen.

ⓑ Im umgekehrten Fall wird λ_{max} in polaren Lösungsmitteln nach kürzeren Wellen verschoben.

Auch „Wasserstoffbrücken"-Bindungen zwischen Lösungsmittel und gelöstem Polyenmolekül können von Bedeutung für die Abhängigkeit der Lichtabsorption vom Lösungsmittel sein.

Das Ausmaß der Verschiebung von λ_{max} durch Lösungsmitteleinfluß kann proportional der Zahl der konjugierten Doppelbindungen wachsen [vgl. Regel von Merz[1] für den Übergang von Hexan zu Chloroform als Lösungsmittel für Polyenkohlenwasserstoffe: $\Delta\,\lambda\,(n) = 1{,}3\,m\mu$]. Die Verschiebung von λ_{max} ins Längerwellige beträgt danach z.B. für ein Tetraen 6 mμ, für *Dodecapreno-β-carotin* mit 17 Ketten- und 2 Ring-Doppelbindungen 26 mμ.

Erst unter Berücksichtigung dieser erheblichen Lösungsmitteleinflüsse kann man die spektralen Meßergebnisse bei den verschiedenen Polyentypen in Zusammenhang mit ihrer Struktur bringen.

Als Grundregel bleibt[2], daß sich in Polyenreihen von jeweils gleichem Strukturtyp bis $\sim n = 6$ das Hauptabsorptionsmaximum bei jeder neu hinzukommenden C=C-Doppelbindung um ~ 30–36 mμ nach Rot verschiebt. Ungefähr ab n = 6 sind Polyenketten farbig [*Tetradecahexaen-(2,4,6,8,10,12)* ist zitronengelb[3]].

Ab $\sim n = 6$ wird der Zuwachswert für λ_{max} pro Doppelbindung immer geringer, wie nachstehende Aufstellung zeigt:

Verbindung	λ_{max}	Lösungsmittel	Differenz pro Doppelbindung	Literatur
Octadecaoctaen-(2,4,6,8,10,12,14,16)	395,5 mμ	Äther od. Petroläther	17 mμ	4
Eicosanonaen-(2,4,6,8,10,12,14,16,18)	412,5 mμ	Äther od. Petroläther		4
β-Carotin (n = 9 + 2)	452 mμ	Petroläther	12 mμ	5
Decapreno-β-carotin (n = 13 + 2)	498 mμ	Petroläther	8 mμ	5
Dodecapreno-β-carotin (n = 17 + 2)	531 mμ	Petroläther		5

Theoretische Berechnungen[1] und graphische Auswertung praktischer Meßergebnisse[6] sprechen für die Existenz eines endlichen Grenzwertes für „unendliche" Konjugation.

[1] J. H. Merz, P. A. Straub u. E. Heilbronner, Chimia **19**, 302 (1965).
[2] S. ds. Handb., Bd. III/2, S. 650ff.
Über die Absorption von Polymethinen s. S. 231.
[3] R. Kuhn, Ang. Ch. **50**, 705 (1937).
[4] F. Bohlmann u. H. J. Mannhardt, B. **89**, 1307–15 (1956).
[5] P. Karrer u. C. H. Eugster, Helv. **34**, 1805 (1951).
[6] O. Isler, R. Rüegg u. U. Schwieter, „*Carotenoids other than Vitamin A*", IUPAC (1966); Pure Appl. Chem. **14**, 245 (1967).

Zur „Feinstruktur“ der Absorptionsbanden von Polyenen s. ds. Handb., Bd. III/2, S. 650ff., 720.

Die Verschiebung der Absorptionsbanden von Polyenketten durch Methyl-Substituenten läßt sich zahlenmäßig nicht genau festlegen, häufig wird λ_{max} pro Methyl-Gruppe um ~ 8–10 mμ ins Langwellige verschoben. Es scheint aber, als ob der Einfluß der Methyl-Gruppen mit zunehmender Zahl konjugierter Doppelbindungen abnimmt[1]. Im *13,13'-Bis-[desmethyl]-β-carotin* ist λ_{max} gegenüber *β-Carotin* um insgesamt ~ 10 mμ ins Kurzwellige verschoben[2], also pro fehlender Methyl-Gruppe nur um 5 mμ.

Über die Absorptionsspektren von Polyenketten mit „eingeschobener“ C≡C-Dreifachbindung (Verschiebung nach Blau) s. ds. Handb., Bd. III/2, S. 627. Hier sei daher nur ein Beispiel aus der Carotinoid-Chemie angegeben:

β-Carotin	λ_{max} 452 mμ (in Petroläther)
15,15'-Dehydro-β-carotin[3]	λ_{max} 433 mμ (in Petroläther)

Eine C≡C-Dreifachbindung am Ende einer Polyenkette wirkt sich weit geringer aus. Über die Auswirkung funktioneller Gruppen an Polyenketten auf das Absorptionsspektrum s. Bd. III/2, S. 650ff. sowie neuere Literatur[4–8]. Über die Lichtabsorption von Ferrocenyl-Polyenen siehe Literatur[9].

Auch die spektralen Verhältnisse bei Polyen-1,2-diketonen wurden untersucht[10,11].

Die spektralen Eigenschaften von ω-Dimethylamino-polyenaldehyden (Merocyanine) liegen zwischen denen von „reinen Polyenketten“ und Polyenketten mit Ladungsresonanz (Cyanine usw.)[12].

Sehr deutlich wird allgemein die Lichtabsorption von Polyenen durch sterische Behinderung der Elektronenresonanz innerhalb der Polyenkette beeinflußt, wenn also durch räumliche Ausdehnung von Substituenten usw. bzw. durch *cis-trans*-Isomerie die koplanare Einstellung der Doppelbindungen verhindert wird.

Z.B. sind bei Chlor-polyenen[13]

$$\mathrm{ClHC{=}\left[C(Cl){-}C(Cl){=}\right]_n{=}CHCl}$$

---

[1] J. H. Merz, P. A. Straub u. E. Heilbronner, Chimia **19**, 302 (1965).

[2] H. H. Inhoffen, F. Bohlmann u. G. Rummert, A. **569**, 226 (1950).

[3] H. H. Inhoffen u. G. Leibner, A. **575**, 105 (1957).

[4] S. L. Jensen in „*Carotenoids other than Vitamin A*“ (IUPAC 1966), Pure Appl. Chem. **14**, 227 (1967).

[5] L. A. Janovskaja, Russian Chem. Reviews **36**, 400 (1967).

[6] L. Zechmeister „*Cis-trans Isomeric Carotenoids, Vitamins A and Arylpolyenes*“, Springer Verlag, Wien 1962.

[7] O. Isler, R. Rüegg u. U. Schwieter „*Carotenoids other than Vitamin A*“, IUPAC (1966); Pure Appl. Chem. **14**, 245 (1967).

[8] B. C. L. Weedon, Fortschr. Chem. org. Naturst. **27**, 81 (1969).

[9] K. Schlögl u. H. Egger, A. **676**, 88 (1964).

[10] H. H. Inhoffen, F. Bohlmann u. K. Bartram, A. **561**, 13 (1949).
P. Karrer, Helv. **28**, 1181, 1185 (1945); **29**, 1836 (1946).

[11] F. Bohlmann, B. **84**, 860 (1951).

[12] S. S. Malhotra u. M. C. Whiting, Soc. **1960**, 3812.

[13] G. Köbrich u. H. Büttner, Naturwiss. **54**, 491 (1967).

auch höhere Glieder (n > 6) farblos. *Dodecachlor-1H,12H-dodecahexaen* hat in Hexan gelöst ein Absorptionsmaximum von nur 214 mμ ($\varepsilon = 38000$). Mit wachsender Zahl n bleibt λ_{max} fast unverändert, nur die Extinktion wird größer. Auch bei Chlor-Vitamin A-Derivaten wird λ_{max} hypochrom verschoben[1].

Das durch sperrige Cyclohexyl-Reste substituierte *3,4-Bis-[1,3-dioxolan-⟨2-spiro-4⟩-cyclohexyl]-hexatrien-(1,3,5)*

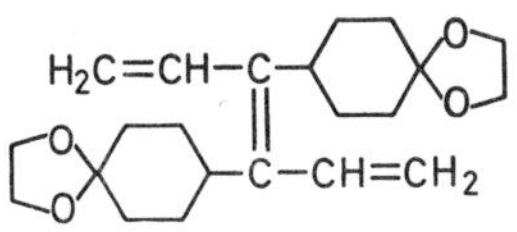

$H_2C{=}CH{-}C{-}$ ... $\|$ ... $-C{-}CH{=}CH_2$

absorbiert als Trien sehr kurzwellig ($\lambda_{max} = 239{,}5$ mμ; $\varepsilon = 6450$)[2].

Bei Carotinoiden mit β-Jonyliden-Struktur

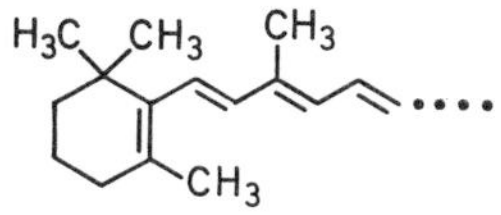

H_3C CH_3 CH_3 .... CH_3

hat die zur Kette konjugierte Ringdoppelbindung spektral nur ~ $^1/_3$–$^1/_2$ des „Wertes" einer aliphatischen konjugierten Doppelbindung. Infolge sterischer Hinderung durch die Methyl-Gruppen am Ring in 2,6,6-Stellung (s. S. 19) liegen Kette und Ring in verschiedenen Ebenen.

Sinngemäß verschiebt sich daher das Spektrum bei Retro-Verbindungen[3,4]

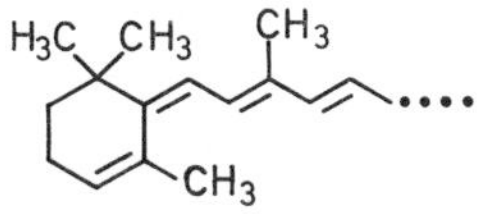

H_3C CH_3 CH_3 .... CH_3

wieder nach längeren Wellen; z.B.

Vitamin A-Acetat[3]	$\lambda_{max} = 325$ mμ ($\varepsilon = 51000$) in Hexan
Retrovitamin A-Acetat[3]	$\lambda_{max} = 348$ mμ ($\varepsilon = 56800$) in Hexan

Eine andere Konsequenz aus der Sonderstellung der Ringdoppelbindung in β-Jonyliden-Derivaten ist die geringe Differenz im Spektrum zwischen β- und α-Carotinoiden, also zwischen einer zur Kette konjugierten bzw. isolierten Ringdoppelbindung.

Analoge sterische Hinderung liegt in mit Polyenketten verbundenen (Trimethylphenyl)-Ringen vor[5,6].

Cis-Isomere (gewinkelt) von Polyenen absorbieren im allgemeinen kurzwelliger und mit geringerer Intensität als die langgestrekten *all-trans*-Polyene. Eine Ausnahme bilden dabei die relativ gestreckten *all-cis*-Polyene und *Poly-cis*-Polyene und z.B. 13-*cis*-Isomere in der Vitamin A-Reihe (eine endständige *cis*-Bindung bewirkt hier verständlicherweise keine sterische Hinderung). Diese Verbindungen absorbieren langwelliger als die *all-trans*-Formen[5]. Die größte Verschiebung von λ_{max} nach Blau (~ 10 mμ) findet man bei Di-*cis*-Polyenen.

[1] G. Köbrich, E. Breckoff u. W. Drischel, A. **704**, 51 (1967).
[2] H. H. Inhoffen, K. Radscheit, U. Stache u. V. Koppe, A. **684**, 24 (1965).
[3] R. H. Beutel et al., Am. Soc. **77**, 5166 (1955).
[4] W. Oroshnik, G. Karmas u. A. D. Mebane, Am. Soc. **74**, 295 (1952).
[5] L. Zechmeister „*Cis-trans Isomeric Carotenoids, Vitamins A and Arylpolyenes*", Springer-Verlag, Wien 1962.
[6] B. C. L. Weedon, Fortschr. Chem. org. Naturst. **27**, 81 (1969).

Zusätzlich zur Verschiebung des Maximums bei den Hauptabsorptionsbanden bewirken Mono-*cis*-Bindungen bekanntlich den „*cis*-peak" im nahen UV (s. ds. Handb., Bd. III/2, S. 714). Dieser ist bei zentraler *cis*-Bindung in Mono-*cis*-Polyenen bei langer Polyenkette mit ggf. „großen" Resten am stärksten ausgeprägt[1] (hier ist ein großes Molekül stark gewinkelt). Mit wachsendem Abstand der *cis*-Bindungen vom Mittelpunkt der Polyenkette wird der „*cis*-peak" schwächer. Di-*cis*-Polyene[2] und Poly-*cis*-Polyene haben keinen „*cis*-peak" im Spektrum.

Eine ausführliche Übersicht über UV-Spektren von *cis-trans*-isomeren Polyenen einschließlich Verbindungen mit sog. „gehinderten *cis*-Bindungen" findet sich in der Literatur[3, s. a. 4].

β) Ultrarot-Absorptionsspektren[5]

In der Polyenchemie wird die Ultrarot-Spektroskopie[3,4,6–9] zur Bestimmung von funktionellen Gruppen (Hydroxy-, Carbonyl-Gruppen), von Allen- oder Acetylen-Gruppierungen oder von aromatischen Resten bzw. von Retro-Strukturen verwendet. Auch zum Identitätsnachweis – sowohl von reinen Polyenkohlenwasserstoffen (*cis-trans*-Isomere) als auch von Derivaten – werden häufig Ultrarotspektren mit herangezogen. Über den Einfluß der *cis*- oder *trans*-Stellung von Doppelbindungen auf die IR-Spektren von Polyenketten wurde ausführlich berichtet[3]. Die Polyenkettenlänge kann die IR-Absorptionsbanden der an der Kette sitzenden Substituenten beeinflussen[7,8].

Zur direkten Strukturbestimmung von Polyenketten sind UV- oder NMR-Spektren günstigere Methoden.

γ) Raman-Spektren[10]

Die Raman-Spektroskopie ist nur selten bei Polyen-Untersuchungen verwendet worden. In einer Übersichtsarbeit werden die Raman-Spektren von Polyen-α,ω-dicarbonsäure-diestern ($n = 1$–8) beschrieben[7].

δ) Massen-Spektren[11]

Die Massen-Spektroskopie[4,6,9,12–14] wurde 1965 in die Carotinoidchemie eingeführt. Sie ermöglicht die Bestimmung des genauen Molekulargewichts und eindeutige Aus-

---

1 H. H. Inhoffen, F. Bohlmann u. G. Rummert, A. **571**, 75 (1951).
2 H. H. Inhoffen et al., A. **573**, 1 (1951).
3 L. Zechmeister „*Cis-trans Isomeric Carotenoids, Vitamins A and Arylpolyenes*", Springer-Verlag, Wien 1962.
4 B. C. L. Weedon, Fortschr. Chem. org. Naturst. **27**, 81 (1969).
5 s. ds. Handb., Bd. III/2, Kap. Ultrarot-Spektroskopie, S. 795.
6 S. L. Jensen in „*Carotenoids other than Vitamin A*" (IUPAC 1966), Pure Appl. Chem. **14**, 227 (1967).
7 L. A. Janovskaja, Russian Chem. Reviews **36**, 400 (1967).
8 E. R. Blout, M. Fields u. R. Carplus, Am. Soc. **70**, 194 (1949).
9 U. Schwieter et al., Chimia **19**, 294 (1965); Pure Appl. Chem. **20**, 365 (1969).
10 s. ds. Handb., Bd. III/2, Kap. Raman-Spektroskopie, S. 765.
11 s. ds. Handb., Bd. III/1, Kap. Massenspektrometrische Methoden, S. 698.
12 C. R. Enzell, G. W. Francis u. S. L. Jensen, Acta chem. scand. **22**, 1054 (1968); **23**, 7227 (1969); Pure Appl. Chem. **20**, 497 (1969).
13 M. Vecchi et al., Helv. **50**, 1243 (1967).
14 C. Gianotti, B. C. Das u. E. Lederer, Bl. **1966**, 3299.

sagen über die Elementarzusammensetzung. Außerdem kann mit Hilfe der Massenspektren z.B. nachgewiesen werden, ob in endständigen Cyclohexen-Ringen eine α- oder β-Jonyliden-Struktur vorliegt. Hinweise auf weitere Möglichkeiten s. Literatur[1]. Die Polyenkette von Carotinoiden kann während der Aufnahme der Massen-Spektren zu Toluol bzw. Xylol fragmentiert werden[2, vgl. 3].

ε) NMR-Spektren

Die NMR-Spektroskopie hat große Bedeutung für Untersuchungen an offenkettigen Polyenen[1-9]. NMR-Spektren sind z.B. sehr günstig zur Bestimmung von Anzahl und Lage der Methyl-Gruppen (Alkyl-Gruppen) in Polyenketten. Darüber hinaus ist die Methode zur Bestimmung anderer Substituenten und zur Festlegung von *cis*- bzw. *trans*-Konfiguration in Polyenen geeignet.

ζ) ORD- und CD-Spektren; Fluoreszenz-Spektren

Für ORD- und CD-Spektren von Carotinoiden wird auf die Literatur[1,10-12] verwiesen. Untersuchungen über Fluoreszenz-Spektren von Polyenen siehe Literatur[13,14].

Bei magnetischen Untersuchungen von 1,ω-Diphenyl- bzw. 1,1,ω,ω-Tetraphenyl-polyenen (Dien bis Decapentaen) bleibt das paramagnetische Inkrement von Dien an aufwärts konstant (der Effekt ist temperaturunabhängig)[15]. Die Zahl der Doppelbindungen ist somit bei Polyenen gleichgültig was mit den neueren Arbeiten über den F-Zustand von Polyenen überstimmt.

8. Weitere analytische Methoden

Im folgenden werden analytische Methoden für offenkettige Polyene ohne Berücksichtigung von speziellen Nachweismethoden für einzelne Verbindungen und ohne Methoden zur Bestimmung der biologischen Aktivität bei Carotinoiden erwähnt.

① Perhydrierung zur Bestimmung der Doppelbindungszahl — s. S. 193 f.

② Oxidativer, thermischer oder alkalischer Abbau zur Strukturbestimmung — s. S. 158 f., 212 f.

③ Diels-Alder-Reaktionen zur Strukturbestimmung — s. S. 204 f.

---

[1] B. C. L. Weedon, Fortschr. Chem. org. Naturst. **27**, 81 (1969).
C. R. Enzell, Pure Appl. Chem. **20**, 497 (1969).

[2] U. Schwieter et al., Chimia **19**, 294 (1965); Pure Appl. Chem. **20**, 365 (1969).

[3] U. Schwieter et al., Helv. **49**, 378 (1966).

[4] S. L. Jensen in „*Carotenoids other than Vitamin A*" (IUPAC 1966), Pure Appl. Chem. **14**, 227 (1967).

[5] J. W. K. Burrell et al., Soc. [C] **1966**, 2144.
J. B. Davis et al., Soc. [C] **1966**, 2154.
M. S. Barber et al., Soc. [C] **1966**, 2166.

[6] M. S. Barber, J. B. Davis, L. M. Jackman u. B. C. L. Weedon, Soc. **1960**, 2870.

[7] C. v. Planta et al., Helv. **45**, 549 (1962).
U. Schwieter et al., Pure Appl. Chem. **20**, 365 (1969).

[8] W. Brügel, *Kernresonanzspektrum und chemische Konstitution*, Steinkopf-Verlag, Darmstadt 1967.

[9] R. H. Wiley et al., J. Org. Chem. **26**, 4285 (1961); **27**, 1991 (1962).

[10] L. Bartlett et al., Soc. [C] **1969**, 2527.

[11] C. H. Eugster et al., Helv. **52**, 1729 (1969).

[12] R. Buchecker, H. Yokoyama u. C. H. Eugster, Helv. **53**, 1210 (1970).

[13] A. J. Thomson, J. Chem. Physics **51**, 4106 (1969); hier weitere Lit.-Zitate.

[14] D. A. Lerner, C. r. [C] **268**, 1740 (1969); Bl. **1970**, 1968.

[15] Eu. Müller u. I. Dammerau, B. **70**, 2561 (1937).

④ Chromatographische Verfahren.

Zur Anwendung der Gas-Chromatographie zur Trennung und zum Nachweis von Polynen wird bei den Arbeitsvorschriften gebracht. Die gas-chromatographische Bestimmung von *Vitamin A* als *Trimethylsilyläther* siehe Literatur[1].

Die Säulenchromatographie spielt in der Polyenchemie eine große Rolle. Das Verfahren ist in zahlreichen Monographien ausführlich beschrieben.

Die Papierchromatographie wird für Polyene nur selten verwendet.

Eine hervorragende Bedeutung hat die Dünnschicht-Chromatographie als analytische Bestimmungsmethode insbesondere für Carotinoide erlangt[2,3]. Es können Gemische aus Polyenen, *cis-trans*-Isomeren, Abbau- und Nebenprodukten aufgetrennt und nebeneinander nachgewiesen werden. Zur Sichtbarmachung der Polyene im Dünnschichtchromatogramm kann günstig die Carr-Price-Farbreaktion (s. u.) verwendet werden.

⑤ Die Gegenstrom-Verteilung kann in der Polyenchemie häufig gut zur Bestimmung von Fremdsubstanzen herangezogen werden.

⑥ Polarographische Methoden: Die polarographische Reduktion von Polyenaldehyden und der Einfluß der Zahl der konjugierten Kettendoppelbindungen auf das Halbstufenpotential ist im Bd. III/2, S. 339f. beschrieben.

⑦ Analytische Anwendung von Farbreaktionen (vgl. a. S. 16).

Unter der Bezeichnung „Carr-Price-Reaktion"[4] haben Farbreaktionen verschiedener Verbindungsklassen, u. a. auch der offenkettigen Polyene (insbesondere der Carotinoide), mit einer ges. Lösung von Antimon(III)-chlorid[5] in gereinigtem Chloroform weite Verbreitung als analytische Bestimmungsmethode gefunden.

Reine offenkettige Polyene geben bei der Carr-Price-Reaktion intensiv gefärbte Reaktionsprodukte (gelb, orange, rötlich, violett, blau, grünblau, grün). Mit wachsender Zahl der konjugierten Doppelbindungen kann sich die Farbe vertiefen. Zur Berechnung von λ_{max}-Werten für „Carr-Price-Reaktionsprodukte" bei Polyenen siehe Lit.[6].

Bei Polyenen ohne jegliche Substitution $H(CH{=}CH)_nH$ wurden bisher keine klaren Farbreaktionen mit Antimon(III)-chlorid beobachtet[7]. Diese Verbindungen sind wahrscheinlich zu instabil.

Dagegen ergeben 1,ω-Dimethyl-polyene mit Antimon(III)-chlorid in Chloroform folgende Färbungen:

$$H_3C{-}(CH{=}CH)_n{-}CH_3$$

n = 4	*Decatetraen-(2,4,6,8)*	himbeerrot[8]
n = 6	*Tetradecahexaen-(2,4,6,8,10,12)*	indigoblau[8]
n = 8–10	*Octadecaoctaen-(2,4,6,8,10,12,14,16)*	blau[9]
	Eicosanonaen-(2,4,6,8,10,12,14,16,18)	blau[9]
	Docosadecaen-(2,4,6,8,10,12,14,16,18,20)	blau[9]

Die meisten Carotinoide mit 5 oder mehr als 5 konjugierten Doppelbindungen, wobei zusätzlich zur Polyenkette gegebenenfalls eine zur Kette konjugierte Doppelbindung im Cyclohexen-Ring oder auch Carbonyl-Doppelbindungen bei Polyenaldehyden oder -ketonen mitgerechnet werden müssen, geben blaue Carr-Price-Reaktionen. Bei 4 Doppelbindungen kann die Färbung auch weinrot oder blauviolett sein, für 3 Doppelbindungen ist Gelbfärbung zu erwarten[10]. Eine in die Polyenkette eingeschobene C≡C-Dreifachbindung verschiebt die Lichtabsorption nach kürzeren Wellenlängen. Für die zahlreichen einzelnen Beispiele aus der Carotinoid-Reihe verweisen wir auf Monographien und Originalarbeiten.

---

[1] M. VECCHI et al., Helv. **50**, 1243 (1967).
[2] U. SCHWIETER et al., Chimia **19**, 294 (1965).
[3] C. v. PLANTA et al., Helv. **45**, 549 (1962).
[4] F. H. CARR u. E. A. PRICE, Biochem. J. **20**, 497 (1926).
[5] Nach J. BRÜGGEMANN, W. KRAUS u. J. TIEWS, B. **85**, 315 (1952), soll für die Färbung bei der Carr-Price-Reaktion nicht das Antimon(III)-chlorid, sondern das darin in kleinen Mengen enthaltene Antimon(V)-chlorid maßgebend sein.
[6] U. SCHWIETER et al., Pure Appl. Chem. **20**, 365 (1969).
[7] A. D. MEBANE, Am. Soc. **74**, 5227 (1952).
[8] R. KUHN, Ang. Ch. **50**, 703 (1937).
[9] F. BOHLMANN u. H.-J. MANNHARDT, B. **89**, 1307 (1956).
[10] H. H. INHOFFEN u. G. LEIBNER, A. **575**, 105 (1952).

Zur Ergänzung der visuellen Farbprobe kann das Absorptionsspektrum der Carr-Price-Reaktionslösung gemessen werden, z. B.:

Carr-Price + *Vitamin A*[1]	λ_{max} = 620 mμ
Carr-Price + *Vitamin-A-Aldehyd*[1]	λ_{max} = 664 mμ
Carr-Price + *β-Carotin*[1]	λ_{max} = ~1020 mμ
Carr-Price + *2,6-Dimethyl-8-[2,6,6-trimethyl-cyclo-hexen-(1)-yl]-octatrien-(1,5,7)-in-(3)*[2]	λ_{max} = ~ 570 mμ

Zum visuellen Carr-Price-Test genügt meistens eine einfache „Uhrglasprobe". Die Reaktion braucht oft einige Min. bis zur Endeinstellung des Farbtons. Andererseits können bei längerem Stehen der Carr-Price-Reaktionslösung am Polyen Sekundärreaktionen auftreten, die den „echten" Farbton verfälschen[3].

Unreine Polyen-Produkte geben unklare Mischfarben bzw. schmutzig-bräunliche Färbungen mit dem Carr-Price-Reagenz. Man kann z. B. bei der Säulen-Chromatographie (Aluminiumoxid) durch Carr-Price-Test des Durchlaufs Vorlauf und Nachlauf deutlich vom Hauptprodukt (Polyen) trennen.

Geringere praktische Bedeutung haben die vereinzelt in der Literatur beschriebenen Verfahren zur analytischen Verwendung von Polyen (Vitamin-A)-Farbreaktionen mit Alkylenchlorhydrinen[4,5].

Bei Polyenaldehyden können auch die tiefgefärbten Kondensationsprodukte mit Rhodanin oder N-Alkyl-rhodaninen[6] analytisch verwendet werden[7,8].

A. Herstellung

I. Aus Kohlenwasserstoffketten unter Erhaltung des Kohlenstoffgerüstes

a) Offenkettige Polyene durch Dehydrierung von teilweise gesättigten Kohlenwasserstoffketten

Es gibt nur wenige spezielle Beispiele für die direkte Dehydrierung von gesättigten oder ungesättigten Kohlenwasserstoffketten zu offenkettigen Polyenen. Während es präparativ noch sehr gut gelingt, Butan bzw. Butene thermisch/katalytisch zu Butadien (s. ds. Handb., Bd. V/1c S. 207, 325) zu dehydrieren, lassen sich Triene oder höhere Polyene nach diesem Verfahren nicht herstellen. Es treten dabei Zersetzungen, C—C-Spaltungen oder auch Cyclisierungen der primär entstandenen ungesättigten Verbindungen auf; vgl. auch großtechnische Herstellung von Toluol aus Heptan-Fraktionen (s. ds. Handb., Bd. V/2, Kap. Aromaten). Bei der Dehydrierung von p-Xylol[9] kann man *3,6-Bis-[methylen]-cyclohexadien-(1,4)* bei $-80°$ in Lösung abfangen bevor es di- bzw. polymerisiert[9,10].

1,1,6,6-Tetraphenyl-hexadien-(1,5) kann sowohl mit Selendioxid in Eisessig[11], als auch mit metallischem Selen (~ 10 Min. bei 300°)[11], mit p-Benzochinon (im Kölbchen

---

1 U. Schwieter u. O. Isler in W. H. Sebrell u. R. S. Harris, „*The Vitamins*", Vol. I, Academic Press, New York–London 1967.
2 H. H. Inhoffen u. F. Bohlmann, A. **565**, 41 (1949).
3 H. H. Inhoffen, F. Bohlmann u. M. Bohlmann, A. **565**, 35 (1949).
4 S. Erbe, Z. anal. Chemie **159**, 327 (1958).
5 A. E. Sobel u. H. Werbin, Anal. Chem. **19**, 107 (1947).
6 M. Richter u. P. Boyde, J. pr. [4] **7**, 184 (1958).
7 A. Winterstein, Ang. Ch. **72**, 902 (1960).
8 O. Isler, R. Rüegg u. U. Schwieter, Pure Appl. Chem. **14**, 245 (1967).
9 M. Swarc, J. chem. phys. **16**, 128 (1948).
10 L. A. Errede u. M. Swarc, Quart. Reviews **12**, 301 (1958).
Substituierte Derivate s. R. Gompper, H. U. Wagner u. E. Kutter, B. **101**, 4123, 4144 (1968).
11 J. Schmitt, A. **547**, 103 (1941).

eingeschmolzen/180°/2 Stdn.)[1] oder mit Tetrachlor-p-benzochinon in Xylol (24 Stdn. am Rückfluß)[2] zum *1,1,6,6-Tetraphenyl-hexatrien-(1,3,5)* (50–60% d.Th.) dehydriert werden:

$$(H_5C_6)_2C{=}CH{-}CH_2{-}CH_2{-}CH{=}C(C_6H_5)_2 \xrightarrow[-H_2]{} (H_5C_6)_2C{=}CH{-}CH{=}CH{-}CH{=}C(C_6H_5)_2$$

1,1,6,6-Tetraphenyl-hexatrien-(1,3,5)[1]: Eine Lösung von 3 g 1,1,6,6-Tetraphenyl-hexadien-(1,5) und 1,5 g Selendioxid in 20 *ml* Eisessig, dem 2 *ml* Wasser zugesetzt sind, wird zum schwachen Sieden erhitzt. Alsbald beginnt die Ausscheidung von metallischem Selen und einer kristallinen Substanz. Nach ~ 1 Stde. wird abgesaugt und in heißem Anisol gelöst. Man filtriert vom Selen ab, engt die Lösung ein und läßt erkalten. Die ausgeschiedenen gelb-grünen Prismen (1,5 g) werden aus Essigsäureanhydrid umkristallisiert; F: 205° (hellgrüne Blättchen).

Analog erhält man aus 1,4-Bis-[fluorenyliden]-butan das entsprechende Trien *1,4-Bis-[fluorenyliden]-buten*[1]. Dagegen läßt sich 1,6-Dimethyl-1,6-diphenyl-hexadien-(1,5) nicht dehydrieren[1]. 1,1,6,6-Tetrakis-[4-(bzw. 3-; bzw. -2)-methoxy-phenyl]-hexadien-(1,5) wird mit Hilfe von Tetrachlor-p-benzochinon zum *1,1,6,6-Tetrakis-[4-* (bzw. *3-;* bzw. *-2)-methoxy-phenyl]-hexatrien-(1,3,5)* dehydriert[3].

1,ω-Dihydro-polyen-dicarbonsäure-diester lassen sich mit Luftsauerstoff in Gegenwart von Piperidin oder einigen anderen Basen zu den entsprechenden Polyen-dicarbonsäure-diestern dehydrieren[4,5] (die Polyenkette wird um eine Doppelbindung verlängert):

$$ROOC{-}CH_2{-}(CH{=}CH)_{n-1}{-}CH_2{-}COOR \rightarrow ROOC{-}(CH{=}CH)_n{-}COOR$$

Wahrscheinlich verläuft die Dehydrierung bei den Carbonsäuren über eine Enolform als Zwischenstufe. Beim 1,6-Dibenzyl-hexatrien und anderen analogen Verbindungen ohne Carboxy-Gruppen versagt die Methode.

Bei Carotinoiden eignet sich für Dehydrierungen besonders gut das „*indirekte*" Verfahren mit Hilfe von N-Brom-succinimid (z.B. in Tetrachlormethan-Lösung). Hier sind vor allem Dehydrierungen unter Umlagerung zu Retrodehydro-Verbindungen und Dehydrierungen im Cyclohexenring bekannt (s. S. 172f.). Dehydrierungen in der Kette können zum Teil günstig in Gegenwart von Eisessig durchgeführt werden[6,7], z.B.:

Phytoen (3 konj. Doppelbindungen) → *Phytofluen* (5 konj. Doppelbindungen) → *ζ-Carotin* (7 konj. Doppelbindungen) → *Neurosporen* (9 konj. Doppelbindungen) → *Lycopin* (11 konj. Doppelbindungen)

[1] J. Schmitt, A. **547**, 103 (1941).
[2] E. Buchta u. W. Kallert, A. **573**, 220 (1951).
[3] E. Buchta u. H. Weidinger, A. **580**, 83 (1953).
[4] R. Kuhn, Ang. Ch. **50**, 704 (1937).
[5] R. Kuhn u. P. J. Drumm, B. **65**, 1458 (1932).
[6] L. Zechmeister u. B. K. Koe, Am. Soc. **76**, 2923 (1954).
[7] L. Zechmeister, Fortschr. Chem. org. Naturst. **15**, 31 (1958).

Die Dehydrierung setzt also jeweils an den Enden des bereits vorhandenen konjugierten Systems ein.

In ähnlicher Weise konnte *Lycopin* mit N-Brom-succinimid weiter dehydriert werden zum *3,4;3',4'-Bis-[dehydro]-lycopin*[1]:

3,4; 3',4'-Bis-[dehydro]-lycopin[1]: 200 mg Lycopin werden mit 140 mg N-Brom-succinimid in 20 *ml* Tetrachlormethan 2 Stdn. am Rückfluß erwärmt (es entwickelt sich etwas Bromwasserstoff). Nach dem Erkalten wird abgenutscht und der Niederschlag, bestehend aus Succinimid und Bis-[dehydro]-lycopin, je 2 mal mit Wasser, Methanol, Aceton und Petroläther ausgekocht. Man erhält 45 mg des rohen Dehydrolycopins in Form eines schwarzen Kristallpulvers (die Tetrachlormethan-Lösung enthält noch geringe Mengen nicht in Reaktion getretenes Lycopin und vermutlich Bromierungsprodukte). Das Bis-[dehydro]-lycopin wird aus ~100 *ml* siedendem Pyridin umkristallisiert, die tiefviolette Lösung i. Vak. auf wenige *ml* eingeengt und erkalten lassen; $\lambda_{max} = 601, 557, 520$ mμ (in Schwefelkohlenstoff).

Auch N,N'-Dichlor-harnstoff in alkoholfreiem Chloroform ist für derartige indirekte Dehydrierungen in carotinoiden Ketten verwendbar[2-4]; z.B.:

$$2\ R-CH=CH-CH=C(CH_3)-CH_2-CH_2-CH=C(CH_3)-CH_3 \xrightarrow[-\ (NH_2)_2CO]{+\ Cl-NH-CO-NH-Cl}$$

$$\left[2R-CH=CH-CH=C(CH_3)-CH(Cl)-CH_2-CH=C(CH_3)-CH_3 \xrightarrow{-2HCl}\right]$$

$$2\ R-CH=CH-CH=C(CH_3)-CH=CH-CH=C(CH_3)-CH_3$$

$$R = \text{(2,6,6-Trimethyl-cyclohexenyl)}-CH=CH-C(CH_3)=CH-CH=CH-C(CH_3)=CH-CH=CH-CH=C(CH_3)-CH=CH-CH=C(CH_3)-$$

Wahrscheinlich spielen Dehydrierungen auch bei der Biosynthese von Carotinoiden eine wesentliche Rolle.

b) Offenkettige Polyene durch Abspaltung von Heterosubstituenten aus gesättigten Systemen in Kohlenwasserstoff-ketten

1. Abspaltung von Wasser

Im folgenden werden nur direkte Wasser-Abspaltungsreaktionen besprochen. Indirekte Dehydratisierungen über Halogen- und O-Acetyl-Derivate werden in einem anderen Zusammenhang auf S. 48, 54 behandelt.

[1] P. Karrer u. J. Rutschmann, Helv. **28**, 793 (1945).

[2] C. Bodea, V. Tămas u. G. Neamtu, Rev. Roumaine Chim. **10**, 893 (1965); C.A. **64**, 6701d (1966).

[3] C. Bodea, G. Neamtu u. V. Tămas, Rev. Roumaine Chim. **11**, 1123 (1966); C.A. **66**, 46507m (1967).

[4] C. Bodea, G. Neamtu u. V. Tămas, Rev. Roumaine Chim. **12**, 701 (1967); C.A. **68**, 87416r (1968).

Die Abspaltung von Wasser ist von größter Bedeutung für die Herstellung von Polyenen (vgl. a. S. 138f.). Da bei der Dehydratisierung häufig Komplikationen auftreten, sind einige neue Dehydratisierungsmethoden speziell zur Herstellung von Polyenen ausgearbeitet worden[1].

Bei der Dehydratisierung ist allgemein folgendes zu beachten:

① Die neu gebildete C=C-Doppelbindung kann in *cis*- und *trans*-Form vorliegen, und gleichzeitig können an den bereits vorhandenen Doppelbindungen *cis-trans*-Isomerisierungen erfolgen.

② Als Begleitreaktion der Dehydratisierung treten häufig anionotrope Umlagerungsreaktionen über die mesomeren Carbenium-Kationen („Allyl-Umlagerungen") auf:

Alle 6 möglichen Hexadienol-Isomeren liefern als Dehydratisierungsprodukt *Hexatrien-(1,3,5)* (vgl. Tab. 2, S. 38); aus Octadien-(2,4)-ol-(6) erhält man *Octatrien-(1,3,5)* und *Octatrien-(2,4,6)* nebeneinander[2] usw.

Eine besonders große Rolle spielen Allyl-Umlagerungen in Verbindung mit der Dehydratisierung bei Carotinoidalkoholen (s. S. 69ff.).

③ In engem Zusammenhang mit den anionotropen Umlagerungen steht auch die bei der Dehydratisierung von Carotinoidalkoholen häufig auftretende Retro-Umlagerung (s. S. 67ff.).

④ Bei tertiären ungesättigten Alkoholen mit seitenständigen Alkyl-Gruppen kann die Wasser-Abspaltung auch als Nebenreaktion aus der Hauptkette heraus „in die Seitenkette hinein" erfolgen, wobei Methylen-Gruppierungen, gegebenenfalls als gekreuzte Doppelbindungen, entstehen, z. B. erhält man aus 4-Hydroxy-2,4,6-trimethyl-heptadien-(2,5) als Hauptprodukte *cis*- und *trans-2,4,6-Trimethyl-heptatrien-(1,3,5)* neben *2,6-Dimethyl-4-methylen-heptadien-(2,5)*[3].

Analoge Reaktionen s. Literatur[3].

Auch bei Carotinoiden gibt es Beispiele für eine Wasser-Abspaltung unter Beteiligung einer seitenständigen tert. Methyl-Gruppe als Nebenreaktion[4,5].

⑤ Bei einigen Methoden der C—C-Verknüpfung zur Herstellung von Polyenen, bei denen theoretisch zunächst Hydroxy-Verbindungen als Zwischenstufe auftreten, erfolgt bereits während der Reaktion bzw. Aufarbeitung (Destillation) eine teilweise oder auch vollständige Dehydratisierung (vgl. Reformatzky-Reaktion, Reaktionen von Carbonyl-Gruppen mit aktiven Methylen-Gruppen). Das Ausmaß der spontanen Dehydratisierung hängt weitgehend von der Reaktions- und Aufarbeitungstemp. ab; z. T. gelingt es bei diesen Kondensationen nur durch Spezialmethoden die betr. Hydroxy-Verbindung zu isolieren[6].

In manchen Fällen entstehen bei Reformatzky-Reaktionen in der Carotinoid-Chemie unter schonenden Bedingungen neben den Hydroxy-carbonsäure-estern bzw. -nitrilen durch teilweise Wasser-Abspaltung während der Umsetzung auch die betreffenden Lactone bzw. Imid-lactone[7], z. B.:

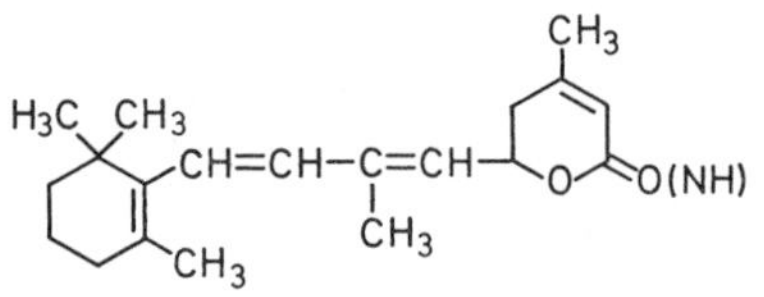

CH₃
H₃C CH₃
CH=CH—C=CH— O =O(NH)
CH₃
CH₃

---

1 Allgemeine Regeln zur Dehydratisierung von Alkoholen s. ds. Handb., Bd. V/1b, Kap. Olefine.

2 K. Alder u. H. v. Brachel, A. **608**, 195 (1957).

3 T. S. Sorensen, Canad. J. Chem. **42**, 2781 (1964).

4 H. H. Inhoffen et al., A. **570**, 54 (1950).

5 H. H. Inhoffen et al., A. **573**, 1 (1951).

6 F. G. Fischer u. K. Löwenberg, B. **66**, 669 (1933).

7 K. Eiter, E. Truscheit u. H. Oedinger, Aug. Ch. **72**, 948 (1960).

Die Imid-lactone spalten beim Erhitzen Ammoniak ab unter Bildung des Lactons. Die Lactone können mit Alkoholat-Lösung in absol. Alkohol oder mit Alkalimetallamid in die Polyen-carbonsäure-ester umgewandelt werden[1].

α) Nichtcarotinoide Polyene durch Wasser-Abspaltung

α_1) *in der Gasphase mit aktiviertem Aluminiumoxid*

Nach dieser Methode werden *Hexatrien-(1,3,5)* und homologe Triene in guten Ausbeuten erhalten, wenn folgende Bedingungen eingehalten werden:

① Herabsetzung der Reaktionstemp. unter 350°.

② Verwendung von speziell aktiviertem sauren Aluminiumoxid (vgl. Bd. V/1c, S. 64) bei vermindertem Druck und kurzer Verweilzeit am Kontakt.

Werden diese Bedingungen nicht eingehalten, so sinken die Ausbeuten, es überwiegt die Cyclisierung der Triene (vgl. S. 219) zu Cyclohexadienen[2-9] bzw. Toluol[9,10], oder es tritt Verharzung ein. Durch Verwendung von Silicium-Aluminium-Kontakten sinken die Ausbeuten ebenfalls ab[4].

Offenkettige Triene aus Alkoholen durch Gasphasen-Dehydratisierung mit Aluminiumoxid[2]: Zur Wasser-Abspaltung destilliert man das Dienol bei 0,01 Torr durch ein elektrisch beheiztes Rohr, das mit dem Aluminiumoxid-Katalysator AGS (Fa. Gebr. Giulini) (oder einem entspr. sauren Aluminiumoxid) beschickt ist, in eine mit flüssiger Luft gekühlte Vorlage. Als besonders günstig erweist sich ein Rohr von 2 cm ⌀ und 18 cm Länge. Bei einer Innentemp. von ~260° läßt sich 1 Mol/Stde. umsetzen.

Nach anderen Aluminiumoxid-Verfahren erhält man auch *Octatetraen-(1,3,5,7)*[8,11] (58% d. Th.) aus 5-Hydroxy-octatrien-(1,3,7):

$$H_2C{=}CH{-}CH{=}CH{-}\underset{\displaystyle OH}{\underset{|}{CH}}{-}CH_2{-}CH{=}CH_2 \xrightarrow[-H_2O]{250-280°\ (25\ Torr)} H_2C{=}CH{-}(CH{=}CH)_2{-}CH{=}CH_2$$

und z.B. aus 1-Nitro-2-hydroxy-polyen-ω-carbonsäure-äthylester ω-Nitro-polyen-1-carbonsäure-äthylester[12]:

$$O_2N{-}CH_2{-}\underset{\displaystyle OH}{\underset{|}{CH}}{-}(CH{=}CH)_n{-}COOC_2H_5 \xrightarrow[-H_2O]{} O_2N{-}(CH{=}CH)_{n+1}{-}COOC_2H_5$$

---

1 K. Eiter, E. Truscheit u. H. Oediger, Ang. Ch. **72**, 948 (1960).
2 K. Alder u. H. v. Brachel, A. **608**, 195 (1957).
3 H. Fleischacker u. G. F. Woods, Am. Soc. **78**, 3436 (1956).
4 J. M. Shackelford, W. A. Michalowicz u. L. H. Schwartzman, J. Org. Chem. **27**, 1631 (1962).
5 G. F. Woods, N. C. Bolgiano u. D. E. Duggan, Am. Soc. **77**, 1800 (1955).
6 G. F. Woods u. A. Viola, Am. Soc. **78**, 4380 (1956).
7 G. F. Woods u. L. H. Schwartzman, Am. Soc. **70**, 3394 (1948).
8 G. F. Woods u. L. H. Schwartzman, Am. Soc. **71**, 1396 (1949).
9 C. W. Spangler u. N. Johnson, J. Org. Chem. **34**, 1444 (1969).
10 C. W. Spangler, J. Org. Chem. **31**, 346 (1966).
11 US. P. 2707196 (1949/1955), G. F. Woods; C. A. **50**, 2649h (1956).
12 L. A. Janovskaja, R. N. Stepanova u. V. F. Kučerov, Izv. Akad. SSSR **1964**, 2093; C. A. **62**, 7630 (1965).

Tab. 2. Offenkettige Triene durch Gasphasendehydratisierung von Alkoholen mit aktiviertem Aluminiumoxid

Ausgangsverbindung	Reaktionsbedingungen	Polyen	Ausbeute [% d.Th.]	Kp [°C]	Kp [Torr]	Literatur
$H_2C{=}CH{-}CH{=}CH{-}CH(OH){-}CH_3$	Al_2O_3/260°/0,01 Torr; 1 Mol/Stde.	*trans-Hexatrien-(1,3,5)*	80–90	42	190	1, s.a. 2
$H_2C{=}CH{-}CH(OH){-}CH{=}CH{-}CH_3$	Al_2O_3/300–325°/30 Torr; 0,2 Sek.	*Hexatrien-(1,3,5)* (90%ig)	90	(Erstarrungs-P.: –8,46°)		3
$HO{-}CH_2{-}CH{=}CH{-}CH_2{-}CH{=}CH_2$	Al_2O_3/300–325°/30 Torr; 0,2 Sek.	*Hexatrien-(1,3,5)* (80%ig)	69	—		3
$H_2C{=}CH{-}CH{=}CH{-}CH(OH){-}CH_2{-}CH_3$	Al_2O_3/260°/0,01 Torr; 1 Mol/Stde.	*trans-trans/trans-cis-(3 : 1)-Heptatrien-(1,3,5)*	80	66	145	1
$H_3C{-}(CH{=}CH)_2{-}CH(OH){-}CH_2{-}CH_3$	Al_2O_3/240–260°/0,01 Torr; 1 Mol/Stde.	*all-trans-Octatrien-(1,3,5)* 1 + *trans-trans-cis-Octatrien-(2,4,6)* : 1 + *all-trans-Octatrien-(2,4,6)* : 2	80–90	67 74 (F: 52–53°)	60 60	1, s.a. 4
$H_5C_6{-}CH{=}CH{-}CH{=}CH{-}CH(OH){-}CH_3$	Al_2O_3/275°	*1-Phenyl-hexatrien-(1,3,5)*	60	79–80 (F: 56°)	0,01	5
$H_5C_6{-}CH(OH){-}(CH{=}CH)_2{-}CH_3$	Al_2O_3/275°					
$H_2C{=}C(CH_3){-}CH{=}CH{-}C(CH_3)(OH){-}CH_3$	Al_2O_3/260–270°/0,01 Torr; 1 Mol/Stde.	*trans-2,5-Dimethyl-hexatrien-(1,3,5)*	70	57	50	1

1 K. Alder u. H. v. Brachel, A. **608**, 195 (1957).
2 G. F. Woods u. L. H. Schwartzman, Am. Soc. **70**, 3394 (1948).
3 J. M. Shackelford, W. A. Michalowicz u. L. H. Schwartzman, J. Org. Chem. **27**, 1631 (1962).
4 C. W. Spangler u. R. D. Feldt, Chem. Commun. **1968**, 709.
5 G. F. Woods, N. C. Bolgiano u. D. E. Duggan, Am. Soc. **77**, 1800 (1955).

α_2) *mit p-Toluolsulfonsäure bzw. ihren Derivaten in organischen Lösungsmitteln*

Die Dehydratisierung einfacher Dienole mit p-Toluolsulfonsäure erfordert gegenüber der Verwendung von Aluminiumoxid einen geringeren präparativen Aufwand, bringt allerdings häufig schlechtere Ausbeuten an Trien. Für carotinoide Polyene wird die Methode sehr häufig verwendet (s. S. 41f.).

Verschiedene Beispiele für die Herstellung von aliphatischen Polyenen durch Umsetzung von Enolen mit p-Toluolsulfonsäure s. Lit.[1–5].

Bei der Umsetzung von 1,10-Dihydroxy-1,1,10,10-tetraphenyl-decatetraen-(2,4,6,8) mit p-Toluolsulfonsäure wurde ein Dihydrofuran-Derivat erhalten[6].

α_3) *durch andere Methoden*

Bei der Behandlung von 2,7-Dihydroxy-1,1,8,8-tetraäthoxy-2,7-dimethyl-octen-(4) mit Umsetzungsprodukten aus Thionylchlorid, Phosphoroxychlorid oder Phosgen und Pyridin, N-Methyl-pyrrolidon oder Dimethylformamid (Amin bzw. Amid im Überschuß) wird *1,1,8,8-Diäthoxy-2,7-dimethyl-octatrien-(2,4,6)* erhalten[7].

Auch Kaliumhydrogensulfat kann als Dehydratisierungsmittel eingesetzt werden[1,8,9].

Das aus 3-Oxo-1-phenyl-buten-(1) und 2-Nitro-1-dimethylamino-äthylen in Gegenwart von Kaliumalkoholat erhaltene Kaliumsalz der 4-Oxo-6-phenyl-hexadien-(2,5)-nitronsäure, läßt sich mit Borhydrid und anschließendem Ansäuern in einer Stufe zunächst reduzieren und danach zu *6-Nitro-1-phenyl-hexatrien-(1,3,5)* dehydratisieren[10]:

$$H_5C_6{-}CH{=}CH{-}\overset{\overset{O}{\|}}{C}{-}CH_3 \;+\; (CH_3)_2N{-}CH{=}CH{-}NO_2 \xrightarrow[-ROH,\;-(CH_3)_2NH]{+\,K{-}OR}$$

$$H_5C_6{-}CH{=}CH{-}\overset{\overset{O}{\|}}{C}{-}CH{=}CH{-}CH{=}NO_2K \xrightarrow[-H_2O]{1.\,BH_3;\;2.\,H^{\oplus}} H_5C_6{-}CH{=}CH{-}CH{=}CH{-}CH{=}CH{-}NO_2$$

β) Polyene der Carotinoid-Reihe durch Wasser-Abspaltung

Bei der Dehydratisierung von Alkoholen der Carotinoid-Reihe kann man zwischen folgenden Haupttypen unterscheiden:

---

1 T. S. SORENSEN, Canad. J. Chem. **42**, 2781 (1964).
2 T. S. SORENSEN, Canad. J. Chem. **43**, 2744 (1965).
3 R. AHMAD u. B. C. L. WEEDON, Soc. **1953**, 2125.
4 R. KUHN, Ang. Chem. **50**, 703 (1937).
5 R. KUHN u. C. GRUNDMANN, B. **71**, 442 (1938).
6 T. S. CANTRELL u. H. SHECHTER, Am. Soc. **87**, 136 (1965).
7 DOS 1518602 (1969) ≡ Belg. P. 687438 (1967), BASF, Erf.: H. PASEDACH, K. SCHNEIDER, H. FREYSCHLAG u. W. HOFFMANN.
8 R. KUHN u. K. WALLENFELS, B. **71**, 1889 (1938).
9 H. C. BARANY, E. A. BRAUDE u. J. A. COLES, Soc. **1951**, 2094.
10 T. SEVERIN u. B. BRÜCK, B. **98**, 3847 (1965).

① Wasser-Abspaltung aus Carotinoiden mit der Gruppierung

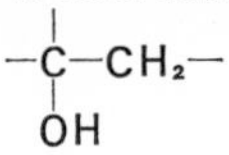

$-\underset{\mid}{\overset{\mid}{C}}-CH_2-$ (mit OH am C) ohne Allyl-Umlagerung und ohne Gefahr für Retro-Umlagerungen; z. B.:

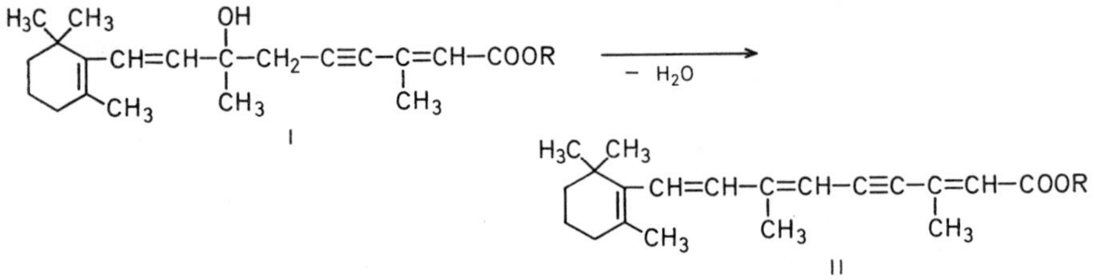

H_3C CH_3 OH

—CH=CH—C—CH_2—C≡C—C=CH—COOR → $-H_2O$

CH_3 CH_3 CH_3

I

H_3C CH_3

—CH=CH—C=CH—C≡C—C=CH—COOR

CH_3 CH_3 CH_3

II

3,7-Dimethyl-9-[2,6,6-trimethyl-cyclohexen-(1)-yl]-nonatrien-(2,6,8)-in-(4)-säureester[1]

Hier sind normale Wasser-Abspaltungsmethoden möglich (s. S. 41), ohne daß Retro-Umlagerung eintritt. weil die C≡C-Dreifachbindung die CH_2-Gruppe aktiviert.

Eine Zusammenstellung aller sonstigen wichtigen Strukturmerkmale, die eine Retro-Umlagerung bei der Dehydratisierung verhindern s. S. 67 f.

② Wasser-Abspaltung aus Carotinoiden mit einer CH_2-Gruppe in Allylstellung zur Hydroxy-Gruppe, wobei in einer Reaktion Allyl-Umlagerung und Wasser-Abspaltung erfolgen (ohne Retro-Umlagerung); z. B.:

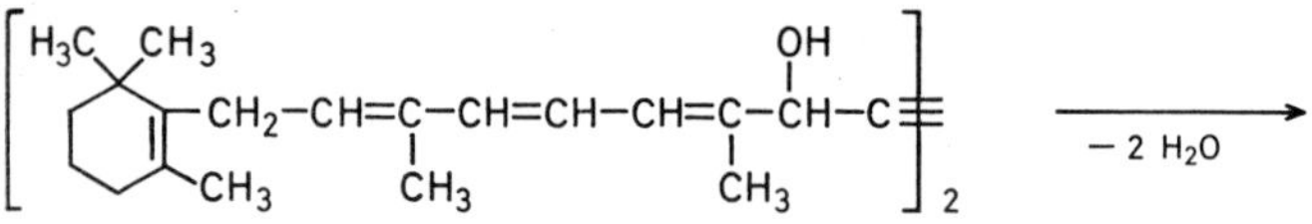

[H_3C CH_3 OH

—CH_2—CH=C—CH=CH—CH=C—CH—C≡]$_2$ → $-2\,H_2O$

CH_3 CH_3 CH_3

15,15'-Dehydro-β-C_{40}*-Diol-(14,14')*; III

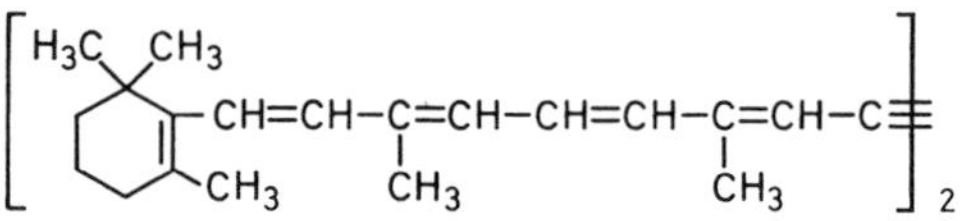

[H_3C CH_3

—CH=CH—C=CH—CH=CH—C=CH—C≡]$_2$

CH_3 CH_3 CH_3

15,15'-Dehydro-β-carotin; IV[2]

③ Kombination von ① und ② bei Diolen (also einseitige Allyl-Umlagerung); z. B.:

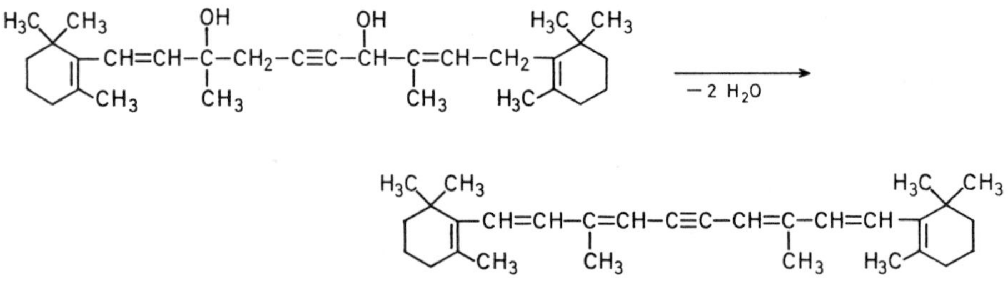

H_3C CH_3 OH OH H_3C CH_3

—CH=CH—C—CH_2—C≡C—CH—C=CH—CH_2— → $-2\,H_2O$

CH_3 CH_3 CH_3 H_3C

H_3C CH_3 H_3C CH_3

—CH=CH—C=CH—C≡C—CH=C—CH=CH—

CH_3 CH_3 CH_3 H_3C

3,8-Dimethyl-1,10-bis-[2,6,6-trimethyl-cyclohexen-(1)-yl]-decatetraen-(1,3,7,9)-in-(5)[3]

---

[1] H. Pommer, Ang. Ch. **72**, 812 (1960).

[2] H. H. Inhoffen u. G. Leibner, A. **575**, 105 (1952).

[3] H. H. Inhoffen, H. Pommer u. E.-G. Meth, A. **565**, 45 (1949).

④ Wasser-Abspaltung nach ② oder ③ aus solchen Carotinoiden, bei denen die Gefahr einer „Retro-Umlagerung" besteht; z. B.:

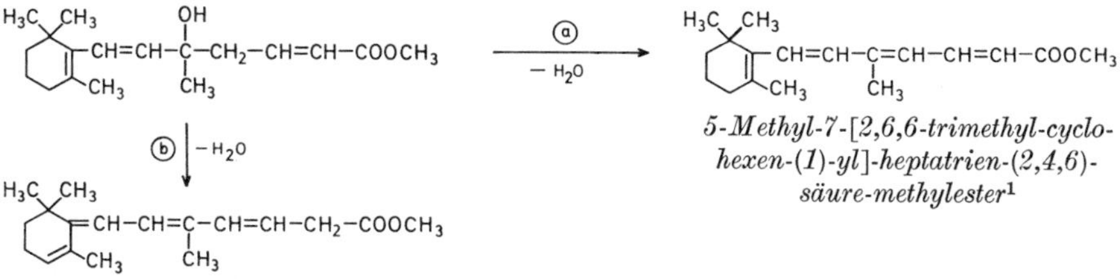

ⓐ $-H_2O$

5-Methyl-7-[2,6,6-trimethyl-cyclo-hexen-(1)-yl]-heptatrien-(2,4,6)-säure-methylester[1]

ⓑ $-H_2O$

5-Methyl-7-[2,6,6-trimethyl-cyclo-hexen-(2)-yliden]-heptadien-(3,5)-säure-methylester [vgl. 2]

ⓐ Zur Vermeidung der Retro-Umlagerung sind säurefreie Spezialmittel zur Dehydratisierung erforderlich (s. S. 42).

ⓑ Säure-katalysiert (Retro-Umlagerung)

⑤ Wasser-Abspaltung aus der Kette in den Ring hinein (Allyl-Umlagerung) bei Carotinoiden mit „Retro-Struktur", verbunden mit einer Isomerisierung zur „normalen Konjugation" der Kette; z. B.:

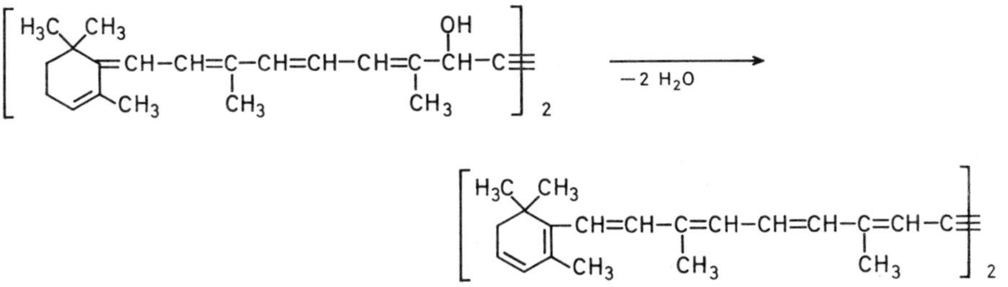

$-2\ H_2O$

3,7,12,16-Tetramethyl-1,18-bis-[2,6,6-trimethyl-cyclohexen-(1)-yl]-octadecaoctaen-(1,3,5,7,11,13,15,17)-in-(9)[3, vgl. 1]

⑥ Wasser-Abspaltung aus Ketten mit endständiger Hydroxy-Gruppe, Acetal- oder Vinyläther-Gruppierung usw. s. S. 43f.

Die Dehydratisierungsmittel für die Reaktionstypen ①–⑥ werden im folgenden besprochen.

β₁) *durch allgemeine Dehydratisierungsmittel*

„Normale" Wasser-Abspaltungsmittel, die gegebenenfalls gleichzeitig als Allyl-Umlagerungsmittel wirken, wie p-Toluolsulfonsäure, Oxalsäure, Jod (jeweils in organischen Lösungsmitteln) oder Phosphorhalogenide in Gegenwart von tert. Aminen sind im allgemeinen grundsätzlich für ①, ② und ③ (S. 40) geeignet, da von der Struktur des Moleküls her eine Retro-Umlagerung vermieden wird[4]. Ausnahmen, die Spezialmethoden zur Dehydratisierung erfordern, sind in der Literatur beschrieben[1,5].

---

1 K. Eiter, E. Truscheit u. H. Oediger, Ang. Ch. **72**, 948 (1960).

2 P. H. v. Leevwen u. H. O. Huisman, R. **80**, 1115 (1961).

3 H. H. Inhoffen u. G. Raspé, A. **594**, 165 (1955).

4 Wenn im Verlauf einer Carotinoid-Synthese ausnahmsweise eine Retro-Umlagerung erwünscht ist, können diese sauren Dehydratisierungsmittel ebenfalls verwendet werden, siehe z. B. O. Isler et al., Chimia **12**, 89 (1958).

5 H. Pommer, Ang. Ch. **72**, 811 (1960).

Von den oben genannten Mitteln ist häufig p-Toluolsulfonsäure (in Benzol oder Toluol) am günstigsten. Für die Reaktionszeit spielt zum Teil die Reaktionstemperatur eine große Rolle. Eine Dehydratisierung und Umlagerung mit p-Toluolsulfonsäure kann in Toluol bereits nach 15 Min. beendet sein, in Benzol aber 5 Stdn. erfordern[1]. Durch Oxalsäure oder Phosphorhalogenide können verstärkt Nebenreaktionen verursacht werden, und auch mit Jod sind die Ausbeuten oft geringer als mit p-Toluolsulfonsäure. p-Toluolsulfonsäure kann auch zur Dehydratisierung nach ⑤ (S. 41) eingesetzt werden[2]. Bei der Herstellung sehr langer Polyenketten, wie z.B. *Dodecapreno-β-carotin,* liefert die Dehydratisierung mit p-Toluolsulfonsäure allerdings nur geringe Ausbeuten[3].

15,15'-Dehydro-β-carotin (IV; S. 40)[4]: 105 mg kristallines 15,15'-Dehydro-β-C_{40}-Diol-(14,14') (III) werden in 10 *ml* Benzol gelöst und der Lösung in der Siedehitze 5 *ml* Benzol mit sehr wenig p-Toluolsulfonsäure zugegeben. Die farblose Lösung wird sofort rotbraun. Nach 60 Sek. wird abgebrochen, in der üblichen Weise mit Natriumhydrogencarbonat aufgearbeitet, getrocknet und i. Vak. eingeengt. Der Rückstand wird in Schwefelkohlenstoff gelöst, mit absol. Äthanol versetzt und wieder i. Vak. eingeengt. Es fallen hellrote, orangefarbene Kristalle aus, die abgesaugt, mit absol. Äthanol nachgewaschen und getrocknet werden; Ausbeute: 36,8 mg (37,3% d. Th.). Nach Umkristallisieren aus Benzol/absol. Aethanol erhält man 29,9 mg; F: 154,5–155,5° (in Petroläther; λ_{max} = 433 mμ; ε = 115000).

Für weitere Beispiele der Dehydratisierung mit p-Toluolsulfonsäure[1,5–11], Oxalsäure[7,9,12,13], Jod in Tetrachlormethan, Petroläther oder Toluol[6,7,9,14,15] oder Phosphorhalogeniden (insbesondere Phosphoroxichlorid) in Pyridin/Toluol (1,2-Dichlor-äthan)[5,7,9,16] sei auf die Literatur verwiesen.

β_2) *spezielle Dehydratisierungsreaktionen*

(Acetat-Methode s. S. 54; Halogenwasserstoff-Methode s. auch S. 48ff.)

Die N-Halogen-dicarbonsäure-imide, insbesondere N-Brom-, N-Jod-succinimid oder -phthalimid sind zur Dehydratisierung nach ④ (S. 41) günstig, wenn also Retro-Umlagerungen möglich sind und verhindert werden müssen[9,17,18]. Als Lösungsmittel sind Benzol, Tetrachlormethan, Essigsäure-äthylester, 1,4-Dioxan und 1,2-Dichlor-propan geeignet, weniger gut Alkohole. In Pyridin als Lösungsmittel wird kein Wasser abgespalten.

---

[1] H. H. Inhoffen, F. Bohlmann u. G. Rummert, A. **569**, 226 (1950).
[2] H. H. Inhoffen u. G. Raspé, A. **594**, 165 (1955).
[3] P. Karrer u. C. H. Eugster, Helv. **34**, 1805 (1951).
[4] H. H. Inhoffen u. G. Leibner, A. **575**, 105 (1952).
[5] H. H. Inhoffen et al., A. **570**, 54 (1950).
[6] H. H. Inhoffen, H. Pommer u. E.-G. Meth, A. **565**, 45 (1949).
[7] O. Isler u. P. Schudel, Adv. Org. Chem. Vol. **4**, 115 (1963).
[8] H. Pommer, Ang. Ch. **72**, 811 (1960).
[9] K. Eiter, E. Truscheit u. H. Oediger, Ang. Ch. **72**, 948 (1960).
[10] P. Karrer u. C. H. Eugster, Helv. **33**, 1172 (1950).
[11] P. Karrer, C. H. Eugster u. E. Tobler, Helv. **33**, 1349 (1950).
[12] P. Karrer u. J. Benz, Helv. **31**, 1048 (1948).
[13] T. Bruum, I. M. Heilbron, B. C. L. Weedon u. R. J. Woods, Soc. **1950**, 633.
[14] G. W. H. Cheeseman et al., Soc. **1949**, 1516.
[15] O. Isler et al., Helv. **30**, 1911 (1947).
[16] O. Isler et al., Helv. **32**, 489 (1949).
[17] H. J. Kabbe, E. Truscheit u. K. Eiter, A. **684**, 14 (1965).
[18] US. P. 2974155 (1958/1961), Farbf. Bayer; Erf.: K. Eiter u. E. Truscheit; C. A. **55**, 17541^d (1961).
vgl. a. M. Mousseron-Canet, J. C. Mani, J. P. Dalle u. J. L. Olivé, Bl. **1966**, 3874.

β-Carotin[1]:

$$\left[\text{(H}_3\text{C, CH}_3\text{, CH}_3\text{-Cyclohexenyl)}-CH{=}CH{-}\underset{CH_3}{C}{=}CH{-}CH{=}CH{-}\underset{CH_3}{\overset{OH}{C}}{-}CH_2{-}CH{=}\right]_2 \xrightarrow[-2\,H_2O]{} \beta\text{-Carotin}$$

Eine Lösung von 8,5 g β-C_{40}-Diol-(13,13′) in 70 *ml* siedendem Benzol wird mit 250 mg N-Brom-succinimid versetzt. Nach einigen Sek. wird die gelbe Lösung dunkelrot; gleichzeitig kondensiert Wasser im Rückflußkühler. Nach weiteren 3 Min. bei 80° wird gekühlt, mit 300 *ml* Petroläther verdünnt und nacheinander mit Lösungen von Kaliumjodid, Natriumthiosulfat und Natrium-chlorid gewaschen. Aus der über Natriumsulfat getrockneten Lösung erhält man nach dem Ein-engen 8,5 g eines Öls [λ_{max} = 450 mμ (ε = 76500)], das in 18 *ml* Benzol und 80 *ml* Äthanol heiß gelöst wird. Bei 0° scheiden sich 3,3 g β-Carotin ab, die erneut aus Benzol/Äthanol um-kristallisiert werden; Ausbeute: 3 g (37,7% d.Th.); F: 176–178°.

Aus Carotinoiden mit endständiger primärer Hydroxy-Gruppe, insbesondere Vit-amin A, wird durch kurze Behandlung mit alkoholischer Salzsäure[2-5] oder p-Toluolsulfonsäure[6] 1 Mol Wasser abgespalten. Unter gleichzeitiger Verschiebung der Doppelbindungen ins „Retro"-System entsteht dabei *Anhydro-Vitamin A* (F: 76–77°):

$$\text{(H}_3\text{C, CH}_3\text{, CH}_3\text{-Cyclohexenyliden)}{=}CH{-}CH{=}\underset{CH_3}{C}{-}CH{=}CH{-}CH{=}\underset{CH_3}{C}{-}CH{=}CH_2$$

Bei längerer Einwirkung von äthanolischer Salzsäure lagert sich an die endständige C=C-Doppelbindung sekundär 1 Mol Äthanol an unter Bildung des sogen. „*Isoanhydrovitamin A*", dessen Konstitution noch nicht genau geklärt ist[7]. Wenn bei Synthesen von Carotinoiden die ge-wünschte primäre endständige Hydroxy-Gruppe neben einer zu entfernenden Hydroxy-Gruppe in der Kette vorliegt, muß sinngemäß die primäre Hydroxy-Gruppe durch Acetylierung ge-schützt werden.

Aus Carotinoiden mit endständiger Acetal-Gruppe kann mit Salzsäure

$$\cdots\underset{CH_3}{C}{=}CH{-}CH{=}CH{-}\underset{CH_3}{\overset{OH}{C}}{-}CH_2{-}CH(OR)_2$$

(vgl. S. 48) in 1,4-Dioxan[8], Aceton[9] oder mit Bromwasserstoff[10] glatt ohne Retro-Umlagerung Wasser abgespalten und gleichzeitig die Acetal-Gruppe zum Aldehyd ver-

[1] H. J. Kabbe, E. Truscheit u. K. Eiter, A. **684**, 14 (1965).
[2] J. R. Edisbury, A. E. Gillan, I. M. Heilbron u. R. A. Morton, Biochem. J. **26**, 1164 (1932).
E. M. Shantz et al., Am. Soc. **65**, 901 (1943).
[3] B. Bornholdt, Acta Chem. Scand. **11**, 909 (1957).
[4] H. B. Henbest et al., Soc. **1955**, 2763.
[5] O. Isler et al., Helv. **30**, 1927 (1947).
[6] E. M. Shantz, J. biol. Chem. **182**, 515 (1950).
Die Methode wurde auch zur analytischen Bestimmung von Vitamin A ausgenützt; P. Bu-dowski u. A. Bondi, Analyst. **82**, 751 (1957).
[7] W. Oroshnik, Science **119**, 660 (1954).
[8] K. Eiter, D. Truscheit u. H. Oediger, Ang. Ch. **72**, 948 (1960).
[9] Fr. P. 1243824 (1959), AEC, Erf.: J. M. Nicolaux et al.; C. A. **57**, 16671h (1962).
[10] J. Redel u. J. Boch, C. r. **258**, 1840 (1964).

seift werden. Mit Spuren Salzsäure in alkoholischer Lösung entsteht als Zwischenstufe die Retro-Verbindung[1].

Analog kann man aus Carotinoiden mit endständiger Äther-Gruppe vom Typ:

$$\text{(2,6,6-Trimethylcyclohexenyl)}-CH_2-CH(OH)-C(CH_3)=CH-CH=CH-C(OH)(CH_3)-CH_2-OR$$

direkt z.B. mit p-Toluolsulfonsäure 2 Mol Wasser abspalten unter gleichzeitiger Bildung der Aldehyd-Gruppe[2] (z.B.: β-C_{19}-Aldehyd[2] (S. 11), z.T. verläuft die Reaktion über die Stufe des Vinyläthers.

Analoge Hydroxy-carotinoide mit endständiger Vinyläther- oder Vinylester-Gruppe werden ebenfalls durch Säuren direkt in den Polyenaldehyd übergeführt[2-5] [z.B. 15,15'-Dehydro-β-apo-12'-carotinal (C_{25})[5]]. Als Säuren werden z.B. verwendet: verdünnte Schwefelsäure, Salzsäure oder Essigsäure in Alkoholen[3-5] bzw. p-Toluol-sulfonsäure in Benzol[2].

Die Wasser-Abspaltung bei Carotinoiden mit einer Hydroxy-Gruppe im Cyclohexenring wird auf S. 173 besprochen.

2. Offenkettige Polyene durch „Dehydroxylierung" (Abspaltung von zwei Hydroxy-Gruppen aus entsprechend ungesättigten Kohlenwasserstoffen)

Bei der Abspaltung von zwei sek. Hydroxy-Gruppen aus einer ungesättigten Kohlenwasserstoffkette in der keine CH_2-Gruppen zur Dehydratisierung zur Verfügung stehen und keine Allyl-Umlagerung möglich ist, wird zwischen zwei-Typen unterschieden:

① Die Hydroxy-Gruppen stehen benachbart oder sind durch eine oder zwei Vinyl-Gruppen getrennt:

$$R-(CH=CH)_n-CH(OH)-CH(OH)-(CH=CH)_n-R \longrightarrow R-(CH=CH)_{2n+1}-R$$

$$R-(CH=CH)_n-CH(OH)-CH=CH-CH(OH)-(CH=CH)_n-R \longrightarrow R-(CH=CH)_{2n+2}-R$$

Die Abspaltung der 2 Hydroxy-Gruppen erfolgt hier nach älteren Verfahren über Diester (s. S. 54), Bromide bzw. Chloride (S. 46),

am günstigsten aber über Jodide mit Hilfe von Diphosphor-tetrajodid (1 Verfahrensstufe, s. S. 46ff.).

---

[1] Fr. P. 1243824 (1959), AEC, Erf.: J. M. Nicolaux et al.; C. A. **57**, 16671[h] (1962).
[2] H. H. Inhoffen u. G. Leibner, A. **575**, 105 (1952).
[3] H. H. Inhoffen, F. Bohlmann u. G. Rummert, A. **569**, 226 (1950).
[4] P. Zeller et al., Helv. **42**, 841 (1959).
[5] R. Rüegg et al., Helv. **42**, 847 (1959).

② Die Hydroxy-Gruppen sind durch eine Äthinyl-Gruppe getrennt (Whiting-Reaktion):

$$R{-}(CH{=}CH)_n{-}\underset{OH}{CH}{-}C{\equiv}C{-}\underset{OH}{CH}{-}(CH{=}CH)_n{-}R \xrightarrow{LiAlH_4} R{-}(CH{=}CH)_{2n+2}{-}R$$

Das gleiche Schema gilt für unsymmetrische Moleküle oder für Diacetylenglykole.

Statt zunächst die Acetylenglykole partiell zu hydrieren und dann mit Diphosphortetrajodid umzusetzen (s. S. 44), kann man nach Whiting[1,2] mit Hilfe von Lithiumalanat direkt vom Acetylenglykol zum Polyen gelangen; z.B.

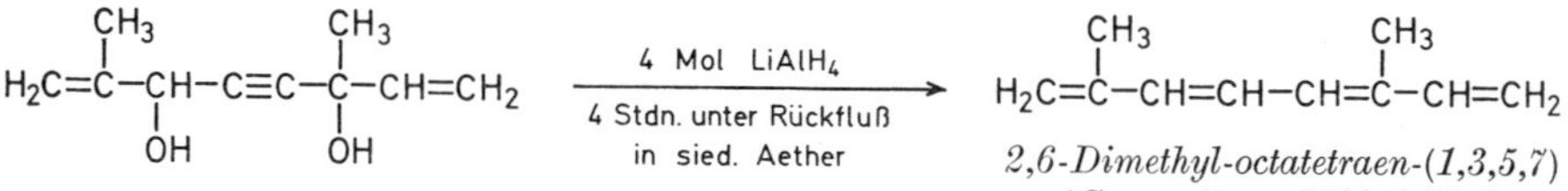

$$H_2C{=}\overset{CH_3}{C}{-}\underset{OH}{CH}{-}C{\equiv}C{-}\overset{CH_3}{\underset{OH}{C}}{-}CH{=}CH_2 \xrightarrow[\text{4 Stdn. unter Rückfluß in sied. Aether}]{\text{4 Mol } LiAlH_4} H_2C{=}\overset{CH_3}{C}{-}CH{=}CH{-}CH{=}\overset{CH_3}{C}{-}CH{=}CH_2$$

2,6-Dimethyl-octatetraen-(1,3,5,7) (*Cosmen*); ~ 35% d.Th.[1]

Analog werden nach folgender Reaktion:

$$H_3C{-}(CH{=}CH)_a{-}\underset{OH}{CH}{-}C{\equiv}C{-}\underset{OH}{CH}{-}(CH{=}CH)_b{-}CH_3 \xrightarrow{LiAlH_4} H_3C{-}(CH{=}CH)_n{-}CH_3$$

$$n = a + b + 2$$

1,ω-Dimethyl-polyene (bis n = 12) hergestellt, die z.T. nur in Lösung beständig sind. Bei den höheren Gliedern arbeitet man bei 0° bzw. −20° in Tetrahydrofuran[2].

Die Whiting-Reaktion kann auch zur Synthese von *β-Carotin* (geringe Ausbeute), *7,7′-Dihydro-β-carotin* (über 80% d.Th.), *Dehydro-retro-carotin* und anderen Carotinoid-Kohlenwasserstoffen verwendet werden[3–5], wenn tert. Amine als Lösungsmittel eingesetzt werden:

7,7′-Dihydro-β-carotin[5]:

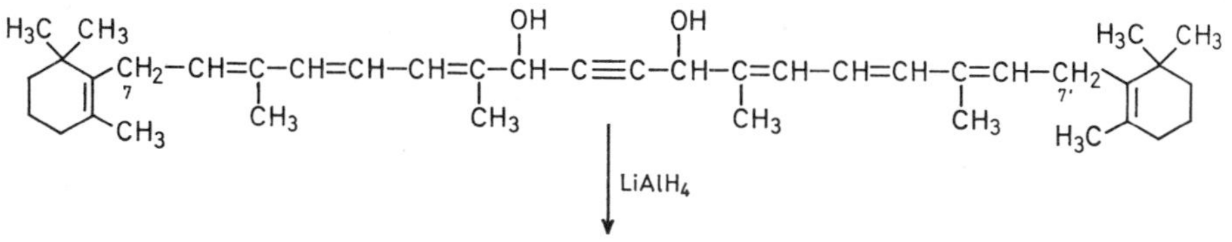

$$\text{(2,6,6-Trimethyl-cyclohexenyl)}{-}\overset{7}{C}H_2{-}CH{=}\underset{CH_3}{C}{-}CH{=}CH{-}CH{=}\underset{CH_3}{C}{-}\overset{OH}{CH}{-}C{\equiv}C{-}\overset{OH}{CH}{-}\underset{CH_3}{C}{=}CH{-}CH{=}CH{-}\underset{CH_3}{C}{=}CH{-}\overset{7'}{C}H_2{-}\text{(2,6,6-Trimethyl-cyclohexenyl)}$$

$$\downarrow LiAlH_4$$

7,7′-Dihydro-β-carotin

56 g 15,15′-Dehydro-β-C_{40}-Diol-(14,14′) werden in 1400 *ml* N,N-Diäthyl-anilin suspendiert, bei 0–5° unter Rühren und Kühlen innerhalb 30 Min. mit einer Lösung von 12 g Lithiumalanat in 300 *ml* absol. Äther versetzt und anschließend 3 Stdn. auf 60° erwärmt. Dann werden unter Eiskühlung bei ~ 5° 50 *ml* Essigsäure-äthylester zugetropft, die Reaktionslösung auf ein Gemisch von Eis und verd. Schwefelsäure gegossen und mit Äther extrahiert. Die ätherische Lösung wird mehrmals mit kalter verd. Schwefelsäure und mit Wasser gewaschen, mit Natriumsulfat getrocknet und das Lösungsmittel abgedampft. Der Rückstand wird aus Dichlormethan-Methanol umkristallisiert; Ausbeute: 35 g. Aus den Mutterlaugen werden durch Chromatographie an der 10fachen Menge Aluminiumoxid (Aktivitätsstufe II) weitere 10 g gewonnen; Gesamtausbeute: 45 g (~ 80% d.Th.); F: 183–184°.

---

[1] P. Nayler u. M. C. Whiting, Soc. **1954**, 4006.
[2] P. Nayler u. M. C. Whiting, Soc. **1955**, 3037.
[3] O. Isler, Ang. Ch. **68**, 551 (1956).
[4] O. Isler u. P. Schudel, Adv. Org. Chem. **4**, 115 (1963).
[5] O. Isler, M. Montavon, R. Rüegg u. P. Zeller, Helv. **39**, 454 (1956).

Aus 1,6-Dihydroxy-1,6-diferrocenyl-hexadiin-(2,4) erhält man durch Behandlung mit Salzsäure oder Bromwasserstoff *1,3,5-Trichlor-* (bzw. *1,3,5-Tribrom)-1,6-diferrocenyl-hexatrien-(1,3,5)*[1]:

$$R-\underset{|}{\overset{OH}{C}}H-C\equiv C-C\equiv C-\underset{|}{\overset{OH}{C}}H-R \xrightarrow{HCl\ (HBr)} R-(\overset{X}{\overset{|}{C}}=CH)_3-R$$

X = Cl; Br; R = Ferrocenyl

3. Offenkettige Polyene durch Abspaltung von Halogen oder Halogenwasserstoff aus den entsprechenden ungesättigten Halogen-Verbindungen

α) Von Halogen aus 1,2-Dihalogen-Verbindungen

$α_1$) *mit Zink*

Die Abspaltung von Brom oder Chlor aus ungesättigten 1,2-Dibrom- bzw. 1,2-Dichlor-Verbindungen mit Zink ist zwar möglich, z. B.:

3,4-Dibrom-hexadien-(1,5) $\xrightarrow{Zn}$ *Hexatrien-(1,3,5)*[2]

3,4-Dibrom-1,6-diphenyl-hexadien-(1,5) $\xrightarrow{Zn}$ *1,6-Diphenyl-hexatrien-(1,3,5)*[3]

1,2,3,4,5,6-Hexachlor-hexen-(3) $\xrightarrow{Zn}$ *3,4-Dichlor-hexatrien-(1,3,5)*[4]

hat aber als präparative Methode zur Herstellung von Polyenen keine Bedeutung mehr.

$α_2$) *Spontane Jod-Abspaltung aus in situ hergestellten unbeständigen 1,2-Dijod-Verbindungen*[5,6]

Ungesättigte Glykole, bei denen in der Kette keine benachbarten oder allylständigen CH_2-Gruppen vorhanden sind, die also nicht dehydratisiert werden können, lassen sich durch Umsetzung mit Diphosphor-tetrajodid in einer Verfahrensstufe[3] ins Polyen umwandeln:

$$R-(CH=CH)_n-\underset{OH}{\underset{|}{C}}H-\underset{OH}{\underset{|}{C}}H-(CH=CH)_n-R \xrightarrow{P_2J_4} \left[R-(CH=CH)_n-\underset{J}{\underset{|}{C}}H-\underset{J}{\underset{|}{C}}H-(CH=CH)_n-R\right] \xrightarrow[-J_2]{} R-(CH=CH)_{2n+1}-R$$

1,14-Diphenyl-tetradecaheptaen[7]: 50 mg 7,8-Dihydroxy-1,14-diphenyl-tetradecahexaen-(1,3,5, 9,11,13) werden in 10 *ml* Benzol suspendiert und mit einem kleinen Überschuß an Diphosphor-tetrajodid in Schwefelkohlenstoff versetzt. Sofort scheiden sich rote Kristalle aus, die abgesaugt und mit Benzol und Methanol gewaschen werden; Ausbeute: 80% d.Th.; praktisch reines Rohprodukt; F: 277° (aus Chloroform durch Extraktion aus einer kleinen Hülse).

---

[1] K. Schlögl u. W. Steyrer, J. Organometal. Chem. **6**, 399 (1966).

[2] E. H. Farmer, B. D. Laroia, T. Maclean Switz u. J. F. Thorpe, Soc. **1927**, 2937.

[3] R. Kuhn u. A. Winterstein, Helv. **11**, 87 (1928).

[4] A. N. Akopyan u. V. S. Aslamazyan, Ž. obšč. Chim. **31**, 1190 (1961); engl.: 1101.

[5] Über das Parallelverfahren in Spezialfällen mit Vanadin(II)-chlorid oder Chrom(II)-chlorid s. R. Kuhn u. K. Wallenfels, B. **71**, 1889 (1938).

[6] S. ds. Handb. Bd. V/4, Kap. Herstellung von Jodverbindungen, S. 611.

[7] F. Bohlmann, B. **85**, 386 (1952).

Analog erhält man mit Diphosphor-tetrajodid bei Zimmertemperatur aus

3,4-Dihydroxy-1,6-diphenyl-hexadien-(1,5) $\xrightarrow{\text{Aether, einige Min.}}$ *1,6-Diphenyl-hexatrien-(1,3,5)*[1,2] ~ 100% d.Th.

2,3-Dihydroxy-dodecatetraen-(4,6,8,10) (*Suspension in Benzol*) $\xrightarrow{CS_2\text{, 10 Min.}}$ *Dodecapentaen-(2,4,6,8,10)*[3]

5,6-Dihydroxy-1,10-diphenyl-decatetraen-(1,3,7,9) (*Suspension in Benzol*) $\xrightarrow{CS_2\text{, einige Min.}}$ *1,10-Diphenyl-decapentaen-(1,3,5,7,9)*[3] 75% d.Th.

10,11-Dihydroxy-eicosaoctaen-(2,4,6,8,12,14,16,18) $\xrightarrow{CS_2\text{, 3 Min.}}$ *Eicosanonaen-(2,4,6,8,10,12,14,16,18)*[3]

Das Verfahren ist auch auf ungesättigte 1,4- oder 1,6-Glykole anwendbar:

$$R-(CH{=}CH)_n-CH(OH)-CH{=}CH-CH(OH)-(CH{=}CH)_n-R \xrightarrow{P_2J_4} R-(CH{=}CH)_{2n+2}-R$$

1,8-Diphenyl-octatetraen-(1,3,5,7)[4]: 1,1 g 3,6-Dihydroxy-1,8-diphenyl-octatrien-(1,4,7) werden in 10 *ml* absol. Äther suspendiert und mit 1 g Diphosphor-tetrajodid in kleinen Portionen versetzt. Nach 10 Min. wird mit 2n Natronlauge geschüttelt, der Niederschlag abgenutscht und aus Chloroform umkristallisiert; Ausbeute: 500 mg (51,5% d.Th.); F: 232°.

Analog erhält man aus

1,6-Dihydroxy-1,6-diphenyl-hexadien-(2,4) → *1,6-Diphenyl-hexatrien-(1,3,5)*[4]

1,6-Dihydroxy-1,1,6,6-tetraphenyl-hexadien-(2,4) → *1,1,6,6-Tetraphenyl-hexatrien-(1,3,5)*[4] ~ 50% d.Th.

Auch aus dem β-C_{30}-Diol-(9,9') I werden mit Diphosphor-tetrajodid beide Hydroxy-Gruppen abgespalten[5]:

I: (2,6,6-Trimethyl-cyclohexenyl)–CH=CH–C(CH₃)(OH)–CH=CH–CH=CH–C(CH₃)(OH)–CH=CH–(2,6,6-Trimethyl-cyclohexenyl) $\xrightarrow{P_2J_4\text{, absol Äther}}$

[(2,6,6-Trimethyl-cyclohexenyl)–CH=CH–C(CH₃)(J)–CH=CH–CH=CH–C(CH₃)(J)–CH=CH–(2,6,6-Trimethyl-cyclohexenyl)] $\xrightarrow{-J_2}$

II: (2,6,6-Trimethyl-cyclohexenyl)–CH=CH–C(CH₃)=CH–CH=CH–CH=C(CH₃)–CH=CH–(2,6,6-Trimethyl-cyclohexenyl)

„β-C_{30}-Kohlenwasserstoff" {**II; 3,8-Dimethyl-1,10-bis-[2,6,6-trimethyl-cyclohexen-(1)-yl]-decapentaen-(1,3,5,7,9)**}[5]. Eine Lösung von 1 g β-C_{30}-Diol-(9,9') (I) in ~ 20 *ml* absol. Äther wird im Eisbad auf 2–5° abgekühlt, mit 0,65 g Diphosphor-tetrajodid in kleinen Anteilen versetzt und geschüttelt; nach 30 Min. wird das Bad entfernt und 15 Min. bei Zimmertemp. belassen. In der dunklen Reaktionsmischung wird starke Jod-Ausscheidung nachgewiesen. Nach Zugabe von 2 g Zink und weiteren 30 Min. Stehen ist die Lösung grün-schwarz und kein Jod mehr nachweisbar. Nunmehr wird mit 1n Natronlauge, Natriumthiosulfat-Lösung und Wasser gewaschen, getrocknet und eingedampft. Der Rückstand wird in Petroläther gelöst und die Lösung an einer Säule

---

[1] R. Kuhn u. A. Winterstein, Helv. **11**, 87 (1928).
[2] R. Kuhn, Ang. Ch. **50**, 705 (1937).
[3] F. Bohlmann, B. **85**, 386 (1952).
[4] R. Kuhn u. K. Wallenfels, B. **71**, 1889 (1938).
[5] H. H. Inhoffen et al., A. **573**, 1 (1951).

von Aluminiumoxid ($2^1/_2 \times 50$ cm) (Aktivitätsstufe I—II) chromatographiert. Aus den ersten Anteilen des Eluates mit Petroläther ($\lambda_{max} = 365$—370 mμ) werden nach dem Eindampfen 320 mg eines gelben Öls erhalten. Aus einer Petroläther-Lösung dieses Öls lassen sich nach Anspritzen mit Äthanol nach 24 Stdn. 100 mg ($\sim$ 11 % d. Th.) zitronengelber, zu Sternchen vereinigter Nadeln abtrennen, die 3 mal aus Äthanol umkristallisiert werden; F: 138°; λ_{max} = 374 mμ ($\varepsilon = 69000$) in Methanol.

Bei Versuchen, auf diese Weise vom „β-C_{18}-Keton" und Butadiin ausgehend zum *β-Carotin* zu gelangen, betrug die Ausbeute bei der Umsetzung des entsprechenden β-C_{40}-Diols mit Diphosphor-tetrajodid nur $\sim$ 1% der Theorie[1].

Längerkettige Polyen-1,2-glykole, die z.B. aus 2 Mol Sorbinaldehyd oder 2 Mol Vitamin A-Aldehyd hergestellt werden (s. S. 158), wurden mit Phosphor(III)-jodid in Schwefelkohlenstoff und in Gegenwart von Pyridin in die durchgehend konjugierten Polyen-Kohlenwasserstoffe, z.B. *β-Carotin* (38% d.Th.) übergeführt[2].

β) Abspaltung von Halogenwasserstoff

Dieser Abschnitt behandelt die Abspaltung von Halogenwasserstoff aus isolierten und nicht isolierten Halogeniden, letzteres soweit Hydroxy-Verbindungen als Ausgangsprodukte vorliegen. Dehydrierungen über unbeständige Halogenide werden dagegen auf S. 34 besprochen.

Die Abspaltung von Halogenwasserstoff zur Herstellung von Polyenketten gelingt zwar grundsätzlich in üblicher Weise mit basischen Verbindungen, wie Natrium- und Kaliumhydrogencarbonat[3], Natriumacetat[4] oder organischen tert. Basen (Pyridin, N,N-Dimethyl-anilin, Chinolin, 2,4,6-Trimethyl-pyridin)[5,6]:

ROOC–C(CH3)=CH–CH(Br)–CH2–CH=C(CH3)–COOR —(1 Stde. 140° / 2,4,6-Trimethyl-pyridin + 4% 3,5-Dimethyl-pyridin)→ ROOC–C(CH3)=CH–CH=CH–CH=C(CH3)–COOR

2,7-Dimethyl-octatrien-(2,4,6)-disäure-diester[6] (geringe Ausbeute)

Aus geeigneten Dibrom-Verbindungen gelingt es, durch Abspaltung von 2 Molen Bromwasserstoff gleichzeitig 2 C=C-Doppelbindungen ins Molekül einzuführen[7], z.B.:

ROOC–CH(CH3)–CH(Br)–CH=CH–CH(Br)–CH(CH3)–COOR (I) —(−2 HBr)→ ROOC–C(CH3)=CH–CH=CH–CH=C(CH3)–COOR (II)

2,7-Dimethyl-octatrien-(2,4,6)-disäure-dimethylester (II; R = CH_3)[7]: 22,5 g roher 3,6-Dibrom-2,7-dimethyl-octen-(4)-disäure-dimethylester (I; R = CH_3) werden in 50 *ml* trockenem Pyridin

[1] H. H. Inhoffen et al., A. **573,** 1 (1951).
[2] Brit.P. 1097497 (1968), Eastman Kodak, Erf.: A. J. Reedy; C.A. **68,** 78450v (1968).
[3] US.P. 2610208 (1951/1952), Hoffmann-La Roche, Erf.: J. D. Surmatis; C. A. 47, 8777f (1953).
[4] L. A. Janovskaja, R. N. Stepanova u. V. F. Kučerov, Izv. Akad. SSSR **1964,** 2093; C. A. **62,** 7630 (1965).
[5] DBP 961258 (1957), Hoffmann-La Roche, Erf.: O. Isler, M. Montavon, R. Rüegg u. P. Zeller; C. A. **54,** 17295d (1960).
[6] H. H. Inhoffen, H.-J. Krause u. S. Bork, A. **585,** 132 (1954).
vgl. a. Herstellung von *Dehydrojonon,* Fr.P. 1456296 (1965), R. J. Reynolds Tobacco Co., Erf.: R. L. Rowland.
[7] E. Buchta u. F. Andree, A. **640,** 29 (1961).

15 Stdn. im Ölbad (130–145°) unter Rückfluß und Feuchtigkeitsausschluß erhitzt. Es scheidet sich reichlich Pyridin-hydrobromid ab. Nach dem Erkalten wird mit 300 *ml* Salzsäure (1:1) versetzt, gut durchgeschüttelt und 3 mal mit viel Äther extrahiert. Die äther. Schicht trennt sich äußerst langsam „unter Schaumbildung" ab. Die vereinigten roten äther. Lösungen werden mit verd. Salzsäure, Wasser und ges. Natriumchlorid-Lösung neutral gewaschen und über Natriumsulfat getrocknet. Der Äther wird auf dem Wasserbad, zuletzt i. Vak. entfernt. Der zurückbleibende gelbe bis braune Kristallbrei wird abgesaugt und mit Methanol gewaschen; Ausbeute: 3,3 g (25% d. Th.).

Aus dem Filtrat werden nach mehrtägigem Stehenlassen im Eisschrank weitere 0,6 g Substanz gewonnen, die abgesaugt und mit Äther gewaschen werden; Gesamtausbeute: 3,9 g (30% d. Th.); F: 138–139° (nach Sintern); farblose bis schwach gelbe Nadeln; nach dem Umkristallisieren aus Methanol und Trocknen bei 56°/16 Torr: F: 139–140°.

Diese klassischen Abspaltungsverfahren liefern aber in der Polyenchemie meistens nur unbefriedigende Ausbeuten.

Spezielle Verfahren zur Halogenwasserstoff-Abspaltung werden dagegen erfolgreich in der Polyenchemie in Sonderfällen eingesetzt:

① Zur Herstellung von besonders reinen nichtcarotinoiden Trienen (Trennung der *cis-trans*-Isomeren) ohne Beimengung von Cyclisierungsprodukten (vgl. S. 219) werden die Halogen-Derivate zunächst mit Dimethyl-benzyl-amin zum quartären Amin umgesetzt, das dann analog der Hofmann-Eliminierung zersetzt wird[1], z. B.:

$$H_2C{=}CH{-}CH_2{-}CH(OH){-}CH{=}CH_2 \xrightarrow{PBr_3} \left[H_2C{=}CH{-}CH_2{-}CH(Br){-}CH{=}CH_2\right] \xrightarrow{(CH_3)_2N{-}CH_2{-}C_6H_5}$$

Isomeren-Gemisch

$$\left[\begin{matrix} H_2C{=}CH{-}CH_2 \quad CH_3 \\ CH{-}N{-}CH_2{-}C_6H_5 \\ H_2C{=}CH \quad CH_3 \end{matrix}\right]^{\oplus} Br^{\ominus} \xrightarrow[\substack{-HBr \\ -(CH_3)_2N{-}CH_2{-}C_6H_5}]{\nabla,\ \text{wäßr. NaOH}} H_2C{=}CH{-}CH{=}CH{-}CH{=}CH_2$$

und Isomere

Hexatrien-(1,3,5); 54–60% d. Th.[2, vgl. 3]

Analog erhält man aus

$H_2C{=}C(Cl){-}CH(Br){-}CH_2{-}CH{=}CH_2 \xrightarrow{16\%}$ *2-Chlor-hexatrien-(1,3,5)*[4]

$H_2C{=}C(Br){-}CH(Br){-}CH_2{-}CH{=}CH_2 \xrightarrow{12\%}$ *2-Brom-hexatrien-(1,3,5)*[4]

$H_2C{=}CH{-}CH(Br){-}CH_2{-}C(CH_3){=}CH_2 \xrightarrow{17\%}$ *2-Methyl-hexatrien-(1,3,5)*[4]

$Cl{-}CH{=}CH{-}CH(Br){-}CH_2{-}CH{=}CH_2 \xrightarrow{2\%}$ *1-Chlor-hexatrien-(1,3,5)*[3] (unbeständig)

$H_3C{-}CH{=}C(Cl){-}CH(Br){-}CH{=}CH_2 \xrightarrow{25\%}$ *3-Chlor-hexatrien-(1,3,5)*[3]

$H_2C{=}CH{-}C(CH_3)(Br){-}CH_2{-}CH{=}CH_2 \xrightarrow{73\%}$ *3-Methyl-hexatrien-(1,3,5)*[3]

$H_2C{=}CH{-}CH_2{-}CH(Br){-}CH{=}CH{-}CH_3 \xrightarrow{38\%}$ *Heptatrien-(1,3,5)*[3]

---

[1] J. C. H. Hwa, P. L. De Bennerville u. H. J. Sims, Am. Soc. **82**, 2537 (1960).
[2] J. C. H. Hwa u. H. Sims, Org. Synth. **41**, 49 (1961).
[3] C. W. Spangler u. G. F. Woods, J. Org. Chem. **30**, 2218 (1965).
vgl. a. Herstellung von *3-Methylen-cyclohexadien-(1,4)*; H. Plieninger u. W. Maier-Borst, Ang. ch. **75**, 1177 (1963); B. **98**, 2504 (1965).
[4] C. W. Spangelr u. G. F. Woods, J. Org. Chem. **28**, 2245 (1963).

② Bei Vitamin A- und Carotinoid-Synthesen wird teilweise sehr günstig mit Chlor- oder Bromwasserstoff – über unbeständige Halogenide als Zwischenstufe – unter gleichzeitiger Allyl-Umlagerung dehydratisiert[1,2], z.B.:

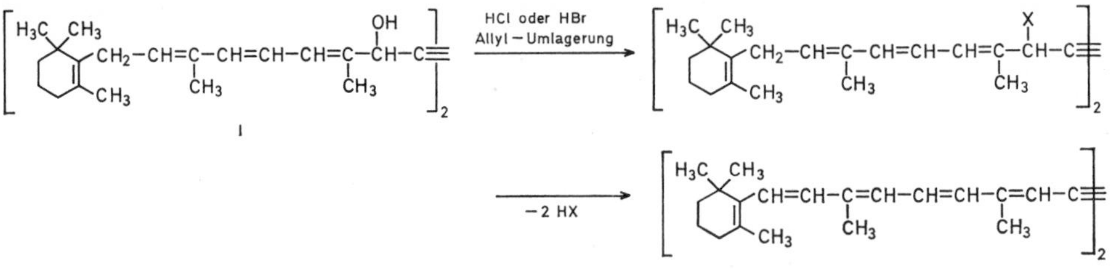

HCl oder HBr
Allyl – Umlagerung

I

– 2 HX

15,15'-Dehydro-β-carotin[1]

15,15'-Dehydro-β-carotin[1]: Eine Lösung von rohem 15,15'-Dehydro-β-C_{40}-Diol-(14,14') (I) (aus 100 g β-C_{19}-Aldehyd) in 700 *ml* Äther wird bei Raumtemp. mit 180 *ml* 8%iger äthanolischer Salzsäure versetzt und dann unter gelegentlichem Rühren 5 Stdn. bei 0° gehalten. Das ausgefallene 15,15'-Dehydro-β-carotin wird abfiltriert, mit Äthanol gewaschen, getrocknet und aus Dichlormethan/Methanol umkristallisiert; Ausbeute: 62 g; F: 154°.

Aus dem β-C_{40}-Alkohol II läßt sich mit Bromwasserstoff in Aceton direkt *all-trans-β-Carotin* gewinnen[3]:

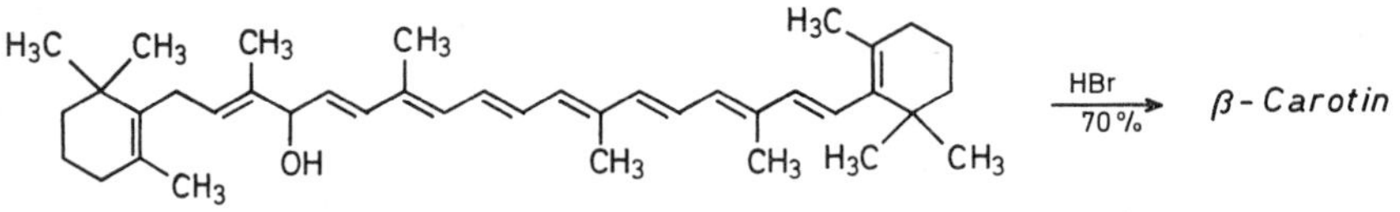

HBr
70%
β-Carotin

II

③ Bei speziellen Polyensynthesen kann 1,5-Diaza-bicyclo[4.3.0]nonen-(5) als Dehydrohalogenierungsmittel von Bedeutung sein[4,5]:

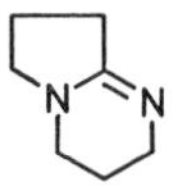

Es erlaubt milde Versuchsbedingungen, wobei es nicht nötig ist, das jeweils aus der betreffenden Hydroxy-Verbindung hergestellte Halogen-Derivat zu isolieren.

9-*cis*-Vitamin-A-Acetat[4] (IV):

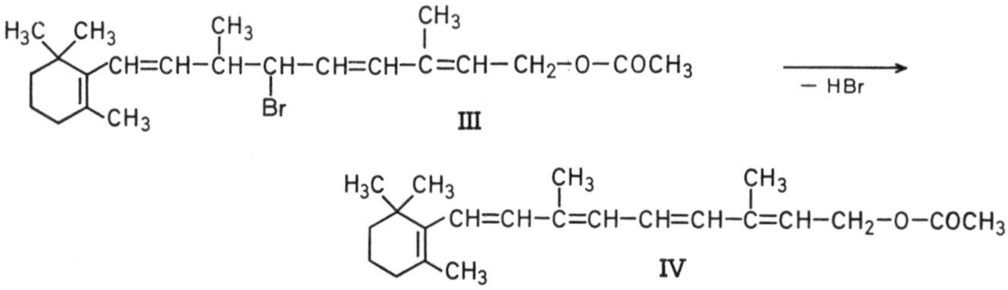

III

– HBr

IV

[1] O. Isler et al., Helv. **39**, 249 (1956).
[2] O. Isler, Ang. Ch. **68**, 549 (1956).
[3] J. D. Surmatis, J. Gibas u. R. Thommen, J. Org. Chem. **34**, 3039 (1969).
[4] H. Oediger, H.-J. Kabbe, F. Möller u. K. Eiter, B. **99**, 2012 (1966).
[5] DBP 1157606 (1962), Farbf. Bayer, Erf.: H. Oediger u. K. Eiter; C. A. **60**, 5569 (1964). Herstellung der Basen s. ds. Handb., Bd. V/1b, Kap. Olefine.

21,2 g 4-Brom-9-acetoxy-3,7-dimethyl-1-[2,6,6-trimethyl-cyclohexen-(1)-yl]-nonatrien-(1,5,7); roh (III, S. 50) werden in 40 *ml* absol. Benzol gelöst und mit einer Lösung von 13,4 g 1,5-Diaza-bicyclo [4.3.0]nonen-(5) in 40 *ml* absol. Benzol versetzt, danach wird 15 Min. auf 80° erwärmt. Nach dem Abkühlen wird die Lösung in ein Gemisch von 50 g Eis und 100 *ml* 1 n Schwefelsäure gegossen, mit Petroläther (Kp: 30–50°) extrahiert, der Extrakt neutral gewaschen und über Natriumsulfat getrocknet. Das Rohprodukt (14,2 g) löst man in 15 *ml* Petroläther (Kp: 30–50°) und chromatographiert an neutralem Aluminiumoxid (Aktivitätsstufe II) nacheinander mit Petroläther, Petroläther/10% Benzol und Petroläther/20% Benzol; Ausbeute: 10,7 g (63% d. Th.); λ_{max}; 328 mμ (ε = 35000). Es liegt überwiegend *9-cis*-Verbindung vor.

Analog erhält man aus 5-Brom-4-methyl-6-[2,6,6-trimethyl-cyclohexen-(1)-yl]-hexen-(3)-in-(1) den in der Carotinoid-Chemie als Zwischenstufe häufig eingesetzten β-C_{16}-Kohlenwasserstoff *4-Methyl-6-[2,6,6-trimethyl-cyclohexen-(1)-yl]-hexadien-(3,5)-in-(1)* (I)[1]:

H3C CH3, CH3; CH2–CH(Br)–C(CH3)=CH–C≡CH, CH3 —(– HBr)→ H3C CH3, CH3; CH=CH–C(CH3)=CH–C≡CH, CH3

I

④ Bei der Umsetzung von II mit Triphenylphosphin oder Phosphorigsäure-triäthylester zur Herstellung des endständigen Triphenylphosphoniumsalzes oder Phosphonsäure-diesters wird gleichzeitig das sekundäre Halogen als Halogenwasserstoff abgespalten[2,3]:

II: H3C CH3; CH2–CH(X)–C(CH3)=CH–C≡C–C(CH3)=CH–CH2–X; CH3 (X = Hal)

—($(C_6H_5)_3P$, – HX)→ III: [H3C CH3; CH=CH–C(CH3)=CH–C≡C–C(CH3)=CH–CH2–$\overset{\oplus}{P}(C_6H_5)_3$; CH3] $X^{\ominus}$

—($(C_2H_5O)_3P$, – HX, – C_2H_5X)→ IV: H3C CH3; CH=CH–C(CH3)=CH–C≡C–C(CH3)=CH–CH2–P(O)$(OC_2H_5)_2$; CH3

III; *9-Triphenylphosphoniono-3,7-dimethyl-1-[2,6,6-trimethyl-cyclohexen-(1)-yl]-nonatrien-(1,3,7)-in-(5)*

IV; *3,7-Dimethyl-9-[2,6,6-trimethyl-cyclohexen-(1)-yl]-nonatrien-(2,6,8)-in-(4)-phosphonsäure-diäthylester*

Über indirekte Dehydrierungen durch Abspaltung von Halogenwasserstoff aus nicht isolierten unbeständigen Halogen-Verbindungen als Zwischenstufen s. S. 34 f.

4. Offenkettige Polyene durch Abspaltung von Alkohol

Aus den bei der Müller-Cunradi-Pieroh-Reaktion zum Aufbau von Polyenketten aus Acetalen und Vinyläthern (s. S. 154f) erhaltenen β-Alkoxy-acetalen wird durch Behandlung mit Säuren in organischen Lösungsmitteln in Gegenwart von Wasser glatt 1 Mol Alkohol unter Neubildung einer C=C-Doppelbindung abgespalten, gleichzeitig erfolgt Verseifung der Acetal-Gruppe zum Aldehyd[4–11] (vgl.

---

1 H. Oediger, H.-J. Kabbe, F. Möller u. K. Eiter, B. **99**, 2012 (1966).
2 US. P. 3408414 (1964/1968), Hoffmann-La Roche, Erf.: J. D. Surmatis; C. A. **70**, 58064k (1969).
3 J. D. Surmatis u. R. Thommen, J. Org. Chem. **34**, 559 (1969).
4 O. Isler et al., Helv. **39**, 249 (1956).
5 O. Isler et al., Helv. **39**, 463 (1956).

 (Fortsetzung s. S. 52)

ds. Handb., Bd. VII/1, S. 116). Als Säuren werden günstig Essigsäure, Phosphorsäure oder p-Toluolsulfonsäure eingesetzt. (Arbeitsvorschriften s. S. 156f.), z. B.:

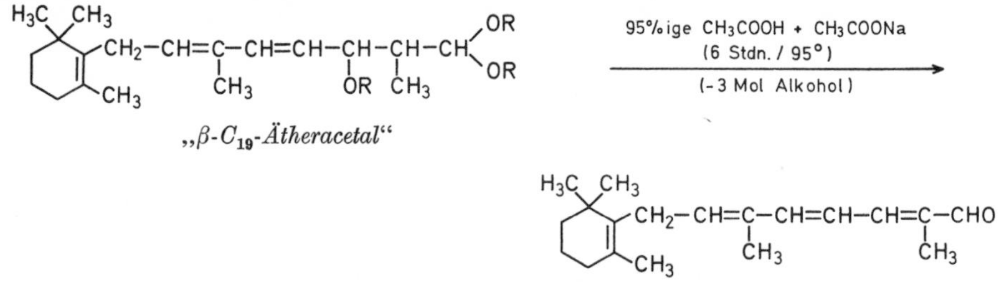

H_3C CH_3 — $CH_2-CH=C(CH_3)-CH=CH-CH(OR)-CH(CH_3)-CH(OR)_2$ (Ring: CH_3)

95%ige CH_3COOH + CH_3COONa (6 Stdn. / 95°) (−3 Mol Alkohol) →

„β-C_{19}-Ätheracetal"

H_3C CH_3 — $CH_2-CH=C(CH_3)-CH=CH-CH=C(CH_3)-CHO$ (Ring: CH_3)

„β-C_{19}-Aldehyd"; 2,6-Dimethyl-8-[2,6,6-trimethyl-cyclohexen-(1)-yl]-octatrien-(2,4,6)-al

Die oben aufgeführte Reaktion[1] ist die letzte Umsetzung beim Einstufenverfahren zur Herstellung von *β-C_{19}-Aldehyd* aus β-C_{16}-Aldehyd bei einer technischen β-Carotin-Synthese (s. S. 156). Anstelle von Essigsäure kann auch 87%ige Phosphorsäure verwendet werden.

Aus halogenhaltigen ungesättigten β-Alkoxy-acetalen, die durch Müller-Cunradi-Reaktion erhalten werden, läßt sich in gleicher Weise Alkohol abspalten, z.B.:

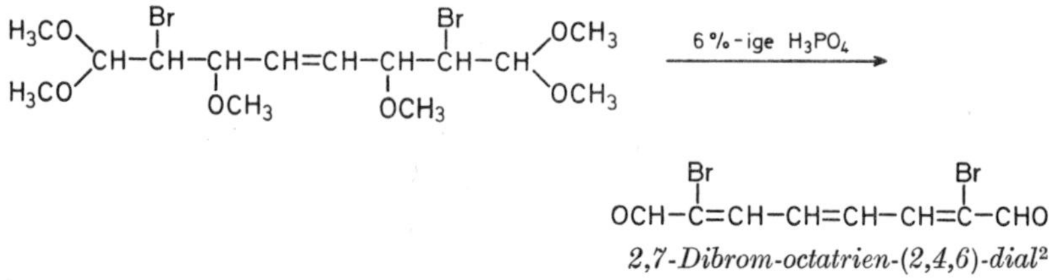

$(H_3CO)_2CH-CH(Br)-CH(OCH_3)-CH=CH-CH(OCH_3)-CH(Br)-CH(OCH_3)_2$ —6%-ige H_3PO_4→

$OCH-C(Br)=CH-CH=CH-CH=C(Br)-CHO$

2,7-Dibrom-octatrien-(2,4,6)-dial[2]

δ-Alkoxy-acetale vom Typ

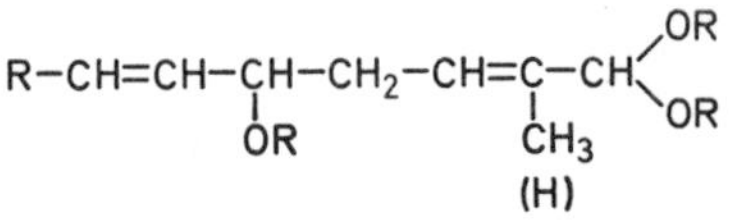

$R-CH=CH-CH(OR)-CH_2-CH=C(CH_3)-CH(OR)_2$
(H)

die aus 1-Alkoxy-dienen und Acetalen entstehen (S. 155), spalten bei der Behandlung mit p-Toluolsulfonsäure oder Phosphorsäure ebenfalls leicht Alkohol zum durchgehend konjugiert ungesättigten Aldehyd ab[3–7], z.B.:

[1] O. Isler et al., Helv. **39**, 249 (1956).
[2] B. G. Kovalev u. A. A. Šamšurin, Ž. vses. chim. Obšč. **12**, 705 (1967); C. A. **68**, 114009 (1968).
[3] D. G. Kubler, J. Org. Chem. **27**, 791 (1962).
[4] S. M. Makin u. I. N. Roškov, Ž. obšč. Chim. **31**, 3214 (1961); engl.: 2998.
[5] S. M. Makin u. I. N. Roškov, Ž. obšč. Chim. **31**, 3319 (1961); engl.: 3096.
[6] S. M. Makin et al., Ž. org. Chim. **2**, 1349–53 (1966); engl.: 1344.
[7] B. M. Michajlov u. G. S. Ter-Sarkisjan, Ž. obšč. Chim. **29**, 2560 (1959); engl.: 2524.

(Fortsetzung von S. 51)

[6] H. Pommer, Ang. Ch. **72**, 811, 911 (1960).
[7] O. Isler u. P. Schudel, Adv. Org. Chem. **4**, 115 (1963).
[8] Brit. P. 784 628 (1957), BASF, Erf.: H. Pommer; C.A. **52**, 7346b (1958).
[9] R. Rüegg et al., Helv. **42**, 854 (1959).
[10] U. Schwieter et al., Helv. **49**, 369 (1966).
[11] O. Isler, Ang. Ch. **68**, 547 (1966).

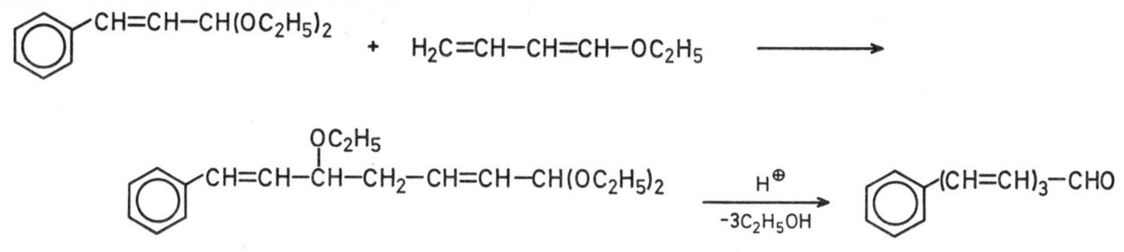

$$C_6H_5-CH=CH-CH(OC_2H_5)_2 + H_2C=CH-CH=CH-OC_2H_5 \longrightarrow$$

$$C_6H_5-CH=CH-CH(OC_2H_5)-CH_2-CH=CH-CH(OC_2H_5)_2 \xrightarrow[-3C_2H_5OH]{H^{\oplus}} C_6H_5-(CH=CH)_3-CHO$$

7-Phenyl-heptatrien-(2,4,6)-al[1]

Aus *β*-Alkoxy-ketalen kann analog z.B. mit Essigsäure Alkohol abgespalten werden[2]:

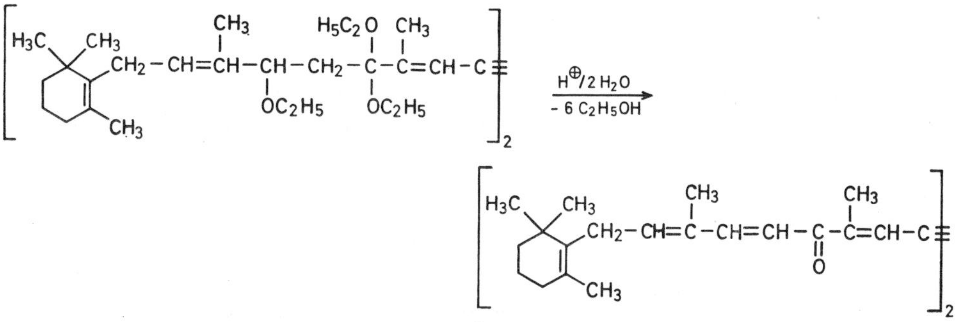

$$\left[\text{(2,6,6-Trimethyl-cyclohexen-(1)-yl)}-CH_2-CH=C(CH_3)-CH(OC_2H_5)-CH_2-C(CH_3)(OC_2H_5)-C(CH_3)=CH-C\equiv\right]_2 \xrightarrow[-6\,C_2H_5OH]{H^{\oplus}/2\,H_2O}$$

$$\left[\text{(2,6,6-Trimethyl-cyclohexen-(1)-yl)}-CH_2-CH=C(CH_3)-CH=CH-C(=O)-C(CH_3)=CH-C\equiv\right]_2$$

6,13-Dioxo-3,7,12,16-tetramethyl-1,18-bis-[2,6,6-trimethyl-cyclohexen-(1)-yl]-octadecahexaen-(2,4,11,14,16)-in-(9)

Durch Reaktion von ungesättigten *β*-Alkoxy-acetalen mit Magnesium-hydrogenphosphat oder Natriumsilikat als Katalysator in der Dampfphase bei ~ 360° und vermindertem Druck lassen sich *1-Alkoxy-polyene* gewinnen[3,4], z.B. *1-Äthoxy-hexatrien-(1,3,5)* (> 72% d.Th.):

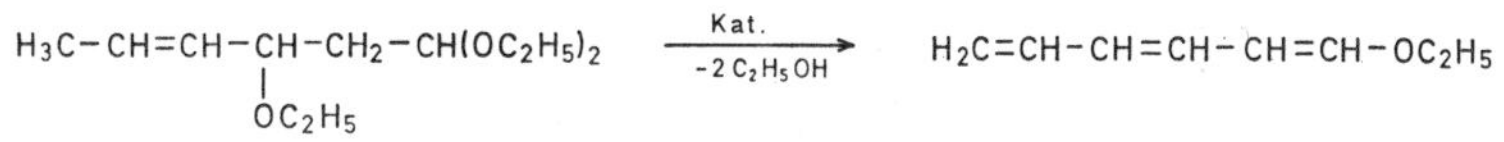

$$H_3C-CH=CH-CH(OC_2H_5)-CH_2-CH(OC_2H_5)_2 \xrightarrow[-2\,C_2H_5OH]{Kat.} H_2C=CH-CH=CH-CH=CH-OC_2H_5$$

Aus 2,2,9,9-Tetraalkoxy-3,8-dimethyl-decadien-(3,7)-in-(5) (I) läßt sich mit Essigsäureanhydrid oder Phosphoroxichlorid der Dienoläther II herstellen unter Abspaltung von 2 Mol Alkohol[2]:

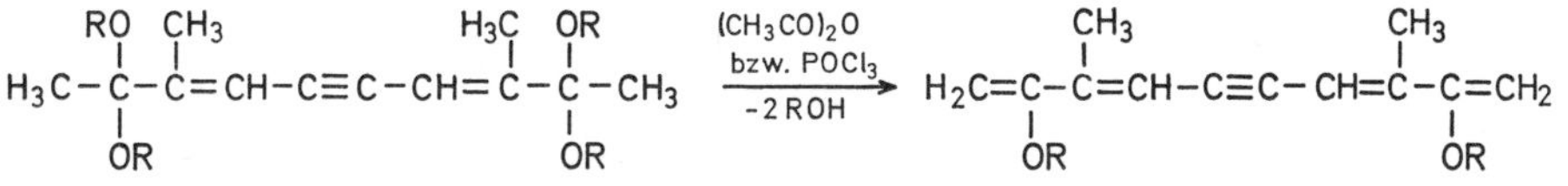

$$\underset{\text{I}}{H_3C-C(OR)_2-C(CH_3)=CH-C\equiv C-CH=C(CH_3)-C(OR)_2-CH_3} \xrightarrow[-2\,ROH]{(CH_3CO)_2O \text{ bzw. } POCl_3} H_2C=C(OR)-C(CH_3)=CH-C\equiv C-CH=C(CH_3)-C(OR)=CH_2$$

2,9-Dialkoxy-3,8-dimethyl-decatetraen-(1,3,7,9)-in-(5) (II)

Aus 1,3,5-Triäthoxy-4-methyl-1,6-diphenyl-hexan (III, S. 54, hergestellt aus 1,1,3,5-Tetraäthoxy-2-methyl-5-phenyl-pentan durch Grignard-Reaktion mit Benzyl-magnesiumchlorid) werden mit Bromwasserstoff in Äthanol 3 Mol Äthanol abgespalten, und man erhält *3-Methyl-1,6-diphenyl-hexatrien-(1,3,5)* (IV, S. 54):

1 B. M. Michajlov u. G. S. Ter-Sarkisjan, Ž. obšč. Chim. **29**, 2560 (1959); engl.: 2524.
2 O. Isler et al., A. **603**, 129 (1957).
Analoge Reaktionen mit kleinerer Kettenlänge s. B. M. Michajlov u. L. S. Povarov, Izv. Akad. SSSR **1963**, 1144; z.B. *3-Methyl-5-[2,6,6-trimethyl-cyclohexen-(1)-yl]-pentadien-(2,4)-al*.
3 S. M. Makin, Russian Chem. Reviews **38**, 237 (1969).
4 S. M. Makin u. V. S. Sudakova, Ž. obšč. Chim. **32**, 3161 (1962); engl.: 3107.

$C_6H_5-CH(OC_2H_5)-CH_2-CH(OC_2H_5)-CH(CH_3)-CH(OC_2H_5)-CH_2-C_6H_5$ (III) $\xrightarrow[-3\,C_2H_5OH]{HBr}$ $C_6H_5-CH=CH-CH=C(CH_3)-CH=CH-C_6H_5$ (IV)

Analog lassen sich *1-Phenyl-6-[2-*(bzw.*-3)-methyl-phenyl]-hexatrien-(1,3,5)* (~ 13–19% d. Th.)[1] herstellen.

Zur Abspaltung von Alkohol aus ungesättigten Alkoxy-aldehyden mit Phosphorsäure siehe Lit.[2], durch Aluminiumoxid siehe Lit.[3,4].

Aus endständigen Äther-Gruppen in Carotinoiden ließ sich bei der Behandlung mit Metallamiden unter Allyl-Umlagerung Alkohol abspalten[5], z.B.:

$R'-CH=CH-C(CH_3)(OH)-CH=CH-CH_2-C(CH_3)=CH-CH_2-OR$ $\xrightarrow[-ROH]{MNH_2}$ $R'-CH=CH-C(CH_3)(OH)-CH=CH-CH=C(CH_3)-CH=CH_2$ ($\xrightarrow[-H_2O]{}$ Anhydro-Vitamin A)

5. Offenkettige Polyene durch Abspaltung von Alkansäuren (insbesondere Essigsäure) aus den entsprechenden Estern

a) durch Pyrolyse

Bei einem der ältesten Versuche zur Herstellung von *Hexatrien-(1,3,5)* wurde 3,4-Diformyloxy-hexadien-(1,5) pyrolysiert[6].

Im Zusammenhang mit stereochemischen Untersuchungen an aliphatischen Trienen wurde die Zersetzung ungesättigter Diacetoxy-alkane untersucht[7]. Bei der Pyrolyse von *cis*-2,5-Diacetoxy-hexen-(3) (500°, 760 Torr) bzw. *cis*-2,5-Diacetoxy-2,5-dimethyl-hexen-(3) (400°, 12 Torr) cyclisierten das gebildete *cis-Hexatrien-(1,3,5)* und *cis-2,5-Dimethyl-hexatrien-(1,3,5)* sofort zum entsprechenden Cyclohexadien-Derivat. In Gegenwart von feinverteiltem Kupfer kann die Temperatur bei der Pyrolyse von *cis*-2,5-Diacetoxy-2,5-dimethyl-hexen-(3) auf 150–200° gesenkt werden (Normaldruck), es erfolgt gleichzeitig mit der Abspaltung der 2 Mol Essigsäure eine *cis-trans*-Umlagerung und man erhält *trans-2,5-Dimethyl-hexatrien-(1,3,5)* (50–60% d.Th.).

[1] B. M. Michajlov u. L. S. Povarov, Izv. Akad. SSSR **1959**, 1948; engl.: 1859.
[2] Ž. A. Krasnaja u. V. F. Kučerov, Ž. obšč. Chim. **30**, 3918 (1960); engl.: 3875.
[3] Ž. A. Krasnaja u. V. F. Kučerov, Izv. Akad. SSSR **1961**, 1160; engl.: 1078.
[4] Ž. A. Krasnaja u. V. F. Kučerov, Ž. obšč. Chim. **32**, 64 (1962); engl.: 63.
[5] Brit. P. 753157 (1956), Ortho Pharmaceutical Corp.; C.A. **51**, 7419ª (1951).
[6] P. van Romburgh u. W. v. Dorssen, Soc. **90**, 130 (1906).
[7] K. Alder u. H. v. Brachel, A. **608**, 195 (1957).
vgl. die Herstellung von *3,6-Bis-[methylen]-cyclohexen-(1)* (61% d.Th.) aus 1,4-Bis-[acetoxy-methyl]-cyclohexen-(1) bei 490°; W. J. Bailey u. R. Barclay, Am. Soc. **81**, 5399 (1959).

β) durch photochemische Reaktion

Zur Abspaltung von Essigsäure aus Vitamin A-Acetat zum *Anhydrovitamin A* durch Bestrahlung mit UV-Licht sei hier auf die Literatur verwiesen[1,2], vgl. a. ds. Handb., Bd. IV/5, Photochemie.

γ) durch Basen

Verbindungen des Typs

$$ROOC-\underset{OCOCH_3}{CH}-(CH{=}CH)_n-CH_2-COOR$$

spalten bei der Behandlung mit wäßriger Kalilauge aus der ω,ω'-Stellung 1 Mol Essigsäure ab unter Neubildung einer C=C-Doppelbindung[3-5]; z.B.:

$$H_5C_2OOC-\underset{OCOCH_3}{CH}-CH{=}CH-CH{=}CH-CH_2-COOC_2H_5 \rightarrow HOOC-(CH{=}CH)_3-COOH$$

Octatrien-(2,4,6)-disäure[4]: Zu 27 g 2-Acetoxy-octadien-(3,5)-disäure-diäthylester in 200 *ml* Methanol werden 200 *ml* 20%-ige wäßrige Kalilauge gegeben. Man kocht 4 Stdn. unter Rückfluß und säuert nach dem Erkalten mit konz. Salzsäure an, wobei die Disäure als fast farbloses, sehr feines Kristallpulver ausfällt, das abzentrifugiert und mit viel Wasser gewaschen wird; Ausbeute: 13,2 g (83% d. Th.).

Analog erhält man

Decatetraen-(2,4,6,8)-disäure[4]	82% d.Th.
Dodecapentaen-(2,4,6,8,10)-disäure[5]	87% d.Th.

Wird an Stelle der wäßrigen Kalilauge eine methanolische Kalilauge verwendet, erhält man unter Umesterung Polyen-1,ω-dicarbonsäure-dimethylester.

Obiges Verfahren kann zur Herstellung von *Hexadecaheptaen-(2,4,6,8,10,12,14)-disäure* nicht verwendet werden. Bei der 1,ω-Addition von Wasserstoff an 15-Acetoxy-hexadecaheptaen-(2,4,6,8,10,12,14,16)-disäure-diester mit Aluminiumamalgam wird gleichzeitig mit der Hydrierung 1 Mol Essigsäure abgespalten und man erhält Hexadecahexaen-(3,5,7,9,11,13)-disäure-diester[3] (vgl. S. 196):

$$ROOC-\underset{}{\overset{O-COCH_3}{C}}{=}CH-(CH{=}CH)_6-COOR \xrightarrow{Hg/Al} ROOC-CH_2-(CH{=}CH)_6-CH_2-COOR$$

In der Carotinoidchemie hat die Methode der „Dehydratisierung über die Acetate"[6-9] insbesondere dann große Bedeutung, wenn die normale Dehydratisierung zur unerwünschten „Retro-Umlagerung" führt (vgl. S. 67). Man acetyliert die betreffenden Carotinoidalkohole unter schonenden Bedingungen[6] und spaltet anschließend die Essigsäure mit einem Alkoholat (Natrium- oder Kalium-äthanolat bzw. tert.-butanolat) in wasserfreiem und alkoholfreiem Tetrahydrofuran oder Pyridin ab, z.B.:

---

[1] Y. Mase, J. Vitaminology [Japan] **8**, 15 (1962).
[2] M. Mousseron, Adv. Photochem. **4**, 195 (1966).
[3] R. Kuhn, Ang. Ch. **50**, 703 (1937).
[4] R. Kuhn u. C. Grundmann, B. **69**, 1757 (1936).
[5] R. Kuhn u. C. Grundmann, B. **69**, 1979 (1936).
[6] K. Eiter, E. Truscheit u. H. Oediger, Ang. Ch. **72**, 948 (1960).
[7] DBP 1149353, 1157218 (1960), Farbf. Bayer, Erf.: E. Truscheit et al; C.A. **59**, 12661g (1963).
[8] DBP 1156795 (1962), Farbf. Bayer, Erf.: E. Truscheit u. K. Eiter; C.A. **60**, 6888 (1964). DBP 1156068 (1960), Farbf. Bayer, Erf.: E. Truscheit et al.; C. A. **60**, 10730 (1964).
[9] H.-J. Kabbe, E. Truscheit u. K. Eiter, A. **684**, 14 (1965).

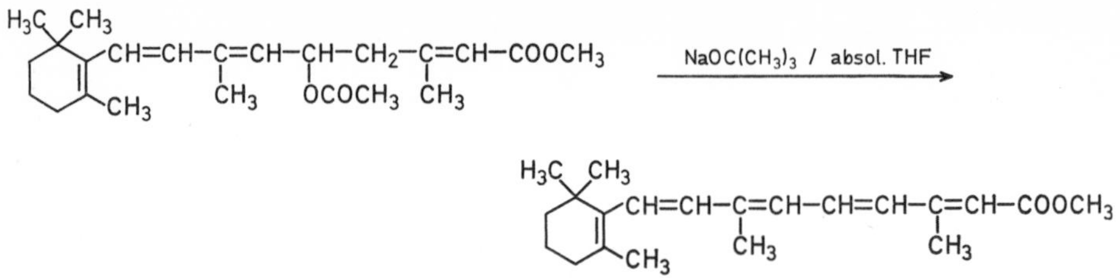

$NaOC(CH_3)_3$ / absol. THF

Vitamin A-Säure-methylester[1]

Als besonders wertvoll erwies sich das „Acetatverfahren" bei der Herstellung der „β-C_{16}-Kohlenwasserstoffe": *4-Methyl-6-[2,6,6-trimethyl-cyclohexen-(1)-yl]-hexadien-(3,5)-in-(1)*[1] (I) und *4-Methyl-6-[2,6,6-trimethyl-cyclohexen-(1)-yl]-hexatrien-(1,3,5)*[2].

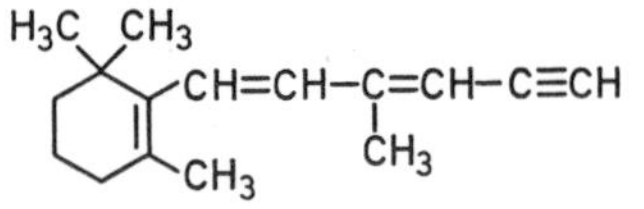

I

Auch bei offenkettigen Carotinoiden kann man z.T. die Ausbeuten erheblich verbessern, wenn man statt der direkten Dehydratisierung der Alkohole den Umweg über die Acetate wählt:

4,8,12-Trimethyl-tridecatetraen-(3,5,7,11)-in-(1)

R = H; $POCl_3$/Pyridin in siedendem Benzol; 50% d.Th.

R = $COCH_3$; 70% d.Th.

4,8,12-Trimethyl-tridecatetraen-(3,5,7,11)-in-(1)[3]: In einem mit Ultraschnellrührer versehenen Kolben werden 250 *ml* absol. Benzol und 23,5 g Kalium auf 80° erwärmt. Unter schnellem Turbinieren wird ein Gemisch aus 42,5 g tert.-Butanol und 38 *ml* Benzol innerhalb 15 Min. zugetropft, wobei die Temp. konstant bei 80° bleibt und durch schnelleres Turbinieren weitere 40 Min. konstant gehalten wird (während dieser Zeit löst sich das Kalium auf). Die erhaltene Lösung wird mit 150 *ml* Pyridin versetzt, in einen Tropftrichter gesaugt und bei −50° innerhalb 20 Min. unter Rühren zu 142 g 4-Acetoxy-4,8,12-trimethyl-tridecatrien-(5,7,11)-in-(1)in 250 *ml* Pyridin gegeben. Ohne Kühlung wird 2 Stdn. nachgerührt, wobei die Temp. auf 20° steigt. Diese Lösung gießt man auf ein Gemisch von 2500 *ml* Eis und 250 *ml* konz. Schwefelsäure. Der wäßr. Teil wird 2 mal mit Petroläther ausgeschüttelt. Die vereinigten organischen Phasen mit Wasser, Natriumhydrogencarbonat-Lösung und Wasser gewaschen, über Natriumsulfat getrocknet und eingeengt. Es verbleiben 112 g eines Öls, das an 600 g Aluminiumoxid (Aktivitätsstufe II) mit Petroläther chromatographiert wird; Ausbeute: 75 g (70% d.Th.); hellrotes Öl.

δ) durch spezielle Reaktionen

Für den Umgang mit Vitamin A-Acetat ist von Interesse, daß es nicht nur durch Säuren (z.B. Salzsäure) leicht in *Anhydrovitamin A* gespalten wird, sondern

---

[1] K. Eiter, E. Truscheit u. H. Oediger, Ang. Ch. **72**, 948 (1960).

[2] G. S. Ter-Sarkisjan, N. A. Nikolaeva u. B. M. Michajlov, Izv. Akad. SSSR **1968**, 2516; engl.: 2382.

[3] H.-J. Kabbe, E. Truscheit u. K. Eiter, A. **684**, 14 (1965).

daß die Essigsäure-Abspaltung auch ohne primäre Gegenwart von Säure in alkoholischer Lösung beim Erwärmen, bzw. beim Stehen bei Raumtemp., deutlich meßbar auftritt[1,2]. In wäßrig-alkoholischer Lösung ist diese Reaktion noch beschleunigt. Sobald die Abspaltung in Gang gekommen ist, wirkt die entstandene Essigsäure ihrerseits als Katalysator. In Äther oder Kohlenwasserstoffen tritt die Essigsäure-Abspaltung beim Vitamin A-Acetat nicht auf.

6. Offenkettige Polyene durch Abspaltung von Ammoniak oder anderen Stickstoff-Derivaten aus den entsprechenden ungesättigten Verbindungen

In Einzelfällen wurden durch Abspaltung von Ammoniak (in Gegenwart von Essigsäure unter Erwärmen in organischen Lösungsmitteln):

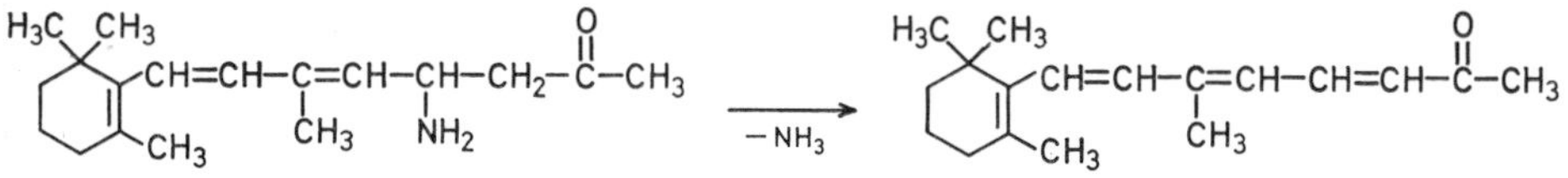

$H_3C\ CH_3$ / $CH{=}CH{-}C(CH_3){=}CH{-}CH(NH_2){-}CH_2{-}C(=O){-}CH_3$ / CH_3 $\xrightarrow{-NH_3}$ $H_3C\ CH_3$ / $CH{=}CH{-}C(CH_3){=}CH{-}CH{=}CH{-}C(=O){-}CH_3$ / CH_3

„β-Amino-C_{18}-Keton" „β-C_{18}-Keton"; *7-Oxo-3-methyl-1-[2,6,6-trimethyl-cyclohexen-(1)-yl]-octatrien-(1,3,5)*[3]

oder durch Pyrolyse von N-Oxiden:

$H_3C{-}(CH_2)_4{-}CH{=}CH{-}CH(N(CH_3)_2{\rightarrow}O){-}CH_2{-}CH{=}CH_2 \longrightarrow H_3C{-}(CH_2)_4{-}(CH{=}CH)_2{-}CH{=}CH_2$

Undecatrien-(1,3,5)[4]

Polyenketten erhalten. Über die Spaltung von quaternären Ammonium-Salzen s. S. 49.

Aus folgendem Nitro-fluorenyliden-Derivat wurde bei der Reduktion mit Zinn(II)-chlorid in salzsaurer Lösung gleichzeitig eine neue C=C-Doppelbindung eingeführt[5]:

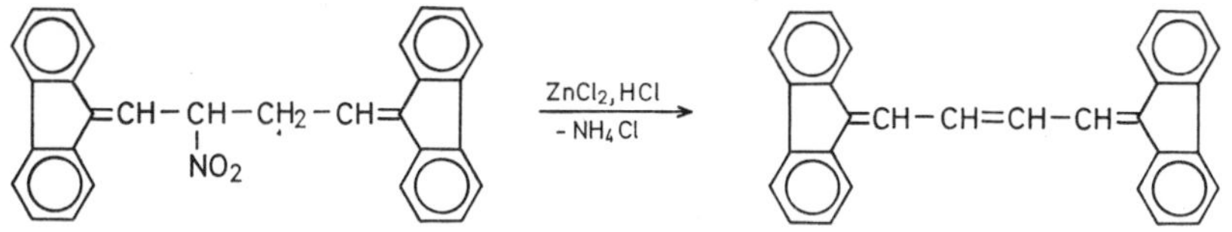

$=CH{-}CH(NO_2){-}CH_2{-}CH= \xrightarrow[-NH_4Cl]{ZnCl_2,\ HCl} =CH{-}CH{=}CH{-}CH=$

1,4-Bis-[fluorenyliden]-buten

7. Offenkettige Polyene durch andere Abspaltungsreaktionen

Formal gesehen, gehört auch die Aufspaltung von Epoxidringen an ungesättigten Ketten unter Herausnahme eines Wasserstoffatoms aus der Kette und Neubildung einer C=C-Doppelbindung[6] hierher; z.B.:

---

1 E. M. SHANTZ, J. D. CAWLEY u. N. D. EMBREE, Am. Soc. **65**, 901 (1943).
2 T. HIGUCHI u. J. A. REINSTEIN, J. Am. Pharm. Assoc. **48**, 155 (1959).
3 Belg. P. 603 424/425 (1961), N. V. Philips' Gloeilampen-Fabr..
4 Niederl. P. 6803075 (1968) ≡ Fr. P. 1558080 (1960) ≡ S. African P. 6801077 (1968), S. A. des Etablissements Roure-Bertrand Fils & Justin Dupont, Erf.: P. B. CORBIER u. P. J. TEISSEIRE; C. A. **70**, 67566 (1969).
5 T. SEVERIN u. J. SCHNABEL, B. **102**, 1707 (1969).
6 K. EITER, E. TRUSCHEIT u. H. OEDIGER, Ang. Ch. **72**, 948 (1960).
vgl. DBP 1080 550 (1958), Farbf. Bayer, Erf.: K. EITER, H. OEDIGER u. E. TRUSCHEIT; C. A. **55**, 17545 (1961).

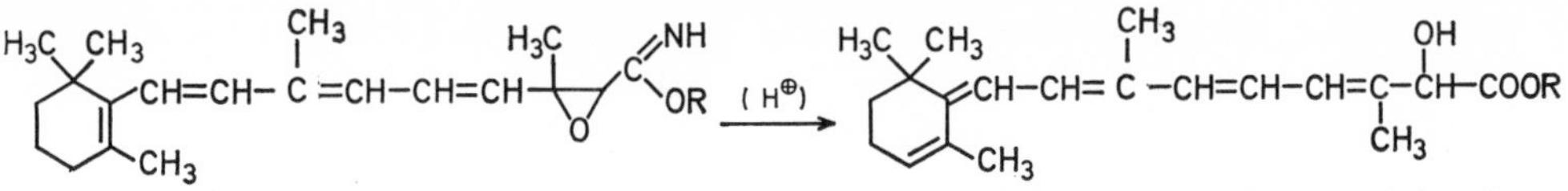

$\xrightarrow{(H^{\oplus})}$

2-Hydroxy-3,7-dimethyl-9-[2,6,6-trimethyl-cyclohexen-(2)-yliden]-nonatrien-(3,5,7)-säure-äthylester; R = C_2H_5

Derartige Reaktionen werden an anderer Stelle ds. Handb. beschrieben, z.B. Herstellung von ungesättigten Aldehyden durch Glycidester-Synthese (s. ds. Handb. Bd. VI/3, S. 406; Bd. VII/1, S. 327).

c) Offenkettige Polyene durch Isomerisierung von C—C-Mehrfachbindungen

1. ohne gleichzeitige Reaktion von funktionellen Gruppen

α) aus Kumulenen bzw. En-allenen

Eine Isomerisierung von En-allenen zu konjugierten Trienen kann in Einzelfällen thermisch erreicht werden, z.B. erhält man beim Erhitzen von 2,6-Dimethyl-octatrien-(2,3,5) zwei *cis-trans*-Isomere des *2,6-Dimethyl-octatriens-(2,4,6)*[1]:

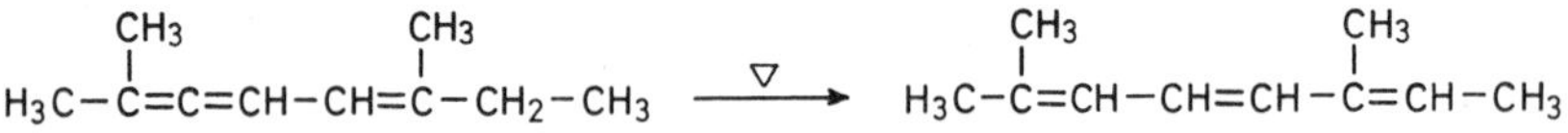

$$H_3C-C(CH_3)=C=CH-CH=C(CH_3)-CH_2-CH_3 \xrightarrow{\nabla} H_3C-C(CH_3)=CH-CH=CH-C(CH_3)=CH-CH_3$$

Häufiger läßt sich eine „Konjugierung" von Kumulenen bzw. En-allenen mit basischen Mitteln durchführen, z.B. Kalium-tert.-butanolat bei Raumtemperatur bzw. methanolische Kalilauge oder Amine unter Erwärmen; Beispiele siehe Tab. 3, S. 60.

Analoge Umlagerungen von En-allenen der Carotinoid-Reihe sind ebenfalls in der Literatur beschrieben worden[2]. Die Umlagerung von Hexatrien-(1,2,5) mit Bromwasserstoff zu *2-Brom-hexatrien-(1,3,5)*[3] wird auf S. 75 abgehandelt.

β) Offenkettige Polyene aus En-inen (einschließlich Dien-inen, Diinen, En-diinen usw.) durch Isomerisierung

Die Isomerisierungen von En-inen zu Polyenen werden mit basischen Mitteln durchgeführt (s. Tab. 4, S. 61 f.). Die zunächst verwirrend erscheinende Vielfalt der Möglichkeiten von En-in- und Di-in-Strukturen läßt sich auf wenige Typen zurückführen, wenn man die gegenseitigen primären Isomerisierungen durch Alkali berücksichtigt,

z.B.:

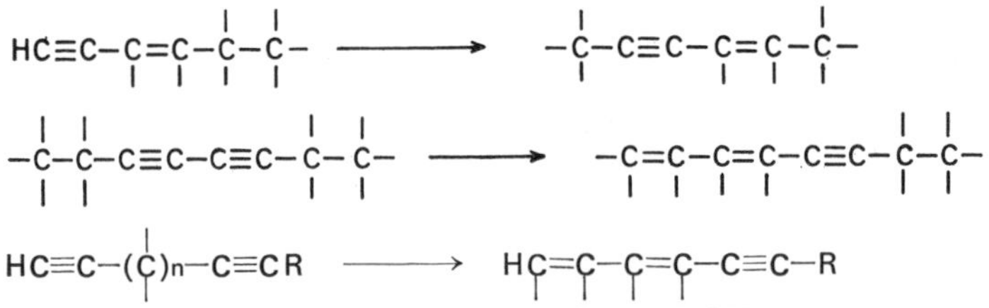

$$HC\equiv C-C=C-C-C- \longrightarrow -C-C\equiv C-C=C-C-$$

$$-C-C-C\equiv C-C\equiv C-C-C- \longrightarrow -C=C-C=C-C\equiv C-C-C-$$

$$HC\equiv C-(C)_n-C\equiv CR \longrightarrow HC=C-C=C-C\equiv C-R$$

n = 2, 3 R = H, CH_3

Bei den Beispielen der Tab. 4 (S. 61) sind unabhängig von den zu erwartenden nicht isolierten Zwischenprodukten diejenigen Ausgangssubstanzen angegeben, die in der

[1] K. J. Crowley, J. Org. Chem. **33**, 3679 (1968).

[2] W. Oroshnik, A. D. Mebane u. G. Karmas, Am. Soc. **75**, 1050 (1953).

[3] G. Pfeiffer, Bl. **1963**, 540.

Praxis tatsächlich eingesetzt worden sind. Dies betrifft auch die intermediäre En-allen-Bildung aus 1,5-En-inen.

Hexatrien-(1,3,5)[1]:

$$HC{\equiv}C{-}(CH_2)_2{-}CH{=}CH_2 \rightarrow H_2C{=}CH{-}CH{=}CH{-}CH{=}CH_2$$

Eine Lösung von 8 g Hexen-(5)-in-(1) in 320 *ml* einer ges. Lösung von Kalium-tert.-butanolat in tert. Butanol wird 3 Stdn. auf 65–70° erhitzt. Danach wird Pentan und Wasser zugefügt, die Pentan-Schicht so lange mit Wasser gewaschen, bis das gesamte tert. Butanol entfernt ist. Durch Schütteln mit Silbernitrat-Lösung werden endständige Acetylene beseitigt. Optimale Ausbeute (spektral gemessen): 40% d.Th.; nach der Aufarbeitung 20% der Theorie.

Weitere Beispiele für die Herstellung von Polyenen aus En-inen usw. siehe Tab. 4 (S. 61); vgl. auch Lit.[2-4].

Verbindungen von Typ

(Cyclohexenyl)–C≡C–CH2–OR (I)   (Cyclohexyl)–CH=CH–C≡CH (II)

und ähnliche Verbindungen werden bei Behandlung mit einem Überschuß an Kalium-tert.-butanolat in Dimethylsulfoxid aromatisiert[5]. Mit Kaliumhydroxid in Glykolen gelingt bei carotinoiden Carbonsäuren die Umlagerung der En-in-Gruppierung ohne Aromatisierung, allerdings nur mit geringen Ausbeuten. Gleichzeitig tritt Retro-Umlagerung auf (vgl. S. 67):

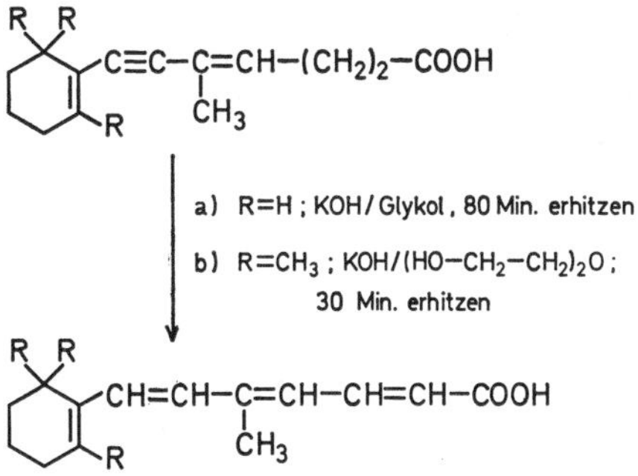

R R; –C≡C–C(CH3)=CH–(CH2)2–COOH; R

a) R=H ; KOH/Glykol, 80 Min. erhitzen

b) R=CH3 ; KOH/(HO–CH2–CH2)2O ; 30 Min. erhitzen

R R; –CH=CH–C(CH3)=CH–CH=CH–COOH; R   (+ Retroverbindungen)

R = H; *5-Methyl-7-cyclohexen-(1)-yl-heptatrien-(2,4,6)-säure*[6]; 17% d.Th.

R = CH_3; *5-Methyl-7-[2,6,6-trimethyl-cyclohexen-(1)-yl]-heptatrien-(2,4,6)-säure* (*β*-C_{17}-*Säure*; *β-Jonyliden-crotonsäure*)[6]; 10% d.Th.

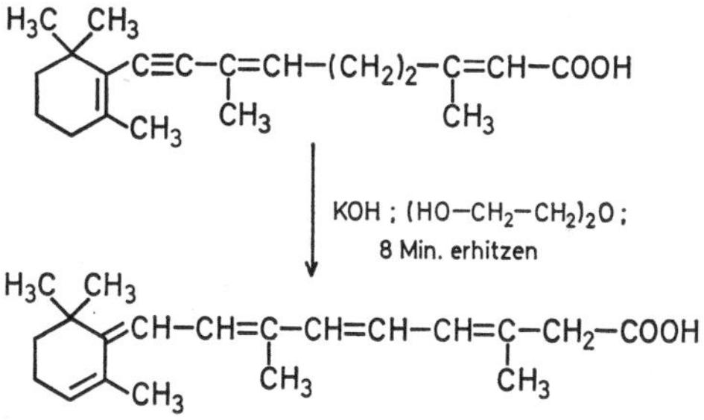

H3C CH3; –C≡C–C(CH3)=CH–(CH2)2–C(CH3)=CH–COOH; CH3

KOH ; (HO–CH2–CH2)2O ; 8 Min. erhitzen

H3C CH3; =CH–CH=C(CH3)–CH=CH–CH=C(CH3)–CH2–COOH; CH3

Retro-Vitamin-A-Säure[6]; 23% d.Th.

---

[1] F. Sondheimer, D. A. Ben-Efraim u. R. Wolovsky, Am. Soc. **83**, 1675 (1961).
[2] E. R. H. Jones, B. L. Shaw u. M. C. Whiting, Soc. **1954**, 3212.
[3] S. Patai „*The Chemistry of Alkenes*", Interscience Publishers, New York · London · Sydney 1964.
[4] B. L. Shaw u. M. C. Whiting, Soc. **1954**, 3217.
[5] J. P. C. M. Van Dongen et al., R. **86**, 1077 (1967).
[6] M. Julia u. C. Descoins, Bl. **1962**, 1939.

Tab. 3. Offenkettige Polyene aus Kumulenen bzw. En-allenen durch Isomerisierung

Ausgangsverbindung	Umlagerungs-Bedingungen	Polyen	Ausbeute [% d.Th.]	Literatur
$H_2C{=}C{=}C{=}CH{-}CH_2{-}CH_3$	$K\text{-}OC(CH_3)_3/(CH_3)_2SO/$ Raumtemp./1 Stde.	$H_2C{=}CH{-}CH{=}CH{-}CH{=}CH_2$ *Hexatrien-(1,3,5)*	95	1
$H_3C{-}CH(C_2H_5){-}CH{=}C{=}C{=}CH{-}OCH_3$	$K\text{-}OC(CH_3)_3/(CH_3)_2SO/$ Raumtemp./1 Stde.	$H_2C{=}C(C_2H_5){-}(CH{=}CH)_2{-}OCH_3$ *1-Methoxy-5-methylen-heptadien-(1,3)*	78	1
$H_7C_3{-}CH{=}C{=}C{=}CH{-}CH_2{-}N(CH_3)_2$	KOH/CH_3OH; 95–100°	$H_3C{-}(CH{=}CH)_3{-}CH_2{-}N(CH_3)_2$ *1-Dimethylamino-octatrien-(2,4,6)*	43	2
	wäßr. Lösung von $(CH_3)_2NH$; 95–100°	$H_3C{-}(CH{=}CH)_3{-}CH_2{-}N(CH_3)_2$ *1-Dimethylamino-octatrien-(2,4,6)*	33	2
		+ $H_7C_3{-}CH(N(CH_3)_2){-}CH{=}C{=}CH{-}CH_2{-}N(CH_3)_2$ *1,5-Bis-[dimethylamino]-octadien-(2,3)*	23	

[1] J. P. C. M. van Dongen et al., R. **86**, 1077 (1967).

[2] S. A. Vartanjan et al., Ž. Org. Chim. **3**, **1967** (**1967**); engl.: 1919.

Tab. 4. Offenkettige Polyene durch Isomerisierung von En-inen

Ausgangsverbindung	Umlagerungsbedingungen	Polyen	Ausbeute [% d. Th.]	Literatur
$HC{\equiv}C{-}CH{=}CH{-}CH_2{-}CH_3$	$K{-}OC(CH_3)_3/(CH_3)_2SO$; Raumtemp.; 1 Stde.	$H_2C{=}CH{-}CH{=}CH{-}CH{=}CH_2$ *Hexatrien-(1,3,5)*	66	1
$H_3C{-}CH{=}CH{-}C{\equiv}C{-}CH_2{-}OC_2H_5$	$K{-}OC(CH_3)_3/CH_3)_2SO$; Raumtemp.; 1 Stde.	$H_2C{=}CH{-}(CH{=}CH)_2{-}OC_2H_5$ *1-Äthoxy-hexatrien-(1,3,5)*	50	1
$HC{\equiv}C{-}CH_2{-}CH{=}CH{-}CH_2{-}C{\equiv}CH$ (*trans*)[2]	$K{-}OC(CH_3)_3$/tert.-C_4H_9OH; Raumtemp.; 5 Min.	$H_2C{=}CH{-}(CH{=}CH)_2{-}C{\equiv}CH$ *Octatrien-(3,5,7)-in-(1)*	40	3, vgl. 1
$HC{\equiv}C{-}(CH_2)_n{-}C{\equiv}CH$ n = 4, 5, 6, 7, 8	KNH_2/Al_2O_3; 7—9 Stdn. 2—10 Stdn. 6—30 Stdn. 3—6 Stdn. 8—48 Stdn.	$R{-}(CH{=}CH)_4{-}R'$ $R = R' = H$; *Octatetraen-(1,3,5,7)* $R = H$; $R' = CH_3$; *Nonatetraen-(1,3,5,7)* $R = R' = CH_3$; *Decatetraen-(2,4,6,8)* $R = CH_3$; $R' = C_2H_5$; *Undecatetraen-(2,4,6,8)* $R = R' = C_2H_5$; *Dodecatetraen(3,5,7,9)*	 10 10–60 13–50 10–50 5–30	4
$HC{\equiv}C{-}CH_2{-}CH_2{-}CH{=}CH{-}CH_2{-}CH_2{-}C{\equiv}CH$ oder $H_2C{=}C{=}CH{-}CH_2{-}CH{=}CH{-}(CH_2)_2{-}C{\equiv}CH$	$K{-}OC(CH_3)_3$/tert.-C_4H_9OH; 60–70°	$H{-}(CH{=}CH)_5{-}H$ *Decapentaen-(1,3,5,7,9)*	16 (spektral gemessen) 9 (isoliert)	5

[1] J. P. C. M. VAN DONGEN et al., R. **86**, 1077 (1967).
[2] Die *cis*-Verbindung cyclisiert.
[3] Y. GAONI, C. C. LEZNOFF u. F. SONDHEIMER, Am. Soc. **90**, 4940 (1968).
[4] A. J. HUBERT, Chem. & Ind. **1968**, 975.
[5] F. SONDHEIMER, D. A. BEN-EFRAIM u. R. WOLOVSKY, Am. Soc. **83**, 1675 (1961).

Tab. 4. (Fortsetzung)

Ausgangsverbindung	Umlagerungsbedingungen	Polyen	Ausbeute [% d.Th.]	Literatur
$C{\equiv}C{-}CH_2{-}CH_2{-}CH{=}CH_2$ | $C{\equiv}C{-}CH_2{-}CH_2{-}CH{=}CH_2$	K—OC$(CH_3)_3$/tert.-C_4H_9OH; 60–70°	$H{-}(CH{=}CH)_6{-}H$ *Dodecahexaen-(1,3,5,7,9,11)*	10 (spektral gemessen (instabil)	1
$H_3C{-}(CH_2)_4{-}C{\equiv}C{-}CH_2{-}CH{=}CH{-}(CH_2)_7{-}COOCH_3$ (*cis*)	KOH/Glykol; erhitzen	$H_3C{-}(CH_2)_4{-}(CH{=}CH)_3{-}(CH_2)_6{-}COOCH_3$ *Octadecatrien-(8,10,12)-säure-methylester*	70	2
$C{\equiv}C{-}CH_2{-}CH_2{-}COOH$ | $C{\equiv}C{-}CH_2{-}CH_2{-}COOH$	10%ige wäßrige Kalilauge, 3 Stdn. erhitzen	$HOOC{-}(CH{=}CH)_4{-}COOH$ *Decatetraen-(2,4,6,8)-disäure*	(10 spektral gemessen)	3
$C{\equiv}C{-}C(CH_3){=}CH{-}(CH_2)_2{-}COOH$ | $C{\equiv}C{-}C(CH_3){=}CH{-}(CH_2)_2{-}COOH$	20%ige wäßrige Kalilauge, 1 Stde. erhitzen	$HC{=}CH{-}C(CH_3){=}CH{-}CH{=}CH{-}COOH$ | $HC{=}CH{-}C(CH_3){=}CH{-}CH{=}CH{-}COOH$ *5,10-Dimethyl-tetradecahexaen-(2,4,6,8,10,12)-disäure*	26	4
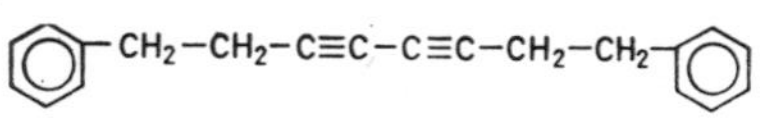 $C_6H_5{-}CH_2{-}CH_2{-}C{\equiv}C{-}C{\equiv}C{-}CH_2{-}CH_2{-}C_6H_5$	K—OC$(CH_3)_3$/tert.-C_4H_9OH	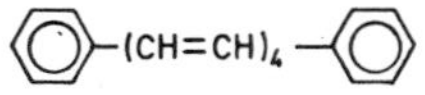 $C_6H_5{-}(CH{=}CH)_4{-}C_6H_5$ *1,8-Diphenyl-octatetraen-(1,3,5,7)*		5
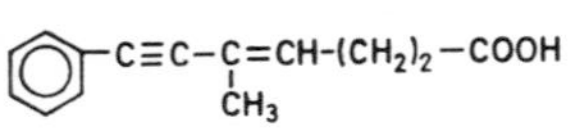 $C_6H_5{-}C{\equiv}C{-}C(CH_3){=}CH{-}(CH_2)_2{-}COOH$	KOH in Glykol; 6 Min. erhitzen	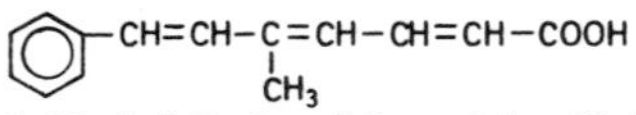 $C_6H_5{-}CH{=}CH{-}C(CH_3){=}CH{-}CH{=}CH{-}COOH$ *5-Methyl-7-phenyl-heptatrien-(2,4,6)-säure*	39	4

[1] F. Sondheimer, D. A. Ben-Efraim u. R. Wolovsky, Am. Soc. **83**, 1675 (1961).

[2] K. L. Mikolajczak, M. O. Bagby, R. B. Bates u. J. A. Wolff, J. Org. Chem. **30**, 2983 (1965); vgl. J. Am. Oil Chemists Soc. **42**, 243 (1965).

[3] E. R. H. Jones, B. L. Shaw u. M. C. Whiting, Soc. **1954**, 3212.

[4] M. Julia u. C. Descoins, Bl. **1962**, 1933.

[5] A. J. Hubert u. A. J. Anciaux, Bull. Soc. chim. belges **77**, 513 (1968).

γ) Isomerisierung eines Doppelbindungssystems von isolierten und konjugierten Doppelbindungen einer C-Kette zu einer Gesamtkonjugation bzw. „Konjugierung" mehrerer isolierter Doppelbindungen oder mehrerer durch CH_2-Gruppen getrennter konjugierter Systeme in einer C-Kette

Eine konjugierende Isomerisierung von Verbindungen mit isolierten Doppelbindungen wird z. B. bei thermischer Behandlung beobachtet. Bei Versuchen zur NO-katalysierten Isomerisierung von *trans*-2,6-Dimethyl-heptatrien-(1,3,6) in der Gasphase (209–311°) wurde als Hauptprodukt einer thermischen Umlagerung ein konjugiertes *trans*-Trien gaschromatographisch nachgewiesen[1]:

$$H_2C{=}C(CH_3){-}CH{=}CH{-}CH_2{-}C(CH_3){=}CH_2 \longrightarrow H_2C{=}C(CH_3){-}CH{=}CH{-}CH{=}C(CH_3){-}CH_3$$

2,6-Dimethyl-heptatrien-(1,3,5)

Bei der Pyrolyse von α-Pinen isomerisiert das primär entstandene Ocimen [3,7-Dimethyl-octatrien-(1,3,6)] unter den Versuchsbedingungen (320–330°) sofort weiter zu *Alloocimen* [*2,6-Dimethyl-octatrien-(2,4,6)*][2]:

$$H_3C{-}C(CH_3){=}CH{-}CH_2{-}CH{=}C(CH_3){-}CH{=}CH_2 \longrightarrow H_3C{-}C(CH_3){=}CH{-}CH{=}CH{-}C(CH_3){=}CH{-}CH_3$$

Bei diesem Beispiel müßte demnach die konjugierte Dien-Gruppe „gewandert" sein an Stelle der isolierten Doppelbindung. Die Außergewöhnlichkeit dieses Vorganges wurde zum Anlaß genommen, für Ocimen folgende Formeln vorzuschlagen[3]:

$$H_2C{=}CH{-}CH(CH_3){-}CH{=}CH{-}CH{=}C(CH_3){-}CH_3 \quad \text{bzw.} \quad H_3C{-}CH{=}C(CH_3){-}CH{=}CH{-}CH_2{-}C(CH_3){=}CH_2$$

Vor allem aber bei Behandlung mit basischen Mitteln, wie Alkoholaten, Alkalien, Natriumamid oder auch Aminen tritt die o. a. Isomerisierung auf. Dies ist bei entsprechenden Reaktionen, z.B. bei der Äthinylierung von mehrfach ungesättigten Fettalkoholen mit basischen Katalysatoren, bei der Verseifung von ungesättigten Fetten usw. zu berücksichtigen.

Die Möglichkeit zur Herstellung von Polyenketten durch alkalische Isomerisierung von isolierten Doppelbindungen ist präparativ ausgenutzt worden. Im Zusammenhang mit der Butadien-Oligomerisierung wurde die Isomerisierung verschiedener Octatriene bzw. Dodecatetraene zu Verbindungen mit 3 konjugierten Doppelbindungen untersucht:

Octatrien-(1,3,6) $\xrightarrow{\text{alkohol. KOH}}$ *Octatrien-(2,4,6)*[4]

$\xrightarrow{K{-}OC(CH_3)_3/(CH_3)_2SO}$ keine Reaktion[5]

$\xrightarrow{\text{K-piperidid}}$ *Octatrien-(2,4,6)*[6, vgl. 7]

$\xrightarrow{\text{Na-piperidid}}$ *Methyl-cycloheptadiene*[6]

$\xrightarrow{[(H_3C)_4N]OH \text{ oder } KOH(H_3C)_2SO}$ *Octatrien-(2,4,6)* (85% d.Th.)[8]

---

[1] K. W. Egger, Helv. **51**, 429 (1968).

(Fortsetzung s. S. 64)

Octatrien-(1,3,7)	alkohol. KOH →	*Octatrien-(2,4,6)*[1]
	K-piperidid →	keine Reaktion[2, vgl. 3]
	Na-piperidid →	*Methyl-cycloheptadiene*[2]
	aktivierter MgO-Katalysator →	*Octatrien-(2,4,6)*[4]
3-Methyl-heptatrien-(1,4,6)	$K{-}OC(CH_3)_3/(CH_3)_2SO$ →	*3-Methyl-heptatrien-(2,4,6)* bzw. *-(1,3,5)*[5]
	Na- bzw. K-piperidid →	*Methyl-cycloheptadiene*[5]
3-Methyl-undecatetraen-(1,5,8,10)	$K{-}OC(CH_3)_3/(CH_3)_2SO$ →	*3-Methyl-undecatetraen-(1,5,7,9)*[6]

Wenn man z.B. ein Gemisch von Octatrienen, in denen die Doppelbindungen z.T. isoliert vorliegen, 6 Stdn. auf dem Wasserbad mit einer Lösung von Kaliumhydroxid in Glykoläther erhitzt, werden alle Octatriene zu *Octatrien-(2,4,6)* (Kp_{10}: 34°) isomerisiert[1]. Bei Verwendung von Kalium-tert.-butanolat in Dimethylsulfoxid kann bei Raumtemperatur gearbeitet werden[7].

Die Umlagerung eines phenyl-substituierten Octatriens mit 3 isolierten Doppelbindungen gelang mit Natrium- oder Kaliumhydroxid bzw. Kaliumamid z.B. in 2-Methoxy-äthanol als Lösungsmittel[8]:

$$H_5C_2O{-}C_6H_4{-}(CH_2)_7{-}CH{=}CH{-}CH_2{-}CH{=}CH{-}CH_2{-}CH{=}CH_2 \longrightarrow$$

$$H_5C_2O{-}C_6H_4{-}(CH_2)_7{-}(CH{=}CH)_3{-}CH_2{-}CH_3$$

15-(3-Äthoxy-phenyl)-pentadecatrien-(3,5,7)

---

[1] T. ALDERSON, E. L. JENNER u. R. V. LINDSEY, Am. Soc. **87**, 5638 (1965).
[2] E. A. ZUECH, D. L. CRAIN u. R. F. KLEINSCHMIDT, J. Org. Chem. **33**, 771 (1968).
[3] US.P. 3441629 (1966/1969), Phillips Petroleum Co., Erf.: E. A. ZUECH; C. A. **71**, 12661 (1969).
[4] US. P. 3449463 (1966/1969), Phillips Petroleum Co., Erf.: J. R. KENTON, D. L. CRAIN u. E. A. ZUECH; C. A. **71**, 38318p (1969).
[5] H. TAKAHASI, T. KIMATA u. M. YAMAGUCHI, Tetrahedron Letters **1964**, 3173.
[6] E. W. DUCK, D. K. JENKINS, J. M. LOCKE, u. S. R. WALLIS, Soc. [C] **1969**, 2, 227.
[7] K. MACKENZIE in S. PATAI „*The chemistry of alkenes*", S. 431, Interscience Publishers, New York · London · Sydney 1964.
[8] US.P. 3078314 (1959/1963); Minnesota Mining and Manuf. Co., Erf.: P. MONNIKENDAM u. C. R. DAWSON; C. A. **59**, 3836 (1963).

(Fortsetzung von S. 63)

[2] K. ALDER, A. DREIKE, H. ERPENBACH u. U. WICKER, A. **609**, 1 (1957).
[3] W. OROSHNIK, A. D. MEBANE u. G. KARMAS, Am. Soc. **75**, 1050 (1953).
[4] T. ALDERSON, E. L. JENNER u. R. V. LINDSEY, Am. Soc. **87**, 5638 (1965).
[5] H. TAKAHASI, T. KIMATA u. M. YAMAGUCHI, Tetrahedron Letters **1964**, 3173.
[6] E. A. ZUECH, D. L. CRAIN u. R. F. KLEINSCHMIDT, J. Org. Chem. **33**, 771 (1968).
[7] US.P. 3441629 (1966/1969), Phillips Petroleum Co., Erf.: E. A. ZUECH; C.A. **71**, 12661 (1969).
[8] C. G. CARDENAS, J. Org. Chem. **35**, 264 (1970).

Im Rahmen der Fettchemie (selbsttrocknende Öle) spielt die Isomerisierung von mehrfach ungesättigten Fettsäuren zu Fettsäuren mit konjugierten Doppelbindungen eine Rolle. Auch hier arbeitet man im allgemeinen am besten mit Alkalien[1-4]. Katalytische Verfahren mit Alkali sind ebenfalls entwickelt worden[5]. Die Reaktionszeit hat großen Einfluß auf das Ausmaß der „Konjugierung“.

Alkalische Isomerisierung von Arachidonsäure[Eicosatetraen-(5,8,11,14)-säure][3]: 20 g 95%iger Arachidonsäure-methylester werden in einer Lösung von 20 g Kaliumhydroxid in 100 *ml* Glykol auf 150° erhitzt. Nach 8 Stdn. liegen alle 4 Doppelbindungen in Konjugation vor (der Ester ist verseift). Danach wird angesäuert und der Niederschlag aus Petroläther bei −20° umkristallisiert; F: 88–96° (aus 95%igem Äthanol F: 95–98°). Die Verbindung ist nicht haltbar; an der Luft wird sie schnell oxidiert und polymerisiert.

Bei der Isomerisierung von Polyenfettsäuren kann auch günstig mit Kalium-tert.-butanolat gearbeitet werden[1].

Nach einem Spezialverfahren werden die Eisentricarbonyl-Komplexe ungesättigter Fettsäuren mit Eisen(III)-chlorid zersetzt, die Fettsäuren mit konjugierten C=C-Doppelbindungen fallen dabei in Ausbeuten von 80–97% d. Th. an[6].

Auch in der Carotinoid-Chemie wird die basenkatalytische Isomerisierung von C=C-Doppelbindungen unter Bildung eines vollkonjugierten Systems beobachtet, z.B.:

① I: H_3C, CH_3 … $=CH-CH_2-C(CH_3)=CH-CH=CH-C(CH_3)=CH-CHO$ (Ring mit CH_3) —Alkali oder Amine→

II: H_3C, CH_3 … $-CH=CH-C(CH_3)=CH-CH=CH-C(CH_3)=CH-CHO$ (Ring mit CH_3)

II; *Vitamin A-Aldehyd*[7,8]

② III: H_3C, CH_3 … $=CH-CH=C(CH_3)-CH=CH-CH_2-C(CH_3)=CH-CH_2-OCH_3$ (Ring mit CH_3) —Alkali oder Al_2O_3→

IV: H_3C, CH_3 … $=CH-CH=C(CH_3)-CH=CH-CH=C(CH_3)-CH_2-CH_2-OCH_3$ (Ring mit CH_3)

IV; *Retro-Vitamin A-methyläther*[9]

---

[1] K. Mackenzie in S. Patai „*The chemistry of alkenes*“, S. 431, Interscience Publishers, New York-London-Sydney 1964.

[2] A. M. Abu-Nasr u. R. T. Holman, J. Am. Oil. Chem. Soc. **32**, 414 (1955).

[3] D. T. Mowry, W. R. Brode u. J. B. Brown, J. Biol. Chem. **142**, 671 (1942).

[4] P. L. Nichols, S. F. Herb u. R. W. Riemenschneider, Am. Soc. **73**, 247 (1951).

[5] DAS 1156788/789 (1959) ≡ Belg. P. 597764, Harburger Fettchemie GmbH, Erf.: J. Baltes, O. Wechmann u. F. Weghorst; C. **1964**, 33–2326.

[6] E. N. Frankel, E. A. Emken u. V. L. Davison, J. Org. Chem. **30**, 2739 (1965).
E. N. Frankel, E. A. Emken u. V. L. Davison, J. Am. Oil Chem. Soc. **43**, 307 (1966).

[7] US.P. 2683746/747 (1952/1954); Eastman Kodak Co., Erf.: C. H. Benton u. C. D. Robeson; C. A. **49**, 10375^{a-e} (1955).

[8] DBP 1076681 (1952), Eastman Kodak Co., Erf.: J. D. Cawley, C. D. Robeson u. W. J. Humphlett; C. A. **50**, 7125^{h} (1956).

[9] W. Oroshnik, G. Karmas u. A. D. Mebane, Am. Soc. **74**, 295 (1952).

③ H_3C CH_3 ... $CH{=}CH{-}C(OH)(CH_3){-}CH{=}CH{-}CH_2{-}C(CH_3){=}CH{-}CH_2OH$ (V) —NaOCH₃ in CH₃OH→

H_3C CH_3 ... $CH{=}CH{-}C(OH)(CH_3){-}CH{=}CH{-}CH{=}C(CH_3){-}CH_2{-}CH_2{-}OCH_3$ [1] (VI)

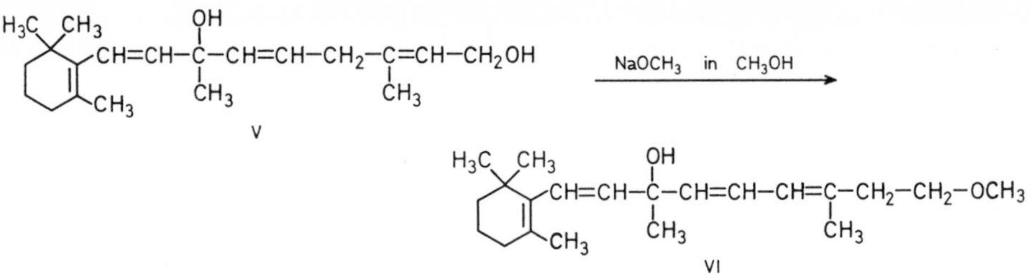

Für weitere Beispiele aus der Carotinoid-Chemie und allgemeine Diskussion über diese Art von prototropen Isomerisierungen wird auf die Literatur[2] verwiesen.

Alkalische Isomerisierungen analog ② (S. 65) sind auch möglich (verlaufen sogar teilweise schneller), wenn in der Polyenkette des Carotinoids eine C≡C-Dreifachbindung sitzt[3]. Bei Reaktionen vom Typ ③ lagert sich dabei allerdings eine $C_{10}/_{11}$-Dreifachbindung zum Allen um[2].

Retro-Vitamin-A-methyläther (S. 65)[3]: Eine Lösung von 50 g *trans*-III (S. 65) in 41 g einer Lösung von Natronlauge in absol. Äthanol wird 16 Stdn. am Rückfluß erhitzt, die Reaktionslösung in Wasser gegossen, mit Petroläther extrahiert, getrocknet und destilliert; dabei werden folgende Fraktionen erhalten

Fraktion 1:	$Kp_{0,001}$: 110–125°	6,6 g
Fraktion 2:	$Kp_{0,001}$: 125–140°	34 g

Die chromatographische Aufarbeitung von 12,1 g der Fraktion 2 in 120 *ml* Petroläther an Aluminiumoxid ergibt 7,2 g einer Hauptfraktion vom $Kp_{0,001}$: 125–130° [ε_{max} 53700 (348 mμ)].

Die analogen Umlagerungen von konjugierten En-inen mit zusätzlichen isolierten Doppelbindungen sind auf S. 58f. besprochen (vgl. Beispiel S. 59).

δ) Offenkettige Polyene aus anderen Polyenen durch Verschiebung des gesamten Doppelbindungs-Systems innerhalb der Kette

Eine Isomerisierung des gesamten Doppelbindungssystems einer Kette wurde z.B. bei Versuchen zur Diels-Alder-Reaktion mit einem Gemisch von Alloocimen (I) und Neo-alloocimen (II) in Gegenwart von Wasser oder freier Maleinsäure beobachtet[4]:

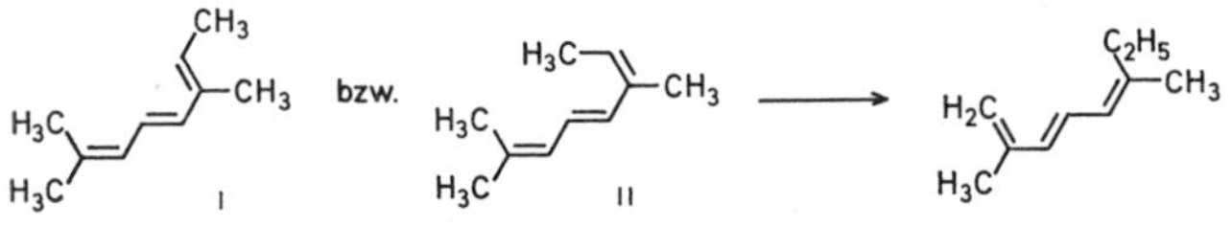

I bzw. II ⟶ *2,6-Dimethyl-octatrien-(1,3,5)*

Von großer praktischer Bedeutung ist die bei Carotinoiden bekannte Verschiebung aller in einer C-Kette vorliegenden konjugierten Doppelbindungen unter Erhaltung der Konjugation. Wenn hier die gesamten Doppelbindungen (einschließlich der Ringdoppelbindung) aus der „Normal-Konjugation" herausgedrängt werden,

---

1 US.P. 2819314 (1953/1958), Ortho Pharmaceutical Corp., Erf.: W. OROSHNIK; C. A. **52**, 10190^e, (1958).

2 W. OROSHNIK, A. D. MEBANE u. G. KARMAS, Am. Soc. **75**, 1050 (1953).

3 W. OROSHNIK, G. KARMAS u. A. D. MEBANE, Am. Soc. **74**, 295 (1952).

4 J. E. MILKS u. J. E. LANCASTER, J. Org. Chem. **30**, 888 (1965).

spricht man von einer „Retro-Umlagerung"[1], bei der die jeweiligen – energetisch bevorzugten – „Retro"-Verbindungen entstehen. Die Rückumlagerung in die „normal" konjugierte Verbindung hat keine spezielle Bezeichnung, z.B.:

„Normales" System der konjug. Doppelbindungen ⇌ (① / ②) „Retro"-System der konjug. Doppelbindungen

Die Reaktion ①, also die Retro-Umlagerung, kann mit starken Säuren gelenkt durchgeführt werden, am besten mit Bromwasserstoff:

Vitamin-A-Acetat → *Retro-Vitamin-A-Acetat*[2], 97%

Sehr häufig tritt aber bei Carotinoid-Synthesen insbesondere bei Abspaltungs- oder Umlagerungsreaktionen (Dehydratisierung, Allyl-Umlagerung, *cis-trans*-Isomerisierung) in Gegenwart von Säuren die Retro-Umlagerung automatisch als Neben- oder auch als Hauptreaktion auf (vgl. S. 39f., 71f.). In einigen Spezialfällen, z.B. bei der Herstellung von 3,4-Dehydro-carotinoiden

oder von im (Trimethyl-cyclohexen)-Ring substituierten Carotinoiden, kann nun zwar diese Retro-Umlagerung an Zwischenprodukten während der Synthese günstig und erwünscht sein, meistens sind aber Retro-Verbindungen unerwünschte Reaktionsprodukte. Retro-Carotinoide haben nur geringe oder keine biologische Wirkung. So sind zahlreiche Methoden zur Vermeidung der Retro-Umlagerung oder zur Rückumlagerung vom Retro- ins „Normalsystem" untersucht worden:

① Methoden zur vorsorglichen Vermeidung von Retro-Umlagerungen[vgl. 3–5]:

ⓐ Vermeidung der Konjugation zwischen C=C-Doppelbindung im Cyclohexenring und C=C-Doppelbindungen in der Kette während der Synthese, z.B. durch Verwendung von „β-C_{14}-Aldehyd"

---

[1] Wenn als Ringsystem am Kettenende – wie hier in den angegebenen Beispielen – speziell das β-Jonon-System vorliegt, spricht man auch von Retro-Jonyliden-Umlagerungen.

[2] R. H. Beutel et al., Am. Soc. **77,** 5166 (1955).

[3] K. Eiter, E. Truscheit u. H. Oediger, Ang. Ch. **72,** 948 (1960).

[4] H. Pommer, Ang. Ch. **72,** 811 (1960).

[5] W. Oroshnik, G. Karmas u. A. D. Mebane, Am. Soc. **74,** 3807 (1952).

oder der 1-Äthinyl-cyclohexen-(1)-Gruppierung

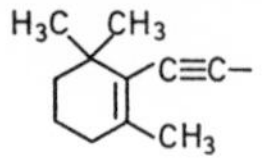

als Ausgangssubstanzen.

ⓑ Aktivierung von CH_2-Gruppen in der Gruppierung

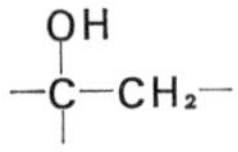

in Carotinoidketten, aus denen z.B. Wasser abgespalten werden soll, durch eine dem —CH_2— benachbarte elektronenanziehende Gruppe, z.B. —C≡C-Dreifachbindung, Cyan-, Acetal-Gruppe u.a.

ⓒ Anwendung von Spezialmethoden für Allyl-Umlagerungen oder Dehydratisierungen; s.S. 42, 72.

ⓓ Häufig tragen auch allgemein schonende Reaktionsbedingungen dazu bei, daß Retro-Umlagerungen bei Carotinoid-Synthesen verhindert werden.

② Rückumlagerungen vom Retro- ins Normal-System:

Als reine Isomerisierungs-Reaktion gelingt die Rückumlagerung häufig durch Behandlung der Retro-Verbindungen mit Alkali, die Ausbeuten sind aber sehr gering, z.B.:

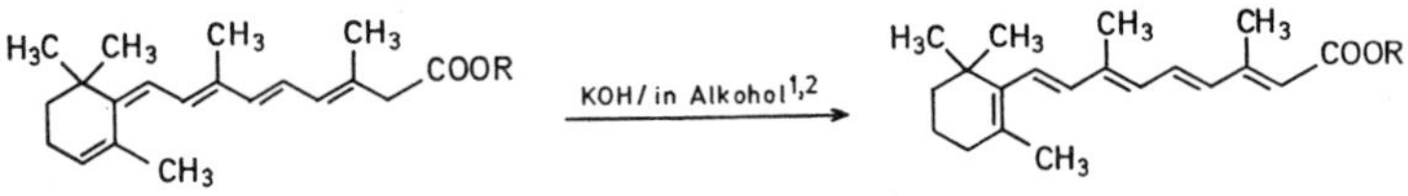

KOH/in Alkohol[1,2]

Retro-Vitamin A-Säureester → Vitamin A-Säureester

Die analoge Isomerisierung von Retro-Vitamin A-Aldehyd zu *Vitamin A-Aldehyd* gelingt ebenfalls mit basischen Katalysatoren[3,4].

Im folgenden Beispiel gelingt die Umlagerung vom Retro- ins Normalsystem mit Bromwasserstoff in Aceton[5]:

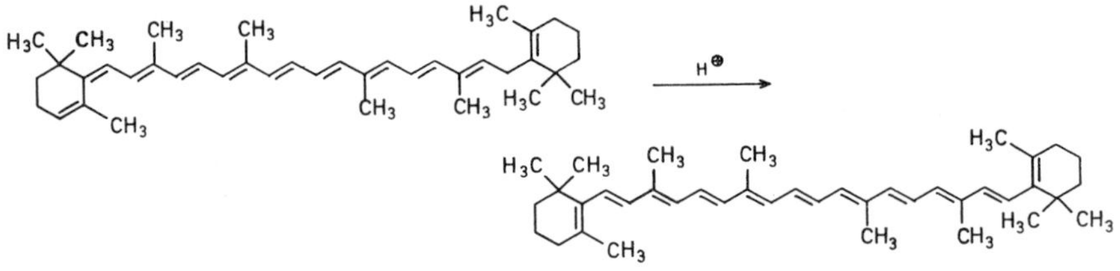

$H^{\oplus}$

β-Carotin; 96% d.Th.

Häufig tritt die Rückumlagerung als Sekundärreaktion auf, wenn in Retro-Verbindungen Reaktionen an funktionellen Gruppen durchgeführt werden.

---

[1] K. Eiter, E. Truscheit u. H. Oediger, Ang. Ch. **72**, 948 (1960).

[2] H. O. Huisman, A. Smit, S. Vromen u. L. G. M. Fischer, R. **71**, 899 (1952).

[3] DAS 1059445 (1952), Eastman Kodak Co., Erf.: J. D. Cawley u. W. J. Humphlett; C.A. **50**, 408 (1956).

[4] DBP. 1076681 (1952), Eastman Kodak Co., Erf.: J. D. Cawley, C. D. Robeson u. W. J. Humphlett; C. A. **50**, 7125 (1956).

[5] US. P. 3429928 (1966/1969), Hoffmann-La Roche, Erf.: J. D. Surmatis; C. A. **70**, 87997 (1969). J. D. Surmatis, J. Gibas u. R. Thommen, J. Org. Chem. **34**, 3039 (1969).

Wenn man Retro-Carbonsäuren der Carotinoid-Reihe mit Phosphor(III)-chlorid umsetzt, entstehen automatisch die normal konjugierten Carbonsäure-chloride, z. B.:

$$\text{Retro-Vitamin A-Säure} \xrightarrow{PCl_3} \textit{Vitamin-A-säure-chlorid}^{1,2}$$

Bei der Addition von Triphenylphosphoniumhalogenid in 1,ω-Stellung an carotinoide Retro-Kohlenwasserstoffe entsteht das normal konjugierte Polyen-Triphenylphosphoniumsalz, aus dem in guten Ausbeuten der entsprechende normal konjugierte Kohlenwasserstoff erhalten werden kann (s. S. 188, 203), z. B.:

Anhydro-Vitamin A → *Axerophthen*[3]

Auf Grund dieser Rückumlagerung unter dem Einfluß von Triphenylphosphin sind Carbonyl-Olefinierungen nach Wittig direkt mit Retro-Carotinoiden möglich (s. S. 117).

Auch bei Allyl-Umlagerungen oder Dehydratisierungen an Retro-Verbindungen kann gleichzeitig Rückumlagerung ins Normalsystem auftreten (vgl. S. 74, 41).

2. Offenkettige Polyene durch Isomerisierung von C—C-Mehrfachbindungen in Verbindung mit Reaktionen (bzw. Wanderung) von funktionellen Gruppen

α) Anionotrope „Allyl-Umlagerungen"

Die allgemein übliche Bezeichnung „Allyl-Umlagerung" für Allylverschiebungen von C=C-Doppelbindungen bei gleichzeitiger Wanderung von allylständigen funktionellen Gruppen als Anion wird im folgenden verwendet.

z. B.: $H_2C{=}C(CH_3){-}CH(OH){-}C{\equiv}C{-}CH(OH){-}C(CH_3){=}CH_2 \xrightarrow{H_2SO_4/\text{Alkohol}} H_2C(OH){-}C(CH_3){=}CH{-}C{\equiv}C{-}CH{=}C(CH_3){-}CH_2(OH)$

2,7-Dimethyl-octadien-(2,6)-in-(4)-diol-(1,8)[4]

Zur Theorie [vgl. a. 5,6] und allgemeinen Anwendung der Allyl-Umlagerung s. in ds. Handb., Bd. IV/2 und V/1c.

Die in der präparativen Polyenchemie sehr verbreiteten Dehydratisierungen unter gleichzeitiger Allyl-Umlagerung sind auf S. 40f. besprochen.

Allyl-Umlagerungen bzw. vinyloge Allyl-Umlagerungen an Polyenalkoholen können mit verdünnten anorganischen oder organischen Säuren, mit Jod oder auch mit Spezialmitteln, wie Triphenylphosphin-hydrogenhalogeniden, durchgeführt werden. In Polyenketten umfaßt eine Allyl-Umlagerung das gesamte System von konjugierten Doppelbindungen. Eine in die Polyenkette durch Verwendung geeigneter Synthese-Bausteine eingeschobene C≡C-Dreifachbindung wirkt trennend, so daß unerwünschte Isomerenbildung vermieden wird[7,8].

In diesem Zusammenhang zeigt folgendes Beispiel anschaulich die Möglichkeit, Allyl-Umlagerungen bei Polyensynthesen dadurch zu lenken, daß man vorhandene C≡C-Dreifachbindungen im Molekül vor oder nach der Allyl-Umlagerungsstufe hydriert[9] (die Reaktion ① verläuft allerdings nur mit geringen Ausbeuten, S. 70):

[1] K. Eiter, E. Truscheit u. H. Oediger, Ang. Ch. **72**, 948 (1960).
[2] H. O. Huisman, A. Smit, P. H. Van Leeuwen u. J. H. Van Rij, R. **75**, 977 (1956).
[3] H. Pommer, Ang. Ch. **72**, 811 (1960).
[4] L. F. Deemer, L. Lutwak u. F. M. Strong, Am. Soc. **70**, 154 (1948).
[5] S. Patai, „*The Chemistry of Alkenes*", Interscience Publishers, New York–London–Sidney 1964.
[6] H. Freyschlag et al., Ang. Ch. **77**, 277 (1965).
[7] H. H. Inhoffen et al., A. **580**, 7 (1953).
[8] H. H. Inhoffen u. G. Raspé, A. **594**, 165 (1955).
[9] S. S. Malhotra u. J. M. C. Whiting, Soc. **1960**, 3812.

$$\begin{array}{l} H_5C_6 \\ \quad \rangle N{-}(CH{=}CH)_2{-}\underset{\displaystyle OH}{CH}{-}C{\equiv}C{-}CH{=}CH{-}OCH_3 \\ H_3C \end{array}$$

① Partielle Hydrierung ↓ ② Allyl-Umlagerung ↓

$$\cdots\underset{\displaystyle OH}{CH}{-}CH{=}CH\cdots \qquad\qquad OHC{-}(CH{=}CH)_2{-}C{\equiv}C{-}CH{=}CH{-}OCH_3$$

↓ Allyl-Umlagerung ↓ Partielle Hydrierung

$$\begin{array}{l} H_5C_6 \\ \quad \rangle N{-}(CH{=}CH)_4{-}CHO \\ H_3C \end{array} \qquad\qquad OHC{-}(CH{=}CH)_4{-}OCH_3$$

9-(N-Methyl-anilino)-nonatetraen-(2,4,6,8)-al *9-Methoxy-nonatetraen-(2,4,6,8)-al*

Eine Allyl-Umlagerung zum sekundären Alkohol ist in der Polyenkette häufig gegenüber einer Umlagerung zum primären Alkohol bevorzugt[1–3], z.B.:

$$H_2C{=}CH{-}\overset{\displaystyle OH}{\underset{\displaystyle CH_3}{C}}{-}CH{=}CH{-}CH{=}CH{-}CH_3 \xrightarrow{H^{\oplus}} H_2C{=}CH{-}\underset{\displaystyle CH_3}{C}{=}CH{-}CH{=}CH{-}\overset{\displaystyle OH}{CH}{-}CH_3$$

7-Hydroxy-3-methyl-octatrien-(1,3,5)

Bei Molekülen mit endständiger Vinyläther- oder Vinylester-Gruppierung im „Allylsystem", führt die Allyl-Umlagerung – mit Säure – über das Halbacetal direkt zum Aldehyd[4–6] (vgl. a. S. 140), unter Acetalisierungsbedingungen zum Aldehydacetal[7]. Durch Allylumlagerung in Polyenketten mit endständiger Dichlormethylen-Gruppierung erhält man Polyencarbonsäuren[8].

Bei Verwendung von Salzsäure, Bromwasserstoff, Phosphor(III)-bromid usw. zur Allyl-Umlagerung von Polyenalkoholen erhält man die betreffenden Halogen-Derivate[9–12], z.B.:

$$H_2C{=}\underset{\displaystyle CH_3}{C}{-}\overset{\displaystyle OH}{CH}{-}CH{=}CH{-}\overset{\displaystyle OH}{CH}{-}\underset{\displaystyle CH_3}{C}{=}CH_2 \xrightarrow{HBr} \overset{\displaystyle Br}{H_2C}{-}\underset{\displaystyle CH_3}{C}{=}CH{-}CH{=}CH{-}CH{=}\underset{\displaystyle CH_3}{C}{-}\overset{\displaystyle Br}{CH_2}$$

1,8-Dibrom-2,7-dimethyl-octatrien-(2,4,6)

Bei Einsatz von Essigsäure können die umgelagerten Acetate entstehen[6], durch Umlagerung mit p-Toluolsulfonsäure in Alkoholen die entsprechenden Äther[6,13].

---

[1] J. M. HEILBRON et al., Soc. **1945**, 84.
[2] DBP 818492 (1950), Glaxo Lab. Ltd., Erf.: J. M. HEILBRON, B. C. L. WEEDON, E. R. H. JONES u. A. B. A. JANSEN; C. **1952**, 734.
[3] G. W. H. CHEESEMAN et al., Soc. **1949**, 2031.
[4] D. A. VAN DORP u. J. F. ARENS, Nature **160**, 189 (1947).
[5] J. F. ARENS u. D. A. VAN DORP, R. **68**, 604 (1949).
[6] P. ZELLER et al., Helv. **42**, 841 (1959).
[7] O. ISLER, Chimia **12**, 89 (1958).
[8] M. JULIA u. J. BULLOT, Bl. **1960**, 28.
[9] J. D. SURMATIS u. A. OFNER, J. Org. Chem. **26**, 1171 (1961).
[10] O. ISLER et al., Helv. **39**, 449 (1956).
[11] M. MONTAVON et al., Helv. **40**, 1250 (1957).
[12] J. D. SURMATIS u. R. THOMMEN, J. Org. Chem. **34**, 559 (1969).
[13] Belg. P. 572668 (1958), Hoffmann-La Roche.

Besondere Komplikationen entstehen in der Polyenchemie – insbesondere in der Carotinoidchemie – bei Allyl-Umlagerungen von solchen Allylcarbinolen, in denen die Hydroxy-Gruppe in Allylstellung oder vinyloger Allylstellung zu der Doppelbindung eines anhängenden Cyclohexenringes sitzt. Hier tritt bei Verwendung der klassischen Umlagerungsmittel anstelle oder neben der „normalen" Allyl-Umlagerung die bei den Isomerisierungen (S. 67f.) bereits besprochene „Retro"-Umlagerung auf[1-4], wobei Wasser abgespalten wird. Das Grundschema, das sinngemäß auch für vinyloge Verbindungen gilt, ist nachstehend wiedergegeben:

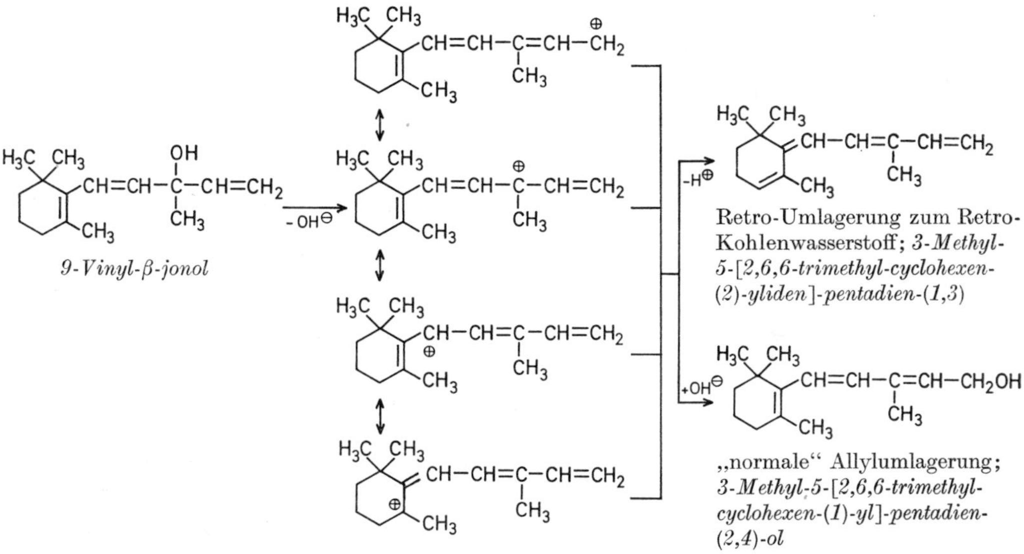

9-Vinyl-β-jonol

Retro-Umlagerung zum Retro-Kohlenwasserstoff; *3-Methyl-5-[2,6,6-trimethyl-cyclohexen-(2)-yliden]-pentadien-(1,3)*

„normale" Allylumlagerung; *3-Methyl-5-[2,6,6-trimethyl-cyclohexen-(1)-yl]-pentadien-(2,4)-ol*

Eine Vermeidung der Retro-Umlagerung bei Allylumlagerungen ist z.B. durch die auf S. 67f. aufgeführten Strukturmerkmale für die Ausgangsverbindungen möglich, die grundsätzlich eine Retro-Umlagerung erschweren oder verhindern. Folgende Beispiele zeigen mit üblichen Umlagerungsmitteln erzielte „normale Allyl-Umlagerungen" an Polyenen mit anhängendem Cyclohexenring:

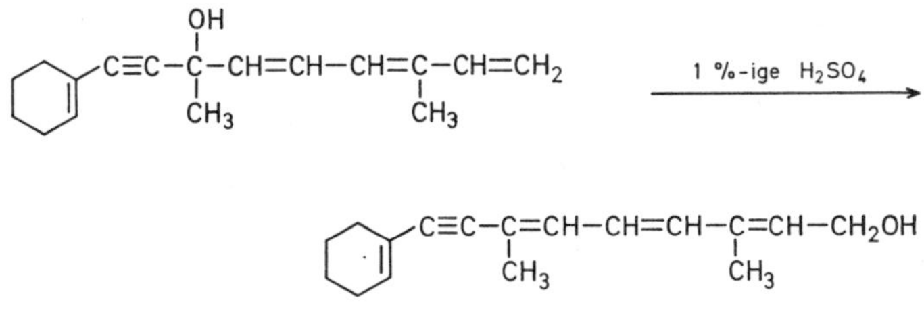

1 %-ige H_2SO_4

9-Hydroxy-3,7-dimethyl-1-cyclohexen-(1)-yl-nonatrien-(3,5,7)-in-(1)[5]

[1] H. Freyschlag et al., Ang. Ch. **77**, 277 (1965).

[2] H. O. Huisman, A. Smit, S. Vromen u. L. G. M. Fisscher, R. **71**, 899 (1952).

[3] S. Patai, „*The Chemistry of Alkenes*", Interscience Publishers, New York–London–Sidney 1964.

[4] H. Pommer, Ang. Ch. **72**, 818 (1960).

[5] G. W. H. Cheeseman, J. M. Heilbron, E. R. H. Jones u. B. C. L. Weedon, Soc. **1949**, 3120.

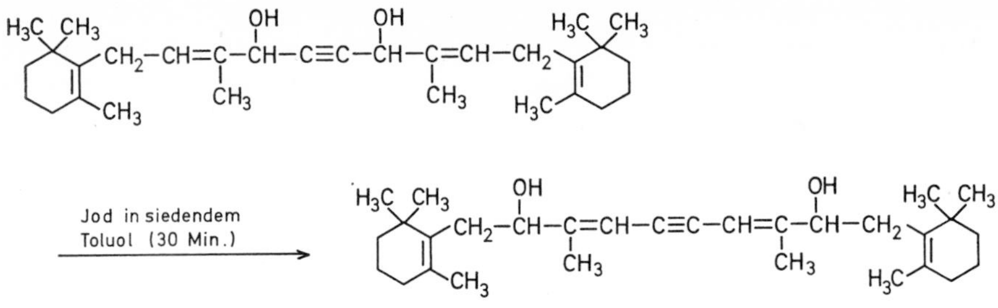

Jod in siedendem Toluol (30 Min.)

2,9-Dihydroxy-3,8-dimethyl-1,10-bis-[2,6,6-trimethyl-cyclohexen-(1)-yl]-decadien-(3,7)-in-(5)[1]

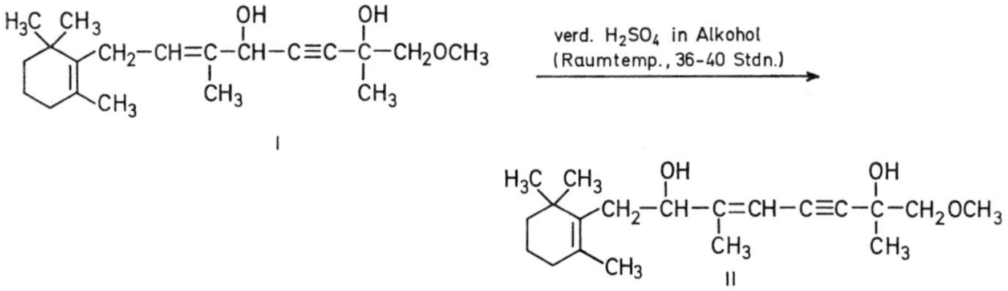

I

verd. H_2SO_4 in Alkohol (Raumtemp., 36–40 Stdn.)

II

2,7-Dihydroxy-1-methoxy-2,6-dimethyl-8-[2,6,6-trimethyl-cyclohexen-(1)-yl]-octen-(5)-in-(3) (II)[2]: 40 g 2,5-Dihydroxy-1-methoxy-2,6-dimethyl-8-[2,6,6-trimethyl-cyclohexen-(1)-yl]-octen-(6)-in-(3) (I) werden in 800 *ml* Äthanol gelöst und mit 200 *ml* 5%iger Schwefelsäure versetzt. Durch Probeentnahme wird die Allyl-Umlagerung im Beckman-Spektrophotometer verfolgt. Je nach herrschender Zimmertemp. ist die Umlagerung nach 36–40 Stdn. beendet. Die Lösung wird dann mit dem 3fachen Vol. Wasser versetzt und erschöpfend ausgeäthert, die Äther-Lösung neutral gewaschen, getrocknet und eingedampft; zähes, nicht kristallisierendes gelbes Öl; $\lambda_{max} = 233$ mμ (charakter. für En-in-Struktur) ($\varepsilon = 15500$).

Mit Hilfe von Triarylphosphin-halogeniden gelingt die „normale“ Allyl-Umlagerung in guten Ausbeuten auch bei dem vorher beschriebenen von der Struktur her zur Retro-Umlagerung prädestinierten Verbindungstyp wie z.B. 9-Vinyl-β-jonol[3–7]. Das als Zwischenstufe auftretende mesomere Kation (s. Formelschema S. 71) spaltet dann nicht mehr als Hauptreaktion ein Proton ab, sondern bevorzugt als nukleophilen Partner das Triarylphosphin. Man erhält dabei sinngemäß allerdings nicht den umgelagerten Alkohol, sondern das entsprechende beständige Triarylphosphoniumsalz. So hat diese Umlagerungsmethode spezielle Bedeutung für Polyensynthesen mit Hilfe der „Carbonyl-Olefinierung“ nach Wittig, bei der diese Phosphoniumsalze die Ausgangsbasis darstellen können (s. S. 88ff.). Der gegebenenfalls als Nebenreaktion gebildete Retro-Kohlenwasserstoff liefert bei dieser Umsetzung durch 1,ω-Addition des Triarylphosphins ebenfalls das gewünschte Phosphoniumsalz (s. S. 91, 117, 124).

---

1 H. H. Inhoffen, H. Pommer u. F. Bohlmann, A. **561**, 26 (1948).
2 H. H. Inhoffen et al., A. **570**, 54 (1950).
3 H. Freyschlag et al., Ang. Ch. **77**, 277 (1965).
4 H. Pommer, Ang. Ch. **72**, 818 (1960).
5 DBP 1060386 (1957), BASF, Erf.: W. Sarnecki u. H. Pommer; C. A. **55**, 4577 (1961).
6 Vitamin A (-Säure)- und β-Carotin-Synthesen auf der Basis dieser Allyl-Umlagerung s. S. 114, 116.
7 C. F. Garbers, D. F. Schneider u. J. P. van der Merwe, Soc. [C] **1968**, 1982.

In der Praxis verwendet man als Triarylphosphin meistens das Triphenylphosphin. Man kann den umzulagernden Alkohol entweder mit dem halogenwasserstoffsauren Salz des Triphenylphosphins umsetzen oder einfach gleichzeitig zu dem Alkohol das Phosphin und die Säure geben, z.B.:

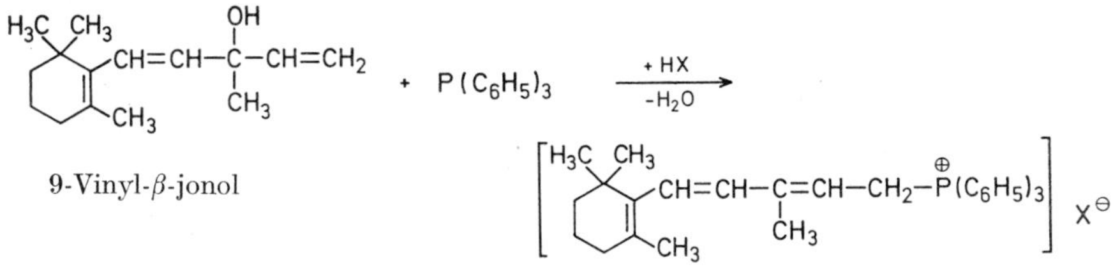

9-Vinyl-β-jonol

III

(β-Jonyliden-äthyl)-triphenyl-phosphonium-chlorid {5-Triphenylphosphonio-3-methyl-1-[2,6,6-trimethyl-cyclohexen-(1)-yl]-pentadien-(1,3)-chlorid)} (III)[1]: Zu einem Gemisch aus 28 Tln. Triphenylphosphin, 22 Tln. 9-Vinyl-β-jonol und 50 Tln. Tetrahydrofuran läßt man bei −5° 125 Tle. einer 1,6 n Lösung Chlorwasserstoff in Tetrahydrofuran zulaufen. Das Gemisch wird 30 Stdn. bei + 5° gerührt. Es fallen 14 Tle. Phosphoniumchlorid III aus; F: 114°. Weitere Mengen des Salzes bleiben in Lösung und können daraus durch Abdestillieren des Lösungsmittels oder durch Fällung, z.B. durch Zugabe von Äther oder Benzol isoliert werden.

Analog erhält man aus

9-Vinyl-3,4-dehydro-β-jonol → *(3,4-Dehydro-β-jonyliden-äthyl)-triphenyl-phosphonium-chlorid*[2]
9-Vinyl-α-jonol → *(α-Jonyliden-äthyl)-triphenyl-phosphonium-chlorid*[3]

und aus

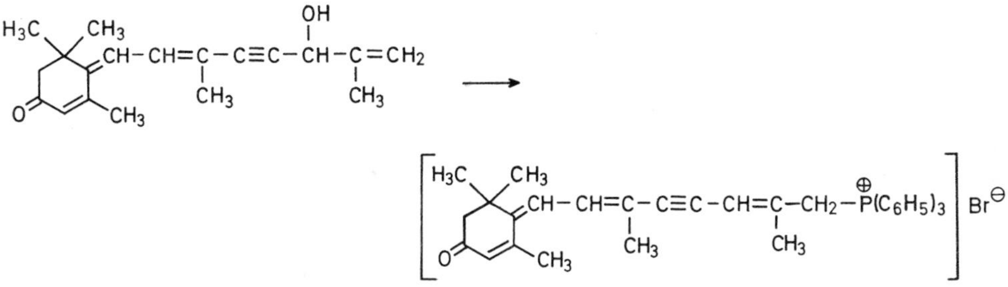

8-Triphenylphosphonio-3,7-dimethyl-1-[4-oxo-2,6,6-trimethyl-cyclohexen-(2)-yliden]-octadien-(2,6)-in-(4)-bromid[4]

(Ψ-Jonyliden-äthyl)-triphenyl-phosphonium-chlorid[1-Triphenylphosphonio-3,7,11-trimethyl-dodecatetraen-(2,4,6,10)-chlorid][3,5]:

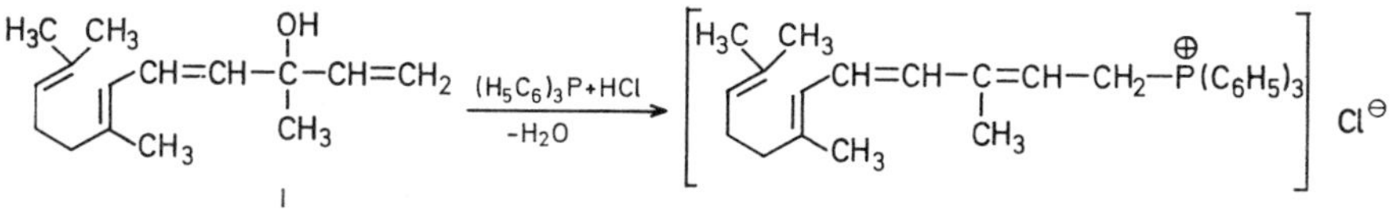

I

[1] DBP 1060386 (1957), BASF, Erf.: W. Sarnecki u. H. Pommer; C.A. **55**, 4577 (1961).
[2] U. Schwieter, C. V. Planta, R. Rüegg u. O. Isler, Helv. **45**, 541 (1962).
[3] P. S. Manchand et al., Soc. **1965**, 2019.
[4] J. D. Surmatis et al., Helv. **53**, 974 (1970).
[5] R. Rüegg et al., Helv. **44**, 985 (1961).

21,5 g eines öligen Vinyl-Ψ-jonols (I; S. 73) tropft man innerhalb 1 Stde. bei Raumtemp. unter Rühren zu einer Suspension von 26,5 g Triphenylphosphin in 50 *ml* methanol. Salzsäure (Chlorwasserstoff: 3,65 g). Nach ~ 2 Stdn. erhält man eine klare Lösung, die man 60 Stdn. bei Raumtemp. stehen läßt. Nach dem Abdampfen des Lösungsmittels wird i. Hochvak. bei 40° getrocknet; Ausbeute: 48,5 g zähes rotes Öl.

Ein Spezialverfahren für eine „normale" Allyl-Umlagerung an einem C_{20}-Carbinol mit Hilfe eines Bortrifluorid-Urotropin-Komplexes wird auf S. 182 kurz beschrieben.

Spezialmethoden zur Erzielung von „normalen" Allyl-Umlagerungen bei gleichzeitiger Wasser-Abspaltung an solchen Polyenen, bei denen unter den üblichen Umlagerungs- und Dehydratisierungsbedingungen Retro-Umlagerung eintritt, werden auf S. 42 näher erläutert.

Umgekehrt kann in Spezialfällen auch bei einem bereits mit Retro-Struktur vorliegenden Carotinoidalkohol durch Allyl-Umlagerung mit Säuren unter Einbeziehung des Cyclohexenringes das „normale" Doppelbindungssystem entstehen, z. B.:

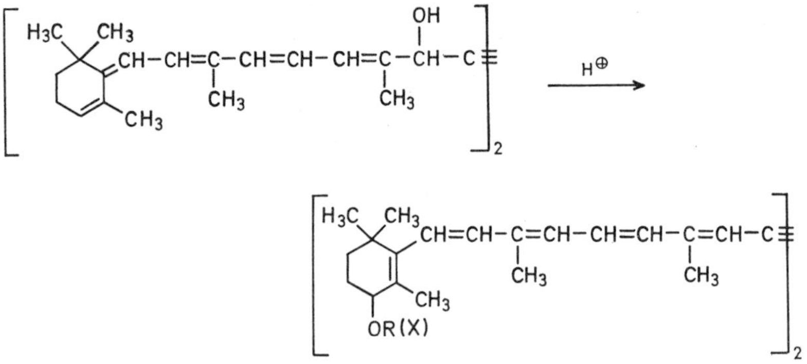

H3C CH3 OH
CH–CH=C–CH=CH–CH=C–CH–C≡]2
CH3 CH3 CH3
→ H⊕

H3C CH3
CH=CH–C=CH–CH=CH–C=CH–C≡]2
CH3 CH3 CH3
OR(X)

OR = –O–CO–CH$_3$	(Umlagerung mit Essigsäure); *4,4'-Diacetoxy-15,15'-dehydro-β-carotin*[1]
–OCH$_3$	(Umlagerung mit p-Toluolsulfonsäure in Methanol); *4,4'-Dimethoxy-15,15'-dehydro-β-carotin*[1]
X = –Br	(Umlagerung mit Bromwasserstoff): *4,4'-Dibrom-15,15'-dehydro-β-carotin*[2]

β) „Homoallyl-Umlagerung"[3]

Im Anschluß an die Allyl-Umlagerung soll an dieser Stelle kurz die „Homoallyl-Umlagerung" als Methode zur Herstellung von Polyenen besprochen werden, obwohl diese Reaktionen mit einer C-Gerüst-Umlagerung verbunden ist, d. h. mit der Aufspaltung von Cyclopropan-Ringen. So können sich Methyl-cyclopropyl-carbinole in Cyclobutyl- und in offenkettige „Homoallyl"-Systeme umlagern[4]:

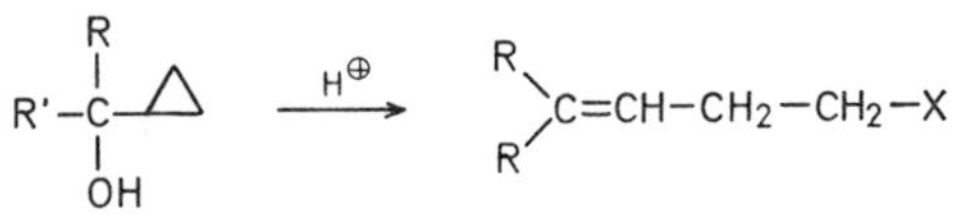

R
R'–C–△ → H⊕ R,R'>C=CH–CH2–CH2–X
OH

[1] P. Zeller et al., Helv. 42, 841 (1959).
[2] O. Isler et al., Helv. 39, 449 (1956).
[3] Vgl. ds. Handb., Bd. IV/3, Abschnitt: Homoallyl-Umlagerung, S. 415ff.
[4] M. Hanack u. H. J. Schneider, Fortschr. Chem. Forsch. 8, 554 (1967).

Die Homoallyl- und vinyloge Homoallyl-Umlagerung wurde zur Herstellung von Polyenen, auch aus der Gruppe der Carotinoide, ausgenutzt[1] (vgl. S. 141); z.B.:

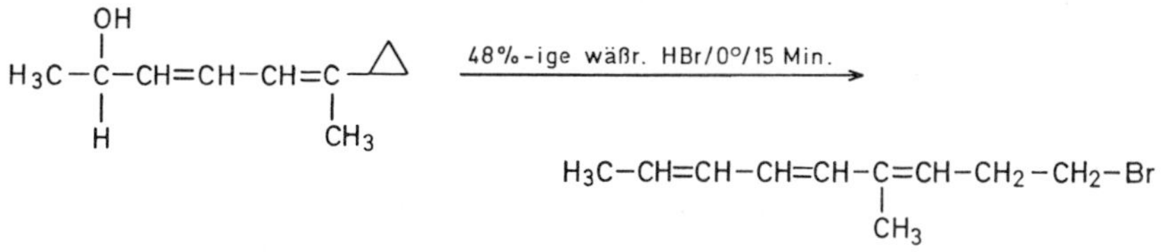

$$H_3C-CH(OH)-CH=CH-CH=C(CH_3)-\triangle \xrightarrow{48\%\text{-ige wäßr. HBr}/0°/15\text{ Min.}} H_3C-CH=CH-CH=CH-C(CH_3)=CH-CH_2-CH_2-Br$$

9-Brom-6-methyl-nonatrien-(2,4,6)[2]; 76% d.Th.

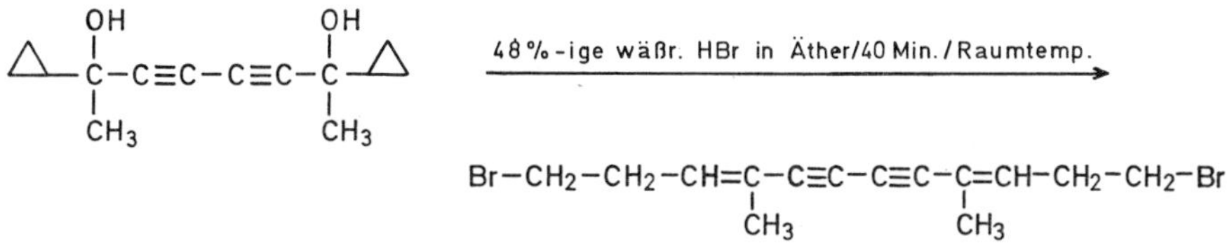

$$\triangle-C(OH)(CH_3)-C\equiv C-C\equiv C-C(OH)(CH_3)-\triangle \xrightarrow{48\%\text{-ige wäßr. HBr in Äther}/40\text{ Min.}/\text{Raumtemp.}} Br-CH_2-CH_2-CH=C(CH_3)-C\equiv C-C\equiv C-C(CH_3)=CH-CH_2-CH_2-Br$$

1,12-Dibrom-4,9-dimethyl-nonadien-(3,9)-diin-(5,7)[3]; 97% d.Th.

Ist der Cyclopropan-Ring durch Alkoxy- oder Aryloxy-Gruppen substituiert, wird zur Umlagerung meistens verdünnte Salzsäure verwendet, und man erhält als Reaktionsprodukt den betreffenden Aldehyd[4,5].

γ) Weitere Isomerisierungen von vorgegebenen Doppelbindungen in Verbindung mit Reaktionen von funktionellen Gruppen

Eine der Allyl-Umlagerung ähnliche Isomerisierung an En-allenen unter Bildung des entsprechenden Polyens beobachtet man bei der Umsetzung von Hexatrien-(1,2,5) mit N-Brom-succinimid[6]. Das primär entstehende bromierte Allen wird weiter umgelagert zum bromierten konjugierten Trien:

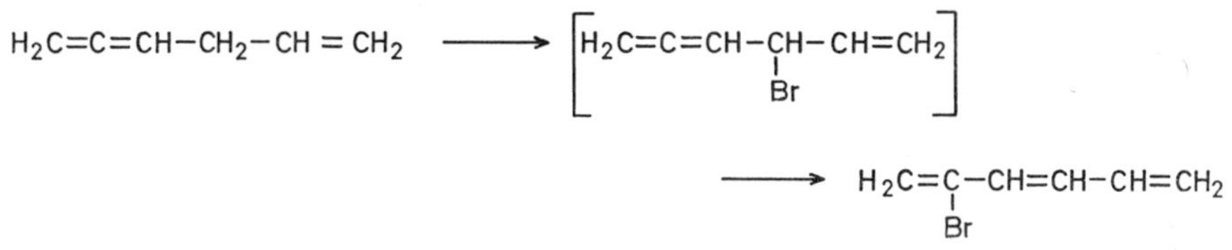

$$H_2C=C=CH-CH_2-CH=CH_2 \longrightarrow [H_2C=C=CH-CH(Br)-CH=CH_2] \longrightarrow H_2C=C(Br)-CH=CH-CH=CH_2$$

2-Brom-hexatrien-(1,3,5)

Bei der Decarboxylierung der α-Cyan-Vitamin A-Säure in Pyridin tritt zunächst folgende Isomerisierung auf:

$$\cdots C(CH_3)=C(CN)COOH \longrightarrow \cdots C(=CH_2)-CH_2-CN$$

Durch Behandlung mit verdünnter methanolischer Kalilauge erfolgt Rückisomerisierung zum *Vitamin A-Säure-nitril*[7].

---

[1] M. Julia et al., C.r. **249.** 714 (1959); Bl. **1962,** 1933, 1939; **1964,** 2533, 3218; **1966,** 728, 743.
[2] M. Julia et al., Bl. **1964,** 3218.
[3] M. Julia et al., Bl. **1962,** 1933.
[4] M. Julia et al., Bl. **1966,** 728.
[5] M. Julia et al., Bl. **1966,** 743.
[6] G. Pfeiffer, Bl. **1963,** 540.
[7] A. Smit, R. **80,** 891 (1961).

d) Polyene durch partielle Hydrierung von En-inen bzw. Allenen (Kumulenen) oder durch andere Additionen an die C≡C-Dreifachbindung

1. Partielle Hydrierung von Dien- oder Polyen-inen

Für Polyensynthesen hat die selektive Hydrierung von C≡C-Dreifachbindungen große Bedeutung, da sich einerseits die reaktionsfähige endständige Acetylen-Gruppe für eine Verknüpfung zum Aufbau von ungesättigten Ketten sehr gut eignet, darüber hinaus in der C-Kette zahlreicher Polyenzwischenprodukte eine C≡C-Dreifachbindung enthalten ist, und andererseits die partielle Hydrierung der C≡C-Dreifachbindung zur C=C-Doppelbindung meistens fast quantitativ verläuft, ohne daß die übrigen C=C-Doppelbindungen angegriffen werden. Die neu gebildete C=C-Doppelbindung liegt dabei stets überwiegend in *cis*-Form vor. Man verwendet für diese Hydrierung einen partiell vergifteten Palladiumkatalysator[1,2].

Ausführliche Vorschriften zur Herstellung von Polyenen nach diesem Verfahren s. ds. Handb., Bd. IV/1, Kapitel Reduktion; vgl. auch Bd. V/1c, S. 468.

Mit Lithiumalanat lassen sich C≡C-Dreifachbindungen neben mehreren C=C-Doppelbindungen partiell hydrieren, wenn eine Hydroxy-Gruppe in α-Stellung zur C≡C-Dreifachbindung steht, oder auch in manchen Diinen. Die dabei entstandene C=C-Doppelbindung liegt in *trans*-Form vor. Vorschriften für das Lithiumalanat-Verfahren s. ds. Handb., Bd. IV/1, Kapitel Reduktion, Bd. V/1c, S. 455.

Das Lithiumalanat-Verfahren hat für Carotinoid-Synthesen in den Fällen Bedeutung, bei denen sich aus sterischen Gründen eine C≡C-Dreifachbindung nicht gut katalytisch hydrieren läßt, z. B.:

$$\text{(1-Hydroxy-2,2,6-trimethyl-cyclohexyl)}-C{\equiv}C-C(CH_3){=}CH-CH{=}CH-CHOH-CH_3 \xrightarrow{+\,LiAlH_4} \text{(1-Hydroxy-2,2,6-trimethyl-cyclohexyl)}-CH{=}CH-C(CH_3){=}CH-CH{=}CH-CHOH-CH_3$$

7-Hydroxy-3-methyl-1-(1-hydroxy-2,2,6-trimethyl-cyclohexyl)-octatrien-(1,3,5)[3,4]

2. Partielle Hydrierungen von Kumulenen bzw. Allenen

Der gleiche Katalysator, der für die partielle Hydrierung von C≡C-Dreifachbindungen verwendet wird, also ein partiell vergifteter Palladium-Katalysator, ist auch für die partielle Hydrierung von Kumulenen und Allenen zu den entsprechenden Polyenen der günstigste Katalysator[vgl. 5–7]. Auch hier werden gegebenenfalls vorhan-

---

[1] H. Lindlar, Helv. **35**, 446 (1952).

[2] Vgl. a.ds. Handb., Bd. IV/1, Kap. Reduktion; Bd. V/1c, S. 470.

[3] J. Attenburrow et al., Soc. **1952**, 1094..

[4] Bei derartigen In-olen gelingt die Reaktion allerdings nicht immer; J. Attenburrow et al., Soc. **1952**, 1094.

[5] H. Fischer in S. Patai „*The Chemistry of Alkenes*", Kap. Kumulene, Interscience Publishers, New York-London-Sidney 1964.

[6] C. F. Garbers, C. H. Eugster u. P. Karrer, Hel. **35**, 1850 (1952).

[7] R. Kuhn u. H. Fischer, B. **93**, 2285 (1960); **94**, 3060 (1961).

dene konjugierte C=C-Doppelbindungen nicht mit angegriffen und die neu gebildeten C=C-Doppelbindungen liegen in *cis*-Form vor.

Eine ausführliche Besprechung dieser Reaktion mit Arbeitsvorschriften findet sich im Bd. V/2, Kap. Allene und Kumulene bzw. im Bd. IV/1, Kap. Reduktion.

3. Weitere Anlagerungsreaktionen an die C≡C-Dreifachbindung

Weitere Anlagerungsreaktionen an die C≡C-Dreifachbindung nach dem Schema der partiellen Hydrierung haben für Polyensynthesen präparativ kaum Bedeutung. Für Spezialfälle ist z.B. folgende Reaktion von Interesse:

An Heptadien-(2,4)-in-(6)-al oder Vinyloge läßt sich Dimethylamin und Dimethylamin-perchlorat oder analog N-Methyl-anilin und dessen Perchlorat in guten Ausbeuten anlagern[1]:

$$HC{\equiv}C{-}(CH{=}CH)_n{-}CHO \longrightarrow \left[(H_3C)_2N{-}CH{=}CH{-}(CH{=}CH)_n{-}CH{=}N^{\oplus}(CH_3)_2\right] ClO_4^{\ominus}$$

$n = 2 - 5$

Diese Immoniumsalze lassen sich dann mit wäßriger Lauge zum betreffenden ω-Dimethyl-amino-polyen-aldehyd verseifen:

$$(H_3C)_2N{-}(CH{=}CH)_{n+1}{-}CHO$$

n = 2; *7-Dimethylamino-heptatrien-(2,4,6)-al*
= 3; *9-Dimethylamino-nonatetraen-(2,4,6,8)-al*
= 4; *11-Dimethylamino-undecapentaen-(2,4,6,8,10)-al*
= 5; *13-Dimethylamino-tridecahexaen-(2,4,6,8,10,12)-al*

Die einfache Addition von Dimethylamin an die C≡C-Dreifachbindung gelingt nur bei n = 0 oder 1.

II. Herstellung offenkettiger Polyene durch Aufbaureaktionen (C—C-Verknüpfung)

a) durch C—C-Additionsreaktionen nach dem Prinzip von Oligomerisierungen, Telomerisierungen usw.

Für die Herstellung von Polyenen durch Oligomerisierung, Trimerisierung usw. gibt es kein allgemein anwendbares Verfahren, jedoch interessante Einzelbeispiele.

Die Oligomerisierung von Butadien läßt sich mit speziellen Ni(O)-Katalysatoren in Gegenwart von Alkoholen so lenken, daß *all-trans-Octatrien-(2,4,6)* (~ 25% d.Th., bez. auf umgesetztes Butadien), also ein unverzweigtes Trien mit konjugierten Doppelbindungen erhalten wird[2,3, vgl. 4]:

$$2\ H_2C{=}CH{-}CH{=}CH_2 \longrightarrow H_3C{-}CH{=}CH{-}CH{=}CH{-}CH{=}CH{-}CH_3$$

[1] S. S. Malhotra u. M. C. Whiting, Soc. **1960**, 3812.
[2] H. Müller, D. Wittenberg, H. Seibt u. E. Scharf, Ang. Ch. **77**, 318 (1965).
[3] Belg.P. 635483 (1962), BASF, Erf.: H. Seibt u. N. v. Kutepow; C.A. **61**, 11891 (1964).
[4] Brit.P. 1061482 (1962), National Distillers and Chem. Corp.; C. A. **66**, 28373 (1967).

Besonders günstig als Katalysator für die obige Reaktion ist der Nickel-Komplex, den man aus Nickel-bis-[acrylnitril][1] und Phosphorigsäure-trimorpholid[2] erhält:

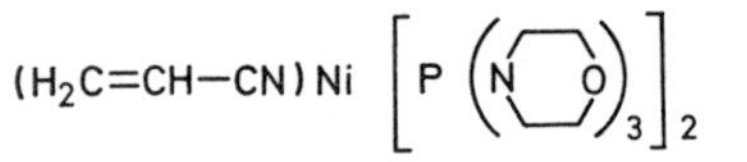

$$(H_2C{=}CH{-}CN)\,Ni\,\left[P\left(N\quad O\right)_3\right]_2$$

Der Komplex braucht für diese Reaktion nicht rein hergestellt zu werden, man gibt die Komponenten in dem für die Reaktionslenkung erforderlichen und gleichzeitig als Lösungsmittel benutzten Alkohol, z.B. Äthanol, zusammen. Der Alkohol muß mindestens in molarer Menge, bez. auf Nickel, eingesetzt werden.

Octatrien-(2,4,6)[3]**:** Man stellt den Katalysator her aus 6 g Nickel(0)-bis-[acrylnitril][4] und 10,4 g Phosphorigsäure-trimorpholid durch 2 stdgs. Rühren unter Luftabschluß bei 70° in 300 *ml* absol. Äthanol. Die erhaltene gelbbraune Lösung überführt man unter Stickstoff in ein 3-*l*-Rühr-Druckgefäß, in das anschließend 620 g flüssiges Butadien eingepreßt werden. Das Gemisch wird 36 Stdn. auf 70° erhitzt. Das Reaktionsprodukt wird im Dünnschichtverdampfer destilliert (Kp_{20}: 25–160°). 93% des eingesetzten Butadiens sind umgesetzt. Bezogen auf umgesetztes Butadien verbleiben 11% der Ausbeute als nicht flüchtige Reaktionsprodukte, sowie der Katalysator, als Rückstand.

Das Destillat wird 2mal mit Wasser ausgeschüttelt und die organische Schicht nach dem Trocknen mit Calciumchlorid i.Vak. destilliert. Das Destillat enthält laut gaschromatographischer Analyse:

24,5% *Octatrien-(2,4,6)*
9,8% *Octatrien-(1,3,6)*
2,0% *Octatrien-(1,3,7)*
3,4% *3-Vinyl-1-methylen-cyclopentan*
1,3% *4-Vinyl-cyclohexen*
1,8% *Cyclooctadien-(1,5)*
44,6% höhersiedende Oligomere.

Die %-Angaben sind bezogen auf umgesetztes Butadien. Durch fraktionierte Destillation können das *all-trans* und das *cis-trans-Octatrien-(2,4,6)* von den anderen Oligomeren abgetrennt werden (Kp_{40}: ~ 65°). Mittels fraktionierter Kristallisation kann das kristalline *all-trans-Octatrien-(2,4,6)* (F: 52,5°) vom flüssigen *cis-trans-Octatrien-(2,4,6)* in reiner Form abgetrennt werden. Die Verbindung läßt sich gut aus Methanol umkristallisieren, reagiert aber sehr rasch – schon bei Raumtemp. – mit Luftsauerstoff.

Auch durch 16 stdgs. Erhitzen von Butadien auf 100° bei 190 at in Methanol mit Rhodium-(III)-chlorid als Katalysator in Gegenwart von Kaliumacetat entsteht neben anderen Verbindungen *Octatrien-(2,4,6)*[5].

Bei der Umsetzung[6] von z.B. Vitamin A-Aldehyd mit Butadien und einem Nickel-(0)-Komplex entsteht infolge 1,4-Addition ein Nickel-Alkoholat, das zum Diol hydrolysiert und zum C_{44}-*Polyen* {*3,7,16,20-Tetramethyl-1,22-bis-[2,6,6-trimethyl-cyclohexen-(1)-yl]-docosaundecaen-(1,3,5,7,9,11,13,15,17,19,21)*} dehydratisiert werden kann:

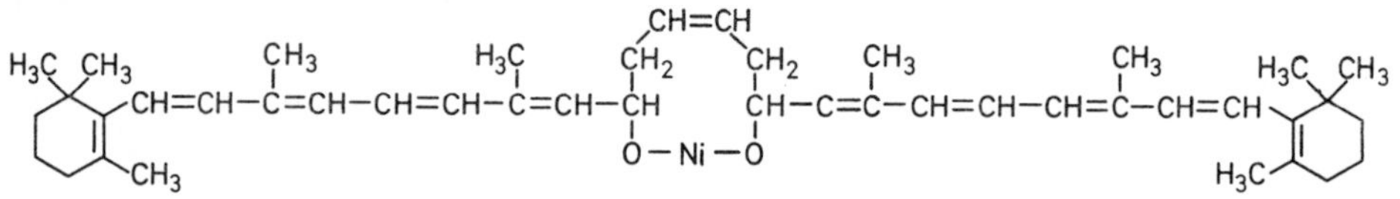

[1] G. N. Schrauzer, Am. Soc. 81, 5310 (1959).

[2] Wird als Elektronendonator statt des Morpholids Phosphorigsäure-triäthylester oder Tributylphosphin verwendet, entstehen neben *Octatrien-(1,3,6)* bzw. *Octatrien-(1,3,7)* nur geringe Mengen *Octatrien-(2,4,6)*.

[3] Belg. P. 635483 (1962), BASF, Erf.: H. Seibt u. N. v. Kutepow; C.A. **61**, 11891 (1964).

[4] G. N. Schrauzer, Am. Soc. **81**, 5310 (1959).

[5] T. Alderson, E. L. Jenner u. R. V. Lindsey, Am. Soc. **87**, 5638 (1965).

[6] Niederl. P. 6714715 (1967), Studiengesellschaft Kohle mbH.

Phenylacetylen läßt sich – allerdings mit schlechter Ausbeute – mit Butadien zum *1,8-Diphenyl-octatetraen-(1,3,5,7)* umsetzen[1,2]:

$$2\ C_6H_5{-}C{\equiv}CH + H_2C{=}CH{-}CH{=}CH_2 \rightarrow C_6H_5{-}(CH{=}CH)_4{-}C_6H_5$$

Das als Zwischenstufe wahrscheinlich entstehende *1-Phenyl-hexatrien-(1,3,5)* wurde nicht isoliert.

1,8-Diphenyl-octatetraen-(1,3,5,7): Die Katalysatorlösung wird hergestellt durch Zusammengeben von 20 g Butadien, 1,5 g Kobalt(III)-Acetylacetonat und 2 *ml* Triäthyl-aluminium in 200 *ml* Benzol. Dabei entsteht die braune Lösung eines Kobalt-Butadien-Komplexes. Diese Lösung wird bei 50° innerhalb von 20 Min. mit 15 *ml* Phenylacetylen versetzt. Aus der Lösung scheiden sich bereits während der Reaktion gelbe Kristalle von 1,8-Diphenyl-octatetraen-(1,3,5,7) ab. Nach dem Abkühlen wird die kristalline Verbindung abgesaugt, aus Benzol umkristallisiert und getrocknet; Ausbeute; 4,5 g (5% d. Th.); F: 228°.

Als Nebenprodukt entstehen in beträchtlicher Menge andere Misch- und Homooligomere des Butadiens.

Bei Reaktionen von 1,3-Dienen mit anderen Acetylen-Verbindungen konnten bisher keine definierten Verbindungen abgetrennt werden.

In Gegenwart verschiedener Triphenylphosphin-Nickel-Katalysatoren reagieren bei niedrigen Temperaturen 2 Mol Acetylen mit 1 Mol eines Acrylsäure-Derivates (-ester, -nitril, -amid) nicht zu Cyclohexadiencarbonsäure-Derivaten sondern zu Derivaten der Heptatrien-(2,4,6)-säure[3-6], z.B.:

$$HC{\equiv}CH + HC{\equiv}CH + H_2C{=}CH{-}COOR \rightarrow H_2C{=}CH{-}CH{=}CH{-}CH{=}CH{-}COOR$$

Heptatrien-(2,4,6)-säureester

$$HC{\equiv}CH + HC{\equiv}CH + H_2C{=}CH{-}CN \rightarrow H_2C{=}CH{-}CH{=}CH{-}CH{=}CH{-}CN$$

Heptatrien-(2,4,6)-säure-nitril

Analoge Reaktionen sind auch mit Alkyl- oder Arylacetylenen möglich[3,4].

Geeignet für die Reaktion sind insbesondere Katalysatoren aus

Triphenylphosphin + Nickelcarbonyl[5,6]
Triphenylphosphin + Nickelcyanid[3]
Triphenylphosphin + Nickelcyanid + Wolframsäure[3]
Triphenylphosphin + Nickel-Enolat-Verbindungen von β-Diketonen oder β-Oxocarbonsäureestern (z. B. Nickel-acetylacetonat)[4]

Die Reaktionstemp. soll nach Möglichkeit 100° nicht überschreiten; je nach verwendetem Katalysator kann im Bereich zwischen Raumtemp. und 90° bei ~ 5–15 at gearbeitet werden. Die Ausbeuten liegen bei ~ 80% der Theorie.

Da die Heptatriensäure-Derivate leicht cyclisieren (s. S. 222) oder dimerisieren, dürfen sie nur bei gutem Vakuum bei möglichst niedriger Temperatur destilliert werden.

---

[1] H. Müller, D. Wittenberg, H. Seibt u. E. Scharf, Ang. Ch. **77**, 318 (1965).
[2] D. Wittenberg, Ang. Ch. **75**, 1124 (1963).
[3] DBP 1005954 (1957), BASF, Erf.: H. Friederich, W. Schweckendiek u. K. Sepp; C.A. **53**, 17906 (1959).
[4] DBP 1042572 (1958), BASF, Erf.: H. Friederich u. H. Hoffmann; C.A. **55**, 2486 (1961).
[5] T. L. Cairns et al., Am. Soc. **74**, 5636 (1952).
[6] US.P. 2540736 (1949/1951), DuPont, Erf.: G. H. Kalb u. J. C. Sauer; C.A. **45**, 5712 (1951).

Während es beim obigen Reaktionstyp (S. 79) nicht gelingt, mehr als 2 Mol Acetylen umzusetzen, sind Carbonylierungs-Telomerisationsreaktionen von drei und mehr Mol Acetylen zu Polyen-dicarbonsäure-diestern möglich[1,2]:

$$n\,HC{\equiv}CH + 2\,CO + 2\,ROH \rightarrow ROOC{-}CH_2{-}(CH{=}CH)_{n-1}{-}CH_2{-}COOR$$

n = 2–9 (Gemische)

Für die Reaktion ist auch Propin einsetzbar. Als Katalysator verwendet man Nickel-tetracarbonyl in alkoholischer Lösung in Gegenwart von Säuren (im Unterschuß bez. auf Nickel-tetracarbonyl) und Komplexbildnern. Bis zu 80% des Nickel-tetracarbonyl können auch durch Kohlenmonoxid ersetzt werden, am besten gibt man in diesem Fall wasserfreies Kupfer(II)-chlorid und N,N-Dimethyl-anilinium-chlorid zum Reaktionsgemisch hinzu.

Mit einem Tetrahydrofuran-Addukt von Triphenyl-chrom reagiert Acetylen in Tetrahydrofuran-Lösung bei –70° und anschließender Erwärmung vorwiegend zu *1,6-Diphenyl-hexatrien-(1,3,5)*[3].

Läßt man Acetylen bei Zimmertemp. unter Bestrahlung mit einer Quecksilber-Lampe auf Bis-[trifluormethyl]-diimin einwirken, so entsteht unter Abspaltung von Trifluormethan und Stickstoff ein Polyenderivat mit folgender Konstitution[4]:

$$n\,HC{\equiv}CH + 2\,F_3C{-}N{=}N{-}CF_3 \xrightarrow[-CHF_3]{-N_2} (F_3C)_2N{-}N(CF_3){-}(CH{=}CH)_nH$$

Butin-(2) reagiert mit Palladium(II)-chlorid-bis-[benzonitril] zu einem *2-Chlor-3,4,5,6-tetramethyl-octatrien-(2,4,6)*-Komplex (45–50% d.Th.), der allerdings beim Erhitzen in *Hexamethyl-benzol* übergeht[5].

Auch bei der Herstellung von Organometall-Katalysatoren aus disubstituierten Acetylenen und Triäthyl-aluminium in Gegenwart von z. B. Titan(III)-chlorid erhält man Polyenderivate[6]:

$$n\,RC{\equiv}CR + Al(C_2H_5)_3 \longrightarrow (H_5C_2)_2Al{-}(CR{=}CR)_n{-}C_2H_5$$

Bei Versuchen zur Homopolymerisation von Acetylen oder monosubstituierten Acetylenen zu längerkettigen Polyenen wurden bisher keine definierten Polyen-Verbindungen erhalten. Bei der Polymerisation von Acetylen in saurer Lösung unter Einwirkung von Kupfer(I)-chlorid und Ammoniumchlorid erhält man Buten-in und Hexadien-(1,5)-in-(3) als isolierbare Verbindungen[7]. Mit anderen Katalysatorsystemen wie z.B. Nickelchlorid/Natriumboranat; Nickelbromid/Lithiumalanat u.a. (auch in Gegenwart von Sauerstoff) erhält man z.T. Polymerengemische mit 2–12 konjugierten Doppelbindungen[8].

---

[1] DBP 1173458 (1961), BASF, Erf.: W. Reppe u. A. Magin; C.A. **60**, 5340 (1964).
[2] DBP 1215139 (1962), BASF, Erf.: W. Reppe u. A. Magin; C.A. **65**, 8766 (1966).
[3] J. Hashimoto, M. Ryang u. S. Tsutsumi, J. Org. Chem. **33**, 3955 (1968).
[4] V. A. Ginsburg et al., Doklady Akad. SSSR **149**, 97 (1963); engl.: 188.
[5] H. Reinheimer et al., Am. Soc. **90**, 5321 (1968).
[6] US.P. 3193566 (1961/1965), Phillips Petroleum Co., Erf.: J. E. Wicklatz u. B. Franzus; C.A. **63**, 9985 (1965).
[7] J. A. Nieuwland u. R. C. Vogt, *The Chemistry of Acetylene*, S. 160. Reinhold Publishing Corp., New York 1945.
J. A. Nieuwland et al., Am. Soc. **53**, 4197 (1931).
s. ds. Bd., Kap. En-ine.
[8] Brit. P. 897099 (1960); Belg. P. 597857 (1960), ACC, Erf.: L. B. Buttinger; C. A. **57**, 11387 (1962).

b) C—C-Verknüpfung zum Aufbau von Polyenketten durch Abspaltungsreaktionen

Grundsätzlich besteht die Möglichkeit Polyenketten durch Wurtz-Reaktion nach folgendem Schema aufzubauen[1]:

$$ROOC-\underset{CH_3}{C}=CH-CH_2-Br \xrightarrow{Zn/Cu} ROOC-\underset{CH_3}{C}=CH-CH_2-CH_2-CH=\underset{CH_3}{C}-COOR \text{ u.a.}$$

$$\xrightarrow[2.\ -HBr]{1.\ Br_2} ROOC-\underset{CH_3}{C}=CH-CH=CH-CH=\underset{CH_3}{C}-COOR$$

2,7-Dimethyl-octatrien-(2,4,6)-disäure-diester, 5% Gesamtausbeute

Hierher gehört auch die Wurtz-Reaktion mit 5-Brom-3-methyl-penten-(3)-in-(1) zur C_{12}-Verbindung mit anschließender Synthese von *7,7'-Dihydro-β-carotin*[2,3].

Die einzelnen Stufen dieses Reaktionstyps, der in der Polyenchemie nur selten verwendet wird, werden an anderen Stellen dieses Bandes besprochen[4].

Ebenso wird die Austauschreaktion zwischen Metall-acetyliden und Halogen-Verbindungen sowie die oxidative Kupplung von ungesättigten Verbindungen mit endständiger C≡C-Dreifachbindung, die erst in Folgereaktionen, z.B. durch anschließende partielle Hydrierung der C≡C-Dreifachbindungen zu Polyenen führen, und weitere Methoden zur Verknüpfung von zwei Acetylen-Gruppen an anderer Stelle dieses Handbuches besprochen[5].

Es gibt aber auch Möglichkeiten zum direkten Aufbau von Polyenketten nach formal ähnlichen Syntheseprinzipien.

1. Abspaltung von Halogenwasserstoff oder Halogen

Zur C—C-Verknüpfung von ungesättigten Halogen-Verbindungen unter Abspaltung von Halogenwasserstoff bzw. Halogen können verschiedene Abspaltungsmittel eingesetzt werden:

① Natriumamid in flüssigem Ammoniak, z. B.:

$$2\ H_2C=CH-CH_2-Cl \xrightarrow[-2\ HCl]{} H_2C=CH-CH=CH-CH=CH_2$$

Hexatrien-(1,3,5)[6]; 30% d.Th.

$$2\ H_2C=CH-CH=CH-CH_2-Cl \xrightarrow[-2\ HCl]{} H_2C=CH-(CH=CH)_3-CH=CH_2$$

Decapentaen-(1,3,5,7,9)[7]; 5% d.Th.; F: ~ 145°

---

[1] H. H. Inhoffen, H. J. Krause u. S. Bork, A. **585**, 132 (1954).
[2] H. H. Inhoffen, H. Pommer u. K. Winkelmann, A. **568**, 174 (1950).
[3] H. H. Inhoffen, H. Pommer u. E.-G. Meth, A. **572**, 151 (1951).
[4] 1. und 2. Stufe, C–C-Verknüpfung, Bromierung, s. ds. Bd., S. 138ff.
3. Stufe, Abspaltung von HBr, s. S. 48.
[5] 1. Stufe, C—C-Verknüpfung, s. ds. Handb., Bd. V/2, Kap. Acetylene und Kap. Polyine.
2. Stufe, partielle Hydrierung, s. S. 76.
[6] M. S. Kharasch u. E. Sternfeld, Am. Soc. **61**, 2318 (1939).
[7] A. D. Mebane, Am. Soc. **74**, 5227 (1952).

$$2\ H_2C{=}CH{-}(CH{=}CH)_2{-}CH_2{-}Br \xrightarrow[-2\,HBr]{} H_2C{=}CH{-}(CH{=}CH)_5{-}CH{=}CH_2$$

Tetradecaheptaen-(1,3,5,7,9,11,13)[1]; unreines Konzentrat

$$2\ H_2C{=}C(CH_3){-}CH_2{-}Cl \xrightarrow[-2\,HCl]{} H_2C{=}C(CH_3){-}CH{=}CH{-}C(CH_3){=}CH_2$$

2,5-Dimethyl-hexatrien-(1,3,5)[2]; 27% d.Th.

$$2\ H_5C_6{-}CH{=}CH{-}CH_2{-}Cl \xrightarrow[-2\,HCl]{} H_5C_6{-}CH{=}CH{-}CH{=}CH{-}CH{=}CH{-}C_6H_5$$

1,6-Diphenyl-hexatrien-(1,3,5)[3, vgl. 4] (10% d.Th.)

② Natriumjodid bzw. Kaliumjodid/Aceton; z. B.:

$$2\ H_5C_6{-}CH{=}CH{-}CHCl_2 \xrightarrow{NaJ} H_5C_6{-}CH{=}CH{-}CH{=}CH{-}CH{=}CH{-}C_6H_5$$

1,6-Diphenyl-hexatrien-(1,3,5)[5]

$$2\ (H_5C_6)_2C{=}CH{-}CHBr_2 \xrightarrow{KJ,\,2\,Std.\,\nabla} (H_5C_6)_2C{=}CH{-}CH{=}CH{-}CH{=}C(C_6H_5)_2$$

1,1,6,6-Tetraphenyl-hexatrien-(1,3,5)[6,7]; 74% d.Th.; F: 204°

③ Aus einfach ungesättigten Verbindungen mit endständiger Trichlormethyl-Gruppe vom Typ I entstehen durch Reaktion mit Kupfer-Pulver in Pyridin oder anderen Lösungsmitteln neben den chlorierten Dienen auch Triene[8, vgl. a. 9]; z.B.:

$$2\ \underset{\text{I}}{R{-}CH{=}CH{-}CCl_3} \xrightarrow{Cu} R{-}CH{=}CH{-}C(Cl){=}C(Cl){-}CH{=}CH{-}R$$

④ Durch Bestrahlung von Tetrachlor-äthylen mit ^{60}Co während 250 Stdn. bei 20° soll eine Flüssigkeit mit *Dekachlor-octatetraen-(1,3,5,7)* als Hauptprodukt entstehen[10].

2. Abspaltung von Schwefelwasserstoff oder Schwefel

Zwei Mol 3-Mercapto-1-phenyl-propen lassen sich katalytisch unter Schwefelwasserstoff-Abspaltung miteinander kondensieren[11]:

$$2\ C_6H_5{-}CH{=}CH{-}CH_2{-}SH \xrightarrow[-2\,H_2S]{} C_6H_5{-}(CH{=}CH)_3{-}C_6H_5$$

1,6-Diphenyl-hexatrien-(1,3,5)

Günstig für diese Reaktion sind als Katalysatoren kristalline, überwiegend in dehydratisierter Form vorliegende Zeolithe.

Polyen-thioaldehyde oder -selenoaldehyde können durch Piperidin und ähnliche Amine, sowie durch Metalle, Metallcarbonate u.a. unter Abspaltung des

[1] A. D. Mebane, Am. Soc. **74**, 5227 (1952).
[2] M. S. Kharasch, W. Nudenberg u. E. Sternfeld, Am. Soc. **62**, 2034 (1940).
[3] M. S. Kharasch, W. Nudenberg u. E. K. Fields, Am. Soc. **66**, 1276 (1944).
[4] J. F. Normant, Bl. **1965**, 859.
[5] A. Schönberg u. A. F. A. Ismail, Soc. **1945**, 200.
[6] H. Tani u. F. Toda, Chem. & Ind. **1963**, 1083.
[7] F. Toda u. H. Tani, Bl. chem. Soc. Japan **37**, 915 (1964).
[8] L. M. Jagupol'skij u. E. A. Čajka, Ž. org. Chim. **2**, 1744 (1966); engl.: 1716.
[9] M. Ballester, A. D. Report 609569 (1964); C.A. **63**, 1673 (1965).
[10] USSR.P. 179547 (1964), L. M. Kogan et al.
[11] US.P. 3254131 (1961/1966), Socony, Erf.: P.S. Landis; C.A. **65**, 5397 (1966).

Schwefels bzw. Selens zu den entsprechenden symmetrischen Polyenkohlenwasserstoffen dimerisiert werden[1], z.B.:

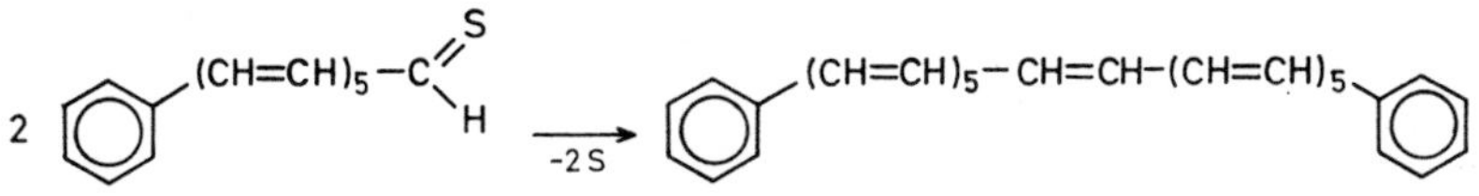

$$2\ C_6H_5-(CH=CH)_5-CH=S \xrightarrow{-2\,S} C_6H_5-(CH=CH)_5-CH=CH-(CH=CH)_5-C_6H_5$$

1,22-Diphenyl-docosaundecaen-(1,3,5,7,9,11,13,15,17,19,21)

Dieses „Thioaldehyd-Verfahren“ liefert aber bei der Übertragung auf die analoge Umsetzung von Vitamin A-Thioaldehyd zu *β-Carotin* nur geringe Ausbeuten[2]. Hier führt eine abgewandelte Methode zum Ziel: Polyen-Aldehyde mit β-ständiger Methyl-Gruppe lassen sich, auch mit längerer Polyenkette, nach der „Thiapyran-Methode“ zu symmetrischen Polyenen dimerisieren[2,3]:

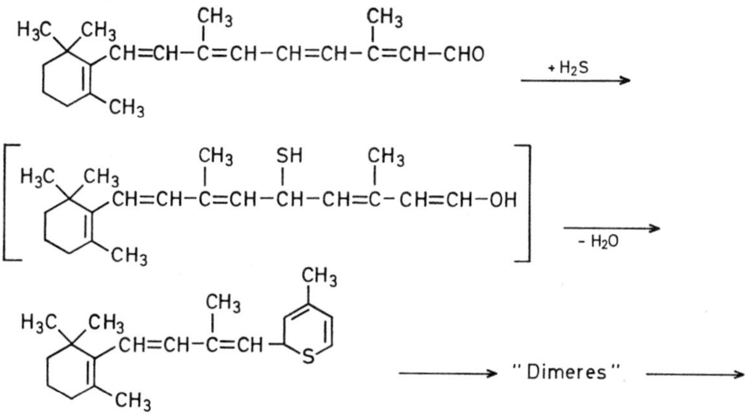

„C_{20}-*Thiapyran*“

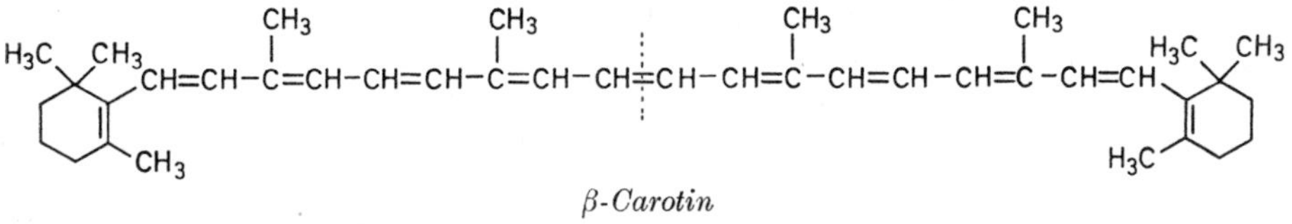

β-Carotin

Zur Erzielung der besten Ausbeuten bei der Herstellung von β-Carotin nach diesem Verfahren setzt man entweder 13-*cis*-Vitamin A-Aldehyd ein, oder man verwendet *all-trans*-Vitamin A-Aldehyd mit Zusatz von etwas Anilin-hydrochlorid[2]. Analog zum Vitamin A-Aldehyd wurden umgesetzt

β-Jonyliden-acetaldehyd	→	*β-C_{30}-Kohlenwasserstoff* {*3,8-Dimethyl-1,10-bis-*[*2,6,6-trimethyl-cyclohexen-(1)-yl*]*-decapentaen-(1,3,5,7,9)*} I
3-Methyl-7-phenyl-heptatrien-(2,4,6)-al	→	*5,10-Dimethyl-1,14-diphenyl-tetradecaheptaen-(1,3,5,7,9,11,13)*
3-Methyl-5-phenyl-pentadien-(2,4)-al	→	*3,8-Dimethyl-1,10-diphenyl-decapentaen-(1,3,5,7,9)*

---

[1] R. KUHN, Ang. Ch. **50**, 703 (1937).
[2] A. J. CHECHAK, M. H. STERN u. C. D. ROBESON, J. Org. Chem. **29**, 187 (1964).
[3] Brit.P. 945882 (1960), Eastman Kodak Co., Erf.: A. J. CHECHAK, C. D. ROBESON u. M. H. STERN; vgl. C.A. **56**, 3521[f] (1962).

Die Reaktion mit Schwefelwasserstoff zum 2H-Thiapyran-Derivat (~ 95% d. Th.) erfolgt bei niedrigen Temperaturen (z. B. –10°) in Pyridin-, Chinolin- oder Anilin-Lösung. Die Desulfurierung wird z. B. durch Erhitzen einer Lösung des Thiapyrans in den o. g. Aminen in Gegenwart von Zinkamalgam erreicht (~ 70% d. Th.). Als Zwischenstufe entsteht dabei ein Dimeres von nicht genau bekannter Konstitution.

Die „Thiapyran-Methode" steht in engem Zusammenhang mit dem Einstufen-Verfahren zur Herstellung von symmetrischen Polyenen durch reduktive Dimerisierung der entsprechenden Aldehyde mit Phosphor(V)-sulfid[1]. Z. B. konnte aus Vitamin A-Aldehyd durch Erhitzen in Pyridin mit Phosphor(V)-sulfid auf 80–120° *β-Carotin* und analog aus „Pseudovitamin A-Aldehyd" *Lycopin*, sowie aus *β*-Jonyliden-acetaldehyd der *β*-C_{30}-Kohlenwasserstoff (I; S. 83) hergestellt werden[1]. Auch im Jonon-Ring durch Alkoxy- oder Acyloxy-Gruppen substituierte Vitamin A-Aldehyde können nach diesem Verfahren umgesetzt[1] werden.

β-Carotin[2]:

H_3C CH_3 (2,6,6-Trimethyl-cyclohexenyl)–CH=CH–C(CH_3)=CH–CH=CH–C(CH_3)=CH–CHO $\xrightarrow{P_2S_5}$ *β-Carotin*

4-Methyl-2-{2-methyl-4-[2,6,6-trimethyl-cyclohexen-(1)-yl]-butadien-(1,3)-yl}-2H-thiapyran („C_{20}-Thiapyran", s. S. 83): Eine Lösung von 10,0 g 13-*cis*-Vitamin A-Aldehyd in 15 *ml* trockenem Pyridin wird tropfenweise zu 85 *ml* kaltem (–10°), mit Schwefelwasserstoff ges. Pyridin gegeben. Die Reaktionsmischung wird 4 Stdn. bei –10° weitergerührt unter Durchleiten von Schwefelwasserstoff-Gas. Anschließend wird mit 300 *ml* Diisopropyläther verdünnt und die Ätherphase nacheinander 2 mal mit kalter, 5%iger Salzsäure, 1 mal mit ges. Natriumhydro-gencarbonat-Lösung und dann mit Wasser gewaschen (bis zur Neutralität). Nach dem Trocknen über wasserfreiem Natriumsulfat wird der Äther abgedampft; Rückstand: 10,4 rotes Öl.

Das Öl wird in Petroläther (Kp: 60–71°) gelöst und an einer Säule mit Spezial-Magnesiumsilikat chromatographiert. Durch häufiges Waschen der Säule mit Petroläther werden die nicht-adsorbierten Anteile (grüngelbe Zone) herausgelöst und der Petroläther abgedampft; Ausbeute: 8,0 g (~ 70% d. Th.), hellgelbes Öl.

β-Carotin: Eine Lösung von 9,9 g des „C_{20}-Thiapyrans" in 100 *ml* trockenem Pyridin wird mit Kohlendioxid gesättigt (15 Min. Kohlendioxid durchleiten). Dann wird die Lösung zu 20 g frisch hergestelltem und pulverisiertem Zinkamalgam gegeben. Nach 1 Stde. wird auf 70° erwärmt und die Reaktionsmischung weitere 9 Stdn. unter Kohlendioxid bei 70° gehalten. Nach Abkühlen auf 20° wird filtriert und der Filterkuchen gründlich mit Diisopropyläther gewaschen. Filtrat und Ätherauszüge werden vereinigt und nacheinander mit 5%iger Salzsäure, ges. wäßriger Natriumhydrogencarbonat-Lösung und Wasser bis zur Neutralität gewaschen. Nach dem Trocknen über wasserfreiem Natriumsulfat wird der Äther abgedampft. Es verbleiben 9,5 g eines *β*-Carotin-Konzentrats als roter fester Stoff. Durch Umkristallisation aus Benzol/Ameisensäure-äthylester (1 : 1) bei 0° erhält man reines *all-trans-β-Carotin* (violette Plättchen), F: 182–182,5°.

3. Abspaltung von weiteren Verbindungen

Es sei noch hingewiesen auf die Bildung von Polymethinen (s. ds. Bd., Kap. Cyanine, S. 229) durch Abspaltung der N-Methyl-anilino-Gruppe unter C–C-Verknüpfung[3], z. B.:

---

[1] US. P. 2932674 (1959/1960); 3033897 (1960/1962), Eastman Kodak Co., Erf.: C. D. ROBESON; C. A. **54**, 24852 (1960).

[2] A. J. CHECHAK, M. H. STERN u. C. D. ROBESON, J. Org. Chem. **29**, 187 (1964).

[3] C. JUTZ u. E. MÜLLER, Ang. Ch. **78**, 747 (1966).

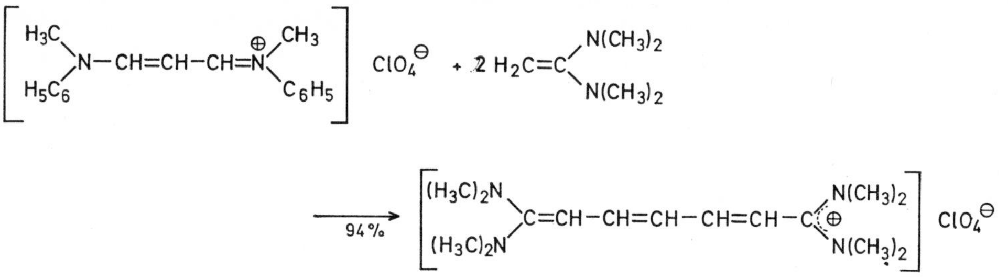

$$\left[\begin{matrix}H_3C\\H_5C_6\end{matrix}\!\!>N-CH=CH-CH=\overset{\oplus}{N}\!\!<\begin{matrix}CH_3\\C_6H_5\end{matrix}\right] ClO_4^{\ominus} + 2\ H_2C=C\!\!<\begin{matrix}N(CH_3)_2\\N(CH_3)_2\end{matrix}$$

$$\xrightarrow[94\%]{} \left[\begin{matrix}(H_3C)_2N\\(H_3C)_2N\end{matrix}\!\!>C=CH-CH=CH-CH=CH-C\overset{\oplus}{\lessdot}\begin{matrix}N(CH_3)_2\\N(CH_3)_2\end{matrix}\right] ClO_4^{\ominus}$$

7,7-Bis-[dimethylamino]-heptatrien-(2,4,6)-tetramethyl-amidinium-perchlorat

c) C—C-Verknüpfung zum Aufbau von Polyenketten mit Hilfe von C-Metall-Verbindungen von Olefin- oder Dien-Ketten

Aus *trans*-1,2-Dichlor-äthylen werden durch oxidative Kupplung der daraus gewonnenen Lithium-Verbindungen definierte *trans*-Perchlor-1H,ωH-Polyene erhalten[1] (zum Reaktionsmechanismus s. Literatur[2]):

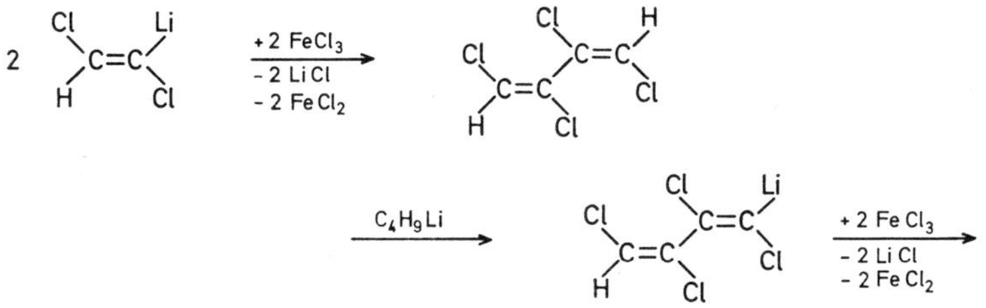

$$2\ \begin{matrix}Cl\\H\end{matrix}\!\!>C=C\!\!<\begin{matrix}Li\\Cl\end{matrix} \xrightarrow[-2\ LiCl,\ -2\ FeCl_2]{+2\ FeCl_3} \begin{matrix}Cl\\H\end{matrix}\!\!>C=C(Cl)-C(Cl)=C\!\!<\begin{matrix}H\\Cl\end{matrix}$$

$$\xrightarrow{C_4H_9Li} \begin{matrix}Cl\\H\end{matrix}\!\!>C=C(Cl)-C(Cl)=C\!\!<\begin{matrix}Li\\Cl\end{matrix} \xrightarrow[-2\ LiCl,\ -2\ FeCl_2]{+2\ FeCl_3} \textit{Octachlor-octatetraen usw.}$$

Man kann auch derartige Organo-lithium-Verbindungen von verschiedener Kettenlänge miteinander kuppeln und so zu einer Vielfalt verschiedener Chlor-polyene gelangen:

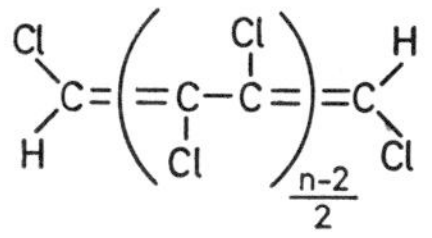

$$\begin{matrix}Cl\\H\end{matrix}\!\!>C=\left(=\underset{Cl}{C}-\overset{Cl}{C}=\right)_{\frac{n-2}{2}}=C\!\!<\begin{matrix}H\\Cl\end{matrix}$$

n = 4; *1,2,3,4-Tetrachlor-butadien*
n = 6; *1,2,3,4,5,6-Hexachlor-hexatrien*
n = 8; *1,2,3,4,5,6,7,8-Octachlor-octatetraean*
n = 12; *Dodecachlor-1H,12H-dodecahexaen*
n = 16; *Hexadecachlor-1H,16H-hexadecaoctaen*

Da die Organo-lithium-Verbindungen nur bei tiefen Temperaturen haltbar sind, werden sie aus dem betreffenden Chlor-äthylen mit 1 Mol Butyl-lithium in Tetrahydrofuran bei −110° hergestellt und auch bei dieser Temperatur weiter mit 1–2 Mol Eisen(III)-chlorid umgesetzt. Nach dem Erwärmen auf Raumtemperatur liegen die Dimeren bzw. Polymeren dann in meist guten Ausbeuten vor.

---

[1] G. Köbrich u. H. Büttner, Naturwiss. **54**, 491 (1967).
[2] G. Köbrich u. H. Büttner, J. Organometallic Chem. **18**, 117 (1969).

Eine Reihe von kürzerkettigen Polyen-ketonen oder -aldehyden läßt sich durch Umsetzung von substituierten Vinyl-lithium- oder Magnesium-Verbindungen mit Chinazoliniumsalzen, Pyryliumsalzen oder mit Vinylogen des N,N-Dimethyl- bzw. N-Methyl-N-phenyl-formamids herstellen. Bei der Reaktion von z.B. 2-Phenyl-vinyl-magnesiumbromid mit Chinazoliniumbromid erhält man *6-Phenyl-1-pyridyl-(2)-hexatrien-(1,3,5)*[1]:

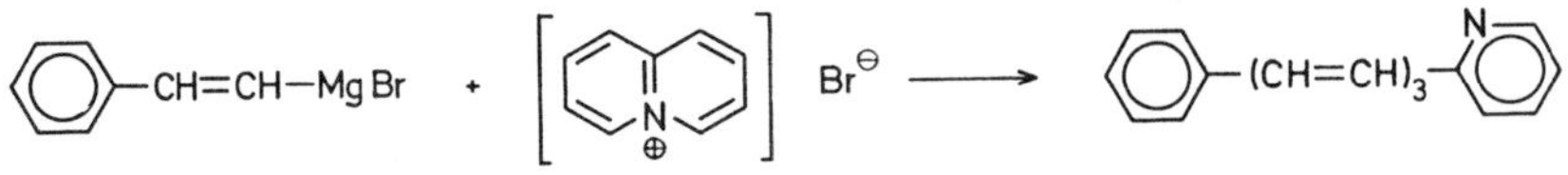

C_6H_5–CH=CH–MgBr + [Chinazolinium]$^{\oplus}$ $Br^{\ominus}$ ⟶ C_6H_5–$(CH{=}CH)_3$–(2-Pyridyl)

Bei der Umsetzung von 2,4,6-Trimethyl-pyrylium-perchlorat mit 2-Phenyl-vinyl-magnesiumbromid entsteht unter Valenzisomerisierung des intermediär durch Addition gebildeten α-Pyrans als offenkettiges Polyenketon das *7-Oxo-3,5-dimethyl-1-phenyl-octatrien-(1,3,5)*[2] (I) (53–60% d.Th.):

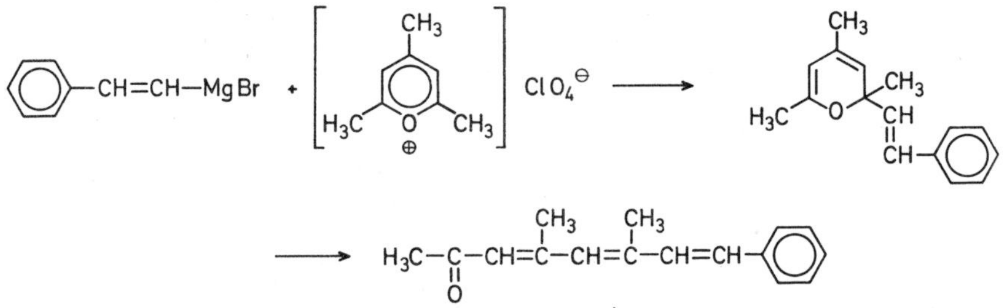

C_6H_5–CH=CH–MgBr + [2,4,6-Trimethyl-pyrylium]$^{\oplus}$ $ClO_4^{\ominus}$ ⟶ 2,4,6-Trimethyl-2-(2-phenyl-vinyl)-2H-pyran

⟶ H_3C–CO–CH=C(CH_3)–CH=C(CH_3)–CH=CH–C_6H_5

I

Polyenketone vom Typ I; allgemeine Herstellungsvorschrift[2]: Zu 45 mMol Grignard-Verbindung in 50 *ml* wasserfreiem Äther werden bei –30° 10 g (45 mMol) 2,4,6-Trimethyl-pyrylium-perchlorat in kleinen Anteilen eingetragen, so daß die Temp. nicht über –25° ansteigt. Danach wird so lange gerührt (~ 10 Min.), bis der Gilman-Test negativ ist. Dann wird mit 45 *ml* ges. Ammoniumchlorid-Lösung hydrolysiert, die Ätherphase abgetrennt und der wäßrige Anteil 3 mal mit je 30 *ml* Äther ausgeschüttelt. Die vereinigten Ätherauszüge werden mit Ammoniumchlorid-Lösung und mit Wasser gewaschen. Nach Trocknen über Calciumchlorid wird der Äther abdestilliert.

Im Falle des *7-Oxo-3,5-dimethyl-1-phenyl-octatriens-(1,3,5)* wird das erhaltene Produkt mit wenig Petroläther (Kp: bis 40°) oder Methanol digeriert und vom ungelösten 1,4-Diphenyl-butadien abfiltriert; Rohausbeute: 85–97% d. Th.; das Rohprodukt wird durch Chromatographie oder Destillation gereinigt; Reinausbeute: 53–60% d.Th.; $Kp_{0,01}$: 128–132°; Semicarbazon F: 198,5–199,5° (aus Äthanol).

Ähnlich reagieren vinyloge N-substituierte Formamide; z.B.:

$(H_5C_6)_2C{=}CH{-}MgBr + H_5C_6{-}N(CH_3){-}(CH{=}CH)_2{-}CHO \longrightarrow (H_5C_6)_2C{=}CH{-}(CH{=}CH)_2{-}CHO$

7,7-Diphenyl-heptatrien-(2,4,6)-al[3]

oder als abgewandelte Reaktion[4]:

---

[1] T. Miyadera, E. Ohki u. I. Iwai, Chem. pharm. Bl. [Japan] **12**, 1344 (1964). Vgl. US.P. 3382240 (1965/1968), I. Iwai et al.

[2] G. Köbrich u. D. Wunder, A. **654**, 131 (1962).

[3] C. Jutz, B. **91**, 1867 (1958).

[4] G. Köbrich u. W. E. Breckoff, A. **704**, 42 (1967).

$$C_6H_5-CH=CH-MgBr\,(Li) + (H_3C)_2N-CH=CH-\underset{R}{C}=CH-CHO \xrightarrow{+HClO_4} \left[C_6H_5-(CH=CH)_2-\underset{R}{C}=CH-CH=\overset{\oplus}{N}(CH_3)_2\right] ClO_4^{\ominus}$$

R = H; *7-Dimethylimminio-1-phenyl-heptatrien-(1,3,5)-perchlorat*
R = CH_3; *7-Dimethylimminio-5-methyl-1-phenyl-heptatrien-(1,3,5)-perchlorat*

Bei diesen Reaktionen ist als theoretische Zwischenstufe ein durch 1,2-Addition an der Formyl-Gruppe gebildetes Carbinol anzunehmen[1]:

$$C_6H_5-CH=CH-\underset{OH}{CH}-CH=\overset{R}{C}-CH=CH-N(CH_3)_2$$

Die Gewinnung der Polyenaldehyde als Immoniumperchlorate ist wegen der Schwerlöslichkeit und dadurch erleichterten Abtrennbarkeit der Perchlorate günstig.

7-Dimethylimminio-5-methyl-1-phenyl-heptatrien-(1,3,5)-perchlorat[1]: Aus 1,39 g (10 mMol) 5-Dimethylamino-3-methyl-pentadien-(2,4)-al in 25 *ml* Tetrahydrofuran und 10 mMol ätherischer 2-Phenyl-vinyl-magnesiumbromid-Lösung erhält man bei 0° einen gelbbraunen Kristallbrei. Nach negativem Gilman-Test wird mit einer Lösung von 3,0 g Natriumperchlorat in verd. Essigsäure hydrolysiert. Es entstehen 2 klare Phasen. Setzt man 10%ige Perchlorsäure zu, so scheiden sich rotbraune, schmierige Kristalle ab, die man mit Tetrahydrofuran und Äther wäscht und 2 mal aus Acetonitril/Äthanol umkristallisiert; Ausbeute: 0,58 g (18% d. Th.); F: 188,5° (Zers.). Die Ausbeute ist verbesserungsfähig (laut Originalliteratur).

Semicarbazon: 0,5 g Immoniumperchlorat werden in wenig Acetonitril/Äthanol gelöst und langsam in eine nahezu siedende Lösung aus 2 g konz. wäßrigem Semicarbazid-hydrochlorid und 3 g wasserfreiem Natriumacetat mit 10 *ml* Äthanol eingetropft. Man erhält Kristalle vom F: 218,5–219° (Zers.) (aus Acetonitril/Äthanol).

Die Übertragung dieser Reaktion auf längerkettige Polyene[2] gelingt mit Hilfe der bei tiefen Temperaturen stabilen α-Halogen-Verbindungen der einzusetzenden Lithium-diene (Carbenoide). Die Gewinnung von halogenfreien Lithium-Verbindungen von aliphatisch substituierten konjugierten Doppelbindungssystemen ist bisher noch nicht beschrieben. Auf diese Weise sind die Endprodukte der Reaktion aber sinngemäß stets in 10-Stellung durch Halogen substituierte Polyenaldehyde. Als Kupplungsprodukt ist das bereits oben erwähnte 5-Dimethylamino-3-methyl-pentadien-(2,4)-al besonders günstig, weil es bequem aus 4-Methyl-pyridin durch Zincke-Spaltung zugänglich ist[3] und darüber hinaus die Methyl-Gruppe in der für Carotinoid-Synthesen richtigen Stellung trägt. Die entstehenden Aldehyde der Vitamin A-Reihe werden als Immoniumperchlorate oder auch direkt als Semicarbazon isoliert. Die freien Aldehyde sind leicht zersetzlich.

10-Chlor-Vitamin A-Aldehyd-Derivate[2]:

$$\text{(2,6,6-Trimethyl-cyclohexenyl)}-CH=CH-\overset{CH_3}{C}=CHCl \xrightarrow{C_4H_9Li} \text{(2,6,6-Trimethyl-cyclohexenyl)}-CH=CH-\overset{CH_3}{C}=C\begin{matrix}Li\\Cl\end{matrix}\ \text{(I)} + \text{Isomeres (II)}$$

---

[1] G. Köbrich u. W. E. Breckoff, A. **704**, 42 (1967).
[2] G. Köbrich, W. E. Breckoff u. W. Drischel, A. **704**, 51 (1967).
[3] G. Köbrich, A. **648**, 114 (1961).

I + II (S. 87) $\xrightarrow{+(CH_3)_2N-CH=CH-C(CH_3)=CH-CHO}$

[H3C CH3 … CH=CH–C(CH3)=C(Cl)–CH=CH–C(CH3)=CH–CH=N⊕(CH3)2] $ClO_4^{\ominus}$

⟶ H3C CH3 … CH=CH–C(CH3)=C(Cl)–CH=CH–C(CH3)=CH–CHO (als Derivat)

Die aus 4,5 g (20 mMol) β-Jonyliden-chlor-methan und Butyl-lithium bereiteten Carbenoide[1] werden bei —105° bis —110° innerhalb 40 Min. mit 2,8 g (20 mMol) 5-Dimethylamino-3-methyl-pentadien-(2,4)-al in 30 *ml* Tetrahydrofuran versetzt und 4 Stdn. bei dieser Temp. weiter-gerührt. Dann läßt man die Mischung nach Entfernen des Kühlbades auf ∼ —60° kommen und in einen Scheidetrichter einfließen, in dem man 50 *ml* 10%-ige Perchlorsäure vorgelegt hat. Der sofort ausfallende, rotschimmernde Kristallbrei wird nach dem Auftauen zentrifugiert, mit wenig Wasser und Äther gewaschen und über Phosphor(V)-oxid i. Vak. getrocknet. Man erhält 6,18 g (68% d.Th.) *10-Chlor-Vitamin A-Aldehyd-dimethyl-immoniumperchlorat* als rotbraunes Pulver (Roh-F: 163–165°), nach 1maligem Umfällen aus Äthanol/Acetonitril (7:1) (unter Zusatz von 1 Tropfen konz. Perchlorsäure) F: 175–176° (Zers.).

Ausführliche Angaben über Versuche zur Herstellung des freien Aldehyds, zur Herstellung des Oxims und dessen *cis-trans*-Isomeren finden sich in der Literatur[1].

Durch analoge Reaktionen erhält man z.B. *10-Brom-Vitamin A-Aldehyd*[1].

d) Aufbau von Polyenketten durch C–C-Verknüpfung mit Hilfe der „Carbonyl-Olefinierung“ (Wittig-Reaktion, „PO-aktivierte Olefinierung“ u. a.)

1. Theoretische Grundlagen und allgemeine Regeln

Aus dem weitverzweigten Gebiet der Phosphinalkylen-Chemie (Phosphorylide ↔ Phosphorylene) haben die Verfahren zur „Carbonyl-Olefinierung“ nach dem Prinzip der Wittig-Reaktion[2] außerordentlich große Bedeutung für den Aufbau von Polyenketten.

Dieser Reaktionstyp übertrifft in der Vielfalt seiner Anwendungsmöglichkeiten alle in den übrigen Abschnitten besprochenen Methoden zur Herstellung von Polyenen.

Über die Carbonyl-Olefinierung nach Wittig sind zahlreiche zusammenfassende Arbeiten mit ausführlicher Diskussion des Reaktionsmechanismus erschienen[3–11]. In vereinfachter Darstellung kann man die Reaktion beschreiben als Verknüpfung eines Triphenylphosphin-alkylens mit einer Carbonyl-Verbindung zu dem entsprechenden Olefin (Polyen) unter Abspaltung von Triphenylphosphinoxid, wobei der Sauerstoff

---

1 G. Köbrich, W. E. Breckoff u. W. Drischel, A. **704**, 51 (1967).

2 Die historische Entwicklung von H. Staudingers Arbeiten (1919) über Umsetzungen von Phosphinmethylenen bis zur Auffindung der Wittig-Reaktion (1953/54)[12–15] wurde von G. Wittig aufgezeichnet[10, vgl. 6].

3 U. Schöllkopf, Ang. Ch. **71**, 260 (1959).

4 S. Trippett, Adv. Org. Chem. Bd. I, S. 83 (1963).

5 L. D. Bergelson u. M. M. Shemyakin, Ang. Ch. **76**, 113 (1964).

6 L. Horner, Fortschr. chem. Forsch. **7**, S. 8 (1966/67).

(Fortsetzung s. S. 89)

der Carbonyl-Verbindung gegen die am Phosphor gebundene (substituierte)-CH= Gruppe ausgetauscht wird. Im vorliegenden Kapitel werden von all den sich daraus ergebenden Reaktionsmöglichkeiten sinngemäß nur Polyen-Synthesen beschrieben. Polyen-Verbindungen sind für die Wittig-Reaktion gut geeignet, weil die vorhandenen konjugierten Doppelbindungen die Neubildung einer weiteren Doppelbindung erleichtern.

$$R^1-(CH=CH)_x-CH=P(C_6H_5)_3 + O=\underset{R^2}{\underset{|}{C}}-(CH=CH)_y-R^3 \longrightarrow$$

R_2 = H oder Alkyl

$$R^1-(CH=CH)_x-CH=CR^2-(CH=CH)_y-R^3 + (H_5C_6)_3PO$$

Im Prinzip bietet diese Reaktion analoge Aufbaumöglichkeiten für Polyenketten wie Grignard- oder Reformatzky-Reaktionen, aber die Wittig-Reaktion bringt etliche Vorteile:

① Durch die alkalischen Reaktionsbedingungen und meist niedrigen Arbeitstemperaturen, sowie durch den Fortfall einer Wasser-Abspaltung entstehen weniger Isomere; in der Carotinoidreihe werden Retro-Umlagerungen vermieden (vgl. S. 67 f.).

② Außerdem sind die Triphenylphosphin-alkylene sehr leicht aus gängigen Verbindungsklassen, wie Halogeniden, Alkoholen usw. zugänglich (s. u.), so daß eine sehr breite Palette von Synthesemöglichkeiten zur Auswahl steht.

Bei dieser allgemeinen Einführung wird gleich speziell von Triphenyl-phosphin-alkylenen gesprochen, weil unter den möglichen Phosphinen das Triphenylphosphin von Anfang an das „Mittel der Wahl" für die Wittig-Reaktion war und bis heute geblieben ist – abgesehen von Spezialfällen: wie der Einsatz von Tricyclohexylphosphin oder Tris-[alkylamino]-phosphinen s. S. 94, 124 f.

Die oben nur summarisch in der Endgleichung kurz skizzierte Polyen-Synthese durch Carbonyl-Olefinierung nach Wittig verläuft im einzelnen folgendermaßen:

① Herstellung von Phosphoniumsalzen als Vorstufe für die Carbonyl-Olefinierung:

ⓐ $$R-CH_2-Hal + P(C_6H_5)_3 \longrightarrow [R-CH_2-\overset{\oplus}{P}(C_6H_5)_3]\ Hal^{\ominus}$$

ⓑ $$R-CH_2-OR' + [H\overset{\oplus}{P}(C_6H_5)_3]Hal^{\ominus}(X^{\ominus}) \xrightarrow[-HOR']{} [R-CH_2-\overset{\oplus}{P}(C_6H_5)_3]\ Hal^{\ominus}\ (X^{\ominus})$$

ⓒ $$R-CH_2-OR' + P(C_6H_5)_3 + HHal\ (HX) \xrightarrow[-HOR']{} [R-CH_2-\overset{\oplus}{P}(C_6H_5)_3]\ Hal^{\ominus}\ (X^{\ominus})$$

R' = H; CO-R'' $Hal^{\ominus}$ = $Br^{\ominus}$, $Cl^{\ominus}$; $X^{\ominus}$ z.B. $SO_4^{2\ominus}$

ⓓ Umsetzung von carotinoiden Retrokohlenwasserstoffen nach ⓑ oder ⓒ

Zur analogen Umsetzung von Polyenäthern s. Lit.[1], von Sulfonsäureestern s. Lit. [2].

---

[1] US.P. 3347932 (1964/1967), Eastman Kodak, Erf.: A. J. CHECHAK; C.A. **68**, 96004 (1968).
[2] D. KLAMANN u. P. WEYERSTAHL, B. **97**, 2534 (1964).

(Fortsetzung v. S. 88.

[7] S. TRIPPETT, Quart. Rev. **17**, 406 (1963); Pure Appl. Chem. **9**, 255 (1964).
[8] J. LEVISALLES, Bl. **1958**, 1021.
[9] A. MAERCKER, Org. Reactions XIV, 270 (1965).
[10] G. WITTIG, Pure Appl. Chem. **9**, 245 (1964).
[11] H. J. BESTMANN, *Neuere Methoden der präparativen organischen Chemie*, Bd. 5, S. 1 (1967), Verlag Chemie, Weinheim.
[12] G. WITTIG u. G. GEISSLER, A. **580**, 44 (1953).
[13] G. WITTIG u. U. SCHÖLLKOPF, B. **87**, 1318 (1954).
[14] G. WITTIG, Ang. Ch. **68**, 505 (1956).
[15] G. WITTIG u. W. HAAG, B. **88**, 1654 (1955).

R = —(CH=CH)$_n$— ...., auch substituiert durch Alkyl-Gruppen, Ringe oder funktionelle Gruppen oder ungesättigte Ketten mit eingeschobener C≡C-Dreifachbindung. Wenn die Kette nur um 1 neue Doppelbindung verlängert werden soll, ist n sinngemäß = 0 und für R tritt z. B. COOR, CN, CO—R′ ein.

② Herstellung der Phosphin-alkylene (Phosphor-ylide, -ylene; Phosphorane) aus den Phosphoniumsalzen durch Deprotonierung

$$[R-CH_2-\overset{\oplus}{P}(C_6H_5)_3]\,Hal^{\ominus}(X^{\ominus}) \xrightarrow[-HHal\,(-HX)]{Base} R-\overset{\ominus}{C}H-\overset{\oplus}{P}(C_6H_5)_3 \longleftrightarrow R-CH=P(C_6H_5)_3$$

In Ausnahmefällen kann man auch durch Umylidierungen geeignete Ylide erhalten, z.B. bei der Umsetzung von Triphenylphosphin-allylen mit Chlorameisensäureester[1,2] oder bei der C-Acylierung von Phosphinalkylenen[1,3,4] (vgl. auch Herstellung von divinylogen Phosphin-methylenen aus konjugierten Diinen[5]).

③ Carbonyl-Olefinierung nach Wittig
(Umsetzung der Phosphor-ylide ↔-ylene mit Carbonyl-Verbindungen; häufig wird direkt die bei ② erhaltene Reaktionslösung eingesetzt)

ⓐ

$$\begin{matrix} R-CH=P(C_6H_5)_3 \\ \updownarrow \\ R-\overset{\ominus}{C}H-\overset{\oplus}{P}(C_6H_5)_3 \end{matrix} + \begin{matrix} R'-\overset{\oplus}{C}(R'')-\overline{O}|^{\ominus} \\ \updownarrow \\ R'-C(R'')=\overline{O} \end{matrix} \longrightarrow \begin{matrix} R-CH-\overset{\oplus}{P}(C_6H_5)_3 \\ | \\ R'-C(R'')-\overline{O}|^{\ominus} \end{matrix} \longrightarrow$$

$$\left[\begin{matrix} R-CH-P(C_6H_5)_3 \\ |\quad\quad | \\ R'-C(R'')-\overline{O}| \end{matrix}\right] \longrightarrow \begin{matrix} R-CH \\ \| \\ R'-C-R'' \end{matrix} + OP(C_6H_5)_3$$

R bzw. R′ = —(CH=CH)$_n$ ..., auch substituiert durch Alkyl-Gruppen, Ringe oder funktionelle Gruppen, oder ungesättigte Ketten mit eingeschobener C≡C-Dreifachbindung

R″ = H oder Alkyl

Die Summe 2n der vorgegebenen Doppelbindungen in der Kette von R und R′ muß sinngemäß bei Polyen-Synthesen mindestens = 2 sein. Die Reaktion ist auch für hochungesättigte Ketten sehr gut anwendbar.

ⓑ als Eintopf-Verfahren[6,7] direkt aus α,β-ungesättigten Alkoholen oder deren Estern (oder auch aus „Retro“-Kohlenwasserstoffen):

$$\cdots\cdots CH=CH-CH_2OH + R'-\underset{R''}{C}=O \xrightarrow[-(C_6H_5)_3PO]{(C_6H_5)_3P,\ HX} \cdots\cdots CH=CH-CH=\underset{R''}{C}R'$$

[1] H. J. Bestmann, *Neuere Methoden der präparativen organischen Chemie*, Bd. 5, S. 1 (1967), Verlag Chemie, Weinheim.
[2] H. J. Bestmann u. H. Schulz, A. **674**, 11 (1964).
[3] M. S. Barber et al., Soc. [C] **1966**, 2166.
[4] Weitere Lit. hierzu s. S. 98.
[5] H. E. Sprenger u. W. Ziegenbein, Ang. Ch. **77**, 1011 (1965).
[6] H. Pommer, Ang. Ch. **72**, 811 (1960).
[7] H. Pommer, Ang. Ch. **72**, 911 (1960).

Das Formelschema ① (S. 89) zeigt die verschiedenen Möglichkeiten zur Herstellung der Phosphoniumsalze. Bei der „klassischen" Methode[vgl. 1] wird ein entsprechendes ungesättigtes Halogenid mit Triphenylphosphin umgesetzt. Da aber Carotinoidhalogenide mit endständiger $-CH_2Hal$-Gruppe häufig nur schwer zugänglich sind, bietet hier die direkte Umsetzung von Alkoholen mit Triphenyl-phosphonium-halogeniden oder -sulfaten[2–4] (vgl. a. S. 95f., Tab. 8, S. 118) große Vorteile bzw. ermöglicht z.T. überhaupt erst Polyen-Synthesen mit guten Ausbeuten.

Häufig ist es auch günstig, die Carbonsäureester der ungesättigten Alkohole einzusetzen[5,6], wenn diese Ester leichter herstellbar oder stabiler sind. Die Reaktion verläuft dann genauso glatt wie mit den freien Alkoholen.

Auf die Möglichkeit, bei carotinoiden Alkoholen eine Allyl-Umlagerung mit der Phosphoniumsalz-Herstellung zu verbinden (ohne Retro-Umlagerung!) ist bereits auf S. 72 hingewiesen worden. Auch für „Eintopf"-Carbonyl-Olefinierungen kann z.B. direkt das noch nicht umgelagerte 9-Vinyl-β-jonol eingesetzt werden (s. S. 114, 116)[2,7–9]. Daß auch carotinoide „Retro"-Kohlenwasserstoffe einsetzbar sind und dabei Phosphoniumsalze mit „normaler" Konjugation der Doppelbindungen bilden (s. S. 72, 117, 124), ist präparativ von Bedeutung[2,9].

Für den zweiten Reaktionsschritt (siehe Formelschema ②, S. 90), die Deprotonierung der Triphenylphosphoniumsalze durch Basen zum Ylid, ist die Acidität der Phosphoniumsalze entscheidend (Phosphoniumsalze und Ylide als Säure-Basen-Paar im Sinne von Brönstedt[10]). Der in den obigen Formelbildern aufgeführte variable α-ständige Rest R ist für die unterschiedliche Acidität der Triphenylphosphoniumsalze maßgebend:

Elektronenanziehende Gruppen wie —C=C-Doppelbindungen, —C=O, —COOR, —CN erhöhen die Acidität der Phosphoniumsalze, so daß sie besonders leicht ein Proton aus der Methylen-Gruppe abgeben. Die drei Phenyl-Reste wirken in der gleichen Richtung. So läßt sich aus derartigen Phosphoniumsalzen Halogenwasserstoff bzw. allgemein HX schon mit relativ schwachen Basen abspalten. Bei einem mehrfach ungesättigten Rest R nimmt die Stabilisierung des Carbanions durch Mesomerie mit wachsender Zahl der Doppelbindungen zu.

Je nach der Struktur von R kann man daher zur Herstellung des Ylids aus den Phosphoniumsalzen z.B. folgende Basen verwenden[2,9,11–15]:

Phenyl- oder Butyl-lithium (in Äther, Tetrahydrofuran), andere metallorganische Verbindungen, Alkalimetall- oder Erdalkalimetall-alkoholate (in Alkohol ev. im Gemisch mit Dichlormethan, Dimethylformamid), Alkalimetall- oder Erdalkalimetall-hydroxide (in Wasser), Amine, Alkalimetallamide, Alkalimetallcarbonate oder auch 1,5-Diaza-bicyclo[4.3.0]nonen-(5) in Dimethylsulfoxid[16]. Äthylenoxide sind ebenfalls geeignet als Halogenwasserstoffacceptor[17]. Auch Dimethylsulfoxid-Anion in Dimethylsulfoxid wurde verwendet[10,18].

---

1 G. M. Kosolapoff, *Organophosphorus Compounds*, John Wiley & Sons, New York 1950.
A. W. Johnson, „*Ylid Chemistry*", Acad. Press New York 1966

2 H. Pommer, Ang. Ch. **72**, 911 (1960).

3 DBP 1046046 (1956), BASF, Erf.: W. Sarnecki u. H. Pommer; C.A. **54**, 19595 (1960).

4 DBP 1068707 (1958), BASF, Erf.: H. Pommer u. W. Sarnecki; C.A. **55**, 10499 (1961).

5 DBP 1155126 (1962), BASF, Erf.: W. Sarnecki, A. Nürrenbach u. W. Reif; C.A. **60**, 1806 (1964).

6 DBP 1203264 (1963), BASF, Erf.: A. Nürrenbach, W. Sarnecki u. W. Reif; C.A. **62**, 10470 (1965).

7 DBP 1068703 (1958), BASF, Erf.: H. Pommer u. W. Sarnecki; C.A. **55**, 13473 (1961).

8 DBP 1068702 (1958), BASF, Erf.: H. Pommer u. W. Sarnecki; C.A. **55**, 10812 (1961).

9 H. Pommer, Ang. Ch. **72**, 811 (1960).

10 H. J. Bestmann, *Neuere Methoden der präparativen orgxnischen Chemie*, Bd. 5, S. 1 (1967).

11 U. Schöllkopf, Ang. Ch. **71**, 260 (1959).

(Fortsetzung s. S. 92)

Am häufigsten wird die Alkoholat-Methode angewendet. Für Spezialfälle ist es günstig, daß man auch mit wäßrigen Laugen arbeiten kann. Durch die Möglichkeit zur Ausschaltung von metallorganischen Verbindungen bei der Wittig-Synthese wurden Polyensynthesen durch Carbonyl-Olefinierung im technischen Maßstab möglich.

Für die anschließende Umsetzung der Ylide mit Carbonyl-Verbindungen (siehe Formelschema ③, S. 90) ist zu berücksichtigen, daß elektronenanziehende Gruppen im Rest R (S. 90) die Basizität der Ylide schwächen und ihre Reaktionsfreudigkeit stark herabsetzen (Resonanzstabilisierung). Wenn in α-Stellung Carbonsäureester- oder Cyan-Gruppen stehen, sind die Triphenylphosphin-Ylide so reaktionsträge (Alkoxycarbonylmethylen-triphenylphosphorane lassen sich leicht isolieren), daß man häufig besser auf das Phosphonsäure-diester-Verfahren übergeht. Auch bei β-ständigen „negativierenden" Gruppen kann das Phosphonsäure-diester-Verfahren günstiger sein (s. S. 127 ff.).

Bei den ebenfalls reaktionsträgen Triphenylphosphin-Yliden mit einer endständigen Formyl-Gruppe im ungesättigten Rest R, z.B.:

$$>\overset{\oplus}{P}-\overset{\ominus}{\underline{C}}-(CH{=}CH)_n-CHO$$

(auch derartige Ylen-ale lassen sich isolieren[1]; innermolekulare Kondensationen finden hier nicht statt), ist es günstig, vor der Umsetzung mit Carbonyl-Verbindungen die Mesomerie der Aldehyd-Gruppe durch Acetalisierung zu blockieren.

Von großer Bedeutung für die Polyenchemie ist, daß zwar Ylide mit ungesättigtem Rest R stabiler sind als gesättigte, daß aber mit wachsender Zahl der konjugierten Doppelbindungen im Rest R die Reaktionsfreudigkeit der Ylide zunimmt.

Alkylen-1,ω-bis-[phosphoniumsalze] der Struktur

$$\left[(H_5C_6)_3\overset{\oplus}{P}-CH_2-(CH{=}CH)_n-CH_2-\overset{\oplus}{P}(C_6H_5)_3\right] X^{2\ominus}$$
$$n = 0 - x$$

sind mit abnehmender Kettenlänge weniger geeignet für die normale Wittig-Reaktion[2-4]. Bei der Einwirkung von Basen zerfällt z.B. das Anfangsglied der Reihe mit

[1] DBP 1210 832 (1963), BASF, Erf.: H. FREYSCHLAG, W. REIF, A. NÜRRENBACH u. W. SARNECKI; C.A. **63**, 14907 (1965).
[2] G. WITTIG, H. EGGERS u. P. DUFFNER, A. **619**, 10 (1958).
[3] W. STILZ, Dissertation der Universität Tübingen, 1955.
[4] H. BURGER, Dissertation der Universität Tübingen, 1958.

(Fortsetzung v. S. 91)

[11] S. TRIPPETT, Adv. Org. Chem. Bd. I, S. 83 (1963).
L. D. BERGELSON u. M. M. SHEMYAKIN, Ang. Ch. **76**, 113 (1964).
L. HORNER, Fortschr. chem. Forsch. **7**, S. 8 (1966/67).
S. TRIPPETT, Quart. Rev. **17**, 406 (1963); Pure Appl. Chem. **9**, 255 (1964).
J. LEVISALLES, Bl. **1958**, 1021.
A. MAERCKER, Org. Reactions XIV, 270 (1965).
[12] G. WITTIG, H. EGGERS u. P. DUFFNER, A. **619**, 10 (1958).
[13] DBP 1003730 (1954), BASF, Erf.: G. WITTIG u. H. POMMER; C.A. **53**, 16063 (1959).
[14] DBP 943648 (1954), BASF, Erf.: G. WITTIG u. H. POMMER; C.A. **52**, 16292 (1958).
[15] DBP 1026745 (1956), BASF, Erf.: H. POMMER, G. WITTIG u. W. SARNECKI; C.A. **54**, 11074 (1960).
[16] H. OEDIGER, H.-J. KABBE, F. MÖLLER u. K. EITER, B. **99**, 2012 (1966).
[17] J. BUDDRUS, Ang. Ch. **80**, 535 (1968).
Belg. P. 734537 (1968), BASF, Erf.: J. BUDDRUS.
[18] R. GREENWALD, M. CHAYKOVSKY u. E. J. COREY, J. Org. Chem. **28**, 1128 (1963).

n = 0 analog einem Hofmann-Abbau in Triphenylphosphin und Vinyl-triphenyl-phosphoniumbromid[1]. Analog zerfällt das Vinyloge mit n= 1 zu Triphenylphosphin und Butadienyl-triphenyl-phosphoniumbromid[2]. Wenn man die ionogenen Phosphoniumsalze durch die nichtionogenen Phosphonsäure-diester ersetzt, gelingt die Carbonyl-Olefinierung in guten Ausbeuten (s. S. 129).

Präparativ wichtig ist vor allem die Neigung der Ylide zur Addition von Carbonyl-Verbindungen, parallel läuft aber die Neigung zur Addition von Hydroxyl- und Alkoholat-Anionen aus Wasser und Alkoholen[3].

Bei der "Hydrolyse" der Polyen-Ylide entsteht zunächst das entsprechende Phosphoniumhydroxid, das sofort irreversibel in den zugrunde liegenden Polyen-Kohlenwasserstoff und Triphenylphosphinoxid zerfällt (s. S. 188). Trotz der Gefahr der "Hydrolyse" kann man bei Carbonyl-Olefinierungen oft auch in Gegenwart von Wasser arbeiten, weil die "Hydrolyse" stark temperaturabhängig ist und meistens höhere Temperaturen erfordert als die Olefinierung mit Carbonyl-Verbindungen. Dies trifft insbesondere bei den reaktionsfähigen hochungesättigten Yliden zu.

Carbonyl-Verbindungen geben mit den Yliden primär Additionsreaktionen gemäß Formelbild ③ (S. 90). Zunächst entstehen Betaine (z.T. isolierbar), die in Vierringe übergehen und dann zerfallen in das Polyen, bei dem die Reste R und R′ durch eine neugebildete C=C-Doppelbildung verknüpft sind, und Triphenylphosphinoxid. Neben der Struktur des Ylids (s. S. 90) ist auch die Struktur der Carbonyl-Verbindung für die Additionsreaktion von Bedeutung:

Mit Aldehyden reagieren Ylide sehr viel schneller als mit Ketonen, besonders leicht verläuft die Reaktion mit α,β-ungesättigten Aldehyden. Da Carbonsäure(ester)-Gruppen im allgemeinen durch Phosphor-Ylide nicht olefiniert werden[4] [Ausnahmen: Ameisensäureester[5] (s. S. 117) oder Oxalsäureester[6]], ist es z. B. möglich, Carbonyl-Verbindungen mit endständiger Carbonsäure- bzw. Carbonsäureester-Gruppe nach der Wittig-Reaktion zu Polyen-carbonsäuren umzusetzen[7] (vgl. Tab. 7, S. 108 f.).

Eine wesentliche Vereinfachung für Polyen-Synthesen durch die Carbonyl-Olefinierung nach Wittig kann das Eintopf-Verfahren direkt aus den Alkoholen[7,8] sein (s. Formelbild (3b), S. 90 vgl. S. 99 ff.). Man versetzt einen α,β-ungesättigten Alkohol (oder dessen Ester) in einem (meist) stark polaren Lösungsmittel (Dimethylformamid, Tetrahydrofuran u.a.) mit Triphenylphosphin und einem Protonendonator HX (S. 89) und läßt das Reaktionsprodukt in Lösung direkt weiterreagieren mit einem Protonenacceptor (Base) (S. 91) und der Carbonyl-Verbindung. Das bei der Reaktion entstehende Wasser hindert den Reaktionsablauf nicht.

Nachfolgend einige Bemerkungen zur Stereochemie der durch Wittig-Reaktion hergestellten Polyene. Da die intermediär gebildeten Betaine als *threo*- oder *erythro*-Diastereomere vorliegen können, entsteht grundsätzlich bei deren Zerfall die neu gebildete —C=C-Bindung als *cis*- und *trans*-Form nebeneinander (*erythro* →

---

[1] W. STILZ, Dissertation der Universität Tübingen, 1955.
[2] H. BURGER, Dissertation der Universität Tübingen, 1958.
[3] H. FREYSCHLAG et al., Ang. Ch. **77**, 277 (1965).
[4] Zur Acylierung von Phosphor-Yliden durch Carbonsäureester, s. H. J. BESTMANN, *Neuere Methoden der präparativen organischen Chemie*, Bd. 5, S. 13 (1967), Verlag Chemie, Weinheim.
[5] DBP 1047763 (1955), BASF, Erf.: H. POMMER u. G. WITTIG; C. A. **54**, 21182[c] (1960); vgl. **52**, 16411[h] (1958).
[6] W. GRELL u. H. MACHLEIDT, A. **693**, 134 (1966).
[7] H. POMMER, Ang. Ch. **72**, 811 (1960).
[8] H. POMMER, Ang. Ch. **72**, 911 (1960).

cis; *threo* → *trans*). Ausführliche Untersuchungen über den Mechanismus der Wittig-Reaktion[1-4] führen zu theoretischen Erkenntnissen mit präparativer Bedeutung für eine stereospezifische Lenkung der Betain-Bildung bzw. -Spaltung. Folgendes scheint festzustehen:

① Stark resonanzstabilisierte (also inaktive) Ylide (s. S. 92) reagieren mit Carbonyl-Verbindungen überwiegend zu *trans*-C=C-Doppelbindungen.

② „Nicht-stabile" (reaktive) Ylide ergeben mit Carbonyl-Verbindungen in salzfreien, nichtpolaren Lösungsmitteln bei niedrigen Temp. überwiegend *cis*-C=C-Doppelbindungen[2] (als Zwischenstufe entstehen vor der Betain-Bildung trigonal-bipyramidale Koordinations-Komplexe zwischen Ylid und Aldehyd, die zum *erythro*-Betain führen)[3].

③ Durch Zusatz von Lithiumsalzen werden inaktive Ylid- bzw. Betain-Lithiumsalz-Addukte[2,5] gebildet, bei denen das Gleichgewicht stark auf der Seite der *threo*-Form liegt. Alkohole oder andere protonenaktive Lösungsmittel fördern dabei die Epimerisierung der Betaine zur *threo*-Form. Nach einer derartigen Verzögerung der Betainspaltung kann man durch Zugabe von Kalium-tert.-butanolat die Olefin-Bildung wieder beschleunigen. Es entsteht dann überwiegend die *trans*-C=C-Doppelbindung.

Arbeitsvorschriften für derartige *cis*- oder *trans-selektive* Carbonyl-Olefinierungen durch die Wittig-Reaktionen wurden ausgearbeitet[2,6].

Die hier aufgezeigten Möglichkeiten für „reaktive" Ylide gelten nicht für die in diesem Zusammenhang nur als „mäßig reaktive" einzustufenden Ylide mit einem Polyenrest als R.

In der Polyenchemie arbeitet man im allgemeinen bei den Wittig-Reaktionen nach Verfahren, die zu *cis-trans*-Isomerengemischen führen und lagert dann gegebenenfalls die *cis*-Isomeren in *trans*-Isomere um. Das für Spezialfälle geeignete Phosphonsäure-diester-Verfahren (s. S. 127 ff.) liefert praktisch reine *all-trans*-Polyene.

Auch sterische Verhältnisse der Liganden am Phosphor können sich auf die Stereochemie der Wittig-Reaktion auswirken. Wenn man an Stelle von Triphenylphosphin das Tricyclohexylphosphin[7,8] verwendet, erhält man die neue C=C-Doppelbindung nur als *trans*-Form. Über die Bildung von *cis*-Olefinen aus sterisch gehinderten Aldehyden vgl. Lit.[3], bzw. aus ungesättigten Lactonen mit sterisch gehinderter Doppelbindung siehe Lit.[9].

Die Wittig-Reaktion läßt sich auch mit Schiff'schen Basen an Stelle von freien Aldehyden oder Ketonen durchführen[5,10,11].

---

[1] U. Schöllkopf, Ang. Ch. **71**, 260 (1959).
S. Trippett, Adv. Org. Chem. Bd. I, S. 83 (1963).
L. D. Bergelson u. M. M. Shemyakin, Ang. Ch. **76**, 113 (1964).
L. Horner, Fortschr. chem. Forsch. **7**, S. 8 (1966/67).
S. Trippett, Quart. Rev. **17**, 406 (1963); Pure Appl. Chem. **9**, 255 (1964).
J. Levisalles, Bl. **1958**, 1021.
A. Maercker, Org. Reactions XIV, 270 (1965).

[2] M. Schlosser u. K. F. Christmann, A. **708**, 1 (1967); vgl. Ang. Ch. **76**, 683 (1964).

[3] W. P. Schneider, Chem. Commun. **1969**, 785.

[4] L. D. Bergelson u. M. M. Shemyakin, Pure Appl. Chem. **9**, 271 (1964).
Vgl. in S. Patai, *The Chemistry of carboxylic acids and esters*, S. 295, Interscience Publ., London–New York–Sidney–Toronto 1969.

[5] H. J. Bestmann, *Neuere Methoden der präparativen organischen Chemie*, Bd. 5, S. 1 (1967), Verlag Chemie, Weinheim.

[6] DBP 1270545 (1965); 1279678 (1966), BASF, Erf.: M. Schlosser u. K. F. Christmann; C. A. **69**, 86586 (1968).

[7] H. J. Bestmann u. O. Kratzer, B. **95**, 1894 (1962).

[8] O. Kratzer, Dissertation Technische Hochschule München 1963.

(Fortsetzung s. S. 95)

2. Isolierte Polyenphosphoniumsalze

α) aus Halogen-Verbindungen

8-Triphenylphosphonio-2,6-dimethyl-octatrien-(2,4,6)-säure-äthylester-bromid[1]:

$$Br{-}CH_2{-}CH{=}\underset{CH_3}{\underset{|}{C}}{-}CH{=}CH{-}CH{=}\underset{CH_3}{\underset{|}{C}}{-}COOC_2H_5 \longrightarrow$$

$$\left[(H_5C_6)_3\overset{\oplus}{P}{-}CH_2{-}CH{=}\underset{CH_3}{\underset{|}{C}}{-}CH{=}CH{-}CH{=}\underset{CH_3}{\underset{|}{C}}{-}COOC_2H_5\right] Br^{\ominus}$$

Zu einer Lösung von 300 g (~ 1 Mol) rohem 8-Brom-2,6-dimethyl-octatrien-(2,4,6)-säure-äthylester in 400 *ml* Essigsäure-äthylester gibt man auf 1mal eine Lösung von 306 g Triphenylphosphin in 1 *l* Essigsäure-äthylester. Die Mischung wird unter Rühren auf 20° gekühlt. Nach beginnender Kristallisation wird der Rührer abgestellt und die Mischung 5 Stdn. bei 20° stehengelassen. Das Produkt wird abfiltriert, mit Essigsäure-äthylester und Äther gewaschen und i. Vak. bei 50° getrocknet; Ausbeute: 500 g (93% d. Th.); F: 190–193°; nach Umkristallisieren aus Essigsäure-äthylester/Dichlormethan F: 197–198°.

8-Triphenylphosphonio-2,6-dimethyl-octatrien-(2,4,6)-al-bromid[1]:

$$Br{-}CH_2{-}CH{=}\underset{CH_3}{\underset{|}{C}}{-}CH{=}CH{-}CH{=}\underset{CH_3}{\underset{|}{C}}{-}CHO \longrightarrow$$

$$\left[(H_5C_6)_3\overset{\oplus}{P}{-}CH_2{-}CH{=}\underset{CH_3}{\underset{|}{C}}{-}CH{=}CH{-}CH{=}\underset{CH_3}{\underset{|}{C}}{-}CHO\right] Br^{\ominus}$$

Das bei der Herstellung des instabilen 8-Brom-2,6-dimethyl-octatrien-(2,4,6)-al aus 16,6 g der entsprechenden 8-Hydroxy-Verbindung mit Phosphor(III)-bromid (s. Originalarbeit[1]) erhaltene kristalline Rohprodukt wird sofort in 50 *ml* Dichlormethan gelöst und mit 26 g Triphenylphosphin versetzt. Die Lösung erwärmt sich bis zum beginnenden Sieden. Nach 1–1½ Stdn. gibt man langsam und unter Kratzen mit einem Glasstab 200 *ml* Essigsäure-äthylester zu. Nach Stehen über Nacht im Eiskasten wird abfiltriert; Ausbeute: 35 g; F: 203–205°.

Die analoge Herstellung von vinylogen Verbindungen s. Originalliteratur[1].

Zur Herstellung von *Retinyl-triphenyl-phosphoniumjodid* aus dem Chlorid s. Literatur[2,3], von Triphenylphosphonium-perjodaten mit ungesättigtem Rest R aus den entsprechenden Chloriden s. Literatur[4].

β) aus Alkoholen oder deren Carbonsäureestern

Die Herstellung von β-Jonylidenäthyl-triphenylphosphonium-chlorid aus 9-Vinyl-β-jonol und die Herstellung von Ψ-Jonylidenäthyl-triphenylphosphonium-

---

1 U. Schwieter et al., Helv. **49**, 369 (1966).
2 O. Kratzer, Dissertation Technische Hochschule München 1963.
3 DBP 1148542 (1961), Hoechst, Erf.: H.-J. Bestmann u. O. Kratzer; C. A. **59**, 11576ª (1963).
4 H. J. Bestmann, R. Armsen u. H. Wagner, B. **102**, 2259 (1969).

(Fortsetzung v. S. 94)

9 B. C. L. Weedon, Pure Appl. Chem. **20**, 531 (1969).
10 H. J. Bestmann u. F. Seng, Tetrahedron **21**, 1373 (1965).
11 Belg. P. 698655 (1966), N. V. Philips'Gloeilampen.

chlorid aus Vinyl-Ψ-jonol, sowie ähnliche Reaktionen, bei denen die Phosphonium-salz-Herstellung mit einer gleichzeitigen Allyl-Umlagerung verbunden ist, werden in einem anderen Zusammenhang auf S. 73 beschrieben.

Retinyl-triphenyl-phosphoniumchlorid[1]: Eine Lösung von 85 g Vitamin A in 150 *ml* Äthanol wird mit 79 g Triphenylphosphin versetzt. Dann werden unter Rühren bei Zimmertemp. innerhalb 7 Stdn. 68 *ml* 16%ige (g/v) äthanolische Salzsäure zugetropft. Nach anschließendem Stehen über Nacht spült man mit 50 *ml* Äthanol in einen Scheidetrichter, gibt 50 *ml* Wasser zu und extrahiert mit Petroläther. Der Petroläther-Extrakt wird noch 3 mal mit je 100 *ml* 85%igem Methanol gewaschen und dann verworfen. Die Äthanol- und Methanol-Schichten werden vereinigt, auf 3,5 *l* Wasser gegossen, mit 250 g Natriumchlorid versetzt und mit Dichlormethan extrahiert. Der Dichlormethan-Extrakt wird mit Wasser gewaschen, mit Natriumsulfat getrocknet und bis fast zur Trockne eingeengt. Den Rückstand löst man in 1 *l* Aceton, engt auf ~ 250 *ml* ein, wobei Kristallisation eintritt. Man versetzt mit 150 *ml* Äther, stellt über Nacht in den Eisschrank und saugt dann die Kristalle ab (110 g); F: 194–195°. Aus der Mutterlauge erhält man durch Einengen auf 120 *ml*, Stehenlassen im Eisschrank und Umkristallisation aus Aceton weitere 8 g an kristallinem Phosphoniumsalz; Gesamtausbeute: 118 g (63% d. Th.).

Retinyl-triphenyl-phosphonium-hydrogensulfat[2]: Ein Gemisch aus 36 g Triphenyl-phosphonium-hydrogensulfat, 33 g *all-trans*-Vitamin A-Acetat und 250 *ml* Methanol wird bei Raumtemp. mehrere Stdn. gerührt. Dann destilliert man das Lösungsmittel i. Vak. bei 40° Badtemp. ab, löst den Destillationsrückstand in 100 *ml* Acetonitril und rührt 3 Stdn. bei — 10°. Der kristalline Niederschlag wird abfiltriert und getrocknet; Ausbeute: 54 g (~ 85% d. Th.); F: 194–196° (P-Gehalt: 4,8%).

Analog erhält man *Retinyl-triphenyl-phosphonium-p-toluolsulfonat* bzw. *-tetrafluoroborat*[2]. Ebenso gelingt die Herstellung von β-Jonylidenäthyl-phosphoniumsalzen aus Carbonsäure-β-jonylidenäthylestern[3]. Weitere Literatur zur Herstellung von Triphenylphosphoniumsalzen aus ungesättigten Alkoholen bzw. deren Carbonsäureestern s. Tab. 8 (S. 118ff.).

3. Carbonyl-Olefinierung nach Wittig

α) mit Triphenylphosphoniumsalzen ungesättigter Halogenide (hergestellt aus den Halogeniden und Triphenylphosphin) (Methode A)

α_1) *Polyen-Kohlenwasserstoffe*

Eicosaoctaen-(2,4,6,8,12,14,16,18)-in-(10)[4]**I:**

$$2\left[H_3C{-}CH{=}CH{-}CH{=}CH{-}CH_2{-}\overset{\oplus}{P}(C_6H_5)_3\right]Br^{\ominus} + OCH{-}CH{=}CH{-}C{\equiv}C{-}CH{=}CH{-}CHO \rightarrow$$

II III

$$H_3C{-}(CH{=}CH)_4{-}C{\equiv}C{-}(CH{=}CH)_4{-}CH_3$$

I

6 g Hexadien-(2,4)-yl-triphenyl-phosphoniumbromid(II), hergestellt aus 1-Brom-hexadien-(2,4) und Triphenylphosphin in Benzol (90% d. Th.; F: 151°)[4], werden in 30 *ml* Äther aufgeschlämmt und durch Zusatz von 7 *ml* einer 1,3 n Butyl-lithium-Lösung ins Ylid übergeführt. Nach 30 Min. Rühren werden 575 mg Octadien-(2,6)-in-(4)-dial(III), gelöst in 20 *ml* Tetrahydrofuran, zugegeben. Nach weiteren 30 Min. Rühren wird der entstandene Niederschlag abgesaugt, mehrfach ausgewaschen, die vereinigten Filtrate mit verd. Salzsäure und Wasser geschüttelt, getrocknet und i. Vak. eingedampft. Der Rückstand wird aus Benzol/Methanol umkristallisiert; Ausbeute: 600 mg (53% d. Th.); F: 144° (Zers.); orangegelbe Kristalle.

---

[1] U. Schwieter et al., Helv. **49**, 369 (1966).

[2] DBP 1155126 (1962), BASF, Erf.: W. Sarnecki, A. Nürrenbach u. W. Reif; **60**, 1806 (1964).

[3] DBP 1203264 (1963), BASF, Erf.: A. Nürrenbach, W. Sarnecki u. W. Reif; C. A. **62**, 10470 (1965).

[4] F. Bohlmann u. H.-J. Mannhardt, B. **89**, 1307 (1956).

4-Methyl-6-[2,6,6-trimethyl-cyclohexen-(1)-yl]-1-phenyl-hexatrien-(1,3,5)[1]**:**

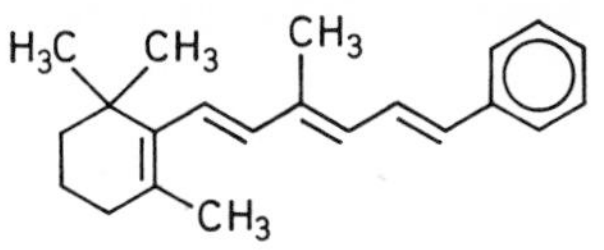

I

46 g (1 Mol) Cinnamyl-triphenyl-phosphoniumbromid wird in Äther mit einer ätherischen Lösung von ~ 6,4 g Butyl-lithium zum Cinnamyliden-triphenyl-phosphoran umgesetzt[2]. Zu dieser Lösung des Phosphorans wird tropfenweise eine Lösung von 23 g (1,2 Mol) β-Jonon in Äther gegeben und 18 Stdn. bei Raumtemp. gerührt. Die Mischung wird filtriert und das Filtrat auf einem Wasserbad abgedampft. Es verbleibt ein hellgelbes Öl. Durch Chromatographie des Öls an Aluminiumoxid (Eluieren mit Petroläther) erhält man im 1. Teil des Eluats das *trans-cis-trans* Trien I als hellgelbes Öl [$Kp_{0,04}$: 135° (Luftbad); 9% d.Th.]. Aus dem 2. Teil des Eluats erhält man das *trans-trans-trans*-Trien I als hellgelbe Kristalle [F: 79–81° (aus Äthanol); 16% d.Th.].

Lycopin (2 x C_{10} + C_{10})[3], vgl. a. [4]**:**

G e r a n y l i d e n - t r i p h e n y l - p h o s p h o r a n: Eine Suspension von 100 g Geranyl-triphenyl-phosphonium-bromid {hergestellt aus Geranylbromid [1-Brom-3,7-dimethyl-octadien-(2,6)] und Triphenyl-phosphin in Benzol}[3] in 1 *l* absol. Äther wird unter Rühren innerhalb von 10 Min. mit 200 *ml* 1 n ätherischer Phenyl-lithium-Lösung versetzt.

L y c o p i n: Nach 1 stdgm. Rühren läßt man zur gebildeten tiefroten Lösung des Geranyliden-triphenyl-phosphorans eine Lösung von 20 g Crocetindialdehyd [Apo-8,8′-carotindial; 2,6,11,15-Tetramethyl-hexadecaheptaen-(2,4,6,8,10,12,14)-dial] in 200 *ml* wasserfreiem Dichlormethan innerhalb 5 Min. zufließen. Man rührt noch 15 Min. bei 30° und dann noch 5 Stdn. unter Rückfluß. In die warme Reaktionslösung gibt man auf 1 mal 600 *ml* Methanol und kühlt unter Rühren auf 10° ab. Der Kristallbrei wird unter Begasung mit Kohlendioxid abgesaugt und mit Methanol gewaschen. Das rohe Lycopin wird bei max. 40° in 300 *ml* säurefreiem Dichlormethan gelöst, warm mit 500 *ml* Methanol ausgefällt und 2 Stdn. im Eisbad gekühlt. Man filtriert unter Begasung mit Kohlendioxid, wäscht mit Methanol und trocknet bei 40° i. Hochvak.; Ausbeute: 25 g (~ 55% d.Th.); F: 172–173°.

Weitere Beispiele für die Herstellung von Polyen-Kohlenwasserstoffen durch Carbonyl-Olefinierung mit Triphenyl-phosphoniumsalzen, hergestellt aus Alkylhalogeniden s. Tab. 5 (S. 100 f.).

a_2) *Polyen-Aldehyde*

β-Apo-12′-carotinal [C_{25}][5] **(C_5 + C_{20}):**

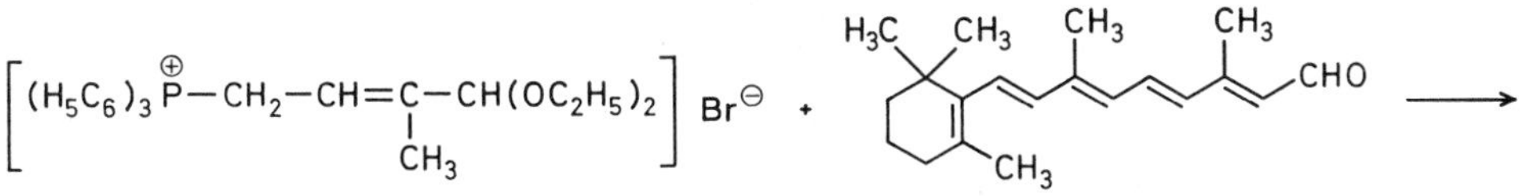

$$\left[(H_5C_6)_3\overset{\oplus}{P}-CH_2-CH=\underset{CH_3}{\underset{|}{C}}-CH(OC_2H_5)_2\right]Br^{\ominus} + \text{II} \longrightarrow$$

I II

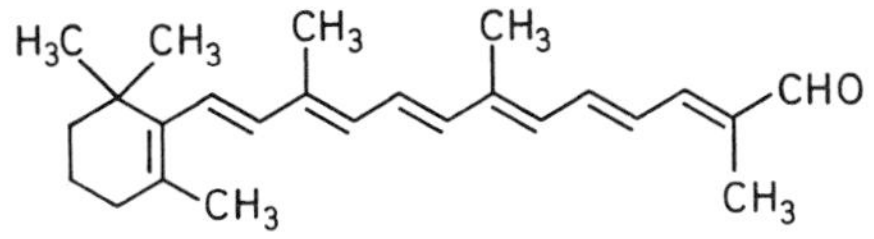

[1] F. S. Edmunds u. R. A. Johnstone, Soc. **1965**, 2892.

[2] U. Schöllkopf, Ang. Ch. **71**, 260 (1959).

[3] O. Isler et al., Helv. **39**, 463 (1956).

[4] P. S. Manchand et al., Soc. **1965**, 2019.

[5] DBP 1211616 (1963); 1216862 (1966), BASF, Erf.: H. Freyschlag, W. Reif, A. Nürrenbach u. H. Pommer; C. A. **63**, 14925 (1965).

3,8 g [3-Formyl-buten-(2)-yl]-triphenyl-phosphonium-bromid (I; S. 97) werden in 65 *ml* Äthanol zusammen mit 3 g Orthoameisensäure-triäthylester und einem Kriställchen p-Toluolsulfonsäure 2 Stdn. zum Sieden erhitzt. Nach dem Erkalten setzt man eine Lösung von 0,23 g Natrium in 13 *ml* Äthanol und danach 2,84 g Vitamin A-Aldehyd (II) zu und erhitzt weitere 4 Stdn. zum Sieden. Das erkaltete Reaktionsgemisch wird mit Wasser versetzt und mit Äther extrahiert. Die ätherische Lösung wird 1 Stde. mit 1 n Schwefelsäure gerührt, um so das Acetal zu spalten. Das nach dem Trocknen der Ätherphase über Natriumsulfat und Abdestillieren des Lösungsmittels zurückbleibende orangegelbe Öl (3,21 g), wird durch Kochen in hochsiedendem Petroläther (Kp: 80–100°) isomerisiert und aus tiefsiedendem Petroläther (Kp: 40–60°) umkristallisiert; F: 105° (gelbe Kristalle)[1].

3,3′,4,4′-Tetradehydro-lycopindial-(16,16′) (2 x C_{10} + C_{20})[2]:

$$2\left[(H_5C_6)_3\overset{\oplus}{P}-CH_2-CH=C(CH_3)-CH=CH-CH=C(CH_3)-CH(OCH_3)_2\right]Br^{\ominus} + OHC-C(CH_3)=CH-CH=CH-C(CH_3)=CH-CH=CH-CH=C(CH_3)-CH=CH-CH=C(CH_3)-CHO$$

$$\longrightarrow OHC-C(CH_3)=CH-CH=CH-C(CH_3)=CH-CH=CH-C(CH_3)=CH-CH=CH-C(CH_3)=CH-CH=CH-CH=C(CH_3)-CH=CH-CH=C(CH_3)-CH=CH-CH=C(CH_3)-CHO$$

100 g des Phosphoniumbromids [aus 8-Brom-2,6-dimethyl-octatrien-(2,4,6)-al)] in 200 *ml* absol. Methanol werden zur Acetalisierung mit 30 *ml* Orthoameisensäure-trimethylester und einer Lösung von 0,2 g p-Toluolsulfonsäure und 0,2 *ml* 85%iger Phosphorsäure in 20 *ml* absol. Methanol versetzt und 18 Stdn. bei Zimmertemp. stehengelassen. Unter Rühren versetzt man mit 5 *ml* Pyridin und anschließend werden gleichzeitig eine Lösung von 8 g Natrium in 200 *ml* absol. Methanol und eine Lösung von 26,5 g Crocetindialdehyd (Apo-8,8′-carotindial) in 750 *ml* Dichlormethan zugetropft. Man gibt noch 750 *ml* Dichlormethan zu und erhitzt 4 Stdn. zum Sieden. Dann wird mit Wasser neutral gewaschen, getrocknet und eingedampft. Den Rückstand löst man in 4 *l* Aceton und 1 *l* Tetrahydrofuran, versetzt mit 300 *ml* 1 n Schwefelsäure und kocht 30 Min. Nach dem Abkühlen wird abfiltriert. Die erhaltenen feinen schwarzen Nadeln werden in 5 *l* Chloroform gelöst. Diese Lösung wird filtriert und auf 1 *l* eingeengt; Ausbeute: 44,5 g (89% d.Th.); F: 261–263°. Die Substanz enthält auch nach scharfem Trocknen i. Hochvak. noch Chloroform. Absorptionsmaxima: 380, 556 mμ, $E_{1\,cm}^{1\%}$ = 810, 2770.

Eine Probe, die in Chloroform in Gegenwart von Jod unter Belichtung isomerisiert wurde, gab identische Werte.

Weitere Beispiele für die Herstellung von Polyenaldehyden nach Methode A s. Tab. 6 (S. 104).

a_3) *Polyenketone*

Die Herstellung von Polyenketonen, Oxo-polyen-aldehyden usw. mit Hilfe von Acyl-methylen-phosphoranen[3–6] wurde bisher nur wenig bearbeitet[6–11]. Aus

[1] Der in der Originalarbeit angegebene Schmelzpunkt von 87–88 ° ist für das reine Produkt auf 105 ° zu korrigieren.
[2] U. Schwieter et al., Helv. **49**, 369 (1966).
[3] U. Schöllkopf, Ang. Ch. **71**, 260 (1959).
[4] H. J. Bestmann, *Neuere Methoden der präparativen organischen Chemie*, Bd. 5, S. 1, Verlag Chemie, Weinheim 1967.
[5] S. Trippett u. D. M. Walker, Soc. **1961**, 1266.
[6] M. S. Barber, L. M. Jackman, P. S. Manchand u. B. C. L. Weedon, Soc. [C] **1966**, 2166.
[7] L. A. Janovskaja, Russ. Chem. Reviews **36**, 400 (1967).
[8] L. A. Janovskaja, B. G. Kovalev u. V. F. Kučerov, Izv. Akad. SSSR **1965**, 684; C. A. **63**, 13055 (1965).
[9] B. G. Kovalev, A. A. Šamšurin u. N. P. Dormidontova, Ž. Org. Chim. **2**, 1584 (1966); C. A. **66**, 94670 (1967).
[10] K. K. Venter et al., Doklady Akad. SSSR **140**, 1073 (1961); C. A. **56**, 10072 (1961).
[11] G. Pattendon, Tetrahedron Letters **1969**, 4049.

Acetylmethylen-triphenyl-phosphoran und Octatrien-(2,4,6)-dial erhält man z.B. *10-Oxo-undecatetraen-(2,4,6,8)-al* (65% d. Th.)[1, vgl. a. 2]:

$$(H_5C_6)_3P{=}CH{-}\underset{\underset{O}{\|}}{C}{-}CH_3 + OHC{-}(CH{=}CH)_3{-}CHO \longrightarrow \underset{65\%\ \text{d.Th}}{OHC{-}(CH{=}CH)_4{-}\underset{\underset{O}{\|}}{C}{-}CH_3}$$

Aus Propanoylmethylen-triphenyl-phosphoran und 3-Methyl-9-phenyl-nonatetraen-(2,4,6,8)-al erhält man *11-Oxo-7-methyl-1-phenyl-tridecapentaen-(1,3,5,7,9)* (*Asperenon*)[3]

$$(H_5C_6)_3P{=}CH{-}\overset{\overset{O}{\|}}{C}{-}C_2H_5 + OHC{-}CH{=}C(CH_3){-}CH{=}CH{-}CH{=}CH{-}CH{=}CH{-}C_6H_5 \longrightarrow H_3C{-}CH_2{-}CO{-}CH{=}CH{-}CH{=}C(CH_3){-}CH{=}CH{-}CH{=}CH{-}CH{=}CH{-}C_6H_5$$

a_4) Polyencarbonsäuren

Tab. 7 (S. 108) bringt einige charakteristische Beispiele für die Herstellung von Polyencarbonsäuren durch Carbonyl-Olefinierung nach Wittig mit Triphenyl-phosphoniumsalzen, hergestellt aus Halogen-Verbindungen.

β) Carbonyl-Olefinierung direkt mit Alkoholen bzw. deren Carbonsäureestern im „Eintopfverfahren" (Methode B) (vgl. S. 90, 93) oder mit Triphenylphosphoniumsalzen, die aus Alkoholen hergestellt wurden (Methode C)

β-Carotin

aus 1 Mol Vit. A-Acetat und 1 Mol Vit.-A-Aldehyd ($C_{20} + C_{20}$)[4]:

$$\text{Vit. A-Acetat } (\ldots{-}CH_2{-}O{-}CO{-}CH_3) + \text{Vit. A-Aldehyd } (\ldots{-}CHO) \xrightarrow[+\ 3\ NaOCH_3]{+\ (C_6H_5)_3P\ +\ H_2SO_4} \beta\text{-Carotin} + (C_6H_5)_3PO + Na_2SO_4 + CH_3COONa + 3\ CH_3OH$$

Ein Gemisch aus 18 g Triphenyl-phosphonium-hydrogensulfat, 23,5 g eines bei der Vitamin A-Acetat-Herstellung angefallenen Öles, das 32% *all-trans-* und 30% *cis*-Vitamin A-Acetat enthält, und 75 *ml* Methanol wird 20 Stdn. bei Raumtemp. bis zur klaren Lösung gerührt. Diese Lösung läßt man zusammen mit 90 *ml* einer 2n methanolischen Natriummethanolat-Lösung bei Raumtemp. zur Lösung von 14 g Vitamin A-Aldehyd in 100 *ml* Methanol laufen und rührt das Reaktiosngemisch noch 1 Stde. bei 10°. Der ausgefallene Niederschlag wird abfiltriert, mit Methanol, Wasser, erneut mit Methanol gewaschen und getrocknet. Der Niederschlag enthält 24 g (90% d.Th.) *β*-Carotin. (Fortsetzung S. 114).

---

[1] B. G. KOVALEV, A. A. ŠAMŠURIN u. N. P. DORMIDONTOVA, Z. Org. Chim. **2**, 1584 (1966); C. A. **66**, 94670 (1967).

[2] L. A. JANOVSKAJA, Russ. Chem. Rev- **36**, 400 (1667).

[3] G. PATTENDON, Tetrahedron Letters **1969**, 4049.

[4] DBP 1158505 (1962), BASF, Erf.: W. SARNECKI, A. NÜRRENBACH u. W. REIF; C. A. **60**, 5570 (1964).

Tab. 5. Polyen-Kohlenwasserstoffe durch Carbonyl-Olefinierung mit Tri-

Triphenyl-phosphonium-Salz	Carbonylverbindung	
$[(H_5C_6)_3\overset{\oplus}{P}-CH_2-CH=CH-C(CH_3)=CH-CH_3]\ X^{\ominus}$	β-Jonon	$C_7 + C_{13}$
$[(H_5C_6)_3\overset{\oplus}{P}-CH_2-CH=CH_2]\ X^{\ominus}$	$H_3C-C(CH_3)=CH-CHO$	$C_3 + C_5$
$[(H_5C_6)_3\overset{\oplus}{P}-CH_2-C(CH_3)=CH_2]\ X^{\ominus}$	$H_3C-C(CH_3)=CH-CH=CH-CHO$	$C_4 + C_7$
	$H_3C-C(CH_3)=CH-(CH=CH)_2-CHO$	$C_4 + C_9$
$[(H_5C_6)_3\overset{\oplus}{P}-CH_2-C(CH_3)=C(CH_3)_2]\ X^{\ominus}$	$H_3C-(CH=CH)_n-CHO$ $n = 2,3$	$C_6 + C_6$ $C_6 + C_8$
$[(H_5C_6)_3\overset{\oplus}{P}-CH_2-(CH=CH)_n-C_6H_5]\ X^{\ominus}$ $(n = 1,2)$	$C_6H_5-CH=CH-CHO$	$C_3 + C_3$ $C_5 + C_3$

* Weitere Beispiele werden in der Literatur beschrieben [1–12,18].

---

[1] H. Pommer, Ang. Ch. **72**, 811 (1960); hier weitere Beispiele für Umsetzungen mit Ketonen.
[2] O. Isler u. P. Schudel, Adv. Org. Chem. **4**, 115 (1963).
[3] J. B. Davis, L. M. Jackman, P. T. Siddons u. B. C. L. Weedon, Soc. [C] **1966**, 2154.
[4] M. S. Barber, L. M. Jackman, P. S. Manchand u. B. C. L. Weedon, Soc. [C] **1966**, 2166.
[5] A. J. Aasen u. S. L. Jensen, Acta chem. scand. **21**, 4, 970 (1967).
[6] F. Arcamone et al., Experientia **25**, 241 (1969).
[7] R. Bonnett, A. A. Spark u. B. C. L. Weedon, Acta chem. scand. **18**, 1739 (1964).
[8] R. D. G. Cooper, J. B. Davis u. B. C. L. Weedon, Soc. **1963**, 5637.
[9] A. P. Leftwick u. B. C. L. Weedon, Acta chem. scand. **20**, 1195 (1966).

phenylphosphoniumsalzen, hergestellt aus Alkyl-halogeniden (Methode A) *

Reaktionsbedingungen	Polyenkohlenwasserstoff	Ausbeute [% d.Th.]	F [°C]	Literatur
DMF, CH_3OH, $NaOCH_3$, 16 Stdn. bei RT (oder C_4H_9Li, Äther, 6 Stdn.)	*Axerophthen* (*C_{20}*)	70	76 (*all-trans*)	1,13
$NaNH_2$	$H_3C-C(CH_3)=CH-CH=CH-CH=CH_2$ *6-Methyl-heptatrien-(1,3,5)*	40	—	14
Äther-Heptan, C_4H_9Li	$H_3C-C(CH_3)=CH-(CH=CH)_2-C(CH_3)=CH_2$ *2,8-Dimethyl-nonatetraen-(1,3,5,7)*	64	($Kp_{0,3}$: 38–43°)	15
	$H_3C-C(CH_3)=CH-(CH=CH)_3-C(CH_3)=CH_2$ *2,10-Dimethyl-undecapentaen-(1,3,5,7,9)*	42	56–57	15
Äther C_6H_5Li 4 Stdn. Rückfluß	$H_3C-C(CH_3)=C(CH_3)-(CH=CH)_{n+1}-CH_3$		*all-trans*	16
	n = 2; *2,3-Dimethyl-decatetraen-(2,4,6,8)*	74	($Kp_{0,03}$: 71–72°)	
	n = 3; *2,3-Dimethyl-dodecapentaen-(2,4,6,8,10)*	91 (roh)	($Kp_{0,6}$: 114–116°)	
C_2H_5OH $LiOC_2H_5$	$C_6H_5-(CH=CH)_{n+2}-C_6H_5$			
8 Stdn. RT	n = 1; *1,6-Diphenyl-hexatrien* (*1,3,5*)	30 *all-trans* + 28 *trans-cis-trans*	198–199 109–110	17
10 Stdn. RT	n = 2; *1,8-Diphenyl-octatetraen-(1,3,5,7)*	23 *all-trans* + 22 *trans-cis-trans-trans*	235–236 132,5–133,5	

[10] P. S. MANCHAND u. B. C. L. WEEDON, Tetrahedron Letters **1966,** 989.
[11] H. SAIKACHI u. S. NAKAMURA, J. pharm. Soc. Japan **88,** 638 (1968).
[12] D. F. SCHNEIDER u. B. C. L. WEEDON, Soc. [C] **1967,** 1686.
[13] DBP 1029366 (1956), BASF, Erf.: H. POMMER u. G. WITTIG; C. A. **54,** 22713 (1960).
[14] J. MEINWALD u. P. H. MAZZOCCHI, Am. Soc. **89,** 1755 (1967).
[15] T. S. SORENSEN, Am. Soc. **87,** 5075 (1965).
[16] D. F. SCHNEIDER u. C. F. GARBERS, Soc. **1964,** 2465.
[17] S. MISUMI u. M. NAKAGAWA, Bl. chem. Soc. Japan **36,** 399 (1963); C. A. **59,** 6286 (1963).
[18] Herstellung von *4-Chlor-3-methyl-1-[2,6,6-trimethyl-cyclohexen-(1)-yl]-butadien-(1,3)* s. G. KÖBRICH, W. E. BRECKOFF u. W. DRISCHEL, A. **704,** 51 (1967).

Tab. 5.

Triphenyl-phosphonium-Salz	Carbonylverbindung	
$[(H_5C_6)_3\overset{\oplus}{P}-CH_2-C(CH_3)=CH-CH_3]\ X^{\ominus}$	(2,6,6-Trimethyl-cyclohexenyl: H_3C, CH_3, CH_3)$-CH=CH-C(CH_3)=CH-CHO$	$C_5 + C_{15}$
$[(H_5C_6)_3\overset{\oplus}{P}-CH_2-CH=C(CH_3)_2]\ X^{\ominus}$	β-Apo-4′-carotinal [C_{35}]	$C_5 + C_{35}$
$2\,[(H_5C_6)_3\overset{\oplus}{P}-CH_2-CH=C(CH_3)-CH_2-CH_2-CH=C(CH_3)-CH_3]\ X^{\ominus}$	8,8′-Dehydro-crocetindialdehyd (15,15′-Dehydro-apo-8,8′-carotindial [C_{20}])	$2 \times C_{10} +$ C_{20}
$[(H_5C_6)_3\overset{\oplus}{P}-CH_2-CH=C(CH_3)-CH_2-CH_2-CH=C(CH_3)-CH_2-CH_2-CH=C(CH_3)-CH_3]\ X^{\ominus}$	15,15′-Dehydro-β-apo-12′-carotinal [C_{25}]	$C_{15} + C_{25}$
$2\,[(H_5C_6)_3\overset{\oplus}{P}-CH_2-$(2,6,6-Trimethyl-cyclohexenyl: H_3C, CH_3, H_3C)$]\ X^{\ominus}$	8,8′-Dehydro-crocetindialdehyd (15,15′-Dehydro-apo-8,8′-carotindial; [C_{20}])	$2 \times C_{10} +$ C_{20}
(Ferrocenyl-methyl)-triphenyl-phosphoniumsalze	$C_6H_5-(CH=CH)_n-CHO$ n = 2,3,4,6	
	Ferrocenyl-(CH=CH)$_n$—CHO (n = 2,4)	
	OCH—(CH=CH)$_2$—CHO	

[1] H. Pommer, Ang. Ch. **72**, 811 (1960).
[2] R. Rüegg et al., Helv. **44**, 994 (1961).

(Fortsetzung)

eaktionsbedingungen	Polyenkohlenwasserstoff	Ausbeute [% d.Th.]	F [°C]	Literatur
$HCON(CH_3)_2$, CH_3OH, $NaOCH_3$	*Axerophthen*	70	76 (*all-trans*)	1
H_2Cl_2/C_2H_5OH, $NaOC_2H_5$, 20 Stdn., 20°	*3′,4′-Dehydro-γ-carotin*	81	183–184	2
ther/CH_2Cl_2 C_6H_5Li, 20°; danach 5 Stdn. kochen	*15,15′-Dehydro-lycopin*	55	190–192	3
DMF, CH_3OH $NaOCH_3$	*7′,8′-Dihydro-15,15′-dehydro-γ-carotin*	65	65–66	2
$_6H_6$/Äther, C_6H_5Li, 20°; danach 1 Stde., 40°	*15,15′-Dehydro-β-carotin*		154	3
HF, Äther, C_4H_9Li oder C_6H_5Li	n = 2; *6-Phenyl-1-ferrocenyl-hexatrien-(1,3,5)* n = 3; *8-Phenyl-1-ferrocenyl-octatetraen-(1,3,5,7)* n = 4; *10-Phenyl-1-ferrocenyl-decapentaen-(1,3,5,7,9)* n = 6; *14-Phenyl-1-ferrocenyl-tetradeca-heptaen-(1,3,5,7,9,11,13)*	23 (*all-trans*) 26 (*all-trans*) 13 (*all-trans*) ~ 5	213–215 (Zers.) 228–230 (Zers.) verkohlt verkohlt	4
	n = 2; *1,6-Diferrocenyl-hexatrien-(1,3,5)* n = 4; *1,10-Diferrocenyl-decapentaen-(1,3,5,7,9)*		verkohlt verkohlt	4
	1,8-Diferrocenyl-octatetraen-(1,3,5,7)		verkohlt	4

[3] O. ISLER et al., Helv. **39**, 463 (1956).
[4] K. SCHLÖGL u. H. EGGER, A. **676**, 76 (1964).

Tab. 6. Polyen-aldehyde durch Carbonyl-Olefinierung nach Wittig mit Tri-

Triphenylphosphonium-Salz	Carbonylverbindung	
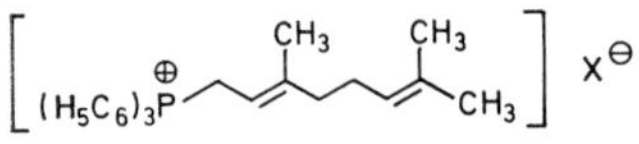 [$(H_5C_6)_3\overset{\oplus}{P}$ … CH_3 CH_3 … CH_3] $X^{\ominus}$	Crocetindialdehyd (Apo-8,8′-carotindial [C_{20}])	$C_{10} + C_{20}$
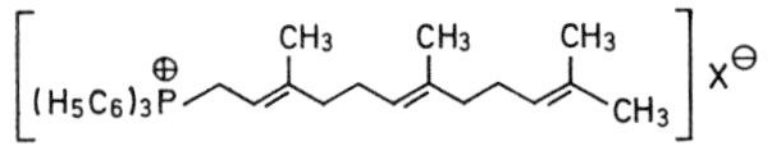 [$(H_5C_6)_3\overset{\oplus}{P}$ … CH_3 CH_3 CH_3 … CH_3] $X^{\ominus}$	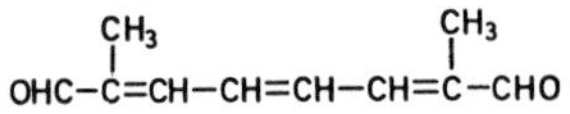 $OHC-C(CH_3)=CH-CH=CH-CH=C(CH_3)-CHO$	$C_{15} + C_{10}$
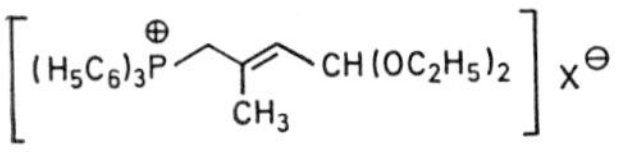 [$(H_5C_6)_3\overset{\oplus}{P}$ … $CH(OC_2H_5)_2$; CH_3] $X^{\ominus}$	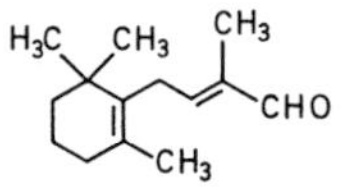 H_3C CH_3 CH_3 … CHO; CH_3	$C_5 + C_{14}$
	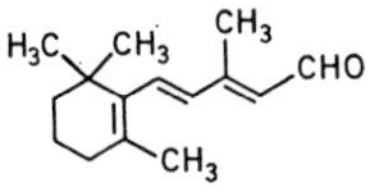 H_3C CH_3 CH_3 … CHO; CH_3	$C_5 + C_{15}$
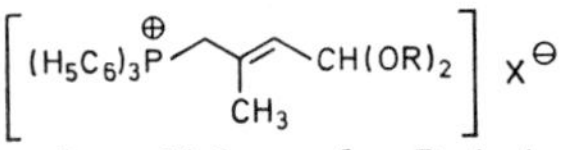 [$(H_5C_6)_3\overset{\oplus}{P}$ … $CH(OR)_2$; CH_3] $X^{\ominus}$ und verschiedene andere Derivate	Vit.-A-Aldehyd	$C_5 + C_{20}$
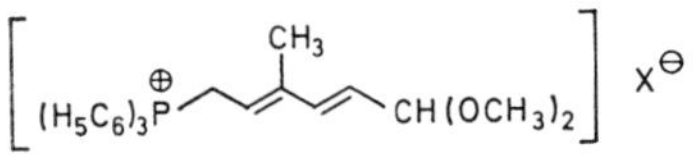 [$(H_5C_6)_3\overset{\oplus}{P}$ … CH_3 … $CH(OCH_3)_2$] $X^{\ominus}$	Vit.-A-Aldehyd	$C_7 + C_{20}$

* Umsetzungen von Triphenyl-phosphin-formylmethylen mit ungesättigten Dialdehyden s. Lit.[7].

---

[1] R. Bonnet, A. A. Spark u. B. C. L. Weedon, Acta chem. scand. **18**, 1739 (1964).
[2] J. D. Surmatis, A. Ofner, J. Gibas u. R. Thommen, J. Org. Chem. **31**, 186 (1966).
[3] P. S. Manchand u. B. C. L. Weedon, Tetrahedron Letters **1964**, 2603.
[4] S. M. Makin, Doklady Akad. SSSR **138**, 387 (1961); engl.: 492.

phenyl-phosphoniumsalzen, hergestellt aus Alkylhalogeniden*) (Methode A)

Reaktions-bedingungen	Polyen-aldehyd	Ausbeute [% d.Th.]	F [°C]	Literatur
Äther/CH_2Cl_2 C_4H_9Li	*2,6,11,15,19,23-Hexamethyl-tetracosadecaen-(2,4,6,8,10,12,14,16,18,22)-al* (*Apo-8'-lycopinal* [C_{30}])	30	141–142	1, vgl. 2
oder CH_3OH/ $NaOCH_3$		70	139–140	
	2,7,11,15,19-Pentamethyl-eicosaheptaen-(2,4,6,8,10,14,18)-al			3
CH_3OH, $NaOCH_3$; 60°; 8 Stdn.	*β-C₁₉-Aldehyd-diäthylacetal*	78	($Kp_{0,08}$: 145–147°)	4
CH_3OH, $NaOCH_3$ 60°; 8 Stdn.	*Vit-.A-Aldehyd-diäthylacetal*	34	($Kp_{0,08}$: 142–146°)	5
C_2H_5OH, $NaOC_2H_5$ oder CH_3OH $NaOCH_3$ oder DMF, $(H_5C_2)_2NH$	*β-Apo-12'-carotinal*(C_{25}) und dessen *Derivate*			6
C_2H_5OH, $NaOC_2H_5$ 4 Stdn. kochen	*β-Apo-10'-carotinal* (C_{27})			6

[5] S. M. Makin, Ž. obšč. Chim. **32**, 3159 (1962); engl.: 3105.

[6] DBP 1211616 (1963); 1216862 (1966), BASF, Erf.: H. Freyschlag, W. Reif, A. Nürrenbach u. H. Pommer; C. A. **63**, 14925 (1965).

[7] S. Trippett u. D. M. Walker, Soc. **1961**, 1266.

Tab. 6.

Triphenylphosphonium-Salz	Carbonylverbindung	
$[(H_5C_6)_3\overset{\oplus}{P}\text{–}CH_2\text{–}CH{=}C(CH_3)\text{–}CH{=}CH\text{–}CH(OCH_3)_2]\,X^{\ominus}$	β-Apo-12′-carotinal [C_{25}]	$C_7 + C_{25}$
	β-Apo-8′-carotinal [C_{30}]	$C_7 + C_{30}$
$[(H_5C_6)_3\overset{\oplus}{P}\text{–}CH_2\text{–}CH{=}C(CH_3)\text{–}CH{=}CH\text{–}CH{=}C(CH_3)\text{–}CH(OCH_3)_2]\,X^{\ominus}$	Vit.A-Aldehyd	$C_{10} + C_{20}$
	β-Apo-12′-carotinal [C_{25}]	$C_{10} + C_{25}$
	β-Apo-8′-carotinal [C_{30}]	$C_{10} + C_{30}$
$2\,[(H_5C_6)_3\overset{\oplus}{P}\text{–}CH_2\text{–}CH{=}C(CH_3)\text{–}CH(OR)_2]\,X^{\ominus}$ vgl. [3]	$OHC\text{–}C(CH_3){=}CH\text{–}CH{=}CH\text{–}CH{=}C(CH_3)\text{–}CHO$	$2\times C_5 +$ C_{10}
$[(H_5C_6)_3\overset{\oplus}{P}\text{–}CH_2\text{–}CH{=}C(CH_3)\text{–}CH{=}CH\text{–}CH{=}C(CH_3)\text{–}CH(OCH_3)_2]\,X^{\ominus}$	$OHC\text{–}CH{=}C(CH_3)\text{–}CH{=}CH\text{–}CH{=}C(CH_3)\text{–}CH(OCH_3)_2$	$C_{10} + C_{10}$

[1] U. Schwieter et al., Helv. **49**, 369 (1966).

[2] DBP 1211616 (1963), BASF, Erf.; H. Freyschlag, W. Reif, A. Nürrenbach u. H. Pommer; C. A. **63**, 14925 (1965).

(1. Fortsetzung)

Reaktionsbedingungen	Polyen-aldehyd	Ausbeute [% d. Th.]	F [°C]	Literatur
CH_3OH/CH_2Cl_2, $NaOCH_3$; 10 Min. –20°, dann 90 Min. RT	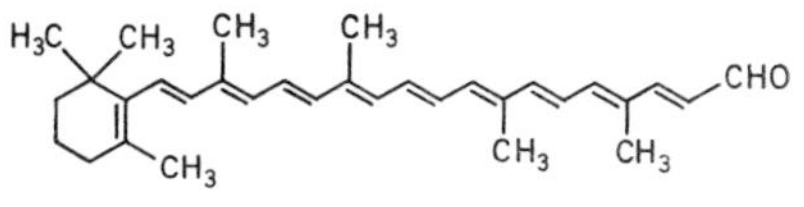 *β-Apo-6′-carotinal* (C_{32})	~ 29		1
	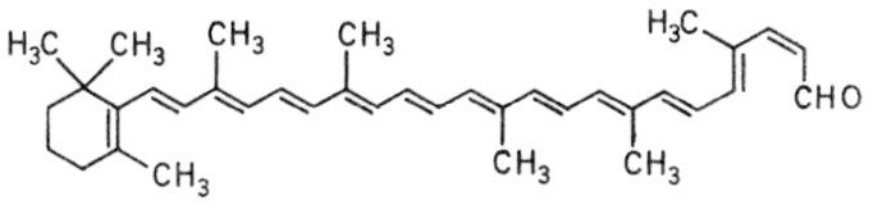 *β-Apo-2′-carotinal* (C_{37})	~ 31		1
$CH_3OH/NaOCH_3$; –20°/dann 1 Stde, RT	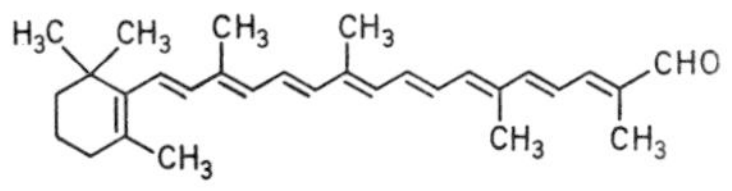 *β-Apo-8′-carotinal* [C_{30}]	~ 86	137	1, vgl. a. 2
CH_3OH/CH_2Cl_2, $NaOCH_3$ 10 Min bei –20°, 90 Min. bei RT	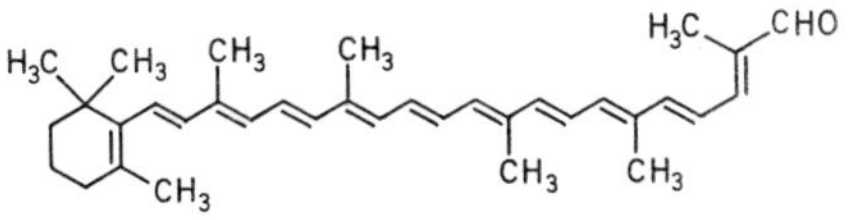 *β-Apo-4′-carotinal* [C_{35}]	~ 81	148–149	1
C_2H_5OH/CH_2Cl_2 $NaOC_2H_5$, +8°, 1 Stde. 25°; 4 Stdn. 40°	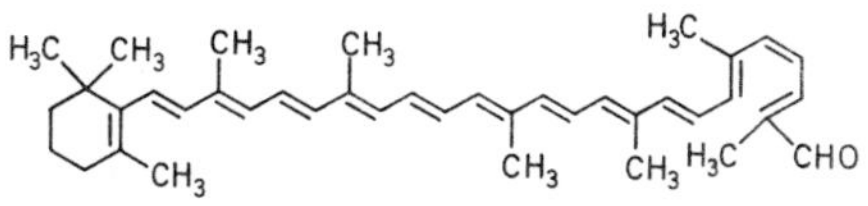 *Torularhodinaldehyd* [C_{40}]	~ 68	171–172	1
C_2H_5OH, $NaOCH_3$; 4 Stdn. kochen	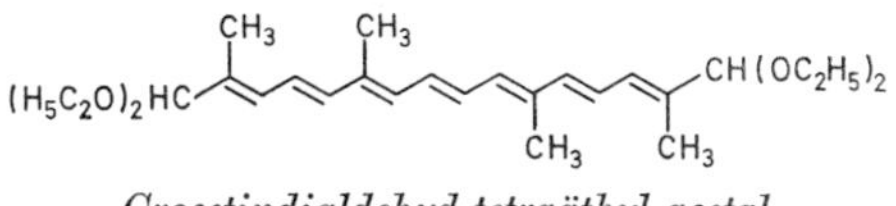 *Crocetindialdehyd-tetraäthyl-acetal* (*Apo-8,8′-carotindial-tetraäthyl-acetal*)	~ 89	128–129	2
CH_3OH/C_6H_6 (Pyridin) $NaOCH_3$, 4 Stdn. 50°	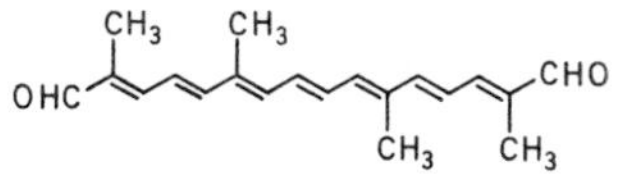 *Crocetindialdehyd* (*Apo-8,8′-carotindial* [C_{20}])	74	190–191	1

[3] Zur Herstellung von unsymmetrischen Polyendialdehyden siehe B. C. L. WEEDON, Pure Appl. Chem. **20**, 531 (1969).

Tab. 6.

Triphenylphosphonium-Salz	Carbonylverbindung	
$[(H_5C_6)_3\overset{\oplus}{P}-CH_2-CH{=}C(CH_3)-CH{=}CH-CH{=}C(CH_3)-CH(OCH_3)_2]\,X^{\ominus}$	$OHC-C(CH_3){=}CH-CH{=}CH-CH{=}C(CH_3)-CHO$	$2\times C_{10}$ + C_{10}
$2\,[(H_5C_6)_3\overset{\oplus}{P}-CH_2-CH{=}C(CH_3)-CH{=}CH-CH(OCH_3)_2]\,X^{\ominus}$	$OHC-C(CH_3){=}CH-CH{=}CH-CH{=}C(CH_3)-CHO$	$2\times C_7$ + C_{10}
$2\,[(H_5C_6)_3\overset{\oplus}{P}-CH_2-CH{=}C(CH_3)-CH{=}CH-CH{=}C(CH_3)-CH{=}CH-CH(OCH_3)_2]\,X^{\ominus}$	$OHC-C(CH_3){=}CH-CH{=}CH-CH{=}C(CH_3)-CHO$	$2\times C_{12}$ + C_{10}
$2\,[(H_5C_6)_3\overset{\oplus}{P}-CH_2-CH{=}C(CH_3)-CH{=}CH-CH{=}C(CH_3)-CH{=}CH-CH{=}C(CH_3)-CH(OCH_3)_2]\,X^{\ominus}$	$OHC-C(CH_3){=}CH-CH{=}CH-CH{=}C(CH_3)-CHO$	$2\times C_{15}$ + C_{10}

Tab. 7. Polyencarbonsäuren durch Carbonyl-Olefinierung nach Wittig mit

Triphenylphosphonium-Salz bzw. isoliertes Phosphoran	Carbonylverbindung
$[(H_5C_6)_3\overset{\oplus}{P}-CH_2-CH{=}C(CH_3)-CH_2-CH_2-CH{=}C(CH_3)-CH_3]\,X^{\ominus}$	$OHC-C(CH_3){=}CH-COOH$ bzw. 5-Hydroxy-4-methyl-2(5H)-furanon (H_3C, HO, O, =O)

1 U. Schwieter et al., Helv. **49**, 369 (1966).
2 Weitere Beispiele s. Lit. [3–6].
3 P. F. Beal, J. C. Babcock u. F. H. Lincoln, Am. Soc. **88**, 3131 (1966).
4 Belg. P. 582042 (1959), Hoffmann-La Roche.

(2. Fortsetzung)

Reaktions-bedingungen	Polyen-aldehyd	Ausbeute [% d. Th.]	F [°C]	Literatur
CH_3OH/ C_6H_6, (Pyridin)$NaOCH_3$ 4 Stdn. 50°	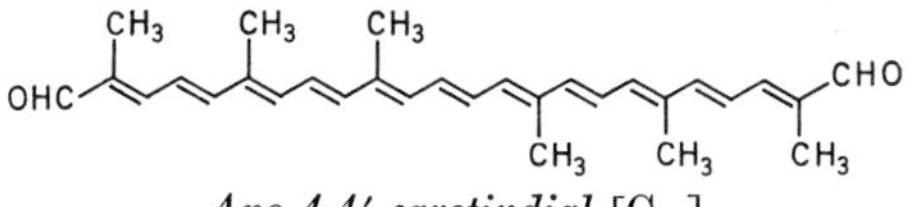 *Apo-4,4'-carotindial* [C_{30}]	85	233–235	[1]
CH_3OH/ C_6H_6 (Pyridin)$NaOCH_3$ 4 Stdn., 50°	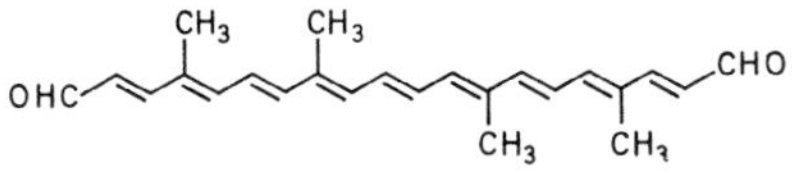 *Apo-6,6'-carotindial* [C_{24}]	41	226–227	[1]
CH_3OH/ CH_2Cl_2, $NaOCH_3$, -15 bis -20° 2Stdn. RT	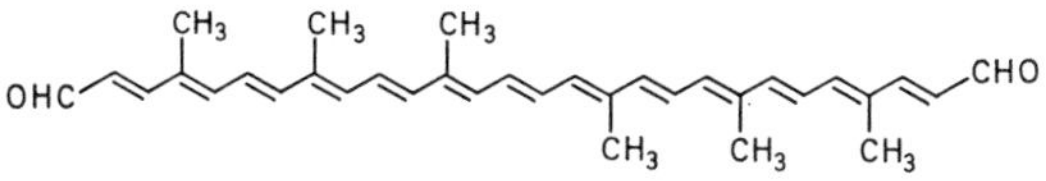 *Apo-2,2'-carotindial* [C_{34}]	~75	239–240	[1]
CH_3OH/ CH_2Cl_2, $NaOCH_3$, –15 bis–20° 3Stdn., RT	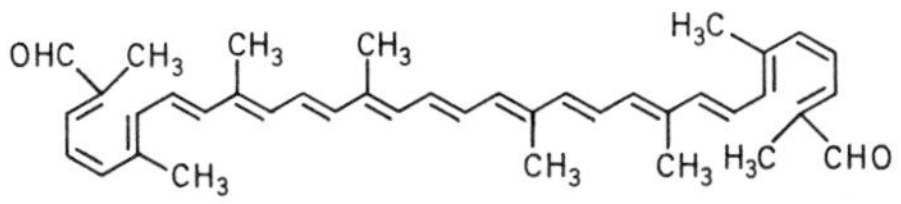 *3,3';4,4'-Tetradehydro-lycopindial-(1,16)* [C_{40}]	~84	261–263	[1] vgl. S. 98

Triphenyl-phosphoniumsalzen, hergestellt aus Halogen-Verbindungen[2] (Methode A)

	Reaktions-bedingungen	Polyen-carbonsäure	Ausbeute [% d.Th.]	F [°C]	Literatur
C_{10} + C_5	Äther/ CH_3OH, $NaOCH_3$ 45 Min. RT, dann Umsetzung mit Aldehyd in Äther 60 Min. RT	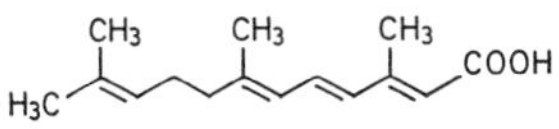 *3,7,11-Trimethyl-dodecatetraen-(2,4,6,10)-säure*	70		[7]

[5] N. PETRAGUANI u. G. SCHILL, B. **97**, 3293 (1964).
[6] O. ISLER u. P. SCHUDEL, Adv. Org. Chem. **4**, 115 (1963).
[7] G. PATTENDON u. B. C. L. WEEDON, Soc. [C] **1968**, 1984.

Tab. 7.

Triphenylphosphonium-Salz bzw. isoliertes Phosphoran	Carbonylverbindung
$[(H_5C_6)_3\overset{\oplus}{P}-CH_2-C_6H_5]\,X^{\ominus}$	OHC … $COOC_2H_5$
$(H_5C_6)_3\overset{\oplus}{P}-\overset{\ominus}{C}H-COOC_2H_5$	$H_3C-(CH=CH)_n-CHO$ $n = 2-4$
$[(H_5C_6)_3\overset{\oplus}{P}-CH_2-CH=CH-COOC_2H_5]\,X^{\ominus}$	CH_3 H_3C … CHO
$[(H_5C_6)_3\overset{\oplus}{P}-(CH_2)_8-COOC_2H_5]\,X^{\ominus}$	H_3C … CHO
	$HO-CH_2$ … CHO (acetyliert)
$(H_5C_6)_3\overset{\oplus}{P}-\overset{\ominus}{C}H-CH=CH-COOCH_3$	$H_5C_6-CH=CH-CHO$

[1] B. G. Kovalev, A. A. Samšurin u. N. P. Dormidontova, Ž. Org. Chim. **2,** 1584 (1966); engl.: 1563.

[2] V. F. Kučerov, B. G. Kovalev, J. J. Nazarova u. L. A. Janovskaja, Izv. Akad. SSSR **1960,** 1512; engl.: 1405.

[3] L. A. Janovskaja u. V. F. Kučerov, Izv. Akad. SSSR **1964,** 1341; engl.: 1252.

[4] O. Isler et al., Helv. **40,** 1242 (1957).

[5] T. S. Sorensen, Am. Soc. **87,** 5075 (1965).

(1. Fortsetzung)

	Reaktionsbedingungen	Polyen-carbonsäure	Ausbeute [% d.Th.]	F [°C]	Literatur
C_1 + C_{10}	C_2H_5OH, $NaOC_2H_5$ 2 Stdn. RT 2 Stdn. 40–50°	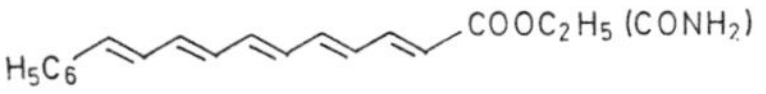 H_5C_6 … $COOC_2H_5$ ($CONH_2$) *11-Phenyl-undecapentaen-(2,4,6,8,10)-säure-äthylester*	53	188–190	[1]
C_2+C_6 C_2+C_8 C_2+C_{10}	(Phosphoran-Herstellung mit wäßr. NaOH)[4] Umsetzung mit Aldehyd in Benzol 6 Stdn. kochen	$H_3C-(CH=CH)_{n+1}-COOC_2H_5$ n = 2; *Octatrien-(2,4,6)-säure-äthylester* n = 3; *Decatetraen-(2,4,6,8)-säure-äthylester* n = 4; *Dodecapentaen-(2,4,6,8,10)-säure-äthylester*	87 82 88	39–40 93–93,5 135–136	[2] (vgl. a. [3])
C_4+C_9	C_2H_5OH, $NaOC_2H_5$ 4 Stdn., RT	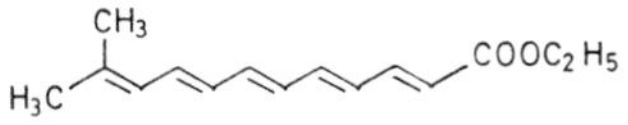 CH_3, H_3C … $COOC_2H_5$ *11-Methyl-dodecapentaen-(2,4,6,8,10)-säure-äthylester*	34	95–97	[5]
C_9+C_9	DMF, $NaOC_2H_5$	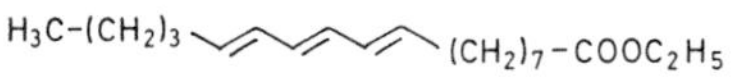 $H_3C-(CH_2)_3$ … $(CH_2)_7-COOC_2H_5$ *Octadecatrien-(9,11,13)-säure-äthylester*	50		[6,7]
C_9+C_9	DMF, $NaOCH_3$	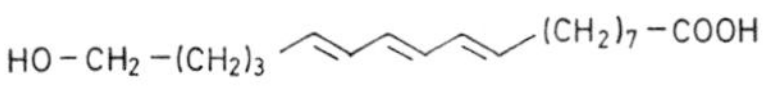 $HO-CH_2-(CH_2)_3$ … $(CH_2)_7-COOH$ *18-Hydroxy-octadecatrien-(9,11,13)-säure* (nach Verseifung)	~ 60 (roh)	(*all-trans*) 88–89	[8,9]
C_4+C_3	a) Phosphoran-Herstellung mit wäßr. NaOH[4] b) aus dem Tri-phenyl-phosphin-allylen mit $ClCOOC_2H_5$ Umsetzung mit Aldehyd in Benzol, 10 Stdn. kochen	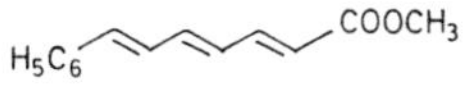 H_5C_6 … $COOCH_3$ *7-Phenyl-heptatrien-(2,4,6)-säure-methylester*	a) 50 b) 28	189–190	[10] vgl. [11]

[6] L. D. BERGELSON et al., Izv. Akad. SSSR **1962,** 1315; engl.: 1238.
[7] L. D. BERGELSON et al., Izv. Akad. SSSR **1963,** 683; engl.: 611.
[8] L. D. BERGELSON et al., Izv. Akad. SSSR **1963,** 388; engl.: 352.
[9] L. D. BERGELSON et al., Izv. Akad. SSSR **1964,** 2003; engl.: 1904.
[10] H. J. BESTMANN u. H. SCHULZ, A. **674,** 11 (1964).
[11] E. BUCHTA u. F. ANDREE, B. **93,** 1349 (1960).

Tab. 7.

Triphenylphosphonium-Salz bzw. isoliertes Phosphoran	Carbonylverbindung
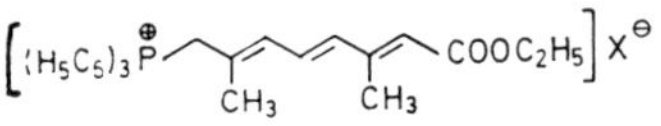 $\left[(H_5C_5)_3\overset{\oplus}{P}\text{-}\ldots\text{-}COOC_2H_5\right]X^{\ominus}$ CH_3 CH_3	β-Apo-12′-carotinal [C_{25}]
	β-Apo-8′-carotinal [C_{30}]
$2(H_5C_6)_3\overset{\oplus}{P}-\overset{\ominus}{C}H-COOCH_3$	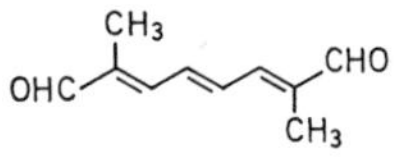 CH_3 $OHC\ldots CHO$ CH_3
$(H_5C_6)_3\overset{\oplus}{P}-\overset{\ominus}{C}H-COOC_2H_5$	$OHC-(CH{=}CH)_n-COOC_2H_5$
	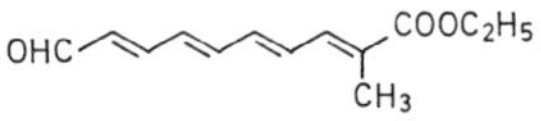 $OHC\ldots COOC_2H_5$ CH_3 $n=2,3$
$2\,(H_5C_6)_3\overset{\oplus}{P}-\overset{\ominus}{C}H-COOC_2H_5$	Crocetindialdehyd (Apo-8,8′-carotindial [C_{20}]

[1] U. Schwieter et al., Helv. **49,** 369 (1966).
[2] E. Buchta u. F. Andree, A. **640,** 29 (1961).
[3] L. A. Janovskaja u. V. F. Kučerov, Izv. Akad. SSSR **1964,** 1341; engl.: 1252.
[4] B. G. Kovalev et al., Izv. Akad. SSSR **1963,** 145; engl.: 127.
[5] V. F. Kučerov, B. G. Kovalev, G. A. Kogan u. L. A. Janovskaja, Dokl. Akad. SSSR **138,** 1115 (1961); C. A. **55,** 24560 (1961).

(2. Fortsetzung)

	Reaktions-bedingungen	Polyen-carbonsäure	Ausbeute [% d.Th.]	F [°C]	Literatur
C_{10} + C_{25}	CH_3OH, K_2CO_3 5 Stdn. 50°	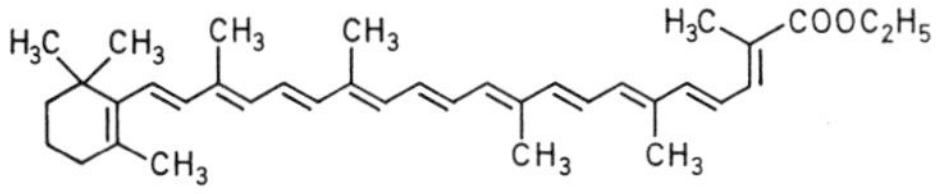 *β-Apo-4′-carotinsäure-äthylester* [C_{35}-*äthylester*]	76	140–141	[1]
C_{10} + C_{30}	CH_3OH, K_2CO_3, 5 Stdn. kochen	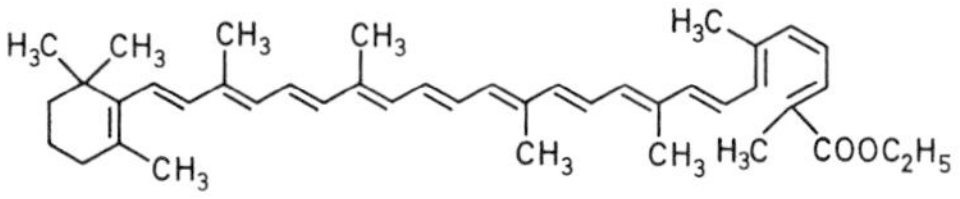 *Torularhodin-äthylester*	76	155–156	[1]
×C_2 + C_{10}	(Phosphoran-Herstellung[8]) mit wäßr. NaOH, dann mit Aldehyd in Benzol 6 Stdn. kochen	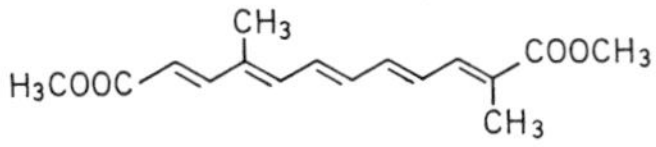 *4,9-Dimethyl-dodecapentaen-(2,4,6,8,10)-disäure-dimethylester* (*Apo-10,10′-carotindisäure-diäthylester*)	87	178	[2] (vgl. a. [3–5])
+C_6 +C_8	(Phosphoran-Herstellung[8]) Umsetzung mit Aldehyd in DMF	$H_5C_2OOC-(CH=CH)_{n+1}-COOC_2H_5$ n = 2; *Octatrien-(2,4,6)-disäure-diäthylester* n = 3; *Decatetraen-(2,4,6,8)-disäure-diäthylester*	51 60		[3] (vgl. a. [6])
C_2 + C_{11}	(Phosphoran-Herstellung[8]) Umsetzung mit Aldehyd in Benzol, 4 Stdn. kochen	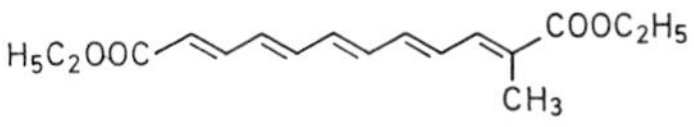 *2-Methyl-dodecapentaen-(2,4,6,8,10)-disäure-diäthylester*	40	87,5–88,5	[7] vgl. a. [6])
×C_2 + C_{20}	Phosphoran-Herstellung mit wäßr. NaOH[8]; dann mit Aldehyd in Benzol 6 Stdn. kochen	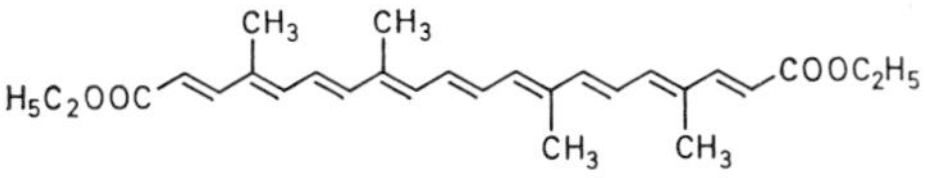 *Apo-6,6′-carotindisäure-diäthylester* (*Norbixin-diäthylester*)	~ 79	199	[8]

[6] L. A. Janovskaja, Russ. Chem. Rev. **36,** 400 (1967).

[7] L. A. Janovskaja, R. H. Stepanova, G. A. Kogan und V. F. Kučerov, Izv. Akad. SSSR **1963,** 857; engl.: 774.

[8] O. Isler et al., Helv. **40,** 1242 (1957).

Tab. 5

Triphenylphosphonium-Salz bzw. isoliertes Phosphoran	Carbonylverbindung
$(H_5C_6)_3\overset{\oplus}{P}-\overset{\ominus}{C}(CH_3)-COOC_2H_5$	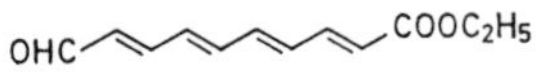 $OHC-(CH=CH)_4-COOC_2H_5$
$2\ (H_5C_6)_3\overset{\oplus}{P}-\overset{\ominus}{C}(CH_3)-COOR$	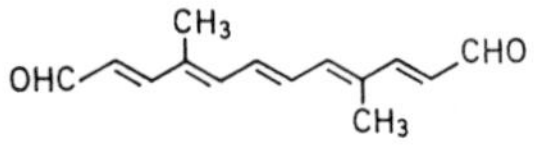 $OHC-CH=CH-C(CH_3)=CH-CH=CH-CH=C(CH_3)-CH=CH-CHO$
$2\ (H_5C_6)_3\overset{\oplus}{P}-\overset{\ominus}{C}H-CH=C(CH_3)-COOCH_3$	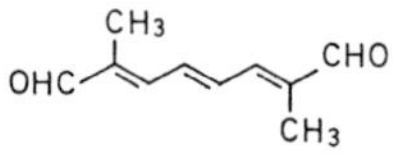 $OHC-C(CH_3)=CH-CH=CH-CH=C(CH_3)-CHO$
$2\ (H_5C_6)_3\overset{\oplus}{P}-\overset{\ominus}{C}(CH_3)-CH=CH-COOCH_3$	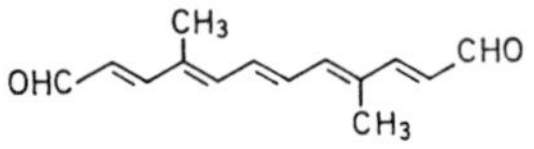 $OHC-CH=CH-C(CH_3)=CH-CH=CH-CH=C(CH_3)-CH=CH-CHO$

β-Carotin (Forts. v. S. 99)

Durch einmaliges Umkristallisieren aus Benzol-Methanol erhält man kristallines β-Carotin; F: 178–179.

aus 2 Mol 9-Vinyl-β-jonol und 1 Mol „C_{10}-Dialdehyd" ($2 \times C_{15} + C_{10}$)[6]:

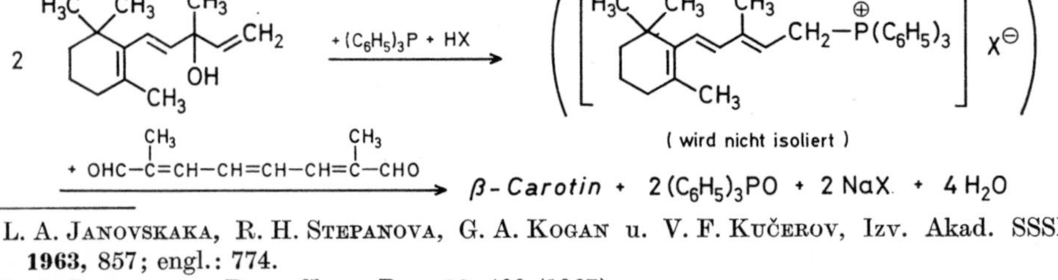

$$2\ \text{9-Vinyl-}\beta\text{-jonol} \xrightarrow{+(C_6H_5)_3P\ +\ HX} \left(\left[\ldots-CH_2-\overset{\oplus}{P}(C_6H_5)_3\right]X^{\ominus}\right)$$

(wird nicht isoliert)

$$\xrightarrow{+\ OHC-C(CH_3)=CH-CH=CH-CH=C(CH_3)-CHO} \beta\text{-}Carotin + 2\,(C_6H_5)_3PO + 2\,NaX + 4\,H_2O$$

[1] L. A. JANOVSKAKA, R. H. STEPANOVA, G. A. KOGAN u. V. F. KUČEROV, Izv. Akad. SSSR **1963**, 857; engl.: 774.

[2] L. A. JANOVSKAJA, Russ. Chem. Rev. **36**, 400 (1967).

[3] O. ISLER et al., Helv. **40**, 1242 (1957).

(3. Fortsetzung)

	Reaktionsbedingungen	Polyen-carbonsäure	Ausbeute [% d. Th.]	F [°C]	Literatur
C_3 + C_{10}	(Phosphoran-Herstellung[3]) Umsetzung mit Aldehyd in Benzol 4 Stdn. kochen	*2-Methyl-dodecapentaen-(2,4,6,8,10)-disäure-diäthylester*	50	87–88	1 (vgl. a. 2)
×C_3 + C_{14}	Phosphoran-Herstellung mit wäßr. NaOH, dann mit Aldehyd in Benzol 6 Stdn. kochen	*Crocetin-dialkylester* (versch.) (*Apo-8,8'-carotindisäure-dialkylester*)			3
×C_5 + C_{10}	Phosphoran-Herstellung mit wäßr. NaOH[3], Umsetzung mit Aldehyd in Benzol, 6 Stdn. kochen	*Crocetin-dimethylester* (*Apo-8,8'-carotindisäure-dimethylester*)	84	214–215	4
×C_5 + C_{14}	Phosphoran-Herstellung mit wäßr. NaOH[3], Umsetzung mit Aldehyd in Benzol, 6 Stdn. kochen	*Apo-6,6'-carotindisäure-dimethylester* (*Methyl-bixin, Norbixin-dimethylester*)	76	203	5

136 g Triphenyl-phosphinhydrobromid, 88 g 9-Vinyl-β-jonol und 300 g Dimethylformamid werden 2½ Stdn. bei –5° und anschließend 16 Stdn. bei 20° gerührt. Dann fügt man 25 g 2,7-Dimethyl-octatrien-(2,4,6)-dial (C_{10}-Dialdehyd) hinzu und rührt, bis klare Lösung eingetreten ist. Ohne äußere Kühlung werden dann unter kräftigem Rühren schnell 108 *ml* einer 31%-igen methanolischen Natriummethanolat-Lösung zugegeben. Es tritt heftige Reaktion ein, und die Temp. im Reaktionsgefäß steigt bis auf 50°. Ohne Kühlung rührt man das Gemisch noch 1 Stde. und kühlt dann auf 0° ab. All-*trans*-β-Carotin kristallisiert aus und wird abgesaugt. Man wäscht mit einem Gemisch von Äthanol/Methanol (~ 1 : 3) nach. Die etwas anorganisches Salz enthaltenen β-Carotin-Kristalle werden aus Benzol/Methanol umkristallisiert; Ausbeute: 42 g (~ 51% d. Th. bez. auf Aldehyd) reines *all-trans-β-Carotin*; F: 179–180°.

---

[4] E. Buchta u. F. Andree, B. **93**, 1349 (1960).
[5] E. Buchta u. F. Andree, B. **92**, 3111 (1959).
[6] DBP 1068703 (1958), BASF, Erf.: H. Pommer u. W. Sarnecki; C. A. **55**, 13473 (1961).

Aus der Mutterlauge kann man noch weitere 12 g reines *all-trans-β-Carotin* gewinnen, wenn man eine *cis-trans*-Isomerisierung mit Jod in Benzol durchführt (s. S. 23); Gesamtausbeute: 54 g (65% d.Th.).

Vitamin A-Acetat[1]: 25 g (0,05 Mol) β-Jonylidenäthyl-triphenyl-phosphonium-chlorid werden in 100 *ml* Dimethylformamid gelöst und bei 0° mit 8 g (0,056 Mol) 4-Acetoxy-2-methyl-buten-(2)-al versetzt. Nach Zugabe von 10 *ml* Äthylenoxid läßt man unter Rühren die Mischung sich auf Raumtemp. erwärmen. Man rührt 16 Stdn. bei Raumtemp., danach 4 Stdn. bei 60° und gießt die Mischung nach Benzin-Zugabe in verd. wäßrige Schwefelsäure ein. Nach Phasentrennung wird 2 mal mit Benzin nachextrahiert. Die vereinigten Benzinextrakte werden über Natriumsulfat getrocknet und eingeengt; Ausbeute: 13,0 g (79%) Vitamin A-acetat-Öl, in Form eines 11-*cis/trans-all-trans*-Gemisches.

$$\left(\text{UV-Spektrum: } \lambda_{max}\ 327\ \text{m}\mu;\ \text{E}\ _{1\,cm}^{1\%} = 1065\right).$$

Durch Umkristallisation aus Äthanol erhält man die reine *all-trans*-Verbindung in Form von schwach gelben Prismen; F: 58–59°:

$$\left(\lambda_{max}\ 327\ \text{m}\mu;\ \text{E}\ _{1\,cm}^{1\%} = 1510\right).$$

Vitamin A-Säure (C_{15} + C_5)[2]: Zu 22 g 9-Vinyl-β-jonol und 26 g Triphenyl-phosphin wird bei 20° die Lösung von 3,7 g Chlorwasserstoff in 80 g Methanol getropft. Dieses Gemisch wird 20 Stdn. gerührt und dann gleichzeitig mit der Lösung von 16 g Natriummethanolat in 60 *ml* Methanol bei –30° zur Lösung von 18 g 3-Methyl-buten-(2)-al-(4)-säure-(1) (β-Formyl-crotonsäure) in 50 *ml* Äthanol gegeben. Dann wird die Kühlung beendet. Sobald das Reaktionsgemisch eine Temp. von 15° erreicht hat, werden 70 g einer 3 n wäßrigen Salzsäure zugesetzt. Nach 15 Stdn. wird der ausgefallene Niederschlag abfiltriert. Der Rückstand wird gut mit Wasser gewaschen und i. Vak. getrocknet. Es werden 14 g rohe Vitamin A-Säure erhalten. Aus der Mutterlauge können durch Versetzen mit Wasser nochmals 7 g rohe Vitamin A-Säure kristallin erhalten werden. Die rohe Vitamin A-Säure wird aus Methanol umkristallisiert; Ausbeute: 18 g (60% d.Th., bez. auf 9-Vinyl-β-jonol); F: 179–180°.

β-Apo-12′-carotinal [C_{25}] (C_{15} + C_{10})[3]:

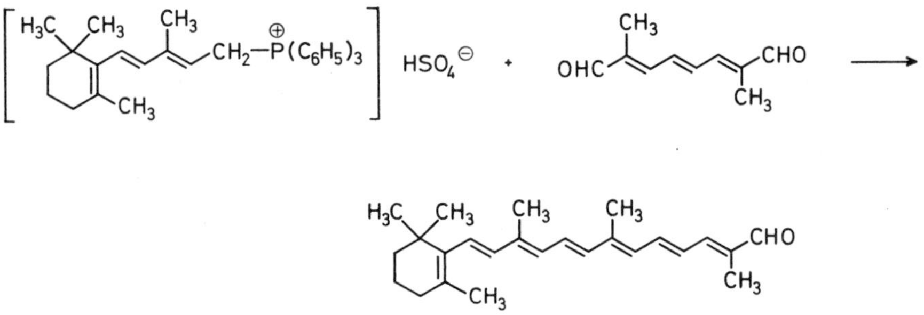

Eine Lösung von 56 g β-Jonylidenäthyl-triphenyl-phosphoniumhydrogensulfat und 16,4 g 2,7-Dimethyl-octatrien-(2,4,6)-dial („C_{10}-Dialdehyd“) in 300 *ml* Dimethylformamid wird unter Luft- und Feuchtigkeitsausschluß mit 27 g einer 20%igen Lösung von Natriummethanolat in Methanol versetzt und 3 Stdn. auf 100° erhitzt. Nach dem Abkühlen wird das Reaktionsgemisch auf ein Gemisch aus Eis und überschüssiger Phosphorsäure gegossen und das Reaktionsprodukt mit Petroläther extrahiert. Der Extrakt wird mit Wasser neutral gewaschen und über Natriumsulfat getrocknet. Nach dem Abdampfen des Lösungsmittels bleiben 28,3 g rohes β-Apo-12′-carotinal zurück, das, nach vorhergehender Isomerisierung durch Kochen in Ligroin durch Chromatographie oder Kristallisation gereinigt werden kann; F: 105° (orangegelb).

---

[1] Belg. P. 734537 (1968), BASF, Erf.: J. Buddrus.

[2] DBP 1068702 (1958), BASF, Erf.: H. Pommer u. W. Sarnecki; C. A. 55, 10812 (1961).

[3] Belg. P. 695116 (1967), BASF, Erf.: H. Freyschlag, A. Nürrenbach, W. Reif u. H. Pommer.

β-Apo-8'-carotinsäure-[C_{30}]-äthylester (C_{20} + C_{10})[1]:

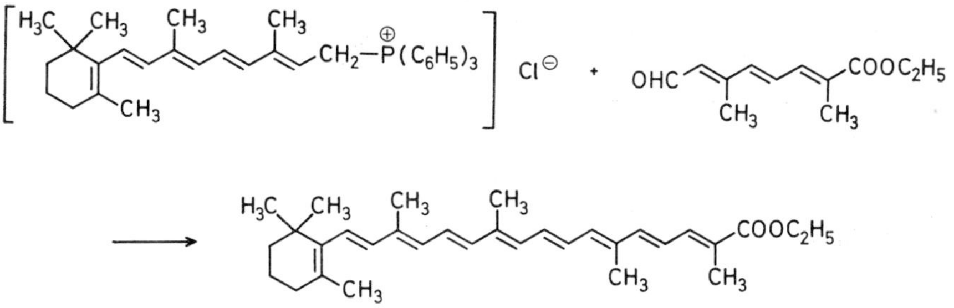

Zu einer Suspension von 31 g Retinyl-triphenyl-phosphonium-chlorid (Herstellung s. S. 96) und 10,5 g 2,6-Dimethyl-octatrien-(2,4,6)-al-(8)-säure-äthylester in 200 *ml* absol. Benzol tropft man unter Rühren eine Natriumäthanolat-Lösung (aus 1,4 g Natrium in 50 *ml* Äthanol). Danach wird 3 Stdn. auf 50° erwärmt, die abgekühlte Reaktionslösung mit Petroläther (Kp: 40–45°) verdünnt und mit 85%igem Methanol gewaschen. Die methanolische Phase wird 2 mal mit Petroläther (Kp: 40–45°) extrahiert. Nach mehrmaligem Waschen mit 85%igem Methanol und Wasser wird der Petrolätherextrakt eingedampft. Den Rückstand (24,5 g) löst man in 200 *ml* Petroläther (Kp: 80–105°) und erhitzt die Lösung nach Zugabe von 0,1 g Jod über einer 250-Watt-Philips-IR-Lampe 4 Stdn. zum Sieden. Das Lösungsmittel wird i. Vak. abgedampft und der Rückstand aus Dichlormethan unter Zusatz von Äthanol kristallisiert; Ausbeute: 15,2 g (65% d. Th.); F: 137–138°.

Nach Isomerisierung der Mutterlaugen können weitere 1,7 g erhalten werden; Gesamtausbeute: 74% der Theorie.

Weitere Beispiele der Carbonylolefinierung mit Alkoholen als Ausgangssubstanzen enthält Tab. 8 (S. 118).

γ) Carbonyl-Olefinierung mit einem Retro-Polyen-Kohlenwasserstoff (Methode D)

6-Äthoxy-3-methyl-1-[2,6,6-trimethyl-cyclohexen-(1)-yl]-hexatrien-(1,3,5)[2]:

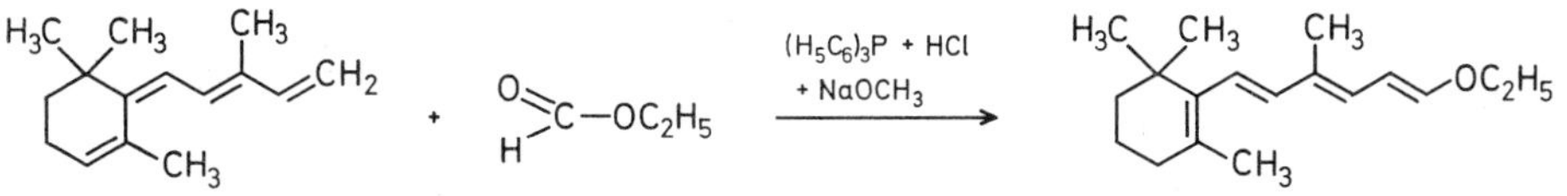

$$(H_5C_6)_3P + HCl \quad + NaOCH_3$$

200 g 3-Methyl-5-[2,6,6-trimethyl-cyclohexen-(2)-yliden]-pentadien werden in 500 g Dimethylformamid mit 265 g Triphenylphosphin 36 Stdn. bei Zimmertemp. gerührt; dann werden 36 g Chlorwasserstoff, gelöst in 200 *ml* Methanol (Salzsäuregehalt titrimetrisch ermittelt), zugesetzt und das Gemisch 3 Stdn. gerührt. Es bildet sich eine klare Lösung, die nach Zugabe von 80 g Ameisensäure-äthylester auf 0° abgekühlt und schnell mit einer Lösung von 60 g Natriummethanolat in 250 *ml* Methanol versetzt wird. Man rührt die Mischung noch 12 Stdn. bei Zimmertemp., überschichtet mit 400 *ml* Petroläther und setzt 150 g einer 10%igen Phosphorsäure hinzu. Nach gründlichem Mischen trennt man die Petroläther-Lösung ab. Diese Maßnahme wiederholt man 3 mal, wäscht die vereinigten Petroläther-Lösungen mehrfach gut mit Wasser und trocknet sie bei –5° 12 Stdn. über Natriumsulfat. Nach Filtration wird destilliert; Ausbeute: 120 g (43% d. Th.); $Kp_{0,05}$: 110–113°.

---

[1] U. Schwieter et al., Helv. **49**, 369 (1966).

[2] DBP 1068705 (1958), BASF, Erf.: H. Pommer u. W. Sarnecki; C. A. **56**, 1487 (1962).

Tab. 8. Polyene durch Carbonyl-Olefinierung mit Alkoholen bzw. deren

Alkohol bzw. Ester (bzw. daraus isolierte Phosphoniumsalze)		Carbonylverbindung	
a) Alkohole			
Triphenylphosphin + HX*			
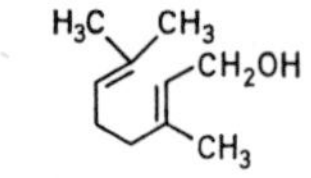 + H_3C CH_3 CH_2OH CH_3	2 Mol	Crocetindialdehyd (Apo-8,8′-carotindial [C_{20}])	2×C + C_{20}
	2 Mol	8,8′-Dehydro-crocetindialdehyd (15,15′-Dehydro-apo-8,8′-carotindial [C_{20}])	2×C + C_{20}
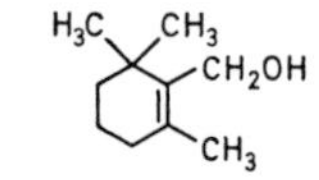 + H_3C CH_3 CH_2OH CH_3	2 Mol	Crocetindialdehyd (Apo-8,8′-carotindial [C_{20}])	2×C + C_{20}
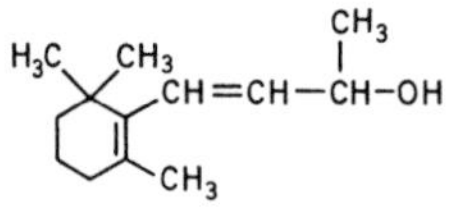 + H_3C CH_3 CH=CH−CH(CH_3)−OH CH_3	1 Mol	OHC−CH=CH−C(CH_3)=CH−COOH	C_{13} + C_7
	2 Mol	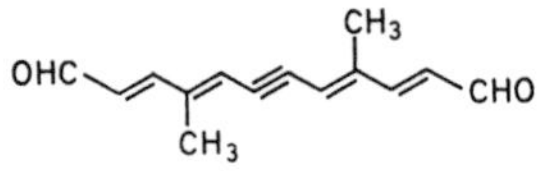 OHC ... CH_3 ... CH_3 ... CHO	2×C + C_{14}
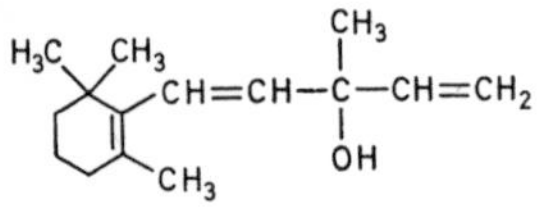 + H_3C CH_3 CH=CH−C(CH_3)(OH)−CH=CH_2 CH_3	1 Mol	OHC−C(CH_3)=CH−CH_3	C_{15} + C_5
	1 Mol	OHC−C(CH_3)=CH−CH_2−OCOCH$_3$	C_{15} + C_5
	1 Mol	OHC−C(CH_3)=CH−COOH (R) bzw. 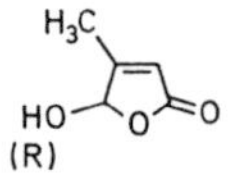 H_3C HO O O (R)	C_{15} + C_5

* Weitere Beispiele enthält die Literatur[10–12]

[1] DBP 1068707 (1958), BASF, Erf.: H. Pommer u. W. Sarnecki, C. A. **55,** 10499 (1961).
[2] DBP 1035647 (1957), BASF, Erf.: H. Pommer u. W. Sarnecki, C. A. **54,** 12187 (1960).
[3] DBP 1068704 (1959), BASF, Erf.: H. Pommer u. W. Sarnecki, C. A. **55,** 13473 (1961).
[4] DBP 1050900 (1957), BASF, Erf.: H. Pommer u. W. Sarnecki, C. A. **55,** 14511 (1961).
[5] DBP 1279677 (1965), BASF, Erf.: W. Reif u. H. Pommer, C. A. **70,** 97006 (1969).
[6] DBP 1068702 (1958), BASF, Erf.: H. Pommer u. W. Sarnecki, C. A. **55,** 10812 (1961).

Carbonsäureestern als Ausgangsverbindungen* (Methode B bzw. C)

Reaktionsbedingungen für die Carbonyl-Olefinierung	Polyen	Ausbeute [% d.Th.]	F [°C]	Literatur
DMF/CH_3OH $NaOCH_3$, 10°; 2 Stdn. RT	*Lycopin*	~ 61	170	[1]
DMF/CH_3OH $NaOCH_3$ 2 Stdn. RT	*15,15'-Dehydro-lycopin*	~ 55	185–186	[1]
DMF/CH_3OH $NaOCH_3$ 1 Stde. RT 1 Stde. 0°	*β-Carotin* (*all-trans*)	~ 50	179–180	[1]
DMF/CH_3OH, $NaOCH_3$ (exotherm), 30 Min. Eis-Kühlung	*Vitamin A-Säure* (neben *all-trans* Bildung von *9-cis*)	75	156 (*cis-trans*)	[2]
DMF/CH_3OH $NaOCH_3$ (exotherm), 1 Stde. RT	*15,15'-Dehydro-β-carotin* (neben *all-trans* Bildung von 9,9'-Di-*cis*)	~ 63	154 (*all-trans*) 76–80 (*cis-trans*)	[3]
CH_3OH/C_2H_5OH, $NaOCH_3$ – 15°/1 Stde.; + 20°/12 Stdn.	*Axerophthen*	~ 74	76	[4] (zur gleichzeitigen Allylumlagerung s. S. 72f.)
$CH_3OH/NaOC_2H_5$ – 10°/ 2 Stdn. ~ 20°/12 Stdn.	*Vitamin A-Acetat* 70% *all-trans* 30% *cis*	~ 90	57–58 (*all-trans*)	[4] vgl.[5]
z. B. CH_3OH oder C_2H_5OH, $NaOCH_3$ oder $NaOC_2H_5$ oder KOH – 20° bis – 30° (bei Estern 5 Stdn. 0°)	*Vitamin A-Säure* (bzw. *-alkylester*) (keine 9-*cis*-Derivate)	Vorschrift s. S. 116		[4,6–8] vgl.[9]

[7] C. F. Garbers, D. F. Schneider u. J. P. van der Merwe, Soc. [C] **1968**, 1982.
[8] G. Pattenden et al., Chem. Comm. **1965**, 347.
[9] U. Schwieter et al., Helv. **45**, 541 (1962).
[10] H. Pommer, Ang. Ch. **72**, 811 (1960).
[11] H. Pommer, Ang. Ch. **72**, 911 (1960).
[12] T. Ichikawa u. T. Kato, Bl. chem. Soc. Japan **41**, 1224 (1968); C. A. **69**, 59032 (1968).

Tab. 8.

Alkohol bzw. Ester (bzw. daraus isolierte Phosphoniumsalze)	Carbonylverbindung	
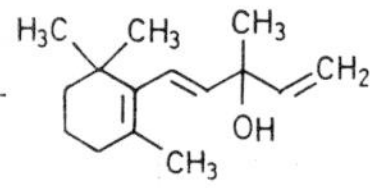 + H_3C, CH_3, CH_3, CH_2, OH, CH_3 — 1 Mol	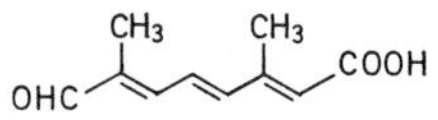 CH_3 CH_3 OHC … COOH	C_{15} + C_{10}
2 Mol	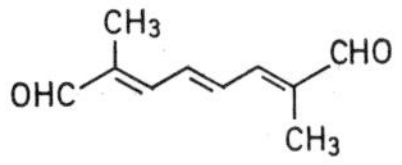 CH_3 OHC … CHO CH_3	2×C_{15} + C_{10}
2 Mol	4-*cis*-„C_{10}-Dialdehyd"	2×C_{15} + C_{10}
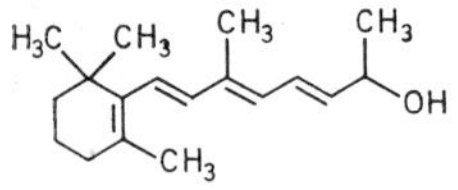 + H_3C, CH_3, CH_3, CH_3, OH, CH_3	Vitamin A-Aldehyd	C_{18} + C_{20}
+ H_3C, CH_3, CH_3, CH_3, CH_3, OH, CH_3	OHC–CH=C(CH_3)–CH=CH–C_6H_4–OCH_3	
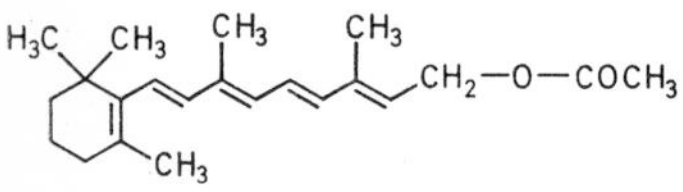 + H_3C, CH_3, CH_3, CH_3, CH_2–O–$COCH_3$, CH_3	OHC–C(CH_3)=CH–$COOC_2H_5$	C_{20} + C_5

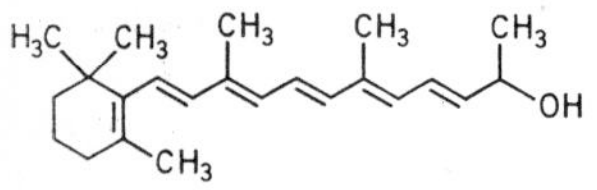

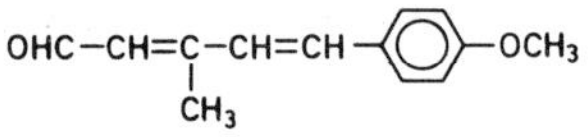

b) aus Alkoholen (bzw. Estern) isolierte Triphenyl-phosphoniumsalze vgl. a. 5–7:

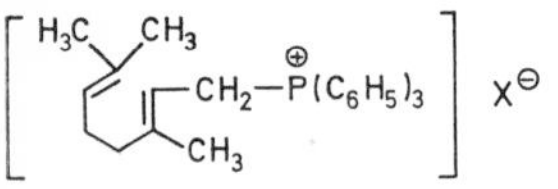 [H_3C, CH_3, CH_2–$P^{\oplus}(C_6H_5)_3$, CH_3] $X^{\ominus}$	*β*-Apo-8'-carotinal [C_{30}]	C_{10} + C_{30}

---

[1] DBP 1070173 (1958), BASF, Erf.: H. Pommer u. W. Sarnecki, C. A. **55,** 11332 (1961).
[2] DBP 1068703 (1958), BASF, Erf.: H. Pommer u. W. Sarnecki, C. A. **55,** 13473 (1961).
[3] US. P. 3403184 (1966/1968), Eastman Kodak, Erf.: A. J. Chechak u. C. D. Robeson; C. A. **70,** 57286 (1969).
[4] DBP 1158505 (1962), BASF, Erf.: W. Sarnecki, A. Nürrenbach u. W. Reif; C. A. **60,** 5570 (1964).

(1. Fortsetzung)

Redaktionsbedingungen für die Carbonyl-Olefinierung	Polyen	Ausbeute [% d.Th.]	F [°C]	Literatur
DMF/CH_3OH, $NaOCH_3$ (exotherm) (Kühlung) 30 Min RT.	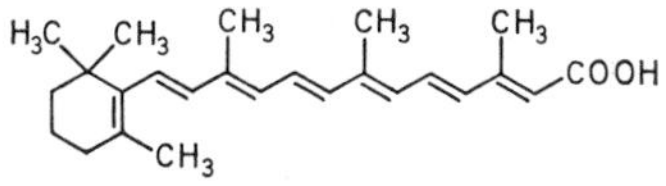 *β-Apo-12′-carotinsäure* [C_{25}]	~ 70	180–181	1
(Vorschrift S. 114)	*all-trans-β-Carotin*	(s. S. 114)		2
DMF/C_2H_5OH, $NaOC_2H_5$, 5°, 3 Stdn. (Lichtausschluß!)	*15,15′-Mono-cis-β-carotin* (daneben *all-trans*)	45 Mono-*cis* + 43 *all-trans*	150 (15,15′-*cis*)	2
CH_3OH/KOH, 3 Stdn. 0°, 18 Stdn. 25°	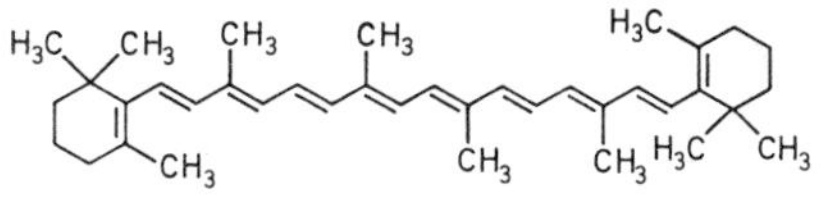 *β-Carotin*			3
CH_3OH/KOH, 20 Min, bei –20°, 2 Stdn. 0—5°, 72 Stdn. 6°	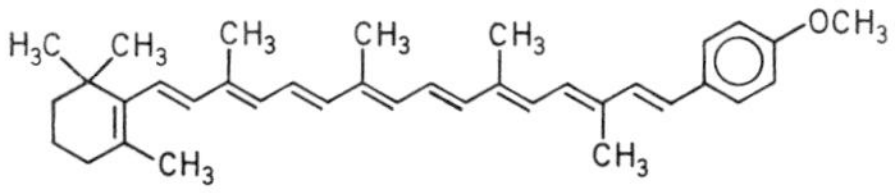 *3,6,10,14-Tetramethyl-16-[2,6,6-trimethyl-cyclohexen-(1)-yl]-1-(4-methoxy-phenyl)-hexadecaoctaen-(1,3,5,7,9,11,13,15)*	~ 5	141–144	3
CH_3OH, $NaOCH_3$ – 20°, 4 Stdn.	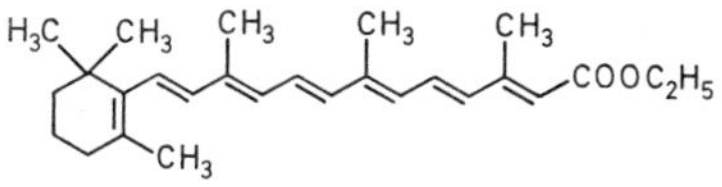 *β-Apo-12′-carotinsäure-*[C_{25}]*-äthylester*	über 90	110	4
Äther, LiC_6H_5; 1 Stde. RT Dann Umsetzung mit Aldehyd/+ CH_2Cl_2, 5 Stdn. kochen	*γ-Carotin*	~ 50 (roh)	152–154	8

[5] P. S. MANCHAND et al., Soc. **1965**, 2019.

[6] M. S. BARBER, L. M. JACKMAN, P. S. MANCHAND u. B. C. L. WEEDON, Soc. [C] **1966**, 2166.

[7] US.P. 3466331 (1967/1969), Hoffmann-La Roche, Erf.: J. D. SURMATIS u. A. WALSER; C. A. **72**, 45032 (1970).

[8] R. RÜEGG et al., Helv. **44**, 985 (1961).

Tab. 8.

Alkohol bzw. Ester (bzw. daraus isolierte Phosphoniumsalze)	Carbonylverbindung	
$[H_3C,\ CH_3,\ CH_3,\ CH_3\ \ldots CH_2-\overset{\oplus}{P}(C_6H_5)_3]\ X^{\ominus}$	15,15′-Dehydro-β-apo-12′-carotinal [C_{25}]	C_{15} + C_{25}
$[H_3C,\ CH_3,\ CH_3,\ CH_3\ \ldots CH_2-\overset{\oplus}{P}(C_6H_5)_3]\ X^{\ominus}$	15,15′-Dehydro-β-apo-12′-carotinal [C_{25}]	C_{15} + C_{25}
	$OHC-C(CH_3)=CH-CH_2-O-COCH_3$	C_{15} + C_5
$[H_3C,\ CH_3,\ CH_3,\ CH_3,\ CH_3\ \ldots CH_2-\overset{\oplus}{P}(C_6H_5)_3]\ X^{\ominus}$	Vitamin A-Aldehyd	C_{20} + C_{20}
	$H_3C,\ CH_3,\ CH_3,\ CH_3,\ CH_3,\ O\ \ldots CHO$	C_{20} + C_{20}
	$OHC \ldots (CH_3)\ldots(CH_3) \ldots CH(OCH_3)_2$	C_{20} + C_{10}
$[H_3COOC \ldots (CH_3) \ldots (CH_3) \ldots (CH_3) \ldots CH_2-\overset{\oplus}{P}(C_6H_5)_3]\ X^{\ominus}$	$OHC \ldots (CH_3) \ldots COOCH_3$	C_{17} + C_7

[1] R. RÜEGG et al., Helv. **44**, 985 (1961).
[2] DBP 1279677 (1965), BASF, Erf.: W. REIF u. H. POMMER, C. A. **70**, 97006 (1969).
[3] Belg.P. 734537 (1968), BASF, Erf.: J. BUDDRUS.
[4] J. D. SURMATIS, J. GIBAS u. R. THOMMEN, J. Org. Chem. **34**, 3039 (1969).

(2. Fortsetzung)

Reaktionsbedingungen für die Carbonyl-Olefinierung	Polyen	Ausbeute [% d.Th.]	F [°C]	Literatur
DMF/C_2H_5OH $NaOC_2H_5$; 16 Stdn. RT	*15,15'-Dehydro-γ-carotin*	32	114–116	[1]
DMF/C_2H_5OH, $NaOC_2H_5$; 20 Stdn. RT	*15,15'-Dehydro-β-carotin*	~ 89 (roh)	153–155	[1]
kontinuierliches Verfahren ($CH_3OH/KOCH_3$)	*Vitamin A-Acetat (cis-trans)*			[2]
kontinuierliches Verfahren (C_2H_5OH/KOH)	*β-Carotin*		178	[2]
DMF, Äthylenoxid				[3]
CH_3OH/Pyridin KOH in CH_3OH 2 Stdn. 10°	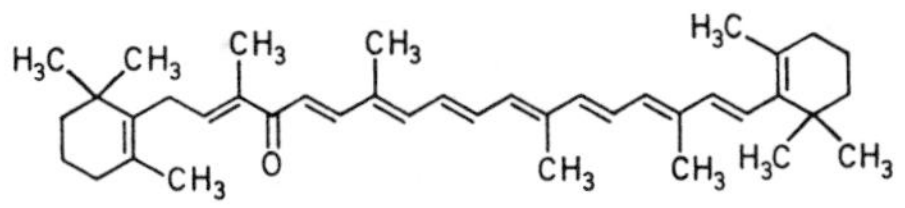 *15-Oxo-3,7,12,16-tetramethyl-1,18-bis-[2,6,6-trimethyl-cyclohexen-(1)-yl]-octadecaoctaen-(1,3,5,7,9,11,13,15)*	50	156	[4] vgl.[5]
CH_3OH, $NaOCH_3$ – 15°, 10 Min. dann 1 Stde. RT	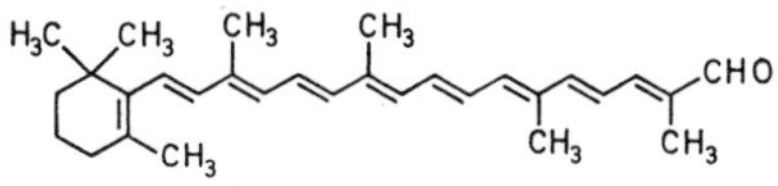 *β-Apo-8'-carotinal* [C_{30}]	90 (roh) 75 (rein)		[6]
CH_3OH, $NaOCH_3$, 25—30° ~ 30 Min.	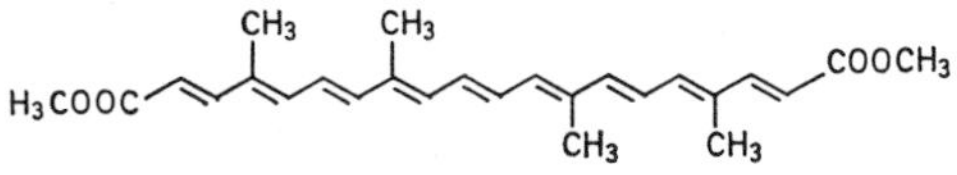 *Apo-6,6'-carotindisäure-dimethylester (Methyl-bixin, Norbixin-dimethylester)* *all-trans* / 9-mono-*cis*	10 / 80	163	[7]

[5] J. D. SURMATIS et al., Helv. **53**, 974 (1970).
[6] U. SCHWIETER et al., Helv. **49**, 369 (1966).
[7] G. PATTENDON, J. E. WAY u. B. C. L. WEEDON, Soc. [C] **1970**, 235.

Weitere Beispiele für Carbonyl-Olefinierungen mit Retro-Kohlenwasserstoffen unter Umlagerung in die „Normalkonjugation" werden in der Literatur beschrieben[1–6].

Durch Verwendung von 3,8-Dimethyl-decatetraen-(2,4,6,8)-dial zur Carbonyl-Olefinierung mit dem folgendem Retro-Phosphoniumsalz I erhält man *Rhodoxanthin* {*3,7,12,16-Tetramethyl-1,18-bis-[4-oxo-2,6,6-trimethyl-cyclohexen-(2)-yliden]-octadeca-octaen-(2,4,6,8,10,12,14,16)*} also ein Carotinoid mit Retro-Struktur[7]:

H3C CH3 CH3 ⊕ P(C6H5)3 Br⊖ O CH3 → I

H3C CH3 CH3 CH3 H3C O O CH3 CH3 CH3 H3C CH3

δ) Polyensynthesen durch Wittig-Reaktion mit Dialkylamino-phosphinen

An Stelle von Triphenylphosphin sind allgemein auch Phosphine mit 2 oder 3 Dialkylamino-Resten am Phosphor zur Carbonyl-Olefinierung verwendbar[8], häufig wird Bis- oder Tris-[dimethylamino]-phosphin eingesetzt[9–13]. Die Methode wurde vereinzelt auch für Polyensynthesen herangezogen, z.B.:

$$\{H_5C_2OOC-\underset{CH_3}{CH}-\overset{\oplus}{P}[N(CH_3)_2]_3\}\,Br^{\ominus}\ (I) + NaOC_2H_5\ (\text{in Benzol}) + OHC-CH{=}CH-\underset{CH_3}{C}{=}CH-CH_2OH\ (II)$$

$$\longrightarrow H_5C_2OOC-\underset{CH_3}{C}{=}CH-CH{=}CH-\underset{CH_3}{C}{=}CH-CH_2OH\ (III) + [(CH_3)_2N]_3PO$$

8-Hydroxy-2,6-dimethyl-octatrien-(2,4,6)-säure-äthylester (III)[13]: Mit 20,7 g Natrium und 250 *ml* absol. Äthanol wird eine Natriumäthanolat-Lösung bereitet. Das überschüssige Äthanol wird abgedampft und das trockene Natriumäthanolat in 600 *ml* absol. Benzol suspendiert. Nun werden gleichzeitig 90,7 g 6-Hydroxy-4-methyl-hexadien-(2,4)-al (II) und 309,6 g Tris-[dimethylamino]-(1-äthoxycarbonyl-äthyl)-phosphoniumbromid[12] (I) zugegeben. Dann wird die Mischung

---

[1] DBP 1068705 (1958), BASF, Erf.: H. POMMER u. W. SARNECKI; C. A. **56**, 1487 (1962).
[2] H. POMMER, Ang. Ch. **72**, 911 (1960).
[3] DBP 1068706 (1958), BASF, Erf.: H. POMMER u. W. SARNECKI; C. A. **56**, 512 (1962).
[4] DBP 1046612 (1957), BASF, Erf.: H. POMMER u. W. SARNECKI; C. A. **55**, 5573 (1961).
[5] DBP 1050763 (1957), BASF, Erf.: H. POMMER u. W. SARNECKI; C. A. **55**, 5572 (1961).
[6] DBP 1068709 (1958), BASF, Erf.: H. POMMER u. W. SARNECKI; C. A. **55**, 13472 (1961).
[7] H. MAYER, M. MONTAVON, R. RÜEGG u. O. ISLER, Helv. **50**, 1606 (1967).
[8] Die entsprechenden Morpholino- oder Piperidino-phosphine sind weniger gut geeignet; G. WITTIG, H. D. WEIGMANN u. M. SCHLOSSER, B. **94**, 683 (1961).
[9] L. HORNER, Fortschr. chem. Forsch. **7**, S. 8 (1966/67).
[10] R. F. HUDSON, P. A. CHOPARD u. G. SALVADORI, Helv. **47**, 632 (1964).
[11] DBP 1170933 (1962), Farbf. Bayer, Erf.: K. EITER u. H. OEDIGER; C. A. **61**, 14580g (1964).
[12] H. OEDIGER u. K. EITER, A. **682**, 58 (1965).
[13] U. SCHWIETER et al., Helv. **49**, 369 (1966).

5 Stdn. bei 5° gerührt. — Das Reaktionsgemisch wird auf 600 *ml* Eiswasser gegossen und die Bildung einer Emulsion durch Zugabe von 400 *ml* Äther verhindert. Die Phasen werden getrennt und die organische Schicht 5 mal mit je 200 *ml* Wasser gewaschen. Nach Trocknen mit Natriumsulfat werden die Lösungsmittel im Wasserstrahlvak. abgedampft. Es verbleiben 139,6 g Rohprodukt, das für weitere Reaktionen rein genug ist. Das Produkt kann durch Umkristallisieren aus Isopropyläther oder durch Hochvakuumdestillation gereinigt werden; F: ~ 20°; $Kp_{0,03}$: 133°.

Es ist günstig, daß das neben dem Polyen entstehende Phosphorsäure-tris-[dimethylamid] sehr gut wasserlöslich und dadurch leicht abtrennbar ist. Die Carbonyl-Olefinierung mit Dialkylamino-phosphinen kann auch als Eintopfverfahren durchgeführt werden[1].

Weitere Beispiele, auch mit dem Bis-[diäthylamino]-Derivat, werden in der Literatur beschrieben[2].

ε) Tritium- (bzw. Deuterium)-markierte Polyene mit Hilfe der Wittig-Reaktion[3,4]

In Gegenwart von Alkohol besteht zwischen den Phosphoryliden und den daraus mit Alkohol sich bildenden Phosphoniumalkoholaten ein Gleichgewicht, aus dem bei der Umsetzung mit Carbonyl-Verbindungen zu Olefinen laufend Ylid herausgezogen wird. Stellt man z.B. ein Ylid nach der Alkoholat-Methode in absol. Alkohol her und gibt anschließend O-Tritium-äthanol hinzu, so entsteht über mehrere gekoppelte Gleichgewichtszustände ein tritium-markiertes Ylid und daraus im Endeffekt ein Olefin (Polyen), bei dem an der neu gebildeten Doppelbindung ein Wasserstoff durch Tritium ersetzt ist. Bei Verwendung von Tricyclohexylphosphin (vgl. S. 94), erhält man sterisch einheitliche tritium-markierte *trans*-Olefine(-Polyene); z.B.:

$$C_6H_5-CH=CH-\overset{\ominus}{C}H-\overset{\oplus}{P}(C_6H_{11})_3 \underset{-C_2H_5OH}{\overset{+C_2H_5OH}{\rightleftharpoons}} \left[C_6H_5-CH=CH-CH_2-\overset{\oplus}{P}(C_6H_{11})_3\right] H_5C_2O^{\ominus}$$

$$\left[C_6H_5-CH=CH-CHT-\overset{\oplus}{P}(C_6H_{11})_3\right] H_5C_2O^{\ominus} \quad (-C_2H_5OT \;/\; +C_2H_5OT)$$

$$\left[C_6H_5-CH=CH-CHT-\overset{\oplus}{P}(C_6H_{11})_3\right] H_5C_2O^{\ominus} \underset{+C_2H_5OH}{\overset{-C_2H_5OH}{\rightleftharpoons}} C_6H_5-CH=CH-\overset{\ominus}{C}T-\overset{\oplus}{P}(C_6H_{11})_3$$

$$\xrightarrow{+\ OHC-CH=CH-C_6H_5} C_6H_5-\overset{1}{C}H=\overset{2}{C}H-\overset{3}{C}T=\overset{4}{C}H-\overset{5}{C}H=\overset{6}{C}H-C_6H_5$$

---

[1] H. Oediger u. K. Eiter, A. **682**, 58 (1965).
[2] U. Schwieter et al., Helv. **49**, 369 (1966).
[3] H. J. Bestmann, O. Kratzer u. H. Simon, B. **95**, 2750 (1962).
O. Kratzer, Dissertation, Technische Hochschule München, 1963.
[4] H.J. Bestmann, *Neuere Methoden der präparativen organischen Chemie*, Bd. 5, S. 1, Verlag Chemie, Weinheim 1967.

3-Tritium-*all-trans*-1,6-diphenyl-hexatrien-(1,3,5)[1]: Aus 0,3 g Natrium und 35 *ml* absol. Äthanol bereitet man in einem Schlenkrohr eine Natriumäthanolat-Lösung. Der Alkohol wird an der Wasserstrahlpumpe unter Feuchtigkeitsausschluß weitgehend abgezogen. Zum Rückstand gibt man 40 *ml* O-Tritium-äthanol und 4 g Tricyclohexyl-(3-phenyl-allyl)-phosphonium-bromid und läßt die Lösung danach 1 Stde. zum „Tritiumaustausch" bei Raumtemp. stehen. Anschließend werden 1,9 g frisch destillierter Zimtaldehyd zugegeben, und die Lösung wird nochmals 24 Stdn. stehen gelassen. Bereits nach kurzer Zeit beginnt das Trien in blaßgelben Blättchen sich abzuscheiden. Es wird abgesaugt und mit 60%igem Äthanol gut nachgewaschen; Ausbeute: 0,7 g (38% d. Th.); F: 198–199°.

Beim Austausch betrug die T-Aktivität des Alkohols 161,4 ipm/μM, die des 1,6-Diphenyl-hexatriens 197,3 ipm/μM.

Durch derartige Tritium-Markierungen konnte die Mesomerie bei ungesättigten Phosphin-alkylenen bewiesen werden, z.B.:

$$R{-}CH{=}CH{-}\overset{\ominus}{\bar{C}}H{-}\overset{\oplus}{P}(C_6H_5)_3 \longleftrightarrow R{-}\overset{\ominus}{\bar{C}}H{-}CH{=}CH{-}\overset{\oplus}{P}(C_6H_5)_3$$

Diese Form überwiegt

Es entsteht beim o.a. Beispiel tatsächlich neben *3-Tritium-* das *1-Tritium-1,6-diphenyl-hexatrien.*

Tritium-markiertes β-Carotin, das ebenfalls hergestellt werden konnte[1], kann für die Biochemie von Bedeutung sein, z.B. zur Klärung des oxidativen Abbaus im Organismus (vgl. S. 162).

Nach analoger Methode wurden auch deuterium-markierte Olefine hergestellt[2,3].

ζ) Polyene durch „Dimerisierung" von ungesättigten Phosphin-alkylenen (Phosphoranen) bei Einwirkung von Sauerstoff, Nitrosoverbindungen oder mit Hilfe von Perjodaten.

Bei Einwirkung von Sauerstoff auf ungesättigte Triphenylphosphin-alkylene mit der Gruppierung —CH=PR$_3$ erhält man – formell durch Dimerisierung entstandene – symmetrische Polyene und Triphenylphosphinoxid[1,3–5]. Die Reaktion ermöglicht z.B. auch die Herstellung von kristallisiertem *β-Carotin* aus 2 Mol Vitamin A[1,3,6,7] (Rohausbeute 35% d.Th.; nach 1maligem Umkristallisieren aus Benzol/Methanol 28% d.Th. reines *all-trans*-β-Carotin, F: 176°):

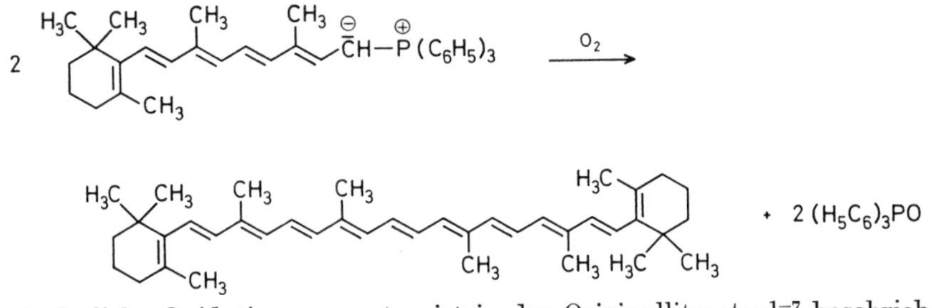

2 [Retinyliden-triphenylphosphoran: ...$\overset{\ominus}{C}H{-}\overset{\oplus}{P}(C_6H_5)_3$] $\xrightarrow{O_2}$ [β-Carotin] + 2 $(H_5C_6)_3PO$

Die erforderliche Oxidationsapparatur ist in der Originalliteratur[1–7] beschrieben.

[1] O. Kratzer, Dissertation, Technische Hochschule München, 1963.
[2] H. J. Bestmann, O. Kratzer u. H. Simon, B. **95**, 2750 (1962).
[3] H. J. Bestmann, *Neuere Methoden der präparativen organischen Chemie*, Bd. 5, S. 1, Verlag Chemie, Weinheim 1967.
[4] H. J. Bestmann, Ang. Ch. **72**, 34 (1960).
[5] H. J. Bestmann u. O. Kratzer, B. **96**, 1899 (1963).
[6] H. J. Bestmann u. O. Kratzer, Ang. Ch. **73**, 757 (1961).
[7] DBP 1148542 (1961), Farbw. Hoechst, Erf.: H. J. Bestmann u. O. Kratzer; C. A. **59**, 11576 (1963).

Statt Sauerstoff kann man auch bestimmte Nitroso-Verbindungen (vgl. auch Aldehyd- und Nitril-Synthese S. 187) einsetzen. Bei der Umsetzung von Retinyl-triphenyl-phosphoniumsalz (aus Vitamin A) mit 4-Nitroso-1-dimethylamino-benzol[1] und Diäthylamin in Dimethylformamid-Lösung erhält man analysenreines *β-Carotin* (~ 50% d. Th.)[2].

Auch durch Umsetzung von Triphenylphosphonium-perjodaten mit Basen erreicht man die oben beschriebene Dimerisierung[3]. Die Methode eignet sich vor allem für resonanzstabilisierte Ylide.

Für den Mechanismus dieser Reaktion kann man annehmen, daß 1 Mol des Ylids zunächst zum Aldehyd oxidiert wird, der dann sofort nach der normalen Wittig-Reaktion mit einem weiteren Mol noch nicht oxidierten Ylids zum Polyen reagiert[4,5].

β-Carotin[2]: 59,6 g (95 mMol) Retinyl-triphenyl-phosphonium-hydrogensulfat[6] werden mit 14,4 g (96 mMol) 4-Nitroso-1-dimethylamino-benzol in 300 *ml* Dimethylformamid gelöst. Anschließend werden bei Raumtemp. unter gutem Rühren innerhalb 5 Min. 21 g Diäthylamin zugetropft. Nach weiterem 2 stdgm. Rühren bei Raumtemp. wird mit Benzin verdünnt und mit verd. Schwefelsäure angesäuert. Dann wird die wäßrige Phase mit frischem Benzin extrahiert. Die vereinigten Extrakte werden über Natriumsulfat getrocknet und eingeengt. Der Rückstand (21 g) wird in Benzol gelöst und über Aluminiumoxid chromatographiert. Der leicht durchlaufende Anteil wird gesammelt und eingeengt; Rückstand: 12,1 g (48% d. Th.). Das so erhaltene β-Carotin ist dünnschichtchromatographisch rein (UV-Spektrum: $\lambda_{max} = 456$ mμ, $\varepsilon_1^1 = 2450$). Durch weiteres Eluieren werden aus der Säule noch ~ 6,8 g Vitamin-A-Aldehyd erhalten (UV-Spektrum: $\lambda_{max} = 372$ mμ, $\varepsilon_1^1 = 1230$).

4. Polyene durch „PO-aktivierte Carbonyl-Olefinierung"

a) Phosphonsäure-diester-Verfahren (modifizierte Wittig-Reaktion)

Für zahlreiche Polyensynthesen bedeutet das Phosphonsäure-diester-Verfahren[7–10, vgl. 11–13] eine wertvolle Ergänzung zur Wittig-Reaktion. An die Stelle der durch Aryl-, Cyclohexyl- oder Alkylamino-Gruppen trisubstituierten Phosphine treten beim Phosphonsäure-diester-Verfahren als Ausgangsprodukte geeignete Phosphorigsäure-trialkylester bzw. -triarylester. Am besten ist Phosphorigsäure-triäthylester geeignet.

Bei der Umsetzung von Phosphorigsäure-triestern mit primären Alkyl-halogeniden entstehen zunächst unbeständige Phosphoniumsalze („Quasi-Phosphoniumsalze"), die sofort spontan zerfallen unter gleichzeitiger Umlagerung der Phosphorigsäure-

---

1 In Dimethylformamid-Lösung hält sich 4-Nitroso-1-dimethylamino-benzol monatelang[2].

2 A. Nürrenbach u. H. Pommer, A. **721**, 34 (1969).

3 H.J. Bestmann, R. Armsen, H. Wagner, B. **102**, 2259 (1969).

4 O. Kratzer, Dissertation, Technische Hochschule München, 1963.

5 H.J. Bestmann, *Neuere Methoden der präparativen organischen Chemie*, Bd. 5, S. 1, Verlag Chemie, Weinheim 1967.

6 DBP 1155126 (1962), BASF, Erf.: W. Sarnecki, A. Nürrenbach u. W. Reif.

7 L. Horner, Fortschr. chem. Forsch. **7**, S. 8 (1966/67).

8 L. Horner et al., B. **95**, 581 (1962); **96**, 3133 (1963).

9 H. Pommer, Ang. Ch. **72**, 911 (1960).

10 W. S. Wadsworth u. W. D. Emmons, Am. Soc. **83**, 1733 (1961).

11 L. Horner, H. Hoffmann u. H. G. Wippel, B. **91**, 61 (1958).

12 L. Horner, H. Hoffmann, H. G. Wippel u. G. Klahre, B. **92**, 2499 (1959).

13 K. Dimroth u. A. Nürrenbach, B. **93**, 1649 (1960).

Gruppierung in einen Phosphonsäure-diester (Michaelis-Arbusow-Reaktion vgl. [1-3]):

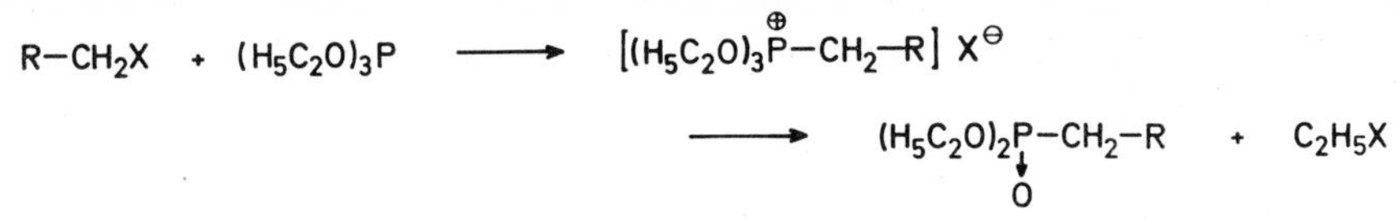

$$R{-}CH_2X + (H_5C_2O)_3P \longrightarrow [(H_5C_2O)_3\overset{\oplus}{P}{-}CH_2{-}R]\,X^{\ominus}$$

$$\longrightarrow (H_5C_2O)_2\underset{\downarrow\atop O}{P}{-}CH_2{-}R + C_2H_5X$$

Derartige Phosphonsäure-diester lassen sich analog der Wittig-Reaktion in den üblichen Lösungsmitteln in Gegenwart von Basen (Alkalihydroxide, -alkoholate, -amide, -hydride) über α-metallierte Phosphonsäure-diester als Zwischenstufen mit Carbonyl-Verbindungen zu entsprechenden Olefinen (Polyenen) umsetzen[vgl. 4] (daneben entstehen Phosphorsäure-dialkylester); z.B.:

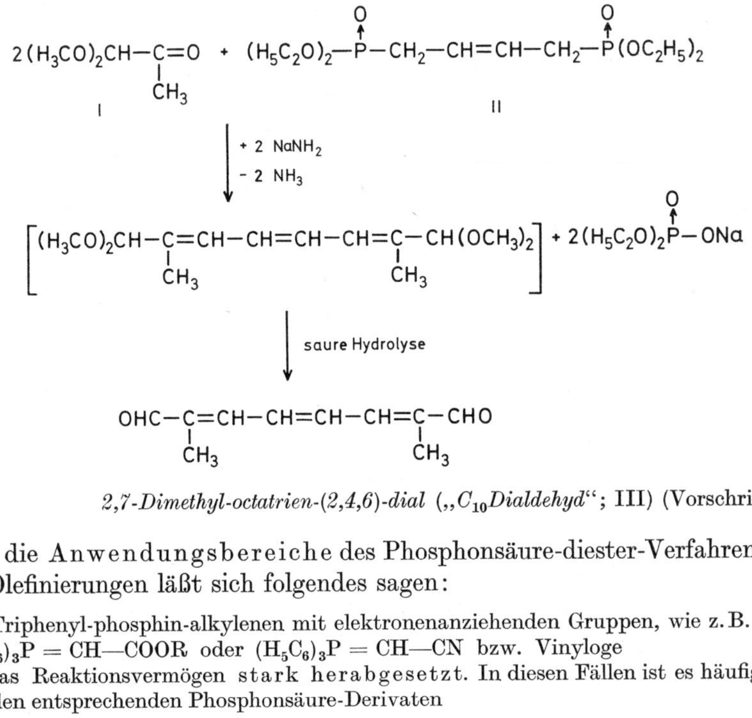

$$2\,(H_3CO)_2CH{-}\underset{CH_3}{C}{=}O \;(I) + (H_5C_2O)_2{-}\overset{O\atop\uparrow}{P}{-}CH_2{-}CH{=}CH{-}CH_2{-}\overset{O\atop\uparrow}{P}(OC_2H_5)_2 \;(II)$$

$$\downarrow \; +2\,NaNH_2,\; -2\,NH_3$$

$$\left[(H_3CO)_2CH{-}\underset{CH_3}{C}{=}CH{-}CH{=}CH{-}CH{=}\underset{CH_3}{C}{-}CH(OCH_3)_2\right] + 2\,(H_5C_2O)_2\overset{O\atop\uparrow}{P}{-}ONa$$

$$\downarrow \; \text{saure Hydrolyse}$$

$$OHC{-}\underset{CH_3}{C}{=}CH{-}CH{=}CH{-}CH{=}\underset{CH_3}{C}{-}CHO$$

2,7-Dimethyl-octatrien-(2,4,6)-dial („C_{10}*Dialdehyd*"; III) (Vorschrift s. S. 129)

Über die Anwendungsbereiche des Phosphonsäure-diester-Verfahrens für Carbonyl-Olefinierungen läßt sich folgendes sagen:

① Bei Triphenyl-phosphin-alkylenen mit elektronenanziehenden Gruppen, wie z.B. $(H_5C_6)_3P = CH{-}COOR$ oder $(H_5C_6)_3P = CH{-}CN$ bzw. Vinyloge ist das Reaktionsvermögen stark herabgesetzt. In diesen Fällen ist es häufig günstiger, mit den entsprechenden Phosphonsäure-Derivaten

$$(H_5C_2O)_2\underset{\downarrow\atop O}{P}{-}CH_2{-}COOR \quad \text{oder} \quad (H_5C_2O)_2{-}\underset{\downarrow\atop O}{P}{-}CH_2{-}CN$$

(oder einfachen Vinylogen) zu arbeiten, deren Umsetzung mit Carbonyl-Verbindungen oft bereits bei tiefen Temp. rasch abläuft (z.T. exotherm) und gute Ausbeuten an entsprechenden ungesättigten Carbonsäureestern und Nitrilen ergibt.

② Das Phosphonsäure-diester-Verfahren ermöglicht die Carbonyl-Olefinierung mit α,ω-difunktionellen Phosphin-alkylenen der auf S. 92 angegebenen Struktur, die für die Wittig-Reaktion nicht gut geeignet sind.

---

[1] G. M. Kosolapoff, „*Organophosphorus Compounds*", John Wiley & Sons, New York 1950. A. W. Johnson, „*Ylid Chemistry*", Academic Press, New York 1966.

[2] B. A. Arbusow, Pure Appl. Chem. **9**, 307 (1964).

[3] Vgl. ds. Handb., Bd. XII/1, S. 433ff.

[4] L. Horner, Fortschr. chem. Forsch. **7**, S. 8 (1966/67).

③ Beim Phosphonsäure-diester-Verfahren liegt die neu gebildete C=C-Doppelbindung überwiegend in *trans*-Form vor[1-4].
④ Die als Nebenprodukt entstehenden Salze der Phosphorsäure-diester sind wasserlöslich und daher leicht abzutrennen.
⑤ Ketone reagieren schneller mit Phosphonsäure-diestern als mit Phosphoranen[5].

Voraussetzung für die Anwendung des Phosphonsäure-diester-Verfahrens ist die gute Zugänglichkeit der erforderlichen Halogen-Verbindungen[6]. Darüber hinaus ist es in der Carotinoid-Reihe wichtig, daß nicht vor der Arbusow-Umlagerung eine Retro-Umlagerung (vgl. S. 67) auftritt[7], die dann irreversibel ist.

Während der Kondensationsreaktion müssen andere gegebenenfalls vorhandene funktionelle Gruppen z.T. in üblicher Weise geschützt werden, z.B. die Aldehyd-Gruppe durch Acetalisierung, die Hydroxy-Gruppe durch Umsetzung mit 2,3-Dihydro-furan oder -pyran.

1,10-Diphenyl-decapentaen-(1,3,5,7,9)[8]: Zu einer Suspension von 7,1 g (64 mMol) Kalium-tert.-butanolat in ~ 50 *ml* Toluol läßt man eine Lösung von 4,2 g (32 mMol) Zimtaldehyd und 5,2 g (16 mMol) 1,4-Bis-[diäthoxy-phosphonyl]-buten-(2) in 30 *ml* Toluol bei 60° langsam zutropfen. Nach einiger Zeit beginnen sich aus der rotbraunen Lösung orangegelbe Blättchen abzuscheiden. Nach 6 stdgm. Kochen unter Rückfluß wird verd. Essigsäure zugesetzt und aufgearbeitet; Ausbeute: 0,9 g (20% d. Th.); F: 253° (orange-gelbe Blättchen).

2,7-Dimethyl-octatrien-(2,4,6)-dial („C_{10}-Dialdehyd"; III) vgl. [9]:

1,4-Bis-[diäthoxy-phosphonyl]-buten-(2) (II; S. 128): 365 g (2,2 Mol) Phosphorigsäure-triäthylester werden auf 140° erhitzt. In kleinen Portionen wird die ges. benzolische Lösung von 214 g (1,0 Mol) 1,4-Dibrom-buten-(2) zugegeben. In stark exothermer Reaktion entstehen 1,4-Bis-[diäthoxy-phosphonyl]-buten-(2) und Äthylbromid, das über eine kurze Kolonne aus dem Reaktionsgefäß abdestilliert wird. Anschließend wird 1 Stde. auf 180° erhitzt und das Reaktionsgemisch i. Vak. rektifiziert; Ausbeute: 282 g (86% d. Th.); $Kp_{0,01}$: 158–160°; n_D^{20} = 1,4588.

2,7-Dimethyl-octatrien-(2,4,6)-dial (III; S. 128): 65,6 g (0,2 Mol) 1,4-Bis-[diäthoxy-phosphonyl]-buten-(2) (II) und 56,6 g (0,48 Mol) 2-Oxo-propanal-dimethylacetal (I) in 150 *ml* absol. Benzol werden bei 50–60° nach und nach unter Rühren mit 17,2 g (0,44 Mol) Natriumamid in benzolischer Suspension versetzt. Man hält das Gemisch 1 Stde. bei 60°, säuert dann mit 2 n Schwefelsäure an und rührt weitere 2 Stdn. bei 60°. Das Reaktionsgut wird mehrmals mit Benzol extrahiert. Die benzolische Lösung wird gewaschen, getrocknet und eingeengt, der Rückstand aus Methanol umkristallisiert; Ausbeute: 19,3 g (58% d. Th.); F: 159–160° (fahlgelbe Nadeln).

Crocetin-dimethylester (Apo-8,8'-carotindisäure-dimethylester) ($2 \times C_5 + C_{10}$)[10,11]:

$$OHC-\underset{CH_3}{C}=CH-CH=CH-CH=\underset{CH_3}{C}-CHO \quad + \quad 2\ (H_5C_2O)_2\underset{O}{\overset{\downarrow}{P}}-CH_2-CH=\underset{CH_3}{C}-COOCH_3$$

III IV

$$\xrightarrow[-\ 2\ CH_3OH]{+\ 2\ NaOCH_3}$$

$$H_3COOC-\underset{CH_3}{C}=CH-CH=CH-\underset{CH_3}{C}=CH-CH=CH-CH=\underset{CH_3}{C}-CH=CH-CH=\underset{CH_3}{C}-COOCH_3$$

V

$$+\ 2\ (H_5C_2O)\underset{O}{\overset{\downarrow}{P}}-ONa$$

[1] L. Horner, Fortschr. chem. Forsch. **7**, S. 8(1966/67).
[2] U. Schwieter et al., Helv. **49**, 369 (1966).

 (Fortsetzung s. S. 130)

3-Methoxycarbonyl-buten-(2)-phosphonsäure-diäthylester (IV; S. 129): Zu 200 g (1,2 Mol) 140° heißem Phosphorigsäure-triäthylester tropft man 193 g (1 Mol) 4-Brom-2-methyl-buten-(2)-säure-methylester (4-Brom-tiglinsäure-methylester). Bei der exothermen Reaktion entsteht Äthylbromid, das über eine kurze Kolonne abdestilliert wird. Man erhitzt das Reaktionsgut 1 Stde. auf 180–190° und rektifiziert i.Vak.; Ausbeute: 178 g (71% d.Th.); $Kp_{0,1}$: 113–116°; $n_D^{25} = 1{,}4524$ (farbloses Öl).

Crocetin-dimethylester (V; S. 129): 16,4 g 2,7-Dimethyl-octatrien-(2,4,6)-dial (III) und 52,5 g (0,21 Mol) 3-Methoxycarbonyl-buten-(2)-phosphonsäure-diäthylester (V) werden in 80 *ml* Dimethyl-formamid gelöst und unter Rühren möglichst rasch 40 g (0,22 Mol) 30%-ige methanolische Natriummethanolat-Lösung zugetropft. Durch Kühlen wird die Reaktionstemp. auf 5–10° gehalten. Nach 1 Stde. wird das dunkelbraune Gemisch mit 80 *ml* Methanol verdünnt und mit Eisessig neutralisiert; es wird abgesaugt und aus Essigsäure-äthylester umgelöst; Ausbeute: 29,6 g (69% d.Th.); F: 224–226° (ziegelrote rautenförmige Blättchen).

Apo-2,2'-carotindisäure-[C_{34}]-diäthylester ($2\times C_2 + C_{30}$)[1]:

$$\left[OHC-\underset{CH_3}{\underset{|}{C}}=CH-CH=CH-\underset{CH_3}{\underset{|}{C}}=CH-CH=CH-\underset{CH_3}{\underset{|}{C}}=CH-CH=\right]_2 + 2\,(H_5C_2O)_2\underset{O}{\underset{\downarrow}{P}}-CH_2-COOC_2H_5$$

$$\Big\downarrow \begin{array}{l} +2\ NaOC_2H_5 \\ -2\ C_2H_5OH \end{array}$$

$$\left[H_5C_2OOC-CH=CH-\underset{CH_3}{\underset{|}{C}}=CH-CH=CH-\underset{CH_3}{\underset{|}{C}}=CH-CH=CH-\underset{CH_3}{\underset{|}{C}}=CH-CH=\right]_2 + 2\,(H_5C_2O)_2POONa$$

17,6 g Apo-4,4'-carotindial [C_{30}] und 20,6 g (Diäthoxy-phosphonyl)-essigsäure-äthylester werden bei 40° in 1,2 *l* Dichlormethan gelöst und bei der gleichen Temp. langsam mit einer Lösung von 2,7 g Natrium in 80 *ml* absol. Äthanol versetzt. Anschließend wird 4 Stdn. unter Rückfluß gekocht. Die Lösung wird vorsichtig mit Benzol versetzt, auf Zimmertemp. abgekühlt, das Produkt abfiltriert und aus Benzol/Essigsäure-äthylester umkristallisiert; Ausbeute: 16,5 g (70% d.Th.); F: 212–213° (dunkelviolette Kristalle).

Zahlreiche weitere Beispiele für die Herstellung von Polyenen nach dem Phosphonsäure-diester-Verfahren siehe Lit.[1–5] und Tab. 9 (S. 132).

---

[1] U. Schwieter et al., Helv. **49**, 369 (1966).
[2] DBP 1092472 (1958), BASF, Erf.: W. Stilz u. H. Pommer; C. A. **56**, 413 (1962).
[3] DBP 1109671 (1958), BASF, Erf.: W. Stilz u. H. Pommer; C. A. **56**, 8571 (1962).
[4] DBP 1108208 (1959), BASF, Erf.: W. Stilz u. H. Pommer; C. A. **56**, 11422 (1962).
[5] DBP 1116652 (1960), BASF, Erf.: W. Stilz u. H. Pommer; C. A. **57**, 2267 (1962).

(Fortsetzung v. S. 129)

[3] L. Horner, Pure Appl. Chem. **9**, 225 (1964).
[4] D. H. Wadsworth, O. E. Schuppe, E. J. Seus u. J. A. Ford, J. Org. Chem. **30**, 680 (1965).
[5] L. D. Bergelson u. M. M. Shemyakin in S. Patai, *The chemistry of carboxylic acids and esters*, S. 295, Interscience Publ., London–New York–Sydney–Toronto 1969.
[6] Versuche zur Herstellung von Phosphonsäure-diestern aus ungesättigten Alkoholen und Phosphorigsäure-triäthylester mit HX als Protonendonator s.
DBP 1205538 (1964), BASF, Erf.: H. Freyschlag, W. Reif u. H. Pommer; C. A. **64**, 9776 (1966).
H. Freyschlag et al., Ang. Ch. **77**, 277 (1965).
[7] H. Freyschlag et al., Ang. Ch. **77**, 277 (1965).
[8] L. Horner et al., B. **95**, 581 (1962).
[9] DBP 1092472 (1958), BASF, Erf.: W. Stilz u. H. Pommer; C. A. **56**, 413 (1962).
[10] H. Pommer, Ang. Ch. **72**, 911 (1960).
[11] DBP 1109671 (1958), BASF, Erf.: W. Stilz u. H. Pommer; C. A. **56**, 8571 (1962).

β) Phosphonigsäure-diester-Verfahren

Anstelle der beschriebenen Phosphonsäure-diester lassen sich auch andere „PO-aktive" Ester für Polyen-Synthesen verwenden[1–4], vgl. z.B. Herstellung von *1,6-Diphenyl-hexatrien-(1,3,5)* aus Benzol-phosphonigsäure-diäthylester, 1,4-Dibrom-buten-(2) und Benzaldehyd[3]:

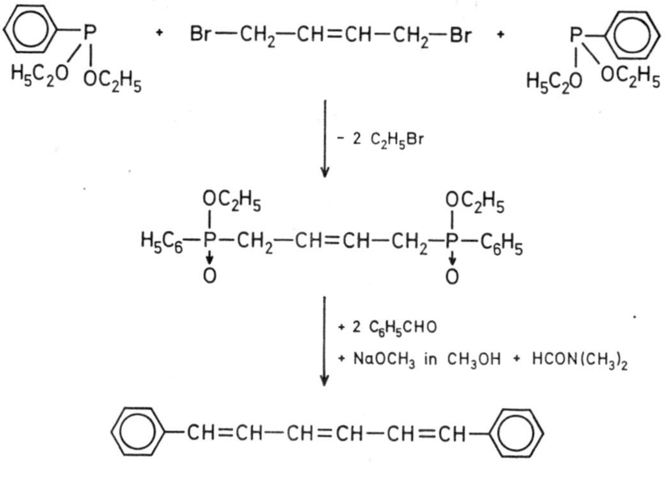

$$C_6H_5-P(OC_2H_5)_2 + Br-CH_2-CH=CH-CH_2-Br + (H_5C_2O)_2P-C_6H_5$$

$$\downarrow -2\ C_2H_5Br$$

$$H_5C_6-\overset{OC_2H_5}{\underset{O}{P}}-CH_2-CH=CH-CH_2-\overset{OC_2H_5}{\underset{O}{P}}-C_6H_5$$

$$\downarrow + 2\ C_6H_5CHO;\ + NaOCH_3 \text{ in } CH_3OH + HCON(CH_3)_2$$

$$C_6H_5-CH=CH-CH=CH-CH=CH-C_6H_5$$

5. Weitere Verfahren zur Carbonyl-Olefinierung

Auch mit *α-metallierten Isocyaniden* lassen sich ungesättigte Carbonyl-Verbindungen zu Polyenen olefinieren[5]. Bei dieser Methode[6] entstehen als Nebenprodukte Isocyanate. Die α-metallierten Isocyanide können in einem Arbeitsgang direkt vor der Umsetzung mit der Carbonyl-Verbindung hergestellt werden; z. B.:

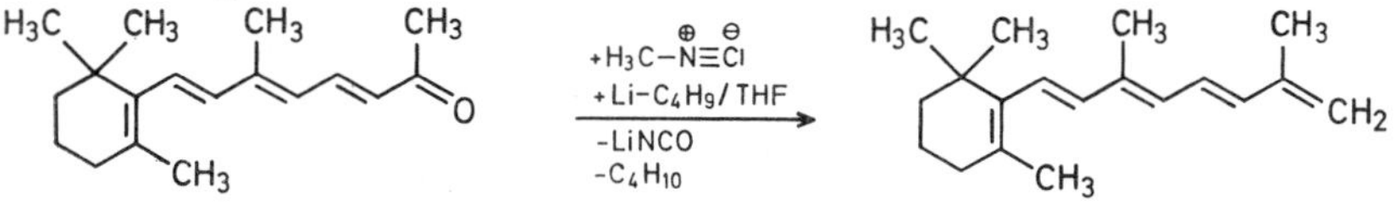

„β-C_{18}-Keton" $\xrightarrow[-LiNCO;\ -C_4H_{10}]{+H_3C-\overset{\oplus}{N}\equiv \overset{\ominus}{C}I;\ +Li-C_4H_9/THF}$ *3,7-Dimethyl-1-[2,6,6-trimethyl-cyclo-hexen-(1)-yl]-octatetraen-(1,3,5,7)*

Acyl-beryllium-halogenide reagieren mit aromatischen Aldehyden folgendermaßen; z. B.:

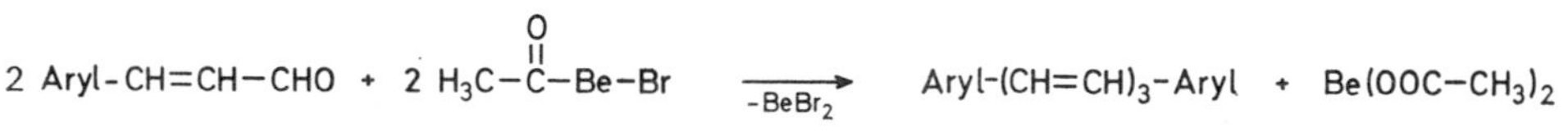

$$2\ Aryl-CH=CH-CHO + 2\ H_3C-\overset{O}{\overset{\|}{C}}-Be-Br \xrightarrow[-BeBr_2]{} Aryl-(CH=CH)_3-Aryl + Be(OOC-CH_3)_2$$

Näheres siehe Originallit. [7].

---

[1] L. HORNER et al., B. **95**, 581 (1962).
[2] DBP 1116653 (1960), BASF, Erf.: W. STILZ u. H. POMMER; C. A. **57**, 2267 (1962).
[3] DBP 1117122 (1960), BASF, Erf.: W. STILZ u. H. POMMER; C. A. **57**, 2148 (1962).
[4] DBP 1116654 (1960), BASF, Erf.: W. STILZ u. H. POMMER; C. A. **57**, 737 (1962).
[5] DOS 1812098 (1968), BASF, Erf.: U. SCHÖLLKOPF u. F. GERHARDT.
[6] U. SCHÖLLKOPF, Ang. Ch. **82**, 795 (1970).
[7] J. J. LAPKIN u. G. J. SINNATULINA, Ž. obšč. Chim. **39**, 1132 (1969); engl.: 1102.
vgl. ds. Handb., Bd XIII/2, Beryllium-organische Verbindungen.

Tab. 9. Polyene hergestellt nach dem

Phosphonsäure-diester	Carbonyl-Verbindung	
$(H_5C_2O)_2P(\rightarrow O)-CH_2-CH=CH-CH_2-P(\rightarrow O)(OC_2H_5)_2$	2 Mol Benzophenon	
	2 Mol Benzaldehyd	
	2 Mol Fluorenon	
$(H_5C_2O)_2P(\rightarrow O)-CH_2-C(CH_3)=CH-C\equiv C-CH=C(CH_3)-CH_2-P(\rightarrow O)(OC_2H_5)_2$	2 Mol Benzaldehyd	
	2 Mol Zimtaldehyd	
	2 Mol H_3C, CH_3, CH_3, CHO, CH_3	C_{10} + $2\times C_{15}$
$(H_5C_2O)_2P(\rightarrow O)-CH_2-C(CH_3)=CH-COOC_2H_5$	H_3C, CH_3, CH_3, CHO, CH_3	C_5 + C_{15}
$(H_5C_2O)_2P(\rightarrow O)-CH_2-CH=C(CH_3)-COOCH_3$	H_3C, CH_3, CH_3, CH_3, CHO, CH_3, CH_3	C_5 + C_{25}

[1] O. Isler u. P. Schudel, Adv. org. Chem. **4**, 115 (1963).
[2] L. Horner et al., B. **95**, 581 (1962).
[3] DBP 1092472 (1958), BASF, Erf.: W. Stilz u. H. Pommer; C. A. **56**, 413 (1962).
[4] DBP 1109671 (1958), BASF, Erf.: W. Stilz u. H. Pommer; C. A. **56**, 8571 (1962).

Phosphonsäure-diester-Verfahren vgl. a. [1]

Reaktionsbedingungen	Polyen	Ausbeute [% d.Th.]	F [°C]	Literatur
Toluol, K–OC$(CH_3)_3$, 9 Stdn. 60°	$(H_5C_6)_2C{=}CH{-}CH{=}CH{-}CH{=}C(C_6H_5)_2$ *1,1,6,6-Tetraphenyl-hexatrien-(1,3,5)*	61	192–196	[2]
DMF/CH_3OH; $NaOCH_3$, ~ 1 Stde. 40–50°	$H_5C_6{-}(CH{=}CH)_3{-}C_6H_5$ *1,6-Diphenyl-hexatrien-(1,3,5)*	23	204–206	[3]
DMF/CH_3OH; $NaOCH_3$, ~ 1 Stde. 40–50°	*1,4-Difluorenyliden-buten-(2)*	53	330–332	[3]
DMF/CH_3OH; $NaOCH_3$, 30 Min. 30–40°	$H_5C_6{-}CH{=}CH{-}C(CH_3){=}CH{-}C{\equiv}C{-}CH{=}C(CH_3){-}CH{=}CH{-}C_6H_5$ *3,8-Dimethyl-1,10-diphenyl-decatetraen-(1,3,7,9)-in-(5)*	39	221–222	[3]
DMF/CH_3OH; $NaOCH_3$, 30 Min. 30–40°	$H_5C_6{-}(CH{=}CH)_2{-}C(CH_3){=}CH{-}C{\equiv}C{-}CH{=}C(CH_3){-}(CH{=}CH)_2{-}C_6H_5$ *5,10-Dimethyl-1,14-diphenyl-tetradecahexaen-(1,3,5,9,11,13)-in-(7)*	17	234–236	[3]
DMF/CH_3OH; $NaOCH_3$, einige Min. 10°	*15,15'-Dehydro-β-carotin*	~ 32	152–154	[3]
DMF/C_2H_5OH; $NaOC_2H_5$; 40°, 2 Stdn. RT	Vitamin-A-Säure-äthylester (*cis-trans*) —Verseifung→ *Vitamin A-Säure* (neben *all-trans* auch Bildung von *9-cis*)		173–175 (*all-trans*) (Freie Säure)	[4] vgl. [5,6]
	H_3C, CH_3, CH_3, CH_3, $COOCH_3$, CH_3, CH_3, CH_3 (Strukturformel) *2,6,11,15,19,23-Hexamethyl-tetracosanonaen-(2,4,6,8,10,12,14,18,22)-säure-methylester*			[7]

[5] P. J. VAN DEN TEMPEL u. H. O. HUISMAN, Tetrahedron **22**, 293–99 (1966).
[6] H. MACHLEIDT u. R. WESSENDORF, A. **679**, 20 (1964).
[7] P. S. MANCHAND u. B. C. L. WEEDON, Tetrahedron Letters **1964**, 2603.

Tab. 9.

Phosphonsäure-diester		Carbonyl-Verbindung	
$(H_5C_2O)_2\overset{\downarrow}{P}(O)-CH_2-COOC_2H_5$	1 Mol	$OHC-(CH=CH)_n-COOC_2H_5$ n = 2,3	
	2 Mol	Crocetin-dialdehyd (Apo-8,8′-carotindial [C_{20}])	2×C + C_{20}
2 $(H_5C_2O)_2\overset{\downarrow}{P}(O)-CH(CH_3)-COOC_2H_5$		$OHC-CH=CH-C(CH_3)=CH-CH=CH-CH=C(CH_3)-CH=CH-CHO$	2×C + C_{14}
2 $(H_5C_2O)_2\overset{\downarrow}{P}(O)-CH_2-C(CH_3)=CH-COOC_2H_5$		$OHC-C(CH_3)=CH-CH=CH-CH=C(CH_3)-CHO$	2×C + C_{10}
2 $(H_5C_2O)_2\overset{\downarrow}{P}(O)-CH_2-CH=CH-C(CH_3)=CH-COOC_2H_5$		$OHC-C(CH_3)=CH-CH=CH-CH=C(CH_3)-CHO$	2×C + C_{10}
$(H_5C_2O)_2\overset{\downarrow}{P}(O)-CH_2-CH=C(CH_3)-CH=CH-CH=C(CH_3)-COOC_2H_5$	1 Mol	$OHC-CH=C(CH_3)-CH=CH-CH=C(CH_3)-COOC_2H_5$	C_{10} + C_{10}
	2 Mol	$OHC-C(CH_3)=CH-CH=CH-CH=C(CH_3)-CHO$	2×C + C_{10}

[1] L. A. Janovskaja u. V. F. Kučerov, Izv. Akad. SSSR **1964**, 1341; engl.: 1252.
[2] L. A. Janovskaja, Russ. Chem. Reviews **36**, 400 (1967).

(1. Fortsetzung)

Reaktionsbedingungen	Polyen	Ausbeute [% d.Th.]	F [°C]	Literatur
	$H_5C_2OOC\text{-}(CH{=}CH)_{n+1}\text{-}COOC_2H_5$ n = 2; *Octatrien-(2,4,6)-disäure-diäthylester* n = 3; *Decatetraen-(2,4,6,8)-disäure-diäthylester*	50 62		[1] vgl. [2]
C_2H_5OH/DMF ⓐ CH_2Cl_2 ⓑ $NaOC_2H_5$, ⓐ 15–20° 30 Min. ⓑ 40° 4 Stdn.	*Apo-6,6'-carotindisäure-[C_{24}]-diäthylester (Norbixin-diäthylester)*	ⓐ 81 ⓑ 73	197–198 192–193	[3] [4]
DMF/C_2H_5OH, $NaOC_2H_5$, 1 Stde. 15–20°	CH_3 CH_3 H_5C_2OOC $COOC_2H_5$ CH_3 CH_3 *Crocetin-diäthylester* *(Apo-8,8'-carotindisäure-[C_{20}]-diäthylester*	68	215–217	[3]
DMF/C_2H_5OH, $NaOC_2H_5$, 30 Min. 50°	CH_3 CH_3 H_5C_2OOC $COOC_2H_5$ CH_3 CH_3 *Isocrocetin-diäthylester*	72	205–206	[3]
DMF/C_2H_5OH, $NaOC_2H_5$. 30 Min., bis 35°	CH_3 CH_3 H_5C_2OOC $COOC_2H_5$ CH_3 CH_3 *Isonorbixin-diäthylester*	35	194–195	[3]
C_2H_5OH/CH_2Cl_2 $NaOC_2H_5$, 3 Stdn. 35–40°	*Crocetin-diäthylester* (*Apo-8,8'-carotindisäure*-[C_{20}]-*diäthylester*)	50	218–219	[4]
C_2H_5OH, $NaOC_2H_5$, 2 Stdn. 55°	CH_3 CH_3 H_3C $COOC_2H_5$ H_5C_2OOC CH_3 CH_3 CH_3 *Apo-4,4'-carotindisäure-[C_{30}]-diäthylester*	32	195–197	[4]

[3] DBP 1109671 (1958), BASF, Erf.: W. STILZ u. H. POMMER; C. A. **56**, 8571 (1962).
[4] U. SCHWIETER et al., Helv. **49**, 369 (1966).

Tab. 9.

Phosphonsäure-diester	Carbonyl-Verbindung	
$(H_5C_2O)_2\underset{\downarrow O}{P}-CH_2-CH=\underset{CH_3}{C}-CH=CH-CH=\overset{CH_3}{C}-COOC_2H_5$ 2 Mol	Crocetindialdehyd (Apo-8,8′-carotindial [C_{20}])	$2\times C_{10}$ + C_{20}
$(H_5C_2O)_2\underset{\downarrow O}{P}-CH_2-COOC_2H_5$	$Cl_2C=CH-(CH=CH)_2-CHO$	C_2+C_7
$(H_5C_2O)_2\underset{\downarrow O}{P}-CH_2-\overset{CH_3}{C}=CH-COOC_2H_5$	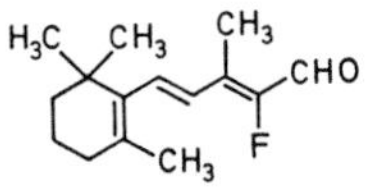 H_3C CH_3 CH_3 CHO CH_3 F	C_5 + C_{15}
$(H_5C_2O)_2\underset{\downarrow O}{P}-CH_2-\overset{CH_3}{C}=\underset{F}{C}-COOC_2H_5$	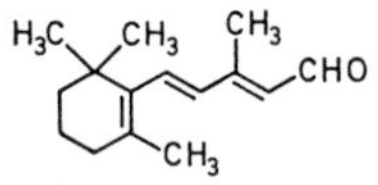 H_3C CH_3 CH_3 CHO CH_3	C_5 + C_{15}
$(H_5C_2O)_2\underset{\downarrow O}{P}-CH_2-COOC_2H_5$	$H_5C_6-\underset{CH_3}{N}-(CH=CH)_2-CHO$	C_2+C_5
$(H_5C_2O)_2\underset{\downarrow O}{P}-CH_2-CN$	$OHC-(CH=CH)_3-COOC_2H_5$	C_2+C_8
$(H_5C_2O)_2\underset{\downarrow O}{P}-CH_2-COOC_2H_5$	$NC-(CH=CH)_3-CHO$	C_2+C_8
$(H_5C_2O)_2\underset{\downarrow O}{P}-CH_2-\underset{CH_3}{C}=CH-CN$	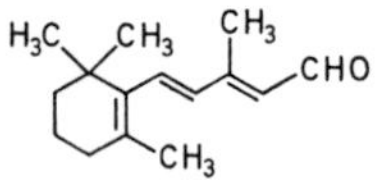 H_3C CH_3 CH_3 CHO CH_3	C_5 + C_{15}

[1] U. Schwieter, et al., Helv. **49**, 369 (1966).
[2] L. A. Janovskaja, R. N. Stepanova u. V. F. Kučerov, Izv. Akad. SSSR **1967**, 1334; engl.: 1282.
[3] L. A. Janovskaja, Russ. Chem. Reviews **36**, 400 (1967).

(2. Fortsetzung)

Reaktionsbedingungen	Polyen	Ausbeute [% d. Th.]	F [°C]	Literatur
C_2H_5OH/CH_2Cl_2, $NaOC_2H_5$, 16 Stdn. 40°	*3,3′,4,4′-Tetradehydro-lycopindisäure-(16,16′)-diäthylester*	12	215–216	[1]
$DMF/C_2H_5OH_5$ $NaOC_2H_5$ 1 Stde. Stehen. Dann Umsetzung mit dem Aldehyd, 1 Tag Stehen	$Cl_2C{=}CH{-}(CH{=}CH)_3{-}COOC_2H_5$ *9,9-Dichlor-nonatetraen-(2,4,6,8)-säure-äthylester*	46	99–100	[2] vgl. [3]
NaH-Äther	*10-Fluor-Vitamin A-säure-äthylester*	64		[4] vgl. [5]
NaH-Äther	*14-Fluor-Vitamin A-säure-äthylester* (*cis-trans*)	38	87	[4] vgl. [5]
DMF, C_2H_5OH $NaOC_2H_5$ 1 Stde. Stehen. Dann Umsetzung mit Aldehyd, 1 Tag Stehen	$H_5C_6{-}N(CH_3){-}(CH{=}CH)_3{-}COOC_2H_5$ *7-(N-Methyl-anilino)-heptatrien-(2,4,6)-säure-äthylester*	75	59–61	[2] vgl. [3]
DMF, C_2H_5OH $NaOC_2H_5$, 1 Stde. Stehen. Dann Umsetzung mit Aldehyd 1 Tag Stehen	$NC{-}(CH{=}CH)_4{-}COOC_2H_5$ *Decatetraen-(2,4,6,8)-disäure-äthylester-nitril*	84	100–102	[2]
		58		[2]
DMF, CH_3OH $NaOCH_3$ 20° (Kühlung), 1 Stde. RT	*Vitamin A-Säure-nitril*	81	80–81	[6]

[4] H. MACHLEIDT u. R. WESSENDORF, A. **679**, 20 (1964).
[5] H. MACHLEIDT u. G. STREHLKE, A. **681**, 21 (1965).
[6] DBP 1116652 (1960), BASF, Erf.: W. STILZ u. H. POMMER; C. A. **57**, 2267d (1962).

e) Hinweise auf weitere Methoden zur C—C-Verknüpfung zum Aufbau von Polyenketten, bei denen die Verknüpfungsreaktion nicht direkt zur Polyenkette führt

1. Anlagerung der Gruppierung –C≡CM (M = MgX, -Li oder andere Metalle) an C=O-Doppelbindungen

Eine häufig verwendete Reaktion beim Aufbau von Polyenketten – auch in der Carotinoidchemie – ist die Umsetzung der Gruppierung —C≡CM (M = MgX, -Li oder andere Metalle) mit Carbonyl-Verbindungen. So wurde z.B. bei der ersten eindeutigen Totalsynthese eines C_{40}-*Carotinoids* mit einem den natürlichen Carotinoiden entsprechenden Kohlenstoffskelett[1], wie auch bei technisch durchführbaren *Vitamin A*- und *β-Carotin*-Herstellungsverfahren und bei zahllosen weiteren Carotinoid- und sonstigen Polyen-Synthesen die Äthinierungsreaktion zur C—C-Verknüpfung verwendet:

$$R{-}C{\equiv}C{-}M \quad + \quad O{=}\underset{\substack{|\\R'}}{C}{-}R'' \longrightarrow R{-}C{\equiv}C{-}\overset{\substack{OH\\|}}{\underset{\substack{|\\R'}}{C}}{-}R''$$

M = MgX, Li ...
R = H, ungesättigter Kohlenwasserstoff-Rest (ev. substituiert) oder Metall
R′ = H, Alkyl
R′′ = Alkyl, ungesättigter Kohlenwasserstoff-Rest (evtl. subst.)

Oder analoge Umsetzung mit Diacetylen-Derivaten.

Die Reaktion führt naturgemäß nicht direkt zur Polyenkette, sondern zunächst zu den En-in-alkoholen, die dann durch Folgereaktionen, wie partielle Hydrierung, Wasser-Abspaltung und/oder Allyl-Umlagerung leicht in das durchgehend konjugierte Doppelbindungssystem übergeführt werden können. Nach der Systematik des vorliegenden Handbuches werden die Umsetzungen der Acetylenide bzw. die entsprechenden katalytischen Umsetzungen des Acetylens mit all ihren zahllosen Variationsmöglichkeiten im Bd. XIII/1, Bd. XIII/2 bzw. V/2, Kap. Acetylene, besprochen. Die Folgereaktionen werden in diesem Kapitel in den speziellen Abschnitten: Partielle Hydrierung (S. 76), Wasser-Abspaltung (S. 35ff.), Umlagerung von C=C-Doppelbindungen (S. 58ff.) (Allylumlagerung, Retroumlagerung) beschrieben. Es sei weiterhin auf einige Übersichtsarbeiten zum Thema „Äthinierung" im Rahmen der Polyenchemie[2–5] und z.B. auf die Beschreibung der Herstellung von Polyen-aldehyden mittels Acetylen-Verbindungen im Band VII/1 ds. Handb., S. 113f. hingewiesen.

Obwohl daher grundsätzlich der Aufbau von Polyenketten nach dem genannten Schema nicht an dieser Stelle besprochen werden kann, sollen kurz einige speziell für längerkettige Polyene wichtige Punkte aufgeführt werden.

Bei der Herstellung von En-in-olen der Polyenreihe handelt es sich um empfindliche Substanzen, bei denen man am besten als Metallkomponente an der Ace-

---

[1] H. H. INHOFFEN, H. POMMER u. E.-G. METH, A. **572**, 151 (1951); vgl. Ch. Z. **74**, 211 (1950).
[2] O. ISLER u. P. SCHUDEL, Adv. Org. Chem., Vol. **4**, 115 (1963).
[3] W. ZIEGENBEIN, *Einführung der Äthinyl- und Alkinyl-Gruppe in organische Verbindungen*, Verlag Chemie-GmbH, Weinheim/Bergstraße 1963.
[4] R. KUHN, Ang. Ch. **50**, 703 (1937).
[5] J. F. ARENS, Adv. Org. Chem., Vol. **2**, 117 (1960).

tylen-Gruppe -MgX (meistens -MgBr) oder -Li verwendet. Diese geringer basischen Acetylenide verursachen weniger Nebenwirkungen (katalytische Verfahren lassen sich bei längerkettigen Polyenen im allgemeinen nicht verwenden); z.B.:

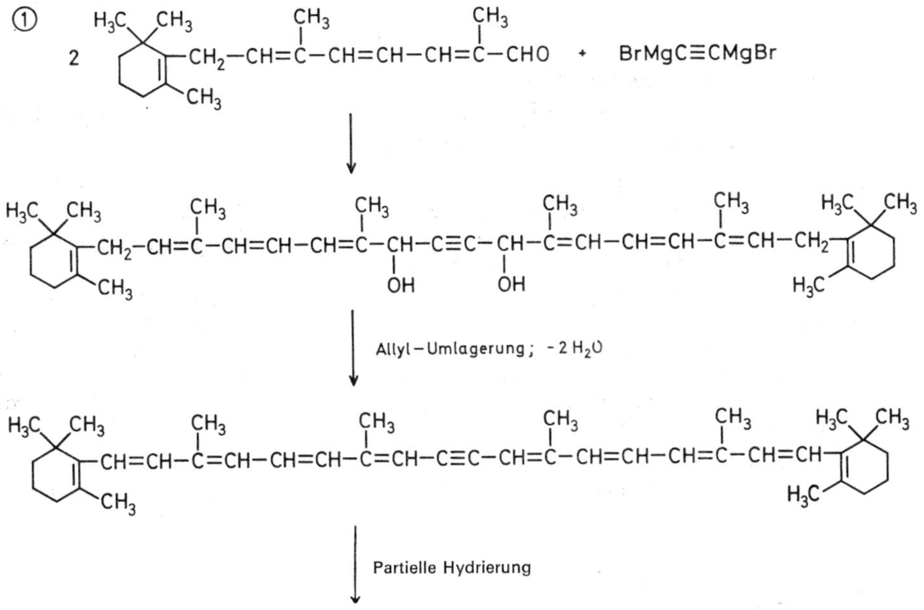

①

2 (2,6,6-Trimethyl-cyclohexenyl)–CH_2–CH=C(CH_3)–CH=CH–CH=C(CH_3)–CHO + BrMgC≡CMgBr

↓

(2,6,6-Trimethyl-cyclohexenyl)–CH_2–CH=C(CH_3)–CH=CH–CH=C(CH_3)–CH(OH)–C≡C–CH(OH)–C(CH_3)=CH–CH=CH–C(CH_3)=CH–CH_2–(2,6,6-Trimethyl-cyclohexenyl)

↓ Allyl-Umlagerung; $-2\,H_2O$

(2,6,6-Trimethyl-cyclohexenyl)–CH=CH–C(CH_3)=CH–CH=CH–C(CH_3)=CH–C≡C–CH=C(CH_3)–CH=CH–CH=C(CH_3)–CH=CH–(2,6,6-Trimethyl-cyclohexenyl)

↓ Partielle Hydrierung

β-Carotin[1,2]

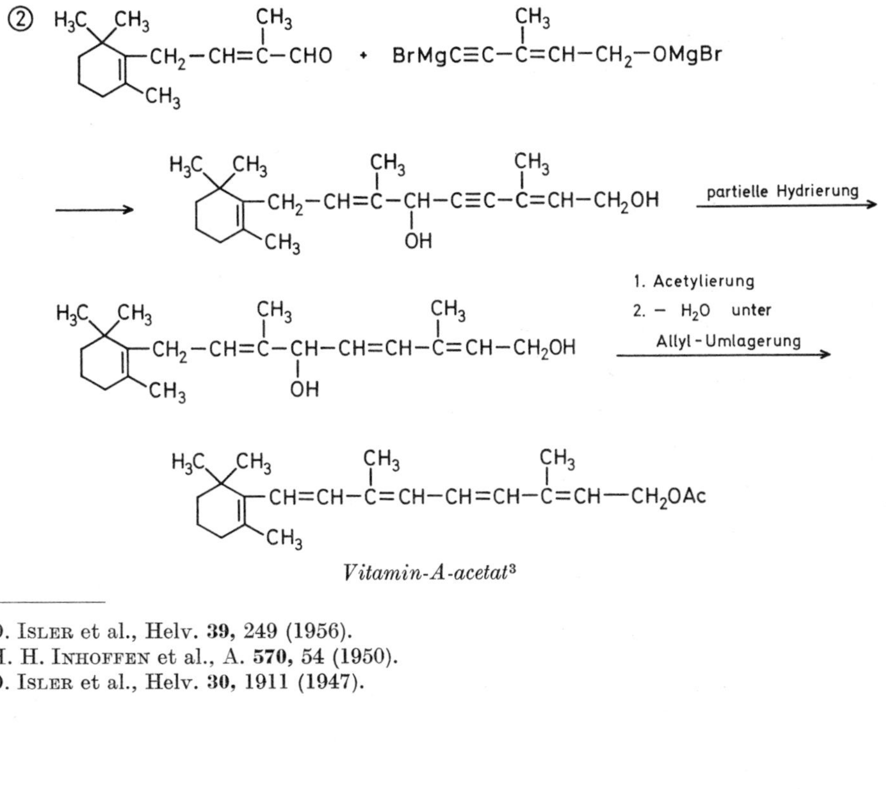

②

(2,6,6-Trimethyl-cyclohexenyl)–CH_2–CH=C(CH_3)–CHO + BrMgC≡C–C(CH_3)=CH–CH_2–OMgBr

⟶ (2,6,6-Trimethyl-cyclohexenyl)–CH_2–CH=C(CH_3)–CH(OH)–C≡C–C(CH_3)=CH–CH_2OH ⟶ (partielle Hydrierung)

(2,6,6-Trimethyl-cyclohexenyl)–CH_2–CH=C(CH_3)–CH(OH)–CH=CH–C(CH_3)=CH–CH_2OH ⟶ (1. Acetylierung; 2. $-H_2O$ unter Allyl-Umlagerung)

(2,6,6-Trimethyl-cyclohexenyl)–CH=CH–C(CH_3)=CH–CH=CH–C(CH_3)=CH—CH_2OAc

Vitamin-A-acetat[3]

---

[1] O. ISLER et al., Helv. **39**, 249 (1956).

[2] H. H. INHOFFEN et al., A. **570**, 54 (1950).

[3] O. ISLER et al., Helv. **30**, 1911 (1947).

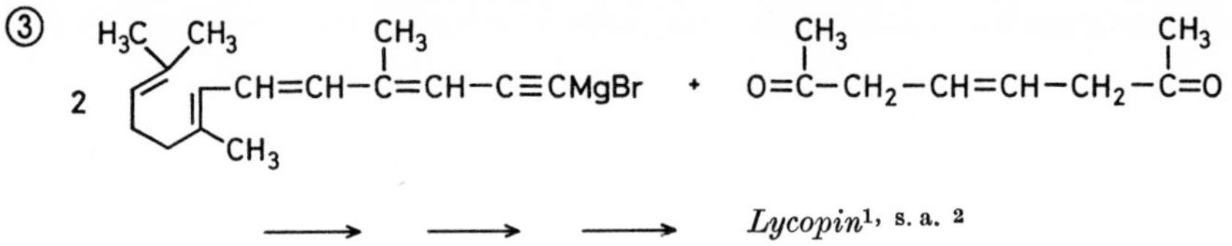

③ 2 (2,6,6-Trimethyl-cyclohexenyl)-CH=CH-C(CH₃)=CH-C≡CMgBr + O=C(CH₃)-CH₂-CH=CH-CH₂-C(CH₃)=O

⟶ ⟶ ⟶ *Lycopin*[1, s. a. 2]

Analog erhält man *β-Carotin*[1, vgl. 3].

Für die Herstellung von Polyen-aldehyden mit Hilfe von Acetyleniden sind einige Spezialverfahren entwickelt worden, z.B.:

① Nach der Äthoxy-acetylen-Methode[4,5] setzt man die Carbonyl-Verbindung entweder mit Äthoxyäthinyl-magnesiumbromid um oder noch einfacher mit Äthoxyäthinyl-lithium „in situ" (aus 2-Chlor-1-äthoxy-äthylen mit Hilfe von Lithiumamid in flüssigem Ammoniak, wobei diese Lösung direkt für die weitere Umsetzung verwendet wird[6]).

② Analoge Reaktionen mit 4-Alkoxy-buten-(3)-inyl-magnesiumbromid bzw. -lithium[7–9] bzw. deren 3-Methyl-Derivaten werden in diesem Handb., Bd. VII/1, S. 113f. beschrieben. Im letzteren Fall ist es z.B. bei der Synthese von *β-Carotin* günstiger, zunächst 3-Hydroxy-4-alkoxy-3-methyl-butin mit β-C_{14}-Aldehyd (s. S. 11) zu kondensieren und erst später Wasser abzuspalten[10]. Zur Angliederung einer C_6-Kette beim Aufbau von Polyenen wurde u.a. auch die vinyloge Verbindung 6-Alkoxy-4-methyl-butadien-(3,5)-in benutzt[11].

③ Z.T. werden auch Methyl-malondialdehyd-enol-Derivate[12–14] oder 1,1-Dimethoxy-3-oxo-butan[15] verwendet, um zu für die Herstellung der Aldehyde günstigen Endgruppierungen zu kommen; z.B.:

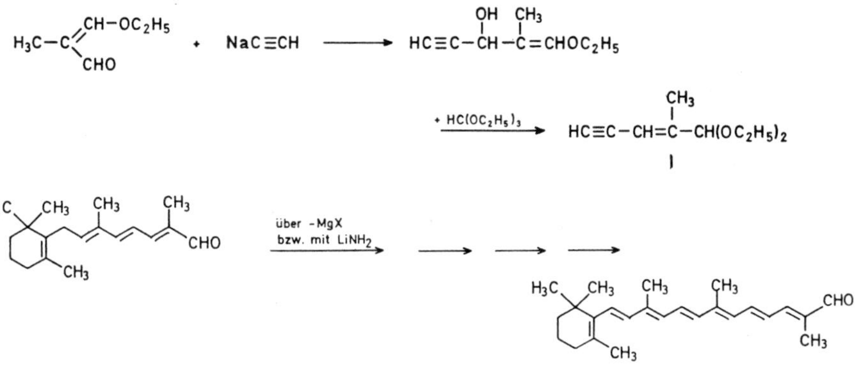

$H_3C-C(=CH-OC_2H_5)-CHO$ + NaC≡CH ⟶ HC≡C-CH(OH)-C(CH₃)=CHOC₂H₅

$\xrightarrow{+\,HC(OC_2H_5)_3}$ HC≡C-CH=C(CH₃)-CH(OC₂H₅)₂ (I)

I + (β-C_{15}-Aldehyd: H₃C, CH₃, CH₃, CH₃ … CHO) $\xrightarrow{\text{über -MgX bzw. mit LiNH}_2}$ ⟶ ⟶ ⟶

β-Apo-12′-carotinal [C_{25}][12]

[1] H. J. Kabbe, E. Truscheit u. K. Eiter, A. **684**, 14 (1965).
[2] P. Karrer, C. H. Eugster u. E. Tobler, Helv. **33**, 1349 (1950).
[3] P. Karrer u. C. H. Eugster, Helv. **33**, 1172 (1950).
[4] J. F. Arens, Adv. Org. Chem., Vol. **2**, 117 (1960).
[5] S. ds. Handb., Bd. VII/1, S. 111.
[6] O. Isler et al., Helv. **39**, 259 (1956).
[7] H. H. Inhoffen, F. Bohlmann u. G. Rummert, A. **569**, 226 (1950).
[8] D. Marshall u. M. C. Whiting, Soc. **1956**, 4082.
[9] K. Schlögl u. H. Egger, A. **676**, 76 (1964).
[10] H. H. Inhoffen et al., A. **570**, 54 (1950); **575**, 105 (1952).
[11] H. A. M. Jacobs et al., R. **84**, 1113 (1965).
[12] R. Rüegg et al., Helv. **42**, 847 (1959).
[13] P. Zeller et al., Helv. **42**, 841 (1959).
[14] O. Isler et al., Chimia **12**, 89 (1958).
[15] K. Eiter, E. Truscheit u. H. Oediger, Ang. Ch. **72**, 955 (1960).
Vgl. DBP 1117570 (1959), Farbf. Bayer, Erf.: K. Eiter u. E. Truscheit; C. A. **56**, 8758 (1962).

In Einzelfällen wurden mit Hilfe des Acetyl-cyclopropans bzw. seinen Alkoxy- oder Aryloxy-Derivaten durch Reaktion mit Acetylenen, anschließender Ringspaltung und Homoallyl-Umlagerung (s. S. 74f.) Polyenketten (auch aus der Vitamin-A-Reihe) aufgebaut[1]. Von den zahlreichen verschiedenen möglichen Reaktionstypen sei hier nur ein Beispiel gegeben[2]:

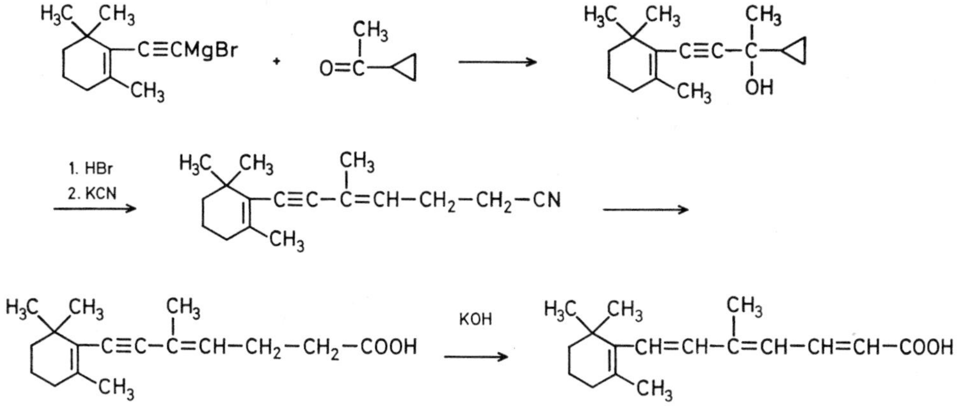

$\xrightarrow{\text{1. HBr; 2. KCN}}$ $\longrightarrow$ $\xrightarrow{\text{KOH}}$

β-C_{17}-Säure{5-Methyl-7-[2,6,6-trimethyl-cyclohexen-(1)-yl]-heptatrien-(2,4,6)-säure}

Auch hier ist bei Verwendung der Alkoxy- oder Aryloxy-Derivate des Acetylcyclopropans wieder die direkte Herstellung der Aldehyde über die Halbacetale möglich. Die Cyclopropanring-Methode ist eine von mehreren bekannten Möglichkeiten, in der Carotinoidchemie die „Retro-Umlagerung" zu vermeiden (s. S. 67); das Verfahren hat keine breite Anwendung gefunden.

Am Stickstoff substituierte ungesättigte aliphatische ω-Amino-aldehyde reagieren häufig anomal mit Metall-acetyleniden. Hierzu wird auf die Literatur[3] verwiesen.

Auf metallorganische Reaktionen zwischen ungesättigten Carbonyl-Verbindungen und Alkyl-Metallverbindungen, die zu den betr. Hydroxy-Verbindungen führen, aus denen z.B. durch Wasser-Abspaltung Polyenketten hergestellt werden können, und auf die Umsetzung von ungesättigten Carbonsäuren mit metallorganischen Verbindungen zu Polyenketonen unter Erhaltung der Polyenstruktur, aber unter Kettenverlängerung [vgl.4] kann hier nicht näher eingegangen werden [vgl.5].

Das Gleiche gilt für Kondensationsreaktionen von ungesättigten Carbonyl-Verbindungen, bei denen primär Reaktionsprodukte mit Epoxidringen entstehen (Glycid-estersynthese, Synthese von Oxido-imido-carbonsäureestern), aus denen Polyenketten gewonnen werden können, sowie für die C—C-Verknüpfung durch Cyanhydrin-Synthese.

---

[1] M. Julia et al., Cr. **249**, 714 (1959); Bl. **1962**, 1933, 1939; **1964**, 2533, 3218; **1966**, 728, 743. Belg. P. 581304 (1959), Rhône-Poulenc, Erf.: M. Julia.
vgl. ds. Handb., Bd. IV/3, Kap. Carbocyclische Dreiring-Verbindungen, S. 415f., 507ff.

[2] M. Julia u. C. Descoins, Bl. **1962**, 1939.

[3] S. S. Malhotra u. M. C. Whiting, Soc. **1960**, 3812.

[4] H. H. Inhoffen, F. Bohlmann, K. Bartram, A. **561**, 13 (1948).

[5] O. Isler u. P. Schudel, Adv. Org. Chem. **4**, 115 (1963).

2. Kondensation von Carbonyl- (oder Carboxy-)-Gruppen mit reaktiven Methylen- bzw. Methyl-Gruppen in Gegenwart von Basen

Basenkatalysierte Kondensationen von Carbonyl- oder Carboxy-Gruppen mit reaktiven CH-Bindungen, zu denen die Aldolkondensationen, (Claisen)-Esterkondensationen, Knoevenagel-(Doebner)-Reaktionen, Perkin-Synthesen u.a. gehören, sind in verschiedenen Kapiteln des vorliegenden Handbuches ausführlich besprochen worden. Die in den einschlägigen Kapiteln gegebenen Beispiele sollen hier nur durch kurze Hinweise auf die Anwendbarkeit des Reaktionstyps speziell zum Aufbau von Polyenketten[vgl. 1] ergänzt werden. Zusammenfassend läßt sich sagen, daß die genannten alkalischen Kondensationsverfahren für den Aufbau nichtcarotinoider Polyene von großer Bedeutung waren[2], daß sie aber für den Aufbau von Carotinioden seltener verwendet werden.

Die als Zwischenstufen entstehenden Hydroxy-Verbindungen spalten insbesondere bei konjugiert ungesättigten Systemen sehr häufig schon während der Herstellung oder Aufarbeitung Wasser ab. Um einheitliche Reaktionsprodukte zu erhalten, arbeitet man oft günstig bei tiefen Temperaturen.

Verschiedene Typen von Kondensationsreaktionen an aktiven Methylen- bzw. Methyl-Gruppen führen zu Polyen-aldehyden. Die größte Bedeutung haben hier Aldolkondensationen zwischen ungesättigten Aldehyden mit Essigsäure-piperidid als Katalysator[3]. Diese Reaktionen sind ausführlich behandelt in ds. Handb., Bd. VII/1, S. 85f.

Zur Selbstkondensation von Acetaldehyd bei 10–15° in Gegenwart von Dimethylamin und Essigsäure zu Polyenaldehyd-Gemischen bis C_{20} s. Literatur[4].

Durch Kondensation von ungesättigten Aldehyden (mit n C=C-Doppelbindungen) mit N-Malonyl-carbazol erhält man N-Acyl-carbazole, die sich mit Lithiumalanat in guten Ausbeuten zum Polyenaldehyd mit n + 1 Doppelbindungen reduzieren lassen[5]:

$$R-(CH=CH)_n-CHO + H_2C(COOH)-CO-N(\text{Carbazol}) \xrightarrow[-H_2O,\ -CO_2]{} R-(CH=CH)_{n+1}-CO-N(\text{Carbazol}) \xrightarrow{LiAlH_4} R-(CH=CH)_{n+1}-CHO$$

13-Phenyl-tridecahexaen-(2,4,6,8,10,12)-al ($R=C_6H_5$; n=5)[5]:

13-Phenyl-tridecahexaen-(2,4,6,8,10,12)-säure-carbazolid: Zu einer Mischung von 2,36 g (10 mMol) 11-Phenyl-undecapentaen-(2,4,6,8,10)-al (F: 181–183°) und 3,8 g (15 mMol) frisch bereitetem N-Carboxyacetyl-carbazol (N-Malonyl-carbazol) in 45 *ml* Pyridin fügt man 10 Tropfen Piperidin und 10 Tropfen Eisessig und erwärmt die Lösung 3 Stdn. auf 70–80°, bis

---

[1] O. Isler u. P. Schudel, Adv. Org. Chem. 4, 115 (1963).
[2] R. Kuhn, Ang. Ch. **50**, 703 (1937).
[3] R. Kuhn, Ang. Ch. **50**, 703 (1937); dort weitere Lit.
[4] W. Langenbeck, J. Alm u. K. W. Knitsch, J. pr. [4] **8**, 112 (1959).
[5] G. Wittig u. P. Hornberger, A. **577**, 11 (1952).

die Kohlendioxid-Entwicklung beendet ist. Nach 24-stdg. Stehen der mit 45 *ml* Äthanol verd. Lösung bei 0° hat sich das Carbonsäure-amid abgeschieden; das aus Dimethylformamid umkristallisiert wird; Ausbeute: 2,6 g (61% d.Th.); F: 206–207° (dunkelrote Nädelchen).

13-Phenyl-tridecahexaen-(2,4,6,8,10,12)-al: 2,14 g (5 mMol) des Carbonsäure-amid werden in 30 *ml* absol. Tetrahydrofuran gelöst und mit 1,25 *ml* einer 1 m Lithiumalanat-Lösung reduziert; danach wird wie üblich aufgearbeitet; Rohausbeute: 1,15 g (91% d.Th.); F: 210–213° (karminrote Kristalle).

Die Kondensation von ungesättigten Carbonyl-Verbindungen mit Oxalessigsäure, die ebenfalls zu Polyenaldehyden führt, wird in ds. Handb., Bd. VII/1, S. 319 beschrieben.

Bei den alkalischen Kondensationsreaktionen von ungesättigten Aldehyden mit Ketonen zur Herstellung von Polyenketonen (vgl. Bd. VII/2) wird häufig mit Aceton kondensiert. Es müssen hierbei spezielle Reaktionsbedingungen eingehalten werden, da die Ausgangsaldehyde mit wachsender Länge der Polyenkette reaktionsträger werden, sich andererseits aber auch leichter zersetzen. Die Kondensation von Octatrien-(2,4,6)-al, Dehydrocitral [3,7-Dimethyl-octatrien-(2,4,6)-al] und Farnesinal [3,7,11-Trimethyl-dodecapentaen-(2,4,6,8,10)-al] mit Aceton zu I, II und III gelingt mit Natriumäthanolat in Aceton-Lösung[1] bei –80° bis –20°:

$$H_3C-(CH{=}CH)_4-\overset{O}{\overset{\|}{C}}-CH_3$$

10-Oxo-undecatetraen-(2,4,6,8);
17% d. Th.; I

$$H_3C-\underset{CH_3}{\underset{|}{C}}{=}CH-CH{=}CH-\underset{CH_3}{\underset{|}{C}}{=}CH-CH{=}CH-\overset{O}{\overset{\|}{C}}-CH_3$$

10-Oxo-2,6-dimethyl-undecatetraen-(2,4,6,8);
~ 4% d.Th.; II

$$H_3C-\underset{CH_3}{\underset{|}{C}}{=}CH-CH{=}CH-\underset{CH_3}{\underset{|}{C}}{=}CH-CH{=}CH-\underset{CH_3}{\underset{|}{C}}{=}CH-CH{=}CH-\overset{O}{\overset{\|}{C}}-CH_3$$

14-Oxo-2,6,10-trimethyl-pentadecahexaen-(2,4,6,8,10,12);
~ 28% d.Th.; III

Vitamin A-Aldehyd ergibt mit Aceton *Retinyliden-aceton* (64% d.Th.)[2]. Im Zusammenhang mit der Strukturaufklärung von *Citranaxanthin* konnte auch β-Apo-8′-carotinal [C_{30}] mit Aceton kondensiert werden[3]:

$$\beta\text{-Apo-8'-carotinal (CHO)} + H_3C-\underset{O}{\underset{\|}{C}}-CH_3 \longrightarrow \text{Citranaxanthin } (-CH{=}CH-CO-CH_3)$$

[1] F. G. Fischer u. H. Schulze, B. **75**, 1467 (1942).
[2] H. H. Haeck et al., R. **85**, 334 (1966).
[3] H. Jokojama, M. J. White u. C. E. Vandercook, J. Org. Chem. **30**, 2481 (1965).

Citranaxanthin[1]: Eine Lösung von 0,5 g β-Apo-8'-carotinal in 5 *ml* Aceton und 5 *ml* Äthanol wird tropfenweise unter Stickstoff zu einer gut gerührten Mischung von 1 n Kalilauge und 5 *ml* Äthanol gegeben und die Reaktionsmischung 5 Stdn. bei Raumtemp. gerührt. Der Petroläther-Extrakt der Reaktionsmischung wird an einer Säule mit Magnesiumoxid-Hyflo Supercel chromatographiert, das Citranaxanthin isoliert und aus Petroläther kristallisiert; Ausbeute: 0,4 g (73% d.Th.); F: 155–156°.

Wenn man anstelle von Aceton unsymmetrische gesättigte Ketone einsetzt, bei denen sowohl die α- wie die α'-CH_2-Gruppe reagieren kann, entstehen uneinheitliche Reaktionsprodukte[vgl. 2]. Dagegen läßt sich z.B. β-Apo-8'-carotinal oder Crocetindialdehyd glatt mit 3-Oxo-2-methyl-butan zu *19-Oxo-3,7,12,16,20-pentamethyl-1-[2,6,6-trimethyl-cyclohexen-(1)-yl]-heneicosanonaen-(1,3,5,7,9,11,13,15,17)* (80% d.Th.) bzw. *3,23-Dioxo-2,6,10,15,19,23-hexamethyl-tetracosanonaen-(4,6,8,10,12,14,16,18,20)* (85% d.Th.) kondensieren[3]. Weitere Kondensationen mit Ketonen werden in der Literatur beschrieben[4–7].

Chlorierte ungesättigte Aldehyde, wie 5,5-Dichlor-pentadien-(2,4)-al und 7,7-Dichlor-heptatrien-(2,4,6)-al, wurden mit Methyl-aryl-ketonen in Gegenwart von Salzsäure kondensiert[8].

Eine Erweiterung der Verfahren zur Aldolkondensation zwischen Aldehyden und Aceton ist dadurch möglich, daß man an Stelle eines Aldehyds einen evtl. leichter zugänglichen Alkohol einsetzt und gleichzeitig mit der Kondensation durch Zugabe von z.B. Aluminium-tri-tert.-butanolat eine Oppenauer-Oxidation ablaufen läßt (s. ds. Handb., Bd. IV/1, Kap. Oxidation). Die Methode wird auch bei Polyenketonen verwendet[9–11].

So erhält man z.B. aus Vitamin A-Alkohol und Aceton mit Aluminium-tri-tert.-butanolat *11-Oxo-3,7-dimethyl-1-[2,6,6-trimethyl-cyclohexen-(1)-yl]-dodecapentaen-(1,3,5,7,9)*[10]:

H_3C CH_3 CH_3 CH_3 CH_2OH CH_3 —($H_3C-CO-CH_3$)→ H_3C CH_3 CH_3 CH_3 O CH_3 CH_3

11-Oxo-3,7-dimethyl-1-[2,6,6-trimethyl-cyclohexen-(1)-yl]-dodecapentaen-(1,3,5,7,9)[10]: 10 g kristallines Vitamin A-Acetat werden mit Kaliumhydroxid in Methanol verseift[12] und der erhaltene Vitamin A-Alkohol nach dem Trocknen i.Hochvak. in 80 *ml* reinstem Aceton gelöst. Danach wird eine Lösung von 9 g (frisch an der Ölpumpe destilliertem) Aluminium-tri-tert.-butanolat in 200 *ml* reinstem Benzol zugegossen und 45 Stdn. zum gelinden Sieden erwärmt. Nach dieser Zeit ist keine Erhöhung der Extinktion, gemessen bei 400 mμ, mehr zu beobachten. Darauf läßt man erkalten und fügt 5 *ml* Wasser zu. Nach einigem Stehen wird die tiefrote Lösung durch eine Schicht Celite, die mit feuchtem Aceton vorgewaschen wurde, filtriert. Die Aluminiumhydroxid-Schicht wird abgetrennt und mit Benzol und verd. Schwefelsäure verrührt. Die abgetrennte Benzol-Schicht wird nach dem Waschen mit Natriumhydrogencarbonat und Wasser zum Filtrat gegeben und bis zur Trockne eingedampft.

---

[1] H. Yokoyama, M. J. White u. C. E. Vandercook, J. Org. Chem. **30**, 2481 (1965).
[2] Y. Leraux u. P. Chaquin, A. Ch. [14] **3**, 133 (1968).
[3] M. Akhtar u. B. C. L. Weedon, Soc. **1959**, 4058.
[4] R. Ahmad u. B. C. L. Weedon, Soc. **1953**, 3299.
[5] C. K. Warren u. B. C. L. Weedon, Soc. **1958**, 3972.
[6] C. K. Warren u. B. C. L. Weedon, Soc. **1958**, 3986.
[7] H. H. Haeck et al., R. **85**, 334 (1966).
[8] L. L. Zacharkin u. L. P. Sorokina, Izv. Akad. SSSR **1962**, 821; engl.: 765.
[9] K. R. Bharucha u. B. C. L. Weedon, Soc. **1953**, 1571.
[10] P. Karrer u. C. H. Eugster, Helv. **34**, 1805 (1951).
[11] O. Isler u. P. Schudel, Adv. Org. Chem. **4**, 115 (1963).
[12] O. Isler et al., Helv. **32**, 499 (1949).

Trennung[1] der Keton- und Nichtketon-Anteile erfolgt mit Girard-Reagenz T oder P; anschließend werden die Hydrazone verseift[2]. Letztlich werden 6,7 g Keton erhalten, das nach kurzer Zeit in der Ampulle völlig durchkristallisiert. Zur völligen Reinigung wird aus Petroläther umkristallisiert, wobei die Mutterlaugen nach Chromatographie an Aluminiumoxid weitere kristallisierende Fraktionen ergeben; Ausbeute: 6,25 g (63% d.Th., bez. auf verwendetes Vitamin A-Acetat); F: 105–106°.

Zur Herstellung von α,β-ungesättigten Carbonyl-Verbindungen durch Aldolkondensationen kann einer der beiden Reaktionspartner auch als Schiff'sche Base eingesetzt werden[3,4]. So liefert z.B. die Umsetzung von 2 Mol Acetaldimin mit 2,7-Dimethyl-octatrien-(2,4,6)-dial das *4,9-Dimethyl-dodecapentaen-(2,4,6,8,10)-dial*[3].

Die Kondensation von Polyenaldehyden mit 3-Oxo-2-methyl-butanal-acetal und Natrium-methanolat als Kondensationsmittel kann über β-Oxo-polyen-aldehyd-acetale als Zwischenstufen zum Aufbau längerkettiger β-Apo-carotinale verwendet werden[5].

Analog zum Crotonaldehyd reagieren auch die vinylogen Aldehyde mit Malonsäure in Gegenwart von Pyridin zu den entsprechenden Polyenmonocarbonsäuren[6]; z.B.:

$$H_3C-(CH=CH)_n-CHO + H_2C(COOH)_2 \xrightarrow{n=1-3} H_3C-(CH=CH)_{n+1}-COOH$$

n=1; *Hexadien-(2,4)-säure*
n=2; *Octatrien-(2,4,6)-säure*
n=3; *Decatetraen-(2,4,6,8)-säure*

$$\xrightarrow{n>3} H_3C-(CH=CH)_n-CH=C(COOH)_2 \xrightarrow{-CO_2} H_3C-(CH=CH)_{n+1}-COOH$$

z.B. n = 4;
Decatetraen-(2,4,6,8)-yliden-malonsäure
→ *Dodecapentaen-(2,4,6,8,10)-säure*

Bei höheren Polyenaldehyden ist ein Zusatz von Piperidin günstig zur Verbesserung der Ausbeuten[6]. Primäre Reaktionsprodukte sind bei längeren Polyenketten (ab 4 C=C-Doppelbindungen) nicht mehr die Mono- sondern die entsprechenden Dicarbonsäuren, die dann noch decarboxyliert werden müssen (Kochen mit Eisessig/Essigsäureanhydrid)[6].

13-Phenyl-tridecahexaen-(2,4,6,8,10,12)-säure[7]: 0,50 g 11-Phenyl-undecapentaen-(2,4,6,8,10)-al werden mit 2,50 g Malonsäure (reinst) in 15 *ml* Pyridin (reinst) gelöst und mit 2 Tropfen Piperidin (reinst) versetzt. Es tritt sogleich Dunkelfärbung ein. Nun wird $1^1/_2$ Stdn. auf dem siedenden Wasserbade erhitzt und das Reaktionsprodukt 12 Stdn. im Eisschrank stehengelassen. Vom entstehenden Kristallbrei wird abgenutscht und aus Pyridin umkristallisiert: Derbe, granatrote

---

1 P. Karrer u. C. H. Eugster, Helv. **34**, 1805 (1951).
2 J. W. Batty et al., Soc. **1938**, 175.
3 DBP 1199252 (1963) ≡ Fr.P. 1391323 (1965). BASF, Erf.: G. Wittig, H. Pommer u. W. Stilz; C. A. **63**, 1739 (1965).
4 Belg. P. 603424, 603425 (1961), N. V. Philips Gloeilampen-Fabrieken.
5 J. Redel u. J. Boch, C. r. **258**, 1840 (1964).
6 R. Kuhn, Ang. Ch. **50**, 703 (1937); dort weitere Literatur.
7 R. Kuhn u. K. Wallenfels, B. **70**, 1331 (1937).

Prismen, die beim Trocknen i. Vak. sich unter Pyridin-Abspaltung dunkel färben (0,35 g). Die so erhaltene graubraune Masse wird in 10 *ml* Acetanhydrid gelöst und 1 Stde. unter Rückfluß gekocht. Bereits nach ~ 10 Min. hellt sich die Farbe merklich auf. Nach dem Erkalten werden 0,12 g (~ 20% d. Th.) orangefarbene goldglänzende Nädelchen abgesaugt (F: 238–239°), die 3mal umkristallisiert werden; F: 255°.

Die Herstellung von Ferrocenyl-polyen-mono- und dicarbonsäure-estern durch Kondensation von Ferrocenyl-polyenalen und Malonsäure wird in der Literatur beschrieben[1].

Anstelle von Malonsäure können auch andere, aktive Methylen-Gruppen enthaltende Carbonsäuren bzw. deren Ester zur alkalischen Kondensation mit ungesättigten Aldehyden unter Bildung von Polyensäuren eingesetzt werden [z. B. β-Methyl-glutacon-säureester bzw. -anhydrid[2], 3-Methyl-buten-(2)-säureester[3], 3-Alkoxy-buten-(2)-säureester[4] oder ein Polyen-dicarbonsäure-dimethylester der Formel I][5]. Der letztgenannte Ester ergibt bei der Reaktion mit Vitamin A-Aldehyd (II) *β-Carotin-14,15-dicarbonsäure-dimethylester*[5] (III; 70% d. Th.):

H_3C CH_3 CH_3 CH_3 $COOCH_3$ CH_2 C CH_3 $COOCH_3$ + OHC CH_3 CH_3 H_3C H_3C CH_3 →

I II

H_3C CH_3 CH_3 CH_3 $COOCH_3$ H_3C CH_3 $COOCH_3$ CH_3 CH_3 H_3C CH_3

III

Durch Kondensation von Hydroxy-alkoxy-essigsäureestern als Aldehyd-Komponente mit geeigneten ungesättigten Aldehyden als Methylen-aktive Komponente in Gegenwart von Kalium-tert.-butanolat in tert. Butanol gelangt man zu ω-Formyl-polyencarbonsäureestern[6]. So erhält man aus 2-Methyl-heptadien-(2,4)-al und Hydroxy-äthoxy-essigsäure-äthylester z. B. *3,7-Dimethyl-octatrien-(2,4,6)-aldehyd-(8)-säure-äthylester*.

Kondensationen von ungesättigten Monocarbonsäureestern [z. B. $H_3C-(CH{=}CH)_{n-1}-COOR$] mit Oxalsäure-diester in Gegenwart von Kaliumalkoholat/Pyridin zu ungesättigten ω-Oxalyl-carbonsäureestern [$ROOC-CO-CH_2-(CH{=}CH)_{n-1}-COOR$] werden in ds. Handb., Bd. VIII, S. 585, beschrieben. Die acetylierten Ester können in 1,ω-Stellung hydriert werden (s. S. 196) und durch Abspaltung von Essigsäure (s. S. 55) Polyen-1,ω-dicarbonsäure-diester [$ROOC-(CH{=}CH)_n-COOR$] ergeben[7].

Bei der Kondensation von carotinoiden Ketonen $R-CO-CH_3$ (Acetyl-polyenen) mit Oxalsäure-diester in Gegenwart von Natriumäthanolat bzw.

---

[1] K. Schlögl u. H. Egger, A. **676**, 76 (1964).

[2] V. Petrov u. O. Stephenson, Soc. **1950**, 1310.

[3] P. E. Blatz, Am. Soc. **90**, 3282 (1968).

[4] E. E. Smissman u. A. N. Voldeng, J. Org. Chem. **29**, 3161 (1964).

[5] H. H. Haeck u. T. Kralt, R. **87**, 709 (1968).

[6] DBP 1008729 (1955), BASF, Erf.: H. Pommer u. W. Arend; C. A. **53**, 15989 (1959).

[7] R. Kuhn, Ang. Ch. **50**, 703 (1937); dort weitere Lit.

Natriumamid entstehen je nach Molverhältnis die entsprechenden Monooxalyl-Verbindungen oder Bis-Kondensationsprodukte[1].

Die direkte Herstellung von symmetrischen ω,ω'-Diphenyl-polyenen[2,3] bzw. $\omega,\omega,\omega',\omega'$-Tetraphenyl-polyenen[4] gelingt durch Kondensation von 2 Mol eines ungesättigten aromatischen Aldehyds mit Bernsteinsäure bzw. ungesättigten Dicarbonsäuren in Gegenwart von Blei(II)-oxid, wobei sofort Kohlendioxid abgespalten wird. Die Ausbeuten liegen allerdings oft unter 10% d. Th.; die Methode versagt ab 8 C=C-Doppelbindungen im Endprodukt.

C_6H_5–CH=CH–CHO + HOOC–CH_2–$(CH=CH)_2$–CH_2–COOH + OHC–CH=CH–C_6H_5

(PbO) / $-2H_2O$ / $-2CO_2$ ↓

C_6H_5–$(CH=CH)_6$–C_6H_5

1,12-Diphenyl-dodecahexaen-(1,3,5,7,9,11)[5]: 1,7 g Octadien-(3,5)-disäure werden mit 5,3 g (4 mMol) frisch destilliertem Zimtaldehyd und 3,1 g (3 mMol) Acetanhydrid im Ölbad auf 150° erhitzt unter Zugabe von 2,2 g (1 mMol) fein gepulverter Bleiglätte. Da nicht alles in Lösung geht, wird 10 *ml* Essigsäure-anhydrid zugefügt, wobei vorübergehend eine tiefrote klare Lösung entsteht, aus der nach 30 Min. orangefarbige Blättchen ausfallen. Man kocht noch 5 Stdn., verdünnt nach dem Erkalten mit Eisessig und saugt ab; Ausbeute: 123 mg (4% d. Th.); F: 262°.

Die analoge Reaktion für kernsubstituierte 1,ω-Diphenyl-polyene ist in der Literatur[6] beschrieben (Ausbeute: 9–18% d. Th.).

Im Rahmen der Polyenchemie ist auch die alkalische Kondensation von Carbonyl-Verbindungen oder Oxalsäure-diestern mit aktiven Methylen-Gruppen in Nitrilen[7–12, s.a. 13], Nitro-Verbindungen[14,15], Cyclopentadienen[16–18] bzw. 4-Hydroxy-3-methyl-butensäure-lacton[19] untersucht worden. Vitamin A-Aldehyd läßt sich z. B. mit 80–90%iger Ausbeute mit Cyanessigsäureestern oder Malonsäure-dinitril zu folgenden Verbindungen kondensieren[7]:

---

[1] H. H. Inhoffen, F. Bohlmann u. K. Bartram, A. **561**, 13 (1948).
[2] R. Kuhn, Ang. Ch. **50**, 703 (1937); dort weitere Literatur.
[3] R. Kuhn u. A. Winterstein, Helv. **11**, 87 (1928).
[4] G. Wittig u. A. Klein, B. **69**, 2087 (1936).
[5] R. Kuhn u. C. Grundmann, B. **69**, 1757 (1936).
[6] K. Friedrich u. W. Hartmann, B. **94**, 840 (1961).
[7] H. H. Haeck et al., R. **85**, 334 (1966).
[8] H. H. Haeck et al., R. **85**, 343 (1966).
[9] DBP 1124941 (1960), Farbf. Bayer, Erf.: K. Eiter, H. Oediger, H. Henecka u. R. Lorenz; C. A. **57**, 7323b (1962).
[10] R. Huisgen u. E. Laschtúvka, B. **93**, 65 (1960).
[11] A. Lüttringhaus u. G. Schill, B. **93**, 3048 (1960).
[12] J. Colonge u. P. Frank, Bl. **1964**, 3090.
[13] D. M. W. Anderson, F. Bell u. J. L. Duncan, Soc. **1961**, 4705.
[14] E. S. Lipina et al., Ž. obšč. Chim. **34**, 3635 (1964); engl.: 3683.
[15] V. P. Alanija u. N. A. Sokolov, Z. org. Chim. **1**, 2245 (1965); engl.: 2286.
[16] H. H. Haeck et al., R. **85**, 339 (1966).
[17] K. Hafner u. K. D. Asmus, A. **671**, 31 (1964).
[18] F. Kröhnke, Ang. Ch. **75**, 317 (1963).
[19] N. Boegman, F. Durung u. C. F. Garbers, Chem. Commun. **1966**, 600.

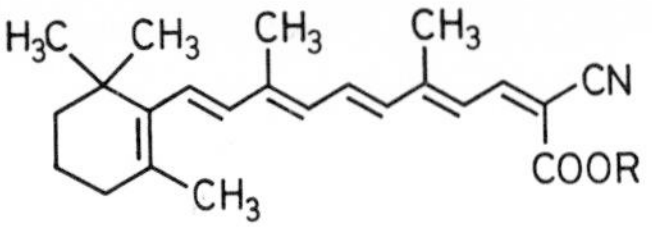

5,9-Dimethyl-11-[2,6,6-trimethyl-cyclohexen-(1)-yl]-2-cyan-undecapentaen-(2,4,6,8,10)-säureester

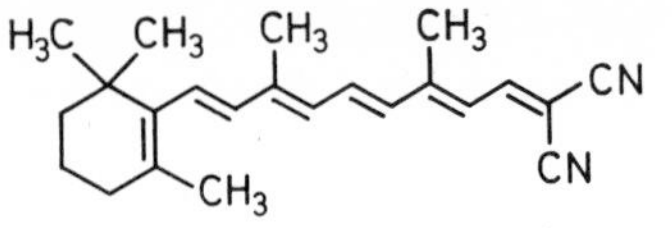

4,8-Dimethyl-10-[2,6,6-trimethyl-cyclohexen-(1)-yl]-1,1-dicyan-decapentaen-(1,3,5,7,9)

In Spezialfällen kann die Tatsache von Bedeutung sein, daß sich auch aus 5-(N-Methyl-anilino)-pentadien-(2,4)-al (Zincke-Aldehyd) oder seinen Derivaten als Carbonyl-Komponente Polyen-mono- und -dicarbonsäuren[1] bzw. Cyclopentadienyl-polyene[2–4] aufbauen lassen.

Aus Diendiaminen der Konstitution $H_2C{=}CH{-}CH{=}C(NR_2)_2$ und ungesättigten Aldehyden lassen sich die entsprechenden ungesättigten Carbonsäure-amide gewinnen[5]; z. B.:

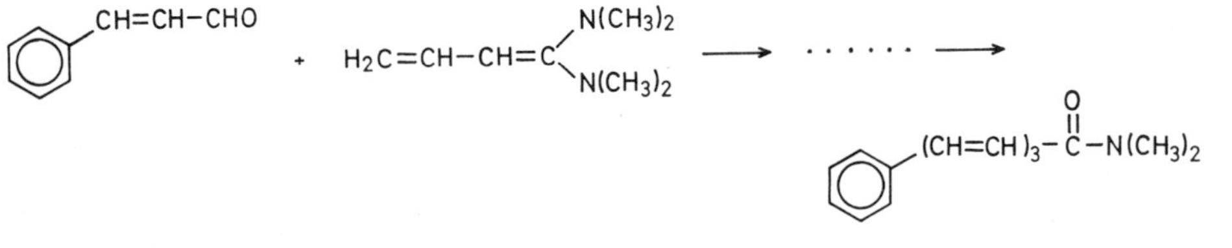

$C_6H_5{-}CH{=}CH{-}CHO + H_2C{=}CH{-}CH{=}C(N(CH_3)_2)_2 \longrightarrow \cdots\cdots \longrightarrow C_6H_5{-}(CH{=}CH)_3{-}CO{-}N(CH_3)_2$

7-Phenyl-heptatrien-(2,4,6)-säure-dimethylamid; 19% d. Th.

Kondensationsprodukte von Polyenalen mit Rhodanin eignen sich für analytische Bestimmungen (s. S. 33).

3. Reformatsky-Reaktion zwischen Carbonyl-Verbindungen und geeigneten Halogen-Verbindungen

Die Reformatsky-Reaktion (s. ds. Handb., Bd. VIII, S. 511), bei der allgemein α-Halogen-fettsäureester, sowie 4-Halogen-buten-(2)-säureester, 4-Halogen-2- (bzw. 3)-substituierte Buten-(2)-säureester, 6-Halogen-3-methyl-sorbinsäureester[6], die Nitrile der genannten Carbonsäuren, Verbindungen mit der Propargylhalogenid-Gruppierung (oder in Ausnahmefällen auch ω-halogenierte Acetophenone) in Gegenwart von aktiviertem Zink (bzw. Aluminium oder Magnesium) in geeigneten Lösungsmit-

[1] R. Grewe u. W. v. Bonin, B. **94**, 234 (1961).
[2] K. Hafner u. K. D. Asmus, A. **671**, 31 (1964).
[3] F. Kröhnke, Ang. Ch. **75**, 181 (1963).
[4] F. Kröhnke, Ang. Ch. **75**, 317 (1963).
[5] D. H. R. Barton, G. Hewitt u. P. G. Sammes, Soc. [C] **1969**, 16.
[6] Der nicht methylierte ω-Halogen-sorbinsäureester konnte bisher nicht mit Carbonyl-Verbindungen kondensiert werden:
H. Pommer, Ang. Ch. **72**, 811 (1960).
DBP. 1023035 (1956), BASF, Erf.: H. Pommer; C. A. **54**, 5028 (1960).
P. Karrer u. R. Schwyzer, Helv. **29**, 1191 (1946).
J. Heilbron, E. R. H. Jones u. D. G. O'Sullivan, Soc. **1946**, 866.

teln mit Carbonyl-Verbindungen kondensiert werden, hat in der Polyenchemie zum Aufbau von Polyenketten – insbesondere bei Carotinoiden – vielfache Anwendung gefunden. Von wenigen Ausnahmen abgesehen werden als Halogen-Verbindungen jeweils die betr. Brom-Verbindungen verwendet. Als Reaktionsprodukte entstehen primär die entsprechenden Hydroxy-Verbindungen, die leicht Wasser abspalten; z.B.:

[2,6,6-Trimethyl-cyclohexen-(1)-yl]–CH=CH–C(CH$_3$)=O + Br–CH$_2$–CH=CH–COOCH$_3$ $\xrightarrow{Zn}$

[[2,6,6-Trimethyl-cyclohexen-(1)-yl]–CH=CH–C(CH$_3$)(OH)–CH$_2$–CH=CH–COOCH$_3$] $\xrightarrow{\text{1. } -H_2O \text{; 2. Verseifung}}$

[2,6,6-Trimethyl-cyclohexen-(1)-yl]–CH=CH–C(CH$_3$)=CH–CH=CH–COOH

„β-C$_{17}$-Säure"
{5-Methyl-7-[2,6,6-trimethyl-cyclohexen-(1)-yl]-heptatrien-(2,4,6)-säure}[1–4]

$\longrightarrow$ β - C$_{18}$ - Keton $\xrightarrow{Br-CH_2-COOR\,/\,Zn}$ *Vitamin A-Säureester*[1,3,5]

Bei Polyenen erfolgt die Wasser-Abspaltung in einigen Fällen bereits während der Kondensations-Reaktion oder bei der Aufarbeitung (Destillation). Z.T. liegen im Reaktionsprodukt die Hydroxy-Verbindung und das Dehydratisierungsprodukt nebeneinander vor, die man dann gemeinsam zur vollständigen Dehydratisierung erhitzt oder mit wasserabspaltenden Mitteln behandelt. Häufig muß man aber, auch bei Polyenketten (besonders bei Kondensationen unter milden Reaktionsbedingungen), aus der zunächst entstehenden Hydroxy-Verbindung im getrennten Arbeitsgang Wasser abspalten.

Die allgemeinen präparativen Grundlagen der Reformatsky-Reaktion wurden bereits in anderen Kapiteln ds. Handbuches besprochen[6]. An dieser Stelle sollen nur einige speziell für die Polyenchemie wichtige Gesichtspunkte bei der Reformatsky-Reaktion angegeben und einige Beispiele aufgezählt werden.

Übersichtsarbeiten, in denen Reformatsky-Reaktionen zum Aufbau von carotinoiden Polyenen zusammengestellt sind, s. Lit.[7,8].

In der Reihe der nichtcarotinoiden Polyene erhält man z.B.[9] aus 5-Oxo-1-phenyl-hexadien-(1,3), Brom-essigsäure-äthylester und Zink direkt *3-Methyl-7-phenyl-*

---

1 J. F. Arens u. D. A. van Dorp, R. **65**, 338 (1946).
2 K. Eiter, E. Truscheit u. H. Oediger, Ang. Ch. **72**, 948 (1960).
3 H. H. Inhoffen u. F. Bohlmann, Fortschr. chem. Forsch. **1**, 175 (1949).
4 H. H. Inhoffen et al., A. **561**, 13 (1948).
5 H. H. Inhoffen, F. Bohlmann u. M. Bohlmann, A. **568**, 47 (1950).
6 Vgl. ds. Handb., Bd. VIII, S. 511.
7 K. Eiter, E. Truscheit u. H. Oediger, Ang. Ch. **72**, 948 (1960).
8 O. Isler u. P. Schudel, Adv. Org. Chem., Vol. **4**, 115 (1963); ausführliche Literaturübersicht.
9 R. Kuhn u. M. Hoffer, B. **65**, 651 (1932).

heptatrien-(2,4,6)-säure; mit 6-Oxo-heptadien-(2,4) zunächst die Hydroxy-Verbindung, die durch anschließende Wasser-Abspaltung in *3-Methyl-octatrien-(2,4,6)*-säure übergeht. Aus 6-Oxo-2-methyl-heptadien-(2,4) entsteht analog *3,7-Dimethyl-octatrien-(2,4,6)-säure* (*Dehydrogeraniumsäure*; geringe Ausbeute)[s. a. 1].

Von großer Bedeutung für Polyensynthesen war die Übertragung der bei α-halogenierten gesättigten Fettsäureestern seit langem bekannten Reformatsky-Reaktion auf

① ungesättigte ω-halogenierte Carbonsäureester, wie 4-Brom-buten-(2)-säureester[2–9], 4-Brom-3-methyl-buten-(2)-säureester[2,4,8,10], 4-Brom-2-methyl-buten-(2)-säureester[11], Brom-3-alkoxy-buten-(2)-säureester[12,13] bzw. 6-Brom-3-methyl-sorbinsäureester[14,15].

② analoge Nitrile[vgl. 4], wie Brom-acetonitril[10,16], 4-Brom-buten-(2)-säure-nitril[10,16], 4-Brom-3-methyl-buten-(2)-säure-nitril[10,16] bzw. 6-Brom-3-methyl-sorbinsäure-nitril[16].

③ Verbindungen mit Propargylhalogenid-Gruppierung, wie Propargylbromid[4,10,17] oder 6-Brom-3-methyl-hexen-(2)-in-(4)-säureester[14,18].

Das sogenannte β-C_{18}-Keton (s. S. 11) läßt sich mit Brom-thioessigsäure-S-methylester zum *Vitamin A-thiosäure-S-methylester* umsetzen[19,20]. Die Reformatsky-Reaktion wurde bei der Synthese von Benzoyl-polyenen[21] auch auf ω-Brom-acetophenon übertragen, so entsteht z.B. mit Sorbinaldehyd *8-Oxo-8-phenyl-octatrien-(2,4,6)*. Das primär gebildete Hydroxy-keton spaltet bei der Aufarbeitung spontan Wasser ab. Die Ausbeuten betragen allerdings nur ~ 4–5% der Theorie.

Bei der Umsetzung von ungesättigten Carbonyl-Verbindungen mit den obengenannten Halogen-Verbindungen nach Reformatsky zum Aufbau von Polyenketten wird das Zink in Form von Zinkgrieß oder Zinkstaub[10], der mit verdünnter Salzsäure angeätzt und mit etwas Jod aktiviert wird, verwendet. In Spezialfällen wird auch z.B. amalgamiertes Zink[22] oder nach besonderem Verfahren aktiviertes Zink[23] verwendet. Als Lösungsmittel ist in einigen Fällen Benzol, besonders aber

[1] F. G. Fischer u. K. Löwenberg, B. **66**, 669 (1933).
[2] K. Ziegler, A. **551**, 120 (1942).
[3] H H. Inhoffen, F. Bohlmann u. K. Bartram, A. **561**, 13 (1948).
[4] O. Isler u. P. Schudel, Adv. Org. Chem., Vol. **4**, 115 (1963).
[5] P. Karrer u. E. Schick, Helv. **29**, 704 (1946).
[6] J. F. Arens u. D. A. van Dorp, R. **65**, 338 (1946).
[7] J. Heilbron, E. R. H. Jones u. D. G. O'Sullivan, Soc. **1946**, 866.
[8] H. H. Inhoffen u. F. Bohlmann, Fortsch. Chem. Forsch. **1**, 175 (1949).
[9] E. R. H. Jones, D. G. O'Sullivan u. M. C. Whiting, Soc. **1949**, 1416.
[10] K. Eiter, E. Truscheit u. H. Oediger, Ang. Ch. **72**, 948 (1960).
[11] H. H. Inhoffen, S. Bork u. U. Schwieter, A. **580**, 1 (1953).
H. H. Inhoffen et al., A. **580**, 7 (1953).
H. H. Inhoffen, U. Schwieter u. G. Raspé, A. **588**, 117 (1954).
H. H. Inhoffen u. G. Raspé, A. **592**, 215 (1955).
[12] J. D. Bu'Lock, P. R. Leeming u. H. G. Smith, Soc. **1962**, 2085.
[13] DBP. 1064506 (1957), Farbf. Bayer, Erf.: K. Eiter u. E. Truscheit; C. A. **55**, 19826 (1961).
[14] H. Pommer, Ang. Ch. **72**, 811 (1960).
[15] DBP. 1023035 (1956), BASF, Erf.: H. Pommer; C. A. **54**, 21182 (1960).
[16] DBP. 1066197 (1957), Farbf. Bayer, Erf.: K. Eiter u. E. Truscheit; C. A. **54**, 3496 (1960).
[17] P. Karrer u. C. H. Eugster, Helv. **34**, 28 (1951).
[18] DBP. 950551 (1954), BASF, Erf.: H. Pommer; C. A. **53**, 436 (1959).
[19] J. F. Arens u. D. A. van Dorp, R. **66**, 407 (1947).
[20] Brit. P. 646586 (1947), N. V. Organon; C. A. **45**, 9563 (1951).
[21] R. Kuhn u. H. A. Staab, B. 87, 262 (1954).
[22] H. H. Inhoffen et al., A. **580**, 7 (1953).
[23] H. H. Inhoffen, F. Bohlmann u. M. Bohlmann, A. **568**, 47 (1950).

Tetrahydrofuran oder auch Äther geeignet. Ferner ist es häufig günstig, die Konzentration der Reaktionspartner so zu wählen, daß die Reaktion spontan einsetzt oder durch leichtes Erwärmen in Gang gebracht wird, dann aber ohne äußere Erwärmung weiter abläuft. Unter diesen schonenden Bedingungen werden die Ausbeuten erhöht und Nebenreaktionen weitgehend vermieden. Ist äußere Erwärmung nicht zu umgehen, wählt man möglichst niedrige Temperaturen. Es ist von Fall zu Fall verschieden, ob es günstiger ist, das Gemisch aus Carbonyl-, Halogen-Verbindung und Lösungsmittel zum Zink zu geben, oder zunächst das Zink mit der Carbonyl-Komponente und einem Teil des Lösungsmittels zu vermischen und die Halogen-Komponente mit dem Rest des Lösungsmittels zulaufen zu lassen[1].

Die folgenden Vorschriften sind als Beispiele für präparativ schwierige Reformatsky-Reaktionen bei der Herstellung von Polyenen ausgewählt.

2,6-Dimethyl-octatrien-(2,4,6)-säure-methylester (Isodehydrogeraniumsäure-methylester)[2]:

$$H_3C-CH=\overset{CH_3}{\overset{|}{C}}-CHO \;+\; Br-CH_2-CH=\overset{CH_3}{\overset{|}{C}}-COOCH_3 \xrightarrow{Zn} H_3C-CH=\overset{CH_3}{\overset{|}{C}}-CH=CH-CH=\overset{CH_3}{\overset{|}{C}}-COOCH_3$$

In einem mit Rückflußkühler, Tropftrichter und Rührwerk versehenen Kolben werden 22,7 g mit Jod aktiviertes Zink sowie eine Lösung von 29,2 g 2-Methyl-buten-(2)-al (Tiglinaldehyd) in 60 *ml* absol. Benzol gegeben. Hierzu werden 67 g 4-Brom-2-methyl-buten-(2)-säure-methylester (ω-Brom-tiglinsäure-methylester) in 100 *ml* absol. Benzol langsam zugetropft. Die Reaktion setzt sogleich und ohne äußere Wärmezufuhr ein. Die Tropfgeschwindigkeit wird so eingestellt, daß das Reaktionsgemisch lebhaft weitersiedet. Nach Abklingen der Wärmetönung wird die Lösung weitere 45 Min. im Sieden gehalten (Luftbad).

Das Reaktionsgemisch wird nach dem Abkühlen mit 200 *ml* 10%iger Essigsäure zersetzt, die benzolische Phase abgetrennt, neutral gewaschen und das Benzol abdestilliert; Ausbeute: 46,5 g (74% d.Th.); braunes Öl; $\varepsilon_{304} = 6000$ (in Methanol). Das Rohprodukt enthält demnach nur 12% des gesuchten Esters, d. h. Gesamtausbeute ~ 8% d. Th. an reinem Ester. Eine nachträgliche Wasser-Abspaltung ist nicht erforderlich; nach den üblichen Methoden erzielt man nur einen geringen Reinigungseffekt.

8,8′-Dehydro-crocetin-dimethylester (15,15′-Dehydro-apo-8,8′-carotin-disäure-[C_{20}]-dimethylester)[2]:

$$OHC-\overset{CH_3}{\overset{|}{C}}=CH-C\equiv C-CH=\overset{CH_3}{\overset{|}{C}}-CHO \;+\; 2\,Mol\;\; Br-CH_2-CH=\overset{CH_3}{\overset{|}{C}}-COOCH_3$$

$$\Big\downarrow \text{Zn (über die Dihydroxy-Verbindung / Wasserabspaltung)}$$

$$H_3COOC-\overset{CH_3}{\overset{|}{C}}=CH-CH=CH-\overset{CH_3}{\overset{|}{C}}=CH-C\equiv C-CH=\overset{CH_3}{\overset{|}{C}}-CH=CH-CH=\overset{CH_3}{\overset{|}{C}}-COOCH_3$$

I

In einen 250-*ml*-Dreihalskolben werden 16,5 g amalgamiertes Zink gegeben und mit 10 *ml* absol. Tetrahydrofuran überschichtet. 3,9 g 2,7-Dimethyl-octadien-(2,6)-in-(4)-dial werden in 25 *ml* Tetrahydrofuran und 28 g 4-Brom-2-methyl-buten-(2)-säure-methylester in 20 *ml* Tetrahydrofuran gelöst. Zum Ingangsetzen der Reaktion werden einige Tropfen der Brom-ester-Lösung vorgelegt, und es wird schwach erwärmt, bis sich die Lösung unter Aufsieden trübt (Wurtz-Reaktion). Nun werden Bromester und Dialdehyd so zugetropft, daß das Reaktionsgemisch in lebhaftem Sieden bleibt. Nach Beendigung der Zugabe der Reaktionspartner wird 1 Stde. zum Sieden erhitzt. Nach dem Abkühlen wird mit 250 *ml* 10%iger Essigsäure zersetzt und mit Benzol ausgezogen; Rückstand: 17,5 g gelbes Öl; $\lambda_{max} = 277$ und 295 mμ (in Methanol).

---

[1] K. Eiter, E. Truscheit u. H. Oediger, Ang. Ch. **72**, 948 (1960).

[2] H. H. Inhoffen et al., A. **580**, 7 (1953).

Zur Entfernung der Nebenprodukte wird das Rohprodukt 20 Min. bei 160° und 0,01 Torr gehalten. Es destillieren 4,9 g farbloses Öl über; Rückstand: 11,7 g. Die Wasser-Abspaltung mit p-Toluolsulfonsäure und Reinigung ergeben 75 mg Diester I; F: 167–167,5° (i. Vak. unter Stickstoff) (aus Benzol/Methanol).

Bei den Umsetzungen von carotinoiden Carbonyl-Verbindungen mit 4-Brom- bzw. 4-Brom-3-methyl-buten-(2)-säureestern oder deren 4-bromierten Nitrilen erhält man höhere Ausbeuten, wenn bestimmte Bedingungen eingehalten werden[1], z. B. für die Umsetzung von β-Ionylidenacetaldehyd und 4-Brom-3-methyl-buten-(2)-säure-methylester[1,2] zu *Vitamin A-Säure* (s. S. 9).

Vitamin A-Säure[1,2]: In einem Dreihalskolben mit Rührer, Thermometer, Rückflußkühler, Tropftrichter und Einleitungsrohr für Stickstoff werden 6,8 g Zinkstaub (zweckmäßig mit verd. Salzsäure angeätzt, nacheinander mit Wasser, Äthanol, Aceton und absol. Äther gewaschen und bei 12 Torr und 80–90° getrocknet) zunächst mit ~ dem 5. Teil eines Gemisches von 15,7 g 4-Brom-3-methyl-buten-(2)-säure-methylester, 11,5 g β-Ionylidenacetaldehyd (analysenrein) und 85 *ml* absol. Tetrahydrofuran versetzt. Unter Rühren wird das Gemisch erwärmt, bis die Reaktion beginnt; man läßt dann unter leichtem Erwärmen den Rest des Gemisches aus dem Tropftrichter allmählich zufließen, so daß der Kolbeninhalt leicht siedet. Wenn alles zugesetzt und der Zinkstaub nahezu verbraucht ist, wird das Reaktionsgemisch noch 10–15 Min. ohne äußere Erwärmung gerührt und sodann bei 0° mit ges. wäßriger Ammoniumchlorid-Lösung zersetzt. Das Reaktionsprodukt wird ausgeäthert, die vereinigten Ätherauszüge nach dem Trocknen über Natriumsulfat i. Vak. eingedampft; Ausbeute: ~ 16 g eines cognakfarbenen Öles.

Zur Konstitution[1] der Reaktionsprodukte und Aufarbeitung vgl. S. 153f.

4-Hydroxy-4,8,12-trimethyl-14-[2,6,6-trimethyl-cyclohexen-(1)-yl]-tetradecapentaen-(5,7,9,11,13)-in-(1)[3]:

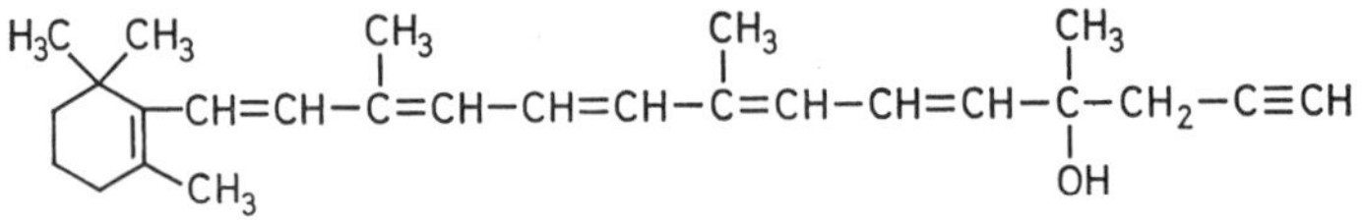

$$\text{(2,6,6-Trimethylcyclohexenyl)}-CH{=}CH-\underset{CH_3}{C}{=}CH-CH{=}CH-\underset{CH_3}{C}{=}CH-CH{=}CH-\underset{OH}{\overset{CH_3}{C}}-CH_2-C{\equiv}CH$$

3,5 g 11-Oxo-3,7-dimethyl-1-[2,6,6-trimethyl-cyclohexen-(1)-yl]-dodecapentaen-(1,3,5,7,9) („β-C_{23}-Keton"), 1,6 g Propargylbromid und 20 *ml* Äther-Tetrahydrofuran-Gemisch wird zu 1,5 g feiner, aktivierter Zinkwolle gegeben und zum Sieden erwärmt. Nach Zugabe eines Körnchens Jod und einer Spatelspitze Quecksilber(II)-chlorid wird die Lösung langsam tiefrot. Die Reaktion muß durch schwaches Erwärmen in Gang gehalten werden. Nach 30 Min. wird das Reaktionsgemisch abgekühlt und mit Eis und verd. Essigsäure versetzt. Nach der üblichen Aufarbeitung wird 3,85 g eines sehr dicken, dunkelroten Öles erhalten; Rohausbeute: 98% der Theorie.

Zur Reinigung chromatographiert man aus Petroläther an einer Calciumhydroxid-Säule (4×19 cm). Nach gutem Waschen lassen sich verschiedene Zonen beobachten. Alle geben nach dem Eluieren Verbindungen, die mit alkoholischer Silbernitrat-Lösung sofort voluminöse orangefarbene Niederschläge liefern. In der unteren roten Zone ist nach Analyse der durch Wasser-Abspaltung gebildete Kohlenwasserstoff angereichert, während die Hauptmenge des C_{26}-Acetylenalkohols sich aus der langen gelben Zone eluieren läßt (2,5 g). Vor der Analyse wird bei 50°/0,05 Torr getrocknet.

Zahlreiche weitere Beispiele zur Herstellung von Polyen-acetylen-carbinolen durch Kondensation von ungesättigten Carbonyl-Verbindungen mit Propargylbromid nach Reformatsky werden in der Literatur beschrieben[4].

Aus 6-Brom-3-methyl-hexen-(2)-in-(4)-säure-methylester und β-Jonon in Tetrahydrofuran in Gegenwart von Zink erhält man mit über 80% Ausbeute den entspre-

[1] K. Eiter, E. Truscheit u. H. Oediger, Ang. Ch. **72**, 948 (1960).
[2] DBP. 1075598 (1958), Farbf. Bayer, Erf.: K. Eiter u. E. Truscheit; C. A. **57**, 4706 (1962).
[3] P. Karrer u. C. H. Eugster, Helv. **34**, 28 (1951).
[4] O. Isler u. P. Schudel, Adv. Org. Chem., Vol. **4**, 115 (1963).

chenden Hydroxy-ester und daraus durch Wasser-Abspaltung *11,12-Dehydro-Vitamin A-Säure-methylester*[1,2].

Die Reformatsky-Reaktion mit Propargylbromid verläuft z.T. günstiger, wenn man an Stelle von Zink als Metall Aluminium einsetzt[3,4] oder auch Magnesium[5].

4,8,12-Trimethyl-tridecatetraen-(3,5,7,11)-in-(1)[4]:

H_3C, CH_3, CH_3 (Ring) –CH=CH–C(CH₃)=O + Al + $BrCH_2-C\equiv CH$ $\xrightarrow{92\%}$

–CH=CH–C(CH₃)(OH)–$CH_2-C\equiv CH$ (I) ⟶ –CH=CH–C(CH₃)=CH–$C\equiv CH$ (II)

Zu 22 g Aluminium-Schuppen, einer Spur Quecksilber(II)-chlorid und 200 *ml* absol. Tetrahydrofuran läßt man ein Gemisch aus 180 g Propargylbromid und 180 *ml* Tetrahydrofuran innerhalb 45 Min. so zufließen, daß durch Eiskühlung die Innentemp. bequem auf 30° gehalten wird. Bis zum Abklingen der Reaktion und anschließend noch eine weitere Stde. wird bei 25–30° unter äußerer Erwärmung nachgerührt. Bei –30° wird anschließend ein Gemisch aus 192 g Pseudojonon und 250 *ml* absol. Tetrahydrofuran innerhalb 30 Min. zugegeben. Die Lösung wird noch $1^1/_2$ Stdn. bei —30° nachgerührt und dann auf ein Gemisch von Eis und ges. Ammonium-chlorid-Lösung gegossen. Man äthert die wäßrige Phase mehrmals aus, trocknet die Ätherauszüge über Natriumsulfat und engt i.Vak. ein; Rückstand: 213 g I (92% d.Th.).

Durch Wasser-Abspaltung über den Essigsäureester (S. 55f.) wird das Hydroxy-Derivat in das Tetraen-in II übergeführt (70% d. Th.).

Als Nebenreaktionen[3,6] der Reformatsky-Reaktion können z.B. auftreten:

Retro-Umlagerung bei Carotinoiden (s. S. 67f.).

1,4-Addition des Halogen-esters an das ungesättigte Keton.

Wurtz-Reaktion der Halogen-Verbindung

Salzbildung der Enolform des Ketons [BrZnO—C(R) = CH—R′] unter Rückbildung des halogenfreien Carbonsäureesters.

Bei Verwendung von 4-Brom-3-methyl- (bzw. -3-alkoxy-; bzw. -3-chlor- oder 3-äthoxycarbonyl)-buten-(2)-säureestern zur Reformatsky-Reaktion können als Zwischenstufen neben den Hydroxyestern als Hauptprodukt Lactone[3,7–9], bei Verwendung der entsprechenden Nitrile Imino-lactone entstehen[3]. Aus den Lactonen lassen sich mit Natriumäthanolat in absol. Alkohol oder mit Alkalimetallamiden die betreffenden ungesättigten Carbonsäuren herstellen, z.B.: *Vitamin A-Säuren* (Isomere)[3,9] (vgl. Arbeitsvorschrift für die 1. Stufe S. 152):

---

1 H. Pommer, Ang. Ch. **72**, 811 (1960).
2 DBP. 950551 (1954), BASF, Erf.: H. Pommer; C. A. **53**, 436 (1959).
3 K. Eiter, E. Truscheit u. H. Oediger, Ang. Ch. **72**, 948 (1960).
4 H. J. Kabbe, E. Truscheit u. K. Eiter, A. **684**, 14 (1965).
5 Brit. P. 717095 (1954), W. J. Humphlett; C. A. **49**, 15955 (1955).
6 R. L. Shriner, Org. Reactions Vol. I, 1 (1947).
7 J. D. Bu'Lock, P. R. Leeming u. H. G. Smith, Soc. **1962**, 2085.
8 DBP. 1064506 (1957), Farbf. Bayer, Erf.: K. Eiter u. E. Truscheit; C. A. **55**, 19826 (1961).
9 DBP. 1075598 (1958), Farbf. Bayer, Erf.: K. Eiter u E. Truscheit; C. A. **57**, 4706 (1962).

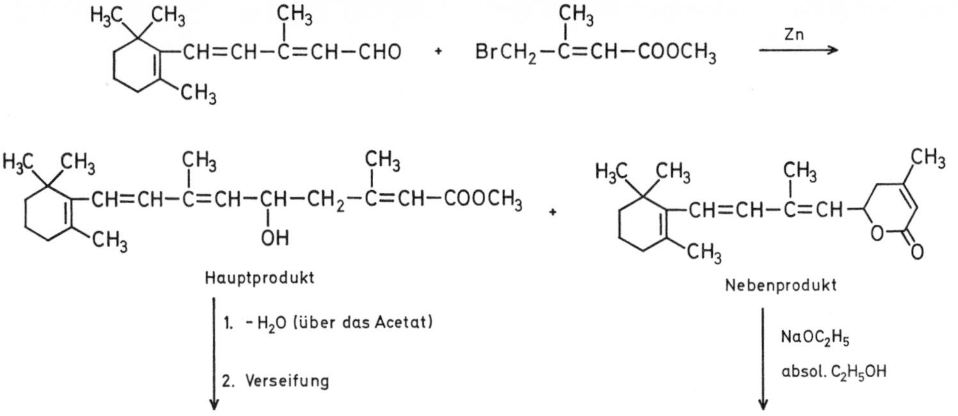

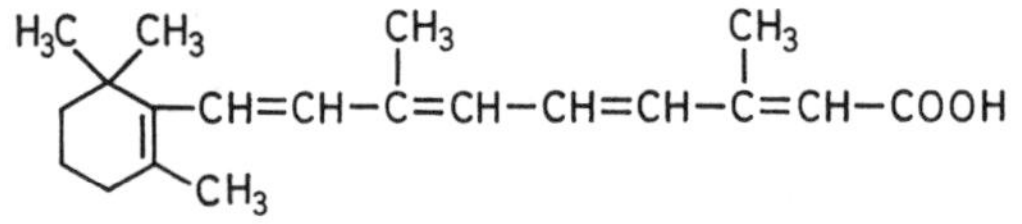

$$\text{(Trimethylcyclohexenyl)}-CH=CH-C(CH_3)=CH-CHO \;+\; BrCH_2-C(CH_3)=CH-COOCH_3 \xrightarrow{Zn}$$

$$\text{(Trimethylcyclohexenyl)}-CH=CH-C(CH_3)=CH-CH(OH)-CH_2-C(CH_3)=CH-COOCH_3 \;+\; \text{(Trimethylcyclohexenyl)}-CH=CH-C(CH_3)=CH-\text{(Methyl-pyranon)}$$

Hauptprodukt

Nebenprodukt

1. $-H_2O$ (über das Acetat)
2. Verseifung

$NaOC_2H_5$
absol. C_2H_5OH

$$\text{(Trimethylcyclohexenyl)}-CH=CH-C(CH_3)=CH-CH=CH-C(CH_3)=CH-COOH$$

eine *Vitamin A-Säure* vom F: 133° (vgl. Lit.[1])

(13-cis)-Vitamin A-Säure; F: 171°

Speziell bei 4-Halogen-3-alkoxy-buten-(2)-säureestern verläuft die Reformatsky-Reaktion sogar besonders günstig, wenn man sie so lenkt, daß überwiegend Lactone entstehen[2].

Die Imino-lactone gehen mit Wasser in die betreffenden Lactone über, beim Erhitzen i. Vak. entstehen die betreffenden ungesättigten Carbonsäure-amide[3].

Über eine bei der Wasser-Abspaltung aus ungesättigten freien β-Hydroxy-carbonsäuren gleichzeitig stattfindende thermische Decarboxylierung, die zu Polyenkohlenwasserstoffen führt, wird in der Literatur berichtet[4]; so erhält man aus 6-Oxo-heptadien-(2,4) und Bromessigsäure-methylester als Endprodukt *2-Methyl-heptatrien-(2,4,6)* bzw. aus 6-Oxo-2-methylheptadien-(2,4) und 2-Brom-propansäure-methylester *Alloocimen*.

4. Anlagerung von ungesättigten Acetalen bzw. Ketalen an Vinyläther, 1-Alkoxy-diene oder andere Verbindungen mit Vinyläther-Gruppierung

Die Anlagerung von Acetalen oder Ketalen[5] in Gegenwart von Bortrifluorid-Ätherat, Zinkchlorid oder anderen sauren Katalysatoren in geeigneten Lösungsmitteln an Vinyläther (Müller-Cunradi-Pieroh-Reaktion)

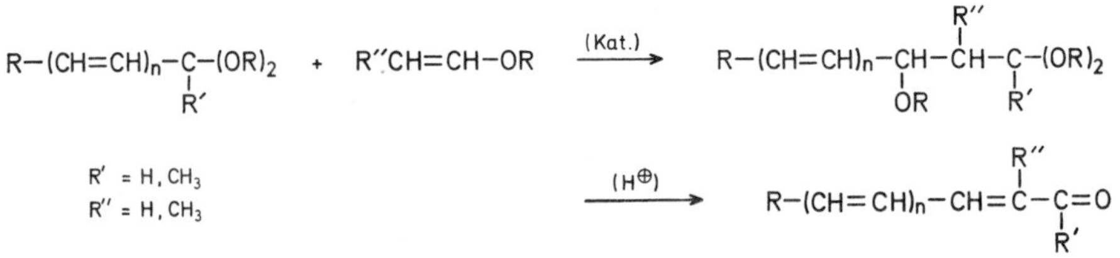

$$R-(CH=CH)_n-C(R')-(OR)_2 \;+\; R''CH=CH-OR \xrightarrow{(Kat.)} R-(CH=CH)_n-CH(OR)-CH(R'')-C(R')-(OR)_2$$

$R' = H, CH_3$
$R'' = H, CH_3$

$$\xrightarrow{(H^{\oplus})} R-(CH=CH)_n-CH=C(R'')-C(R')=O$$

---

[1] Wahrscheinlich handelt es sich um *9,13-Di-cis-Vitamin A-Säure.*

[2] DBP. 1064506 (1957), Farbf. Bayer, Erf.: K. Eiter u. E. Truscheit; C. A. **55**, 19826 (1961).

[3] K. Eiter, E. Truscheit u. H. Oediger, Ang. Ch. **72**, 948 (1960).

[4] F. G. Fischer u. K. Löwenberg, B. **66**, 669 (1933).

[5] Zur Herstellung von Polyenacetalen oder -ketalen als mögliche Ausgangsverbindungen s. S. 179.

ist ausführlich in ds. Handb., Bd. VI/3, S. 289 und Bd. VII/1, S. 116 besprochen. An dieser Stelle soll noch einmal auf die große Bedeutung dieser Reaktion für den Aufbau von Polyenketten [vgl. 1-4] und auf die speziellen Methoden in der Polyenchemie hingewiesen werden. Dadurch, daß die bei der genannten Anlagerungsreaktion entstehenden Alkoxy-acetale leicht mit Säuren in α,β-ungesättigte Aldehyde übergeführt werden können, lassen sich nach diesem Verfahren sehr günstig Polyen-aldehyde (auch substituierte) herstellen.

Außerdem ist es möglich, nacheinander mehrere Vinyläther-Anlagerungen durchzuführen und die Polyenkette auf diese Weise weiter zu verlängern[5]. Bei Anwendung von Propenyläthern RO—CH=CH—CH_3 erreicht man gleichzeitig die Einführung einer seitenständigen Methyl-Gruppe. An Stelle der Vinyläther sind auch 1-Alkoxy-diene für die Anlagerungsreaktion verwendbar[6-9, s. a. 10] (vgl. S. 52f) oder Vinyläther vom Typ I[11]:

$$H_2C=\underset{OR}{\underset{|}{C}}-R'-\underset{OR}{\underset{|}{C}}=CH_2 \qquad \left(R' = -\overset{CH_3}{\overset{|}{C}}=CH-C\equiv C-CH=\overset{CH_3}{\overset{|}{C}}-\right)$$

I II

z. B. entsteht mit R′ = II bei der Reaktion mit β-C_{14}-Aldehyd-acetal ein *β-C_{40}-Diketon*[11]. Vgl. auch die Reaktion von freien Aldehyden mit Äthoxy-acetylen[12] in Gegenwart von Bortrifluorid-Ätherat (es entstehen Polyen-carbonsäureester)[13].

Eine meist unerwünschte Telomerisation der Vinyläther während der Reaktion mit den Acetalen kann man dadurch vermeiden, daß man den Vinyläther im Unterschuß einsetzt. Über die durch Telomerisierung von Vinyläthern oder 1-Alkoxy-dienen mit Acetalen erhaltenen Reaktionsgemische s. Literatur[14,15].

Im folgenden werden einige Beispiele aus der Polyenchemie aufgeführt[vgl. a. 16-18]:

① Zur Herstellung von *Vitamin A-aldehyd* mit Hilfe der Vinyläther-Acetal-Reaktion s. ds. Handb., Bd. VII/1, S. 116. Die Synthese hat keine praktische Bedeutung, wirkte aber seinerzeit befruchtend auf die Ausarbeitung anderer Polyen-Synthesen unter Verwendung der Müller-Cunradi-Pieroh-Reaktion.

---

1 O. Isler, Ang. Ch. **68**, 547 (1956).
2 O. Isler u. P. Schudel, Adv. Org. Chem. **4**, 115 (1963).
3 H. Pommer, Ang. Ch. **72**, 811 (1960).
4 H. Pommer, Ang. Ch. **72**, 911 (1960).
5 Zur Umsetzung derartiger β-Alkoxy-acetale mit dem Vilsmeier-Reagens $[(H_3C)_2N\text{---}CHCl]^{\oplus}Cl^{\ominus}$ zu Polymethinium-Verbindungen über 1-Alkoxy-polyene als Zwischenstufe: s. ds. Handb., Bd. V/1c, S. 710.
Vgl. Z. Arnold u. A. Holý, Collect czech. chem. Commun. **30**, 47 (1965); C. A. **62**, 7628 (1965).
6 B. M. Michaijlov u. G. S. Ter-Sarkisjan, Ž. obšč. Chim. **29**, 2560 (1959); engl.: 2524.
7 D. G. Kubler, J. Org. Chem. **27**, 791 (1962).
8 S. M. Makin et al., Ž. obšč. Chim. **31**, 3214 (1961); engl.: 2998.
9 S. M. Makin et al., Ž. obšč. Chim. **31**, 3319 (1961); engl.: 3096.
10 Ž. A. Krasnaja u. V. F. Kučerov, Ž. obšč. Chim. **30**, 3918 (1960); engl.: 3875.
11 O. Isler et al., A. **603**, 129 (1957).
12 Ž. A. Krasnaja u. V. F. Kučerov, Izv. Akad. SSSR **1962**, 1057; engl.: 990.
13 J. F. Arens, Adv. Org. Chem. **2**, 117 (1960).
14 S. M. Makin et al., Ž. obšč. Chim. **32**, 3161 (1962); engl.: 3107.
15 S. M. Makin et al., Ž. obšč. Chim. **32**, 3166 (1962); engl.: 3112.
16 R. Rüegg et al., Helv. **42**, 854 (1959).
17 U. Schwieter et al., Helv. **49**, 369 (1966).
18 H. Pommer, Ang. Ch. **72**, 811, 911 (1960).

② Bei der technischen *β-Carotin*-Synthese[1,2] wird zur Herstellung des „β-C_{19}-Aldehyds" (II) aus „β-C_{14}-Aldehyd" (S. 11) 2 mal eine Anlagerungsreaktion von Acetalen an Vinyläther durchgeführt:

ⓐ Umsetzung von „β-C_{14}-Aldehyd"-acetal mit Vinyl-äthyl-äther mit Zinkchlorid als Katalysator und anschließender Säure-Behandlung zum *4-Methyl-6-[2,6,6-trimethyl-cyclohexen-(1)-yl]-hexadien-(2,4)-al* („*β-C_{16}-Aldehyd*").

ⓑ Umsetzung von „β-C_{16}-Aldehyd"-acetal mit Propenyl-äthyl-äther mit Zinkchlorid als Katalysator und anschließender Säure-Behandlung zum *2,6-Dimethyl-8-[2,6,6-trimethyl-cyclohexen-(1)-yl]-octatrien-(2,4,6)-al* („*β-C_{19}-Aldehyd*").

In der Praxis läßt sich direkt „*β-C_{16}-Aldehyd*" I aus β-C_{14}-Aldehyd" und „*β-C_{19}-Aldehyd*" II aus „β-C_{16}-Aldehyd" jeweils in einem Einstufenverfahren[1] herstellen ohne Isolierung der Acetale oder Alkoxyacetale, z.B.:

I: H_3C, CH_3 – Ring – $CH_2-CH=C(CH_3)-CH=CH-CHO$, CH_3

1. Acetalisierung
2. $H_3C-CH=CH-OR$ ($ZnCl_2$)

[Ring – $CH_2-CH=C(CH_3)-CH=CH-CH(OR)-CH(CH_3)-CH(OR)_2$]

($H^{\oplus}$), $+H_2O$ / -3 ROH

II: Ring – $CH_2-CH=C(CH_3)-CH=CH-CH=C(CH_3)-CHO$

β-C_{19}-Aldehyd{2,6-Dimethyl-8-[2,6,6-trimethyl-cyclohexen-(1)-yl]-octatrien-(2,4,6)-al} (II)[1]: Eine Mischung von 75 g β-C_{16}-Aldehyd I und 65 g Orthoameisensäure-triäthylester wird mit 3 g Orthophosphorsäure in 20 *ml* absol. Äthanol versetzt und 15 Stdn. bei 20–25° gerührt. Nach Zugabe von 7 *ml* Pyridin gießt man das Reaktionsgemisch auf 65 *ml* 5%ige Natriumhydrogencarbonat-Lösung und 30 g Eis und rührt 20 Min., danach wird die wäßrige Schicht abgetrennt und verworfen. Die obere Schicht wird im Wasserstrahlvak. von leichtflüchtigem Material befreit. Der Rückstand wird mit 3 *ml* einer 10%igen Lösung von Zinkchlorid in Essigsäure-äthylester versetzt und bei 20–25° unter Rühren im Laufe von 2 Stdn. mit 30 g 1-Methoxy-propen versetzt. Nachdem noch ~ 15 Stdn. bei Raumtemp. weitergerührt worden ist, gibt man 240 *ml* Eisessig, 10 *ml* Wasser und 2,5 g Natriumacetat zu und erwärmt 6 Stdn. auf 95°. Nach Abkühlen auf 30–40° gießt man auf 750 *ml* Eiswasser. Der ausgefallene β-C_{19}-Aldehyd erstarrt nach einiger Zeit kristallin. Es wird abgesaugt, gut mit Wasser gewaschen und aus ~ 65 *ml* Methanol umkristallisiert; Ausbeute: 60–65 g (68-73 % d.Th.); F: 66–68°.

③ Auch Dialdehyde lassen sich mit Vinyläthern umsetzen[3,4, s.a. 5]. Man erhält nach dieser Methode z. B. *Crocetindialdehyd* (*Apo-8,8-carotindial* [C_{20}]):

---

[1] O. ISLER et al., Helv. **39**, 249 (1956).
[2] O. ISLER, Ang. Ch. **68**, 547 (1956).
[3] O. ISLER et al., Helv. **39**, 463 (1956).
[4] H. POMMER, Ang. Ch. **72**, 911 (1960).
[5] S. M. MAKIN et al., Ž. obšč. Chim. **34**, 65 (1964); engl.: 64.

$$(H_5C_2O)_2CH-CH=CH-\underset{CH_3}{C}=CH-CH=CH-CH=\underset{CH_3}{C}-CH=CH-CH(OC_2H_5)_2 \quad \text{I}$$

$$\downarrow \text{BF}_3\text{-Ätherat} \quad + 2\ \underset{CH_3}{CH}=CH-OC_2H_5$$

$$(H_5C_2O)_2CH-\underset{CH_3}{CH}-\overset{OC_2H_5}{CH}-CH=CH-\underset{CH_3}{C}=CH-CH=CH-CH=\underset{CH_3}{C}-CH=CH-\overset{OC_2H_5}{CH}-\underset{CH_3}{CH}-CH(OC_2H_5)_2$$

$$\downarrow (H^{\oplus}) \quad + 2\ H_2O \quad - 6\ C_2H_5OH$$

$$OHC-\underset{CH_3}{C}=CH-CH=CH-\underset{CH_3}{C}=CH-CH=CH-CH=\underset{CH_3}{C}-CH=CH-CH=\underset{CH_3}{C}-CHO$$

8,8′-Dehydro-crocetindialdehyd[1]: Vorteilhaft setzt man in der Praxis zur Herstellung von Crocetindialdehyd als Ausgangsverbindung die 6,6′-Dehydro-Verbindung des o. a. C_{14}-Dialdehyds I ein, der also noch eine zentrale C≡C-Dreifachbindung besitzt

$$(RO)_2CH-CH=CH-\overset{CH_3}{C}=CH-C\equiv C-CH=\overset{CH_3}{C}-CH=CH-CH(OR)_2$$

II

und führt die partielle Hydrierung erst im Anschluß an die Kettenverlängerung durch:

257 g rohes „Dehydro-C_{14}-Dialdehyd-bis-[diäthylacetal]" [II;1,1,12,12-Tetraäthoxy-4,9-dimethyl-dodecatetraen-(2,4,8,10)-in-(6)] (aus 153 g Aldehyd) werden auf einmal mit 10 *ml* einer Lösung von 3,5 g Zinkchlorid und 0,6 *ml* Bortrifluorid-Ätherat in 35 *ml* Essigsäure-äthylester versetzt, worauf sofort unter Rühren bei 30–35° gleichzeitig aus 2 Tropftrichtern 190 *ml* 1-Äthoxy-propen und der Rest der Essigsäure-äthylester-Lösung zugetropft werden (~ 2 Stdn.). Man rührt über Nacht bei Zimmertemp., gibt 600 *ml* einer 15%igen Lösung von Natriumacetat in 90%iger wäßriger Essigsäure und eine Spur Hydrochinon zu und erwärmt die Mischung 3 Stdn. unter Rühren auf 95–100°, wobei nach kurzer Zeit Kristallisation einsetzt. Nach dem Abkühlen gießt man auf ~ 3 *l* Eiswasser, saugt ab, wäscht mit Wasser und kristallisiert aus Dichlormethan/Essigsäure-äthylester um; Ausbeute: 129 g (61% d.Th.); F: 190–191° (orangefarbene Blättchen).

④ Zahlreiche Polyen-aldehyd-ω-carbonsäuren bzw. deren Ester sind ebenfalls durch Vinyläther-Acetal-Anlagerungsreaktionen hergestellt worden[2–5], z. B.: *2,6-Dimethyl-octatrien-(2,4,6)-aldehyd-(8)-säure-äthylester*[2–4] aus 3-Methyl-hexadien-(2,4)-al-(6)-säure-äthylester und 1-Äthoxy-propen.

⑤ In manchen Fällen ist es vorteilhaft, die cyclischen Acetale oder Ketale der ungesättigten Carbonyl-Verbindungen zu verwenden. Die cyclischen Acetale werden dabei z. B. aus den betreffenden Carbonyl-Verbindungen mit Glykol hergestellt. Aus dem mit Vinyläther entstehenden Alkoxyacetal kann der Alkohol unter Erhaltung der Acetal-Gruppierung abgespalten werden[5].

⑥ Die Vinyläther-Acetal-Anlagerungsreaktion kann auch z. B. mit Carotinoiden, die eine Oxo-Gruppe im Ring enthalten[6], mit halogenierten Vinyl-

[1] O. Isler et al., Helv. **39**, 463 (1956).
[2] H. Pommer, Ang. Ch. **72**, 811 (1960).
[3] DBP. 1031301 (1956), BASF, Erf.: H. Pommer; C. A. **54**, 22712 (1960).
[4] DBP. 1186040 (1956); Brit. P. 784628 (1956), BASF, Erf.: H. Pommer; C. A. **52**, 7346b (1958).
[5] L. A. Janovskaja et al., Izv. Akad. SSSR **1963**, 857; engl.: 774.
[6] O. Isler et al., Helv. **39**, 2041 (1956).

äthern[1] (z. B. 2-Brom-1-äthoxy-äthylen)[1], mit in der Kette halogenierten ungesättigten Aldehyden [z. B.: 5,5-Dichlor-pentadien-(2,4)-al)[2] bzw. mit ω-[5-Nitro-furyl-(2)]-polyenalen[3] durchgeführt werden.

5. Reduktive Dimerisierung von ungesättigten Aldehyden

Da die reduktive Dimerisierung ungesättigter Aldehyde nicht direkt zu Polyenen führt, sondern zunächst 1,2-Glykole gebildet werden, die mit Diphosphortetrajodid über die Jodide die gewünschten Polyene liefern (s. S. 46 ff.), sollen an dieser Stelle nur kurze Hinweise speziell für die Polyenchemie gegeben werden.

Aus 2 Molen Crotonaldehyd wurde mit Zink-Kupfer-Paar *Octadien-(2,6)-diol-(4,5)*[4] bzw. aus 2 Molen Zimtaldehyd mit verkupfertem Zinkstaub *3,4-Dihydroxy-1,6-diphenyl-hexadien-(1,5)*[5] erhalten [vgl. a. 6–8].

Auch längerkettige Polyenaldehyde gehen die Reaktion ein[9], z. B. Sorbinaldehyd oder Vitamin A-Aldehyd:

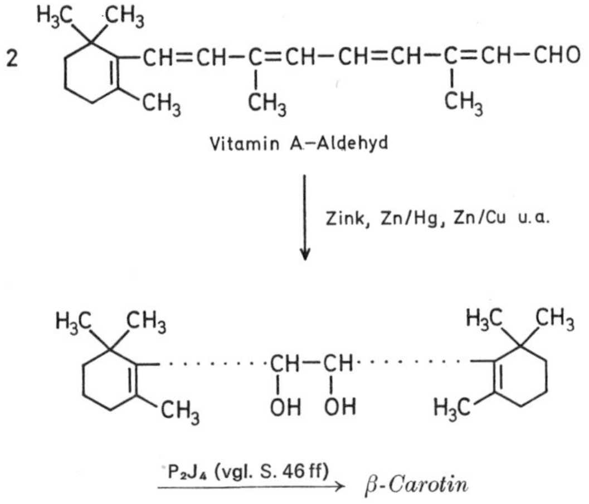

2 (Trimethylcyclohexenyl)–CH=CH–C(CH₃)=CH–CH=CH–C(CH₃)=CH–CHO

Vitamin A-Aldehyd

↓ Zink, Zn/Hg, Zn/Cu u.a.

(Trimethylcyclohexenyl)······CH(OH)–CH(OH)······(Trimethylcyclohexenyl)

$\xrightarrow{P_2J_4\ (\text{vgl. S. 46 ff})}$ *β-Carotin*

III. Herstellung von Polyenen durch Abbau-Reaktionen an Polyenketten (C—C-Spaltung)

In diesem Abschnitt werden Reaktionen erfaßt, die durch Spaltung einer Kette von konjugierten Doppelbindungen zu Polyenen mit entsprechend verkürzter Kette führen. Beispiele sind vor allem aus der Carotinoid-Chemie bekannt.

---

[1] B. G. Kovalev u. A. A. Šamšurin, Ž. vses. chim. Obšč. **12**, 705 (1967).
[2] L. J. Zacharkin u. L. P. Sorokina, Izv. Akad. SSSR **1962**, 821; engl.: 765.
[3] H. Saikachi u. H. Ogawa, Chem. pharm. Bl. Japan **17**, 306 (1969); C. A. **70**, 114897 (1969).
[4] E. Charon, A. ch. [7] **17**, 266 (1899).
[5] J. Thiele, B. **32**, 1296 (1899).
[6] R. Kuhn, Ang. Ch. **50**, 705 (1937).
[7] R. Kuhn u. A. Winterstein, Helv. **11**, 87 (1928).
[8] R. Kuhn u. O. Rebel, B. **60**, 1565 (1927).
[9] Brit. P. 1097497 (1968), Eastman Kodak, Erf.: A. J. Reedy; C.A. **68**, 78450 (1968).

a) Hydrolytische Spaltung von Polyen-carbonyl-Verbindungen durch Alkali („Retro-aldol-Reaktion")

Seit langem ist bekannt[1], daß α,β-ungesättigte Aldehyde oder Ketone unter der Wirkung von Alkali an der α,β-C=C-Doppelbindung hydrolytisch im Sinne des Aldol-Gleichgewichtes gespalten werden:

$$R-(CH=CH)_n-CH=CH-\overset{\displaystyle O}{\overset{\|}{C}}-CH_3\ (H) \underset{②}{\overset{①}{\rightleftharpoons}} R-(CH=CH)_n-CHO + H_3C-\overset{\displaystyle O}{\overset{\|}{C}}-CH_3\ (H)$$

Die Abbaureaktion ① hat keine präparative Bedeutung für die Gewinnung der als Spaltprodukt anfallenden Polyenaldehyde, die meistens durch synthetische Aufbaumethoden viel besser zugänglich sind. Zur Strukturaufklärung von Polyenen, insbesondere von Carotinoiden ist die Spaltung von Polyenketten mit Alkali häufig verwendet worden[2–7]. Die Ausbeute an Polyenaldehyd bei der Spaltung läßt sich z.B. dadurch verbessern, daß man in Gegenwart von Hydroxylamin arbeitet und direkt die Aldehydoxime erhält[3].

b) Oxidative Spaltung von Polyenketten zu kürzerkettigen Polyenen

Dieser Abschnitt steht naturgemäß in sehr engem Zusammenhang mit der Umwandlung von Polyenen durch oxidative Spaltung (S. 212ff), denn häufig entstehen bei ein und derselben Oxidationsreaktion kürzerkettige Polyene und Abbauprodukte, die keine Polyenkette mehr besitzen, nebeneinander. Die oxidative Spaltung von Polyenketten hat keine Bedeutung für die präparative Gewinnung der Spaltprodukte, dagegen besitzt sie große Bedeutung für die Strukturaufklärung von Carotinoiden, z.B. zur Frage, wie der Organismus das β-Carotin in *Vitamin A* umwandelt[8,9] und zu allgemeinen Fragen der Biogenese der natürlichen Carotinoide (Carotinoidaldehyde sind auch Naturprodukte[10]).

Nachstehend soll am Beispiel des β-Carotins die Nomenklatur der Spaltprodukte bei Carotinoiden aufgezeigt werden:

Alte Nomenklatur:
Fortlaufende Numerierung der Doppelbindungen

H_3C CH_3 CH_3 CH_3 CH_3 4 3 2 CH_3 CH_3 H_3C CH_3 CH_3

Neue Nomenklatur gemäß IUPAC-Regeln
s. S. 12

H_3C CH_3 CH_3 CH_3 H_3C 15 15' 10' 9' 8' 7' CH_3 CH_3 CH_3 H_3C CH_3

---

[1] R. E. Meyer, Helv. **18**, 461 (1935).
[2] E. C. Grob u. R. Bütler, Helv. **38**, 737 (1955).
[3] D. Szabó u. J. Szabolcs, Acta chim. Acad. Sci. hung. **38**, 435f. (1963).
[4] C. K. Warren u. B. C. L. Weedon, Soc. **1958**, 3972.
[5] H. Yokoyama u. M. J. White J. Org. Chem. **30**, 2481 (1965).
H. Yokoyama, M.J. White u. C. E. Vandercook, J. Org. Chem. **30**, 2481 (1965).
[6] L. Zechmeister u. L. Cholnoky, A. **530**, 291 (1937).
[7] L. Cholnoky et al., Tetrahedron Letters **1963**, 1257.

(Fortsetzung s. S. 160)

Spaltung C=C (2) (zwischen $C_{7'}$ und $C_{8'}$) → *β-Apo-8'-carotinal*[C_{30}] (*β-Apo-2-carotinal*) (alte Bez.)

Spaltung C=C (3) (zwischen $C_{9'}$ und $C_{10'}$) → *β-Apo-10'-carotinal*[C_{27}] (*β-Apo-3-carotinal*) (alte Bez.)

Spaltung C=C (6) (zwischen $C_{15'}$ und C_{15}; mittlere Doppelbindung) → *Vitamin A-aldehyd* (*Retinal*)

Die milde Oxidation von in Benzol gelösten Carotinoiden mit Kaliumpermanganat[1] in Natriumcarbonat-alkalischer Lösung liefert als Spaltprodukte nur in geringer Ausbeute Polyenaldehyde, z.B.:

α-Carotin	→	*α-Apo-8'-carotinal*[1]
β-Carotin	→	*β-Apo-8'-carotinal* + *β-Apo-10'-carotinal* + *β-Apo-12'-carotinal*[1]
Lycopin	→	*Apo-10'-lycopinal*[1]
Zeaxanthin (3,3'-Dihydroxy-β-carotin)	→	„*β-8-Citraurin*" (*3-Hydroxy-β-apo-10'-carotinal*)[1]
Physoxanthin (3'-Hydroxy-α-carotin)	→	„*α-8-Citraurin*"[2]

Durch gemäßigte Oxidation von Carotinoiden mit Chrom(VI)-oxid können neben oxidierten Spaltprodukten (Ketone, Carbonsäuren) ebenfalls in geringen Mengen Polyenaldehyde erhalten werden[1,3]; so erhält man z.B. aus

β-Carotin bzw. β-Carotinon } → „*β-Carotinon-aldehyd*"[4, vgl. 1]

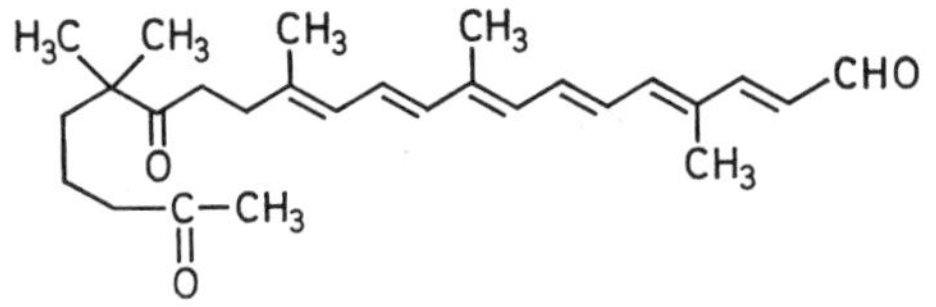

H3C CH3 CH3 CH3 CHO O C—CH3 O CH3

Lycopin → *Apo-6'-Lycopinal* und *Bixindialdehyd* (*Apo-6,6'-carotindial*)[1,5]

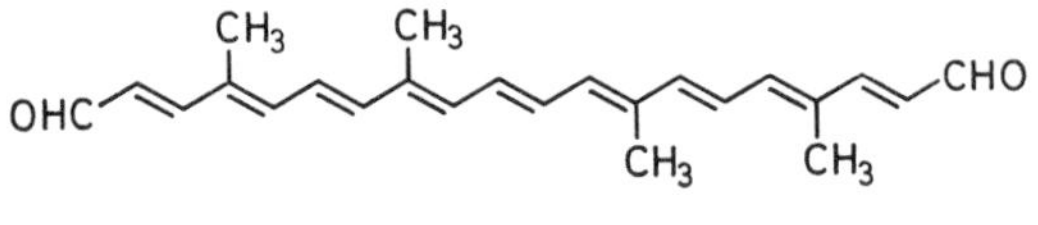

CH3 CH3 OHC CHO CH3 CH3

---

[1] R. Karrer u. E. Jucker, „*Carotinoide*", Verlag Birkhäuser, Basel 1948.
[2] C. Bodea u. E. Nicoara, A. **609**, 181 (1957).
[3] F. Arcamone et al., Experientia **25**, 241 (1969).
[4] R. Kuhn u. H. Brockmann, B. **67**, 886 (1934); A. **516**, 98, 125, 127 (1935).
[5] R. Kuhn u. C. Grundmann, B. **65**, 898, 1880 (1932).

(Fortsetzung v. S. 159)

[8] N. A. Milas in W. H. Sebrell u. R. S. Harris „*The Vitamins*", 1. Auflage, Vol. I, S. 24 Academic Press, New York 1954.
[9] J. Ganguly u. S. K. Murthy in W. H. Sebrell u. R. S. Harris „*The Vitamins*", 2. Auflage, Vol. I, S. 143, Academic Press, New York · London 1967.
[10] A. Winterstein, Ang. Ch. **72**, 902 (1960).

Die Oxidation von β-Carotin mit Wasserstoffperoxid in Chloroform/Eisessig ergibt mit nur ~ 0,5%-iger Ausbeute *Retinal*[1]. Durch Zusatz von Osmium-(VIII)-oxid[2–4] wird die Ausbeute an *Retinal* auf ~ 30% erhöht, daneben entstehen *β-Ionylidenacetaldehyd, 2,7-Dimethyl-octatrien-(2,4,6)-dial*[2] bzw. *β-Apo-10'-carotinal*[4,5]. Aus Zeaxanthin kann nach der gleichen Methode *3-Hydroxy-retinal* (~ 16–30% d. Th.)[6] erhalten werden.

Bei der Oxidation von β-Carotin an festem Mangan(IV)-oxid in Gegenwart von Luft[7,8], wurde *Retinal* (60–80% d. Th.) erhalten[7] und aus Lycopin analog *Apo-15-lycopinal*[9]. Die hohen Ausbeuten an Renital konnten jedoch nicht reproduziert werden[10]. Mit Mangan(IV)-oxid unter Luftabschluß erhält man aus β-Carotin ~ 10% *Vitamin A-Aldehyd*, 2% *β-Apo-10'-carotinal* und etwas *β-Apo-8'-carotinal* neben einem weiteren Polyenaldehyd, dessen Struktur noch nicht geklärt wurde[11].

Auch Vanadin(V)-, Eisen(III)-, Blei(IV)-, Titan(IV)- bzw. Wismut-(IV)-oxid können zum oxidativen Abbau von β-Carotin zu *Retinal* als Hauptprodukt eingesetzt werden[7,12]. Die Ausbeute soll dabei auf ~ 95% d. Th. gesteigert werden können[12]. Nachstehend wird eine reproduzierbare Vorschrift zur Herstellung von *Retinal aus β*-Carotin durch oxidative Spaltung mit Mangan(IV)-/Vanadin(V)-oxid wiedergegeben[13].

Retinal[13]**:** Zu einer Lösung von 100 mg β-Carotin in 400 *ml* Äther wird eine Mischung von 12 g Vanadin(V)-oxid und 6 g Mangan(IV)-oxid gegeben und die Reaktionsmischung im Dunkeln bei Zimmertemp. stehengelassen. Die Farbe der Lösung wird täglich beobachtet. Am 5. Tage (nach 90 Stdn.) wechselt die tiefrote Farbe der Lösung nach Gelb. Es ist wichtig, nach diesem Farbumschlag die Oxidation sofort zu beenden! Die Lösung wird filtriert, der Filterrückstand gründlich mit Äther gewaschen und der Äther dann vollständig i. Vak. abdestilliert. Der ölige Rückstand wird in 10 *ml* Petroläther gelöst und an 50 g mit Wasser desaktiviertem Aluminiumoxid chromatographiert. Das Chromatogramm wird mit Petroläther entwickelt, wobei 3 Hauptzonen auftreten:

① Gelbe Zone, läßt sich mit Petroläther (+ 1–2 Vol-% Äther) eluieren. Nach Abdampfen des Lösungsmittels verbleiben 20,1 mg (18–20% d. Th.) öliges *Retinal* (λ_{max} 369 mμ in Petroläther, 380 mμ in Äthanol).

② Rosa Zone, läßt sich mit Petroläther (+ 2–3 Vol. % Äther) eluieren.

③ Bräunliche Zone, läßt sich nur mit Äthanol eluieren. Die spektralen Werte für den Rückstand von Zone 2 und 3 sind in der Originalliteratur beschrieben.

Durch Verwendung eines Gemisches von 5 Teilen Vanadin(V)-oxid und 2 Teilen Mangan(IV)-oxid zur Oxidation von β-Carotin in Petroläther (80–90 Stdn.) konnte auch *Vitamin A-Säure* als Spaltprodukt nachgewiesen werden[14].

---

[1] R. F. Hunter u. N. E. Williams, Soc. **1945**, 554.
[2] N. L. Wendler, C. Rosenblum u. M. Tishler, Am. Soc. **72**, 234 (1950).
[3] E. C. Grob u. R. Bütler, Helv. **38**, 737 (1955).
[4] E. C. Grob u. R. Bütler, Helv. **38**, 1657 (1966).
[5] R. Rüegg et al., Helv. **42**, 854 (1959).
[6] R. K. Barua u. A. B. Barua, Biochem. J. **101**, 250 (1966).
[7] P. Meunier et al., C. r. **231**, 1170 (1950).
[8] Fr. P. 1038713 (1951), Le Carotène Francais; C. A. **52**, 9213 (1958).
[9] P. Meunier et al., C. r. **231**, 1570 (1950).
[10] Vgl. G. Wald in W. H. Sebrell u. R. S. Harris „*The Vitamins*", 1. Auflage, Vol. I, S. 83, Academic Press, New York 1954.
[11] A. Winterstein, Ang. Ch. **72**, 902 (1960).
[12] Fr. P. 1019617 (1953), P. F. Meunier; C. A. **52**, 1251 (1958).
[13] R. K. Barua u. A. B. Barua, Indian J. Chem. **7**, 528 (1969).
[14] R. K. Barua u. A. B. Barua, Nature **197**, 594 (1963).

Trotz zahlreicher derartiger Modellversuche in vitro für den Abbau des β-Carotins zu Vitamin A ist es bis heute noch nicht geklärt, ob es sich bei dem biologischen Abbauprozeß um eine Hydrolyse (Aufnahme von 2 Mol Wasser durch die mittlere C=C-Doppelbindung im β-Carotin) oder um eine oxidative Spaltung zu 2 Mol Vitamin A-aldehyd als Zwischenprodukt (mit anschließender Reduktion zum Alkohol) handelt.

Einzelheiten zu dieser Problemstellung sind in den zahlreichen Monographien über Carotinoide zu finden; wir verzichten deshalb hier auf eine ausführliche Darstellung. Nach theoretischen Überlegungen hat die zentrale C=C-Doppelbindung eines längeren konjugierten Systems den geringsten Doppelbindungscharakter im Vergleich zu allen übrigen Doppelbindungen zu den Kettenenden hin[1]. Auch andere Autoren kamen zu dem Ergebnis, daß die dem β-Jononring benachbarte C=C-Doppelbindung innerhalb der Kette am leichtesten zu spalten sei[2,3]. Die grundsätzliche Möglichkeit zum stufenweisen Abbau des β-Carotins über die verschiedenen β-Apocarotinale (s. S. 159f.) scheint diese Theorien zu bestätigen. Doch mußte die u.a. daraus abgeleitete Hypothese einer stufenweisen β-Oxidation des Carotins[4] beim biologischen Abbau wieder fallengelassen werden[5]. Vielleicht können Spezialmethoden, wie z.B. die Spaltung von isotopen-markiertem β-Carotin[6] in vivo Klarheit bringen.

IV. Herstellung von Polyenketten durch C-Gerüst-Umlagerungen (Ringöffnungen)

Zahlreiche Umlagerungsreaktionen von isocyclischen Ringen führen unter Aufspaltung einer C—C-Bindung zu offenkettigen Polyenen. Diese Ringöffnungen verlaufen teilweise als reine Isomerisierungen, teilweise sind sie mit Abspaltungsreaktionen oder anderen Begleitreaktionen verbunden. Ausgelöst werden die Ring-Ketten-Umlagerungen häufig durch Bestrahlung oder thermische Behandlung, aber auch chemische Umsetzungen (vgl. Tab. 11, S. 169f.) können eine Ringöffnung bewirken (vgl. auch ds. Handb., Bd. IV/5, Photochemie).

Allerdings sind derartige Ringumlagerungen nur selten eine günstige Methode zur präparativen Herstellung des dabei gebildeten Polyens, so daß der Reaktionstyp hier an dieser Stelle nur kurz abgehandelt wird.

Für Ring-Ketten-Umlagerungen als reine Isomerisierungen (s. Tab. 10, S. 166) wurde folgende allgemeine Regel aufgestellt[7]:

Ringe mit der Ringgliedzahl 2n die (n-1) konjugierte Doppelbindungen enthalten, können sich prinzipiell zu einer offenkettigen Verbindung mit n konjugierten Doppelbindungen umlagern.

Mehrfach wurde versucht, den Reaktionsmechanismus solcher Isomerisierungen quantentheoretisch zu klären[8-10].

[1] L. Zechmeister et al., Am. Soc. **65**, 1940 (1943); vgl. Lit. S. 13.

[2] A. Pullmann, C. r. **251**, 1430 (1960).

[3] A. Pullmann u. B. Pullmann, Proc. N. A. S. **47**, 7 (1961).

[4] J. Glover et al., Biochem. J. **58**, XV (1954); **65**, 38 P (1957).

[5] J. Ganguly u. S. K. Murthy in W. H. Sebrell u. R. S. Harris „*The Vitamins*", 2. Auflage, Vol. I, S. 143, Academic Press, New York · London 1967.

[6] J. A. Olsen, J. Biol. Chem. **236**, 349 (1961).

[7] D. H. R. Barton, Helv. **42**, 2604 (1959).

[8] G. J. Fonken, Organic Photochem. **1**, 197 (1967).

[9] R. Srinivasan, Adv. Photochem. **4**, 113. (1966).

[10] R. B. Woodward u. R. Hoffmann, Am Soc. **87**, 395 (1965).

Besonders gründlich wurden die Umlagerungsreaktionen des Cyclohexadien-(1,3)-Ringes bearbeitet. Hier konnten die Erfahrungen aus der Sterinchemie nach der Entdeckung der photochemischen Umlagerung von Ergosterin zu Calciferol bzw. Precalciferol verwertet werden. Cyclohexadien-(1,3) und seine Derivate lassen sich im allgemeinen[1] bei photochemischer oder thermischer Anregung leicht zu offenkettigem *Hexatrien-(1,3,5)* und entsprechenden Derivaten isomerisieren[2-6] (s. Tab. 10, S. 166); dabei entsteht ein reversibles Gleichgewicht:

(A) R–Cyclohexadien ⇌ $H_2C{=}CH{-}CH{=}CH{-}CH{=}CH_2$ (R)

Andererseits ist der Cyclohexadien-(1,3)-Ring zur Valenzisomerisierung zu Bicyclo-Verbindungen fähig [z. T. über das Hexatrien-(Derivat) als Zwischenstufe[7-14]]. Von der Art der Substituenten und den Reaktionsbedingungen hängt es ab, ob die Ringaufspaltung oder die Valenzisomerisierung zu Bicyclo-Verbindungen überwiegt und ob die Lage des Gleichgewichts A zum offenkettigen Polyen oder zur cyclischen Ausgangsverbindung als Hauptprodukt führt (vgl. S. 219).

Cyclopentadien gibt bei thermischer oder photochemischer Anregung Dimerisierungs- oder Polymerisationsreaktionen ohne Ringöffnung. Von den ungesättigten 7- und 8-Ringen wurde nur beim Cyclooctatrien-(1,3,5) und seinen Isomeren eine Ring-Ketten-Umlagerung als reine Isomerisierung zu offenkettigen Polyenen beobachtet (s. Tab. 10, S. 167f.; vgl. S. 222). Dies entspricht der o. a. Regel.

R–Cyclooctatrien ⇌ R–Bicyclo[4.2.0]octadien ⇌ R–Cyclooctatrien ⇌ $H_2C{=}CH{-}CH{=}CH{-}CH{=}CH{-}CH{=}CH_2$ (R)

Aliphatische (substituierte) Octatetraene sind sehr luftempfindlich (Polymerisation) und cyclisieren leicht (vgl. S. 222).

Anders liegen die Verhältnisse bei 7- und 8-Ringen, wenn die Ringspaltungen in Verbindung mit Abspaltungs- oder anderen Begleitreaktionen erfolgen. Analog zur Aufspaltung von „Ortho-Cyclohexadienonen“ durch Bestrahlung zu Diencar-

[1] Es gibt einige Ausnahmen; z. B. wurde beim Dehydro-β-jonon

(H_3C, CH_3)-Cyclohexadienyl–$CH{=}CH{-}C({=}O){-}CH_3$ (CH_3)

bisher keine derartige Ringaufspaltung beobachtet, M. MOUSSERON, Adv. Photochem. **4**, 195 (1966).

[2] D. H. R. BARTON, Helv. **42**, 2604 (1959).

[3] G. J. FONKEN, Tetrahedron Letters **1962**, 549.

[4] E. HAVINGA, Chimia **16**, 145 (1962).

[5] M. MOUSSERON, Adv. Photochem. **4**, 195 (1966).

[6] H. PRINZBACH u. E. DRUCKREY, Tetrahedron Letters **1965**, 2959.

[7] G. J. FONKEN, Organic Photochem. **1**, 197 (1967).

[8] O. L. CHAPMAN, Adv. Photochem. **1**, 323 (1963).

[9] K. J. CROWLEY, Am. Soc. **86**, 5692 (1964).

[10] J. MEINWALD, A. ECKELL u. K. L. ERICKSON, Am. Soc. **87**, 3532 (1965).

[11] J. MEINWALD u. P. H. MAZZOCHI, Am. Soc. **88**, 2850 (1966).

[12] H. PRINZBACH, H. HAGEMANN, J. H. HARTENSTEIN u. R. KITZING, B. **98**, 2201 (1965).

[13] J. MEINWALD, Nachr. Chem. Techn. **18**, 322 (1970) (Vortragsreferat).

[14] G. J. FONKEN u. K. MEHROTA, Chem. & Ind. **1964**, 1025; Umlagerung von 1,2,3,4,4a,5-Hexahydro-naphthalin zu *1-Cyclohexen-(1)-yl-butadien-(1,3)* und *Tricyclo[4.4.0.0^{1,4}]decen-(2)*.

bonsäuren und ihren Derivaten[1] entstehen aus Cyclooctatrienonen die entsprechenden Triencarbonsäuren[2]. Cycloheptadien-(3,5)-on spaltet bei der Bestrahlung Kohlenmonoxid ab und ergibt Hexatriene[3-5]. 7-Hydroxy-cyclooctatrien-(1,3,5) kann thermisch zu *Octatrien-(2,4,6)-al*, 7-Hydroxy-7-methyl-cyclooctatrien-(1,3,5) zu *8-Oxo-nonatrien-(2,4,6)* umgelagert werden[6]. Beispiele für analoge Reaktionen mit verschiedenen in 7-Stellung substituierten Cyclooctatrienen-(1,3,5) siehe Lit.[6].

In Tab. 11 (S. 169f.) sind weitere Beispiele für Ringöffnungen zu Polyenen, die nicht als reine Isomerisierungen verlaufen, für verschiedene Ringsysteme zusammengestellt.

Soweit die Ring-Ketten-Umlagerungen nur theoretisches Interesse haben, ist in den Tab. 10 u. 11 (S. 166–171) keine Ausbeute an gebildetem Polyen angegeben.

Grundsätzlich entstehen zunächst die *cis*-Isomeren, die sich dann leicht in *trans*-Isomere umlagern lassen.

Die Bestrahlungen erfolgen mit UV- oder sichtbarem Licht. Häufig werden Nieder-, Mittel- oder Hochdruck-Quecksilber-Lampen mit verschiedenen Filtern verwendet. Apparaturen zur Bestrahlung werden in der Literatur beschrieben [z.B. 7-9] (Vgl. a. ds. Handb. Bd. IV/5, Photochemie).

Alloocimen[10, vgl. a. 11,12] [2,6-Dimethyl-octatrien-(2,4,6)]:

$$\alpha\text{-Pinen} \xrightarrow{\nabla} [\text{Ocimen}] \longrightarrow H_3C-\underset{|}{\overset{CH_3}{C}}=CH-CH=CH-\underset{CH_3}{C}=CH-CH_3$$

2,7,7-Trimethyl-bicyclo[3.1.1]hepten-(2) (α-Pinen)[10]: Handelsübliches Terpentinöl wird zur Entfernung von Peroxiden mit Eisen(II)-sulfat-Lösung durchgeschüttelt und anschließend mit Wasserdampf destilliert. Nach dem Abtrennen des Wassers wird über eine Normag-Kolonne rektifiziert, die ~50 theoretische Böden besitzt; Kp_{25}: 56°; Kp_{60}: 78°; n_D^{20} = 1,4652 bis 1,4656; d_4^{20} = 0,8623–0,8626.

Alloocimen[10]: Durch ein 1 m langes, lotrecht gestelltes, leeres Quarzrohr, das von einem 70 cm langen Heizmantel umgeben ist, wird α-Pinen destilliert. Man fängt die Reaktionsprodukte in einer wassergekühlten Vorlage auf, die mit etwas Hydrochinon als Stabilisator beschickt wird. Die Destillation verläuft mit konst. Geschwindigkeit so, daß pro Sek. 1 Tropfen Kondensat in die Vorlage fällt. Die Temp. im Quarzrohr hält man zur Erreichung einer guten Ausbeute an Alloocimen zwischen 320 und 330°. Das Pyrolysat, eine gelbliche Flüssigkeit, das in einer Ausbeute von 95–98% anfällt, stellt ein Gemisch von α-Pinen, 1,5,5,6-Tetramethyl-cyclohexadien-(1,3) (α-Pyronen; I) bzw. β-Pyronen (Gemisch aus I und 2,4,4-Trimethyl-3-methylen-cyclohexen), 1-Methyl-4-isopropenyl-cyclohexen-(1) und Alloocimen als Hauptprodukte dar. Dieses Gemisch wird über eine Normag-Kolonne mit ~20 theoret. Böden fraktioniert. Bei 87–90°/20 Torr siedet reines Alloocimen, nachdem von 50–75° (20 Torr) 1,1,2,3-Tetramethyl-cyclohexadien-(1,3) (α-Pyronen) bzw. β-Pyronen, und 1-Methyl-4-isopropenyl-cyclohexen-(1) übergegangen sind.

---

1 D. H. R. Barton u. G. Quinkert, Soc. **1960, 1.**
P. M. Collins u. H. Hart, Soc. [C] **1967,** 1197.
2 G. Büchi u. E. M. Burgess, Am. Soc. **84,** 3104 (1962).
3 O. L. Chapman u. G. W. Borden, J. Org. Chem. **26,** 4185 (1961).
4 O. L. Chapman, Adv. Photochem. **1,** 323 (1963).
5 D. J. Schuster, B. R. Scolnick u. F. T. H. Lee, Am. Soc. **90,** 1300 (1968).
6 M. Kröner, B. **100,** 3172 (1967).
7 J. G. Calvert u. J. N. Pitts, „*Photochemistry*", Verlag John Wiley & Sons Inc., New York · London · Sydney 1966.
8 E. Havinga u. J. P. L. Bots, R. **73, 393** (1954).
9 A. Schönberg „*Preparative Organic Photochemistry*", Springer-Verlag, Berlin 1968.
10 K. Alder, A. Dreike, H. Erpenbach u. U. Wicker, A. **609,** 1 (1957).
11 DBP. 1219470 (1966), Roverts & Co. Ltd., Erf.: A. Boake; C. A. **63,** 10002 (1965).
12 Y. Chrétien-Bessière, A. Ch. **2** [13], 301 (1957).

Da *Alloocimen* einen charakteristisch hohen Refraktionswert aufweist, kann man die Reinheit der abgenommenen Fraktionen an Hand der n_D-Werte genau überprüfen (n_D^{20} = 1,5435–1,5451) (D_4^{20} ~ 0,8100). Die Ausbeute an *Alloocimen* beträgt 45% der Theorie.

Zur Aufnahme des UV- und IR-Spektrums wird das *Alloocimen* durch Umkristallisation bei –25° aus Methanol und anschließende Destillation gereinigt; Kp_{13}: 79°; n_D^{20} = 1,5438; d_4^{20} = 0,8106; λ_{max} = 275 mμ (log ε = 4,612), zwei „Schultern" bei 286 mμ (log ε = 4,510) und 267 mμ (log ε = 4,530).

Wird die gleiche Reaktion bei ~ 350° durchgeführt, entsteht zu 30% ein Gemisch aus *Alloocimen* (*trans-trans*) und *Neoalloocimen* (*trans-cis*)[1].

2,3,6,7-Tetramethyl-octatrien-(2,4,6)[2]:

$$2\ \text{Mol}\ \ (H_3C)_2C_3(CH_3)\ \xrightarrow{Cu^{\oplus}}\ (H_3C)_2C{=}C(CH_3){-}CH{=}CH{-}C(CH_3){=}C(CH_3)_2$$

4,1 g (50 mMol) 2,3,3-Trimethyl-cyclopropen-(1) wird in 5 *ml* Methanol gelöst und mit 4,0 g Kupfer(I)-chlorid und 12 g Ammoniumchlorid in 60 *ml* Wasser unter Sauerstoffausschluß geschüttelt. Nach 3 Min. wird das gebildete 2,3,6,7-Tetramethyl-octatrien-(2,4,6) mit 50 *ml* Äther extrahiert. Nach Abdampfen des Lösungsmittels können aus dem Rückstand einige Tropfen einer öligen Flüssigkeit [wahrscheinlich 3-Methyl-2-hydroxymethyl-buten-(2)] überdestilliert werden. Der schmierige Rückstand wird aus Äther/Petroläther umkristallisiert, wobei vom bereits autoxidierten Trien abfiltriert wird; Ausbeute: 2,5 g (60% d.Th.); F: 47°.

Die photochemische Isomerisierung ergibt in diesem Fall tricyclische Verbindungen.

Die Aufspaltung von Lactonen zu den entsprechenden ungesättigten Hydroxycarbonsäuren wird in ds. Handb., Bd. VIII, S. 423 besprochen. Zur Aufspaltung mit Alkoholaten oder Alkalimetallamiden vgl. auch S. 153.

Epoxi-carbonsäuren lassen sich zu ungesättigten Aldehyden s. ds. Handb., Bd. VII/1, S. 326 und α,β-Epoxi-imino-carbonsäureester zu ungesättigten α-Hydroxycarbonsäureestern spalten vgl.[3] – siehe auch S. 58.

V. Offenkettige Polyene aus anderen Polyenen unter Erhaltung der Polyenstruktur in der Kette

a) Reaktionen in alicyclischen Ringen[4], die mit Polyenketten verknüpft sind

Auf diesem Gebiet sind vor allem die Reaktionen in den 2,6,6-Trimethyl-cyclohexen-(1)-, 2,6,6-Trimethyl-cyclohexen-(2)-, 2,6,6-Trimethyl-cyclohexadien-(1,3)- und 1,1,3-Trimethyl-cyclohexan-Ringen der Carotinoide gründlich untersucht worden. Reaktionen mit methylgruppenfreien Cyclohexen-Ringen an Polyenketten wurden im allgemeinen nur als Modellbeispiele für die carotinoiden Verbindungen durchgeführt.

Im folgenden wird für Ringreaktionen, bei denen sich gleichzeitig die Polyenstruktur der Kette ändert, zum Teil auf andere Abschnitte verwiesen.

---

[1] K. ALDER, A. DREIKE, H. ERPENBACH u. U. WICKER, A. **609**, 1 (1957).

[2] H. H. STECHL, B. **97**, 2681 (1964); vgl. Ang. Ch. **75**, 1176 (1963).

[3] K. EITER, E. TRUSCHEIT u. OEDIGER, Ang. Ch. **72**, 948 (1960).
DBP. 1080550 (1958), Farbf. Bayer, Erf.: K. EITER, H. OEDIGER u. E. TRUSCHEIT; C. A. **55**, 17545 (1961).

[4] Reaktionen in aromatischen Ringen an Polyenketten spielen praktisch in der Polyenchemie keine Rolle.

Tab. 10. Polyene durch C-Gerüst-Umlagerungen (reine Isomerisierungen)

Ausgangsverbindung	Ringöffnungs-methode	Polyen	Ausbeute [% d.Th.]	Bemerkungen	Literatur
	hν, in Lösung	*Hexatrien-(1,3,5)*		Im Gleichgewicht mit Cyclohexadien-(1,3); z. T. auch Isomerisierung zu *Hexatrien-(1,2,4)*. Belichtung in der Gasphase ergibt unübersichtliche Reaktion[1]	1–7 vgl. 8
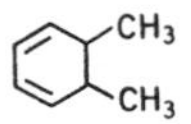 CH_3, CH_3	hν, in Lösung	*Octatrien-(2,4,6)*		im Gleichgewicht mit Ausgangsverbindung	9
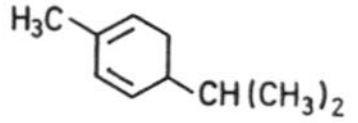 H_3C, $CH(CH_3)_2$	hν, in Lösung	*3,7-Dimethyl-octatrien-(1,3,5)*		Zwischenstufe bei der Bildung von Bicyclo-Verbindungen	2, vgl. 10–12
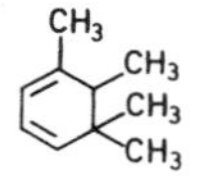 CH_3, CH_3, CH_3, CH_3	hν, in Lösung	*2,6-Dimethyl-octatrien-(2,4,6)* (*Alloocimen*)		Im Gleichgewicht mit Ausgangs-Verbindung	9
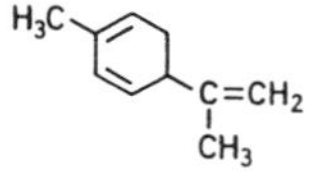 H_3C, $C(CH_3)=CH_2$	▽	*2,6-Dimethyl-octatetraen-(1,3,5,7)*	~ 80	enthält etwas 4-Methyl-1-isopropyl-benzol; polymerisiert leicht	13
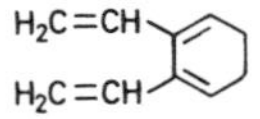 $H_2C=CH$, $H_2C=CH$	hν, Pentan, –78°	*3,4-Divinyl-hexatrien-(1,3,5)*	6–7		14

[1] G. J. Fonken, Organic Photochem. **1,** 197 (1967).
[2] R. J. de Kock, N. G. Minnard u. E. Havinga, R. **79,** 923 (1960).
[3] H. Prinzbach u. J. H. Hartenstein, Ang. Ch. **75,** 639 (1963).
[4] A. Schönberg „*Preparative Organic Photochemistry*“, Springer Verlag, Berlin 1968.
[5] R. Srinivasan, Adv. Photochem. **4,** 113 (1966).
[6] R. Srinivasan, Am. Soc. **83,** 2806 (1961).
[7] R. Srinivasan, Am. Soc. **84,** 3982 (1962).
[8] D. J. Schuster, F. H. Lee, A. Pawda u. P. G. Gassmann, J. Org. Chem. **30,** 2262–64 (1965).
[9] G. J. Fonken, Tetrahedron Letters **1962,** 549.
[10] O. L. Chapman, Adv. Photochem. **1,** 323 (1963).
[11] K. J. Crowley, Am. Soc. **86,** 5692 (1964).
[12] J. Meinwald, A. Eckell u. K. L. Erickson, Am. Soc. **87,** 3532 (1965).
[13] K. Alder u. M. Schumacher, B. **89,** 2485 (1956).
[14] L. Skattebøl, J. L. Charlton u. P. de Mayo, Tetrahedron Letters **1966,** 2257.

Tab. 10. (1. Fortsetzung)

Ausgangsverbindung	Ringöffnungs-methode	Polyen	Ausbeute [% d.Th.]	Bemerkungen	Literatur
H_5C_6–(cyclohexadien)–C_6H_5	hν	*2,5-Diphenyl-hexatrien-(1,3,5)*		cyclisiert bereits bei RT zum 1,4-Diphenyl-cyclohexadien-(1,3) zurück	1
(cyclohexadien)–$COOC_2H_5$	hν, in Lösung	*2-Methylen-hexadien-(3,5)-säure-äthylester*		thermisch beständig bis 50°	2
NC–(cyclohexadien)–CN	hν, in Lösung	*2,5-Dicyan-hexatrien-(1,3,5)*		nur in Lösung beständig	3
(cyclohexadien) ROOC COOR, R = H, CH_3	hν, in Lösung	*Octatrien-(2,4,6)-disäure* bzw. *-disäure-dimethylester*	25 30	ausführliche Untersuchung über *cis-trans* Isomere	4
H_5C_6–(cyclohexadien)–C_6H_5, ROOC COOR, R = H, CH_3	hν, in Lösung	*3,6-Diphenyl-octatrien-(2,4,6)-disäure* bzw. *-disäure-dimethylester*		ausführliche Untersuchung über *cis-trans*-Isomerie	5,6
(Cyclooctatetraen)	① Blitzlicht in Lösung ② ▽ ③ hν, in Lösung	*Octatetraen-(1,3,5,7)*		sehr unbeständig	7 8 8

[1] P. COURTOT u. O. LE GOFF-HAYS, Bl. **1968**, 3401.
[2] H. PRINZBACH u. E. DRUCKREY, Tetrahedron Letters **1965**, 2959.
[3] H. PRINZBACH u. J. H. HARTENSTEIN, Ang. Ch. **75**, 639 (1963).
[4] P. COURTOT u. J. M. ROBERT, Bl. **1965**, 3362.
[5] P. COURTOT u. R. RUMIN, Tetrahedron Letters **1968**, 1091.
[6] P. COURTOT u. R. RUMIN, Tetrahedron Letters **1968**, 30, Erratum.
[7] T. D. GOLDFARB u. L. LINDQUIST, Am. Soc. **89**, 4588 (1967).
[8] W. R. ROTH u. B. PELTZER, A. **685**, 56 (1965).

Tab. 10. (2. Fortsetzung)

Ausgangsverbindung	Ringöffnungs-methode	Polyen	Ausbeute [% d. Th.]	Bemerkungen	Literatur
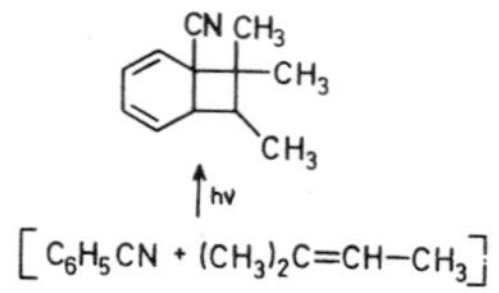 Benzocyclobuten-Derivat (CN, CH_3, CH_3, CH_3)	▽	*2-Methyl-3-cyan-decatetraen-(2,4,6,8)*		sehr unbeständig	1
↑ hν [C_6H_5CN + $(CH_3)_2C{=}CH{-}CH_3$]	hν				2
R^1-Benzol + $R^2R^3C{=}CCl_2$; $R^1 = H, CH_3, OCH_3$; $R^2 = R^3 = H, Cl$; $R^2 = H; R^3 = Cl$	hν	z. B. bei $R^1 = H$; $R^2 = R^3 = H$: $H_2C{=}CH{-}(CH{=}CH)_2{-}CH{=}CCl_2$ *1,1-Dichlor-octatetraen-(1,3,5,7)*			2
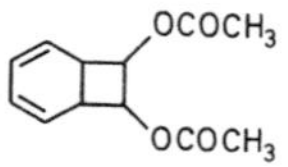 Benzocyclobuten-Derivat ($OCOCH_3$, $OCOCH_3$)	hν	*1,8-Diacetoxy-octatetraen-(1,3,5,7)*		konnte nicht rein isoliert werden	3
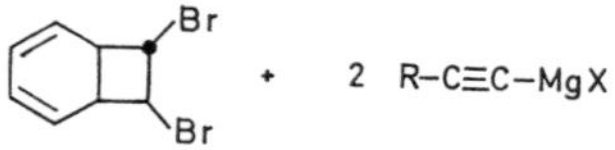 Dibrombenzocyclobuten (Br, Br) + 2 $R{-}C{\equiv}C{-}MgX$	▽	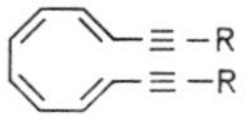 Cyclooctatetraen-Derivat mit $\equiv{-}R$, $\equiv{-}R$; R = Alkyl, Aryl	24–57		4

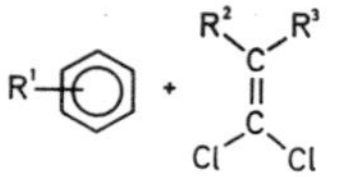

[1] J. G. Atkinson, D. E. Ayer, G. Büchi u. E. W. Robb, Am. Soc. **85**, 2257 (1963).

[2] N. C. Perrins u. J. P. Simons, Chem. Commun. **1967**, 999.

[3] D. H. R. Barton, Helv. **42**, 2604 (1959).

[4] Eu. Müller, H. Straub u. J. M. Rao, Tetrahedron Letters **1970**, 773. Eu. Müller u. H. Straub, Synthesis **1971**, 218. H. Straub, Dissertation Universität Tübingen 1971.

Tab 11. Polyene durch C-Gerüst-Umlagerung in Verbindung mit Abspaltungs- bzw. anderen Begleitreaktionen

Ausgangsverbindung	Ringöffnungsmethode	Polyen	Ausbeute [% d. Th.]	Bemerkungen	Literatur
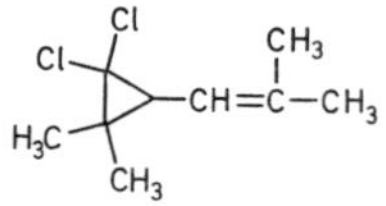 Cl, Cl, H_3C, CH_3 (Cyclopropan) –CH=C(CH_3)–CH_3	▽	*3-Chlor-2,6-dimethyl-heptatrien-(1,3,5)*	55	a b	1
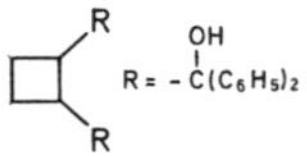 Cyclobutan mit R, R; R = –C(OH)$(C_6H_5)_2$	J_2, Xylol	*1,1,6,6-Tetraphenyl-hexatrien-(1,3,5)*			2
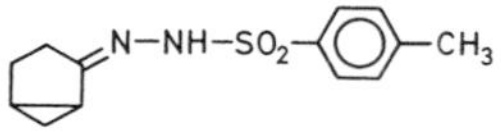 =N–NH–SO_2–C_6H_4–CH_3	Carbenoide Zers. in Gegenwart von $NaOCH_3$	*Hexatrien-(1,3,5)*	42	Daneben 13% *Hexen-(5)-in-(1)* 12% *Hexatrien-(1,2,5)* 14% *Cyclohexadien-(1,3)*	3
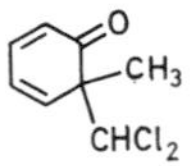 O, CH_3, $CHCl_2$	hν	*7-Chlor-6-methyl-heptatrien-(2,4,6)-säure*			4
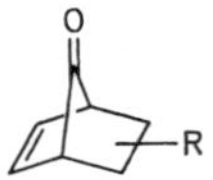 O, R	hν	① ohne ankondensierten Ring $\xrightarrow[-CO]{}$ subst. Hexatrien-(1,3,5)		Daneben Cyclohexadien-Derivate	5,6
		② mit ankondensiertem Ring → keine Ringspaltung		nur Cyclohexadien-Bildung	7

[a] = Das Dichlor-cyclopropan-Derivat wird nur in situ hergestellt aus 2,5-Dimethyl-hexadien-(2,4) und Dichlorcarben (aus Chloroform und Äthylenoxid).
[b] = Zur Aufspaltung von Cyclopropanringen an ungesättigten Ketten s. S. 74f.

[1] DBP. 1235293 (1965), Esso, Erf.: C. Finger, F. Nerdel, P. Weyerstahl, J. Buddrus u. D. Klamann; C. A. **66,** 115286[c] (1967).
P. Weyerstahl et al., B. **101,** 1303 (1968).

[2] G. W. Griffin u. A. F. Vellturo, J. Org. Chem. **26,** 5183 (1961).

[3] P. K. Freeman u. D. G. Kuper, J. Org. Chem. **30,** 1047 (1965).

[4] J. King u. D. Leaver, Chem. Commun. **1965,** 539.

[5] B. Fuchs u. S. Yankelevich, Israel J. Chem. **6,** 511 (1968).

[6] D. J. Schuster, F. H. Lee, A. Pawda u. P. G. Gassman, J. Org. Chem. **30,** 2262ff. (1965).

[7] B. Fuchs, Israel J. Chem. **6,** 517 (1968).

Tab. 11. (1. Fortsetzung)

Ausgangsverbindung	Ringöffnungsmethode	Polyen	Ausbeute [% d. Th.]	Bemerkungen	Literatur
(Benzol)	hν, O_2	*Dodecapentaen-(2,4,6,8,10)-dial*		daneben *Hexadien-(2,4)-dial* (*Mucondialdehyd*)	1
	hν, entgastes Benzol	*6-Phenyl-hexatrien-(1,3,5)*		daneben andere Verbindungen	2
(Cycloheptadienon, R)	hν, in Lösung, —CO	R = H; *Hexatrien-(1,3,5)* R = CH_3; *Heptatrien-(1,3,5)*		c	3–5
(Cyclooctatrienon)	hν, CH_3OH, −190°	*Octatrien-(2,4,6)-säure-methylester*	31	in Hexan oder Pentan: *2-Oxo-bicyclo[4.2.0]octadien-(4,7)*	6 7
(Cyclooctatrienol, OH, R) R = H	80°, 3 Stdn.	*Octatrien-(2,4,6)-al*	~ 90		8
R = CH_3	80°, kurz	*8-Oxo-nonatrien-(2,4,6)*	~ 90		8
R = C_6H_5	20° (bereits bei der Aufarbeitung des Cyclooctatriens)	*1-Oxo-1-phenyl-octatrien-(2,4,6)*	~ 90		8

c) Die Bestrahlung von 7-Oxo-1,5,5-trimethyl-cycloheptadien-(1,3) liefert nur 2-Oxo-1,4,4-trimethyl-bicyclo[3.2.0]hepten-(6)[3].

[1] K. Wei, J.-C. Mani u. J. N. Pitts, Am. Soc. **89**, 4225 (1967).
[2] K. H. Grellmann u. W. Kühnle, Tetrahedron Letters **1969**, 1537.
[3] O. L. Chapman u. G. W. Borden, J. Org. Chem. **26**, 4185 (1961).
[4] O. L. Chapman, Adv. Photochem. **1**, 323 (1963).
[5] D. J. Schuster, B. R. Scolnick u. F. T. H. Lee, Am. Soc. **90**, 1300 (1968).
[6] G. Büchi u. E. M. Burgess, Am. Soc. **84**, 3104 (1962).
[7] L. L. Barber, O. L. Chapman u. J. D. Lassila, Am. Soc. **91**, 531 (1969).
[8] M. Kröner, B. **100**, 3172 (1967).

Tab. 11. (2. Fortsetzung)

Ausgangsverbindung	Ringöffnungsmethode	Polyen	Ausbeute [% d. Th.]	Bemerkungen	Literatur
	mit Li zum Dianion + R—COCl	*1,10-Dioxo-1,10-diphenyl-decatetraen-(2,4,6,8)* (R = C_6H_5) *2,11-Dioxo-dodecatetraen-(3,5,7,9)* (R = CH_3) *1,10-Dioxo-1,10-bis-[4-brom-phenyl]-decatetraen-(2,4,6,8)* (R = Br—C_6H_5)	5–8		1,2
	+ $(C_6H_5)_2CO$	*1,10-Dihydroxy-1,1,10,10-tetraphenyl-decatetraen-(2,4,6,8)*	28		3
	+ CO_2	*Decatetraen-(2,4,6,8)-disäure*		im Isomerengemisch zu 76%	4
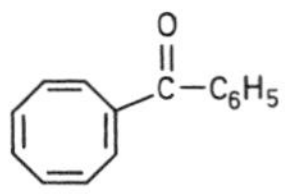 O ‖ C—C_6H_5	H_5C_6-MgBr	*9-Oxo-1,9-diphenyl-nonatetraen-(1,3,5,7)*	20		5
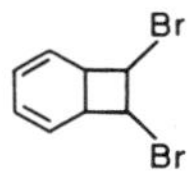 Br, Br	+ KCN	*Decatetraen-(2,4,6,8)-disäure-dinitril*			6
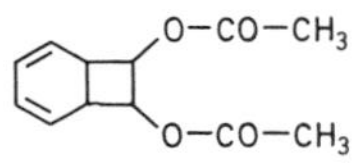 O—CO—CH_3, O—CO—CH_3	$LiAlH_4$	*Decatetraen-(2,4,6,8)-dial*	50–60		7
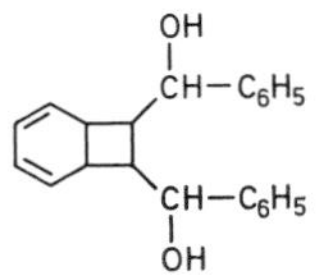 OH, CH—C_6H_5, CH—C_6H_5, OH	J_2 (bzw. p-Toluolsulfonsäure/C_6H_6)	*1,10-Diphenyl-decapentaen-(1,3,5,7,9)*	9		3

[1] T. S. Cantrell u. H. Shechter, Am. Soc. **85**, 3300 (1963); **87**, 136 (1965).
[2] T. S. Cantrell u. H. Shechter, Am. Soc. **89**, 5868 (1967).
[3] T. S. Cantrell u. H. Shechter, Am. Soc. **89**, 5877 (1967).
[4] T. S. Cantrell, Tetrahedron Letters **1968**, 5635.
[5] A. C. Cope u. D. J. Marshall, Am. Soc. **75**, 3208 (1953).
[6] H. Hoever, Tetrahedron Letters **1962**, 255.
[7] R. Anet, Tetrahedron Letters **1961**, 720.

1. Isomerisierungen von C=C-Doppelbindungen in Trimethyl-cyclohexen-Ringen

Während z.B. die Isomerisierung von α- und β-Jonon ineinander relativ leicht gelingt[1], hat die analoge Isomerisierung in Trimethyl-cyclohexen-Ringen, die mit Polyenketten verknüpft sind, bisher keine präparative Bedeutung erlangt:

Die direkte Herstellung von *β-Carotin* aus α-Carotin durch 10–30 stdgs. Erhitzen mit Natriumäthanolat in Benzol gelingt nur mit geringer Ausbeute[2]. Die umgekehrte Verlagerung der Ring-Doppelbindung kann nur auf Umwegen, z.B. über Epoxide als Zwischenstufen erreicht werden[3]:

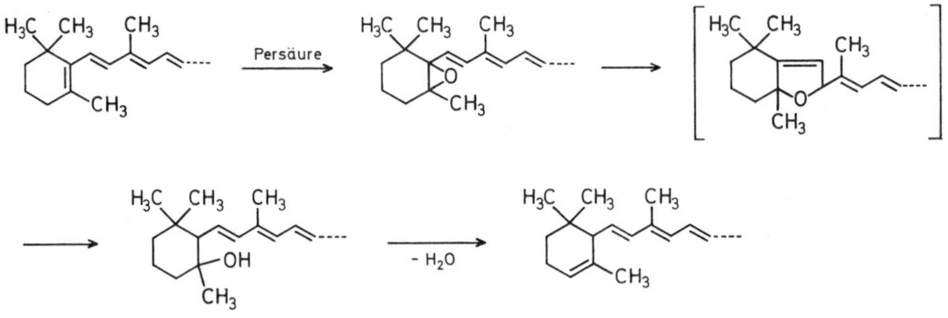

Persäure

$-H_2O$

Zur Isomerisierung vom β- ins α-Jonyliden-System als Nebenreaktion bei einem Hydrierversuch am β-Carotin mit Jodwasserstoffsäure in Petroläther siehe Lit.[4].

Die Isomerisierung der Ringdoppelbindungen mit gleichzeitiger Verschiebung des gesamten Doppelbindungssystems in der Polyenkette wird auf S. 67f. besprochen.

2. Dehydrierungs- und Dehydratisierungsreaktionen in Trimethyl-cyclohexen(an)-Ringen

Die Einführung von Doppelbindungen in Carotinoiden in 3,4- bzw. 3′,4′-Stellung oder auch die Dehydrierung zum Retro-dehydro-carotinoid-System werden häufig mit N-Brom-succinimid durchgeführt[5,6]. Tetrachlormethan und alkoholfreies Chloroform sind günstige Lösungsmittel. Als Zwischenstufen entstehen die entsprechenden Bromide (vgl. S. 34).

---

[1] s. ds. Handb., Bd. V/1c, S. **345**f.
[2] P. Karrer u. E. Jucker, Helv. **30**, 266 (1967).
[3] S. Hertzberg u. S. L. Jensen, Phytochemistry **6**, 1119 (1967).
[4] A. Pogár u. L. Zechmeister. Am. Soc. **65**, 1528 (1943).
[5] L. Zechmeister, Fortschr. Chem. Org. Naturst. **15**, 31 (1958).
[6] H. H. Inhoffen u. W. Arend, A. **578**, 177 (1952).

Vitamin A_1-Alkohol selbst läßt sich nicht direkt zum *Vitamin A_2* dehydrieren, man muß entweder den Vitamin A_1-Aldehyd[1,2] oder Vitamin A_1-Säureester[3] einsetzen:

β-Carotin ergibt mit N-Brom-succinimid in Chloroform verschiedene Dehydrierungsstufen nebeneinander[4]:

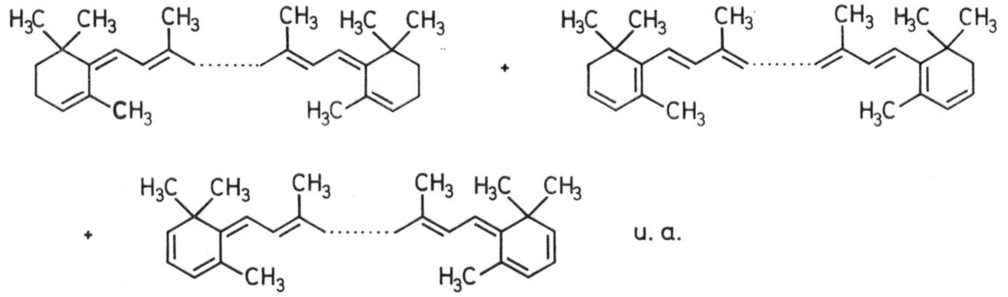

u. a.

Zu derartigen Dehydrierungsreaktionen sind auch Verbindungen mit beweglichem Chlor[5] geeignet (z.B. N-Chlor-succinimid[5], N,N'-Dichlor-harnstoff[5], Undecachlor-phenothiazin[5] oder auch Benzolsulfonsäure-N-chlor-cyclohexylamid[6,7]).

Durch Behandlung der z.B. aus β-Carotin oder anderen Carotinoiden mit Titan-(IV)-chlorid entstehenden Komplex-Verbindungen mit polaren Lösungsmitteln (Acetonolyse) können ebenfalls Dehydro- und Retrodehydrocarotinoide erhalten werden[8].

Die Dehydrierungen treten außerdem häufig automatisch auf, wenn funktionelle Gruppen am Trimethyl-cyclohexen-Ring oxidiert werden, z.B. mit Mangan(IV)-oxid[9].

Neue C=C-Doppelbindungen können in Hydroxy-Gruppen-haltigen Trimethyl-cyclohexan- oder -cyclohexen-Ringen auch durch Dehydratisierung eingeführt werden; z.B.:

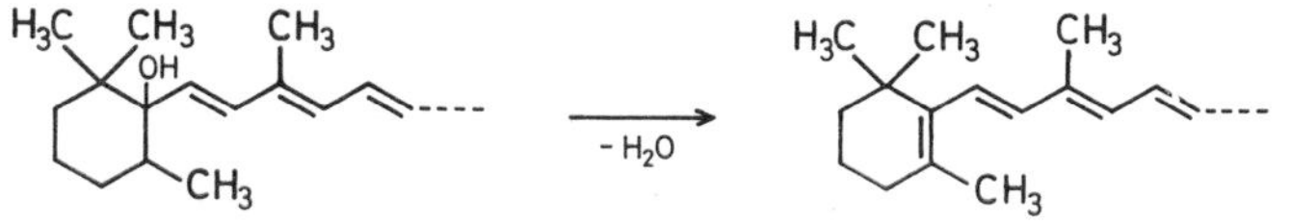

$\xrightarrow{-H_2O}$ [10]

---

[1] O. ISLER u. U. SCHWIETER, Dtsch. med. J. **16**, 576 (1965).
[2] H. B. HENBEST et al., Soc. **1955**, 2765.
[3] K. R. FARZAR et al., Soc. **1952**, 2657.
[4] L. ZECHMEISTER, Fortschr. Chem. Org. Naturst. **15**, 31 (1958).
[5] C. BODEA, V. TĂMAS u. G. NEAMŢU, Rev. Roumaine Chim. **9**, 359 (1964); **11**, 739 (1966); C. A. **61**, 14726 (1964); **65**, 17011 (1966).
[6] W. THEILACKER u. H. WESSEL, A. **703**, 34 (1967).
[7] Versuche im Hauptlaboratorium der BASF.
[8] V. TĂMAS u. C. BODEA, Rev. Roumaine Chim. **12**, 1517 (1967); **14**, 141, 959, 1591 (1969); **15**, 655 (1970).
[9] L. JAEGER u. P. KARRER, Helv. **46**, 687 (1963).
R. ENTSCHEL u. P. KARRER, Helv. **42**, 466 (1959).
[10] Brit. P. 674090 (1949); DBP. 884365, 892448 (1951), Glaxo; C. A. **47**, 6985 (1953).

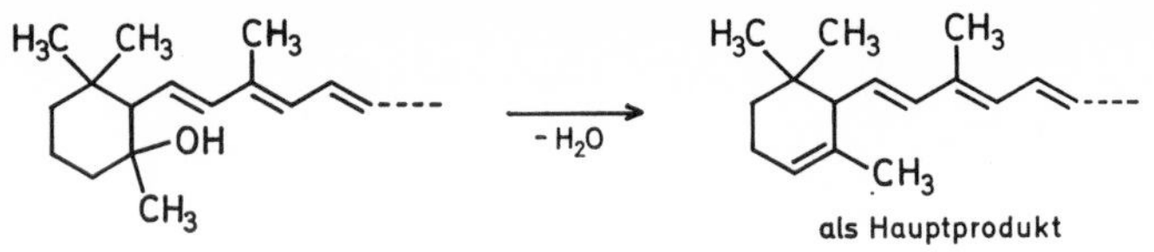

Die Dehydratisierungen lassen sich mit p-Toluolsulfosäure, Phosphoroxychlorid oder anderen gängigen Dehydratisierungsmitteln durchführen (vgl. S. 41f.). Wenn in der Polyen-Kette weitere Hydroxy-Gruppen vorliegen, die nicht angegriffen werden sollen, müssen diese geschützt werden. Die Dehydratisierungen von Retrocarotinoiden mit einer Hydroxy-Gruppe in der Polyen-Kette, die durch Allylumlagerung in den Ring hinein zur Ringstruktur

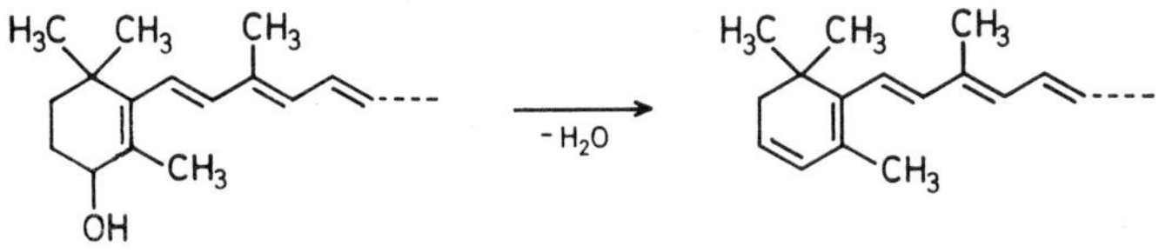

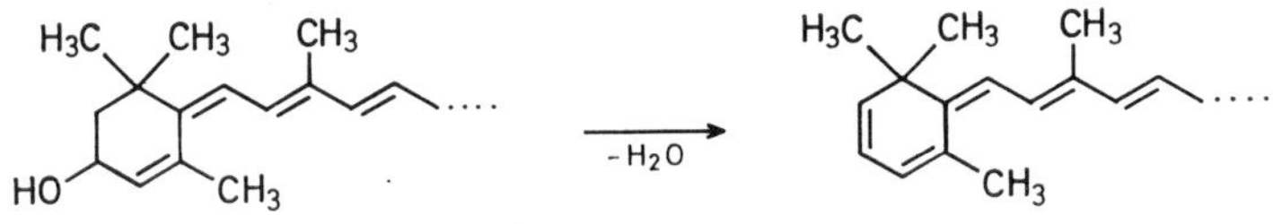

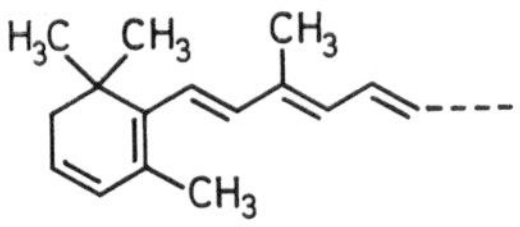

führt, werden auf S. 41 besprochen.

3. Einführung der Epoxi-Gruppe und deren Reaktionen

Carotinoid-5,6-epoxide werden durch Reaktion der Carotinoide mit Benzopersäure oder Phthalmonopersäure hergestellt[1,5]:

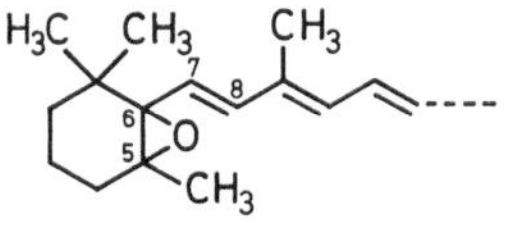

Bei der Reaktion reagiert allein die Ringdoppelbindung. Die Umlagerung dieser 5,6-Epoxide unter Einbeziehung der Polyenkette zu furanoiden 5,8-Epoxiden

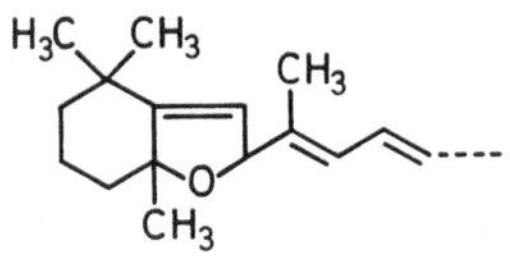

und ihre direkte Herstellung wird auf S. 217f. beschrieben.

---

[1] S. Hertzberg u. S. L. Jensen, Phytochemistry **6**, 1119 (1967).
Vgl. A. H. El-Tinay u. C. O. Chichester, J. Org. Chem. **35**, 2290 (1970).

(Fortsetzung s. S. 175)

Die Rückbildung der Ringdoppelbindung aus den carotinoiden 5,6-Epoxiden

ist z.B. mit Spezial-Zinkoxid[1] und mit Eisen(III)-chlorid (wasserfrei) und Propylmagnesiumbromid[2] gelungen. Durch Einwirkung von Lithiumalanat gelingt die Rückbildung der Ringdoppelbindung sowohl aus den 5,6- wie auch aus den 5,8-Epoxiden (80–90°)[3]. Bei tieferen Temperaturen reagieren carotinoide 5,6-Epoxide mit Lithiumalanat neben der direkten Rückbildung der Ringdoppelbindung zu entsprechenden Carbinolen[4–6], die dann dehydratisiert werden können:

Verbindungen vom Typ[7]

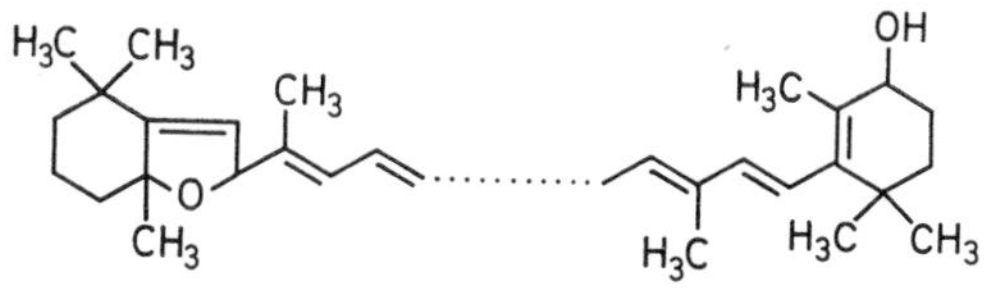

spalten in chlorwasserstoff-haltigem Chloroform quantitativ den epoxidischen Sauerstoff und aus der allylständigen Hydroxy-Gruppe Wasser ab unter gleichzeitiger Isomerisierung der Doppelbindungen ins „Retro"-System[7]:

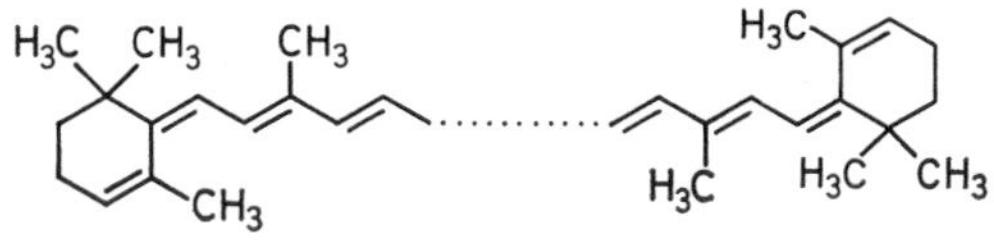

[1] M. Cormier, C. r. **239**, 1487 (1954); Bl. Soc. Chim. biol. **36**, 1255 (1954).
[2] L. Jaeger u. P. Karrer, Helv. **46**, 687 (1963).
[3] L. Cholnoky et al., A. **708**, 218 (1967).
[4] S. Hertzberg u. S. L. Jensen, Phytochemistry **6**, 1119 (1967).
[5] B. P. Schimmer u. N. I. Krinsky, Biochemistry **5**, 3649 (1966).
[6] E. C. Grob u. W. Siekmann, Helv. **48**, 1199 (1965).
[7] Z.B. *Isokryptoxanthin-5,8-epoxid*, das neben anderen Verbindungen aus β-Carotin mit Blei(IV)-acetat entsteht; C. Bodea, E. Nicoara u. T. Salontai, A. **648**, 147 (1961).

(Fortsetzung v. S. 174)

[2] R. K. Barua u. M. G. R. Nair, Nature **193**, [Nr. 4811] 165 (1962).
[3] R. Entschel u. P. Karrer. Helv. **43**, 94 (1960).
[4] P. Karrer u. E. Leumann, Helv. **34**, 445 (1951).
[5] P. Karrer u. E. Jucker, „*Carotinoide*", Verlag Birkhäuser, Basel 1948.

4. Weitere Reaktionen in Trimethyl-cyclohexen-Ringen

Die Aufspaltung der C=C-Doppelbindung in Trimethyl-cyclohexen-Ringen z.B. bei der Oxidation von Carotinoiden mit Chrom(VI)-oxid usw. oder Ringverengung zum 5-Ring bei unveränderter Polyenkette[1] hat kein präparatives Interesse. Hierzu wird auf Carotinoid-Monographien (s. Bibliographie, S. 224) verwiesen.

Sehr verbreitet sind in der Carotinoidchemie Reaktionen, bei denen Hydroxy-, Äther-, Ester-, Oxo-Gruppen usw. in den Trimethyl-cyclohexen-Ring eingeführt werden.

Durch Reaktionen mit N-Brom-succinimid in alkoholhaltigem Chloroform können Oxo-[2,3], Hydroxy- und Äther-Gruppen[3-5], durch Reaktionen mit N-Brom-succinimid in Chloroform in Gegenwart von Eisessig oder Propionsäure die betreffenden verseifbaren Ester-Gruppen[6-8], in Gegenwart von Mercaptanen die entsprechenden 4-Mercapto-carotinoide und in Gegenwart von Aminen die entsprechenden 4-Amino-Derivate hergestellt werden[9]. Analoge Reaktionen gelingen auch[10] mit Benzolsulfonsäure-N-chlor-cyclohexylamid[11].

Bei der Reaktion von Carotinoiden mit Blei(IV)-acetat entstehen neben den bereits besprochenen 5,8-Epoxiden 4-Acetoxy-Derivate[12].

Durch Mangan(IV)-oxid-Spezialpräparate können Hydroxy-Gruppen in den Trimethyl-cyclohexen-Ring eingeführt werden. Gleichzeitig werden vorhandene Substituenten im Ring[13-15] oder an der Kette[16] oxidiert. Auch andere Metalloxide als Hydroxylierungsmittel für Carotinoide oder zur Einführung von Oxo-Gruppen werden in der Literatur beschrieben[17].

Bei der Oxidation von β-Carotin oder Retro-dehydro-β-carotin mit Ammonium- oder Alkali-metaperjodaten in Gegenwart von Oxiden oder Halogeniden der Metalle der V–VIII Nebengruppe wird *Cantaxanthin* (*4,4'-Dioxo-β-carotin*) erhalten[18].

Mit Selendioxid in Tetrahydrofuran, Essigsäure, Benzol oder 1,4-Dioxan gelingt folgende Oxidation[19]:

---

[1] P. Karrer u. E. Jucker „*Carotinoide*", Verlag Birkhäuser, Basel 1948.
[2] L. Zechmeister, Fortschr. Chem. Org. Naturst. **15**, 31 (1958).
[3] R. Entschel u. P. Karrer, Helv. **41**, 402, 983 (1958).
[4] Fr. P. 1284477 ≡ US.P. 3068292 (1960/1962), Eastman Kodak, Erf.: A. J. Reedy u. J. D. Cawley; C. A. **58**, 14008 (1963).
[5] J. D. Surmatis u. R. Thommen, J. Org. Chem. **32**, 180 (1967).
[6] R. Entschel u. P. Karrer, Helv. **43**, 94 (1960).
[7] P. Karrer u. L. Jaeger, Helv. **46**, 688 (1963).
[8] J. D. Surmatis et al., Helv. **53**, 974 (1970).
[9] C. Martin u. P. Karrer, Helv. **42**, 464 (1959).
[10] Versuche im Hauptlaboratorium der BASF.
[11] W. Theilacker u. H. Wessel, A. **703**, 34 (1967).
[12] C. Bodea u. E. Nicoara, Rev. Roumaine Chim. **7**, 79 (1962); C. A. **59**, 6450 (1963).
[13] H. B. Henbest et al., Soc. **1957**, 4909.
[14] A. P. Leftwick u. B. C. L. Weedon, Chem. Commun. **1967**, 49.
[15] R. Holzel, A. P. Leftwick u. B. C. L. Weedon, Chem. Commun. **1969**, 128.
[16] R. K. Barua u. M. G. R. Nair, Nature **193** [Nr. 4811] 165 (1962).
[17] P. Karrer u. E. Jucker „*Carotinoide*", Verlag Birkhäuser, Basel 1948.
[18] Fr. P. 1541746 (1967); Rhône-Poulenc; C. A. **71**, 124729 (1969).
[19] Fr. P. 1484573 (1966), Eastman Kodak, Erf.: A. J. Reedy; C. A. **68**, 29903 (1968).

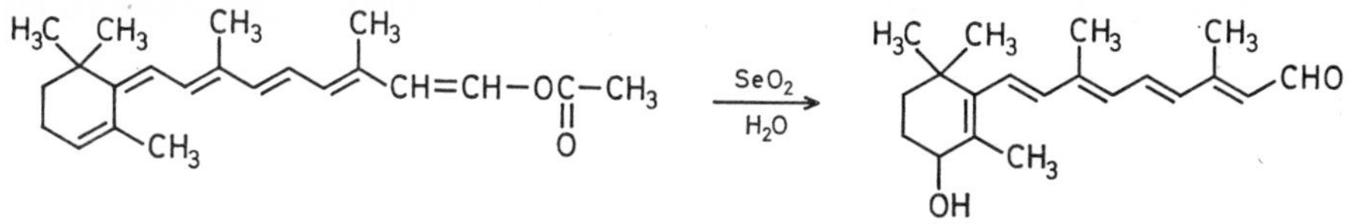

aus Vitamin A-Aldehyd + Essigsäureanhydrid

4-Hydroxy-Vitamin A-Aldehyd

Das bei der Oxidation von β-Carotin mit Tetralin-hydroperoxid in alkoholfreier Chloroform-Lösung zunächst entstehende 4,4'-Dihydroxy-Derivat wird sofort zum Keton weiter oxidiert[1].

Durch Autoxidation in Gegenwart von Kalium-tert.-butanolat wird z.B. Cantaxanthin in *Astacin* (40% d.Th.) übergeführt[2]:

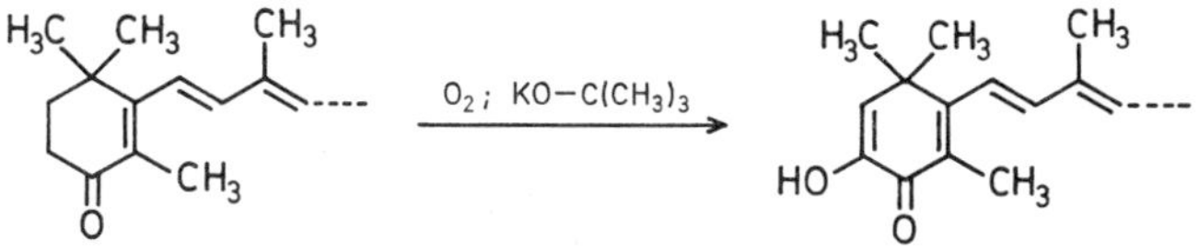

Für die Oxidation von Hydroxy- zu Oxo-Gruppen können neben Mangan(IV)-oxid auch Chinone[3,4], Nickelperoxid[5] oder Aluminiumtriisopropanolat[6] verwendet werden.

Ring-Oxo-Gruppen werden z.B. mit Alkaliboranaten zur Hydroxy-Gruppe reduziert[5].

Sehr gründlich untersucht worden ist die Einführung der Hydroxy-Gruppe in Carotinoide bei der Zersetzung ihrer Bortrifluorid-Komplexverbindungen[7,8].

Die Einführung von z.B. Brom-, Hydroxy-, Acyloxy-Gruppen usw. in Trimethylcyclohexen-Ringe durch Allyl-Umlagerung aus der Kette wird auf S. 74 besprochen.

b) Einfache Derivate von Substituenten an der Polyenkette und Wiedergewinnung von freien Substituenten aus den Derivaten

1. Reaktion der Hydroxy-Gruppe

Die Herstellung von niederen Alkyläthern aus längerkettigen Polyenalkoholen gelingt nach den üblichen Methoden, z.B.:

① mit Methyljodid und Silberoxid in Dimethylformamid[9]

② zunächst Herstellung des Lithiumalkoholats, danach Umsetzung mit Alkylhalogeniden oder Dimethylsulfat[10,11].

---

[1] C. Bodea et al., A. **627**, 237 (1959).
[2] J. B. Davis u. B. C. L. Weedon, Proc. Chem. Soc. **1960**, 182.
[3] A. P. Leftwick u. B. C. L. Weedon, Chem. Commun. **1967**, 49.
[4] A. P. Leftwick u. B. C. L. Weedon, Acta chem. scand. **20**, 1195 (1966).
[5] S. L. Jensen u. S. Hertzberg, Acta Chem. scand. **20**, 1703 (1966).
[6] J. D. Surmatis u. R. Thommen, J. Org. Chem. **32**, 180 (1967).
[7] L. Zechmeister, Fortschr. Chem. Org. Naturst. **15**, 31 (1958).
[8] W. V. Bush u. L. Zechmeister, Am. Soc. **80**, 2991 (1958).
[9] S. L. Jensen, Acta. chem. scand. **14**, 935 (1960).
[10] O. Isler et al., Helv. **32**, 489 (1949).
[11] A. R. Hanze et al., Am. Soc. **70**, 1253 (1948).

③ mit Methyl-, Äthyl-, Propyl- bzw. Butyljodid und Alkalimetallhydroxid in Aceton[1].

Bei UV-Bestrahlung von Vitamin A-Acetat in Methanol wird *Vitamin A-methyläther* gebildet[2].

Wenn im Verlauf von Polyen-Synthesen Hydroxy-Gruppen vorübergehend geschützt werden sollen, werden oft mit 2,3-Dihydro-pyran die Tetrahydropyranyläther hergestellt, die sich durch Säuren sehr leicht wieder spalten lassen.

Für analytische Bestimmungen ist von Bedeutung, daß sich tertiäre Hydroxy-Gruppen in Carotinoiden, die nicht quantitativ acetylierbar sind, quantitativ in die Trimethylsilyl-äther überführen lassen[3]. Zur Herstellung des *Vitamin A-trimethylsilyläther* für die gas-chromatographische Bestimmung siehe Lit.[4].

Die Herstellung von speziellen Polyenäthern aus den Alkoholen im Zusammenhang mit der Anwendung als Stabilisatoren kann hier nicht im einzelnen beschrieben werden.

Grundsätzlich ist auch die Veresterung von Polyenalkoholen mit niederen Fettsäuren nach gängigen Methoden möglich (z.B. mit Carbonsäure-halogeniden oder -anhydriden in Gegenwart von Pyridin[5-8]; s.a. S. 55). Die Acetylierung von Vitamin A kann auch mit Keten[9] oder mit 2-Acetoxy-propen in Dichlormethan in Gegenwart von Alkoholationen[10] erfolgen.

Zur Herstellung reiner kristallisierbarer Ester carotinoider Polyenalkohole mit höheren Fettsäuren, wie z.B. *Vitamin A-Palmitat*, setzt man entweder sehr reines Vitamin A (hergestellt durch Verseifung von Vitamin A-Acetat) in Gegenwart von basischen Katalysatoren (Natriummethanolat) mit Palmitinsäure-methylester um[11,12], oder man läßt direkt Vitamin A-Ester niederer Fettsäuren mit entsprechenden Estern einer höheren Fettsäure in Gegenwart alkalischer Umesterungskatalysatoren reagieren[12,13]. Auch *Vitamin A-Vitamin A-säureester* kann auf diesem Wege gewonnen werden[14].

Ein für Polyene besonders geeignetes Spezialverfahren ist die „Imidazolid"-Methode[15-17] mit besonders schonenden nichtsauren Reaktionsbedingungen. Das

---

[1] US.P. 2941009 (1958/1960), Eastman Kodak Co., Erf.: L. Weisler u. J. G. Baxter; C. A. **54**, 19756 (1960).
[2] M. Mousseron, Adv. Photochem. **4**, 195 (1966).
[3] A. McCormick u. S. L. Jensen, Acta chem. scand. **20**, 1989 (1966).
[4] M. Vecchi et al., Helv. **50**, 1243 (1967).
[5] H.-J. Kabbe, E. Truscheit u. K. Eiter, A. **684**, 14 (1965).
[6] O. Isler et al., Helv. **30**, 1911 (1947); **32**, 489 (1949).
[7] R. Rüegg et al., Helv. **42**, 854 (1959).
[8] DBP. 1156068 (1960); 1156795 (1962), Farbf. Bayer, Erf.: E. Truscheit, K. Eiter et al.; C. A. **60**, 10730 (1964).
[9] Fr. P. 1018326 (1950), L'Alimentation Equilibrée, Erf.: H. Chatain u. A. Fridenson; C. A. **52**, 1251 (1958).
[10] Belg. P. 547703 (1956), Hoffmann-La Roche.
[11] US. P. 2882286 (1955/1959), Eastman Kodak, Erf.: G. Y. Brokaw; C. A. **53**, 13518 (1959).
[12] Fr. P. 1243403 (1956), Eastman Kodak, Erf.: G. Y. Brokaw.
[13] DBP. 1005510 (1954); US. P. 2971966 (1957); Brit. P. 873889 (1959), Chas. Pfizer & Co., Erf.: W. E. Stieg u. A. T. Nielsen.
[14] Fr. P. 1357240 (1964), N. V. Philips' Gloeilampenfabr.; C. A. **61**, 4404 (1964).
[15] DBP. 1093357 (1959), BASF, Erf.: H. Pommer u. W. Sarnecki; C. A. **55**, 27149 (1961).
[16] DBP. 1085521 (1959), BASF, Erf.: W. Sarnecki; C. A. **55**, 23582 (1961).
[17] H. A. Staab, Ang. Ch. **71**, 194 (1959).
H. A. Staab, W. Rohr u. A. Mannschreck, Ang. Ch. **73**, 143 (1961).
H. A. Staab u. A. Mannschreck, B. **95**, 1284 (1962).
H. A. Staab u. W. Rohr, B. **95**, 1298 (1962).

Verfahren ist sowohl für die Veresterung von Polyenalkoholen oder Polyencarbonsäuren als auch für die Veresterung von Säuren und Alkoholen, die beide zur Polyengruppe gehören (Herstellung von *Vitamin A-Säure-vitamin A-ester*[1]) geeignet. Auch tert. Alkohole lassen sich nach der Imidazolid-Methode verestern. Je nach Spezialfall kann man miteinander umsetzen:

① Alkohol und katalytische Mengen Alkoholat mit N-Acyl-imidazol (aus der Carbonsäure + N,N'-Carbonyl-diimidazol) in geeigneten Lösungsmitteln

② Alkohol mit Carbonsäure und molaren Mengen N,N'-Carbonyl-diimidazol z.B. in Tetrahydrofuran im „Eintopfverfahren" (Zugabe des katalytisch wirkenden Alkoholats erst nach vollständiger Bildung des N-Acyl-imidazols, d.h. nach Beendigung der Kohlendioxid-Entwicklung).

③ Alkohol mit Säureanhydrid und Imidazol in geeigneten Lösungsmitteln. Nach dieser letzten für Acetoxy-Derivate besonders einfachen Methode kann man z.B. eine Suspension des rohen Vitamin A-Alkohols, der bei der Reduktion des Vitamin A-Säureesters mit $Na[AlH_2(C_2H_5)(OC_2H_5)]$ erhalten wird, in Octan mit Acetanhydrid in Gegenwart von Imidazol zu *Vitamin A-Acetat*[2] umsetzen (sehr gute Ausbeute).

2. Reaktion der Oxo-Gruppe

Die Überführung der Oxo-Gruppe in Oxime, Hydrazone, Azine, α-Hydroxynitrile usw. gelingt nach den allgemein üblichen (milden) Methoden (s. ds. Handb., Bd. X/2, X/3, X/4,). Zur Herstellung von Immonium-Verbindungen aus Polyenaldehyden und ähnliche Reaktionen s. ds. Bd., Kap. Cyanine, S. 231.

Eine besondere Bedeutung für den Aufbau von Polyenketten durch C—C-Verknüpfung haben die Polyenaldehydacetale[3] (s. S. 154). Als Acetalisierungsmittel für Polyenaldehyde wird Orthoameisensäure-triester in Gegenwart von Säure[4-7] (p-Toluolsulfonsäure, Phosphorsäure) oder auch von Ammoniumnitrat[4,8] verwendet. Man arbeitet in absolutem Alkohol unter schonenden Bedingungen. Die Tendenz der Polyenkette zur Alkohol-Anlagerung nimmt mit steigender Zahl der Doppelbindungen ab. Polyenaldehydcarbonsäuren können direkt mit Alkohol in Gegenwart von p-Toluolsulfonsäure oder Calciumchlorid mit guten Ausbeuten acetalisiert werden.

3. Reaktion der Carboxy-Gruppe

Neben den allgemein üblichen milden Veresterungsverfahren[9,10] ist für die Veresterung von Polyensäuren vor allem das besonders schonende „Imidazol-Veresterungs-Verfahren" herauszustellen[11], das bereits oben ausführlich beschrieben

---

1 H. A. Staab u. A. Mannschreck, B. **95**, 1284 (1962).
2 DBP. 1085521 (1959), BASF, Erf.: W. Sarnecki; C. A. **55**, 23582 (1961).
3 vgl. ds. Handb. Bd. VII/1, S. 417; Bd. VI/3, Kap. Acetale, S. 199.
4 O. Isler et al., Helv. **39**, 249 (1956).
5 O. Isler et al., Helv. **39**, 463 (1956).
6 U. Schwieter et al., Helv. **49**, 369 (1966).
7 R. Rüegg et al., Helv. **42**, 854 (1959).
8 Brit. P. 784628 (1955), BASF, Erf.: H. Pommer; C. A. **52**, 7346 (1958).
9 O. Isler et al., Helv. **32**, 489 (1949).
C. D. Robeson et al., Am. Soc. **77**, 4111 (1955).
10 s. ds. Handb., Bd. VIII, S. 503.
11 H. A. Staab, Ang. Ch. **71**, 194 (1959).
H. A. Staab, W. Rohr u. A. Mannschreck, Ang. Ch. **73**, 143 (1961).
H. A. Staab u. A. Mannschreck, B. **95**, 1284 (1962).
H. A. Staab u. W. Rohr, B. **95**, 1298 (1962).

wurde. *Vitamin A-Säure-äthylester* wird z.B. aus Vitamin A-Säure, N,N'-Carbonyldiimidazol und Äthanol (88% Rohausbeute)[1] hergestellt.

Vitamin A-thiosäure-S-methylester wurde aus Vitamin A-Säure-chlorid und Methylmercaptan[2] hergestellt.

Die Herstellung anderer Carbonsäure-Derivate aus Polyensäuren gelingt ebenfalls nach den üblichen Methoden[3] (vgl. die Herstellung von *Vitamin A-Säure-azid*[4]). Als Besonderheit ist hervorzuheben, daß bei der Umsetzung von carotinoiden „Retro"-carbonsäuren mit Phosphor(III)-chlorid zum Säure-chlorid quantitative Umlagerung ins „normale Doppelbindungssystem" erfolgt (vgl. S. 69)[5].

4. Rückgewinnung der freien Hydroxy-Gruppe

Zur Verseifung von Polyenalkoholestern zum freien Alkohol[6,7] sei nur kurz das Vitamin A-Acetat als Beispiel angeführt. Um reinen Vitamin A-Alkohol in guten Ausbeuten aus Vitamin A-Acetat zu erhalten, wird dieses durch Erwärmen auf 40–50° in methanolischer Lösung unter Zusatz von 0,03 Mol (bez. auf Acetat) eines basischen Katalysators (Natriummethanolat) verseift, der entstehende Essigsäuremethylester wird laufend abdestilliert (~ 95% d. Th.)[8,9].

5. Rückgewinnung der freien Aldehyd-(Formyl)-Gruppe

Bei Polyen-Synthesen ist häufig eine Hydrolyse von Acetal-, Enoläther- oder Enolester-Gruppen zum Aldehyd erforderlich (vgl. S. 97f., 154, 140). Diese Verseifungen sind leicht mit verdünnten Säuren (Chlorwasserstoff) zu erreichen[10]. Wenn ein Acetal, Enoläther oder Enolester der Carotinoid-Reihe mit Retro-Struktur vorliegt, kann bei der Hydrolyse zum Aldehyd gleichzeitig Umlagerung ins normale Doppelbindungssystem erfolgen.

6. Ersatz von Sauerstoff gegen Schwefel bzw. Selen in Polyenaldehyden

Polyenaldehyde lassen sich mit Schwefelwasserstoff in Polyen-thioaldehyde und mit Selenwasserstoff in Polyen-selenoaldehyde umwandeln[11], die wahrscheinlich in trimeren oder polymeren Formen vorliegen. Die Schwefel-Abspaltung aus zwei Mol Polyen-thioaldehyden unter Dimerisierung der beiden Polyen-Reste wird auf S. 83 besprochen.

---

[1] H. A. Staab u. A. Mannschreck, B. **95**, 1284 (1962).
[2] Brit. P. 646586 (1947), N. V. Organon; C. A. **45**, 9563 (1951).
[3] Vgl. ds. Handb., Bd. VIII, S. 647.
[4] DBP. 1156794 (1962), Farbw. Hoechst, Erf.: H. Ruschig u. G. Seidl; C. A. **60**, 3019 (1964).
[5] H. O. Huisman et al., R. **75**, 977 (1956).
[6] Vgl. ds. Handb., Bd. VI/1a.
[7] U. Schwieter et al., Helv. **49**, 369 (1966).
[8] DBP. 1117111 (1960), BASF, Erf.: W. Sarnecki, G. Synnatschke, W. Reif u. H. Pommer; C. A. **56**, 7446 (1962).
[9] O. Isler et al., Helv. **30**, 1911 (1947); **32**, 489 (1949).
[10] Vgl. ds. Handb., Bd. VII/1, S. 112.
[11] R. Kuhn, Ang. Ch. **50**, 703 (1937).

c) Oxidationen und Reduktionen von Substituenten an der Polyenkette

1. Oxidation

Die Oxidation von Axerophthen zu *Vitamin A* ($CH_3 \rightarrow CH_2OH$) gelingt mit Selendioxid in Gegenwart von Quecksilber(II)-Salzen und acylierenden Mitteln[1,2].

Für die Oxidation eines primären Polyenalkohols zum Aldehyd

$$\text{----}\!\!\diagup\!\!\!\diagdown\!\!\!\diagup\!\!\!\diagdown\!\!\!\diagup\!\!\!\diagdown\!\!-CH_2OH \longrightarrow \text{----}\!\!\diagup\!\!\!\diagdown\!\!\!\diagup\!\!\!\diagdown\!\!\!\diagup\!\!\!\diagdown\!\!-CHO$$

mit Mangan (IV)-oxid siehe ds. Handb., Bd. VII/1 S. 177 f. Hier wird vorwiegend auf die Oxidation von Vitamin A näher eingegangen.

Mit aktiviertem Mangan(IV)-oxid in Petroläther erhält man aus Vitamin A-Alkohol *Vitamin A-Aldehyd*. Die Ausbeuten sind sehr gut[3] (das Verfahren kann ganz allgemein auf Polyenalkohole in Äther, Petroläther, Aceton usw. angewendet werden[4–9]). Die C=C-Doppelbindungen der Polyenkette werden nicht angegriffen. Allerdings hängt die Reaktionsgeschwindigkeit sehr stark von der Aktivitätsstufe des Mangan(IV)-oxids ab (Stunden bis mehrere Tage oder auch mehrere Wochen). Außerdem muß das Mangan(IV)-oxid stets in großem Überschuß eingesetzt werden. Als Nebenreaktionen können Epoxide an der Doppelbindung im Cyclohexenring[10,11] oder Hydroxy-[12] bezw. Oxo-Gruppe[13] im Cyclohexenring gebildet werden.

Auch Blei(IV)-oxid kann zur Oxidation von Vitamin A-Alkohol zum *Vitamin A-Aldehyd* eingesetzt werden (65% d. Th.)[14].

Nickel(IV)-oxid hat sich als Oxidationsmittel für Polyen-Alkohole besonders gut bewährt[15,16]. Z. B. erhält man aus Vitamin A-Alkohol in Petroläther[17] *Vitamin A-Aldehyd* (80% d. Th.)[16]. Die Reaktionszeiten sind wesentlich kürzer als bei der Oxidation mit Mangan(IV)-oxid, ferner wird nur ein geringfügiger Überschuß an Nickelperoxid verwendet.

Bei Einsatz von Tetrachlor-p-benzochinon[18] als Oxidationsmittel für Vitamin A-Alkohol (~ 80% d. Th. *Vitamin A-Aldehyd*) wird am besten in Tetrahydrofuran, Dimethylformamid oder ähnlichen Lösungsmitteln gearbeitet, in denen beide Reaktionspartner löslich sind, die aber andererseits möglichst wenig mischbar mit

---

1 H. Pommer, Ang. Ch. **72**, 811 (1960).
2 DBP. 1026307 (1956), BASF, Erf.: H. Pommer; C. A. **54**, 12187 (1960).
3 S. Ball, T. W. Goodwin u. R. A. Morton, Biochem. J. **42**, 516 (1948).
4 O. Isler u. U. Schwieter, Dtsch. med. J. **16**, 576 (1965).
5 O. Isler u. P. Schudel, Adv. Org. Chem. **4**, 115 (1963).
6 U. Schwieter et al., Helv. **49**, 369 (1966).
7 H. H. Inhoffen, S. Bork u. U. Schwieter, A. **580**, 1 (1953).
8 R. Ahmad u. B. C. L. Weedon, Soc. **1953**, 3286.
9 J. D. Surmtis et al., Helv. **53**, 974 (1970).
10 M. Cormier, Bl. Soc. Chim. biol. **36**, 1255 (1954).
11 P. Meunier, J. Jouanneteau u. R. Ferrande, C. r. **230**, 140 (1950).
12 R. K. Barua u. M. G. R. Nair, Nature **193**, 165 (1962).
13 H. B. Henbest et al., Soc. **1957**, 4909.
14 Y. Mase, J. Vitaminology (Japan) **8**, 10–14 (1962).
15 Versuche im Hauptlaboratorium der BASF.
16 K. Nakagawa, R. Konaka u. T. Nakata, J. Org. Chem. **27**, 1597 (1962); hier auch Herstellung von Nickel(IV)-oxid.
17 Bei Oxidationen von primären Alkoholen mit Nickelperoxid in wäßrig-alkalischer Lösung entstehen die betreffenden Carbonsäuren[16].
18 DBP. 1254613 (1966), BASF, Erf.: H. König, W. Reif u. H. Pommer; C. A. **68**, 49818 (1968).

aliphatischen Kohlenwasserstoffen (Heptan, Octan) sind (oder durch Zusatz von Wasser unmischbar werden), um die Abtrennung des Vitamin A-Aldehyds durch Extraktion zu erleichtern. Als Nebenreaktion wird eine geringfügige Chlorierung der C=C-Doppelbindung beobachtet.

Zur Oxidation von Polyenalkoholen zum Aldehyd nach dem Prinzip der Oxidoreduktion, z. B. mit Aluminium-tri-tert.-butanolat oder anderen Aluminium-trialkanolaten und geeigneten Carbonyl-Verbindungen, s. ds. Handb., Bd. VII/1, S. 186).

Innerhalb einiger Stdn. gelingt es bei Zimmertemp., Vitamin A durch platin-katalysierte Oxidation mit Sauerstoff in Eisessig[1] zu *Vitamin A-Aldehyd* zu oxidieren.

3-Hydroxy-3,7-dimethyl-1-[2,6,6-trimethyl-cyclohexen-(1)-yl]-nonatetraen-(1,4,6,8) (I)

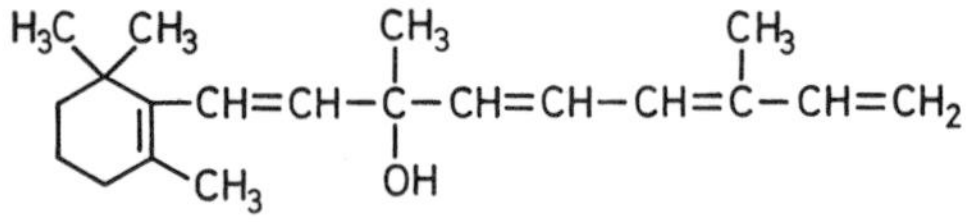

$$\text{(2,6,6-Trimethylcyclohexenyl)}-CH=CH-C(CH_3)(OH)-CH=CH-CH=C(CH_3)-CH=CH_2$$

I

wird bei Raumtemp. mit einem Bortrifluorid/Urotropin-Komplex unter Allyl-Umlagerung in eine Verbindung mit Vitamin A-Struktur oxidiert, die anstelle der Hydroxy-Gruppe einen basischen Rest enthält und durch anschließende Behandlung mit Jod in *Vitamin A-Aldehyd* übergeht (~ 50% d. Th.)[2]. Die Bildung von Anhydrovitamin A aus I durch Retro-Umlagerung bei der Allyl-Umlagerung (s. S. 71) wird bei dieser Methode vermieden.

Die Herstellung von Polyenaldehyden aus Polyenalkoholen über die Phosphorylide s. S. 187.

Die Herstellung von Polyen-ketonen aus den entsprechenden sekundären Alkoholen gelingt z.B. mit Mangan(IV)-oxid (s. ds. Handb., Bd. VII/2):

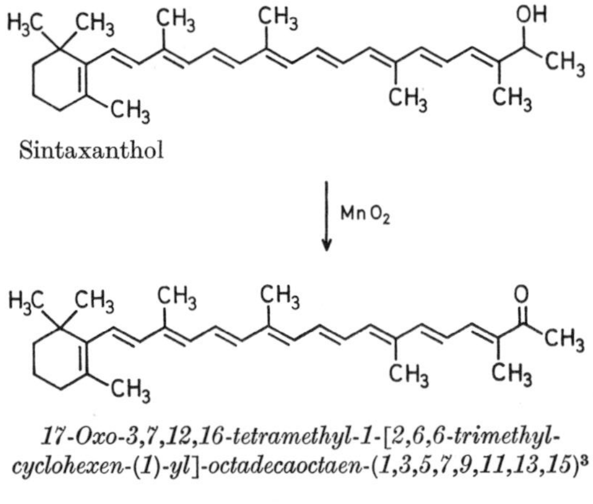

Sintaxanthol

$\downarrow MnO_2$

17-Oxo-3,7,12,16-tetramethyl-1-[2,6,6-trimethyl-cyclohexen-(1)-yl]-octadecaoctaen-(1,3,5,7,9,11,13,15)[3]

Über weitere Mangan(IV)-oxid-Oxidationen von Polyencarbinolen s. Literatur[4].

---

[1] P. Karrer, u. W. Hess, Helv. **40**, 265 (1957).

[2] US. P. 2819308, 2819310, 2819311, 2862031, 2945876, 3097244 (1955/57; 1958/63), Nopco Chemical Co; C. A. **52**, 10191 (1958).

[3] H. Yokoyama u. M. J. White, J. Org. Chem. **30**, 3994 (1965).

[4] Mit einem Perhydrothiophen-Ring, R. M. Acheson, J. A. Barltrop, M. Hichens u. R. E. Hichens, Soc. **1961**, 650.

Mit einem 2-Methyl-phenyl-Ring, K. R. Bharucha u. B. C. L. Weedon, Soc. **1953**, 1571.

Gleichzeitige Oxidation eines prim. und sek. Alkohols mit Mangan(IV)-oxid zum Keto-aldehyd s. J. D. Surmatis, J. Gibas u. R. Thommen, J. Org. Chem. **34**, 3039 (1969).

Häufig sind sekundäre Polyencarbinole mit Aluminium-tri-tert.-butanolat in Gegenwart von Aceton oder anderen Ketonen oxidiert worden, so erhält man z.B. aus 7-Hydroxy-3-methyl-octatrien-(1,3,5) *7-Oxo-3-methyl-octatrien-(1,3,5)*[1].

Während bei den Oxidationen mit Aluminium-tri-tert.-butanolat in Gegenwart von Ketonen sinngemäß jegliche Aldolkondensation vermieden werden muß, können umgekehrt absichtlich beide Reaktionen in einer Stufe ausgeführt werden, um z.B. einen primären oder sekundären Polyenalkohol direkt mit Aceton umzusetzen[2–6].

Zur Herstellung von Ketonen kann auch Tetrachlor-p-benzochinon als Oxidationsmittel eingesetzt werden[7,8].

Polyenhalogenide bzw. die entsprechenden Verbindungen mit einer C≡C-Dreifachbindung setzen sich mit dem Natriumsalz der Propan-2-nitronsäure über die entsprechenden (nicht isolierten) Nitronsäureester zum Aldehyd bzw. Keton und Aceton-oxim um[9]. So entsteht z.B. aus 1,8-Dibrom-2,7-dimethyl-octadien-(2,6)-in-(4) das *2,7-Dimethyl-octadien-(2,6)-in-(4)-dial*:

$$BrCH_2-\underset{CH_3}{\underset{|}{C}}=CH-C\equiv C-CH=\underset{CH_3}{\underset{|}{C}}-CH_2Br \longrightarrow OHC-\underset{CH_3}{\underset{|}{C}}=CH-C\equiv C-CH=\underset{CH_3}{\underset{|}{C}}-CHO$$

bzw. aus 2,9-Dibrom-3,8-dimethyl-decadien-(3,7)-in-(5) das *2,9-Dioxo-3,8-dimethyl-decadien-(3,7)-in-(5)*.

Polyenaldehyde werden mit Silberoxid zu Polyensäuren oxidiert:

$$\text{----}\!\!\diagup\!\!\diagdown\!\!\diagup\!\!\diagdown\!\!\diagup\!\!\diagdown\!\!-CHO \xrightarrow{Ag_2O} \text{----}\!\!\diagup\!\!\diagdown\!\!\diagup\!\!\diagdown\!\!\diagup\!\!\diagdown\!\!-COOH$$

So erhält man z.B. aus 7-Phenyl-heptatrien-(2,4,6)-al *7-Phenyl-heptatrien-(2,4,6)-säure*[10] bzw. aus Octatrien-(2,4,6)-dial *Octatrien-(2,4,6)-disäure*[11]. Beim Schütteln von Vitamin A-Aldehyd in alkalischem Medium (p_H = 10,5–11; RT) mit Silberoxid entstehen nebeneinander *Vitamin A-Säure* und *-Alkohol*[12]. Die *Vitamin A-Säure* kann durch Ansäuern der alkalischen Phase isoliert werden.

Polyen-methyl-ketone werden in üblicher Weise[13] mit Natriumhypochlorit unter Abspaltung der Methyl-Gruppe als Trichlormethan zur Carbonsäure oxidiert.

---

[1] G. W. H. Cheeseman et al., Soc. **1949**, 2031.
Vgl. J. M. Heilbron et al., Soc. **1949**, 2023.

[2] K. R. Bharucha u. B. C. L. Weedon, Soc. **1953**, 1571.

[3] P. Karrer u. C. H. Eugster, Helv. **34**, 1805 (1951).

[4] G. W. H. Cheeseman et al., Soc. **1949**, 2032.

[5] US. P. 2531567 (1948/1951), Glaxo Lab. Ltd., Erf.: J. M. Heilbron u. E. R. H. Jones; C. A. **45**, 4264 (1951).

[6] J. M. Heilbron, A. W. Johnsen u. W. E. Jones, Soc. **1939**, 1560.

[7] C. K. Warren u. B. C. L. Weedon, Soc. **1958**, 3972.

[8] S. L. Jensen, Acta chem. Scand. **19**, 1166 (1965).

[9] M. Montavon et al., Helv. **40**, 1250 (1957).

[10] A. Meisters u. P. C. Wailes, Australian J. Chem. **19**, 1215 (1966); C. A. **65**, 5393 (1966).

[11] G. A. Lapickij, S. M. Makin, A. E. Presnov u. G. A. Federova, Ž. vses. chim. Obšč. **11**, 584 (1966).
G. A. Lapickij, S. M. Makin u. G. M. Dymsakova, Ž. obšč. Chim. **34**, 2564 (1964); engl.: 2585.

[12] US. P. 2907796 (1957/1959), Nopco Chem. Co., Erf.: H. C. Klein; C. A. **54**, 3497 (1960).

[13] Vgl. ds. Handb., Bd. VIII, S. 415.

So erhält man z.B. aus Retinylidenaceton *β-Apo-14'-carotinsäure*[1] (78% d.Th.):

$$\text{(2,6,6-Trimethylcyclohexenyl)}-CH{=}CH-\underset{CH_3}{C}{=}CH-CH{=}CH-\underset{CH_3}{C}{=}CH-CH{=}CH-\underset{O}{\overset{\|}{C}}-CH_3 \xrightarrow{3\,NaOCl}$$

$$[\cdots CH{=}CH-CO-CCl_3] \xrightarrow{NaOH} \cdots\cdots CH{=}CH-COOH + CHCl_3$$

2. Reduktion

Polyen-aldehyde lassen sich zur Herstellung von primären Polyenalkoholen nach verschiedenen Methoden reduzieren[2]: Entweder mit Lithiumalanat [20° in Äther; z.B. *β*-Apo-carotinale zu *β*-Apo-carotinolen[3]; Vitamin A-Aldehyd zu *Vitamin A-Alkohol* (40% d.Th.)[4]], mit Alkalimetallboranaten (20° in Äther; z.B. Vitamin A- oder Vitamin A_2-Aldehyd zum *Alkohol*[5–7]; Vitamin A-Aldehyd/Phenol-Komplex zu *Vitamin A-Alkohol*[8]) bzw. mit Diisobutyl-aluminiumhydrid[9,10] (stark schwankende Ausbeuten), seltener mit Trialkyl-aluminium[9,11].

Auch mit Formaldehyd gelingt die Reduktion von Vitamin A-Aldehyd zum *Vitamin A-Alkohol*[12], mit Silberoxid tritt Disproportionierung zu *Vitamin A-Säure* und *-Alkohol* ein[13].

Durch Zusatz von Essigsäureanhydrid bei der Reduktion von Vitamin A-Aldehyd mit Lithiumalanat entsteht direkt *Vitamin A-Acetat*[14].

Für die Reduktion der Polyenketone zu sekundären Alkoholen können grundsätzlich die gleichen Reduktionsmittel verwendet werden wie für die Reduktion von Polyenaldehyden. Auch die Reduktion von Polyendiketonen zu den entsprechenden Polyenglykolen gelingt mit Lithiumalanat in Äther in guten Ausbeuten[15]. Eine Reduktion mit Borhydrid unter gleichzeitiger Wasser-Abspaltung beim Ansäuren wird auf S. 39 beschrieben.

Bei C_{40}- und C_{50}-Carotinoid-Ketonen wurden zwei Oxo-Gruppen in der Polyenkette mit Aluminium-triisopropanolat zum sek. Alkohol reduziert[16].

---

[1] H. H. Haeck, T. Kralt u. P. H. Leeuwen, R. **85**, 334 (1966).
[2] Vgl. ds. Handb., Bd. IV/1, Kap. Reduktion.
[3] R. Rüegg et al., Helv. **42**, 854 (1959).
[4] Y. Mase, J. Vitaminology (Japan) **8**, 10 (1962).
[5] O. Isler u. U. Schwieter, Dtsch. med. J. **16**, 576 (1965).
[6] Ž. A. Krasnaja u. V. F. Kučerov, Izv. Akad. SSSR **1961**, 1160; engl.: 1078; Ž. obšč. Chim. **32**, 64 (1962); engl.: 63.
[7] DBP. 1117570 (1959), Bayer, Erf.: K. Eiter u. E. Truscheit; C. A. **56**, 8758 (1956).
[8] DBP. 1023036 (1956), Eastman Kodak Co., Erf.: O. D. Hawks; C. A. **54**, 5738 (1960).
[9] Brit. P. 801417 (1956), N. V. Philips' Gloeilampen-Fabr., Erf.: H. O. Huisman; C. A. **53**, 10076 (1959).
[10] H. H. Haeck u. T. Kralt, R. **85**, 343 (1966).
[11] DBP. 1041950 (1956); Belg. P. 550990 (1956), N. V. Philips' Gloeilampen-Fabr., Erf.: H. O. Huisman u. A. Smit; C. A. **53**, 22068 (1959)
[12] Brit. P. 841813 (1958), Nopco Chem. Co., ; C. A. **57**, 2268 (1962).
[13] US. P. 2907796 (1957/1959), Nopco Chem. Co., Erf.: H. C. Klein; C. A. **54**, 3497 (1960).
[14] US. P. 2913487 (1958/1959), Nopco Chem. Co., Erf.: D. R. Grassetti u. H. C. Klein; C. A. **54**, 3497 (1960).
[15] F. Bohlmann, B. **85**, 386 (1952).
[16] O. Isler et al., A. **603**, 129 (1957).

Die Reduktion von freien Polyencarbonsäuren, ihren Chloriden bzw. Estern ist zur Gewinnung von Polyenaldehyden ungeeignet, auch bei Verwendung von Lithiumalanat entstehen direkt die Alkohole. Die Reduktion von Carbonsäure-amiden zu Aldehyden gelingt ebenfalls meistens nicht oder nur schlecht. Eine Ausnahme bilden die N-Acyl-carbazole[1]; z.B.:

$$C_6H_5-(CH{=}CH)_4-CO-N(\text{Carbazolyl}) \xrightarrow[\sim 80\,\%]{LiAlH_4} C_6H_5-(CH{=}CH)_4-CHO$$

9-Phenyl-nonatetraen-(2,4,6,8)-al

Allgemeine praktische Bedeutung für die Herstellung von Polyenaldehyden aus Carbonsäure-Derivaten hat nur die Reduktion von Polyen-carbonsäure-nitrilen über Aldimine als Zwischenstufen mit Diisobutyl-aluminiumhydrid oder anderen Dialkyl-aluminiumhydriden in Petroläther, 1,4-Dioxan und anderen inerten Lösungsmitteln bei Raumtemperatur bzw. zwischen $-50°$ und $+50°$:

$$\cdots CN \xrightarrow{HAlR_2} \cdots CH{=}NH \xrightarrow{H_2O} \cdots CHO$$

Das Aldimin wird in wäßrigem Medium mit verdünnten Säuren (z.B. verdünnter Schwefelsäure) zum Aldehyd hydrolysiert. So erhält man z.B. aus Vitamin A-Säurenitril *Vitamin A-Aldehyd*[2] und aus Polyen-dicarbonsäure-dinitrilen Polyendiale[3].

Die Reduktion der Carbonsäure-nitrile gelingt auch durch katalytische Hydrierung in saurem Medium mit Raney-Nickel[4] bzw. mit Hypophosphiten und Raney-Nickel in einem Lösungsmittelgemisch aus Wasser, Eisessig und Pyridin[5].

Die Reduktion von Imidchloriden mit Chrom(II)-chlorid[6] oder von Carbonsäure-nitrilen mit Zinn(II)-halogeniden[7] ist für die Herstellung von Polyenaldehyden mit 3 oder mehr konjugierten C=C-Doppelbindungen in der Kette nicht geeignet.

Während die Reduktion von Polyen-carbonsäureestern stets direkt zum Alkohol führt, gelang es bei der Umsetzung von Vitamin A-thiocarbonsäure-S-methylester mit Raney-Nickel ein Gemisch aus *Vitamin A* und *Vitamin A-Aldehyd* zu erhalten[8]:

$$\cdots CO-SR \xrightarrow{H_2;\ Raney-Ni} \cdots CHO + \cdots CH_2OH$$

Die Reduktion von Polyencarbonsäuren, bzw. deren Estern oder Chloriden zu Polyenalkoholen bei niederen Temperaturen mit Lithiumalanat ist als Laborverfahren gut geeignet. Z.T. sind die Ausbeuten fast quantitativ. Am besten gelingt die Reaktion, wenn die Carbonsäureester eingesetzt werden:

---

[1] G. WITTIG u. P. HORNBERGER, A. **577**, 11 (1952).

[2] DBP. 1041950 (1956); Belg. P. 550990 (1956), N. V. Philips' Gloeilampen-Fabr., Erf.: H. O. HUISMAN u. A. SMIT; C. A. **53**, 22068 (1959).

[3] H. H. HAECK u. T. KRALT, R. **85**, 343 (1966).

[4] Belg.P. 668826 ≡ Niederl.P. 6409913 (1965), N.V. Philips' Gloeilampen-Fabr.; C. A. **65**, 3917 (1966).

[5] Belg.P. 644954 (1964) ≡ Niederl.P. 6401332 (1963), Hoffmann-La Roche; C. A. **62**, 9182 (1965).

[6] R. KUHN u. C. I. O. R. MORRIS, B. **70**, 857 (1937).

[7] G. WITTIG, B. **72**, 1387 (1939).

[8] Brit. P. 646586 (1947), N. V. Organon; C. A. **45**, 9563 (1951).

2,7-Dimethyl-octatrien-(2,4,6)-disäure-dimethylester	→	*2,7-Dimethyl-octatrien-(2,4,6)-diol-(1,8)*[1]
β-C_{17}-Säure-ester (s. S. 11)	→	*5-Methyl-7-[2,6,6-trimethyl-cyclohexen-(1)-yl]-heptatrien-(2,4,6)-ol*[2]
Vitamin A-Säureester	→	*Vitamin A-Alkohol*[3]
Vitamin A_2-Säureester	→	*Vitamin A_2-Alkohol*[4]
5,6-Dihydro-Vitamin A-Säure	→	*5,6-Dihydro-Vitamin A-Alkohol*[5]
Vitamin A-Säure-chlorid	→	*Vitamin A-Alkohol*[6]

Auch mit Diisobutyl-aluminiumhydrid oder anderen Dialkyl-aluminiumhydriden läßt sich z.B. Vitamin A-Säure, -ester oder -halogenid zu *Vitamin A-Alkohol* reduzieren[7-9].

Eine besondere Gruppe von Reduktionsmitteln speziell für Polyensäureester sind die Alkoxy-alkyl-aluminiumhydride oder deren Komplexverbindungen mit Alkalimetall- oder Erdalkalimetall-hydriden[10], die sich nicht an der Luft oder durch Wassereinwirkung entzünden und sich in nicht zur Peroxidbildung neigenden Kohlenwasserstoffen (Hexan, Heptan, Octan) umsetzen lassen. Die Ausbeuten sind sehr gut. So ist dieses Reduktionsverfahren insbesondere dann vorteilhaft, wenn größere Mengen eines Polyensäureesters oder auch der freien Säure relativ gefahrlos zum Alkohol reduziert werden sollen. Für die Reduktion von Vitamin A-Säureester zum *Vitamin A* (~95% d.Th.)[11] erwies sich Natrium-äthoxy-äthyl-aluminium-dihydrid $\{Na[AlH_2(C_2H_5)(OC_2H_5)]\}$ in Octan als besonders günstig und für acetalisierte Oxo-polyensäureester (vgl. S. 157) Natrium-diäthoxy-aluminium-dihydrid $\{Na[AlH_2(OC_2H_5)_2]\}$[11]. Die erhaltenen Alkohole können gegebenenfalls direkt im Reaktionsgemisch acyliert oder in anderer Weise weiter umgesetzt werden.

Mit Lithiumalanat oder anderen Metallhydriden kann Vitamin A-Säure-nitril zum *Vitamin A-Amin*[12] reduziert werden.

d) Substitutionsreaktionen in der Polyenkette

1. Substitution von Wasserstoff in der Polyenkette gegen Substituenten

Die Substitution von Wasserstoff in Polyenketten ist selten präparativ durchgeführt worden. Bekannt ist z. B. die Nitrierung von Hexatrien-(1,3,5) zum *Mononitro-hexatrien-(1,3,5)*[13] (10% d.Th.). Eine Aldehyd-Gruppe läßt sich in 1,ω-Diphenyl-polyenen (n = 3,4) durch Vilsmeier-Formylierung (über Immonium-perchlorate als

---

1 E. Buchta u. F. Andree, A. **640**, 29 (1961).
2 H. H. Inhoffen, F. Bohlmann u. M. Bohlmann, A. **565**, 35 (1949).
3 O. Schwarzkopf et al., Helv. **32**, 443 (1949).
4 U. Schwieter et al., Helv. **45**, 541 (1962).
5 P. E. Blatz et al., Am. Soc. **90**, 3282 (1968).
6 H. O. Huisman et al., R. **75**, 977 (1956).
7 Belg.P. 550988 (1956) ≡ Fr.P. 1156718 (1956), N.V. Philips' Gleilampen-Fabr., Erf. H. O. Huisman; C. C. **1959**, 12942.
8 Brit. P. 803178 (1958) ≡ US. P. 3143542 (1956), K. Ziegler; C. A. **53**, 6985 (1959).
9 Vgl. ds .Handb. Bd. XIII/4, S. 217 (Arbeitsvorschrift und weitere Literatur).
10 DBP. 1126872 (1958), BASF, Erf.: W. Sarnecki, M. Schwarzmann, H. Pommer, G. Hamprecht u. G. Hummel; C. A. **57**, 7172 (1962).
11 H. Pommer, Ang. Ch. **72**, 811 (1960).
12 US. P. 2583194 (1948/1952), Eastman Kodak Co., Erf.: L. Weisler; C. A. **46**, 9604 (1952).
13 G. F. Woods, N. C. Bolgiano u. D. E. Duggan, Am. Soc. **77**, 1800 (1955).

Zwischenstufe und anschließende Hydrolyse mit wäßrigem Natriumacetat) in der Kette in 1-Stellung einführen[1]:

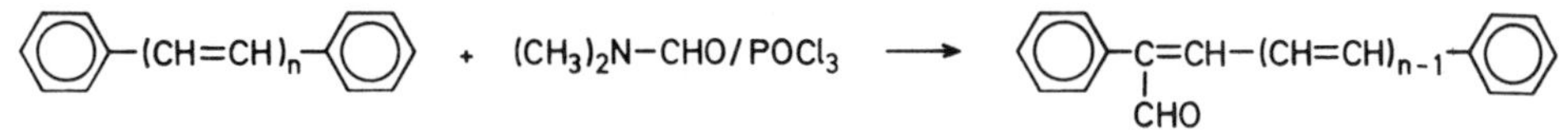

$$C_6H_5-(CH{=}CH)_n-C_6H_5 + (CH_3)_2N-CHO/POCl_3 \longrightarrow C_6H_5-C(CHO){=}CH-(CH{=}CH)_{n-1}-C_6H_5$$

n = 3; *2,7-Diphenyl-heptatrien-(2,4,6)-al*
n = 4; *2,9-Diphenyl-nonatetraen-(2,4,6,8)-al*

Die Substitutions-Reaktion von β-Carotin u. a. Polyenen mit Hexafluorthioaceton unter Doppelbindungsverschiebung wird in der Literatur ebenfalls beschrieben[2].

2. Sonstige Substitutionsreaktionen in der Polyenkette

Der Austausch von Hydroxy-Gruppen gegen Halogen erfolgt nach den allgemein üblichen Methoden[3].

Im Zuge von Arbeiten zur Verhinderung der Retro-Umlagerung bei Allyl-Umlagerungen an Vorprodukten für die Vitamin A-Synthese wurde ein Verfahren entwickelt, bei dem aus Polyen-Carbinolen über Bortrifluorid/Urotropin Komplexe durch Behandlung mit Aluminium-triisopropanolat z.B. *Vitamin A-Amin* gewonnen wird[4] (durch Behandlung der Komplexe mit Jod dagegen *Vitamin A-Aldehyd* s. S. 182).

Zahlreiche Substitutionsreaktionen an Polyenketten sind über den Umweg der Herstellung von Polyen-phosphonium-salzen möglich, die ihrerseits aus Polyen-alkoholen, -halogeniden, -alkoholestern (und -äthern) zugänglich sind. Wenn man die aus den Polyen-phosphonium-Salzen in situ durch Basen erhältlichen Ylide (siehe S. 91) z. B. mit Nitrosobenzol umsetzt, erhält man die Schiff'schen Basen, die sich zu den entsprechenden Carbonyl-Verbindungen hydrolysieren lassen[5-7]. Vgl. aber auch die auf S. 127 beschriebene Dimersierungsreaktion bei Verwendung von 4-Nitroso-N,N-dimethyl-anilin. Die einzelnen Nitroso-Verbindungen reagieren mit den Yliden jeweils in verschiedener Richtung! Dies zeigen auch die folgenden Beispiele:

Mit p-Toluolsulfonsäure-N-nitroso-methylamid ergeben Polyenphosphorylide in guten Ausbeuten die entsprechenden Nitrile[7,8], z. B.:

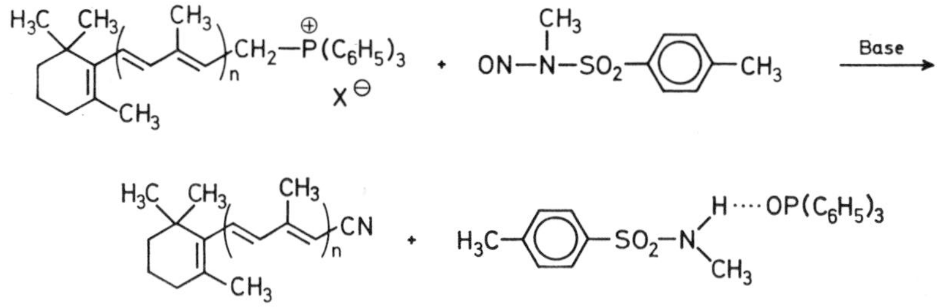

$$R-CH_2-\overset{\oplus}{P}(C_6H_5)_3\ X^{\ominus} + ON-N(CH_3)-SO_2-C_6H_4-CH_3 \xrightarrow{Base} R-CN + H_3C-C_6H_4-SO_2-N(CH_3)H\cdots OP(C_6H_5)_3$$

n = 1; *3-Methyl-5-[2,6,6-trimethyl-cyclohexen-(1)-yl]-pentadien-(2,4)-säure-nitril* (β-Ionyliden-*acetonitril*) (75% d.Th.)
n = 2; *3,7-Dimethyl-9-[2,6,6-trimethyl-cyclohexen-(1)-yl]-nonatetraen-(2,4,6,8)-säure-nitril* (*Vitamin A-Säure-nitril*) (78% d.Th.)
n = 3; *3,7,11-Trimethyl-13-[2,6,6-trimethyl-cylohexen-(1)-yl]-tridecahexaen-(2,4,6,8,10,12)-säure-nitril* (*β-Apo-12'-carotinsäure-nitril*) (65% d.Th.)
n = 4; *β-Apo-8'-carotinsäure-nitril* (51% d.Th.)

(Die Reaktion läßt sich auch als Eintopfverfahren ohne Isolierung des Phosphonium-salzes durchführen)

[1] C. Jutz u. R. Heinicke, B. **102**, 623 (1969).

(Fortsetzung s. S. 188)

Theoretisch interessant ist die Reaktion von N-Nitroso-N-methyl-harnstoff mit Polyen-Phosphoniumsalzen zu den Polyen-kohlenwasserstoffen[1], die den Phosphoniumsalzen zu Grunde liegen[2].

Diese Polyen-Grundkohlenwasserstoffe lassen sich präparativ leicht durch Spaltung der Phosphoniumsalze mit wäßrigen Lösungen von Alkalimetall-alkoholaten oder -hydroxiden herstellen[3,4, vgl. 5–7]. So entsteht z.B. aus dem Retinyl-triphenyl-phosphoniumsalz in glatter Reaktion mit guten Ausbeuten *Axerophthen*[3]:

$$\text{Retinyl-}CH_2-\overset{\oplus}{P}(C_6H_5)_3\ X^{\ominus} \xrightarrow[80\,\%]{\text{wäßr. KOH}} \text{Axerophthen}$$

Eine weitere Gruppe von Substitutionsreaktionen an Polyenketten steht im Zusammenhang mit der Vilsmeier-Formylierung. Durch Zusatz von Wasser oder Alkohol läßt sich z.B. die Reaktivität des Vilsmeier-Reagenz so weit abschwächen, daß eine Kettenformylierung (s. S. 187) unterdrückt wird und folgende Umsetzungen erfolgen[8, vgl. 9]:

$$H_3C-(CH=CH)_3-CHO \quad + \quad (H_3C)_2N-CHO/POCl_3 \xrightarrow{NaClO_4}$$

$$\underset{74\,\%\ \text{d. Th.}}{[(H_3C)_2N=CH-(CH=CH)_4-Cl]^{\oplus}\,ClO_4^{\ominus}} \xrightarrow[-HCl]{+HN(CH_3)_2} \underset{I,\ 80\,\%\ \text{d.Th.}}{[(H_3C)_2N=CH-(CH=CH)_4-N(CH_3)_2]^{\oplus}\,ClO_4^{\ominus}}$$

Die Immoniumsalze vom Typ I, die auch auf andere Weise erhalten werden können[10], lassen sich mit wäßriger Lauge in N-Methyl-pyrrolidon zum ω-Dimethylamino-polyenaldehyd oder auch zum Alkalimetall-Salz des betreffenden ω-Hydroxy-polyenaldehyds umsetzen[10] (näheres siehe Originallit.[10]):

---

1 A. Nürrenbach u. H. Pommer, A. **721**, 34 (1969).

2 Mit N-Nitroso-N-methyl-urethan verlaufen bei der Umsetzung mit Polyen-Phosphoniumsalzen alle vier genannten Reaktionstypen nebeneinander[1].

3 H. Pommer, Ang. Ch. **72**, 911 (1960).

4 H. Freyschlag et al., Ang. Ch. **77**, 277 (1965).

5 L. Horner et al., B. **91**, 52 (1958).

6 M. Schlosser, Ang. Ch. **74**, 291 (1962).

7 M. Zanger et al., Am. Soc. **81**, 3806 (1959).

8 H. E. Nikolajewski, S. Dähne u. B. Hirsch, B. **100**, 2616 (1967).

9 H. E. Nikolajewski et al., Ang. Ch. **78**, 1063 (1966).

10 S. S. Malhotra u. M. C. Whiting, Soc. **1960**, 3812.

(Fortsetzung v. S. 187)

2 W. J. Middleton, J. Org. Chem. **30**, 1395 (1965).

3 Vgl. ds. Handb., Bd. V/3, V/4; s. a. S. 69, 93.

4 US.P. 2819309 (1955/1958), NOPCO-Chem. Co., Erf.: K. H. Schaaf, H. C. Klein u. R. Kapp; C. A. **52**, 10191 (1958).
US.P. 2945876 (1957), NOPCO-Chem. Co., Erf.: H. C. Klein; C. A. **55**, 608 (1961).

5 DBP. 1048568 (1957/1960), BASF, Erf.: G. Wittig, U. Schöllkopf u. H. Pommer; C. A. **55**, 4576 (1961).

6 U. Schöllkopf, Ang. Ch. **71**, 260 (1959).

7 A. Nürrenbach u. H. Pommer, A. **721**, 34 (1969).

8 DBP. 1259890 (1965), BASF, Erf.: A. Nürrenbach, W. Reif u. H. Freyschlag; C. A. **69**, 19334 (1968).

$$[(H_3C)_2N{=}CH{-}(CH{=}CH)_4{-}N(CH_3)_2]^{\oplus}\ ClO_4^{\ominus} \longrightarrow$$

$$\longrightarrow (H_3C)_2N{-}(CH{=}CH)_4{-}CHO$$

9-Dimethylamino-nonatetraen-(2,4,6,8)-al 75% d. Th.

$$\longrightarrow HO{-}(CH{=}CH)_4{-}CHO$$

9-Hydroxy-nonatetraen-(2,4,6,8)-al, K-Salz

Immoniumsalze, die aus Vinylogen von α,β-ungesättigten Methyl-ketonen, z. B. 5-Oxo-1-phenyl-hexadien-(1,3) und Vilsmeier-Reagenz erhalten werden, können durch Hydrolyse in wäßriger Natriumacetat-Lösung zum β-Chlor-polyenaldehyd verseift werden[1]; z. B.:

$$\left[C_6H_5{-}CH{=}CH{-}CH{=}CH{-}\underset{\displaystyle Cl}{\overset{|}{C}}{=}CH{-}CH{=}N(CH_3)_2\right]^{\oplus} X^{\ominus} \xrightarrow{92\,\%}$$

$$C_6H_5{-}CH{=}CH{-}CH{=}CH{-}\underset{\displaystyle Cl}{\overset{|}{C}}{=}CH{-}CHO$$

3-Chlor-7-phenyl-heptatrien-(2,4,6)-al

e) C-Metall-Polyene und Metall-Komplex-Verbindungen

Zur Herstellung von C-Metall-Polyenen

$$\cdots\cdots\overset{\displaystyle M}{\overset{|}{C}}{=}CH\cdots\cdots$$

vgl. a. ds. Handb., Bd. XIII. Lithium-polyene[2] wurden bereits auf S. 85f. besprochen (Alkalimetall-polyene vgl. auch Lit.[3]).

Als erster Vertreter eines Silicium-organischen Triens wurde *4-Triäthylsilyl-2-methyl-hexatrien-(1,3,5)* hergestellt[4].

Sehr häufig sind Metallcarbonyl-Komplexe[5] sowohl von nichtcarotinoiden als auch von carotinoiden Polyenen hergestellt worden, meistens im Zusammenhang mit theoretischen Untersuchungen z.B. über *cis-trans*-Isomere oder allgemein über π-Komplexe. Die Komplexe lassen sich z.B. durch Eisen(III)-chlorid zersetzen.

Zur Herstellung des *Vitamin A-Aldehyd-Eisentricarbonyl-Komplexes* (45% d.Th.)[6] kocht man Vitamin A-Aldehyd mit Trieisen-dodecacarbonyl $[Fe_3(CO)_{12}]$ in Benzol 12 Stdn. am Rückfluß.

Weitere Beispiele für Carbonyl-Polyen-Komplexe s. Tab. 11.

---

[1] J. Lötzbeyer u. K. Bodendorf, B. **100**, 2620 (1967).
[2] Vgl. ds. Handb. Bd. XIII/1, Kap. Lithium-organische Verbindungen.
[3] US.P. 3090819 (1959/1963), Ethyl Corp., Erf.: W. E. Foster; C. A. **59**, 11245 (1963).
[4] A. D. Petrov u. S. I. Sadyech-Zade, Doklady Akad. SSSR **129**, 584 (1959).
[5] Vgl. ds. Handb., Bd. XIII/8, Kap. Metall-π-Komplexe.
[6] A. J. Birch u. H. Fitton, Soc. [C] **1966**, 2060; vgl. Chem. Commun. **1966**, 613.

Tab. 11. Metall-π-Komplexe verschiedener Polyene s.a.[1]

Ausgangspolyen	Carbonyl-Verbindung	Reaktionsprodukt	Literatur
Hexatrien-(1,3,5)	$Fe_2(CO)_9$	Gemisch von versch. Carbonylkomplexen	2
Alloocimen	$Fe(CO)_5$ oder $Cr(CO)_6$	*Alloocimen-Eisen*-bzw.-*Chrom-tricarbonyl-Komplexe*	3
Methyl-hexatriene	$Fe(CO)_5$ oder $Cr(CO)_6$	*Methyl-hexatrien-Eisen*-bzw.-*Chrom-tricarbonyl-Komplexe*	3
1,6-Diphenyl-hexatrien-(1,3,5)	$Fe(CO)_5$	*1-6,Diphenyl-hexatrien-(1,3,5)-Eisen-tricarbonyl-Komplex*	4
Vitamin A-Acetat	$Fe_3(CO)_{12}$ [$Fe(CO)_5$ ist weniger günstig]	Gemisch von 3 verschiedenen *Vitamin A-Acetat-Eisentricarbonyl-Komplexen*	5
β-Carotin	$Fe_3(CO)_{12}$	*β-Carotin-tetrakis-[Eisentricarbonyl]-Komplex*	6

Komplexverbindungen von Polyenen (insbesondere von Carotinoiden) mit verschiedenen Lewis-Säuren [Antimon(III)- und (V)-chlorid, Titan(IV)-chlorid, Bortrifluorid usw.] haben theoretisches Interesse (s. S. 16), aber auch praktische Bedeutung für colorimetrische Analysen (s. S. 32) und werden darüber hinaus präparativ eingesetzt: Z.B. sind Titan(IV)-chlorid-Komplexe[7] von Carotinoiden Zwischenstufen für Dehydrierungen im 2,6,6-Trimethyl-cyclohexen-Ring (s. S. 173) oder für Cyclisierungen an carotinoiden Endgruppen[8]. Die Spaltung von carotinoiden Bortrifluorid-Komplexen[9,10] führt je nach der Art des Spaltungsmittels zu einer Vielfalt von Dehydro, Retrodehydro- oder in 4-Stellung durch Hydroxy-, Äther-, Ester-, Oxo-Gruppen usw. substituierten Verbindungen (s. S. 176f.).

Komplex-Verbindungen aus Polyenen und Hydroxy-Verbindungen sind vor allem bei Carotinoiden untersucht worden, insbesondere Vitamin A-Aldehyd-Komplexe (1:1) oder (3:1) mit verschiedenen Phenolen[11–13]. Die Komplexe kristallisieren

---

[1] M. Cais u. N. Maoz, J. Organometallic Chem. **5**, 370 (1966); Modellversuche für Vitamin A-Komplexe mit Eisencarbonylen.
[2] H. D. Murdoch u. E. Weiss, Helv. **46**, 1588 (1963).
[3] US.P. 3111533 (1961/1963), 3135776 (1961/1964), Ethyl Corp., Erf.: G. G. Ecke; C. A. **60**, 3016 (1964); **61**, 13344 (1964).
[4] H. W. Whitlock u. Y. N. Chuah, Am. Soc. **86**, 5030 (1964); Inorg. Chem. **4**, 424 (1965).
[5] A. Nakamura u. M. Tsutsui, J. med. Chem. **7**, 335 (1964).
[6] M. Ichikawa, M. Tsutsui u. F. Vohwinkel, Z. Naturf. **22** [b], 376 (1967).
[7] V. Tamas u. C. Bodea, Rev. Roumaine Chim. **12**, 1517 (1967); **14**, 141, 959, 1591 (1969).
[8] C. Bodea, Pure Appl. Chem. **20**, 517 (1969).
[9] L. Zechmeister, Fortschr. Chem. Org. Naturst. **15**, 31 (1958).
[10] W. V. Bush u. L. Zechmeister, Am. Soc. **80**, 2991 (1958).
[11] US.P. 2683746/7 (1952/1954), 2765343 (1955/57); DBP 1019298 (1956), Eastman Kodak Co., Erf.: C. H. Benton u. C. D. Robeson; C. A. **49**, 10375 (1955); **51**, 6696 (1957); **53**, 18982 (1959).

(Fortsetzung s. S. 191)

häufig sehr leicht und sind daher z. B. zur Trennung von *cis-trans*-Isomeren geeignet. Auch zur Stabilisierung von Vitamin A-Produkten kann die Möglichkeit zur Komplexbildung Bedeutung haben.

VI. Isolierung von offenkettigen Polyenen aus Naturstoffen

a) nichtcarotinoide Polyene

Im Zusammenhang mit der Konstitutionsaufklärung von Naturstoffen und biogenetischen Fragen wurden zahlreiche Polyene aus pflanzlichen ätherischen Ölen, aus Holz usw. isoliert. Einige Beispiele seien genannt:

2,6-Dimethyl-octatetraen-(1,3,5,7) („*Cosmen*“)[1] aus dem ätherischen Öl von cosmos bipimatus
Undecatrien-(1,3,5)[2] aus Galbanum-Essenz
Dodecatetraen-(2,4,6,8)-diol-(1,12)[3] aus Poria-Arten
Octadecatrien-(9,11,13)-säure[4,5] aus Samenölen
3-Oxo-octadecatrien-(9,11,13)-säure (*Licansäure*)[5] aus Samenölen
Octadecatrien-(8,10,12)-säure[6] aus Samenölen
Tetradecahexen-(2,4,6,8,10,12)-disäure-dimethylester[7] (*Corticrocin*) aus Pibomycelien
6-[Heptatrien-(1,3,5)-yl]-2,3,4,5-tetrahydro-pyridin (*Nigrifactin*)[8] aus einem Streptomyces-Stamm

Weitere Polyene aus Naturstoffen sind in der Lit. beschrieben [vgl. 9].

Verschiedene Polyene wurden auch im Zusammenhang mit der intensiv bearbeiteten Isolierung von Polyacetylen-Verbindungen aus Naturstoffen erhalten[10].

Praktische Bedeutung als „trocknende Säuren“ und als Modellsubstanzen für chemische Untersuchungen besitzen die α- und *β-Eläostearinsäure* (*cis-trans*-Isomere). Das Glycerid der α-Form bildet den Hauptbestandteil des chinesischen und japanischen Holzöles:

$$H_3C-(CH_2)_3-CH=CH-CH=CH-CH=CH-(CH_2)_7-COOH$$

---

[1] J. S. Sörensen u. N. A. Sörensen, Acta chem. Scand. **8**, 284 (1954).
[2] Y. Chrétien-Bessière et al., Bl. **1967**, 1, 97.
[3] R. E. Bew, R. C. Cambie, E. R. H. Jones u. G. Lowe, Soc. [C] **1966**, 135.
[4] C. Y. Hopkins u. M. J. Chisholm, Soc. **1962**, 573.
[5] V. D. Solodovnik, Russian Chem. Rev. **36**, 272 (1967), hier noch weitere Beispiele.
[6] M. J. Chisholm u. C. Y. Hopkins, J. Org. Chem. **27**, 3137 (1962).
[7] H. Erdtman, Acta Chem. Scand. 2, 209 (1948); vgl. Ang. Ch. **61**, 272 (1949).
[8] T. Terashima, Y. Kuroda u. Y. Kaneko, Tetrahedron Letters **1969**, 2535.
[9] W. Oroshnik u. A. D. Mebane, Fortschr. Chem. Organ. Naturst. **21**, 17 (1963).
[10] Vgl. ds. Handb., Bd. V/2, Kap. Polyine.

(Fortsetzung v. S. 190)

US.P. 3013080 (1959/1961), Eastman Kodak Co., Erf.: C. H. Benton; C. A. **56**, 7370 (1962).
US.P. 3499044 (1967/1970), Eastman Kodak Co., Erf.: W. C. Stugis; C. A. **72**, 100938 (1970).
DBP. 1023036 (1956), Eastman Kodak Co., Erf.: O. D. Hawks; C. A. **54**, 5783 (1960).
Brit.P. 1000198 (1962), Eastman Kodak Co., Erf.: G. L. Fletcher; C. A. **64**, 4878 (1966).
[12] Fr.P. 1288975, 1291622 (1961), A.E.C. Société de Chimie Organique et Biologique, Erf.: J. Redel u. G. Nicolaux; C. A. **57**, 16672 (1962); **57**, 14966 (1962).
[13] G. Katsui u. R. Saigusa, Bitamin (Kyoto) **26**, 116 (1962).

Octadecatrien-(9,11,13)-säure (α-Eläostearinsäure)[1, vgl. 2]: 500 g chinesisches Holzöl werden in einem 2-*l*-Erlenmeyerkolben mit 375 *ml* Methanol gut durchgeschüttelt, und zu dieser Emulsion wird die noch heiße Lösung von 110 g Kaliumhydroxid in 110 *ml* Wasser zugefügt. Unter Ausnutzung der bei dieser Reaktion freiwerdenden Wärme wird die Mischung kurze Zeit stark geschüttelt, wobei sich die anfänglich trübe Lösung sehr schnell klärt, ein Zeichen für die Beendigung der Verseifung. Die verseifte Lösung wird noch warm unter Umrühren in verd. Salzsäure eingetragen. Dabei scheidet sich die α-Eläostearinsäure rasch an der Oberfläche ab, man wäscht mit heißem Wasser und trennt die Schichten (F: 47°, aus Methanol). Die reine Säure ist relativ beständig und kann unter Luftabschluß im Eisschrank längere Zeit unverändert aufbewahrt werden.

Umlagerung in die β-Form erfolgt mit Jod und UV-Licht.

b) Carotinoide

Zahllose Carotinoide aller Gruppen einschließlich Retro-, Acetylen- oder Allen-Verbindungen, Apo-carotinalen usw. oder „Phenolcarotinoiden" wurden und werden im Zusammenhang mit Arbeiten über Strukturaufklärung und biogenetischen Fragen aus Naturstoffen, und zwar sowohl aus Pflanzen, als auch aus tierischen Organen oder Geweben gewonnen. Es entspricht nicht dem Sinn des vorliegenden Handbuches, hier die verwendeten Herstellungs- und Reinigungsverfahren genau zu beschreiben. Ausführliche Angaben über Methoden zur Gewinnung von Carotinoiden aus Naturstoffen oder entsprechende Literaturzitate findet man in zahlreichen Carotinoid-Monographien und -Übersichtsarbeiten z. B.[3–11].

Vitamin A: Während früher zahlreiche technische Verfahren zur Isolierung von reinem Vitamin A_1 und A_2 aus Fischleberöl entwickelt wurden, änderte sich durch das synthetische Vitamin A die Situation. Heute werden technisch aus Fischleberöl nur noch Konzentrate mit jeweils festgelegtem Gehalt an internationalen Einheiten von Vitamin A hergestellt. Arbeitsvorschriften s. z. B. Lit.[4,7].

Kitol (dimeres Vitamin A (Formel s. S. 224)) kann aus Wal-Leberöl isoliert werden[5].

Vitamin A-Aldehyd kann aus der Retina isoliert werden.

Über die enzymatische Umwandlung von Vitamin A-Aldehyd und -Alkohol ineinander beim Sehvorgang wird auf Spezialliteratur verwiesen[7,12].

Carotine können durch Lösungsmittelextraktion aus Karotten, Palmöl, Algen oder anderem pflanzlichem Material isoliert werden. Das zunächst dabei gewonnene Rohcarotin kann entweder als solches verwendet oder in die Isomeren aufgetrennt werden[4–6,8,13].

---

1 K. Alder u. R. Kuth, A. **609**, 19 (1957).
2 V. D. Solodovnik, Russian Chem. Rev. **36**, 272 (1967), hier noch weitere Beispiele.
3 H. H. Inhoffen u. H. Pommer in W. H. Sebrell u. R. S. Harris „*The Vitamins*" Vol. I, S. 100, Academic Press Inc., Publ., New York 1954.
4 O. Isler, H. Kläui u. U. Solms in W. H. Sebrell u. R. S. Harris „*The Vitamins*" Vol. I, 2. Aufl., S. 101, Academic Press, New York · London 1967.
5 U. Schwieter u. O. Isler in W. H. Sebrell u. R. S. Harris „*The Vitamins*" Vol. I, 2. Aufl., S. 5, Academic Press, New York · London 1967.
6 P. Karrer u. E. Jucker „*Carotinoide*", Verlag Birkhäuser, Basel 1948.
7 J. Fragner, „*Vitamine*", Bd. I, VEB Gustav Fischer-Verlag, Jena 1964.
8 H. Vogel u. H. Knobloch, „*Chemie und Technik der Vitamine*", 3. Aufl., 1. Bd., Ferd. Enke-Verlag, Stuttgart 1950.
9 B. C. L. Weedon, Chem. Britain **3**, 424 (1967).
10 A. Winterstein, Ang. Ch. **72**, 902 (1960).
11 Ullmanns Encyclopädie der techn. Chemie, Bd. **7**, 89 (1956).
12 O. A. Roels sowie J. Ganguly u. S. K. Murthy in W. H. Sebrell u. R. S. Harris „*The Vitamins*", Vol. I, 2. Auflage, Academic Press, New York · London 1967.
13 O. Isler, R. Rüegg u. U. Schwieter, Pure Appl. Chem. **14**, 245 (1967).

Von verschiedenen Seiten wurde die im Prinzip schon lange bekannte Möglichkeit zur fermentativen Gewinnung von **β-Carotin** aus wäßrigen Nährmedien von Mikroorganismen[1] aufgegriffen und auch zu technischen Verfahren entwickelt[2-9, vgl. 10,11]. Als Kulturen sind z. B. Stämme von Blakeslea trispora günstig.

Andere Carotinoide sind z. T. ebenfalls Stoffwechselprodukte von Mikroorganismen und können analog zum β-Carotin mikrobiologisch hergestellt werden[12-19]. Für Laborversuche werden sie aber meistens durch Extraktion aus dem jeweils geeigneten pflanzlichen Material isoliert[20-24].

B. Umwandlung offenkettiger Polyene

I. Additionsreaktionen

a) Addition von Wasserstoff an Polyenketten[25]

1. Perhydrierungen

Perhydrierungen von Polyenketten gelingen quantitativ mit katalytisch erregtem Wasserstoff.

[1] J. Ganguly u. S. K. Murthy in W. H. Sebrell u. R. S. Harris „*The Vitamins*" Vol. I, 2. Aufl., Academic Press, New York · London 1967.
[2] US.P. 3001912 (1958/1961), Commercial Solvents Corp., Erf.: G. M. Miescher; C. A. **56**, 3928 (1962).
[3] US.P. 2910410 (1958/1959), 2959521/22 (1959/1960); 3128236 (1961/1964), Grain Processing Corp., Erf.: J. Corman und J. E. Zajic; C. A. **54**, 7063 (1960); **55**, 3924 (1961); **60**, 15102 (1964).
[4] Belg. P. 584463 (1959), Hoffmann-La Roche, Erf.: W. M. Farrow u. B. Tabenkin.
[5] Fr. P. 1325656 (1963); 1344264 (1962); 1377523 (1962); 1412506 (1964); 1449879/80 (1965), Rhône-Poulenc, Erf.: L. Ninet, J. Renaut u. R. Tissier; C. A. **59**, 8096 (1963); **60**, 11345 (1964); **62**, 11120 (1965); **65**, 6263 (1966); **66**, 84749, 93991 (1967).
Fr. P. 1371272 (1963), Rhône-Poulenc, Erf.: L. Ninet u. T. Renaut; C. A. **62**, 4578 (1965).
[6] US. P. 3226302 (1963/1965); 3025221 (1960/1962), Secretary of Agriculture of USA, Erf.: A. Ciegler; C. A. **64**, 7328 (1966); **56**, 15973 (1962).
US. P. 2890989 (1957/1959), US. Dept. of Agriculture, Erf.: R. F. Anderson; C. A. **53**, 18400 (1959).
[7] Fr. P. 1409130 (1964) ≡ Niederl. P. 6411184 (1965), Upjohn, Erf.: H. K. Jaeger; C. A. **65**, 1347 (1966).
[8] US. P. 3095357 (1960/1963), 3291701 (1962/1966), Swift & Co., Erf.: R. C. Fulde; C. A. **59**, 8096 (1963); **66**, 45476 (1967).
[9] Chem. Engng. News **44**, Nr. 8, 44 (1966).
[10] B. Engel et al., Ang. Ch. **66**, 80 (1954).
[11] G. Mackinney et al., Am. Soc. **74**, 3456 (1952); Am. Soc. **75**, 236 (1953).
[12] S. L. Jensen, Acta chem. scand. **17**, 303 (1963).
[13] L. M. Jackmann u. S. L. Jensen, Acta chem. scand. **18**, 1403 (1964).
[14] S. L. Jensen, E. Hegge u. L. M. Jackmann, Acta chem. scand. **18**, 1703 (1964).
[15] S. Hertzberg u. S. L. Jensen, Acta chem. scand. **21**, 15 (1967).
[16] A. J. Aasen u. S. L. Jensen, Acta chem. scand. **21**, 371 (1967).
[17] Belg. P. 619478 (1962), Miles Lab. Inc., Erf.: J. Swarthout, B. Lockwood u. B. Schweiger; C. A. **58**, 7338 (1963).
[18] F. Arcamone et al., Experientia **25**, 241 (1969); Gaz. **100**, 581 (1970).
[19] Belg. P. 702235 (1967), Farmaceutici Italia, Erf.: M. L. Bianchi et al.
[20] P. Karrer u. E. Jucker „*Carotinoide*", Verlag Birkhäuser Basel 1948.
[21] A. Winterstein, Ang. Ch. **72**, 902 (1960).
[22] H. Willstaedt, „*Carotinoide, Bakterien- und Pilzfarbstoffe*", Verlag F. Enke, Stuttgart 1934.
[23] L. Zechmeister, „Carotinoide", Verlag J. Springer, Berlin 1934.
[24] O. Isler, R. Rüegg u. U. Schwieter, Pure Appl. Chem. **14**, 245 (1967).
[25] Vgl. a. ds. Handb., Bd. IV/1, Kap. Reduktion; Bd. IV/2, Kap. Heterogene katalytische Reaktionen, S. 283.

α) Perhydrierung von Polyen-Kohlenwasserstoffen

Rein aliphatische Kohlenwasserstoffketten mit teilweiser oder vollständiger Polyenstruktur werden im allgemeinen mit Platin(IV)-oxid oder Palladium als Katalysator perhydriert. Auch Platin-Mohr, Platin auf Kieselgel oder Palladium(II)-oxid sind als Katalysatoren möglich. Als Lösungsmittel bzw. Suspensionsmittel kommen z.B. Eisessig, Alkohole, Cyclohexan oder z.B. Eisessig/Cyclohexan-Gemisch bzw. Eisessig-Dekalin-Gemisch in Frage. Die Hydrierungen werden bei Normaltemperatur und Normaldruck durchgeführt; so erhält man z.B. aus:

Hexatrien-(1,3,5)	$\xrightarrow{H_2/Pt,\ CH_3OH}$	*Hexan*[1]
Octatetraen-(1,3,5,7)	$\xrightarrow{H_2/Pd\text{-}C,\ Eisessig}$	*Octan*[2]
Lycopin	$\xrightarrow[\text{Dekalin/Eisessig (1:1) bzw. Äther}]{H_2/PtO_2}$	*2,6,10,14,19,23,27,31-Octamethyl-dotriacontan*[3,4]

An Polyenketten hängende Benzolringe werden bei diesen Hydrierungen nicht angegriffen (Spezialkatalysatoren für die Mithydrierung von Benzolringen an ungesättigten Ketten s. Literatur[3]).

An Polyenketten hängende Cyclohexen- oder Cyclohexadien-Ringe (in Carotinoiden) werden bei der Perhydrierung der Polyenkette im allgemeinen mithydriert, unter Spezialbedingungen gelingt es aber auch, die Hydrierung nach Sättigung der Kette abzubrechen[5]. β-Carotin nimmt in Gegenwart von Platin oder Palladium-Mohr in Cyclohexan bzw. Eisessig oder an Platin/Kieselgel 11 Mole Wasserstoff auf[3,4,6]; γ-Carotin an Platin(IV)-oxid in Dekalin/Eisessig addiert analog 12 Mole Wasserstoff[3,7]. Über die Hydrierung von 15,15′-Dehydro-β-carotin[8] bzw. 7,7′-Dihydro-β-carotin[9] mit Platin-Katalysatoren s. Literatur[8,9].

Nachstehend sei anhand von 3,8-Dimethyl-1,10-bis-[2,6,6-trimethyl-cyclohexen-(1)-yl]-decapentaen-(1,3,5,7,9) („β-C_{30}-Kohlenwasserstoff"; I) die Reduktion an verschiedenen Katalysatoren gegenübergestellt[5]:

I

① mit Platin(IV)-oxid in Eisessig → Perhydrierung zu *3,8-Dimethyl-1,10-bis-[2,2,6-trimethyl-cyclohexyl]-decan*

② mit Palladium/Bariumsulfat in Cyclohexan → Kettenhydrierung zu *3,8-Dimethyl-1,10-bis-[2,6,6-trimethyl-cyclohexen-(1)-yl]-decan*

---

[1] R. Kuhn u. A. Winterstein, Helv. **11**, 123 (1928).
[2] G. F. Woods u. L. H. Schwartzman, Am. Soc. **71**, 1396 (1949).
[3] R. Kuhn u. E. F. Möller, Ang. Ch. **47**, 145 (1934).
[4] P. Karrer u. E. Jucker, „*Carotinoide*", Verlag Birkhäuser, Basel 1948.
[5] H. H. Inhoffen, H. Pommer u. E. G. Meth, A. **565**, 50 (1949); **569**, 74 (1950).
[6] L. Zechmeister, L. v. Cholnoky u. V. Vrabély, B. **61**, 566 (1928); **66**, 123 (1933).
[7] R. Kuhn u. H. Brockmann, B. **66**, 407 (1933).
[8] H. H. Inhoffen et al., A. **570**, 68 (1950).
[9] H. H. Inhoffen, H. Pommer u. E. G. Meth; A. **572**, 151 (1951).

β) Perhydrierungen von Polyenketten mit funktionellen Gruppen an der Kette oder in anhängenden Ringen

Die Hydroxy-Gruppe ist ohne Einfluß[1–3] auf die Hydrierung der Polyenkette und wird selbst nicht angegriffen; wenn man als Lösungsmittel Eisessig verwendet, kann sie allerdings acetyliert werden[4].

Polyenale mit ungeschützter Aldehyd-Gruppe werden leicht zum gesättigten Alkohol reduziert. So erhält man Fettalkohole aus Acetaldehyd, bei dem die als Zwischenstufe erhaltenen Polyenale ohne Abtrennung des als Kondensationsmittel eingesetzten Amins mit Nickel/Zink-Mischoxalat-Kontakten zu einem Fettalkohol-Gemisch C_4–C_{20} hydriert werden[5].

Hexadecaheptaenal wird glatt zu *Cetylalkohol*[6] und 11-Phenyl-undecapentaenal zu *11-Phenyl-undecanol* hydriert[7].

Bei der Hydrierung von Lycopinal oder Bixindialdehyd mit Platin(IV)-oxid werden die Aldehyd-Gruppen zum Teil mithydriert[2,8].

Bei der katalytischen Hydrierung von Polyenketonen mit Platin oder Palladium-Katalysatoren tritt häufig nach Absättigung der Kette eine deutliche Verlangsamung der Hydriergeschwindigkeit ein. Mat hat dadurch die Möglichkeit, die Hydrierung an dieser Stelle abzubrechen, um das gesättigte Keton zu erhalten.

Bei der Hydrierung von 7-Oxo-8-phenyl-octatrien-(1,3,5) mit Palladium/Bariumsulfat in Äthanol werden sehr schnell 3 Mole Wasserstoff aufgenommen. Die anschließende Hydrierung der Carbonyl-Gruppe zu *2-Hydroxy-1-phenyl-octan* verläuft viel langsamer[9].

Rhodoxanthin

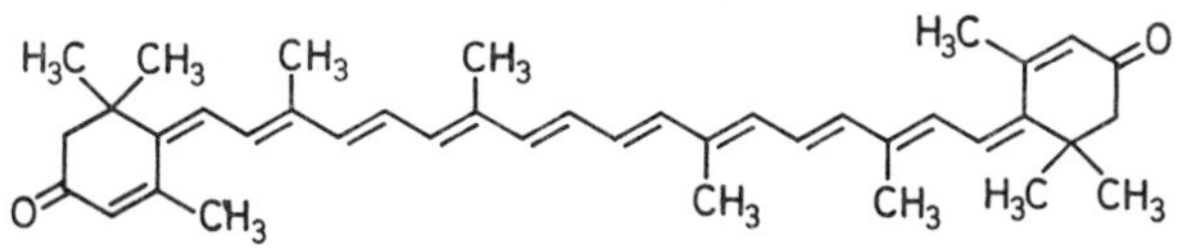

nimmt bei der Hydrierung mit Platin(IV)-oxid auf Kieselgel schnell 12 Mol Wasserstoff zur Absättigung der Kette und der beiden Ringdoppelbindungen auf. Langsam erfolgt dann die weitere Aufnahme von 2 Molen Wasserstoff zur Hydrierung der Carbonyl-Gruppen zum *3,7,12,16-Tetramethyl-1,18-bis-[4-hydroxy-2,2,6-trimethyl-cyclohexyl]-octadecan*[8].

Bei Versuchen zur Hydrierung von β-Carotinon wurden selbst bei Verwendung eines vergifteten Platin/Kieselgel-Katalysators die Carbonyl-Gruppen langsam mit angegriffen[2].

Carboxy-Gruppen werden im allgemeinen bei der Hydrierung von Polyenketten nicht angegriffen. So erhält man aus Octatrien-(2,4,6)-disäure an Platin(IV)-oxid in

---

[1] P. Karrer u. E. Jucker, „*Carotinoide*", Verlag Birkhäuser, Basel 1948.
[2] R. Kuhn u. E. F. Möller, Ang. Ch. **47**, 145 (1934).
[3] P. Karrer u. R. Morf, Helv. **16**, 557 (1933).
[4] H. H. Inhoffen, H. Pommer u. F. Bohlmann, A. **561**, 26 (1948).
[5] W. Langenbeck, J. Alm u. K. W. Knitsch, J. pr. [4] **8**, 112 (1959).
[6] R. Kuhn, Ang. Ch. **50**, 703 (1937).
[7] R. Kuhn u. K. Wallenfels, B. **70**, 1331 (1937).
[8] R. Kuhn u. H. Brockmann, B. **66**, 828 (1933).
[9] R. Kuhn u. H. A. Staab, B. **87**, 262 (1954).

Natronlauge *Octandisäure*[1] und aus Octatrien-(2,4,6)-säure bzw. Decatetraen-(2,4,6,8)-säure an Platin(IV)-oxid in Äthanol oder Eisessig *Octansäure*[2] bzw. *Decansäure*[2]. Bei Malonsäure-Derivaten und ähnlichen Verbindungen kann Decarboxylierung eintreten; z.B. entsteht bei der Hydrierung von 2-Carboxy-octadecaoctaen-(2,4,6,8,10,12,14,16)-säure an Platin(IV)-oxid in Eisessig *Stearinsäure*[3].

Epoxi-Gruppen in Polyenmolekülen werden bei Perhydrierung der Kette mithydriert, und man erhält die entsprechenden Alkohole. Als Lösungsmittel sind Säuren nicht geeignet (Aufspaltung des Ringes bzw. Umlagerungen).

Für die Perhydrierung von Polyenen – mit und ohne funktionelle Gruppen – wurde eine Mikro-Methode beschrieben. Hinsichtlich aller Einzelheiten (Apparatur, Arbeitsweise, Reinigung der Lösungsmittel usw.) wird auf die Originalliteratur verwiesen[2].

2. 1,ω-Addition von Wasserstoff an Polyenketten[4]

Für 1,ω-Hydrierungen von Polyenketten[4] kann z. B. Natrium in flüss. Ammoniak, Natriumamalgam in Wasser, Natronlauge, Alkoholen bzw. Alkohol-Benzol-Gemischen oder Aluminiumamalgam in wäßrigem Äther bzw. Zink in Eisessig verwendet werden [zur Verwendung von Titan(III)-chlorid siehe Lit.[5,6]]. Als Reaktionsprodukte erhält man teilweise neben den 1,ω-Additionsprodukten auch isomere Verbindungen, die entweder durch eine Addition des Wasserstoffs in 1,2- oder 1,4-Stellung usw. entstanden sind oder aber durch eine sekundäre basenkatalysierte Isomerisierung der C=C-Doppelbindungen.

Alloocimen [2,6-Dimethyl-octatrien-(2,4,6)] läßt sich mit Natrium in flüssigem Ammoniak in 1,ω-Stellung zum *2,6-Dimethyl-octadien-(3,5)* hydrieren[7] (59% d.Th.).

Bei der Hydrierung von 1,6-Diphenyl-hexatrien-(1,3,5), 1,8-Diphenyl-octatetraen oder 1,10-Diphenyl-decapentaen mit Natrium- oder Aluminiumamalgam erhält man als Hauptprodukte *1,6-Diphenyl-hexadien-(2,4), 1,8-Diphenyl-octatrien-(2,4,6)* bzw. *1,10-Diphenyl-decatetraen-(2,4,6,8)*[8].

Octatrien-(2,4,6)-disäure läßt sich analog zu *Octadien-(3,5)-disäure* hydrieren[1].

$$HOOC{-}(CH{=}CH)_3{-}COOH \longrightarrow HOOC{-}CH_2{-}(CH{=}CH)_2{-}CH_2{-}COOH$$

Octadien-(3,5)-disäure: 0,524 g Octatrien-(2,4,6)-disäure werden in 40 *ml* 0,5 n Natronlauge gelöst und unter Kühlung mit 40 g 3%igem Natriumamalgam reduziert. Nach wenigen Min. fällt beim Ansäuern einer Probe nichts mehr aus. Man trennt vom Quecksilber ab, schüttelt nach dem Ansäuern 4 mal mit je 25 *ml* Äther aus und läßt den Äther anschließend verdampfen; Ausbeute: 0,465 g (~ 89% d.Th.); F: 190° (aus heißem Wasser).

Bei der Reduktion von 2-Acetoxy-hexadecaheptaen-(2,4,6,8,10,12,14)-disäurediester mit Aluminiumamalgam wird gleichzeitig mit der 1,ω-Addition des Wasserstoffs die Acetoxy-Gruppe abhydriert[3]:

$$\underset{\displaystyle OCOCH_3}{ROOC{-}\underset{|}{C}{=}CH{-}(CH{=}CH)_6{-}COOR} \xrightarrow[-CH_3COOH]{2\,H_2;\,Al/Hg} ROOC{-}CH_2{-}(CH{=}CH)_6{-}CH_2{-}COOR$$

Hexadecahexaen-(3,5,7,9,11,13)-disäure-diester

Im Normalfall gelingen sonst 1,ω-Hydrierungen von 2-Acetoxy-polyen-dicarbonsäuren ohne Abspaltung von Essigsäure[1,3].

---

[1] R. Kuhn u. C. Grundmann, B. **69**, 1757 (1936).
[2] R. Kuhn u. E. F. Möller, Ang. Ch. **47**, 145 (1934).
[3] R. Kuhn, Ang. Ch. **50**, 703 (1937).
[4] Vgl. ds. Handb. Bd. V/1c, S. 438; hier auch Beispiele für zahlreiche Triene (Tabellen).
[5] P. Karrer, A. Helfenstein u. R. Widmer, Helv. **11**, 1201 (1928).
[6] P. Karrer u. E. Jucker, „*Carotinoide*“, Verlag Birkhäuser, Basel 1948.
[7] G. Dupont et al., Bl. **5** [5] 328, 334 (1938).
[8] R. Kuhn u. A. Winterstein, Helv. **11**, 123 (1928).

Aus β-Carotin und Aluminiumamalgam in Äther wird u. a. kristallines *7,7'-Dihydro-β-Carotin*[1] erhalten:

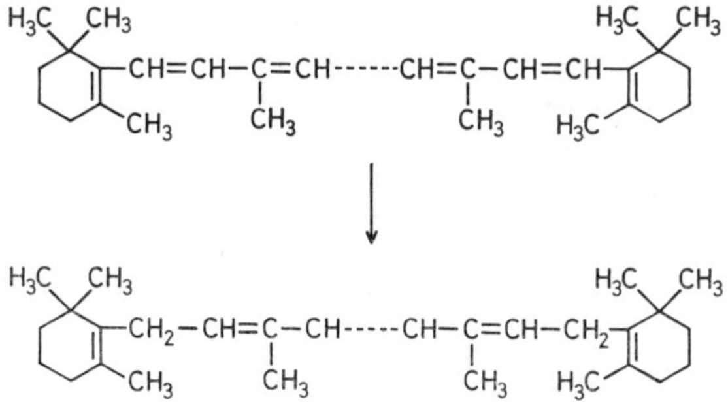

Bei der 1,ω-Addition von Wasserstoff an Rhodoxanthin mit Zink in Eisessig tritt gleichzeitig eine Verschiebung der C=C-Doppelbindung in den anhängenden Cyclohexen-Ringen ein[2]:

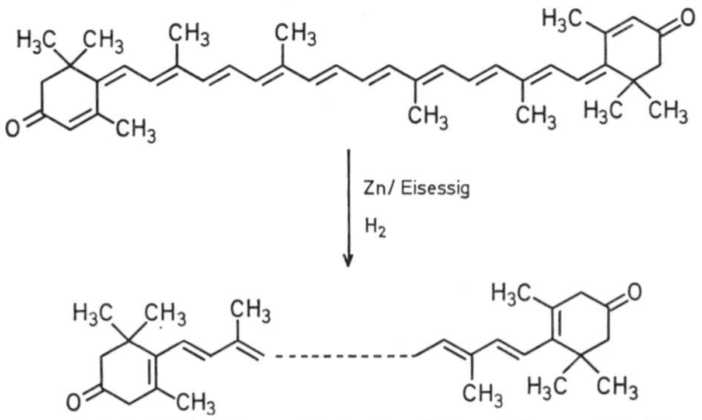

3,7,12,16-Tetramethyl-1,18-bis-[4-oxo-2,6,6-trimethyl-cyclohexen-(1)-yl]-octadecanonaen

Auch Tricarbonyl-cyclopentadienyl-molybdänhydrid oder -wolframhydrid werden als Wasserstoffüberträger für die 1,ω-Hydrierung von Polyenen eingesetzt[3], z. B.:

$$H_2C{=}CH{-}(CH{=}CH)_2{-}CH{=}CH_2 \;+\; 2\,C_5H_5(CO)_3WH \longrightarrow$$

$$H_3C{-}(CH{=}CH)_3{-}CH_3 \;+\; [C_5H_5(CO)_3W]_2$$

Octatrien-(2,4,6); 89% d. Th.

Analog entsteht nach diesem Verfahren aus Octatrien-(2,4,6) das *Octadien-(3,5)* (83% d. Th.) im Gemisch mit *Octadien-(2,4)* (17% d. Th.) und aus Hexatrien-(1,3,5) das *Hexadien-(2,4)*[3].

Die Reaktivität der Polyene nimmt dabei mit wachsender Zahl von konjugierten C=C-Doppelbindungen zu. Isolierte C=C-Doppelbindungen werden nicht angegriffen.

---

[1] P. KARRER u. A. RÜEGGER, Helv. **23**, 955 (1940).
[2] R. KUHN u. H. BROCKMANN, B. **66**, 828 (1933).
[3] A. MIYAKE u. H. KONDO, Ang. Ch. **80**, 968 (1968).

3. Stufenweise Hydrierung von Polyenketten

Für den Verlauf der stufenweisen Hydrierung einer Polyenkette spielen zahlreiche Faktoren eine Rolle [Art des Katalysators, Reaktionsbedingungen, Struktur der Doppelbindungen (primär, sekundär, tertiär) usw.][1]. Bei der Hydrierung von Crocetin[2] oder Nor-Bixin[3] mit Titan(III)-chlorid wurde beobachtet, daß die Polyenkette nach der 1,ω-Addition durch einen Überschuß an Titan(III)-chlorid und Erwärmung zur Tetrahydro- bzw. Hexahydro-Verbindung weiterhydriert wird.

Für die präparative stufenweise Hydrierung von Polyenketten werden häufig Nickel-Katalysatoren verwendet (meistens Raney-Nickel, seltener Nickel auf Kieselgur).

Aus Alloocimen und Raney-Nickel erhält man neben wenig 2,6-Dimethyl-octen-(6) als Hauptprodukt *3,7-Dimethyl-octen-(3)*[4,5]:

$$H_3C-CH=\underset{}{\overset{CH_3}{\overset{|}{C}}}-CH=CH-CH=C\begin{matrix}CH_3\\CH_3\end{matrix} \xrightarrow{H_2;\ Raney\text{-}Ni} H_3C-CH_2-\overset{CH_3}{\overset{|}{C}}=CH-CH_2-CH_2-\overset{CH_3}{\overset{|}{C}H}-CH_3$$

β-Carotin wird mit Raney-Nickel in Äther (20°) je nach Katalysator-Menge und Dauer der Hydrierung unter schrittweiser Entfärbung der Lösung zu Verbindungen mit 10, 4, 3 oder 2 verbliebenen C=C-Doppelbindungen hydriert[6,7].

Im Hinblick auf die Bedeutung der selektiven Hydrierung bei der Herstellung von weichen Speisefetten wurde verschiedentlich auch die Hydrierung von β-Eläostearinsäureester

$$H_3C-(CH_2)_3-CH=CH-CH=CH-CH=CH-(CH_2)_7-COOR$$

zu teilweise abgesättigten Estern untersucht. Sowohl mit Raney-Nickel[8], wie mit Nickel auf Kieselgur[9], mit Hydrazin[10] oder nach einem Spezialverfahren in Gegenwart von Aryl-chromtricarbonyl-Komplexen[11] werden Reaktionsgemische aus Monoen, Dien (konjugiert und nicht konjugiert) und Trien (z.T. isomerisiert) erhalten.

b) Addition von Halogen, Halogen-Verbindungen und sonstigen Addenden an Polyenketten zu offenkettigen Additionsprodukten (einschl. C—C-Additionen)

Die Additionen von Halogen, Halogen-Verbindungen usw. spielen in der Polyenchemie nur eine untergeordnete Rolle. Mit wachsender Kettenlänge nimmt die Tendenz der C=C-Doppelbindungen zur Addition von Halogen usw. immer weiter ab, vor allem, wenn in Konjugation zur Polyenkette noch Carbonyl- oder Carboxy-Gruppen stehen.

---

1 Hydrierungsregeln s. ds. Handb., Bd. IV/2, Kap. Reduktion.

2 P. Karrer, A. Helfenstein u. R. Widmer, Helv. **11**, 1201 (1928).

3 P. Karrer et al., Helv. **12**, 741 (1929).

4 Alloocimen wird mit Platin(IV)-oxid zu *2,6-Dimethyl-octadien-(2,4)* hydriert; US.P. 2902510 (1956), Glidden Co., Erf.: R. L. Webb; C. **1936**, 17152.

5 R. Schröter, *Neuere Methoden der präparativen organischen Chemie*, Bd. 1, S. 94, Verlag Chemie, Weinheim 1944.

(Fortsetzung s. S. 199)

1. Addition von Halogen und Halogen-Verbindungen

Für eine definierte Addition von Chlor an Polyenketten gibt es nur wenige Beispiele. Aus 3,4-Dichlor-hexatrien-(1,3,5) erhält man z.B. *1,2,3,4,5,6-Hexachlor-hexen-(3)*[1].

Heptatrien-(2,4,6)-säure nimmt in Gegenwart von Dimethylformamid als Katalysator unter Kohlendioxid/Aceton-Kühlung 2 Mol Chlor unter Wärmeentwicklung schnell auf. Bei weiterer Chlorierung wird auch unter guter Kühlung (Temp. unter 10°) Chlorwasserstoff abgespalten. Es kann ein destillierbares Produkt mit einem Gehalt von 5 Chlor erhalten werden[2].

Polyenale mit ungeschützter Aldehyd-Gruppe ergeben bei der Chlorierung nur zähviscose dunkle Massen. Auch Polyenale mit blockierter Aldehyd-Gruppe spalten bei Chlorierungsversuchen sehr leicht wieder Chlorwasserstoff ab[3]. Von Carotinoiden sind keine definierten Chloradditionsprodukte bekannt.

Die Addition von Brom an Polyenketten wurde – mit Ausnahme von Carotinoid-Beispielen – bereits ausführlich im Bd. V/4, S. 80 des vorliegenden Handbuches besprochen.

Die Brom-Addition an Carotinoide wurde schon früh ausführlich untersucht, weil man ursprünglich mit Hilfe dieser Reaktion die jeweilige Doppelbindungszahl bestimmen wollte. Die Addition verläuft jedoch nicht quantitativ.

β-Carotin und andere Carotinoide mit gleicher Polyenstruktur nehmen bei der Bromierung in Chloroform-Lösung statt der theoretisch zu erwartenden 11 Mol nur 8 Mol Brom auf[4,5]. Bixin (9 Doppelbindungen) addiert nur 5 Mol Brom[4,6-8] und Crocetin (7 Doppelbindungen) nur 2 Mol Brom[4].

Während Carotinoide Wasserstoff auch in 1,ω-Addition zur Dihydroverbindung aufnehmen können (s. S. 197), sind bisher keine 1,ω-Brom-Additionsprodukte von Carotinoiden bekannt. Auch bei aliphatischen oder Diphenyl-Polyenen ist die 1,ω-Addition mit Brom nicht ganz einfach[7], bei 1,1,ω,ω-Tetraphenyl-polyenen unmöglich[9]. Hexatrien-(1,3,5) konnte mit Brom zum *1,6-Dibrom-hexadien-(2,4)* umgesetzt werden[10].

---

[1] A. N. Akopjan u. V. S. Aslamazjan, Ž. obšč. Chim. **31**, 1190 (1961); engl.: 1101.
[2] Versuche im Hauptlaboratorium der BASF.
[3] M. Richter u. P. Boyde, J. pr. [4] **9**, 125 (1959).
[4] P. Karrer u. E. Jucker, „*Carotinoide*", Verlag Birkhäuser, Basel 1948.
[5] L. Zechmeister u. P. Tuzson, B. **62**, 2226 (1929).
[6] J. F. B. von Hasselt, R. **30**, 26 (1911).
[7] R. Kuhn u. A. Winterstein, Helv. **11**, 427 (1928).
[8] R. Pummerer, L. Rebmann u. W. Reindel, B. **62**, 1411 (1929).
[9] G. Wittig u. R. Wietbrock, A. **529**, 165 (1937).
Zur 1,ω-Addition von Alkalimetall an 1,1,ω,ω-Tetraphenyl-polyene siehe G. Wittig u. A. Klein, B. **69**, 2087 (1936).
[10] G. F. Woods u. L. H. Schwartzman, Am. Soc. **70**, 3394 (1948).

(Fortsetzung v. S. 198)

[6] G. Gorbach u. P. Hochbahn, M. **87**, 231 (1956).
[7] L. Zechmeister u. V. Vrabély, B. **62**, 2232 (1929).
[8] M. L. Woltemate u. B. F. Daubert, Am. Soc. **72**, 1233 (1950).
[9] J. Böeseken, R. **49**, 247 (1930).
[10] T. Takagi u. B. M. Craig, J. Amer. Oil Chemists' Soc. **41**, 660 (1964).
[11] M. Cais, E. N. Frankel u. A. Rejoan, Tetrahedron Letters **1968**, 1919.

Mit N-Brom-succinimid und Eisessig[1] gelang bei β-Eläostearinsäure die „Brom-Acetoxylierung". Nach 1 Stde. Reaktionsdauer sind bereits 2 der 3 vorhandenen konjugierten C=C-Doppelbindungen abgesättigt, die Absättigung der 3. Doppelbindung erfolgt erst innerhalb 24 Stunden.

Zahlreiche Carotinoide wurden mit Jod in organischen Lösungsmitteln zu kristallinen Dijodiden (selten auch zu Tetrajodiden) oder Jodid-Gemischen umgesetzt[2]. Von weit größerer Bedeutung sind die Chlorjod-Additionsprodukte, da die Anlagerung bei genügender Reaktionsdauer und Überschuß an Chlorjod quantitativ verläuft. β-Carotin und Xanthophyll z.B. addieren die berechnete Menge von 11 Mol Chlorjod innerhalb 20 Stunden[3, vgl. 2,4].

Die C=C-Doppelbindungen im Bixin addieren besonders schwer Halogen, wahrscheinlich durch den Einfluß der beiden Carboxy-Gruppen. Mit Jod in Benzol erfolgt keine Umsetzung[5], mit Chlorjod werden nur 5 Doppelbindungen abgesättigt[6]. Bei β-Eläostearinsäure reagieren 2 C=C-Doppelbindungen sehr schnell mit Chlorjod, die letzte Doppelbindung hingegen braucht 6 Tage für die Addition[1].

Die Addition von Halogenwasserstoff an Polyenketten ist wenig bearbeitet. Aus Polyenalen entstehen mit Chlorwasserstoff nur zähviscose dunkle Massen[7]. Heptatrien-(2,4,6)-säure lagert in Gegenwart von N-substituierten Carbonsäureamiden 1 Mol Chlorwasserstoff an[8]. Das als Zwischenstufe bei der Herstellung von Terpenalkoholen hergestellte Additionsprodukt von Chlorwasserstoff an Alloocimen muß sofort weiterverarbeitet werden, da es sich leicht zersetzt[9]. Auch die Addition von unterchloriger Säure an Polyenketten ist schwierig und wenig bearbeitet; Polyenale verharzen[7] und Heptatrien-(2,4,6)-säure lagert z.B. keine unterschlorige Säure an[8].

2. Addition von sonstigen Addenden

Die Wasser-Anlagerung an die C=C-Doppelbindungen von Polyenketten gelingt in Einzelfällen über Ester als Zwischenstufen. Aus Alloocimen ($C_{10}H_{16}$) konnte über das Chlorwasserstoff-Anlagerungsprodukt (1:1) durch dessen Hydrolyse mit wäßriger Alkalimetall-hydroxid-Lösung ein Terpenalkohol ($C_{10}H_{18}O$) hergestellt werden[10]. Derartige Reaktionen scheitern aber meistens schon bei der Stufe der Addition von Säuren an das Polyen.

Eine Anlagerung von Wasser an C=C-Doppelbindungen verbunden mit der gleichzeitigen Hydrierung aller übrigen Doppelbindungen ist beim Alloocimen-diepoxid beschrieben. Es läßt sich katalytisch zu einem Gemisch von zwei Alkoholen hydrieren[10]:

---

1 A. Jovtscheff, J. pr. [4] **28**, 186 (1965).
2 P. Karrer u. E. Jucker, „*Carotinoide*" Verlag Birkhäuser, Basel 1948.
3 R. Pummerer, L. Rebmann u. W. Reindel, B. **62**, 1411 (1929).
4 R. Pummerer u. L. Rebmann, B. **61**, 1099 (1928).
5 C. Liebermann u. G. Mühle, B. **48**, 1657 (1915).
6 J. F. B. von Hasselt, R. **30**, 26 (1911).
7 M. Richter u. P. Boyde, J. pr. [4] **9**, 125 (1959).
8 Versuche im Hauptlaboratorium der BASF.
9 DBP 1139833 (1960), Intern. Flavors and Fragrances, Inc. Erf.: E. T. Theimer; C.A. **58**, 11410 (1963).
10 DBP 1101401 (1956), Derives Résiniques et Terpeniques S.A., Erf.: L. Desalbres; C. **1962**, 12865.

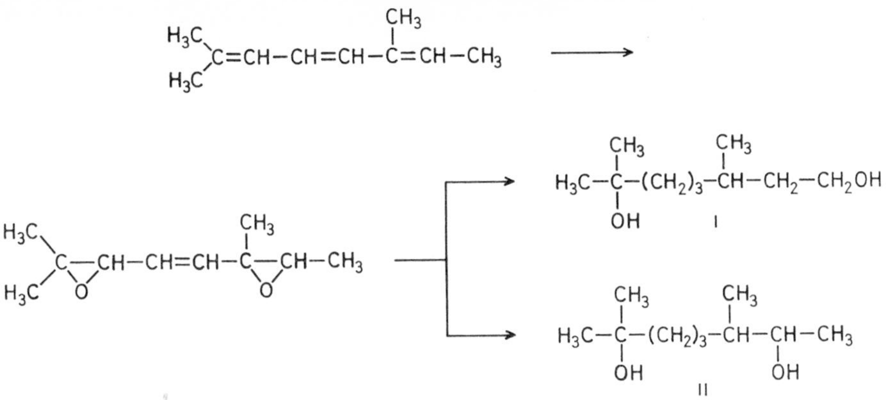

$$(H_3C)_2C{=}CH{-}CH{=}CH{-}C(CH_3){=}CH{-}CH_3 \longrightarrow$$

$$(H_3C)_2C\overset{O}{-}CH{-}CH{=}CH{-}C(CH_3)\overset{O}{-}CH{-}CH_3 \longrightarrow \begin{cases} H_3C{-}C(CH_3)(OH){-}(CH_2)_3{-}CH(CH_3){-}CH_2{-}CH_2OH & \text{I} \\ H_3C{-}C(CH_3)(OH){-}(CH_2)_3{-}CH(CH_3){-}CH(OH){-}CH_3 & \text{II} \end{cases}$$

I; *1,7-Dihydroxy-3,7-dimethyl-octan*
II; *2,7-Dihydroxy-2,6-dimethyl-octan*

9,10- und 13,14-Epoxi-canthaxanthin können mit Lithiumalanat zum *9-Hydroxy-9,10-dihydro-* oder entsprechend zum *13-Hydroxy-13,14-dihydro-canthaxanthin* reduziert werden[1].

Die Hydroxylierung[2,3] von Polyenketten (Absättigung von C=C-Doppelbindungen durch 2 Hydroxy-Gruppen) läßt sich mit den üblichen Methoden [Oxidation mit Kaliumpermanganat, Osmium(VIII)-oxid, Wasserstoffperoxid...][4] nur selten erreichen. Auch bei schonender Oxidation mit den o.g. Hydroxylierungsmitteln werden die Polyenketten meistens gleich zu den entsprechenden Aldehyden oder anderen Abbauprodukten gespalten (s. S. 159f., 212). Als Ausnahme ist folgende Reaktion[5] an einem sterisch gehinderten Trien anzusehen:

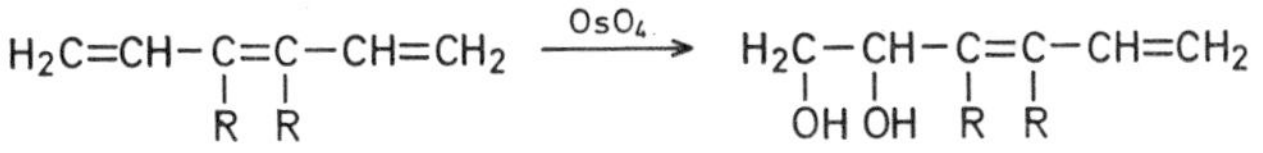

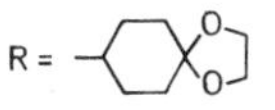

$$H_2C{=}CH{-}C(R){=}C(R){-}CH{=}CH_2 \xrightarrow{OsO_4} H_2C(OH){-}CH(OH){-}C(R){=}C(R){-}CH{=}CH_2$$

R = 1,3-Dioxan-(2-spiro-4)-cyclohexyl

5,6-Dihydroxy-3,4-bis-[1,3-dioxan-⟨2-spiro-4⟩-cyclohexyl]-hexadien-(1,3)

Epoxide, die sonst als Zwischenstufen für eine Hydroxylierung in Frage kämen, sind bei Polyenketten nur selten herstellbar (s. S. 210). Bei Alloocimen[6] gelang folgende Reaktion:

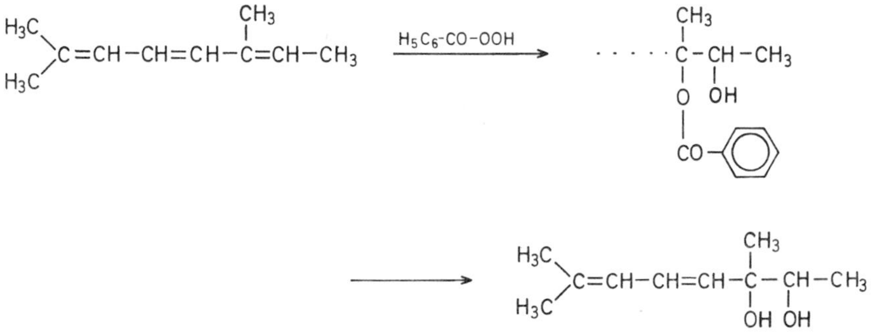

$$(H_3C)_2C{=}CH{-}CH{=}CH{-}C(CH_3){=}CH{-}CH_3 \xrightarrow{H_5C_6{-}CO{-}OOH} \cdots C(CH_3)(O{-}CO{-}C_6H_5){-}CH(OH){-}CH_3$$

$$\longrightarrow (H_3C)_2C{=}CH{-}CH{=}CH{-}C(CH_3)(OH){-}CH(OH){-}CH_3$$

6,7-Dihydroxy-2,6-dimethyl-octadien-(2,4)

---

[1] E. NICOARA, D. OSIANU u. C. BODEA, Rev. Roum. Chim. **15**, 965 (1970).

(Fortsetzung s. S. 202)

Eine generelle Methode zur Herstellung von symmetrischen Polyenglykolen ist die C—C-Verknüpfung der geeigneten ungesättigten Aldehyde durch reduktive Dimerisierung, die auf S. 158 besprochen wurde.

Die Addition von Aminen an Polyenketten ist ebenfalls kaum bekannt. In Spezialfällen wurden derartige Anlagerungsprodukte als Zwischenstufen bei der Synthese von Heterocyclen[1] hergestellt, z.B.:

$$H_5C_2OOC-\underset{HO}{C}=\underset{CN}{C}-CH=CH-\underset{NC}{C}=\underset{OH}{C}-COOC_2H_5 \xrightarrow{RNH_2} \cdots\underset{NC}{CH}-\underset{OH}{\overset{NHR}{C}}-COOC_2H_5$$

$$\longrightarrow \cdots \xrightarrow[-H_2O]{} \text{1-R-3-cyan-2-(}COOC_2H_5\text{)-pyrrol} + NC-CH_2-CO-COOC_2H_5$$

R = C_6H_5; *1-Phenyl-3-cyan-2-äthoxycarbonyl-pyrrol* (81–94%)
R = 4—C_2H_5O—C_6H_4; *1-(4-Äthoxy-phenyl)-3-cyan-2-äthoxycarbonyl-pyrrol* (80%)

Reaktionsgeschwindigkeit und Ausbeute bei der Amin-Anlagerung sind abhängig von der Aminbasizität. Bei o-substituierten Anilinen erfolgt keine Reaktion.

Während Buten-(2)-al und Anilin nach der Doebner-von Miller-Reaktion sehr leicht Chinaldin bilden, wobei also außer der Carbonyl-Gruppe vom Buten-(2)-al auch eine C=C-Doppelbindung mitreagiert, konnten bei Umsetzungen von Polyenalen mit aromatischen Aminen keine analogen Reaktionen erreicht werden[2]. Entweder entstehen verharzte Produkte (offenkettige Anlagerungsprodukte wurden nicht isoliert) oder – wenn man in Gegenwart von Brenztraubensäure arbeitet, entstehen Cinchonin-säuren mit der Polyenkette als Substituent, vom Polyenal reagiert also nur die Aldehyd-Gruppe[2].

Alkohole lagern sich z.B. an Polyenketten mit endständiger Vinyläther-Gruppierung unter Bildung von Acetalen an (mit sauren Katalysatoren)[3]:

$$H_3CO-(CH=CH)_4-OCH_3 \xrightarrow{CH_3OH/H^{\oplus}} (H_3CO)_2CH-CH_2-(CH=CH)_2-CH_2-CH(OCH_3)_2$$

1,1,8,8-Tetramethoxy-octadien-(3,5)

Bei längerer Behandlung von Anhydrovitamin A mit alkoholischer Salzsäure kann sich 1 Mol Alkohol an die endständige C=C-Doppelbindung zu einem Äther anlagern. Die genaue Konstitution der gebildeten Verbindung (*Isoanhydro-Vitamin A*) ist nicht geklärt[4].

[1] R. Huisgen u. E. Laschtuka, B. **93**, 65 (1960).
[2] M. Richter u. P. Boyde, J. pr. [4] **9**, 124 (1959).
[3] H. Meister, B. **96**, 1688 (1963).
[4] W. Oroshnik, Sci. **119**, 660 (1954).

(Fortsetzung v. S. 201)

[2] F. D. Gunstone, Adv. Org. Chem. **I**, 103 (1960).
[3] D. Swern, Org. Reactions VII, 378 (1953).
[4] Vgl. ds. Handb., Bd, VII/1, S. 352.
[5] H. H. Inhoffen, K. Radscheit, U. Stache u. V. Koppe, A. **684**, 24 (1965).
[6] Y. Chrétien-Bessière, A. Ch. 2 [13], 301 (1957).

Mit Stickoxiden wurden bisher keine definierten Polyenadditionsprodukte erhalten[1,2].

Bei gemeinsamer Einwirkung tertiärer Phosphine und Säuren auf carotinoide Retro-Kohlenwasserstoffe wird das Proton der Säure und das Phosphoratom des Phosphins in 1,ω-Stellung an das konjugierte C=C-Doppelbindungssystem angelagert und dabei das „normal" konjugierte Phosphoniumsalz gebildet[3-5] (vgl. S. 67) [Die entstehenden Salze lassen sich z.B. mit Natriummethanolat unter Chlorwasserstoff-Abspaltung leicht in das entsprechende Phosphor-Ylid überführen (s. S. 91), das zum entsprechenden Kohlenwasserstoff hydrolysiert (s. S. 188) oder mit Carbonyl-Verbindungen umgesetzt werden kann (s. S. 88ff.)] z.B.:

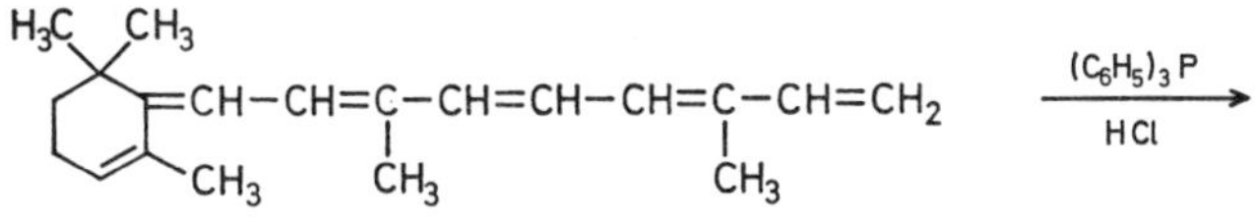

H_3C CH_3 ... =CH–CH=C(CH_3)–CH=CH–CH=C(CH_3)–CH=CH_2 (CH_3) $\xrightarrow[HCl]{(C_6H_5)_3P}$

Anhydrovitamin A

$\left[H_3C\ CH_3 \ldots –CH=CH–C(CH_3)=CH–CH=CH–C(CH_3)=CH–CH_2–\overset{\oplus}{P}(C_6H_5)_3 \right] Cl^{\ominus}$

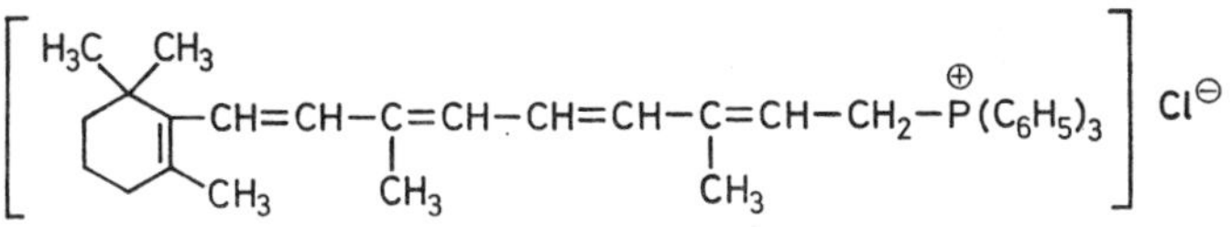

Retinyl-triphenyl-phosphoniumchlorid, > 80%

Die Addition von Schwefelwasserstoff wird auf S. 83 besprochen.

Bisulfit lagert sich in Polyenalen nicht an die Polyenkette an, so daß Polyenale ohne Verlust über die Aldehyd-Bisulfit-Verbindungen gereinigt werden können[6].

Die Addition von Dirhodan an Polyenketten wurde z.B. am Bixin untersucht. Es reagieren 3 C=C-Doppelbindungen[7].

Polyenale von C_5-C_{10} mit 2-4 C=C-Doppelbindungen lagern mit großer Leichtigkeit zunächst 1 Mol Tetrafluorhydrazin an unter Bildung von Bis-[difluoramino]-Addukten, die unter schärferen Bedingungen noch weitere Mole Tetrafluorhydrazin aufnehmen unter Absättigung aller C=C-Doppelbindungen (die Reaktionsprodukte finden Verwendung als Oxidationszusätze für Raketentreibstoffe)[8].

3. C—C-Additionen

Beim Octatrien-(2,4,6)-säure-ester gelingt mit Kupfer(I)-chlorid als Katalysator die 1,8-Addition von Butyl-magnesiumbromid. Das Addukt wird durch Hydrierung identifiziert als *7-Methyl-undecan-säureester* (25% d.Th.)[9,10]. Die Addition von Malonsäure-diestern an Heptatrien-(2,4,6)-säureester ergibt ebenfalls überwiegend 1,8-Addukte, bei der Addition an Octatrien-(2,4,6)-säureester entstehen dagegen überwiegend 1,4-Addukte:

---

1 J. F. B. v. Hasselt, R. **30**, 26 (1911).
2 M. Richter u. P. Boyde, J. pr. [4] **9**, 124 (1959).
3 H. Pommer, Ang. Ch. **72**, 811, 911 (1960).
4 H. Freyschlag et al., Ang. Ch. **77**, 277 (1965).
5 DBP. 1046612 (1957); vgl. 1068705 (1958); 1068706 (1958), BASF, Erf.: H. Pommer u. W. Sarnecki; C. A. **55**, 5573 (1961); **56**, 1487 (1962).
6 R. Kuhn u. M. Hoffer, B. **64**, 1977 (1931).
7 R. Pummerer, L. Rebmann u. W. Reindel, B. **62**, 1417 (1929).
8 US.P. 3341598 (1960/1967), Esso, Erf.: R. P. Rhodes; C. A. **67**, 108190 (1967).
9 S. Jacobsen et al., Acta chem. scand. **17**, 2423 (1963).
10 Die Addition von Grignard-Verbindungen an ω-Amino-polyenketone oder -aldehyde s. S. 86ff.

$$H_2C{=}CH{-}CH{=}CH{-}CH{=}CH{-}COOC_2H_5 + H_2C(COOC_2H_5)_2 \longrightarrow$$

$$\underset{\displaystyle HC(COOC_2H_5)_2}{H_2C}{-}CH{=}CH{-}CH{=}CH{-}CH_2{-}COOC_2H_5$$

8-Äthoxycarbonyl-nonadien-(3,5)-disäure-diäthylester[1] (62% d. Th.)

$$H_3C{-}CH{=}CH{-}CH{=}CH{-}CH{=}CH{-}COOCH_3 + H_2C(COOCH_3)_2 \longrightarrow$$

$$H_3C{-}\underset{\displaystyle HC(COOCH_3)_2}{CH}{-}CH{=}CH{-}CH{=}CH{-}CH_2{-}COOCH_3 + H_3C{-}CH{=}CH{-}CH{=}CH{-}\underset{\displaystyle HC(COOCH_3)_2}{CH}{-}CH_2{-}COOR$$

3-Methyl-2-methoxycarbonyl-nonadien-(4,6)-disäure-dimethylester (~ 7,4% d.Th.)[2]

3-Pentadien-(1,3)-yl-2-methoxycarbonyl-glutarsäure-dimethylester (R = CH_3; 50% d.Th.)[2]

Auch die Addition von Polyenmolekülen untereinander oder mit anderen Olefinen unter Bildung von linearen Dimeren oder auch Polymeren ist bekannt:

$$(H_3C)_2C{=}CH{-}CH{=}CH{-}\overset{\displaystyle CH_3}{C}{=}CH{-}CH_3 \xrightarrow{\text{Li-Naphthalin}}$$

Alloocimen

$$H_3C{-}\overset{\displaystyle CH_3}{CH}{-}CH{=}CH{-}CH{=}\overset{\displaystyle CH_3}{C}{-}CH{-}CH_3$$
$$H_3C{-}CH{=}\underset{\displaystyle CH_3}{C}{-}CH{=}CH{-}CH_2{-}\underset{\displaystyle CH_3}{C}{-}CH_3$$

3,7,7,8,9,13-Hexamethyl-tetradecatetraen-(2,4,9,11)[3]

Octatetraen-(1,3,5,7), das leicht ***explosions***artig polymerisiert[4], soll sich als Polymerisationskomponente für Äthylen, Buten, Butadien eignen[5].

Bei der Polymerisation von Vitamin A-acrylat oder -methylcrylat scheint die Polyenkette erhalten zu bleiben[6]. Die Dimerisierung bzw. Polymerisation von konjugiert ungesättigten Fettsäuren wird im vorliegenden Beitrag nicht berücksichtigt.

c) Cycloadditionen an Polyenketten

1. Unter Bildung von isocyclischen Ringen

Diels-Alder-Reaktionen mit Polyenen haben vor allem Bedeutung für die Aufklärung von Struktur und Konfiguration der Polyene oder auch für die Trennung von *cis*- und *trans*-Isomeren, insbesondere in der Vitamin A-Reihe.

[1] D. S. Acker u. B. C. Anderson, J. Org. Chem. **24**, 1162 (1959).
[2] E. H. Farmer u. S. R. W. Martin, Soc. **1933**, 960.
[3] K. Suga et al., Israel J. Chem. **6**, 151 (1968); C.A. **69**, 58769 (1968).
[4] G. F. Woods u. L. H. Schwartzman, Am. Soc. **71**, 1396 (1949).
[5] DBP. 1240518 (1964), Chem. Werke Hüls, Erf.: W. Ziegenbein u. G. Peitscher; C. A. **68**, 77694 (1968).
[6] T. Ida et al., J. Vitaminol. (Kyoto) **9** [4], 269 (1963); C.A. **61**, 15931 (1964).

Das Verhalten von konjugierten Trien- und Tetraen-Systemen bei Diels-Alder-Reaktionen wurde ausführlich untersucht[1–5]. Folgende Regeln konnten aufgestellt werden[1,2]:

① Die Anlagerung von Dienophilen an Triene oder Tetraene verläuft als 1,4-Addition, ergibt also 6-Ringe. Der Fall einer 1,6- oder 1,8-Addition ist bisher nicht bekannt geworden.
② Bei Trienen lassen sich nur Verbindungen mit zentraler *trans*-C=C-Doppelbindung mit Dienophilen umsetzen. Eine zentrale *cis*-Doppelbindung bewirkt eine zu starke Tendenz des Moleküls zur Cyclisierung, d. h. zu einer „inneren Dien-Synthese“ (s. S. 219).
③ Bei unsymmetrisch substituierten Trienen oder Tetraenen ist die Addition am nicht substituierten oder geringer substituierten Ende bevorzugt. Ein *cis*-ständiger Substituent erschwert bzw. verhindert eine Beteiligung dieser Doppelbindung an der Dien-Synthese.
④ Grundsätzlich lassen sich alle bei Dienen gewonnenen Erkenntnisse über den strukturellen und sterischen Verlauf der Dien-Synthesen auf Triene übertragen. Die Triene verhalten sich wie α-vinylsubstituierte Diene.
⑤ Die Addukte der Polyene lassen sich zu aromatischen Ringen dehydrieren.

Hexatrien-(1,3,5) reagiert z.B. mit Maleinsäureanhydrid[2,6], Dimethyl-p-benzochinon[7], Acrylnitril[8] oder Acrolein[8] nach folgendem Schema:

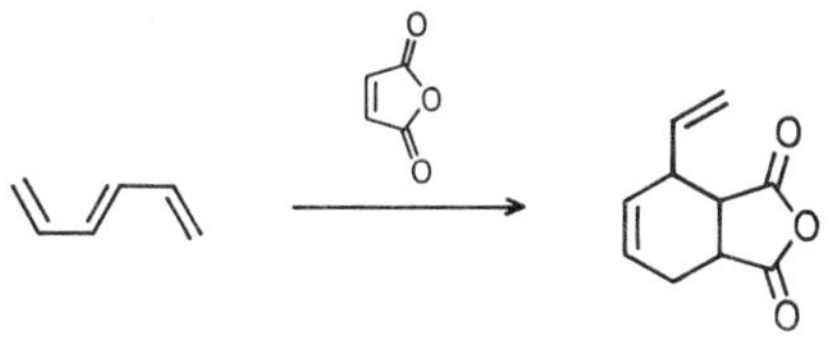

3-Vinyl-cyclohexen-(1)-4,5-dicarbonsäure-anhydrid (I)[2]: Molare Mengen Hexatrien-(1,3,5) und Maleinsäure-anhydrid werden in Gegenwart von etwas Hydrochinon 6–8 Stdn. in Äther zum Sieden erhitzt; Ausbeute: ~ 80–90% d.Th.; F: 51° (aus Petroläther).

Durch $^1/_2$ stdg. Kochen mit Wasser erhält man *3-Vinyl-cyclohexen-(1)-4,5-dicarbonsäure*; F: 166°.

Heptatrien-(1,3,5) reagiert mit Maleinsäureanhydrid[2] nach Schema ①, wenn es eine *trans*-CH_3-Gruppe besitzt, dagegen bei *cis*-ständiger CH_3-Gruppe nach Schema ② (S. 206):

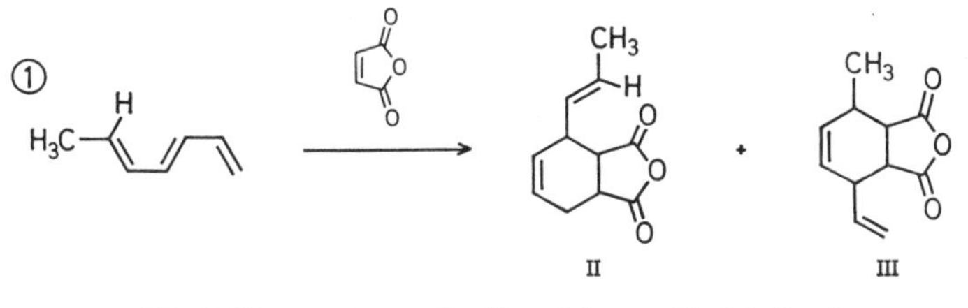

①

II + III bzw. freie Carbonsäuren IV und V

II; *3-[Propen-(trans-1)-yl]-cyclohexen-(1)-4,5-dicarbonsäure-anhydrid* 3
III; *6-Methyl-3-vinyl-cyclohexen-(1)-4,5-dicarbonsäure-anhydrid* : 1
IV; *3-[Propen-(trans-1)-yl]-cyclohexen-(1)-4,5-dicarbonsäure*
V; *6-Methyl-3-vinyl-cyclohexen-(1)-4,5-dicarbonsäure*

---

1 K. Alder u. M. Schumacher, B. **89**, 2485 (1956).
2 K. Alder u. H. v. Brachel, A, **608**, 195 (1957).
3 K. Alder, A. Dreike, H. Erpenbach u. U. Wicker, A. **609**, 1 (1957).
4 K. Alder u. R. Kuth, A. **609**, 19 (1957).
5 K. Alder u. M. Schumacher, Fortschr. Chem. org. Naturstoffe **10**, 1 (1953).
6 G. F. Woods, N. C. Bolgiano u. D. E. Duggan, Am. Soc. **77**, 1800 (1955).
7 G. Manecke, G. Ramlow u. W. Storck, B. **100**, 836 (1967).
8 J. M. Shackelford, W. A. Michalowicz u. L. H. Schwartzman, J. Chem. Eng. Data **8**, 624 (1963).

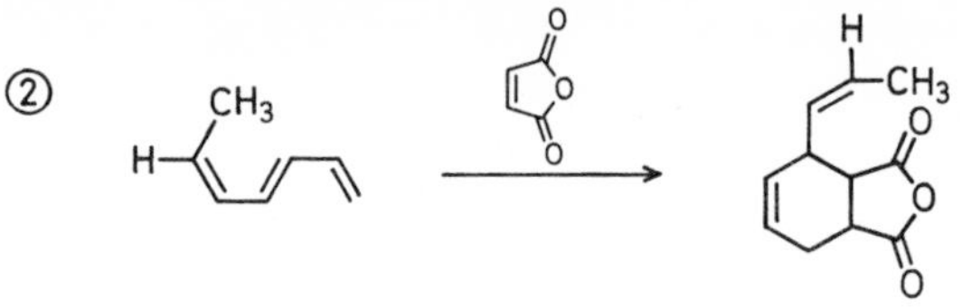

②

3-[Propen-(cis-1)-yl]-cyclohexen-(1)-4,5-dicarbonsäure-anhydrid

3-[Propen-(*trans*-1)-yl]-cyclohexen-(1) (IV) und 6-Methyl-3-vinyl-cyclohexen-(1)-4,5-dicarbonsäure (V) (s. S. 205)[1]: Molare Mengen *trans,trans*-Heptatrien-(1,3,5) und Maleinsäure-anhydrid werden in Gegenwart von wenig Pyrogallol im doppelten Vol. Äther 8–10 Stdn. zum Sieden erhitzt. Das Addukt wird durch Destillation i. Hochvak. gereinigt und mit verd. Natriumcarbonat-Lösung verseift. Durch Ansäuern und Ausäthern erhält man aus der wäßrigen Lösung die Säuren IV und V; Ausbeute: ~ 80–90% d. Th.; durch mehrmalige fraktionierte Kristallisation erhält man die reine Säure IV; F: 199° (aus Essigsäure-äthylester/Petroläther).

Verschiedene andere Addukte von Heptatrien-(1,3,5) oder anderen Methyl-hexatrienen z.B. mit Maleinsäureanhydrid[1,2], Acrolein[3], Buten-(2)-al[3] sind bekannt.

Zahlreiche Addukte mit Dienophilen sind aus Alloocimen [2,6-Dimethyl-octatrien-(2,4,6)] hergestellt [z.B. mit Maleinsäure-anhydrid[4–6], Naphthochinon-(1,2)[4,5], Buten-(2)-al[7], Zimtaldehyd[7], 3-Oxo-1,3-diphenyl-propen (Benzalacetophenon, Chalcon)[7], 3-Oxo-1-phenyl-buten[7], Acrolein[8], Acrylnitril[7,8] Acrylsäure-methylester[8] u. a.]. Die Reaktionen verlaufen alle nach folgendem Schema:

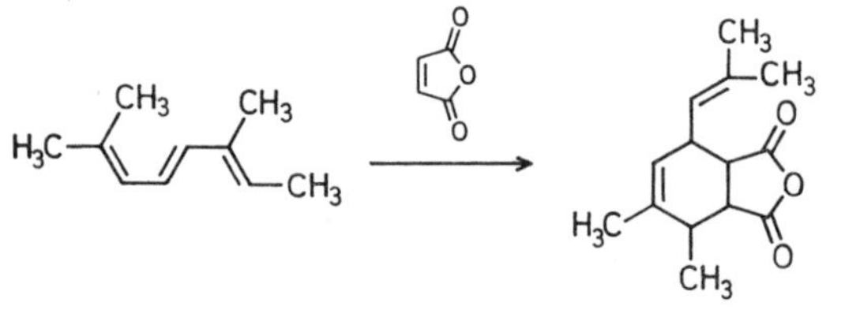

1,6-Dimethyl-3-(2-methyl-propenyl)-cyclohexen-(1)-4,5-dicarbonsäure-anhydrid; F: 84°

Die mit Alloocimen isomere Verbindung mit endständiger *cis*-CH_3-Gruppe (Neo-alloocimen) reagiert mit Maleinsäure-anhydrid zu einem Addukt vom F: 38°. Beide Addukte unterscheiden sich nur durch die Stellung der CH_3-Gruppe[9,10] am C_6.

3,4-Dimethyl-1-(2-methyl-propenyl)-1,4,4a,9a-tetrahydro-anthrachinon[9]: 6 g Alloocimen, 4 g Naphthochinon-(1,2), eine Spatelspitze Hydrochinon und 23 *ml* absol. Äthanol werden 3 Stdn.

---

[1] K. Alder u. H. v. Brachel, A. **608**, 195 (1957).
[2] H. Fleischacker u. G. F. Woods, Am. Soc. **78**, 3436 (1956).
[3] DRP. 526168 (1930), O. Diels u. K. Alder; C. **1931** II, 1351.
[4] K. Alder, A. Dreike, H. Erpenbach u. U. Wicker, A. **609**, 1 (1957).
[5] B. A. Arbuzov u. A. R. Vilchinskaya, Ž. obšč. Chim. **25**, 168 (1955); engl.: 151.
[6] J. E. Milks u. J. E. Lancaster, J. Org. Chem. **30**, 888 (1965).
[7] B. A. Arbuzov u. A. R. Vilchinskaya, Ž. obšč. Chim. **31**, 2199 (1961); engl.: 2053.
[8] A. R. Vilchinskaya u. B. A. Arbuzov, Ž. obšč. Chim. **29**, 2718 (1959); engl.: 2686.
[9] K. Alder, A. Dreike, H. Erpenbach u. U. Wicker, A. **609**, 1 (1957).
[10] Zur Isomerisierung von Alloocimen und Neoalloocimen ineinander bei der Reaktion mit Maleinsäure-anhydrid, p-Benzochinon, Tetracyanäthylen oder Jod, vgl. E. Koerner von Gustorf u. J. Leitich, Tetrahedron Letters **1968**, 4689.

unter Rückfluß zum Sieden erhitzt. Anschließend wird Äthanol und der überschüssige Kohlenwasserstoff i. Vak. abdestilliert, der Rückstand unter Kühlung mit einigen *ml* Äthanol versetzt und durch Anreiben das Addukt kristallin ausgefällt; Ausbeute: ~ 40% d.Th.; F: 117° (aus Äthanol).

Analoge Reaktionen sind z.B. bekannt bei 2,3,4,5-Tetrachlor-hexatrien-(1,3,5)[1,2], 1,6-Diphenyl-hexatrien-(1,3,5)[3], 1-Phenyl-5-fluorenyliden-pentadien-(1,3) (Addition in 1,3-Stellung)[4] und auch bei Carbonsäuren mit 3 konjugierten Doppelbindungen (α- und β-Eläostearinsäure[5,6], dehydratisierte Ricinusölfettsäuren)[7].

1,1,6,6-Tetraphenyl-hexatrien-(1,3,5) bildet aus sterischen Gründen kein Maleinsäure-anhydrid-Addukt[4].

Bei Tetraenen vom Typ des 2,6-Dimethyl-octatetraens-(1,3,5,7) geht das zunächst entstehende normale Addukt, z.B. mit Maleinsäureanhydrid[8] bzw. Naphthochinon-(1,2)[9], leicht eine sekundäre zusätzliche „innere Dien-Synthese" ein:

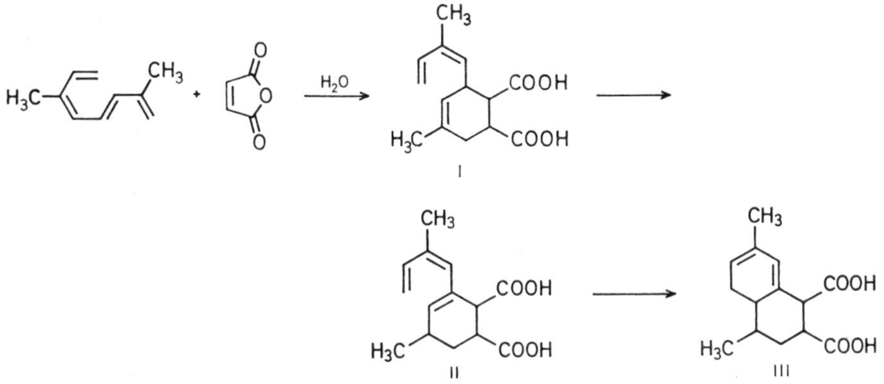

I; *1-Methyl-3-(2-methyl-butadienyl)-cyclohexen-(1)-4,5-dicarbonsäure*
II; *6-Methyl-2-(2-methyl-butadienyl)-cyclohexen-(1)-3,4-dicarbonsäure*
III; *3,7-Dimethyl-bicyclo[4.4.0]decadien-(1,3)-9,10-dicarbonsäure*

3,7-Dimethyl-bicyclo[4.4.0]decadien-(1,3)-9,10-dicarbonsäure (III)[8]: ~ 80 g Dehydroocimen (roh) [2,6-Dimethyl-octatetraen-(1,3,5,7)] werden unter Zugabe von 100 *ml* Äther portionsweise unter Schütteln mit insgesamt 50 g Maleinsäureanhydrid versetzt. Der Ansatz erwärmt sich nach jeder neuen Zugabe von Maleinsäureanhydrid ganz beträchtlich. Nachdem alles Maleinsäureanhydrid eingetragen ist, überläßt man das Reaktionsprodukt noch 12 Stdn. bei Raumtemp. sich selbst, destilliert den nicht umgesetzten Kohlenwasserstoff (~ 20 g) ab, nimmt den Rückstand in warmer Natriumcarbonat-Lösung auf, äthert ihn alkalisch aus, säuert die wäßrige Phase vorsichtig mit Salzsäure an und äthert erneut erschöpfend aus. Dabei bleiben ~ 15 g eines sauren in Äther unlöslichen Harzes zurück, von dem man abfiltriert. Nach dem Verdampfen des Äthers erhält man neben einem öligen Anteil in guter Ausbeute die Säure III; F: 191°.

---

[1] A. N. Akopyan u. V. S. Aslamazyan, Ž. obšč. Chim. **32,** **2443** (1962); engl. 2411.
[2] A. N. Akopyan u. V. S. Aslamazyan, Ž obšč. Chim. **33,** 1160 (1963); engl.: 1141.
[3] DRP. 526168 (1930), O. Diels u. K. Alder; C. **1931** II, 1351.
R. Kuhn u. T. Wagner-Jauregg, B. **63,** 2662 (1930).
[4] K. Alder u. M. Schumacher, A. **570,** 178 (1950).
[5] K. Alder u. R. Kuth, A. **609,** 19 (1957).
[6] K. Alder u. M. Schumacher, Fortschr. Chem. org. Naturstoffe **10,** 1 (1953).
[7] Brit.P. 1032363 (1962), J. Bibby a. Sons Ltd., Erf.: R. V. Crawford u. P. A. Toseland; C. A. **65,** 7483 (1966).
[8] K. Alder u. M. Schumacher, B. **89,** 2485 (1956).
[9] K. Alder u. H. v. Brachel, A. **608,** 195 (1957).

1,8-Diphenyl-octatetraen-(1,3,5,7) addiert an beiden Doppelbindungspaaren der Tetraenkette je 1 Mol Maleinsäureanhydrid[1], dagegen erfolgt beim 1,1,8,8-Tetraphenyl-octatetraen-(1,3,5,7) aus sterischen Gründen nur die Addition von 1 Mol Maleinsäure-anhydrid und zwar an den beiden mittleren C=C-Doppelbindungen[2]. Analog addiert 1,1,10,10-Tetraphenyl-decapentaen-(1,3,5,7,9) 1 Mol Maleinsäure-anhydrid in 3,6-Stellung und 1,1,12,12-Tetraphenyl-dodecahexaen nebeneinander 1 Mol Maleinsäure-anhydrid an den mittleren beiden C=C-Doppelbindungen oder 2 Mol Maleinsäure-anhydrid in 3,6- und 7,10-Stellung[2].

3,6-Bis-[4,4-diphenyl-butadienyl]-cyclohexen-(1)-4,5-dicarbonsäure-anhydrid (I) und 4,4'-Bis-[2,2-diphenyl-vinyl]-bi-[cyclohexen-(2)-yl]-5,6; 5',6'-dicarbonsäure-bis-anhydrid (II)[2]:

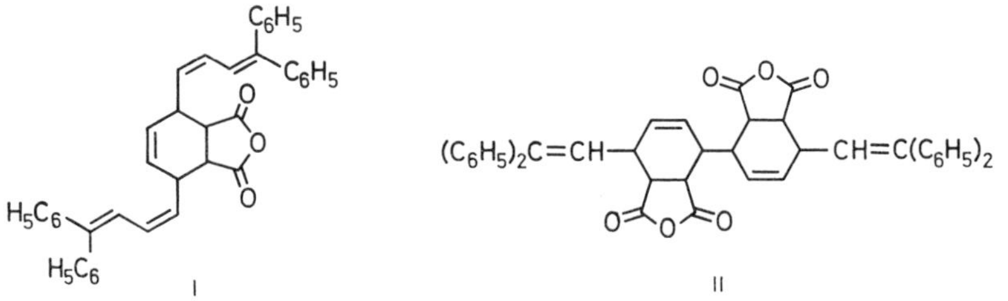

I II

0,5 g 1,1,12,12-Tetraphenyl-dodecahexaen, 0,5 g Maleinsäureanhydrid und 15 *ml* trockenes Xylol werden in einem Rundkolben 7 Stdn. unter Rückfluß zum Sieden erhitzt. Die anfangs dunkelrote Lösung hellt sich im Verlauf der Reaktion immer mehr auf, so daß sie nach 7 Stdn. nur noch eine schwache Färbung aufweist. Beim Abkühlen scheidet sich das 1:1-Addukt I zum größten Teil aus der Xylol-Lösung kristallinisch ab. Es wird abgesaugt, mit etwas Essigsäureäthylester ausgekocht und Essigsäureanhydrid umkristallisiert; F: 260–261°.

Aus der Xylol-Mutterlauge kann Addukt II isoliert werden; F: 243°.

Vitamin A-(Derivate) addieren in 1,4-Stellung an C_{11} und C_{13} sehr leicht Maleinsäure-anhydrid, wenn sich diese beiden Doppelbindungen in *trans*-Stellung befinden, weitaus langsamer verläuft die Addition bei *cis*-Stellung der C_{11}- und C_{13}-Doppelbindungen[3–6]:

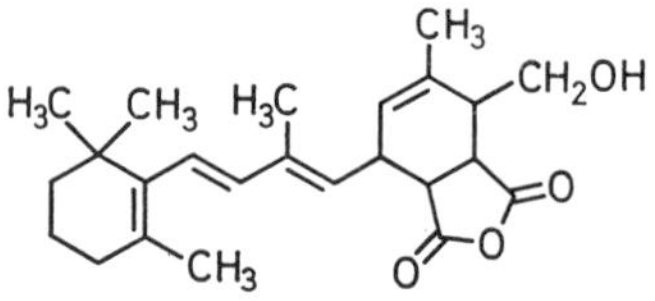

1-Methyl-6-hydroxymethyl-3-{2-methyl-4-[2,6,6-trimethyl-cyclohexen-(1)-yl]-butadienyl}-cyclohexen-(1)-4,5-dicarbonsäure-anhydrid

Die stark verschiedene Reaktionsgeschwindigkeit der o.g. Vitamin A-Isomeren kann präparativ zu ihrer Trennung ausgenutzt werden[6], unter Normalbedingungen haben sich bei Raumtemperatur nach 30 Min. praktisch nur die schnell reagierenden C_{11}- und C_{13}-*trans*-Vitamin A-Isomeren mit Maleinsäure-anhydrid umgesetzt (vgl. S. 24).

---

[1] R. Kuhn u. T. Wagner-Jauregg, B. **63**, 2662 (1930).
[2] K. Alder u. M. Schumacher, A. **570**, 178 (1950).
[3] C. D. Robeson u. J. G. Baxter, Am. Soc. **69**, 136 (1947).
[4] C. D. Robeson et al., Am. Soc. **77**, 4111 (1955).
[5] C. D. Robeson et al., Am. Soc. **77**, 4120 (1955).
[6] L. Zechmeister: „*Cis-trans-Isomeric Carotenoids, Vitamins A and Arylpolyenes*“, S. 138, Springer-Verlag, Wien 1962.

Bei Verbindungen vom Typ des Vitamin A sind neben 1,1- auch 1,2-Addukte bekannt, d.h. es kann an beiden Doppelbindungspaaren der Tetraen-Kette gleichzeitig je eine 1,4-Addition stattfinden[1]:

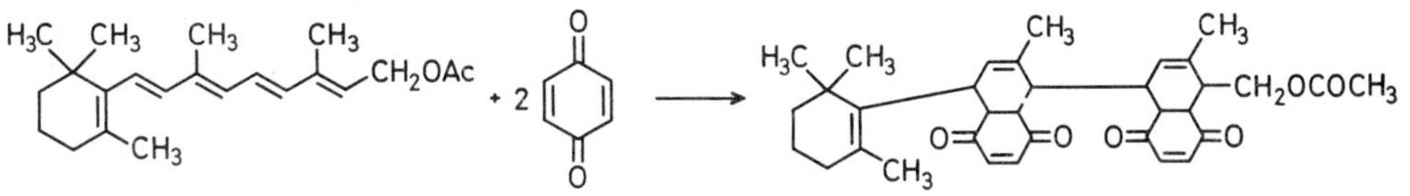

5'-Acetoxymethyl-7,7',10,10'-tetraoxo-4,4'-dimethyl-5-[2,6,6-trimethyl-cyclohexen-(1)-yl]-bi-{bicyclo[4.4.0]decadien-(3,8)-yl-(2)}

β-Carotin reagiert mit Maleinsäure-anhydrid zu einem 1 : 5-Addukt ($C_{60}H_{66}O_{15}$), dessen Konstitution nicht genau feststeht. Spektrometrisch konnten im Addukt keine konjugierten Doppelbindungen mehr nachgewiesen werden[2].

Die Herstellung der 1,4-Addukte mit Maleinsäure-anhydrid erfolgt wie aus den Arbeitsvorschriften ersichtlich bei nicht- oder alkyl- bzw. phenyl-substituierten Trienen und Tetraenen im allgemeinen durch mehrstündiges Erhitzen der Komponenten in molaren Mengen in siedendem Äther, Äthanol, Benzol usw. in Gegenwart von Hydrochinon oder ähnlichen Stabilisatoren. Die Ausbeuten sind meistens gut (~ 90% d.Th.).

Bei einigen Trienen ist die Reaktion mit Maleinsäure-anhydrid bei größeren Ansätzen exotherm: Die Komponenten werden in ätherischer Lösung portionsweise unter Schütteln zusammengegeben.

2,3,4,5-Tetrachlor-hexatrien-(1,3,5) reagiert erst durch 70 stdgs. Erhitzen im geschlossenen Rohr bei 90° mit Maleinsäureanhydrid[3,4]. Auch die Addukte von Trienen mit Acrolein, Zimtaldehyd usw. müssen im geschlossenen Rohr durch mehrstündiges Erhitzen hergestellt werden. Grundsätzlich kann bei reaktionsträgen Komponenten, z.B. auch bei Tetraphenyl-polyenen die Addition in dieser Weise unter Druck oder auch in der Schmelze (wenn das Polyen beständig genug ist) durchführen[5].

6-(2,2-Diphenyl-vinyl)-3-(4,4-diphenyl-butadienyl)-cyclohexen-(1)-4,5-dicarbonsäureanhydrid[5]: 0,5 g 1,1,10,10-Tetraphenyl-decapentaen werden mit 0,2 g Maleinsäureanhydrid und 3 *ml* trockenem Benzol in einem Bombenrohr 7–8 Stdn. auf 120–130° erhitzt. Der Rohrinhalt, eine braune, klare Lösung, wird i. Vak. zur Trockene eingedampft. Der Rückstand wird in wenig heißem Essigsäure-äthylester aufgenommen, man erhält nach längerem Stehen 0,5 g (~65% d.Th.); F: 183° (nach Umlösen aus Essigsäure-äthylester/Ligroin; F: 186–187°).

3,6-Bis-[2,2-diphenyl-vinyl]-cyclohexen-(1)-4,5-dicarbonsäureanhydrid[5]: 2 g 1,1,8,8-Tetraphenyl-octatetraen und 1 g Maleinsäureanhydrid werden in einem Ölbad 30 Min. auf 210° erhitzt. Die Schmelze erstarrt beim Abkühlen sofort kristallin. Man löst das gebildete Addukt mit kaltem Methanol heraus, preßt es auf Ton ab und kristallisiert aus Essigsäureanhydrid um; F: 248°.

Bei Vitamin A(-Derivaten) genügt für die Reaktion mit Maleinsäureanhydrid Raumtemperatur. Zur Herstellung des 1 : 2-Vitamin A-Benzochinon-Adduktes[1] wird Vitamin A mit 5fachem Überschuß an Benzochinon 3 Stdn. in siedendem Benzol erhitzt.

---

[1] M. Lora-Tamajo, J. L. Leon u. C. Estada, J. Org. Chem. **17**, 812 (1952).
[2] Z. Nakamiya, Sci. Pap. Inst. phys. chem. Res. **29**, Nr. 629/31; C. 1936 II, 4125.
[3] A. N. Akopyan u. V. S. Aslamazyan, Ž. obšč. Chim. **32**, 2443 (1962); engl.: 2411.
[4] A. N. Akopyan u. V. S. Aslamazyan, Ž. obšč. Chim. **33**, 1160 (1963); engl.: 1141.
[5] K. Alder u. M. Schumacher, A. **570**, 178 (1950).

Die Verseifung der Anhydrid-Gruppe bei Maleinsäureanhydrid-Addukten zur freien Säure wird durch $^1/_2$ stdg. Kochen in Wasser, durch Behandlung mit Natriumcarbonat-Lösung usw. erreicht.

Die Dehydrierung der Addukte zu Aromaten kann z.B. durch Erhitzen mit Palladium/Kohle, Selen(IV)-oxid in Acetanhydrid oder Durchleiten von Luft erfolgen.

Neben 1,4-Cycloadditionen an Polyene sind auch Cycloadditionen an Polyene in 1,2-Stellung unter Ausbildung von Cyclopropanringen möglich, z. B. bei der Reaktion mit Carbenen[1,2]; so erhält man z. B. aus Hexatrien-(1,3,5) und Dihalogen-carbenen oder Diazoessigsäure-äthylester die folgenden Addukte[1]:

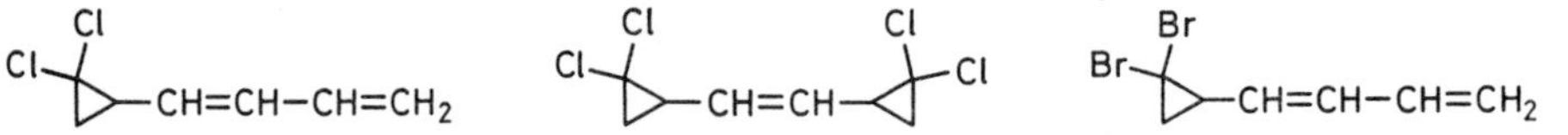

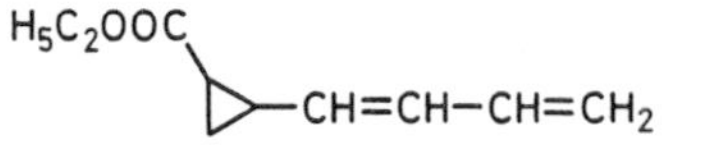

Cl, Cl-Cyclopropyl–CH=CH–CH=CH$_2$ Cl, Cl-Cyclopropyl–CH=CH–Cyclopropyl-Cl, Cl Br, Br-Cyclopropyl–CH=CH–CH=CH$_2$

H$_5$C$_2$OOC-Cyclopropyl–CH=CH–CH=CH$_2$ u. a.

2. Additionen an Polyenketten unter Bildung von heterocyclischen Ringen

Die Anlagerung von Sauerstoff an Polyenketten zu Epoxiden ist wenig bearbeitet. Hexatrien-(1,3,5) ergibt bei der Reaktion mit Benzopersäure *5,6-Epoxi-hexadien-(1,3)*[1]:

$$H_2C{=}CH{-}CH{=}CH{-}CH{=}CH_2 \qquad H_2C{-}CH{-}CH{=}CH{-}CH{=}CH_2 \text{ (Epoxid, } H_2C{-}CH \text{ über O verbrückt)}$$

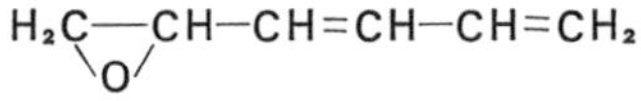

Häufig reagieren Polyenketten überhaupt nicht mit Benzoepersäure[3], dagegen erhält man aus Octatrien-(2,4,6)-al-säure-äthylester mit verdünntem Wasserperoxid *6,7-Epoxi-octadien-(2,4)-al-(8)-säure-äthylester* (40% d. Th.)[4].

Das Diepoxid des Alloocimens [*1,2;7,8-Diepoxi-2,6-dimethyl-octen-(4)*] wurde z.B. dadurch erhalten, daß Alloocimen zunächst mit Luftsauerstoff zu einem Polyperoxid oxidiert und dieses dann bei 120–130° depolymerisiert wurde[5]:

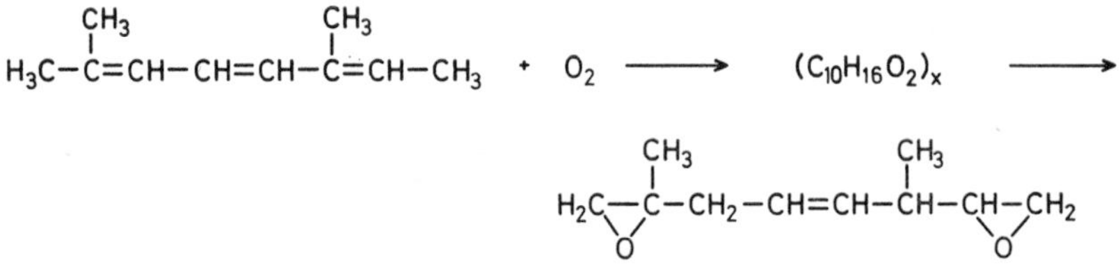

$$H_3C{-}C(CH_3){=}CH{-}CH{=}CH{-}C(CH_3){=}CH{-}CH_3 + O_2 \longrightarrow (C_{10}H_{16}O_2)_x \longrightarrow$$

$$H_2C{-}C(CH_3){-}CH_2{-}CH{=}CH{-}CH(CH_3){-}CH{-}CH_2 \text{ (beide Enden als Epoxid über O verbrückt)}$$

Bei der Reaktion von β-Carotinoid-Kohlenwasserstoffen mit Persäuren (wie Benzoepersäure oder Phthalmonopersäure) reagiert nur die Doppelbindung im Cyclohexenring:

---

[1] J. M. Shackelford, W. A. Michalowicz u. L. H. Schwartzman, J. Chem. Eng. Data **8**, 624 (1963).
Vgl. a. ds. Handb., Bd. IV/3, Kap. Carbocyclische Dreiring-Systeme.

[2] DOS 1816242 (1967), The Intern. Synth. Rubber Co., Ltd., Erf.: E. W. Duck, B. J. Ridgewell u. J. M. Locke.

[3] M. Richter u. P. Boyde, J. pr. [4] **9**, 124 (1959).

[4] L. A. Janovskaja, B. I. Kozyrkin u. V. F. Kučerov, Izv. Akad. SSSR **1966**, 1595; engl.: 1536.

[5] DBP 1101401 (1956) ≡ Fr. P. 1152562 (1958), Derives Resiniques et Terpeniques S.A., Erf.: L. Désalbres; C. A. **54**, 13171 (1960).
Vgl. L. Désalbres, Bl. **1950**, 1245.

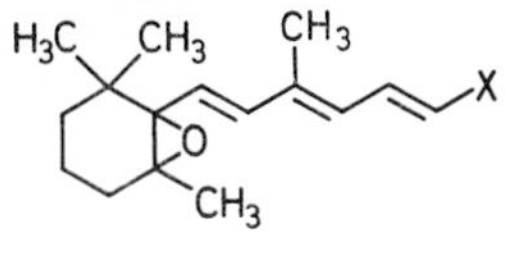

(s. S. 174). Diese Cyclohexen-5,6-epoxide lagern sich sekundär leicht durch Säuren unter Einbeziehung der Polyenkette in furanoide 5,8-Epoxide um (s. S. 217), dazu kann schon die Acidität der verwendeten Persäure ausreichen.

Auch die bei der Reaktion von Carotinoiden mit Blei(IV)-acetat erhaltenen furanoiden 5,8-Oxide[1,2,3] sind nicht durch direkte Anlagerung von Sauerstoff entstanden, sondern durch Umlagerungsreaktionen (s. S. 217), wobei allerdings die Zwischenstufen nicht isoliert werden:

Bei Carotinoiden mit Oxo-Gruppen im Cyclohexen-Ring kann die Reaktion mit Persäuren ausnahmsweise zur Anlagerung von Sauerstoff an die Polyenkette führen, z. B. bei Canthaxanthin zu *9,10-* und *13,14-Epoxi-canthaxanthin*[4]. Versuche zur Absättigung von carotinoiden Polyenketten durch Sauerstoff mit Hilfe von Benzoepersäure ergaben keine einheitlichen Reaktionsprodukte[5,6, vgl. 7].

Zu Anlagerung von Sauerstoff an die C_{13}-Doppelbindung im Vitamin A mit Hilfe von Hydroperoxiden in Ggw. von Vanadiumkatalysatoren siehe Lit.[8].

Zu Photo-Oxidationen in der Vitamin A_2-Reihe, z. B. bei 3,4-Dehydro-β-C_{17}-Säure-ester (vgl. S. 11), bei denen verschiedene Produkte mit sauerstoffhaltigen Ringpruppierungen entstehen, siehe Lit. [9].

Die Anlagerung von Schwefelwasserstoff an Polyenketten führt zu Thiapyranen, die als Zwischenstufen für Carotinoid-Synthesen Bedeutung besitzen (näheres s. S. 83).

Die bei Buten-(2)-al und Zimtaldehyd bekannte Umsetzung mit Anilin zu 2-substituierten Chinolinen ist bisher mit Polyenalen nicht gelungen[10].

Analog zu Dienen[11] lassen sich auch mit Polyenen Diels-Alder-Reaktionen mit Schwefeldioxid, Azoverbindungen usw. unter Ausbildung von heterocyclischen Ringen durchführen: Durch Anlagerung von Schwefeldioxid an 2,3,4,5-Tetra-

---

[1] C. Bodea, E. Nicoara u. T. Salontai, A. **648,** 147 (1961).
[2] C. Bodea u. E. Nicoara, Revue de Chimie (Bucarest) **7,** 79 (1962); C. A. **59,** 6450 (1963).
[3] C. Bodea u. V. Tămas, A. **671,** 57 (1964).
[4] E. Nicoara, D. Osianu u. C. Bodea, Rev. Roum. Chim. **15,** 965 (1970).
[5] R. Pummerer u. L. Rebmann, B. **61,** 1099 (1928).
[6] R. Pummerer, L. Rebmann u. W. Reindel, B. **62,** 1411 (1929).
[7] D. Swern, Org. Reactions VII, S. 378–433 (1953).
[8] Fr.P. 1546144 (1967), Atlantic Richfield Co., Erf.: M. N. Sheng u. J. G. Zazacek.
[9] J. L. Olivé u. M. Mousseron-Canet, Bl. **1969,** 3252.
[10] M. Richter u. P. Boyde, J. pr. [4] **9,** 124 (1959).
[11] J. Hamer „1,4-*Cycloaddition Reactions*", Academic Press, New York · London 1967.

chlor-hexatrien-(1,3,5) wird *2,3,4-Trichlor-2-(1-chlor-vinyl)-2,5-dihydro-thiophen-1,1-dioxid* erhalten[1,2]

aus *cis*-Hexatrien-(1,3,5) entsteht durch 1,6-Addition *2,7-Dihydro-thiepin-1,1-dioxid*[3]

Nitroso-Verbindungen addieren sich an Triene unter Bildung von 1,2-Oxazinen[4], Azodicarbonsäure-diester unter Bildung von 1,2-Diazinen[5].

An Heptatrien-(2,4,6)-säureester lassen sich in Gegenwart von Säure 2 Mol Formaldehyd an die endständige Doppelbindung anlagern[6].:

$-CH{=}CH{-}CH{=}CH{-}COOC_2H_5$

5-[1,3-Dioxanyl-(4)]-pentadien-(2,4)-säure-äthylester; 35% d. Th.

II. Oxidative und thermische Spaltung von Polyenen

a) durch oxidative Spaltung

Bei der Oxidation von Polyenen können folgende Reaktionen stattfinden:

① Sauerstoff kann an C=C-Doppelbindungen der Polyenkette addiert werden unter Bildung von Epoxiden (s. S. 210).

② Funktionelle Gruppen an der Polyenkette können oxidiert werden, z. B.

$$-CH_2OH \rightarrow -CHO$$

$$-CHO \rightarrow -COOH$$

usw. Wenn es sich um Polyene mit endständigem Cyclohexenring handelt, kann Sauerstoff an die C=C-Doppelbindung dieses Ringes angelagert werden, im Ring kann eine Hydroxy- oder eine Oxo-Gruppe eingeführt oder der Ring oxidativ aufgespalten werden. Soweit diese Reaktionen ohne Angriff der Polyenkette verlaufen, sind sie bereits auf S. 165f. beschrieben.

---

1 A. N. Akopyan u. V. S. Aslamazyan, Ž. obšč. Chim. **33**, 1160 (1963); engl. 1141.

2 A. N. Akopyan, V. S. Aslamazyan u. J. M. Rostomyan, Ž. obšč. Chim. **33**, 3143 (1963); engl.: 3069.

3 W. L. Mock, Am. Soc. **89**, 1281 (1967).

4 G. Kresze u. J. Firl, Tetrahedron **24**, 1043 (1968).

5 E. Koerner v. Gustorf, Tetrahedron Letters **1968**, 4693.

6 D. S. Acker u. B. C. Anderson, J. Org. Chem. **24**, 1162 (1959).

③ Die Polyenkette kann stufenweise durch Oxidationsmittel abgebaut werden, es entstehen dabei Polyenaldehyde (z. T. unter gleichzeitiger Aufspaltung der endständigen Ringe); s. S. 159 f.

④ Polyenkette und anhängende Ringe können durch Oxidationsmittel total abgebaut werden unter Aufhebung der Polyenstruktur.

Nur die unter ④ gekennzeichnete oxidative Umwandlung der Polyene zu Abbauprodukten ohne Polyenstruktur ist gemäß der Gliederung Gegenstand des vorliegenden Abschnitts. Derartige Reaktionen haben Bedeutung für die chemische Strukturaufklärung von Polyenen, insbesondere von Carotinoiden.

1. Kaliumpermanganat-Totaloxidation

Durch Behandlung von carotinoiden Polyenen mit Kaliumpermanganat entstehen aus einem 2,6,6-Trimethyl-cyclohexen-(1)-Ring nebeneinander *Dimethyl-malonsäure*, *2,2-Dimethyl-bernsteinsäure* und *2.2-Dimethyl-glutarsäure*, die Polyenkette mit x seitenständigen Methyl-Gruppen wird je nach Kettenlänge zu x Mol *Essigsäure* oxidiert[1-3]:

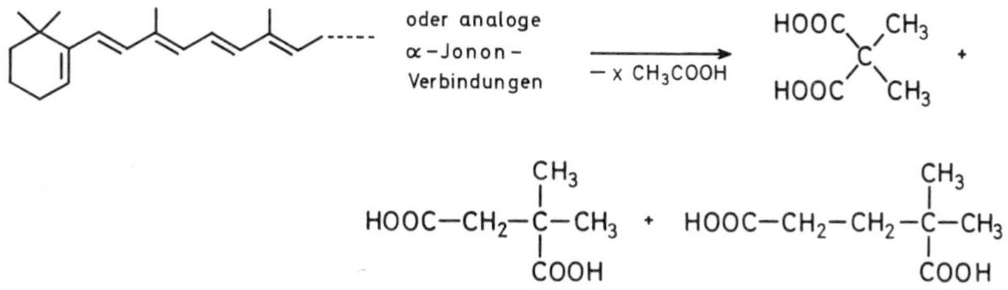

oder analoge α-Jonon-Verbindungen $\xrightarrow{-x\ CH_3COOH}$ $(HOOC)_2C(CH_3)_2$ +

$HOOC-CH_2-C(CH_3)_2-COOH$ + $HOOC-CH_2-CH_2-C(CH_3)_2-COOH$

Bei endständigen 2,6,6-Trimethyl-cyclohexen-(1)-Ringen mit Hydroxy-Gruppen in 3- oder 4-Stellung fehlt als Abbauprodukt die 2,2-Dimethyl-glutarsäure[1]. Aromatische Ringe an Polyenketten werden bei der Permanganat-Oxidation zu den entsprechenden Benzaldehyden oxidiert[4].

Aus der Gruppierung $=CH-CH_2-CH_2-CH=$ wird bei der Permanganatoxidation *Bernsteinsäure* erhalten[1] (s. a. S. 214).

Durch papierchromatographische Trennung der bei oxidativem Abbau der Carotinoide entstehenden Dicarbonsäuren können die Versuche auch mit nur 10–100 mg Substanz durchgeführt werden[5].

2. Ozonolyse

Die Ozonolyse liefert folgende charakteristische Spaltprodukte aus Polyenen:

① Aus den endständigen Ringen von Carotinoid-Polyenen mit β-Jonyliden-Rest entsteht *6-Oxo-2,2-dimethyl-heptansäure* (*Geronsäure*):

---

[1] P. Karrer u. E. Jucker, „*Carotinoide*“, Verlag Birkhäuser, Basel 1948.
[2] P. Karrer, A. Helfenstein, H. Wehrli u. A. Wettstein, Helv. **73**, 1084 (1930).
[3] U. Schwieter u. O. Isler in W. H. Sebrell u. R. S. Harris, „*The Vitamins*“, 2. Auflage, Vol. I, Academic Press, New York · London 1967.
[4] M. Yamaguchi, Bl. chem. Soc. Japan **31**, 739 (1958).
[5] N. F. Holyer u. B.C.L. Weedon, Chem. & Ind. **1955**, 1219.

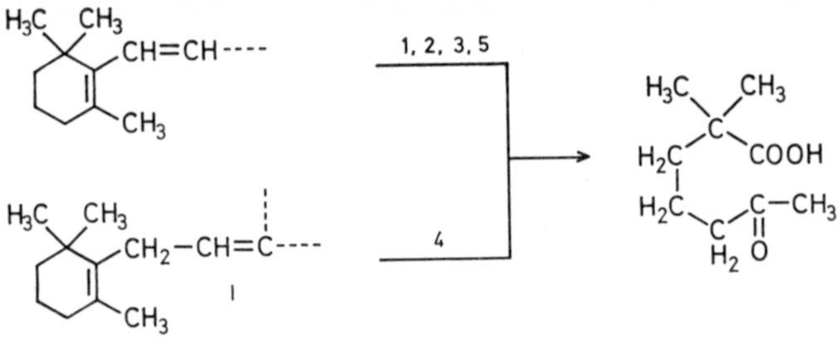

② aus α-Jonyliden-Resten entsteht *5-Oxo-4,4-dimethyl-heptansäure* (*Isogeronsäure*)[1,5]:

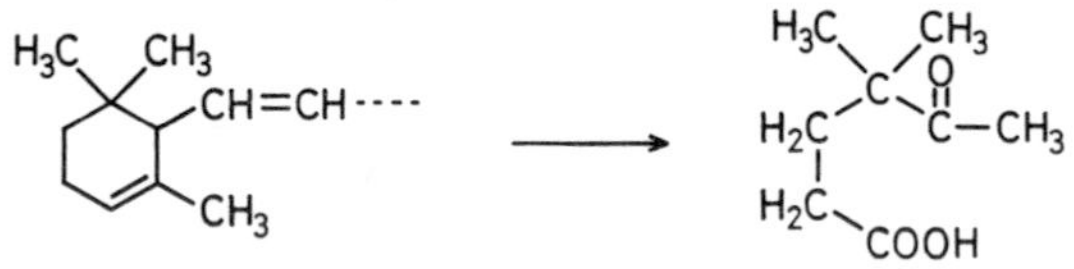

③ Unter geeigneten Versuchsbedingungen entsteht aus der Struktur I auch ein Diketon (*2,7-Dioxo-3,3-dimethyl-octan*)[4]:

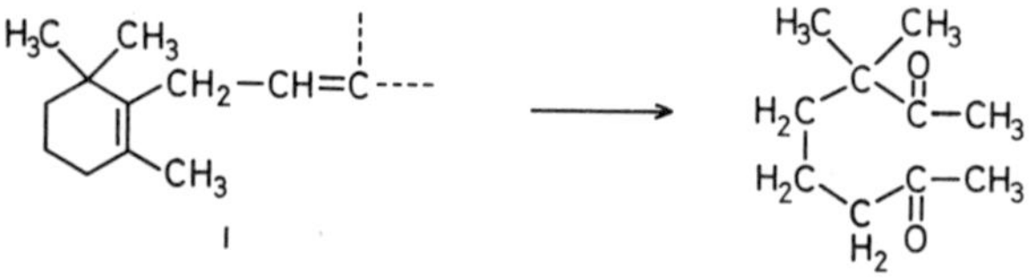

Mit Hilfe dieser Reaktion läßt sich bei der Ozonolyse z. B. die Struktur von β-Jonon von derjenigen des „β-C_{14}-Aldehyds" unterscheiden[4].

Zur Ozonolyse von speziellen Carotinoiden siehe die entsprechende Originalliteratur [vgl. 6]. Die Ozonolyse einer

Isopropyliden-Gruppe ergibt *Aceton*[1,5,7,8],

die Gruppierung =C—CH_2—CH_2—C= ergibt *Bernsteinsäure*[5,9],

die Gruppierung ROOC—CH=CH—C(—CH_3)=CH— *4-Oxo-buten(2)-säureester* + *2-Oxo-propanal*[5],

eine Polyenkette der Art —CH=CH—C(—CH_3 (H))=CH— ergibt zusätzlich *Glyoxal*[5]

und ein Polyen mit Acryloyl-cyclopentyl-Rest eine Cyclopentancarbonsäure[10,11], z. B.:

---

[1] P. Karrer, A. Helfenstein, H. Wehrli u. A. Wettstein, Helv. **73**, 1084 (1930).
[2] H. F. Taylor u. T. A. Smith, Nature **215**, 1513 (1967).
[3] P. Karrer, R. Morf u. K. Schöpp, Helv. **14**, 1036, 1431 (1931).
[4] H. H. Inhoffen, F. Bohlmann u. G. Linhoff, A. **570**, 73 (1950).
[5] P. Karrer u. E. Jucker, „*Carotinoide*", Verlag Birkhäuser, Basel 1948.
[6] W. Oroshnik, G. Karmas u. A. D. Mebane, Am. Soc. **74**, 295 (1952).
[7] P. Karrer u. P. Schneider, Helv. **33**, 38 (1950).
[8] R. Kuhn u. H. Brockmann, B. **66**, 407 (1933).
[9] H. H. Inhoffen, H. Pommer u. E. G. Meth, A. **572**, 151 (1951).
[10] J. W. Faigle, H. Müller, W. v. Philipsborn u. P. Karrer, Helv. **47**, 741 (1964).
[11] M. S. Barber, L. M. Jackman, C. K. Warren u. B. C. L. Weedon, Soc. **1961**, 4019.

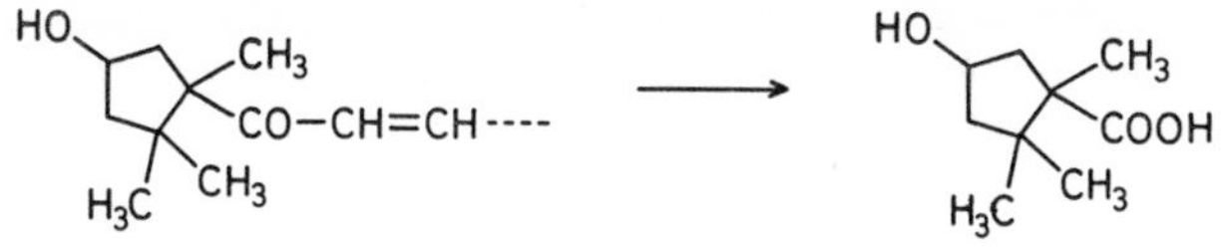

(z. B. im Capsanthin und Capsorubin)

Findet man bei der Ozonolyse von Polyenen mit seitenständigen Methyl-Gruppen *Formaldehyd*, so hat sich eine C=C-Doppelbindung in die Seitenkette verschoben[vgl. 1].

3. Chrom(VI)-oxid-Totaloxidation

Die Chrom(VI)-oxid-Totaloxidation wird nur in Sonderfällen zur Charakterisierung der endständigen Ringe an Polyenketten benutzt[2,3]. Die Methode findet bei Polyenen vor allem Verwendung zur Bestimmung der seitenständigen Methyl-Gruppen (insbesondere in den Polyenketten der Carotinoide), die dabei quantitativ zu *Essigsäure* oxidiert werden. Durch Kombination mit der Papierchromatographie wurde das Verfahren so modifiziert (abgewandelte Kühn-Roth-Methode), daß man auch mit kleinsten Substanzmengen arbeiten kann[4,5].

4. Autoxidation

Auch bei der Autoxidation durch Luft werden die C=C-Doppelbindungen in Polyenketten angegriffen; aus Carotinoiden entstehen nach und nach farblose Oxidationsprodukte, deren Strukturen noch nicht genau geklärt sind. Das Zersetzungsprodukt aus Vitamin A_2 nach einstündiger Autoxidation bei 0° enthält 7 zusätzliche Sauerstoff-Atome[6].

Autoxidationsprodukte der konjugierten Trienseitenkette vom Ebelinlacton konnten isoliert und spektroskopisch untersucht werden, danach wurde zunächst nur die endständige C=C-Doppelbindung angegriffen[7].

5. Photochemische Oxidation

Retinal liefert bei der autokatalysierten Photo-Oxidation über verschiedene Zwischenstufen das Lacton I[8]:

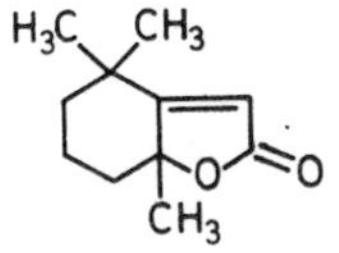

I; *(2-Hydroxy-2,6,6-trimethyl-cyclohexyliden)-essigsäure-lacton*

---

1 H. H. Inhoffen, H. Pommer u. K. Winkelmann, A. **568**, 174 (1950).

2 L. Cholnoky, J. Szaboles, R. D. G. Cooper u. B. C. L. Weedon, Tetrahedron Letters **1963**, 1257.

3 F. Arcamone et al., Experientia **25**, 241 (1969).

4 R. Entschel, C. H. Eugster u. P. Karrer, Helv. **39**, 1263 (1956).

5 C. F. Garbers, H. Schmid u. P. Karrer, Helv. **37**, 1336 (1954).

6 U. Schwieter u. O. Isler in W. H. Sebrell u. R. S. Harris „The *Vitamins*", 2. Auflage, Vol. I, Academic Press, New York · London 1967.

7 R. A. Eade, J. Ellis, J. J. H. Simes u. J. S. Shannon, Chem. Commun. **2**, 60 (1967).

8 D. A. Lerner, J. C. Mani u. M. Mousseron-Canet, Bl. **1970**, 1968; vgl. **1969**, 232.
Vgl. a. M. Mousseron-Canet, J. P. Dalle u. J. C. Mani, Tetrahedron Letters **1968**, 6037.
Vgl. a. M. Mousseron-Canet, J. C. Manet, J. P. Dalle u. J. L. Olivé, Bl. **1966**, 3874.
Vgl. a. C. S. Foote u. M. Brenner, Tetrahedron Letters **1968**, 6041.

Die Bestrahlung von Carotinoiden aus Nesselblättern in Gegenwart von Luft ergab Abbauprodukte mit wachstumshemmender Wirkung. Es wird vermutet, daß z. B. Violaxanthin in den Pflanzen im Herbst durch Photoxidation in das wachstumshemmende *Dormin{3-Methyl-5-[1-hydroxy-4-oxo-2,6,6-trimethyl-cyclohexen-(2)-yl]-pentadien-(2,4)-säure}* übergeht:

H_3C CH_3; $CH{=}CH{-}C(CH_3){=}CH{-}COOH$; OH; CH_3; O=

und so das Absterben der Blätter erklärt werden kann[1].

b) durch thermische Spaltung

Im Gegensatz zur oxidativen Spaltung entstehen bei der Pyrolyse von Polyenen praktisch nur Cyclisierungsprodukte. Die thermischen Cyclisierungsreaktionen ohne Spaltung der Polyenkette werden auf S. 219f. besprochen. Als thermische Spaltprodukte der Polyenkette von Carotinoiden treten auf: *Toluol, m-Xylol, 2,6-Dimethyl-naphthalin*[2–7]. Durch Erhitzen von Vitamin A auf 300–330° und Dehydrierung mit Selen erhält man *1,6-Dimethyl-naphthalin*[8, vgl. 5]. In den letzten Jahren konnte als Hauptprodukt des schonenden thermischen Abbaus von β-Carotin und Vitamin A im Vakuum bei 300° (2 Stdn.) *1,1,6-Trimethyl-1,2,3,4-tetrahydro-naphthalin*(I) identifiziert werden[9, vgl. 6] neben geringen Mengen *1,1,3-Trimethyl-2-phenyl-cyclohexan* (II)[9].

H_3C CH_3; CH_3
I

H_3C CH_3; CH_3
II

III. Umlagerungen von Polyenen unter Aufhebung der Polyenstruktur

a) Isomerisierung von C=C-Doppelbindungen

1. zur „konjugierten Allengruppierung" (vgl. ds. Handb., Bd. V/2, Kap. Allene)

Eine Verschiebung von konjugierten C=C-Doppelbindungen in Polyenketten zu „konjugierten Allenen" kann durch Bestrahlung ausgelöst werden. So entsteht bei der Bestrahlung von Hexatrien-(1,3,5) neben cyclischen Verbindungen (s. S. 219f.) *Hexatrien-(1,2,4)*[10–16, vgl. 17]:

$$H_2C{=}CH{-}CH{=}CH{-}CH{=}CH_2 \xrightarrow{h\nu} H_2C{=}C{=}CH{-}CH{=}CH{-}CH_3$$

---

1 H. F. Taylor u. T. A. Smith, Nature **215**, 1513 (1967).
2 P. Karrer u. E. Jucker, „*Carotinoide*", Verlag Birkhäuser, Basel 1948.
3 R. Kuhn u. A. Winterstein, Helv. **11**, 427 (1928).
4 R. Kuhn u. A. Winterstein, B. **65**, 1873 (1932).
5 R. Kuhn u. A. Winterstein, B. **66**, 429 (1933).
6 J. Mader, Science **144**, 533 (1964).
7 W. C. Day u. J. G. Erdmann, Science **141**, 808 (1963).
8 J. M. Heilbron, R. A. Morton u. E. T. Webster, Biochem. J. **26**, 1194 (1932).
9 F. S. Edmunds u. R. A. W. Johnstone, Soc. **1965**, 2982.

(Fortsetzung s. S. 217)

Aus Alloocimen [2,6-Dimethyl-octatrien-(2,4,6)] wird bei Bestrahlung neben cyclischen Verbindungen (s. S. 219f.) ebenfalls das entsprechende Allen erhalten[1, vgl. 2,3]:

$$(H_3C)_2C{=}CH{-}CH{=}CH{-}C(CH_3){=}CH{-}CH_3 \xrightarrow{h\nu} (H_3C)_2C{=}C{=}CH{-}CH{=}C(CH_3){-}CH_2{-}CH_3$$

2,6-Dimethyl-octatrien-(2,3,5)

Für diese Umlagerung wurde z. B. ein „Corex"-Glasfilter benutzt, man bestrahlte so lange, bis die Absorption bei 270 mμ auf 0,5% des Ausgangswertes reduziert war (37% d.Th. Allen). Durch Erwärmen lagert sich das Allen leicht zu isomeren Trienen oder α-Pyronen um.

Analoge Isomerisierungen sind auch bei Triencarbonsäuren bekannt:

$$H_2C{=}CH{-}CH{=}CH{-}C(COOC_2H_5){=}CH_2 \xrightarrow{h\nu} H_2C{=}C{=}CH{-}CH{=}C(COOC_2H_5){-}CH_3$$

2-Methyl-heptatrien-(2,4,5)-säure-äthylester[4,5]

Werden konjugierte Triene durch photochemische Reaktionen, z.B. durch Aufspaltung des entsprechenden Cyclohexadien-Ringes hergestellt (s.S.162f.), erhält man als Nebenprodukt ebenfalls das zugehörige Allen, allerdings in geringerer Menge als bei der Bestrahlung der betreffenden offenkettigen Triene. Dieses Ergebnis führte zur Aufgabe der Theorie einer 6-Ring-Zwischenstufe bei derartigen Doppelbindungsverschiebungen[6].

2. Sonstige Isomerisierungen (in Verbindung mit Reaktionen von funktionellen Gruppen)

Häufig bearbeitet wurde die Umlagerung von Carotinoiden mit Sauerstoff-Funktionen in 5,6-Stellung zu 5,8-Epoxiden unter Verschiebung von C=C-Doppelbindungen in der Polyenkette:

[Strukturformeln: 5,6-Epoxid (H3C, CH3, CH3, O, CH3) ⟶ 5,8-Epoxid (furanoid; H3C, CH3, CH3, O, CH3)]

Die Umlagerung dieser 1,2-Epoxide in furanoide Epoxide erfolgt sehr leicht bei der Behandlung der 1,2-Epoxide (~ 5 Min.) mit sehr verdünnter Salzsäure in Äthanol

[1] K. J. Crowley, Pr. chem. Soc. **1964**, 17.
[2] K. J. Crowley, Tetrahedron Letters **1965**, 2863.
[3] K. J. Crowley, J. Org. Chem. **33**, 3679 (1968).
[4] H. Prinzbach u. E. Druckrey, Tetrahedron Letters **1965**, 2959.
[5] A. Schönberg: „*Preparative Organic Photochemistry*", Springer-Verlag, Berlin 1968.
[6] R. Srinivasan, Am. Soc. **83**, 2806 (1961).

(Fortsetzung v. S. 216)
[10] O. L. Chapman, Adv. Photochem. **1**, 323 (1963).
[11] K. J. Crowley, Pr. chem. Soc. **1964**, 17.
[12] G. J. Fonken, Organic Photochem. **1**, 197 (1967).
[13] M. Mousseron, Adv. Photochem. **4**, 195 (1966).
[14] R. Srinivasan, Am. Soc. **83**, 2806 (1961).
[15] R. Srinivasan, Am. Soc. **84**, 3982 (1962).
[16] R. Srinivasan, Adv. Photochem. **4**, 113 (1966).
[17] O. Červinka u. O. Kriz, Chem. Listy **62**, 321 (1968).

bzw. Chloroform[1–8]. Schon Spuren Salzsäure, die sich in länger aufbewahrtem Chloroform bilden, bewirken diese Umlagerung[6]. Auch mit Aluminiumchlorid läßt sich die Umlagerung durchführen[9]. Als Nebenprodukt entsteht bei der Reaktion das entsprechende sauerstoffreie Carotinoid. Zum Reaktionsmechanismus s. Literatur[6]. Wahrscheinlich liegt bei den 5,6-Epoxiden eine polare Struktur vor:

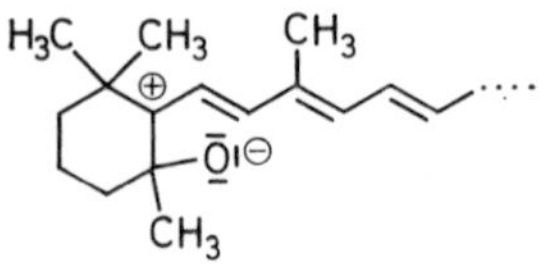

Zu analogen polaren Sauerstoff-Verbindungen und deren furanoiden Umlagerungsprodukten kommt man z.B. bei der Einwirkung von Blei(IV)-acetat auf β-Carotin[10]:

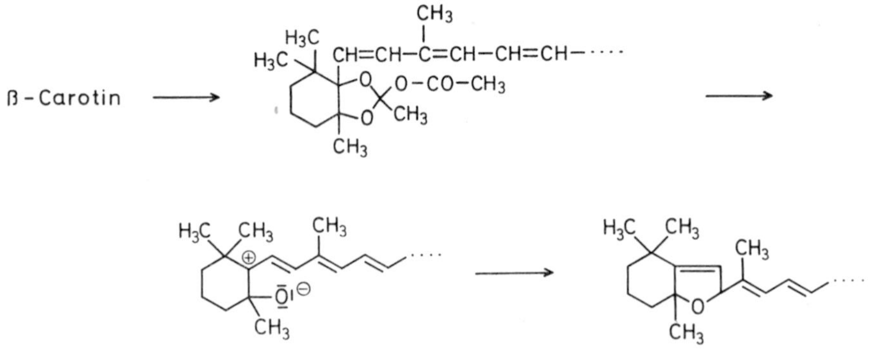

β-Carotin ⟶

Eine ähnliche Isomerisierung von C=C-Doppelbindungen unter Bildung von furanoiden Epoxiden wurde bei der Wasser-Abspaltung aus tert. Polyenalkoholen beobachtet[11]; z.B.:

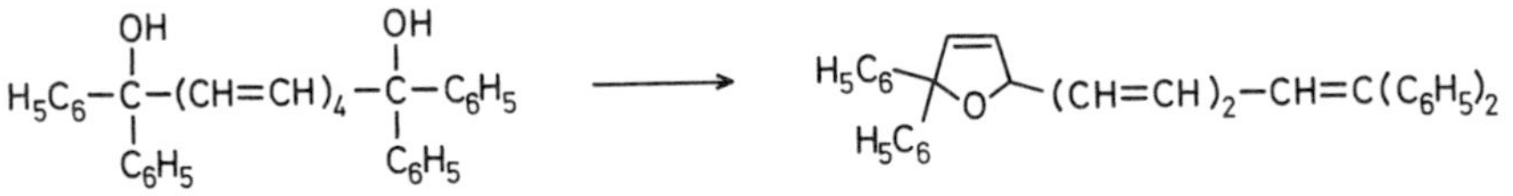

$$H_5C_6-C(OH)(C_6H_5)-(CH{=}CH)_4-C(OH)(C_6H_5)-C_6H_5 \longrightarrow$$

6,6-Diphenyl-1-[5,5-diphenyl-2,5-dihydro-furyl-(2)]-hexatrien-(1,3,5)

[1] L. Cholnoky u. K. Györgyfy, Chem. Commun. **1966**, 404.
[2] B. P. Schimmer u. N. J. Krinsky, Biochemistry **5**, 1814 (1966).
[3] S. Hertzberg u. S. L. Jensen, Phytochemistry **6**, 1119 (1967).
[4] E. Jucker, Ang. Ch. **71**, 253 (1959).
[5] F. B. Jungalwala u. H. R. Cama, Biochem. J. **95**, 17 (1965).
[6] P. Karrer u. E. Jucker, „*Carotinoide*", Verlag Birkhäuser, Basel 1948,
[7] P. Karrer et al., Helv. **28**, 300, 427, 471, 474, 717, 1143, 1146, 1156 (1945); Helv. **30**, 531, 536 (1947); Österr. Chemiker-Ztg. **49**, 215 (1948).
[8] P. Meunier, J. Jouanneteau u. R. Ferrando, C. r. **230**, 140 (1950).
[9] B. Monties u. C. Costes, C. r. C **266**, 481 (1968).
[10] C. Bodea u. E. Nicoara, Rev. Chim. (Bucarest) **7**, 79 (1962); C.A. **59**, 6450 (1963).
[11] T. S. Cantrell u. H. Shechter, Am. Soc. **87**, 136 (1965).

b) C-Gerüst-Umlagerungen von Polyenketten (Cyclisierungen)

Für Cyclisierungsreaktionen sind unter den Polyenen vorwiegend Triene und Tetraene geeignet, bei deren Cyclisierung 6-bzw. 8-Ringe gebildet werden. Bei nichtcarotinoiden Trienen und Tetraenen ist die Neigung zur Cyclisierung oft so groß, daß sie bei Ringöffnungsreaktionen (s. S. 162f.) häufig nur schwer isoliert werden können[1-7] und daß bei Versuchen zur Herstellung dieser Polyene durch Dehydratisierungsreaktionen oder durch partielle Hydrierung von C≡C-Dreifachbindungen die Cyclisierungsprodukte z.T. zum Hauptprodukt werden[8-11].

Wird die Cyclisierung, die normalerweise alicyclische Ringe ergibt, in Gegenwart von dehydrierenden Mitteln durchgeführt, kann es zur Aromatisierung der gebildeten Ringe kommen (s. S. 221).

Prädestiniert für eine Cyclisierung sind sinngemäß alle Triene und Tetraene mit mittleren *cis*-C=C-Doppelbindungen. Die Cyclisierungsreaktionen erfolgen hier wesentlich leichter und mit besseren Ausbeuten als bei den anderen Stereoisomeren.

Theoretische Überlegungen zur Cyclisierung und Diskussion der sterischen Verhältnisse siehe Literatur[1,12-16].

1. Reine Isomerisierungen

Bei der Beschreibung der Herstellung von Polyenen durch isomerisierende Ringöffnungsreaktionen (S. 162f.) ist bereits darauf hingewiesen worden, daß das Cyclohexadien-(1,3)- und Hexatrien-(1,3,5)-System und analog Cyclooctatrien einschließlich seiner Isomeren und Octatetraen-(1,3,5,7) Partner eines photochemischen bzw. thermischen Gleichgewichts sind. So kann man z.B. einerseits eine Lösung von 1,5,5,6-Tetramethyl-cyclohexadien-(1,3) bestrahlen und erhält neben Polymerisationsprodukten ~ 80% *Alloocimen* in Mischung mit ~ 20% Ausgangsprodukt. Bestrahlt man Alloocimen in Lösung, erhält man wiederum die gleiche Mischung[17]. Aber nicht immer sind die Verhältnisse so einfach, meistens erfordert die photochemische oder thermische Cyclisierung der Polyene eine von der Ringöffnung gesonderte Betrachtung.

Bei Einwirkung von Säuren bzw. Basen auf substituierte Hexatriene können diese auch zu 5- bzw. 7-Ringen isomerisieren (s. S. 220).

---

1 G. J. FONKEN, Organic Photochem. **1**, 197 (1967).
2 T. D. GOLDFARB u. L. LINDQUIST, Am. Soc. **89**, 4588 (1967).
3 H. PRINZBACH u. J. H. HARTENSTEIN, Ang. Ch. **75**, 639 (1963).
4 H. PRINZBACH u. H. HAGEMANN, Ang. Ch. **76**, 600 (1964).
5 H. PRINZBACH u. E. DRUCKREY, Tetrahedron Letters **1965**, 2959.
6 H. PRINZBACH et al., B. **98**, 2201 (1965).
7 W. R. ROTH u. B. PELTZER, A. **685**, 56 (1965).
8 K. ALDER u. H. v. BRACHEL, A. 608, 195 (1957).
9 H. FLEISCHACKER u. G. F. WOODS, Am. Soc. **78**, 3436 (1956).
10 G. F. WOODS u. A. VIOLA, Am. Soc. **78**, 4380 (1956).
11 W. ZIEGENBEIN, B. **98**, 1427 (1965).
12 R. SRINIVASAN, Adv. Photochem. **4**, 113 (1966).
13 R. B. WOODWARD u. R. HOFFMANN, Am. Soc. **87**, 395 (1965).
14 R. B. WOODWARD u. R. HOFFMANN, Ang. Ch. **81**, 797 (1969).
15 H. M. FREY u. R. WALSH, Chem. Reviews **69**, 103 (1969).
16 R. HUISGEN, A. DAHMEN u. H. HUBER, Am. Soc. **89**, 7130 (1967).
17 G. J. FONKEN, Tetrahedron Letters **1962**, 549.

Hexatrien-(1,3,5) selbst läßt sich zwar durch Bestrahlung von *Cyclohexadien-(1,3)* in Lösung gewinnen, aber die Rückcyclisierung ist nicht durch Bestrahlung in Lösung möglich, sondern nur durch Erhitzen bzw. Bestrahlung in der Gasphase[1–7]. Während die thermische Cyclisierung zu Cyclohexadien-(1,3) annähernd quantitativ verläuft[2,4], entstehen bei der Bestrahlung[6] außerdem Benzol, Wasserstoff und *Hexatrien-(1,2,4)* und bei weiterer Belichtung auch Bicyclo-Verbindungen[8]. Eine thermische Behandlung von Hexatrien-(1,3,5) (240–400°) in Gegenwart von Platin-Katalysatoren führt neben der Bildung von Cyclohexadien auch zu *Benzol* und Selbsthydrierungsprodukten[9].

Durch Methyl-Gruppen substituierte Hexatriene-(1,3,5) (Heptatriene, Octatriene usw.) lassen sich thermisch[2,5,10–13] oder durch Bestrahlung[1,3,14–16] zu den entsprechenden Methyl-cyclohexadienen cyclisieren. Analog reagiert 3,4-Divinyl-hexatrien-(1,3,5)[17] zu 2,3-Divinyl-cyclohexadien-(1,3). Beim Überleiten von 1- oder 3-Methyl-hexatrien-(1,3,5) über Aluminiumoxid bei 410–420° erhält man *Toluol* (> 80% d. Th.)[5, vgl. 18].

Bei der Bestrahlung von Methyl-hexatrienen-(1,3,5) können auch Bicyclo-Verbindungen entstehen, so ergibt z.B. 1,1-Dimethyl-hexatrien-(1,3,5) *6,6-Dimethyl-bicyclo[3.1.0]hexen-(2)* (27% d. Th.)[8, vgl. 19–21].

Octatrien-(2,4,6) isomerisiert bei Einwirkung von Piperidin-Natrium in Cyclohexan-Lösung zu *Methyl-cycloheptadien*[22], Alloocimen bei Einwirkung von Natrium in Isopropylamin (Raumtemp.) zu versch. Alkyl-cycloheptadienen[23, vgl. 24].

Die Bildung von Di- und Trivinyl-carbeniumionen aus alkylsubstituierten Hexatrienen-(1,3,5) in Schwefelsäure- oder Fluorsulfonsäure-Lösung und die Überführung in ungesättigte 5-Ringe wurde ebenfalls beschrieben[25–27].

---

[1] G. J. Fonken, Tetrahedron Letters **1962**, 549.
[2] K. Alder u. H. v. Brachel, A. **608**, 195 (1957).
[3] O. L. Chapman, Adv. Photochem. **1**, 323 (1963).
[4] K. E. Lewis u. H. Steiner, Soc. **1964**, 3080.
[5] C. W. Spangler, J. Org. Chem. **31**, 346 (1966).
[6] R. Srinivasan, Am. Soc. **83**, 2806 (1961).
[7] R. Srinivasan, Adv. Photochem. **4**, 113 (1966).
[8] J. Meinwald u. P. H. Mazzochi, Am. Soc. **89**, 1755 (1967).
[9] Z. Paal u. P. Tétényi, Acta chim. Acad. Sci. hung. **58**, 1, 105 (1968); C. **1968**, 60–0400.
[10] E. N. Marvell, G. Caple u. B. Schatz, Tetrahedron Letters **1965**, 385.
[11] E. Vogel, W. Grimme u. E. Dinné, Tetrahedron Letters **1965**, 391.
[12] G. F. Woods u. A. Viola, Am. Soc. **78**, 4380 (1956).
[13] K. W. Egger, Helv. **51**, 422 (1968).
[14] G. J. Fonken, Organic Photochem. **1**, 197 (1967).
[15] A. Schönberg: *Preparative Organic Photochemistry*, Springer-Verlag, Berlin 1968.
[16] K. J. Crowley, J. Org. Chem. **33**, 3679 (1968).
[17] L. Skattebøl, J. L. Charlton u. P. de Mayo, Tetrahedron Letters **1966**, 2257.
[18] M. J. Rozengart, E. S. Mortikov u. B. A. Kazanskij, Doklady Akad. SSSR **166**, 619 (1966); C. A. **64**, 12531 (1966).
[19] K. J. Crowley, Am. Soc. **86**, 5692 (1964).
[20] J. Meinwald, A. Eckell u. K. L. Erickson, Am, Soc. **87**, 3532 (1965).
[21] J. Meinwald u. P. H. Mazzochi, Am. Soc. **88**, 2850 (1966).
[22] E. A. Zuech, D. L. Crain u. R. F. Kleinschmidt, J. Org. Chem. **33**, 771 (1968).
[23] L. David, A. Kergomard u. J. S. Vincent, C. r. [C] **266**, 338 (1968).
[24] Fr.P. 1494827 (1966), Soc. de Produits Chim. et de Synthèse, Erf.: A. Kergomard u. L. David; C. A. **69**, 35568 (1968).
[25] T. S. Sorensen, Canad. J. Chem. **42**, 2768 (1964).
[26] T. S. Sorensen, Canad. J. Chem. **43**, 2744 (1965).
[27] N. C. Deno u. C. U. Pittman, Am. Soc. **86**, 1871 (1964).

Aus endständig (ein- oder beidseitig) durch Phenyl- oder alicyclische Reste substituierten Hexatrienen-(1,3,5), die auch zusätzlich noch Methyl-Gruppen enthalten können, entstehen bei der thermischen oder photochemischen Cyclisierung im allgemeinen die entsprechenden Cyclohexadien-(1,3)-Derivate[1–3], in Gegenwart von Palladium/Kohle die aromatisierten Verbindungen[1,2]. Bei der Bestrahlung von 1,6-Diphenyl-hexatrien-(1,3,5) ohne Ausschluß von Luftsauerstoff bildet sich *Chrysen*[4] (20% d.Th.). Die Methode der thermischen Cyclisierung von Phenyl-trienen in Gegenwart von Palladium/Kohle wurde zu einer präparativ günstigen Herstellungsmethode für Biphenyl- (oder auch Terphenyl)-Verbindungen ausgebaut[2]. *Trans-cis-trans*-Triene cyclisieren dabei erwartungsgemäß mit besseren Ausbeuten und sehr viel leichter (15 Min/180°/i. Vak.) als *all-trans*-Triene (1 Stde./250°/i. Vak.). Im Fall der Bildung des Cyclohexenyl-cyclohexadien-Systems isomerisiert sich dieses zwar leicht – bereits durch Tageslicht – zu den Cyclohexyl-Benzol-Systemen; z.B.:

1,1,3-Trimethyl-2-(4-methyl-phenyl)-cyclohexan

aber auch hier wird, obwohl keine Dehydrierung für die Aromatisierung erforderlich ist, die Ausbeute durch Palladium/Kohle-Katalysator stark verbessert.

Biphenyl-Derivate aus Trienen; allgemeine Arbeitsvorschrift[2]:

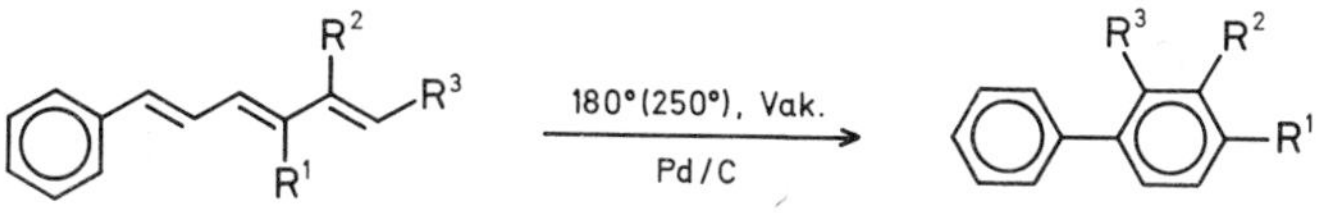

180°(250°), Vak.; Pd/C

Das Trien wird mit 10 Gew.-% einer 10%igen Palladium-Tierkohle vermischt und im verschlossenen, evakuierten Kölbchen 15 Min. auf 180° bzw. 1 Stde. auf 250° (siehe oben) erhitzt. Der Kolbeninhalt wird destilliert und aus dem Destillat werden direkt die betreffenden Biphenyl-Derivate erhalten; z. B.:

R^1	R^2	R^3	Reaktionsprodukt	mittlere C=C-Doppelbindung im Ausgangs-Trien	Ausbeute [% d.Th.]
H	H	H	*Biphenyl*	*cis*	95
H	H	CH_3	*2-Methyl-biphenyl*	*cis*	96
				cis-trans	61
H	CH_3	CH_3	*2,3-Dimethyl-biphenyl*	*cis*	98
				cis-trans	52
H	H	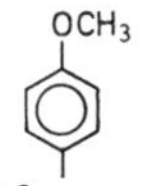 4-OCH_3-phenyl	*2-(4-Methoxy-phenyl)-biphenyl*	*cis-trans*	77
CH_3	H	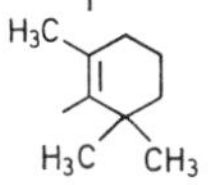 2,6,6-trimethyl-cyclohexenyl (H_3C; H_3C CH_3)	*4-Methyl-2-[2,2,6-trimethyl-cyclohexen-(1)-yl]-biphenyl*	*cis-trans-Gemisch*	43

[1] K. J. Crowley, Am. Soc. **68**, 5692 (1964).

(Fortsetzung s. S. 222)

Tetraphenyl- und Pentaphenyl-hexatriene-(1,3,5) cyclisieren bei Bestrahlung nicht zu Cyclohexadienen, sondern zu Bicyclo-Verbindungen[1-3]. Eine thermische Behandlung in Gegenwart von Palladium/Kohle führt dagegen auch bei diesen Verbindungen zu Benzol-Derivaten[4].

Auch alkylsubstituierte Hexatriencarbonsäuren, deren Ester oder Nitrile konnten zu den entsprechenden Cyclohexadienen oder Bicyclo-Verbindungen cyclisiert werden[5-9]. Präparative Bedeutung kann die mit 50%iger Ausbeute verlaufende Cyclisierung der Heptatrien-(2,4,6)-säure zu *Cyclohexadien-(1,3)-5-carbonsäure* haben. Sie erfolgt durch Erhitzen der Säure mit N-substituierten Carbonsäureamiden [z.B. Dimethylformamid oder N-Methyl-pyrrolidon-(2)][10]:

$$H_2C{=}CH{-}CH{=}CH{-}CH{=}CH{-}COOH \longrightarrow$$ (Cyclohexadien-COOH)

Rein aliphatische Octatetraene sind unbeständig, sie cyclisieren leicht bzw. polymerisieren und lassen sich meistens schwer isolieren. So erübrigen sich im allgemeinen bei präparativen Arbeiten gesonderte Cyclisierungsversuche. Bei dem Versuch, Octadien-(1,7)-diin-(3,5) mit inaktiviertem Palladium partiell zu hydrieren, wurde *Cyclooctatrien-(1,3,5)* (80% d.Th.) erhalten[11]. Dagegen erhält man unter gleichen Bedingungen aus Octatrien-(1,5,7)-in-(3) *cis-trans-Octatetraen*-(1,3,5,7)[11]. 1,8-Dimethoxy-octatetraen-(1,3,5,7) isomerisiert beim Erhitzen auf über 110° zu *7,8-Dimethoxy-bicyclo[4.2.0]octadien-(2,4)*[12]:

$$H_3CO{-}(CH{=}CH)_4{-}OCH_3 \longrightarrow$$ (Bicyclo[4.2.0]octadien mit 2 OCH_3)

Zu Untersuchungen über die Kinetik der Cyclisierung stereoisomerer Decatetraene-(2,4,6,8) s. Lit.[13,14].

---

1 W. G. DAUBEN u. J. H. SMITH, J. Org. Chem. **32**, 3244 (1967).
2 G. J. FONKEN, Organic Photochem. **1**, 197 (1967).
3 A. SCHÖNBERG: „*Preparative Organic Photochemistry*“, Springer-Verlag, Berlin 1968.
4 R. J. THEIS u. R. E. DESSY, J. Org. Chem. **31**, 4248 (1966).
5 K. L. MIKOLAJCZAK, M. O. BAGY, R. B. BATES u. J. A. WOLFF, J. Org. Chem. **30**, 2983 (1965).
6 H. PRINZBACH u. J. H. HARTENSTEIN, Ang. Ch. **75**, 639 (1963).
7 H. PRINZBACH u. H. HAGEMANN, Ang. Ch. **76**, 600 (1964).
8 H. PRINZBACH u. E. DRUCKREY, Tetrahedron Letters **1965**, 2959.
9 H. PRINZBACH, H. HAGEMANN, J. H. HARTENSTEIN u. R. KITZING, B. **98**, 2201 (1965).
10 DBP. 1000809 (1955), BASF, Erf.: H. FRIEDERICH u. H. HOFFMANN; C. A. **54**, 1363 (1960).
11 W. ZIEGENBEIN, B. **98**, 1427 (1965).
12 H. MEISTER, B. **96**, 1688 (1963).
13 R. HUISGEN, A. DAHMEN u. H. HUBER, Tetrahedron Letters **1969**, 1461; Am. Soc. **89**, 7130 (1967).
14 A. DAHMEN u. R. HUISGEN, Tetrahedron Letters **1969**, 1465.

(Fortsetzung v. S. 221)
2 F. S. EDMUNDS u. R. A. W. JOHNSTONE, Soc. **1965**, 2892, 2898.
3 G. F. WOODS, N. C. BOLGIANO u. D. E. DUGGAN, Am. Soc. **77**, 1800 (1955).
4 G. J. FONKEN, Chem. & Ind. **1962**, 1327.

Dehydroocimen cyclisiert beim Erwärmen leicht zu *4-Methyl-1-isopropyl-benzol*[1]:

$$H_2C{=}CH{-}\underset{CH_3}{\underset{|}{C}}{=}CH{-}CH{=}CH{-}\underset{CH_3}{\underset{|}{C}}{=}CH_2 \longrightarrow \text{4-}CH_3\text{-}C_6H_4\text{-}CH(CH_3)_2$$

Über die verschiedenen Produkte, die bei der thermischen Cyclisierung von 1,8-Diphenyl-octatetraen entstehen, s. Lit.[2].

Bei Carotinoid-Polyenen mit 4 oder mehr als 4 konjugierten C=C-Doppelbindungen cyclisiert bei thermischer Behandlung nicht mehr die gesamte Kette, es tritt gleichzeitig eine C–C-Spaltung der Kette ein[3] (s. S. 216).

2. Cyclisierende Umlagerungen in Verbindung mit Begleitreaktionen

Beim Erhitzen von Decatrien-(3,5,7)-disäure mit Acetanhydrid in Gegenwart von Natrium- oder Kalium-acetat entsteht *1,5-Dihydroxy-naphthalin* (~ 70% d.Th.)[4,5].

β-Eläostearinsäure(ester) cyclisiert bei thermischer Behandlung z.T. zu Alkyl-cyclohexadienen. Diese Reaktion kann z.B. bei der Behandlung von Fetten und Ölen zur Verbesserung der Trocknungseigenschaften eine unerwünschte Rolle spielen[6].

Als Nebenreaktion bei Formylierungen nach Vilsmeier-Haack mit Dimethylformamid und Phosgen bzw. Phosphoroxychlorid entstehen aus den als Zwischenstufen gebildeten Polymethinium-Verbindungen mit z. B. drei konjugierten C=C-Doppelbindungen substituierte Benzaldehyde[7], z. B.:

$$\left[(H_3C)_2\overset{\oplus}{N}{=}CH{-}CH{=}\overset{Cl}{\overset{|}{C}}{-}CH{=}\overset{Cl}{\overset{|}{C}}{-}CH{=}CH{-}N(CH_3)_2\right] Cl^{\ominus} \longrightarrow 2,4\text{-}Cl_2C_6H_3\text{-}CHO$$

2,4-Dichlor-benzaldehyd

Die Reaktion kann für die Herstellung mancher Benzaldehyd-Derivate Bedeutung haben.

Auch Cyclisierungen von Polyenen unter gleichzeitiger Dimerisierung, also Diels-Alder-Reaktionen von 2 gleichen Molekülen, sind bekannt. Beim Erhitzen von *2,3,4,5-Tetrachlor-hexatrien-(1,3,5)* im Rohr tritt Cyclisierung und Dimerisierung ein;

---

[1] K. ALDER u. M. SCHUMACHER, B. **89**, 2485 (1956).
[2] E. N. MARVELL u. J. SEUBERT, Tetrahedron Letters **1969**, 1333.
[3] F. S. EDMUNDS u. R. A. W. JOHNSTONE, Soc. **1965**, 2892, 2898.
[4] G. P. CHIUSOLI u. G. AGNÈS, Pr. chem. Soc. **1963**, 310.
[5] G. P. CHIUSOLI u. G. AGNÈS, Chimica e Ind. **46**, 25 (1964).
[6] R. F. PASETSKE u. D. H. WHEELER, J. Am. Oil Chemists Soc. **32**, 473 (1955).
D. E. A. RIVETT, J. Am. Oil Chemists Soc. **33**, 635 (1956).
[7] Z. ARNOLD u. A. HOLÝ, Collect. czech. chem. Commun. **30**, 47 (1965); C. A. **62**, 7628 (1965).

man erhält *1,2,3,4-Tetrachlor-3-(1-chlor-vinyl)-4-(1,2,3-trichlor-butadienyl)-cyclohexen-(1)* neben anderen isomeren Produkten[1]:

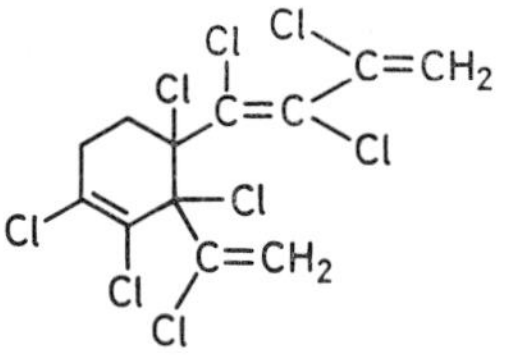

Auf die cyclisierende Dimerisierung, Trimerisierung usw. von Hexatrien-(1,3,5) z.B. zu *3-Vinyl-4-butadienyl-cyclohexen-(1)* und ähnlichen Verbindungen[2] sowie auf die analoge Dimerisierung von Undecatrien-(1,3,5)[3] sei hingewiesen.

Durch UV-Bestrahlung von Vitamin A (Acetat) in Hexan erhält man als Hauptprodukt folgendes Dimere[4-8] (Strukturbeweis[6]):

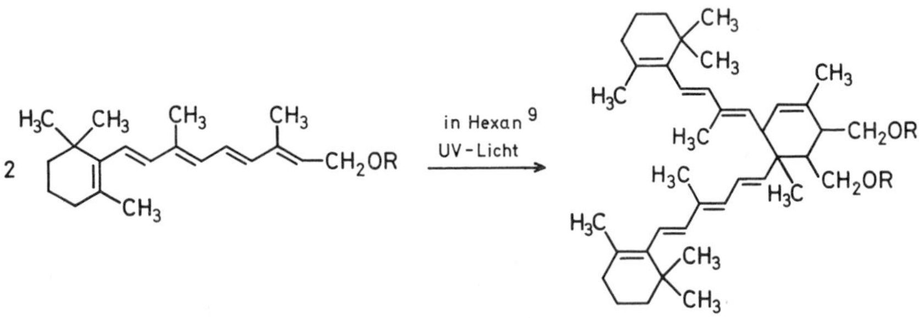

Kitol, 30–40% d. Th.

Ein Dimerisierungsprodukt mit Cyclobutan-Struktur konnte ebenfalls nachgewiesen werden[9].

C. Bibliographie

a) offenkettige Polyene allgemein

R. Kuhn, Ang. Ch. 50, 703 (1937).

L. A. Janovskaja, Russ. Chem. Reviews **36**, 400 (1967).

S. Patai u. J. Zabicki, „*The Chemistry of Alkenes*", Intersc. Publ., Vol. 1: London · New York · Sydney (1964), Vol. 2: London · New York · Sydney · Toronto (1970).

---

[1] A. N. Akopyan, V. S. Aslamazyan u. J. M. Rostomyan, Ž. obšč. Chim. **33**, 3143 (1963); engl.: 3069.

[2] M. S. Kharasch u. E. Sternfeld, Am. Soc. **61**, 2321 (1939).

[3] Y. R. Naves, Bl. **1967**, 3152.

[4] M. Mousseron-Canet, J. C. Mani u. D. Lerner, Bl. **1966**, 3043.

[5] M. Mousseron, Adv. Photochem. **4**, 195 (1966).

[6] M. Mousseron-Canet, D. Lerner u. J. C. Mani, Bl. **1968**, 4639.

[7] C. Gianotti, B. C. Das u. E. Lederer, Bl. **1966**, 3299.

[8] C. Gianotti, Canad. J. Chem. **46**, 3025 (1968).

[9] In anderen Lösungsmitteln reagiert Vitamin A-Acetat bei UV-Bestrahlung anders; in Methanol bildet sich z.B. der Methyläther; M. Mousseron, Adv. Photochem. **4**, 195 (1966).

b) Carotinoide Polyene

P. KARRER u. E. JUCKER, „*Carotinoide*", Verlag Birkhäuser, Basel 1948.

H. H. INHOFFEN u. F. BOHLMANN, Fortschr. chem. Fortschr. **1**, 175–210 (1949).

J. G. BAXTER, Fortschr. Chem. org. Naturst. **9**, 41–87 (1952).

H. H. INHOFFEN u. H. SIEMER, Fortschr. Chem. org. Naturst. **9**, 1–40 (1952).

L. ZECHMEISTER, Fortschr. Chem. org. Naturst. **15**, 31–76 (1958).

H. POMMER, Ang. Ch. **72**, 811, 911 (1960).

A. WINTERSTEIN, Ang. Ch. **72**, 902–910 (1960).

L. ZECHMEISTER, „*Cis-trans Isomeric Carotenoids, Vitamins A* and *Arylpolyenes*", Springer-Verlag, Wien 1962.

O. ISLER u. P. SCHUDEL, Adv. Org. Chem. **4**, 115–224 (1963).

J. FRAGNER, „*Vitamine*", Bd. I/, VEB G. Fischer Verlag, Jena 1964.

W. H. SEBRELL u. R. S. HARRIS, „The *Vitamins*", Vol. I, Academic Press, New York · London 1967; vgl. a. alte Auflage von 1954.

B. C. L. WEEDON, Chem. Britain **3**, 424–32 (1967).

Pure Appl. Chem. **14**, 215–278 (1967) („Symposium on Carotenoids other than Vitamin A").

S. L. JENSEN, Experientia **26**, 697–710 (1970).

Methoden zur Herstellung von Cyaninen (Polymethinen)

bearbeitet von

Dr. Ludwig Berlin

Farbwerke Hoechst

und

Dr. Oskar Riester

Agfa-Gevaert AG, Leverkusen

Literatur berücksichtigt bis 1970.

Inhalt

Cyanine (Polymethine) 231

a) Lichtabsorption 231

b) Chemische Konstitution 231

c) Bedeutung 231

d) Allgemeine Synthesemöglichkeiten (Grundprinzipien) 232

e) Einteilung und Charakterisierung 232

A. Kationische Cyanine 234

I. Offenkettige ein- und zweikernige Cyanine 234

a) Streptocyanine 234

b) Cyanine im engeren Sinne 238

1. Hemicyanine 239
2. Doppelte Hemicyanine 241
3. Phenyl-analoge Hemicyanine 242

c) Die eigentlichen Cyanine 244

1. Monomethine 246
   - α) Pseudocyanine 246
   - β) Isocyanine 251
   - γ) Cyanine 252
2. Trimethine (Carbocyanine) 253
   - α) 2,2′-Trimethine 253
   - β) 2,4′-Trimethine 266
   - γ) 4,4′-Trimethine 266
3. Pentamethine 268
4. Heptamethine 271
5. Nona- und Undecatrimethine 274

II. Drei- und mehrkernige Cyanine 278

a) Rhodacyanine 278

b) Chinocyanine 281

c) Neocyanine 282

d) Spezielle mehrkernige Cyanine 282

III. Aza-methine 283

B. Neutrale Cyanine 284

I. Merocyanine 284

II. Offene Neutrocyanine 290

III. Hemioxonole und Styrylfarbstoffe 293

IV. Oxo-cyanine 295

C. Anionische Cyanine (Oxonole) 296

D. Bibliographie 298

Cyanine (Polymethine)

Unter Cyaninen (Polymethinen) versteht man lichtabsorbierende, organisch-chemische Substanzen, die dadurch charakterisiert sind, daß zwischen (mindestens) zwei Heteroatomen eine ungradzahlige Kette von Methin-Gruppen steht. Im erweiterten Sinne können auch solche Farbstoffe dazu gerechnet werden, in denen eine oder mehrere dieser Methin-Gruppen durch ein Hetero-Atom (Aza, Phospha usw.) ersetzt sind unter der Voraussetzung, daß die Konjugation erhalten bleibt.

a) Lichtabsorption (vgl. S. 25–30)

Bei den Polymethinfarbstoffen handelt es sich um schwingungsfähige Systeme, die eine „Elektronengaswolke“ ausgebildet haben. Diese kann aus einem Grundzustand durch Resonanz mit eingestrahltem Licht auf ein höheres Energieniveau gebracht werden. Die spektrale Lage und die Intensität dieser Lichtabsorption ist abhängig von der Zahl der beteiligten π-Elektronen, bzw. deren p-Hybride mit σ-Elektronen und damit in erster Näherung von der Zahl der Methin-Gruppen bzw. von der Längsausdehnung des farbgebenden Moleküls. Durch Substituenten wird je nach deren Induktionsstärke die Elektronengaswolke oft erheblich beeinflußt. Da ferner für die Ausbildung des schwingenden Systems eine weitgehend planare Lage Grundvoraussetzung ist, können durch sterische Hinderungen ebenfalls starke Änderungen in der Absorptionslage und Intensität bewirkt werden. Die Extinktionsmessung ist daher aussagekräftig über die Konstitution der Farbstoffe.

b) Chemische Konstitution

Als endständige, induzierende Heteroatome kommen vor allem Stickstoff, Schwefel und Sauerstoff, aber auch Selen, Tellur, Phosphor und ähnliche infrage. Es können auch mehrere Heteroatome an verschiedenen Stellen des Moleküls vorhanden sein, wodurch sich eine „verzweigte Elektronengaswolke“ ausbildet. Dieser Fall kann als Sonderfall der Substituenteneinwirkung angesehen werden.

c) Bedeutung

Die Mehrzahl der Polymethinfarbstoffe findet technische Anwendung als spektrale (früher „optische“) Sensibilisatoren in photographischen Halogensilberdispersionen („Emulsionen“) für das sichtbare und infrarote Spektralgebiet, da das Halogensilber nur für das (ultra-)violette Gebiet empfindlich ist. Dasselbe gilt auch für andere lichtempfindliche Grundsysteme wie Zinkoxid, Titan(IV)-oxid oder organische Photoleiter. Sie sind demgemäß von fundamentaler Wichtigkeit für alle photographischen Materialien, die Farbe im weitesten Sinn reproduzieren sollen.

Eine Anzahl dient auch heute noch zum Färben von natürlichen und synthetischen Fasern, auf denen sie z. T. recht gute Echtheitseigenschaften aufweisen.

Einige kommen als *U.V.-absorbierende* Stoffe für verschiedene Anwendungszwecke oder als *optische Aufheller* in Betracht.

Auch die *pharmazeutische* Anwendung als Bakterizide oder Nematozide wurde wiederholt vorgesehen.

Für den *Insulinnachweis* kommen Pseudoisocyanine (metachromatische Färbung) und für die *Diagnostik* des *Blutkreislaufs* sowie für die *Lasertechnik* (Q-switcher) einige infrarotabsorbierende Farbstoffe in Betracht.

Nicht unwesentlich ist ihre Bedeutung für die Erkenntnis der Zusammenhänge zwischen Konstitution und Farbe, da gerade hier einfache Grundtypen aufgebaut werden können, die gut deutbare Messungen ermöglichen.

d) Allgemeine Synthesemöglichkeiten (Grundprinzipien)

Für die Herstellung der Cyanine werden ganz allgemein drei Synthesewege eingeschlagen:

① 1 Organischer Rest mit reaktiver Gruppe und
1 organischer Rest mit abspaltbarer Gruppe:

$$(Y)(R)>CH_2 \qquad Z{-}C(Y')(R)(R')$$

② 2 Organische Reste mit reaktiver Gruppe und
1 organischer Rest mit 2 (oder 3) abspaltbaren Gruppen:

$$(Y)(R)>CH_2 \qquad Z{-}C(R)(Z'')\text{-}Z' \qquad H_2C<(Y)(R)$$

③ 2 Organische Reste mit abspaltbaren Gruppen und
1 organischer Rest mit 1 reaktiven Gruppe:

$$(Y)(R)(R)C{-}Z \qquad H{-}C(R)(Y){-}H \qquad Z{-}C(Y')(R)(R)$$

Y und Y′ sind aktivierende Gruppen
Z und Z′ sind abspaltbare Gruppen,
wobei die aktivierende Gruppe von der reaktiven CH_2-Gruppe bzw. von der abspaltbaren Z—CR_2-Gruppe durch dazwischenliegende Vinylen-Gruppen getrennt sein können.

e) Einteilung und Charakterisierung

Im folgenden werden die Cyanine nach folgender *Einteilung* besprochen:

① *kationische (basische Cyanine)*
② *Neutrocyanine (Merocyanine)*
③ *anionische (saure Cyanine)*

Bei den heute in großer Zahl synthetisierten Gruppen von Polymethinfarbstoffen ist diese Einteilung nur für den Grundcharakter gültig. Durch Einführung von z. B. sauren Gruppen in ein kationisches Cyanin, kann dieses in ein nach außen hin elektrisch neutrales Cyanin, durch zwei und mehrere saure Gruppen auch in ein Anion umgewandelt werden. Ähnliches gilt entsprechend für die beiden anderen Klassen. Auch der Abbau in Richtung auf niedere Vinyloge ist möglich und nimmt mit der Kettenlänge zu. Er vollzieht sich bei Aza-Cyaninen besonders leicht.

Mäßige Reduktionsmittel wirken nicht, auch schwächere Oxidationsmittel ergeben keine Reaktion.

Die Beständigkeit gegen Alkalien hängt von der Basizität der Endgruppen ab. Die Reihenfolge Imidazole, Pyridin, Thia(selena)zole, Indoline, Oxazole, Indole ist nur annähernd richtig, weil Substituenten wie anellierte Benzolringe und andere elektronenanziehende oder abstoßende Substituenten die „Basizität" sehr stark beeinflussen können. In umgekehrter Reihenfolge steigt die Unbeständigkeit gegen Säuren, wobei allerdings die Protonisierung reversibel ist, während die Anlagerung von $RO^{\ominus}$-Gruppen leicht in Folgereaktionen zur Abspaltung der Endgruppen führt.

Besonders leicht verläuft diese Reaktion bei Streptocyaninen und Hemicyaninen, wo sie zum Aufbau der höheren Vinylogen bzw. der asymmetrischen Cyanine dient. Es muß aber darauf hingewiesen werden, daß auch die Heterocyclen in Lösung unter Umständen austauschbar sind!

Im folgenden wird aus Zweckmäßigkeitsgründen die oben genannte Einteilung als Ordnungsprinzip beibehalten.

Anschließend sei erwähnt, daß zur Charakterisierung des Aufbaus und der Eigenschaften eine Reihe physikalischer Messungen an Polymethinfarbstoffen durchgeführt worden sind:

Die Probleme der Solvatochromie sind Gegenstand vieler neuerer Untersuchungen unter verschiedenen Gesichtspunkten[1].

Polarisiertes Licht dient zur Untersuchung der Übergangsmomente relativ zum Molekül in Absorptions- und Lumineszenzbanden[2].

Thermische Aktivierungsenergie[3], Oxidationspotentiale[4] und Ionisierungspotentiale[5] sowie Protonenresonanzspektren[6] wurden gemessen und erlauben wesentliche Einblicke in die Konstitution und Wirkung dieser Farbstoffe.

Zur Analytik dienen ferner die Bestimmung der elektronenparamagnetischen Resonanz, der Circulardichroismus, die Röntgenanalyse und die Ionophorese. Auch die Chromatographie ergibt wertvolle Hinweise und ist für die vollständige Reinigung oft unumgänglich. Die Verbrennungsanalyse zeigt nicht immer eindeutige Werte, vor allem weil Lösungsmittel, wie Wasser, Alkohole, Chloroform sehr hartnäckig festgehalten werden.

---

[1] G. SCHEIBE, Tagungsber. über das 2. Internat. Farbensymposium Elmau 1964, 109–159.
S. HÜNIG, G. BERNHARD, W. LIPTAY u. W. BRENNINGER, A. **690**, 9 (1965).
S. DÄHNE, D. LEUPOLD, H. E. NIKOLAJEWSKI u. R. RADEGLIA, Z. Naturf. [B] **20**, 1006 (1965).
J. E. GORDON, J. Phys. Chem. **70**, 2413 (1966).
R. RADEGLIA u. S. DÄHNE, Ber. Bunsenges. Phys. Chem. **70**, 745 (1966).
J. E. LOHR u. G. KORTÜM, Ber. Bunsenges. Phys. Chem. **70**, 817 (1966).
D. LEUPOLD u. S. DÄHNE, Ber. Bunsenges. Phys. Chem. **70**, 1166 (1966).

[2] F. DÖRR, Ang. Ch. **78**, 457 (1966).

[3] N. PETRUZELLA, S. TAKEDA u. R. C. NELSON, J. Chem. Phys. **47**, 4247 (1967).

[4] A. STANIENDA, Naturwiss. **47**, 353, 512 (1960); Z. wiss. Phot. **59**, 76 (1965).

[5] S. KIKUCHI u. T. TANI, Seisan-Kenkyn **18**, 234 (1966).
A. P. S. E. **1966**, 552.
R. S. SELSBY u. R. C. NELSON, J. Molecular Spectroscopy **33**, 1 (1970).

[6] S. DÄHNE u. J. RANFT, Z. phys. Chem. **224**, 65 (1963), **232**, 259 (1966).
G. SCHEIBE, W. SEIFFERT, H. WENGENMAYR u. C. JUTZ, Ber. Bunsenges. Phys. Chem. **67**, 560 (1963).

Zum Mechanismus der Energieübertragung bei Sensibilisierung und Fluoreszenz wurden Versuche mit Zwischenschichten und langkettig-aliphatischen Substituenten durchgeführt[1].

Bei Einstrahlung in die langwellige Bande erfolgt Umlagerung in die *cis*-Form[2]. Neuere Zusammenfassungen über Chemie, Farbe und Konstitution der Polymethinfarbstoffe liegen vor[3].

A. Kationische Cyanine

I. Offenkettige ein- und zweikernige Cyanine

a) Streptocyanine

Dieser von W. König geprägte Ausdruck wird heute auf die einfachsten basischen Cyanine angewandt, deren Prototyp das Amidiniumsalz

$$\left[R_2N{\cdots}\overset{R}{\underset{\oplus}{C}}{\cdots}NR_2 \right] X^{\ominus}$$

ist.

Derartige Polymethincyanine können durch folgende, allgemeine Formel wiedergegeben werden:

$$(R')(R)N{\cdots}\underset{\oplus}{\overset{R}{C}}{\cdots}(\overset{R}{C}{\cdots}\overset{R}{C}{\cdots})_nN(R')(R) \quad X^{\ominus}$$

$(R')(R)N$ = z.B. NH_2, $N(C_2H_5)_2$, $NH{-}C_2H_5$, Morpholino, $(CH_2)_7N$, Pyrrolidino, Piperidino,

$(C_6H_5{-}CH_2)_2N$, $(C_6H_5{-}CH_2)_2N$, Tetrahydroisochinolino, Isoindolino

$X^{\ominus}$ = beliebiges organisches oder anorganisches Anion
n = positive, ganze Zahl

Die Trimethin-Streptocyanine (n = 1) absorbieren hauptsächlich im Ultraviolett und sind dementsprechend fast farblos bis höchstens blaß gelb. Sie spielen als Farbstoffe keine Rolle, werden aber zur Herstellung der eigentlichen Cyaninfarbstoffe – ebenso wie die Grundkörper, die Amidine, – verwendet. Trimethin-Streptocyanine werden allgemein durch Umsetzung von Propargylaldehyd mit primären und sekundären Aminen unter Einwirkung einer Säure hergestellt[4].

---

[1] H. Kuhn et al., Z. Naturf. **24a**, 1821 (1969).
[2] G. Scheibe, J. Heiss u. K. Feldmann, Ber. Bunsenges. Phys. Chem. **70**, 52 (1966).
[3] L. G. S. Brooker, E. J. van Lare in Kirk-Othmer, *Encyclopadie Chemical Technology*, 2. Aufl., Bd. 5, S. 763, Interscience Publishers, T. Wiley & Sons, New York · London · Sidney 1964.
E. J. van Lare, in Kirk-Othmer, *Encyclopadie Chemical Technology*, 2. Aufl., Bd. 6, S. 605, Intersciences Publishers, J. Wiley & Sons, New York · London · Sydney 1965.
[4] A. Claisen, B. **36**, 3667 (1903).

Bis-[1,2,3,4-tetrahydro-chinolin]-trimethin-streptocyanin-chlorid {1-[3-(1,2,3,4-Tetrahydro-chinolino-allyliden]-1,2,3,4-tetrahydro-chinolinium-chlorid}[1]:

HC≡C—CHO + 2 (1,2,3,4-Tetrahydro-chinolin) —(HCl, −H_2O)→ (Tetrahydro-chinolin)N—CH=CH—CH=$N^{\oplus}$(Tetrahydro-chinolin) $Cl^{\ominus}$

Zu einer Lösung von 18 g Kaliumbichromat in 150 *ml* Wasser und 19 *ml* konz. Salzsäure läßt man bei 20° 15 *ml* Propargylalkohol zutropfen. Nach 1 Stde. wird dazu eine Lösung von 20 g 1,2,3,4-Tetrahydro-chinolin in 50 *ml* Wasser und 60 *ml* konz. Salzsäure zugetropft. Der auskristallisierte gelbe Farbstoff wird nach 15 Min. abgesaugt, in 150 *ml* Methanol gelöst und durch Zugabe von 150 *ml* Salzsäure wieder ausgefällt; Ausbeute: 10 g (39% d.Th.); F: 243°. In Methanol: hellgelb, λ_{max}: 388 nm; log ε = 4,78.

Die nächsthöheren Vinylenhomologen sind die Pentamethin-Streptocyanine (n = 2). Es sind gelbgefärbte Substanzen, die früher auch als Farbstoffe für Textilfärbung vorgeschlagen worden sind, sich aber wegen ihrer Alkaliempfindlichkeit nur in Ausnahmefällen in der Praxis einführen konnten. In der Hauptsache dienen sie zur Herstellung langkettiger, basischer wie auch anionischer und neutraler Cyanine. Ihre Herstellung erfolgt aus N-substituierten Pyridiniumsalzen, z.B. [1-Cyan- bzw. 1-(2,4-Dinitro-phenyl)-pyridinium-chlorid] und Aminen bzw. deren Salzen[2].

Bis-[N-methyl-anilin]-pentamethin-streptocyanin-nitrat{N-Methyl-N-[5-(N-methyl-anilino)-pentadien-(2,4)-yliden]-anilinium-nitrat; Rosolscharlach}[2]:

[1-(2,4-Dinitro-phenyl)-pyridinium] $Cl^{\ominus}$ + 2 C_6H_5—NH—CH_3 —(+ NH_4NO_3, − H_2N—$C_6H_3(NO_2)_2$)→ C_6H_5—$N^{\oplus}(CH_3)$=CH—CH=CH—CH=CH—$N(CH_3)$—C_6H_5 $NO_3^{\ominus}$

Zu einer Lösung von 56,3 g 1-[2,4-Dinitro-phenyl]-pyridiniumchlorid und 120 *ml* Methanol gibt man 64,2 g N-Methyl-anilin und kocht 3 Stdn. unter Rückfluß. Anschließend werden 2,5 *l* Wasser und 100 *ml* konz. Salzsäure zugegeben. Der Farbstoff und 2,4-Dinitro-anilin fallen aus und werden abgesaugt. Der Farbstoff wird in 2,5 *l* siedendem Wasser gelöst und mit ~ 300 *ml* 25%iger Ammonnitrat-Lösung gefällt, abgesaugt und aus 250 *ml* Aceton umkristallisiert; Ausbeute: 22 g; F: 127°. Aus Mutterlauge 5 g; F: 127°; Gesamtausbeute: 27 g (28,8% d.Th.); rote Kristalle. In Methanol: organgegelb; λ_{max}: 450 nm; log ε = 4,96.

Alle Streptocyanine sind hydrolysenempfindlich: Es bilden sich leicht die Carbinole. Durch Erwärmen mit Alkali-Lösungen wird unter Abspaltung eines Amins ein Aldehyd gebildet:

$$R_2N-(CH=CH)_n-CH=O$$

der u.U., jedoch meistens ohne Vorteil, zur Synthese der eigentlichen Cyanine oder anderer Streptocyanine, z.B. der asymmetrischen eingesetzt werden kann. Dagegen können beide zum Aufbau der „Hemicyanine“, früher als „Zwischenprodukte“ bezeichnet, dienen.

[1] A. CLAISEN, B. **36**, 3667 (1903).
[2] W. KÖNIG, J. pr. **69**, 123 (1904).
T. ZINKE, A. **330**, 361 (1904).

Eine Reihe neuerer Synthesen von Streptocyaninen benutzt die Vilsmeyer-Reaktion; z.B.:

Aus 2-Methyl-propen[1]:

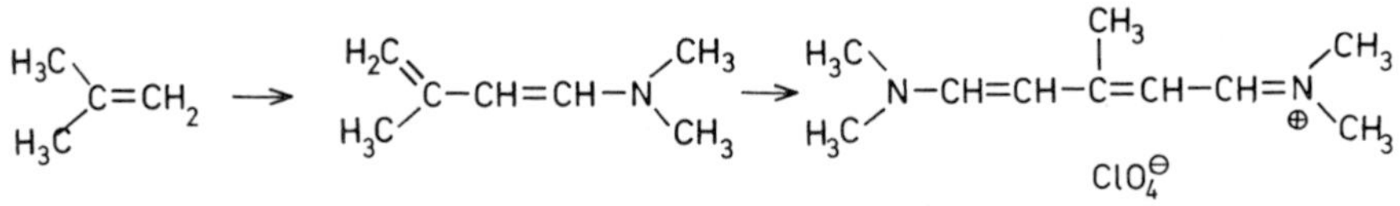

$$(H_3C)_2C{=}CH_2 \longrightarrow H_2C{=}C(CH_3){-}CH{=}CH{-}N(CH_3)_2 \longrightarrow (H_3C)_2N{-}CH{=}CH{-}C(CH_3){=}CH{-}CH{=}\overset{\oplus}{N}(CH_3)_2 \; ClO_4^{\ominus}$$

I

I; *1,5-Bis-[dimethylamino]-3-methyl-pentamethinstreptocyanin-perchlorat{N,N-Dimethyl-[5-dimethylamino-3-methyl-pentadien-(2,4)-yliden]-ammonium-perchlorat}*

oder aus Polyenaldehyden[2]

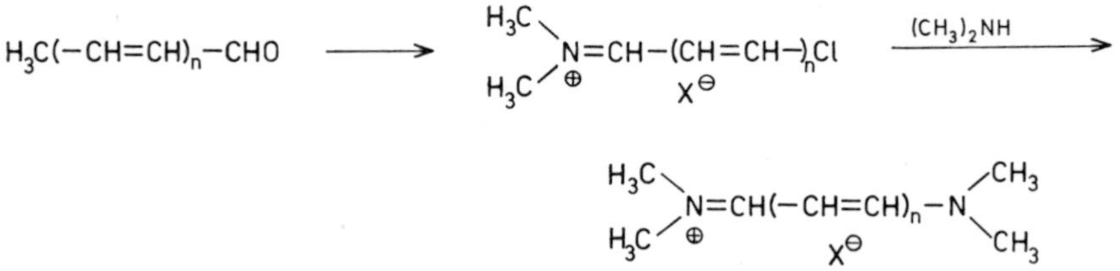

$$H_3C(-CH{=}CH)_n{-}CHO \longrightarrow (H_3C)_2\overset{\oplus}{N}{=}CH{-}(CH{=}CH{-})_nCl \; X^{\ominus} \xrightarrow{(CH_3)_2NH}$$

$$(H_3C)_2\overset{\oplus}{N}{=}CH(-CH{=}CH)_n{-}N(CH_3)_2 \; X^{\ominus}$$

Aus bifunktionellen Verbindungen: z.B. Aceton[3]

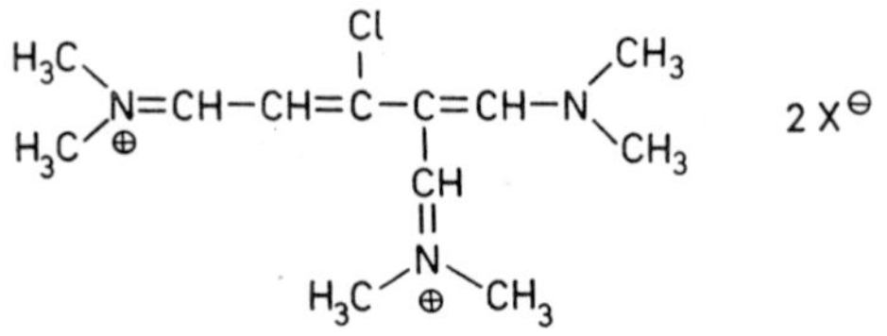

$$(H_3C)_2\overset{\oplus}{N}{=}CH{-}CH{=}C(Cl){-}C({-}CH{=}\overset{\oplus}{N}(CH_3)_2){=}CH{-}N(CH_3)_2 \quad 2\,X^{\ominus}$$

3-Chlor-1,5-bis-[dimethylamino]-2-(dimethylimminio-methyl)-pentamethin-streptocyanin-Salz {3-Chlor-1,5-bis-[dimethylimminio-methyl]-4-(dimethylamino-methylen)-penten-(2)-Salz}

oder aus 1,4-Bis-[carboxymethyl]-benzol[4]:

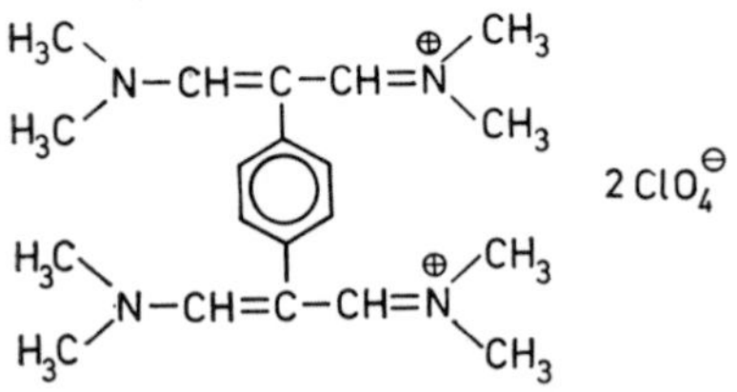

$$C_6H_4\left[{-}C(CH{=}N(CH_3)_2){=}CH{-}\overset{\oplus}{N}(CH_3)_2\right]_2\text{-}1,4 \quad 2\,ClO_4^{\ominus}$$

1,4-Bis-[1-dimethylamino-3-dimethylimminio-propenyl-(2)]-benzol-diperchlorat

---

[1] C. Jutz, W. Müller u. E. Müller, B. **99**, 2479 (1966).
[2] H. E. Nikolajewski, S. Dähne u. B. Hirsch B. **100**, 2616 (1967).
[3] J. Zemlicka u. Z. Arnold Collect. czech. Chem. Commun. **26**, 2838 (1961).
[4] Z. Arnold, Collect czech. Chem. Commun. **30**, 2783 (1965).

Auf eine besondere Abart der Streptocyanine sei noch hingewiesen z.B.[1]:

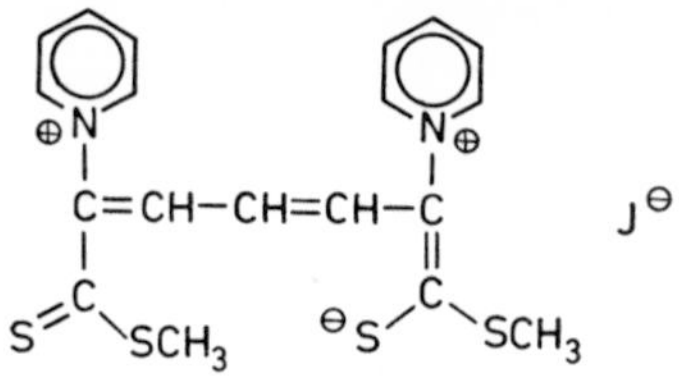

2,6-Dipyridinio-heptadien-(2,4)-tetrathiodisäure-dimethylester-betain-jodid

Höhere Polymethiniumsalze werden auch aus 2,6-Dimethoxy 5,6-dihydro-2H-pyran über das Glutaconaldehyl-bis-[dimethylacetal], dessen Kondensation mit 1-Methoxy-

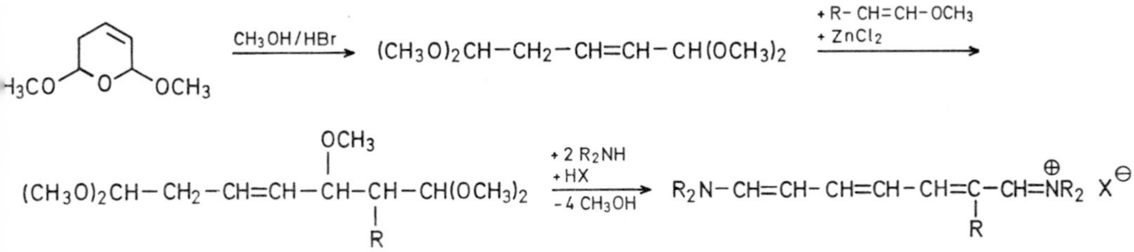

$$\xrightarrow{CH_3OH/HBr} (CH_3O)_2CH-CH_2-CH=CH-CH(OCH_3)_2 \xrightarrow{+R-CH=CH-OCH_3,\ +ZnCl_2}$$

$$(CH_3O)_2CH-CH_2-CH=CH-CH(OCH_3)-CH(R)-CH(OCH_3)_2 \xrightarrow[-4\ CH_3OH]{+2\ R_2NH,\ +HX} R_2N-CH=CH-CH=CH-CH=C(R)-CH=\overset{\oplus}{N}R_2\ X^{\ominus}$$

alkenen-(1) und nachfolgender Umsetzung mit Dialkylaminen und Chlorwasserstoff erhalten; das erhaltene Heptamethin wird analog bis zum Undecamethin umgesetzt[2].

Im folgenden seien einige weitere Synthesen kurz skizziert:

Aus En-thioläthern[3]:

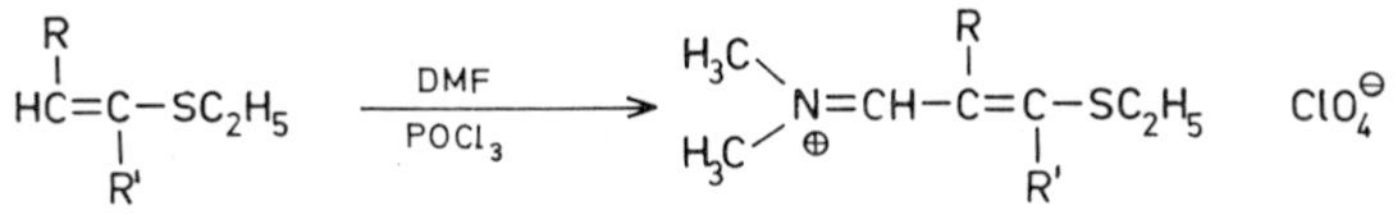

$$HC(R)=C(R')-SC_2H_5 \xrightarrow[POCl_3]{DMF} (H_3C)_2\overset{\oplus}{N}=CH-C(R)=C(R')-SC_2H_5\quad ClO_4^{\ominus}$$

Aus vinylogen Carbonsäure-amiden[4]:

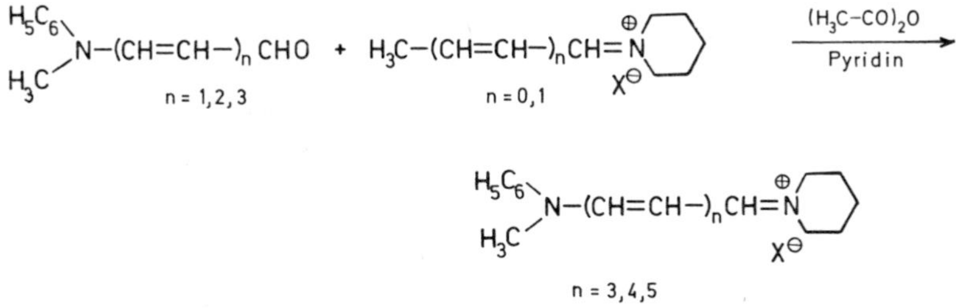

$$H_5C_6(H_3C)N-(CH=CH-)_nCHO + H_3C-(CH=CH-)_nCH=\overset{\oplus}{N}C_5H_{10}\ X^{\ominus} \xrightarrow[Pyridin]{(H_3C-CO)_2O}$$

n = 1,2,3 ; n = 0,1

$$H_5C_6(H_3C)N-(CH=CH-)_nCH=\overset{\oplus}{N}C_5H_{10}\ X^{\ominus}$$

n = 3,4,5

Aus Enaminen[5]:

$$(H_3C)_2N-CH=CH_2 + \text{Pentamethinstreptocyanin} \longrightarrow (H_3C)_2N-(CH=CH-)_4CH=\overset{\oplus}{N}(CH_3)_2\quad X^{\ominus}$$

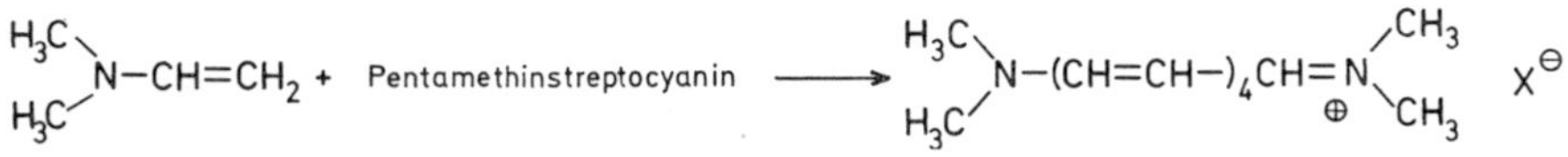

1,9-Bis-[dimethylamino]-nonamethinstreptocyanin-Salz {*Dimethyl-[9-dimethylamino-nonatetraen-(2,4,6,8)-yliden]-ammonium-Salz*}

---

1 F. Kröhnke u. K. Gerlach, B. **95**, 1108 (1962).
2 S. M. Makin et al., Tetrahedron **25**, 4939 (1969).
3 B. Hirsch u. E. Förster, Chimia **20**, 126 (1966).
4 H. E. Nikolajewski, D. Dähne, B. Hirsch u. E.-A. Jauer, Chimia **20**, 176 (1966).
5 C. Jutz, Chimia [Suppl.] **1968**, 150, 3. Internat. Farbensymp. Interlaken (1967).

Phenyloge Streptocyanine sind die bekannten Di- und Triphenylmethanfarbstoffe wie *Michlers-Hydrolblau, Malachitgrün*, ferner auch *Auramin* als meso-Amino-Michlers Hydrolblau, ähnlich *Kristallviolett* oder die ringgeschlossene Xanthyliumfarbstoffe wie *Rhodamin* und die Acridinfarbstoffe, die öfters auf ähnlichen Synthesewegen hergestellt werden können, aber wegen einigen Besonderheiten an anderer Stelle abgehandelt werden.

Auch die Indamin-Farbstoffe wie *Bindschedlers Grün* sind als phenyloge Azastreptocyanine, dieses speziell als *Aza-Michlers-Hydrolblau* aufzufassen.

b) Cyanine im engeren Sinne

Zum Aufbau von Cyaninen sind eine große Anzahl von heterocyclischen Verbindungen geeignet, die im wesentlichen aus Fünf- und Sechs-Ringen bestehen. Im folgenden sind einige der gebräuchlichsten Heterocyclen der Cyaninchemie aufgeführt:

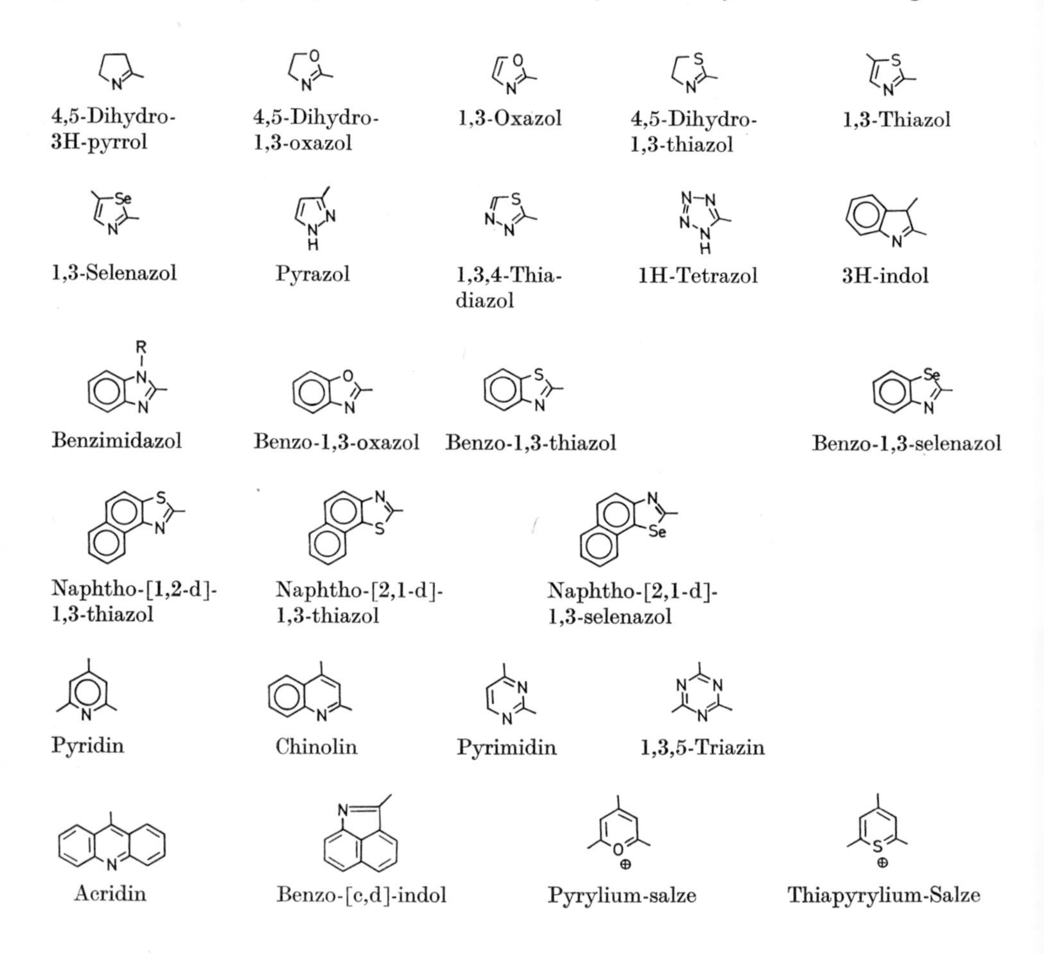

Die aufgeführten N-heterocyclischen Basen werden fast ausschließlich als N-Alkyl- (meistens Methyl- oder Äthyl-) Quartärsalze eingesetzt, seltener als N-Aralkyl- oder N-Aryl-salze. Wichtig sind vor allem die stickstoffhaltigen heterocyclischen Basen, die eine acide Gruppe enthalten, z.B. N-Alkylcarbonsäure, wie Propionsäure, oder N-Alkylsulfonsäure, wie Propan-3-sulfonsäure, die ein inneres Salz (Betain) ausbilden; z. B.:

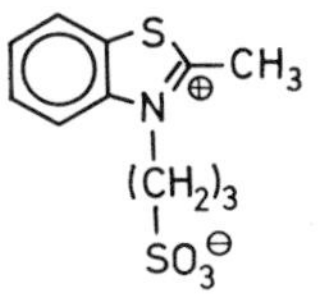

Die Reaktion erfolgt ebenso wie bei den einfachen N-Alkylsalzen, nur manchmal etwas schwerer, was sterisch begründet sein kann. Die Heteroringe oder die anellierten Benzolringe können weiter substituiert sein, z. B. mit aliphatischen, araliphatischen und aromatischen oder wieder mit heterocyclischen Resten, ferner mit Halogen-, Sulfon-, Aminosulfon-, Cyan-, Nitro-, Alkoxy-, Alkylmercapto-, Alkylamino-, Dialkylamino- usw. Gruppen. Dadurch erhält man eine sehr große Zahl von Kombinationsmöglichkeiten, von denen im folgenden die Grundtypen besprochen werden sollen.

1. Hemicyanine

Hemicyanine sind Verbindungen der allgemeinen Formel

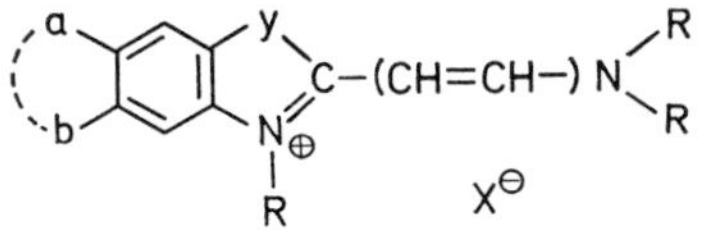

Zu ihnen gehören vor allem die sogenannten Diphenyl-formamidin-Zwischenverbindungen, wie sie als Zwischenstufen I für die Herstellung von 2-Methylen-ω-aldehyden III, Anilen II und Cyaninen ganz allgemein verwendet werden[1-4] (vgl. auch S. 259):

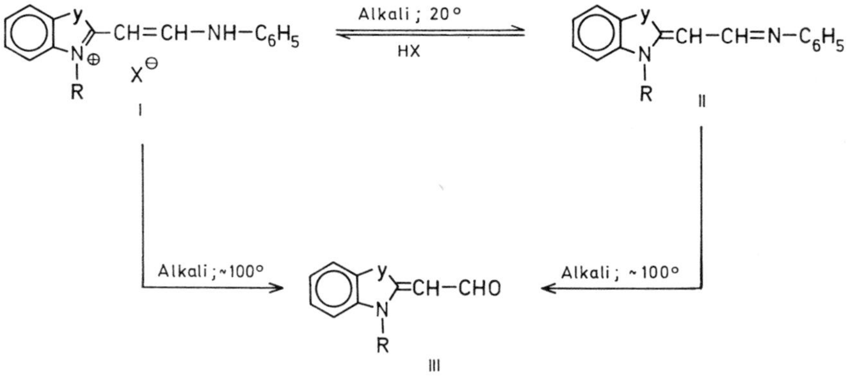

---

[1] DRP. 621404 (1930), ICI; C. A. **30**, 1244 (1936).
Brit. P. 344409 (1929), ICI, Erf.: H. A. Piggott u. E. Rodd; C. A. **26**, 315 (1932).
Vgl. a. US. P. 2369509 (1940), Eastman Kodak, Erf.: F. K. White; C. A. **39**, 3744 (1945).
Brit. P. 609814 (1945), Kodak Ltd., Erf.: E. B. Knott; C. A. **43**, 4164 (1949).

[2] Brit. P. 353138 (1930), ICI, Erf.: T. Birchall u. E. H. Rodd; C. **1931** II, 3042.

[3] US. P. 2500127 (1946), Eastman Kodak, Erf.: E. B. Knott; C. A. **44**, 6158 (1950).
Brit. P. 609812, 609814 (1945), Kodak Ltd., Erf.: E. B. Knott; C. A. **43**, 2642, 4164 (1949).

[4] DRP. 744664 (1938), Kodak, Erf.: F. L. White u. G. H. Keyes.

3-Äthyl-2-(2-phenylimino-äthyliden)-2,3-dihydro-⟨benzo-1,3-thiazol⟩ (V)[1]:

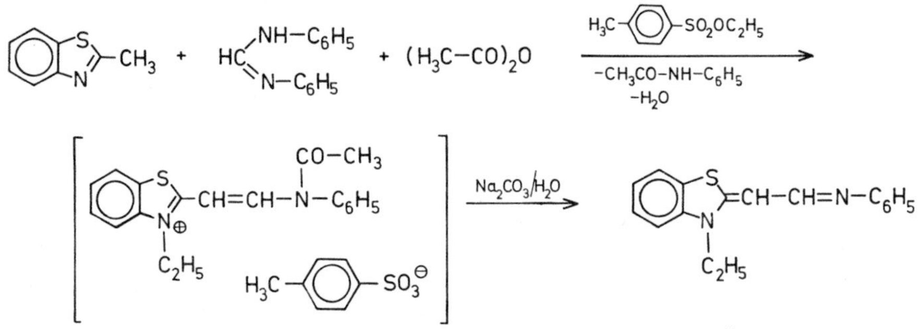

IV V

3-Äthyl-2-[2-(N-acetyl-anilino)-vinyl]-⟨benzo-1,3-thiazolium⟩-p-toluolsulfonat (IV): 149 g 2-Methyl-⟨benzo-1,3-thiazol⟩ werden 30 Min. im Ölbad von 150° mit 200 g p-Toluolsulfonsäure-äthylester zusammengeschmolzen, wobei die Innentemp. bis auf 154° ansteigt. Nach dem Abkühlen auf 100° werden 100 *ml* Essigsäureanhydrid und 200 g N,N-Diphenyl-formamidin unter Rühren zugegeben, wobei die Temp. auf 112° steigt. Nach 30 Min. wird auf 60° abgekühlt und 300 *ml* Aceton und nach weiterem Abkühlen auf 40° 300 *ml* Äther zugegeben. Nach 1 stdgm. Kühlen auf +5° werden die hellbraunen Kristalle abgesaugt und mit Aceton-Äther nachgewaschen; Ausbeute: 286 g (58% d. Th.); F: 286°.

3-Äthyl-2-(phenylimino-äthylen)-2,3-dihydro-⟨benzo-1,3-thiazol⟩ (V): 100 g des p-Toluolsulfonats werden mit 50 g kristallinem Natriumcarbonat durch 30 Min. Einblasen von Wasserdampf verseift. Nach dem Erkalten wird das abgeschiedene, dunkel gefärbte Öl in Benzol gelöst, die Lösung abgetrennt und (mit A-Kohle) erhitzt, so daß alles Wasser azeotrop abdestilliert wird. Die filtrierte Lösung wird mit der gleichen Menge Cyclohexan vermischt und zur Kristallisation gestellt. Die abgesaugten Kristalle werden aus Methanol unter Zusatz von A-Kohle noch einmal umkristallisiert; Ausbeute: 44 g (77,6% d. Th.); F: 98°.

Anile dieser Art lagern Säuren zu Hemicyaninen an, und ergeben wie diese bei erhöhter Temperatur unter Abspaltung des Amins die ω-Aldehyde III (S. 239).

ω-Aldehyde (III) wie auch Anile (II; S. 239) reagieren leicht und meist einheitlich mit den quaternären heterocyclischen Basen (s. S. 259). Man kann anstelle von N,N-Diphenyl-formamidin auch von 1-(Phenylimino-methyl)-1,2,3,4-tetrahydro-chinolin (Tetramidin; VI) ausgehen, das aus N-Formyl-anilin und 1,2,3,4-Tetrahydro-chinolin in Gegenwart von Phosphor(III)-chlorid gewonnen wird[2].

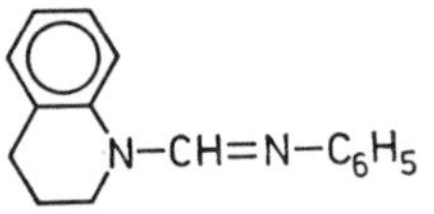

VI

Zur Herstellung des ω-Aldehyds III (S. 241) wird VI zunächst mit dem Quaternärsalz einer heterocyclischen Base in Essigsäureanhydrid unter Abspaltung von Anilin zu VII umgesetzt, das mit wäßrigem bzw. wäßrig-alkoholischem Alkali III (S. 241) ergibt[3]:

---

[1] DRP. 621404 (1930), ICI; C. A. **30**, 1244 (1936).

[2] W. Dieterle, Veröffentlichungen des wissenschaftlichen Zentrallaboratoriums der AGFA, Bd. VI, S. 12 (1939).
DRP. 679282 (1936) ≡ Fr. P. 828678 (1937), I. G. Farb.; C. **1938** II, 3750.

[3] DRP. 726341 (1937), I. G. Farb., Erf.: W. Dieterle u. W. Bauer; C. A. **37**, 6274 (1943).

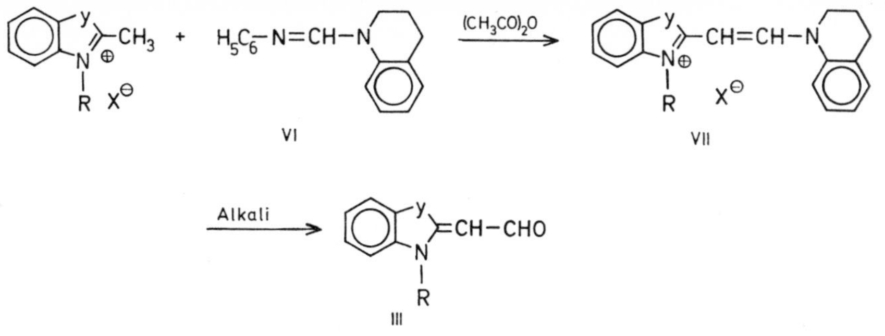

Eine weitere Herstellungsmethode für ω-Aldehyde besteht in der Kondensation von Methylen-Gruppen enthaltenden heterocyclischen Basen mit N-Methyl-N-formyl-anilin und Phosphoroxychlorid als Kondensationsmittel nach Art einer Vilsmeyer-Reaktion[1]:

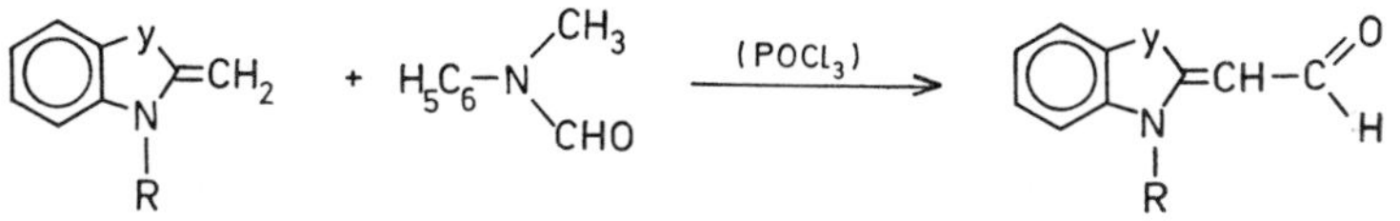

Aus diesen ω-Aldehyden lassen sich durch Umsetzung mit Aminen und Säuren wieder Hemicyanine erhalten, z.B. Basisch-Gelb und die Astrazongelb-Marken, die sehr echte Färbungen auf Acetatseide und anderen Kunststoffasern ergeben. Sie werden auch als Azomethine bezeichnet[2].

Weitere Hemicyanine, die als Zwischenprodukte für asymmetrische Cyanine dienen, werden auf S. 258–261, 271, 272 besprochen.

2. Doppelte Hemicyanine

Symmetrische Farbstoffe dieser Klasse erhält man durch Kondensation von zwei Molen eines 2-[2-(N-Acetyl-anilino)-vinyl]-heteroaromaten (IV, S. 242) bzw. zwei Molen eines N-Alkyl-2-methylen-ω-aldehyds (III; S. 241) mit einem Mol eines unsubstituierten (z.B. p-Phenylendiamin)[3] bzw. substituierten aromatischen Diamins. Als Substituenten kommen die Carboxy- und/oder die Sulfo-Gruppe in Betracht; z.B.:

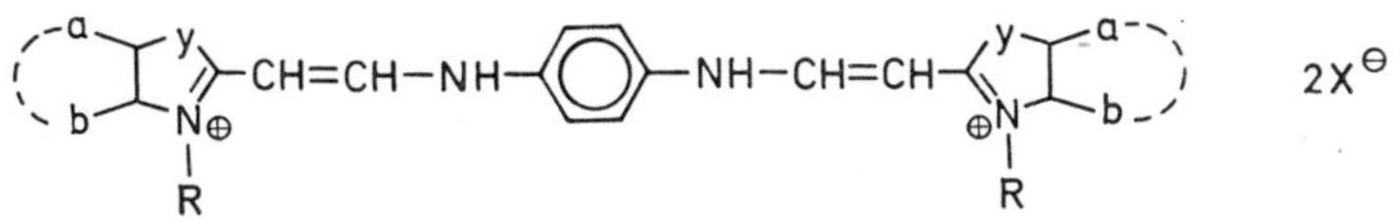

[1] DRP. 615130 (1933), I. G. Farb., Erf.: P. Wolff; C. A. **29**, 6248 (1935).

[2] Ullmann **4**, 163.

[3] DRP. 686198 (1935); Brit. P. 462238 (1937); Fr. P. 809395 (1937), I. G. Farb.; C. A. **34**, 6825 (1940); **31**, 5593, 8941 (1937).
US. P. 2155459 (1936), General Aniline, Erf.: C. Winter et al.; C. A. **33**, 6063 (1939).
US. P. 2307049, 2340882, 2368305 (1936), Ilford Ltd., Erf.: J. D. Kendall; C. A. **37**, 3362 (1943); **38**, 4206 (1944); **39**, 4293 (1946).
Vgl. a. DBP. 866706 (1950), Farbwerke Hoechst, Erf.: L. Berlin u. P. Heimke; C. **1954**, 8269.
Vgl. a. Fr. P. 886653 (1943), Farbwerke Hoechst, Erf.: A. Sieglitz, L. Berlin u. P. Heimke.
DBP. 883025 (1940), Farbwerke Hoechst, Erf.: A. Sieglitz, L. Berlin u. P. Heimke; C. **1954**, 10396.

1,4-Bis-{2-[1,3,3,5,6-pentamethyl-3H-indolyl-(2)]-vinylamino}-benzol-dichlorid[1]:

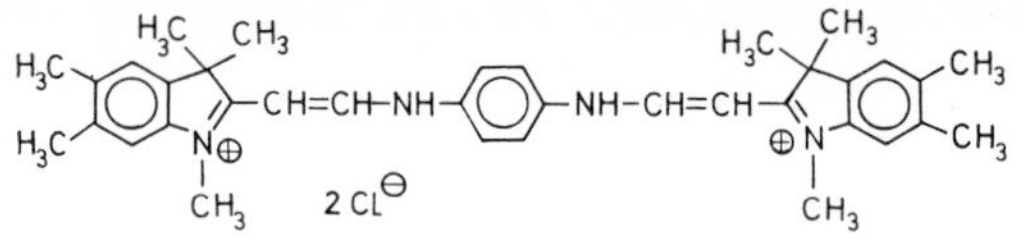

11,5 g (0,05 Mol) 1,3,3,5,6-Pentamethyl-2-formylmethylen-1,2-dihydro-indol und 4,6 g (0,024 Mol) 1,4-Diamino-benzol-dihydrochlorid werden in 50 *ml* Pyridin fein zerrieben, 25 Min. auf dem Dampfbad erwärmt und 10 Min. am Rückfluß gekocht. Nach dem Erkalten der Lösung wird durch Eingießen in Wasser ausgefällt und der Niederschlag abgesaugt; Rohausbeute: 13,1 g (90% d.Th.); F: 305–308°; nach Umkristallisation aus Methanol; Ausbeute: 9 g (61,8% d.Th.); F: 327–329°.

Auch aus Diaminen im weiteren Sinne wie z.B. Hydrazin sind derartige Azamethinfarbstoffe hergestellt worden[2].

Zur Herstellung von unsymmetrischen doppelten Hemicyaninen setzt man z.B. 3-Äthyl-2-[2-(N-acetyl-anilino)-vinyl]-⟨benzo-1,3-thiazolium⟩-jodid in Äthanol mit 1,4-Diamino-benzol zum Zwischenprodukt I um, das z.B. mit 3-Äthyl-2-[2-(N-acetyl-anilino)-vinyl]-⟨benzo-1,3-oxazolium⟩-jodid (II) zum Farbstoff weiterkondensiert wird[3]:

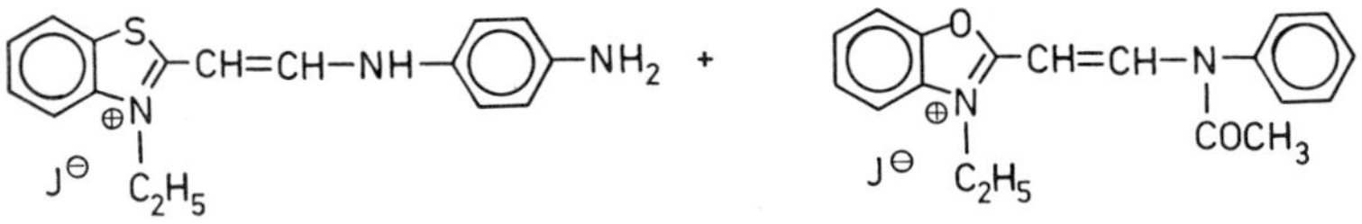

I; *3-Äthyl-2-[2-(4-amino-anilino)-vinyl]-⟨benzo-1,3-thiazolium⟩-jodid*

II

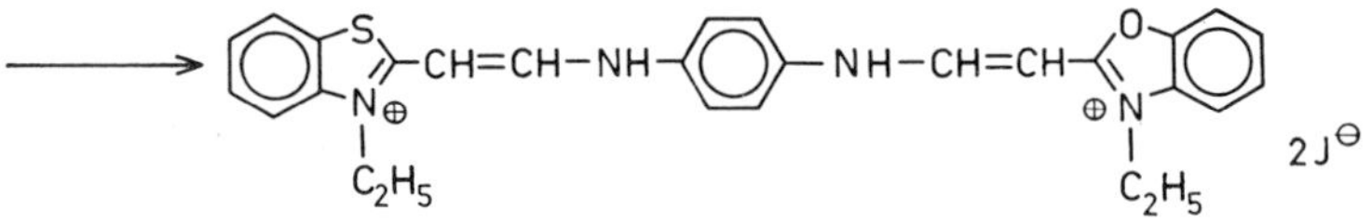

4-{2-[3-Äthyl-⟨benzo-1,3-oxazol⟩-yl-(2)]-vinylamino}-1-{2-[3-äthyl-⟨benzo-1,3-thiazol⟩-yl-(2)]-vinylamino}-benzol-dijodid

3. Phenyloge Hemicyanine

Das einfachste phenyloge Hemicyanin ist das bekannte *Thioflavin T* [*3,6-Dimethyl-2-(4-dimethylamino-phenyl)-⟨benzo-1,3-thiazolium⟩-chlorid*]:

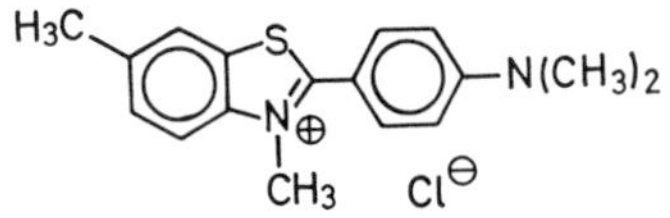

Die weit überwiegende Zahl der Phenylogen sind die basischen Styrylfarbstoffe folgenden Typs:

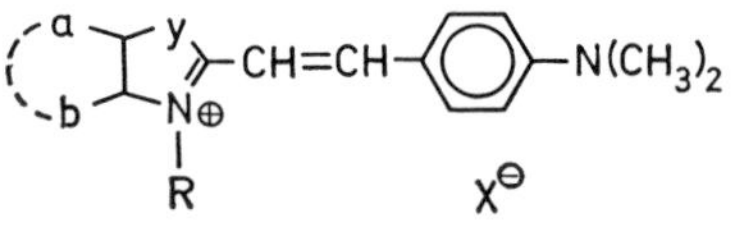

---

[1] DRP. 686198 (1935), I.G.Farb.; C.A. **34**, 6825 (1940).

[2] US.P. 2368305 (1936), Ilford Ltd., Erf.: J. D. Kendall; C. A. **39**, 4293 (1945).

[3] DBP. 838935 (1950); US.P. 2553989 (1948); Fr.P. 963261 (1948) ≡ Brit. P. 640094 (1950), Gevaert, Erf.: A. E. v. Dormael; C. **1955**, 3053; C. A. **45**, 7458, 6101 (1951).

von denen als orthochromatischer Sensibilisator *Pinaflavol{1-Äthyl-2-[2-(4-dimethyl-amino-phenyl)-vinyl]-pyridinium-*jodid}[1] eine gewisse Bedeutung hatte:

Zur Herstellung derartiger Cyanine werden die Salze der 2-Methyl-N-alkyl-heterocyclen mit alkylamino-substituierten aromatischen Aldehyden (z. B. 4-Dimethylamino-benzaldehyd) zumeist in Äthanol in Gegenwart organischer Basen (z. B. Piperidin)[2,3] kondensiert.

So erhält man auch *Pinakryptolgelb {6-Äthoxy-1-methyl-2-[2-(3-nitro-phenyl)-vinyl]-chinolinium-methylsulfat}* aus 6-Äthoxy-1,2-dimethyl-chinolinium-methylsulfat und 3-Nitro-benzaldehyd[4]:

Bedingt durch die Nitro-Gruppe ist dieser Farbstoff ein Desensibilisator.

Auch einige Astrazonfarbstoffe z. B. das *Astrazonrotviolett F2RL ⟨1,3,3-Trimethyl-2-{2-[4-(4-äthoxy-N-methyl-anilino)-phenyl]-vinyl}-1H-indolium-chlorid⟩*

sind wegen ihrer sehr lichtechten Färbungen auf Polyacrylnitrilfasern von Bedeutung geworden.

Ebenso sind Bis-[styrylfarbstoffe] bekannt. Sie werden durch Kondensation von zwei Mol 4-Dimethylamino-benzaldehyd und einem Mol eines Quaternärsalzes einer heterocyclischen Base mit zwei reaktionsfähigen Methyl-Gruppen erhalten; z. B. 2,6-Dimethyl-pyridin[5]:

[1] J. M. Eder, *Handbuch d. Photographie*, Bd. III, 3. Tl., S. 84, 86, 158, W. Knapp, Halle (Saale) 1932.

[2] DRP. 394744 (1922), Farbwerke Hoechst, Erf.: R. Schuloff; C. **1924** II, 2425.

[3] J. M. Eder, *Handbuch d. Photographie*, Bd. III, 3. Tl. S. 122–149, W. Knapp, Halle (Saale) 1932.

[4] DRP 468093 (1925), I. G. Farb.; C. **1929** I, 340.

[5] DRP. 622211 (1930), I. G. Farb., Erf.: M. Dabelow u. A. Philips; C. A. **30**, 1317 (1936).

Entsprechende Synthesen sind auch mit den Zimtaldehyden und höheren Vinylogen möglich.

Auch nicht quaternierte N-Basen können zu ähnlichen Styrylverbindungen umgesetzt werden[1]:

4-[2-(4-Dimethylamino-phenyl)-vinyl]-chinolin:

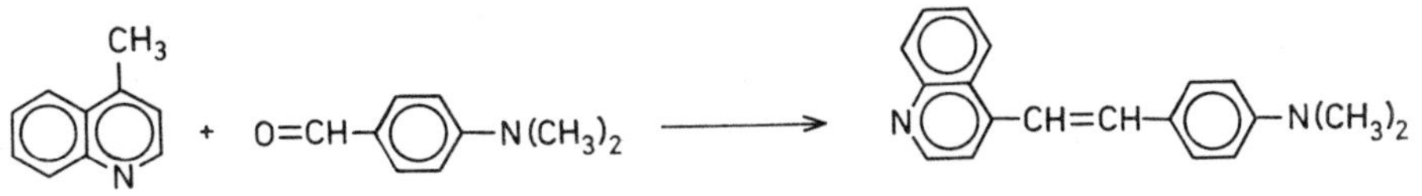

2,8 g 4-Methyl-chinolin werden mit 3,2 g 4-Dimethylamino-benzaldehyd und 1,0 g Zinkchlorid 30 Min. auf 195–200° erwärmt. Die Schmelze wird nach dem Abkühlen mit 25 *ml* Methanol 30 Min. am Rückfluß gekocht und heiß abgesaugt. Das zurückbleibende Zink-Salz wird in wenig warmem Dimethylformamid gelöst, mit 10 *ml* 10%iger Natronlauge versetzt und mit 100 *ml* Wasser gefällt. Das abgesaugte Produkt wird aus Isopropanol umkristallisiert; Ausbeute: 1,4 g (26% d.Th.); F: 136–139° (hellgelbe Kristalle).

Durch Säuren entsteht zunächst eine Violettfärbung, d.h. Anlagerung des Protons an den Chinolinringstickstoff unter Ausbildung eines (Hemi)-Cyanin-ringsystems. Mit stärkeren Säuren tritt Entfärbung ein, dadurch daß sich ein weiteres Proton an die Methin-Gruppe (in 4-Stellung) oder an die Dimethylamino-Gruppe anlagert und die Konjugation unterbrochen wird.

Auch Vinyloge wurden hergestellt[2], z.B.:

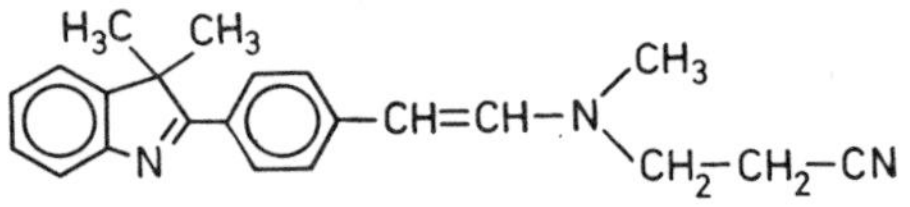

3,3-Dimethyl-2-⟨4-{2-[methyl-(2-cyan-äthyl)-amino]-vinyl}-phenyl⟩-indol

c) Die eigentlichen Cyanine

Cyanine der folgenden Formel sind die wichtigste Klasse der Polymethinfarbstoffe:

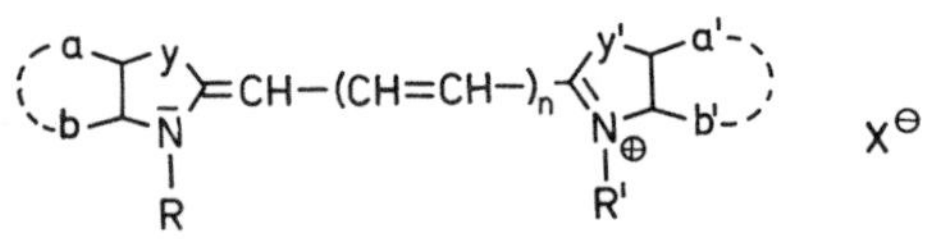

n = 0, 1, 2, 3, 4, 5

Y und Y′ = CH_2, CH=CH, O, S, Se, NH, N-Alkyl, $C(CH_3)_2$ usw.

R, R′ = Alkyl, Aryl, Aralkyl usw.

X = Anion, einwertiger Säurerest wie J, Cl, Br, NO_3, ClO_4, SCN

O_3S-O Alkyl, p-Tosyl usw.

a $\frac{\text{und}}{\text{oder}}$ b, a′ $\frac{\text{und}}{\text{oder}}$ b′ = H, H_2, Alkyl, Aryl usw. oder den C-Atomen angegliederte aromatische oder heterocyclische Ringe, die ihrerseits wieder durch Gruppen wie Alkyl, Aryl, Alkanoyl-, Alkoxy-, Dialkylamino-Gruppen usw. substituiert sein können.

---

[1] G. Scheibe, B. **56**, 147 (1923).

[2] Belg. P. 648567 (1937), Allied Chemical Corp., Erf.: S. M. Spatz u. R. J. Steiner; C. A. **63**, 5607 (1963).

Bei Berücksichtigung der Mesomerie des konjugierten Systems ist folgende Carbeniumformel wichtig:

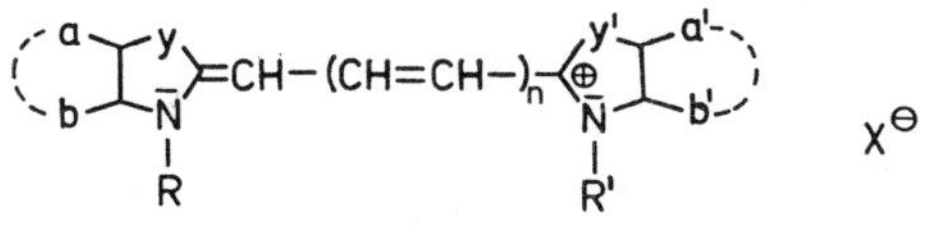

Die Chemie der Cyaninfarbstoffe beschäftigt sich in der Hauptsache mit der Verknüpfung der oben erwähnten Heterocyclen durch eine oder mehrere Methin-Gruppen. Dabei geht man von den Quartärsalzen folgender allgemeiner Formeln aus

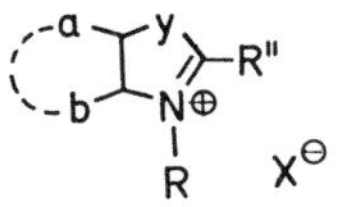

R″=Alkyl (meist CH_3); CH_2-Aryl, O-Alkyl, S-Alkyl, Halogen usw.

Die Quaternierung erfolgt durch Umsetzung der Basen mit den bekannten Alkylierungsmitteln wie Halogen-alkanen bzw. -arylalkanen (z.B. Jodmethan, Jodäthan, Benzylbromid) oder auch Schwefelsäure-dialkylestern (z.B. Dimethylsulfat, Diäthylsulfat). Es muß besonders darauf aufmerksam gemacht werden, daß letztere nicht nur giftig, sondern nach neueren Erkenntnissen auch cancerogen (Leukämie) sind. Das trifft auch für Sultone, z.B. Propansulton zu. Da diese Umsetzungen meist bei höherer Temperatur (bis ~ 180°) durchgeführt werden, sollten sie unter entsprechenden Vorsichtsmaßnahmen wie Atemschutz, Gummihandschuhen, geschlossenem Systemen usw. erfolgen. Weitere wegen der großen Variationsbreite bevorzugte Alkylierungsmittel sind Sulfonsäureester wie Toluol-sulfonsäure-alkylester. Auch substituierte Halogenalkane wie Chloräthyläther, Chloralkylamine, Halogenalkansäureester werden angewandt. In vielen Fällen gelingt auch die Anlagerung von aktivierten Alkenen wie Acrylnitril zu N-(ω-Cyan-äthyl)-Quartärsalzen.

Bei den im folgenden beschriebenen Methoden zur Herstellung von Cyaninen kann man beobachten, wie außerordentlich unterschiedlich die Reaktionsfähigkeit der Gruppe R″ ist bei wechselnder Bedeutung von Y oder auch bei veränderter Substitution am Stickstoffatom. Die Reaktionsfähigkeit der Quartärsalze durch Substitution an der aktivierten Methyl-Gruppe ist merklich herabgesetzt, z.B. bei Fluor oder Alkoxy als Substituenten. Andererseits wird dadurch ein ziemlich starker bathochromer Effekt erzielt[1]:

Auch die an den C-Atomen a und b angegliederten Ringe haben wesentlichen Einfluß auf die Reaktionsgeschwindigkeit. Wie oben angegeben, kann das Anion X verschiedene einwertige Säurereste enthalten, die hauptsächlich Einfluß auf die Löslichkeit des aus dem betreffenden Cycloammoniumsalz hergestellten Farbstoffs haben. Dabei nimmt die Löslichkeit in der Reihenfolge:

Fluorid, Chlorid, Methylsulfat, Bromid, Nitrat, Toluolsulfonat, Rhodanid, Jodid, Perchlorat, Tetrafluorborat, Pikrat, Reineckat, Phosphorwolframat u. dgl.

ab.

---

[1] O. Riester, Chimia **20**, 330 (1966).
L. M. Jagupolskij u. B. E. Gruz, Ž. obšč. Chim. **37**, 2470 (1967); engl.: 2350.

Alle diese basischen Farbstoffe können auch als Acetate, Oxalate u.ä. oder als Metalldoppelsalze z.B. mit Zinkchlorid, Eisen(III)-chlorid u.ä. isoliert werden.

Im folgenden werden nur die wichtigsten und gangbarsten Methoden zur Herstellung von Cyaninen beschrieben, die angeführten Reaktionsmethoden erheben keinerlei Anspruch auf Vollständigkeit, da dies im Rahmen der Abhandlung unmöglich ist. Vielfach wird daher auch nur auf die Patentliteratur hingewiesen. Eine vollständige Übersicht über die Verfahren bis zum Jahre 1959 findet sich in der Literatur[1–3].

1. Monomethine

α) Pseudocyanine (Pseudoisocyanine)

Beim Aufbau von symmetrischen Chino-pseudocyaninen die auf beiden Seiten Chinolin-Ringe tragen, setzt man z.B. zur Herstellung von *Monomethincyanin* {*2-[1-Äthyl-1,2-dihydro-chinolyliden-(2)-methyl]-1-äthyl-chinolinium-jodid*; I} 2-Methyl-1-äthyl-chinolinium-jodid mit 2-Jod-1-äthyl- bzw. 2-Äthylmercapto-1-äthyl-chinolinium-jodid um:

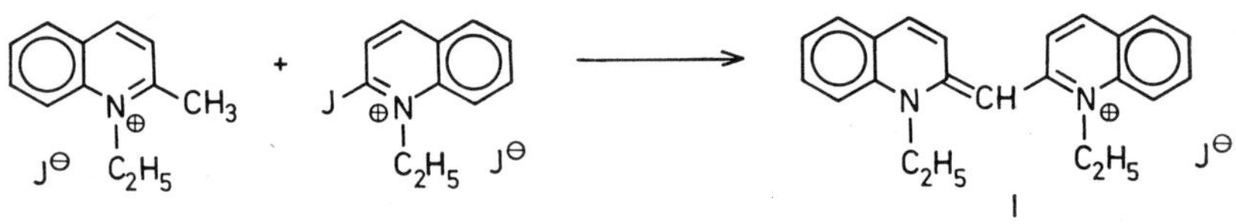

Bis-[1-äthyl-chino]-2-monomethincyanin-jodid{2-[1-Äthyl-1,2-dihydro-chinoliden-(2)-methyl]-1-äthyl-chinolinium-jodid}; III[4]:

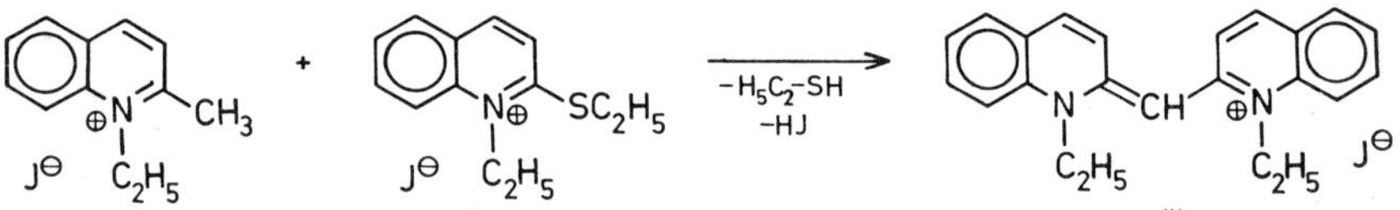

2-Methyl-1-äthyl-chinolinium-jodid (I): 250 g 2-Methyl-chinolin und 250 g Jod-äthan werden unter Rückfluß 12 Stdn. auf dem Dampfbad erhitzt. Das erhaltene feste Reaktionsprodukt wird mit Aceton zerrieben und solange damit gewaschen bis der Ablauf nur noch schwach rot ist; Ausbeute 440 g (84% d.Th.); F: 246–249°.

2-Äthylmercapto-1-äthyl-chinolinium-jodid (II): 150 g 2-Thiono-1-äthyl-1,2-dihydro-chinolin werden mit 150 g Jod-äthan 1 Stde. unter Rückfluß auf dem Dampfbad erhitzt; Ausbeute: 220 g (80% d.Th.); F: 172–174°.

Monomethincyanin (III): Die Lösungen von 150 g 2-Methyl-1-äthyl-chinolinium-jodid in 300 *ml* Pyridin und 175 g 2-Äthylmercapto-1-äthyl-chinolinium-jodid in 300 *ml* Pyridin werden vereinigt und 3 Stdn. zum schwachen Sieden erhitzt. Nach 12stgm. Stehen im Kühlschrank wird der rote Farbstoff abgesaugt und mit Methanol/Äther (1:3) gewaschen. Das entstehende Mercaptan muß abgeleitet werden; es wird durch Absorption in Natronlauge unschädlich gemacht; Ausbeute: 70 g (30,7% d.Th.); F: 272–274° (granatrote Kristalle, grüner Oberflächenglanz). In Methanol: hochrot, λ_{max} 523 nm; log ε = 4,87
und 490 nm; log ε = 4,69

---

[1] F. M. Hamer: *The Cyanine Dyes and Related Compounds* in The Chemistry of Heterocyclic Compounds, Interscience Publishers, Wiley & Sons, New York · London 1964.

[2] F. M. Hamer, Soc. **1929**, 2598.
J. Götze u. H. Socher, Beihefte zu der Zeitschrift des Vereins Deutscher Chemiker, Ang. Ch. **40** (1940).

[3] P. Kainrath, Ang. Ch. **60**, 36–42 (1948).

[4] DRP. 710748 (1932), I. G. Farb., Erf.: R. Walter u. H. Duerr; C. A. **37**, 3950 (1943).

Die Umwandlung eines leicht löslichen Salzes in ein schwerer lösliches erfolgt meist glatt durch Fällung in methanolischer oder wäßrig-methanolischer Lösung. Wenn sich aber die Löslichkeiten wenig unterscheiden, wie z.B. Jodid und Perchlorat, so ist eine mindestens zweimalige Fällung notwendig, da sonst Gemische der Salze erhalten werden.

Wesentlich anders muß die Umwandlung in ein leichter lösliches Salz vorgenommen werden. Dazu verwendete man früher die entsprechenden Silbersalze, vorausgesetzt, daß ein Farbstoffhalogenid vorlag. Diese Methode ist aber sehr verlustreich, da erhebliche Mengen des Farbstoffs am Silberhalogenid adsorbiert bleiben. Wesentlich besser und allgemeiner anwendbar verläuft die Umsalzung mit einem Ionenaustauscher, z.B. Lewatit MP 500[1]:

Bis-[1-äthyl-chino]-2-monomethincyanin-chlorid (N,N'-Diäthyl-pseudo-isocyanin-chlorid): 12 kg Lewatit MP 500 werden mit einer reichlichen Menge dest. Wassers angeschlämmt und 2 Stdn. stehen gelassen. Dann gießt man das Wasser ab, rührt den Austauscher mit 10 *l* 10%iger Natriumchlorid-Lösung an und läßt 1 Stde. unter öfterem Umrühren stehen. Danach gießt man wieder die Lösung ab, schlämmt den Ionenaustauscher mit 70%igem Methanol an und füllt ihn unter Verwendung von genügend 70%igem Methanol so in eine Säule, daß keine Luftblasen entstehen und der Austauscher immer mit Flüssigkeit bedeckt bleibt.

180 g Bis-[1-äthyl-chino]-2-monomethincyanin-bromid löst man unter Erwärmen in ~ 28 *l* 70%igem Methanol. Die auf Zimmertemp. abgekühlte Lösung läßt man nun langsam durch die Säule laufen und spült mit ~ 7,5 *l* 70%igem Methanol nach, so daß praktisch aller Farbstoff aus der Säule herausgewaschen ist. Man achtet besonders darauf, daß die Oberfläche des Lewatits stets mit Flüssigkeit bedeckt ist.

Die den Farbstoff enthaltende Lösung fängt man getrennt auf und engt sie i.Vak. ein. Die übrigen Waschflüssigkeiten werden verworfen. Der Farbstoff fällt beim Eindampfen oft zuerst gelartig aus, kann aber durch Animpfen und Reiben zur Kristallisation gebracht werden; Ausbeute: ~ 140 g (87% d. Th.).

Die 2-Methyl-chinolin-quartärsalze bilden bei allen Umsetzungen die violetten Isocyanine als Nebenprodukte (in 2–4-Stellung durch eine Methinkette verbundene Chinolin-Ringe), neben oft beträchtlichen Mengen des blauen Chino-trimethincyanins (*Pinacyanol*; λ_{max} 605 nm; $\log \varepsilon = 5{,}27$).

Eine Verunreinigung von nur 10^{-8} Teilen Chino-trimethincyanin im obengenannten Pseudocyanin macht den Farbstoff für die Sensibilisierung von Halogensilberemulsionen praktisch unbrauchbar.

Bis-[3-äthyl-benzo-1,3-thiazolo]-monomethin-cyanin-jodid{2-[3-Äthyl-2,3-dihydro-⟨benzo-1,3-thiazol⟩-yliden-(2)-methyl]-3-äthyl-⟨benzo-1,3-thiazolium⟩-jodid}[2]:

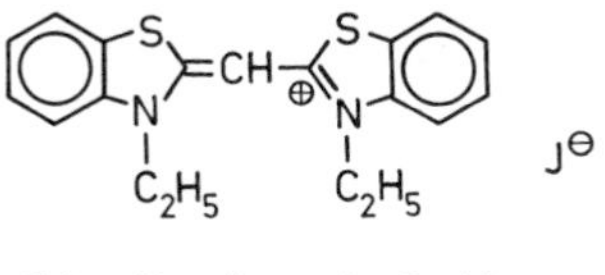

6 g 2-Methyl-3-äthyl-⟨benzo-1,3-thiazolium⟩-p-toluolsulfonat und 10 g 2-Methylmercapto-3-äthyl-⟨benzo-1,3-thiazolium⟩-äthylsulfat werden in 500 *ml* absol. Äthanol eingetragen. Danach werden 50 *ml* Pyridin und 1 *ml* Triäthylamin hinzugegeben und die Lösung unter Rühren 1 Stde. auf 30° erwärmt. Die klare Lösung ist intensiv gelb. Der Farbstoff wird mit 15 *ml* 25%iger Kaliumjodid-Lösung gefällt, abgesaugt, mit Wasser gewaschen und aus 1 *l* Methanol umkristallisiert; Ausbeute: 6,9 g (86,3% d. Th.).

Es kann eine weitere Umkristallisation erfolgen. Dazu wird der Farbstoff in 700 *ml* Methanol und 650 *ml* Chloroform gelöst und von der filtrierten Lösung das Chloroform abdestilliert; Ausbeute: 5,6 g (70% d.Th.); F: 296° (Zers. eigelbe Kristalle).
In Methanol: hellgelb; λ_{max} 423 nm; $\log \varepsilon = 4{,}90$.

---

[1] O. Riester, Agfa Leverkusen, unveröffentlicht.
[2] DRP. 710748 (1932), I.G.Farb., Erf.: R. Walter u. H. Duerr; C.A. **37**, 3950 (1943).

Der Farbstoff kann auch mit ebensoviel Ammoniumperchlorat gefällt werden. Zur Kristallisation sind dann 4 *l* Methanol-Chloroform (1 : 1) nötig und zur weiteren Umkristallisation 100 *ml* Dimethylformamid; F: 333° (hellgelbe Kristalle). In Methanol; λ_{max}: 424 nm; log ε = 4,92.

Bei allen Umsetzungen dieser Art wird ein rotes Trimethincyanin mitgebildet. Dieses läßt sich jedoch durch Umkristallisation leicht abtrennen. Wenn es in größerer Menge gebildet wird – entweder durch zu hohe Temperatur bei einer der Herstellungsstufen oder bei analogen, aber schwerer erfolgenden Kondensationen-so wird es durch Aktiv-Kohle bei der Umkristallisation entfernt.

Ebenso werden symmetrische Pseudocyanine erhalten, wenn man 2-Methyl-cycloammonium-Verbindungen mit Salpetrigsäure-pentylester und Essigsäure-anhydrid umsetzt. Dieses Verfahren ist besonders geeignet für die Herstellung von Oxocyaninen[1].

Unsymmetrische Pseudocyanine wie z.B. I werden durch Kondensation von einem 2-Methyl-cycloammoniumsalz, das nicht der Chinolin-Reihe angehört, mit 2-Jod-1-äthyl-chinolinium-jodid gewonnen:

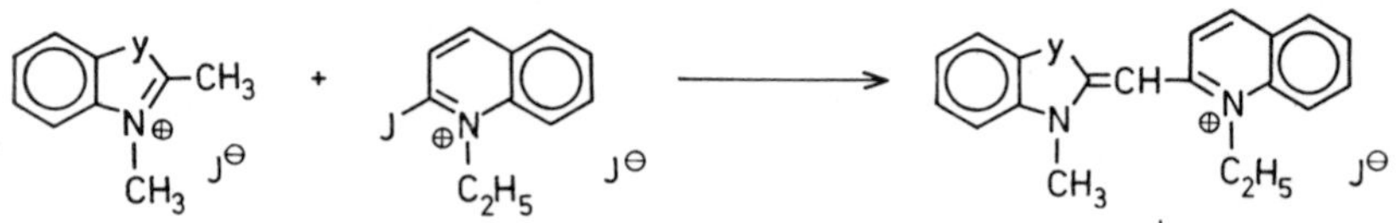

I

Y = O; *2-[3-Methyl-2,3-dihydro-⟨benzo-1,3-oxazol⟩-yliden-(2)-methyl]-1-äthyl-chinolinium-jodid*
Y = S; *2-[3-Methyl-2,3-dihydro-⟨benzo-1,3-thiazol⟩-yliden-(2)-methyl]-1-äthyl-chinolinium-jodid*
Y = Se; *2-[3-Methyl-2,3-dihydro-⟨benzo-1,3-selenazol⟩-yliden-(2)-methyl]-1-äthyl-chinolinium-jodid*
Y = CH_2; *2-[1-Methyl-1,2-dihydro-indolyliden-(2)-methyl]-1-äthyl-chinolinium-jodid*

Als Kondensationsmittel werden organische Basen[2] wie Triäthylamin eingesetzt; schlechter eignen sich Kalilauge und Kaliumcarbonat[3].

2-[3-Äthyl-2,3-dihydro-⟨benzo-1,3-thiazol⟩-yliden-(2)-methyl]-1-äthyl-chinolinium-jodid (1,3'-Diäthyl-benzthio-pseudocyanin-jodid)[4]:

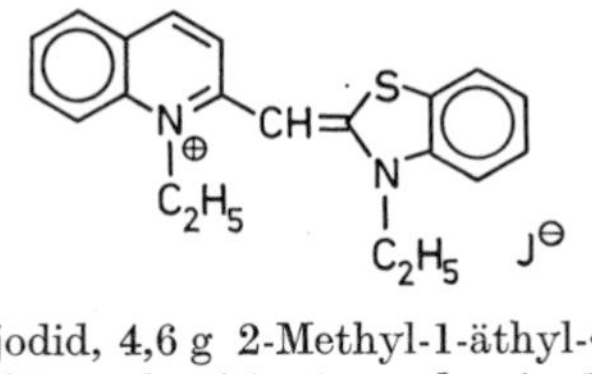

6,2 g 2-Jod-1-äthyl-chinolinium-jodid, 4,6 g 2-Methyl-1-äthyl-⟨benzo-1,3-thiazolium⟩-jodid und 2,6 g Kaliumcarbonat (trocken, fein pulverisiert) werden in 190 *ml* absol. Äthanol 45 Min. am Rückfluß gekocht. Nach einigen Stdn. wird der entsprechende Kristallbrei abgesaugt, mit Wasser und Äthanol gewaschen. Zur Reinigung wird der Niederschlag in einer Reibschale mit Wasser von 30–40° verrieben, abgesaugt mit Äthanol gewaschen und getrocknet; Ausbeute 6,04 g (87% d.Th.); F: 272–273° unter Zers. (aus Methanol).

[1] N. I. Fischer u. F. M. Hamer, Soc. **1930**, 2502; **1934**, 962.
Vgl. a. Brit. P. 504821 (1937), Kodak Ltd., Erf.: F. M. Hamer; C. A. **33**, 7683 (1939).
DRP. 666041 (1934), Kodak A.-G., Erf.: F. M. Hamer; C. A. **33**, 1614 (1939).
Brit. P. 419361 (1933), Kodak Ltd., Erf.: F. M. Hamer; C. A. **29**, 2464 (1935).
Fr. P. 772784 (1934), Kodak-Pathé; Erf.: F. M. Hamer; C. A. **29**, 1342 (1935).

[2] L. G. S. Brooker u. G. H. Keyes, Am. Soc. **57**, 2488 (1935).
Brit. P. 408571 (1932), Kodak Ltd.; C. **1934** II, 4519.
Fr. P. 757813 (1933), Kodak-Pathé; C. **1934** I, 3693.
DRP. 737053 (1943), Kodak A.-G.; C. A. **38**, 3849 (1944).

[3] Fr. P. 791615 (1935), Kodak-Pathé; C. A. **30**, 4334 (1938).
Brit. P. 435542 (1935), Kodak Ltd., Erf.: B. Beilenson; C. A. **30**, 1581 (1936).

[4] F. M. Hamer, Soc. **1928**, 214.

Dagegen erhält man bei Umsetzung von 2-Jod-3-äthyl-⟨benzo-1,3-thiazolium⟩-jodid mit 2-Methyl-cycloammoniumsalzen keinen Farbstoff[1].

Eine sehr gut anwendbare Methode zur Herstellung von unsymmetrischen Pseudocyaninen ist die Umsetzung von 2-Alkylmercapto-3-alkyl-⟨benzo-1,3-thiazolium⟩-halogeniden mit geeigneten 2-Methyl-cycloammoniumsalzen in alkoholischer Lösung mit basischen Kondensationsmitteln[2].

1,1′-Diäthyl-2-benzthio-2′-benzseleno-pseudocyanin-jodid {2-[3-Äthyl-2,3-dihydro-⟨benzo-1,3-thiazol⟩-yliden-(2)-methyl]-3-äthyl-⟨benzo-1,3-selenazolium⟩-jodid}[2]:

S–CH₃ + H₃C– ... ⟶ ... =CH– ... + CH₃SH + HJ

1,76 g (0,005 Mol) 2-Methyl-3-äthyl-⟨benzo-1,3-selenazolium⟩-jodid und 1,68 g (0,005 Mol) 2-Methylmercapto-3-äthyl-⟨benzo-1,3-thiazolium⟩-jodid werden in 30 *ml* absol. Äthanol suspendiert, zum Sieden erhitzt und eine Lösung von 0,7 ml (0,005 Mol) Triäthylamin in 3 *ml* absol. Äthanol zugesetzt. Unter Mercaptan-Entwicklung beginnt die Ausscheidung des gelben feinkristallinen Farbstoffs. Man kocht 30 Min. unter Rückfluß, saugt danach eiskalt ab und wäscht mit 30 *ml* Äthanol. Den Rohfarbstoff (2,1 g) löst man in 400 *ml* siedendem Methanol, filtriert und destilliert auf ein Vol. von 50 *ml* ab. Nach längerem Stehen saugt man ab; Ausbeute: 1,8 g (70% d.Th.); F: 288–289° (Zers.) (gelbe filzige Nädelchen).

Auch die entsprechenden 2-Alkylsulfon-,2-Aminosulfon- oder Sulfo-Derivate von heterocyclischen Quartärsalzen eignen sich gut zur Umsetzung mit den 2-Methylcycloammoniumsalzen[3]. Eine ganz andersartige Synthese gelingt durch die Umsetzung von 2-Amino-phenolen bzw. -thiophenolen mit (substituierten) Malonsäurediestern und nachfolgende Quaternierung[4]:

2 (ZH, NH₂) + R–CH(COOR′)–COOR′ $\xrightarrow[-2\,ROH]{-2\,H_2O}$ ... –CH(R)– ...

Z = O, S

$\xrightarrow[-HX]{+2\,R''X}$ ... –C(R)= ... $X^{\ominus}$

Auch in 5-Stellung kann ein (2-Amino-)1,3-thiazol reagieren z.B. mit Formaldehyd, wobei unter Dehydrierung folgende Monomethincyaninbase entsteht[5]:

H₃C–NH– ... CH= ... =N–CH₃ (C₆H₅, C₆H₅)

2-Methylamino-5-[2-methylimino-4-phenyl-2,5-dihydro-⟨benzo-1,3-thiazol⟩-yliden-(5)-methyl]-4-phenyl-⟨benzo-1,3-thiazol⟩

[1] B. Beilenson u. F. M. Hamer, Soc. **1939**, 143.
[2] Fr. P. 758198 (1933), I. G. Farb.; C. **1934** I, 3423.
Brit. P. 424559, 425609 (1933), J. D. Kendall; C. A. **29**, 4596, 5670 (1935).
Fr. P. 793577 (1935), Kodak-Pathé; C. A. **30**, 4696 (1936).
[3] H. Larivé et al., Bl. **1956**, 1443; **1967**, 37.
Fr. P. 1122443 (1955); 1058482 (1952); Kodak.
[4] Holl. P. 6801556 (1968), J. R. Geigy.
[5] W. Lässig, B. **95**, 2792 (1962).

Eine ganz andersartige Bildung eines Monomethincyanins erfolgt aus o-Acylbenzophenonen mit Ammoniak[1]:

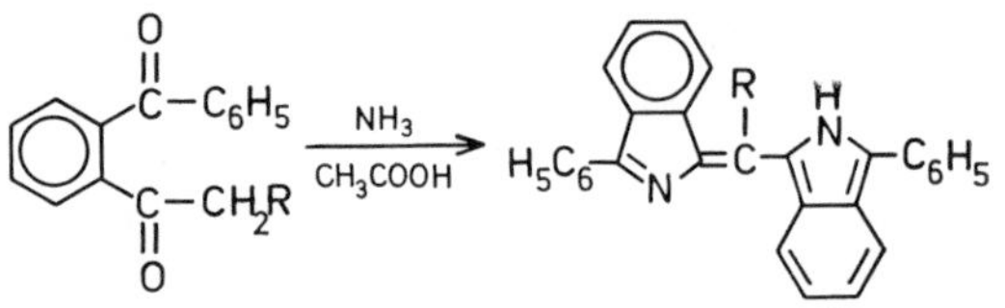

Eine vielseitig anwendbare Synthese verläuft über die cyclischen Amide durch Umsetzung mit Triäthyloxoniumtetrafluoroborat[2]. Dabei entstehen Acetale, die im Gleichgewicht mit den ionisierten Alkoholaten stehen:

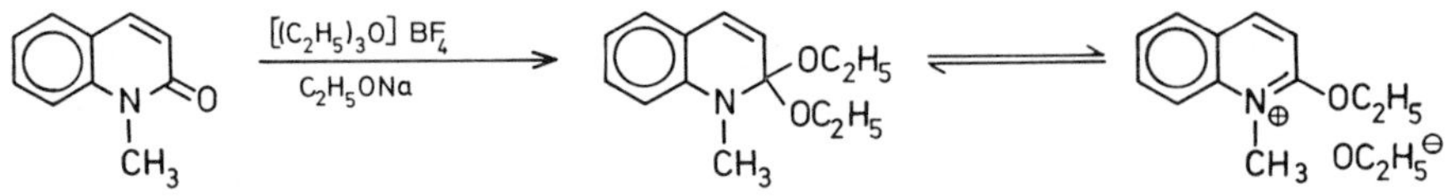

Diese reagieren meist glatt mit den aktiven Methyl-Gruppen der beschriebenen Quartärsalze analog den Alkylmercapto-Verbindungen (S. 246).

Unsymmetrische Monomethin-cyanine I werden auch ausgehend von nur einem Mol 2-Methyl-cycloammoniumsalz mit Hilfe von Phenylsenföl und Bromessigsäure über einem zweiten Heterocyclus (z.B. 4-Oxo-3-phenyl-tetrahydro-1,3-thiazol) nach folgendem Reaktionsschema gewonnen[3]:

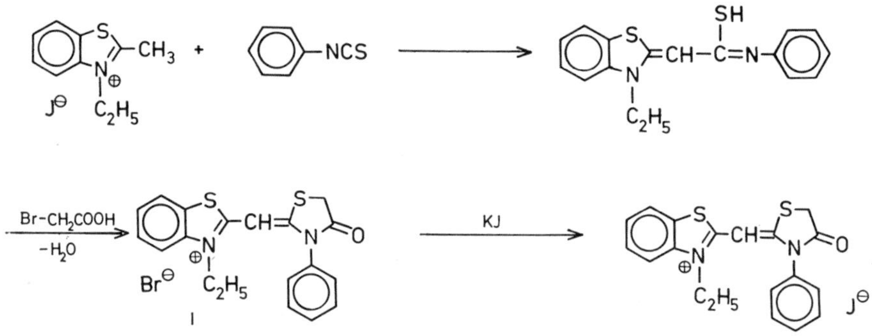

I; *2-[4-Oxo-3-phenyl-tetrahydro-1,3-thiazolyliden-(2)-methyl]-3-äthyl-⟨benzo-1,3-thiazolium⟩-bromid*
II; *...-jodid*

Die aktive Methylen-Gruppe von I kann weiterhin mit z.B. 4-Dimethylaminobenzaldehyd zu einem doppelten Monomethincyanin, das auch zur Gruppe der Rhodacyanine (s. S. 278) zählt, von folgender Konstitution umgesetzt werden[4]:

---

[1] E. Maekawa, Y. Suzuki u. S. Sugiyama, B. **101**, 847 (1968).

[2] H. Meerwein, W. Florian, N. Schön u. G. Stopp, A. **641**, 19 (1961).

[3] Brit. P. 646900 (1948), General Aniline, Erf.: T. R. Thompson u. L. C. Hensley; C. A. **45**, 5550 (1951).
US. P. 2536987 (1948), General Aniline, Erf.: T. R. Thompson; C. A. **45**, 5551 (1951).
Vgl. a. Brit. P. 646896 (1948), General Aniline, Erf.: T. R. Thompson; C. A. **45**, 3273 (1951).

[4] Brit. P. 671346 (1949), Kodak Ltd.; C. A. **47**, 5126 (1953).

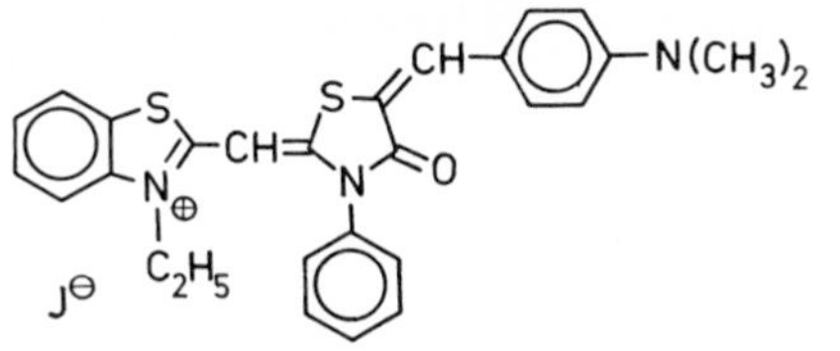

2-[4-Oxo-3-phenyl-5-(4-dimethylamino-benzyliden)-tetrahydro-1,3-thiazolyliden-(2)-methyl]-3-äthyl-⟨benzo-1,3-thiazolium⟩-jodid

oder auch mit Diphenylformamidin und Essigsäureanhydrid zu symmetrischen und unsymmetrischen vierkernigen Polymethinen[1].

β) Isocyanine

Die Herstellung von Isocyaninen gelingt im allgemeinen auch heute noch nach älteren Verfahren aus 2-Methyl-cycloammoniumsalzen und quarternären Chinolinen in alkoholischer Lösung:

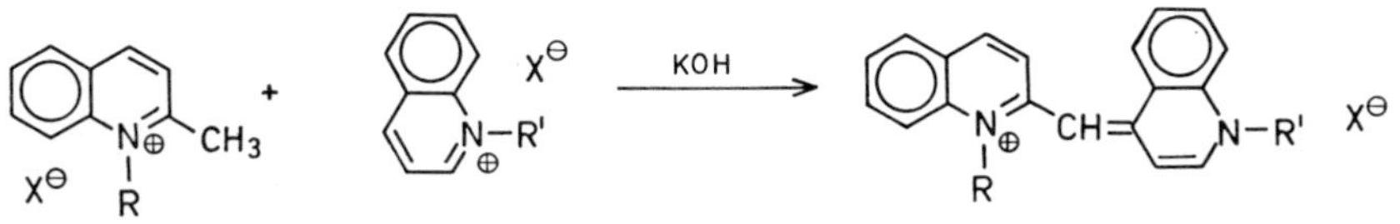

Dabei ist zu beachten, daß die drei Komponenten im Verhältnis 1:3:3 eingesetzt werden. Wie bei der Herstellung von Pseudocyaninen können als Kondensationsmittel auch organische Basen wie (Triäthylamin und Pyridin) durch festes Kaliumcarbonat ersetzt werden[2]. Zu den Isocyaninen gehören u.a. *Orthochrom T*, *Pinachrom*, *Pinachromviolett* und *Pinaverdol*[3].

Äthylrot{2-[1-Äthyl-1,4-dihydro-chinolyliden-(4)-methyl]-1-äthyl-chinolinium-jodid}[3]:

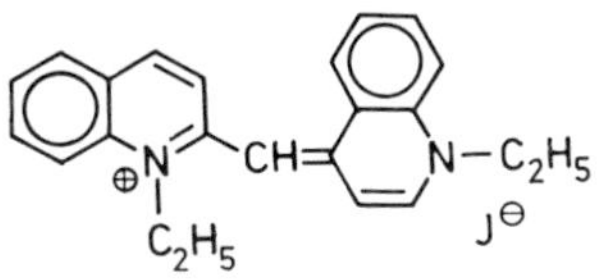

3,0 g (0,01 Mol) 2-Methyl-1-äthyl-chinolinium-jodid und 8,6 g (0,03 Mol) 1-Äthyl-chinolinium-jodid werden in 60 *ml* Methanol gelöst, zum Sieden erhitzt und dazu eine Lösung von 1,2 g (0,03 Mol) Natriumhydroxid in 10 *ml* Methanol und 2 *ml* Wasser gegeben. Man kocht 20 Min. unter Rückfluß und läßt unter öfterem Reiben und Kneten mit einem Glasstab das Produkt im Eisbad auskristallisieren. Man saugt ab und wäscht mit Aceton nach. Zur Reinigung wird das Rohprodukt (3,5 g) aus 200 *ml* Methanol umkristallisiert; Ausbeute: 2,9 g (63,8% d.Th.) (grünglänzende Kristalle, enthalten noch Kristallalkohol); F: 165–170° (Zers.)[3,4].

---

[1] US. P. 2518731 (1948), General Aniline, Erf.: T. R. THOMPSON; C. A. **45**, 1445 (1951).
[2] G. H. KEYES u. L. G. S. BROOKER, Am. Soc. **59**, 74 (1937).
F. M. HAMER, Soc. **1939**, 1008.
[3] DRP. 167159, 167770 (1903), Farbwerke Hoechst; C. **1906** I, 799, 1127.
[4] W. SPALTEHOLZ, B. **16**, 1847 (1883).
Vgl. a. F. M. HAMER, Soc. **1928**, 206.
DRP. 142926 (1902), A. MIETHE u. A. TRAUBE.

Diese Farbstoffherstellung wird als Oxidations-Reduktions-Prozeß betrachtet[1].

Nach der bereits auf S. 251 beschriebenen Methode erhält man z.B. *1,1'-Diäthyl-benzoxo-isocyanin* {I; *4-[3-Äthyl-2,3-dihydro-⟨benzo-1,3-oxazol⟩-yliden-(2)-methyl]-1-äthyl-chinolinium-p-toluolsulfonat*} aus 2-Methylmercapto-⟨benzo-1,3-oxazol⟩, 4-Methyl-chinolin und p-Toluolsulfonsäure-äthylester[2] beim Erhitzen auf 160°:

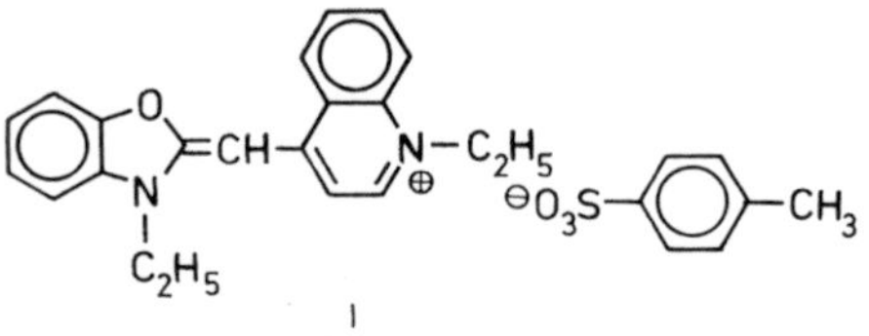

I

Auch aus 2-Methyl-cycloammoniumsalzen und 4-Cyan-chinolin können Isocyanine erhalten werden[3].

Die Umsetzung von quarternärem Chinolin mit 2-Äthyl-cycloammoniumsalzen erfolgt nur sehr schwer zu in der Methin-Gruppe methylsubstituierten Isocyaninen. Bei den höheren 2-alkylsubstituierten Verbindungen versagt die Reaktion[4] überhaupt.

γ) Cyanine

Cyanine lassen sich grundsätzlich analog den Pseudo- bzw. Isocyaninen herstellen. Wegen seiner historischen Bedeutung soll hier die Herstellung des *Chinolinblaus* („*Cyanins*") näher beschrieben werden.

Chinolinblau{4-[1-Äthyl-1,4-dihydro-chinolyliden-(4)-methyl]-1-äthyl-chinolinium-bromid}[5]:

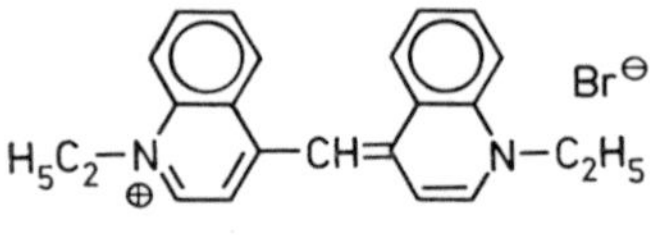

In einem 2-*l*-Dreihalskolben werden 57 g reines 4-Methyl-chinolin und 77 g reines Chinolin mit 154 g dest. Diäthylsulfat auf dem Wasserbad erwärmt; nach kurzer Zeit steigt die Temp. bei starker Reaktion auf 180–190° an. Wenn die Reaktion abgeklungen ist, wird noch 30 Min. auf dem Dampfbad weiter erhitzt bis 1 Tropfen der Reaktionsflüssigkeit in verd. Natriumcarbonat-

---

[1] J. Metzger, H. Larive, R. Dennilauler, R. Baralle u. C. Gaurat, Ind. Chim. Belge **32**, 96 (1967); C. A. **70**, 53 (1969).

[2] Fr. P. 758198 (1933), I.G. Farb.; C. **1934** I, 3423.
Brit. P. 424559, 425609 (1933), J. D. Kendall; C. A. **29**, 4596, 5670 (1935).
Fr. P. 793577 (1935), Kodak-Pathé; C. A. **30**, 4696 (1936).

[3] US. P. 2141434 (1935), Kodak Eastman, Erf.: F. M. Hamer u. N. I. Fisher; C. A. **33**, 2428 (1939).

[4] Beihefte zu der Zeitschrift des Vereins Deutscher Chemiker, Ang. Ch. **40** (1940).

[5] Dieser Farbstoff oder richtiger das entsprechende N-Pentyl-Derivat, das ursprüngliche Cyanin, das von G. Williams 1856 aus rohem Teerchinolin hergestellt worden war, gab in den folgenden Jahrzehnten den Anstoß für viele Forscher, sich mit dieser zunächst rätselvollen Klasse von synthetischen Farbstoffen zu befassen. An wichtigsten Namen seien nur genannt: A. W. Hofmann, S. Hoogewerf und W. A. van Dorp, W. Spalteholz, E. Jakobsen; ferner nach der Jahrhundertwende: A. Miethe, und G. Book, W. König, A. Kaufmann, und in den 70er Jahren O. Fischer und G. Scheibe, W. H. Mills und F. M. Hamer. Danach erfolgte durch das wachsende Interesse besonders der photographischen Industrie eine gewaltige Ausdehnung der Synthesen auf Grundlage der inzwischen gewonnenen Erkenntnisse.

Lösung sich ohne nennenswerte Trübung löst. Ist dies der Fall, kühlt man etwas ab, setzt 200 *ml* Methanol hinzu, erhitzt unter gutem Umrühren zum Sieden und gibt durch das Kühlrohr möglichst schnell 70 *ml* 47%ige Kalilauge hinzu. Nach nochmaligem Aufkochen fügt man zur Bildung des Farbstoffbromids 60 g Kaliumbromid in wenig Wasser gelöst hinzu und läßt das ganze über Nacht stehen. Der ausgeschiedene Farbstoff wird kalt abgesaugt, der Rückstand 2mal mit je 600 *ml* Essigsäure-äthylester je 1 Stde. bei 60–70° ausgerührt, wieder abgesaugt und das so erhaltene Produkt i.Vak. bei 10° getrocknet; Rohausbeute: 65–70 g (42% d.Th.); durch Umlösen aus 500 *ml* 7–8%iger wäßriger Kaliumbromid-Lösung kann der Farbstoff in einer Ausbeute von 40 g (24,7% d.Th.) rein erhalten werden; F: ~ 304°.

2. Trimethine

α) 2,2′-Trimethincyanine („Carbo"cyanine)

2,2′-Trimethincyanine, für deren Synthesen es eine große Anzahl allgemein anwendbarer Methoden gibt, gehören zur wichtigsten Farbstoffgruppe für die Sensibilisierungstechnik. Ihren einfachsten Vertretern kann folgende allgemeine Formel zugeschrieben werden:

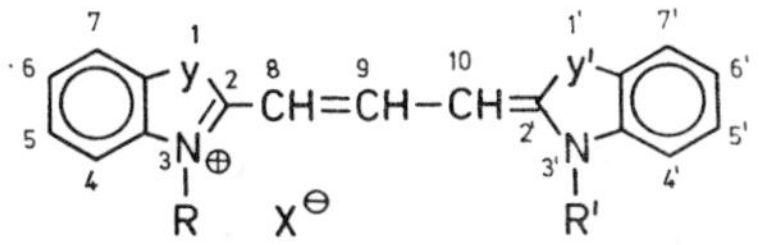

IV

Y = Y′	=	symmetrische „Carbo"- oder „Trimethin"cyanine
Y, Y′ verschieden	=	unsymmetrische Farbstoffe
Y und/oder Y′	=	O, S, Se, $C(CH_3)_2$, NR usw.
X	=	Cl, Br, J usw.
R und R′	=	Alkyl, Aryl, Aralkyl usw.

Im wesentlichen unterscheidet man:

Oxo-carbocyanine	Thio-carbocyanine
Imido-carbocyanine	Seleno-carbocyanine
Indo-carbocyanine	Chino-carbocyanine

Die ursprüngliche Synthese aus Cycloammonium-Verbindungen und Formaldehyd, bzw. Chloroform und Alkali oder Natriumsulfid[1] (auch Chloralhydrat[2] kann eingesetzt werden) wurde durch Anwendung des Orthoameisensäure-triester-Verfahrens wesentlich verbessert[3–5].

So erhält man z.B. symmetrische Carbocyanine nach folgendem allgemeinen Reaktionsschema:

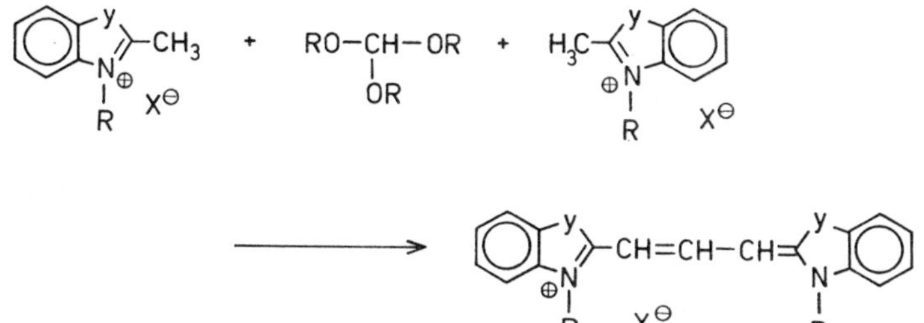

[1] K. LAUER u. M. HORIO, J. pr. [2] **143**, 305 (1935).

[2] T. OGATA, Proc. Imp. Acad. (Tokyo) **9**, 602 (1933); C. A. **28**, 2007 (1934).

[3] W. KÖNIG, B. **55**, 3293 (1922).

[4] DRP. 410487 (1922), Farbf. Bayer; Erf.: W. KÖNIG; Frdl. XV, 452.

[5] Herstellung des Orthoameisensäure-triäthylesters; R. ASMUS, *Organische Synthesen*, S. 252, Friedr. Vieweg & Sohn, Braunschweig 1937.
Vgl. dieses Hdb., Bd. VI/3 S. 302–310.

Die Reaktion wird entweder in Essigsäureanhydrid, Nitrobenzol oder vorteilhaft in Pyridin durchgeführt[1]. Auch kann ein Gemisch von Pyridin und Essigsäureanhydrid verwendet werden[2]. Sogar in Phenol oder Phosphorsäure-tris-[4-methyl-phenylester] ist diese Synthese durchführbar[3].

Bei den 2-Methyl-benzimidazol-quaternärsalzen, die mit Orthocarbonsäure-triestern schlecht reagieren, verwendet man zur Herstellung von Carbocyaninen Chloroform oder andere Trihalogen-Derivate[4,5].

Bis-[5-chlor-1,3-dimethyl-benzimidazol]-trimethin-cyanin-chlorid{5-Chlor-1,3-di-methyl-2-[3-(5-chlor-1,3-dimethyl-2,3-dihydro-benzimidazolyliden)-propenyl]-benzimidazo-lium-chlorid}[4]:

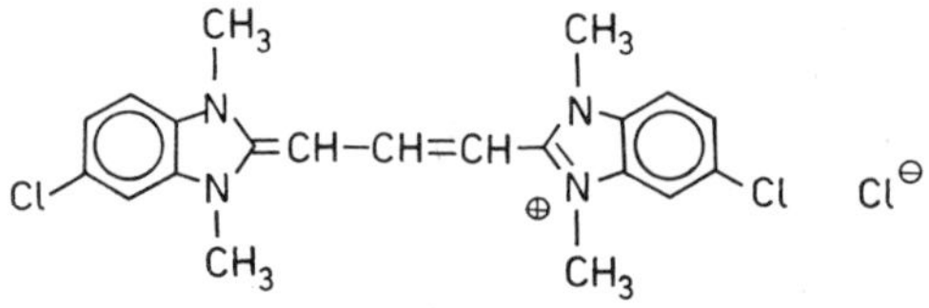

22 g 5-Chlor-1,2-dimethyl-benzimidazol werden in einem 1-*l*-Glaskolben mit 14,5 *ml* Dimethylsulfat vermischt. Es setzt sofort eine lebhafte Reaktion ein, die Temp. steigt auf 150° an. Man läßt auf ~ 100° abkühlen, löst die Schmelze in 250 *ml* absol. Äthanol und 50 *ml* Chloroform auf und läßt bei 90° Ölbadtemp. innerhalb 60 Min. 250 *ml* 5%ige Natriumäthanolat-Lösung zutropfen. Die Lösung wird 30 Min. auf 90° gehalten und dann abgekühlt. Der auskristallisierte Farbstoff wird abgesaugt und mit etwas Propanol gewaschen; Rohausbeute: 20 g. Dieses Rohprodukt wird mit 200 *ml* Wasser durchgerührt und aus 1,2 *l* Methanol umkristallisiert; Ausbeute: 8,8 g (33% d.Th.); F: 273–275° (braunrote, kleine Kristalle).
In Methanol: organgegelb $\lambda_{max} = 497$ nm; log $\varepsilon = 5{,}15$.

Analog lassen sich fast alle Benzimidazolbasen in brauchbaren Ausbeuten zu den 2,2'-Trimethinen umsetzen.

In vielen Fällen gelingt die Synthese auch in siedendem Nitrobenzol mit Orthoameisensäure-triestern oder auch in 1-Chlor-naphthalin[6]. Als Nebenprodukt wird stets tricyclischer Farbstoff gebildet; besonders dann, wenn die Reaktion zu lange dauert oder zu hohe Temperaturen angewandt werden, entstehen beträchtliche Mengen. Der tricyclische Farbstoff unterscheidet sich in den Analysenwerten nur wenig vom Trimethincyanin. Er löst sich aber erheblich leichter und bleibt normalerweise in der Reaktionsmutterlauge. Ferner hat der tricyclische Farbstoff eine erheblich langwelligere Absorption und eine breitere Extinktionskurve als das Trimethincyanin.

Thiazolpurpur{3,3'-Diäthyl-benzthio-carbocyanin-jodid; 3-Äthyl-2-[3-(3-äthyl-2,3-dihydro-⟨benzo-1,3-thiazol⟩-yliden)-propenyl]-⟨benzo-1,3-thiazolium⟩-jodid}[7]:

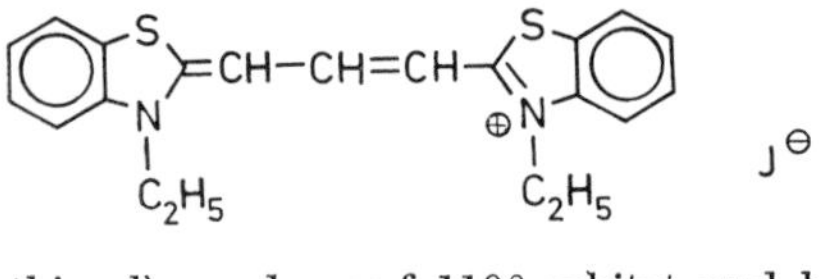

7,45 g 2-Methyl-⟨benzo-1,3-thiazol⟩ werden auf 110° erhitzt und bei 110–120° 7,7 g Diäthylsulfat vorsichtig zugetropft. Danach wird die Schmelze noch 2 Stdn. auf 130–140° erhitzt, läßt

[1] F. M. Hamer, Soc. **1927,** 2796.
[2] W. J. Evans u. S. Smiles, Soc. **1935,** 1264.
[3] Belg. P. 565762 (1957), Kodak; C. A. **53,** 15106 (1959).
[4] DRP. 733026 (1937), I. G. Farb., Erf.: O. Riester; C. A. **38,** 690 (1944).
[5] DAS 1007620 (1954), E. Kodak, L. G. S. Brooker u. E. J. van Lare.
[6] Brit. P. 1191534 (1966), Ferrania, Erf.: H. Gandino u. A. Baldassari; C. A. **71,** 40236 (1969).
[7] W. König, B. **55,** 3293 (1922).

erkalten und löst das Salz bei Raumtemp. in 150 *ml* reinem trockenem Pyridin. Nach Zugabe von 15 g Orthoameisensäure-triäthylester wird die Lösung 30 Min. am Rückfluß gekocht und dann auf ~ 60° abgekühlt. Darauf wird das Pyridin i. Vak. weitgehend abdestilliert. Der erkaltete Rohfarbstoff wird mit etwas Aceton verrieben, man saugt ab und wäscht mit Äther und etwas Essigsäure-äthylester nach. Zur Überführung in das Jodid wird der Rückstand kochend in ~ 250 *ml* Methanol gelöst und die erkaltete Lösung unter Rühren in eine Lösung von 5 g Kaliumjodid in 1 *l* Wasser zugetropft. Nach ~ 12 Stdn. wird der Farbstoff abgesaugt, mit Wasser und dann mit etwas Äther nachgewaschen. Zur Reinigung wird der Rohfarbstoff kochend in 1,5 *l* Methanol gelöst, filtriert und ~ 1100 *ml* Methanol abdestilliert. Nach ~ 12 Stdn. wird abgesaugt, die Kristalle mit Methanol gewaschen und bei 50–60° getrocknet; Ausbeute: 7,4 g (60% d. Th.); F: 251°; Zers. (stahlblaue prismatische Nädelchen, silbrig glänzend).

Wenn anstelle von Orthoameisensäure-triester Orthoessigsäure-triäthylester[1] eingesetzt wird, erhält man in der mittleren Methin-Gruppe (in 9-Stellung) sogenannte „meso"-methyl-substituierte Carbocyanine folgender allgemeiner Formel:

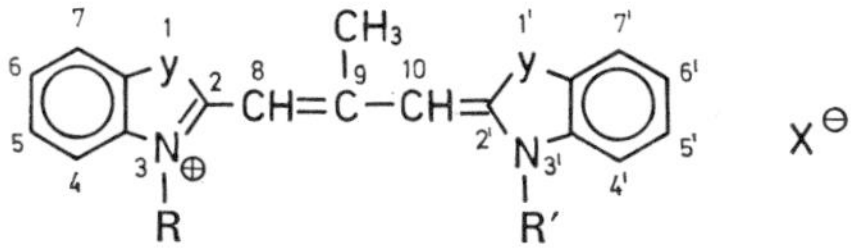

die auch beim Einsatz von Kaliumacetat und Essigsäureanhydrid erhalten werden[2]. Bei Anwendung von Orthopropionsäure-triäthylester erhält man den entsprechenden meso-äthyl-substituierten Farbstoff. Oft ist es vorteilhaft beim Einsatz höherer Orthocarbonsäure-triester dem Kondensationsmittel Pyridin, ein weiteres basisches Mittel wie Triäthylamin zuzusetzen[3].

9-Methyl-3,3'-diäthyl-benzoxo-carbocyanin-jodid{3-Äthyl-2-[2-methyl-3-(3-äthyl-2,3-dihydro-⟨benzo-1,3-oxazol⟩-yliden)-propenyl]-⟨benzo-1,3-oxazolium⟩-jodid}[1]:

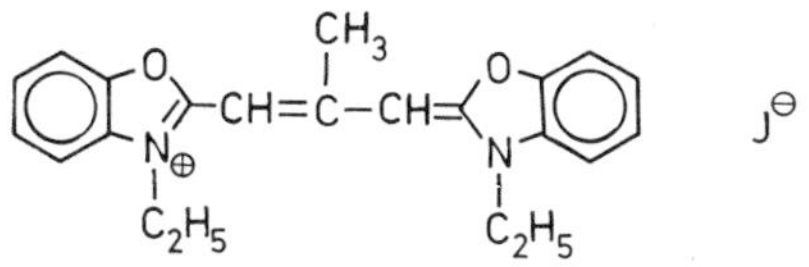

2,9 g 2-Methyl-3-äthyl-⟨benzo-1,3-oxazolium⟩-jodid, 3,25 g Orthoessigsäure-triäthylester, 15 *ml* Pyridin und 1,1 *ml* Triäthylamin werden 3 Min. am Rückfluß erhitzt. Nach dem Erkalten wird der Farbstoff durch Zugabe von Äther ausgefällt. Durch Waschen mit Wasser und Aceton und schließlich Umkristallisation aus Methanol wird der Rohfarbstoff gereinigt; Ausbeute: 0,25 g (10,4% d. Th.); F: 264–266° (Zers.).

Von den Orthocarbonsäure-triestern reagiert Orthoameisensäure-triäthylester mit Cycloammoniumsalzen in basischen Kondensationsmitteln mit den besten Ausbeuten, während beim Orthoessigsäure-triäthylester und noch stärker beim Orthopropionsäure-triäthylester die Ausbeuten oft zu wünschen übrig lassen. Die Salze des 2-Methyl-⟨benzo-1,3-selenazols⟩ reagieren ausnahmsweise verhältnismäßig leicht mit Orthoessigsäure- bzw. Orthopropionsäure-triäthylester in Essigsäureanhydrid, während die Salze der Methyl-⟨benzo-1,3-thiazole⟩ und anderer Benzo-1,3-selenazole vorteilhaft in Pyridin kondensiert werden. 2-Äthyl-cycloammoniumsalze reagieren mit Orthoameisensäure-triäthylester schwerer als die 2-Methyl-homologen[4]. 2-Äthyl-1,3-thiazol-Verbindungen ergeben unter denselben Bedingungen keine Farbstoffe.

---

[1] F. M. Hamer, Soc. **1928**, 3160.
[2] T. Ogata, Bl. Chem. Soc. Japan **11**, 262 (1936).
[3] Fr. P. 769755 (1934), Kodak-Pathé; C. A. **29**, 1343 (1935).
[4] W. König, W. Kleist u. J. Götze, B. **64**, 1664 (1931).

Neben der richtigen Anwendung des Lösungsmittels ist bei allen Orthocarbonsäure-triester-Synthesen außerdem zu beachten, daß die Reaktionsfähigkeit zur Farbstoffbildung sowohl von dem Heterocyclus abhängt, als auch von den Substituenten, die sich am Stickstoff befinden; also vom Salzcharakter der Base, bedingt durch die vorausgegangene Quaternierung mit Alkylhalogeniden oder p-Toluolsulfoestern oder Dialkylsulfaten usw. So reagiert z.B. 2-Methyl-3-äthyl-⟨naphtho-[2,1-d]-1,3-thiazolium⟩-jodid mit Orthoessigsäure-triäthylester in Pyridin gut, 2-Methyl-3-äthyl-⟨naphtho-[1,2-d]-1,3-thiazolium⟩-jodid jedoch unter den gleichen Bedingungen nicht. Dagegen ergibt im letzten Falle das p-Toluolsulfonat den entsprechenden Farbstoff[1].

9-Äthyl-bis-[3-äthyl-5-phenyl-benzoxazolo]-trimethin-cyanin-äthylsulfat {3-Äthyl-2-[2-äthyl-3-(3-äthyl-5-phenyl-2,3-dihydro-⟨benzo-1,3-oxazol⟩-yliden)-propenyl]-5-phenyl-⟨benzo-1,3-oxazolium⟩-äthylsulfat}[2]:

$C_2H_5-SO_4^{\ominus}$

100 g 2-Methyl-5-phenyl-⟨benzo-1,3-oxazol⟩ werden mit 68 *ml* Diäthylsulfat (gereinigt durch Schütteln mit Natriumcarbonat siccum oder Kaliumcarbonat!) im Ölbad (130°) erwärmt, dabei steigt die Temp. auf ~ 175° an. Die Reaktionzeit beträgt insgesamt 30 Min. Anschließend werden 60 *ml* Pyridin (absol. durch Destillation über Calcium) und 10 *ml* Essigsäureanhydrid hinzugegeben und zur Mischung unter Rühren und Rückfluß innerhalb 45 Min. 180 *ml* Orthopropionsäure-triäthylester zugetropft, wobei die Ölbadtemp. auf 140° gehalten wird.

Anfänglich sind 2 Schichten deutlich erkennbar, dann tritt Homogenisierung ein, nach 1 Stde. beginnt die Ausscheidung gut erkennbarer roter Kristalle.

Die gesamte Reaktionszeit beträgt 3 Stunden. Danach läßt man zum Auskristallisieren 12 Stdn. im Kühlschrank stehen, saugt die Farbstoffkristalle ab, die mit 300 *ml* Isopropanol und 100 *ml* Äther gewaschen werden; Ausbeute: 49 g (32% d.Th.); F: 249–251° (orangerote Kristalle mit violettem Oberflächenglanz).

In Methanol: orange-gelb; λ_{max}: 502 nm; log $\varepsilon = 5{,}15$.

3,3′,9-Triäthyl-benzselenazolo-trimethincyanin-jodid {3-Äthyl-2-[2-äthyl-3-(3-äthyl-2,3-dihydro-⟨benzo-1,3-selenazol⟩-yliden)-propenyl]-⟨benzo-1,3-selenazolium⟩-jodid}[3]:

$J^{\ominus}$

15 g 2-Methyl-3-äthyl-⟨benzo-1,3-selenazolium⟩-p-tosylat werden mit 25 *ml* Pyridin und 15 *ml* Orthopropionsäure-triäthylester 30 Min. zum leichten Sieden erhitzt; danach in eine Lösung von 20 g Kaliumjodid in 600 *ml* Wasser eingegossen. Am Boden des Kolbens setzt sich ein schmieriger Farbstoff ab. Überstehende Lösung wird abgegossen, Farbstoff mit Wasser und Äther verrührt. Der nach dem Abgießen des Äthers zurückbleibende Rohfarbstoff wird aus Methanol umkristallisiert; Ausbeute: ~ 5,0 g (43% d.Th.); F: 130°.

Eine weitere Kristallisation aus Äthanol liefert 4,5 g Farbstoff (F: 209°; grünglänzende Kriställchen).

Setzt man statt des p-Tosylats das Jodid in Acetanhydrid mit Orthopropionsäure-triäthylester um, so beträgt die Ausbeute 38,5% d.Th. (5 g).

---

[1] F. M. Hamer, Soc. **1929**, 2598.
J. Götze u. H. Socher, Beihefte zu der Zeitschrift des Vereins Deutscher Chemiker, Ang. Ch. **40** (1940).

[2] DRP. 973291 (1937), I.G.Farb., Erf.: O. Riester; C.A. **55**, 21929 (1961).

[3] Brit. P. 410481 (1931), I.G.Farb.

Auch bei anderen, besonders den substituierten Benzo-1,3-thiazolium- und Benzo-1,3-selenazolium-Salzen, reagieren die Jodide schlechter, während die Tosylate oder Sulfate sich glatt umsetzen.

Zum Aufbau von Carbocyaninen kann anstelle von Orthoameisensäure-triestern das Orthoameisensäure-diester-amid[1] oder auch Alkalimetallformiat und Essigsäureanhydrid eingesetzt werden[2]. Auch Tris-[dimethylamino]-methan kann verwendet werden[3]; ebenso 1,3,5-Triazin, das durch Ringspaltung die meso-Methingruppe liefert[4].

Der Malondialdehyd führt bei Indolen in äthanolischer Salzsäure[5] z.B. zum Salz I:

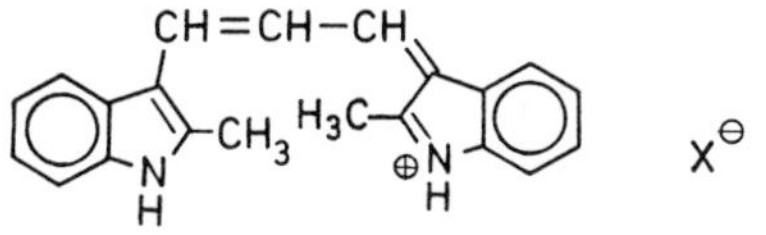

I; *3-{3-[2-Methyl-indolyl-(3)]-allyliden}-3H-indolinium-Salz*; λ_{max}: 555 nm

Außer den bisher genannten Orthocarbonsäure-triestern werden in der Literatur auch die Triester höherer aliphatischer Orthocarbonsäuren[6] und die Trithio-orthocarbonsäure-triester zur Anwendung empfohlen[7]. Auch Formamid, das zugleich als Lösungsmittel wirkt, wird anstelle von Orthoameisensäure-triestern für den Aufbau von Carbocyaninen vorgeschlagen[8].

Ein weiteres Verfahren zur Herstellung symmetrischer mesosubstituierter Farbstoffe besteht in der Umsetzung von 2-Methyl-cycloammoniumsalzen mit Carbonsäure-ester-imiden in Alkohol oder Pyridin:

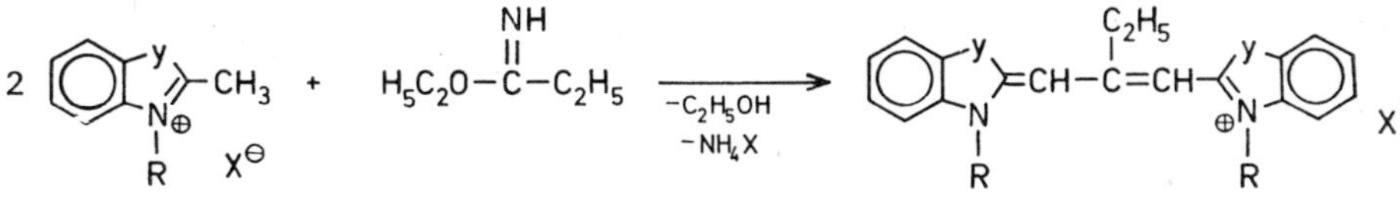

Meso-cyansubstituierte Carbocyanine werden z.B. durch Umsetzung von einem Mol Trihalogen-acetonitril mit 2 Molen einer quaternären Base[9] erhalten. In manchen Fällen können Orthocarbonsäure-triester durch Carbonsäureanhydride, z.B. Phthalsäureanhydrid ersetzt werden. Man erhält dabei mit Cycloammoniumsalzen in Pyridin meso-2-carboxy-phenyl-substituierte Carbocyanine[10].

Bei der Herstellung von Carbocyaninen II (S. 258), die in der Mesostellung der Methinkette $-SCH_3$, $-SeCH_3$, $-OCH_3$, $-SC_6H_5$, $-SC_2H_4-COOH$ Gruppen usw.

---

[1] Brit. P. 911475 (1960), Ciba Ltd.; C.A. **58**, 13852 (1963).
[2] DRP. 415534 (1923), Farbf. Bayer, Erf.: A. Blömer; C. **1925** II, 1899.
[3] DAS 1217391 (1964), H. Bredereck, F. Effenberger u. T. Brendle; C.A. **65**, 5366 (1966).
[4] A. Kreutzberger, Ar. **299**, 897 (1966).
[5] H. Scherz, G. Stehlik, E. Bancher u. K. Kaindl, Mikrochim. Acta **1967**, 915.
W. König, Ang. Ch. **38**, 743 (1925).
[6] L. G. S. Brooker u. F. L. White, Am. Soc. **57**, 2480 (1935).
[7] Österr. P. 149348 (1936), Gevaert; Erf.: G. Schwarz; C. **1937** II, 1725.
[8] Brit. P. 577549 (1944), Kodak Ltd., Erf.: E. B. Knott; C. A. **41**, 2251 (1947).
DBP. 812944 (1948), Schleussner, Erf.: S. Hünig; C. **1952**, 4875.
[9] DRP. 725825 (1935), Zeiss Ikon, Erf.: K. Meyer; C. A. **37**, 6137 (1943).
Vgl. a. US. P. 2345094 (1941), Eastman Kodak, Erf.: L. G. S. Brooker u. R. H. Sprague; C. A. **38**, 3558 (1944).
[10] US. P. 2226156 (1941), Eastman Kodak, Erf.: L. G. S. Brooker u. R. H. Sprague; C. A. **35**, 2083 (1941).

enthalten[1], geht man von einem Thioäther aus (z.B. 3-Äthyl-2-(2-methylmercapto-propenyl)-⟨benzo-1,3-thiazolium⟩-methylsulfat; I), der in Pyridin/Triäthylamin mit 2-Methylmercapto-3-äthyl-⟨benzo-1,3-thiazolium⟩-äthylsulfonat umgesetzt wird:

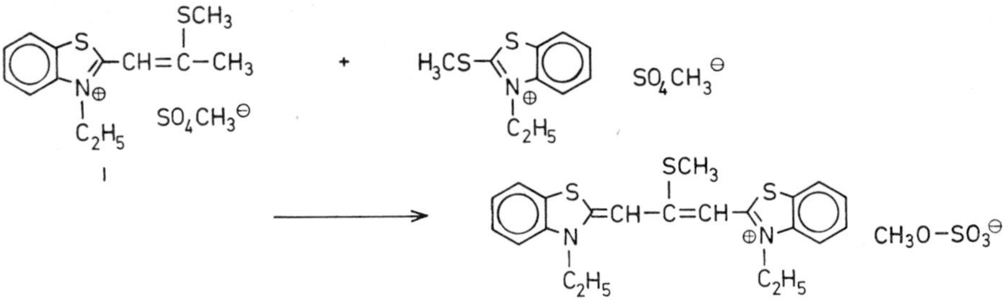

I

II; *3-Äthyl-2-[2-methylmercapto-3-(3-äthyl-2,3-dihydro-⟨benzo-1,3-thiazol⟩-yliden)-propenyl]-⟨benzo-1,3-thiazolium⟩-äthylsulfat*

Durch Behandeln mit wäßriger Natriumperchlorat-Lösung wird der Farbstoff in das entsprechende *Perchlorat* übergeführt.

Wählt man anstelle des hier eingesetzten 2-Methylmercapto-⟨benzo-1,3-thiazols⟩ andere Basen, z.B. 2-Methylmercapto-⟨benzo-1,3-oxazole oder -1,3-selenazole⟩, so erhält man unsymmetrische mesosubstituierte Farbstoffe[2].

In der modernen Sensibilisierungstechnik spielen diese unsymmetrischen Carbocyanine eine wichtige Rolle.

Zu ihrer Herstellung werden zunächst die Zwischenprodukte III (S. 259) synthetisiert. Hierzu geht man von 2-Methyl-cycloammonium-Salzen aus, die mit

① N,N′-Diphenyl-formamidin[3,4] in Gegenwart von Essigsäureanhydrid erhitzt werden
② N,N′-Diphenyl-formamidin[3,4] zusammengeschmolzen werden
③ primären bzw. sekundären Aminen und Orthocarbonsäure-triestern (mit oder ohne Lösungsmittel)[5] erhitzt werden
④ Ameisensäure-alkylester-phenylimiden[6] erhitzt werden

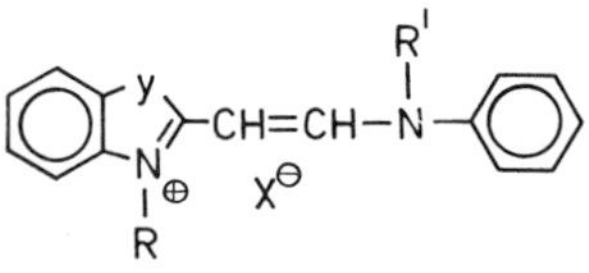

① R′ = CO—CH_3
② R′ = H
③ R′ = H, Alkyl
④ R′ = H

[1] US. P. 2557806 (1947), Gevaert, Erf.: L. A. v. d. Straete u. M. A. Schouwenaars; C. A. **46**, 47 (1952).

[2] Vgl. a. Brit. P. 639758 (1948) ≡ US. P. 2536973 (1951), General Aniline, Erf.: A. W. Anish; C. A. **46**, 48 (1952).

[3] DRP. 621404 (1930), ICI; C. A. **30**, 1244 (1936).
Brit. P. 344409 (1929), ICI, Erf.: H. A. Piggott u. E. Rodd; C. A. **26**, 315 (1932).
Vgl. a. US. P. 2369509 (1940), Eastman Kodak, Erf.: F. K. Withe; C. A. **39**, 3744 (1945).
Brit. P. 609814 (1945), Kodak Ltd., Erf.: E. B. Knott; C. A. **43**, 4164 (1949).

[4] Brit. P. 353138 (1930), ICI, Erf.: T. Birchall u. E. H. Rodd; C. **1931** II, 3042.

[5] US. P. 2500127 (1946), Eastman Kodak, Erf.: E. B. Knott; C. A. **44**, 6158 (1950).
Brit. P. 609812, 609814 (1945), Kodak Ltd., Erf.: E. B. Knott; C. A **43**, 2642, 4164 (1949).

[6] US. P. 2487882 (1945), Eastman Kodak, Erf.: E. B. Knott; C. A. **44**, 6318 (1950).
Fr. P. 950273 (1946), Kodak-Pathé, Erf.: E. B. Knott.

Die Zwischenprodukte III werden danach mit anderen Quaternärsalzen zu unsymmetrischen 2,2'-Trimethinen umgesetzt:

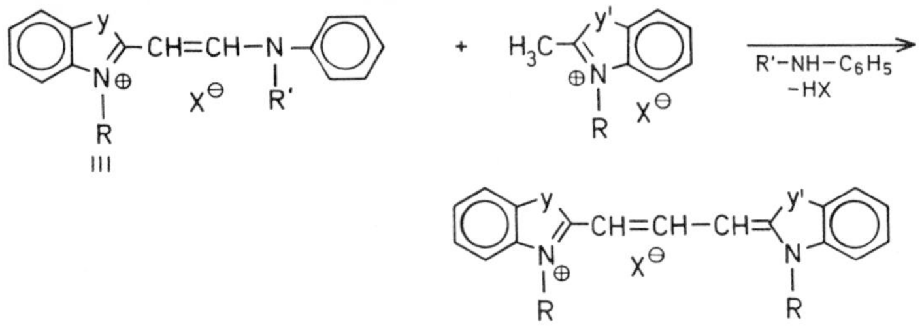

Beide Umsetzungen verlaufen oft nicht einheitlich, da die beteiligten heterocyclischen Basen je nach den Reaktionsbedingungen und nach der Reaktionsfähigkeit neben den unsymmetrischen auch zum Teil entsprechende symmetrische Farbstoffe liefern. Dabei spielt es keine Rolle, ob die Basen als Quaternärsalze oder als Formamidin-Zwischenverbindungen III vorgelegen haben. Von großer Bedeutung ist dagegen, welche der beiden eingesetzten Basen man zuerst z.B. zur Kondensation mit N,N'-Diphenyl-formamidin einsetzt.

Da das N,N'-Diphenyl-formamidin das Anilid des Orthoameisensäure-triesters darstellt, reagiert es normalerweise wie die entsprechenden Triester, d.h. es bildet mit Cycloammoniumsalzen, wie oben erwähnt, symmetrische Carbocyanine.

Einwandfrei und sauber arbeitet man in den meisten Fällen mit den ω-Formylmethylen-Verbindungen von heterocyclischen Basen, den sogenannten 2-Methylen-ω-aldehyden (II), bzw. ihren Schiff'schen Basen (Phenylimino-äthyliden-Verbindungen bzw. Anile I).

Man erhält durch Kondensation mit 2-Methyl-cycloammoniumsalzen die entsprechenden unsymmetrischen Farbstoffe nach folgendem Reaktionsschema[1]:

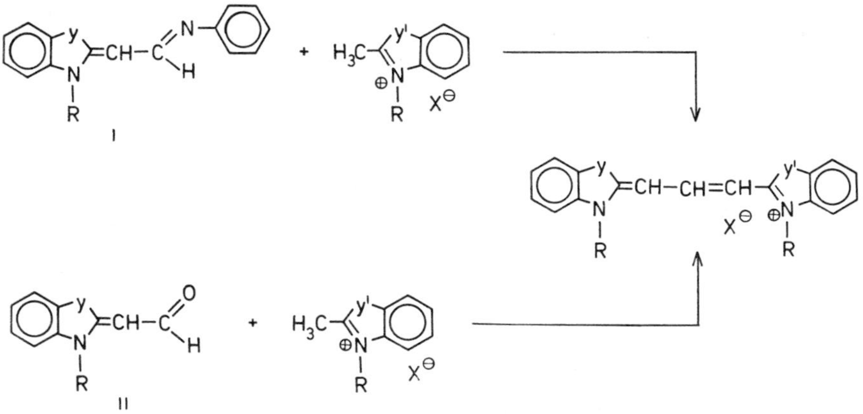

5,6-Dimethyl-3-äthyl-2-{3-[3-methyl-tetrahydro-1,3-thiazolyliden-(2)]-propenyl}-⟨benzo-1,3-thiazolium⟩-jodid[1,2]:

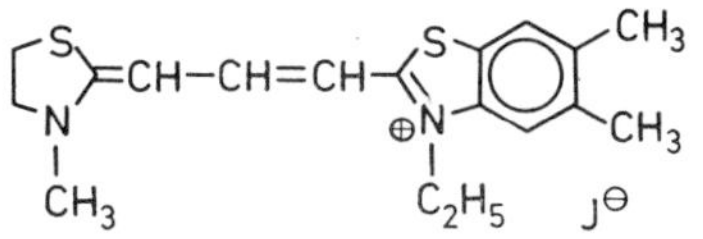

[1] Brit. P. 466245 (1935), Kodak Ltd.; C. A. **31**, 1118 (1937).
Fr. P. 775578 (1934), I. G. Farb., Erf.: P. Wolff u. A. Sieglitz; C. A. **29**, 2757 (1935).

[2] US. P. 2307916 (1943), Eastman Kodak, Erf.: L. G. S. Brooker; C. A. **37**, 3362 (1943).

12 g 3-Methyl-2-(2-phenylimino-äthyliden)-tetrahydro-1,3-thiazol (I, R = CH_3, y = S; S. 259) werden in 40 *ml* Pyridin gelöst und die Lösung auf −5° abgekühlt (Lösung I). 8,85 g 2,5,6-Trimethyl-⟨benzo-1,3-thiazol⟩ werden mit 10 g p-Toluolsulfonsäure-äthylester innerhalb 2 Stdn. auf 130–140° erhitzt. Das so erhaltene 2,5,6-Trimethyl-3-äthyl-⟨benzo-1,3-thiazolium⟩-p-toluolsulfonat wird in 50 *ml* Essigsäure-anhydrid gelöst, auf ~ 20–30° abgekühlt und bei −5° bis 0° unter Rühren in Lösung I langsam unter die Oberfläche einlaufen gelassen. Die Mischung, aus der sich Kristalle auszuscheiden beginnen, wird 1 Stde. bei 0° gerührt. Rohfarbstoff abgesaugt, mit reichlich Essigsäure-äthylester nachgewaschen, in 200 *ml* Methanol gelöst und unter Rühren in 1 *l* 10%ige wäßrige Kaliumjodid-Lösung gegeben. Nach längerem Stehen wird der Farbstoff abgesaugt, mit reichlich Wasser und danach mit etwas Äther nachgewaschen. Zur Reinigung wird der Farbstoff in 4 *l* siedendem Methanol gelöst, die Lösung filtriert und ~ 3,6 *l* Methanol abdestilliert (Kristalle beginnen sich auszuscheiden). Nach längerem Stehen saugt man den reinen Farbstoff ab, wäscht mit Methanol und trocknet bei 50–60°; Ausbeute: 8,5 g (37,2% d.Th.); F: 268° (Zers.).

Die asym. Benzimidazoltrimethine werden am besten über das Toluolsulfo-Formamidin-Zwischenprodukt III hergestellt[1].

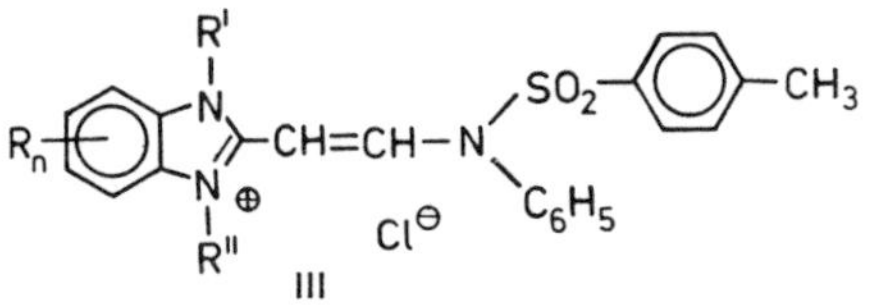

III

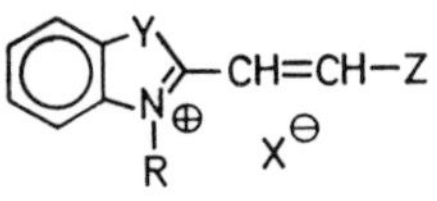

IV

Z = S-Alkyl, Se-Alkyl

R = Alkyl

Auch die „Thioäther" der allgemeinen Formel IV werden wegen ihrer guten Reaktionsfähigkeit anstelle der ω-Aldehyde II (S. 259) verwendet. Ihre Herstellung erfolgt meistens durch Umsetzung des entsprechenden ω-Aldehyds mit Phosphor(V)-sulfid zum Thioaldehyd, der mit Alkylierungsmittel in den Thioäther IV übergeführt wird[2]. Auch durch Umsetzung von 2-Methyl-cycloammoniumsalzen mit Trithioorthoameisensäure-triäthylester in Essigsäureanhydrid[3] werden Thioäther IV erhalten.

Die 2-Methylen-ω-aldehyde reagieren auch in Form ihrer Semicarbazone mit 2-Methyl-cycloammonium-Verbindungen unter Bildung der entsprechenden unsymmetrischen Carbocyanine[4].

Die Kondensation mit ω-Aldehyden erfolgt manchmal zweckmäßigerweise mittels Phosphoroxychlorid[5] z.B. bei schwach basischen Methylen-Verbindungen:

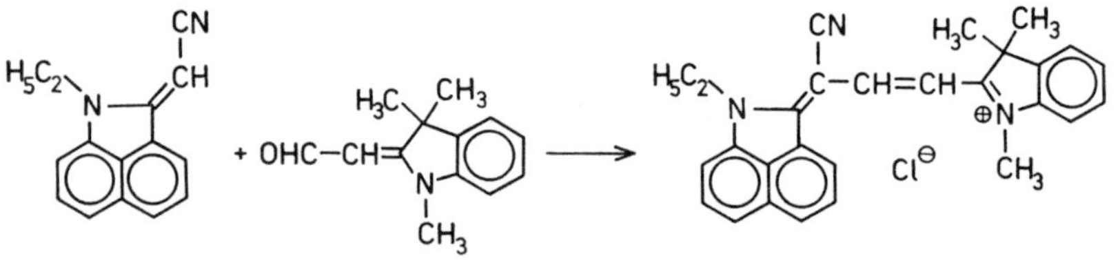

1,3,3-Trimethyl-2-[3-cyan-3-(1-äthyl-1,2-dihydro-⟨benzo-[c,d]-indol⟩-yliden)-propenyl]-indolinium-chlorid

---

[1] DAS 1180241 (1951), Gevaert AG, Erf.: H. Depoorter, M. J. Libeer, G. G. van Mierlo u. J. M. Nys; C. A. **58**, 14169 (1963).

[2] DRP. 730852 (1940); US. P. 2349179 (1942), I. G. Farb., Erf.: K. Kumetat u. O. Riester; C. A. **38**, 553 (1944); **39**, 1419 (1945).

[3] Brit. P. 674003 (1950), Ilford, Erf.: J. D. Kendall u. J. H. Mayo; C. A. **47**, 987 (1952).

[4] DRP. 725291 (1937), I. G. Farb., Erf.: F. Bauer u. G. Wilmanns; C. A. **37**, 6468 (1943).

[5] US. P. 3399191 (1963), Farbf. Bayer, Erf.: A. Brack; C. A. **64**, 14324 (1966).

Unsymmetrische mesosubstituierte Carbocyanine der allgemeinen Formel

A = Alkyl, Aryl, S-Alkyl, CN usw.

spielen in der Sensibilisierungstechnik eine außerordentlich wichtige Rolle[1]. Zum Aufbau für die in 9-Stellung substituierte Methinkette wird u.a. N,N'-Diphenylacetamidin:

in Pyridin oder Essigsäureanhydrid als Lösungsmittel verwendet[2]. Da die Isolierung des gewünschten unsymmetrischen Carbocyanins in diesem Fall von den mitentstehenden symmetrischen Carbocyaninen mit Schwierigkeiten verbunden ist, geht man besser von Thioessigsäure- bzw. Thiopropansäure-S-äthylester-phenylimid oder auch von deren S-Methylester aus [3,4]:

$$H_5C_6{-}N{=}C(CH_3){-}SC_2H_5 \qquad H_5C_6{-}N{=}C(C_2H_5){-}SC_2H_5$$

Der Farbstoff wird hieraus über zwei Stufen synthetisiert:

A = CH_3, C_2H_5

In vielen Fällen entsteht jedoch durch Mercaptan-Abspaltung[5] das Zwischenprodukt IV,

das dann in der zweiten Stufe unter Abspaltung von Anilin das Salz III bildet.

---

[1] DRP. 761158 (1933), I. G. Farb., Erf.: R. Koslowsky.

[2] Brit. P. 452408 (1936), I. G. Farb.; C. A. **31**, 550 (1937).

[3] DRP. 637113 (1932), I. G. Farb., Erf.: R. Koslowsky; C. A. **31**, 620 (1937). Fr. P. 749334 (1933), I. G. Farb.; C. **1934** I, 492.

[4] Hergestellt aus dem Carbonsäure-anilid und Phosphor(V)-sulfid mit anschließender Umsetzung mit Methyl- bzw. Äthylbromid.

[5] Vgl. DRP. 714764 (1938), I. G. Farb., Erf.: G. Wilmanns u. O. Riester; C. A. **38**, 1965 (1944).

3-Äthyl-2-[2-äthyl-3-(5-methoxy-3-äthyl-2,3-dihydro-⟨benzo-1,3-selenazol⟩-yliden)-propenyl]-⟨benzo-1,3-thiazolium⟩-jodid (VI)[1]**:**

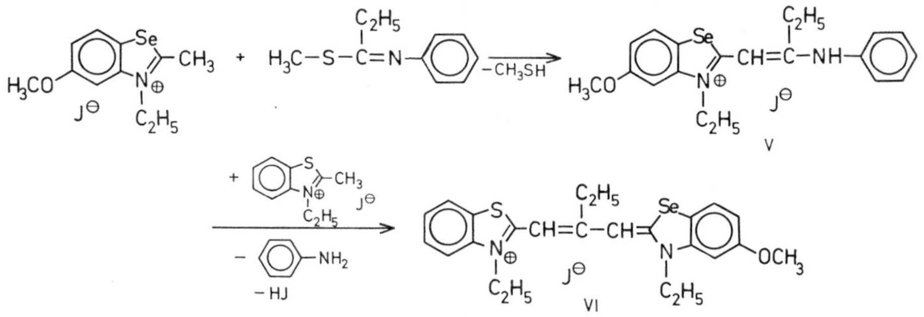

$$\text{5-Methoxy-2-methyl-3-äthyl-benzoselenazolium } J^{\ominus} + H_3C-S-C(C_2H_5)=N-C_6H_5 \xrightarrow{-CH_3SH} \text{V (2-[CH=C(C_2H_5)-NH-C_6H_5])}$$

$$\text{V} + \text{2-Methyl-3-äthyl-benzothiazolium } J^{\ominus} \xrightarrow[-HJ]{-C_6H_5NH_2} \text{VI}$$

5-Methoxy-3-äthyl-2-[2-anilino-buten-(1)-yl]-⟨benzo-1,3-selenazolium⟩-jodid (V): 11,5 g 5-Methoxy 2-methyl-3-äthyl-⟨benzo-1,3-selenazolium⟩-jodid werden mit 8,1 *ml* Thiopropansäure-S-methylester-phenylimid 2 Stdn. auf 135°–145° erhitzt. Nach dem Erkalten wird das Reaktionsprodukt mit Äther ausgefällt und die ätherische Lösung dekantiert. Der ölartige Niederschlag wird in heißem Methanol unter Zusatz von A-Kohle gelöst, filtriert und nach dem Erkalten mit Äther gefällt. Die überstehende Lösung wird dekantiert. Der Rückstand wird in wenig Methanol evtl. unter Zusatz von A-Kohle heiß gelöst und filtriert. Beim Erkalten des Methanols kristallisiert das Salz aus; Ausbeute: 5,2 g (33,8% d.Th.); F: 193–195°.

3-Äthyl-2-[2-äthyl-3-(5-methoxy-3-äthyl-2,3-dihydro-⟨benzo-1,3-selenazol⟩-yliden)-propenyl]-⟨benzo-1,3-thiazolium⟩-jodid (VI): 2,4 g V und 1,6 g 2-Methyl-3-äthyl-⟨benzo-1,3-thiazolium⟩-jodid werden in 10 *ml* Pyridin 90 Min. am Rückfluß gekocht. Nach dem Erkalten wird mit Äther ein dunkelrot gefärbtes Öl ausgefällt. Der Äther wird dekantiert und der Rückstand in wenig Methanol in der Wärme gelöst, filtriert und eingeengt. Beim Erkalten kristallisiert der Farbstoff aus; Ausbeute: 1,6 g (57% d.Th.); F: ~ 205°.

Auch bei Anwendung von im Phenylkern halogen-substituierten Thiocarbonsäure-S-äthylester-phenylimiden, wie z.B. Thioessigsäure-S-äthylester-(4-chlor-phenylimid)

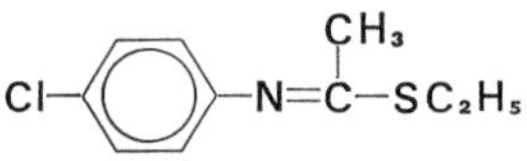

$$Cl-C_6H_4-N=C(CH_3)-SC_2H_5$$

wird die Bildung von mesosubstituierten unsymmetrischen Carbocyaninen aus den Zwischenprodukten IV (S. 261) nach dem zuletzt angegebenen Reaktionsschema beschrieben[2]. Eine weitere, in den meisten Fällen gut anwendbare Synthese geht von den Ketonen VII bzw. Thioketonen VIII aus:

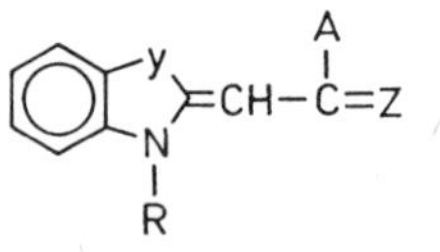

$$\text{Benzo-Heterocyclus(Y, N-R)}=CH-C(A)=Z \qquad A = \text{Alkyl} \quad R = \text{Alkyl, Aryl, usw.} \qquad Z = O, S \qquad \text{VII; VIII}$$

die entweder durch Einwirkung von Carbonsäure-chloriden auf 2-Methyl-cycloammoniumsalze[3] oder durch Umsetzung von z.B. 2-Methylmercapto-cycloammo-

---

[1] DRP. 637113 (1932); I. G. Farb., Erf.: R. Koslowsky; C. A. **31**, 620 (1937).

[2] US. P. 2378783 (1943); Brit. P. 641805 (1947), General Aniline, Erf.: P. Nawiasky u. R. J. Speer; C. A. **40**, 214 (1946); **45**, 5049 (1951).

[3] DRP. 670505 (1936), Kodak A.-G.; C. A. **33**, 6613 (1939).
Fr. P. 466269 (1935), Kodak-Pathé; C. A. **31**, 8215 (1937).

niumsalzen mit Acetessigsäure in absol. Äthanol und Triäthylamin gewonnen werden[1], z.B.:

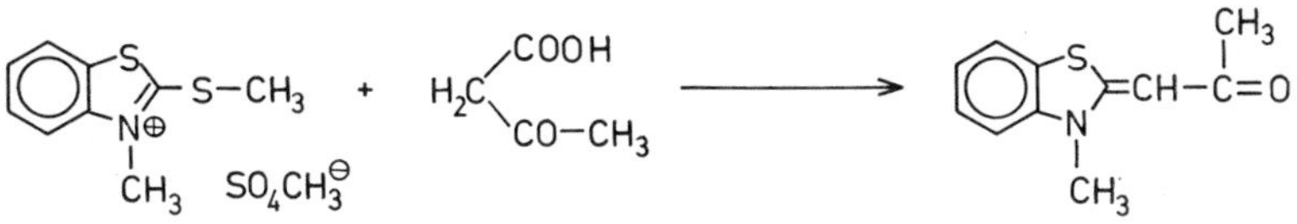

$$\text{(3-Methyl-2-methylthio-benzothiazolium)}\ SO_4CH_3^{\ominus} + H_2C(COOH)(CO{-}CH_3) \longrightarrow \text{Benzothiazolin}{=}CH{-}C(CH_3){=}O$$

3-Methyl-2-(2-oxo-propyliden)-2,3-dihydro-⟨benzo-1,3-thiazol⟩; IX

Die erhaltenen Ketone (z. B. IX) können mit Methyl-cycloammoniumsalzen zu Farbstoffsynthesen, allerdings mit etwas ungünstigen Ausbeuten, herangezogen werden[2]. Höhere Ausbeuten werden erzielt, geht man von den Thioäthern X aus, die aus den Ketonen VII (S. 262) oder IX mit Hilfe von Phosphor(V)-sulfid über die Thioketone VIII und anschließender Alkylierung[3]

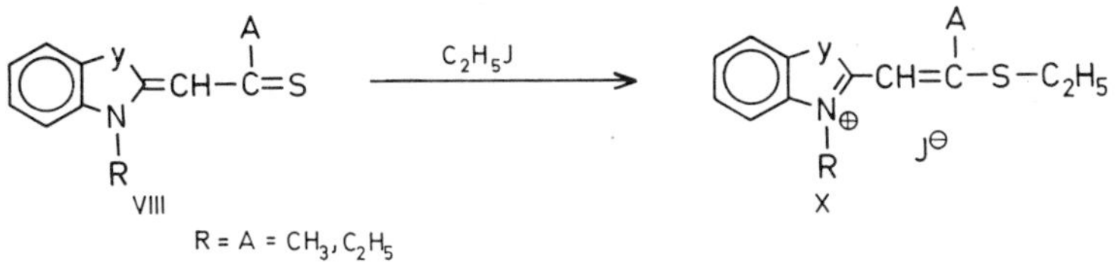

$$\text{VIII: } {>}{=}CH{-}C(A){=}S \xrightarrow{C_2H_5J} \text{X: } {-}CH{=}C(A){-}S{-}C_2H_5\ \ J^{\ominus}$$

R = A = CH_3, C_2H_5

bzw. durch Behandlung mit Phosphoroxychlorid oder -bromid über die Halogen-Derivate[4] XI durch Umsetzung mit Alkyl-, Arylmercaptanen bzw. Thioamiden[5] oder Ammoniumthiosulfat[6] erhalten werden, z.B.:

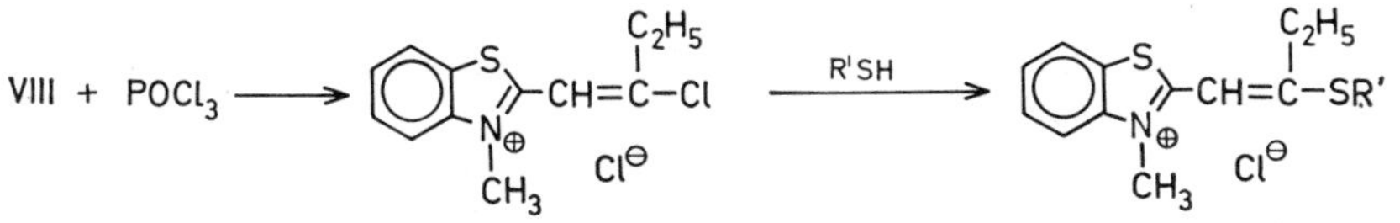

$$\text{VIII} + POCl_3 \longrightarrow {-}CH{=}C(C_2H_5){-}Cl\ \ Cl^{\ominus} \xrightarrow{R'SH} {-}CH{=}C(C_2H_5){-}SR'\ \ Cl^{\ominus}$$

XI; *3-Methyl-2-[2-chlor-buten-(1)-yl]-⟨benzo-1,3-thiazolium⟩-chlorid*

---

[1] US. P. 2468577 (1946), Gevaert, Erf.: A. E. VAN DORMAEL u. T. H. GHYS; C. A. **43**, 8167 (1949). Fr. P. 936209 (1942), Gevaert; C. A. **44**, 65 (1950).

[2] Brit. P. 466246 (1935), Kodak Ltd.; C. A. **31**, 1118 (1937).

[3] US. P. 2369647 (1942), Eastman Kodak, Erf.: L. G. S. BROOKER u. G. H. KEYES; C. A. **39**, 3746 (1945).
Vgl. a. US. P. 2450400 (1944), General Aniline, Erf.: T. R. THOMPSON; C. A. **43**, 514 (1949).
Fr. P. 938851 (1948), Kodak-Pathé.
Fr. P. 868837 (1940), Gevaert.
Fr. P. 877225 (1941), I. G. Farb.
Vgl. a. Fr. P. 645288 (1948), Kodak-Pathé, Erf.: R. H. SPRAGUE.

[4] US. P. 2231659 (1940), Eastman Kodak, Erf.: L. G. S. BROOKER u. F. L. WHITE; C. A. **35**, 3184 (1941).

[5] US. P. 2369657 (1940), Eastman Kodak, Erf.: L. G. S. BROOKER u. G. H. KEYES; C. A. **39**, 3746 (1945).

[6] US. P. 2369646 (1939), Eastman Kodak, Erf.: L. G. S. BROOKER u. G. H. KEYES; C. A. **39**, 3745 (1945).

Weitere Methoden zur Herstellung solcher Ketone sind: Umsetzung von 2-Amino-phenolen mit Acyl-keten-acetalen[1]:

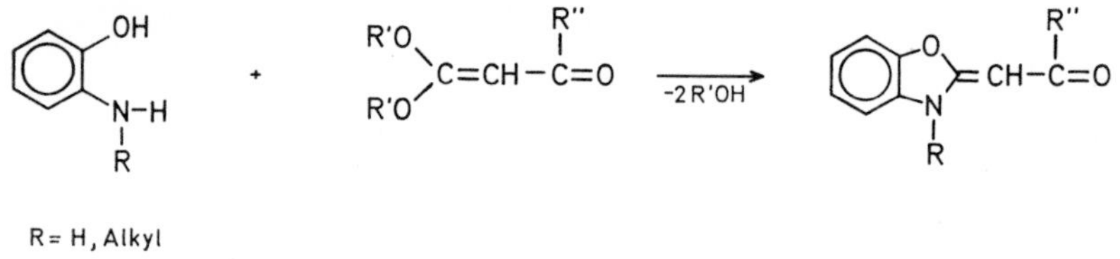

R = H, Alkyl

Thioketonen von Heterocyclen mit Diazoacetophenonen[2]:

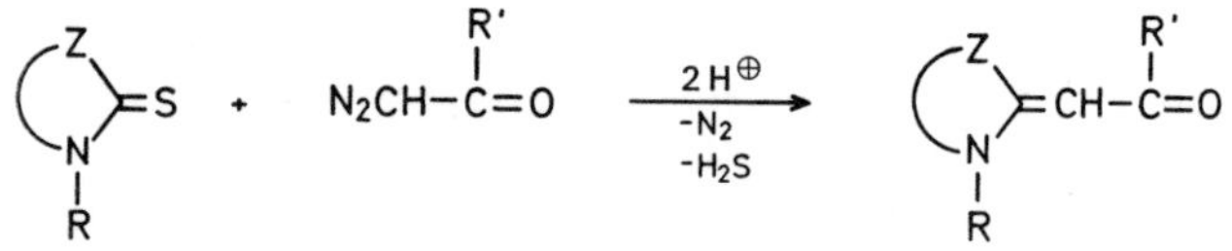

2-Acetylen-Derivaten mit Natriumhydrosulfid[3]

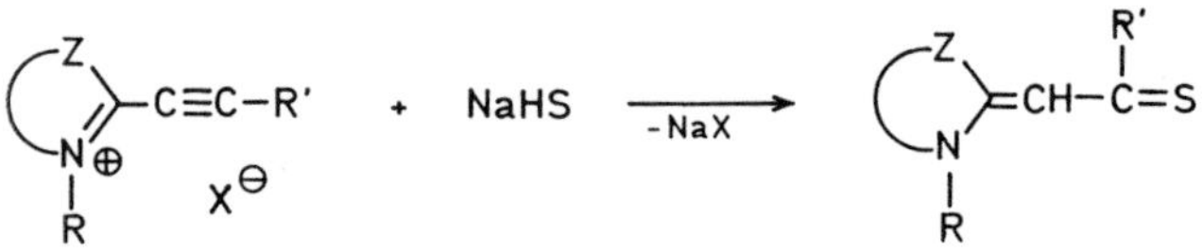

2-Methyl-quartärsalzen mit Dithiocarbonsäure-estern[4]:

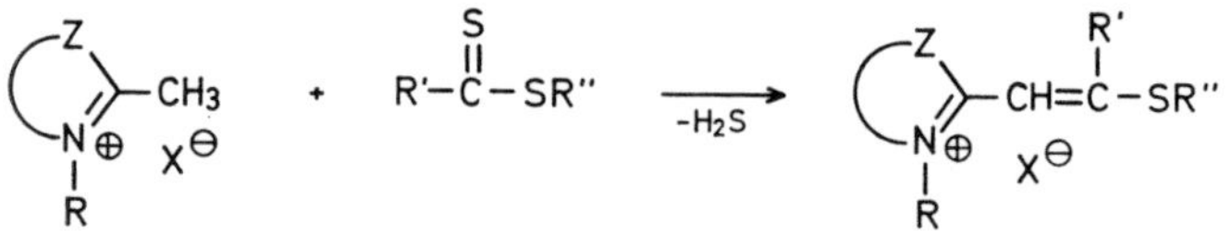

5-Methoxy-3-äthyl-2-[2-äthyl-3-(3-äthyl-2,3-dihydro-⟨benzo-1,3-thiazol⟩-yliden)-propenyl]-⟨benzo-1,3-selenazolium⟩-jodid (vgl. a. S. 262)[5]:

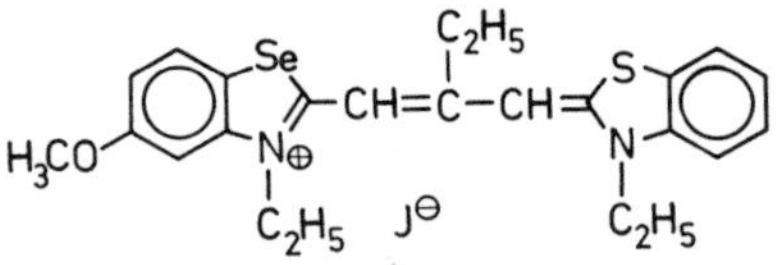

4,7 g (0,01 Mol) 5-Methoxy-3-äthyl-2-[2-methylmercapto-buten-(1)-yl]-⟨benzo-1,3-selenazolium⟩-jodid und 3,1 g (0,01 Mol) 2-Methyl-3-äthyl-⟨benzo-1,3-thiazolium⟩-jodid werden in 15 *ml* Pyridin 4 Stdn. zum Sieden erhitzt. Das Pyridin wird auf dem Dampfbad i. Vak. abdestilliert, und der Rückstand aus 100 *ml* Methanol umkristallisiert; Ausbeute: 4,1 g (68% d. Th.); F: 205°–210°.

Zur Herstellung asymmetrischer meso-subsituierter Carbocyanine kann auch eine Variante der genannten Meerwein-Synthese, ausgehend von den bekannten Oxo-methylen-Verbindungen[6], verwendet werden:

---

[1] H. STACHEL, Ar. **296**, 337 (1963).
[2] Y. POIRIER, Bl. **1968**, 1203.
[3] A. J. KIPRIANOV et al., Ž. obšč. Chim. **29**, 1708 (1959); engl.: 1685; **30**, 3647 (1960); engl.: 3613.
[4] US. P. 2486173 (1949), Eastman Kodak Co., Erf.: H. K. GRAFTON; C. A. **44**, 6321 (1950).
US. P. 2486281 (1949); 2486698 (1949), Eastman Kodak Co., Erf.: R. H. CURTIS; C. A. **44**, 1348 (1950).
[5] Vgl. a. Fr. P. 1017746 (1948) ≡ US. P. 2481698 (1949), Eastman Kodak, Erf.: R. H. SPRAGUE; C. A. **44**, 2398 (1950).
[6] H. YAMAGUCHI, J. pharm. Soc. Japan **86**, 918 (1966).

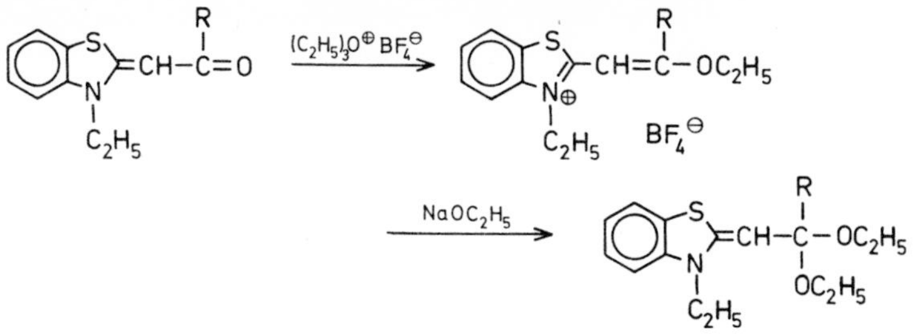

Eine andere Herstellungsweise führt von den substituierten Acetylen-Derivaten direkt zu den μ-substituierten Carbocyaninen[1]:

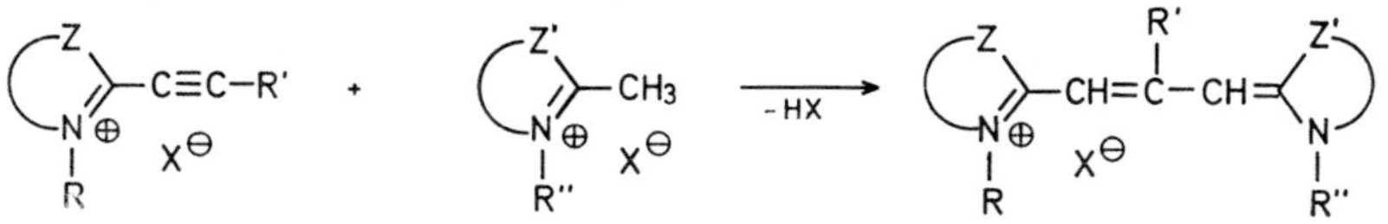

Ferner kann von den ω-Sulfo-betainen ausgegangen werden[2]:

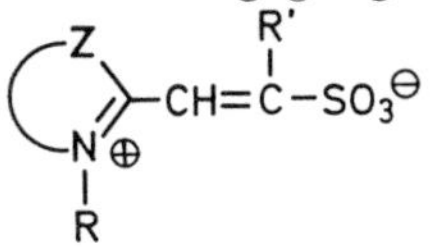

Zu besonders eigenartigen Polymethinen gelangt man ausgehend vom 2-Morpholino-3,4-diphenyl-thiophen[3] (das als Enamin aufgefaßt werden kann):

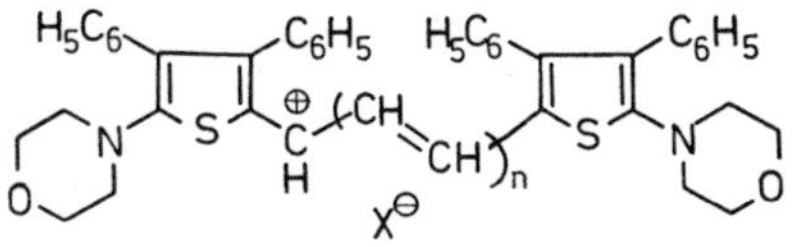

n = 0; λ_{max}: 630 nm; *Bis-[5-morpholino-3,4-diphenyl-thienyl-(2)]-methyl-Salz*
n = 1; λ_{max}: 728 nm; *1,3-Bis-[5-morpholino-3,4-diphenyl-thienyl-(2)]-propenyl-Salz*
n = 2; λ_{max}: 840 nm; *1,5-Bis-[5-morpholino-3,4-diphenyl-thienyl-(2)]-pentadienyl-Salz*

Durch den normalen Vinylensprung von ~ 100 nm weisen sie sich als echte Polymethinfarbstoffe aus.

Auf dem Übergang von den Polymethin- zu den Polyen-Farbstoffen stehen die 1,2,3-Triazolyl-(4)-Derivate, bei denen der „Vinylensprung" weit unter der Norm von 100 nm liegt[4]:

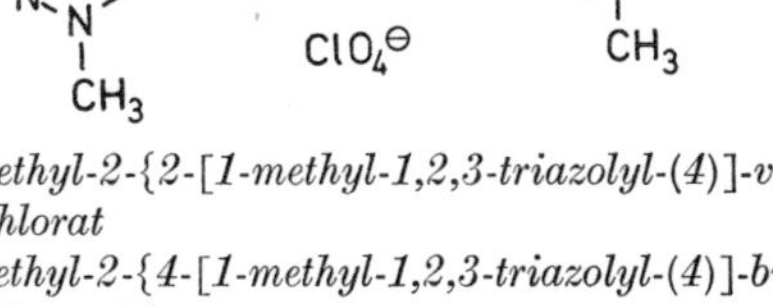

n = 0; λ_{max}: 359 nm; *3-Methyl-2-{2-[1-methyl-1,2,3-triazolyl-(4)]-vinyl}-⟨benzo-1,3-thiazolium⟩-perchlorat*
n = 1; λ_{max}: 390 nm; *3-Methyl-2-{4-[1-methyl-1,2,3-triazolyl-(4)]-butadienyl}-⟨benzo-1,3-thiazolium⟩-perchlorat*

---

[1] A. J. Kiprianov, Ž. obšč. Chim. **29**, 1708 (1959); engl.: 1685; **30**, 3647, 3654 (1959); engl.: 3613, 3620.
Fr. P. 1386399 (1963), Kodak, Erf.: P. D. Collet u. M. A. Compere; C. A. **63**, 1923 (1965).
[2] Fr. P. 1408737 (1964), Kodak, Erf.: H. Lavíré u. R. Barelle; C. A. **64**, 853 (1966).
L. G. S. Brooker, in: *Chemistry of Natural and Synthetic Couloring Matters*, S. 573–587, Academic Press, New York 1962.
[3] H. Hartmann, J. pr. **36**, 50 (1967); C. **138**, 56 (1967).
[4] W. König, M. Coenen, F. Bahr, A. Bassel u. B. May, J. pr. [4] **36**, 202 (1967).

An dieser Stelle sei darauf hingewiesen, daß anstelle von Stickstoff auch andere Heteroatome eine Cyaninstruktur bewirken können, so z.B. die schon länger bekannten Pyrylocyanine und Thiopyrylocyanine[1],

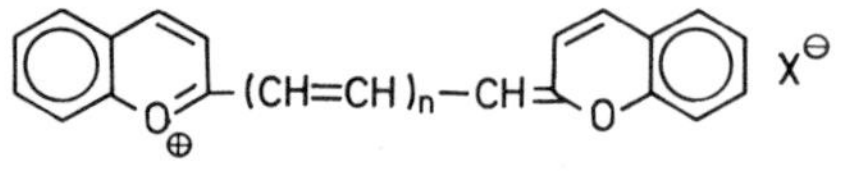

die Furylium-Farbstoffe, z.B.[2]:

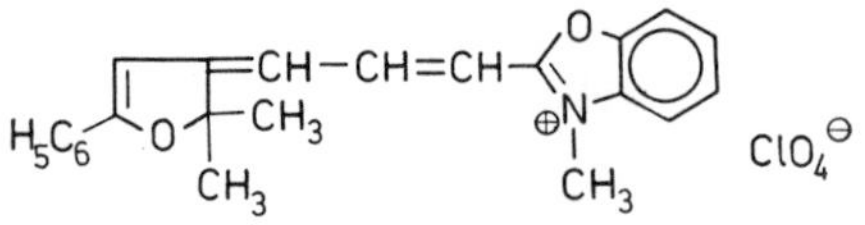

3-Methyl-2-{3-[5,5-dimethyl-2-phenyl-4,5-dihydro-furyliden-(4)]-propenyl}-⟨benzo-1,3-oxazolium⟩-perchlorat

sowie die Phosphinine[3]:

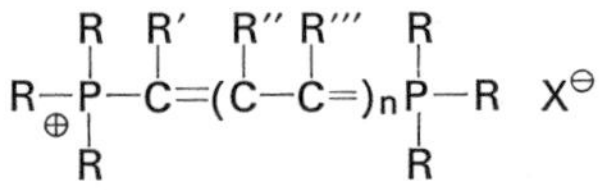

und die Arseno- und Sulfenocyanine[4]:

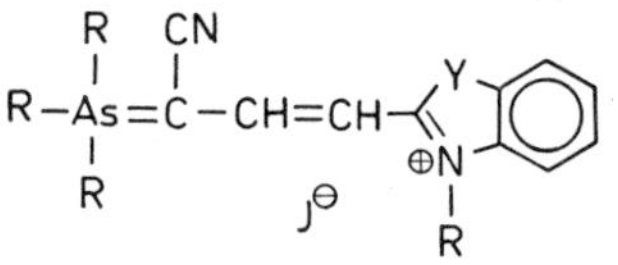

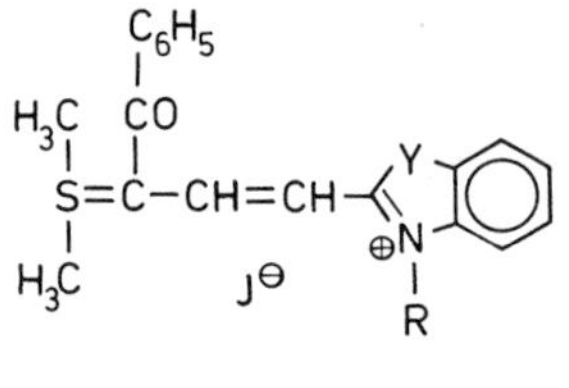

β) 2,4'-Trimethine (Dicyanine)

Auf eine ausführliche Beschreibung der Methoden zur Herstellung von Dicyaninen wird verzichtet, da sie nach den gleichen Verfahren, wie sie bei der Herstellung von unsymmetrischen Carbocyaninen üblich sind, hergestellt werden können.

γ) 4,4'-Trimethine

Die Herstellungsmethoden der 4,4'-Trimethincyanine sind die gleichen wie sie bei den symmetrischen Carbocyaninen angewandt werden. Jedoch soll auf die

---

[1] R. Wizinger, Experientia **1**, 29 (1949).
B. D. Tilzk, S. K. Jain, Indian J. Chem. **7**, 17 (1969).

[2] DDR. P. 429758 (1960), Sandoz AG, Erf.: R. Wizinger u. A. Fabrycy.

[3] H. Depoorter, J. Nys u. A. van Dormael, Bl. Soc. Chim. Belg. **73**, 921 (1964).
A. van Dormael, Ind. chim. Belge **33**, 977 (1968).

[4] H. Depoorter, J. Libeer u. G. van Mierlo, Bl. Soc. Chim. Belg. **77**, 521 (1968).

Synthese von zwei Farbstoffen dieser Gruppe, das *Rubrocyanin* (*Kryptocyanin*)[1] und das *Allocyanin* (*Neocyanin*)[2] etwas näher eingegangen werden.

Bei der Umsetzung von 4-Methyl-cycloammonium-Verbindungen, wie z.B. 4-Methyl-chinolin mit Orthoameisensäure-triester, entstehen je nach den Reaktionsbedingungen[3] neben den 4,4'-Trimethinfarbstoffen auch tiefer gefärbte Produkte mit drei heterocyclischen Ringen, die als „Neocyanine" (s. S. 282) bezeichnet werden. So bildet sich z.B. bei der Synthese von *Rubrocyanin* (I) aus 4-Methyl-chinolin, p-Toluolsulfonsäure-äthylester und Orthoameisensäure-triäthylester, in Pyridin als Lösungsmittel neben I auch *Allocyanin* II (Rohausbeute: ~ 25–30% d.Th.). Man erhält also beide Farbstoffe in Form ihrer N-Äthyl-p-toluolsulfonate nebeneinander, die man durch Überführung in ihre Bromide mit wäßriger Kaliumbromid-Lösung durch mehrfache Extraktion mit siedendem Äthanol leicht trennen kann. *Rubrocyanin* geht infolge seiner besseren Löslichkeit in Lösung. Beide Farbstoffe müssen für die Reindarstellung mehrfach einzeln umkristallisiert werden.

H_5C_2–N⊕ (Chinolinium)–CH=CH–CH=(Chinolyliden)N–C_2H_5 $Br^{\ominus}$

I

I: *Rubrocyanin{Kryptocyanin; 1-Äthyl-4-[3-(1-äthyl-1,4-dihydro-chinolyliden)-propenyl]-chinoliniumbromid}*[3]; λ_{max}: 704 nm

H_5C_2–N⊕ (Chinolinium)–C(=CH–CH=Chinolyliden-N–C_2H_5)–CH=CH–(Chinolinium)N⊕–C_2H_5 2 $Br^{\ominus}$

II; *Neocyanin{Allocyanin; 5-(1-Äthyl-1,4-dihydro-chinolyliden)-1,3-bis-[1-äthyl-chinolyl-(4)]-pentadien-(1,3)-dibromid}*[4]; λ_{max}: 775 nm

Neocyanin ist gleichzeitig ein Tri- und ein Pentamethincyanin. In der Literatur sind weitere Farbstoffe vom Neocyanintyp erwähnt, die entweder aus den Quaternärsalzen des 2-Methyl-chinolins, des 2-Methyl- oder 2-Äthyl-⟨benzo-1,3-thiazols⟩ oder aus Quaternärsalzen des 2-Methyl-4,5,6,7-tetrahydro-⟨benzo-1,3-thiazols⟩ bzw. -⟨benzo-1,3-selenazols⟩ u.a. mehr hergestellt werden[5] (s. a. S. 245).

---

[1] F. M. Hamer, Soc. **1928**, 1472.
Q. Adams u. H. L. Haller, Am. Soc. **42** II, 2661 (1920).

[2] W. Dieterle, Phot. Korr. **66**, 309 (1930).

[3] J. M. Eder, *Handbuch der Photographie*, Bd. III, 3. Tl., S. 63, 218, Sensibilisierung und Desensibilisierung Wilhelm Knapp, Halle (Saale) 1932.

[4] Vgl. W. Dieterle, „Infrarotphotographie" Veröffentlichungen des wissenschaftlichen Zentrallaboratoriums der AGFA Bd. I, S. 67 (1930).

[5] Fr. P. 826436 (1937), I. G. Farb.; C. **1938** II, 1490.

3. Pentamethine (Dicarbocyanine)

Die einfachsten Vertreter der Pentamethine lassen sich nach folgender allgemeiner Formel wiedergeben:

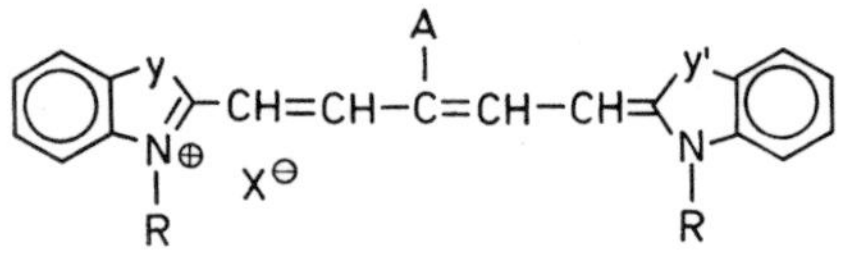

$$\text{(Benzo-Y-azolium, N}^{\oplus}\text{–R)}\text{–CH=CH–C(A)=CH–CH=}\text{(Benzo-Y'-azolin, N–R)}\quad X^{\ominus}$$

A = H oder Alkyl

Zu ihrer Herstellung werden vielfach 2-substituierte 1,3,3-Triäthoxy-propene-(1) benutzt:

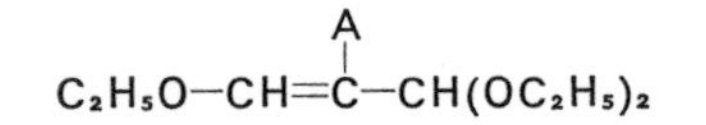

$$C_2H_5O{-}CH{=}C(A){-}CH(OC_2H_5)_2 \qquad A = H^1;\ CH_3{}^2$$

Ebenso kann man von den Vinylhomologen des N,N'-Diphenyl-formamidins ausgehen, z.B. von 1-Anilino-3-phenylimino-propen-(1), das aus Propargylalkohol und Anilin erhalten wird. Meistens werden die Anilin-Derivate in Form des halogenwasserstoffsauren Salzes I bzw. Ia eingesetzt (s. S. 234).

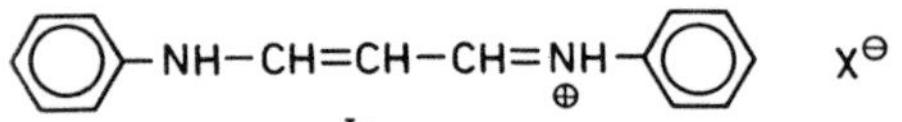

$$C_6H_5{-}NH{-}CH{=}CH{-}CH{=}\overset{\oplus}{N}H{-}C_6H_5 \quad X^{\ominus}$$

Ia

Da man bei der Herstellung von Polymethinfarbstoffen mit längerer Kette meist von den Quaternärsalzen der Benzo-1,3-thiazole bzw. Benzo-1,3-selenazole ausgeht, wird die Herstellung von II näher beschrieben:

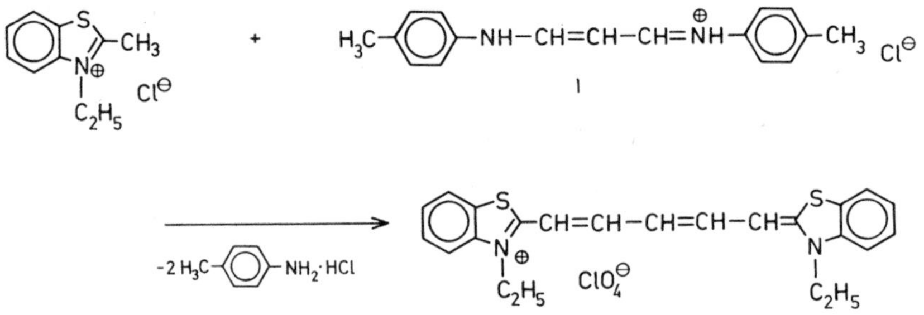

$$\text{2-Methyl-3-äthyl-benzothiazolium } Cl^{\ominus} + H_3C{-}C_6H_4{-}NH{-}CH{=}CH{-}CH{=}\overset{\oplus}{N}H{-}C_6H_4{-}CH_3\ Cl^{\ominus}\ (\text{I})$$

$$\xrightarrow{-2\,H_3C-C_6H_4-NH_2\cdot HCl} \text{(Benzothiazolium, N}^{\oplus}\text{–}C_2H_5\text{)–CH=CH–CH=CH–CH=(Benzothiazolin, N–}C_2H_5\text{)}\quad ClO_4^{\ominus}$$

II

3-Äthyl-2-[5-(3-äthyl-2,3-dihydro-⟨benzo-1,3-thiazol⟩-yliden)-pentadien-(1,3)-yl]-⟨benzo-1,3-thiazolium⟩-perchlorat(II)[3]:

1-(4-Methyl-anilino)-3-(4-methyl-phenylimino)-propen-(1)-hydrochlorid (I): 18 g Kaliumbichromat werden in 200 *ml* Wasser gelöst, mit 60 *ml* konz. Salzsäure angesäuert und innerhalb 30 Min. 15 *ml* Propargylalkohol bei 20° und danach eine Auflösung von 10 g 4-Methyl-anilin in 100 *ml* Wasser und 30 *ml* konz. Salzsäure so zugetropft, daß die Temp. 30° nicht überschreitet. Die ausgeschiedenen hellgelben Kristalle werden abgesaugt, mit Wasser gewaschen und aus Methanol umkristallisiert; Ausbeute: 2,7 g (20% d.Th.); F: 236°.

In Methanol, λ_{max}: 389 nm; log ε = 4,75.

---

[1] DRP. 410487 (1922), I. G. Farb., Erf.: W. König; C. **1925** I, 2729.
US. P. 2131853 (1933), AGFA-ANSCO Corp., Erf.: W. Dieterle u. W. Zeh; C. A. **32**, 8970 (1938).

[2] Brit. P. 394537 (1931), I. G. Farb.; C. **1933** II, 2089.

[3] T. Ogata, Proc. Imp. Acad. Tokyo **8**, 421 (1932); C. A. **27**, 982 (1933).
s. a. B. Beilenson u. F. M. Hamer, Soc. **1936**, 1230.

Bis-[3-äthyl-benzthiazolo]-pentamethin-cyanin-perchlorat {3-Äthyl-2-[5-(3-äthyl-2,3-dihydro-⟨benzo-1,3-thiazol⟩-yliden)-pentadien-(1,3)-yl]-⟨benzo-1,3-thiazolium⟩-perchlorat}: 7,6 g 2-Methyl-3-äthyl-⟨benzo-1,3-thiazolium⟩-tosylat und 2,5 g I werden in 70 *ml* Pyridin 20 Min. zum Sieden erhitzt. Die blau-grüne Lösung wird mit 50 *ml* 10%iger Ammoniumperchlorat-Lösung versetzt und der auskristallisierte Farbstoff abgesaugt: Mit Methanol wird solange nachgewaschen, bis der Ablauf rein blau-grün ist und der Farbstoff aus Methanol umkristallisiert; Ausbeute: 1,4 g (26% d.Th.); F: 261° (grünglänzende Kristalle). In Methanol: grün-blau; λ_{max}: 653 nm; log ε = 5,42.

Als Nebenprodukt bildet sich stets das rotviolette 1 : 1 Kondensationsprodukt „Hemicyanin", das sehr viel leichter löslich ist.

Zur Farbstoffherstellung können auch andere Trimethinsalze verwendet werden, z.B. 1-[1,2,3,4-Tetrahydro-chinolyl-(2)]-3-[1,2,3,4-tetrahydro-chinolyliden-(2)]-propen-(1)-hydrochlorid (s. S. 235), allerdings ist es in diesem Fall zweckmäßig, ein stärker basisches Amin (Triäthylamin) als Kondensationsmittel zu verwenden oder bei Umsetzung in einem Alkohol mit Piperidin als Base zu arbeiten.

Bei Verwendung von 1-Anilino-3-phenylimino-propen-(1) kann man auch zu unsymmetrischen Pentamethincyaninen kommen, wenn es gelingt, die Zwischenstufe abzufassen, die dann mit basischen Kondensationsmitteln und einer anderen quaternären Base umgesetzt wird[1].

Andere Varianten dieser Synthesen gehen von den Halbamiden[2] aus:

$$\begin{array}{l} R \\ \quad \rangle N-CH=\underset{}{\overset{R'}{C}}-\underset{OR'''}{\overset{R''}{C}}-OR''' \\ R \end{array}$$

oder von den Thioäthern[3]

$$RS-\overset{R'}{C}=\overset{R''}{C}-CH=\overset{\oplus}{N}\begin{matrix} R''' \\ R''' \end{matrix} \quad X^{\ominus}$$

Ausgehend von 2-(4-Mercapto-butyliden)-cycloammoniumsalzen[4] [z.B. 3-Methyl-2-(4-methylmercapto-pentyliden)-⟨benzo-1,3-thiazolium⟩-chlorid; I] erhält man durch Kondensation mit 2-Methyl-cycloammoniumsalzen symmetrische oder asymmetrische in der Methinkette in β-Stellung alkyl-substituierte Pentamethinfarbstoffe[5].

$$\text{(Benzothiazolium, N-CH}_3\text{)}-CH=CH-CH=\overset{CH_3}{C}-S-CH_3 \quad Cl^{\ominus} \qquad I$$

Ebenso gelingt es über die α- und δ-substituierten Thioäther, analog der oben angeführten 2-Butyliden-⟨benzo-1,3-thiazol-⟩-Verbindung, zum Aufbau von in der Methinkette substituierten Pentamethincyaninen zu kommen[6].

[1] Fr. P. 774028 (1934), I. G. Farb.; C. A. **29**, 2103 (1935).
[2] Brit. P. 911475 (1960), Ciba Ltd.,C. A. **58**, 13852 (1963).
[3] B. Hirsch, Chimia **20**, 126 (1966).
[4] US. P. 2372960 (1942), Ilford, Erf.: J. D. Kendall u. H. W. Wood; C. A. **39**, 3939 (1945).
[5] US. P. 2527259 (1942), Ilford, Erf.: J. D. Kendall, H. W. Wood u. J. R. Majer; C. A. **45**, 6518 (1951).
[6] Brit. P. 645966/7/8 (1948), Ilford, Erf.: F. P. Doyle u. J. D. Kendall; C. A. **45**, 6106 (1951).

Andere Pentamethine, die in der Kette substituiert sind, z.B. in γ-Stellung mit Chlor-, Brom- oder Nitro-Gruppen[1], ferner mit einer Azo-Gruppe[2] zeigen einen hypsochromen Effekt.

Tricyclische Pentamethine werden aus 2-Methyl-quartärsalzen und Triformylmethan in Essigsäureanhydrid mit Natriumacetat erhalten[3]; z.B.:

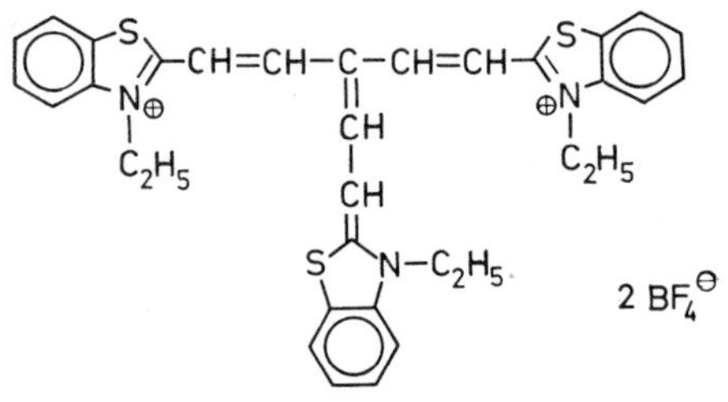

3-{2-[3-Äthyl-2,3-dihydro-⟨benzo-1,3-thiazol⟩-yliden]-äthyliden}-1,5-bis-[3-äthyl-⟨benzo-1,3-thiazol⟩-yl-(2)]-pentadien-(1,4)-bis-[tetrafluoroborat]; λ_{max}: 639 nm; $\log\varepsilon = 5{,}01$.

Vvinyloge Guanidinium-Polymethinfarbstoffe sind in vielen Beispielen beschrieben[4]:

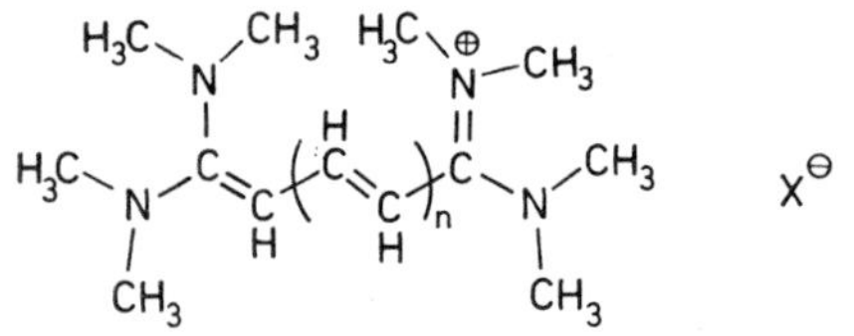

n = 2; *1,7,7-Tris-[dimethylamino]-1-dimethyliminio-heptatrien-(1,3,5)-Salz*; λ_{max}: 530 nm; $\log\varepsilon = 5{,}19$.

Diese können auch zu den Streptocyaninen (s. S. 234) gerechnet werden, während andererseits Imidazolinpolymethine, z.B.

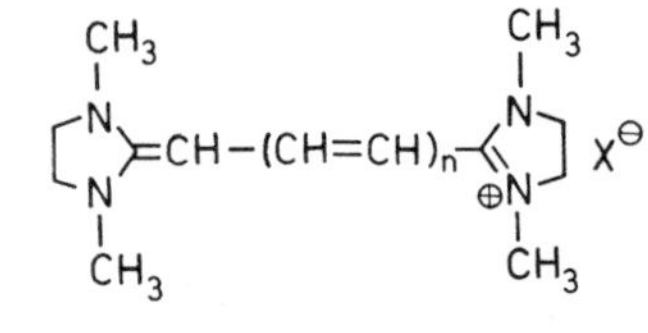

n = 2; *1,3-Dimethyl-2-{5-[1,3-dimethyl-tetrahydro-imidazolyliden-(2)]-pentadien-(1,3)-yl}-4,5-dihydro-imidazolium-Salz*; λ_{max}: 499 nm; $\log\varepsilon = 5{,}34$

auch als Guanidinvinyloge aufgefaßt werden können.

---

[1] S. Beattie, I. M. Heilbron u. F. Irving, Soc. **1932,** 260.
C. Reichardt, A. **715,** 74 (1968).

[2] C. Reichardt, Ang. Ch. **77,** 508 (1965).

[3] C. Reichardt, Tetrahedron Letters **1967,** 4327.

[4] E. Müller, Dissertation der Techn. Hochschule München 1968.

4. Heptamethine (Tricarbocyanine)

Heptamethine der allgemeinen Formel

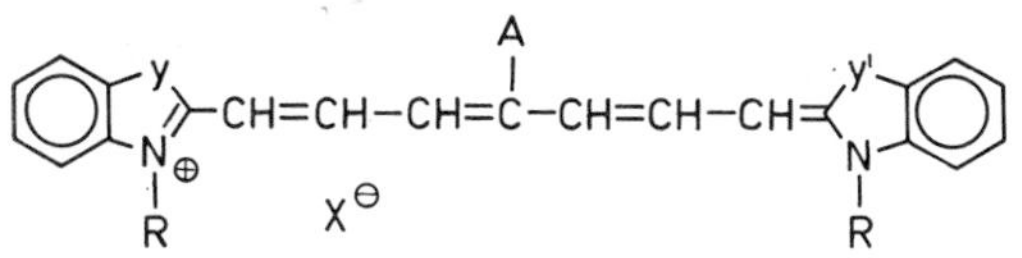

A = H oder Alkyl etc.

werden durch Kondensation von quaternären Cycloammoniumsalzen mit reaktionsfähigen Methyl- oder Methylen-Gruppen mit Pentendial (Glutacon-dialdehyd) oder besser 1-Anilino-5-phenylimino-pentadien-(1,3) (Glutacon-dianil) hergestellt:

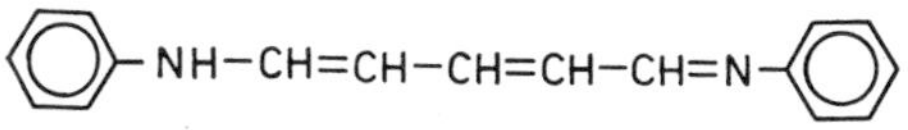

Dabei werden sowohl symmetrische, als auch unsymmetrische Farbstoffe erhalten[1].

1-Anilino-5-phenylimino-pentadien-(1,3) wird entweder aus 1-(2,4-Dinitro-phenyl)-pyridiniumchlorid und Anilin oder aus 1-Cyan-pyridinium-bromid und Anilin erhalten[2]. Statt Anilin können auch andere aromatische Basen zum Einsatz kommen, wie das folgende Beispiel zeigt.

Bis-[3-äthyl-benzthiazolo]-heptamethin-cyanin-perchlorat{3-Äthyl-2-[7-(3-äthyl-2,3-dihydro-⟨benzo-1,3-thiazol⟩-yliden)-heptatrien-(1,3,5)-yl]-⟨benzo-1,3-thiazolium⟩-perchlorat}[3]:

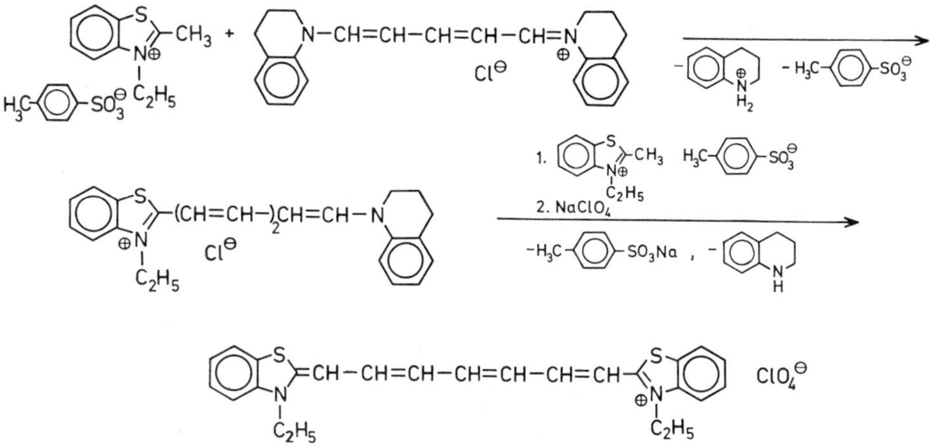

30 g 2-Methyl-3-äthyl-⟨benzo-1,3-thiazolium⟩-p-tosylat und 10 g 1-(1,2,3,4-Tetrahydro-chinolino)-5-[1,2,3,4-tetrahydro-chinolyliden-(1)]-pentadien-(1,3)-chlorid (Bis-[1,2,3,4-tetrahydro-chinolino]-pentamethylen-streptocyanin-chlorid) werden in 300 *ml* Methanol heiß gelöst und unter Schütteln 9 *ml* Piperidin zugetropft. Man hält noch 10 Min. auf dem Dampfbad am Sieden und gibt dann 25 *ml* 50%ige Natriumperchlorat-Lösung zu. Nach 15 Min. werden die Kristalle abgesaugt und

---

[1] Brit. P. 354826, 351555 (1930), Ilford, Erf.: F. M. HAMER; C. **1931** II, 2791.
Vgl. a. Österr. P. 148462 (1935), Gevaert, Erf.: G. SCHWARZ; C. **1937** II, 1725.

[2] T. ZINCKE, A. **333**, 296 (1904).
W. KÖNIG, J. pr. [2] **69**, 123 (1904).

[3] N. I. FISHER u. F. M. HAMER, Soc. **1933**, 189.

mit Methanol gewaschen, bis der Ablauf rein blau ist. Der Farbstoff wird in 100 *ml* Dimethylformamid bei 100° gelöst, filtriert und 100 *ml* Methanol zum Filtrat zugemischt. Nach 2 Stdn. bei 20° wird der Farbstoff abgesaugt und mit Isopropanol gewaschen; Ausbeute: 4 g (18% d.Th.); F: 169–169,5°. In Methanol: blau; λ_{max}: 756 nm.

Bei den langkettigen Cyaninen bilden sich stets niedere Vinyloge (Penta- und Trimethine) durch Kettenabbruch, in einigen Fällen fast ausschließlich. Es ist deshalb zweckmäßig, nicht auf höchste Ausbeute auszugehen.

Lösungen langkettiger Cyanine sind nur beschränkt haltbar, besonders bei höheren p_H-Werten und im Tageslicht. Besonders empfindlich ist das *Xenocyanin* {*1-Äthyl-4-[7-(1-äthyl-1,4-dihydro-chinolyliden)-heptatrien-(1,3,5)-yl]-chinolin*; λ_{max}: 932 nm}:

$H_5C_2-N^{\oplus}$ $-CH=CH-CH=CH-CH=CH-CH=$ $N-C_2H_5$ $J^{\ominus}$

Auch die isolierbaren Zwischenprodukte (Hemicyanine)

Y $-(CH=CH)_3-NH-$ $N^{\oplus}$ R $X^{\ominus}$

können mit den oben genannten alkalischen Kondensationsmitteln und weiteren Methylcycloammoniumsalzen sowohl zu symmetrischen als auch zu unsymmetrischen Farbstoffen umgesetzt werden[1].

Pentamethin-ω-aldehyde I sind ebenfalls zur Herstellung von symmetrischen und unsymmetrischen Heptamethinen herangezogen worden[2]:

S $=CH-CH=CH-CH=CH-C$ O H N C_2H_5

I; *3-Äthyl-2-[5-formyl-pentadien-(2,4)-yliden]-2,3-dihydro-⟨benzo-1,3-thiazol⟩*

Als Ausgangsmaterialien für derartige Aldehyde dienen die Kondensationsprodukte von Cycloammoniumsalzen mit 1-(N-Methyl-anilino)-5-phenylimino-pentadien-(1,3)-hydrobromid[3] (s. o.).

Besonders gut eignen sich zur Herstellung von unsymmetrischen Heptamethincyaninen Pentamethinfarbstoffe, die aus 2-Methyl-2,3-dihydro-1H-⟨benzo-1,4-oxazin⟩ aufgebaut worden sind[4]:

O N H CH_3

[1] Fr. P. 773648 (1934), I. G. Farb.; C. A. **29**, 1654 (1935).
Fr. P. 757813 (1933), Kodak-Pathé; C. **1934** I, 3693.
Vgl. a. US. P. 2131953 (1933), AGFA-ANSCO Corp., Erf.: W. Dieterle u. W. Zeh; C. A. **32**, 8970 (1938).

[2] Fr. P. 825829 (1937), I. G. Farb.; C. A. **32**, 6877 (1938).

[3] DRP. 695981 (1934); 737468 (1936), I. G. Farb.; C. A. **35**, 8513 (1941); **40**, 3134 (1946).

[4] Fr. P. 820533 (1937), I. G. Farb.; C. A. **32**, 3166 (1938).

Als Ausgangsprodukt zur Synthese von alkyl-mesosubstituierten Heptamethinen verwendet man allgemein 1-Anilino-5-phenyliminio-3-methyl-pentadien-(1,3)-hydrobromid[1]:

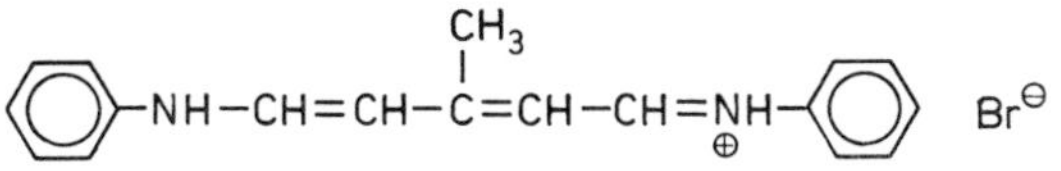

$$C_6H_5-NH-CH=CH-C(CH_3)=CH-CH=\overset{\oplus}{N}H-C_6H_5 \quad Br^{\ominus}$$

Zu den Heptamethincyaninen können auch solche gezählt werden, die in der Kette einen Thiophenring enthalten. Es gibt 2 Isomere je nachdem, ob der durch Schwefel in der Methinkette hergestellte Ringschluß in α-γ- oder β-ε-Stellung bewirkt wird[2]:

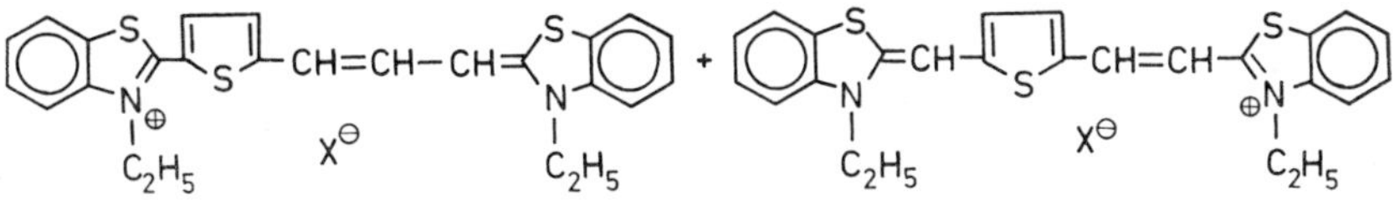

I; *3-Äthyl-2-{5-[3-(3-äthyl-2,3-dihydro-⟨benzo-1,3-thiazol⟩-yliden)-propenyl]-thienyl-(2)}-⟨benzo-1,3-thiazolium-Salz*; λ_{max}: 695 nm

II; *3-Äthyl-2-{2-[5-(3-äthyl-2,3-dihydro-⟨benzo-1,3-thiazol⟩-ylidenmethyl)-thienyl-(2)]-vinyl}-⟨benzo-1,3-thiazolium⟩-salz*; λ_{max}: 717 nm

Auch durch einen Cyclopentenring kann eine solche Verbrückung erzielt werden z.B.:[3]

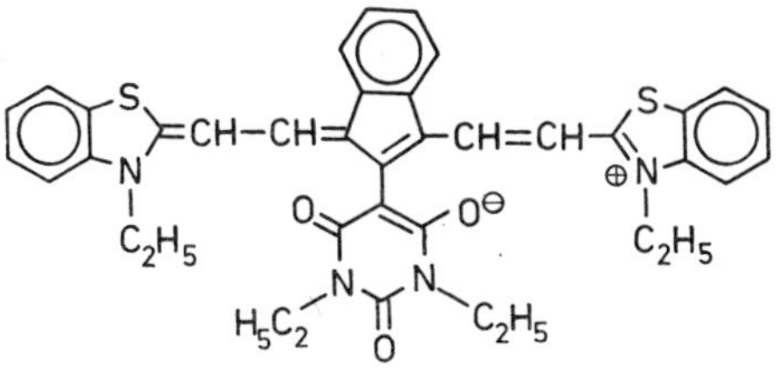

3-{2-[3-Äthyl-⟨benzo-1,3-thiazol⟩-yl-(2)]-vinyl}-1-{2-[3-äthyl-2,3-dihydro-⟨benzo-1,3-thiazol⟩-yliden]-äthyliden}-2-[2,6-dioxo-4-oxi-1,3-diäthyl-1,2,3,6-tetrahydro-1,3-diazinyl-(5)]-inden-betain[3]

Diese enthalten gleichzeitig einen inneren Ladungsausgleich durch den substituierten Barbitursäurering. Sie wurden als „Holocyanine" bezeichnet. Ähnliche Heptamethine werden aus dem Kondensationsprodukt von Cyclopentanon und 3,5-Pyrazolidindion auf folgendem Wege erhalten[4]:

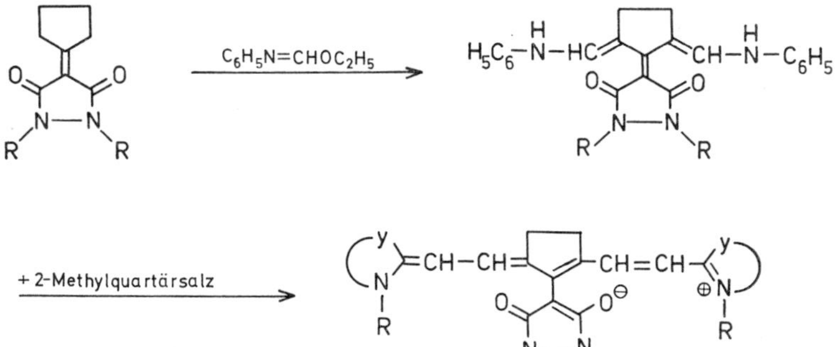

$\xrightarrow{C_6H_5N=CHOC_2H_5}$

$\xrightarrow{+\ 2\text{-Methylquartärsalz}}$

---

[1] Brit. P. 394537 (1931), I. G. Farb.; C. **1933** II, 2089.

[2] A. A. Šulezko, Ž. org. Chim. **4**, 2207 (1968).

[3] Belg. P. 607696 (1960), Kodak, Erf.: L. G. S. Brooker u. F. G. Webster; C. A. **57**, 332 (1962).

[4] Fr. P. 1573591 (1967), Kodak, Erf.: Ph. W. Jenkins u. L. G. S. Brooker; C. A. **73**, 20440 (1970).

5. Nona- und Undecamethine[1]

Die älteren Synthesen zur Herstellung von in meso-Stellung substituierten Nonamethincyaninen werden kaum noch angewendet[2]. Allgemein sind Nonamethine ausgehend von Streptotrimethincyaninen (s. S. 235) über mehrere Stufen zugänglich:

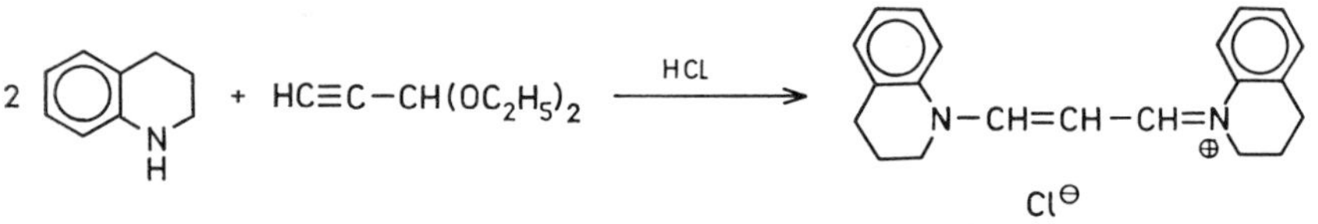

2 (1,2,3,4-Tetrahydrochinolin) + $HC{\equiv}C{-}CH(OC_2H_5)_2$ —HCl→ Chinolin-N–CH=CH–CH=N⊕-Chinolin $Cl^{\ominus}$

1-[3-(1,2,3,4-Tetrahydro-chinolino)-allyliden]-1,2,3,4-tetrahydro-chinolinium-chlorid

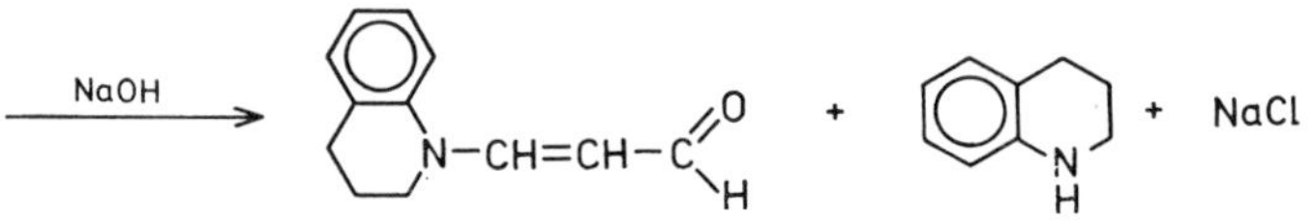

—NaOH→ N–CH=CH–CHO + (1,2,3,4-Tetrahydrochinolin) + NaCl

1-(2-Formyl-vinyl)-1,2,3,4-tetrahydro-chinolin[3]; I

Der so erhaltene ω-Aldehyd I wird mit Malonsäure umgesetzt und liefert unter Kohlendioxid-Abspaltung den Heptamethinfarbstoff II:

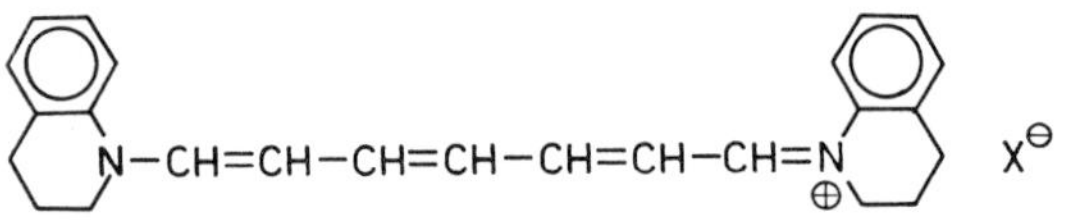

N–CH=CH–CH=CH–CH=CH–CH=N⊕ $X^{\ominus}$

II; *1-(1,2,3,4-Tetrahydro-chinolino)-7-[1,2,3,4-tetrahydro-chinolyliden-(1)]-heptatrien-(1,3,5)-salz*

Dieser läßt sich nun mit zwei Molen 2-Methyl-3-äthyl-⟨benzo-1,3-thiazolium⟩-jodid unter Abspaltung von 1,2,3,4-Tetrahydro-chinolin zum *3,3-Diäthyl-benzthio-nonamethin-cyanin-jodid* {*3-Äthyl-2-[9-(3-äthyl-2,3-dihydro-⟨benzo-1,3-thiazol⟩-yliden)-nonatetraen-(1,3,5,7)-yl]-⟨benzo-1,3-thiazolium⟩-jodid*; IV} umsetzen[4]:

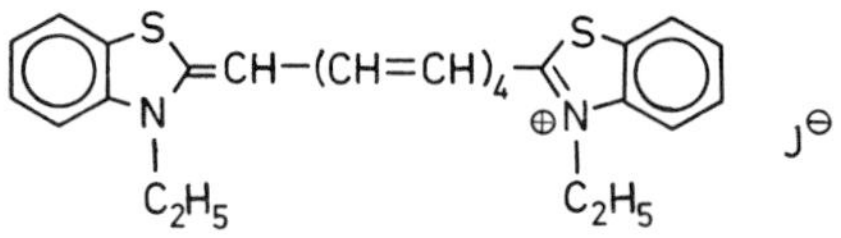

=CH–(CH=CH)$_4$– ; N–C_2H_5 ; ⊕N–C_2H_5 ; $J^{\ominus}$

IV

---

[1] W. Dieterle u. O. Riester, Veröffentlichungen des wissenschaftlichen Zentrallaboratoriums der AGFA, Bd. V, 219 (1937).

[2] W. König et al., B. **67**, 1274 (1934).
Z. Wiss. Photogr. **34**, 15 (1935).
Fr. P. 777034 (1934), I. G. Farb.; C. A. **29**, 3848 (1935).

[3] Vgl. Veröffentlichungen des wissenschaftlichen Zentrallaboratoriums der AGFA, Bd. V, S. 219 (1937).

[4] W. Dieterle u. O. Riester, Z. Wiss. Photogr. **36**, 68, 141 (1937).
Brit. P. 503337 (1937), I. G. Farb.; C. A. **33**, 7226 (1939).

Ersetzt man bei der obigen Synthese die Malonsäure durch ihre vinyloge Verbindung (Pentendisäure, Glutaconsäure):

$$HOOC{-}CH_2{-}CH{=}CH{-}COOH$$

und kondensiert in analoger Weise mit 1-(2-Formyl-vinyl)-1,2,3,4-tetrahydro-chinolin (I; S. 274), so erhält man als Zwischenprodukt den Nomamethinfarbstoff V:

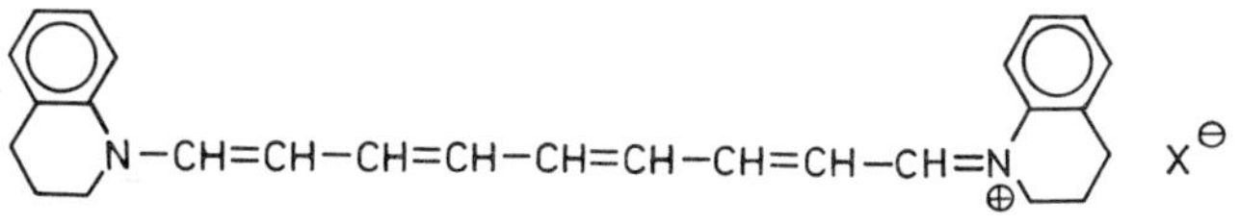

N−CH=CH−CH=CH−CH=CH−CH=CH−CH=N⊕ X⊖

V; *1-(1,2,3,4-Tetrahydro-chinolino)-9-[1,2,3,4-tetrahydro-chinolyliden-(1)]-nonatetraen-(1,3,5,7)-Salz*

der z.B. mit 2-Methyl-3-äthyl-⟨benzo-1,3-thiazolium⟩-jodid *3,3'-Diäthyl-benzthio-undecamethincyanin-jodid* {VI; *3-Äthyl-2-[11-(3-äthyl-2,3-dihydro-⟨benzo-1,3-thiazol⟩-yliden)-undecapentaen-(1,3,5,7,9)-yl]-⟨benzo-1,2-thiazolium⟩-jodid*} ergibt:

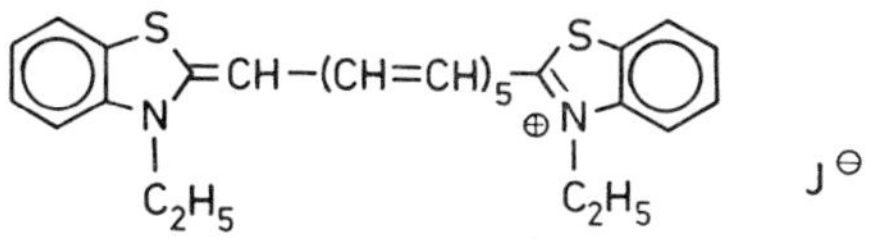

$$=CH{-}(CH{=}CH)_5{-} \quad N{-}C_2H_5 \quad \oplus N{-}C_2H_5 \quad J^{\ominus}$$

VI

In diesem Zusammenhang sei auf die Zusammenfassungen auf dem Gebiet der Infrarotsensibilisatoren[1] und der Infrarot-Photographie[2] verwiesen.

Die Verschiebung der Absorption nach dem langwelligen Gebiet des Spektrums durch Einfügung einer weiteren —CH=CH-Gruppe beträgt 90–130° nm, wie dies z.B. bei den vinylogen Benzo-1,3-thiocyanin-Farbstoffen der Fall ist:

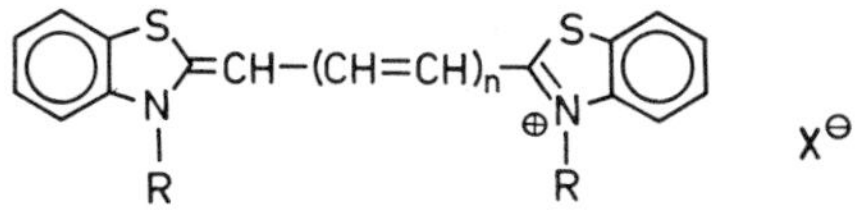

$$=CH{-}(CH{=}CH)_n{-} \quad N{-}R \quad \oplus N{-}R \quad X^{\ominus}$$

n		in Methanol	λ_{max} [nm]	$\Delta\lambda$ [nm]
0	*Benzthio-monomethin-cyanin*	gelb	423	
				134
1	*Benzthio-trimethin-cyanin*	purpur	557	
				96
2	*Benzthio-pentamethin-cyanin*	blau	653	
				103
3	*Benzthio-heptamethin-cyanin*	grün	756	
				89
4	*Benzthio-nonamethin-cyanin*	grün	845	
				125
5	*Benzthio-undecamethin-cyanin*	grün	960	

Eine Synthese von Penta-bis-Undecamethincyaninen mit Ringschluß in der Methinkette ist allgemein anwendbar. Man kondensiert ein 2-Methyl-quartärsalz mit

[1] Vgl. Veröffentlichungen des wissenschaftlichen Zentrallaboratoriums der AGFA, Bd. V, S. 219 (1937).

[2] Veröffentlichungen des wissenschaftlichen Zentrallaboratoriums der AGFA Bd. III, S. 125ff., 136ff. (1933).

2-Äthylmercapto-6-oxo-4,4-dimethyl-cyclohexen und erhält das Zwischenprodukt[1]:

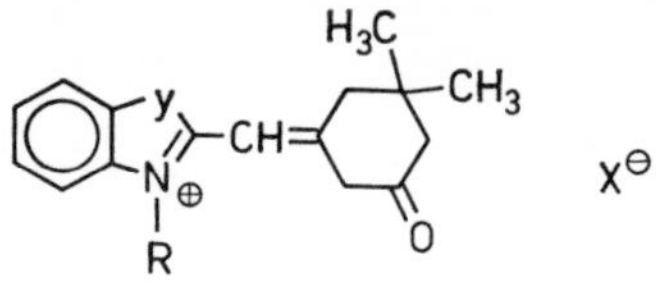

Dieses wird mit einem weiteren Mol eines 2-Methylquartärsalzes kondensiert zum Pentamethincyanin:

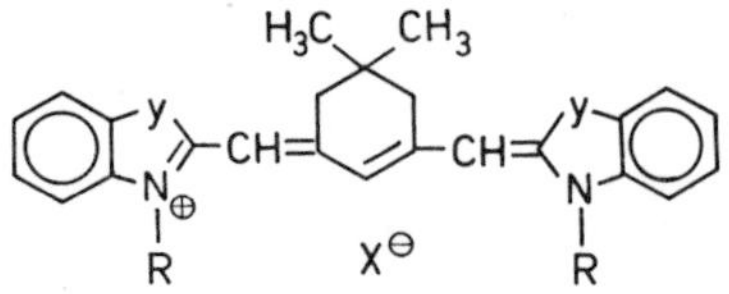

Eine entsprechende Synthese mit 3-Oxo-1,5,5-trimethyl-cyclohexen-(1)[2] ergibt das Zwischenprodukt:

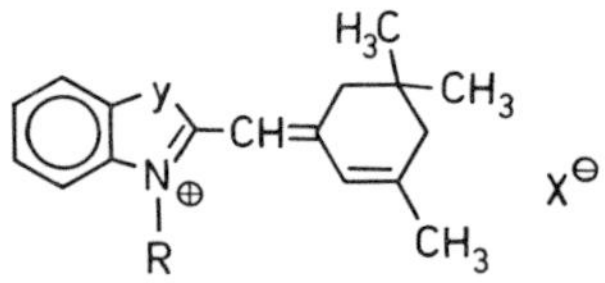

Die endständige Methyl-Gruppe ist reaktiv und ergibt nach den beschriebenen Methoden z.B. mit Orthoameisensäure-triester ein Undecamethincyanin:

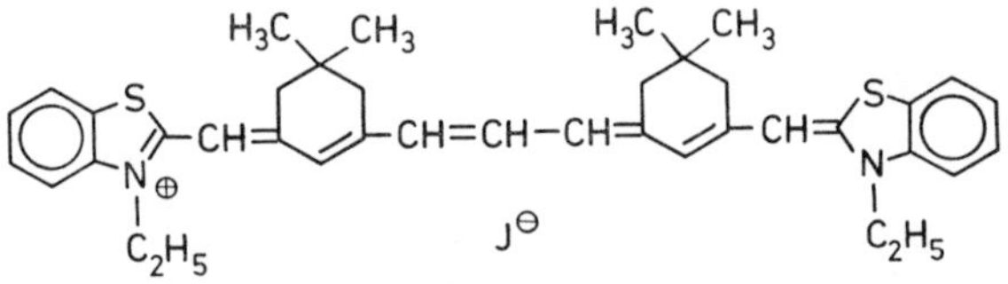

1-{5,5-Dimethyl-3-[3-äthyl-⟨benzo-1,3-thiazolium⟩-yl-(2)-methylen]-cyclohexen-(1)-yl}-3-{5,5-dimethyl-3-[3-äthyl-2,3-dihydro-⟨benzo-1,3-thiazol⟩-ylidenmethyl]-cyclohexen-(2)-yl}-propen-jodid

Dadurch wird ein Teil der Methinkette in der *trans*-Stellung fixiert.

Eine Weiterentwicklung dieses Gedankens führt ausgehend von 2,7-Dimethoxy-1,4,5,8-tetrahydro-naphthalin z.B. zu folgendem Heptamethincyanin[3]:

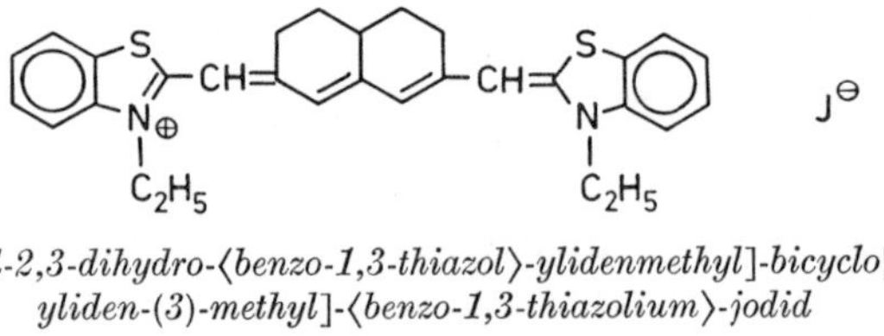

3-Äthyl-2-[9-(3-äthyl-2,3-dihydro-⟨benzo-1,3-thiazol⟩-ylidenmethyl]-bicyclo[4.4.0]decadien-(1,9)-yliden-(3)-methyl]-⟨benzo-1,3-thiazolium⟩-jodid

---

[1] Brit. P. 595785 (1945) Ilford, Erf.: Z. D. KENDALL u. F. P. DOYLE; C. A. **42**, 4764 (1948).

[2] US. P. 2734900, 2756227, 2887479 (1956), E. Kodak, Erf.: D. W. HESELTINE; C. A. **51**, 913 (1957).

[3] A. I. TOLMAČEV, JU. L. SLOMINSKIJ u. A. I. KIPRIANOV, Dokl. Akad. Nauk. SSSR. **177**, 869 (1967); C. A. **69**, 28606 (1968).

Andere in der Kette substituierte langkettige Polymethine wurden folgendermaßen hergestellt[1]:

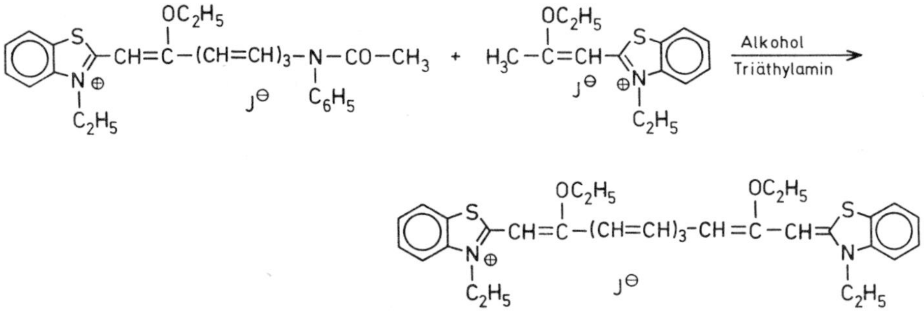

2,10-Diäthoxy-11-[3-äthyl-2,3-dihydro-⟨benzo-1,3-thiazol⟩-yliden]-1-[3-äthyl-⟨benzo-1,3-thiazol⟩-yl-(2)]-undecapentaen-(1,3,5,7,9)-jodid; λ_{max}: 880 nm

Ferner nach einer ganz anderen Synthese[2] z.B.:

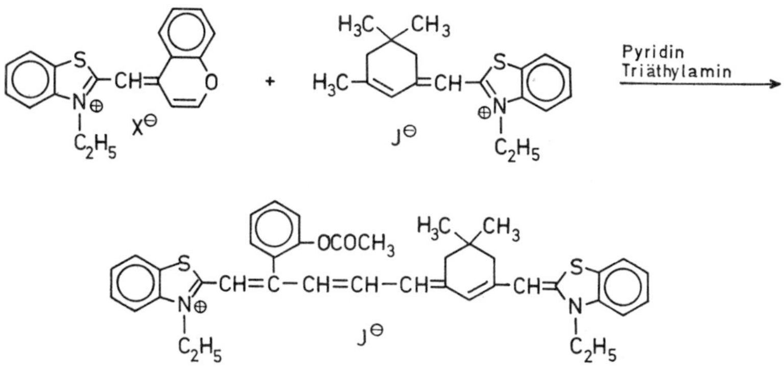

3-Äthyl-2-{5-[5,5-dimethyl-3-(3-äthyl-2,3-dihydro-⟨benzo-1,3-thiazol⟩-ylidenmethyl)-cyclohexen-(2)-yliden]-2-(2-acetoxy-phenyl)-pentadien-(1,3)-yl}-⟨benzo-1,3-thiazolium⟩-jodid; λ_{max}: 905 nm

Polycyclische Heptamethine[3,4] erhält man aus I und II:

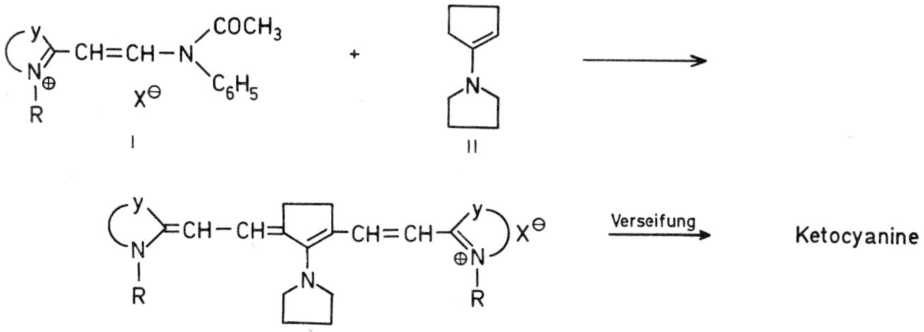

Verseifung → Ketocyanine

[1] S. A. Chejfec u. N. N. Svešnikov, Chim. geterocikl. Soed. **1967**, 1040.
[2] A. I. Tolmačev, W. P. Sribnaja u. I. K. Ušenko, Chim. geterocikl. Soed. **1968**, 459; C. A. **70**, 3907 (1969).
[3] Fr. P. 1574253 (1968), E. Kodak, Erf.: L. G. S. Brooker u. A. Fumia; C. A. **73**, 26632 (1970).
[4] Brit. P. 1188784 (1968), E. Kodak, Erf.: L. G. S. Brooker u. A. Fumia; C. A. **73**, 26632 (1970).

II. Drei- und mehrkernige Cyanine

a) Rhodacyanine

Rhodacyanine, die sich durch folgende allgemeine Formel charakterisieren lassen,

R^1, R^2, R^3, = Alkyl
n = 0,1,2,3 etc.

zeichnen sich dadurch aus, daß die Polymethin-Gruppe durch einen Rhodanin-Ring (4-Oxo-3-alkyl-tetrahydro-1,3-thiazol-Ring) unterbrochen ist. Es handelt sich dabei also um Farbstoffe mit drei Heterocyclen. Anstelle des Rhodanin-Ringes können auch andere heterocyclische Fünfringe treten, wie z.B. 1,3-Dialkyl-thiohydantoin, N-Alkyl-thioselenazolidon, N-Alkyl-thiooxazolidon usw. (4-Oxo-2-thiono-1,3-dialkyl-imidazol, 4-Oxo-2-thiono-3-alkyl-1,3-selenazol bzw. -1,3-oxazol), wie sie auch bei der Herstellung von Merocyaninen (s. S. 285) verwandt werden. Die wichtigste Methode zur Herstellung geht von solchen Merocyaninen aus, die durch Alkylierung des 4-Oxo-2-thiono-3-alkyl-tetrahydro-1,3-thiazols usw. Thioäther der allgemeinen Formel I ergeben:

y′ = S, Se, 0, N-Alkyl
n = 0,1,2 etc.

I

Mit einem weiteren Molekül eines 2-Methyl-cycloammoniumsalzes reagieren die quatärnären Verbindungen I in Pyridin unter Alkylmercaptan-Abspaltung zu den entsprechenden Rhodacyaninen[1] (vgl. S. 249).

3-Äthyl-2-[4-oxo-3-äthyl-4-(3-äthyl-2,3-dihydro-⟨benzo-1,3-thiazol⟩-yliden)-tetrahydro-1,3-thiazolylidenmethyl]-⟨benzo-1,3-thiazolium⟩-p-toluolsulfonat[2]:

1. + $O_2S(OCH_3)_2$
2. + Pyridin;

II

−HS−CH_3

3 g 4-Oxo-2-thiono-3-äthyl-5-(3-äthyl-2,3-dihydro-⟨benzo-1,3-thiazol⟩-yliden)-tetrahydro-1,3-thiazol (II) werden mit 6 *ml* Dimethylsulfat (beide sehr gut getrocknet) schnell auf 150° erhitzt,

[1] Brit. P. 509927 (1937), I. G. Farb.; C. A. **34**, 4278 (1940).
Fr. P. 845668 (1937); 873840 (1941), I. G. Farb.; C. A. **35**, 1233 (1941).
US. P. 2442710 (1938), General Aniline, Erf.: O. Riester; C. A. **42**, 5787 (1948).
Schwed. P. 218381 (1938), I. G. Farb.

[2] US. P. 2442710 (1938), General Aniline, Erf.: O. Riester; C. A. **42**, 5787 (1948).

bis eine klare Schmelze entstanden ist. Nach dem Erkalten werden 30 *ml* Pyridin unter Kühlung langsam zugegeben (bei Zugabe des Pyridins tritt mit überschüssigem Dimethylsulfat starke Reaktion ein, die gedämpft werden muß, damit nicht Neutrocyanin zurückgebildet wird), und dann unter Rühren 4 g 2-Methyl-3-äthyl-⟨benzo-1,3-thiazolium⟩-p-toluolsulfonat und 3 *ml* Triäthylamin. Man erwärmt 15 Min. auf dem Dampfbad oder läßt 2 Stdn. bei 20° stehen. Die Lösung wird orangerot und der Farbstoff kristallisiert während der Reaktion aus. Rohausbeute: 4,2 g; nach Umkristallisation aus 900 *ml* Methanol-Chloroform (1 : 1): 2,2 g (37% d.Th.); F: 290–291° (dunkrelote Nadeln).

In Methanol: gelborange; λ_{max}: 502 nm; $\log \varepsilon = 4{,}87$.

3-Äthyl-2-{4-oxo-3-äthyl-5-[2-(3-äthyl-2,3-dihydro-⟨benzo-1,3-thiazol⟩-yliden)-äthyliden]-tetrahydro-1,3-thiazolylidenmethyl}-⟨benzo-1,3-thiazolium⟩-p-toluolsulonfat[1]:

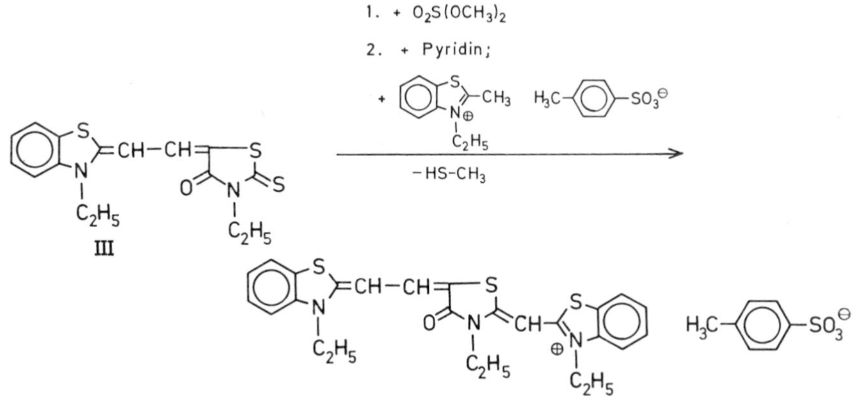

1. + $O_2S(OCH_3)_2$

2. + Pyridin; + 2-Methyl-3-äthyl-benzothiazolium $H_3C-C_6H_4-SO_3^{\ominus}$

$-HS-CH_3$

III

Alle Reaktionsgefäße und Reaktionsteilnehmer müssen absolut trocken sein.

3 g 4-Oxo-2-thiono-3-äthyl-5-[2-(3-äthyl-2,3-dihydro-⟨benzo-1,3-thiazol⟩-yliden)-äthyliden]-tetrahydro-1,3-thiazol (III) werden mit 3 *ml* Dimethylsulfat 10 Min. auf 120° erhitzt. Nach dem Abkühlen wird die Schmelze mit 20 *ml* Pyridin und 3 g 2-Methyl-3-äthyl-⟨benzo-1,3-thiazolium⟩-p-toluolsulfonat gut vermischt und dann 3 *ml* Triäthylamin zugegeben. Es bildet sich sofort der blaue Farbstoff. Die Lösung wird noch 10 Min. auf dem Dampfbad erwärmt und dann mit 50 *ml* Isopropanol vermischt. Man läßt ~ 12 Stdn. zur Kristallisation stehen, saugt den Farbstoff ab, wäscht mit etwas Isopropanol nach und kristallisiert aus 500 *ml* Methanol um; Ausbeute: 1,5 g (26,5% d.Th.); F: 260–262° (dunkle, feine Kristalle).

In Methanol: violettstichig blau; λ_{max}: 599 nm; $\log \varepsilon = 5{,}02$.

Temperatur und Zeitdauer der Quaternierung müssen sorgfältig eingehalten werden, um Rückbildung des Neutrocyanins III bzw. Ersatz der Thiono- durch die Oxo-Gruppe zu verhindern.

Rhodacyanine können ferner auf folgendem Wege erhalten werden. Der Monomethinfarbstoff IV (s. S. 250) (hergestellt aus einer quatärnären 2-Methyl-cycloammoniumverbindung, Phenylsenföl und Bromessigsäure) wird entweder mit einem 2-[2-(N-acetyl-anilino)-vinyl]-cycloammoniumsalz[2], z.B. V:

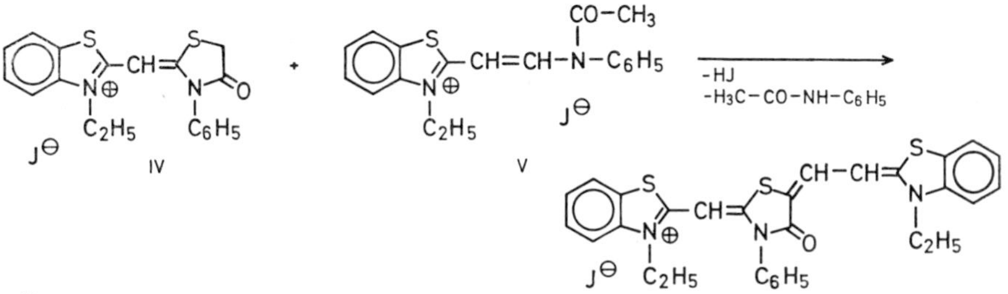

IV + V $\xrightarrow[-H_3C-CO-NH-C_6H_5]{-HJ}$

3-Äthyl-2-{4-oxo-3-phenyl-5-[2-(3-äthyl-2,3-dihydro-⟨benzo-1,3-thiazol⟩-yliden)-äthyliden]-tetrahydro-1,3-thiazolylidenmethyl}-⟨benzo-1,3-thiazolium⟩-jodid; V

[1] US. P. 2442710 (1938), General Aniline, Erf.: O. Riester; C. A. **42**, 5787 (1948).

[2] Brit. P. 646896 (1948), General Aniline, Erf.: T. R. Thompson; C. A. **45**, 3273 (1951).
Vgl. a. US. P. 2535994 (1948), General Aniline, Erf.: T. R. Thompson; C. A. **45**, 4158 (1951).

oder mit einem 2-Alkylmercapto-cycloammoniumsalz bzw. „Thioäthern“ der allgemeinen Formel I (S. 278) umgesetzt[1].

Rhodacyanine, die in der mehrgliedrigen Methinkette durch Alkyl-, Aryl- oder Aralkyl-Gruppen substituiert sind, erhält man z.B. aus 2,3-Dimethyl-⟨benzo-1,3-thiazolium⟩-p-toluolsulfonat, Essigsäure-anhydrid und 4-Oxo-2-thiono-3-methyl-tetrahydro-1,3-thiazol (N-Methyl-rhodanin) in Pyridin. Zunächst wird das Merocyanin VI

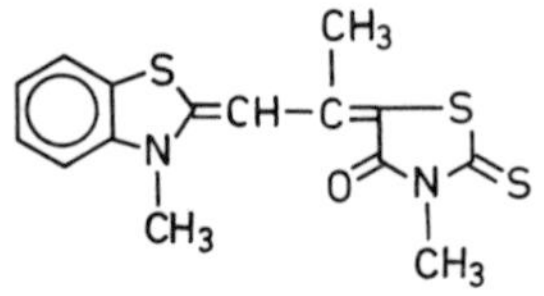

VI

erhalten, das nach Quatärnierung zum Thioäther mit einem weiteren Cycloammoniumsalz umgesetzt wird[2].

Analoge durch Alkylmercapto-Gruppen substituierte Rhodacyanine IX werden z.B. nach folgendem Schema aufgebaut:

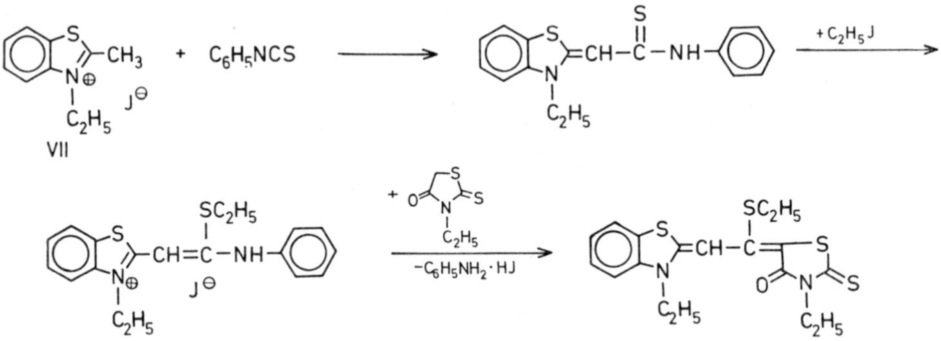

VII + C_6H_5NCS ⟶ … $\xrightarrow{+C_2H_5J}$ … $\xrightarrow[-C_6H_5NH_2 \cdot HJ]{}$

VIII; *4-Oxo-2-thiono-3-äthyl-5-[1-äthylmercapto-2-(3-äthyl-2,3-dihydro-⟨benzo-1,2-thiazol⟩-yliden)-äthyliden]-tetrahydro-1,3-thiazol*

Das so erhaltene Merocyanin VIII wird nach der Quaternierung mit Dimethylsulfat, mit 2-Methyl-3-äthyl-⟨benzo-1,3-thiazolium⟩-jodid (VII) in Pyridin zum Rhodacyanin IX umgesetzt[3]:

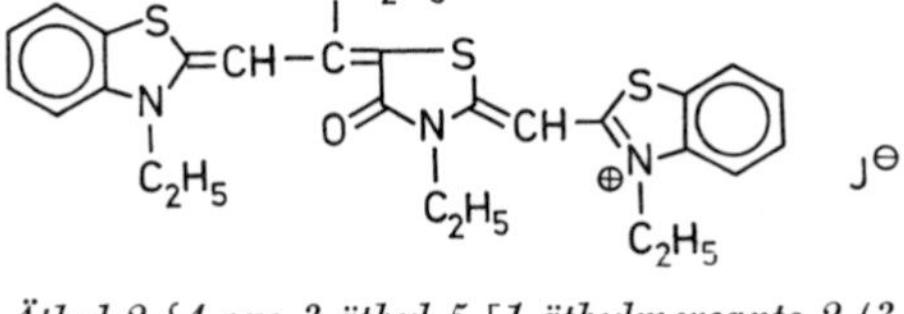

IX; *3-Äthyl-2-{4-oxo-3-äthyl-5-[1-äthylmercapto-2-(3-äthyl-2,3-dihydro-1,3-thiazolyliden)-äthyliden]-tetrahydro-1,3-thiazolylidenmethyl}-⟨benzo-1,3-thiazolium⟩-jodid*

---

[1] US. P. 2504468 (1947), General Aniline, Erf.: T. R. Thompson; C. A. **44**, 9283 (1950).

[2] US. P. 2430295 (1937), Ilford Ltd., Erf.: J. D. Kendall; C. A. **42**, 2530 (1948).
Brit. P. 487051 (1936), J. D. Kendall; C. A. **32**, 8789 (1938).
Fr. P. 829081 (1937), Ilford; C. A. **33**, 1614 (1939).

[3] US. P. 2536973 (1947), General Aniline, Erf.: A. W. Anish; C. A. **46**, 48 (1952).

Ausgehend von Thioäthern der allgemeinen Formel I (S. 278) werden durch Kondensation mit Malonsäure in Pyridin vierkernige Farbstoffe folgender Konstitution erhalten[1]; z.B.:

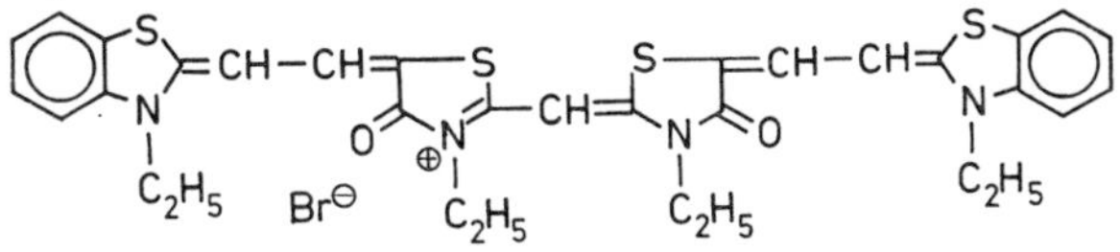

4-Oxo-3-äthyl-2-{4-oxo-3-äthyl-5-[2-(3-äthyl-2,3-dihydro-⟨benzo-1,3-thiazol⟩-yliden)-äthyliden]-tetrahydro-1,3-thiazolyliden-methyl}-5-[2-(3-äthyl-2,3-dihydro-⟨benzo-1,3-thiazol⟩-yliden)-äthyliden]-4,5-dihydro-1,3-thiazolium-bromid

An Stelle von Malonsäure können auch Cyclopentadien und Inden eingesetzt werden[2].

Ebenfalls zu den Rhodacyaninen im weiteren Sinne gehören die Farbstoffe folgender Konstitution[3]:

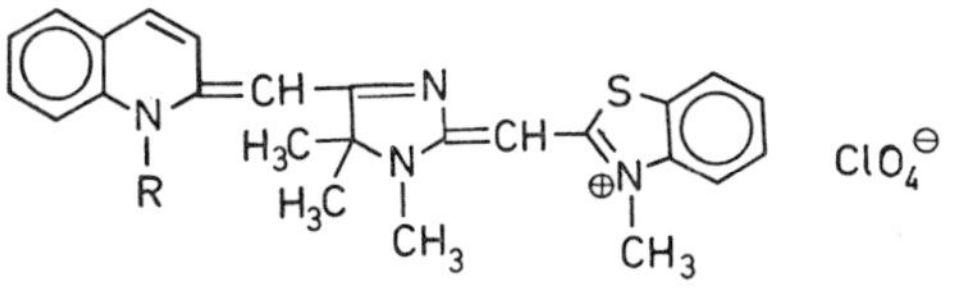

b) Chinocyanine

Dreikernige Chinocyanine entstehen durch Kondensation von einem Mol 2,4-Dimethyl-1-alkyl-chinolinium-halogeniden mit zwei Molen 2-Halogen-1-alkyl-chinolinium-halogeniden in Gegenwart von Triäthylamin als Kondensationsmittel; z.B.:

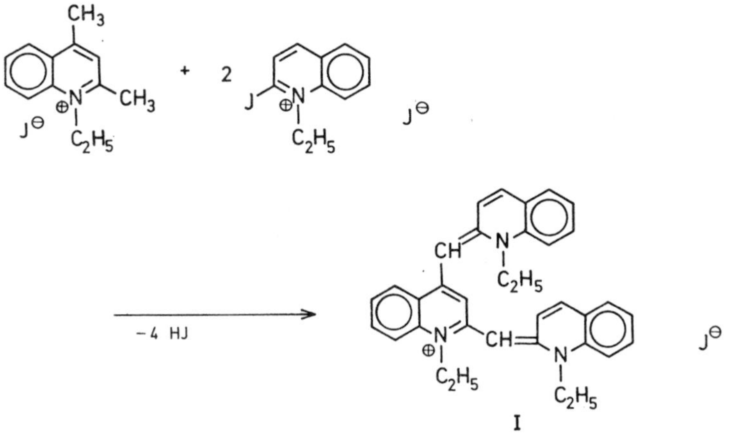

I

2,4-Bis-[1-äthyl-1,2-dihydro-chinolyliden-methyl]-1-äthyl-chinolinium-jodid

I wird auch durch Kondensation von 2,4-Dijod-1-äthyl-chinoliniumjodid und 2-Methyl-1-äthyl-chinolinium-jodid erhalten[4].

---

[1] Brit. P. 487051 (1936), Ilford Ltd., Erf.: J. D. Kendall; C. A. **32**, 8789 (1938). Brit. P. 489335 (1937), D. J. Fry u. J. D. Kendall; C. A. **33**, 63 (1939).

[2] Brit. P. 487051 (1936), Ilford Ltd., Erf.: J. D. Kendall; C. A. **32**, 8789 (1938).

[3] Brit. P. 749189, 749192 (1956), Ilford Ltd., Erf.: I. D. Kendall u. G. F. Duffin; C. A. **50**, 16492 (1956).

[4] US. P. 2108845 (1936), Kodak, Erf.: L. G. S. Brooker u. L. A. Smith; C. A. **32**, 2858 (1938).

c) Neocyanine

Neocyanine sind dreikernige Farbstoffe, die bereits auf S. 267 beschrieben wurden. Neocyanine entstehen entweder ausschließlich oder neben den Trimethincyaninen vorwiegend bei der Umsetzung von 2- oder 4-Methyl-cycloammoniumsalzen mit Orthoameisensäure-triester in alkalischer bzw. saurer Lösung.

d) Spezielle mehrkernige Cyanine

Behandelt man z.B. zwei Mole eines 3,3'-Diäthyl-benzthio-carbocyanin-jodids {3-Äthyl-2-[3-(3-äthyl-2,3-dihydro-⟨benzo-1,3-thiazol⟩-yliden)-propenyl]-⟨benzo-1,3-thiazolium⟩-jodid} und 1,2 Mol 2-Methyl-3-äthyl-⟨benzo-1,3-thiazolium⟩-jodid mit einer Mischung von Trithioorthoameisensäure-triäthylester und Essigsäureanhydrid, so erhält man einen dreikernigen Farbstoff folgender Konstitution[1]:

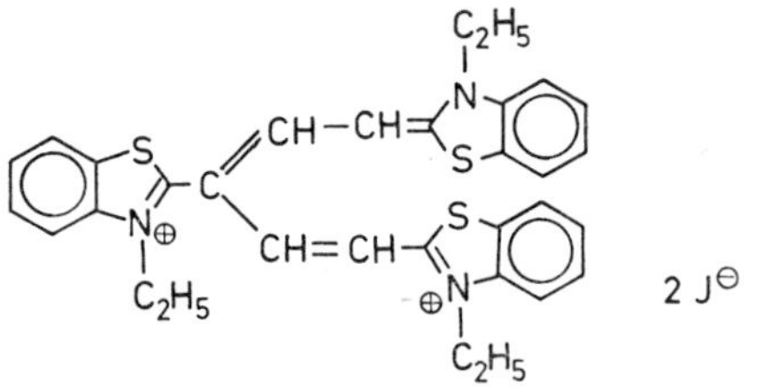

1,3-Bis-[3-äthyl-⟨benzo-1,3-thiazol⟩-yl-(2)]-5-(3-äthyl-2,3-dihydro-⟨benzo-1,3-thiazol⟩-yliden)-pentadien-(1,3)-dijodid

Vierkernige Cyanine erhält man durch Kondensation von 2,2'-Dimethyl-3,3'-diäthyl-bi-[1,3-thiazolyl-(4)]-dijodid mit z.B. 3-Allyl-5-(N-acetyl-anilinomethylen)-rhodanin [4-Oxo-2-thiono-3-allyl-5-(N-acetyl-anilinomethylen)-tetrahydro-1,3-thiazol] in Isopropanol unter Zusatz von Triäthylamin[2]:

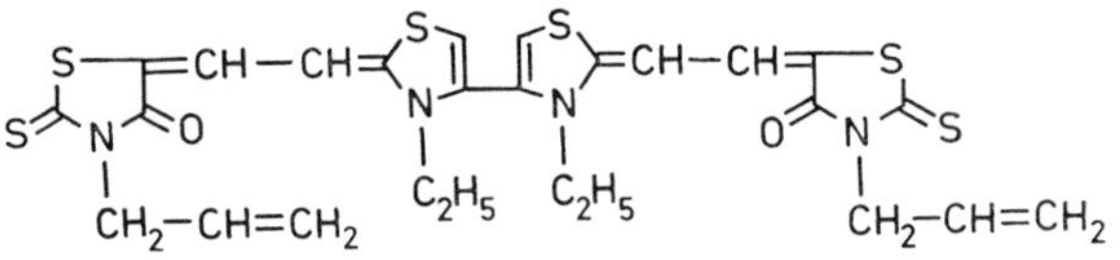

3,3'-Diäthyl-2,2'-bis-[2-(4-oxo-2-thiono-3-allyl-tetrahydro-1,3-thiazoyliden)-äthyliden]-2,2',3,3'-tetrahydro-bi-[1,3-thiazolyl-(4)]

Schließlich sei aus der großen Anzahl von Verfahren, die zu vier- und mehrkernigen Farbstoffen führen, die Umsetzung von Monomethinen (z.B. IV, S. 279) mit N,N'-Diphenyl-formamidin und Essigsäureanhydrid[3], die zu vierkernigen Cyaninen führt, erwähnt.

---

[1] US. P. 2596776 (1947), Ilford Ltd., Erf.: J. D. KENDALL u. T. R. MAYER; C. A. **46**, 10025 (1952).
Weitere dreikernige Cyanine s. S. 270, 272.

[2] US. P. 2586164 (1950), General Aniline, Erf.: L. C. HENSLEY; C. A. **46**, 3888 (1952).
Vgl. a. US. P. 2592515 (1950), General Aniline, Erf.: L. C. HENSLEY; C. A. **46**, 6019 (1952).

[3] Brit. P. 671346 (1949), Kodak; C. A. **47**, 5126 (1953).
US. P. 2556515 (1949), Kodak; C. A. **46**, 44632 (1952).

III. Azamethine

Cyanine, bei denen eine Methin-Gruppe durch ein Stickstoffatom ersetzt worden ist, bezeichnet man als Azamethine. Diese Farbstoffklasse erhält man durch Kondensation von

① 2-Amino-cycloammoniumsalzen mit Orthocarbonsäure-triestern bzw. N,N'-Diphenyl-formamidin[1], z. B.:

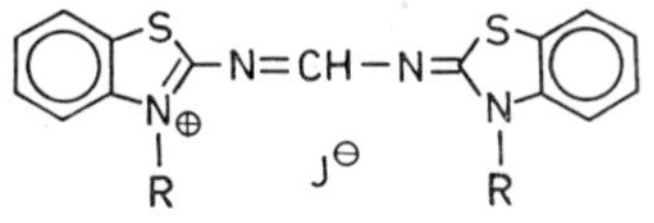

② 2-Amino-cycloammoniumsalzen mit 2-Alkylmercapto-quartärnärsalzen heterocyclischer Basen[2], z. B.:

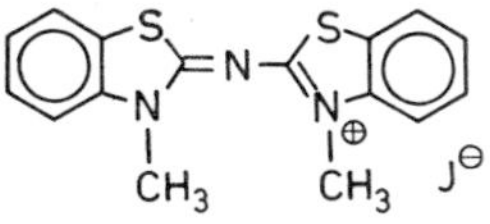

2-(3-Methyl-2,3-dihydro-⟨benzo-1,3-thiazol⟩-ylidenamino)-3-methyl-⟨benzo-1,3-thiazolium⟩-jodid

③ 2-Amino-cycloammoniumsalzen, Phenylsenföl und Bromessigsäure[3]:

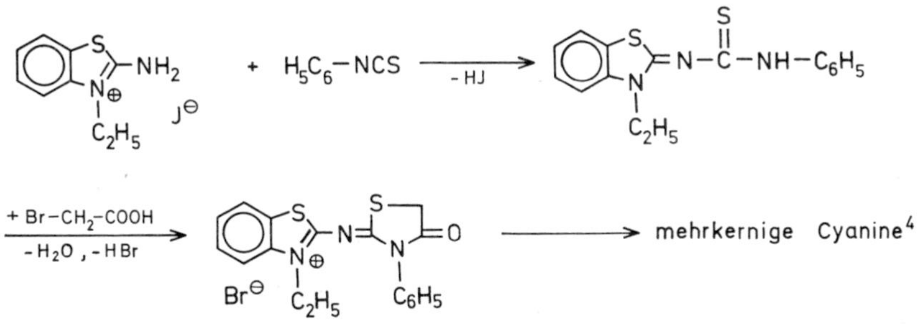

$$\xrightarrow[-H_2O,\ -HBr]{+Br-CH_2-COOH}$$ mehrkernige Cyanine[4]

2-(4-Oxo-3-phenyl-tetrahydro-1,3-thiazolylidenamino)-3-äthyl-⟨benzo-1,3-thiazolium⟩-bromid

Weitere α,β-Diaza-trimethine werden aus 2-Hydrazono-heterocyclen durch Kondensation mit 2-Formyl-heterocyclen erhalten[5]:

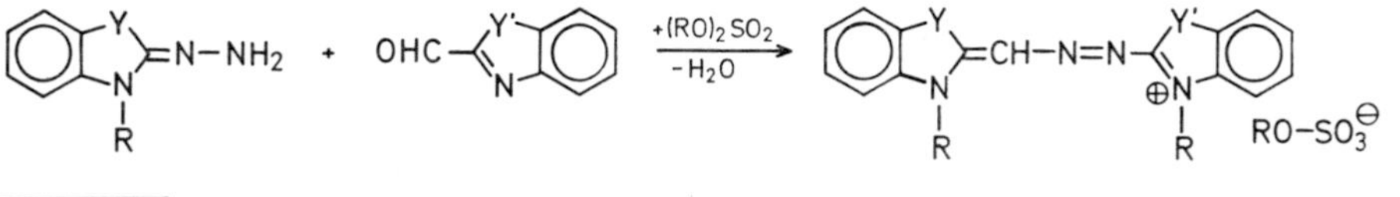

---

[1] Brit. P. 447038 (1934), J. D. KENDALL; C. A. **30**, 6958 (1936).

[2] Brit. P. 424559 (1933), J. D. KENDALL; C. A. **29**, 4596 (1935).

[3] US. P. 2578178 (1949), General Aniline, Erf.: H. G. DERBYSHIRE; C. A. **46**, 2939 (1952). Vgl. a. US. P. 2535982 (1949), General Aniline, Erf.: H. G. DERBYSHIRE; C. A. **45**, 4160 (1951).

[4] US. P. 2616994 (1949), General Aniline, Erf.: H. G. DERBYSHIRE; C. A. **47**, 3159 (1953).

[5] K. FUCHS u. E. GRAUAUG, B. **61**, 57 (1928)

α,β,γ-Triaza-trimethine[1], Tetraza-pentamethine[2] („*Besthornscher Farbstoff*")[3]. Penta-azapentamethine werden ebenfalls aus 2-Hydrazono-heterocyclen hergestellt[4].

④ einem Mol 2-Amino-5-methyl-4-äthyl-1,3,4-thiadiazolium-jodid mit zwei Molen 3-Äthyl-2-[2-(N-acetyl-anilino)-vinyl]-⟨benzo-1,3-thiazolium⟩-jodid in Pyridin unter Zusatz von Triäthylamin[5]:

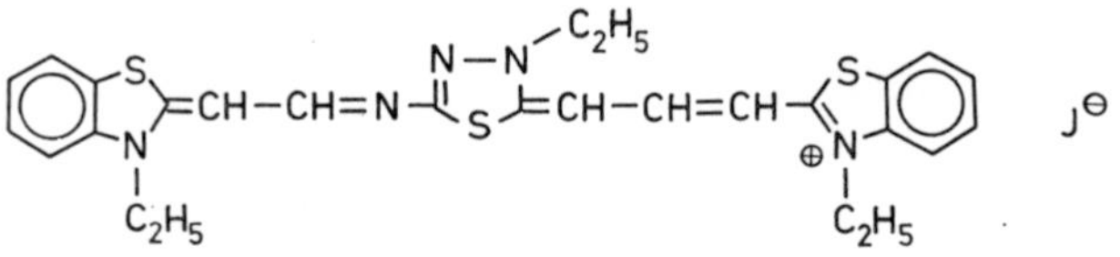

3-Äthyl-2-{3-[4-äthyl-5-(2-|3-äthyl-2,3-dihydro-⟨benzo-1,3-thiazol⟩-yliden-| äthylidenamino)-4,5-dihydro-1,3,4-thiadiazolyliden-(5)]-propenyl}-⟨benzo-1,3-thiazolium⟩-jodid

Hier muß noch auf die entsprechenden Phosphacyanine[6] und Arsacyanine[7] hingewiesen werden:

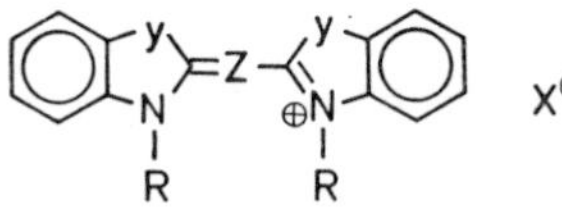

Z = As; P

B. Neutrale Cyanine

Neutrocyanine bilden eine Gruppe von nichtioniden Polymethinfarbstoffen mit einer Polymethinkette, die an einem Ende als Auxochrom einen basischen (meistens heterocyclischen) Rest und am anderen Ende eine Atomgruppierung besitzen, die mindestens eine negativierende Gruppe als Antiauxochrom tragen.

I. Merocyanine[8]

Merocyanine

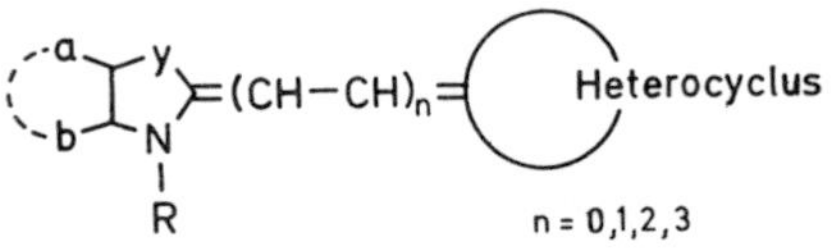

n = 0,1,2,3

---

1 A. J. Kiprianow et al., Ukrain. Chem. J. **15**, 460 (1949); **20**, 204 (1954); C. **1955**, 8153.
2 S. Hünig et al., Ang. Ch. **70**, 215 (1958).
S. Hünig u. K. H. Fritsch, A. **609**, **143**, 172 (1957).
3 E. Besthorn, B. **43**, 1524 (1910).
4 S. Hünig, H. Balli u. H. Knast, Ang. Ch. **74**, 28 (1962).
5 US. P. 2476525, 2500112 (1946), General Aniline, Erf.: A. W. Anish u. C. A. Clark; C. A. **44**, 6316, 5741 (1950).
6 K. Dimroth et al., B. **99**, 1325 (1966).
I. Kawada u. R. Allmann, Ang. Ch. **80**, 40 (1968).
7 G. Märkl u. F. Lieb, Tetrahedron Letters, **36**, 3489 (1967).
8 Vgl. A. v. Dormael, „*Synthèses récentes de Mérocyanines*", Industrie Chimique Belge 1952, S. 665ff.
E. B. Knott, Soc. **1952**, 4099.
Brit. P. 426718 (1935), J. D. Kendall; C. A. **29**, 6162 (1935).
Brit. P. 450958 (1934), Kodak Ltd.; C. A. **31**, 56 (1937).
Fr. P. 793722 (1935) u. Zus. P. 48226 (1936), Kodak-Pathé; C. A. **30**, 4418 (1936).

sind Neutrocyanine, bei denen das Antiauxochrom einen heterocyclischen Ring mit einer reaktionsfähigen Methylen-Gruppe enthält, z.B.:

4-Oxo-2-thiono-3-alkyl-(bzw. *-aryl)-tetrahydro-1,3-oxazol*[1]

4-Oxo-2-thiono-3-alkyl-(bzw. *-aryl)-tetrahydro-1,3-thiazol*[2]

4-Oxo-2-thiono-3-alkyl-(bzw. *-aryl)-tetrahydro-1,3-selenazol*[3]

4-Oxo-2-thiono-3-alkyl-(bzw. *-aryl)-tetrahydro-imidazol*[4]

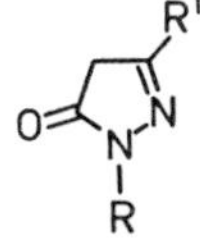

5-Oxo-4,5-dihydro-pyrazole
R^1 = Alkyl, COOH
R = Aryl

3-Oxo-2,3-dihydro-thionaphthen

3-Oxo-2,3-dihydro-⟨benzo-[b]-furan⟩ (Cumaranon)

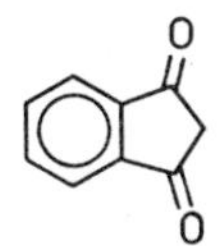

1,3-Dioxo-indan

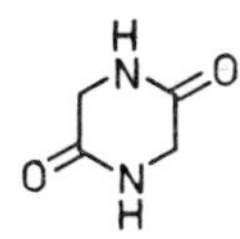

2,5-Dioxo-2,3,5,6-tetrahydro-piperazin

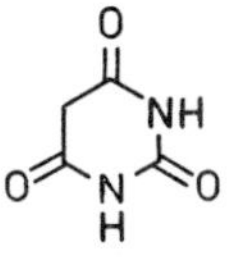

Barbitursäure

Das älteste bekannte Merocyanin ist das *Chinolingelb* (und verwandte Farbstoffe), das wegen falscher Formulierung als ,,Chinophthalon'' lange nicht als solches erkannt worden ist[2].

Merocyanine unterscheiden sich von den bisher beschriebenen Cyaninen dadurch, daß sie entweder überhaupt keine Methinkette zwischen den Heterocyclen besitzen (Nullmethine), oder daß sie eine gerade Anzahl von Gliedern in der Methinkette haben und damit keinen Salzcharakter aufweisen. ,,Nullmethine'' mit direkter C=C-Doppelbindung zweier heterocyclischer Ringe stellt man z.B. nach folgendem Reaktionsschema her[5]:

3-Äthyl-benzthiazolo-O-methin-5-(3'-äthyl-rhodanin)-neutrocyanin [4-Oxo-2-thiono-3-äthyl-5-(3-äthyl-2,3-dihydro-⟨benzo-1,3-thiazol⟩-yliden)-tetrahydro-1,3-thiazol][5]: 8 g 2-Methylmercapto-⟨benzo-1,3-thiazol⟩ und 6 *ml* Diäthylsulfat werden im Ölbad 15 Min. auf 120° erhitzt. Nach dem Abkühlen auf ~ 50° werden 40 *ml* Pyridin, 3 g 3-Äthyl-rhodanin (4-Oxo-2-thiono-3-äthyl-

1 DBP.-Anm. K 150251 (1935), Kodak A.-G.
2 R. Kuhn u. F. Bär, A. **516**, 155 (1933).
3 Fr. P. 866809 (1941), I. G. Farb.; C. **1942** II, 1996.
4 Brit. P. 450958 (1936), Kodak Ltd.; C. A. **31**, 56 (1937).
5 US. P. 2185182 (1937), Eastman Kodak, Erf.: L. G. S. Brooker; C. A. **34**, 2722 (1940).

tetrahydro-1,3-thiazol) und nach deren Lösung 3 *ml* Triäthylamin zugegeben und 10 Min. auf dem Dampfbad erwärmt. Nach Zugabe von 200 *ml* Methanol beginnt der Farbstoff auszukristallisieren; Rohausbeute: 11,3 g nach Umkristallisation aus ~ 300 *ml* Chloroform: 9,5 g (66,8% d.Th.); F: 237° (gelbe Kristalle).

In Benzol: hellgelb; λ_{max}: 430 nm; log ε = 4,83.

Praktisch alle Neutrocyanine sind unlöslich in Wasser, schlecht löslich in Methanol, besser löslich in Benzol, Aceton, Acetonitril und Chloroform.

1,3-Dimethyl-benzimidazolin-2-(5'-3'-äthyl-rhodanin)-O-methin-neutrocyanin [4-Oxo-2-thiono-3-äthyl-5-(1,3-dimethyl-2,3-dihydro-benzimidazolyliden)-tetrahydro-1,3-thiazol][1]:

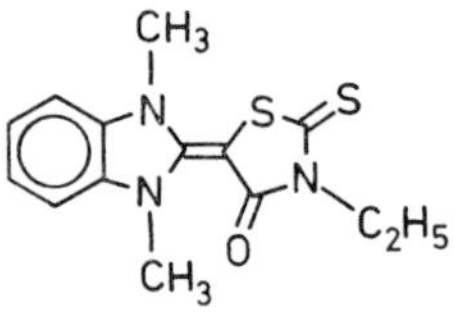

6 g 2-Methylmercapto-1-methyl-benzimidazol werden mit 6 *ml* Dimethylsulfat vermischt; dabei steigt die Temp. auf ~ 110°. Nach dem Abkühlen auf 20° wird das Anlagerungsprodukt in 40 *ml* Pyridin gelöst. Nach Zugabe von 6 g 3-Äthyl-rhodanin (4-Oxo-2-thiono-3-äthyl-tetrahydro-1,3-thiazol) und 6 *ml* Triäthylamin wird 10 Min. unter Rühren auf dem Dampfbad erwärmt. Zu der gelben Lösung werden 100 *ml* Methanol gegeben und der Farbstoff durch Abkühlen zur Kristallisation gebracht; Rohausbeute: 8,4 g; nach Umkristallisation aus Chloroform-Methanol (1:1): 7,6 g (74% d.Th.); F: 238° (hellgelbe Kristalle).

In Methanol: hellgelb; λ_{max}: 409 nm; log ε = 4,58.

Soll der Chinolin- oder Pyridin-Ring als Heterocyclus verwendet werden, so kann auch von 2-Jod-chinolinium bzw. 2-Jod-1-äthyl-pyridinium-jodid ausgegangen werden[2].

Für die große Variationsbreite solcher Synthesen seien die Farbstoffe aus Pyronen, z.B. auch Flavon, mit aktiven Methylengruppen (in Essigsäureanhydrid) angeführt[3]:

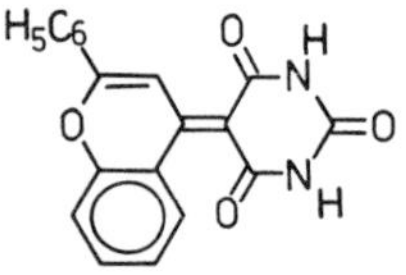

λ_{max} 480 nm 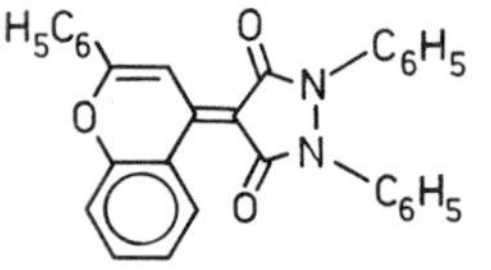 λ_{max} 445 nm 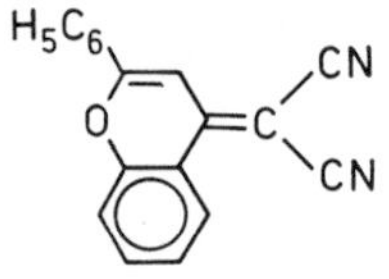 λ_{max} 400 nm [4]

Zu den Merocyaninen gehören auch die Farbstoffe aus 4-Formyl-pyrazolon-(5) und Indolen[5]

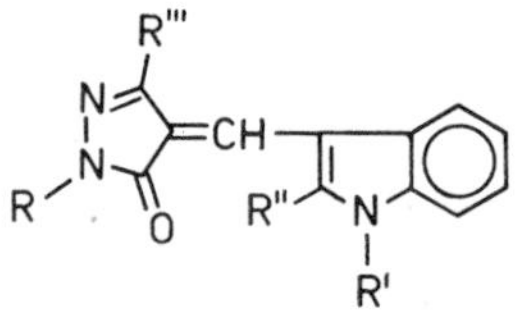

R = H, (subst.) Phenyl
R' = H, CH_3
R'' = CH_3, C_6H_5
R''' = CH_3, C_6H_5, $COOC_2H_5$ u. ä.

Diese scheinen den Monomethin-Oxonolen anzugehören, wenn man nur das Kriterium der einen Methingruppe zwischen 2 Heterocyclen gelten läßt. Tatsächlich

[1] DBP. 821524 (1949), Farbf. Bayer, Erf.: O. Riester; C.A. **48**, 1184 (1954).
[2] Brit. P. 450958 (1934), Kodak Ltd.; C. A. **31**, 56 (1937).
[3] F. Eiden, Naturwiss. **47**, 60 (1960).
[4] F. Kröhnke u. K. Dikoré, B. **92**, 46 (1959).
[5] US. P. 3441563 (1958), Farbf. Bayer, Erf.: O. Weissel, R. Raue u. H. Psaar; C. A. **71**, 31352 (1969).

ist hier aber keine Ladung nach außen vorhanden und diese Tatsache entscheidet ihre Zugehörigkeit zur Klasse der Merocyanine.

Die in der Technik gebräuchlichsten Farbstoffe dieser Gruppe besitzen zur Verknüpfung der beiden Heterocyclen eine Kette von zwei Methin-Gruppen. Man kann solche Farbstoffe, die in der Kette alkyl-substituiert sein können, aus den üblichen Cycloammoniumsalzen einerseits und Verbindungen mit reaktionsfähigen Methylen-Gruppen andererseits in Kombination mit Orthocarbonsäure-triestern in Alkohol als Lösungsmittel unter Zusatz von basischen Kondensationsmitteln herstellen[1]; z.B.:

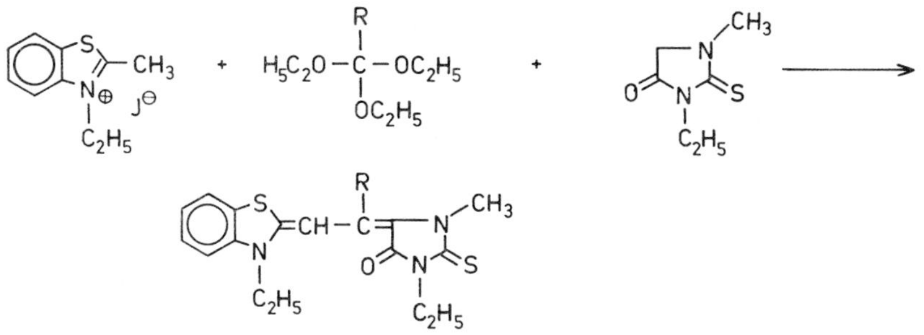

R = H: *5-Oxo-2-thiono-3-methyl-1-äthyl-4-[2-(3-äthyl-2,3-dihydro-⟨benzo-1,3-thiazol⟩-yliden)-äthyliden]-tetrahydro-1,3-thiazol*

R = CH_3: *5-Oxo-2-thiono-3-methyl-1-äthyl-4-[1-(3-äthyl-2,3-dihydro-⟨benzo-1,3-thiazol⟩-yliden)-propyliden-(2)]-tetrahydro-1,3-thiazol*

R = C_2H_5: *5-Oxo-2-thiono-3-methyl-1-äthyl-4-[1-(3-äthyl-2,3-dihydro-⟨benzo-1,3-thiazol⟩-yliden)-butyliden-(2)]-tetrahydro-1,3-thiazol*

Auch 2-(2-Arylamino-vinyl)-cycloammoniumsalze sowie deren N-Acetyl-Derivate können mit Verbindungen mit aktiven Methylen-Gruppen zu Merocyaninen umgesetzt werden[2]. Die gangbarsten Methoden verwenden zum Aufbau von Merocyaninen die entsprechenden 2-Methylen-formyl-Verbindungen oder 2-Methylen-ω-aldehyde (vgl. II, S. 259)[3], sowie deren Abkömmlinge (Semicarbazone[4], Schiff'sche Basen).

3-Äthyl-benzthiazolo-dimethin-5-(3'-äthyl-rhodanin)-neutrocyanin{4-Oxo-2-thiono-3-äthyl-5-[2-(3-äthyl-2,3-dihydro-⟨benzo-1,3-thiazol⟩-yliden)-äthyliden]-tetrahydro-1,3-thiazol}[5]:

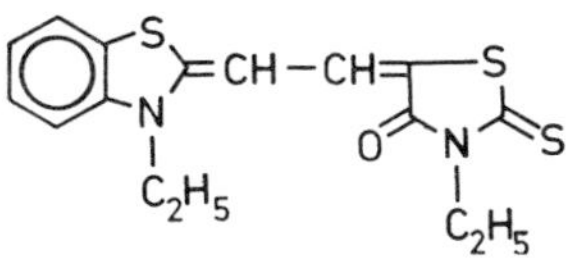

5 g 3-Äthyl-2-(2-phenylimino-äthyliden)-2,3-dihydro-⟨benzo-1,3-thiazol⟩ und 5 g 3-Äthyl-rhodanin(4-Oxo-2-thiono-3-äthyl-tetrahydro-1,3-thiazol) werden in 20 *ml* Pyridin 30 Min. im Ölbad zum

---

[1] Brit. P. 519895 (1938), J. D. KENDALL; C. A. **36**, 715 (1942).

[2] Brit. P. 428359 (1933), J. D. KENDALL; C. A. **29**, 6521 (1935).
Brit. P. 450958 (1934), Kodak Ltd.; C. A. **31**, 56 (1937).
DRP. 733088 (1935), Kodak A.-G.; C. A. **38**, 753 (1944).
Brit. P. 577548 (1946), E. B. KNOTT; C. A. **41**, 2251 (1947).

[3] Brit. P. 466244 (1935); 493455 (1937), Kodak Ltd.; C. A. **31**, 8207 (1937); **33**, 2055 (1939).
Fr. P. 866653 (1941), I. G. Farb., Erf.: A. SIEGLITZ, L. BERLIN u. P. HEIMKE.
DBP. 883025 (1953), Farbwerke Hoechst, Erf.: A. SIEGLITZ, L. BERLIN u. P. HEIMKE; C. A. **53**, 7840 (1959).

[4] DRP. 725291 (1937), I. G. Farb., Erf.: F. BAUER u. G. WILMANNS; C. A. **37**, 6468 (1943).

[5] Brit. P. 428222 (1933), J. D. KENDALL; C. A. **29**, 6520 (1935).

Sieden erhitzt. Nach dem Abkühlen auf ~ 60° werden 40 *ml* Methanol zugegeben und erkalten lassen. Die Kristalle werden abgesaugt und aus Methanol-Pyridin (1:1) oder Chloroform umkristallisiert; Ausbeute: 4,7 g (75,8% d.Th.); F: 267° (rotviolette Kristalle mit starkem Oberflächensglanz).

In Aceton: rot: λ_{max}: 518 nm; $\log \varepsilon = 4{,}97$.

4-Oxo-2-thiono-3-äthyl-5-[2-(2-äthyl-tetrahydropyrryliden)-äthyliden]-tetrahydro-1,3-oxazol[1]**:**

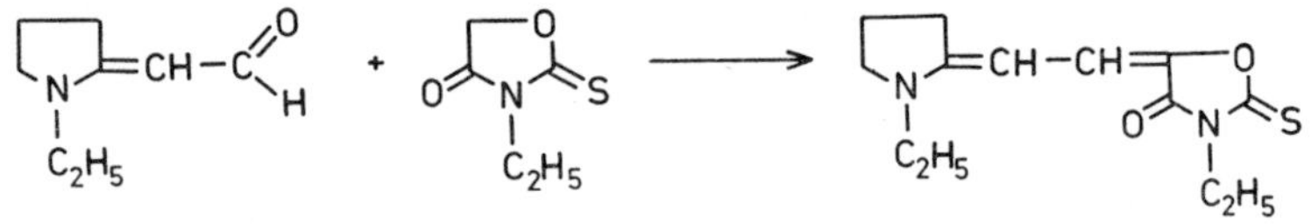

2,8 g 1-Äthyl-2-(formylmethylen)-tetrahydropyrrol, 2,9 g 4-Oxo-2-thiono-3-äthyl-tetrahydro-1,3-oxazol werden nach Zugabe von 10 *ml* Pyridin und 5 *ml* Essigsäureanhydrid 30 Min. auf 60–70° erwärmt, setzt danach der warmen Lösung 60 *ml* Methanol zu und überläßt das Gemisch längere Zeit bei Raumtemp. sich selbst. Die ausgeschiedenen derben gelben Kristalle werden abfiltriert und aus Methanol umkristallisiert; Ausbeute: 2,4 g (44,8% d.Th.); F: 155° (Zers.).

5-Oxo-2-thiono-1,3-dimethyl-4-[2-(3-methyl-tetrahydro-1,3-thiazolyliden)-äthyliden]-tetrahydro-imidazol (II)[2]**:**

3-Methyl-2-(2-phenylimino-äthyliden)-tetrahydro-1,3-thiazol (I):

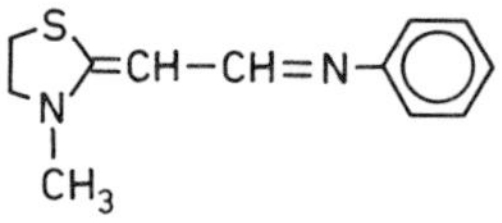

I

33 g (0,1 Mol) 1-Methyl-2-(2-anilino-vinyl)-tetrahydro-1,3-thiazolinium-methylsulfonat werden in 220 *ml* Wasser bei 30–35° gelöst und dazu bei dieser Temp. 40 *ml* konz. Ammoniak zugetropft, das Anil fällt sofort aus. Die Lösung wird 30 Min. gerührt und auf 0° abgekühlt. Der Niederschlag wird abgesaugt und mit eiskaltem Wasser gewaschen. Um die letzten Spuren des Ammoniaks zu beseitigen, wird der Niederschlag in wenig Wasser in einer Reibschale verrieben, abgesaugt und bei 30–40° über Phosphor(V)-oxid i. Vak. getrocknet; Ausbeute: 19 g (87% d.Th.); F: 98–99°.

5-Oxo-2-thiono-1,3-dimethyl-4-[2-(3-methyl-tetrahydro-1,3-thiazolyliden)-äthyliden]-tetrahydro-imidazol (II):

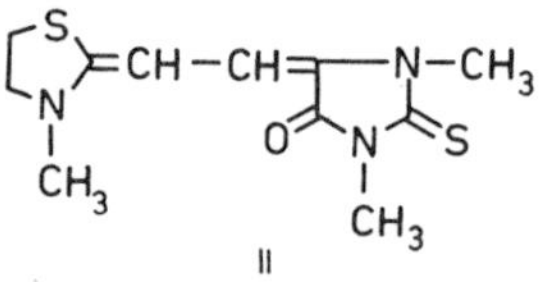

II

6,54 g (0,03 Mol) I und 4,32 g (0,03 Mol) 1,3-Dimethyl-thiohydantoin (4-Oxo-2-thiono-1,3-dimethyl-tetrahydroimidazol) werden in 8 *ml* Pyridin bei 40–50° unter Rühren gelöst, innerhalb 10 Min. 7,5 *ml* Essigsäureanhydrid bei 50–60° zugetropft (wobei sich der Farbstoff bald ausscheidet), und die Lösung 15 Min. bei 75° nachgerührt. Man läßt abkühlen, saugt den Farbstoff ab, wäscht mit wenig Methanol und kristallisiert aus Methanol um; Ausbeute: 5,7 g (20% d.Th.); F: 239–241°.

Ähnliche, an sich bekannte Merocyanine mit dem Thiohydantoin-Ring, aber mit längerer Alkylkette[3] zeigen Aggregation (J-Bande) bei der spektralen Sensibilisierung von Halogensilber:

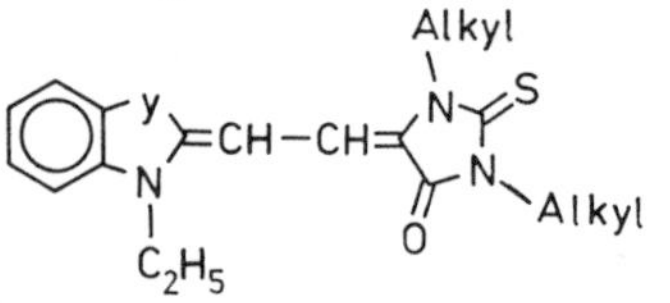

y = O, S, Se, $C(CH_3)_2$, –CH=CH–
Alkyl (>3)

---

[1] DRP. 883025 (1953), Farbwerke Hoechst, Erf.: A. Sieglitz, L. Berlin u. P. Heimke; C. A. 53, 7840 (1959).

[2] US. P. 2177403 (1939), Eastman Kodak, Erf.: L. G. S. Brooker; C. A. 34, 1576 (1940).

[3] J. Brunken u. E.-J. Poppe, Veröff. d. wiss. Photolab. Wolfen, Bd. X, 101 (1965).

Mit Bis-pyrazolonen werden die entsprechenden Bis-Merocyanine gebildet[1]:

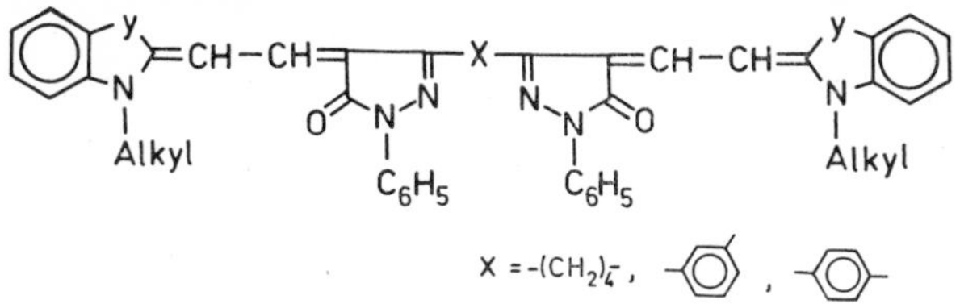

Sollen in der Methinkette substituierte Farbstoffe hergestellt werden, so geht man von 2-(x-[Oxo-(bzw. Thiono)-alkyliden]-Derivaten[2] (Ketone bzw. Thioketone s. S. 262 f.) aus. Auch Thioäther der allgemeinen Formel

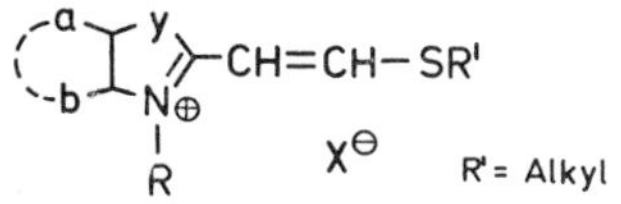

können eingesetzt werden[3].

In vielen Fällen werden statt der 2-Methylen-ω-aldehyde besser die 2-[2-(N-Acetyl-anilino)-vinyl]-Verbindungen, z.B. 4-Oxo-2-thiono-3-äthyl-5-[N-acetyl-anilinomethylen]-tetrahydro-1,3-thiazol, eingesetzt[4]:

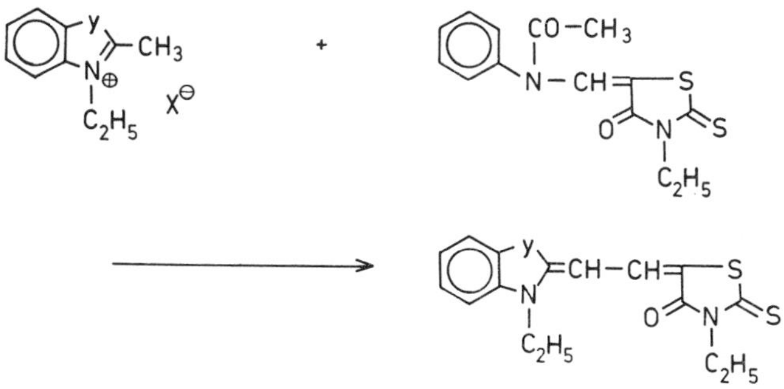

Mit 2-Amino-cycloammoniumsalzen werden die Azamerocyanine[5] erhalten, z.B.:

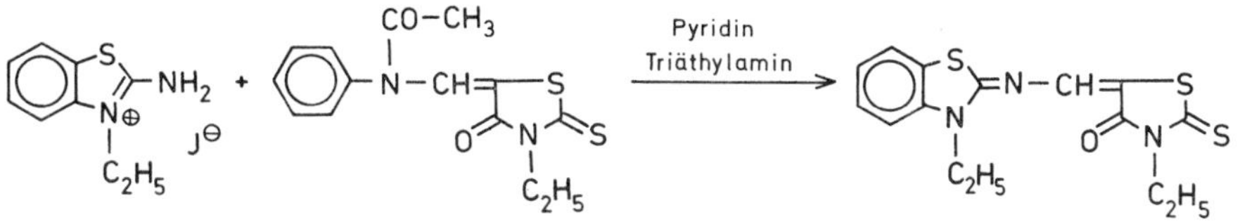

4-Oxo-2-thiono-3-äthyl-5-[(3-äthyl-2,3-dihydro-⟨benzo-1,3-thiazol⟩-ylidenamino)-methylen]-tetrahydro-1,3-thiazol

---

[1] J. Ciernik u. A. Mistr, Collect. czech. chem. Commun. **31**, 4669 (1966).
[2] Brit. P. 466097 (1935), Eastman Kodak; C. A. **31**, 7662 (1937).
[3] Fr. P. 879306 (1942), I. G. Farb.
Vgl. a. Brit. P. 672291 (1949), Ilford, Erf.: J. D. Kendall, D. J. Frey u. A. J. Morgan; C. A. **47**, 430 (1953).
[4] US. P. 2548571 (1948); Brit. P. 670038 (1949), Eastman Kodak, Erf.: E. J. van Lare u. L. G. S. Brooker; C. A. **45**, 6100 (1951); **46**, 7449 (1952).
Brit. P. 428359 (1933), J. D. Kendall; C. A. **29**, 6521 (1935).
[5] US. P. 2572961 (1946), General Aniline, Erf.: T. R. Thompson; C. A. **46**, 2939 (1952).

Auch Diazamerocyanine wurden hergestellt[1].

Zur Herstellung von Merocyaninen mit vier Methylen-Gruppen in der Brücke geht man z.B. von 1-Anilino-3-phenylimino-propen-(1)[2]

$$H_5C_6{-}NH{-}CH{=}CH{-}CH{=}N{-}C_6H_5$$

oder von Crotonaldehyd aus.

3-Äthyl-benzthiazolo-2-tetramethin-5'(-3'-äthyl-rhodanin)-neutrocyanin [4-(4-Oxo-2-thiono-3-äthyl-tetrahydro-1,3-thiazolyliden)-1-(3-äthyl-2,3-dihydro-⟨benzo-1,3-thiazol⟩-yliden)-buten-(2)][3]:

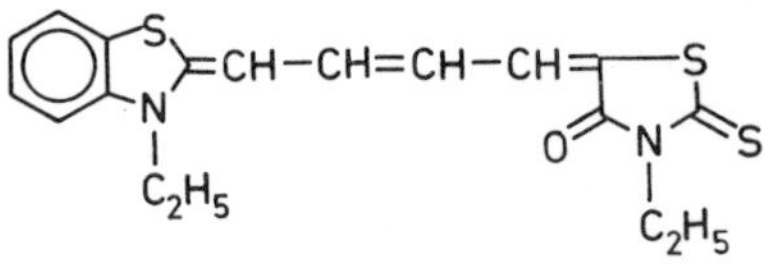

4-Oxo-2-thiono-3-äthyl-5-[buten-(2)-yliden]-tetrahydro-1,3-thiazol: 20 g 3-Äthyl-rhodanin (4-Oxo-2-thiono-3-äthyl-tetrahydro-1,3-thiazol) und 15 *ml* Crotonaldehyd (frisch destilliert) werden mit 20 *ml* Eisessig 6 Stdn. am Rückfluß zum Sieden erhitzt und 2 Tage bei 20° stehengelassen, Ausbeute: 4,6 g (17,3% d.Th.), F: 84–87° (gelbbraune Kristalle).

4-(4-Oxo-2-thiono-3-äthyl-tetrahydro-1,3-thiazolyliden)-1-(3-äthyl-2,3-dihydro-⟨benzo-1,3-thiazol⟩-yliden)-buten-(2): 2 g 2-Methylmercapto-3-äthyl-⟨benzo-1,3-thiazolium⟩-p-toluolsulfonat und 2 g 3-Äthyl-5-[buten-(2)-yliden]-rhodanin werden in 10 *ml* Pyridin mit 2 *ml* Triäthylamin bei 20° 30 Min. stark gerührt, wobei die Lösung intensiv blau wird. Schon nach einigen Min. beginnt die Auskristallisierung des Farbstoffes, die durch Zugabe von 20 *ml* Methanol und 12 stdgs. Stehen vervollständigt wird. Die abgesaugten Kristalle werden aus 210 *ml* Aceton und 60 *ml* Chloroform unter Zusatz von etwas A-Kohle umkristallisiert; Ausbeute: 0,55 g (28% d.Th.); F: 244° (grünblau-glänzende Kristalle).

In Aceton: violett-blau: λ_{max}: 591 nm; $\log \varepsilon = 4{,}95$;
In Benzol: carminrot; λ_{max}: 575 nm; $\log \varepsilon = 4{,}88$;
und λ_{max}: 550 nm; $\log \varepsilon = 4{,}89$.

Die Extinktionskurve ist ziemlich breit und ändert ihre Form mit dem Lösungsmittel.

Dieses Verfahren läßt sich auch mit anderen Aldehyden und Ketonen durchführen. Dabei kann das in der 1. Stufe nicht umgesetzte Rhodanin O-Methinmerocyanine bilden, die jedoch wegen ihrer Schwerlöslichkeit leicht abgetrennt werden können.

II. Offene Neutrocyanine

Neutrocyanine, deren Antiauxochrome nicht Glieder eines Ringsystems sind, wurden auch Semicyanine genannt.

Ausgangskomponenten sind nichtringgeschlossene, aber reaktionsfähige CH_2-Gruppen enthaltende Verbindungen

① $H_2C\begin{smallmatrix}\diagup CN, COR, COOR, CO{-}NR_2, SO_2R, SO_2NR_2\\ \diagdown CN, COR, COOR, CO{-}NR_2, SO_2R, SO_2NR_2\end{smallmatrix}$

② $H_2C\begin{smallmatrix}\diagup NO_2, CN, COR, \text{(auch z. B. Cyclohexanon)}\\ \diagdown H, Alkyl, Aralkyl, Aryl\end{smallmatrix}$

---

[1] S. Hünig et al., Ang. Ch. **70**, 215 (1958).
S. Hünig u. K. H. Fritsch, A. **609**, 143, 172 (1957).

[2] Brit. P. 450958 (1934), Kodak; C. A. **31**, 56 (1937).

[3] Brit. P. 528803 (1939), R. B. Collins u. J. D. Kendall; C. A. **35**, 7856 (1941).
E. B. Knott, Soc. **1954**, 1490.

Damit sind viele bekannte Synthesen der organischen Chemie als Teil zur Herstellung von Neutrocyaninen aufzufassen.

Der einfachste Vertreter ist das Kondensationsprodukt aus reinem 2-Methylen-ω-aldehyd einer heterocyclischen Base oder dessen Vinylhomologen mit z.B. Malonsäure-dinitril:

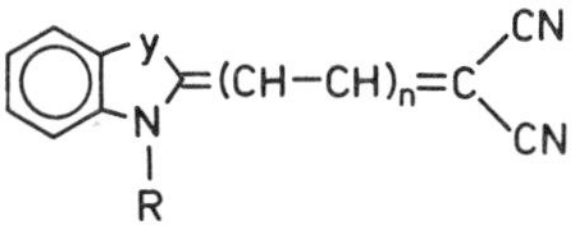

n = 0,1,2,3 usw.

Wegen der großen Reaktionsfähigkeit des Malonsäure-dinitrils bilden sich die Farbstoffe sehr leicht[1].

In einer Zusammenfassung über Malonsäure-dinitril-Derivate[2] sind die wesentlichen Eigenschaften aufgeführt.

Statt Malonsäure-dinitril kann auch das Reaktionsprodukt mit Schwefelkohlenstoff und Methyljodid eingesetzt werden:

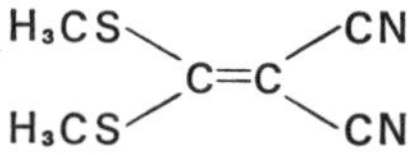

(Bis-[methylmercapto]methylen)-malonsäure-dinitril

das z.B. mit 2,3-Dimethyl-⟨benzo-1,3-thiazolium⟩-chlorid *3-Methyl-2-(2-methylmercapto-3,3-dicyan-allyliden)-2,3-dihydro-⟨benzo-1,3-thiazol⟩*[3] ergibt:

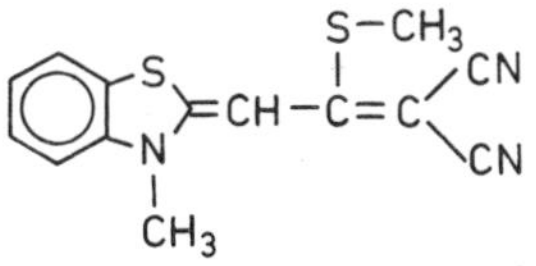

In ähnlicher Weise reagiert z.B. Dimethylmercaptomethylen-malonsäure-äthylester-nitril[4] mit 2,6-Dimethyl-chinolin und p-Toluolsulfonsäure-methylester in Pyridin zu *1,6-Dimethyl-2-(2-methylmercapto-3-äthoxycarbonyl-3-cyan-allyliden)-1,2-dihydro-chinolin*[5]:

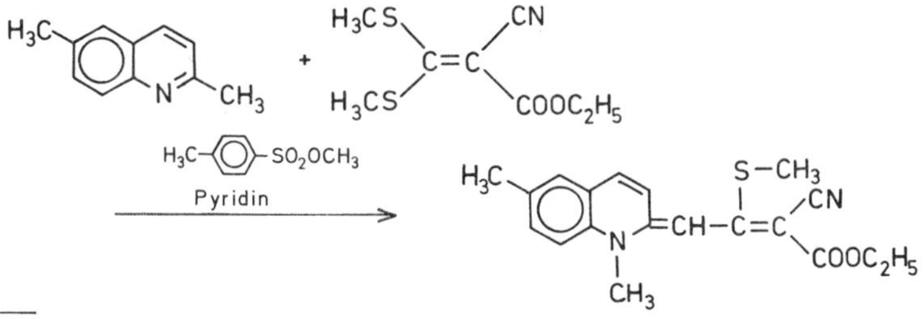

Pyridin

[1] DBP. 945005 (1943), Agfa, Erf.: W. SCHNEIDER, F. BAUER u. O. RIESTER; C. **1957**, 2899. M. STRELL, Ang. Ch. **64**, 615 (1952).

[2] F. FREEMAN, Chem. Reviews **69**, 591 (1969).

[3] Brit. P. 620800 (1947), H. D. EDWARDS u. J. D. KENDALL; C. A. **43**, 6650 (1949). US. P. 2603642 (1948), Ilford, Erf.: H. D. EDWARDS u. J. D. KENDALL; C. A. **48**, 13500 (1954).

[4] Brit. P. 597466 (1945), Ilford, Erf.: J. D. KENDALL u. H. D. EDWARDS. Brit. P. 642514 (1948); US. P. 2534112 (1949), Ilford, Erf.: H. D. EDWARDS; C. A. **45**, 6104, 3163 (1951).

[5] Brit. P. 610569 (1946), Ilford, Erf.: J. D. KENDALL u. H. D. EDWARDS; C. A. **43**, 7849 (1949). Brit. P. 642515 (1948), Ilford, Erf.: H. D. EDWARDS; C. A. **45**, 6104 (1951). Vgl. a. Brit. P. 670998 (1949), Ilford, Erf.: J. D. KENDALL u. J.-H. MAYO; C. A. **47**, 431 (1953).

Polymethine dieser Gruppe mit fünf Kohlenstoffatomen in der Kette sind ebenfalls hergestellt worden[1], z.B.:

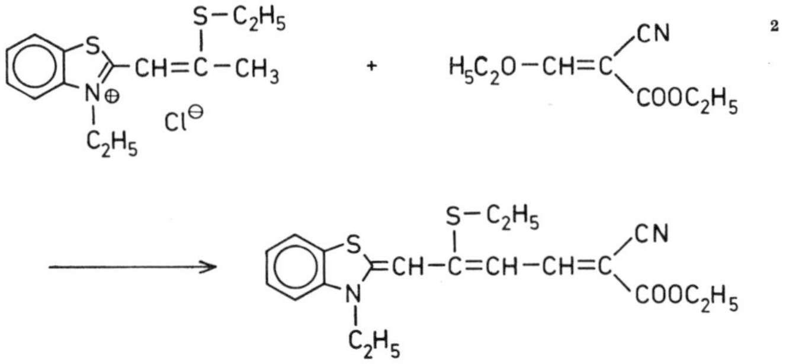

S, N⊕, C_2H_5; $CH{=}C(S{-}C_2H_5){-}CH_3$; $Cl^{\ominus}$ + $H_5C_2O{-}CH{=}C(CN)COOC_2H_5$ [2]

→ S, N, C_2H_5; $={CH}{-}C(S{-}C_2H_5){=}CH{-}CH{=}C(CN)COOC_2H_5$

3-Äthyl-2-[2-äthylmercapto-5-äthoxycarbonyl-5-cyan-pentadien-(2,4)-yliden]-2,3-dihydro-⟨benzo-1,3-thiazol⟩

ω-Alkylmercapto-cycloammoniumsalze I, hergestellt aus quaternären heterocyclischen Basen und Trithioorthoameisensäure-triäthylester werden mit Alkyliden-malonsäure-Derivaten der allgemeinen Formel

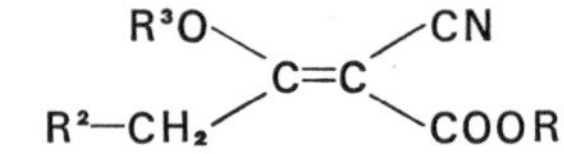

$$R^3O(R^2{-}CH_2)C{=}C(CN)COOR^1$$

R^1 = Alkyl
R^2 = H oder Alkyl, Aralkyl, Aryl
R^3 = Alkyl oder Aralkyl

ebenfalls zur Herstellung von Semicyaninen II eingesetzt[2]; z.B.:

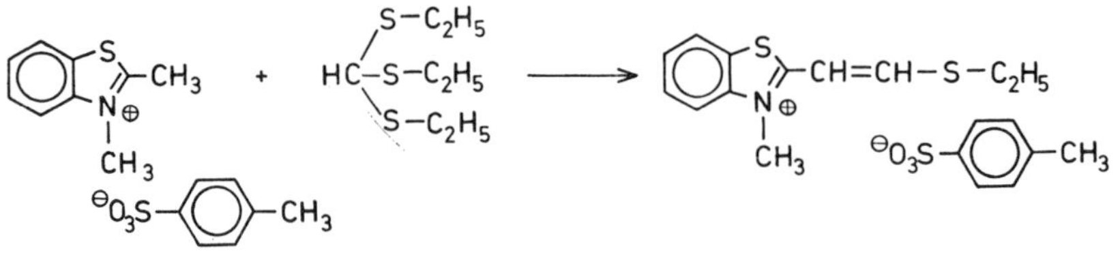

S, N⊕, CH_3; $-CH_3$; $^{\ominus}O_3S{-}C_6H_4{-}CH_3$ + $HC(S{-}C_2H_5)_3$ → S, N⊕, CH_3; $-CH{=}CH{-}S{-}C_2H_5$; $^{\ominus}O_3S{-}C_6H_4{-}CH_3$

I; *3-Methyl-2-(2-äthylmercapto-vinyl)-⟨benzo-1,3-thiazolium⟩-p-toluolsulfonat*

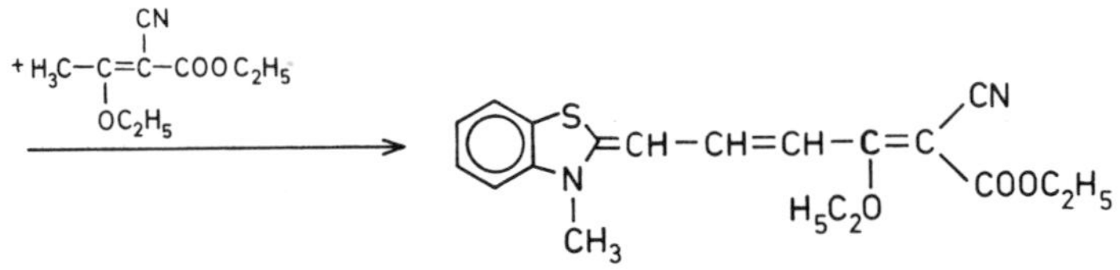

$+\,H_3C{-}C(OC_2H_5){=}C(CN){-}COOC_2H_5$ → S, N, CH_3; $={CH}{-}CH{=}CH{-}C(OC_2H_5){=}C(CN)COOC_2H_5$

II; *3-Methyl-2-[4-äthoxy-5-äthoxycarbonyl-5-cyan-pentadien-(2,4)-yliden]-2,3-dihydro-⟨benzo-1,3-thiazol⟩*

[1] Brit. P. 681451 (1950), Ilford Ltd., Erf.: J. D. Kendall u. H. G. Suggate; C. A. **47**, 5287 (1953).
Vgl. a. Brit. P. 681738 (1950), Ilford Ltd., Erf.: J. D. Kendall; C. **1955**, 7823.
US. P. 2600380 (1949), Ilford Ltd., Erf.: H. D. Edwards; C. A. **46**, 7449 (1952).

[2] Brit. P. 674003 (1949), Ilford Ltd., Erf.: J. D. Kendall u. J. H. Mayo; C. A. **47**, 987 (1953).

Andere offenkettige Neutrocyanine tragen als Heterocyclus einen Benzimidazol-Kern; z.B.:

$$H_3COSO_3^{\ominus} \text{ 1,3-Dimethyl-2-methylthio-benzimidazolium} + H_3C-CH=CH-CH=C(CN)COOC_4H_9 \longrightarrow$$

$$\text{Benzimidazolin(N-}CH_3\text{)}_2=CH-CH=CH-CH=C(CN)COOC_4H_9$$

1,3-Dimethyl-2-[5-butyloxycarbonyl-5-cyan-penta-dien-(2,4)-yliden]-2,3-dihydro-benzimidazol

Sind beide Seiten nicht zu einem Ring geschlossen, so kommt man zu den einfachsten Neutrocyaninen, z.B.[1]:

$$R_2N-(CH=CH)_n-CH=C(CN)COR$$

An dieser Stelle seien die Phenaleniumpolymethine erwähnt[2], in denen ein aromatischer Kohlenwasserstoffrest die Rolle des Antiauxochroms übernimmt:

$$\text{Phenalenid}^{\ominus}-(CH=CH)_n-CH=N^{\oplus}R_2 \longleftrightarrow \text{Phenalen}=CH-(CH=CH)_n-NR_2$$

Als Neutrocyanine können auch die Indigo-, Aminoanthrachinon- und Indanthron-Farbstoffe aufgefaßt werden.

Auch die Indophenol-Farbstoffe gehören als phenyloge Aza-neutrocyanine in diese Gruppe.

III. Hemioxonole und Styrylfarbstoffe

Unter der Bezeichnung Hemioxonole werden solche Polymethinneutrocyanine zusammengefaßt, in denen der acide Teil heterocyclisch und die basische Seite „offen“ ist:

$$R_2N(-CH=CH)_n-CH=\text{Heterocyclus}$$

n = 0,1,2 usw.

Ein typisches Beispiel ist das *4-Oxo-2-thiono-3-äthyl-5-(3-dimethylamino-allyliden)-tetrahydro-1,3-thiazol* (I; S. 294), das aus Streptocyaninen [Dimethyl-(3-dimethylamino-allyliden)-ammonium-chlorid] und 3-Äthyl-rhodanin (4-Oxo-2-thiono-3-äthyl-tetrahydro-1,3-thiazol) bzw. aus 3-Äthyl-5-(acetanilido-trimethin)-rhodanin {4-Oxo-2-

[1] Z. Arnold u. J. Zemlicka, Collect. czech. Chem. Commun. **25**, 1318 (1960).
H. Bredereck, F. Effenberger, R. Gleiter u. K. A. Hirsch, Ang. Ch. **77**, 1010 (1965).

[2] C. Jutz, R. Kirchlechner u. H. Seidel, B. **102**, 2301 (1969).

thiono-3-äthyl-5-[3-(N-acetyl-anilino)-allyliden]-tetrahydro-1,3-thiazol} und Dimethylamin erhalten wird[1]:

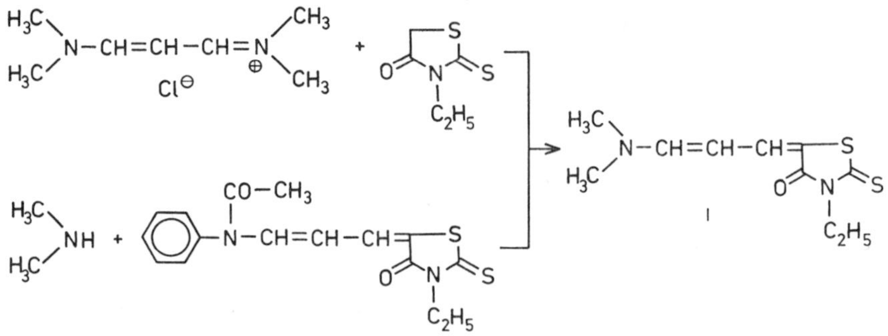

Weitere – den doppelten Hemicyaninen entsprechende – Bis-Hemioxonole erhält man aus z.B. 3-Äthyl-rhodanin (4-Oxo-2-thiono-3-äthyl-tetrahydro-1,3-thiazol), Orthoameisensäure-triäthylester und 1,4-Diamino-benzol, wobei sowohl symmetrische als auch unsymmetrische Farbstoffe erhalten werden, z.B.:

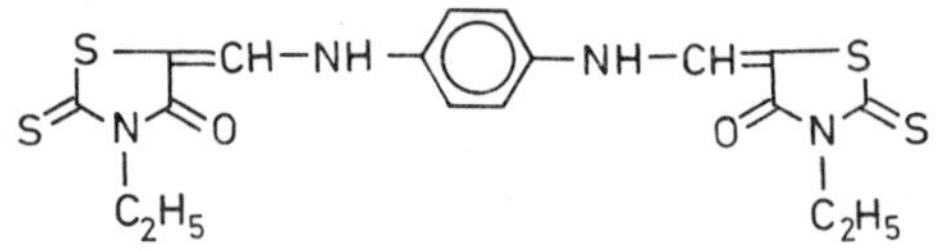

1,4-Bis-[4-oxo-2-thiono-3-äthyl-tetrahydro-1,3-thiazolylidenmethylamino]-benzol

Unter Styrylfarbstoffen versteht man die phenylogen Neutrocyanine; z.B.:

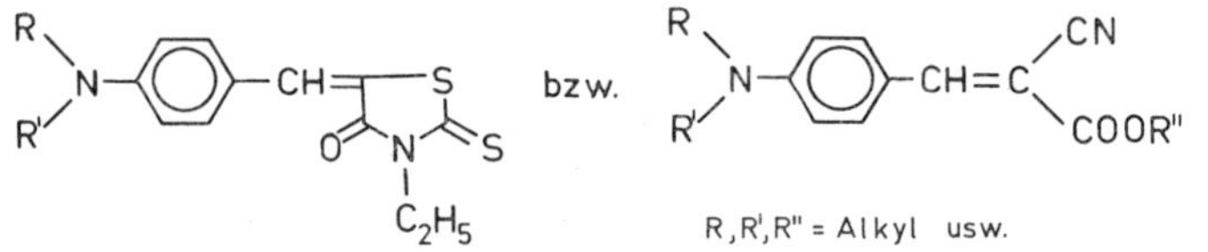

R, R', R'' = Alkyl usw.

Sie entstehen durch Kondensation der Aldehyde mit den genannten Methylen-Verbindungen meist schon durch Erwärmen in Alkoholen oder Pyridin, in seltenen Fällen auch in Pyridin-Essigsäureanhydrid in sehr glatter Reaktion.

Auch die nichtquartären heterocyclischen Styrylverbindungen (s. S. 244) gehören strenggenommen in diese Reihe. Sie bilden den Übergang zu den basischen Styrylfarbstoffen (s. S. 242).

Aza-Styrylfarbstoffe sind die auch als „Azomethine" bezeichneten Farbstoffe mit dem Auxochrom

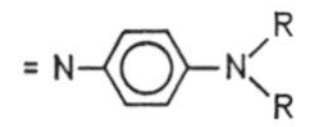

Sie entstehen aus den aktive Methylgruppen enthaltenden Verbindungen und 4-Nitroso-N,N-dialkyl-anilinen unter Wasserabspaltung[2] oder bei der gemeinsamen Oxidation mit substituierten 1,4-Diamino-benzolen[3], z.B. in einem photographischen

[1] US. P. 2165339 (1939), E. Kodak, Erf.: L. G. S. Brooker; C. A. **33**, 8130 (1939).
US. P. 2186608 (1936); 2216441 (1937), E. Kodak, Erf.: G. H. Keyes; C. A. **36**, 3195 (1940); **35**, 701 (1941).

[2] P. Ehrlich u. F. Sachs, B **32**, 2341 (1889).

[3] DRP. 253335, N.P.G, Erf.: R. Fischer, ref. in Eders Jahrbuch der Photochemie **1914**, 342, Verlag W. Knapp, Halle.

Entwicklungsprozeß, womit sie die Grundreaktionen der subtraktiven Colorverfahren bilden:

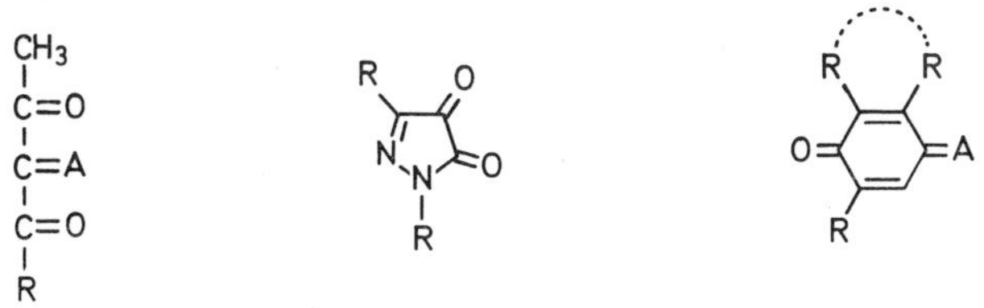

gelb purpur blaugrün

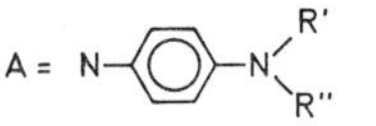

R = organ. Rest mit diffusionshemmenden und sonstigen Substituenten
R′, R″ = niedriges Alkyl evtl. mit hydrophilen Substituenten

IV. Ketocyanine

Eine besondere Art von Farbstoffen mit sieben Kohlenstoffatomen in der Kette, die aber nicht zu den eigentlichen Heptamethincyaninen zählen, sind die Kondensationsprodukte von ω-Aldehyden mit Acetondicarbonsäure (3-Oxo-glutarsäure). Bei derartigen Farbstoffen ist die Methinkette durch eine CO-Gruppe unterbrochen und die Farbstoffe haben keinen Salzcharakter, wie aus folgender Formel zu ersehen ist[1]:

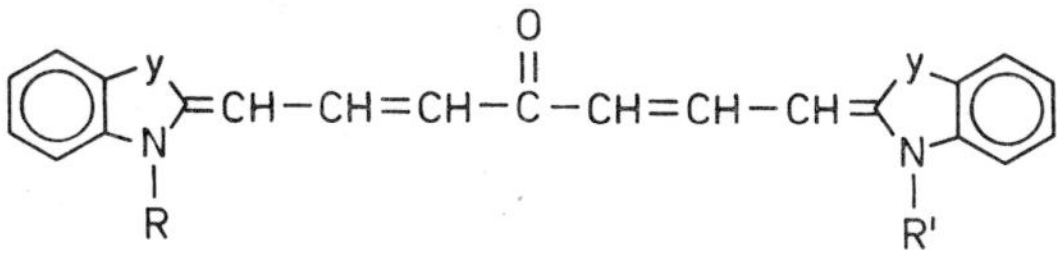

Phenyloge Ketoncyanine sind die bekannten Chalkone, wenn darin die Benzolringe mit Amino-Gruppen substituiert sind.

Hierzu können auch die Farbstoffe aus Quadratsäure gerechnet werden[2]:

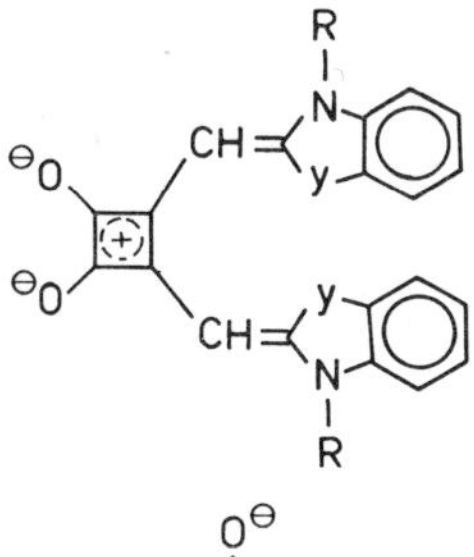

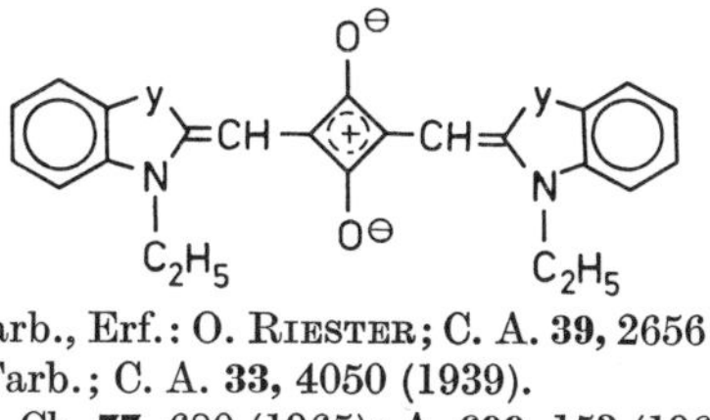

[1] DRP. 741645 (1937), I. G. Farb., Erf.: O. RIESTER; C. A. **39**, 2656 (1945). Fr. P. 834718 (1938), I. G. Farb.; C. A. **33**, 4050 (1939).

[2] A. TREIBS u. K. JACOB, Ang. Ch. **77**, 680 (1965); A. **699**, 153 (1966); **712**, 123 (1968). H. E. SPRENGER u. W. ZIEGENBEIN, Ang. Ch. **79**, 581 (1967); **80**, 541–546 (1968). G. MANECKE u. J. GAUGER, Tetrahedron Letters **1967**, 3509.

Gleichwohl erinnern sie in ihren Eigenschaften an die Pentamethincyanine. Die Herstellung dieser Verbindungsklasse wurde eingehend in ds. Handb., Bd. IV/4 beschrieben.

C. Anionische Cyanine (Oxonole)

Die Verknüpfung von Verbindungen mit einer aktivierten CH_2-Gruppe, durch die bei den basischen Cyaninen (s. S. 253–258) angegebenen Methoden, führt zu anionischen Polymethinfarbstoffen.

Die wichtigsten anionischen Polymethine leiten sich von den Heterocyclen ab, die auf S. 285 aufgeführt wurden und bei denen die Aktivierung der CH_2-Gruppe durch eine benachbarte Oxo-Gruppe bewirkt wird:

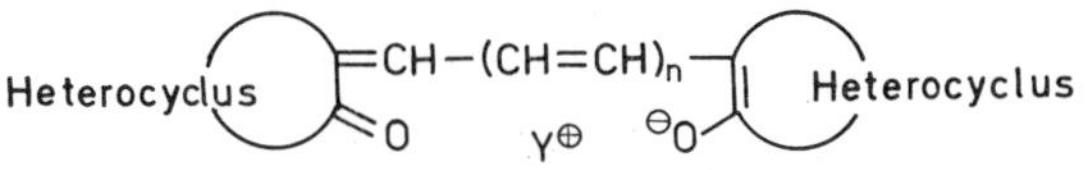

Heterocyclus =CH–(CH=CH)$_n$– Heterocyclus ; O Y⊕ ⊖O

n = 0,1,2, usw.
Y = H, Alkali, usw.

M o n o m e t h i n o x o n o l e entstehen meist sehr glatt nach der O - E s t e r - M e t h o d e (s. S. 253), oft schon mit einer beliebigen Methin-liefernden Verbindung wie Formaldehyd (wobei nachträglich eine Autoxidation eintritt, besonders leicht bei den Pyrazolon-Derivaten), Formamiden[1], Formamidinen usw. Sie sind ebenfalls schon lange bekannt. So wurde das Monomethinoxonol des Methyl-phenyl-pyrazolons mittels Chloroform und Alkali als gelber Farbstoff erhalten[2]. Auch der aus Acetessigsäureäthylester hergestellte *Natrium-2,4-diacetyl-penten-(2)-disäure-diäthylester* ist ein (farbloses) Oxonol und wurde früher wie folgt formuliert[3]:

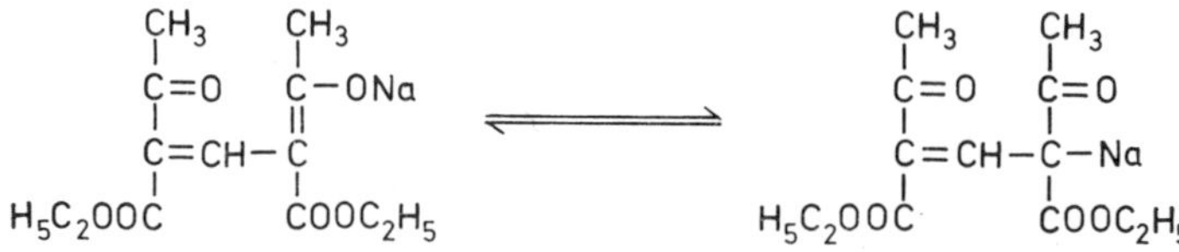

$$\begin{matrix} CH_3 & CH_3 \\ C{=}O & C{-}ONa \\ C{=}CH{-} & C \\ H_5C_2OOC & COOC_2H_5 \end{matrix} \rightleftharpoons \begin{matrix} CH_3 & CH_3 \\ C{=}O & C{=}O \\ C{=}CH{-} & C{-}Na \\ H_5C_2OOC & COOC_2H_5 \end{matrix}$$

Auch T r i m e t h i n - und P e n t a m e t h i n o x o n o l e sind leicht mittels entsprechender Streptocyanine zugänglich.

Bis-[thiobarbitur]-pentamethin-oxonol-pyridiniumsalz [1-(4-Oxo-6-oxi-2-thiono-1,2,3,6-tetrahydro-pyrimidyl)-5-(4,6-dioxo-2-thiono-hexahydro-pyrimidyliden)-pentadien-(1,3)-pyridinium-Salz][4]:

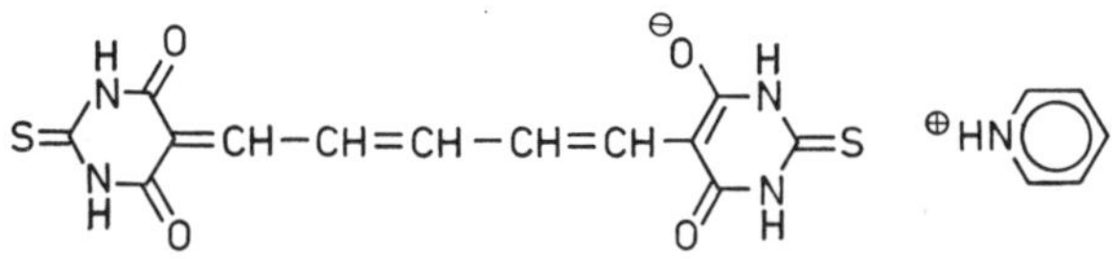

S=(Thiobarbitur-Ring, H, N, O)=CH–CH=CH–CH=CH–(Ring, ⊖O, N, H, O)=S ⊕HN(Pyridin)

2,9 g Thiobarbitursäure (2,6-Dioxo-2-thiono-hexahydro-pyrimidin) und 3,4 g Bis-[anilino]-pentamethin-streptocyanin-bromid (1-Anilino-5-phenylimino-pentadien-(1,3)-hydrobromid) werden in 50 *ml* Pyridin 15 Min. unter Rückfluß zum Sieden erhitzt. Nach dem Erkalten wird der Farbstoff abgesaugt und mit Methanol gewaschen; Ausbeute: 2,8 g (65% d.Th.); Zers. ab 300° (dunkelgrüne Kristalle).

In Methanol: grünstichig blau; λ_{max}: 625 nm; $\log \varepsilon = 5{,}26$.

---

[1] S. Hünig, A. **574**, 106 (1951).
[2] L. Knorr, A. **238**, 156, 184 (1887).
[3] L. Claisen, A. **297**, 10 (1897).
[4] US.P. 2 274 782 (1938), B. Gaspar; C. A. **36**, 4042 (1942).

Die Herstellung der aciden Cyanine (Oxonole) folgt weitgehend derjenigen der basischen Cyanine. Es muß aber darauf geachtet werden, daß diese Farbstoffe leichter hydrolysiert werden, d.h. daß ein Proton an den Sauerstoff angelagert wird; die Farbe wird dadurch verhältnismäßig stark hypsochrom verändert.

Es seien als Beispiele noch aufgeführt:

Oxonole verschiedener Kettenlänge und Herstellungsart aus 5-Oxo-4,5-dihydro-1,2-oxazolen[1] z. B.

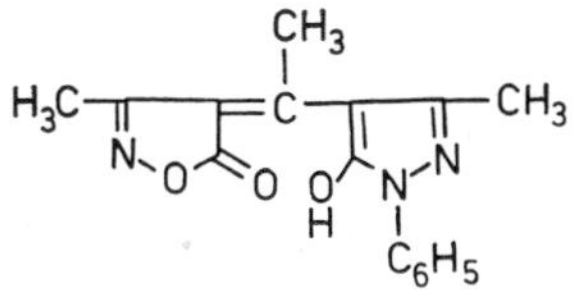

5-Hydroxy-3-methyl-4-[1-(5-oxo-3-methyl-4,5-dihydro-1,2-oxazolyliden)-äthyl]-1-phenyl-pyrazol

oder aus 5-Oxo-4-formyl-4,5-dihydro-pyrazolen mit (Thio-)Barbitursäure[2]:

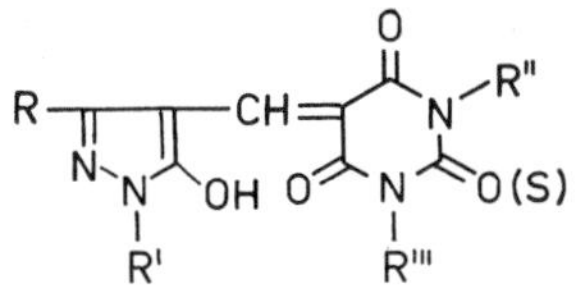

ferner von tricyclischen Oxonolen[3]:

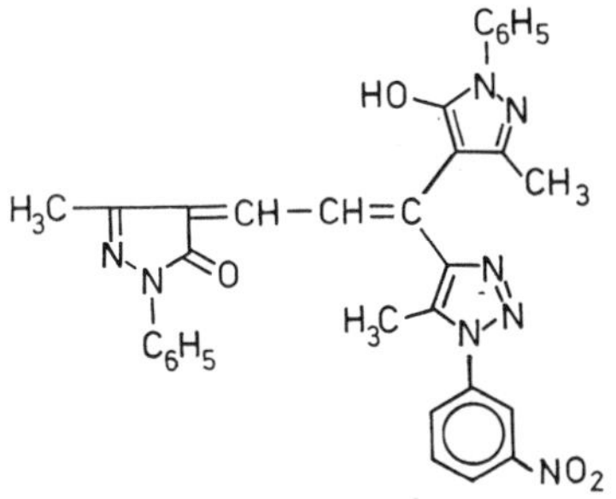

1-[5-Hydroxy-3-methyl-1-phenyl-pyrazolyl-(4)]-1-[5-methyl-2-(4-nitro-phenyl)-1,2,3-triazolyl-(4)]-3-[5-oxo-3-methyl-1-phenyl-pyrazolyliden-(4)]-propen

Andere polycyclische Oxonole werden z.B. auf folgendem Wege erhalten[4]:

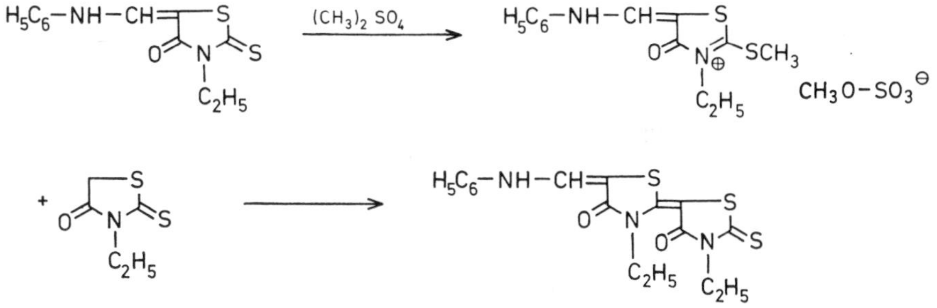

I; *4,4'-Dioxo-2'-thiono-3,3'-diäthyl-5-anilinomethylen-bi-[tetrahydro-1,3-thiazolyl-(2,5')]*

---

[1] Belg. P. 679741 (1961), A. L. van der Auwera.
[2] US. P. 3364211 (1964), General Aniline, Erf.: L. N. Stanley; C. A. **68**, 115694 (1968).
[3] Belg. P. 727040 (1962), Filmfabrik Wolfen, Erf.: E. Förster u. B. Hirsch.
[4] US. P. 3247310 (1963), B. Gaspar.

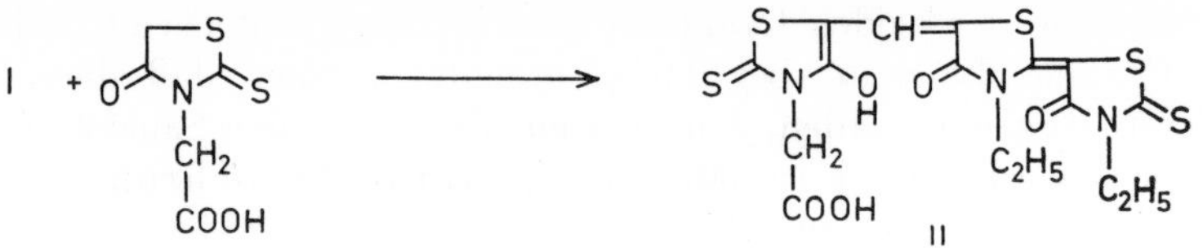

II; *4-Oxo-3-äthyl-5-[4-hydroxy-2-oxo-3-carboxymethyl-2,3-dihydro-1,3-thiazolyl-(5)-methylen]-2-(4-oxo-2-thiono-3-äthyl-tetrahydro-1,3-thiazolyliden)-tetrahydro-1,3-thiazol*

Eine andere Variante, die zu mesoionischen Farbstoffen führt, ist folgende[1]: Das Monomethinoxonol eines Rhodanins wird quaterniert und dann mit einem basischen Quartärsalz umgesetzt (wobei gleichzeitig eine Thiono-Gruppe gegen eine Oxo-Gruppe ausgetauscht wird):

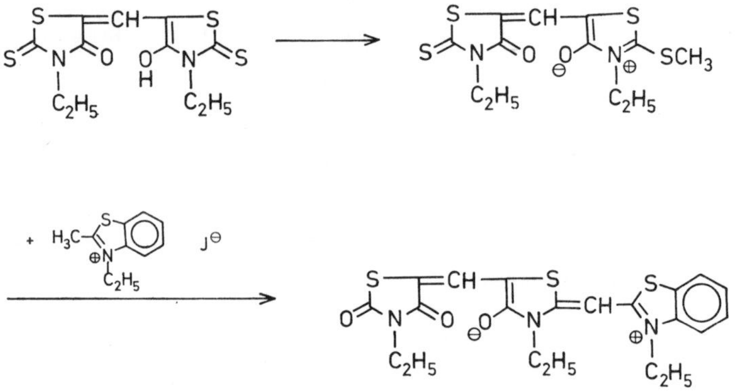

4-Oxi-3-äthyl-5-(2,4-dioxo-3-äthyl-tetrahydro-1,3-thiazolyliden-methyl)-3-äthyl-2-[3-äthyl-⟨benzo-1,3-thiazol⟩-yl-(2)-methylen]-2,3-dihydro-1,3-thiazol-betain

Schließlich sei noch erwähnt, daß es auch Azaoxonole gibt. Solche Monoazaxonole sind die bekannte *Rubazonsäure* {*Bis-[4-(1-phenyl-3-methyl-pyrazolon)]-azaoxonol*; III} und das *Murexid* als Ammoniumsalz der *Purpursäure* {*Bis-[barbitursäure]-azaoxonol*; *5-[2,4-Dihydroxy-6-oxo-5,6-dihydro-pyrimidyliden-(5)-amino]-2,4,6-trihydroxy-pyrimidin*; IV}, die nur als resonanzstabilisierte Anionen haltbar sind.

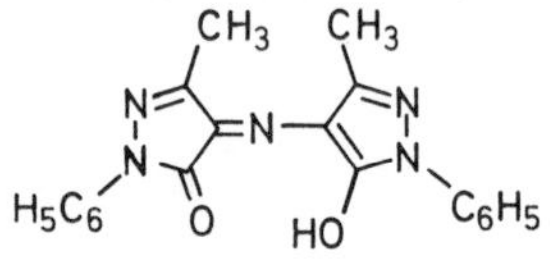

III 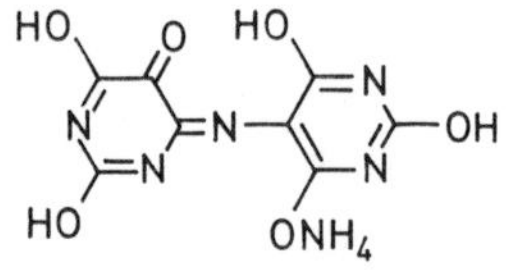 IV

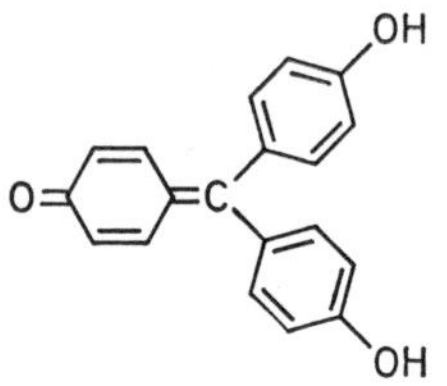

V 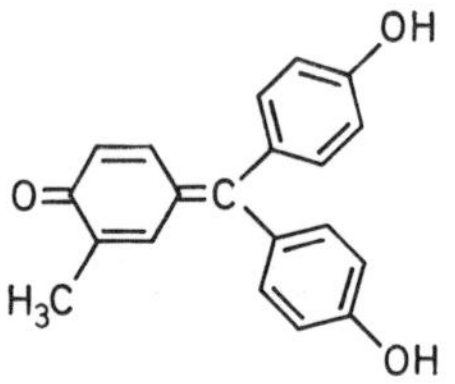 VI

[1] US. P. 1915564 (1935), General Anilin Film Corp., Erf.: S.-K. Yao.

Abschließend soll erwähnt werden, daß die ältesten synthetischen „Teerfarbstoffe" das *Aurin* {*6-Oxo-3-(bis-[4-hydroxy-phenyl]-methylen)-cyclohexadien-(1,4)*; V} sowie die *Rosolsäure* {*6-Oxo-1-methyl-3-(bis-[4-hydroxy-phenyl]-methylen)-cyclohexadien-(1,4)*; VI} phenyloge Oxonole sind[1].

D. Bibliographie

J. M. Eder, *Handbuch der Photographie,* Bd. III, 3 Tl., S. 3ff., Sensibilisierung und Desensibilisierung, Wilhelm Knapp, Halle (Saale) 1932.

M. Q. Doja, *The Cyanine Dyes,* Chem. Reviews **11,** 273 (1932).

R. Wizinger, *Organische Farbstoffe,* Dümmler, Berlin u. Bonn 1933.

Veröffentlichungen des wissenschaftlichen Zentrallabors der Agfa, Bd. I–V; 1930–1937.

P. Kainrath, Ang. Ch. **60,** 32ff. (1948).

K. Venkataraman, *The Chemistry of Synthetic Dyes,* Bd. II, S. 1143–1186, Academic Press, New York 1952.

A. Van Dormael, *Synthesès récentes de Merocyanins,* Industrie Chimique Belge 1952, S. 665ff.

L. G. S. Brooker, *Some Recent Developments in the Chemistry of Photographic Sensitizing Dyes,* Experientia Suppl. II, 229 (1955).

H. Wolf, *Die Sensibilisierung der photographischen Schichten durch Farbstoffe in*: Fortschritte chemischer Forschung, Bd. 3, S. 503–602, Springer Verlag, Berlin 1955.

W. Seidenfaden, *Künstliche organische Farbstoffe* in: Sammlung chem. und chem.-techn. Beiträge Nr. **55,** S. 232–240, F. Enke Verlag, Stuttgart 1957.

F. Klages, *Lehrbuch der Organischen Chemie,* Bd. III, S. 23–80, Walter De Gruyter, Berlin 1958.

I. I. Levkoev, A. F. Vompe u. N. N. Sveschnikov, *Fortschritte der Chemie der Sensibilisierungs-Farbstoffe,* Chem. Wissenschaft u. Industrie USSSR **3,** 587–606 (1958).

H. Staab, *Einführung in die theoretische Chemie,* 2. Auflage, S. 323–343, Verlag Chemie, Weinheim 1959.

L. G. S. Brooker, in: *Chemistry of Natural and Synthetic Couloring Matters,* S. 573–587, Academic Press, New York 1967.

Ullmanns Encyklopädie der technischen Chemie, Bd. 7, S. 153–183 (1956), Bd. 13, S. 310–337 (1962), Bd. 14, S. 310–337 (1963), Urban und Schwarzenberg, München.

H. Meier, *Photochemie der organischen Farbstoffe,* Springer Verlag, Berlin 1963.

F. M. Hamer, *The Cyanine Dyes and Related Compounds,* The Chemistry of Heterocyclic Compounds, Interscience Publ., Wiley & Sons, New York · London 1964.

Kirk-Othmer, 2. Auflage, Bd. 5, S. 763–788 (1964), Bd. 6, S. 605–624 (1965), Interscience Publ., New York.

S. Hünig u. H. Quast, *Optische Anregung organischer Systeme,* S. 184, Verlag Chemie, Weinheim 1966.

I. Nys, Suppl. zur Chimia **1968,** S. 115–120.

P. Rys u. H. Zollinger, *Leitfaden der Farbstoffchemie in „Chemische Taschenbücher",* S. 87–103, Verlag Chemie, Weinheim 1970.

[1] F. F. Runge, Pogg. Ann. **31,** 70 (1834).

Methoden zur Herstellung und Umwandlung von Cycloheptatrienen*

bearbeitet von

Prof. Dr. Horst Kessler

Institut für Organische Chemie der Universität Frankfurt

mit 19 Tabellen

Literatur berücksichtigt bis 1969 (teilweise (1970).

* Der erste Entwurf dieses Kapitels wurde von Herrn Dr. E. Hartwig, Badische Anilin- und Sodafabrik AG, Ludwigshafen/Rh. dankenswerterweise angefertigt.

Inhalt

1. Allgemeines 305
2. Struktur 306
α) Wechselbeziehung zu isomeren Verbindungen 306
β) Das Cycloheptatrien-Norcaradien-Gleichgewicht 306
γ) Räumlicher Aufbau 311
δ) Identifizierung 313

A. Herstellung 314

I. unter Erhaltung des 7-Ringes 314
a) Isomerisierungen 314
1. thermische Isomerisierungen 314
2. photochemische Isomerisierungen 317
b) Substitution am Cycloheptatrien 318
c) Cycloheptatriene aus Tropyliumsalzen 325
1. und metallorganischen Verbindungen 325
2. und anderen Lewis-Basen 327
3. und CH-aciden Verbindungen 328
4. und aktivierten Aromaten 329
d) Cycloheptatriene aus Cycloheptanen und Cycloheptenen 331
e) Cycloheptatriene aus Troponen 334

II. durch Ringerweiterungen 335
a) von Aromaten mit Diazoverbindungen 335
1. mit Diazomethan 335
α) photolytische Umsetzung 335
β) katalytische Umsetzung 336
2. mit Diazoessigsäureester 339
3. mit anderen Diazoverbindungen 340
b) Ringerweiterungen durch Solvolyse 342
c) Cycloheptatriene durch Umlagerung von Bicyclen 349
1. durch Aufspaltung des Bicyclo[3.2.0]heptan-Systems 349
2. durch Thermolyse des Bicyclo[2.2.1]heptan-Systems 350
3. aus dem Bicyclo[4.1.0]heptan-System 353
4. durch Decarbonylierungen 355
d) spezielle Ringerweiterungen 358

III. durch Ringverengung 358

IV. durch Ringschlußreaktion 360

B. Umwandlungen 362

I. Isomerisierungen 362

a) thermische 362

b) photochemische und katalytische 364

II. Reaktion von Cycloheptatrien mit Reaktionspartnern 376

a) unter Additionen 376

1. Cycloadditionen 376
2. Reaktion mit Carbenen 389
3. Reaktion mit Halogenen 392
4. Sonstige Additionen an Cycloheptatrienen 394

b) unter Oxidationen 395

1. zu Tropyliumsalzen 395
2. zu Troponen und Tropolonen 397
3. zu Heptafulvenen 398
4. unter Ringverengung 398
5. unter Spaltung 399

c) unter Reduktionen 399

1. Hydrierung 399
2. Reaktionen mit Metallen und metallorganischen Verbindungen 400

d) Fragmentierungen und Umlagerungen von Cycloheptatrien-Derivaten 402

C. Metallkomplexe des Cycloheptatriens 405

D. Cycloheptatrienyl-Radikale und Carbene 414

E. Bibliographie 416

Cycloheptatriene

1. Allgemeines

Die Chemie des dreifachen ungesättigten Siebenringes (Cycloheptatriens) fand seit 1960 besonderes Interesse. Dies war einerseits der Fall, weil sie in engem Zusammenhang mit dem Studium schneller Valenzisomerisierungen[1] steht; andererseits bot die Aufklärung der räumlichen Struktur neue Aspekte für den mehr theoretisch orientierten Chemiker, den auch die Frage des aromatischen Charakters im Zusammenhang mit den Troponen[2], Tropyliumsalzen[2], Heptafulvenen[2] u. a. m. interessiert.

Die Umwandlungsmöglichkeiten des Cycloheptatriens konnten jedoch erst studiert werden, nachdem das System durch neue Synthesemöglichkeiten einfach zugänglich geworden war.

In dem vorliegenden Beitrag werden die Tropone, Tropolone und Tropyliumsalze ebenso nicht berücksichtigt wie z. B. die Heptafulvene. Es werden also diejenigen Cycloheptatrien-Derivate, die ein sp^2-hybridisiertes C-Atom-7 enthalten, ausgeschlossen da sie in einem Sonderkapital besprochen werden[2].

Schema I: Cycloheptatrien und isomere C_7H_8-Kohlenwasserstoffe[3]

Isomere der Grundstruktur $(CH)_6CH_2$

Nach H-Verschiebung denkbare Isomere

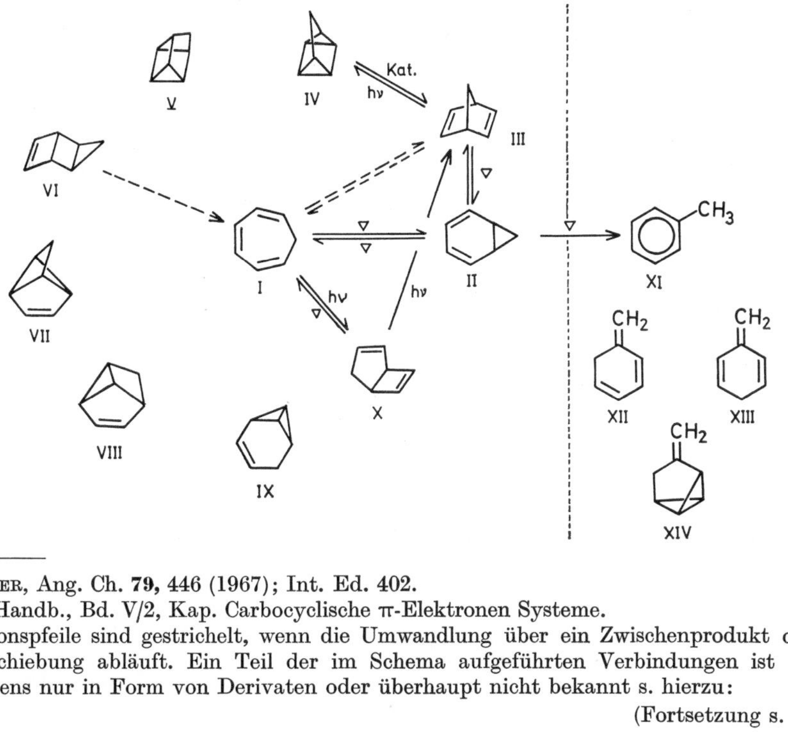

V IV Kat. hν III VI ▽ I ▽ ▽ II ▽ CH_3 XI hν hν VII CH_2 CH_2 X XII XIII VIII CH_2 IX XIV

---

[1] G. Maier, Ang. Ch. **79**, 446 (1967); Int. Ed. 402.

[2] S. ds. Handb., Bd. V/2, Kap. Carbocyclische π-Elektronen Systeme.

[3] Reaktionspfeile sind gestrichelt, wenn die Umwandlung über ein Zwischenprodukt oder H-Verschiebung abläuft. Ein Teil der im Schema aufgeführten Verbindungen ist unseres Wissens nur in Form von Derivaten oder überhaupt nicht bekannt s. hierzu:

(Fortsetzung s. S. 306)

2. Struktur

α) Wechselbeziehung zu isomeren Verbindungen

Die Konstitution des Cycloheptatriens als ungesättigter 7-Ring ergibt sich aus seinen spektralen und chemischen Eigenschaften zusammen mit der Reaktivität des Systems. Als C_7H_8-Kohlenwasserstoff gibt es zahlreiche Isomere, mit denen das Cycloheptatrien in mannigfaltiger Wechselwirkung steht (s. Schema I, Seite 305).

Während einige der im Schema aufgeführten Verbindungen bisher noch nicht bzw. nur in Form von Derivaten bekannt sind, spielt für die Herstellung und Reaktivität von Cycloheptatrien die Chemie einiger Isomerer eine bedeutende Rolle. So werden zur Synthese von Cycloheptatrienen oftmals bicyclische Systeme umgelagert. Auf die besondere Rolle des Cycloheptatrien-Norcaradien-Gleichgewichtes wird im folgenden Abschnitt eingegangen.

Außerdem gibt es die Möglichkeit zu innermolekularen Umlagerungen, bei denen das Cycloheptatrien-Gerüst erhalten bleibt, Substituenten jedoch ihren Platz im Molekül ändern, ja sogar das ganze Skelett eine Umwandlung erfährt:

▽ → Verschiebung 7→3 (1,5 sigmatrope Verschiebung)

hν → Verschiebung 7→1 (1,7 sigmatrope Verschiebung)

▽ → Berson-Willcott-Umlagerung Skelettumlagerung

Im einzelnen werden diese Reaktionen auf S. 314 ff. besprochen.

β) Das Cycloheptatrien-Norcaradien-Gleichgewicht[1]

Die Chemie des Cycloheptatriens ist ohne die Kenntnis des Cycloheptatrien-Norcaradien-Gleichgewichtes[2] nicht verständlich; letzteres wird daher im folgenden näher besprochen:

[1] Vgl. a. ds. Handb., Bd. IV/3, Kap. Cyclopropane in valenzisomeren Systemen, S. 509ff.

[2] Eine Zusammenfassung dieses Problems findet man bei G. MAIER, Ang. Ch. **79**, 446 (1967); Int. Ed. 402.

(Fortsetzung von S. 305)

Verbindung II: G. MAIER, Ang. Ch. **79**, 446 (1967); Int. Ed. 402; s. S. 306ff.
III: S. 350ff.
IV: R. L. DAUBEN u. W. G. CARGILL, Tetrahedron **15**, 197 (1961).
G. S. HAMMOND, N. J. TURO u. A. FISCHER, Am. Soc. **83**, 4674 (1961).
H. PRINZBACH u. J. HARTENSTEIN, Ang. Ch. **74**, 506 (1962).
VI: EU. MÜLLER u. H. Keßler, Tetrahedron Letters **1968**, 3037.
H. PRINZBACH u. E. DRUCKREY, Tetrahedron Letters **1968**, 4285.
VIII: J. R. EDMAN, Am Soc. **88**, 3454 (1966).
W. R. MOORE, H. R. WARD u. R. F. MERRITT, Am. Soc. **83**, 2019 (1961).
P. R. STORY, Am. Soc. **83**, 3347 (1961).
IX: W. R. MOORE, S. S. HALL u. C. LARGMAN, Tetrahedron Letters **1969**, 4353.
G. L. CLOSS u. R. B. LARRABEE, Tetrahedron Letters **1965**, 287.

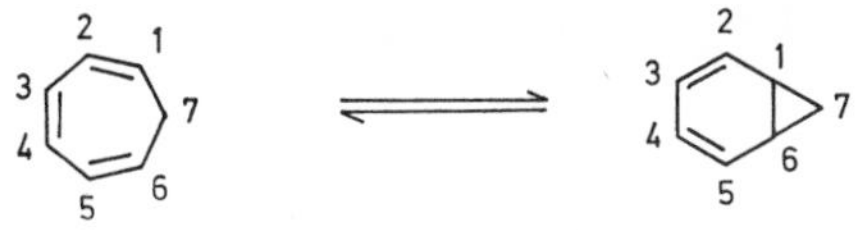

I II

Durch intramolekulare Cope-Umlagerung stellt sich bei Raumtemperatur sehr schnell ein Gleichgewicht zwischen der monocyclischen 7-Ring-Form I und dem bicyclischen Norcaradien-System II ein. Diese Gleichgewichtseinstellung erfolgt deshalb so rasch, weil die thermische Umlagerung nach den Woodward-Hoffmann-Regeln[1] als elektrocyclische Reaktion disrotatorisch symmetrie-erlaubt ist und daher ohne eine große Symmetriebarriere erfolgt. Eine disrotatorische Ringöffnung bzw. der disrotatorische Ringschluß ist aus sterischen Gründen in diesem System erforderlich (vgl. III):

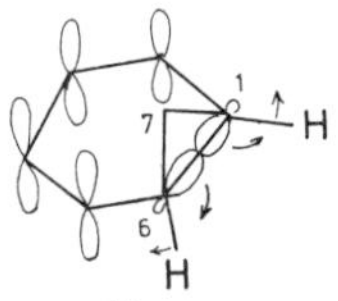

III

Die Barriere der Isomerisierung wird allein durch die geringe Aktivierungsschwelle bei der Umordnung der Bindungen im Molekül verursacht. Nach neuesten Ergebnissen[2] scheint diese in der Größenordnung von 10 kcal/Mol zu liegen. Daher stellt sich bei Raumtemperatur das Gleichgewicht zwischen Cycloheptatrien und Norcaradien schnell ein. Über die Abhängigkeit dieser Barriere von Substituenten ist bisher nichts bekannt.

Eine Trennung eines Cycloheptatrien-Derivates und des entsprechenden Norcaradien-Derivates in stabile Isomere ist bei Raumtemperatur also so lange nicht möglich, als es nicht gelingt, durch Substitution, die Aktivierungsbarriere auf einen Wert von über 23 kcal/Mol anzuheben[3].

Ob ein solches Molekül bevorzugt in der einen oder der anderen Form vorliegt, wird folglich einzig durch die thermodynamische Stabilität der Isomeren bestimmt. Letztere hängt sehr stark von den Substituenten ab. Während z.B. bei Alkyl-Substitution ebenso wie im unsubstituierten Cycloheptatrien die monocyclische Struktur im Gleichgewicht so stark überwiegt, daß die Norcaradien-Form bisher nicht direkt nachgewiesen werden konnte[4], liegt die 7,7-Dicyan-Verbindung ausschließlich in der Norcaradien-Form (*7,7-Dicyan-bicyclo[4.1.0]heptadien*) vor[5]. Die Übergänge sind jedoch fließend. Es gibt Derivate, wie das *7-Trifluormethyl-7-cyan-cycloheptatrien*[6]

---

[1] R. B. Woodward u. R. Hoffmann, Ang. Ch. **81**, 797 (1969); Int. Ed. 781.

[2] E. Ciganek, Privatmitteilung.
J. A. Berson u. M. R. Willcott, Am. Soc. **88**, 2494 (1966).
M. Görlitz u. H. Günther, Tetrahedron **25**, 4467 (1969).
H. J. Reich, E. Ciganek u. J. D. Roberts, Am. Soc. **92**, 5166 (1970).

[3] Isomere sind kinetisch stabil, wenn deren Lebensdauer τ mehrere Stdn. beträgt (Geschwindigkeitskonstante $k = 1/\tau \lesssim 10^{-4}$ Sek.$^{-1}$). Nach der Eyring-Gleichung entspricht das einer freien Aktivierungsenthalpie von $\Delta G^{\neq} \gtrsim 23$ kcal/Mol. Näheres siehe H. Kessler, Ang. Ch. **82**, 237 (1970); Int. Ed.: 219.

[4] R. Huisgen, Ang. Ch. **76**, 928 (1964). Die von Huisgen angewendete dilatometrische Methode versagt in diesem Fall offenbar, weil die Gleichgewichtseinstellung auch bei tiefen Temp. sehr schnell ist.

[5] E. Ciganek, Am. Soc. **87**, 652 (1965).

[6] E. Ciganek, Am. Soc. **87**, 1149 (1965).

und das 7,7-*Dimethoxycarbonyl-cycloheptatrien*[1], in denen beide Formen vergleichbare Energieinhalte besitzen und daher in ähnlichem Ausmaß am Gleichgewicht beteiligt sind.

Für die chemische Reaktivität spielt die thermodynamische Stabilität nicht die alleinige Rolle. So kann eine Reaktion ausschließlich mit dem instabileren Isomeren erfolgen, weil das thermische Gleichgewicht dieses ständig nachliefert. Voraussetzung dafür ist, daß die Reaktion mit dem nur in geringer Menge vorliegenden Isomeren unter kinetischer Kontrolle bevorzugt abläuft und daß die Energiebarriere der Isomerisierung relativ niedrig ist, was nach dem oben gesagten der Fall ist. So reagiert beispielsweise unsubstituiertes Cycloheptatrien unter den Bedingungen der Diels-Alder-Synthese wie das Norcaradien (S. 376ff.; s. a. ds. Handb., Bd. V/1c, S. 991, 1003, 1036f. 1065, 1123).

Erst wenn der Energieunterschied zwischen I und II (s. S. 306) so groß wird, daß die thermische Energie nicht mehr zu einer Umwandlung I ⇌ II ausreicht, reagiert ausschließlich die thermodynamisch stabilere Form.

Im allgemeinen ist die Cycloheptatrien-Struktur thermodynamisch stabiler. Die Norcaradien-Form kann jedoch durch folgende Strukturfaktoren stabilisiert werden:

① Wird die Doppelbindung in 2,3-Stellung z.B. durch Anellierung mit einem oder mehreren

IV ⇌ V

Benzolringen „festgehalten", so wird das Norcaradien stabilisiert. Bei der Valenzisomerisierung muß das aromatische Benzolsystem in das ortho-chinoide System V übergeführt werden. Das Gleichgewicht im *Benzonorcaradien* (*Benzo-bicyclo*[*4.1.0*]*heptadien*)[2] liegt völlig (der Energieunterschied beträgt 19,4 kcal/Mol)[3] auf der Seite des Norcaradiens. Das stabile *2-Oxa-bicyclo*[*3.1.0*]*hexen-*(*3*) (VI) ist in diesem Sinne als ein Norcaradien aufzufassen, in dem eine Doppelbindung als Elektronenpaar am Sauerstoff fixiert ist[4].

VI

Bei mehrfacher Anellierung wie im *Dibenzonorcaradien*[5] (*Dibenzo-bicyclo*[*4.1.0*]*heptadien*) *Naphthonorcaradien* (*Naphtho-*[a]*-bicyclo*[*4.1.0*]*heptadien*)[6] und *4,5-Dihydro-4,5-methano-pyren* (*8b,9a-Dihydro-9H-*⟨*cyclopropa-*[e]*-pyren*⟩)[7] ist die Cycloheptatrien-Form nicht in nachweisbaren Mengen am Gleichgewicht beteiligt.

② Werden die Atome C-1 und C-6 durch eine dreigliedrige Brücke miteinander verbunden, so kann diese wie eine Klammer eine Dreiringöffnung des Norcaradiens verhindern[8,9]:

---

[1] J. A. Berson et al., J. Org. Chem. **33**, 1669 (1968).
M. Görlitz u. H. Günther, Tetrahedron **25**, 4467 (1969).

[2] W. v. E. Doering u. M. J. Goldstein, Tetrahedron **5**, 53 (1959).
Eu. Müller, H. Fricke u. H. Kessler, Tetrahedron Letters **1964**, 1525.

[3] E. Vogel, D. Wendisch u. W. R. Roth, Ang. Ch. **76**, 432 (1964); Int. Ed.: 443.

[4] Eu. Müller, H. Kessler et al., Tetrahedron Letters **1963**, 1047.

[5] Eu. Müller, H. Kessler u. H. Suhr, Tetrahedron Letters **1965**, 423.

[6] Eu. Müller u. H. Kessler, A. **692**, 58 (1966).

[7] Eu. Müller u. H. Kessler, Tetrahedron Letters **1965**, 2673.

[8] J. Schreiber, A. Eschenmoser et al., Helv. **44**, 540 (1961).

[9] E. Vogel et al., Tetrahedron Letters **1963**, 673.

Enthält diese Brücke jedoch vier Glieder, so reicht der Klammereffekt nicht aus, das Norcaradien zu stabilisieren. Die Dreiringöffnung führt zu keiner starken Ringspannung in der Brücke — die Cycloheptatrien-Form ist stabiler[1]:

③ Substituiert man die Wasserstoffe am C-Atom 7 durch stark elektronenziehende Reste die zudem noch ein freies p-Orbital besitzen, wie die Cyan- oder die Methoxycarbonyl-Gruppe, so wird die Stabilität der Norcaradien-Form erhöht[2].

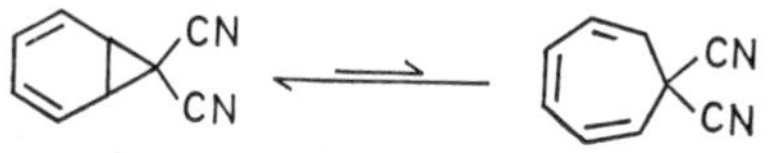

CN CN CN CN

7,7-Dicyan-bicyclo[4.1.0]heptadien *7,7-Dicyan-cycloheptatrien*

Dieser Substituenteneffekt kann mit Hilfe des Walsh-Modelles für den Cyclopropanring erklärt werden, nach dem dem Cyclopropanring besonders gegenüber positiven Substituenten eine Konjugationsmöglichkeit zukommt[3]. Der Dreiring wirkt als Elektronendonator. Eine solche Konjugation ist in der Cycloheptatrien-Form nicht möglich.

④ Im Cyclopentadien-⟨5-spiro-7⟩-norcaradien(VII) bzw. Cyclohexadien-(1,4)-⟨3-spiro-7⟩-norcaradien(VIII) der folgenden Art ist die Norcaradien-Form thermodynamisch begünstigt[4]:

R R

VII VIII

Dieser Effekt kann ebenso wie die Stabilisierung der Norcaradiene in ③ mit dem Walsh-Modell verstanden werden. In der Spiro-Anordnung liegt eine optimale räumliche Anordnung der Orbitale des Spirodiens zur Konjugation mit dem Cyclopropanring vor.

Für die Frage der Struktur (Cycloheptatrien oder Norcaradien) und die Bestimmung des Gleichgewichtes kommen nur physikalische Methoden in Betracht. An der Chemie des Cycloheptatriens zeigte sich sehr deutlich, daß chemische Reaktionen letztlich nur beschränkte Aussagekraft über die Struktur eines Reaktanden hat. Die zahlreichen Reaktionen des in überwiegendem Maße als 7-Ring vorliegenden Cycloheptatriens aus der Norcaradien-Form zusammen mit einigen Bildungsweisen, verleiteten die Chemiker zu der Annahme, man habe das Norcaradien in den Händen.

Besonders die Kernresonanzspektren der Verbindungen ergeben, daß der überwiegend größte Teil der früher als Norcaradien beschriebenen Verbindungen Cycloheptatrien-Struktur besitzt[5]. Lediglich in den unter ①—④ (S. 308 ff.) genannten Verbindungstypen ist die Norcaradien-Struktur stabiler.

---

[1] L. H. Knox, E. Velarde u. A. D. Cross, Am. Soc. **87,** 3727 (1965).
Die von E. Vogel et al. hergestellten Methanocyclodecapentaene liegen ebenfalls in der Cycloheptatrien-Form vor: s. S. 532 f.

[2] E. Ciganek, Am. Soc. **87,** 1149 (1965).
J. A. Berson et al., J. Org. Chem. **33,** 1669 (1968).
M. Görlitz u. H. Günther, Tetrahedron **25,** 4467 (1969).

[3] R. Hoffmann, Tetrahedron Letters **1970,** 2907.
H. Günther, Tetrahedron Letters **1970,** 5173.

[4] D. Schönleber, Ang. Ch. **81,** 83 (1969); Int. Ed.: 76.
M. Jones, Ang. Ch. **81,** 83 (1969); Int. Ed.: 76.

[5] Bei der Lesung der älteren Literatur sei daher zur Vorsicht geraten.

Im folgenden seien die spektroskopischen Eigenschaften der als sicher erkannten Norcaradiene, insofern kurz besprochen, als sie zur Charakterisierung und Unterscheidung vom Cycloheptatrien-System wesentlich sind[1].

Wie schon oben erwähnt, hat die NMR-Spektroskopie eine bedeutende Rolle bei der Strukturaufklärung gespielt.

Der prinzipielle Unterschied Cycloheptatrien-Norcaradien besteht für die NMR Spektroskopie in der Anwesenheit des Cyclopropan-Ringes, der sich durch charakteristische Kopplungskonstanten und chemische Verschiebungen auszeichnet. Dies sei am Beispiel der Protonenspektren der Benzo- und Naphtho-Norcaradiene demonstriert[2]:

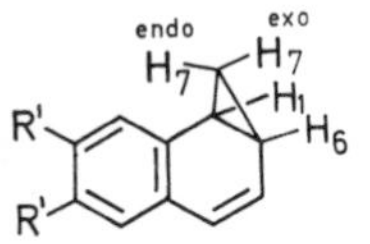

$R' = H, COOCH_3$
$R' = R' = —(CH{=}CH)_2—$

Chemische Verschiebung (in τ)

H_1	=	6,8	—	7,7
H_6	=	7,4	—	8,4
H_{7endo}	=	9,0	—	10,5
H_{7exo}	=	8,5	—	8,7

Besonders die relativ hohe Resonanzlage der Protonen 1, 6 und 7 wird nur mit der Dreiring-Formulierung vereinbar.

Weitere Beweise erhält man aus der Analyse der Kopplungskonstanten. Es ergibt sich, daß die Kopplung $J_{gem.} = J_{7,7} = -4 \pm 1$ Hz beträgt (im *Cycloheptatrien* beträgt $J_{7,7} \sim -13$ Hz!). Auch die Kopplungen $J_{trans} = J_{1,7\ endo} = J_{6,7\ endo} = 5 \pm 1$ Hz und $J_{cis} = J_{1,7\ exo} = J_{6,7\ exo} = 9 \pm 1$ Hz sind charakteristisch für Cyclopropan-Protonen.

Analog können auch die anderen Norcaradien-Derivate als solche erkannt werden[3].

In einigen Fällen liegt das Norcaradien und Cycloheptatrien im Gleichgewicht in ähnlichen Mengen vor. Dieses Gleichgewicht kann im NMR-Spektrum bei tiefen Temperaturen „eingefroren" werden[4]. Man beobachtet dann im Spektrum die Überlagerung der Spektren beider Substanzen und kann direkt deren Mengenverhältnis bestimmen. Es beträgt[5] im folgenden Beispiel 2:8.

7-Trifluormethyl-7-cyan-bicyclo[4.1.0]heptadien ⇌ *7-Trifluormethyl-7-cyan-cycloheptatrien*

Im Falle von *7-Methoxycarbonyl-7-cyan-cycloheptatrien*, das ebenfalls im Gleichgewicht mit dem *7-Methoxycarbonyl-7-cyan-bicyclo[4.1.0]heptadien* (*...-norcaradien*) vorliegt, konnte auch die Carbonylfrequenz im IR-Spektrum zur Identifizierung dienen[6].

---

[1] Die spektroskopischen Eigenschaften der Cycloheptatriene werden auf S. 313 besprochen.

[2] H. Kessler, Dissertation Tübingen 1966.
Eu. Müller u. H. Kessler, A. **692**, 58 (1966).

[3] Die ^{13}C-NMR-Spektroskopie (CMR) wurde ebenfalls erfolgreich auf das Cycloheptatrien-Norcaradien-Gleichgewicht angewendet: H. Günther u. T. Keller, B. **103**, 3231 (1970).

[4] Eine Übersicht derartiger Phänomene s.:
G. Binsch in E. L. Eliel u. N. Allinger, *Topics in Stereochemistry*, Bd. 3, S. 97ff., Interscience Publishers, New York 1968.
H. Kessler Ang. Ch. **82**, 237 (1970); Int. Ed.: 219.

[5] E. Ciganek, Am. Soc. **87**, 1149 (1965).

[6] E. Ciganek, Privatmitteilung.

Die UV-Spektren liefern bei den Norcaradienen mit ankondensierten Benzolringen wertvolle Hinweise, denn die Spektren sind denjenigen der entsprechenden Dihydro-Derivate der Aromaten (ganz im Gegensatz zu denjenigen der Benzocycloheptatriene) sehr ähnlich.

γ) Räumlicher Aufbau[1]

Lange Zeit spielte für die Struktur die Frage eine Rolle, ob das Cycloheptatrien als aromatisches bzw. homoaromatisches π-Elektronensystem aufzufassen ist oder nicht; mit anderen Worten ob zwischen den Atomen 1 und 6 über die Methylen-Brücke eine Konjugation besteht. Voraussetzung dafür ist eine ebene Anordnung des Cycloheptatrien-Ringes.

Die Röntgenstrukturanalyse des *7,7-Dimethyl-cycloheptatrien-3-carbonsäure-4-brom-phenylesters* (I) ergab für dieses Derivat den Beweis für das Vorliegen einer

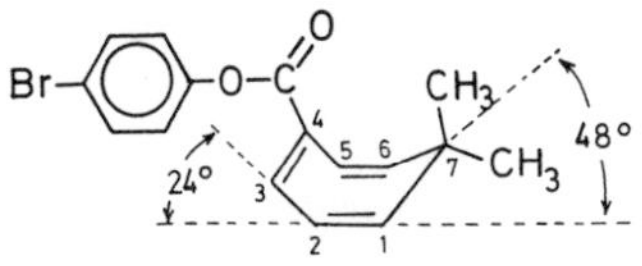

I 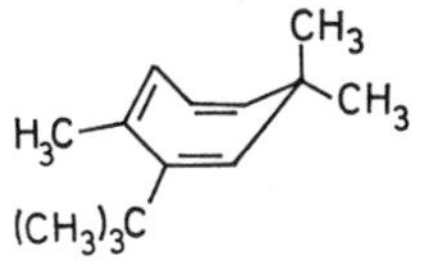 II

nichtplanaren Wannenform im kristallinen Zustand[2].

Das C-Atom 7 ist darin um einen Winkel von 48° und die Atome 3 und 4 um 24° aus der Ebene der Atome 2, 3, 5 und 6 heraus gedreht. Ähnliche Resultate lieferte das Mikrowellenspektrum[3].

Daß dies auch für Cycloheptatriene in Lösung gilt, konnte am *3,7,7-Trimethyl-2-tert.-butyl-cycloheptatrien* (II)[4] und später auch am unsubstituierten *Cycloheptatrien*[5] durch NMR-Spektroskopie bewiesen werden.

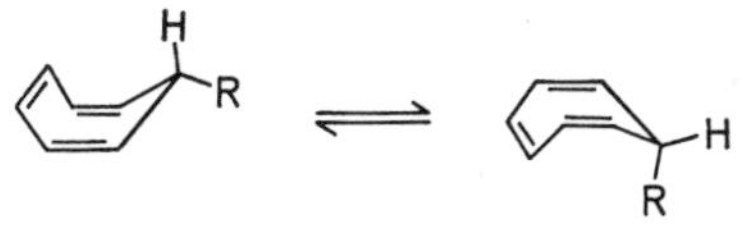

R = H, D, Alkyl, Phenyl

III IV

In 7-Alkyl-cycloheptatrienen wird mit zunehmender Größe des Alkyl-Restes R die Form III im thermischen Gleichgewicht immer stärker bevorzugt[6].

Die Umwandlung der beiden Wannenformen III ⇌ IV erfolgt bei Raumtemperatur sehr schnell. Die Aktivierungsenergie wurde im Cycloheptatrien zu ~ 6 kcal/Mol bestimmt[7,8]. Sie steigt an, wenn durch sterische Hinderung von Substituenten an C–1

[1] Eine ausführliche Betrachtung der konformativen Beweglichkeit des Cycloheptatriens s. W. Tochtermann, Fortschr. d. Chem. Forsch. (Topics in Current Chem.) **15**/**3**, 378 (1970).
[2] A. Tulinsky u. R. F. Davis, Tetrahedron Letters **1962**, 839.
R. F. Davis u. A. Tulinsky, Am. Soc. **88**, 4583 (1966).
[3] S. S. Butcher, J. Chem. Phys. **42**, 1833 (1965).
[4] K. Conrow, M. E. Howden u. D. Davis, Am. Soc. **85**, 1929 (1963).
[5] F. A. L. Anet, Am. Soc. **86**, 458 (1964).
F. R. Jensen u. L. A. Smith, Am. Soc. **86**, 956 (1964).
[6] H. Kessler u. Eu. Müller, Z. Naturforsch. **22b**, 283 (1967).
H. Günther, M. Görlitz u. H. H. Hinrichs, Tetrahedron **24**, 5665 (1968).
[7] F. A. L. Anet, Am. Soc. **86**, 458 (1964).
[8] F. R. Jensen u. L. A. Smith, Am. Soc. **86**, 956 (1964).

und C—7 bzw. C—2 und C—3 die für die Umwandlung erforderliche eclipsed-Stellung dieser Gruppen energetisch erhöht wird. Beispiele hierfür sind die Verbindungen V bis IX:

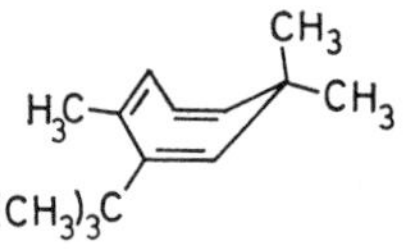

9 kcal/Mol[1]
V; *3,7,7-Trimethyl-2-tert.-butyl-cycloheptatrien*

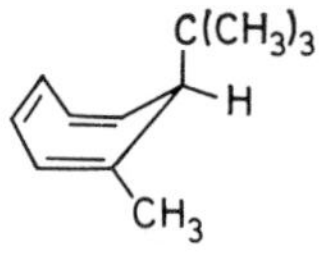

19 kcal/Mol[2]
VI; *1-Methyl-7-tert.-butyl-cycloheptatrien*

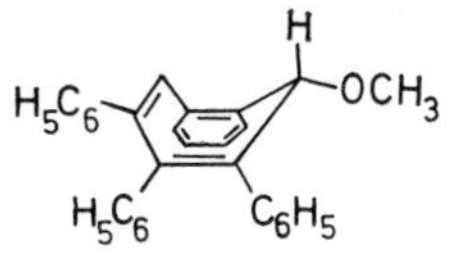

17 kcal/Mol[3]
VII; *5-Methoxy-6,7,8-triphenyl-5H-⟨benzo-cycloheptatrien⟩*

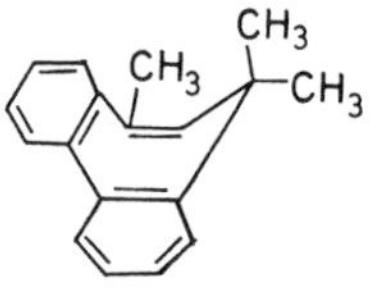

19 kcal/Mol[4]
VIII; *9,11,11-Trimethyl-11H-⟨dibenzo-[a;c]-cycloheptatrien⟩*

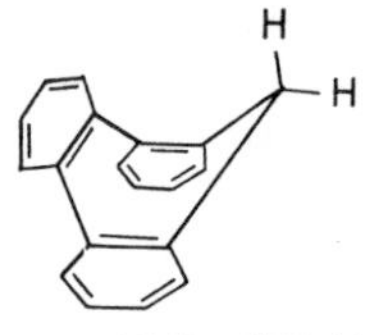

24 kcal/Mol[5]
IX; *Tribenzo-cycloheptatrien*

Im Falle der Tribenzo-cycloheptatriene (IX) ist die Aktivierungsenergie so groß, daß bei geeigneter Substitution auch bei Raumtemperatur stabile Isomere gebildet werden.

Die Ringinversionsisomeren können *diastereomer* oder *enantiomer* sein:

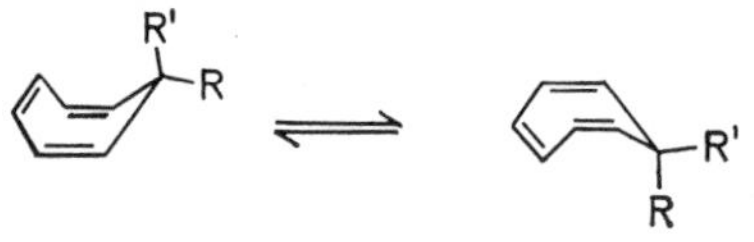

Diastereomere

Enantiomere

Eine Trennung[6] von *enantiomeren* Cycloheptatrienen gelang erstmalig im Falle der 7-Methylen-Derivate X:

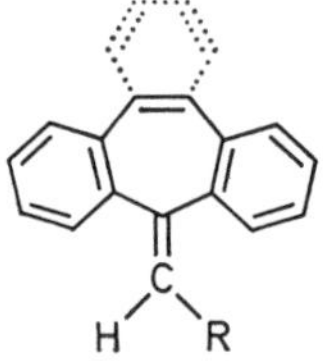

X

[1] K. Conrow, M. E. Howden u. D. Davis, Am. Soc. **85**, 1929 (1963).
[2] W. E. Heyd u. C. A. Cupas, Am. Soc. **91**, 1559 (1969).
[3] W. Tochtermann, B. Schnabel u. A. Mannschreck, A. **711**, 88 (1968).
[4] I. O. Sutherland u. M. V. J. Ramsay, Tetrahedron **21**, 3401 (1965).
[5] W. Tochtermann, G. Schnabel u. A. Mannschreck, A. **705**, 169 (1967).
M. Nogradi; W. D. Ollis u. I. O. Sutherland, Chem. Commun. **1970**, 158.
[6] A. Ebnöther, E. Jucker u. A. Stoll, Chimia **18**, 404 (1964).
A. Ebnöther, E. Jucker u. A. Stoll, Helv. **48**, 1237 (1965).
W. Tochtermann u. H. Küppers, Ang. Ch. **77**, 173 (1965); Int. Ed.: **4**, 156 (1965).
A. Schönberg, U. Sodtke u. K. Praefcke, Tetrahedron Letters **1968**, 3669.

Diastereomere, langsam invertierende Cycloheptatriene durch verschiedene Stellung der Substituenten in Position 7, wurden kürzlich ebenfalls in der Tribenzo-cycloheptatrien-Reihe erhalten[1].

Zusammenfassend kann gesagt werden, daß die bootförmige Struktur des Cycloheptatriens und seiner Derivate sichergestellt ist und daß eine „Aromatizität" des Systems in gleicher Weise abzulehnen ist, wie für das Cyclooctatetraen und seine Derivate.

δ) Identifizierung

Die Eigenschaften von Cycloheptatrienen zeigen keine unerwarteten Besonderheiten, wenn man von den oben erwähnten Isomerisierungen absieht. So gibt es auch keine spezifischen Identifizierungsreaktionen auf das Cycloheptatrien-System. Die Reaktionen (Nitromethan-Reaktion, Diensynthese, Hydrierung usw.) sind normal für konjugierte Olefine. Eine Ausnahme bildet die leichte Oxydierbarkeit zu Tropyliumsalzen (s. S. 395). Hierbei fungieren die Cycloheptatriene als Hydrid-Ionen-Überträger.

Die spektroskopische Identifizierung erfolgt zumeist durch NMR-Spektroskopie, die besonders geeignet ist, die isomeren Strukturen auszuschließen. Eine Reihe von Cycloheptatrien-Spektren sind voll analysiert worden[2].

Typische Resonanzlagen von Protonen und deren Kopplungskonstanten in Alkylcycloheptatrienen sind[2]:

	Chemische Verschiebung [τ]		Kopplungskonstante [Hz]	
	Protonen		Stellung	
R, 2, 1, 3, 7, 4, 5, 6	1,6	4,7–5,1	1,2 ~ 5,6	= 8–10
	2,5	3,9–4,3	2,3 ~ 4,5	= 4– 6
	3,4	3,3–3,8	2,4 ~ 3,5	= 0,5– 3
	7	7,7–8,7	2,5	= 0,5– 1
			3,4	= 10–12
			1,3	< 1
			1,7	= 4,5–7,1
			7,7	= –13

Bezüglich des Massenspektrums von Cycloheptatrien s. Literatur[3].

[1] W. TOCHTERMANN u. K. H. STECHER, Tetrahedron Letters **1967**, 3847.
W. TOCHTERMANN u. H. O. HORSTMANN, Tetrahedron Letters **1969**, 1163.
W. TOCHTERMANN, Fortschr. d. Chem. Forsch. (Topics in Current Chem.) **15/3**, 378 (1970).

[2] H. GÜNTHER u. H. H. HINRICHS, Tetrahedron Letters **1966**, 787.
H. KESSLER u. EU. MÜLLER, Z. Naturforsch. **22b**, 283 (1967).
K. W. EGGER u. W. R. MOSER, J. Phys. Chem. **71**, 3699 (1967).
H. GÜNTHER u. R. WENZEL, Z. Naturforsch. **22b**, 389 (1967).
H. GÜNTHER, M. GÖRLITZ u. H. H. HINRICHS, Tetrahedron **24**, 5665 (1968).

[3] F. H. FIELD, Am. Soc. **89**, 5328 (1967).
I. HOWE u. F. W. MCLAFFERTY, Am. Soc. **93**, 99 (1971).

A. Herstellung

I. unter Erhaltung des 7-Ringes

a) durch Isomerisierungen

1. thermische Isomerisierungen

Cycloheptatriene erleiden beim Erwärmen eine 1,5-sigmatrope Wasserstoff-Verschiebung, falls das C-Atom 7 ein Proton trägt. Aus einem 7-substituierten Cycloheptatrien bildet sich dabei ein 3-substituiertes Cycloheptatrien:

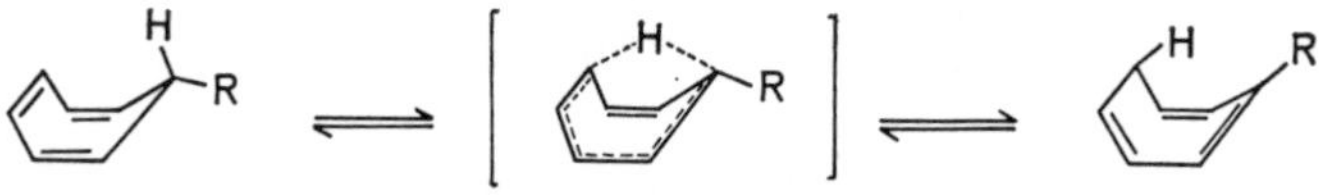

Diese Reaktion ist aus der Wannenform des Cycloheptatriens als suprafaciale Synchronreaktion thermisch erlaubt[1]. Die Kinetik dieser Reaktion ist gut studiert[2]. Da die 7-substituierten Cycloheptatriene durch Diazoreaktion oder Reaktion von Tropyliumsalzen und metallorganischen Verbindungen gut zugänglich sind, sind diese Umlagerungen eine gute Methode zur Herstellung 1,2-oder 3-substituierter Cycloheptatriene:

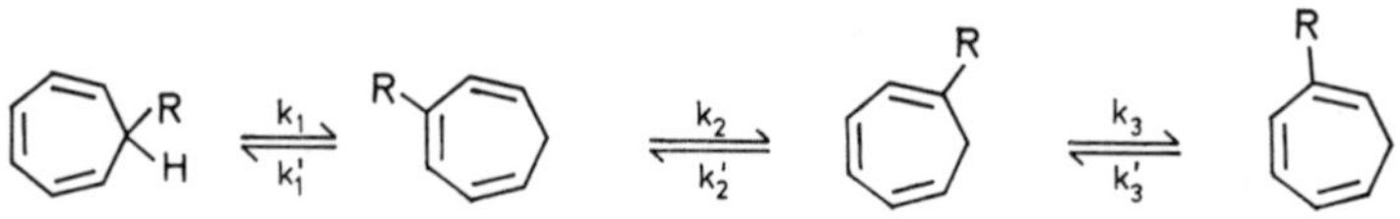

Die Reaktionen verlaufen mit unterschiedlicher Geschwindigkeit, so daß man je nach Reaktionsdauer und -temperatur ein anderes Isomeres im Überschuß erhält. Am einfachsten ist auf diese Weise das 3-substituierte Cycloheptatrien herzustellen.

3-Phenyl-cycloheptatrien[3]: In einer trockenen Stickstoffatmosphäre werden 7,0 g 7-Phenyl-cycloheptatrien 70 Stdn. auf 116° erhitzt. Das Reaktionsgemisch wird in 15 Min. über eine Vigreux-Kolonne (10 cm) bei einer Bad-Temp. von 110–115° destilliert; Ausbeute: 6,5 g (93% d.Th.); Reinheit 91%; $Kp_{0,03}$: 69–71°.

Unter gleichen Bedingungen erhält man *3-Methoxy-* und *1-Methoxy-cycloheptatrien*[4].

Durch diese Wasserstoff-Verschiebungen werden auch die Ursachen der Umlagerungen der Buchner-Ester verständlich, die bei der Reaktion von Diazoessigsäureester mit Benzol entstehen[5].

---

[1] R. B. Woodward u. R. Hoffmann, Ang. Ch. **81**, 797 (1969); Int. Ed.: 781.

[2] A. P. Ter Borg u. H. Kloosterziel, R. **84**, 241 (1956); **88**, 266 (1969) u. dort zitierte Literatur.

J. A. Berson, Accounts Chem. Res. **1**, 152 (1968).

[3] A. P. ter Borg u. H. Kloosterziel, R. **82**, 754 (1965).

[4] E. Weth u. A. S. Dreiding, Proc. Chem. Soc. **1964**, 59.

[5] A. P. ter Borg, H. Kloosterziel u. N. van Meurs, R. **82**, 731 (1963).

Die früheren Beobachtungen lassen sich auf Grundlage der neueren Kenntnisse über Struktur und Reaktivität neu interpretieren[1,2]: Der primär entstehende Cycloheptatrien-7-carbonsäureester („Norcaradien-carbon-säureester") lagert sich beim Erhitzen auf 140–160° in den Cycloheptatrien-3-carbonsäureester um, der beim Verseifen die entsprechende *Cycloheptatrien-3-carbonsäure*[3–5] liefert.

Cycloheptatrien-3-carbonsäure:[3–5] 44 g Cycloheptatrien-7-carbonsäure-äthylester werden im evakuierten Rundkolben 4 Stdn. auf 150° (Bad) erhitzt. Das Reaktionsprodukt wird i. Vak. destilliert und die zwischen 112° und 115°/24,5 Torr übergehende Fraktion (36 g) durch 1stdgs. Kochen unter Rückfluß mit 160 *ml* 10%iger methanolischer Kalilauge verseift. Die gelbe Lösung wird mit 320 *ml* Wasser verdünnt und mit 4 n Schwefelsäure in der Kälte angesäuert. Das abgeschiedene Öl wird mit Äther aufgenommen und mit 2 n Natronlauge extrahiert. Beim Ansäuern des alkalischen Extraktes fällt das Gemisch von Säuren aus, das nach üblicher Aufarbeitung i. Vak. destilliert wird. Die Fraktion von 151–154°/12 Torr erstarrt im Eisschrank über Nacht zu einem öldurchtränkten Kristallbrei, der schnell in der Kälte abgesaugt wird. Nach dem Trocknen auf Ton schmilzt die Carbonsäure bei 50–52°; Ausbeute: 20,5 g (56% d. Th.).

Aus dem abgesaugten Öl lassen sich durch mehrtägiges Stehen im Eisschrank nochmals ~ 5 g Säure abscheiden, die entweder aus Benzin umkristallisiert werden oder i. Hochvak. (Ölbad 45°, 0,5 Torr) sublimiert werden; F: 56° (farblos).

Die weiteren Reaktionen der „Buchner-Ester" gehen aus dem folgenden Schema hervor:

COOR H 150° ROOC 180° COOR

Norcaradien-carbon=säureester "β-Ester" "γ-Ester"

150° ROOC

"α-Ester"

Analoge thermische Umlagerungen werden auch bei anderen Cycloheptatrien-Derivaten beobachtet[6]. Auffällig ist, daß sich zwar 7-substituierte Cycloheptatriene leicht thermisch umlagern, eine Rückisomerisierung von 3-R-Cycloheptatrien in 7-R-Cycloheptatrien dagegen bisher noch nicht beobachtet wurde.

Als wandernde Gruppen kommen auch andere Gruppen in Frage; so verläuft die thermische Umlagerung von *5,5-Dicyan-5H-⟨benzo-cycloheptatrien⟩* (I; S. 316) unter Verschiebung einer Cyan-Gruppe[7]:

---

[1] A. P. TER BORG u. H. KLOOSTERZIEL, R. **82,** 754 (1965).

[2] A. P. TER BORG, H. KLOOSTERZIEL u. N. VAN MEURS, R. **82,** 731 (1963).

[3] Die Angaben der älteren Literatur bezüglich der Struktur sind überwiegend falsch. Die endgültige Zuordnung und Strukturaufklärung gelang erst durch die Anwendung der Kernresonanzspektroskopie (vgl. S. 313) und mit Hilfe der Diensynthese mit Acetylendicarbonsäure nach anschließender Spaltung; K. ALDER, H. JUNGEN u. K. RUST, A. **602,** 94 (1957).

[4] C. GRUNDMANN u. G. OTTMANN, A. **582,** 163 (1953).

[5] K. ALDER, H. JUNGEN u. K. RUST, A. **602,** 94 (1957).

[6] R. W. MURRAY u. M. L. KAPLAN, Am. Soc. **88,** 3527 (1966).
A. P. TER BORG u. H. KLOOSTERZIEL, R. **84,** 214 (1965); **88,** 266 (1969).
J. A. BERSON, Accounts Chem. Res. **1,** 152 (1968).
T. TODA, M. NITTA u. T. MUKAI, Tetrahedron Letters **1969,** 4401; und dort zitierte Literatur.

[7] E. CIGANEK, Am. Soc. **89,** 1458 (1967).

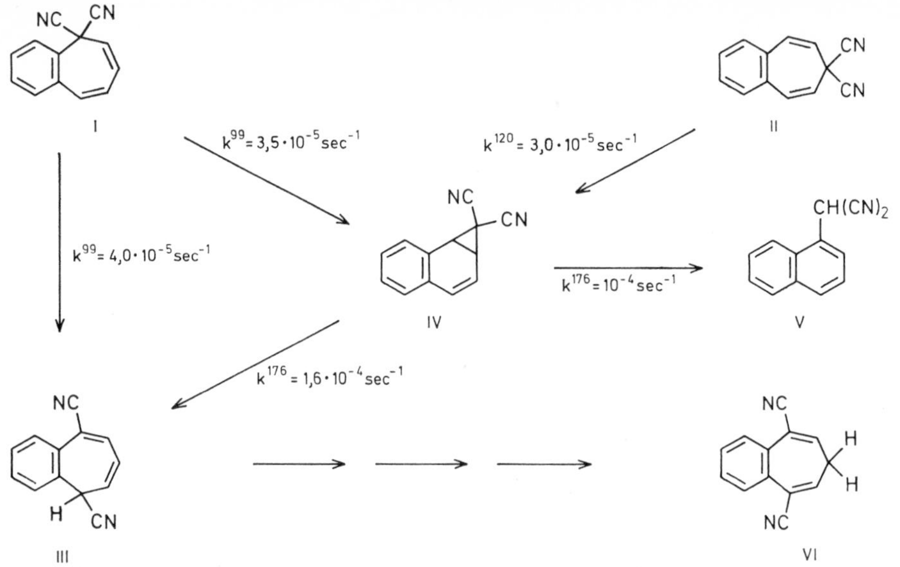

Es entsteht das *5,9-Dicyan-5H-⟨benzo-cycloheptatrien⟩*(III). Daneben wird die Skelett-Umlagerung zum 7,7-Dicyan-benzonorcaradien (IV) beobachtet, das auch aus dem *7,7-Dicyan-7H-⟨benzo-cycloheptatrien⟩* (II) entsteht. Weitere Folgeprodukte wie Naphthyl-(1)-malonsäure-dinitril (V) und *5,9-Dicyan-7H-⟨benzo-cycloheptatrien⟩* (VI) bilden sich durch Aromatisierung (s. S. 362 ff.) bzw. Wasserstoffverschiebungen. Die Kinetik der thermischen Umlagerungen wurde studiert[1].

Die Wanderung von Methoxy-Gruppen wird bei der Thermolyse von *7,7-Dimethoxy-cycloheptatrien* beobachtet und als Primärschritt erstaunlicherweise eine 1,7-Verschiebung gefunden[2].

Sind beide H-Atome der 7-Stellung substituiert, so tritt normalerweise keine 1,5-Verschiebung sondern Skelett-Umlagerung ein[3]. Die Reaktion läuft über die Norcaradien-Stufe:

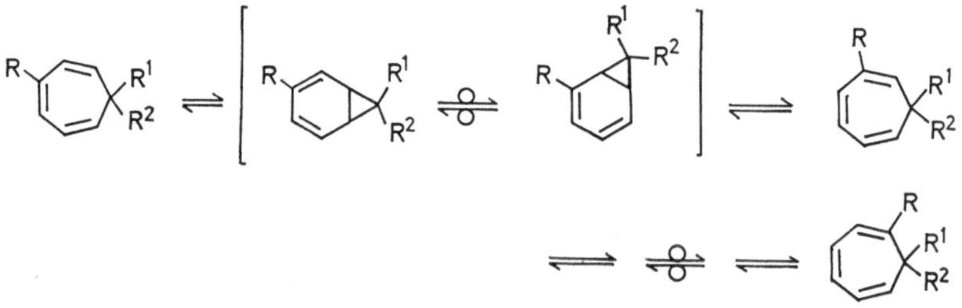

Da die erforderlichen Temperaturen recht hoch sind (300°), werden Nebenprodukte durch Aromatisierung erhalten. Die Gemische müssen gaschromatographisch aufgetrennt werden. Der präparative Wert dieser Reaktion ist daher gering.

[1] E. Ciganek, Am. Soc. **89**, 1458 (1967).
[2] R. W. Hoffmann et al., Tetrahedron Letters **1969**, 3789.
[3] J. A. Berson u. M. R. Willcott, Am. Soc. **88**, 2494 (1966).
J. A. Berson, Accounts Chem. Res. **1**, 152 (1968).

2. photochemische Isomerisierungen

Unter Photolysebedingungen findet z.B. in VII eine Verschiebung von 7 nach 1 statt[1]. Diese Reaktion ist als sigmatrope 1,7-suprafaciale Verschiebung im Sinne der Woodward-Hoffmann-Regeln aufzufassen[2]:

VII —hν→ VIII + IX

Als Nebenreaktion findet Valenzisomerisierung zum Bicyclo[3.2.0]heptadien-(2,6) (IX) statt. Auch diese Reaktion ist eine photochemisch erlaubte Synchronreaktion: der disrotatorische Butadien-Cyclobuten-Ringschluß[2]. Die analoge thermische Reaktion ist nur conrotatorisch erlaubt – ein conrotatorischer Ringschluß ist aber aus sterischen Gründen im Ringsystem nicht möglich.

Im 7-Deutero-cycloheptatrien und 7-Alkoxy-cycloheptatrien verläuft die 7,1-Verschiebung 500 mal schneller als die Valenzisomerisierung zum Bicyclus[1]. Da aber die Wasserstoff-Verschiebungen weiter ablaufen, lassen sich ebenso wie bei den thermischen Umlagerungen nur angereicherte Gemische erhalten, deren Trennung meist schwierig ist. Der präparative Wert dieser Reaktionen ist daher häufig gering, wenngleich einige Cycloheptatrien-Derivate bisher nur auf diesem Wege zugänglich sind. Andererseits muß man die photochemischen Umwandlungsmöglichkeiten kennen, um z.B. bei der Synthese von Cycloheptatrien aus Benzol-Derivaten und Diazo-Verbindungen mit Licht (s. 335 ff.) unerwünschte Nebenprodukte durch Filtern des Lichtes ausscheiden zu können[3].

Die photochemische Wasserstoff-Verschiebung von 1-substituierten Cycloheptatrienen ist dagegen hochspezifisch und hängt von der Substitution ab[4].

hν → XI + XII + Bicyclen

X	XI ; ...-*cycloheptatrien*		XII ; ...-*cycloheptatrien*		Bicyclen
CN	*2-Cyan-*	100%	—		—
C_6H_5	*2-Phenyl-*	50%	*7-Phenyl-*	50%	—
CH_3	*2-Methyl-*	2%	*7-Methyl-*	98%	—
SCH_3	—		*7-Methylmercapto-*	65%	35%
OCH_3	—		*7-Methoxy-*	35%	65%
$N(CH_3)_2$	—		—		100%

[1] W. R. Roth, Ang. Ch. **75**, 921 (1963); Int. Ed.: 688.
W. von E. Doering u. P. P. Gaspar, Am. Soc. **85**, 3043 (1963).
A. P. Ter Borg u. H. Kloosterziel, R. **84**, 241 (1965).
L. B. Jones u. V. K. Jones, Am. Soc. **90**, 1540 (1968).
[2] R. B. Woodward u. R. Hoffmann, Ang. Ch. **81**, 797 (1969); Int. Ed. 781.
[3] A. P. Ter Borg u. H. Kloosterziel, R. **84**, 241 (1965).
[4] A. P. Ter Borg, E. Razenberg u. H. Kloosterziel, Chem. Commun. **1967**, 1210.

Als wandernde Gruppe R (in VII, S. 317) kommt neben Wasserstoff auch eine Methyl-Gruppe in Betracht[1,2]. So erhält man aus 3,7,7-Trimethyl-cycloheptatrien (XIII) ein Gemisch aus dem valenzisomeren *4,4,7-Trimethyl-bicyclo[3.2.0]heptadien-(2,6)* (XIV) und den beiden Umlagerungsprodukten *1,5,7-Trimethyl-cycloheptatrien* (XV) und *1,3,7-Trimethyl-cycloheptatrien* (XVI). Letztere stehen miteinander im photochemischen Gleichgewicht:

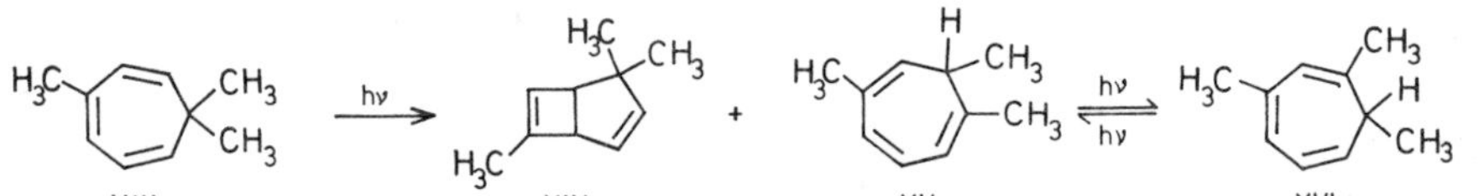

XIII —hν→ XIV + XV ⇌(hν) XVI

1,5,7-, 1,3,7-Trimethyl-cycloheptatrien und 4,4,7-Trimethyl-bicyclo[3.2.0]heptadien-(2,6)[1]: Eine Lösung von 1,5 g 3,7,7-Trimethyl-cycloheptatrien (XIII) in 60 *ml* Benzol wird mit einer 450 W Hanovia-Lampe unter Anwendung eines Pyrex-Filters 5 Stdn. lang bestrahlt. Das Reaktionsgemisch wird i. Vak. angereichert und gaschromatographisch getrennt. Das Gaschromatogramm zeigt neben 9% unverändertem Ausgangsmaterial 56% *4,4,7-Trimethyl-bicyclo[3.2.0]heptadien-(2,6)* sowie 19% *1,5,7-Trimethyl-cycloheptatrien* und 16% *1,3,7-Trimethyl-cycloheptatrien.*

b) Substitution am Cycloheptatrien

Die meisten Substitutionsreaktionen von Cycloheptatrienen verlaufen über die Tropyliumsalze (S. 325ff.). Während die letztere Reaktion sehr allgemein ist, erweist sich in manchen Fällen die direkte nucleophile Substitution als Methode der Wahl:

$$C_7H_7{-}X + Y^{\ominus} \longrightarrow C_7H_7{-}Y + X^{\ominus}$$

So können Umsetzung von 7-Methoxy-cycloheptatrien mit aromatischen Grignard-Verbindungen zu 7-Aryl-cycloheptatrienen im homogenen Medium durchgeführt und unerwünschte Nebenreaktionen vermieden werden[3]. Die Nebenreaktionen bestehen z. B. in der Mehrfachreaktion des Tropyliumsalzes, wenn das Reaktionsprodukt durch einen Überschuß von Tropyliumsalz oxidiert wird.

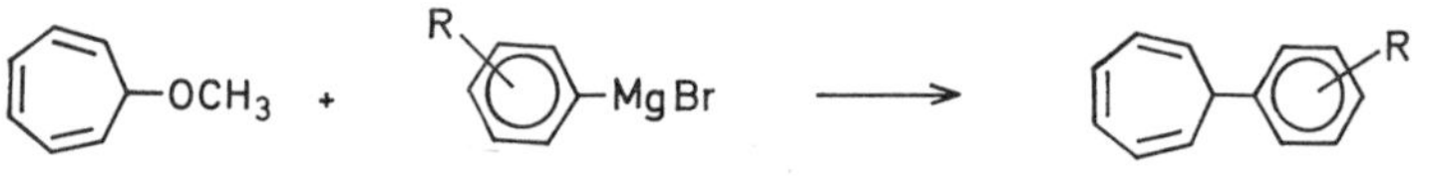

$$C_7H_7{-}OCH_3 + R{-}C_6H_4{-}MgBr \longrightarrow C_7H_7{-}C_6H_4{-}R$$

Das in der zitierten Literatur beschriebene Verfahren der Aufarbeitung durch Destillation schließt eine thermische Isomerisierung (s. S. 314 ff.) primär entstehender 7-Aryl-cycloheptatriene nicht völlig aus, was natürlich bei der in der Literatur beschriebenen Weiteroxidation zu Aryl-tropyliumsalzen keine Rolle spielt.

7-Phenyl-cycloheptatrien[3]: Zu einer Grignard-Lösung aus 2,8 g Magnesium-Spänen und 25 g Brombenzol in 40 *ml* absol. Äther und 15 *ml* absol. Tetrahydrofuran werden unter Rühren und Kühlen 18,3 g 7-Methoxy-cycloheptatrien in 50 *ml* absol. Äther getropft. Nach Beendigung der lebhaften Reaktion erhitzt man noch 15 Min. am Rückfluß. Dann wird durch Eingießen in 100 *ml* 2 n Salzsäure und 150 g Eis zerlegt, die organische Phase abgetrennt und die wäßrige Schicht 1 mal ausgeäthert. Nach Abdampfen des Lösungsmittels aus den vereinigten über Kaliumcarbonat getrockneten organischen Phasen wird destilliert; Ausbeute: 20 g (80% d. Th.); Kp_{12}: 129,5–131°.

---

1 L. B. Jones u. V. K. Jones, Am. Soc. **89**, 1880 (1967).
2 L. B. Jones u. V. K. Jones, Am. Soc. **90**, 1540 (1968).
3 C. Jutz u. F. Voithenleitner, B. **97**, 29 (1964).

Analog lassen sich die anderen substituierten 7-Phenyl-cycloheptatriene herstellen (Tab. 1)

Tab. 1. 7-Aryl-cycloheptatriene aus 7-Methoxy-cycloheptatrien und Grignard-Verbindungen

7-Aryl-cycloheptatrien	Ausbeute [% d.Th.]	Kp [°C]	Kp [Torr]	Literatur
7-(4-Methyl-phenyl)-	83	87	0,001	[1]
7-(4-Fluor-phenyl)-	78	73	0,001	[1]
7-(3-Fluor-phenyl)-	84	78	0,001	[1]
7-(4-Chlor-phenyl)-	80	93	0,001	[1]
7-(3-Chlor-phenyl)-	88	91	0,001	[1]
7-(4-Brom-phenyl)-	82	108	0,001	[1]
7-(3-Brom-phenyl)-	54	108	0,001	[1]
7-(3-Trifluormethyl-phenyl)-	68	62–65	0,001	[1]
7-(4-Methoxy-phenyl)-	82	112–115 (F: 36°)	0,001	[1]
7-Naphthyl-(2)-	89	140–142	0,001	[1]

Im Falle stark elektronenschiebender Gruppen im aromatischen Kern tritt mit 7-Methoxy-cycloheptatrien eine direkte Reaktion ein[1]:

$$\text{C}_7\text{H}_7\text{–OCH}_3 + \text{C}_6\text{H}_5\text{–R} \longrightarrow \text{C}_7\text{H}_7\text{–C}_6\text{H}_4\text{–R}$$

VI; R = OH; *(4-Hydroxy-phenyl)-cycloheptatrien*
R = NH_2; *(4-Amino-phenyl)-cycloheptatrien*
R = $N(CH_3)_2$; *(4-Dimethylamino-phenyl)-cycloheptatrien*

(4-Hydroxy-phenyl)-cycloheptatrien[1]: 11 g Phenol werden in 10 g 7-Methoxy-cycloheptatrien gelöst. Nach Zugabe von 2 *ml* Eisessig tritt kräftige Selbsterwärmung unter Orangefärbung ein. Man erhitzt noch 1 Stde. auf dem siedenden Wasserbad (dunkelrote Farbe der Mischung) und destilliert dann bei 10^{-3} Torr. Nach einem Vorlauf von Eisessig und Phenol gehen zwischen 124 bis $135/5 \cdot 10^{-3}$ Torr 7,7 g eines außerordentlich zähen, gelben Öles über, das nochmals destilliert wird. Das fast farblose Produkt wird mit Hexan digeriert und abgesaugt; F: 61,5–62,5° (farblose Nadeln aus Hexan).

Nach einem etwas abgewandelten Verfahren erhält man *(4-Dimethylamino-phenyl)-*(98% d.Th.) und *(4-Amino-phenyl)-cycloheptatrien* (83% d.Th.).

Die 4-Hydroxy-Gruppe läßt sich ebenso wie die 4-Amino-Gruppe glatt benzoylieren und acetylieren[1].

Bei der Reaktion von 7-Äthoxy-cycloheptatrien mit Alkyl-magnesium-Verbindungen erhält man in glatter Reaktion die 7-Alkyl-Verbindung[2,3].

7-Methyl-cycloheptatrien[3]: Zu einer Grignard-Lösung aus 1,68 g (70 mMol) Magnesium und 4,7 *ml* (75 mMol) Methyljodid in 70 *ml* Äther werden 6,99 g (51,3 mMol) 7-Äthoxy-cycloheptatrien zugetropft. Jeder Tropfen bewirkt ein Aufsieden der Lösung. Das Gemisch wird anschließend

---

[1] C. JUTZ u. F. VOITHENLEITNER, B. **97**, 29 (1964).
[2] A. G. HARRISON, L. R. HONNEN, H. J. DAUBEN u. F. P. LOSSING, Am. Soc. **82**, 5593 (1960).
[3] K. CONROW, Am. Soc. **83**, 2343 (1961); anstelle des 7-Äthoxy-cycloheptatriens kann auch 7-Methoxy-cycloheptatrien eingesetzt werden.

20 Min. gerührt und durch Eingießen in Ammoniumchlorid-Lösung aufgearbeitet. Die Äther-Schicht wird mit 1n Salzsäure gewaschen, um den Überschuß an 7-Äthoxy-cycloheptatrien zu entfernen, mit Magnesiumsulfat getrocknet und destilliert; Ausbeute: 4,05g (74% d. Th.); Kp_{42}: 50°.

Die in der Literatur berichtete Umsetzung von 2,5-Dibrom-cycloheptatrien mit Alkalimetallsalzen CH-acider Verbindungen[1] ist eine Umsetzung von Dibrom-cycloheptadien.

Als Abgangsgruppe eignen sich auch gut Halogen-Gruppen, Hydroxy- (im sauren Medium) und selbst die Tropyloxy-Gruppe.

Einige Beispiele dieses Reaktionstypes, der sich besonders auch bei der Herstellung der pharmazeutisch wichtigen Dibenzo-cycloheptatrien-Derivate bewährt hat, sind in Tab. 2 aufgeführt (S. 321 ff.).

Die Verätherung von 7-Hydroxy-6,7,8-triphenyl-7H-⟨benzo-[c]-cycloheptatrien⟩ mit Methanol-Schwefelsäure verläuft nicht zum entsprechenden Substitutionsprodukt, sondern unter Umlagerung[2]:

C_6H_5 C_6H_5 OH C_6H_5 I — CH_3OH/H_2SO_4 — ⫽→ C_6H_5 C_6H_5 OCH_3 C_6H_5; → C_6H_5 C_6H_5 C_6H_5 H_3CO II

Mit solchen Veränderungen des Substitutionsortes muß man im allgemeinen rechnen, da bei vielen dieser Reaktionen die stabilen Tropyliumionen als Zwischenprodukte auftreten dürften.

5-Methoxy-6,7,8-triphenyl-5H-⟨benzo-cycloheptatrien⟩[2]; **II:** 24 g 7-Hydroxy-6,7,8-triphenyl-7H-⟨benzo-cycloheptatrien⟩ (I) werden in 125 *ml* absol. Methanol gelöst und mit 2 Tropfen konz. Schwefelsäure 30 Stdn. unter Rückfluß gekocht. Beim Abkühlen scheidet sich der Methyläther II in farblosen Kristallen aus; Ausbeute: 21,6 g (87% d. Th.); F: 151–152° (aus Petroläther).

Die entgegengesetzte Reaktivität des Cycloheptatrien-Systems erreicht man durch Metallierung in 7-Stellung. So reagiert 5H-⟨Dibenzo-[a;e]-cycloheptatrien⟩ als nucleophiler Reaktionspartner beim Ersatz einer Sulfonyloxy-Gruppe, wenn Kaliumamid anwesend ist[3]:

$$+\ CH_3SO_2O-(CH_2)_3-N(CH_3)(CO-R) \xrightarrow[-CH_3SO_3H]{KNH_2/\text{Äther}} (CH_2)_3-N(CH_3)(CO-R)$$

[1] F. Korte, K. H. Büchel u. F. F. Wiese, A. **664**, 114 (1963).

[2] W. Tochtermann, G. Schnabel u. A. Mannschreck, A. **711**, 88 (1968).

[3] US. P. 3277144 (1966), Merck & Co., Erf.: M. Tischler, J. M. Chemerda u. J. Kollonitsch; C. A. **66**, 2423 (1967).

Tab. 2. 7-Substituierte Cycloheptatriene durch Substitution von Cycloheptatrienen

Ausgangsverbindung	substituierende Gruppe	umgesetzt mit	substituiertes Derivat	Ausbeute [% d. Th.]	Literatur
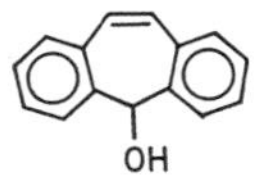 5-Hydroxy-5H-dibenzo[a;e]cycloheptatrien (structure, OH)	OH	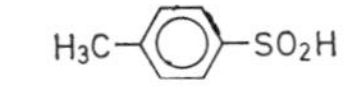 $H_3C-C_6H_4-SO_2H$	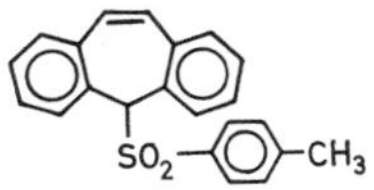 *5-Tosyl-5H-⟨dibenzo-[a; e]-cycloheptatrien⟩*	85	[1]
		$H_2C(COOH)_2$	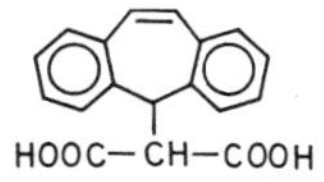 HOOC–CH–COOH *5-Dicarboxymethyl-5H-⟨dibenzo-[a; e]-cycloheptatrien⟩*	82	[2]
		HCl	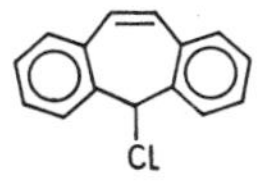 *5-Chlor-5H-⟨dibenzo-[a; e]-cycloheptatrien⟩*	a)	[3]
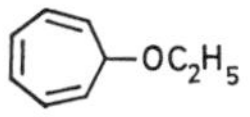 Cycloheptatrienyl–OC_2H_5	OC_2H_5	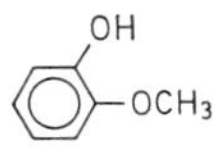 OH, OCH_3 (2-Methoxyphenol)	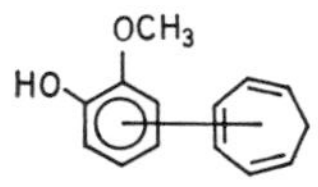 HO, OCH_3 *x-(4-Hydroxy-3-methoxy-phenyl)-cycloheptatrien*	42	[4]

a) Keine Angaben in der Literatur.

[1] J. J. LOOKER, J. Org. Chem. **32**, 472 (1967).

[2] Holl. Appl. 6413980 (1965), N. V. Koninklijke Pharmaceutische Fabrieken; C. A. **65**, 5427 (1966).
C. VAN DER STELT, P. S. HOFMAN u. W. T. NAUTO, Arzneimit. Forsch. **15**, 1081 (1965); C. A. **66**, 46310 (1967).

[3] Holl. Appl. 6510812 (1966), N. V. Koninklijke Pharmaceutische Fabrieken; C. A. **65**, 3816 (1966).

[4] K. TAKAHASHI, Bull. Chem. Soc. Japan **40**, 1462 (1967).

Tabelle 2. (1. Fortsetzung).

Ausgangsverbindung	substituierende Gruppe	umgesetzt mit	substituiertes Derivat	Ausbeute [% d. Th.]	Literatur
			x-(4-Hydroxy-phenyl)-cycloheptatrien	50	[1]
			7-(2-Hydroxy-phenyl)-cycloheptatrien	6	[1]
			7-(4-Dimethylamino-phenyl)-cycloheptatrien	52	[2]
	Cl	CuCN	*3-Chlor-5-cyan-5H-⟨dibenzo-[a; e]-cycloheptatrien*	98	[3]
		$H_2N-(CH_2)_2-N(CH_3)_2$	*5-(2-Dimethylamino-äthylamino)-5H-⟨dibenzo-[a; e]-cycloheptatrien*	63	[4]

[1] T. Nozoe u. K. Kitaharo, Chem. & Ind. **1962**, 1192.
[2] A. P. Ter Borg, H. Kloosterziel u. Y. L. Westphal, R. **86**, 474 (1967).
[3] Holl. Appl. 6517266 (1966), Merck u. Co.; C. A. **65**, 18541 (1966).
[4] Holl. Appl. 6510812 (1966), N. V. Koninklijke Pharmaceutische Fabrieken; C. A. **65**, 3816 (1966)

Tabelle 2. (2. Fortsetzung).

[illegible]verbindung	substituierende Gruppe	umgesetzt mit	substituiertes Derivat	Ausbeute [% d. Th.]	Literatur
Cl	Cl	HOH	OH *9-Hydroxy-9H-⟨tribenzo-cycloheptatrien⟩*	a)	[1]
Cl	Cl	R—$(CH_2)_3$—MgCl	$(CH_2)_3$–R *5-Alkyl-5H-⟨dibenzo-[a; e]-cycloheptatrien⟩*	b)	[2]
		H_2N—R	NH–R *5-Amino-5H-⟨dibenzo-[a; e]-cycloheptatrien⟩* (R=H)	b)	[3]

a) nicht angegeben bzw. unerwünschtes Reaktionsprodukt.
b) wechselnd, je nach Substituent R.

[1] S. Murahashi u. I. Moritani, Tetrahedron **23**, 3631 (1967).
[2] US. P. 3309404 (1967), Merck u. Co., Inc., Erf.: E. L. Engelhardt; C. A. **67**, 32523 (1967).
[3] Holl. Appl. 6600093 (1966), Hoffmann-La Roche; C. A. **66**, 2426 (1967).

In ähnlicher Weise kann ein Halogen-Atom in substituierten Propylbromiden ersetzt werden[1]:

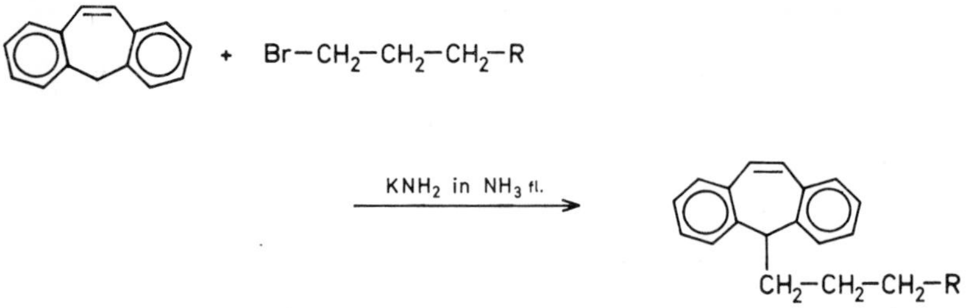

+ Br–CH_2–CH_2–CH_2–R

KNH_2 in NH_3 fl.

CH_2–CH_2–CH_2–R

R =		
Cl;	*5-(3-Chlor-propyl)-*	*-5H-⟨dibenzo-[a;e]-cycloheptatrien⟩*
OCH_3;	*5-(3-Methoxy-propyl)-*	
SCH_3;	*5-(3-Methylmercapto-propyl)-*	
C_2H_5;	*5-Pentyl-*	
CF_3;	*5-(4,4,4-Trifluor-butyl)-*	

9,9-Dichlor-9H-⟨tribenzo-cycloheptatrien⟩ läßt sich mit Methyl-lithium zu *9-Lithium-9-chlor-9H-⟨tribenzo-cycloheptatrien⟩* metallieren[2]. Die weitere Umsetzung mit Wasser oder Methylbromid verläuft normal:

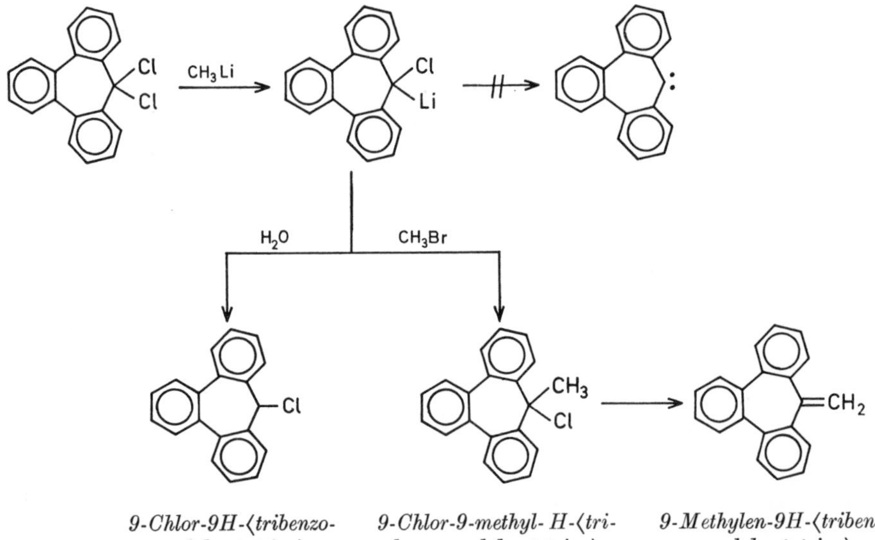

Cl Cl CH_3Li Cl Li

H_2O CH_3Br

Cl CH_3 Cl =CH_2

9-Chlor-9H-⟨tribenzo-cycloheptatrien⟩ *9-Chlor-9-methyl-H-⟨tribenzo-cycloheptatrien⟩* *9-Methylen-9H-⟨tribenzo-cycloheptatrien⟩*

Eliminierung zum „Carben" wird nicht beobachtet[2].

Ein dritter Reaktionstyp für die Substitution am Cycloheptatrien ist die radikalische Arylierung nach Meerwein[3]. Unter den Reaktionsbedingungen erhält man nach Angaben der Literatur nur 3-Aryl-cycloheptatriene:

[1] Holl. Appl. 6605836 (1966), Merck & Co., Inc.; C. A. **66**, 85652 (1967).
[2] S. Murahashi u. I. Moritani, Tetrahedron **23**, 3631 (1967).
[3] K. Weiss u. S. M. Lalande, Am. Soc. **82**, 3117 (1960).

$$\text{Cycloheptatrien} + ArN_2^{\oplus} \xrightarrow{CuCl_2\ /\ Aceton\ /\ H_2O} \text{Ar-Cycloheptatrien}$$

Ar = C_6H_5; *3-Phenyl-cycloheptatrien* 16% d.Th.
4-Cl-C_6H_4; *3-(4-Chlor-phenyl)-cycloheptatrien* 29% d.Th.

Die Reaktion ist wegen der relativ geringen Ausbeuten präparativ wenig interessant.

c) Cycloheptatriene aus Tropyliumsalzen

Die reduktive Umsetzung von Tropyliumsalzen erweist sich für die Herstellung zahlreicher Cycloheptatriene als sehr geeignet. Da die Tropyliumsalze aus einfacheren Cycloheptatrienen häufig recht gut zugänglich sind, führt die Substitution von Cycloheptatrienen über das Salz:

$$\text{R-Cycloheptatrien} \xrightarrow{Oxidation} \text{R-Tropylium}^{\oplus} \xrightarrow{+R'^{\ominus}} \text{R-Cycloheptatrien(R', H)}$$

Es entstehen dabei meist schwer trennbare Gemische isomerer Verbindungen, wie das für die gesamte Cycloheptatrien-Chemie charakteristisch ist.

1. Umsetzung von Tropyliumsalzen und metallorganischen Verbindungen

Die Umsetzung von Tropyliumsalzen mit komplexen Hydriden wie Lithiumalanat, Natriumboranat u.a. führt in glatter Reaktion zu Cycloheptatrienen[1,2]. Aus Alkyl-tropyliumsalzen wird ein Gemisch von Alkyl-cycloheptatrienen erhalten[2]. Mit Lithium-aluminiumdeuterid bildet sich entsprechend *7-Deutero-cycloheptatrien*[3]:

$$\text{Tropylium}^{\oplus}\ X^{\ominus} + LiAlD_4 \longrightarrow \text{Cycloheptatrien(H, D)}$$

7-Deutero-cycloheptatrien[3]: In einem 5-*l*-Kolben mit Vibromischer und Rückflußkühler werden 20 g (0,47 Mol) Lithium-aluminiumdeuterid in 2 *l* trockenem Äther innerhalb 75 Min. mit 148,5 g (0,87 Mol) Tropyliumbromid versetzt. Nach Eiskühlung wird der Überschuß an Deuterid mit Essigsäure-äthylester zersetzt und nach Zugabe von 1,5 *l* 6n Alkali wird die organische Phase getrennt, 4mal mit Wasser gewaschen und auf 200 *ml* unter schwachem Unterdruck eingeengt. Man trocknet über Nacht mit Natriumsulfat und destilliert i.Vak. über eine 60 cm Vigreux-Kolonne; Ausbeute: 29,2 g (36,2% d.Th.); Kp_{100}: 57–58°; n_D^{20}: 1,5232.

Die Destillation dauert 50 Min. bei einer Badtemp. von 67–80° (Überhitzen ist wegen der Isomerisierungsmöglichkeit zu vermeiden).

Die Alkylierung und Arylierung von Tropyliumsalzen ist eine allgemeine Reaktion[4].

Bei der Reaktion von Tropyliumsalzen (Chlorid, Bromid oder Perchlorat) mit Grignard-Verbindungen oder Organo-lithium-Verbindungen gibt man das Tropyliumsalz in kleinen Anteilen zu dem metallorganischen Reagenz. Verfährt man

---

[1] Z. D. Parnes, M. E. Volpin u. D. N. Kursanow, Tetrahedron Letters **1960**, 20.
[2] K. Conrow, Am. Soc. **83**, 2343 (1961).
[3] A. P. Ter Borg, H. Kloosterziel u. N. van Meurs, R. **82**, 717 (1963).
[4] W. v. E. Doering u. H. Krauch, Ang. Ch. **68**, 661 (1956).

umgekehrt, so wird das Reaktionsprodukt durch den Überschuß an Tropyliumsalz dehydriert und es treten Nebenprodukte durch mehrfache Reaktion zu polysubstituierten Cycloheptatrienen auf:

$$\text{Tropylium}^{+}\ X^{\ominus} + RM \longrightarrow \text{7-R-7-H-Cycloheptatrien} + MX$$

X = Cl, Br, ClO_4
M = Li, MgX usw.

7-Alkyl-(bzw.-Aryl)-cycloheptatriene; allgemeine Herstellungsvorschrift: Zu 140 mMol der Lösung des metallorganischen Reagenzes (magnesium- oder lithium-organischer Verbindung) in absol. Äther oder Tetrahydrofuran werden 19,0 g (100 mMol) fein gepulvertes Tropyliumperchlorat[1] – oder die entsprechende Menge eines anderen Tropyliumsalzes – in kleinen Anteilen unter Rühren und Kühlen mit einem Eis-Wasser-Bad zugegeben. Anschließend wird noch 2 Stdn. gerührt und dann mit Wasser und Ammoniumchlorid zersetzt. Nach dem Trocknen der organischen Phase über Natriumsulfat wird das Lösungsmittel abgezogen und i.Vak. destilliert. Die 7-Alkyl-(bzw. -Aryl)-cycloheptatriene stellen farblose Flüssigkeiten dar; Ausbeuten und Eigenschaften s. Tab. 3.

Tab. 3. 7-Alkyl-(bzw. -Aryl)-cycloheptatriene aus Tropyliumsalzen und metallorganischen Verbindungen

Tropylium-Salz Anion	R—M	....-*cycloheptatrien*	Ausbeute [% d.Th.]	Kp		Literatur
				[°C]	[Torr]	
$ClO_4^{\ominus}$	CH_3MgJ	*7-Methyl-cycloheptatrien*	74	55	50	2–4
	C_2H_5MgJ	*7-Äthyl-cycloheptatrien*	83	63	28	3,5
	$(CH_3)_2CHMgCl$	*7-Isopropyl-cycloheptatrien*	80			4,5
	$(CH_3)_3CMgCl$	*7-tert.-Butyl-cycloheptatrien*	70			4,5
	$H_2C{=}CH{—}CH_2{—}MgBr$	*7-Allyl-cycloheptatrien*	56	75	80	6
	C_6H_5Li	*7-Phenyl-cycloheptatrien*	95			7
	1,2,3,4-Tetraphenyl-cyclopentadienyl-natrium (C_6H_5, C_6H_5, C_6H_5, C_6H_5, H, Na)	*5-Cycloheptatrienyl-(7)-1,2,3,4-tetraphenyl-cyclopentadien*	70–80	(F: 191°)		8
	Indenyl-natrium (Na)	*1-Cycloheptatrienyl-(7)-inden*	—			9

[1] Tropylium-perchlorat kann ohne äußeren Anlaß sehr heftig ***explodieren.*** Es sei daher empfohlen, nur kleine Mengen (unter 5 g) aufzubewahren und stets Schutzvorrichtungen (Gitter, Handschuhe, Brille) anzuwenden. Vgl. P. G. Ferrini u. A. Marxer, Ang. Ch. **74**, 488 (1962).
[2] E. W. Abel, M. A. Bennett, R. Burton u. G. Wilkinson, Soc. **1958**, 4559.
[3] K. Conrow, Am. Soc. **83**, 2343 (1961).
[4] W. v. E. Doering u. H. Krauch, Ang. Ch. **68**, 661 (1956).
[5] H. Kessler, Dissertation, Tübingen 1966.
[6] R. B. King u. F. G. Stone, Am. Soc. **83**, 3590 (1961).
[7] W. v. E. Doering u. L. H. Knox, Am. Soc. **76**, 3202 (1954).
[8] H. Prinzbach, Ang. Ch. **73**, 169 (1961).
[9] H. Prinzbach u. D. Seip, Ang. Ch. **73**, 169 (1961).

2. Weitere Umsetzungen von Tropyliumsalzen mit Basen

Auch andere Lewis-Basen reagieren mit Tropyliumsalzen unter Bildung von 7-substituierten Cycloheptatrienen, die jedoch nicht immer stabiles Endprodukt der Reaktion sind. Als Lewis-Basen können Alkoholate, das Cyanidion, Amine, Amide oder CH-acide Verbindungen dienen:

$$C_7H_7^{+}\,X^{\ominus} + |B^{\ominus} \longrightarrow C_7H_7{-}B + X^{\ominus}$$

7-Methoxy-cycloheptatrien[1,2]: Zu 18 g Natrium in 200 *ml* Methanol werden unter Rühren nach und nach 120 g Tropylium-perchlorat gegeben. Unter schwacher Selbsterwärmung entsteht bald eiue klare Lösung, die nach Verdünnen mit 500 *ml* Wasser die Hauptmenge des 7-Methoxy-cycloheptatriens als obenauf schwimmendes, leicht bewegliches und stark tränenreizendes Öl abscheidet. Nach Abtrennen wird die wäßrige Phase 5mal mit je 50 *ml* Äther ausgeschüttelt, das Öl mit den vereinigten Ätherextrakten über Kaliumcarbonat getrocknet und der Äther über eine kleine Vigreux-Kolonne abdestilliert; Kp_{10}: 47°; Ausbeute: 74 g (96% d.Th.);

Analog hierzu bilden sich aus Tropylium-bromid und Carbonsäure-amiden in Pyridin Carbonsäure-cycloheptatrienyl-(7)-amide[3,4]:

$$C_7H_7^{+}\,Br^{\ominus} + HN(R){-}CO{-}R' \xrightarrow[-\,HBr]{} C_7H_7{-}N(R){-}CO{-}R'$$

Die Reaktion mit Hydroxyl-Ionen in Wasser verläuft in zwei Stufen. Das primär entstehende Carbinol reagiert als Base mit einem weiteren Tropyliumion unter Bildung des *Dicycloheptatrienyl-(7)-äthers*[3,5]:

$$C_7H_7^{+}\,X^{\ominus} + OH^{\ominus} \longrightarrow C_7H_7{-}O{-}C_7H_7$$

Dicycloheptatrienyl-(7)-äther[5]: Zu einer Lösung von 37,7 g Tropylium-tetrafluoroborat in 500 *ml* destilliertem Wasser in einem 1-*l*-Scheidetrichter wird eine konz. wäßrige Lösung von 17,0 g (0,42 Mol) Natriumhydroxid rasch eingerührt. Das Reaktionsgemisch wird 3mal mit Äther extrahiert und die Extrakte 3mal mit Wasser gewaschen und über Kaliumchlorid getrocknet. Nach Abziehen des Äthers erhält man 20,3 g (96% d.Th.) Äther. Der Äther kann ohne Zersetzung destilliert werden, wenn der Kolben mit Natronlauge vorbehandelt, gewaschen und getrocknet wird; $Kp_{0,01}$: 81–84°; $n_D^{20} = 1{,}5780$.

In der gleichen Weise bildet sich mit Schwefelwasserstoff *Dicycloheptatrienyl-(7)-sulfid* und mit Ammoniak *Dicycloheptatrienyl-(7)-* und *Tricycloheptatrienyl-(7)-amin*[3]:

---

[1] W. v. E. Doering u. L. H. Knox, Am. Soc. **76**, 3203 (1954).

[2] C. Jutz u. F. Voithenleitner, B. **97**, 29 (1964).

[3] W. v. E. Doering u. H. Krauch, Ang. Ch. **68**, 661 (1956).

[4] N. W. Jordan u. I. W. Elliott, J. Org. Chem. **27**, 1445 (1962).

[5] A. P. Ter Borg, R. van Helden u. A. F. Bickel, R. **81**, 177 (1962).

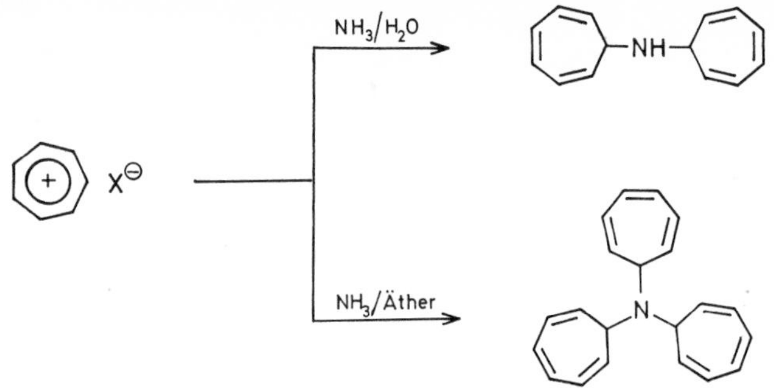

Einen unerwarteten Verlauf nimmt die Umsetzung von Tropyliumsalzen mit tert.-Butanol. Es wird nicht Butyloxy-cycloheptatrien erhalten, sondern es entsteht unter Disproportionierung *Tropon* und *Cycloheptatrien*[1]:

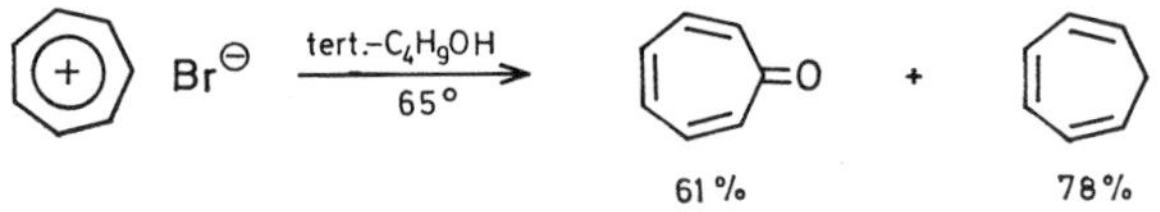

Disproportionierungen von Tropyliumsalzen wurden auch bei der Reaktion mit Äthylenoxid[2] und mit Natronlauge[3] beobachtet. Auch die sauer katalysierte Zersetzung von Dicycloheptatrienyl-(7)-äther führt zu *Tropon* und *Cycloheptatrien*[4].

3. Cycloheptatriene aus Tropyliumsalzen und CH-aciden Verbindungen

CH-acide Verbindungen reagieren mit Tropyliumsalzen unter Bildung 7-substituierter Cycloheptatriene[5]. Als CH-acide Komponente kommen für diese Reaktionen Aldehyde[6] (Acetaldehyd, Propanal, 2-Methyl-propanal), β-Oxo-carbonsäureester[5,7], β-Dicarbonyl-Verbindungen[7] und Malonsäure-diester[7] in Betracht:

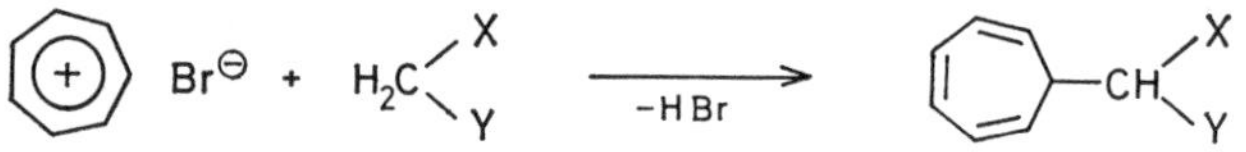

Die Reaktion kann in wäßrig-alkoholischem Medium durchgeführt werden[5,6]; besser ist jedoch die Anwendung von Pyridin als Lösungsmittel[7]. Läßt man Tropyliumbromid mit Malonsäure oder Cyan-essigsäure reagieren, findet gleichzeitig Decarboxylierung statt[7]; z.B.:

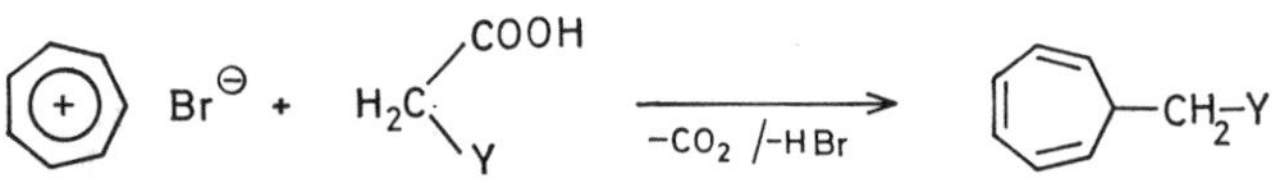

---

[1] Z. N. Parnes et al., Doklady Akad. Nauk. SSSR **155**, 1371 (1964); C. A. **61**, 1794g (1964). D. N. Kursanow, Z. N. Parnes u. G. D. Kolomnikova, Ž. obšč. Chim. **3**, 1060 (1967); C. A. **67**, 108411 (1967).

[2] Z. N. Parnes, G. D. Mur u. D. N. Kursanov, Doklady Akad. USSR **159**, 857 (1964); C. A. **62**, 7679b (1965)

[3] N. Soma et al., Chem. Pharm. Bull. **15**, 619 (1967).

[4] A. P. Ter Borg, R. van Helden u. A. F. Bickel, R. **81**, 177 (1962).

[5] M. E. Volpin, I. S. Akrem u. D. N. Kursanov, Izv. Akad. Nauk. SSSR, Otdel. Khim. Nauk **1957**, 1502; C. A. **52**, 7175 (1958).

[6] M. E. Volpin, I. S. Akhrem u. D. N. Kursanov, Ž. obšč. Chim. **29**, 2855 (1959); C. A. **54**, 12061 (1960).

[7] K. Conrow, Am. Soc. **81**, 5461 (1959).

2,4-Dioxo-3-cycloheptatrienyl-(7)-pentan[1]: Zu einer gerührten Lösung von 2,0 *ml* (~ 20 mMol) Pentandion-(2,4) (Acetylaceton) in 10 *ml* Pyridin werden 2,0 g (11,7 mMol) Tropyliumbromid gegeben. Das Gemisch wird 2 Stdn. auf dem Wasserbad erwärmt, abgekühlt und in 100 *ml* 1 n Salzsäure und 350 *ml* Äther gegossen. Die Ätherschicht wird getrocknet und mit Aktivkohle entfärbt und dann 100 *ml* Petroläther (Kp: 50-70) zugefügt. Nach dem Konzentrieren auf 80 *ml* wird abgekühlt; Ausbeute: 1,85 g (82% d.Th.); F: 125° (aus Petroläther).

Die nach diesem oder anderen[2] Verfahren hergestellten Reaktionsprodukte aus Tropyliumsalzen und CH-aciden Verbindungen sind in der Tab. 4 (S. 330) zusammengestellt.

Neben dem 1:1-Reaktionsprodukt bildet sich bei der Umsetzung von Cyan-essigsäureester (Malonsäure-ester-nitril) oder Indandion-(1,3) auch das Reaktionsprodukt aus 2 Mol Tropyliumsalz und einem Mol CH-acider Verbindung[2,3]:

1,3-Dioxo-2-cycloheptatrienyl-(7)-indan *1,3-Dioxo-2,2-dicycloheptatrienyl-(7)-indan*

Eine Addition des Tropylium-Kations an aktivierte Olefine ist bisher nur in einem Fall beobachtet worden[4]:

$Br^{\ominus}$ + $H_2C{=}CH{-}OCH_3$ $\xrightarrow{(+H_2O)}$ $-CH_2-CHO$

Cycloheptatrienyl-(7)-acetaldehyd

Es ist anzunehmen, daß dieser Reaktionstyp bei genügender Aktivierung des Olefins allgemein ist.

4. Cycloheptatriene aus Tropyliumsalzen und aktivierten Aromaten

Bei genügender Aktivierung des aromatischen Kernes durch den Kern negativierender Substituenten vermag der Tropylium-Rest ein Proton des Aromaten zu substituieren[5-7]:

$X^{\ominus}$ + X, R, X $\longrightarrow$ X, R, X $\xrightarrow{\nabla}$ X, R, X

[1] K. Conrow, Am. Soc. **81**, 5461 (1959).
[2] F. Korte, K. H. Büchel u. F. F. Wiese, A. **664**, 114 (1963).
[3] N. W. Jordan u. I. W. Elliott, J. Org. Chem. **27**, 1445 (1962).
[4] M. E. Volpin, I. S. Akhrem u. D. N. Kursanov, Izv. Akad. Nauk. SSSR, Otdel. Khim. Nauk **1957**, 1502; C. A. **52**, 7175 (1958).
[5] D. Bryce-Smith u. N. A. Perkins, Soc. **1962**, 5295.
[6] J. J. Looker, J. Org. Chem. **32**, 2941 (1967); **30**, 4180 (1965).
[7] A. Heusner, Ang. Ch. **70**, 639 (1958) und dort zit. Literatur.

Tab. 4. Cycloheptatriene aus Tropylium-bromid und CH-aciden Verbindungen

$X—CH_2—Y$		Cycloheptatrienyl-CH(X)–Y			Ausbeute [% d.Th.]	F [°C]	Kp		Literatur
X	Y	X	Y				[°C]	[Torr]	
H	CHO	H	CHO	*Cycloheptatrienyl-(7)-acetaldehyd*	29		75–77	4	1
CH_3	CHO	CH_3	CHO	*2-Cycloheptatrienyl-(7)-propanal*	75		68,5	2	1
CH_3CO	$COCH_3$	CH_3CO	$COCH_3$	*2,4-Dioxo-3-cycloheptatrienyl-(7)-pentan*	82	125			2
CH_3CO	$COOC_2H_5$	CH_3CO	$COOC_2H_5$	*3-Oxo-2-cycloheptatrienyl-(7)-butansäure-äthylester*	83		90–93	0,3	2
C_2H_5OOC	$COOC_2H_5$	C_2H_5OOC	$COOC_2H_5$	*Cycloheptatrienyl-(7)-malonsäure-diäthylester*	48		99–100	0,3	2
		HOOC	COOH	*Cycloheptatrienyl-(7)-malonsäure*	71	132–134			3
HOOC	COOH	H	COOH	*Cycloheptatrienyl-(7)-essigsäure*	82	30–33	95–98	0,3	2
HOOC	CN	H	CN	*Cycloheptatrienyl-(7)-acetonitril*	45		80–84	1,2	2
C_2H_5OOC	CN	C_2H_5OOC	CN	*Cycloheptatrienyl-(7)-malonsäure-äthylester-nitril*	23		84	0,01	2

[1] M. E. Volpin, I. S. Akhrem u. D. N. Kursanov, Ž. obšč. Chim. **29**, 2855 (1959); C. A. **54**, 12016 (1960).

[2] K. Conrow, Am. Soc. **81**, 5461 (1959)

[3] F. Korte, K. H. Bückel u. F. F. Wiese, A. 664, 114 (1963).

Auf diese Weise gelingt die Alkylierung von 1-Dimethylamino-naphthalin mit Tropylium-tetrafluoroborat zu *4-Dimethylamino-1-cycloheptatrienyl-(3)-naphthalin*:

$X^{\ominus}$ + N(CH$_3$)$_2$ ⟶ N(CH$_3$)$_2$

Durch Umlagerung des Cycloheptatrien-Gerüstes erhält man aus dem primär entstehenden 7-Isomeren das 3-Isomere, das sich isolieren läßt.

4-Dimethylamino-1-cycloheptatrienyl-(3)-naphthalin[1]: Eine Lösung von 18 g (0,1 Mol) Tropylium-tetrafluoroborat in 200 *ml* Acetonitril wird tropfenweise zu einer Lösung von 34 g (0,2 Mol) 1-Dimethylamino-naphthalin in 100 *ml* Acetonitril gegeben. Man läßt über Nacht stehen, entfernt das Lösungsmittel und versetzt den Rückstand mit einem Überschuß verd. Natronlauge. Die organische Phase wird in Dichlormethan aufgenommen, mit Wasser gewaschen, getrocknet und i. Vak. destilliert; Ausbeute: 21,7 g (83% d. Th.); $Kp_{0,06}$: 144–152° (Öl; Isomerengemisch der im Cycloheptatrien-Ring verschieden substituierten Produkte). 4-Dimethylamino-1-cycloheptatrienyl-(3)-naphthalin wird erhalten, indem 2,6 g (0,01 Mol) des Gemisches in 50 *ml* Äthanol 5 Min. mit 3 *ml* wäßriger Fluoroborsäure gerührt, das Lösungsmittel entfernt und aus Äthanol umkristallisiert wird (F: 197–199°). Das Amin wird mit wäßriger Natriumcarbonat-Lösung in Freiheit gesetzt und mit Äther extrahiert; Ausbeute: 0,6 g (23% d. Th.).

Im allgemeinen entstehen bei der Aufarbeitung Gemische verschieden substituierter Aryl-cycloheptatriene, deren Trennung schwierig ist. Anstelle des Tropyliumsalzes läßt sich auch mit gutem Erfolg 7-Alkoxy-cycloheptatrien zur Alkylierung der Aromaten einsetzen s. S. 318 ff.).

d) Cycloheptatriene aus Cycloheptanen und Cycloheptenen

Auf Dehydrierungsreaktionen von Cycloheptan-Derivaten beruht der Hoffmann-Abbau von Tropan (bzw. seinen Derivaten) zu Cycloheptatrien (bzw. seinen Derivaten). Diese meist mehrstufige Reaktion, die zugleich die erste Cycloheptatrien-Synthese darstellte, hat heute nur noch historische Bedeutung[2]. Zuweilen spielt sie noch zur Strukturaufklärung von Tropan-Derivaten eine Rolle. Auch die Herstellung des *Cycloheptatriens* aus Cycloheptanon verläuft über mehr als sechs Stufen[3] und ist präparativ ebenso nicht zu empfehlen, wie die Herstellung von *Phenyl-cycloheptatrien* aus Pseudopelletierin (3-Oxo-9-methyl-9-aza-bicyclo[3.3.1]nonan)[4].

Dagegen lassen sich 1-Alkyl-cycloheptatriene durch Dehydrobromierungsreaktion von Dibrom-cycloheptenen herstellen. Die Ausgangsprodukte sind durch Reaktion von Cycloheptatrien mit Alkyl-lithium-Verbindungen, anschließende Hydrolyse und Bromierung leicht zugänglich[5]:

1. + RLi; 2. Hydrolyse ⟶ R; + Br$_2$ ⟶ Br, R, Br; ⟶ −2 HBr ⟶ R

[1] J. J. Looker, J. Org. Chem. **30**, 4180 (1965).

[2] A. Heussner, Ang. Ch. **70**, 639 (1958) und dort zit. Literatur.

[3] R. Willstätter, A. **317**, 267 (1901).

[4] A. C. Cope u. A. A. D'Addieco, Am. Soc. **73**, 3419 (1951).

[5] K. Hafner u. W. Rellensmann, B. **95**, 2567 (1962).

1-Methyl-cycloheptatrien[1]: Zu einer Lösung von 15,0 g (0,14 Mol) 5-Methyl-cycloheptadien-(1,3) in 50 *ml* absol. Chloroform läßt man langsam (1 Stde.) unter intensivem Rühren bei —10° eine Lösung von 22,4 g (0,14 Mol) Brom in 100 *ml* Chloroform zutropfen. Danach entfernt man das Lösungsmittel i. Vak., löst das zurückbleibende Öl in 70 *ml* Chinolin, dem 0,5 g Hydrochinon zugesetzt werden und erhitzt das Gemisch 6 Stdn. auf 160°. Dann wird die Lösung mit 200 *ml* Äther versetzt, mehrmals mit 2 n Schwefelsäure und anschließend mit Wasser neutral gewaschen. Die ätherische Phase wird über Calciumchlorid getrocknet, zieht den Äther ab und destilliert den Rückstand; Ausbeute: 13 g (87% d. Th.); Kp_{760}: 136–138°; n_D^{20} = 1,5108.

Nach Angaben der Literatur stellt das Reaktionsprodukt 1-Methyl-cycloheptatrien dar, da aber die Dehydrobromierung bei 160° in Chinolin erfolgt, ist unter diesen Bedingungen eine Isomerisierung des primär zu erwartenden 1-Alkyl-cycloheptatriens[1] zu einem Isomerengemisch aus *1-*, *2-* und *3-Methyl-cycloheptatrienen* nicht auszuschließen.

Im Prinzip ist auch die Bildung von Enolestern des 7-Oxo-1,5,5-trimethyl-cycloheptadiens-(1,3) als Cycloheptatrien-Bildung aufzufassen[1]:

1. $NaNH_2$
2. R–COCl

R =		
CH_3;	*2-Acetoxy-3,7,7-trimethyl-cycloheptatrien*	81% d. Th.
C_6H_5;	*2-Benzoyloxy-3,7,7-trimethyl-cycloheptatrien*	43% d. Th.
4-H_3CO–C_6H_4;	*2-(4-Methoxy-benzoyloxy)-3,7,7-trimethyl-cycloheptatrien*	54% d. Th.
C_2H_5O;	*2-Äthoxycarbonyloxy-3,7,7-trimethyl-cycloheptatrien*	42% d. Th.
C_2H_5O–CO–O;	*2-(Äthoxycarbonyloxy-carbonyloxy)-3,7,7-trimethyl-cycloheptatrien*	7% d. Th.

Durch stufenweise Synthese wird *5H-⟨Dibenzo-[a;e]-cycloheptatrien⟩* synthetisiert. Der letzte Reaktionsschritt besteht in der Schwefel-Dehydrierung der Hexahydro-Verbindung I[2]:

S / 190–240°
26 %

I

Eine einfache Methode zur Herstellung von 2-substituierten 3,7,7-Trimethyl-cycloheptatrienen geht vom 7-Oxo-1,5,5-trimethyl-cycloheptadien-(1,3) (Eucarvon) aus:

Durch Grignard-Reaktion oder Umsetzung mit Lithiumalanat und anschließende Wasserabspaltung erhält man in guten Ausbeuten die Cycloheptatriene[3].

3,7,7-Trimethyl-cycloheptatrien[3]: 2,5 g Lithiumalanat werden in ätherischer Suspension unter kräftigem Rühren und unter Luftabschluß mit 30 g Eucarvon [7-Oxo-1,5,5-trimethyl-cyclo-heptadien-(1,3)] in 50 *ml* Äther versetzt. Wenn alles Eucarvon zugetropft ist, erhitzt man den Ansatz noch 1–2 Stdn. zum Sieden, läßt erkalten, zersetzt vorsichtig mit Wasser und anschließend mit einer konz. Weinsäure-Lösung, bis sich die beiden Schichten klar voneinander scheiden. Man trennt die Äther-Lösung ab, äthert die wäßrige Phase noch 4–5 mal aus und trocknet die ver-

[1] E. J. Corey u. H. J. Burke, Am. Soc. **78**, 174 (1956).
[2] J. Colonge u. J. Sibend, C. r. **234**, 530 (1952).
[3] K. Alder, K. Kaiser u. M. Schumacher, A. **602**, 80 (1957).

einigten Ätherauszüge über Natriumsulfat. Nach dem Verdampfen des Äthers wird der Rückstand mit 2–3 Spatelspitzen Kaliumhydrogensulfat versetzt und i. Vak. im siedenden Wasserbad alles Flüchtige abdestilliert. Man trennt das mit übergegangene Wasser vom Kohlenwasserstoff ab und trocknet ihn unter Zusatz von etwas Äther über Calciumchlorid. Bei sorgfältiger Fraktionierung erhält man das Produkt vom Kp_{13}: 53–55,5° in einer Ausbeute von 18–20 g (70% d. Th.); $n_{20}^{D} = 1,4965$; $d_4^{20} = 0,8559$; $\lambda_{max} = 269$ nm ($\log \varepsilon = 3,6$).

2,3,7,7-Tetramethyl-cycloheptatrien[1]: Zu einer Lösung von Methyl-magnesiumbromid (aus 20 g Magnesium) in 250 *ml* Äther tropft man 75 g Eucarvon [7-Oxo-1,5,5-trimethyl-cyclohepta-dien-(1,3)] in absol. Äther unter Rühren. Anschließend erwärmt man noch 1 Stde. auf dem Wasserbad und zersetzt nach dem Erkalten mit 230 g Ammoniumchlorid in Eiswasser. Die ätherische Schicht wird wiederholt mit Wasser gewaschen, mit Natriumcarbonat entsäuert und über Natriumsulfat getrocknet. Man destilliert den Äther i. Vak. ab, gibt gegen Ende etwas Kaliumhydrogensulfat zu, so daß die Wasserabspaltung bereits einsetzt. Das Gemisch von Kohlenwasserstoff und Wasser wird abdestilliert, ausgeäthert, getrocknet und erneut destilliert; Kp_{12}: 68°; $n_{20}^{D} = 1,5058$; $d_4^{20} = 0,8682$; $\lambda_{max} = 275$ ($\log \varepsilon = 3,7$).

Weitere nach dieser Methode hergestellte Derivate finden sich in der Tabelle 5.

Tab. 5. 2-R-3,7,7-Trimethyl-cycloheptatriene aus Eucarvon [7-Oxo-1,5,5-trimethyl-cycloheptadien-(1,3)]

Metallorganische Verbindung bzw. $LiAlH_4$	*3,7,7-Trimethyl-2-...-cyclo heptatrien*		Kp		Ausbeute [% d. Th.; bez. auf	Literatur
			[°C]	[Torr]	[Eucarvon]	
$LiAlH_4$	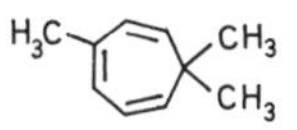 H_3C, CH_3, CH_3	*3,7,7-Trimethyl-cyclo-heptatrien*	53–55,5	13	67–75	[1,2]
CH_3MgBr	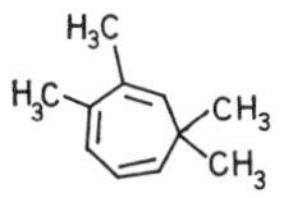 H_3C, H_3C, CH_3, CH_3	*2,3,7,7-Tetramethyl-cycloheptatrien*	68	12	a	[1,2,3]
C_2H_5MgBr	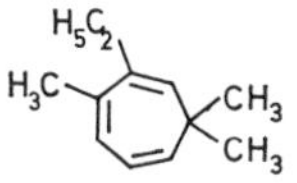 H_5C_2, H_3C, CH_3, CH_3	*...-2-äthyl-...*	68–84	6	9[b]	[4]
iso-C_3H_7MgBr	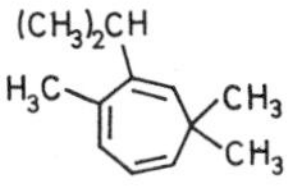 $(CH_3)_2CH$, H_3C, CH_3, CH_3	*...-2-iso-propyl-...*	94	17	2[b]	[4]
C_6H_7Li	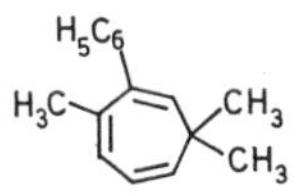 H_5C_6, H_3C, CH_3, CH_3	*...-2-phenyl-....*	139–140	12	75–80	[1]
tert.-C_4H_9MgBr	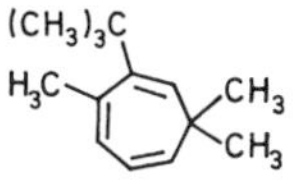 $(CH_3)_3C$, H_3C, CH_3, CH_3	*...-2-tert.-butyl-...*	95–96	12	4,5[b]	[4]

a) keine Angabe in der Literatur
b) sorgfältig durch Gaschromatographie gereinigte Probe.

[1] K. ALDER, K. KAISER u. M. SCHUMACHER, B. **602**, 80 (1957).
[2] E. J. COREY, H. J. BURKE u. W. A. REMERS, Am. Soc. **78**, 180 (1956).
[3] H. RUPE u. W. KERKOVIUS, B. **44**, 2702 (1911).
[4] K. CONROW, M. E. H. HOWDEN u. D. DAVIS, Am. Soc. **85**, 1929 (1963).

Die Umwandlung von 10-Oxo-10,11-dihydro-5H-⟨dibenzo-[a;e]-cycloheptatrienen⟩ spielt eine Rolle bei der Synthese von pharmakologisch interessanten Derivaten. Dabei geht man entweder vom 10-Oxo-10,11-dihydro-5H-⟨dibenzo[a;e]-cycloheptatrien⟩[1] bzw. von seinen 5-substituierten Derivaten aus[2]

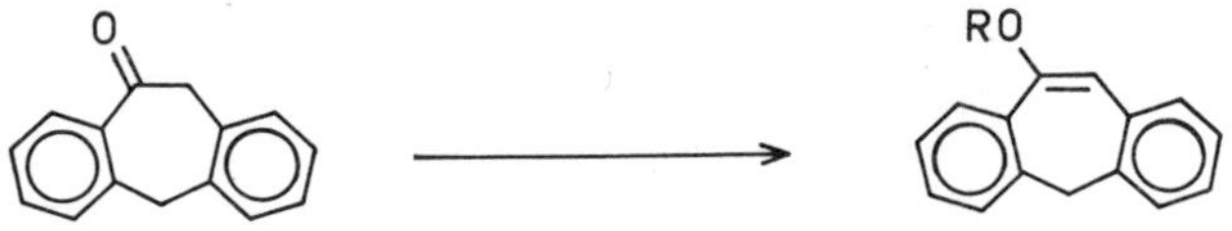

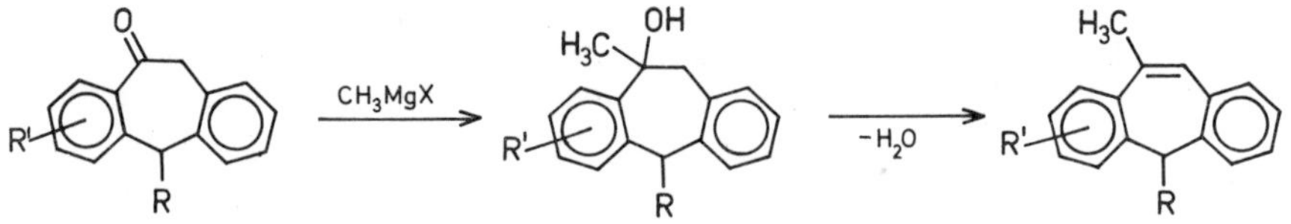

oder die Carbonyl-Gruppe von substituierten 5-Oxo-5H-⟨dibenzo-[a;e]-cycloheptatrienen⟩ wird mit Basen zur Reaktion gebracht[3]:

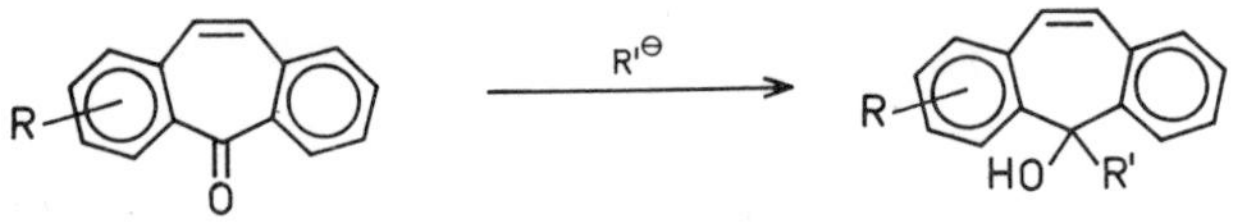

e) Cycloheptatriene aus Troponen

Über die Reduktion von Troponen zu Cycloheptatrienen wurde selten berichtet. Der umgekehrte Weg (Oxidation von Cycloheptatrienen zu Troponen) war zeitweise präparativ interessanter. Andererseits sind häufig Benzo-Derivate des Tropons Ausgangsprodukte für entsprechende Benzo-Derivate des Cycloheptatriens[4]. Letztere spielen eine Rolle zur Synthese pharmazeutisch wichtiger Substanzen.

Einen überraschend glatten Verlauf nimmt diese Reaktion bei der Meerwein-Ponndorf-Reduktion von Dibenzo-[a;e]-tropon zu *5H-⟨Dibenzo-[a;e]-cycloheptatrien⟩*[5]:

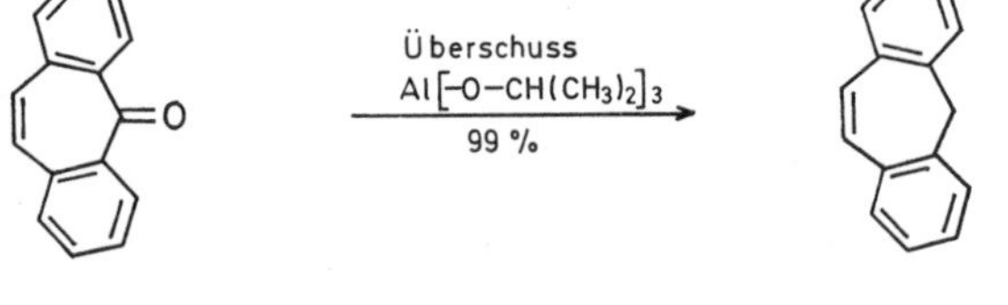

Überschuss $Al[-O-CH(CH_3)_2]_3$ 99 %

Die vollständige Reduktion aromatischer Ketone erfolgt bei einem großen Überschuß an Alkoholat.

---

[1] G. J. B. Corts u. W. T. Nanta, R. **85**, 389 (1966).
[2] Neth. Appl. 6611324 (1967), J. R. Geigy AG; C. A. **67**, 90587 (1967).
[3] Belg. P. 659599, 659786 (1965), F. Hoffmann-La Roche u. Co. AG; C. A. **64**, 5023b, 5024 (1966).
US. P. 3258488 (1966), C. J. Judd, A. E. Drukker u. J. M. Biel; C. A. **65**, 12150b (1966).
V. Seidlova u. M. Protiva, Collect. Czech. Chem. Commun. **32**, 2826 (1967); C. A. **67**, 90575 (1967).
US. P. 3275689 (1966), Merck u. Co., Erf.: E. L. Engelhardt; C. A. **66**, 2425 (1967).
[4] J. J. Looker, J. Org. Chem. **32**, 472 (1967).
[5] R. D. Hoffsommer, D. Taub u. N. L. Wendler, Chem. & Ind. **1964**, 482.

Bei der Reaktion von Tropon mit Phosgen erhält man *Dichlor-cycloheptatrien*, das leicht in Chlor-tropyliumchlorid (II) übergeht[1];

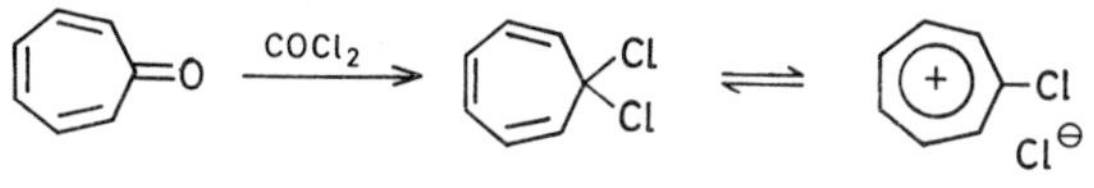

II

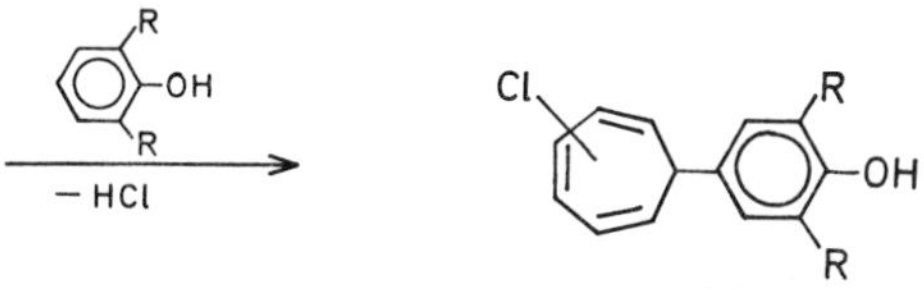

III

II reagiert leicht mit Phenolen unter Bildung der 4-(Chlor-cycloheptatrienyl)-phenole III[1]. Die Stellung des Chlors im Cycloheptatrien ist nicht fixiert — es bildet sich das Isomerengemisch.

II. Cycloheptatriene durch Ringerweiterung

a) von Aromaten mit Diazoverbindungen

Die Umsetzung von Benzol-Derivaten mit Diazoverbindungen führt unter Stickstoff-Abspaltung zu Norcaradienen (Bicyclo[4.1.0]heptadienen) die im thermischen Gleichgewicht mit den Cycloheptatrienen stehen (s. S. 306 ff.). Dieses Verfahren, das zugleich eines der ältesten ist, macht die Cycloheptatriene in einstufigen Synthesen gut zugänglich:

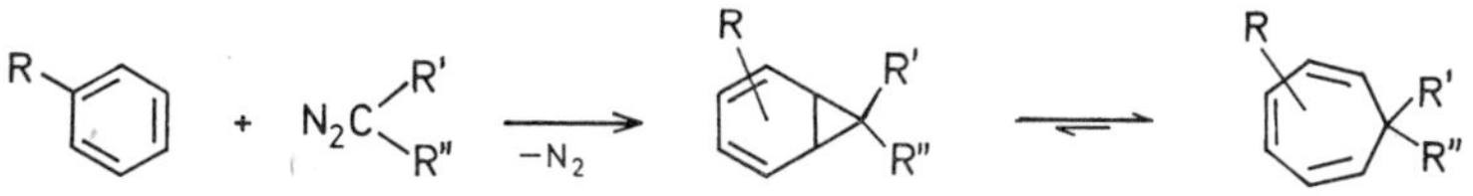

Auf die Nachteile dieser Reaktionen wird weiter unten eingegangen.

1. mit Diazomethan

α) Photolytische Umsetzung

Diazomethan läßt sich photolytisch mit Aromaten zur Reaktion bringen[2,3]. Die Primärreaktion besteht sehr wahrscheinlich in der photochemischen Zersetzung des Diazomethans zu Carben, das an die Doppelbindung des Aromaten addiert. Die Selektivität der Carbenreaktion ist jedoch gering. Neben der Additionsreaktion hat man daher die Einschiebungsreaktionen in die C—H-Bindungen zu beachten. So entsteht bei dieser Reaktion des Benzols Toluol als Nebenprodukt:

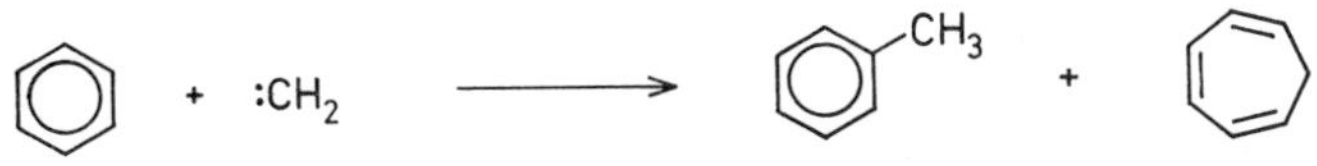

Einschiebung Addition

---

[1] B. Föhlisch, P. Bürgle u. D. Krohenburger, B. **101**, 2717 (1968).

[2] W. v. E. Doering u. L. H. Knox, Am. Soc. **72**, 2305 (1950); **75**, 297 (1953).

[3] H. van de Vloed, Dissertation Marburg 1946.
H. Meerwein et al., A. **604**, 151 (1957).

Das für Benzol in ds. Handb., Bd. IV/2, S. 801 sehr ausführlich beschriebene Verfahren[1] wird noch erheblich ungünstiger, wenn man substituierte Benzole einsetzt, da die Zahl der möglichen Isomeren stark ansteigt. So sind bei der Reaktion von Toluol und Diazomethan mittels Licht die folgenden Produkte zu erwarten:

CH_3 CH_2N_2 / hν CH_2-CH_3 + CH_3 CH_3 + CH_3 CH_3 + CH_3 CH_3

+ CH_3 1 + CH_3 2 + H_3C 3

Additionsprodukte: *1-,2-* und *3-Methyl-cycloheptatrien*

Von einer Mehrfachreaktion kann abgesehen werden, da man ohnehin einen großen Überschuß an aromatischer Verbindung verwendet. Trotz dieser Nachteile wurde diese Reaktion in der älteren Literatur viel angewendet, im Reaktionsprodukt die Bildung von Nebenprodukten jedoch häufig nicht berücksichtigt. Da außerdem die Ausbeuten der Cycloheptatriene niedriger sind als bei der katalytischen Umsetzung von Diazomethan mit Aromaten, ist das photochemische Verfahren präparativ dem katalytischen unterlegen.

β) Katalytische Umsetzung

Die Nebenprodukte durch CH-Einschiebung des Carbens bei der Lichtzersetzung des Diazomethans in Aromaten lassen sich durch die Anwendung eines Katalysators umgehen[2]. Es entstehen nur die Additionsprodukte (substituierte Cycloheptatriene). Aus Benzol bildet sich in glatter Reaktion *Cycloheptatrien*. Die Ausbeuten sind bei der Anwendung von Kupfer(I)-chlorid und -bromid am höchsten (Tab. 6), jedoch führen auch andere Katalysatoren zur Reaktion[3].

Tab. 6. Cycloheptatrien-Ausbeuten [% d.Th.] bei Verwendung verschiedener Katalysatoren bez. auf Diazomethan

Kupferbronze	15	Kupfer(II)-chlorid	80	Aluminiumchlorid	—
Silberpulver	20	-sulfat	20	Diäthyl-aluminiumchlorid	15
Kupfer(I)-chlorid	85	-stearat	Spur	Zinn(IV)-chlorid	—
-bromid	85	Silbernitrat	20	Kobalt(II)-chlorid	Spur
-jodid	10	Zinkjodid	Spur	Platin(IV)-chlorid	15
-cyanid	Spur	Quecksilber(II)-chlorid	—		

Die Umsetzung wird am besten in der Lösung des Aromaten durchgeführt, dessen Homologisierung gewünscht wird. Dadurch ist stets ein großer Überschuß des Aromaten anwesend, wodurch Mehrfachreaktionen unterdrückt werden und die Ausbeuten (bezogen auf Diazomethan) hoch sind.

[1] s. ds. Handb. Bd. IV/2, S. 800. Die dort beschriebene thermische Nachbehandlung des Rohproduktes zur Umlagerung des „Norcaradiens" in Cycloheptatrien ist überflüssig. Vgl. S. 306 ff.

[2] Eu. Müller, H. Fricke u. W. Rundel, Z. Naturforsch. **15b**, 753 (1960).

[3] Eu. Müller, H. Kessler u. B. Zeeh, Fortschr. d. Chem. Forschung **7**, 128 (1966).

Monosubstituierte Benzole liefern stets drei Isomere (1-, 2- und 3-substituierte Cycloheptatriene)[1]:

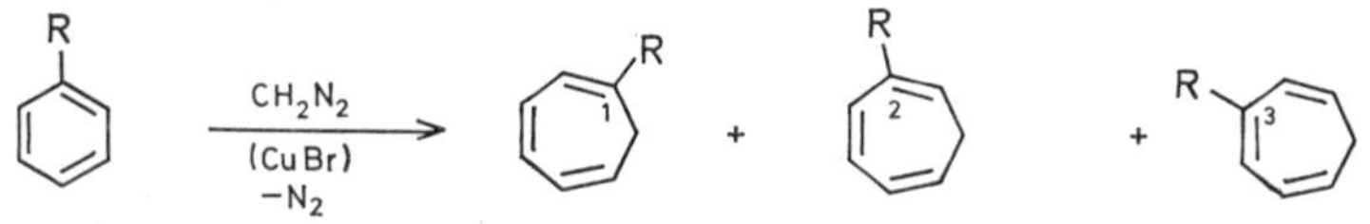

Die Ausbeuten und das Isomerenverhältnis sind in Tab. 7 dargestellt.

Tab. 7. Ausbeuten und Isomerenverhältnis substituierter Cycloheptatriene bei der katalytischen Homologisierung monosubstituierter Benzole[2]

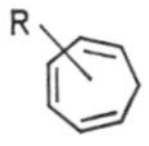 R-cycloheptatrien	Ausbeute [% d.Th.; bez. auf CH_2N_2]		relat. Isomerenverhältnis[a]			Literatur[b]
			1-R	2-R	3-R	
H	85	(75)[c]	—	—	—	3
CH_3 (*Methyl-*)	75	(50)	21	43	36	4
C_2H_5 (*Äthyl-*)	68		20	38	42	4
iso-C_3H_7 (*Isopropyl-*)	64	(22)	17	37	46	3
tert.-C_4H (*tert.-Butyl-*)	50		13	35	52	3
F (*Fluor-*)	41		23	25	52	3
Cl (*Chlor-*)	50	(36)	15	43	42	3
Br (*Brom-*)	25	(30)	8	54	38	5
CH_3O (*Methoxy-*)	75	(32)	30	25	45	3

a Gaschromatographisch bestimmt.
b Literaturangaben für die photolytische Diazomethan-Zersetzung.
c In Klammern: Cycloheptatrien-Ausbeute bei der photolytischen Diazomethan-Zersetzung.

In entsprechender Weise bilden sich aus den Xylolen Dimethyl-cycloheptatriene verschiedener Substitution, die gaschromatographisch getrennt wurden[6]:

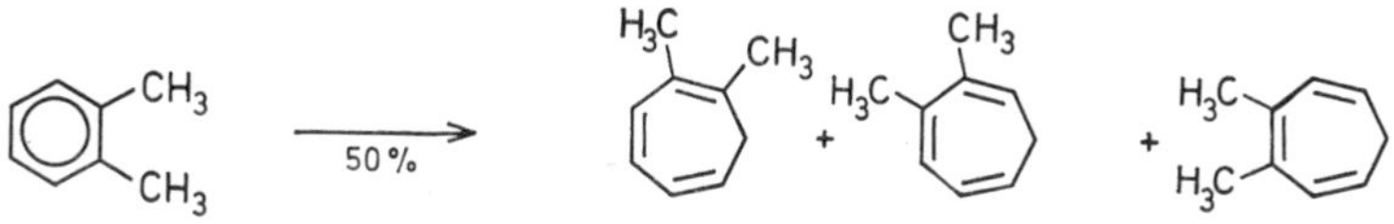

[1] Eu. Müller, H. Fricke u. H. Kessler, Tetrahedron Letters **1963**, 1501.
Eu. Müller, H. Kessler et al., A. **675**, 63 (1964).
H. Kessler, Dissertation Tübingen 1966.

[2] Eu. Müller, H. Fricke u. H. Kessler, Tetrahedron Letters **1963**, 1501.
Eu. Müller, H. Kessler et al., A. **675**, 63 (1964).

[3] H. van de Vloed, Dissertation Marburg 1946.
H. Meerwein et al., A. **604**, 151 (1957).
W. v. E. Doering u. L. H. Knox, Am. Soc. **72**, 2305 (1950); **75**, 297 (1953).

[4] D. N. Kursanov u. M. E. Volpin, Doklady Akad. SSSR **113**, 339 (1957); C. A. **51**, 14572 (1957).

[5] M. E. Volpin, J. S. Achrem u. D. N. Kursanov, Ber. Akad. Wiss. UdSSR **1957**, 760; C. A. **52**, 4592 (1958).

[6] Eu. Müller et al., A. **675**, 63 (1964).

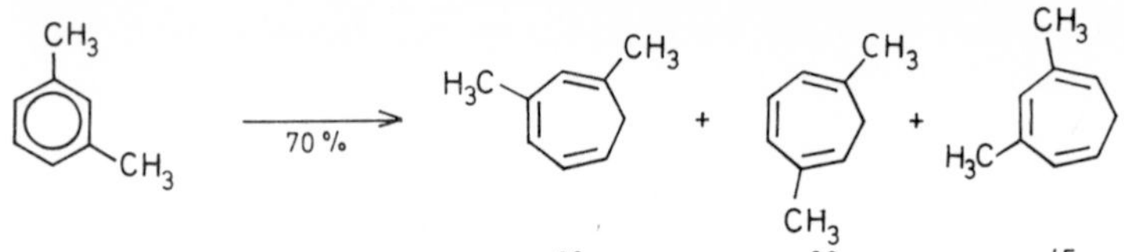

70 % → 23, 32, 45

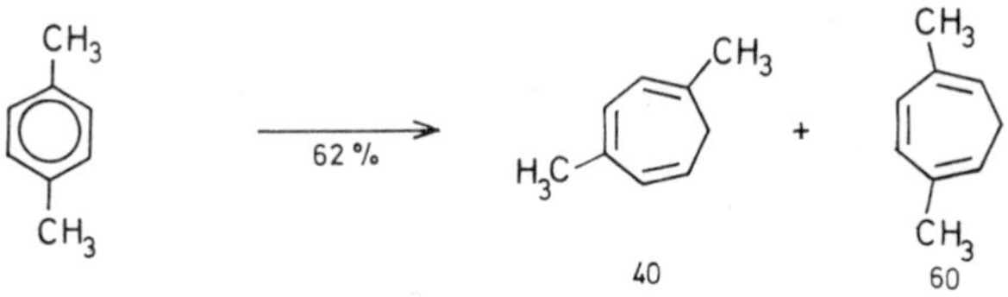

62 % → 40, 60

Aus symmetrisch trisubstituierten Benzolen erhält man ausschließlich das 1,3,5-trisubstituierte Cycloheptatrien:

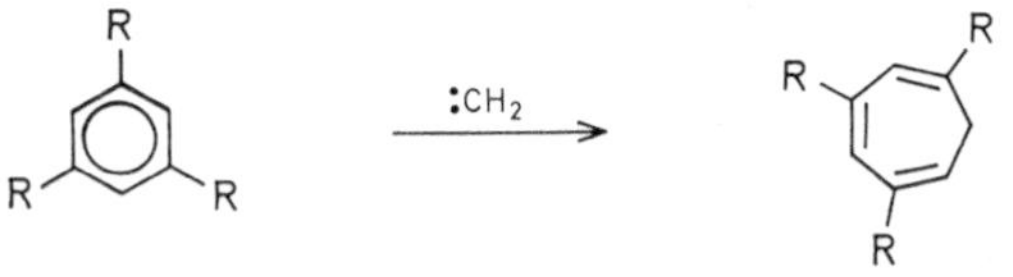

$:CH_2$

R = CH_3; *1,3,5-Trimethyl-cycloheptatrien* 75% d. Th.
R = C_2H_5; *1,3,5-Triäthyl-cycloheptatrien* 59% d. Th.
R = iso-C_3H_7; *1,3,5-Triisopropyl-cycloheptatrien* 45% d. Th.

Cycloheptatriene durch katalytische Homologisierung von Aromaten:

Diazomethan-Lösung: Unter Kühlen mit einem Eis-Wasser-Bad werden 10 g N-Nitroso-N-methyl-harnstoff[1] in die gerührte Mischung von 50 *ml* 40%iger Kalilauge und 100 *ml* des umzusetzenden Aromaten in kleinen Portionen eingetragen. Anschließend wird noch 15 Min. gerührt, die Diazomethan-Lösung in dem Aromaten von der wäßrigen Phase getrennt und durch 2 stdgs. Stehen über Kaliumhydroxid im Eisschrank getrocknet. Man erhält eine ~ 0,5 n Diazomethan-Lösung (Gehaltsbestimmung durch Titration mit überschüssiger Benzoesäure)[2].

Die Lauge soll stets die untere Phase sein, damit eine direkte Berührung des N-Nitroso-N-methyl-harnstoffes mit der Lauge vermieden wird. Sonst treten momentan sehr große Diazomethan-Konzentrationen auf, die zu ***Explosionen*** führen. Bei Aromaten größerer Dichte (Brombenzol) erhöht man die Kaliumhydroxid-Konzentration der wäßrigen Schicht, bis sie die untere Phase bildet.

Cycloheptatriene: Zu 25 *ml* des umzusetzenden Aromaten und ~ 0,5 g Kupfer(I)-bromid wird unter Rühren mit einem Magnetrührer bei 80–100° die Diazomethan-Lösung möglichst langsam zugetropft. Anschließend wird noch weitere 10 Min. gerührt und vom Katalysator abfiltriert. Das Filtrat stellt eine ~ 2–5%ige Lösung des Homologen (-gemisches) in der Ausgangsverbindung dar. Die Aufarbeitung kann durch Destillation, Gaschromatographie, Hydrierung oder Oxidation zum Tropyliumsalz[3] erfolgen.

Zur Herstellung von hydrierten Azulenen setzt man Inden oder Indan mit Diazomethan um[4]. Aus Inden erhält man als Hauptprodukt *Benzo-bicyclo*[*3.1.0*] *hexen-*(*2*) (I):

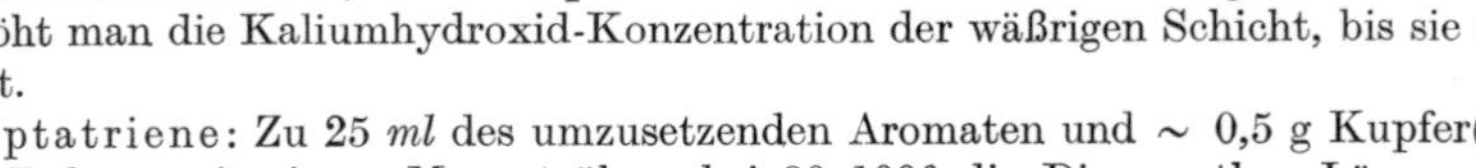

CH_2N_2 (CuBr) → I + II + Isomere

[1] F. Arndt, L. Loewe u. S. Avren, B. **73**, 606 (1940).
[2] E. K. Marshall u. S. F. Acree, B. **43**, 2323 (1910).
[3] Eu. Müller, H. Fricke u. H. Kessler, Tetrahedron Letters **1963**, 1501.
Eu. Müller et al., A. **675**, 63 (1964).
[4] Eu. Müller, H. Kessler u. B. Zeeh, Fortschr. Chem. Forsch. **7**, 128 (1966).

Die Ausbeuten an *1,2,3,4-Tetrahydro-azulen* (II) aus Indan und Diazomethan werden auf katalytischem Wege[1] nicht höher als bei der Lichtzersetzung[2]. Leitet man aber Diazomethan gasförmig in die katalysatorhaltige Indan-Lösung ein, so läßt sich die Reaktion relativ weit führen und der Anteil an Homologisierungsprodukt in bezug auf das Ausgangsprodukt beträchtlich erhöhen:

$$\xrightarrow{:CH_2} \text{II} \xrightarrow[-2\,H_2]{} \textit{Azulen}$$

2. Cycloheptatriene aus Aromaten und Diazoessigsäureester

Die thermische Reaktion von Diazoessigsäureester mit Benzol und seinen Derivaten wurde bereits Ende des vorigen Jahrhunderts entdeckt[3] und war Gegenstand zahlreicher Untersuchungen. Das Primärprodukt der Reaktion von Benzol mit Diazoessigsäureester ist der Cycloheptatrien-7-carbonsäureester:

$$+ \; N_2CHCOOR \xrightarrow[-N_2]{} \text{—COOR}$$

Die nachfolgenden Umlagerungen wurden bereits auf S. 314ff. besprochen. Das thermische Verfahren wurde dadurch verbessert, daß Katalysatoren (im Gegensatz zur Umsetzung des Diazomethans) peinlichst vermieden werden[4].

Cycloheptatrien-7-carbonsäure-äthylester[4]: In einem 2-*l*-VA-Autoklaven, der mit einem durch Schliffstopfen verschlossenem Glaseinsatz ausgerüstet ist, werden 30 g Diazoessigsäure-äthylester und 600 *ml* Benzol umgesetzt. Zum Druckausgleich ist der Schliffstopfen mit einer kapillaren Bohrung versehen. Zunächst drückt man 25 atü Reinstickstoff auf und heizt dann innerhalb von 1–2 Stdn. auf 136° und hält diese Temp. weitere ~ 4 Stdn., in denen ein Maximaldruck von ~ 40 atü erreicht wird. Die Temp. darf nicht über 140° steigen. Nach dem Erkalten und Entleeren des Autoklaven wird die hellgelbe Benzol-Lösung i. Vak. bei höchstens 50° eingeengt und anschließend i. Vak. fraktioniert. Man sammelt die zwischen 100 und 120°/11 Torr übergehenden Anteile, die nochmal destilliert werden; 29,5–32,5 g (69–75% d. Th.); Kp_{12}: 104–109°).

Will man die Anwendung eines Autoklaven vermeiden, so läßt sich die Reaktion mit geringeren Ausbeuten auch photolytisch durchführen[5].

Anstelle von Benzol wurden auch mehrfach substituierte Benzole mit Diazoessigsäureester umgesetzt. Sind schon die Isomeriebeziehungen bei den Buchner-Estern schwer überschaubar, so können bei den substituierten Estern noch kompliziertere Reaktionsgemische entstehen. Eine systematische Untersuchung mit moder-

[1] Eu. Müller, H. Fricke u. H. Kessler, unveröffentlicht.
[2] W. v. E. Doering, J. R. Mayer u. C. H. de Puy, Am. Soc. **75**, 2386 (1953).
K. Alder u. P. Schmitz, B. **86**, 1539 (1953).
[3] E. Buchner z. T. Curtius, B. **18**, 2377 (1885).
E. Buchner, B. **30**, 632 (1897).
E. Buchner u. F. Lingg, **31**, 2247 (1898).
W. Braren u. E. Buchner, B. **34**, 982 (1901).
[4] C. Grundmann u. G. Ottmann, A. **582**, 163 (1953).
[5] M. J. S. Dewar u. R. Pettit, Soc. **1956**, 2021, 2026.

nen Methoden steht noch aus. Als Primärprodukt sind jeweils die substituierten Cycloheptatrien-7-carbonsäureester zu erwarten:

$N_2CHCOOR$, ▽ oder hν, $-N_2$ → COOR → ▽ → Umlagerungen

Je nachdem, an welcher Stelle der Angriff des „Äthoxycarbonylcarbens" erfolgt, erhält man verschiedene Isomere, was in der Literatur nur teilweise berücksichtigt wurde. Außerdem werden thermische Umlagerungen der Primärprodukte unter Wasserstoff-Verschiebung zu weiteren Isomeren führen. Als Nebenprodukte treten häufig Aryl-essigsäureester auf[1], die manchmal Hauptprodukt der Reaktion sein können[2]. Trotzdem sind diese Umsetzungen nicht bedeutungslos, da man bei Weiterreaktionen häufig zu definierten Folgeprodukten kommt, z.B.:

OCH_3 … $N_2CHCOOR$, $-N_2$ → H_3CO, OCH_3, COOR + OCH_3, COOR, OCH_3

Verseifung → Decarboxylierung → Oxidation → H_3CO …=O

4-Methoxy-tropolon

Einige umgesetzte Benzol-Derivate sind in Tab. 8 (S. 341) zusammengestellt.

Die Ringerweiterung von Indanen mittels Diazoessigsäureester führt zu Tetrahydro-azulenen als Zwischenprodukte der Azulen-Synthese[3].

3. Reaktion von Aromaten mit anderen Diazoverbindungen

Mit höheren Diazoalkanen sind die Ausbeuten bei der Reaktion mit Aromaten nach dem photolytischen und katalytischen Verfahren sehr gering[4], weil sich die intermediär auftretenden Carbene bzw. deren Metall-Komplexe unter Olefinbildung umlagern, bevor Reaktion mit dem Aromaten eintritt:

$$R_2{-}CH{-}CHN_2 \rightarrow R_2CH{-}\ddot{C}H \rightarrow R_2C{=}CH_2 + R{-}CH{=}CH{-}R$$

Bessere Resultate erhält man mit Aryl-diazomethanen, die zur intramolekularen Reaktion befähigt sind[5]:

N_2CH, $CH_2{-}CH_2$ → hν, $-N_2$ → … + …

2-Phenyl-indan *5,6-Dihydro-10H-⟨cyclohepta-[a]-naphthalin⟩*

1 M. J. S. Dewar u. C. R. Ganellin, Chem. & Ind. **1959**, 458.
2 F. Šorm, Collect. czech. chem. Commun. **12**, 245 (1947); C. A. **42**, 558 (1948).
3 H. Pommer, Ang. Ch. **62**, 281 (1950).
4 H. Kessler, Diplomarbeit Tübingen 1963.
5 C. D. Gutsche u. H. E. Johnson, Am. Soc. **77**, 5933 (1955).
vgl. a. ds. Handb., Bd. IV/5, Photochemie.

Tab. 8. Cycloheptatriene durch thermische Umsetzung von substituierten Benzolen mit Diazoessigsäure-äthylester

$$R\text{-}C_6H_3R^1R^2 + N_2CH\text{-}COOC_2H_5 \xrightarrow{-N_2} R,R^1,R^2\text{-Cycloheptatrien-}COOC_2H_5$$

Benzol-Derivat			Cycloheptatrien	Ausbeute [% d.Th.]	Literatur
R	R^1	R^2			
CH_3	H	H	*Methyl-cycloheptatrien-7-carbonsäure-äthylester*	54	[1]
CH_3	CH_3	H	*1,3-Dimethyl-cycloheptatrien-7-carbonsäure-äthylester*	60	[2]
			1,4-Dimethyl-cycloheptatrien-7-carbonsäure-äthylester	40–50	[3]
CH_3	CH_3	CH_3	*1,3,5-Trimethyl-cycloheptatrien-7-carbonsäure-äthylester*	40	[4]
OCH_3	H	H	*Methoxy-cycloheptatrien-7-carbonsäure-äthylester*	36	[5]
OCH_3	OCH_3	H	*1,2-Dimethoxy-cycloheptatrien-7-carbonsäure-äthylester*	35	[6]
			1,3-Dimethoxy-cycloheptatrien-7-carbonsäure-äthylester	68	[7]
			1,4-Dimethoxy-cycloheptatrien-7-carbonsäure-äthylester		[8]
OCH_3	OCH_3	OCH_3	*1,2,4-Trimethoxy-cycloheptatrien-7-carbonsäure-äthylester*	44	[6]
C_6H_5	H	H	*Phenyl-cycloheptatrien-7-carbonsäure-äthylester*	42	[9]

Besonders die Umsetzungen von Diazoverbindungen mit Cyan-, Alkoxycarbonyl- und Trifluormethyl-Gruppen wurden studiert, da die entstehenden Norcaradiene (Bicyclo[4.1.0]heptadiene) vergleichbare oder größere Stabilität als die valenzisomeren Cycloheptatriene besitzen:

$$R\text{-}C_6H_5 + N_2C(R')(R'') \xrightarrow[-N_2]{\nabla} \text{Norcaradien} \rightleftharpoons \text{Cycloheptatrien}$$

[1] E. Buchner u. L. Feldmann, B. **36**, 3509 (1903).
E. Buchner u. K. Delbrück, **358**, 1 (1908)
[2] M. J. S. Dewar u. R. Pettit, Soc. **1956**, 2021, 2026.
[3] E. Buchner u. P. Schulze, A. **377**, 259 (1910).
[4] E. Buchner u. K. Schottenhammer, B. **53**, 865 (1920).
[5] J. R. Bartels-Keith, A. W. Johnson u. A. Langemann, Soc. **1952**, 4461.
[6] J. R. Bartels-Keith, A. W. Johnson u. W. I. Taylor, Soc. **1951**, 2352.
[7] R. B. Johns, A. W. Johnson u. J. Murray, Soc. **1954**, 198.
[8] R. S. Coffey, R. B. Johns u. A. W. Johnson, Chem. & Ind. **1955**, 658.
[9] J. H. P. van Aardt, Soc. **1954**, 2965.

7,7-Bis-[trifluormethyl]-cycloheptatrien[1] **(R = H, R′ = R″ = CF_3; S. 341):** 6,5 g Bis-[trifluormethyl]-diazomethan werden in 50 *ml* (44 g) trockenem Benzol bei 200° 8 Stdn. im Autoklaven erhitzt und anschließend 2 mal fraktioniert. Ausbeute: 6,05 g (70% d. Th.) eines Gemisches aus 88 Teilen Cycloheptatrien und 12 Teilen fluoriertes Isopropyl-benzol. Die Auftrennung erfolgt durch Drehbanddestillation:

Kp: 137,5° *1,1,1,3,3,3-Hexafluor-2-phenyl-propan*
Kp: 141° *7,7-Bis-[trifluormethyl]-cycloheptatrien*; $n_D^{25} = 1,4062$.

Die photolytische Umsetzung führt unter Weiterreaktion des Cycloheptatriens zu beträchtlichen Anteilen *Bicyclo[3.2.0]heptadien-(2,6)* (s. S. 364ff.). Weitere Umsetzungen sind in der Tab. 9 (s. S. 343) aufgeführt (vgl. a. ds. Handb., Bd. IV/5, Photochemie).

Bei der Photolyse von 5-Diazo-cyclopentadienen in Benzol entstehen Spironorcaradiene, die sich unter den Reaktionsbedingungen in 5H-⟨Benzo-cycloheptatriene⟩ II und 7H-⟨Benzo-cycloheptatriene⟩ III umlagern. Daneben bilden sich geringe Mengen Einschiebungsprodukte I (Phenyl-cyclopentadiene)[2]:

R¹ R² R³ R⁴ =N₂ + hν → I + [ ] → II + III

Die thermodynamische Stabilität der Norcaradiene wird durch die optimale Konjugation der π-Orbitale im Spiro-Fünfring mit dem antisymmetrisch höchstbesetzten Walsh-Orbital des Cyclopropanringes erklärt, wodurch die Cyclopropanbindung zwischen den C-Atomen 1 und 6 des Norcaradiens stabilisiert wird (s. S. 309).

5H- und 7H-⟨Benzo-cycloheptatriene⟩; allgemeine Arbeitsvorschrift[2]**:** 1 g (2,60 mMol) 5-Diazo-cyclopentadien werden in 200 *ml* destilliertem Benzol unter Stickstoff 1 Stde. mit einem Philips-Quecksilber-Hochdruckbrenner (HPK 125, $\lambda = 280$ nm, Pyrex-Filter) bestrahlt. Nach Abdestillieren des Lösungsmittels wird 2mal mit Benzol/Petroläther (Kp: 60–90°) (1 : 9) an Kieselgel chromatographiert. Die Ausbeuten und Schmelzpunkte sind in der Tab. 10 (s. S. 344) aufgeführt.

b) Ringerweiterungen durch Solvolysereaktionen

Bei der Solvolyse von p-Toluolsulfonsäure-cyclohexadien-(2,5)-yl-methylestern entstehen durch Ringerweiterung in guter Ausbeute Cycloheptatrien-Derivate[3].

R, CH_2–OTs → R

Da die Ausgangsprodukte dieser Reaktionen durch Birch-Reduktion[4] der aromatischen Carbonsäuren und nachfolgender Lithiumalanat-Reduktion gut zugänglich

¹ D. M. Gale, W. J. Middleton u. C. G. Krespan, Am. Soc. **88**, 3617 (1960).
² H. Dürr u. G. Scheppers, Ang. Ch. **80**, 359 (1968).
³ N. A. Nelson, J. H. Fassnacht u. J. U. Piper, Am. Soc. **81**, 5009 (1959); **83**, 206 (1961).
⁴ Vgl. ds. Handb., Bd. V/1b, Olefine; Bd. XIII/1, Kap. Natrium-, Kalium-, Rubidium- und Cäsium-organische Verbindungen, S. 706ff.

Tab. 9. Cycloheptatriene durch Ringerweiterung von Aromaten mit Diazoverbindungen

Aromat	Diazoverbindung	Verfahren	Gesamtausbeute [% d. Th.]	Reaktionsprodukte	relatives Mengenverhältnis	Literatur
	$N_2C(CF_3)_2$	▽	70	*7,7-Bis-[trifluormethyl]-cycloheptatrien* + *1,1,1,3,3,3-Hexafluor-2-phenyl-propan*	88 12	1
	$N_2C(CF_3)_2$	hν	28	*7,7-Bis-[trifluormethyl]-cycloheptatrien* + *1,1,1,3,3,3-Hexafluor-2-phenyl-propan* + *4,4-Bis-[trifluormethyl]-bicyclo[3.2.0]heptadien-(2,6)*	40 5 55	1
	$N_2C(C_2F_5)_2$	▽	22	*7,7-Bis-[pentafluor-äthyl]-cycloheptatrien*		
	$N_2C(CF_3)(CN)$	▽	77	*7-Trifluormethyl-7-cyan-cycloheptatrien* ⇌ *7-Trifluormethyl-7-cyan-bicyclo[4.1.0]heptadien-(2,4)*	20 80	2
	$N_2C(CN)_2$	▽	80	*7,7-Dicyan-bicyclo[4.1.0]heptadien-(2,4)*		3
H_3C CH_3	$N_2C(CN)_2$	▽	80	*2,5-Dimethyl-7,7-dicyan-bicyclo[4.1.0]heptadien-(2,4)* *1,4-Dimethyl-7,7-dicyan-bicyclo[4.1.0]heptadien-(2,4)*	41 39	3
	$N_2C(CN)_2$	▽	62	*1,1-Dicyan-1a,7b-dihydro-1H-⟨cyclopropa-[a]-naphthalin⟩* *5,5-Dicyan-5H-⟨benzo-cycloheptatrien⟩* *7,7-Dicyan-7H-⟨benzo-cycloheptatrien⟩*	80 } 20	3

[1] D. M. Gale, W. J. Middleton u. C. G. Krespan, Am. Soc. **88**, 3617 (1966).
[2] E. Ciganek, Am. Soc. **87**, 1149 (1965).
[3] E. Ciganek, Am. Soc. **87**, 652 (1965).

Tab. 10. Reaktionsprodukte bei der Photolyse von 5-Diazo-cyclopentadienen in Benzol[1]
(s. Formelbild S. **342** Mitte)

R^1	R^2	R^3	R^4	I			II			III		
				Name	[%d.Th.]	F [°C]	Name	[%d.Th.]	F [°C]	Name	[%d.Th.]	F [°C]
C_6H_5	C_6H_5	C_6H_5	C_6H_5	*1,2,3,4,5-Penta-phenyl-cyclo-pentadien*	5	254	—	—	—	*1,2,3,4-Tetraphen-yl-7H-⟨benzo-cycloheptatrien⟩*	52	243
C_6H_5	H	H	C_6H_5	—	—	—	—	—	—	*1,4-Diphenyl-7H-⟨benzo-cyclohepta-trien⟩*	20	117–119
Cl	Cl	Cl	Cl	*1,2,3,4-Tetrachlor-5-phenyl-cyclo-pentadien*	17	39–40	*1,2,3,4-Tetrachlor-5H-⟨benzo-cyclo-heptatrien⟩*	17	78–80	—	—	—
o-Phenylen		o-Phenylen		—	—	—	Gemisch aus *5H*- und *7H*-⟨*Cyclohepta*-[*l*]-*phenanthren*⟩				40–50	90–100

[1] H. Dürr u. G. Scheppers, Ang. Ch. **80**, 359 (1968).

sind, stellt diese Methode einen brauchbaren Syntheseweg zur Herstellung von Cycloheptatrienen dar:

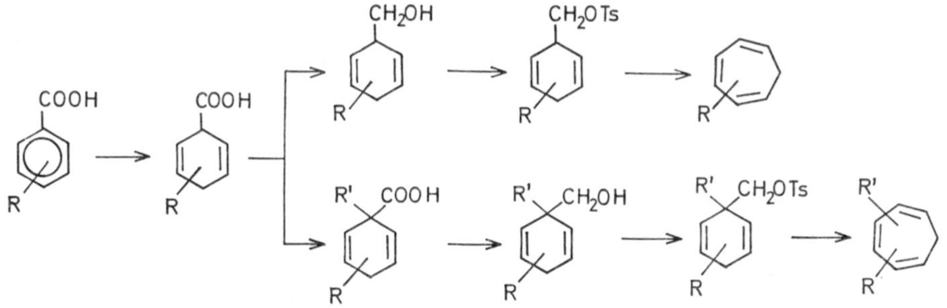

Die Cycloheptatriene fallen dabei allerdings wie bei allen Synthesen als Isomerengemische an, die man anschließend gaschromatographisch trennen muß. Als Nebenprodukte bilden sich geringe Mengen Toluole[1].

Als Beispiel sei die Herstellung von *1,3-Dimethoxy-cycloheptatrien* beschrieben[2]:

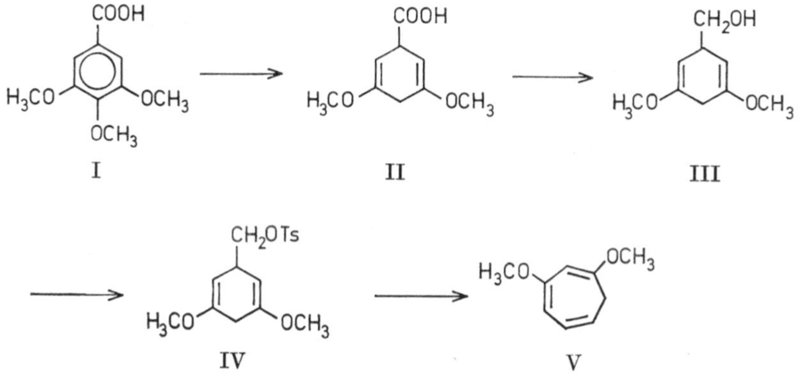

I II III IV V

1,3-Dimethoxy-cycloheptatrien (V)[2]:

1,5-Dimethoxy-cyclohexadien-(1,4)-3-carbonsäure (II)[2]: 120 g Natrium werden in kleinen Stücken zu einer Lösung von 200 g 3,4,5-Trimethoxy-benzoesäure (I) und 1,2 *l* Methanol in 4 *l* flüssigem Ammoniak gegeben. Wenn die Zugabe beendet ist, werden 500 g Ammoniumchlorid zugegeben und das Ammoniak bei Raumtemp. abgedampft. Die zurückbleibende feste Masse wird in Eiswasser gelöst und die Lösung mit 2 n Salzsäure bei 0° auf $p_H = 3$ gestellt. Die Lösung wird mit Dichlormethan extrahiert, das nach dem Trocknen abgezogen wird; Rohausbeute: 162 g (93% d. Th.).

1,5-Dimethoxy-3-hydroxymethyl-cyclohexadien-(1,4) (III)[2]: Die 162 g 1,5-Dimethoxy-cyclohexadien-(1,4)-3-carbonsäure (II) werden ohne weitere Reinigung zu einer Suspension von 68 g Lithiumalanat in 500 *ml* Äther unter Stickstoff als ätherischer Schlamm zugegeben. Nach dem man 1 Stde. gerührt hat, wird der Hydrid-Überschuß mit feuchtem Natriumsulfat zersetzt und das Gemisch filtriert. Nach dem Abziehen des Äthers bei Raumtemp. hinterbleibt der rohe Alkohol der destilliert wird; Ausbeute: 145,5 g (97% d. Th.); $Kp_{0,2}$: 93–95°; F: 38–40°.

Ferner werden 20 g eines nicht identifizierten Alkohols erhalten; $Kp_{0,2}$: 115–117°.

1,5-Dimethoxy-3-p-tosyloxymethyl-cyclohexadien-(1,4) (IV)[2]: Eine Lösung von 69,5 g 1,5-Dimethoxy-3-hydroxymethyl-cyclohexadien-(1,4) und 81,5 g p-Toluolsulfonsäure-chlo-

[1] N. A. Nelson, J. H. Fassnacht u. J. U. Piper, Am. Soc. **81**, 5009 (1959); **83**, 206 (1961).

[2] O. L. Chapman u. P. Fitton, Am. Soc. **85**, 4 (1963).

rid in 815 *ml* Pyridin wird 2 Tage bei 0° gehalten. Anschließend gießt man in 3 *l* Eis-Wasser und saugt den Niederschlag ab der gewaschen und trockengesaugt wird; Ausbeute: 145 g (~ 100% d.Th.); F: 66–67° (Zers.).

Der Sulfonsäureester kann ohne weitere Reinigung weiterverwendet werden.

1,3-Dimethoxy-cycloheptatrien (V; S. 345)[1]: 145 g 1,5-Dimethoxy-3-p-tosyloxymethyl-cyclohexadien-(1,4) (IV) werden in 400 *ml* siedendem Pyridin unter Stickstoff gelöst, dann die Lösung in 1 *l* Wasser gegossen und 2 mal mit 250 *ml* Chloroform extrahiert. Die gesammelten Chloroform-Fraktionen werden mit 2 n Salzsäure bei 0° (wiederholt wird Eis zugegeben!) gewaschen, bis alles Pyridin entfernt ist, anschließend nochmals mit Wasser gewaschen und getrocknet; Rohausbeute: 51,6 g (76% d.Th.); nach nochmaliger Destillation, Reinausbeute: 35,4 g (57% d.Th.) (Isomerengemisch, vgl. S. 345); $Kp_{0,1}$: 56–58°.

Nach dem angegebenen Verfahren wurden die in der Tab. 11 (s. S. 347) aufgeführten substituierten Cycloheptatriene hergestellt.

Ein Syntheseverfahren[1], das dem der oben erwähnten Solvolyse verwandt ist, beinhaltet als letzte Reaktionsstufe die Ringerweiterungs-Reaktion eines Cyclohexadiens-(1,3):

Cycloheptatrien-1,6-dicarbonsäure-dimethylester(IX)[2]:

5-Chlormethyl-cyclohexadien-(1,3)-5,6-dicarbonsäure-anhydrid(VI): 1,92 g (20 mMol) α-Pyron und 1,46 g (10 mMol) Chlormethyl-maleinsäure-anhydrid[3] (frisch destilliert, $Kp_{0,4}$: 76–78°) werden in einem Hickman-Kolben mit Magnetrührer auf 167° erhitzt. Nach 2 Stdn. 15 Min. wurde die Reaktion unterbrochen und aus dem zähen braunschwarz gefärbtem Reaktionsprodukt bei 0,03 Torr bis zu einer Badtemp. von 156° alle flüchtigen Anteile abdestilliert. Nach Entfernung der Ausgangskomponenten durch Destillation aus einem Craig-Kolben bei 0,03 Torr und einer Badtemp. von 95° wird der Destillationsrückstand in Dichlormethan aufgenommen und mit Aktivkohle gereinigt, danach wird abfiltriert und Dichlormethan abdestilliert; Ausbeute: 912 mg (46% d.Th.; schwach gelbliches Öl).

5-Chlormethyl-cyclohexadien-(1,3)-5-carbonsäure-6-carbonsäure-methylester (VII): 1,534 g des nach voranstehender Vorschrift gewonnenen Anhydrids VI werden in einer Lösung von 1,0 g 96%iger Schwefelsäure in 70 *ml* wasserfreiem Methanol 40 Min. unter Rückfluß erhitzt. Hierauf entfernt man den Hauptteil des Methanols im Wasserstrahlvak., nimmt den Rückstand in Äther auf und wäscht die Lösung mit ges. Natriumchlorid-Lösung neutral, danach wird 3 mal aus Äther-Hexan umkristallisiert; Ausbeute: 891 mg (50% d.Th.); F: 121–122°.

5-Chlormethyl-cyclohexadien-(1,3)-5,6-dicarbonsäure-dimethylester(VIII): Zu einer Lösung von 5,077 g (22,1 mMol) des Monomethylesters VII in 50 *ml* absol. Äther gibt man unter Eiskühlung so lange ätherische Diazomethan-Lösung, bis die Stickstoff-Entwicklung aufhört und die gelbe Farbe der Lösung bestehen bleibt. Diese Behandlung wird nach Entfernung des Lösungsmittels im Wasserstrahlvak. wiederholt; das Rohprodukt (5,465 g) wird aus einem Hickman-Kolben (0,03 Torr, Badtemp. 110–120°) destilliert; Ausbeute: 5,232 g (97% d.Th.).

Cycloheptatrien-1,6-dicarbonsäure-dimethylester(IX): 5,187 g (21,2 mMol) Dimethylester VIII löst man in 520 *ml* absol. Benzol, destilliert ~ 250 *ml* des Lösungsmittel unter Stick-

---

1 O. L. Chapman u. P. Fitton, Am. Soc. **85**, 41 (1963).

2 R. Darms, T. T. Threlfall, M. Pesaro u. A. Eschenmoser, Helv. **46**, 2893 (1963).

3 J. Schreiber u. A. Eschenmoser et al., Helv. **44**, 540 (1961).

Tab. 11. Cycloheptatriene durch Solvolyse von 3-p-Tosyloxymethoxy-cyclohexadienen-(1,3)

Ausgangs-Verbindung	Sulfonsäureester	Endprodukte[a]	Ausbeute[b]	davon Cyclo-heptatrien[c]	Litera-tur
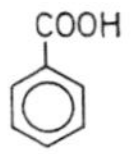 COOH	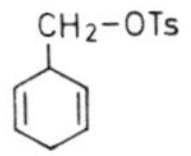 CH_2–OTs	*Cycloheptatrien*	70	88	1
	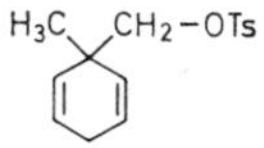 H_3C CH_2–OTs	*Methyl-cycloheptatrien*	73	98	1
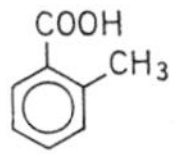 COOH CH_3	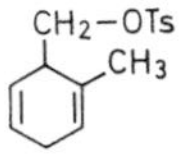 CH_2–OTs CH_3	*Methyl-cycloheptatrien*	73	92	1
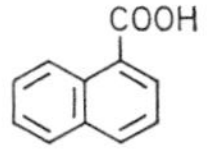 COOH	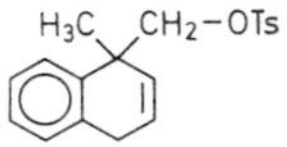 H_3C CH_2–OTs	*Methyl-5H-⟨benzo-[a]-cycloheptatrien⟩*	70	97	1
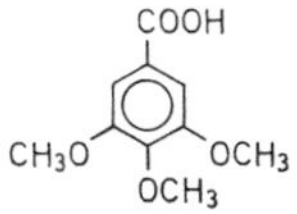 COOH CH_3O OCH_3 OCH_3	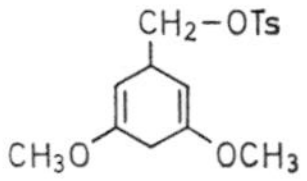 CH_2–OTs CH_3O OCH_3	*1,3-Dimethoxy-cycloheptatrien*	76	c)	2

a) Gemische der substituierten Cycloheptatriene, die durch 1,5-sigmatrope Wasserstoff-Verschiebung entstehen (s. S. 314).
b) Ausbeute der Kohlenwasserstoff-Fraktion bei der letzten Reaktionsstufe (Solvolyse).
c) Keine Angaben über Nebenprodukte.

[1] N. A. NELSON, J. H. FASSNACHT u. J. U. PIPER, Am. Soc. **81**, 5009 (1959); **83**, 206 (1961).
[2] O. L. CHAPMAN u. P. FITTON, Am. Soc. **85**, 41 (1963).

Tab. 11. (Fortsetzung)

Ausgangsverbindung	Sulfonsäureester	Endprodukte[a]	Ausbeute[b]	davon Cycloheptatrien[c]	Literatur
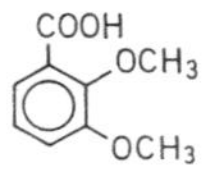 COOH, OCH_3, OCH_3	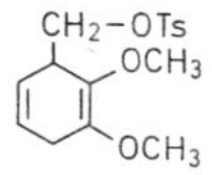 CH_2-OTs, OCH_3, OCH_3	*1,2-Dimethoxy-cycloheptatrien*	60	c)	1
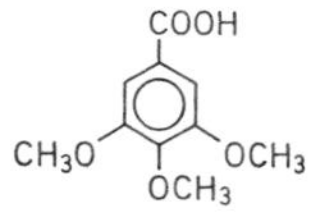 COOH, CH_3O, OCH_3, OCH_3	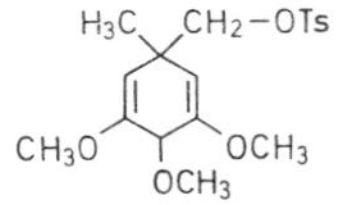 H_3C, CH_2-OTs, CH_3O, OCH_3, OCH_3	*1,2,3-Trimethoxy-5-methyl-cycloheptatrien*	63	c)	1
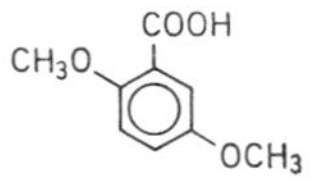 COOH, CH_3O, OCH_3	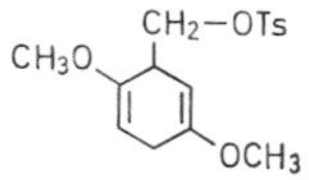 CH_2-OTs, CH_3O, OCH_3	*2,5-Dimethoxy-cycloheptatrien*	60	c)	1
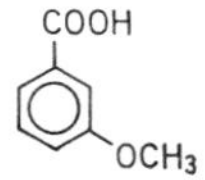 COOH, OCH_3	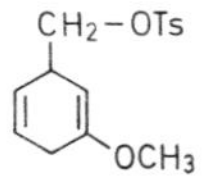 CH_2-OTs, OCH_3	*Methoxy-cycloheptatrien*	37	c)	1

a) Gemische der substituierten Cycloheptatriene, die durch 1,5-sigmatrope Wasserstoff-Verschiebung entstehen (s. S. 314).
b) Ausbeute der Kohlenwasserstoff-Fraktion bei der letzten Reaktionsstufe (Solvolyse).
c) Keine Angaben über Nebenprodukte.

[1] O. L. Chapman u. P. Fitton, Am. Soc. **85**, 41 (1963).

stoff ab, gibt nach dem Erkalten 21,8 mg (21,8 mMol) einer 1 n Kalium-tert-butanolat-Lösung in tert. Butanol zu und rührt das orange gefärbte Gemisch unter Stickstoff 3 Stdn. bei Raumtemperatur. Zur Aufarbeitung wäscht man die benzolische Lösung 4 mal mit Wasser. Das gelbliche Rohprodukt (4,34 g) wird 2 mal aus Äther/Hexan umkristallisiert; Ausbeute: 3,20 g (72% d. Th.); F: 53–54° (blaßgelbe Nadeln).

Aus der Mutterlauge lassen sich weitere 340 mg (8% d. Th.) gewinnen.

Von Interesse ist, daß das *Anhydrid* der *Cycloheptatrien-1,6-dicarbonsäure* im Unterschied zur Carbonsäure und deren Ester in der Norcaradien-Form vorliegt[1]:

COOH COOH ▽ → O O O

Durch die kurze Brücke wird das Norcaradien-Derivat thermodynamisch stabiler als die Cycloheptatrienform („Klammereffekt" s. S. 308f.).

c) Cycloheptatriene durch Umlagerung von Bicyclen

1. Cycloheptatriene durch Aufspaltung des Bicyclo[3.2.0]heptan-Systems

(vgl. ds. Handb., Bd. IV/4, Kap. Isocyclische Vierring-Systeme, 186 ff.)

Relativ einfach zugänglich ist das *Cycloheptatrien* durch Reduktion und anschließende Solvolyse von 7-Oxo-bicyclo[3.2.0]hepten-(2) (I):

+ O=C=CH → I (O) —LiAlH₄→ (OH) —1. Veresterung 2. Solvolyse, 50%→

Da letzteres durch Addition von Keten[2] an Cyclopentadien leicht zugänglich ist[3], stellt dieses Verfahren eine Ringerweiterung des 5-Ring- zum 7-Ring-System dar.

Cycloheptatrien[4]:

7-Hydroxy-bicyclo[3.2.0]hepten-(2): Eine Lösung von 49,6 g (0,46 Mol) 7-Oxo-bicyclo[3.2.0]hepten-(2) in 300 *ml* Äther wird innerhalb 30 Min. (Eisbadkühlung) einer Suspension von 17,5 g (0,46 Mol) Lithiumalanat in 250 *ml* Äther unter Rühren zugetropft; bis zum Nachlassen der Reaktion wird eine 20%ige Lösung von Essigsäure-äthylester in Äther zugegeben und die Lösung 20 Min. unter Kühlen weitergerührt. Danach werden 50 *ml* Äthanol/Wasser (4:1) zugefügt und die Mischung mit Wasser versetzt (750 *ml* wäßrige Phase). Man extrahiert 3 Tage mit Äther, trocknet, entfernt den Äther i. Vak. und rektifiziert; Ausbeute: 31,3 g (64% d. Th.); Kp_{48}: 96,5–104° (*exo-endo*).

7-Hydroxy-bicyclo[3.2.0]hepten-(2)-S-methyl-xanthogenat: Zu 5,15 g (0,047 Mol) *endo*-[bzw. 2,8 g (0,026 Mol) *exo*-] Alkohol werden in einem Eis-gekühlten Nickeltiegel 2,62 g (0,047 Mol) [bzw. der entsprechenden Menge beim Einsatz von *exo*-Alkohol] Kaliumhydroxid gegeben. Das Gemisch wird mit einem rostfreiem Stahlstab bearbeitet, bis das Kaliumhydroxid zerkleinert ist und dann werden 4,5 *ml* (0,047 Mol) Schwefelkohlenstoff in kleinen Portionen unter Rühren zugegeben. Man löst die entstehende Paste in möglichst wenig warmen Aceton und dekantiert in 7 *ml* Pentan, um das Kaliumxanthogenat zu fällen. Ein rotes Öl verbleibt im Tiegel. Der Xanthogenat-Niederschlag wird abfiltriert und über Nacht bei 0,1 Torr getrocknet; Ausbeute: 5,9 g (63% d. Th.) [bzw. 2,8 g (54% d. Th.) *exo*-Produkt; F: > 230°]; F: 208–210°. Das Material wird in 100 *ml* Aceton gelöst und auf 0° gekühlt. 4 *ml* Methyljodid werden zugefügt und über Nacht am Rückfluß erhitzt. Nach dem Abziehen (i. Vak.) des Acetons wird in Äther gelöst und

[1] R. DARMS, T. THRELFALL, M. PESARO u. A. ESCHENMOSER, Helv. **46**, 2893 (1963).
[2] S. ds. Handb., Bd. VII/4, Kap. Ketene, S. 196.
[3] H. L. DRYDEN, Am. Soc. **76**, 2841 (1954).
A. T. BLOMQUIST u. J. KWIATEK, Am. Soc. **73**, 2098 (1951).
[4] M. V. EVANS u. R. C. LORD, Am. Soc. **83**, 3413 (1961).

vom anorganischen Salz filtriert. Der Äther wird über Magnesiumsulfat getrocknet, i. Vak. abgezogen und das Xanthogenat destilliert; Ausbeute: 3,4 g (37% d. Th.) [3,1 g (72% d. Th.) bei *exo*] *endo*-Methylxanthogenat ($Kp_{0,4}$: 87°; bzw. $Kp_{1,3}$: 92–96° beim *exo*-Methylxanthogenat).

Cycloheptatrien und Bicyclo[3.2.0]heptadien:

Aus *endo-6-Methylxanthogenoxy-bicyclo[3.2.0]hepten-(2)*: 15,05 g Methylxanthogenat vom *endo*-Alkohol werden in einem 80 *ml* Destillierkolben, in dem ein Thermoelement in die Flüssigkeit taucht, im Sandbad erhitzt. Der Seitenarm ist mit einer Kühlfalle versehen, die mit Trockeneis gekühlt wird. Die Heizgeschwindigkeit wird so gehalten, daß die Flüssigkeit langsam siedet. Bei 220° beginnt die Zers., die Temp. steigt dann rasch auf 300° und bleibt bis sich nur noch ein geringer Rückstand im Kolben befindet. Zum Destillat in der Kühlfalle werden 5 *ml* kaltes Pentan gegeben und vorsichtig auf Raumtemp. erwärmt, damit das Methylmercaptan und Carbonylsulfid abdestillieren kann. Der Rückstand wird über eine 15-cm-Vigreux-Kolonne destilliert. Das Destillat zwischen 107 und 114° (bei 745 Torr) [Ausbeute: 3,06 g (44% d. Th.)] besteht aus einem Gemisch von 85 Teilen *Cycloheptatrien* und 15 Teilen *Bicyclo[3.2.0]heptadien.*

Aus *exo-6-Methylxanthogenoxy-bicyclo[3.2.0]hepten-(2)*: Die analog durchgeführte Pyrolyse von 8,93 g *exo*-Methylxanthogenat beginnt bei 218°. Die Hauptmenge zersetzt sich bei 230–235°; die Temp. steigt bis auf 270°. Die Kohlenwasserstoff-Fraktion vom Kp_{745}: 93–99° besteht aus 15 Teilen *Cycloheptatrien* und 85 Teilen *Bicyclo[3.2.0]heptadien*; Ausbeute 2,8 g (68% d. Th.).

Das Bicyclo[3.2.0]heptadien kann bei hohen Temp. im Gaschromatographen quantitativ in *Cycloheptatrien* umgewandelt werden.

Ebenso soll sich *Cycloheptatrien* bei der katalytischen Dehydratisierung von 6-Hydroxy-bicyclo[3.2.0]hepten-(2) bilden[1]:

OH $\xrightarrow[94\%]{Al_2O_3}$

II

Als wahrscheinliches Zwischenprodukt wird Bicyclo[3.2.0]heptadien-(2,7) (II) fungieren, das man auch in direkter thermischer Reaktion in Cycloheptatrien umlagern kann[2]:

R R ⇌ (∇ / hν) R R

R = H; *Cycloheptatrien*
R = CF_3; *7,7-Bis-[trifluormethyl]-cycloheptatrien*

Die thermische Umlagerung stellt daher eine Umkehrung der photolytischen Bildungsweise[3,4] dar. Von präparativem Wert ist diese Reaktion bei der perchlorierten Verbindung[5]:

Octachlor-cycloheptatrien

[1] Jap. P. 7859 (1964), I. Fujita, R. Yamamoto u. K. Kobata; C. A. **65**, 12124 (1966).
[2] M. R. Willcott u. E. Goerland, Tetrahedron Letters **1966**, 6341.
[3] W. G. Dauben u. R. L. Cargill, Tetrahedron **12**, 186 (1961).
[4] D. M. Gale, W. J. Middleton u. C. G. Krespan, Am. Soc. **88**, 3617 (1966).
[5] R. West u. K. Kusuda, Am. Soc. **90**, 7354 (1968).

2. Cycloheptatriene durch Thermolyse des Bicyclo[2.2.1]heptan-Systems

Die thermische Umlagerung des Bicyclo[2.2.1]heptadiens stellt eine der besten Herstellungsmethoden des *Cycloheptatriens* dar[1]. Dieses Verfahren ermöglicht die technische Herstellung des Cycloheptatriens, da Bicyclo[2.2.1]heptadien[2] durch Diels-Alder-Reaktion leicht zugänglich ist.

Die Reaktion verläuft unter Spaltung der Bindung 1,7 und nachfolgendem erneuten Ringschluß zu Bicyclo[4.1.0]heptadien (Norcaradien), das sich sofort in *Cycloheptatrien* umwandelt[3]:

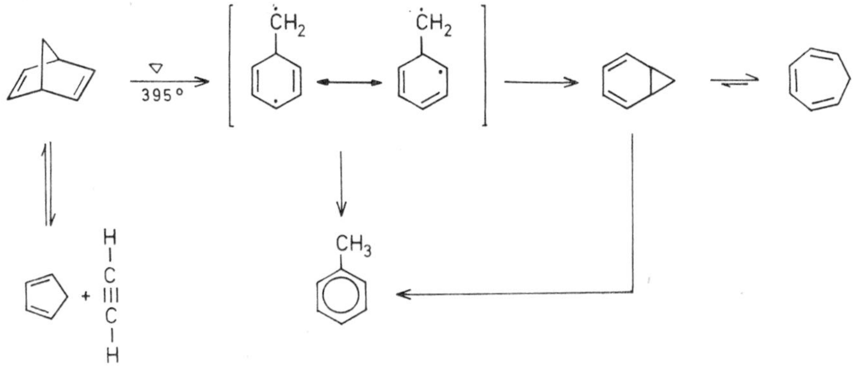

Leider verläuft diese Reaktion nicht einheitlich. Als Nebenprodukte entstehen Toluol und durch Retrodienzerfall Cyclopentadien und Acetylen.

Cycloheptatrien[1]: Durch ein Edelstahlrohr von ~ 76 cm Länge und 2,54 cm ∅, das mit einer elektrischen Außenheizung und einem Innenthermometer versehen ist, leitet man bei 430–450° zuvor verdampftes Bicyclo[2.2.1]heptadien (Dien-Addukt aus Acetylen und Cyclopentadien)[2]. Die Verweilzeit beträgt ~ 10 Sek. (~ 2,33 g/Min.). Das Reaktionsprodukt wird in Kühlfällen aufgefangen und sorgfältig fraktioniert. Bei einem 79%-igen Umsatz wurden erhalten: 45 Mol% Acetylen, 47 Mol% Cyclopentadien (Kp: 41°), 2 Mol% Bicyclo[2.2.1]heptadien (Kp: 89,8°), 3 Mol% Toluol (Kp: 110,6°) und 46 Mol% Cycloheptatrien (Kp: 116–118°) sowie ein höher siedender Rückstand.

Das destillativ abgetrennte Cycloheptatrien besitzt einen Reinheitsgrad von 89% und enthält noch 9% Toluol und 2% Cyclopentadien.

Cycloheptatrien (F: – 79,5°; n_D^{25} = 1,5208) verharzt an der Luft und wird daher zweckmäßig mit einem Antioxidants stabilisiert.

Die Bicyclo[2.2.1]heptadien-Zwischenstufe braucht nicht isoliert zu werden, wenn Cyclopentadien mit Acetylen bei 7,2 atü auf 397° erhitzt[4] wird.

Bei der Pyrolyse von substituierten Bicyclo[2.2.1]heptadienen erhält man sehr verschiedene Resultate. Während 7-Oxo-bicyclo[2.2.1]heptadien-Acetale nur Aromatisierungsprodukte geben, verlaufen die entsprechenden Reaktionen mit einer Reihe anderer Bicyclo[2.2.1]heptadiene mit hohen Ausbeuten unter Bildung der

[1] US.P. 2754337 (1953) ≡ DBP. 937050, Shell Development Co., Erf.: J. S. CHRISTEL u. W. U. HALPER.
W. U. HALPER, G. W. GAERTNER, E. W. SWIFT u. G. E. POLLARD, Ind. Eng. Chem. **50**, 1131 (1958).
W. G. WOODS, J. Org. Chem. **23**, 110 (1958).

[2] Einzelheiten und Herstellungsvorschrift s. ds. Handb., Bd. V/1b, Kap. Olefine durch Diensynthese.

[3] W. C. HERNDON u. L. L. LOWRY, Am. Soc. **86**, 1922 (1964).
B. C. ROQUITTE, Canad. J. Chem. **42**, 2134 (1964).

[4] M. A. PRYANISHNIKOVA, E. M. MILVITSKAYA u. A. F. PLATE, Izv. Akad. Nauk. SSSR, Otdel. Khim. Nauk. **1960**, 2178; C. A. **55**, 15374 (1961).

Cycloheptatriene. Die als Nebenprodukte auftretenden Aromaten bilden sich in um so geringerer Menge, je niedriger die Pyrolysetemperaturen sind.

So wandelt sich Dibenzo-bicyclo[2.2.1]heptadien ohne Nebenprodukte in *5H-⟨Dibenzo-[a;e]-cycloheptatrien⟩* um[1]. Dieser Skelett-Umlagerung muß eine 1,5-sigmatrope Wasserstoff-Verschiebung des 10H-⟨Dibenzo-[a;d]-cycloheptatrien⟩ folgen:

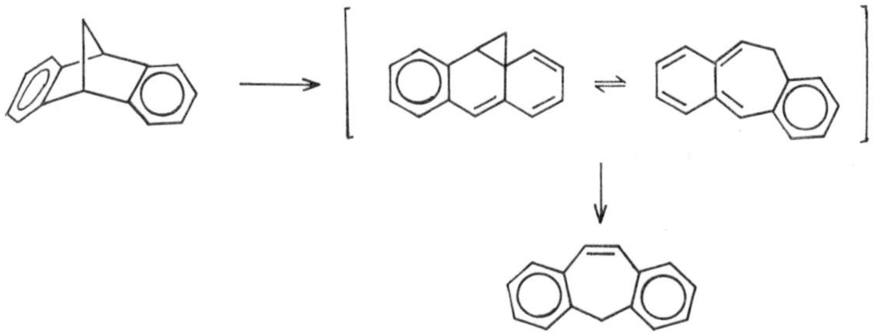

Tab. 12. Cycloheptatriene durch Pyrolyse von Bicyclo[2.2.1]heptadienen

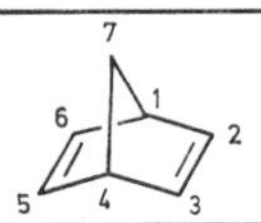 (Bicyclo[2.2.1]heptadien, Positionen 1–7)	Reaktionsbedingungen	entstehende Verbindungen	Ausbeute[a] [% d.Th.]	Literatur
unsubstituiert	395°, Gasphase	*Cycloheptatrien* (neben Toluol, Cyclopentadien, Acetylen)		[2]
7-tert.-Butyloxy-	170°, in Decan	*tert.-Butyloxy-cycloheptatrien*	gut	[3]
7-Methoxy-	170°, in Decan	*Methoxy-cycloheptatrien*	gut	[3]
7-(2-Äthoxy-äthoxy)-	170°, in 2-Äthoxy-äthanol	*(2-Äthoxy-äthoxy)-cycloheptatrien*	gut	[3]
1,7,7-Dimethyl-	272°, Gasphase	*3,7,7-Trimethyl-cycloheptatrien* (neben 4-Methyl-1-isopropyl-benzol)	50–70	[4]
7,7-Dialkoxy-	200°, Gasphase	Benzol	100	[5]
1,2,3,4-Tetrachlor-7,7-dialkoxy-	100-150°, in Lösung	1,2,3,4-Tetrachlor-benzol	100	[6]
Benzo-	500°, Gasphase	*5H-⟨Benzo-[a]-cycloheptatrien⟩* (neben 1-Methyl-naphthalin)	68	[7]
Dibenzo-	300°, Schmelze	*5H-⟨Dibenzo-[a;e]-cycloheptatrien⟩*	100	[8]

a) an Cycloheptatrien

Bei der Reduktion von 7-Acetoxy-norbornadien mit Lithiumalanat in Tetrahydrofuran entsteht ebenfalls *Cycloheptatrien*[9]. Unter Verwendung von Lithiumaluminiumdeuterid bildet sich *7-Deutero-cycloheptatrien*[10].

7-Acetoxy-norbornadien lagert sich auch unter dem Einfluß von Natriummethanolat zum Tropyl-methyläther um[10].

---

[1] Eu. Müller u. H. Kessler, A. **692**, 58 (1966).
[2] W. G. Woods, J. Org. Chem. **23**, 110 (1958).
[3] R. K. Lustgarten u. H. G. Richey, Tetrahedron Letters **1966**, 4655.
[4] M. R. Willcott u. C. J. Boriack, Am. Soc. **90**, 3287 (1968).
[5] D. M. Lemal, R. A. Lovald u. R. W. Harrington, Tetrahedron Letters **1965**, 2779.
[6] D. M. Lemal, E. P. Gosselink u. S. D. McGregor, Am. Soc. **88**, 582 (1966).
[7] S. J. Cristoll u. R. Caple, J. Org. Chem. **31**, 585 (1966).
[8] Eu. Müller u. H. Kessler, A. **692**, 58 (1966).
[9] B. Franzus u. E. I. Snyder, Am. Soc. **85**, 3902 (1963); **87**, 3423 (1965).
[10] B. Franzus et al., Tetrahedron Letters **1971**, 295.

3. Cycloheptatriene aus dem Bicyclo[4.1.0]heptan-System

Im Prinzip stellt das Gleichgewicht Norcaradien (Bicyclo[4.1.0]heptadien) Cycloheptatrien einen einfachen Weg zur Synthese von Cycloheptatrienen dar. So verläuft beispielsweise die Bildung von Cycloheptatrienen durch Umsetzung von Aromaten mit aliphatischen Diazoverbindungen (s. S. 335 ff.) mit großer Wahrscheinlichkeit über die Norcaradien-Zwischenstufe. Über das Gleichgewicht der Valenzisomeren Norcaradien und Cycloheptatrien wurde bereits auf S. 306ff. berichtet.

Norcaradiene, die thermodynamisch stabiler sind als die entsprechende Cycloheptatriene lagern sich thermisch unter Wanderung eines Restes in Cycloheptatriene um[1,2]. So wandelt sich 1a,7b-Dihydro-1H-⟨cyclopropa-[a]-naphthalin⟩ ebenso wie sein 1-Carbonsäure-äthylester beim Erwärmen quantitativ in *5H-⟨Benzo-[a]-cycloheptatrien⟩* bzw. *6-Äthoxycarbonyl-5H-⟨benzo-[a]-cycloheptatrien⟩* um. Zwischenstufe dieser Umlagerung ist offenbar das thermodynamisch instabile *6H-⟨Benzo-cycloheptatrien⟩*[3] das sich durch nachfolgende 1,5-sigmatrope Wasserstoff-Verschiebung stabilisiert:

H R H R R ? H H H H R

R = H; $COOC_2H_5$

Im Falle des Esters lagert das Primärprodukt der Reaktion dann zum stabileren *6-Äthoxycarbonyl-5H-⟨benzo-[a]-cycloheptatrien⟩* um, der nach der Verseifung *6-Carboxy-5H-⟨benzo-[a]-cycloheptatrien⟩* liefert[1].

6-Carboxy-5H-⟨benzo-[a]-cycloheptatrien⟩[1]:

1-Äthoxycarbonyl-1a,7b-dihydro-1H-⟨cyclopropa-[a]-naphthalin⟩: 160 g (1,25 Mol) durch Umkristallisieren aus Methanol und 2 maliger Destillation bei 12 Torr gereinigtes Naphthalin werden im Dreihalskolben, der mit Tropftrichter, Rührwerk, Gaseinlaß und -auslaß ausgerüstet ist, im Ölbad auf 140–145° erhitzt. Nach Verdrängen der Luft gegen Reinstickstoff läßt man unter Rühren 28,8 g (0,246 Mol) Diazoessigsäure-äthylester innerhalb 8 Stdn. eintropfen. Die sofort einsetzende Stickstoff-Entwicklung ist 20 Min. nach Zufügen des Diazoessigsäure-äthylesters abgeschlossen. Anschließend wird durch Destilliation aus einem Schwertkolben (Kp_{13}: 112–114°) das überschüssige Naphthalin entfernt, das aus Methanol umkristallisiert wird. Die Mutterlauge dieser Kristallisation und der Kolbenrückstand werden rektifiziert:

Kp_{12}: 90–92°	2,2 g	*Fumarsäure-diäthylester*
$Kp_{0,01}$: 96°	2,7 g	*Rohnaphthalin*
$Kp_{0,01}$: 96–120°	31 g	(59% d. Th.) rohes *1-Äthoxycarbonyl-1a,7b-dihydro-1H-⟨cyclopropa-[a]-naphthalin⟩* (blaßgelbes Öl)
$Kp_{0,01}$: 120–165°	4,2 g	Bisaddukte

[1] R. Huisgen u. G. Juppe, B. **94**, 2332 (1961).
[2] Eu. Müller, H. Fricke u. H. Kessler, Tetrahedron Letters **1964**, 1525.
[3] E. Vogel, D. Wendisch u. W. R. Roth, Ang. Ch. **76**, 432 (1964); Int. Ed. **3**, 443 (1964).

6-Carboxy-5H-⟨benzo-[a]-cycloheptatrien⟩: 10,3 g obigen Esters (S. 353) werden unter Stickstoff 4 Stdn. auf 260–265° erhitzt. Das braune dickflüssige Öl liefert bei 108–109°/0,01 Torr 8,2 g farbloses Destillat, das 8 Stdn. in siedender 10%iger methanolischer Kalilauge erhitzt wird; Ausbeute: 5,3 g (59% d. Th.); F: 160–161,5° (aus Äthanol/Wasser oder Cyclohexan).

Auch die thermische Umwandlung von 7,7-Dicyan-benzonorcaradien zum *5,9-Dicyan-7H-⟨benzo-cycloheptatrien⟩* stellt eine Umwandlung dieser Art dar (vgl. S. 316)[1].

Bei der Dehydrierung von 7,7-Dimethoxycarbonyl-bicyclo[4.1.0]hepten-(3), die entweder direkt oder über die Hydroxy-bicyclo[4.1.0]heptane verläuft, bildet sich *Cycloheptatrien-7,7-dicarbonsäure-dimethylester*[2]:

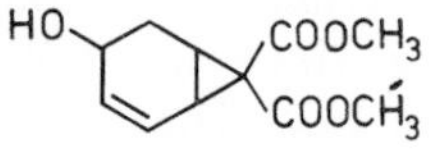

HO, $COOCH_3$, $COOCH_3$

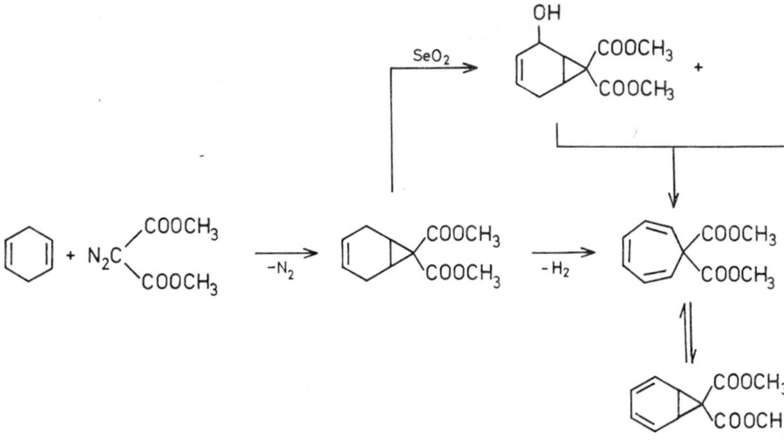

OH, SeO_2, $COOCH_3$, $COOCH_3$, +

$+ N_2C(COOCH_3)_2$ $\xrightarrow{-N_2}$ $COOCH_3$, $COOCH_3$ $\xrightarrow{-H_2}$ $COOCH_3$, $COOCH_3$

⇅ $COOCH_3$, $COOCH_3$

Die zweistufige Reaktion ist wegen besserer Reinigungsmöglichkeiten und höherer Ausbeuten der direkten Dehydrierung durch Dichlor-dicyan-benzochinon (DDQ) vorzuziehen. Die Dehydrierung von 3,7,7-Trimethyl-bicyclo[4.1.0]hepten-(3) liefert *3,7,7-Trimethyl-cycloheptatrien*:

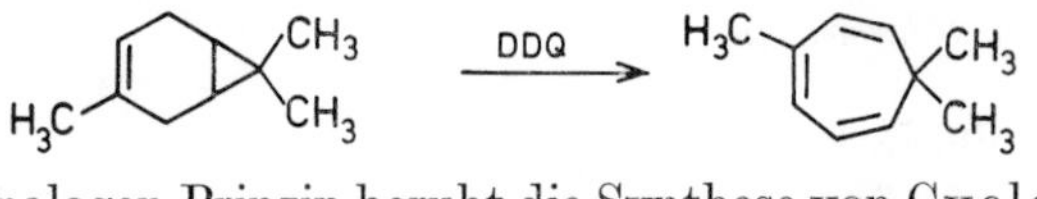

H_3C, CH_3, CH_3 $\xrightarrow{DDQ}$ H_3C, CH_3, CH_3

Auf einem ganz analogen Prinzip beruht die Synthese von Cyclopropan-⟨spiro-7⟩-cycloheptatrienen {Spiro-[2.6]-nonatriene-(4,6,8)}[3,4]:

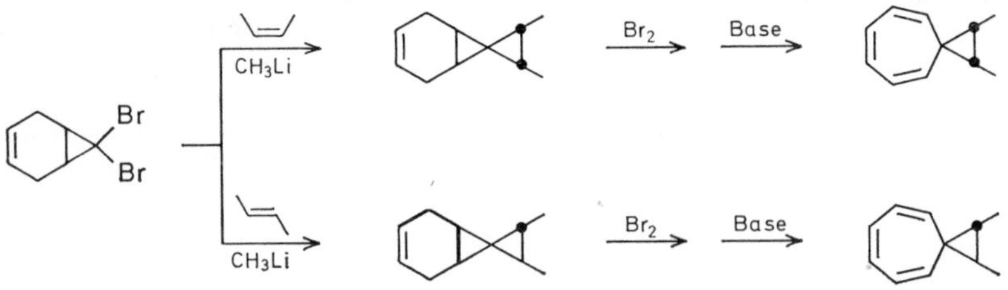

Br, Br; CH_3Li → $\xrightarrow{Br_2}$ $\xrightarrow{Base}$; CH_3Li → $\xrightarrow{Br_2}$ $\xrightarrow{Base}$

7,7-Dibrom-bicyclo[4.1.0]hepten-(3) wird in Anwesenheit von Methyl-lithium mit Olefinen zu Spiro-[2.2]-pentanen umgesetzt (~30% d. Th.). Die nachfolgende

[1] E. Ciganek, Am. Soc. **89**, 1458 (1967).
[2] J. A. Berson et al., J. Org. Chem. **33**, 1669 (1968).
[3] M. Jones u. E. W. Petrillo, Tetrahedron Letters **1969**, 3953
[4] vgl. ds. Handb., Bd. IV/3, Carbocyclische Dreiringsysteme.

Brom-Addition und Dehydrobromierung mit 1,5-Diaza-bicyclo[5.4.0]undecen-(5) in Aceton bei 100° ergibt die Cyclopropan-⟨spiro-7⟩-cycloheptatriene[1]. Die Norcaradien-Form ließ sich in diesen Verbindungen nicht nachweisen. Ein ähnlicher Weg wurde von anderen Autoren eingeschlagen[2]:

Das gewonnene Spiro-[2.2]-pentan wird ebenfalls mit Brom umgesetzt, dann jedoch mit Dodecanolat bei 105° unter Stickstoff dehydrobromiert.

Eine andere Möglichkeit, in die Reihe der Cycloheptatriene zu gelangen, stellt die Thermolyse von 7,7-Dihalogen-bicyclo[4.1.0]heptanen dar[3], die bekanntlich durch Carben-Reaktion mit Cyclohexenen leicht zugänglich sind:

Das als Nebenprodukt entstehende Toluol bildet sich durch nachträgliche thermische Zersetzung des Cycloheptatriens. Die Ausbeuten an *Cycloheptatrien* aus 7,7-Dichlor-bicyclo[4.1.0]heptan lassen sich bei geeigneter Reaktionsführung (540–550°, 110–130 Torr und kurze Verweilzeit am Kontakt) auf 88–90% d. Th. steigern[4].

Ein besseres Verfahren ist die Pyrolyse der 7,7-Dihalogen-bicyclo[4.1.0]heptane in Chinolin[5] (s. Tab. 13, S. 356).

Bemerkenswert ist, daß bei der präparativ einfachen Reaktion kein Toluol als Nebenprodukt entsteht.

Geht man von substituierten 7,7-Dihalogen-bicyclo[4.1.0]heptanen aus, erhält man nach beiden Verfahren die Isomerengemische substituierter Cycloheptatriene (neben Aromatisierungsprodukten).

Der Mechanismus dieser Ringerweiterung besteht wahrscheinlich in der primären Ablösung des *endo*-Halogenatoms unter synchroner Cyclopropyl-Allyl-Kationen Umlagerung[6]. Anschließende Deprotonierung, Wasserstoffverschiebung und weitere Dehydrohalogenierung liefert das *Cycloheptatrien*.

4. Cycloheptatriene durch Decarbonylierungen

In untergeordneten Maßen bildet sich *Cycloheptatrien* bei der Photolyse von 6-Oxo-bicyclo[5.1.0]octadien-(2,4)[7]:

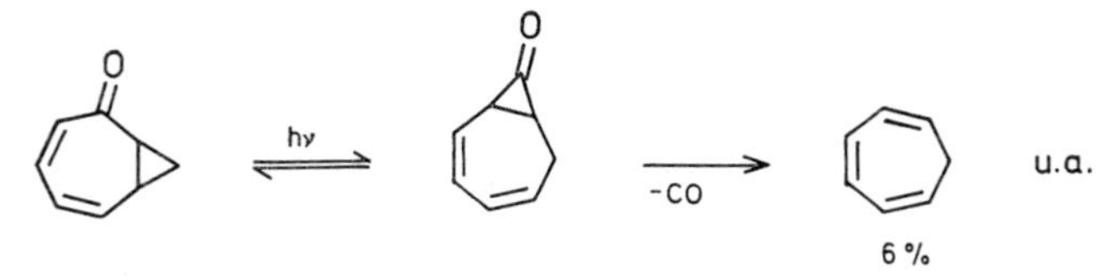

[1] M. Jones u. E. W. Petrillo. Tetrahedron Letters **1969**, 3953.
[2] C. J. Rostek u. W. M. Jones, Tetrahedron Letters **1969**, 3957.
[3] H. E. Winberg, J. Org. Chem. **24**, 264 (1959).
[4] O. Nefedow, N. Nowizkaja u. A. Iwaschenko, A. **707**, 217 (1967) und dort zitierte Literatur.
[5] D. G. Lindsay u. C. B. Reese, Tetrahedron **21**, 1673 (1965).
T. Ando et al., Tetrahedron Letters **1967**, 1123 (1967).
[6] R. B. Woodward u. R. Hoffmann, Ang. Ch. **81**, 797 (1969).
[7] L. A. Paquette u. O. Cox, Am. Soc. **89**, 1969 (1967).
vgl. ds. Handb., Bd. IV/5, Photochemie.

Tab. 13. Cycloheptatriene durch Pyrolyse von 7,7-Dihalogen-bicyclo[4.1.0]heptanen

(Bicyclo[4.1.0]heptan, Bezifferung 1–7)	Reaktionsbedingungen	Cycloheptatrien	Ausbeute [% d.Th.]	aromatische Nebenprodukte [% d.Th.]	Literatur
7,7-Dichlor-	540–550°, Gasphase	*Cycloheptatrien*	88	7	1
	220°, in Chinolin		61	—	2
7,7-Dibrom-	450°, Gasphase	*Cycloheptatrien*	90	—	1
	238°, in Chinolin		68		3
7-Fluor-7-chlor-					
exo-Fluor	200°, in Chinolin	*Cycloheptatrien*	50	—	2
endo-Fluor	200°, in Chinolin	—	—	—	2
7,7-Dichlor-1-methyl-	480°, in Chinolin	*Methyl-cycloheptatrien*	5	95	1
7,7-Dibrom-1-methyl-	450°, in Chinolin	*Methyl-cycloheptatrien*	5	95	1
7,7-Dibrom-3-methyl-	200°, in Chinolin	*Methyl-cycloheptatrien*	66	—	3
7,7-Dibrom-1-methoxy-	150°, in Chinolin	*Methoxy-cycloheptatrien*	—	37	3
7,7-Dichlor-1-phenyl-	580°, Gasphase	*Phenyl-cycloheptatrien*	31	69	1
7,7-Dibrom-1-phenyl-	470°, Gasphase	*Phenyl-cycloheptatrien*	35	65	1

Wegen der großen Zahl von Nebenprodukten ist diese Bildungsweise ohne präparativen Wert.

Einer sehr leichten thermischen Decarbonylierung unterliegen 8-Oxo-tricyclo[3.2.1.0[2,4]]octene-(6)[4,5]:

H_3CO OCH_3 OCH_3 OCH_3

O 36° −CO

[1] O. Nefedow, N. Nowizkaja u. A. Iwaschenko, A. **707**, 217 (1967).
[2] T. Ando et al., Tetrahedron Letters **1967**, 1123.
[3] D. G. Lindsay u. C. B. Reese, Tetrahedron **21**, 1673 (1965).
[4] M. A. Battiste, Chem. & Ind. **1961**, 550.
[5] H. Tanida, T. Tsuji u. T. Irie, Am. Soc. **89**, 1953 (1967).
M. A. Battiste et al., Am. Soc. **89**, 1954 (1967).

Tab. 14. Cycloheptatriene durch Decarbonylierung von 8-Oxo-tricyclo[3.2.1.$0^{2,4}$]octenen-(6)

Ausgangsprodukt	Reaktions-temperatur [°C]	Cycloheptatrien	Ausbeute [% d.Th.]	F [°C]	Literatur
	~40	*Cycloheptatrien*	100		1,2
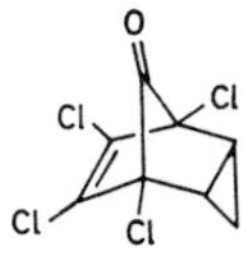	40–70	*2,3,4,5-Tetrachlor-cyclo-heptatrien*	100		2,3
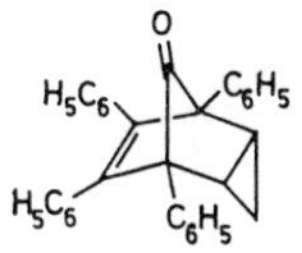	65	*2,3,4,5-Tetraphenyl-cyclo-heptatrien*	100		2
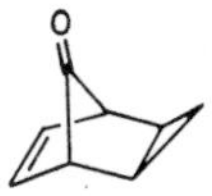	150	*Cycloheptatrien*	100		2
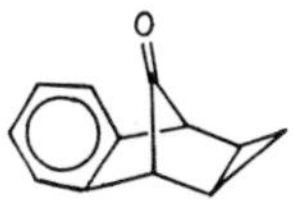	400	*7H-⟨Benzo-cyclohepta-trien⟩*	37		2

Da 8-Oxo-tricyclo[3.2.1.$0^{2,4}$]octene-(6) durch Diels-Alder-Reaktion von Cyclopentadienonen mit Cyclopropenen leicht zugänglich sind, stellt dieser Weg einen Zugang für speziell substituierte Cycloheptatriene dar, die auf andere Weise nur schwer zu erhalten sind, z.B.:

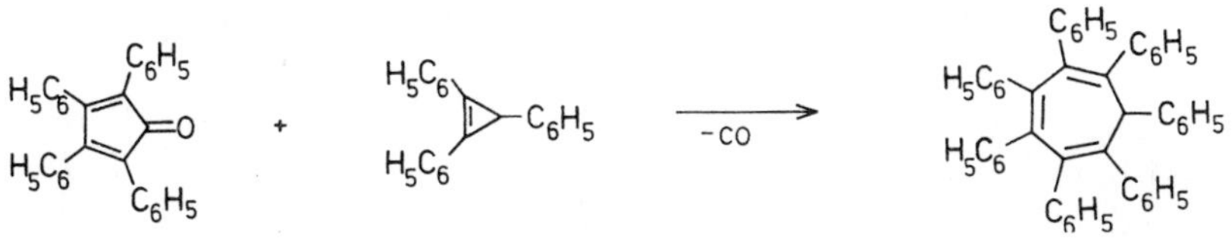

Heptaphenyl-cycloheptatrien[4]: Gleichmolare Mengen von 1,2,3-Triphenyl-cyclopropen und Tetraphenyl-cyclopentadienon werden bei 120° zusammengeschmolzen und die Temp. langsam

[1] S. C. Clarke u. B. L. Johnson, Tetrahedron Letters **1967**, 617.
[2] B. Halton, M. A. Battiste et al., Am. Soc. **89**, 5964 (1967).
[3] M. A. Battiste et al., Am. Soc. **89**, 1954 (1967).
[4] M. A. Battiste, Chem. & Ind. **1961**, 550.

auf 200° gesteigert. Die Gasentwicklung beginnt bei 130° und ist bei 140° beendet, wenn die Schmelze sich wieder verfestigt. Die Schmelze wird mehrmals aus Chloroform-Äther umkristallisiert; Ausbeute: 52% d.Th.; F: 285–287,5°.

Weitere auf diese Weise hergestellte Cycloheptatriene sind in Tab. 14 (S. 357) zusammengestellt. Interessant ist, daß die *endo*-Verbindungen, die durch Diels-Alder-Reaktion entstehen, sehr viel leichter decarbonylieren als die entsprechenden *exo*-Verbindungen. Letztere werden durch Kupfersalz-katalysierte Diazomethan-Reaktion der entsprechenden Olefine unter Bildung des Cyclopropan-Ringes hergestellt.

d) Cycloheptatriene durch spezielle Ringerweiterungen

Ringerweiterungen von Aromaten mit Dihalogencarbenen sind bisher nicht beobachtet worden. Dagegen reagieren die reaktionsfähigeren Monohalogencarbene mit Benzol. So werden bei der Umsetzung von Benzol, Bromoform und Triäthyl-aluminium *7-Äthyl-cycloheptatrien* und *Cycloheptatrien* erhalten[1]:

$$CHBr_3 + Al(C_2H_5)_3 \xrightarrow[25-40°]{} [:CHBr] \xrightarrow{\text{Benzol}} \text{Cycloheptatrien} + \text{7-}C_2H_5\text{-Cycloheptatrien}$$

Besser scheint das Verfahren zu sein, wenn man Benzol oder Alkyl-benzole mit Dichlormethan und Methyl-lithium bei 30–40° zur Reaktion bringt[2]:

$$\text{R-Benzol} + CH_2Cl_2 + CH_3Li \longrightarrow [\text{R-Norcaradien-Cl}] \xrightarrow{CH_3Li} \text{R-Cycloheptatrien-}CH_3$$

R = H;	*7-Methyl-cycloheptatrien*	30% d. Th.
R = CH_3;	*7,x-Dimethyl-cycloheptatrien*	40% d. Th.
R = iso-C_3H_7;	*7-Methyl-x-isopropyl-cyclophetatrien*	20% d. Th.
R = tert.-C_4H_9;	*7-Methyl-x-tert.-butyl-cycloheptatrien*	25% d. Th.
R = 2 mal CH_3;	*7,x,y-Trimethyl-cycloheptatrien*	10% d. Th.

III. Cycloheptatriene durch Ringverengung

Durch Ringverengung des Cyclooctatetraen-Ringes bzw. seiner Derivate sind einige 7-substituierte Cycloheptatriene zugänglich. So bildet sich *7-(Dimethoxymethyl)-cycloheptatrien* durch Reaktion von Cyclooctatetraen mit Quecksilber (II)-acetat[3]:

---

[1] D. B. Miller, Tetrahedron Letters **1964**, 989.

[2] O. M. Nefedov, N. N. Novitskaja u. A. D. Petrov, Doklad. Akad Nauk. SSSR **158**, 411 (1964); C. A. **61**, 14579 (1964).

[3] A. C. Cope, N. A. Nelson u. D. S. Smith, Am. Soc. **76**, 1100 (1954).
s. a. ds. Bd., S. 514 ff.

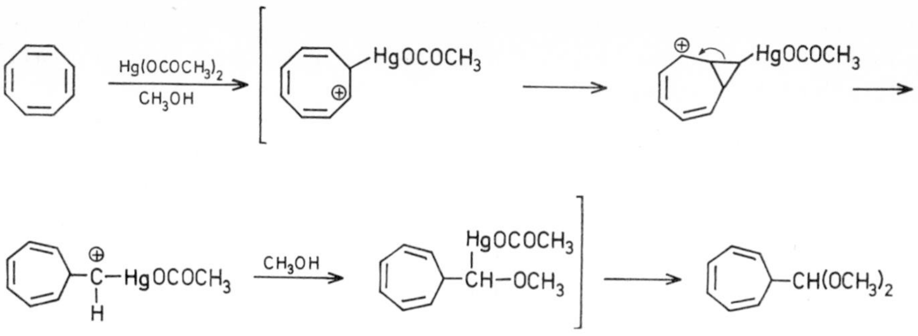

7-(Dimethoxy-methyl)-cycloheptatrien[1]: Eine Suspension von 79,7 g Quecksilber(II)-acetat in 400 *ml* Methanol wird auf 10° gekühlt und unter Rühren in einer Stickstoff-Atmosphäre eine Lösung von 26 g Cyclooctatetraen in 100 *ml* Methanol schnell zugefügt. Eine farblose Additions-Verbindung scheidet sich rasch ab, die beim Rühren bei Raumtemp. (2 Stdn.) und weiteren 2 Stdn. bei 60–64° zersetzt wird. Die organische Phase wird vom Quecksilber (49,4 g; 98,5%) durch Dekantieren getrennt, auf 100 *ml* eingeengt und mit 400 *ml* Äther verdünnt. Dann wird mit verd. Natronlauge neutral und noch einmal mit Wasser gewaschen; über Natriumsulfat getrocknet und fraktioniert; Ausbeute: 36,6 g (88% d. Th.); Kp_{10}: 90–92°; n_D^{25} = 1,5004; d^{25}: 1,006.

Die gleiche Reaktion läßt sich auch mit Blei(IV)-acetat an Stelle von Quecksilber(II)-acetat durchführen[2]. Die Ausbeuten sind allerdings geringer (30% d. Th.). Wird die Umsetzung von Cyclooctatetraen mit Blei(IV)-acetat in Eisessig unter Anwesenheit von Bortrifluorid durchgeführt, bildet sich *7-(Diacetoxy-methyl)-cycloheptatrien*:

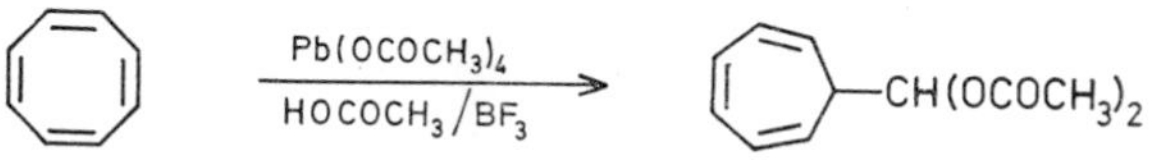

Ohne den Bortrifluorid-Zusatz erhält man nur 7,8-Diacetoxy-bicyclo[4.2.0]octadien-(2,4).

7-(Diacetoxy-methyl)-cycloheptatrien[2]: Unter kräftigem Rühren wird zu einer Suspension von 90 g Blei(IV)-acetat in einer Lösung von 30 g frisch destilliertem Cyclooctatetraen in 100 *ml* wasserfreiem Eisessig innerhalb 30 Min. eine Lösung von 36 g Bortrifluorid/Eisessig-Komplex (1 : 2) in 15 *ml* Eisessig zugegeben, wobei durch Kühlen eine Temp. von 30–35° aufrecht erhalten wird. Gegen Ende der Reaktion, nach Zugabe der ganzen Menge an Bortrifluorid-Komplex, läßt man die Temp. auf 45–50° steigen und rührt weiter, bis das Oxidationsmittel völlig verbraucht ist. Die Reaktionsmischung wird in 1 *l* Wasser gegossen und mit Äther extrahiert. Bei der üblichen Aufarbeitung werden 14 g Cyclooctatetraen zurückgewonnen. Der Rückstand wird bei 0,3 Torr destilliert, nach dem Vorlauf (1,1 g; Kp: bis 83°; n_D^{22} = 1,5045) gehen bei 83–86° 11,1 g einer Flüssigkeit über, die erneut destilliert wird; Rohausbeute: 33% d. Th. (bez. auf umgesetztes Cyclooctatetraen); $Kp_{0,1}$: 73–76°; n_D^{22} = 1,4982.

Die Ausbeuten bei der elektrolytischen Oxidation von Cyclooctatetraen in Eisessig sind geringer und die Reaktion verläuft nicht einheitlich[3].

---

[1] A. C. Cope, N. A. Nelson u. D. S. Smith, Am. Soc. **76**, 1100 (1954).
[2] M. Finkelstein, B. **90**, 2097 (1957).
[3] L. Eberson et al., J. Org. Chem. **32**, 16 (1967).

Einen andersartigen Übergang aus der Cyclooctatetraen-Reihe in die Cycloheptatrien-Reihe beobachtet man bei der Reaktion von 7,8-Epoxi-cyclooctatrien mit Grignard-Verbindungen[1]:

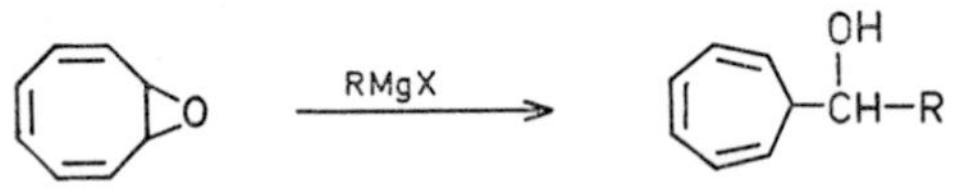

RMgX

OH

CH–R

R = C_2H_5; *7-(1-Hydroxy-propyl)-cycloheptatrien* 83% d.Th.
R = C_6H_5; *7-(α-Hydroxy-benzyl)-cycloheptatrien* 73% d.Th.
R = tert.-C_4H_9; *7-(1-Hydroxy-2,2-dimethyl-propyl)-cycloheptatrien* 23% d.Th.

IV. Cycloheptatriene durch Ringschlußreaktionen

Ringschlußreaktionen haben sich besonders bei der Synthese von Benzo-cycloheptatrienen bewährt. Eine Möglichkeit zum Ringschluß besteht in der Oxidation von Bis-[2-(triphenylphosphin-methylenyl)-phenyl]-methan[2]:

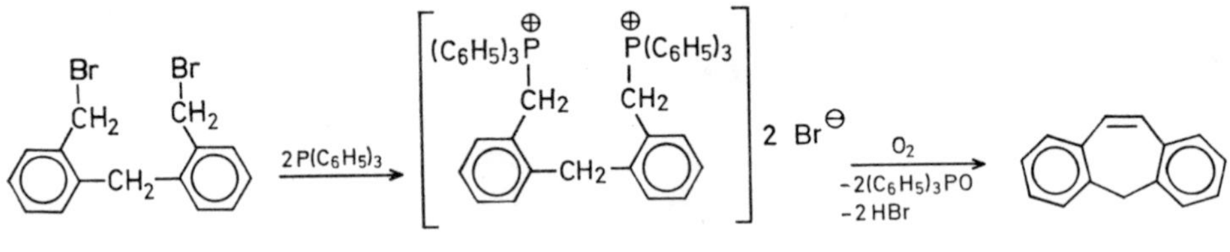

$$\text{Bis-(2-brommethyl-phenyl)-methan} \xrightarrow{2\,P(C_6H_5)_3} \left[(C_6H_5)_3\overset{\oplus}{P}-CH_2-C_6H_4-CH_2-C_6H_4-CH_2-\overset{\oplus}{P}(C_6H_5)_3 \right] 2\,Br^{\ominus} \xrightarrow[-2(C_6H_5)_3PO,\ -2\,HBr]{O_2} \text{5H-Dibenzo-cycloheptatrien}$$

5H-⟨Dibenzo-[a;e]-cycloheptatrien⟩:

Bis-[2-(triphenylphosphonio-methyl)-phenyl]-methan-dibromid: 3,5 g Bis-[2-brommethyl-phenyl]-methan[3] und 6,0 g Triphenyl-phosphin werden in 40 *ml* absol. Dimethylformamid gelöst. Nach wenigen Min. setzt bei Raumtemp. die Reaktion unter starkem Erwärmen und Abscheiden des Phosphoniumsalzes ein. Es wird noch 1 Stde. auf 170–180° erhitzt, abgekühlt und der Kristallbrei mit Benzol durchgerührt und abgesaugt. Anschließend wird gut mit Benzol gewaschen und i. Ölpumpenvak. bei 160° getrocknet; Ausbeute: 8,5 g (97% d.Th.); F: 288–289° (Zers.).

5H-⟨Dibenzo-[a;d]-cycloheptatrien⟩: Man löst in einem Oxidationsgefäß[4] 0,24 g Natrium in ~ 80 *ml* trockenem flüssigem Ammoniak, gibt einige Körnchen Eisen(III)-nitrat hinzu und wartet auf das Verschwinden der Blaufärbung. Zu dieser Natriumamid-Lösung gibt man 4,40 g des Bisphosphonium-Salzes. Nach Verdampfen des Ammoniaks über ein Quecksilber-Ventil, gibt man 100 *ml* Benzol zu und pumpt durch die auf 70–80° erwärmte Lösung 3 Stdn. Sauerstoff. Dabei wechselt die Farbe von rot nach gelbbraun. Anschließend wird Benzol abdestilliert und der Rückstand bei 70–90°/0,2 Torr sublimiert. Das Sublimat wird aus Aceton unter Zugabe von Wasser umkristallisiert; Ausbeute: 0,50 g (51% d.Th.); F: 130–132°.

---

1 T. Matsuda u. M. Sugishita, Bull. Chem. Soc. Japan **40,** 174 (1967); C. A. **66,** 104 729 (1967).
2 H. J. Bestmann et al., B. **99,** 2848 (1966).
3 E. D. Bergmann u. Z. Pelchwitz, Am. Soc. **75,** 4281 (1953).
4 H. J. Bestmann u. O. Kratzer, B. **96,** 1899 (1963);
H. J. Bestmann, Ang. Ch. **77,** 850 (1965); Int. Ed.: **4,** 830 (1965).

Einen doppelten Ringschluß wendet man zur Herstellung von *7H-⟨Benzo-cycloheptatrien⟩* (III) an[1]:

I + II ($(C_6H_5)_3P{=}CH{-}CH_2{-}CH{=}P(C_6H_5)_3$) → THF 28% → III; Äther 22% → IV

Arbeitet man dagegen in Äther, so wird das offenbar durch Umlagerung von III hervorgegangene *5H-⟨Benzo-cycloheptatrien⟩* (IV) isoliert[1].

7H-⟨Benzo-cycloheptatrien⟩(III) und 5H-⟨Benzo-cycloheptatrien⟩(IV)[1]:

1,3-Bis-[triphenyl-phosphonio]-propan-dibromid: 63 g Triphenylphosphin werden mit 20 g 1,3-Dibrom-propan unter Rühren langsam auf 200° erwärmt; bei ~ 180° erfolgt die exotherme Reaktion, und die Kristalle scheiden sich ab. Nach 30 Min. läßt man abkühlen, kocht die erstarrte Masse mit 300 *ml* Chloroform unter Zusatz von Tierkohle, filtriert und fügt Aceton bis zur beginnenden Kristallisation hinzu. Nach Filtration wird der Rückstand aus Äthanol/Äther umgelöst und i. Hochvak. bei 120° getrocknet; Ausbeute: 77 g (90% d.Th., bez. auf Triphenylphosphin); F: 333–335° (Zers.).

7H-⟨Benzo-cycloheptatrien⟩ (III): In 300 *ml* flüssigem Ammoniak werden nach Zusatz einiger Kristalle Eisen(III)-nitrat 1,9 g (82 mMol) Natriumamid umgesetzt und unter Rühren (alle Operationen unter Stickstoff) 30 g (41 mMol) des Phosphonium-dibromids eingetragen. Das Ammoniak wird aus der roten Suspension über ein Quecksilber-Ventil, zuletzt i. Vak. abgedampft, und der jetzt hellrote Rückstand in 50 *ml* absol. Tetrahydrofuran 30 Min. unter Rückfluß gekocht. Nach Auffüllen mit 400 *ml* absol. Äther wird in die tiefrote Suspension des Bis-Ylens innerhalb 40 Min. eine Lösung von 5,5 g (41 mMol) o-Phthaldialdehyd in 100 *ml* absol. Äther eingerührt und die Mischung 6 Stdn. gekocht. Nach dem Absaugen vom bräunlichen Niederschlag wird das Filtrat mit 100 *ml* 10%iger Bromwasserstoffsäure, dann mit 50 *ml* ges. Natriumhydrogencarbonat-Lösung und 100 *ml* ges. Natriumchlorid-Lösung ausgeschüttelt, getrocknet und über einer Vigreux-Kolonne auf 50 *ml* eingeengt. Nach Absaugen des auskristallisierten Triphenylphosphinoxids (8,5 g) dampft man bis zur Trockene ein. Der Rückstand hinterläßt nach Auskochen mit insgesamt 200 *ml* Petroläther (Kp: 50–70 weitere 2,4 g Triphenylphosphinoxid (Gesamtausbeute: 48% d.Th.; F: 152–154° aus Cyclohexan).

Die Petroläther-Lösung wird über neutrales Aluminiumoxid chromatographiert und fraktioniert; Ausbeute: 1,65 g (28% d.Th.); Kp_{14}: 108–110°; n_D^{20} = 1,6150).

5H-⟨Benzo-cycloheptatrien⟩(IV): Zu 8,5 g (24 mMol) Diphenylquecksilber in 100 *ml* absol. Äther fügt man 2 *ml* einer ätherischen salzfreien 1n Phenyl-lithium-Lösung und preßt 3 g Natrium ein. Nach 3stgm. Schütteln dekantiert man die graue Suspension vom Amalgam ab, wäscht mit 100 *ml* absol. Äther nach und trägt 14,6 g (20 mMol) des Phosphonium-dibromids ein, wobei sich die Mischung erwärmt und rot färbt. Sie wird 18 Stdn. geschüttelt und dann mit 2,7 g (20 mMol) o-Phthaldialdehyd (F: 55/56°) umgesetzt. Nach 2stdgm. Schütteln erwärmt man 10 Stdn. auf 65–70°, dekantiert die rote ätherische Lösung in 50 *ml* 10%ige Bromwasserstoffsäure und wäscht die Ätherphase mit Natriumhydrogencarbonat-Lösung und Wasser. Sie wird getrocknet und über eine Vigreux-Kolonne auf ~ 50 *ml* eingeengt, wobei 3,8 g Triphenyl-

---

[1] G. Wittig, H. Eggers u. P. Duffner, A. **619**, 10 (1958).

phosphinoxid ausfallen. Das Filtrat wird eingedampft und der Rückstand destilliert; Ausbeute: 0,74 g (22% d.Th.); Kp_{12}: 105–110° (redestilliert Kp_{12}: 105–106°); n_D^{20} = 1,6085.

Die Bildung von *5,7-Diphenyl-5H-⟨dibenzo-[a;c]-cycloheptatrien⟩* (VI) wird bei der Umsetzung von Tetraphenyl-allen mit Lithium beobachtet (12% d.Th.)[1]. Wird jedoch

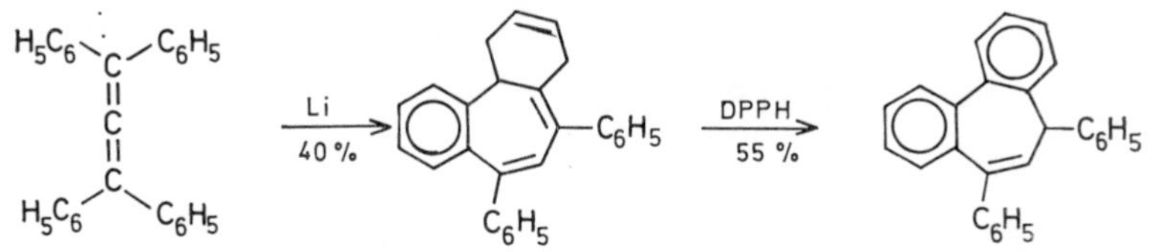

H5C6
C6H5
Li
40 %
DPPH
55 %

V VI

die Reaktion unter Sauerstoff-Ausschluß durchgeführt, bildet sich *5,7-Diphenyl-1,11b-dihydro-4H-⟨dibenzo-[a;c]-cycloheptatrien⟩* (40% d.Th.; V), das beim 72stdgm. Kochen mit einem Überschuß von Diphenylpikrylhydrazyl (DPPH) in Benzol in VI übergeht (55% d.Th.)[1]. VI kann ferner nach folgendem Schema aus 5-Oxo-7-phenyl-5H-⟨dibenzo-[a;c]-cycloheptatrien⟩ (VIII) gewonnen[1] werden:

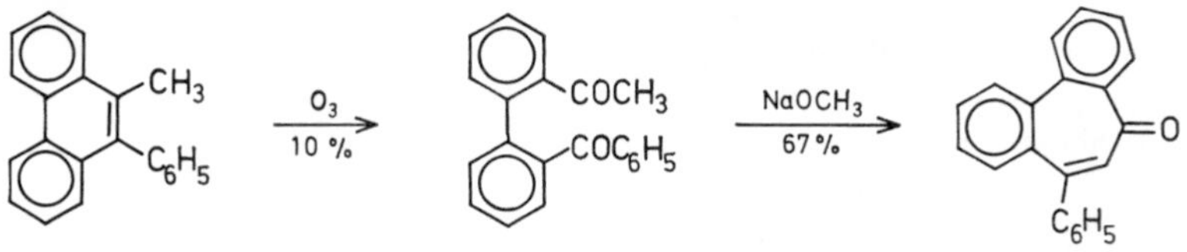

CH3
C6H5
O3
10 %
COCH3
COC6H5
NaOCH3
67 %

VII VIII

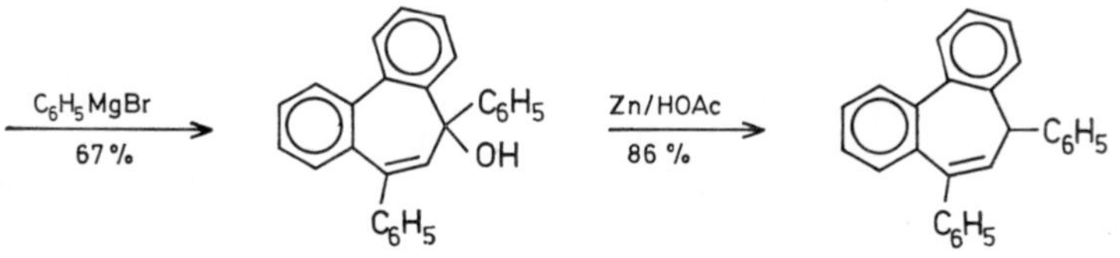

C6H5MgBr
67 %
OH
Zn/HOAc
86 %
C6H5

VI

B. Umwandlungen von Cycloheptatrienen

I. Isomerisierungen

a) thermische Isomerisierungen

Cycloheptatriene unterliegen thermisch einer Vielzahl möglicher Umlagerungen. Die schon oben erwähnte Ringinversion (A) (s.S. 311ff.) und die Valenzisomerisierung zum *Norcaradien* (B) (S. 306ff.) sind Prozesse, die nur geringe Aktivierungsenergien erfordern. Sie laufen bei Raumtemperatur rasch ab. Bei höheren Temperaturen (150°) setzen die 1,5-sigmatropen Wasserstoff-Verschiebungen (C) ein, die die stellungsisomeren Cycloheptatriene ineinander umwandeln. Oberhalb von

---

[1] P. Dowd, Chem. Commun. **1965**, 568.

300–400° beobachtet man außerdem Skelettumwandlungen (E) und die Isomerisierungen zu Benzol-Derivaten (D und F). Die möglichen thermischen Umwandlungen sind in dem folgenden Schema zusammengestellt.

A: Ringinversion. Aktivierungsenergie ~ 6 kcal/Mol[1].
B: Valenzisomerisierung. Aktivierungsenergie ~ 10 kcal/Mol[2].
C: 1,5-sigmatrope Wasserstoff-Verschiebung. Aktivierungsenergie 30–33 kcal/Mol[3].
D: Abspaltung von Carbenen[4].
E: Skelett-Umlagerung. Aktivierungsenergie 50 kcal/Mol[5].
F: Aromatisierung. Aktivierungsenergie ~ 52 kcal/Mol[6].

Je nach dem Typ der Verbindung verläuft die eine oder die andere Reaktion schneller. Die Prozesse A, B, C und E wurden schon weiter oben besprochen. Die Abspaltung von Carbenen (Prozeß D), die die Umkehrung der Cycloheptatrien-Synthese aus Benzol-Derivaten (S. 335ff.) darstellt, wurde bisher nur in Ausnahmefällen beobachtet. Sie ist stets von Nebenreaktionen begleitet und daher von geringem präparativem Interesse.

---

[1] K. Conrow, M. E. Howden u. D. Davis, Am. Soc. **85**, 1929 (1963).
F. A. L. Anet, Am. Soc. **86**, 458 (1964).
F. R. Jensen u. L. A. Smith, Am. Soc. **86**, 956 (1964).
[2] M. Görlitz u. H. Günther, Tetrahedron **25**, 4467 (1969).
H. J Reich, E. Ciganek u. J. D. Roberts, Am. Soc. **92**, 5166 (1970).
[3] H. M. Frey u. R. J. Ellis, Soc. **1965**, 4770.
R. F. Ellis u. H. M. Frey, Soc. [A] **1966**, 1701.
K. W. Egger, Am. Soc. **89**, 3688 (1967).
A. P. Ter Borg, H. Kloosterziel u. N. van Meurs, R. **82**, 717 (1963).
A. P. Ter Borg u. H. Kloosterziel, R. **82**, 741 (1963).
R. W. Murray u. M. L. Kaplan, Am. Soc. **88**, 3527 (1966).
W. V. Volland u. G. Vincow, Am. Soc. **90**, 4537 (1968).
[4] A. P. Ter Borg, E. Razenberg u. H. Kloosterziel, R. **85**, 774 (1966).
R. W. Hoffmann u. J. Schneider, Tetrahedron Letters **1967**, 4347.
[5] J. A. Berson u. M. R. Willcott, Am. Soc. **87**, 2751 (1965); **88**, 2494 (1966); **89**, 4076 (1967).
J. A. Berson, Accounts Chem. Res. **1**, 152 (1968).
[6] K. N. Klump u. J. P. Chessik, Am. Soc. **85**, 130 (1963).
K. W. Egger, Am. Soc. **90**, 6 (1968).

Die Thermolyse von Cycloheptatrienen zu Benzol-Derivaten wurde an einigen Verbindungen eingehend studiert. Die Kinetik und Produktzusammensetzung beweist eindeutig die Norcaradien-Zwischenstufe. So bildet sich aus 1-, 2-, 3- und 7-Methyl-Cycloheptatrien unabhängig von der Substitution ein Gemisch von *Äthyl-benzol*, *Styrol* und der *Xylole*[1] (zur Bezeichnung vgl. S. 363):

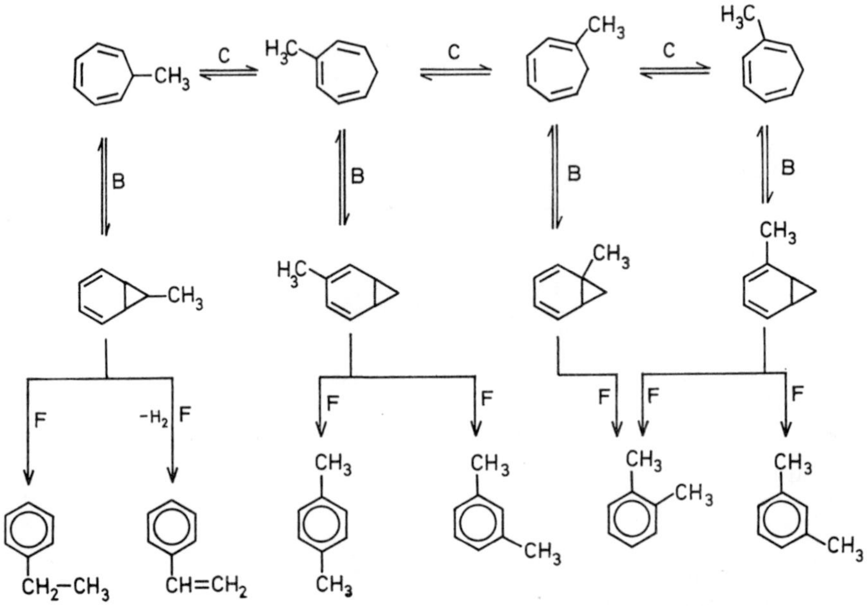

Bei den Temperaturen der Aromatisierung ist sowohl die Valenzisomerisierung zu den Norcaradienen (B) als auch die intramolekulare Wasserstoffverschiebung (C, S. 363) schnell, so daß die Stellung der Methyl-Gruppe keine Rolle für die Produktverteilung spielt. Die beobachtete Aktivierungsenergie von ~50 kcal/Mol entspricht der Energie, die man zur Brechung der Cyclopropan-Bindung aufwenden muß[1].

b) Photochemische und katalytische Isomerisierungen

Einen völlig andersartigen Verlauf als die thermischen Isomerisierungen nehmen die photolytischen Umwandlungen des Cycloheptatrien-Systems (vgl. a. ds. Handb., Bd. IV/5, Photochemie)[2].

Dieser Unterschied konnte durch die Regeln von der Erhaltung der Orbitalsymmetrie[3] vernünftig und überzeugend erklärt werden. Die aus dem angeregten Zustand verlaufenden photochemischen Reaktionen lassen sich in die drei folgenden Typen einteilen:

A: **1,7**-sigmatrope Verschiebung (s. S. 317).
B: Valenzisomerisierung zum Bicyclo[3.2.0]heptadien-System[4]
C: Aromatisierung

---

[1] K. W. Egger, Am. Soc. **90**, 6 (1968).
[2] Vgl. a. L. B. Jones u. V. K. Jones, Fortschr. chem. Forsch. (Topics in Current Chemistry) **13/2**, 307 (1969).
[3] R. B. Woodward u. R. Hoffmann, Ang. Ch. **81**, 797 (1969).
[4] vgl. ds. Handb., Bd. IV/4, Isocyclische Vierring-Verbindungen, S. 87 ff.

Die suprafaciale 1,7-sigmatrope Verschiebung (A) und der disrotatorische Butadien-Cyclobuten-Ringschluß (B) stellen photochemisch symmetrieerlaubte Prozesse dar. Der disrotatorische Ringschluß ist aber aus sterischen Gründen erzwungen, weil nur dann der entstehende 5-Ring mit dem 4-Ring *cis*-ständig verknüpft ist. Ein conrotatorischer (thermisch erlaubter) Ringschluß würde zum energetisch sehr ungünstigen *trans*-Bicyclo[3.2.0]heptadien-(2,6) führen. Die Aromatisierung scheint dagegen aus dem angeregten Grundzustand zu erfolgen[1]:

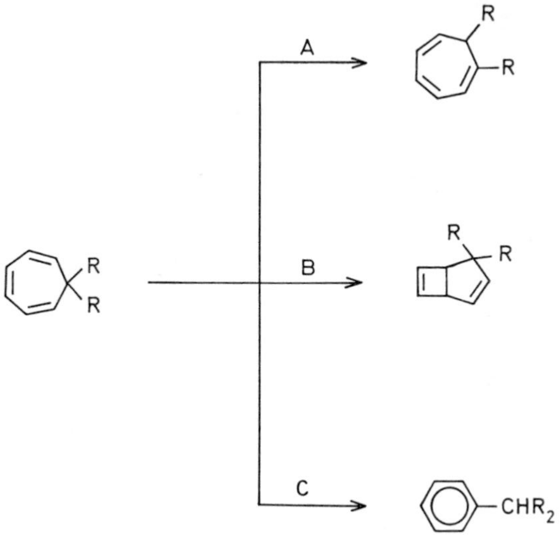

A

B

C

CHR_2

Meist laufen alle drei Reaktionen nebeneinander ab. Je nach Substitution und Reaktionsbedingungen erhält man unterschiedliche Produktzusammensetzungen. So bildet sich bei Bestrahlung von Cycloheptatrien in ätherischer Lösung mehr als 95% *Bicyclo[3.2.0]heptadien-(2,6)*[2], während bei der Photolyse in der Gasphase 98% *Toluol*[3] entstehen:

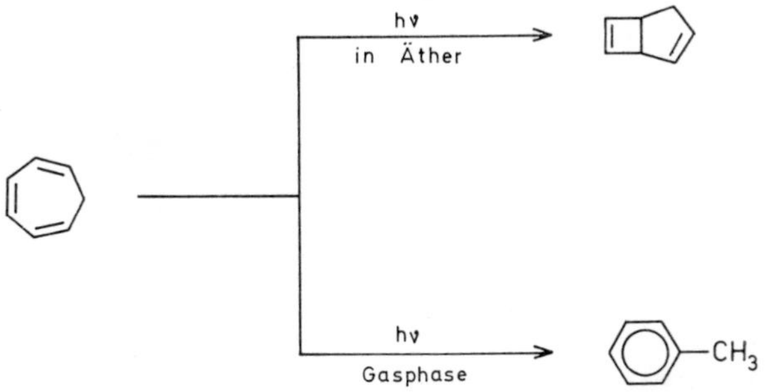

hν in Äther

hν Gasphase

CH_3

Bicyclo[3.2.0]heptadien-(2,6)[1]: Eine Lösung von 26,0 g (0,28 Mol) frisch destilliertem Cycloheptatrien in 2 *l* trockenem Äther wird 200 Stdn. mit einer G. E. AH 6 Hochdruck-Quecksilbertauchlampe im Stickstoff-Strom bestrahlt. Mehr als 90% des Cycloheptatriens sind dann nach Aussage des UV-Spektrums verschwunden. Die Feindestillation durch eine gute Kolonne gibt 8,80 g (34% d.Th.); Kp: 97–98°.

Nach dem Gaschromatogramm enthält die Substanz ~ 3–5% Toluol.

---

[1] R. SRINIVASAN, Am. Soc. **84**, 3432 (1962).

[2] W. G. DAUBEN u. R. L. CARGILL, Tetrahedron **12**, 186 (1961).

[3] R. SRINIVASAN, Am. Soc. **84**, 3432 (1962).

Tab. 15. Photoisomerisierungen von Cycloheptatrienen

Cycloheptatrien	Reaktionsbedingungen	relative Mengen (s. S. 365)						Literatur
		A 1,7-Verschiebung	[% d.Th.]	B Valenzisomerisierung	[% d.Th.]	C Aromatisierung	[% d.Th.]	
Cycloheptatrien	in Äther	—		*Bicyclo[3.2.0]heptadien-(2,6)*	96	*Toluol*	4	1
	Gasphase	—		*Bicyclo[3.2.0]heptadien-(2,6)*	2	*Toluol*	98	2
D-Cycloheptatrien	in Methanol oder Reinsubstanz	*1-Deutero-cycloheptatrien*	a)	—		—		3,4
CH_3-Cycloheptatrien	in Methanol	*1-Methyl-cycloheptatrien*		—		—		3
C_2H_5-Cycloheptatrien	in Methanol	*1-Äthyl-cycloheptatrien*		—		—		3

a) Nachfolgend weitere Wasserstoff-Verschiebungen. Bei längerem Bestrahlen ist auch *Deutero-bicyclo[3.2.0]heptadien-(2,6)* und *Deutero-toluol* nachweisbar.

[1] W. G. DAUBEN u. R. L. CARGILL, Tetrahedron **12**, 186 (1961).
[2] R. SRINIVASAN, Am. Soc. **84**, 3432 (1962).
[3] W. R. ROTH, Ang. Ch. **75**, 921 (1963).
[4] A. P. TER BORG u. H. KLOOSTERZIEL, R. **84**, 241 (1965).

Tab. 15. (1. Fortsetzung)

Cycloheptatrien	Reaktionsbedingungen	relative Mengen (s. S. 365)						Literatur
		A 1,7-Verschiebung	[% d.Th.]	B Valenzisomerisierung	[% d.Th]	C Aromatisierung	[% d.Th.]	
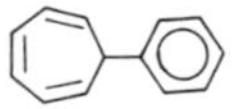	Reinsubstanz	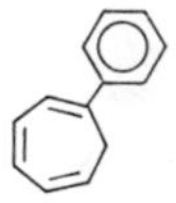 *1-Phenyl-cycloheptatrien*		—		—		1
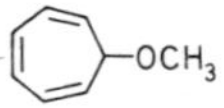 OCH_3	in Äther	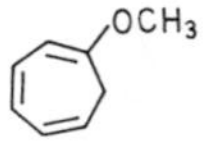 OCH_3 *1-Methoxy-cycloheptatrien*	Spuren[b]	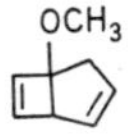 OCH_3 *5-Methoxy-bicyclo[3.2.0]heptadien-(2,6)*	92	—		2
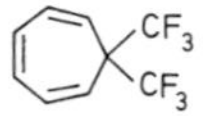 CF_3 CF_3	in Benzol	—		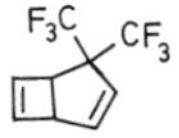 F_3C CF_3 *4,4-Bis-[trifluormethyl]-bicyclo[3.2.0]heptadien-(2,6)*	92	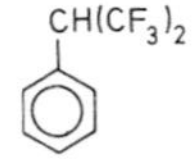 $CH(CF_3)_2$ *1,1,1,3,3,3-Hexafluor-2-phenyl-propan*	8	3
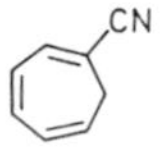 CN	Reinsubstanz	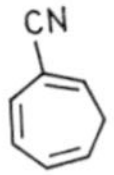 CN *2-Cyan-cycloheptatrien*	100	—		—		4

b) Wurde als Zwischenprodukt nachgewiesen.

[1] A. P. Ter Borg u. H. Kloosterziel, R. **84,** 241 (1965).

[2] O. L. Chapman u. G. W. Borden, Proc. Chem. Soc. **1963,** 221.
G. W. Borden, O. L. Chapman, R. Swindell u. T. Tezuka, Am. Soc. **89,** 2979 (1967).

[3] D. M. Gale, W. J. Middleton u. C. G. Krespan, Am. Soc. **87,** 657 (1965).

[4] A. P. Ter Borg, E. Razenberg u. H. Kloosterziel, Chem. Commun. **1967,** 1210.

Tab. 15. (2. Fortsetzung)

Cycloheptatrien	Reaktionsbedingungen	relative Mengen (s. S. 365)						Literatur
		A 1,7-Verschiebung	[% d.Th.]	B Valenzisomerisierung	[% d.Th.]	C Aromatisierung	[% d.Th.]	
	Reinsubstanz	*2-Phenyl-cycloheptatrien*	50	—		—		1
		7-Phenyl-cycloheptatrien	50					
	Reinsubstanz	*2-Methyl-cycloheptatrien*	2	—		—		1
		7-Methyl-cycloheptatrien	98	—		—		
	Reinsubstanz	*7-Methylmercapto-cycloheptatrien*	65	*5-Methylmercapto-bicyclo[3.2.0]heptadien-(2,6)*	35	—		1

[1] A. P. Ter Borg, E. Razenberg u. H. Kloosterziel, Chem. Commun. **1967**, 1210.

Tab. 15. (3. Fortsetzung)

Cycloheptatrien	Reaktionsbedingungen	relative Mengen (s. S. 365)						Literatur
		A 1,7-Verschiebung	[% d.Th.]	B Valenzisomerisierung	[% d.Th.]	C Aromatisierung	[% d.Th.]	
7-Methoxy	Reinsubstanz	*7-Methoxy-cycloheptatrien*	35	*5-Methoxy-bicyclo[3.2.0]heptadien-(2,6)*	65	—		1
7-Dimethylamino	Reinsubstanz	—		*5-Dimethyl-amino-bicyclo[3.2.0]heptadien-(2,6)* + *3-Dimethylamino-bicyclo[3.2.0]heptadien-(2,6)*		—		1
3,7,7-Trimethyl	in Benzol	*1,5,7-Trimethyl-cycloheptatrien*	21	*4,4,7-Trimethyl-bicyclo[3.2.0]heptadien-(2,6)*	62	—		2
		1,3,7-Trimethyl-cycloheptatrien	17[c]					

[c]) Entsteht als Sekundärprodukt durch Wasserstoffverschiebung im Cycloheptatrien.

[1] A. P. TER BORG, E. RAZENBERG u. H. KLOOSTERZIEL, Chem. Commun. **1967**, 1210.

[2] L. B. JONES u. V. K. JONES, Am. Soc. **89**, 1880 (1967).

Tab. 15. (4. Fortsetzung)

Cycloheptatrien	Reaktionsbedingungen	relative Mengen (s. S. 365)						Literatur
		A 1,7-Verschiebung	[%d.Th.]	B Valenzisomerisierung	[%d.Th.]	C Aromatisierung	[%d.Th.]	
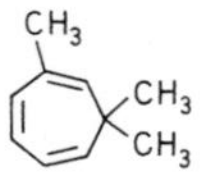	in Benzol	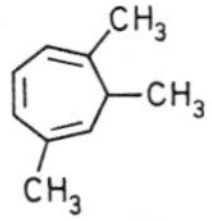 *1,5,7-Trimethyl-cycloheptatrien*	36[a]	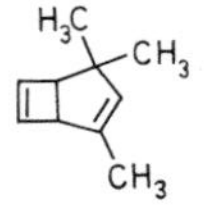 *2,4,4-Trimethyl-bicyclo[3.2.0]heptadien-(2,6)*	40	—		1
		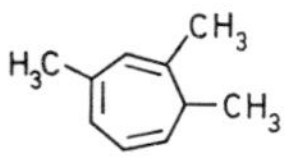 *1,3,7-Trimethyl-cycloheptatrien*	24					
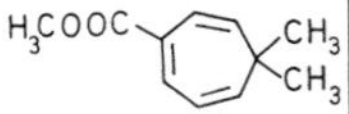	in Äther	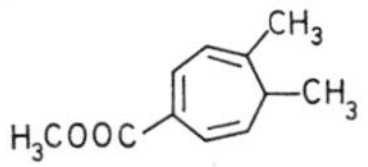 *1,7-Dimethyl-4-methoxycarbonyl-cycloheptatrien*	63	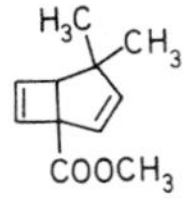 *4,4-Dimethyl-1-methoxy-carbonyl-bicyclo[3.2.0]heptadien-(2,6)*	37	—		2
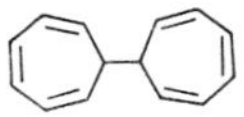	in Benzol oder Äther	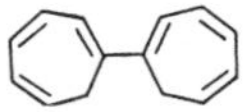 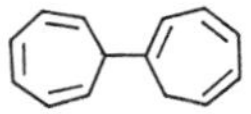 *Bi-cycloheptatrienyl-(1)* + *1-Cycloheptatrienyl-(7)-cycloheptatrien*		—		—		3

[a]) Entsteht als Sekundärprodukt durch Wasserstoffverschiebung im Cycloheptatrien.

[1] L. B. Jones u. V. K. Jones, Am. Soc. **90**, 1540 (1968).

[2] O. L. Chapman u. S. J. Smith, J. Org. Chem. **27**, 2291 (1962).

[3] R. S. Givens, Tetrahedron Letters **1969**, 663.

Tab. 15 (5. Fortsetzung)

Cycloheptatrien	Reaktionsbedingungen	relative Mengen (s. S. 365) A 1,7-Verschiebung	[%d.Th.]	B Valenzisomerisierung	[%d.Th.]	C Aromatisierung	[%d.Th.]	Literatur
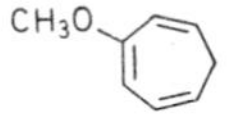 CH_3O	in Cyclohexan	—		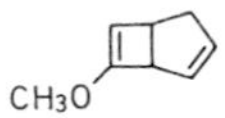 CH_3O *7-Methoxy-bicyclo[3.2.0]heptadien-(2,6)*	[a]	—		1
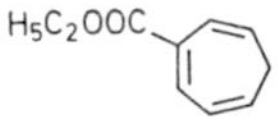 H_5C_2OOC	in Benzol	—		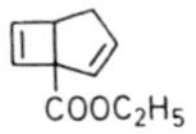 $COOC_2H_5$ *1-Äthoxycarbonyl-bicyclo[3.2.0]heptadien-(2,6)*	44	—		2
				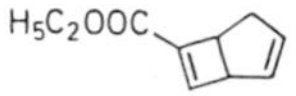 H_5C_2OOC [b] *6-Äthoxycarbonyl-bicyclo[3.2.0]heptadien-(2,6)*	56	—		2
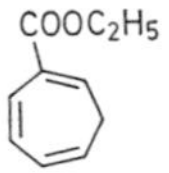 $COOC_2H_5$	in Benzol	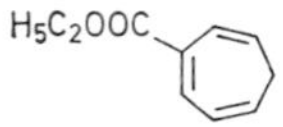 H_5C_2OOC *3-Äthoxycarbonyl-cycloheptatrien*	[c]	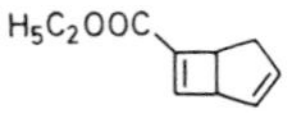 H_5C_2OOC [c] *6-Äthoxycarbonyl-bicyclo[3.2.0]heptadien-(2,6)*		—		2

[a] Neben weiteren Produkten.
[b] Entsteht durch photochemische 1,7-Wasserstoffverschiebung und nachfolgenden Ringschluß.
[c] Und Folgeprodukte der Belichtung.

[1] W. G. Borden, O. L. Chapman et al., Am. Soc. **89**, 2979 (1967).

[2] G. Linstrumelle, Tetrahedron Letters **1970**, 85.

Tab. 15 (6. Fortsetzung)

Cycloheptatrien	Reaktionsbedingungen	relative Mengen (s. S. 365)						Literatur
		A 1,7-Verschiebung	[%d.Th.]	B Valenzisomerisierung	[%d.Th.]	C Aromatisierung	[%d.Th.]	
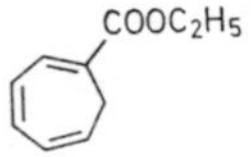	in Benzol	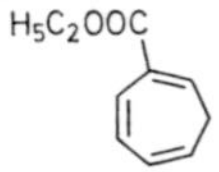 *2-Äthoxy-carbonyl-cycloheptatrien*	100	—	—	—	—	[1]
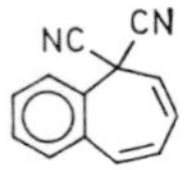	in Cyclohexan	—		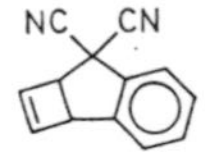 *3,3-Dicyan-2a,7b-dihydro-3H-⟨cyclobuta-[a]-inden⟩*	44	—	—	[2]
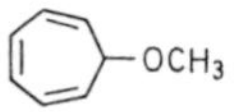	in Äther	—		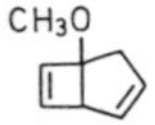 *5-Methoxy-bicyclo[3.2.0]heptadien-(2,6)*	90[a]	—	—	[3]
	Gasphase	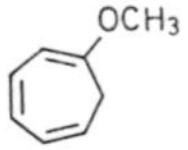 *1-Methoxy-cycloheptatrien*	48	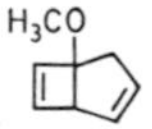 *5-Methoxy-bicyclo[3.2.0]heptadien-(2,6)*	38	—	—	[3]

[a] Folgeprodukt nach H-Verschiebung

[1] G. LINSTRUMELLE, Tetrahedron Letters **1970**, 85.
[2] E. CIGANEK, Am. Soc. **89**, 1458 (1967).
[3] W. G. BORDEN, O. L. CHAPMAN et al., Am. Soc. **89**, 2979 (1967).

Tab. 15 (7. Fortsetzung)

Cycloheptatrien	Reaktionsbedingungen	relative Mengen (s. S. 365)						Literatur
		A 1,7-Verechiebung	[%d.Th.]	B Valenzisomerisierung	[%d.Th.]	C Aromatisierung	[%d.Th.]	
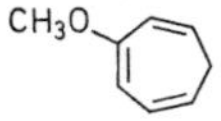 CH_3O	in Äther	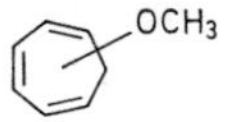 OCH_3 *x-Methoxy-cycloheptatrien*	a	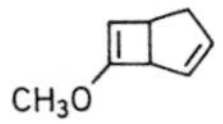 CH_3O *7-Methoxy-bicyclo[3.2.0]heptadien-(2,6)*	15[b]	—	—	1
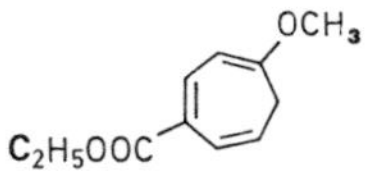 OCH_3, C_2H_5OOC		—		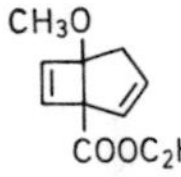 CH_3O, $COOC_2H_5$ *5-Methoxy-1-äthoxycarbonyl-bicyclo[3.2.0]heptadien-(2,6)*	c	—	—	2
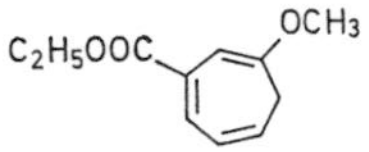 C_2H_5OOC, OCH_3		—		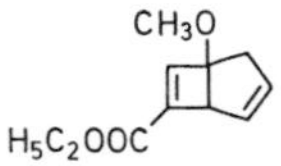 CH_3O, H_5C_2OOC *5-Methoxy-7-äthoxycarbonyl-bicyclo[3.2.0]heptadien(2,6)*	c	—	—	2

[a] neben weiteren nicht identifizierten Photoprodukten.
[b] 1 g wurde getrennt man erhielt 50 mg *5-Methoxy-bicyclo[3.2.0]heptadien-(2,6)* und 530 mg Gemisch zweier Bicyclen.
[c] Keine Angaben in der Literatur.

[1] W. G. Borden, O. L. Chapman et al., Am. Soc. **89**, 2979 (1967).

[2] A. R. Brember et al., Tetrahedron Letters **1970**, 2511.

Tab. 15 (8. Fortsetzung)

Cycloheptatrien	Reaktionsbedingungen	relative Mengen (s. S. 365)						Literatur
		A 1,7-Verschiebung	[%d.Th.]	B Valenzisomerisierung	[%d.Th.]	C Aromatisierung	[%d.Th.]	
H_5C_6, C_6H_5, C_6H_5	in Äther	H_5C_6, C_6H_5, C_6H_5 *1,4,5-Triphenyl-bicyclo [3.2.0]heptadien-(2,6)*	a	H_5C_6, C_6H_5, H_5C_6 *1,2,5-Triphenyl-cyclohepta-trien*		—	—	1
H_3C, H_3C, CH_3, CH_3	in Benzol Umsatz 40%	H_3C, H_3C, CH_3, H_3C *4,4,6,7-Tetramethyl-bicyclo [3.2.0]heptadien-(2,6)*	b	H_3C, CH_3, CH_3, CH_3 *1,2,6,7-Tetramethyl-cyclo-heptatrien*	b	—	—	2
H_3C, CH_3, CH_3, CH_3	in Benzol	H_3C, CH_3, CH_3, CH_3 *2,3,4,5-Tetramethyl-bicyclo [3.2.0]heptadien-(2,6)*	b	—		—	—	2

[a] Keine Angaben in der Literatur
[b] Neben einer Reihe weiterer Produkte.

[1] T. Toda, M. Nitta u. T. Mukai, Tetrahedron Letters **1969**, 4401.

[2] L. B. Jones u. V. K. Jones, J. Org. Chem. **34**, 1298 (1969).

Die Produktverteilungen bei der Photolyse von Cycloheptatrienen sind in der Tab. 15 (S. 366) zusammengestellt.

Wie stark die Produktverteilung und die Ausbeuten der Belichtungsprodukte durch die Substitution des Ausgangscycloheptatriens bestimmt werden, zeigen besonders die Resultate von Ter Borg et al.[1]. Bestrahlt man 1-substituierte Cycloheptatriene, so steigt mit zunehmender Elektronendonator-Eigenschaft des Substituenten der Anteil der Valenzisomerisierung gegenüber der intramolekularen Wasserstoff-Verschiebung an. Auch die Richtung der sigmatropen Verschiebung hängt ganz eindeutig von der Natur des Restes in 1-Stellung ab. Eine befriedigende Deutung dieses Effektes steht bisher noch aus.

Inwiefern Substituenten die Richtung des Ringschlusses (1,4 oder 3,6-Stellung) beeinflussen können, läßt sich aufgrund eines einfachen Modells abschätzen[2]. Die Richtung, in der durch Substituenten die Polarisation begünstigt wird, ergibt die Ringschlußrichtung. Elektronenliefernde Substituenten in 1,3 oder 5-Stellung und elektronenziehende Substituenten in 2,4 oder 6-Stellung begünstigen den 1,4-Ringschluß. Dies wird durch Beispiele der Tab. 15 (S. 371 u. 373) belegt.

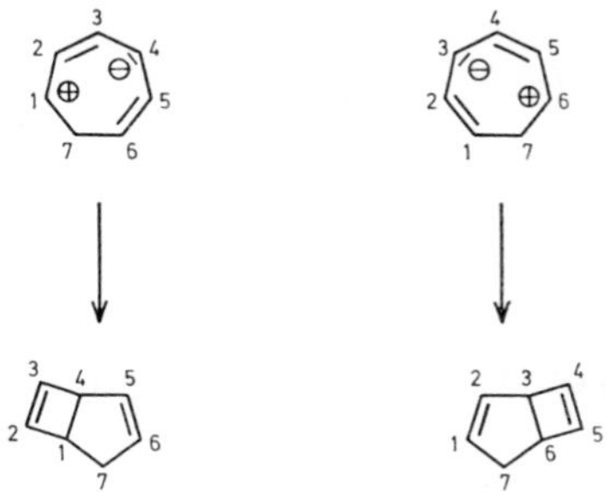

Die Belichtung der Benzo-cycloheptatriene liefert interessante Folgeprodukte, da das primär entstehende 6H-⟨Benzo-cycloheptatrien⟩ gegenüber dem valenzisomeren 1a,7b-Dihydro-1H-⟨cyclopropa-[a]-naphthalin⟩ (2,3-Benzo-norcaradien)

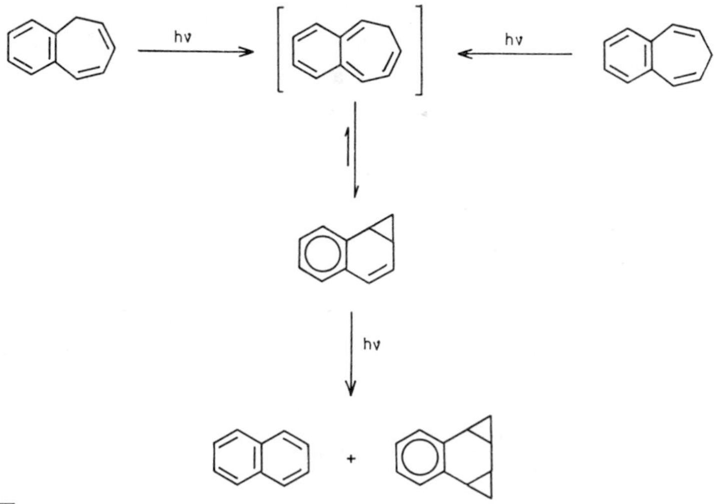

[1] A. P. Ter Borg, E. Razenberg u. H. Kloosterziel, Chem. Commun. **1967**, 1210.

[2] A. R. Brember, A. A. Gorman, R. L. Leyland u. J. B. Sheridan, Tetrahedron Letters **1970**, 2511.

A. R. Brember, A. A. Gorman u. J. B. Sheridan, Tetrahedron Letters **1971**, 653.

thermodynamisch instabil ist[1] und letzteres außerdem weiteren Photoreaktionen unterliegt. Sowohl 5H-[2] als auch 7H-⟨Benzo-cycloheptatrien⟩[3] lagern sich zunächst unter 1,2-Verschiebung (1,7-suprafaciale Verschiebung) in *6H-⟨Benzo-cycloheptatrien⟩* um, das sofort das *1a,7b-Dihydro-1H-⟨cyclopropa-[a]-naphthalin⟩* (*Benzo-norcaradien*) bildet. Diese Reaktion stellt damit die Umkehrung der Thermolyse des Benzonorcaradiens dar[4,5].

Das Benzonorcaradien wird photolytisch in *Naphthalin* und *Carben* gespalten, das mit überschüssigem Benzonorcaradien *1,1a,1b,2,2a,7b-Hexahydro-⟨dicyclopropa-[a;c]-naphthalin⟩* gibt (S. 375)[6]. Die photolytische Spaltung von Norcaradienen in Benzol-Derivate und Carben stellt eine allgemeine Reaktion dieser Valenzisomeren des Cycloheptatriens dar. Viele Reaktionen dieser Art wurden bisher gefunden[7].

Ein Beispiel für eine katalytische Isomerisierung eines Cycloheptatriens ist die Umlagerung von 2,3,7,7-Tetramethyl-cycloheptatrien in *3,4-Dimethyl-4-isopropyl-benzol* unter dem Einfluß von p-Toluolsulfonsäure[8]:

H_3C, H_3C, CH_3, CH_3 —TsOH→ CH_3, CH_3, $CH(CH_3)_2$

II. Umwandlungen von Cycloheptatrienen mit Reaktionspartnern

a) Additionen

1. Cycloadditionen

Einige Reaktionsweisen des Cycloheptatriens sind völlig normal. So ist der intramolekulare Butadien-Cyclobuten-Ringschluß unter Bestrahlung für ein Dien üblich (s. o.) und nicht ungewöhnlich. Analog zu diesem Verhalten erwartet man auch, daß bei der Diels-Alder-Reaktion zwei konjugierte Doppelbindungen in Reaktion treten, während die dritte an der Reaktion nicht teilnimmt. Tatsächlich tritt jedoch fast ausschließlich eine Reaktion mit der bicyclischen Norcaradien-Form ein, die wegen der günstigen sterischen Anordnung bei der Dien-Synthese bevorzugt ist. Das thermische Gleichgewicht liefert das verbrauchte Norcaradien stets sofort nach, so daß die Reaktion unter kinetischer Kontrolle zu Tricyclus IV (S. 377) führt[9]:

[1] s. S. 375.
[2] M. Pomerantz u. G. W. Gruber, Am. Soc. **89,** 6799 (1967).
[3] M. Pomerantz u. G. W. Gruber, Am. Soc. **89,** 6798 (1967).
[4] Eu. Müller, H. Fricke u. H. Kessler, Tetrahedron Letters **1964,** 1525.
[5] M. Pomerantz u. G. W. Gruber, J. Org. Chem. **33,** 4501 (1968).
[6] M. Pomerantz u. G. W. Gruber, Am. Soc. **89,** 6798 (1967).
[7] M. A. Battiste u. M. E. Burns, Tetrahedron Letters **1961,** 523.
H. H. Freedman, G. A. Doorrakina, V. R. Sandel, Am. Soc. **87,** 3019 (1965).
D. B. Richardson et al., Am. Soc. **87,** 2763 (1965).
E. Ciganek, Am. Soc. **89,** 1458 (1967).
M..R. Willcott u. E. Goerland, Tetrahedron Letters **1966,** 6341.
C. M. Pomerantz .u G. W. Gruber, Am. Soc. **89,** 6798, 6799 (1967).
C. M. Pomerantz u. P. H. Hartman, Tetrahedron Letters **1968,** 991.
T. Toda, M. Nitta u. T. Mukai, Tetrahedron Letters **1969,** 4401.
[8] K. Conrow, M. E. H. Howden u. D. Davis, Am. Soc. **85,** 1929 (1963).
[9] Ausnahmen werden bei der Reaktion von Cycloheptatrien mit Acrolein[10] und bei Cycloadditionen von Cyclopropan-⟨spiro-7⟩-cycloheptatrienen {Spiro-[2.6]-nonatrienen-(4,6,8)}[11] beobachtet. Bei der ersten Reaktion (R=CHO, R′=R″=R‴=H) entsteht ein Gemisch aus 25% III und 75% IV (S. 377).

(Forts. s. S. 377)

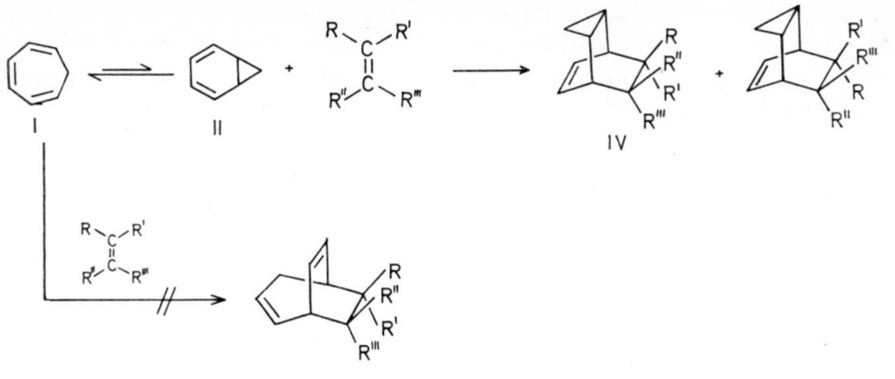

Daher entsteht bei der Reaktion von Cycloheptatrien mit Maleinsäureanhydrid das Addukt V[1]:

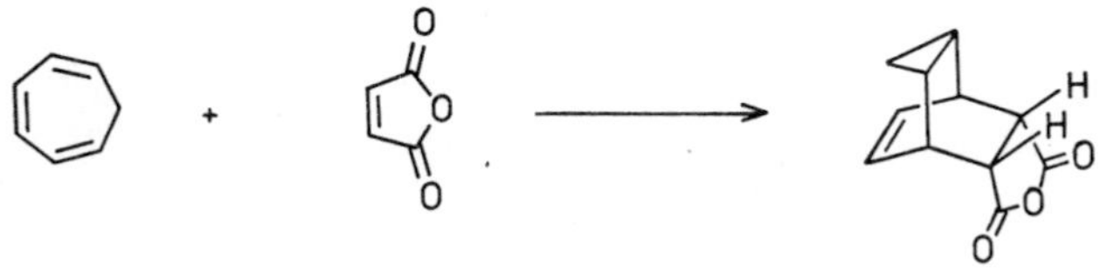

***endo,cis*-Tricyclo[3.2.2.0^{2,4}]nonen-(6)-8,9-dicarbonsäureanhydrid**[1,2]: 20 g Cycloheptatrien werden mit überschüssigem Maleinsäureanhydrid (0,25 Mol) 5 Stdn. in Xylol unter Rückfluß zum Sieden erhitzt. Nach dem Abdestillieren des Lösungsmittels i. Vak. scheiden sich 34 g des Reaktionsproduktes als braungelbe, feste Masse ab, die aus Ligroin (Kp: 60–80°) umkristallisiert wird; Ausbeute: 34 g (41% d. Th.); F: 101° (farblose Nadeln).

In völlig analoger Weise reagieren andere En-Komponenten wie z. B. Fumarsäuredichlorid oder Tetracyan-äthylen. Einige der beschriebenen Reaktionen sind in der Tab. 16 (S. 379ff.) zusammengestellt.

Die Stereochemie der Diels-Alder-Addukte erlaubt eine Reihe von verschiedenen Addukten, die in der Literatur nur teilweise betrachtet bzw. aufgeklärt worden sind. Zunächst interessiert die Stellung des Cyclopropanringes zur En-Komponente (A oder B). Zur experimentellen Klärung dieser Frage wurde eine Acetylenverbindung als En-Komponente gewählt, wodurch die weitere Komplikation durch *exo*- oder *endo*-Addition vermieden wird. Es konnte durch Betrachten des sterischen Effektes wahrscheinlich gemacht werden, daß das *anti*-Isomere A bevorzugt entsteht.

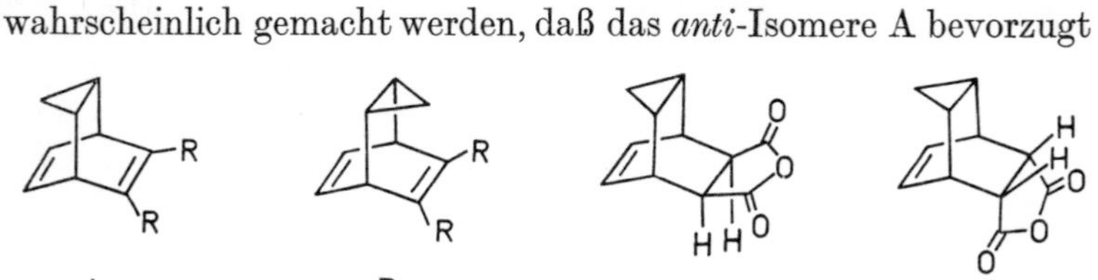

[1] K. Alder u. G. Jakobs, B. **86**, 1528 (1953).
[2] E. P. Kohler, M. Tishler, H. Potter u. H. T. Thompson, Am. Soc. **61**, 1057 (1939).

(Forts. v. S. 376)
[10] E. M. Milvitskaya u. A. F. Plate, Ž. obšč. chim. **32**, 2531, 2566 (1962); C. A. **58**, 8927 (1963).
[11] C. J. Rostek u. W. M. Jones, Tetrahedron Letters **1969**, 3957.

Bei der Addition von Maleinsäureanhydrid sind außerdem *exo*- und *endo*-Addukte möglich, von denen nach den Erfahrungen der Dien-Synthese die *endo*-Verbindungen D bevorzugt sind. Trägt das Cycloheptatrien in 7-Stellung einen Substituenten (Beispiele dieser Art sind in der Tabelle aufgeführt), so kann dieser im Addukt entweder *exo* (E) oder *endo* (F)-ständig sein:

E F

Im Falle der Addition von Acetylen-dicarbonsäure-diester an 7-Alkoxycarbonyl- und 7-Dimethoxymethyl-cycloheptatrien ist das *exo*-Isomere (E) bevorzugt, während sich mit 7-Cyan-cycloheptatrien ein *exo*-*endo*-Gemisch (E + F) nahezu im Verhältnis 1:1 bildet[1].

Die Reaktion des Cycloheptatriens mit Doppelbindungen von Heteroatomen ist verschiedenartig. Mit dem sehr reaktiven 3,5-Dioxo-4-phenyl-3,5-dihydro-4H-1,2,4-triazol erhält man das normale Diels-Alder-Addukt I[2], während bei der Reaktion mit Azodicarbonsäure-diäthylester eine Substitution des Cycloheptatriens erfolgt (II)[3].

Noch ungewöhnlicher ist die Reaktion des Cycloheptatriens mit Nitrosobenzol. Hierbei soll unter 1,6-Addition die Verbindung III[4] entstehen:

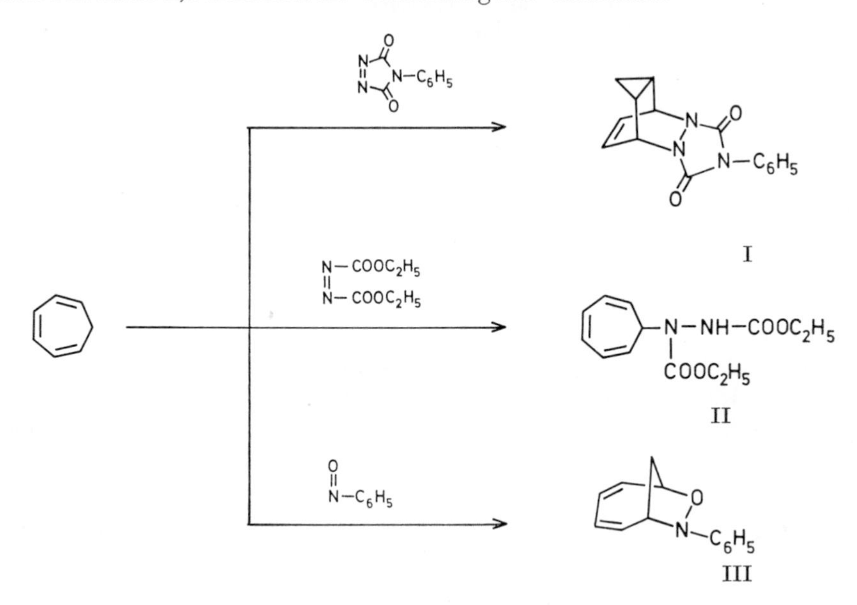

I; *6,7-Diaza-tricyclo[3.2.2.0²,⁴]hepten-(8)-6,7-dicarbonsäure-phenylimid*
II; *1-Cycloheptatrienyl-(7)-1,2-diäthoxycarbonyl-hydrazin*
III; *8-Phenyl-7-oxa-8-aza-bicyclo[4.2.1]nonadien-(2,4)*

---

[1] M. J. Goldstein u. A. H. Gevirtz, Tetrahedron Letters **1965**, 4417.
[2] R. C. Cookson, S. S. H. Gilani u. I. D. R. Stevens, Tetrahedron Letters **1962**, 615.
[3] J. M. Cinnamon u. K. Weiss, J. Org. Chem. **26**, 2644 (1961).
[4] J. Hutton u. W. A. Waters, Chem. Commun. **1966**, 634.

Tab. 16. Diels-Alder Reaktion mit Cycloheptatrienen

Cycloheptatrien	En- bzw. In-Komponente	Lösungsmittel	Temperatur [°C]	Zeit [Stdn.]	Produkt	Ausbeute [% d.Th.]	F [°C]	Literatur
	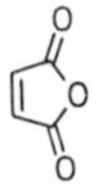	Xylol	Rückfl.	5	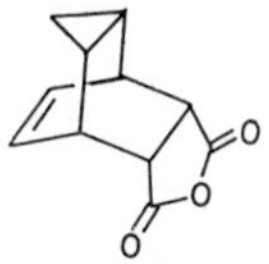 *Tricyclo[3.2.2.0^{2,4}]nonen-(6)-8,9-dicarbonsäure-anhydrid*	a	101	1,2
	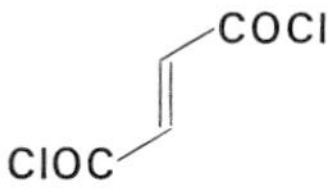 ClOC–CH=CH–COCl	Benzol	Rückfl.	3	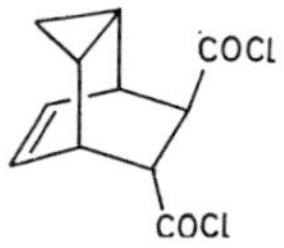 COCl, COCl *trans-8,9-Bis-[chlorcarbonyl]-tricyclo[3.2.2.0^{2,4}]nonen-(6)*	a	49–50	1
	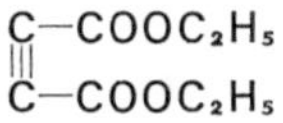 $C(COOC_2H_5)\equiv C(COOC_2H_5)$	Benzol	60° b	36	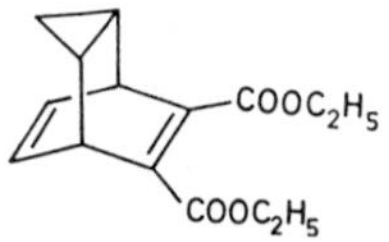 $COOC_2H_5$, $COOC_2H_5$ *6,7-Diäthoxycarbonyl-tricyclo[3.2.2.0^{2,4}]nonadien-(6,8)*	a	($Kp_{0,02}$: 95–100°)	1

[a]) keine Angabe
[b]) im Autoklaven

[1] K. ALDER u. G. JACOBS, B. **86**, 1528 (1953).

[2] E. P. KOHLER, M. TISCHLER, H. POTTER u. H. T. THOMPSON, Am. Soc. **61**, 1057 (1939).

Tab. 16. (1. Fortsetzung)

Cycloheptatrien	En-Komponente	Lösungs-mittel	Tempera-tur [°C]	Zeit-[Stdn.]	Produkt	Ausbeute [% d.Th.]	F [°C]	Litera-tur
Cycloheptatrien	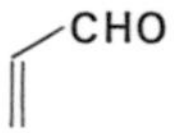 Acrolein (CH₂=CH–CHO)	rein	60[a]	9	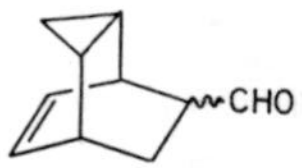 *8-Formyl-tricyclo[3.2.2.0[2,4]]nonen-(6)* 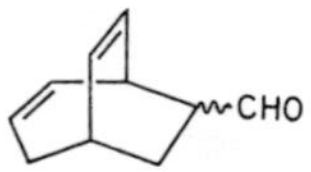 *8-Formyl-bicyclo[3.2.2]nonadien-(2,6)*	42	(Kp_{10}: 97–100°)	1
	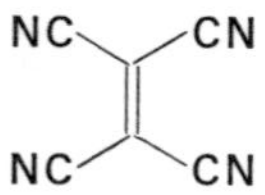 Tetracyanethylen ((NC)₂C=C(CN)₂)	Tetrahydro-furan	25	12	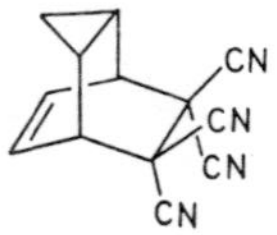 *8,8,9,9-Tetracyan-tricyclo[3.2.2.0[2,4]]nonen-(6)*	100	157–160 (Zers.)	2
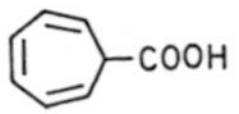 Cycloheptatrien-COOH	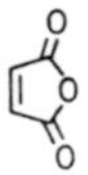 Maleinsäureanhydrid	Benzol	25	1	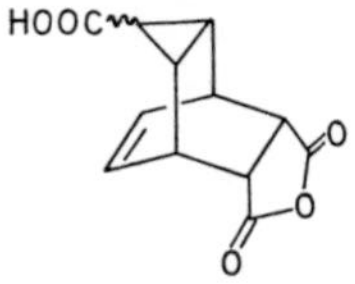 *3-Carboxy-tricyclo[3.2.2.0[2,4]]nonen-(6)-8,9-dicarbonsäure-anhydrid*	b	274–275	3

b) im Autoklaven
a) keine Angabe

[1] E. M. Milvitskaya u. A. F. Plate, Ž. obšč. Chim. **32,** 2531 (1962); C. A. **58,** 8027 (1963).

[2] N. W. Jordan u. I. W. Elliott, J. Org. Chem. **27,** 1445 (1962).

[3] K. Alder, H. Jungen u. K. Rust, A. **602,** 94 (1957).

Tab. 16. (2. Fortsetzung)

Cycloheptatrien	En- bzw. In-Komponente	Lösungsmittel	Temperatur [°C]	Zeit [Stdn.]	Produkt	Ausbeute [% d.Th.]	F [°C]	Literatur
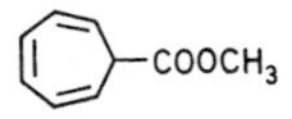 $-COOCH_3$	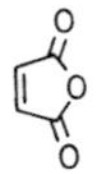	Äther	25	24	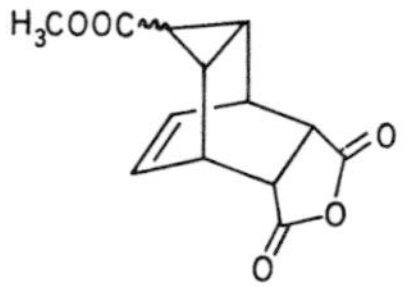 H_3COOC ; *3-Methoxycarbonyl-tricyclo[3.2.2.0^{2,4}]nonen-(6)-8,9-dicarbonsäure-anhydrid*	90	168	1
	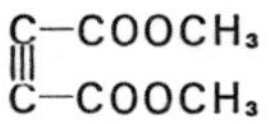 $C-COOCH_3$ ≡ $C-COOCH_3$	Toluol	Rückfl.	36	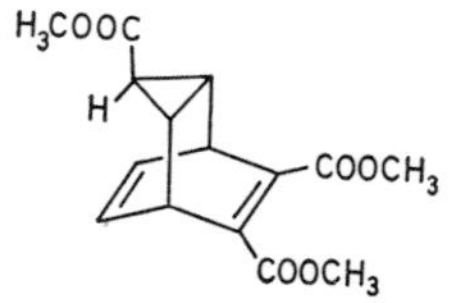 H_3COOC, H, $COOCH_3$, $COOCH_3$; *3,6,7-Trimethoxycarbonyl-tricyclo[3.2.2.0^{2,4}]nonadien-(6,8)*	95	74–75	1
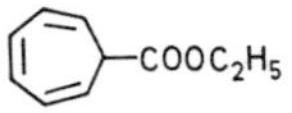 $-COOC_2H_5$	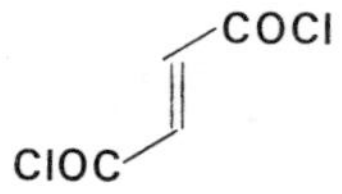 ClOC, COCl	rein	a	48	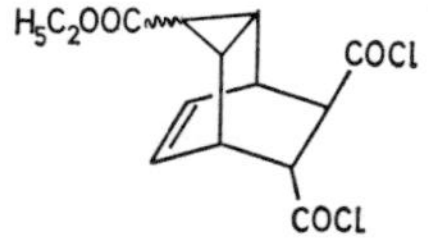 H_5C_2OOC, COCl, COCl ; *8,9-Bis-[chlorcarbonyl]-3-äthoxycarbonyl-tricyclo[3.2.2.0^{2,4}]nonen-(6)*	d	275 c	1

a) unter Kühlung
b) keine Angabe
c) nach Verseifen als Tricarbonsäure isoliert

[1] K. Alder, H. Jungen u. K. Rust, A. **602**, 94 (1957).

Tab. 16. (3. Fortsetzung)

Cycloheptatrien	En- bzw. In-Komponente	Lösungsmittel	Temperatur [° C]	Zeit [Stdn.]	Produkt	Ausbeute [% d.Th.]	F [° C]	Literatur
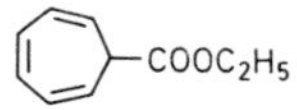 Cycloheptatrien–$COOC_2H_5$	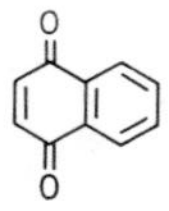 1,4-Naphthochinon	Äther	25	8 Tage	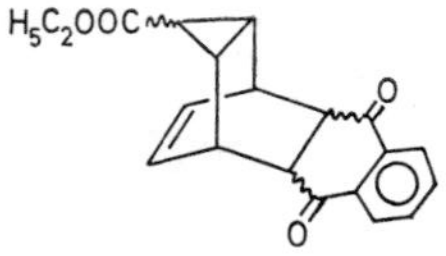 *3,8-Dioxo-12-äthoxycarbonyl-⟨4,5-benzo-tetracyclo[6.3.2.0^{2,7}0^{9,11}]tridecadien-(4,12)⟩*	[a]	144–145	1
Cycloheptatrien–$CH(COCH_3)_2$	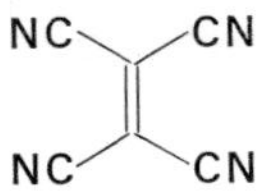 $(NC)_2C{=}C(CN)_2$	Tetrahydrofuran	25	12	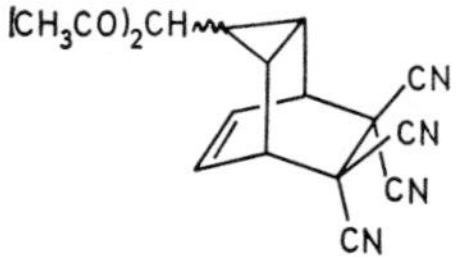 *3-[2,4-Dioxo-pentyl-(3)]-8,8,9,9-tetracyan-tricyclo[3.2.2.0^{2,4}]nonen-(6)*	56	174–175 (Zers.)	2
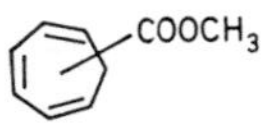 Cycloheptatrien–$COOCH_3$	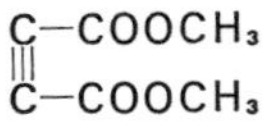 $C(COOCH_3){\equiv}C(COOCH_3)$	Xylol	Rückfl.	10–12	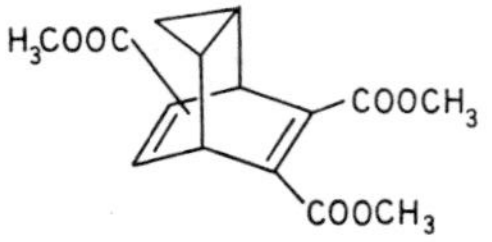 *x,6,7-Trimethoxycarbonyl-tricyclo[3.2.2.0^{2,4}]nonadien-(6,8)*	—	—	1

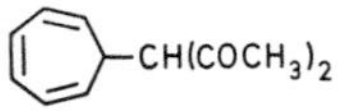

[a] keine Angabe

[1] K. Alder, H. Jungen u, K. Rust, A. **602**, 94 (1957).

[2] N. W. Jordan u. I. W. Elliott, J. Org. Chem. **27**, 1445 (1962).

Tab. 16. (4. Fortsetzung)

Cycloheptatrien	In-Komponente	Lösungsmittel	Temperatur [° C]	Zeit [Stdn.]	Produkt	Ausbeute [% d.Th.]	F [° C]	Literatur
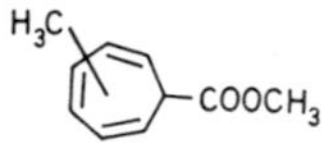 H_3C — $COOCH_3$	$C{-}COOCH_3$ ≡ $C{-}COOCH_3$	Xylol	Rückfl.	10	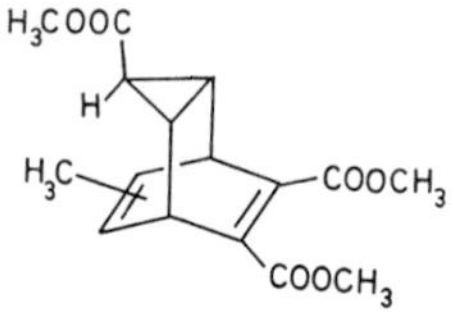 H_3COOC, H, H_3C, $COOCH_3$, $COOCH_3$ *x-Methyl-3,6,7-trimethoxycarbonyl-tricyclo[3.2.2.0^{2,4}]nonadien-(6,8)*	74	($Kp_{0,025}$: 183-169°)[a]	1
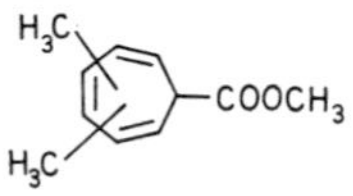 H_3C, H_3C — $COOCH_3$	$C{-}COOCH_3$ ≡ $C{-}COOCH_3$	Xylol	Rückfl.	10	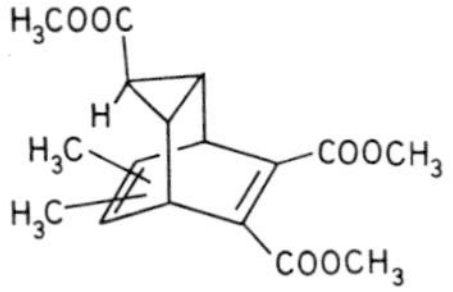 H_3COOC, H, H_3C, H_3C, $COOCH_3$, $COOCH_3$ *x,y-Dimethyl-3,6,7-trimethoxycarbonyl-tricyclo[3.2.2.0^{2,4}]nonadien-(6,8)*	70–75	($Kp_{0,02}$: 175–180°)	1
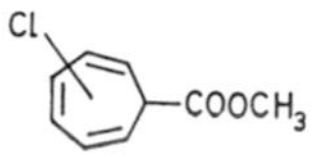 Cl — $COOCH_3$	$C{-}COOCH_3$ ≡ $C{-}COOCH_3$	Xylol	Rückfl.	10	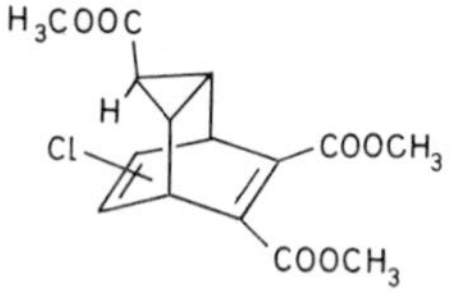 H_3COOC, H, Cl, $COOCH_3$, $COOCH_3$ *x-Chlor-3,6,7-trimethoxycarbonyl-tricyclo[3.2.2.0^{2,4}]nonadien-(6,8)*	38	117	1

[a]) Nach Verseifen als Tricarbonsäure isoliert

[1] K. ALDER, R. MUDERS, W. KRANE u. P. WIRTZ, A. **627**, 59 (1959).

Tab. 16. (5. Fortsetzung)

Cycloheptatrien	In-Komponente	Lösungs-mittel	Tempera-tur [° C]	Zeit [Stdn.]	Produkt	Ausbeute [% d.Th.]	F [° C]	Litera-tur
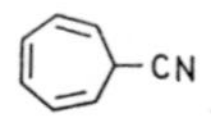 CN	$C{\equiv}C$ (COOCH$_3$)$_2$	Toluol	Rückfl.	8	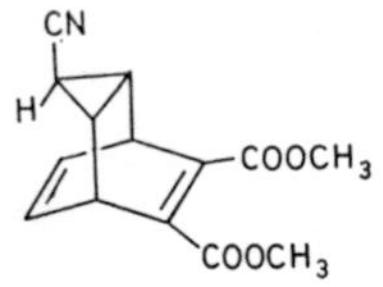 CN, H, COOCH$_3$, COOCH$_3$	70	111–113	1
					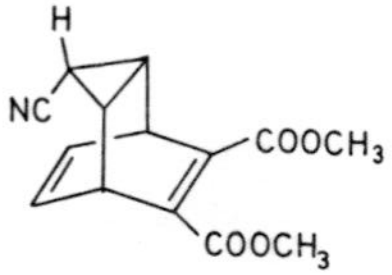 H, NC, COOCH$_3$, COOCH$_3$ *6,7-Dimethoxycarbonyl-3-cyan-tricyclo [3.2.2.0^{2,4}]nonadien-(6,8)*		92–94	1
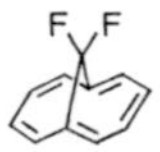 F, F	$C{\equiv}C$ (CN)$_2$		100—110	24	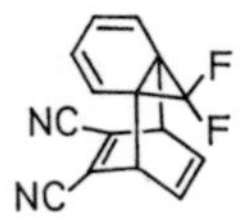 F, F, NC, NC *11,11-Difluor-3,4-dicyan-tetracyclo [4.4.1.0^{1,6}.2^{2,5}]tridecatetraen-(3,7,9,12)*	37	154	2

[1] M. J. Goldstein u. A. H. Gevirtz, Tetrahedron Letters **1965**, 4417.

[2] E. Vogel, S. Korte, W. Grimme u. H. Günther, Ang. Ch. **80**, 279 (1968); Int. Ed. **7**, 289 (1968).

Tab. 16. (6. Fortsetzung)

Cycloheptatrien	En- bzw. In-Komponente	Lösungsmittel	Temperatur [° C]	Zeit [Stdn.]	Produkt	Ausbeute [% d.Th.]	F [° C]	Literatur
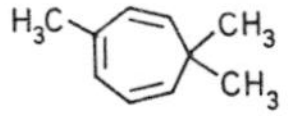	C—COOCH₃ ≡ C—COOCH₃	Toluol	Rückfl.	8	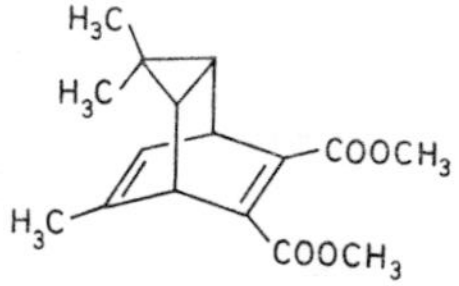 *3,3,8-Trimethyl-tricyclo[3.2.2.0²,⁴]nonadien-(6,8)-6,7-dicarbonsäure-dimethylester*		($Kp_{0,06}$: 98–100°)	1
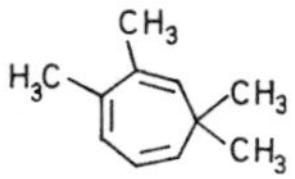	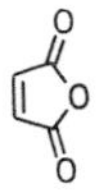	Äther	25	mehrere Tage	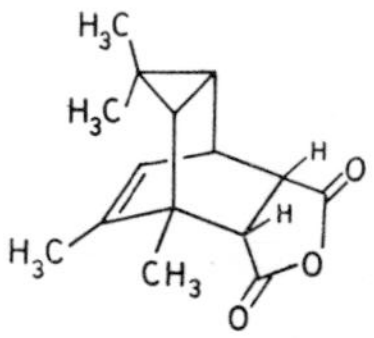 *1,3,3,7-Tetramethyl-tricyclo[3.2.2.0²,⁴]nonen-(6)-8,9-dicarbonsäure-anhydrid*	80	116	1

[1] K. ALDER, K. KAISER u. M. SCHUMACHER, A. **602**, 86 (1957).

Mit Dienen kann Cycloheptatrien als En-Komponente reagieren[1]. Im Unterschied zu den oben besprochenen Umsetzungen wird dabei nur eine Doppelbindung beansprucht. Bei der Reaktion von Hexachlor-cyclopentadien erhält man ein Monoaddukt IV und in geringen Ausbeuten ein Bisaddukt V neben geringen Mengen eines Käfigproduktes VI [1]:

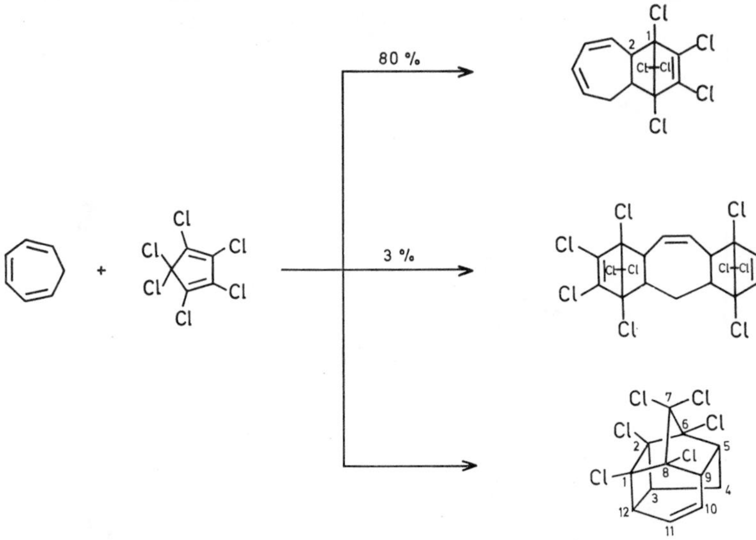

IV; *1,9,10,11,12,12-Hexachlor-tricyclo[7.2.1.0^{2,8}]dodecatrien-(3,5,10)*
V; *1,5,6,7,8,13,14,15,16,16,17,17-Dodecachlor-pentacyclo[11.2.1.1^{5,8}.0^{2,12}.0^{4,9}]heptadecatrien-(6,10,14)*
VI; *1,2,6,7,7,8-Hexachlor-pentacyclo[6.4.0.0^{2,6}.0^{3,12}.0^{5,9}]dodecen-(10)*

1,9,10,11,12,12-Hexachlor-tricyclo[7.2.1.0^{2,8}]dodecatrien-(3,5,10)[1] (IV): Ein Gemisch von 273 g (1,0 Mol) Hexachlor-cyclopentadien und 276 g (3,0 Mol) Cycloheptatrien (frisch destilliert) wird 10 Stdn. bei 125–130° (Innentemp.) unter Rückfluß erhitzt. Das überschüssige Cycloheptatrien wird abdestilliert und der Rückstand zunächst aus heißem Äthanol und dann aus Tetrachlor-methan umkristallisiert; Ausbeute: 295 g (80% d.Th.); F: 93,5–94,5°.

Analoge Addukte bilden sich auch mit Tetrachlor-5,5-dialkoxy-cyclopentadien[1].

Besonderes Interesse beansprucht das Reaktionsprodukt von Cycloheptatrien mit Tropon. Nach 5 stdgm. Erhitzen auf 200° bildet sich in 15%iger Ausbeute ein Käfigprodukt VII, dessen thermische Bildung durch symmetrieerlaubte [6 + 4]-Cycloaddition und nachfolgende innermolekulare Diels-Alder-Reaktion ([4 + 2]-Cycloaddition) erklärt werden kann[2]:

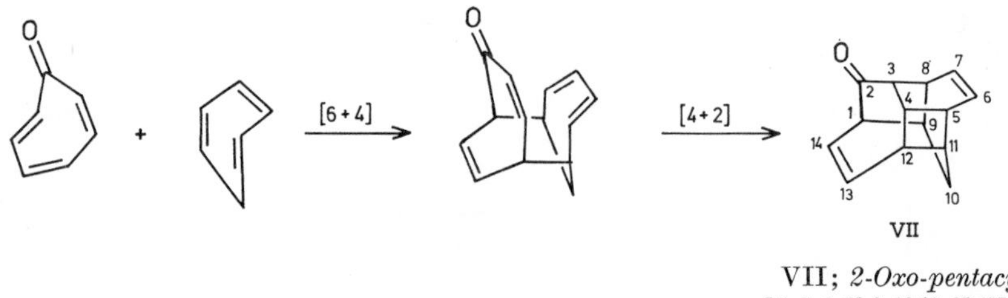

VII; *2-Oxo-pentacyclo[7.5.0.0^{3,8}.0^{4,12}.0^{5,11}]tetradecadien-(6,13)*

---

[1] K. H. Büchel u. A. Conte, B. **100**, 863 (1967).
[2] S. Ito, Y. Fujise u. M. C. Woods, Tetrahedron Letters **1967**, 1059.

Damit stellt dieses Addukt das zweite[1] Beispiel für die von Woodward und Hoffmann vorausgesagte[2] thermische [6+4]Addition dar.

In gleicher Weise reagiert auch 2-Chlor-tropon bzw. partiell deuteriertes 2-Chlor-tropon mit Cycloheptatrien[3].

Sowohl [4 + 2] als auch [6 + 4] Cycloaddition, die nach den Regeln von WOODWARD und HOFFMANN thermisch symmetrieerlaubt sind[4], wird bei der Reaktion von Cycloheptatrien mit 2,5-Dimethyl-3,4-diphenyl-cyclopentadienon (VIII) beobachtet[5]:

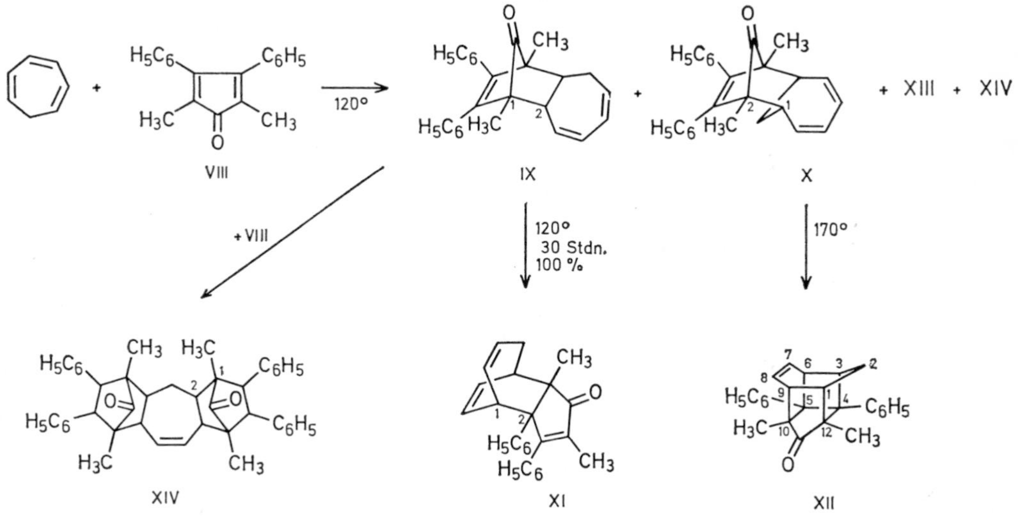

IX; *12-Oxo-1,9-dimethyl-10,11-diphenyl-tricyclo[7.2.1.0*^{2,8}*]dodecatrien-(3,5,*10)
X; *12-Oxo-2,5-dimethyl-3,4-diphenyl-tricyclo[4.4.1.1*^{2,5}*]dodecatrien-(3,7,9)*
XI; *5-Oxo-4,6-dimethyl-2,3-diphenyl-tricyclo[5.3.2.0*^{2,6}*]dodecatrien-(3,9,11)*
XII; *11-Oxo-10,12-dimethyl-4,9-diphenyl-pentacyclo[7.3.0.0*^{3,6}*.0*^{4,12}*.0*^{5,10}*]dodecen-(7)*
XIV; *16,17-Dioxo-1,5,8,13-tetramethyl-6,7,14,15-tetraphenyl-pentacyclo[11.2.1.1*^{5,8}*.0*^{2,12}*.0*^{4,9}*]heptadecen-(10)*

VIII tritt dabei immer als Dien in Reaktion, während das Cycloheptatrien für die Bildung von IX als En-Komponente im Sinne einer Diels-Alder-Reaktion ([4+2] Cycloaddition) reagiert, für die Bildung von X jedoch 6π-Elektronen ([6+4] Cycloaddition) zur Verfügung stellt. Das Produkt XI, das man sich durch Diels-Alder-Reaktion von Cycloheptatrien als Dienkomponente und dem Cyclopentadienon als Philodien entstanden denken könnte, bildet sich thermisch aus IX.

Die Cycloaddition von Cycloheptatrien mit 2,5-Dimethyl-3,4-diphenyl-cyclopentadienon stellt damit den ersten Fall dar, in dem nebeneinander [6+4] und [4+2] Cycloaddition beobachtet wurde. Die Stereochemie des Diels-Alder-Adduktes ist erwartungsgemäß *endo*, während das [6+4] Addukt in Übereinstimmung mit Vorhersagen[6] die *exo*-Struktur hat.

[1] R. C. COOKSON, B. V. DRAKE, J. HUDEC u. A. MORRISON, Chem. Commun. **1966,** 15.
[2] R. HOFFMANN u. R. B. WOODWARD, Am. Soc. **87,** 2046, 4388 (1965).
[3] S. ITO, Y. FUJISE u. M. C. WOODS, Tetrahedron Letters **1967,** 1059.
[4] R. B. WOODWARD u. R. HOFFMANN, Ang. Ch. **81,** 797 (1969); Int. Ed.: **8,** 781 (1969).
D. SEEBACH, Fortschr. Chem. Forsch. **11,** 177 (1968).
[5] K. N. HOUK u. R. B. WOODWARD, Am. Soc. **92,** 4143 (1970).
[6] R. HOFFMANN u. R. B. WOODWARD, Am. Soc. **87,** 4388 (1965).
R. B. WOODWARD u. R. HOFFMANN, Ang. Ch. **81,** 797 (1969); Int. Ed.: **8,** 781 (1969).

Nebenprodukte der Reaktion von Cycloheptatrien mit VIII (S. 387) sind die Verbindungen XIII und XIV:

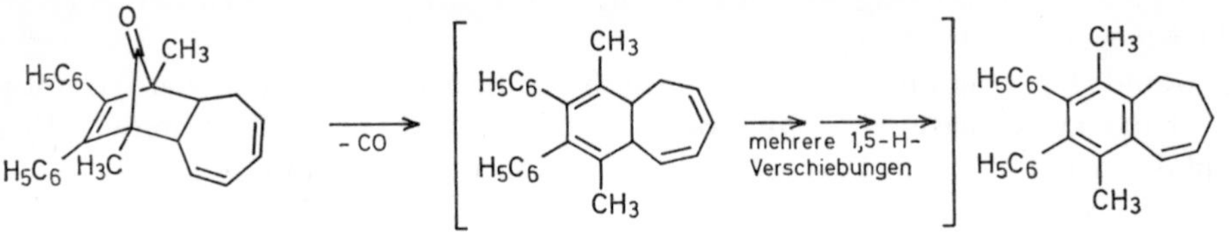

O CH_3 H_5C_6 H_5C_6 H_3C — $-CO$ → [CH_3 H_5C_6 H_5C_6 CH_3 — mehrere 1,5-H-Verschiebungen →] CH_3 H_5C_6 H_5C_6 CH_3

IX

XIII; *1,4-Dimethyl-2,3-diphenyl-6,7-dihydro-5H-⟨benzo-cycloheptatrien⟩*

Die Bildung von XIII (s. S. 387) wird durch Decarbonylierung von IX und nachfolgende 1,5-Wasserstoffverschiebungen unter den Reaktionsbedingungen erklärt. Reagiert IX mit einem weiteren Molekül VIII, so entsteht das Bisaddukt XIV (S. 387) in Analogie zur Reaktion von Cycloheptatrien mit Hexachlor-cyclopentadien zu Produkt VI (s. S. 386).

Interessante Reaktionen laufen auch beim Erhitzen von 7-Allyloxy-cycloheptatrien ab[1]:

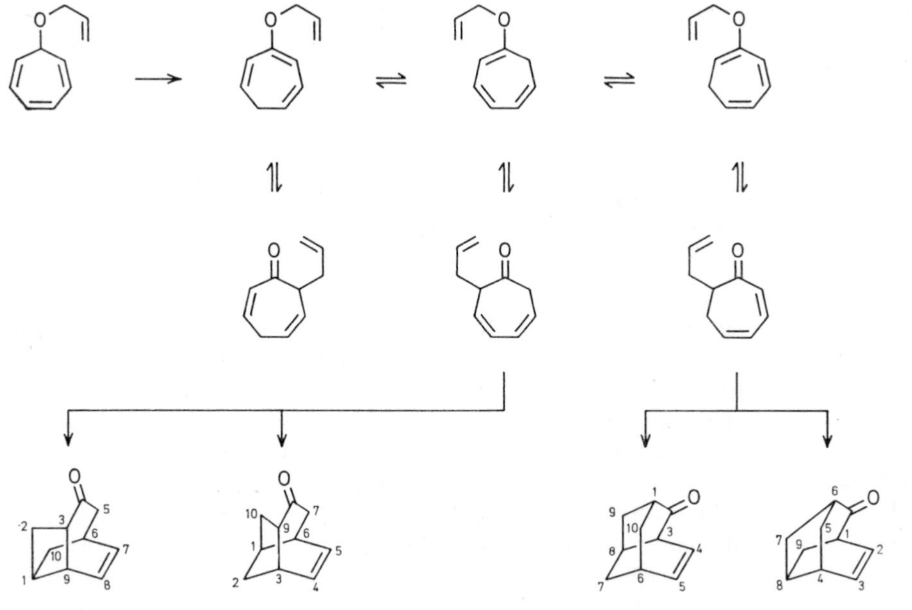

O O O O

O O O

O 2 3 5 6 7 10 1 9 8 — O 10 7 9 6 1 5 2 3 4 — 1 O 9 10 3 8 4 7 6 5 — 6 O 7 9 5 1 2 8 4 3

XV XVI XVII XVIII

XV; *4-Oxo-tricyclo[4.3.1.0^{3,9}]decen-(7)*
XVI; *8-Oxo-tricyclo[4.4.0.0^{3,9}]decen-(4)*
XVII; *2-Oxo-tricyclo[4.3.1.0^{3,8}]decen-(4)*
XVIII; *10-Oxo-tricyclo[4.3.1.0^{4,8}]decen-(2)*

Zunächst finden 1,5-Wasserstoffverschiebungen (s. S. 314) statt, denen Claisen-Umlagerungen folgen. Es bilden sich dabei Ketone, die zur innermolekularen Diels-Alder-Reaktion ([4+2] Cycloaddition) geeignet sind. Aus der Vielzahl der zu er-

[1] C. A. Cupas, W. Schumann u. W. E. Heyd, Am. Soc. **92**, 3237 (1970).

wartenden Produkte werden jedoch nur die beiden Ketone XV und XVI (S. 388) zu gleichen Teilen gebildet. Die Gesamtausbeute dieser einstufigen Reaktion beträgt 83%.

2. Reaktion mit Carbenen

(s. a. ds. Handb., Bd. IV/3, Carbocyclische Dreiringsysteme)

Gegenüber Carbenen bzw. Carbenoiden reagiert Cycloheptatrien erwartungsgemäß. Setzt man z.B. Diazomethan unter Kupfer(I)-salz-Katalyse in der üblichen Weise[1] mit Cycloheptatrien um, so erhält man ein Gemisch der Homotropylidene I und II sowie der Bis-homo-tropylidene[2,3]. Der Anteil der letzteren kann durch

I; *Bicyclo[5.1.0]octa-dien-(2,5)* II; *Bicyclo[5.1.0]octa-dien-(2,4)*

Einsatz eines Überschußes an Cycloheptatrien klein gehalten werden. I unterliegt einer raschen Valenzisomerisierung zu der gleichen Verbindung[2,3]:

Umlagerungen dieser Art erfolgen auch in überbrückten Systemen, die teilweise ebenfalls durch intramolekulare Carben-Reaktion von Cycloheptatrienyl-Verbindungen zugänglich sind. So entsteht das *Barbaralon* {*9-Oxo-tricyclo*[*3.3.1.0*^{2,8}]*nona-dien-*(*3,6*); III} nach dem folgenden Reaktionsschema[3]:

III

Der entsprechende Kohlenwasserstoff wurde analog hergestellt[4], er entsteht auch durch Reduktion des Barbaralons[5]:

IV; R = H; *Tricyclo*[*3.3.1.0*^{2,8}]*nonadien-*(*3,6*) (*Barbaralan*)
R = C_6H_5; *9-Phenyl-tricyclo*[*3.3.1.0*^{2,8}]*nonadien-*(*3,6*)

[1] Eu. Müller, H. Kessler u. B. Zeeh, Fortschr. chem. Forsch. **7**, 128 (1966).
[2] W. v. E. Doering u. W. R. Roth, Tetrahedron **19**, 715 (1963).
[3] W. v. E. Doering u. W. R. Roth, Ang. Ch. **75**, 27 (1963); Int. Ed. **2**, 115 (1963).
[4] H. Tsuruta, K. Kurabayashi u. T. Mukai, Tetrahedron Letters **1967**, 3775.
[5] U. Biethan, H. Klusack u. H. Musso, Ang. Ch. **79**, 152 (1967); Int. Ed. **6**, 176 (1967).

Tab. 17. Reversible Valenzisomerisierungen in überbrückten Homo-cycloheptatrienen

Verbindung	k[sec⁻¹] bei 0 °	E_a [kcal/Mol]	Literatur
 *Tricyclo[3.3.2.0²,⁸]decadien(3,6,9); Bullvalen*	$7,9 \cdot 10^2$	11,7	[1,2]
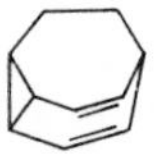 *Tricyclo[3.3.2.0²,⁸]decadien-(3,6); Dihydrobullvalen*	$3,3 \cdot 10^5$	12,6	[3,4]
 *Tricyclo[3.3.1.0²,⁸]nonadien-(3,6); Barbaralan*	$2,6 \cdot 10^7$	9,8	[3]
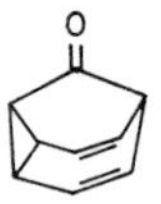 *9-Oxo-tricyclo[3.3.1.0²,⁸]nonadien-(3,6); Barbaralon*	$5,8 \cdot 10^4$	8,1	[5]
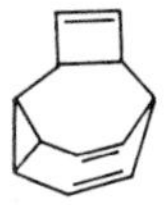 *Tetracyclo[4.3.3.0²,⁵.0⁹,¹⁰]dodecatrien-(3,7,11)*	$2,2 \cdot 10^5$	12,7	[4]
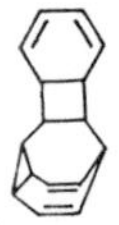 *Pentacyclo[8.3.3.0²,⁹.0³,⁸.0¹³,¹⁴]hexadecatetraen-(4,6,11,15)*	$1,9 \cdot 10^5$	12,9	[4]
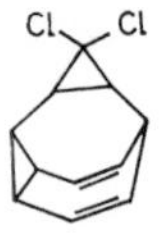 *10,10-Dichlor-tetracyclo[3.3.3.0²,⁸.0⁹,¹¹]undecadien-(3,6)*	$1,4 \cdot 10^5$	13,2	[4]
 *Tricyclo[3.3.0.0²,⁸]octadien-(3,6); Semibullvalen*	$> 2,6 \cdot 10^7$	$> 9,8$	[3]

[1] M. SAUNDERS, Tetrahedron Letters **1963,** 1699.
[2] A. ALLERHAND u. H. S. GUTOWSKY, Am. Soc. **87,** 4092 (1965).
[3] G. SCHRÖDER u. J. F. M. OTH, Ang. Ch. **79,** 458 (1967).
[4] G. SCHRÖDER, J. F. M. OTH u. R. MERENYI, Ang. Ch. **77,** 774 (1965).
[5] J. B. LAMBERT, Tetrahedron Letters **1963,** 1901.

Diese reversiblen Valenzisomerisierungen verlaufen außerordentlich rasch. Sie sind als $[_{\pi}4_s + {}_{\sigma}2_s]$-Prozeß[1] thermisch ohne Symmetriebarriere im Sinne der Woodward-Hoffmann-Regeln[1] erlaubt. In der Tabelle 17 (s. S. 390) sind einige energetische Daten dieser Umlagerungen aufgeführt. Sie sind größenordnungsmäßig der Energie des Norcaradien-Cycloheptatrien-Gleichgewichtes vergleichbar.

Die Energieschwelle in all diesen Verbindungen reicht daher keinesfalls für eine Trennung in geeignet substituierte Verbindungen in bei Raumtemperatur stabile Isomere aus. Mit zunehmender Ringspannung steigt die Umlagerungsgeschwindigkeit an.

Die thermische Reaktion des Cycloheptatriens mit Diazoessigsäureester wird ebenfalls beschrieben[2]. Es ist dabei nicht ganz klar, welche C=C-Doppelbindung bevorzugt reagiert und auf welcher Seite das Valenzisomeren-Gleichgewicht liegt:

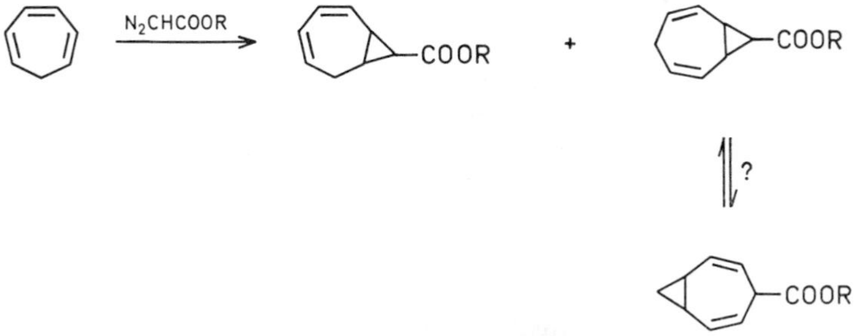

$N_2CHCOOR$ → COOR + COOR ⇌? COOR

In einer neueren Arbeit wird bestätigt, daß 1,2-Addition eintritt[3]. Eine Addition an die 3,4-Doppelbindung ist bisher noch nicht beobachtet worden.

Bei der Photolyse von Diazo-cyclopentadienen V in Cycloheptatrien wurden Cyclopentadien-⟨5-spiro-8⟩-bicyclo[5.1.0]octadiene-(2,5)VII (Additionsprodukte) und 7-Cyclopentadienyl-(5)-cycloheptatriene VIII (C—H-Einschiebungsprodukte) erhalten[4]. Zwischenprodukte der Reaktion sind die Carbenocyclopentadiene VI:

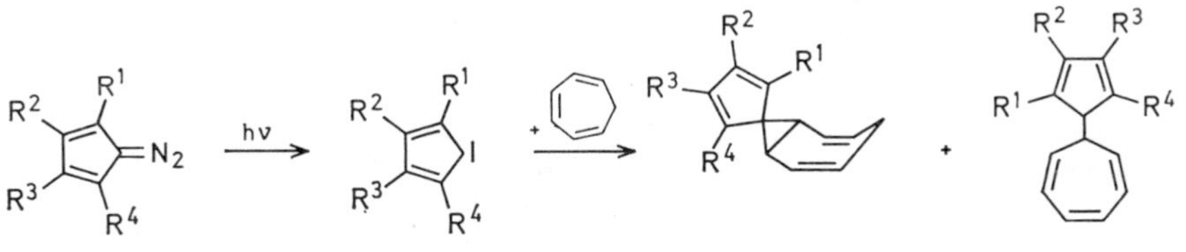

R¹, R², R³, R⁴ ; $=N_2$; hν → VI + Cycloheptatrien → VII + VIII

V VI VII VIII

Die Ausbeuten und Mengenverhältnisse der Reaktionsprodukte sind in Tab. 18 (s. S. 392) aufgeführt.

Cyclopentadien-⟨5-spiro-8⟩-bicyclo[5.1.0]octadiene-(3,5) (VII) und 7-Cyclopentadienyl-(5)-cycloheptatriene (VIII)[4]: Die Lösung von 2 g substituiertem Diazo-cyclopentadien in 250 *ml* Cycloheptatrien werden 1—2 Stdn. bei 18—19° unter Stickstoff mit einer Quecksilber-Hochdrucklampe (Typ HPK, 125 W) und Pyrex-Filter belichtet. Das überschüssige Cycloheptatrien wird i. Vak. bei 30° abdestilliert und der Rückstand chromatographiert (vgl. Tab. 18, S. 392).

---

1 R. B. WOODWARD u. R. HOFFMANN, Ang. Ch. **81**, 797 (1969).
2 F. KORTE, K. H. BÜCHEL u. F. F. WIESE, A. **664**, 114 (1963).
3 R. DRAN u. B. T. RÉVÉREND-DECOCK, C. r. **1970**, 1036.
4 H. DÜRR, R. SERGIO u. G. SCHEPPERS, A. **740**, 63 (1970).

Tab. 18. Cyclopentadien-⟨5-spiro-8⟩-bicyclo[5.1.0]octadiene-(2,5) VII und 7-Cyclopentadienyl-(5)-cycloheptatriene VIII durch Photolyse von Diazocyclopentadienen in Cycloheptatrien (Formeln s. S. 391).

R^1	R^2	R^3	R^4	VII			VIII		
					Ausbeute [% d.Th.]	F [°C]		Ausbeute [% d.Th.]	F [°C]
o-Phenylen		o-Phenylen		1	65	Öl	—	—	—
o-Phenylen		C_6H_5	C_6H_5	2	75	156–158	—	—	—
Cl	Cl	Cl	Cl	3	35	110–111	—	—	—
C_6H_5	C_6H_5	C_6H_5	H	4	29	150–151	6	33	—
C_6H_5	H	H	C_6H_5	5	18	Öl	7	46	121–122
C_6H_5	C_6H_5	C_6H_5	C_6H_5		—	—	8	36	186–187

1 *Fluoren-⟨9-spiro-8⟩-bicyclo[5.1.0]octadien-(2,5)*
2 *2,3-Diphenyl-inden-⟨1-spiro-8⟩-bicyclo[5.1.0]octadien-(2,5)*
3 *Tetrachlor-cyclopentadien-⟨5-spiro-8⟩-bicyclo[5.1.0]octadien-(2,5)*
4 1,2,3-*Triphenyl-cyclopentadien-⟨5-spiro-8⟩-bicyclo[5.1.0]octadien-(2,5)*
5 *1,4-Diphenyl-cyclopentadien-⟨5-spiro-8⟩-bicyclo[5.1.0]octadien-(2,5)*
6 *7-[1,2,3-Triphenyl-cyclopentadien-(1,3)-yl-(5)]-cycloheptatrien*
7 *7-[1,4-Diphenyl-cyclopentadien-(1,3)-yl-(5)]-cycloheptatrien*
8 *7-[1,2,3,4-Tetraphenyl-cyclopentadien-(1,3)-yl-(5)]-cycloheptatrien*

3. Reaktion mit Halogenen

Die Umsetzung von Cycloheptatrien mit Halogenen verläuft entweder unter Addition oder unter Oxidation zum Tropylium-System. Dabei hängen die Ausbeuten und die Richtung der Reaktion von den Bedingungen ab.

Als Beispiel sei die Umsetzung mit Chlor beschrieben. Leitet man Chlor in die ätherische mit Salzsäure gesättigte Cycloheptatrien-Lösung ein, so bildet sich in sehr guten Ausbeuten *Tropyliumchlorid*[1]:

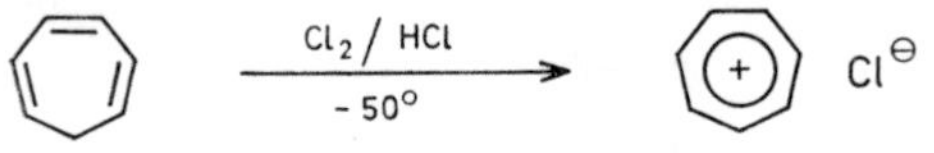

Cl_2 / HCl, −50° → $Cl^{\ominus}$

Tropyliumchlorid[1]: In eine Lösung von 5 g (0,05 Mol) ~ 92%iges Cycloheptatrien in 75 *ml* absol. Äther wird zunächst bei −40° trockener Chlorwasserstoff bis zur Sättigung und dann bei −50° Chlor 20 Min. eingeleitet. Nach Verdampfen des Reaktionsgemisches bleiben 6,1 g (92% d. Th.) hellgelbe Nadeln zurück, die beim Stehenlassen an der Luft zerfließen; F: 101°.

Bei direkter Einwirkung von flüssigem Chlor erhält man dagegen *1,2,3,4,5,6-Hexachlor-cycloheptan*[1]:

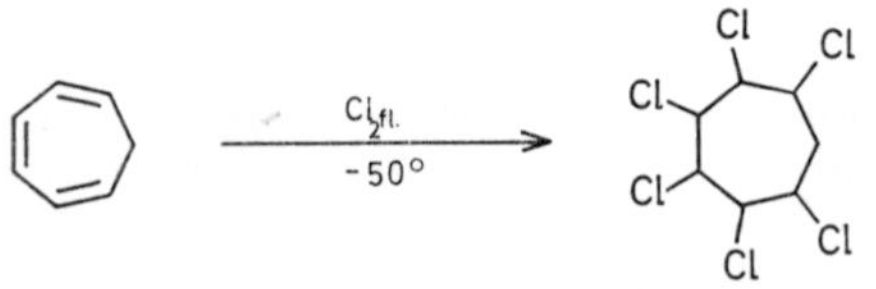

$Cl_{2\,fl.}$, −50° → Cl Cl Cl Cl Cl Cl

1,2,3,4,5,6-Hexachlor-cycloheptan[1]: In 92 g flüssiges Chlor werden 30 g (0,3 Mol) 92%iges Cycloheptatrien bei −50° innerhalb 2 Stdn. unter Rühren getropft. Das Reaktionsgemisch wird über Nacht weitergerührt und dann vom überschüssigen Chlor i. Vak. befreit. Der ölige Rück-

[1] K. H. Büchel u. A. Conte, Z. Naturf. **21 b**, 1111 (1966).

stand wird in 100 *ml* Äthanol gelöst und im Kühlschrank stehengelassen; Ausbeute: 73 g (80% d.Th.); F: 105–106°; (farblose Nadeln).

In Tetrachlormethan als Lösungsmittel wiederum werden zwei Mol Chlor zum *Tetrachlor-cyclohepten* aufgenommen[1]:

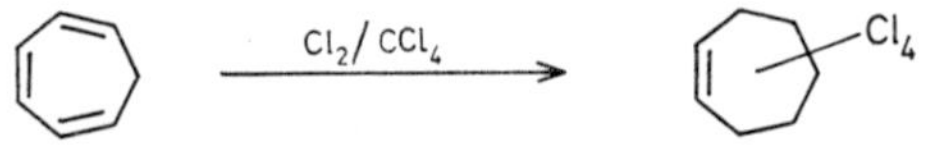

Cl_2/CCl_4 → Cl_4

Tetrachlor-cyclohepten[1]: In eine Lösung von 10 g (0,1 Mol) Cycloheptatrien in 100 *ml* absol. Tetrachlormethan werden innerhalb 30 Min. unter Rühren 21 g Chlor eingeleitet. Nach 2stdgm. Erhitzen auf dem Wasserbad wird das Reaktionsgemisch vom Lösungsmittel befreit und der Rückstand durch eine 30 cm Vigreux-Kolonne destilliert; Ausbeute: 14 g (60% d.Th.); $Kp_{0,05}$: 71–72°; (hellgelb).

Im Bombenrohr bei 230° bildet sich unter Abspaltung von Chloroform *Hexachlor-benzol*[1]:

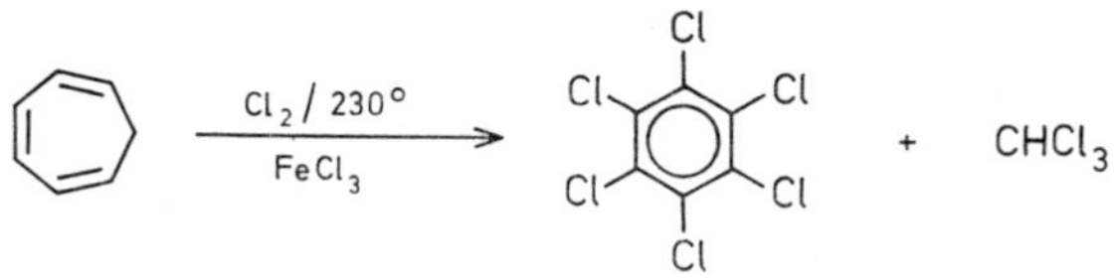

Cl_2 / 230°, $FeCl_3$ → Cl, Cl, Cl, Cl, Cl, Cl + $CHCl_3$

Hexachlor-benzol[1]: In ein auf −70° abgekühltes Bombenrohr, das 30 g flüssiges Chlor und 0,2 g wasserfreies Eisen(III)-chlorid enthält, werden langsam 3,8 g (0,038 Mol) 92%iges Cycloheptatrien getropft. Das Bombenrohr wird dann abgeschmolzen, zunächst auf Raumtemp. gebracht und 90 Min. auf 230° erhitzt. Wegen des hohen Gasdruckes wird das Rohr zuerst im Kältebad (Trockeneis/Methanol) eingeforen und dann vorsichtig geöffnet; Ausbeute: 100% d.Th.; F: 229° (aus Benzol/Äthanol; (farblose Prismen).

Bei der Reaktion von Brom mit Cycloheptatrien in Tetrachlormethan wird 1 Mol Brom addiert[2]. Als Struktur wird das 1,4-Addukt [*3,6-Dibrom-cycloheptadien-(1,4)*] vorgeschlagen:

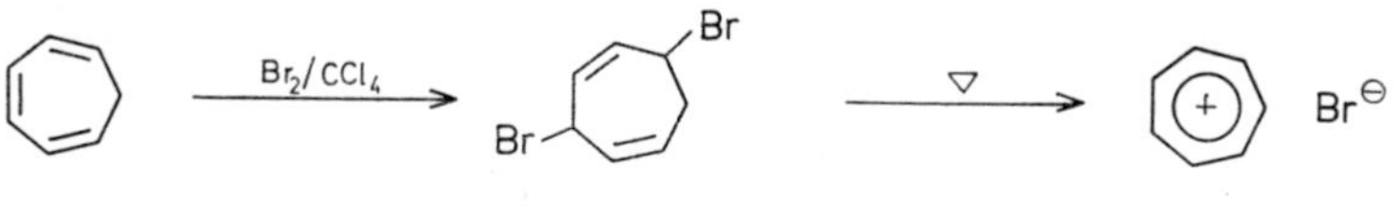

Br_2/CCl_4 → Br, Br → ▽ → + $Br^{\ominus}$

Auf diese Weise wurde das Tropylium-Kation erstmals synthetisiert.

Jod reagiert mit Cycloheptatrien in ätherischer Lösung direkt zum *Tropylium-perjodid*[3]:

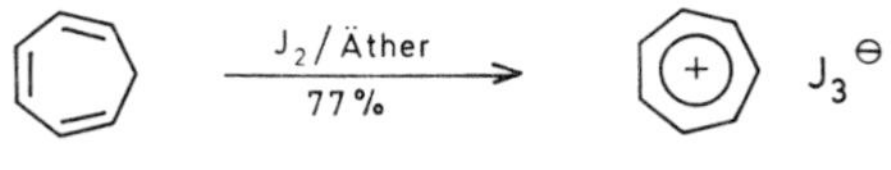

J_2 / Äther, 77% → + $J_3^{\ominus}$

In Gegenwart von Quecksilber(II)-salzen liegen die Ausbeuten an Tropyliumsalzen höher (91% d.Th.).

---

[1] K. H. Büchel u. A. Conte, Z. Naturf. **21b**, 1111 (1966).
[2] W. v. E. Doering u. L. H. Knox, Am. Soc. **76**, 3203 (1954).
[3] K. M. Harmon et al., J. Org. Chem. **32**, 2012 (1967).

4. Sonstige Additionen an Cycloheptatrien

Die Addition von Alkyl-lithium an Cycloheptatrien wurde bereits auf S. 331 erwähnt. Sie verläuft unter 1,6-Addition zu substituierten Cycloheptadienen[1].

Eine besonders schöne Reaktion ist die Addition von Ammoniak und primären aliphatischen Aminen zu Tropa-Derivaten[2]. Dabei entsteht ausschließlich die natürlich vorkommende Struktur der Tropa-Alkaloide:

COOH + H_2N-R ⟶ NR COOH

R = H; *Carboxy-8-aza-bicyclo[3.2.1]octen-(2)*
R = Alkyl; *8-Alkyl-x-carboxy-8-aza-bicyclo[3.2.1]octen-(2)*
R = NH_2; *8-Amino-x-carboxy-8-aza-bicyclo[3.2.1]octen-(2)*

Dieses Verfahren, das die Umkehrung des von Willstätter[3] gefundenen Abbaues der Tropa-Alkaloide darstellt, eröffnet einen einfachen Weg der Totalsynthese von Tropa-Alkaloiden.

Als Beispiel sei die Reaktion der Cycloheptatrien-3-carbonsäure (β-Säure) mit Methylamin beschrieben[2]:

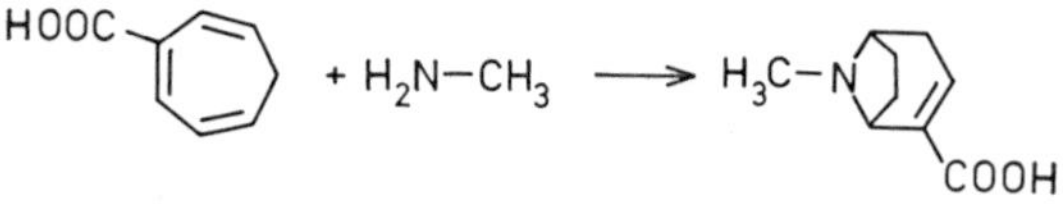

HOOC + H_2N-CH_3 ⟶ H_3C-N COOH

I

d,l-Anhydro-ekgonin {8-Methyl-2-carboxy-8-aza-bicyclo[3.2.1]octen-(2); I}: Eine Lösung von 40 g reiner Cycloheptatrien-3-carbonsäure (β-Säure)[4] und 12 g Natriumhydroxid in 150 *ml* Wasser wird mit einer Lösung von 80 g Methylamin-hydrochlorid und 48 g Natriumhydroxid in 600 *ml* Wasser vereinigt und 6 Stdn. in einem 2-*l*-Schüttelautoklaven auf 150° erhitzt. Die hellbraune Reaktionslösung wird i. Vak. auf 200 *ml* eingeengt, um das überschüssige Methylamin abzutreiben. Nach Ansäuern des Rückstandes mit 2n Schwefelsäure bis p_H: 2, wird die abgeschiedene nicht umgesetzte β-Säure (5 g) mit Äther extrahiert. Man neutralisiert die schwefelsaure wäßrige Lösung mit 15%iger Natronlauge und engt i. Vak. zur Trockene ein. Dem über Phosphor(V)-oxid getrockneten festen Rückstand wird das *d,l*-Anhydro-ekgonin durch Extraktion mit absol. Äthanol im Soxhlet-Apparat entzogen. Durch reichliche Zugabe von Äther wird es aus der alkoholischen Lösung ausgefällt und nach bekannten Verfahren gereinigt; Ausbeute: 28 g (65% d. Th.); F: 235–236° (Zers.).

Eine interessante photochemische Reaktion des Cycloheptatriens mit einem Metallkomplex ist folgende. Belichtet man Cycloheptatrien in Äther mit Cyclobutadien-eisentricarbonyl, so erhält man in 20%iger Ausbeute einen Komplex {*Tricyclo[4.4.1.0^{2,5}]undecatrien-(3,7,9)-eisendicarbonyl*} in dem das Cycloheptatrien und das Cyclobutadien miteinander reagiert haben[5]:

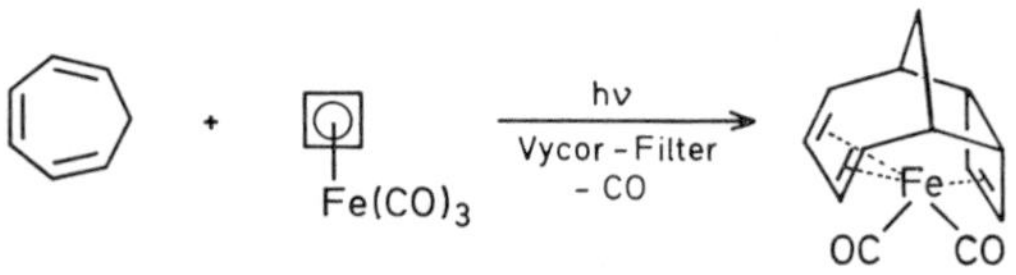

+ $Fe(CO)_3$ —hν, Vycor-Filter, - CO→ Fe, OC, CO

Das komplexierte Cyclobutadien ist demnach eine photochemische $[_{\pi}6_s + _{\pi}2_s]$ Cycloaddition mit dem Cycloheptatrien eingegangen.

---

[1] K. Hafner u. W. Rellersmann, B. **95**, 2567 (1962).
[2] C. Grundmann u. G. Ottmann, A. **605**, 24 (1957).
[3] A. Heusner, Ang. Ch. **70**, 639 (1958).
[4] s. S. 315.
[5] J. S. Watts u. R. Pettit, Am. Soc. **93**, 262 (1971).
vgl. a. ds. Handb., Bd. IV/5, Photochemie.

b) Oxidationen von Cycloheptatrienen

Oxidationen des Cycloheptatrien-Systems verlaufen je nach Reaktionsbedingungen und umgesetzter 7-Ring-Verbindung zu Tropylium-salzen, Troponen oder unter Ringverengung zu Benzol-Derivaten. Außerdem kann Spaltung des Ringes eintreten.

1. Oxidationen zu Tropyliumsalzen

Der Übergang des Cycloheptatrien-Systems in das aromatische Tropylium-System erfolgt unter relativ milden Oxidationsbedingungen:

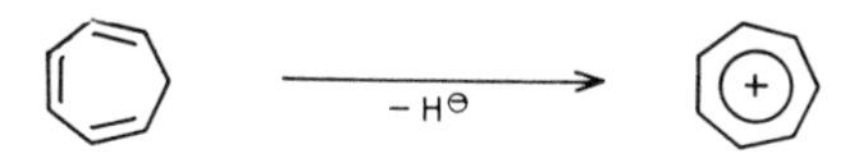

Als Oxidationsmittel können wie bereits auf S. 392 beschrieben, Halogene dienen. Dieses Verfahren war gleichzeitig auch das erste zur Herstellung von Tropylium-Kationen[1]. Auch die direkte anodische Oxidation des Cycloheptatriens gelingt in guten Ausbeuten[2] (in Acetonitril: 92% d.Th.). In Gegenwart von Silberacetat wird zum *Tropon* weiter oxidiert[2]. Bei der direkten Oxidation durch Luftsauerstoff in saurem Medium erhält man bis zu 60% d. Th. *Tropon*[3].

Als besonders gute Oxidationsmittel haben sich anorganische Halogen-Verbindungen, vor allem Phosphor(V)-[4] oder Antimon(V)-chlorid[5] sowie Carboniumsalze, wie Trityl-tetrafluoroborat oder -perchlorat[6] erwiesen.

Tropyliumperchlorat[7]**:** Zu 15 g (72 mMol) Phosphor(V)-chlorid 150 *ml* Tetrachlormethan werden unter Rühren 2,94 g (32 mMol) Cycloheptatrien in benzolischer Lösung (~ 20–50 *ml*) zugetropft, anschließend wird 1 Stde. gerührt und 15 Min gekocht. Nach dem Abkühlen wird der Niederschlag abgesaugt, mit Tetrachlormethan gewaschen und unter Eiskühlung in 15 *ml* Wasser gelöst (starke Wärmeentwicklung). Nach Zugabe von 15 *ml* Äthanol wird mit 35%iger Perchlorsäure nahezu farbloses Tropyliumperchlorat ausgefällt, das abgesaugt und mit wenig Äthanol gewaschen wird; Ausbeute: 5,2 g (86% d.Th.); F: 280° (Zers.; aus Acetonitril).

Vorsicht!! Tropyliumperchlorat **explodiert** manchmal ohne erkennbaren äußeren Anlaß. Man sollte daher nur kleine Mengen unter Vorsichtsmaßnahmen herstellen und längeres Stehenlassen vermeiden.

Als Beispiel für eine Oxidation mit Tritylperchlorat sei die Herstellung von *Phenyltropylium-perchlorat* beschrieben:

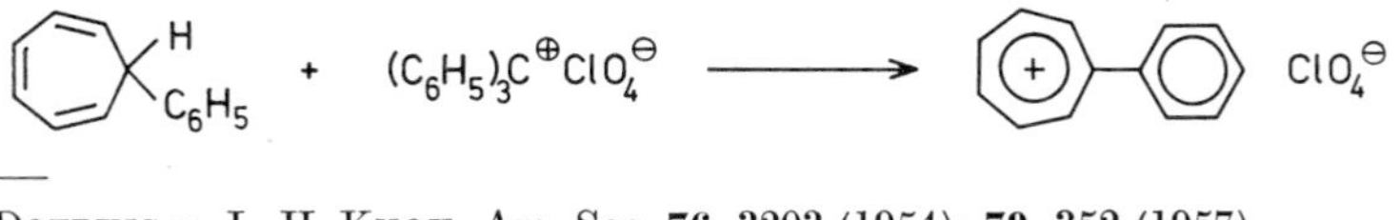

$$H,\ C_6H_5 \quad + \quad (C_6H_5)_3C^{\oplus}ClO_4^{\ominus} \longrightarrow \quad ClO_4^{\ominus}$$

[1] W. v. E. Doering u. L. H. Knox, Am. Soc. **76,** 3203 (1954); **79,** 352 (1957).
A. W. Johnson u. M. Tišler, Chem. & Ind. **1954,** 1427.
A. W. Johnson, A. Langemann u. M. Tisler, Soc. **1955,** 1622.

[2] D. H. Geske, Am. Soc. **81,** 4145 (1959).
J. Mizuguchi et al., Denki Kagaku **34,** 124 (1966); C. A. **65,** 1172[h] (1966).

[3] A. P. Ter Borg, R. van Helden u. A. F. Bickel, R. **81,** 164 (1962).

[4] D. N. Kursanov u. M. E. Volpin, Doklady Akad. Nauk SSSR **113,** 339 (1957); C. A. **51,** 14572 (1957).
D. Bryce-Smith u. N. A. Perkins, Soc. **1962,** 1339.

[5] J. Holmes u. R. Pettit, J. Org. Chem. **28,** 1695 (1963).

[6] H. J. Dauben et al., Am. Soc. **79,** 4557 (1957); J. Org. Chem. **25,** 1442 (1960).

[7] Eu. Müller u. H. Fricke, A. **661,** 38 (1963).

Phenyltropylium-perchlorat[1]**:** Zu 19,7 g 7-Phenyl-cycloheptatrien in 30 *ml* absol. Acetonitril werden 40 g Tritylperchlorat gefügt und auf dem Wasserbad auf 60° erwärmt. Unter exothermer Reaktion entsteht plötzlich eine klare, dunkle Lösung. Es wird noch 3 Min. auf 80° erhitzt und dann langsam 100 *ml* Essigsäure-äthylester zugefügt, worauf sich das blaßgelbe Tropyliumsalz sofort in glitzernden Blättchen abscheidet. Nach Stehenlassen im Eisschrank saugt man ab und wäscht mit Essigsäure-äthylester und Äther gründlich nach; Ausbeute: 29,7 g (95–96% d.Th.); F: 184–184,5° (aus Acetonitril/Essigsäure-äthylester hellgelbe, breite Nadeln).

Bezüglich weiterer Oxidationen mittels Trityl-perchlorat[2] bzw. -tetrafluoroborat[3] oder anorganische Chloride[4] sei auf die Literatur und auf Bd. V/2 ds. Handb. verwiesen.

Die bisher besprochenen Oxidationsvorgänge sind als Hydridion-Abspaltungen aufzufassen. In gleicher Weise können auch andere Gruppen X anionisch aus der 7-Stellung unter Oxidation entfernt werden:

X ⟶ (+) + $X^{\ominus}$

Dieses Verfahren wurde schon frühzeitig zur Synthese von Tropyliumsalzen benutzt. So entsteht *Tropylium-perchlorat* aus 7-Cyan-cycloheptatrien durch Reaktion mit Silberperchlorat in 45%iger Ausbeute; s. a. die Bildung von *Chlor-tropylium-chlorid* aus Dichlor-cycloheptatrien bei der Umsetzung von Tropon mit Phosgen.

Die Abspaltung von Hydroxy-Gruppen aus der 7-Stellung gelingt unter sauren Bedingungen[5,6]:

=O + Li–⟨⟩–$N(CH_3)_2$ ⟶ $N(CH_3)_2$ OH

$\xrightarrow{HClO_4}$ [⊕ –$N(CH_3)_2$ ⟷ =$\overset{\oplus}{N}(CH_3)_2$] $ClO_4^{\ominus}$

5-(4-Dimethylamino-phenyl)-5H-⟨dibenzo-[a;e]-tropylium⟩-perchlorat[5]**:** Eine aus 1,46 g (7,3 mMol) 4-Brom-N,N-dimethyl-anilin und 0,101 g (14,6 mMol) Lithium in 30 *ml* absol. Äther

---

[1] C. Jutz u. F. Voithenleitner, B. **97**, 29 (1964).

[2] T. Nozoe u. K. Takahashi, Bull. Chem. Soc. Japan **40**, 1473, 1480 (1967); C. A. **67**, 73460, 99823 (1967).
C. Jutz u. F. Voithenleitner, B. **97**, 1337 (1964).

[3] D. J. Bertelli, C. Golino u. D. L. Dreyer, Am. Soc. **86**, 3329 (1964).
J. J. Looker, J. Org. Chem. **30**, 4180 (1965).

[4] K. M. Harmon et al., Am. Soc. **83**, 865, 3912 (1961).

[5] B. Föhlisch, A. **721**, 48 (1969).

[6] H. H. Rennhard, E. Heilbronner u. A. Eschenmoser, Chem. & Ind. **1955**, 415.
W. H. Schaeppi, R. W. Schmid u. E. Heilbronner, Helv. **35**, 2, 2170 (1952).

hergestellte Lösung von 4-Dimethylamino-phenyl-lithium[1] erhitzt man mit 1,48 g (7,2 mMol) 5-Oxo-5H-⟨dibenzo-[a;e]-cycloheptatrien⟩ 3 Stdn. in Stickstoff-Atmosphäre unter Rückfluß. Nach dem Erkalten wird mit Eis versetzt, 2mal mit Äther extrahiert, die Extrakte neutral gewaschen und über Calciumcarbonat getrocknet. Der Eindampfrückstand, nach 2maligem Umkristallisieren aus Cyclohexan, 1,01 g gelbstichige Blättchen, wird in der eben notwendigen Menge Eisessig gelöst, mit 4 *ml* 70%iger Perchlorsäure (Farbumschlag nach orange-rot) und dann tropfenweise mit absol. Äther versetzt. Das ausgefallene Perchlorat wird nach Stehenlassen im Eisbad abfiltriert und mit viel absol. Äther gewaschen und aus Acetonitril/Äther umgefällt; Ausbeute: 1,11 g (38% d.Th.); F: 256–257° (Zers.; blutrote Kristalle).

2. Oxidationen zu Troponen und Tropolonen

Die Umsetzung des Cycloheptatriens bzw. substituierter Cycloheptatriene mit Kalium-permanganat führt zum Tropolon-System[2]:

R–Cycloheptatrien $\xrightarrow{KMnO_4}$ R–Tropolon (OH, =O)

Die Ausbeuten dieser Reaktion sind unbefriedigend und es entstehen Isomerengemische, wenn Substituenten im Ring stehen.

Besser erhält man Tropolone durch Brom-Oxidation von methoxy-substituierten Cycloheptatrienen, die durch Ringerweiterung von methoxy-substituierten Benzolen mit Diazoessigsäureester und Decarboxylierung der Carbonsäuren leicht zugänglich sind[3]: z.B. *4-Hydroxy-tropon*[4]:

OCH_3 / OCH_3 (Benzol) ⟶ H_3CO, OCH_3, COOR (Cycloheptatrien) $\xrightarrow{\text{1. Verseifung; 2. Decarboxylierung; 3. } Br_2/CCl_4}$ H_3CO–Tropon (=O) ⟶ HO–Tropon (=O)

Die Oxidation von Methoxy-cycloheptatrien führt entsprechend zum *Tropon*[5]:

OCH_3-Cycloheptatrien $\xrightarrow{Br_2/CCl_4}$ Tropon (=O) $\xleftarrow{SeO_2/AcOH,H_2O}$ Cycloheptatrien

Auch die direkte Oxidation von Cycloheptatrien zu Tropon mit Selendioxid in saurem Medium wurde beschrieben[6].

Mit Singulett-Sauerstoff reagiert Cycloheptatrien hauptsächlich unter [6 + 2] Cycloaddition zu *7,8-Dioxa-bicyclo[4.2.1]nonadien-(2,4)*(I; S. 398), daneben entsteht

[1] J. B. Wright u. E. S. Gutsell, Am. Soc. **81**, 5193 (1959).
[2] W. v. E. Doering u. L. H. Knox, Am. Soc. **72**, 2305 (1950); **73**, 829 (1951); **75**, 297 (1953).
[3] R. B. Johns, A. W. Johnson u. J. Murray, Soc. **1954**, 198.
R. B. Johns u. A. W. Johnson, Chem. & Ind. **1954**, 192.
[4] R. S. Coffey, R. B. Johns u. A. W. Johnson, Chem. & Ind. **1955**, 658.
[5] W. v. E. Doering u. F. L. Detert, Am. Soc. **73**, 876 (1951).
[6] Jap. P. 13482 (1960), G. Sunagawa, N. Soma u. H. Nakao; C. A. **55**, 15376 (1961).

das 7-*Hydroperoxi-cycloheptatrien*(II) und das [4 + 2] Cycloadditionsprodukt III {*6,7-Dioxa-bicyclo[3.2.2]nonadien-(2,8)*}[1]:

$$\text{Cycloheptatrien} + O_2 \xrightarrow[\text{in Methanol, Methylenblau}]{h\nu} \text{I} + \text{II} + \text{III}$$

Sämtliche Produkte werden nach Reduktion in isolierbare Verbindungen (Cycloheptanolone und Cycloheptandiole usw.) überführt.

3. Oxidationen zu Heptafulvenen

Umsetzungen mit Cycloheptatrien-Derivaten, in denen die Reaktionen in der Seitenkette ohne Veränderung des Cycloheptatrien-Systems ablaufen, sollen nicht Gegenstand des vorliegenden Artikels sein. Sie verlaufen im allgemeinen „normal".

Als Beispiel einer solchen Reaktion sei die Synthese von *Heptafulven* erwähnt, bei der eine Reihe von Reaktionsschritten ohne Veränderung des Cycloheptatrienringes erfolgt[2]:

$$C_7H_7{-}COOR \xrightarrow{NH_3} C_7H_7{-}CO{-}NH_2 \xrightarrow{LiAlH_4} C_7H_7{-}CH_2{-}NH_2$$

$$\xrightarrow{CH_3J} C_7H_7{-}CH_2{-}\overset{\oplus}{N}(CH_3)_3\ J^{\ominus} \xrightarrow[\nabla]{Ag_2O} C_7H_6{=}CH_2$$

Heptafulvene und ähnliche Verbindungen, in denen das C-7-Atom sp^2-hybridisiert ist, werden in Bd. V/2 ds. Handb. besprochen.

4. Oxidationen unter Ringverengung

Schon sehr frühe Beobachtungen[3,4] zeigten, daß ein oxidativer Übergang von Cycloheptatrien in Benzol-Derivate möglich ist. So bildet sich aus Cycloheptatrien mit Chrom(VI)-oxid *Benzaldehyd*[3,5]:

$$\text{Cycloheptatrien} \xrightarrow{CrO_3} \left[C_7H_7^{\oplus}\ \ OCrO_3H^{\ominus} \longrightarrow \text{(OH, H, H, O–CrO}_2\text{)} \right] \longrightarrow C_6H_5{-}CHO$$

Die Reaktion verläuft über eine Tropylium-Zwischenstufe[5]. Aus Cycloheptatrien-7 carbonsäure wird unter gleichen Bedingungen *Terephthalsäure* erhalten[6].

Ringverengungsprodukte treten auch bei der unter Spaltung verlaufenden Permanganat-Oxidation aromatischer Reaktionsprodukte auf[4].

---

1 A. S. Kende u. J. Y. Chu, Tetrahedron Letters **1970**, 4837.
2 W. v. E. Doering u. D. H. Wiley, Tetrahedron **11**, 183 (1960).
3 G. Merling, B. **24**, 3108 (1891).
4 E. Buchner, B. **29**, 106 (1896); **34**, 982 (1901).
5 G. Juppe u. A. P. Wolf, B. **94**, 2328 (1961).
6 M. J. S. Dewar, C. R. Ganellin u. R. Pettit, Soc. **1958**, 55.

Die Umsetzung von Cycloheptatrien mit Benzoyliumtetrafluoroborat liefert neben dem erwarteten *Tropyliumtetrafluoroborat* auch in geringer Ausbeute (9% d.Th.) *Desoxybenzoin*[1].

5. Oxidationen unter Ringspaltung

Bei der Ozonolyse von Cycloheptatrienen reagiert bevorzugt das Norcaradien-Valenzisomere, so daß man *cis-Cyclopropan-carbonsäuren* erhält: Beispielsweise bildet sich aus I die *3,3-Dimethyl-cyclopropan-cis-1,2-dicarbonsäure* (*cis-Carvonsäure*)[2]:

R=CH_3; p—OCH_3—C_6H_4

3,3-Dimethyl-cyclopropan-cis-1,2-dicarbonsäure (cis-Carvonsäure)[2]: Eine Lösung von 3,42 g (1,2 mMol) 2-(4-Methoxy-benzoyloxy)-3,7,7-trimethyl-cycloheptatrien (Eucarvon-enol-p-methoxybenzoat) in 50 *ml* Essigsäure-äthylester wird 21 Stdn. ozonisiert. Die blauviolette Lösung wird tropfenweise in 50 *ml* heißes Wasserstoffperoxid gegeben und der Essigsäure-äthylester im Luftstrom entfernt. Natriumcarbonat wird zugefügt, bis die Lösung basisch ist, und die neutralen Anteile mit Äther extrahiert. Die Lösung wird dann mit Salzsäure angesäuert, gekühlt und die 4-Methoxy-benzoesäure abfiltriert. Das Filtrat wird mit Kochsalz gesättigt und 36 Stdn. kontinuierlich mit Äther extrahiert. Der Extrakt wird eingedampft und mit 25 *ml* Chloroform gewaschen. Extraktive Kristallisation mit Chloroform im Soxhlet gibt nach Konzentration auf ~ 15 *ml* 0,66 g (35% d.Th.); F: 171–173,5°. Weitere 280 mg (15% d.Th.) erhält man aus der Mutterlauge.

Kaliumpermanganat oxidiert dagegen 7,7-Dimethyl-cycloheptatrien-3-carbonsäure zur *2,2-Dimethyl-propansäure*[3].

c) Reduktionen

1. Hydrierung

Gegenüber Wasserstoff verhalten sich Cycloheptatriene völlig normal als Polyolefine. Alle drei Doppelbindungen lassen sich bei Raumtemperatur katalytisch hydrieren und man erhält Cycloheptan-Derivate. Eine Ausnahme stellt die katalytische Hydrierung von 7-Acetoxy-cycloheptatrien dar, die *Bi-cycloheptyl* ergibt[4]:

[1] J. A. Blair, G. P. McLanghlin u. J. Paslawski, Chem. Commun. **1967**, 12.
[2] E. J. Corey u. H. J. Burke, Am. Soc. **78**, 174 (1956).
[3] J. Gripenberg, Acta Chem. Scand. **3**, 1137 (1949).
[4] K. Weiss, J. Org. Chem. **27**, 4714 (1962).

Vermutlich verläuft diese Reaktion über das Cycloheptatrienyl-Radikal. Ähnliche Ergebnisse werden auch bei 7-Alkoxy- und 7-Dialkylamino-cycloheptatrienen erhalten.

Stufenweise Reduktion von Cycloheptatrienen zu Cycloheptadienen und Cycloheptenen sind nicht möglich, da alle Doppelbindungen mit gleicher Geschwindigkeit hydriert werden[1].

Bei der Hydrierung von Benzo-cycloheptatrienen entstehen ausschließlich nur Benzo-cycloheptene[2].

2. Reaktionen mit Metallen und metallorganischen Verbindungen

Alkyl-lithium-Verbindungen werden von Cycloheptatrien in 1,6-Stellung addiert – nach Hydrolyse erhält man 5-substituierte Cycloheptadiene-(1,3)[1]. Diese Reaktion, die als Syntheseweg für substituierte Cycloheptatriene dienen kann, wurde bereits auf S. 331 beschrieben.

Während sich durch katalytische Hydrierung keine partiell hydrierten Cycloheptatriene herstellen lassen, kann man mit Natrium je nach Reaktionsbedingung zum *Cycloheptadien* oder zum *Cyclohepten* gelangen[2,3]. Da diese Reaktionen sehr spezifisch auf der Dien- oder En-Stufe abgestoppt werden können, stellen sie brauchbare Wege zu deren Herstellung dar; die schwierigen Trennungen von Reaktionsgemischen lassen sich vermeiden. Wesentlich für das Gelingen der Umsetzung ist, daß man entweder in flüssigem Ammoniak arbeitet oder in Diäthyläther mit N-Methyl-anilin als Metallacceptor[1,3]. Andernfalls erhält man nur Polymere.

2 M
M
M
Polymere
2 M

Cycloheptadien-(1,3)[3]: Einer Mischung von 4,6 g (0,2 g Atome) feinst verteiltem Natrium und 9,2 g (0,1 Mol) Cycloheptatrien in 250 *ml* absol. Äther läßt man unter Rühren in einer Reinstickstoff-Atmosphäre in 20 Min. 21,4 g (0,2 Mol) N-Methyl-anilin zutropfen. Dabei siedet der Äther unter Rückfluß. Nach beendeter Reaktion wird das Gemisch über eine 50 cm-Vigreux-Kolonne destilliert und die bei 118–124° übergehende Fraktion nochmals fraktioniert; Ausbeute: 5,6 g (60% d.Th.); Kp_{60}: 121–122° (farblos); n_D^{20} = 1,4969.

Cyclohepten[1]: In einem 2-*l*-Kolben, der mit Vibro-Mischer, Tropftrichter und Rückflußkühler versehen ist, werden 0,5 *l* flüssiges Ammoniak und 23 g (1,0 g Atom) Natrium gegeben. Zu der blauen Lösung gibt man langsam 25 g (0,25 Mol) 92%iges Cycloheptatrien. Dann werden 32 g

[1] A. P. Ter Borg u. A. F. Bickel, R. **80**, 1229 (1961).
[2] Vgl. z.B.:
Neth. Appl. 6600702 (1966), Merck u. Co., Inc.; C. A. **65**, 20078 (1966).
J. Moritani et al., Bull Chem. Soc. Japan **40**, 1506 (1967); C. A. **67**, 73432 (1967).
[3] K. Hafner u. W. Rellensmann, B. **95**, 2567 (1962).

(1,0 Mol) Methanol zugefügt und das Ammoniak abgedunstet. Der Rückstand wird mit Wasser verdünnt und mit Äther extrahiert. Die Destillation des Extraktes gibt 10 g (41% d. Th.); Kp: 114°; $n_D = 1{,}4576$.

Die in flüssigem Ammoniak als Zwischenprodukt auftretende Mono-Metall-Verbindung reagiert mit Kohlendioxid zur *Cycloheptadien-(1,3)-5-carbonsäure*[1] und mit Alkylhalogeniden zu 5-Alkyl-cycloheptadienen-(1,3)[2]:

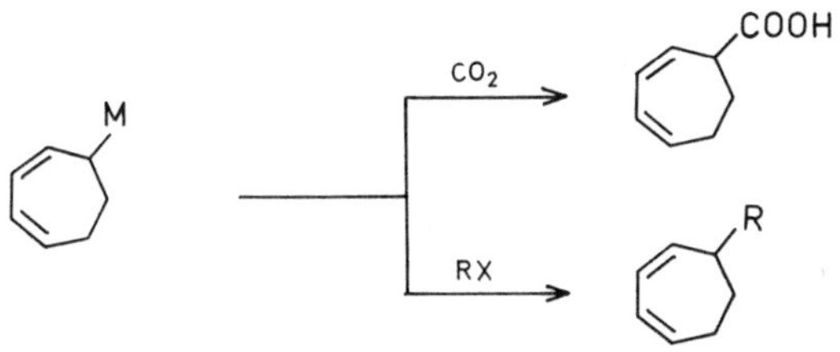

Vermeidet man die anionische Polymerisation des Cycloheptatriens durch Alkalimetalle indem man Benzyl-natrium mit Cycloheptatrien reagieren läßt, erhält man das *Cycloheptatrienid-Anion*[3]:

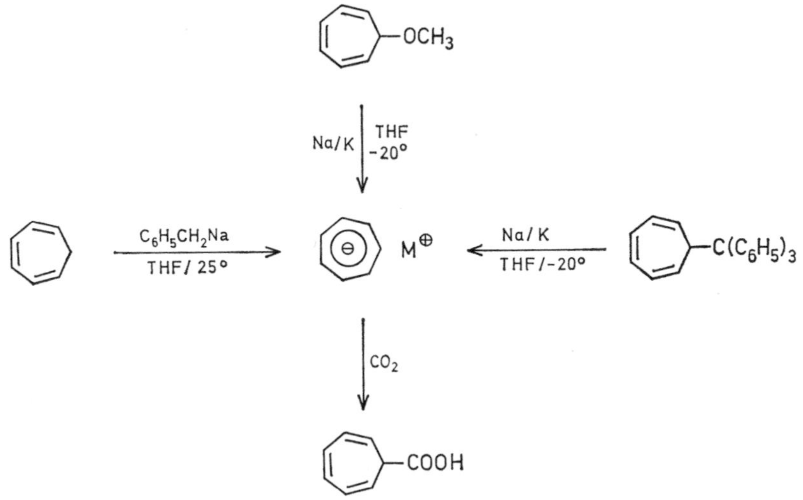

Letzteres ist allerdings weit besser durch Alkalimetall-Spaltung von 7-Methoxy- bzw. 7-Triphenylmethyl-cycloheptatrien bei −20° in Tetrahydrofuran zugänglich[3].

Als Zwischenprodukt tritt das *Cycloheptatrienid-Anion* auch bei der Hydrolyse von 7-Triphenylphosphonium-cycloheptatrien-tetrafluoroborat auf[4].

7,7-Dimethyl-cycloheptatrien-3-carbonsäure läßt sich mit Natriumamalgam in borat-gepufferter Lösung unter 1,4-Reduktion hydrieren[5]:

---

[1] A. P. Ter Borg u. A. F. Bickel, R. **80**, 1229 (1961).
[2] K. Hafner u. W. Rellensmann, B. **95**, 2567 (1967).
[3] H. J. Dauben u. M. R. Riff, Am. Soc. **85**, 3041 (1963).
[4] A. W. Johnson, Chem. & Ind. **1964**, 504.
[5] D. J. Pasto, J. Org. Chem. **27**, 2786 (1962).

I; *6,6-Dimethyl-cycloheptadien-(1,4)-3-carbonsäure*

II; *5,5-Dimethyl-cyclohepten-(1)-1-carbonsäure*

Von anderen Autoren wird die Natrium-amalgam-Reduktion des Natriumsalzes der gleichen Verbindung zur *5,5-Dimethyl-cyclohepten-(1)-1-carbonsäure* beschrieben[1].

d) Fragmentierungen und Umlagerungen von Cycloheptatrien-Derivaten

Die Bindung C_7-X läßt sich besonders leicht spalten, da das stabilisierte Tropylium-Kation entsteht. So wird die C—O-Bindung in Dicycloheptatrienyl-(7)-äther unter der katalytischen Einwirkung von Silicagel (Säurekatalyse!) unter Bildung von *Tropon* gespalten:

Diese Disproportionierung stellt ein geeignetes Verfahren zur Tropon-Synthese dar[2].

In gleicher Weise werden auch andere Cycloheptatrienyl-äther und -thioäther gespalten[3]:

X = O, S
R = Halogen, Alkyl, Aryl, OH, OCH_3
R′= Alkyl-, Aryl-, Tropyl-

Fragmentierungen nach dem Grob'schen Schema[4]:

$$a-C-C-C-X \longrightarrow a-C^{\oplus} + \gt C=C\lt + X^{\ominus}$$

werden ebenfalls beschrieben[5].

---

1 J. Gripenberg, Acta Chem. Scand. **3**, 1137 (1949).
2 A. P. Ter Borg et al., Helv. **43**, 457 (1960).
3 Brit. P. 887694 (1962), Shell Int. Research; C. A. **57**, 8462 (1962).
4 C. A. Grob, Experientia **13**, 126 (1957).
5 K. Conrow, Am. Soc. **81**, 5461 (1959).

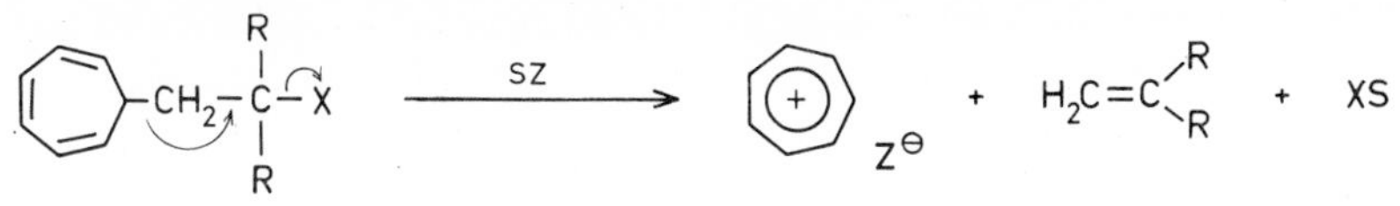

$C_7H_7-CH_2-CR_2-X \xrightarrow{SZ} C_7H_7^{+}\ Z^{\ominus} + H_2C{=}CR_2 + XS$

X = OH, Cl, Br
S = H, Ag
Z = ClO_4, BF_4
R = H, CH_3

Besonders leicht werden auch 2-Oxo-1-cycloheptatrienyl-(7)-propan und 2,4-Dioxo-3-cycloheptatrienyl-(7)-pentan gespalten[1]:

$C_7H_7-CH(R)-CO-CH_3 + HClO_4 \longrightarrow C_7H_7^{+}\ ClO_4^{\ominus} + R-CH_2-CO-CH_3$

R = H, $COCH_3$

Tropylium-perchlorat[1]: Eine Lösung von 140 mg (0,945 mMol) 2-Oxo-1-cycloheptatrienyl-(7)-propan (Tropylaceton) in 5 *ml* Eisessig wird mit 0,15 *ml* (~ 1,8 mMol) 70%iger Perchlorsäure versetzt. Nach 12 Min. scheiden sich die ersten Kristalle ab. Nach 3 Stdn. erhält man 108 mg (54% d. Th).

In gleicher Weise ist auch die Spaltung von Cycloheptatrienyl-(7)-malonsäure mit Brom, Säuren oder Lewissäuren zu erklären[2]:

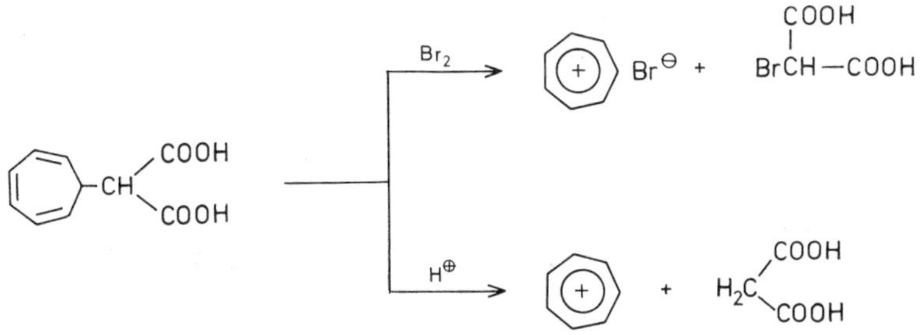

$C_7H_7-CH(COOH)_2 \xrightarrow{Br_2} C_7H_7^{+}\ Br^{\ominus} + BrCH(COOH)-COOH$

$C_7H_7-CH(COOH)_2 \xrightarrow{H^{\oplus}} C_7H_7^{+} + H_2C(COOH)_2$

Tropylcarbeniumionen können in verschiedener Weise weiter reagieren. So erfolgt die Solvolyse von 7-(3,5-Dinitro-benzoyloxymethyl)-cycloheptatrien überwiegend ohne Umlagerung bei geringer *Styrol*-Bildung[3]:

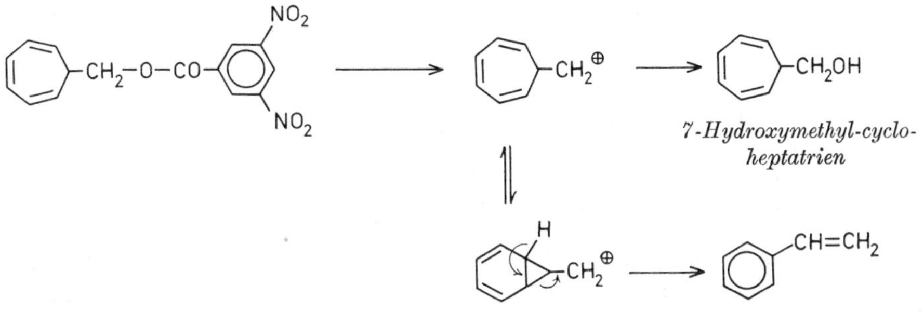

$C_7H_7-CH_2-O-CO-C_6H_3(NO_2)_2 \longrightarrow C_7H_7-CH_2^{\oplus} \longrightarrow C_7H_7-CH_2OH$

7-Hydroxymethyl-cycloheptatrien

$C_7H_7-CH_2^{\oplus} \rightleftharpoons$ (Norcaradienyl-$CH_2^{\oplus}$, H) $\longrightarrow C_6H_5-CH{=}CH_2$

[1] K. CONROW, Am. Soc. **81**, 5461 (1959).
[2] M. E. VOLPIN u. I. S. AKHREM, Doklady Akad. Nauk SSSR **161**, 597 (1965); C. A. **63**, 1729 (1965).
[3] G. D. SARGENT, N. LOWRY u. S. D. REICH, Am. Soc. **89**, 5988 (1967).

Die Solvolyse von 5-Tosyloxymethyl-5H-⟨dibenzo-[a;e]-cycloheptatrien⟩ liefert in Eisessig über 90% unumgelagertes *5-Acetoxymethyl-5H-⟨dibenzo-[a;e]-cycloheptatrien⟩*, während in Gegenwart von 3 Mol Natriumacetat ausschließlich Ringerweiterung zum *5-Acetoxy-5,6-dihydro-⟨dibenzo-[a;e]-cyclooctatetraen⟩* eintritt[1]:

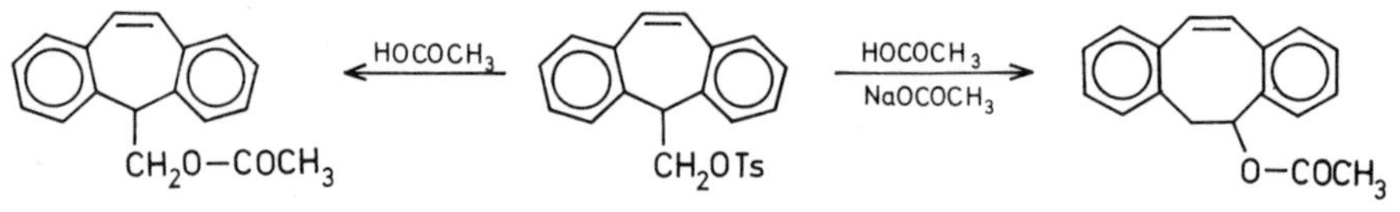

Interessante Reaktionen gibt die Thermolyse des 2-(N'-Natrium-tosylhydrazono)-1-cycloheptatrienyl-(7)-1-phenyl-äthans (I) in 1,4-Dioxan[2]:

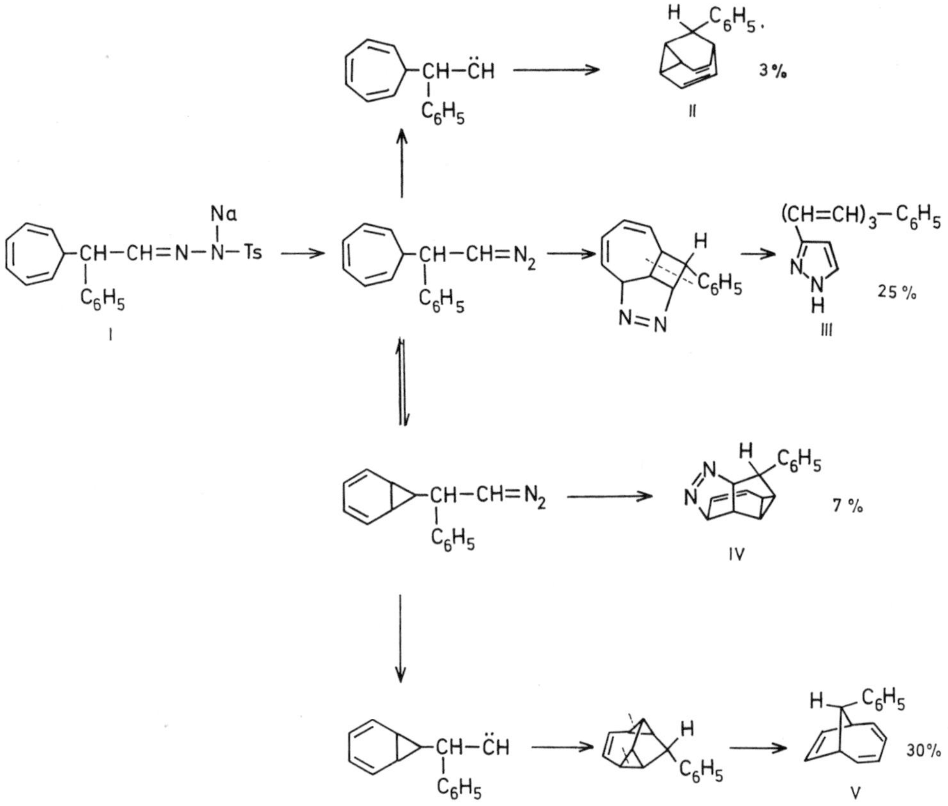

II; *9-Phenyl-tricyclo[3.3.1.0^2,8]nonadien-(3,6)*
III; *3-[6-Phenyl-hexatrien-(1,3,5)-yl]-pyrazol*
IV; *5-Phenyl-2,3-diaza-tetracyclo[5.2.2.0^4,9.0^6,8]undecadien-(2,10)*
V; *9-Phenyl-bicyclo[4.2.1]nonatrien-(2,4,7)*

Die Reaktionsprodukte III und IV lassen sich deuten, wenn man eine primäre 1,3-dipolare Addition der als Vorstufe entstehenden Diazo-Verbindung an die 1,2-Doppelbindung des Cycloheptatriens bzw. an die 2,3-Doppelbindung des valenzisomeren Nor-

[1] E. Cioranescu, C. D. Nenitzescu et al., Tetrahedron Letters **1964**, 3835.
[2] H. Tsuruda, K. Ku Abayashi u. T. Mukai, Tetrahedron Letters **1967**, 3775; Am. Soc. **90**, 7167 (1968).

caradiens annimmt. Die aus dem Diazoalkan entstehenden Carbene können entweder die 3,4-Bindung im Cycloheptatrien unter Bildung eines Homotropyliden-Derivates oder die 2,3-Bindung im Norcaradien mit nachfolgender Valenzisomerisierung zu V angreifen. Die Bildung der verschiedenartigen Reaktionsprodukte stellt ein schönes Beispiel für die Reaktivität von Cycloheptatrienen (Carbenaddition, Valenzisomerisierung und Additionsreaktion an seine Doppelbindungen) dar.

C. Metallkomplexe des Cycloheptatriens

(vgl. a. ds. Handb., Bd. XIII, Metall-π-Komplexe)

Die C=C-Doppelbindungen des Cycloheptatriensystems können als Liganden in Metallkomplexen fungieren. Besonders stabile Komplexe erhält man, wenn alle drei C=C-Doppelbindungen Koordinationsstellen des Metalls besetzen, wie etwa in den Cycloheptatrientricarbonyl-Komplexen der Metalle der VI. Nebengruppe. So bilden sich der Chrom- und der Molybdän-Komplex schon bei einfachem Erhitzen von Cycloheptatrien mit den Hexacarbonylen[1]:

+ $M(CO)_6$ → (−3 CO) $M(CO)_3$

M = Cr; *Cycloheptatrien-chrom-tricarbonyl*
M = Mo; *Cycloheptatrien-molybdän-tricarbonyl*

Cycloheptatrien-metall-tricarbonyl-Komplex (Metall = Chrom, Molybdän)[2, vgl. a. 3]: Das Metallhexacarbonyl wird unter Stickstoff mit dem reinen Kohlenwasserstoff oder mit einer Lösung des Kohlenwasserstoffes in Petroläther (Kp: 100–120°) am Rückfluß erhitzt.

Die Reaktionszeiten mit Cycloheptatrienen variieren von 7 Stdn. für Molybdänhexacarbonyl bis 15 Stdn. für Chromhexacarbonyl. Anschließend wird das Lösungsmittel i. Vak. entfernt und der Überschuß Metallcarbonyl bei 40°/0,05 Torr absublimiert. Der Rückstand wird mit Petroläther extrahiert, die Lösung filtriert und auf −60° abgekühlt. Das Produkt kristallisiert aus.

Setzt man substituierte Cycloheptatriene ein, so bilden sich ebenfalls die entsprechenden Komplexe. Dabei ist von Interesse, daß beim 7-Phenyl-cycloheptatrien die Komplexbildung nicht mit dem Aromaten sondern mit dem 7-Ring-System erfolgt[2]:

$M(CO)_6$ → (−3 CO) $M(CO)_3$

M = Cr; *7-Phenyl-cycloheptatrien-chrom-tricarbonyl*
Mo; *7-Phenyl-cycloheptatrien-molybdän-tricarbonyl*

Die auf diese Weise hergestellten 7-substituierten Komplexe haben überwiegend *endo*-Struktur (d.h. der Substituent in 7-Stellung steht auf der Seite des Metallatoms)[4].

---

[1] E. W. Abel, M. A. Bennett u. G. Wilkinson, Pr. Chem. Soc. **1958**, 152.
[2] E. W. Abel, M. A. Bennett, R. Burton u. G. Wilkinson, Soc. **1958**, 4559.
[3] W. Strohmeier, B. **94**, 2490 (1961).
[4] P. L. Pauson, G. E. Smith u. J. H. Valentine, Soc. [C] **1967**, 1061.

Die *exo*-Verbindung entsteht bei der Umsetzung mit Chromhexacarbonyl nur dann als Nebenprodukt, wenn in 7-Stellung eine Cyan- oder eine Phenyl-Gruppe steht:

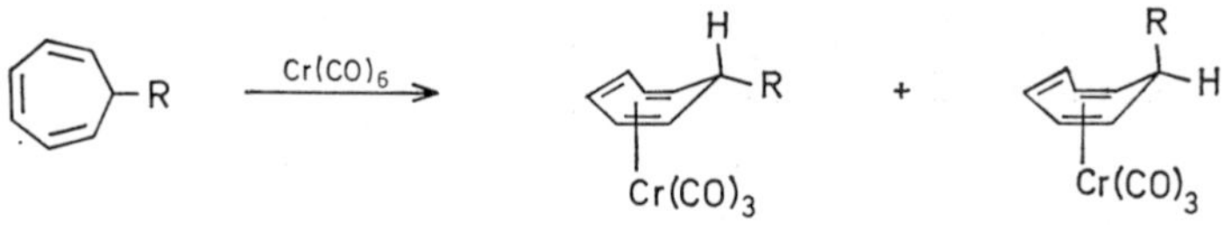

$Cr(CO)_6$ → $Cr(CO)_3$ *endo* + $Cr(CO)_3$ *exo*

R = CN; *7-Cyan-* } *cycloheptatrien-chrom-tricarbonyl*
R = C_6H_5; *7-Phenyl-*

Die *exo*-Verbindung erhält man dagegen ausschließlich wenn man die durch Hydrid-Abstraktion aus dem Cycloheptatrien-Komplex erhältlichen Tropylium-Komplexe[1] oder den 7-Methoxy-cycloheptatrien-Komplex mit Lewis-Basen umsetzt[2,3]:

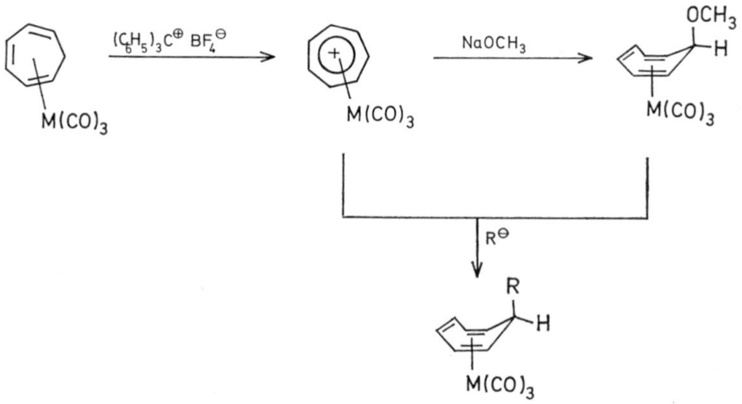

$M(CO)_3$ —$(C_6H_5)_3C^{\oplus}\ BF_4^{\ominus}$→ $M(CO)_3$ —$NaOCH_3$→ OCH_3, H, $M(CO)_3$; —$R^{\ominus}$→ R, H, $M(CO)_3$

M = Cr; Mo

R =		
CN;	*7-Cyan-*	*cycloheptatrien-chrom-tricarbonyl bzw. -molybdän-tricarbonyl*
$CH(COOC_2H_5)_2$;	*7-Diäthoxycarbonylmethyl-*	
CH_3;	*7-Methyl-*	
C_6H_5;	*7-Phenyl-*	
$C{\equiv}C{-}C_6H_5$;	*7-Phenyläthinyl-*	
C_5H_5;	*7-Cyclopentadienyl-*	
$N(CH_3)_2$;	*7-Dimethylamino-*	
$4\text{-}CH_3{-}C_6H_4{-}S{-}$;	*7-(4-Methyl-phenylmercapto)-*	
$CH_2{-}C{\equiv}CH$;	*7-Propin-(2)-yl-*	
$CH_2{-}COOC_2H_5$;	*7-Äthoxycarbonylmethyl-*	

Diese Reaktionen sind den auf S. 405 beschriebenen Umsetzungen des nicht-komplexierten Cycloheptatriens völlig analog.

Die entsprechenden Wolfram-Komplexe sind durch Umsetzung mit Wolframhexacarbonyl nicht herstellbar, da dieses Carbonyl unter den Reaktionsbedingungen

---

[1] H. J. DAUBEN u. L. R. HANNON, Am. Soc. **89**, 5570 (1958).
J. D. MUNRO u. P. L. PAUSON, Pr. chem. Soc. **1959**, 267.

[2] P. L. PAUSON, G. H. SMITH u. J. H. VALENTINE, Soc. [C] **1967**, 1057.

[3] J. D. MUNRO u. P. L. PAUSON, Soc. **1961**, 3475, 3479, 3484 (1961).

nicht stabil ist[1,2]. Dagegen erhält man den Wolfram-Komplex durch Reaktion des Cyclooctadien-(1,5)-wolframtetracarbonyls mit Cycloheptatrien[2] oder noch besser aus dem einfach zugänglichen[3] Acetonitril-Komplex des Wolframtricarbonyls[4,5]:

$W(CO)_4$ —(−CO)→ $W(CO)_3$ ← $(CH_3CN)_3W(CO)_3$

Cycloheptatrien-wolfram-tricarbonyl[4,5]: Ein Gemisch von 1,17 g (3 mMol) $(CH_3CN)_3W(CO)_3$ einem Überschuß von Cycloheptatrien (2 *ml*) und 50 *ml* Hexan wird mindestens 16 Stdn. am Rückfluß unter Rühren (Magnetrührer) gekocht. Während dieser Periode löst sich das gelbe $(CH_3CN)_3W(CO)_3$ langsam auf und es bildet sich die rote Lösung des Olefin-Komplexes. Anschließend wird heiß filtriert und mit wenig heißem Hexan gewaschen. Beim Abkühlen auf −78° scheiden sich die Kristalle des Komplexes ab, der durch Sublimation bei 80° (0,1 Torr) gereinigt wird; Ausbeute: 69% d.Th.; F: 115–121°.

In Tab. 19 (S. 408) sind die Reaktionsprodukte von Cycloheptatrienen mit Metallcarbonylen der VI. Nebengruppe des Periodensystems aufgeführt.

Bei der Reaktion von π-Cyclopentadienyl-π-benzol-chrom(I) mit Cycloheptatrien erhält man den 5-Ring-7-Ring-Aromaten-π-Komplex in dem ein Tropylium-Ring als Ligand gebildet worden ist[6]:

Cr^I (I) + Cycloheptatrien —($AlCl_3$)→ $[Cr^I]^{\oplus}$ —(Reduktion)→ Cr^0

π-Cyclopentadienyl-π-cycloheptatrienyl-chrom(0)

Noch einfacher läßt sich dieser Komplex durch direkte Umsetzung der beiden Olefine mit wasserfreiem Chrom(III)-chlorid unter reduzierenden Bedingungen herstellen[7]:

Cycloheptatrien + Cyclopentadien + $CrCl_3$ —(iso-C_3H_7MgBr)→ Cr-Komplex

[1] M. A. Bennett, L. Pratt u. G. Wilkinson, Soc. **1961**, 2037.
[2] T. A. Manuel u. F. G. A. Stone, Chem. Ind. **1960**, 231.
[3] C. P. Tate, J. M. Angl u. W. Kripple, Inorg. Chem. **1**, 433 (1962).
[4] R. B. King u. A. Fronzaglia, Inorg. Chem. **5**, 1837 (1966).
[5] R. B. King u. A. Fronzaglia, Chem. Commun. **1965**, 547.
[6] E. O. Fischer u. S. Breitschaft, B. **99**, 2905 (1966).
[7] R. B. King u. M. B. Bisneter, Tetrahedron Letters **1963**, 1137.

Tab. 19. Cycloheptatrien-Komplexe mit Metallen der VI. Nebengruppe durch Umsetzung von Cycloheptatrienen mit Metallcarbonylen

Ausgangsprodukte		Komplex	Ausbeute [% d.Th.]	F [°C]	Farbe	Literatur
Cycloheptatrien	$Cr(CO)_6$	Cycloheptatrien-chrom-tricarbonyl ($Cr(CO)_3$)	90	128–130 (Zers.)	rot	1
	$Cr(CO)_3(Py)_3$		80	128–130	rot	2
	$Mo(CO)_6$	*Cycloheptatrien-molybdän-tricarbonyl* ($Mo(CO)_3$)	58	94–95	rot	1,3
	$W(CH_3CN)_3(CO)_3$	*Cycloheptatrien-wolfram-tricarbonyl* ($W(CO)_3$)	69	115–121	rot	4
7-D-Cycloheptatrien	$(THF)_3Mo(CO)_3$	*7-Deutero-cycloheptatrien-molybdän-tricarbonyl* ($Mo(CO)_3$)	b)	94–95	b)	5

b) keine Angaben in der Literatur.

[1] E. W. Abel, M. A. Bennett, R. Burton u. G. Wilkinson, J. Chem. Soc. **1958**, 4559.
W. Strohmeier, B. **94**, 2490 (1961).

[2] P. L. Pauson, G. H. Smith u. J. H. Valentine, Soc. [C] **1967**, 1061.

[3] F. A. Cotton, J. A. McCleverty u. J. E. White, Inorg. Synth. **9**, 121 (1967); C. A. **67**, 32764 (1967).
H. Bock u. H. Tom-Dieck, Z. Naturf. **21 b**, 739 (1966).

[4] R. B. King u. A. Fronzaglia, Inorg. Chem. **5**, 1837 (1966).

[5] W. R. Roth u. W. Grimme, Tetrahedron Letters **1966**, 2347.

Tabelle 19. (1. Fortsetzung)

Ausgangsprodukte		Komplex		Ausbeute [% d.Th.]	F [°C]	Farbe	Literatur
Cycloheptatrien–CH_3	$Cr(CO)_6$	$C_7H_7CH_3 \cdot Cr(CO)_3$ *endo-7-Methyl-cycloheptatrien-chrom-tricarbonyl*			72–73		1,2
	$Mo(CO)_6$	$C_7H_7CH_3 \cdot Mo(CO)_3$ *7-Methyl-cycloheptatrien-molybdän-tricarbonyl*		a)			1
Cycloheptatrien–C_6H_5	$Cr(CO)_6$	$C_7H_7C_6H_5 \cdot Cr(CO)_3$ *7-Phenyl-cycloheptatrien-chrom-tricarbonyl*	*endo*	20	114–115	rot	2
			exo	47	134–135	rot	1,2
	$Mo(CO)_6$	$C_7H_7C_6H_5 \cdot Mo(CO)_3$ *7-Phenyl-cycloheptatrien-molybdän-tricarbonyl*		b)	a)	rot	1

a) Zers. bei 150° ohne Schmelzen.
b) keine Angaben in der Literatur.

[1] E. W. Abel, M. A. Bennett, R. Burton u. G. Wilkinson, J. Chem. Soc. **1958**, 4559
W. Strohmeier, B. **94**, 2490 (1961).

[2] P. L. Pauson, G. H. Smith u. J. H. Valentine, Soc. [C] **1967**, 1061.

Tabelle 19. (2. Fortsetzung)

Ausgangsprodukte		Komplex	Ausbeute [% d.Th.]	F [°C]	Farbe	Literatur
	$Cr(CO)_6$	$Cr(CO)_3$ *Bi-cycloheptatrienyl-(7)-chrom-tricarbonyl*	b)	b)	rot	1
	$Mo(CO)_6$	$Mo(CO)_3$ *Bi-cycloheptatrienyl-(7)-molybdän-tricarbonyl*	b)	a)		1
		$(CO)_3Mo$ $Mo(CO)_3$ *Bi-cycloheptatrienyl-(7)-bis-[molybdän-tricarbonyl]*	4	a)	rot	1
O	$Mo(CO)_6$	O $(CO)_3Mo$ $Mo(CO)_3$ *Dicycloheptatrienyl-(7)-äther-bis-[molybdän-tricarbonyl]*	2	a)		1

a) Zers. bei 150° ohne Schmelzen.
b) keine Angaben in der Literatur.

1 E. W. Abel, M. A. Bennett, R. Burton u. G. Wilkinson, J. Chem. Soc. **1958**, 4559
W. Strohmeier, B. **94**, 2490 (1961).

Ausgangsprodukte		Komplex	Ausbeute [% d.Th.]	F [°C]	Farbe	Literatur
$-CH_2-COOC_2H_5$	$Cr(CO)_6$	$-CH_2-COOC_2H_5$, $Cr(CO)_3$ *7-Äthoxycarbonylmethyl-cycloheptatrien-chrom-tricarbonyl*	67	78–79	rot	1
	$Mo(CO)_6$	$-CH_2-COOC_2H_5$, $Mo(CO)_3$ *7-Äthoxycarbonylmethyl-cycloheptatrien-molybdän-tricarbonyl*	20	114–115	orange	1
$-CH(COOC_2H_5)-COOC_2H_5$	$Cr(CO)_6$	$-CH(COOC_2H_5)-COOC_2H_5$, $Cr(CO)_3$ *7-Diäthoxycarbonylmethyl-cycloheptatrien-chrom-tricarbonyl*	50	77–78	rot	1
$-CH_2-C\equiv CH$	$Cr(CO)_6$	$-CH_2-C\equiv CH$, $Cr(CO)_3$ *7-Propin-(2)-yl-cycloheptatrien-chrom-tricarbonyl*	38	78–79	rot	1
$-CN$	$Cr(CO)_6$	$-CN$, $Cr(CO)_3$ *endo*	70	105–110	rot	1
		exo *7-Cyan-cycloheptatrien-chrom-tricarbonyl*	12	134–135	rot	1
		$-CN\ Cr(CO)_5$ *7-Cyan-cycloheptatrien-chrom-pentacarbonyl*	20		gelb	1

[1] P. L. PAUSON, G. H. SMITH u. J. H. VALENTINE, Soc. [C] **1967**, 1061.

π-Cyclopentadienyl-π-cycloheptatrienyl-chrom(0)[1]: Ein Gemisch von 0,1 Mol wasserfreiem Chrom(III)-chlorid, 0,12 Mol Cyclopentadien und 0,25 Mol Cycloheptatrien wird mit einer Lösung von 0,5 Mol Isopropyl-magnesiumbromid in Diäthyläther bei −78° versetzt. Das Reaktionsgemisch läßt man langsam auf Raumtemp. kommen und rührt noch einige Stdn. bei Raumtemperatur. Dann zersetzt man durch allmähliche Zugabe von Methanol bei −78°. Aus der luftempfindlichen grün-braunen Lösung können beim Abdampfen (bei 20 Torr) und Sublimation des Rückstandes dunkelgrüne Kristalle isoliert werden; F: ~ 225°. Die weitere Reinigung erfolgt durch Waschen mit Pentan und Resublimation bei 80–100°/0,1 Torr.

Ein besonderes Interesse beanspruchen Komplexe, bei denen nicht alle C=C-Doppelbindungen des Cycloheptatriens zur Komplexbildung herangezogen werden, die als *dihapto-* bzw. *tetrahapto*-Komplexe, je nachdem ob eine oder zwei C=C-Doppelbindungen gebunden sind, bezeichnet werden[2]. Demnach stellen die oben besprochenen Komplexe *Hexahapto*-cycloheptatrien-Komplexe und *Heptahapto*-tropylium-Komplexe dar. So bildet sich aus Cycloheptatrien und Eisenpentacarbonyl ein Eisentricarbonyl-Komplex der folgenden Struktur[3,4], in der ein *1,2,3,4-Tetrahapto*-Komplex vorliegt:

$$+ Fe(CO)_5 \xrightarrow{-2\,CO} Fe(CO)_3 \xrightarrow[(C_6H_5)_3P]{h\nu} (CO)_2Fe\,P(C_6H_5)_3$$

Beim Belichten dieses Komplexes in Gegenwart von Triphenylphosphin läßt sich eine Carbonyl-Gruppe ohne Strukturänderung gegen den Phosphin-Liganden austauschen[5].

Unter den reduktiven Bedingungen der „Isopropyl-Grignard-Methode“[6] bildet sich aus Eisen(III)-chlorid und Cycloheptatrien der *Cycloheptatrien-eisen-cyclo-heptadien-(1,3)*-Komplex[7].

Zwei verschiedene Olefin-Liganden enthält auch der *Cyclooctadien-cycloheptatrien*-Komplex des *Rutheniums*[8]:

$$RuCl_2 + \xrightarrow{iso\text{-}C_3H_7MgX} Ru$$

Anderseits wird bei der Umsetzung von Ruthenium(III)-chlorid mit Cycloheptatrien nur ein *tetrahapto*-Komplex gebildet:

$$RuCl_3 + \longrightarrow \left[Ru\begin{matrix}Cl\\Cl\end{matrix} \right]_x$$

***tetrahapto*-Cycloheptatrien-ruthenium(II)-dichlorid**[8]: Ein mMol $RuCl_3 \cdot xH_2O$ (34,6% Ru) werden mit 1 *ml* Cycloheptatrien 2 Tage in 10 *ml* Äthanol auf 50° erhitzt. Der braune Niederschlag wird mit Methanol gewaschen und bei Raumtemp. i. Hochvak. getrocknet; Ausbeute: 65% (d. Th.); Zers. P. 250°.

---

[1] R. B. King u. M. B. Bisneter, Tetrahedron Letters **1963**, 1137.
[2] F. A. Cotton, Am. Soc. **90**, 6230 (1968).
[3] H. J. Dauben u. D. J. Bertelli, Am. Soc. **83**, 498 (1961).
[4] R. Burton, L. Pratt u. G. Wilkinson, Soc. **1961**, 594 (1961).
[5] F. M. Chandhari u. P. L. Pauson, Organometall. Chem. **5**, 73 (1966).
[6] E. O. Fischer u. J. Müller, Z. Naturforsch. **17b**, 776 (1962); **18b**, 413, 1137 (1963); B. **96**, 3217 (1963).
[7] J. Müller u. E. O. Fischer, J. Organometal. Chem. **5**, 275 (1966).
[8] G. Winkhaus u. H. Singer, J. Organometal. Chem. **7**, 487 (1967).

Besonders interessant werden diese Komplexe, wenn sie nach Hydrid-Abstraktion ein C_7H_7-Skelett enthalten, in dem nicht alle C=C-Doppelbindungen an der Komplexbildung beteiligt sind. Es entstehen dann fluktuierende Metall-Komplexe, in denen eine schnelle intramolekulare Umkomplexierung durch Verschiebung des Metallatoms im Ringsystem erfolgt. Solche fluktuierende metallorganische Verbindungen geben sich durch die Temperaturabhängigkeit ihrer NMR-Spektren zu erkennen[1]. So werden in dem nach folgendem Schema hergestellten Wolfram-Komplex I[2] nur drei Kohlenstoffatome über einen π-Komplex an das Wolfram gebunden.

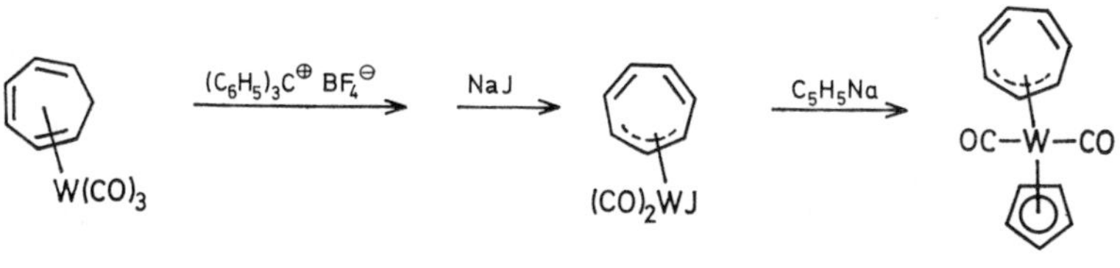

$$\text{W(CO)}_3 \xrightarrow{(C_6H_5)_3C^{\oplus}\ BF_4^{\ominus}} \xrightarrow{\text{NaJ}} \text{(CO)}_2\text{WJ} \xrightarrow{C_5H_5Na} \text{OC—W—CO}\ \ \text{I}$$

I; *(5,6,7-Trihaptocycloheptatrienyl)-(pentahapto-cyclopentadienyl)-wolfram-dicarbonyl*

Bei Raumtemperatur wandert jedoch das Metallatom so schnell über den ganzen Ring, daß die Protonen im NMR-Spektrum alle äquivalent erscheinen[2]:

usw.

Erst unterhalb von $-50°$ werden[3] diese Prozesse „langsam" im Sinne der NMR-Zeit-Skala[4].

Auch im *(1,2,3-trihapto-4,5,6,7-tetrahapto-Cycloheptatrienyl)-[(pentahapto-cyclopentadienyl)-molybdän-dicarbonyl]-eisen-tricarbonyl* (II) liegt eine fluktuierende Struktur vor[3]. In dieser Verbindung wandert sowohl das Eisen — als auch das Molybdänatom im 7-Ring.

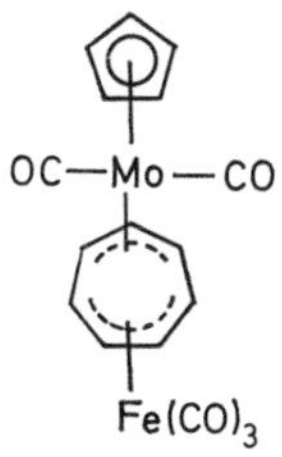

OC—Mo—CO

$Fe(CO)_3$ II

Detailierte Analysen der NMR-Spektren haben ergeben, daß der Platzwechsel durch aufeinanderfolgende 1,2-Verschiebungen erfolgt und nicht etwa durch größere

---

[1] F. A. Cotton, Accounts of Chem. Research **1**, 257 (1968).
[2] R. B. King u. A. Fronzaglia, Inorg. Chem. **5**, 1837 (1966).
[3] F. A. Cotton u. C. R. Reich, Am. Soc. **91**, 847 (1969).
[4] H. Kessler, Ang. Ch. **82**, 237 (1970); Int. Ed.: **9**, 219 (1970).

Sprünge über den Ring hinweg (1,3- oder 1,4-Verschiebungen)[1,2]. Die letzteren Prozesse waren keinesfalls a priori auszuschließen, da man eine Reihe von thermischen 1,5-Verschiebungen bzw. photochemischen 1,3 und 1,7-Verschiebungen kennt.

Bezüglich weiterer Einzelheiten fluktuierender Komplexe sei auf die Literatur verwiesen[1,2].

D. Cycloheptatrienyl-Radikale und -Carbene

In diesem Kapitel sollen die Bildungsweisen und Reaktionen von Cycloheptatrienyl-Radikalen I und Cycloheptatrienyliden II besprochen werden. Den Zusammenhang mit Cycloheptatrien selbst, sowie dem Tropyliumion und dem Cycloheptatrienyl-Anion zeigt die folgende Gegenüberstellung:

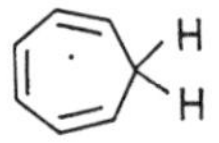

C_7H_8

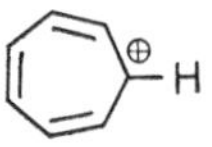

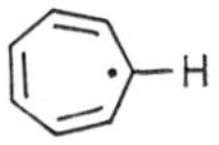

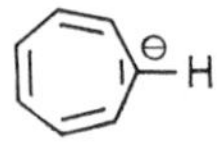

C_7H_7

I

C_7H_6

II

Bildungsweise und Reaktionen des aromatischen Tropylium-Kations werden im Bd. V/2 dieses Handbuches ausführlich beschrieben. Die Cycloheptatrienyl-Anionen wurden im Zusammenhang mit den Reaktionen des Cycloheptatrien-Systems mit Metallen und metallorganischen Verbindungen auf S. 400ff. besprochen.

Die Bildung des resonanz-stabilisierten *Cycloheptatrienyl-Radikals* I konnte spektroskopisch mehrfach bewiesen werden. Bei der Bestrahlung von Cycloheptatrien mit Elektronen bei −196° (feste Phase) entsteht I, das sich ESR-spektroskopisch erfassen läßt[3]. In der Gasphase oder im flüssigen Zustand läßt sich I durch Thermolyse[4] oder Blitzlicht-Photolyse[5] von Bi-cycloheptatrienyl-(7) herstellen, während die Bildung in Lösung auch durch Reduktion von Tropyliumkationen mit

[1] F. A. Cotton, Accounts Chem. Research, **1**, 257 (1968).
[2] J. W. Faller, Inorg. Chem. **8**, 767 (1969).
M. A. Bennett, R. Bramley u. R. Watt, Am. Soc. **91**, 3089 (1969).
D. Ciappenelli u. M. Rosenblum, Am. Soc. **91**, 6876 (1969).
[3] S. Arai et al., J. Chem. Phys. **37**, 1885 (1962).
[4] A. G. Harrison u. H. J. Dauben et al., Am. Soc. **82**, 5593 (1960).
G. Vincow u. H. J. Dauben et al., Am. Soc. **87**, 3527 (1965).
W. V. Volland u. G. Vincow, Am. Soc. **90**, 4537 (1968).
[5] B. A. Thrush u. J. J. Zwolenik, Proc. chem. Soc. **1962**, 339.

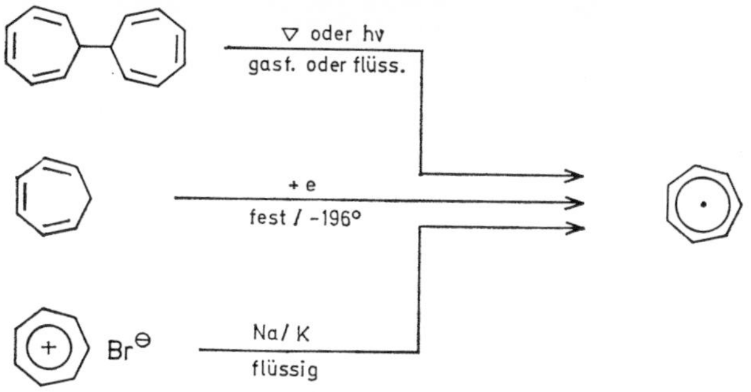

▽ oder hν
gasf. oder flüss.
+ e
fest / −196°
$Br^{\ominus}$
Na/K
flüssig
I

Metallen möglich ist[1]. Spektroskopische Untersuchungen ergeben ein im Sinne der ESR-Zeitskala ebenes Molekül. I spielt als Zwischenprodukt bei einer Reihe von Reaktionen eine Rolle. So läßt sich die Bildung von Bi-cycloheptatrienyl-(7) bei der Hydrierung von 7-substituierten Cycloheptatrienen[2] (S. 399) und bei der Reaktion des Tri-tert.-butyl-phenoxyl-Radikals[3] mit Cycloheptatrien erklären[4]:

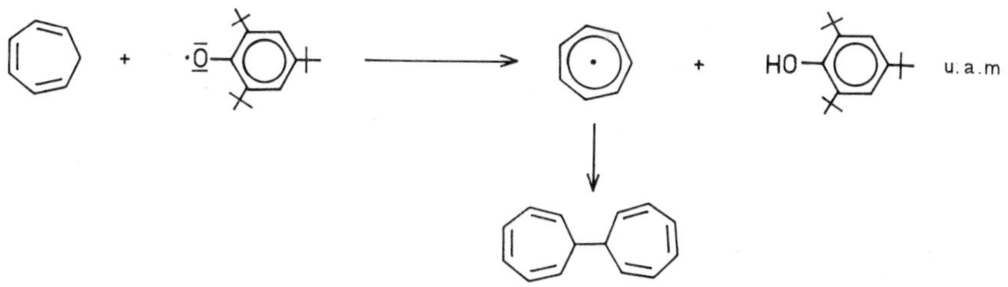

HO
u.a.m

Substituierte Cycloheptatrienyl-Radikale erhält man durch Reduktion von Tropyliumsalzen[5]; das *9-Phenyl-9H-⟨tribenzo-cycloheptatrienyl-Radikal⟩* läßt sich einfach durch Dissoziation der dimeren Form herstellen[6]:

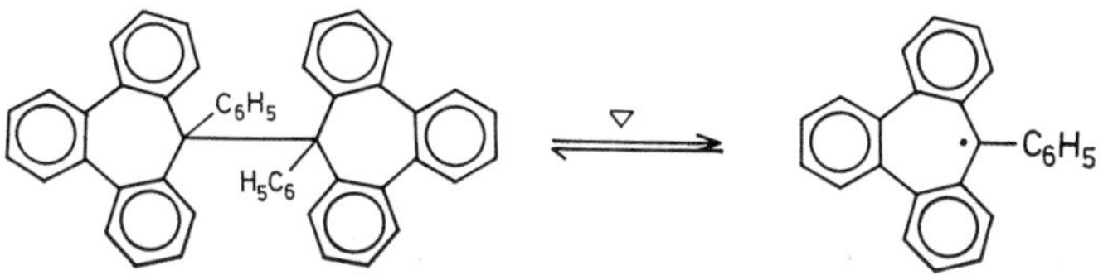

C_6H_5
H_5C_6
▽
C_6H_5

Die Struktur des Dimeren bedarf allerdings im Hinblick auf die neueren Ergebnisse am dimeren Triphenylmethyl[7] einer Bestätigung.

Bi-cycloheptatrienyliden (I) kann auf folgendem Weg hergestellt werden[8]:

---

[1] J. Dos Santos-Veiga, Mol. Phys. **5**, 639 (1962).
[2] K. Weiss, J. Org. Chem. **27**, 4714 (1962).
[3] Eu. Müller u. K. Ley, B. **87**, 922 (1954).
[4] C. M. Orlando u. K. Weiss, J. Org. Chem. **29**, 2493 (1964).
[5] R. Breslow u. H. W. Chang, Am. Soc. **84**, 1484 (1962).
M. A. Battiste, Am. Soc. **84**, 3780 (1962).
W. Tochtermann, G. Schnabel u. A. Mannschreck, A. **711**, 88 (1968).
[6] G. Wittig, E. Hahn u. W. Tochtermann, B. **95**, 431 (1962).
[7] H. Laukamp, W. T. Nauta u. C. Mac Lean, Tetrahedron Letters **1968**, 249.
[8] W. M. Jones u. C. L. Ennis, Am. Soc. **89**, 3069 (1967).

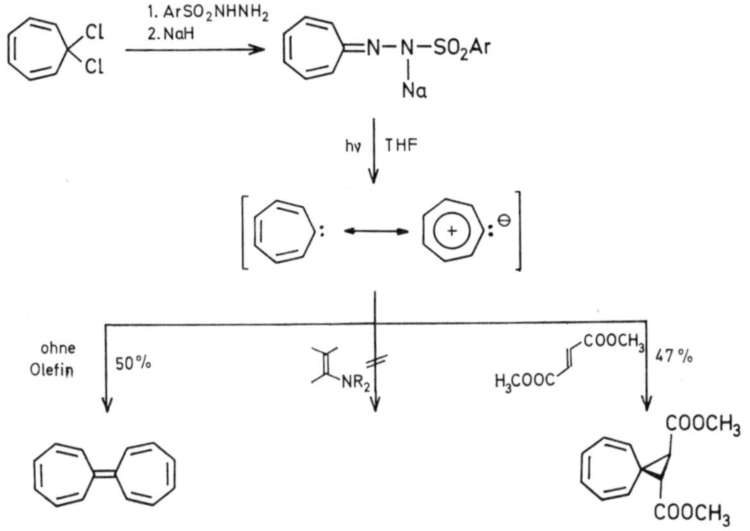

Das Carben reagiert **stark nucleophil**, wie man aus der oben aufgezeigten Ladungsverteilung ersehen kann. Man beobachtet daher keine Reaktion mit elektronenreichen Olefinen (Enaminen), dagegen eine in guten Ausbeuten verlaufende Addition an Fumarsäure-dimethylester zum Spirononatrien II.

Mit Maleinsäure-dimethylester wird durch vorherige photochemische Umlagerung zum Fumarsäure-dimethylester ebenfalls das *trans*-Produkt II erhalten[1]. Stereospezifisch reagieren dagegen Maleinsäure-dinitril und Fumarsäure-dinitril[1].

Über die entsprechenden Umsetzungen an benzo-substituierten Cycloheptatrienyliden wird in der Literatur berichtet[2]. Letztere reagieren nicht so ausgesprochen nucleophil, sondern eher wie normale Carbene. Es werden C—H-Einschiebungen und stereospezifische Reaktionen mit *cis*- und *trans*-Buten-(2) gefunden.

E. Bibliographie

Herstellung und Oxidation zu Tropyliumsalzen

A. Heusner, Ang. Ch. **70**, 639 (1958).

W. v. E. Doering u. H. Krauch, Ang. Ch. **68**, 661 (1956).

E. Müller, H. Kessler u. B. Zeeh, Fortschr. Chem. Forsch. **7**, 128 (1966).

Struktur und Ringinversion

W. Tochtermann, Fortschr. Chem. Forsch. **15/3**, 378 (1970).

C. H. Bushweller et al., Tetrahedron Letters **1970**, 453, und dort zit. Literatur.

Photochemie des Cycloheptatriens

L. B. Jones u. V. K. Jones, Fortschr. Chem. Forsch. **13/2**, 307 (1969).

A. R. Brember et al., Tetrahedron Letters **1970**, 2511; **1971**, 653.

Das Cycloheptatrien-Norcaradien-Gleichgewicht

G. Maier, Ang. Ch. **79**, 446 (1967): Int. Ed. **6**, 402 (1967).

R. Hoffmann, Tetrahedron Letters **1970**, 2907.

H. Günther, Tetrahedron Letters **1970**, 5173.

G. E. Hall u. J. D. Roberts, Am. Soc. **93**, 2203 (1971).

E. Ciganek, Am. Soc. **93**, 2207 (1971).

NMR-Spektren von Cycloheptatrienen

M. Görlitz u. H. Günther, Tetrahedron **25**, 4467 (1969).

H. Günther u. T. Keller, B. **103**, 3231 (1970).

9,10-Methanocyclodecapentaene

E. Vogel et al., Ang. Ch. **83**, 401, 403 (1971); Int. Ed. **10**, 398, 399 (1971), dort weitere Literatur.

[1] W. M. Jones, Tetrahedron Letters **1969**, 3909.

[2] S. Murahashi, I. Moritani u. M. Nishino, Am. Soc. **89**, 1257 (1967).

Methoden zur Herstellung und Umwandlung von Achtgliedrigen Ringsystemen mit Polyenstruktur[1]

bearbeitet von

Dr. HERBERT RÖTTELE

Institut für Organische Chemie der Universität (TH) Karlsruhe

Mit 7 Tabellen

Literatur berücksichtigt bis 1970, teilweise bis 1971.

[1] Herrn Prof. Dr. G. SCHRÖDER, Institut für Organische Chemie der Universität (TH) Karlsruhe, danken wir für die zahlreichen wertvollen Hinweise und Anregungen. Der Herausgeber.

Inhalt

Achtgliedrige Ringsysteme mit Polyen-Struktur 423

A_1. Cyclooctatetraen und seine Derivate 423

I. Cyclooctatetraene 424

a) nach der Methode von Willstätter 424

b) aus vier C_2-Einheiten (Reppe-Synthese) 425

c) aus zwei C_4-Einheiten 428

1. durch Dimerisation von Vierring-Verbindungen 428

α) zu unsubstituiertem Cyclooctatetraen 428

β) zu substituierten Cyclooctatetraenen 428

β_1) aus Cyclobutenen über Tricyclo[4.2.0.$0^{2,5}$]octadien-(3,7) 428

β_2) aus Cyclobutadien-Komplexen 429

β_3) über „in situ" hergestellte Vierring-Verbindungen 430

2. durch Dimerisation von α-Pyronen 430

3. durch Cyclisierung zweier C_4-Ketten 431

d) aus einer C_6- und einer C_2-Einheit 432

e) aus einer C_7- und einer C_2-Einheit unter Verlust eines C-Atoms 432

f) aus Achtringverbindungen 433

1. unsubstituiertes Cyclooctatetraen 433

2. Halogen-Derivate 433

3. Alkoxy-Derivate 435

4. Carboxy-Derivate 436

5. Alkyl- und Aryl-Derivate 437

II. Cyclooctatetraen mit einer *trans*-C=C-Bindung 447

III. Cyclooctatetraene mit Heteroatomen im Ring 447

a) Azacyclooctatetraene (Azocine) 447

b) 1,3,5,7-Tetrathiocin-Tetraanion 450

IV. Anellierte Cyclooctatetraene 450

a) mit ankondensiertem Vierring 450

b) mit ankondensiertem Fünfring 451

1. mit carbocyclischem Fünfring 451

2. mit heterocyclischem Fünfring 452

c) mit ankondensiertem Sechsring 454

d) mit ankondensiertem aromatischen Sechsring 455

1. Benzo-cyclooctatetraen 455

α) unsubstituiert 455

β) mit substituiertem Achtring 458

γ) mit substituiertem Benzolring 459

2. Dibenzo-cyclooctatetraene 461
α) unsubstituiert 461
β) substituiert 463
3. Dibenzo-cyclooctatetraen mit heterocyclischem Achtring 466
4. Tribenzo-cyclooctatetraen 467
5. Tetrabenzo-cyclooctatetraen, Tetraphenylen 467
e) mit ankondensiertem Siebenring 469
f) mit ankondensiertem Achtring 469

A_2. Cyclooctatrien und seine Derivate 471

I. Cyclooctatriene 471
a) stereospezifische conrotatorische Valenzisomerisierung von Octatetraenen zu Cyclooctatrienen-(1,3,5) 471
b) aus Butadien und Dienophilen 473
c) durch Acyloin-Kondensation 473
d) aus Cyclooctadien-(1,5) 474
e) aus Cyclooctatetraen 474
1. Cyclooctatrien-(1,3,5) bzw. -(1,3,6) 474
2. substituierte Derivate 475
α) Halogen-Derivate 475
β) Hydroxy- und Hydroxy-alkyl-Derivate 477
γ) Oxo-Derivate 479
δ) Stickstoff-Derivate 480
ε) Alkyl- und Aryl-Derivate 481
ζ) Methylen- und Bis-[methylen]-Derivate 483

II. Anellierte Cyclooctatriene 484
a) mit ankondensiertem Dreiring 484
1. mit carbocyclischem Dreiring 484
α) durch Carbenaddition an Cyclooctatetraen 484
β) durch Photosynthesen 487
γ) aus Cyclooctatetraen-Dianion 487
γ_1) und 1,1-Dihalogen-alkanen 487
γ_2) und Carbonsäure-chloriden 488
2. mit heterocyclischem Dreiring 489
b) mit ankondensiertem Vierring 490
1. mit carbocyclischem Vierring 490
α) Bicyclo[6.2.0]decatriene-(2,4,6) 490
β) Bicyclo[6.2.0]decatetraene-(2,4,6,9) 492
2. mit heterocyclischem Vierring 492
c) mit ankondensiertem Fünfring 492
d) mit ankondensiertem Sechsring 493
e) mit ankondensiertem aromatischen Sechsring 494
1. Benzo-cyclooctatriene 494
2. Dibenzo-cyclooctatriene 494
3. Benzo-heteracyclooctatriene 497

III. Überbrückte Cyclooctatriene 499
a) Bicyclo[4.2.1]nonatrien-(2,4,7) 499
1. unsubstituiert 499
2. substituiert 500
b) Bicyclo[4.2.2]decatetraen-(2,4,7,9) 502
1. unsubstituiert 502
2. substituiert 503
c) heterocyclische Bicyclo[4.2.2]decatetraene und -triene 506

IV. Cyclooctadiene s. Bd. V/1 b und c.

B. Umwandlung 508

I. Reaktionen unter Erhaltung des Achtringes 508
a) Reduktion 508
b) Reaktion zu aromatischen Acht-Ringsystemen 508
c) Bindungsverschiebung im Cyclooctatetraen 510
d) Metallkomplexe des Cyclooctatetraens 511

II. Reaktionen unter Ringverengung 514
a) Diels-Alder-Additionen 514
b) Photochemische Reaktionen 515
c) Reaktionen mit Säure bzw. Säure-Derivaten 516
d) Oxidation 516
e) Thermische Reaktionen 517
f) Umsetzungen zu Vierring-Verbindungen 519

III. Reaktionen unter Ringerweiterung 519
a) Cyclononatetraenyl-Anion 519
b) Aza-cyclononatetraen-(2,4,6,8) (Azonin) 521
c) Oxa-cyclononatetraen-(2,4,6,8) (Oxonin) 521
d) Cyclononatetraen-Anion-Radikal bzw. -Dianion 521
e) Annulene 522

IV. Reaktionen unter Spaltung des Achtringes 523

C. Bibliographie 525

Achtgliedrige Ringsysteme mit Polyen-Struktur

A_1. Cyclooctatetraen und seine Derivate

Cyclooctatetraen (kurz COT genannt) ist ein [8]Annulen, also ein cyclisches Polyolefin mit alternierenden Doppelbindungen:

Kp_{17}: 42–42,5°
n_D^{20}: 1,5394
goldgelb

Dieses Ringsystem besitzt 8π-Elektronen und gehorcht somit der 4n-Regel (für n = 2). Es ist demgemäß nicht-aromatisch. In seinem physikalischen und chemischen Verhalten zeigt es keine Analogien zu Benzol.

Die Tetraolefin-Struktur des Cyclooctatetraens wird durch die niedrigen Werte für die Resonanzenergie belegt (4,8 bzw. 2,4 kcal/Mol), die sich aus den Verbrennungs-[1,2] und Hydrierungswärmen[3] ergeben. Auch das NMR-Spektrum (Singulett bei τ = 4,32) unterstreicht eindeutig den nicht-aromatischen Charakter des Moleküls[4].

Das NMR-Spektrum von festem Cyclooctatetraen[5], die Raman- und IR-Spektren[6] sowie die Röntgen-Strukturanalyse[7] deuten auf eine Wannen-Konformation des Moleküls. Elektronenbeugungsversuche[8] an gasförmigem Cyclooctatetraen beweisen, daß die Struktur am besten durch die Wannen-Konformation mit D_{2d}-Molekülsymmetrie wiedergegeben wird:

H
1.476 Å
117.6±0.5°
1.340 Å
126.1±0.5°

Das Molekül des Cyclooctatetraens ist spannungsfrei, da jede der vier *cis*-verknüpften Doppelbindungen eine normale, planare Anordnung einnehmen kann[9]. Die C–C- und die C–H-Abstände entsprechen etwa den normalen Verhältnissen bei aliphatischen Verbindungen.

Das UV-Spektrum des Cyclooctatetraens[10] ist wenig charakteristisch und ungewöhnlich für eine Verbindung mit vier alternierenden Doppelbindungen (diese

---

1 H. D. Springall, T. R. White u. R. C. Cass, Trans. Faraday Soc. **50**, 815 (1954).
2 E. J. Prosen, W. H. Johnson u. F. D. Rossini, Am. Soc. **72**, 626 (1950).
3 R. B. Turner et al., Am. Soc. **79**, 4127 (1957).
4 F. A. L. Anet, Am. Soc. **84**, 671 (1962).
S. a. J. D. Roberts, Ž. vses. Chim. obšč. **7**, 367 (1962); C. A. **57**, 16025 (1962).
5 I. J. Lawrenson u. F. A. Rushworth, Nature **182**, 391 (1958).
6 M. S. C. Flett et al., Nature **159**, 739 (1947).
7 H. S. Kaufman, I. Fankuchen u. H. Mark, Nature **161**, 165 (1948).
8 K. Hedberg u. V. Schomaker, American Chemical Society Meeting, San Francisco 1949.
I. L. Karle, J. Chem. Physics **20**, 65 (1952).
O. Bastiansen, L. Hedberg u. K. Hedberg, J. Chem. Physics **27**, 1311 (1957).
M. Traetteberg, Acta chem. scand. **20**, 1724 (1966).
9 K. Freudenberg, Sitzungsberichte der Heidelberger Akademie der Wissenschaften **1931**, Heft 9.
10 W. Reppe et al., A. **560**, 1 (1948).
A. C. Cope u. W. J. Bailey, Am. Soc. **70**, 2305 (1948).

stehen nicht in Konjugation, da die π-Orbitale zweier benachbarter Doppelbindungen einen Winkel von nicht ganz 90° bilden). Das UV-Spektrum zeigt nur einen Anstieg der Extinktion nach kürzeren Wellenlängen hin. Die orangegelbe Farbe des Cyclooctatetraens wird durch eine relativ langwellige Lichtabsorption des Moleküls bedingt.

Im IR-Spektrum des Cyclooctatetraens[1] erscheint die Valenzschwingung der C=C-Doppelbindung bei 1635 cm^{-1}. Sie fällt in den Bereich der nicht konjugierten aliphatischen C=C-Doppelbindungen.

Das NMR-Spektrum des Cyclooctatetraens läßt auf eine schnelle und reversible Valenzisomerisierung schließen[2], die auch in substituierten Cyclooctatetraenen auftritt[3]. Es ist sehr wahrscheinlich, daß bei dieser Isomerisierung ein planarer Übergangszustand durchlaufen wird[4]:

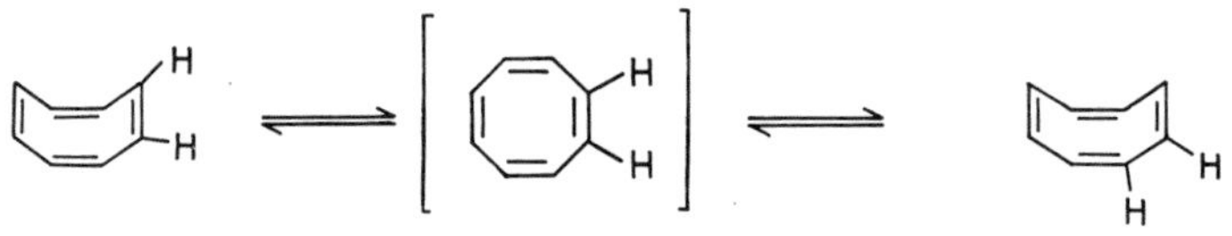

Die Benennung der verschiedenen Systeme wurde in Anlehnung an den Ring-Index von der Redaktion vorgenommen.

I. Cyclooctatetraene

a) nach der Methode von Willstätter[5]

Die Willstätter-Synthese besitzt nur noch historisches Interesse. Sie geht von dem Naturstoff Pseudopelletierin aus, der auf dem folgenden Wege in *Cyclooctatetraen* übergeführt wird:

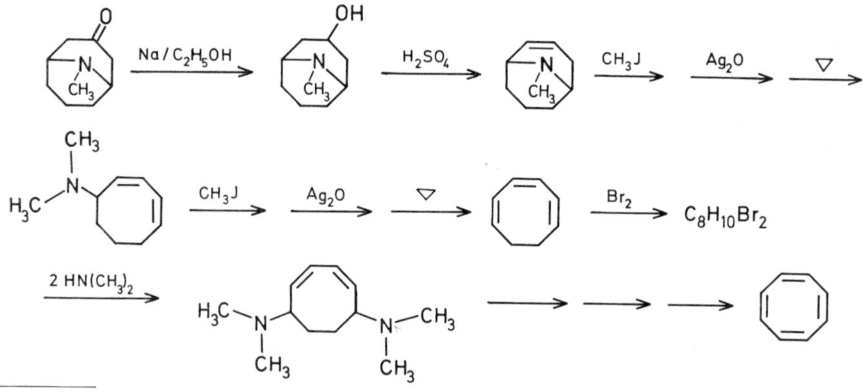

Na / C_2H_5OH → ; H_2SO_4 → ; CH_3J → ; Ag_2O → ; ▽ →

CH_3J → ; Ag_2O → ; ▽ → ; Br_2 → $C_8H_{10}Br_2$

2 $HN(CH_3)_2$ → → → →

---

1 E. R. Lippincott, R. C. Lord u. R. S. McDonald, Am. Soc. **73**, 3370 (1951).

2 F. A. L. Anet, Am. Soc. **84**, 671 (1962).
S.a. J. D. Roberts, Ž. vses. Chim. obšč. **7**, 367 (1962); C.A. **57**, 16025 (1962).

3 F. A. L. Anet, A. J. R. Bourn u. Y. S. Lin, Am. Soc. **86**, 3576 (1964).
D. E. Gwynn, G. M. Whitesides u. J. D. Roberts, Am. Soc. **87**, 2862 (1965).
J. F. M. Oth, R. Merényi, T. Martini u. G. Schröder, Tetrahedron Letters **1966**, 3087.

4 Berechnungen haben jedoch ergeben, daß die Bindungsverschiebung nicht über einen planaren Übergangszustand verlaufen muß. M. J. S. Dewar, A. Harget u. E. Haselbach, Am. Soc. **91**, 7521 (1969).

5 R. Willstätter u. E. Waser, B. **44**, 3423 (1911).
R. Willstätter u. M. Heidelberger, B. **46**, 517 (1913).

b) aus vier C_2-Einheiten (Reppe-Synthese)

Eine ergiebige, auch technisch durchführbare Synthese von *Cyclooctatetraen* und zahlreichen seiner Substitutionsprodukte ist die katalytische Cyclotetramerisierung von Acetylen bzw. von Acetylen mit seinen Derivaten. Man arbeitet dabei unter Druck und bei erhöhter Temperatur und verwendet als Katalysator vor allem Nickel(II)-cyanid oder die Nickel(II)-salze von Pentandion-(2,4), Salicylaldehyd und Acetessigsäure-äthylester:

$$4\ HC{\equiv}CH \xrightarrow{NiZ_2\ in\ THF/70-120°/15\ at} \text{Cyclooctatetraen}$$

$Z = CN^{\ominus}$, $H_3C-C(O^{\ominus})=CH-C(=O)-CH_3$, $H_3C-C(O^{\ominus})=CH-C(=O)-OCH_3$, o-$C_6H_4(CHO)O^{\ominus}$

Als Nebenprodukte entstehen hierbei Benzol (bis zu 15%), offenkettige Oligomere des Acetylens[1], eine sehr unerwünschte, den Reaktor verschmutzende, unlösliche, schwarze Masse (Nipren) sowie geringe Mengen an Styrol, 1-Phenyl-butadien-(1,3)[2], Vinyl-cyclooctatetraen[2], Azulen[3] und ein $C_{12}H_{12}$-Kohlenwasserstoff[3].

Die Reppe-Synthese des *Cyclooctatetraens* kann sowohl diskontinuierlich im Autoklaven als auch kontinuierlich in technischem Maßstab[4] durchgeführt werden. Durch chemische[5] und verfahrenstechnische Maßnahmen[6] läßt sich die störende Bildung von Nipren weitgehend vermindern.

Die Bildung des *Cyclooctatetraens* kann so gedeutet werden, daß man als Zwischenstufe einen octaedrischen Komplex des Nickel(II)-Ions annimmt, in dem vier der sechs Koordinationsstellen durch Acetylen-Moleküle besetzt sind[7]. Die räumliche Anordnung

---

[1] Nach unveröffentlichten Angaben des Hauptlaboratoriums der BASF, Ludwigshafen.

[2] L. E. Craig u. C. E. Larrabee, Am. Soc. **73**, 1191 (1951).
A. C. Cope u. S. W. Fenton, Am. Soc. **73**, 1195 (1951).

[3] W. Reppe, O. Schlichting u. H. Meister, A. **560**, 93 (1948).

[4] DBP. 1028563 ≡ US. P. 2912472 (1956); DBP. 1029369 (1956), BASF, Erf.: W. Reppe et al., C. A. **54**, 5514, 22538 (1960).
DBP. 1039059 (1957), BASF, Erf.: W. Reppe, O. Schlichting u. W. Schweter; C. A. **54**, 22538 (1960).
DBP. 1102141 (1959), BASF, Erf.: N. v. Kutepow, C. Berding u. W. Pfab; C. A. **56**, 10000 (1962).
DBP. 1132916 (1960), BASF, Erf.: W. Beckmann et al.; C. A. **59**, 479 (1963).

[5] DBP. 1019297 (1956), BASF, Erf.: W. Reppe et al.; C. A. **54**, 1365 (1960).
DBP. 1025870 (1958), BASF, Erf.: K. Wintersberger u. G. Zirger; C. A. **54**, 18393 (1960).
DBP. 1092908 (1959), BASF, Erf.: H. Pirzer u. F. Becke; C. A. **56**, 3375 (1962).
DBP. 1138762 (1961), BASF, Erf.: N. v. Kutepow u. H. Reis; C. A. **58**, 10104 (1963).

[6] DBP. 1138763 (1961), BASF, Erf.: H. Pirzer, R. Stadler u. F. Becke; C. A. **58**, 10104 (1963).

[7] G. N. Schrauzer u. S. Eichler, B. **95**, 550 (1962).
G. N. Schrauzer, P. Glockner u. S. Eichler, Ang. Ch. **76**, 28 (1964).
Diese Deutung wird durch Inhibitionsversuche gestützt; setzt man dem Reaktionsgemisch eine dem Katalysator äquimolare Menge an Triphenylphosphin zu, so besetzt dieses eine Koordinationsstelle des octaedrischen Komplexes, wodurch nur noch drei Koordinationsstellen für das Acetylen zur Verfügung stehen. Als Reaktionsprodukt wird nun Benzol erhalten.
Zu einer anderen, älteren Deutung s.:
H. C. Longuet-Higgins u. L. E. Orgel, Soc. 1969 (1956).

(Fortsetzung s. S. 426)

dieser Acetylen-Moleküle entspricht hierbei schon der Wannenform des Cyclooctatetraens:

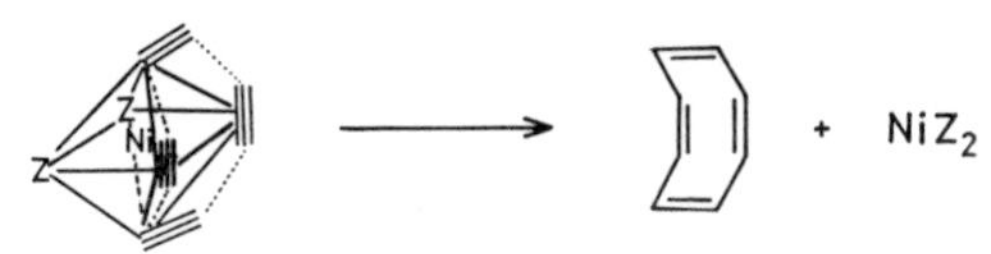

Tab. 1. Substituierte Cyclooctatetraene durch cyclisierende Cotetramerisation von Acetylen mit substituierten Acetylenen in Tetrahydrofuran in Gegenwart von Nickel-acetylacetonat und Calciumcarbid

(70–90°, 2–3 at, 7–12 Stdn.)

2. Komponente	Cyclooctatetraen	Ausbeute [% d.Th.]	Kp		Literatur
			[Torr]	[°C]	
Butin-(2)	*1,2-Dimethyl-cyclooctatetraen*	19	96	107	1
Pentin-(1)	*Propyl-cyclooctatetraen*	25	18–20	86–90	1
Hexin-(1)	*Butyl-cyclooctatetraen*	16	10	87	1
Phenyl-acetylen	*Phenyl-cyclooctatetraen*	17	0,4–0,55	101–103	1
Diphenyl-acetylen	*1,2-Diphenyl-cyclooctatetraen*	14	(F: 112,4–112,8°)		2
Butinon	*Acetyl-cyclooctatetraen*	1,5	1	85–90	3
Propargylalkohol	*Hydroxymethyl-cyclooctatetraen*	17	0,12	65–66	4
4-Hydroxy-butin-(1)	*(2-Hydroxy-äthyl)-cyclooctatetraen*	24	0,22	75–78	4
3-Hydroxy-butin	*(1-Hydroxy-äthyl)-cyclooctatetraen*	11	0,4	70	3
3-Hydroxy-3-methyl-butin	*[2-Hydroxy-propyl-(2)]-cyclooctatetraen*	13	0,5	73–75,5	3
5-Hydroxy-pentin-(1)	*(3-Hydroxy-propyl)-cyclooctatetraen*	8	0,15	91–91,5	3
1,4-Diacetoxy-butin-(2)	*1,2-Bis-[hydroxymethyl]-cyclooctatetraen*	22	0,5	>100	5
4-Dimethylamino-butin-(1)	*(2-Dimethylamino-äthyl)-cyclooctatetraen*	8	0,28	59	4
Hexin-(5)-säure-nitril	*4-Cyclooctatetraenyl-butansäure-nitril*	11	1	95–103,5	3
Acetylen-dicarbonsäure-dimethylester	*Cyclooctatetraen-1,8-dicarbonsäure*	10	(F: 195–196°)		5

[1] A. C. Cope u. H. C. Campbell, Am. Soc. **74**, 179 (1952).
[2] A. C. Cope u. D. S. Smith, Am. Soc. **74**, 5136 (1952).
[3] A. C. Cope u. R. M. Pike, Am. Soc. **75**, 3220 (1953).
[4] A. C. Cope u. D. F. Rugen, Am. Soc. **75**, 3215 (1953).
[5] A. C. Cope u. J. E. Meili, Am. Soc. **89**, 1883 (1967).

(Fortsetzung v. S. 425)

R. Criegee u. G. Schröder, A. **623**, 1 (1959); bei der Pyrolyse des Tetramethyl-cyclobutadien-Nickelchlorid-Komplexes entsteht in geringer Ausbeute *Octamethyl-cyclooctatetraen*. Dieser Befund widerspricht nicht unbedingt der Vorstellung, daß bei der Reppe-Cyclooctatetraen-Synthese intermediär ein Cyclobutadien-Komplex auftritt.

Cyclooctatetraen[1]: In einen 5-*l*-Rührautoklaven gibt man 2 *l* eines praktisch wasserfreien Gemisches von gleichen Teilen Benzol und Tetrahydrofuran (Wassergehalt unter 0,005 Gew.-%) und 10 g Nickel-acetylacetonat. Man entfernt den Sauerstoff durch Spülen mit Stickstoff und preßt dann 5 atü Stickstoff auf. Nach Einschalten des Rührers wird auf ~80° angeheizt, wobei der Druck auf 7–8 atü ansteigt. Nun preßt man Acetylen bis zu einem Gesamtdruck von 25 atü nach und ergänzt alle 30 Min. Nach ~ 12 Stdn. läßt die Aufnahme an Acetylen merklich nach. Durch Filtration wird die braune Lösung von unlöslichen Anteilen befreit und der (**selbstentzündliche!**) Filterrückstand durch Kochen mit Wasser unschädlich gemacht. Nach Abdestillieren des Lösungsmittels wird der Rückstand im Wasserstrahlvakuum rektifiziert; Ausbeute: 240 g; Kp_{50}: 58–64° (goldgelb).

In analoger Weise können aus mono- und disubstituierten Acetylenen allein oder zusammen mit Acetylen zahlreiche substituierte Cyclooctatetraene hergestellt werden.

Methyl-cyclooctatetraen[2]:

$$3\,HC{\equiv}CH + HC{\equiv}C{-}CH_3 \xrightarrow{\text{Ni-acetylacetonat}} \text{(Methyl-cyclooctatetraen, } CH_3\text{)}$$

In einen mit Trockeneis gekühlten 1-*l*-Autoklaven gibt man eine bei tiefer Temp. (Trichloräthylen/Trockeneis) bereitete Lösung von 30 g Propin in 250 *ml* Tetrahydrofuran, dazu 10 g Nickel-acetylacetonat und 20 g Calciumcarbid. Dann ersetzt man die Luft im Autoklaven durch Acetylen, erwärmt unter Rühren anschließend 7–12 Stdn. auf 70–90° und preßt in jeweils kurzen Zeitabständen Acetylen nach. Nach Öffnen des Autoklaven wird die gesamte Mischung mit Wasserdampf destilliert (bis zu 2 *l* Destillat). Die organische Phase des Destillates wird nach dem Trocknen durch Destillation über eine Kolonne aufgetrennt. Man erhält neben *Benzol* 40 g *Cyclooctatetraen* (Kp_{90}: 73,5–74°) und 14 g (16% d.Th.) *Methyl-cyclooctatetraen*; Kp_{73}: 86–88°.

Weitere Beispiele sind in den Tabellen 1 (s. S. 426) und 2 zusammengestellt.

Tab. 2. Cyclooctatetraene durch Tetramerisation von substituierten Acetylenen

Ausgangs-verbindung	Katalysator	Reaktionsprodukt	Ausbeute [%d.Th.]*	Literatur
Propiolsäure-methylester	$Ni(PCl_3)_4$	*1,2,4,6-Tetramethoxy-carbonyl-cyclooctatetraen*	83	3
Propiolsäure-äthylester	$Ni(PCl_3)_4$	*1,2,4,6-Tetraäthoxycarbonyl-cyclooctatetraen*	28	3
		1,3,5,7-Tetraäthoxycarbonyl-cyclooctatetraen	1	
		Aromaten	71	
3-Hydroxy-3-methyl-butin	Nickel(II)-Salze Natriumborhydrid mit Nickel(II)-Salzen Nickeltetracarbonyl oder Bis-[cyclooctadien]-nickel(0)	*1,2,4,6-, 1,2,4,7-* und *1,3,5,7-Tetrakis-[2-hydroxy-propyl-(2)]-cyclooctatetraen*		4

* bez. auf umges. Ausgangsmaterial.

[1] Nach unveröffentlichten Angaben des Hauptlaboratoriums der BASF, Ludwigshafen.
[2] A. C. Cope u. H. C. Campbell, Am. Soc. **74**, 179 (1952).
[3] J. R. Leto u. M. F. Leto, Am. Soc. **83**, 2944 (1961).
[4] P. Chini, N. Palladino u. A. Santambrogio, Soc. [C] **1967**, 836.

c) aus zwei C_4-Einheiten

1. durch Dimerisation von Vierring-Verbindungen

α) zu unsubstituiertem Cyclooctatetraen

Bei der Enthalogenierung des *cis-3,4-Dichlor-cyclobutens-(1)* mit Natriumamalgam bildet sich *syn*-(I), mit Lithiumamalgam *anti-Tricyclo[4.2.0.0²,⁵]octadien-(3,7)* (II)[1]. Bei der Enthalogenierung von 1,2,3,4-Tetrabrom-cyclobutan mit Lithiumamalgam fällt ebenfalls I an; I und II sind thermolabil und bilden beim Erhitzen[1] bzw. in Gegenwart von Silber(I)- oder Kupfer(I)-Ionen[2] (wurde an II studiert) Cyclooctatetraen:

β) zu substituierten Cyclooctatetraenen

$β_1$) *über Tricyclo[4.2.0.0²,⁵]octadien-(3,7)*

Behandelt man Hexachlor- und Hexabrom-cyclobuten mit Lithiumamalgam, so erhält man Octachlor- und Octabrom-tricyclo[4.2.0.0²,⁵]octadien-(3,7), die beim Erhitzen in *Octachlor-* (75% d.Th.) und *Octabrom-cyclooctatetraen* (58% d.Th.) übergehen[3].

Setzt man die Dichlor-dimethyl-cyclobutene Ia – c mit Lithium- oder Natriumamalgam um, so entstehen stets gleich zusammengesetzte Mischungen der dimeren

---

[1] C. D. NENITZESCU et al., B. **97**, 382 (1964).

[2] W. MERK u. R. PETTIT, Am. Soc. **89**, 4788 (1967).

[3] R. CRIEGEE u. R. HUBER, B. **103**, 1862 (1970).

Kohlenwasserstoffe[1] II a, II b und II c, von denen gaschromatographisch II c abgetrennt und rein erhalten werden kann. Beim Erhitzen lagern sich II a–II c in *1,2,4,7*-(III a), *1,2,5,6*-(III b) und *1,2,4,5-Tetramethyl-cyclooctatetraen*(III c) um (s. Formeln auf S. 428).

Der Hofmann-Abbau von 2,4-Bis-[trimethylammoniono]-1,3-diphenyl-cyclobutan-dijodid führt zu zwei Tetraphenyl-tricyclo[4.2.0.0^{2,5}]octadienen, die bei gelindem Erwärmen in *1,3,5,7*- bzw. *1,2,4,7-Tetraphenyl-cyclooctatetraen* übergehen[2]:

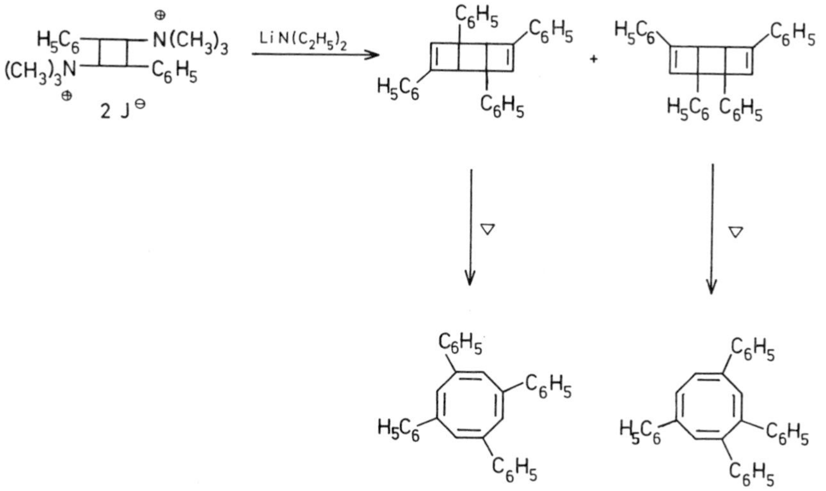

β₂) aus Cyclobutadien-Komplexen

Cyclobutadien-Komplexe lassen sich mit mehr oder weniger Erfolg in Cyclooctatetraen-Derivate überführen. So erhält man z.B. aus dem aus 3,4-Dichlor-1,2,3,4-tetramethyl-cyclobuten und Nickeltetracarbonyl in quantitativer Ausbeute zugänglichen Tetramethyl-cyclobutadien-nickel(II)chlorid-Komplex beim Erhitzen auf ~ 190° u.a. sehr wenig *Octamethyl-cyclooctatetraen*[3]:

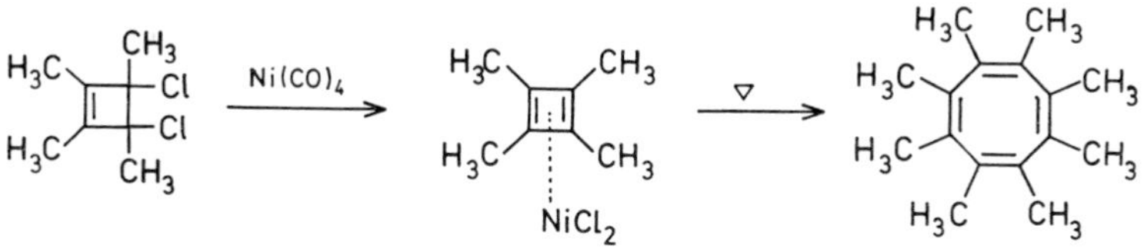

Durch Zersetzung des Tetraphenyl-cyclobutadien-palladium(II)chlorid-Komplexes mit Triphenylphosphin erhält man dagegen mit 70%iger Ausbeute *Octaphenyl-cyclooctatetraen*[4]:

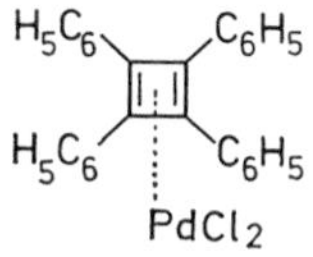

[1] R. Criegee, W. Eberius u. H. A. Brune, B. **101**, 94 (1968).
[2] E. H. White u. H. C. Dunathan, Am. Soc. **86**, 453 (1964).
[3] R. Criegee u. G. Schröder, A. **623**, 1 (1959).
[4] R. C. Cookson u. D. W. Jones, Pr. chem. Soc. **1963**, 115.
P. M. Maitlis u. F. G. A. Stone, Pr. chem. Soc. **1962**, 330.

Das durch Dimerisierung von Dimethylamino-propargylsäure-methylester zugängliche push-pull-Cyclobutadien[1] dimerisiert beim Erhitzen auf 110° zu *2,4,6,8-Tetrakis-[dimethylamino]-1,3,5,7-tetramethoxycarbonyl-cyclooctatetraen* (70% d. Th.; F: 191–192°)[2].

β$_3$) über „in situ“ hergestellte Vierring-Verbindungen[3]

Die Eliminierung von Dimethyl-zinn(IV)-dibromid aus Dimethyl-(4-brom-1,2,3,4-tetraphenyl-butadienyl)-zinn(IV)-bromid liefert *Octaphenyl-cyclooctatetraen* (85% d. Th.)[4]:

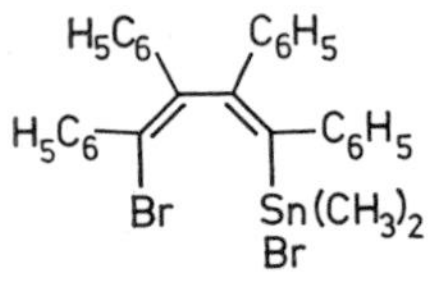

das ebenfalls durch Oxidation von 1,4-Dilithium-tetraphenyl-butadien mit Kupfer(II)-bromid (15% d. Th.)

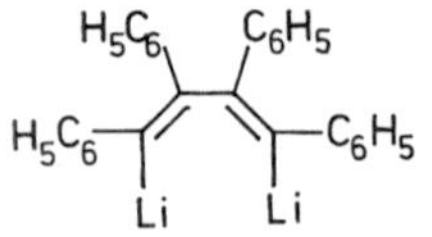

bzw. durch Eliminierung von Schwefeldioxid aus Tetraphenyl-thiophen-1,1-dioxid

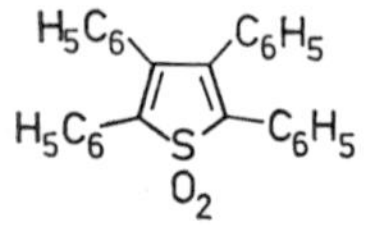

und durch Umsetzung von Tolan mit Phenyl-magnesiumbromid (7,5% d. Th.) erhalten wird.

Die UV-Bestrahlung von Tolan liefert nur mit 0,065% d. Th. *Octaphenyl-cyclooctatetraen.*

2. durch Dimerisation von α-Pyronen

4,6-Dimethyl-2H-pyron dimerisiert photochemisch. Die Dimeren I, II und III spalten thermisch zwei Moleküle Kohlendioxid ab, wobei in einer Gesamtausbeute von 26% d. Th. *1,3,5,7-Tetramethyl-cyclooctatetraen* entsteht[5]:

---

[1] R. Gompper u. G. Seybold, Ang. Ch. **80**, 804 (1968).
[2] M. Neuenschwander u. A. Niederhauser, Helv. **53**, 519 (1970).
[3] Literaturhinweise s.: J. H. Beynon et al., Soc. **1965**, 7052.
[4] H. H. Freedman u. D. R. Peterson, Am. Soc. **84**, 2837 (1962). *Octaphenyl-cyclooctatetraen* wurde zuerst irrtümlich als Octaphenylcuban angegeben.
Zum Strukturbeweis siehe:
H. P. Throndsen, P. J. Wheatley u. H. Zeiss, Pr. chem. Soc. **1964**, 357.
G. S. Pawley, W. N. Lipscomb u. H. H. Freedman, Am. Soc. **86**, 4725 (1964).
[5] P. de Mayo u. R. W. Yip, Pr. chem. Soc. **1964**, 84.

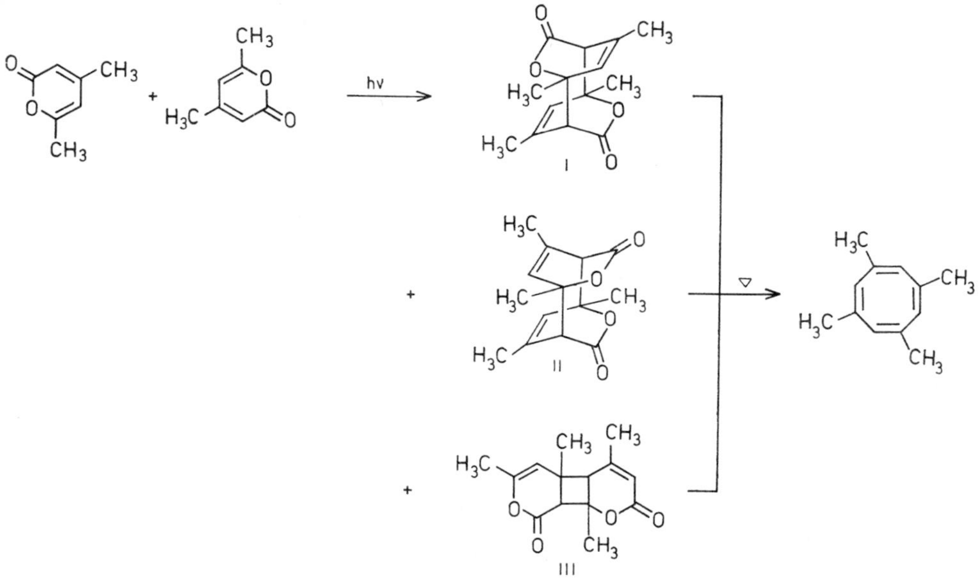

4,6-Diphenyl-2H-pyron dimerisiert bei Bestrahlung im Festzustand[1]. Das Dimere, das eine I entsprechende Struktur besitzt, geht bei Behandlung mit Trifluoressigsäure in *2,4,6,8-Tetraphenyl-1-carboxy-cyclooctatetraen* (50% d. Th., bez. auf umges. Pyron) über.

1,2,4,7-Tetraphenyl-cyclooctatetraen wird bei der Belichtung von 3,4-Epoxi-5-oxo-2,3-diphenyl-cyclopenten-(1) erhalten. Als Zwischenprodukt ist 4,5-Diphenyl-2H-pyron isolierbar[2]:

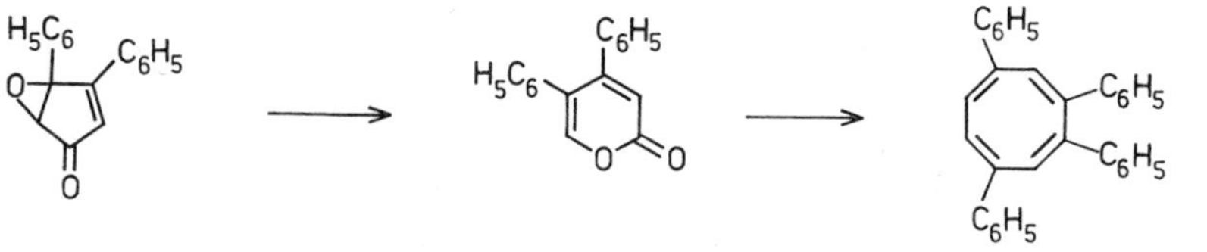

3. durch Cyclisierung zweier C_4-Ketten

Tetrachlor-butenin dimerisiert bei 80–100° zu Octachlor-bicyclo[4.2.0]octatrien-(2,4,7), das durch Protonenkatalyse zu *Octachlor-cyclooctatetraen* isomerisiert wird[3]:

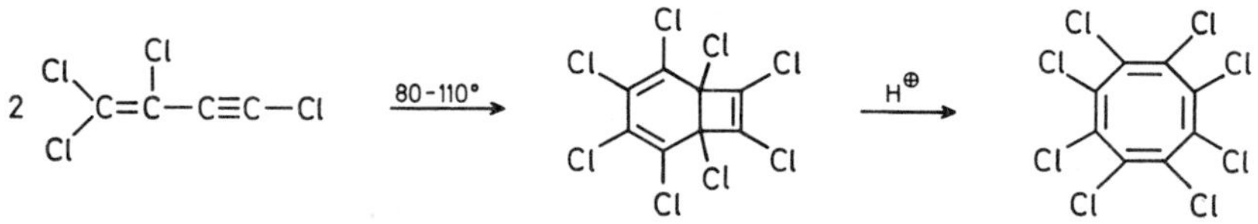

[1] R. D. Rieke u. R. A. Copenhafer, Tetrahedron Letters **1971,** 879.
[2] A. Padwa u. R. Hartman, Am. Soc. **86,** 4212 (1964); **88,** 1518 (1966).
[3] A. Roedig, R. Helm, R. West u. R. M. Smith, Tetrahedron Letters **1969,** 2137.

d) aus einer C_6- und einer C_2-Einheit

Bei der UV-Belichtung von Acetylen in Gegenwart von Benzol fällt *Cyclooctatetraen* in Spuren an.

Wird Hexadeutero-benzol bei der Photoaddition eingesetzt, so erhält man *Hexadeutero-cyclooctatetraen*. Dieser Befund schließt die Bildung von Cyclooctatetraen durch photochemisch ausgelöste Tetramerisation von Acetylen aus[1].

Eine 1,2/1,2-Cycloaddition des Acetylen-Derivates IV an Benzol führt zum bicyclischen Valenzisomeren des Cyclooctatetraens V, das sich sofort zum Cyclooctatetraen-Derivat VI isomerisiert:

Tab. 3. Substituierte Cyclooctatetraene durch photochemisch ausgelöste Addition von Acetylen-Derivaten an das Benzolsystem

Acetylen	Aromat	Reaktionsprodukt	Ausbeute [%d.Th.]*	Literatur
Phenyl-acetylen	Benzol	*Phenyl-cyclooctatetraen*	2,4	2
Propiolsäure-methylester	Benzol	*Methoxycarbonyl-cyclooctatetraen*	8	2
Acetylen-dicarbonsäure-dimethylester	Benzol	*1,8-Bis-[methoxycarbonyl]-cyclooctatetraen*	32	2,3
Butin-(2)-säure-methylester	Benzol	*2-Methyl-1-methoxycarbonyl-cyclooctatetraen*	50	4
Hexin-(3)	Benzonitril	*2,3-Diäthyl-1-cyan-cyclooctatetraen*	8**	5
Hexafluor-butin	Benzol	*1,2-Bis-[trifluormethyl]-cyclooctatetraen*	40***	6

* bez. auf Acetylen; Benzol liegt in großem Überschuß vor.
** bez. auf umges. Hexin
*** gaschromatographisch bestimmter Anteil am Reaktionsprodukt

e) aus einer C_7- und einer C_2-Einheit unter Verlust eines C-Atoms

Durch Cycloaddition von Propiolsäure-methylester bzw. Acetylen-dicarbonsäure-dimethylester an 7-Oxo-2,3-dimethoxycarbonyl-tetracyclo[$2.2.1.0^{2,6}.0^{3,5}$]heptan entstehen *1,2,5-Trimethoxycarbonyl-* und *1,2,5,6-Tetramethoxycarbonyl-cyclooctatetraen*[7]:

---

[1] D. Bryce-Smith, A. Gilbert u. J. Grzonka, Chem. Commun. **1970**, 498.
[2] D. Bryce-Smith u. J. E. Lodge, Soc. **1963**, 695.
[3] E. Grovenstein u. D. V. Rao, Tetrahedron Letters **1961**, 148.
E. Grovenstein, T. C. Campbell u. T. Shibata, J. Org. Chem. **34**, 2418 (1969).
[4] F. A. L. Anet u. B. Gregorovich, Tetrahedron Letters **1966**, 5961.
[5] J. G. Atkinson et al., Am. Soc. **85**, 2257 (1963).
[6] R. S. H. Liu u. C. G. Krespan, J. Org. Chem. **34**, 1271 (1969).
[7] H. Prinzbach u. J. Rivier, Ang. Ch. **79**, 1102 (1967).

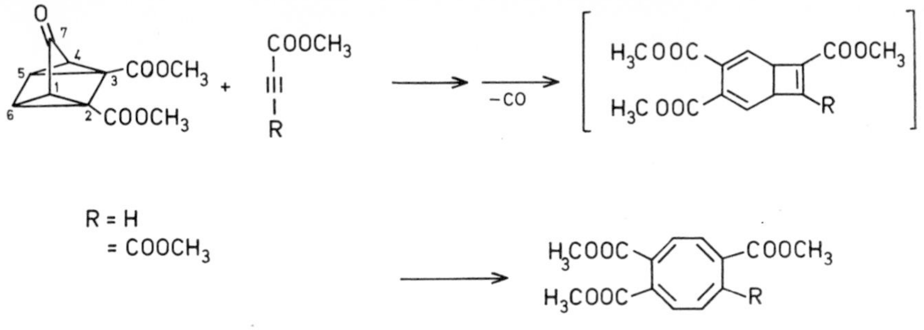

R = H
= $COOCH_3$

f) Cyclooctatetraene aus Achtringverbindungen

1. unsubstituiertes Cyclooctatetraen

Butadien dimerisiert an Nickelkatalysatoren zu Cyclooctadien-(1,5)[1]. Bromierung mit N-Brom-succinimid führt zu einem Dibrom-Derivat. Mit Dimethylamin läßt sich dieses in das entsprechende Diamin überführen (Ausbeute 34% bez. auf Cyclooctadien). Ein zweifacher Hofmann Abbau ergibt in ~ 15%iger Ausbeute *Cyclooctatetraen* (8% durch Styrol verunreinigt)[2].

Bromierung von Cyclooctadien-(1,5) ergibt 1,2,5,6-Tetrabrom-cyclooctan. Dieses verliert bei der Behandlung mit Kalium-tert.-butanolat in Dimethylsulfoxid vier Mol Bromwasserstoff. In 49%iger Ausbeute fällt ein Gemisch aus 78% *Cyclooctatetraen* und 22% Styrol an[3].

2. Halogen-cyclooctatetraene

Durch Umsetzung von Cyclooctatetraenyl-lithium mit Perchlorylfluorid erhält man *Fluor-cyclooctatetraen* (10% d. Th.)[4]; im Brom-cyclooctatetraen läßt sich das Bromatom mit Silber(I)-fluorid in Pyridin bei Raumtemperatur gegen Fluor austauschen (67% d. Th., bez. auf umges. Brom-cyclooctatetraen)[5].

Fluor-cyclooctatetraen[5]: 50,0 g (394 mMol) frisch hergestelltes Silberfluorid[6] lösen sich nur zum Teil in 150 *ml* absol. Pyridin. Der unter Reinstickstoff gerührten Suspension setzt man bei Raumtemp. 20,0 g (102 mMol) 93,6%-iges Brom-cyclooctatetraen (Rest ist ω-Brom-styrol) in 3 Min. zu. Nach 6 tägigem Rühren wird in 750 *ml* Äther eingegossen und vom Silberhalogenid dekantiert. Die ätherische Phase schüttelt man mit 1 *l* Wasser (in 3 Portionen), 3 mal mit 50 *ml* 2 n Schwefelsäure und nochmals 3 mal mit 50 *ml* Wasser aus. Nach Trocknen über Magnesiumsulfat wird der Äther über eine 60 cm Füllkörperkolonne (Rücklaufverhältnis 3 : 1) abdestilliert. Aus dem 70°-Bad gehen bei 47 Torr 7,52 g Fluor-cyclooctatetraen über, das noch etwas Pyridin enthält. Bei 30° (Bad)/0,01 Torr folgen 4,46 g eines Gemisches, das nach kombinierter IR- und NMR-Analyse 0,55 g Fluor-cyclooctatetraen, 3,51 g Brom-cyclooctatetraen (19 m Mol unverändert) und 0,40 g ω-Brom-styrol enthält.

---

[1] G. Wilke et al., Ang. Ch. **75**, 10 (1963).
[2] A. C. Cope u. W. J. Bailey, Am. Soc. **70**, 2305 (1948).
[3] D. Martin, A. Weise u. H.-J. Niclas, Ang. Ch. **79**, 340 (1967).
[4] D. E. Gwynn, G. M. Whitesides u. J. D. Roberts, Am. Soc. **87**, 2862 (1965).
[5] G. Schröder, G. Kirsch, J. F. M. Oth, R. Huisgen, W. E. Konz u. U. Schnegg, B. **104**, 2405 (1971).
[6] F. A. Andersen, B. Bak u. A. Hillebert, Acta. chem. scand. **7**, 236 (1953).

Das noch pyridin-haltige Fluor-cyclooctatetraen wäscht man in 10 *ml* Pentan 2 mal mit 5 *ml* 2 n Schwefelsäure und 2 mal mit 5 *ml* Wasser. Bei 55–57°/47 Torr gehen 6,23 g *Fluor-cyclooctatetraen* über; Ausbeute: 50% d. Th. (bez. auf eingesetztes Brom-cyclooctatetraen, erhöht sich auf 67%, wenn man auf umgesetztes Brom-cyclooctatetraen bezieht und den Gehalt an Fluor-cyclooctatetraen der höhersiedenden Fraktion berücksichtigt).

Die Chlorierung des Cyclooctatetraens ist durch eine stereospezifische *cis*-Addition der beiden Chloratome gekennzeichnet. Es entsteht anscheinend primär ein *endo*-8-Chlor-homotropylium-chlorid (VII) aus dem sich dann *cis-7,8-Dichlor-cyclooctatrien-(1,3,5)* (VIII) bildet, das sich in Lösung bei ~50° mit *cis*-7,8-Dichlor-bicyclo[4.2.0] octadien-(2,4) (IX) in ein valenztautomeres Gleichgewicht setzt[1]. *Chlor-cyclooctatetraen* (X) entsteht hieraus durch Eliminierung von Chlorwasserstoff mittels Phenyllithium[2], günstiger mit Kalium-tert.-butanolat[3]:

Cl H Cl$^{\ominus}$ → Cl Cl ⇌ Cl Cl $\xrightarrow{-HCl}$ Cl

VII VIII IX X

Chlor-cyclooctatetraen (X)[3]:

cis-7,8-Dichlor-cyclooctatrien-(1,3,5)(VIII)[1]: In 400 *ml* Pentan werden 100 g Cyclooctatetraen gelöst. Unter Rühren und Eiskühlung leitet man solange trockenes Chlor ein, bis die Lösung farblos geworden ist (~ 11–12 Stdn.)[4].

Chlor-cyclooctatetraen: Unter Rühren und Eiskühlung werden portionsweise 200 g (1,78 Mol) Kalium-tert.-butanolat, in Pentan aufgeschlämmt, innerhalb 1 Stde. zum nicht isolierten *cis*-7,8-Dichlor-cyclooctatrien-(1,3,5) zugegeben. Nach 3 stdgm. Rühren bei 0° läßt man die Reaktionsmischung auf Raumtemp. kommen. Sie wird filtriert, 5 mal mit Wasser gewaschen und über Natriumsulfat getrocknet. Nach Abziehen des Pentans wird destilliert. Zur weiteren Reinigung destilliert man über eine kurze Vigreuxkolonne; Ausbeute: 49 g (37% d. Th.); $Kp_{5,5}$: 51–52°; n_D^{25} = 1,5542[2].

Beim Erhitzen auf ~ 200° lagert sich Chlor-cyclooctatetraen in *trans-β-Chlor-styrol* um[5].

Bei der Bromierung des Cyclooctatetraens[6] (s. S. 435) entsteht über die isolierbaren Zwischenstufen[7] *cis-* (I) und (daraus hervorgehend) *trans-7,8-Dibrom-cyclooctatrien-(1,3,5)* (II) schließlich *trans*-7,8-Dibrom-bicyclo[4.2.0]octadien-(2,4) (III)[8]. Die Abspaltung von Bromwasserstoff zu *Brom-cyclooctatetraen* (IV) kann entweder mit Phenyl-lithium (33% d. Th.)[2] oder besser mit Kalium-tert.-butanolat erfolgen (bis 86% d. Th.)[9,10]:

---

[1] R. Huisgen et al., Am. Soc. **89**, 3344, 3345 (1967); Ang. Ch. **78**, 595 (1966).
[2] A. C. Cope u. M. Burg, Am. Soc. **74**, 168 (1952).
[3] G. Schröder u. G. Kirsch, Universität Karlsruhe, unveröffentlicht.
Modifizierte Synthese: R. Huisgen et al. B. **104**, 2412 (1971).
[4] C. D. Nenitzescu et al., B. **97**, 372 (1964).
[5] W. E. Konz, W. Hechtl u. R. Huisgen, Am. Soc. **92**, 4104 (1970).
A. C. Cope u. M. Burg, Am. Soc. **74**, 168 (1952).
[6] W. Reppe et al., A. **560**, 1 (1948).
[7] R. Huisgen u. G. Boche, Tetrahedron Letters **1965**, 1769.
[8] A. T. Blomquist u. A. G. Cook, Chem. & Ind. 873 (1960).
V. und L. Georgian u. A. V. Robertson, Tetrahedron **19**, 1219 (1963).
N. L. Allinger, M. A. Miller u. L. A. Tushaus, J. Org. Chem. **28**, 2555 (1963).
[9] J. F. M. Oth, R. Merényi, T. Martini u. G. Schröder, Tetrahedron Letters **1966**, 3087.
[10] J. Gasteiger, G. E. Gream, R. Huisgen, W. E. Konz u. U. Schnegg, B. **104**, 2412 (1971).

Die höchsten Ausbeuten erhält man, wenn sowohl die Bromierung als auch die Abspaltung von Bromwasserstoff bei $-60°$ durchgeführt werden[1].

Bei der Reaktion von überschüssigem Brom mit Cyclooctatetraen entstehen Polybromide, die mono- oder bicyclische Struktur besitzen[2].

Brom-cyclooctatetraen(IV)[1]: In eine gerührte Lösung von 104 g (1 Mol) frisch destilliertem Cyclooctatetraen in 700 *ml* absol. Dichlormethan läßt man bei -60 bis $-65°$ unter Stickstoffatmosphäre 165 g (1,03 Mol) Brom in 300 *ml* Dichlormethan innerhalb 1 Stde. einfließen. Die Reaktionsmischung wird anschließend noch 1 Stde. gerührt.

Dann werden unter Stickstoffdusche 160 g (1,43 Mol) Kalium-tert.-butanolat in kleinen Portionen innerhalb von 4 Stdn. eingetragen, wobei die Temp. bei $-60°$ gehalten wird. Anschließend rührt man noch 5–6 Stdn. bei $-65°$ und läßt langsam auf $-10°$ auftauen.

Die dunkelbraune Lösung wird in 1500 *ml* Eiswasser, das 25 *ml* Eisessig enthält, gegossen. Beim Rühren der Emulsion mit 50 g Magnesiumsulfat trennen sich die Phasen. Die organische Phase wird abgetrennt, die wäßrige mit Natriumchlorid gesättigt und 5 mal mit je 300 *ml* Äther ausgeschüttelt. Die vereinigten Ätherauszüge wäscht man mit 200 *ml* Wasser, 500 *ml* 5%iger wäßriger Natriumhydrogencarbonat-Lösung und wieder mit 200 *ml* Wasser. Nach dem Trocknen mit Magnesiumsulfat und Abziehen des Lösungsmittels bei Raumtemp. wird der Rückstand destilliert. Bei 30° Badtemp./0,001 Torr gehen 156 g (86% d.Th.) Brom-cyclooctatetraen als blaßgelbe Flüssigkeit ($n_D^{25} = 1,5871$; Lit. 1,5870[3]) über.

Brom-cyclooctatetraen geht bei $\sim 90°$ in *trans-β-Brom-styrol* über[3,4]. Brom-cyclooctatetraen ist als Ausgangsmaterial für zahlreiche substituierte Cyclooctatetraene von Bedeutung.

3. Alkoxy-cyclooctatetraene

In guten Ausbeuten lassen sich Alkoxy-cyclooctatetraene aus Brom-cyclooctatetraen und Kalium-alkoholaten herstellen[5]. Dabei entsteht intermediär *Cyclooctatrien-in*[6].

Methoxy-cyclooctatetraen[5]: 0,13 Mol Kalium-methanolat werden in 100 *ml* Dimethylsulfoxid aufgeschlämmt. Dazu gibt man unter Stickstoff bei $\sim 20°$ eine Lösung von 4,8 g Brom-cyclooctatetraen in 50 *ml* Dimethylsulfoxid. Man läßt 24 Stdn. bei $\sim 20°$ stehen und rührt von Zeit zu Zeit um. Anschließend wird mit Petroläther (Kp: 50–70°) überschichtet, Wasser zugegeben, durchmischt und abgetrennt. Die wäßrige Phase wird noch 2mal mit Petroläther extrahiert.

[1] J. Gasteiger, G. E. Gream, R. Huisgen, W. E. Konz u. U. Schnegg, B. **104**, 2412 (1971).
[2] G. Boche u. R. Huisgen, Tetrahedron Letters **1965**, 1775.
[3] A. C. Cope u. M. Burg, Am. Soc. **74**, 168 (1952).
[4] R. Huisgen u. W. E. Konz, Am. Soc. **92**, 4102 (1970).
[5] J. F. M. Oth, R. Merényi, T. Martini u. G. Schröder, Tetrahedron Letters **1966**, 3087.
[6] A. Krebs, Ang. Ch. **77**, 966 (1965); A. **707**, 66 (1967).

Nach Waschen der vereinigten Petrolätherauszüge mit Wasser trocknet man über Natriumsulfat. Das Lösungsmittel wird abgezogen und der Rückstand destilliert; Ausbeute: 2,4 g (68% d. Th.); $Kp_{0,4}$: 46–48°; $n_D^{20} = 1{,}5385$.

Analog erhält man

Äthoxy-cyclooctatetraen[1]	58% d. Th.	Kp_1: 54–58°
Isopropyloxy-cyclooctatetraen[2]	60% d. Th.	$Kp_{0,02}$: ~32°
tert.-Butyloxy-cyclooctatetraen[1]	36% d. Th.	$Kp_{0,02}$: 35°

Aus 7,7-Dialkoxy-cyclooctatrien-(1,3,5) (III), aus 7,8-Epoxi-cyclooctatrien (I) über 7-Oxo-cyclooctatrien (II) zugänglich[3], erhält man in schlechten Ausbeuten durch basen- oder säurekatalysierte Eliminierung von Alkohol ebenfalls *1-Alkoxy-cyclooctatetraen*[4]:

B⊖ ; O ; OR ; OR ; OR
I II III

4. Carboxy-cyclooctatetraen

Vom Brom-cyclooctatetraen gelangt man durch Halogen-Metall-Austausch mittels Butyl-lithium zum *Cyclooctatetraenyl-lithium*, dessen Carboxylierung *Carboxy-cyclooctatetraen* in maximal 60%iger Ausbeute ergibt[5]. Da die Ausbeuten stark schwanken, ist es vorteilhaft, die Carbonsäure über die Grignard-Verbindung (Weg ⓑ) zu synthetisieren[6]:

Br ; ⓐ 1. BuLi 2. CO_2 ; ⓑ 1. Grignard 2. CO_2 ; COOH

Carboxy-cyclooctatetraen[6]**:** 29,4 g Brom-cyclooctatetraen werden in 100 *ml* absol. Äther gelöst und mit 9,1 g Magnesiumpulver versetzt. Dann gibt man tropfenweise unter Rühren eine Lösung von 30 g 1,2-Dibrom-äthan in 100 *ml* absol. Äther zunächst bei Zimmertemp. solange hinzu, bis die Reaktion angesprungen ist. Man kühlt nun vorsichtig auf 5° ab, wobei darauf zu achten ist, daß die Reaktion in Gang bleibt (ununterbrochene Äthylen-Entwicklung). Wenn die Reaktion beendet ist, wird auf —50° abgekühlt. Unter Überleiten eines starken Stickstoffstromes wird nun fein zerstoßenes Trockeneis, das von Zeit zu Zeit ergänzt wird, zugefügt. Nach ~3 Stdn., wenn die Reaktion beendet ist, erkennbar an einer Farbänderung von Braun nach Gelb, läßt man auf Raumtemp. kommen und versetzt mit 200 *ml* Wasser. Die ätherische Phase wird 2 mal mit je 100 *ml* Wasser gewaschen und die vereinigten wäßrigen Lösungen mit Salzsäure auf p_H = ~3 eingestellt. Die sich dabei ausscheidende Säure wird aus Pentan umkristallisiert; Ausbeute: 14 g (59% d. Th.); F: 70–71°; 73° (aus Äther).

Beim Verestern der Carbonsäure mit Diazomethan[5] erhält man *Methoxycarbonyl-cyclooctatetraen* (82% d. Th.).

---

[1] J. F. M. Oth, R. Merényi, T. Martini u. G. Schröder, Tetrahedron Letters **1966**, 3087.
[2] G. Schröder, Universität Karlsruhe, unveröffentlicht.
[3] A. C. Cope u. B. D. Tiffany, Am. Soc. **73**, 4158 (1951).
[4] A. C. Cope, S. F. Schaeren u. E. R. Trumbull, Am. Soc. **76**, 1096 (1954).
[5] A. C. Cope, M. Burg u. S. W. Fenton, Am. Soc. **74**, 173 (1952).
W. Reppe et al., A. **560**, 1 (1948).
[6] T. Martini, Dissertation, Universität Karlsruhe 1968.

5. Alkyl- und Aryl-cyclooctatetraene

Methyl-cyclooctatetraen[1] (36% d.Th.) wird bei der Einwirkung von wasserfreiem Cobalt(II)-chlorid auf ein Gemisch von Brom-cyclooctatetraen und Methyl-magnesiumjodid erhalten; daneben entsteht *Bi-[cyclooctatetraenyl]* (19% d.Th.):

CH_3MgJ / $CoCl_2$; Br ; CH_3 ; +

Methyl-cyclooctatetraen: 2,43 g Magnesiumpulver werden in 20 *ml* absol. Äther suspendiert und langsam mit einer Lösung von 14,4 g Methyljodid in 30 *ml* absol. Äther versetzt. Die entstandene Grignard-Lösung wird über Glaswolle filtriert und tropfenweise zu einer Lösung von 9,0 g Brom-cyclooctatetraen und 30 *ml* Äther, in der ~ 3 Spatelspitzen wasserfreies Cobalt(II)-chlorid aufgeschlämmt sind, gegeben. Anschließend gibt man nochmals 3 Spatelspitzen Cobalt(II)-chlorid zu und erwärmt 1 Stde. auf 35–40°. Man zersetzt mit Eiswasser, filtriert und extrahiert die wäßrige Phase des Filtrats noch 2 mal mit je 80–100 *ml* Äther. Nach Trocknen mit Natriumsulfat wird der Äther abgezogen und der Rückstand destilliert; Ausbeute: 1,9 g (36% d.Th.) *Methyl-cyclooctatetraen*; Kp_{67}: ~84°; n_D^{25} = 1,5249.

Der zurückbleibende feste Destillationsrückstand wird aus Äther umkristallisiert und sublimiert; Ausbeute: 0,9 g (19% d.Th.) *Bi-[cyclooctatetraenyl]*; F: 125–126°.

Bi-[cyclooctatetraenyl] (24% d.Th.) ist auch aus Cyclooctatetraenyl-lithium und Cobalt(II)-chlorid synthetisierbar[2].

Methyl-cyclooctatetraen erhält man in 66%iger Ausbeute aus Cyclooctatetraenyl-lithium und Methyljodid[3]. *Methyl-cyclooctatetraen* entsteht ebenfalls bei der Behandlung von 9,9-Dibrom-bicyclo[6.1.0]nonen-(4) mit Kalium-tert.-butanolat in Dimethylsulfoxid (33% d.Th.)[4]:

Br ; Br ; u.a. ; CH_3

Alkalimetall-organische Verbindungen addieren sich an olefinische Doppelbindungen[5]. Cyclooctatetraen zeigt in Äther gegenüber Alkyl- und Aryl-lithium[6] ein unerwartetes Verhalten. Primär scheint sich durch Addition ein Lithiumsalz der Alkyl- oder Aryl-cyclooctatriene zu bilden. Dieses steht mit Cyclooctatetraen in einem Gleichgewicht, denn man isoliert als Endprodukte außer Alkyl- bzw. Aryl-cyclooctatetraenen *Cyclooctatrien-(1,3,5* und *-1,3,7)* und Alkyl- bzw. Aryl-cyclooctatriene[6]:

---

[1] T. Martini, Dissertation, Universität Karlsruhe 1968.
[2] A. C. Cope u. D. J. Marshall, Am. Soc. **75**, 3208 (1953).
[3] L. A. Paquette, J. R. Malpass u. T. J. Barton, Am. Soc. **91**, 4714 (1969).
[4] P. D. Gardner et al., Am. Soc. **87**, 3158 (1965).
[5] K. Ziegler, Ang. Ch. **76**, 545 (1964).
s. a. M. Schlosser, Ang. Ch. **76**, 140 (1964).
[6] A. C. Cope et al., Am. Soc. **73**, 3424 (1951); **74**, 175 (1952).
W. Reppe et al., A. **560**, 1 (1948).

+ LiR → oder 1,2-Addukt

$\xrightarrow{H_2O}$ oder Isomere

R = C_2H_5	→ 29% *Äthyl-cyclo-octatetraen*[1]	31% *Cyclooctatriene*	5% *Äthyl-cyclo-octatriene*
R = C_4H_9	→ 14,5% *Butyl-cyclo-octatetraen*[1]	11,5% *Cycloocta-triene*	3% *Butyl-cyclo-octatriene*
R = C_6H_5	→ 27% *Phenyl-cyclo-octatetraen*[1]	36% *Cyclooctatriene*	9% *Phenyl-cyclooctatriene*
R = 4—OCH_3—C_6H_4	→ 3% *(4-Methoxy-phenyl)-cyclo-octatetraen*[2]		

Phenyl-cyclooctatetraen[1]: Ein 1-*l*-Dreihalskolben, versehen mit Rührer, Tropftrichter und Rückflußkühler (beide mit Trockenröhrchen) wird mit Stickstoff gespült. Man gibt 300 *ml* absol. Äther sowie 7,65 g Lithiumdraht, der in 1-cm-Stücke geschnitten ist, in den Kolben und tropft unter Rühren eine Lösung von 78,5 g Brombenzol in 100 *ml* absol. Äther innerhalb 70 Min. ein. Dabei ist die Tropfgeschwindigkeit so zu regulieren, daß der Kolbeninhalt ständig siedet. Anschließend wird 1 Stde. unter Rückfluß gekocht. Man gibt 104 g Cyclooctatetraen zu und ersetzt den Rückflußkühler durch eine Vigreux-Kolonne (20 cm × 1,5 cm). Die Reaktionsmischung wird nun innerhalb 1 Stde. auf 90° erhitzt. Die Hauptmenge des Äthers destilliert dabei ab. Man rührt noch 2 Stdn. bei 90°. Die orangefarbene Lösung kühlt man mit einem Eisbad ab und gibt den durch Destillation abgetrennten Äther wieder in den Kolben zurück. Nun wird unter Rühren mit 500 *ml* Wasser die lithium-organische Verbindung vorsichtig zersetzt. Man trennt die rote Äther-Lösung ab, wäscht sie 3 mal mit Wasser und trocknet über Natriumsulfat. Durch fraktionierte Destillation trennt man ab:

ⓐ Äther und Benzol (aus Phenyl-lithium)

ⓑ 72,9 g einer Fraktion; Kp_{97}: 74–77°; n_D^{25}= 1,5295.

ⓒ einen hochsiedenden Rückstand.

Der hochsiedende Rückstand ⓒ wird über eine kleine Kolonne destilliert und gibt 37,3 g einer Mischung von Phenyl-cylooctatetraen und Phenyl-cyclooctatrien ($Kp_{0,3}$: 94–95°).

Aus dieser Mischung wird *Phenyl-cyclooctatetraen* als Silbernitrat-Komplex isoliert. Man behandelt die 37,3 g in 300 *ml* siedendem Äthanol mit 35,2 g pulverisiertem Silbernitrat. Nach 10 Min. hat sich das Silbernitrat gelöst und eine gelbgrüne Lösung gebildet, aus der sich beim Abkühlen auf 0° der gelbgrüne Silbernitrat-Komplex abscheidet. Die Kristalle werden abfiltriert und 2 mal mit je 50 *ml* kaltem Äther gewaschen; Ausbeute: 45,5 g.

Zur Zersetzung wird der Komplex mit einer Lösung aus 100 *ml* konz. Ammoniak und 100 *ml* Wasser geschüttelt. Die orange Flüssigkeit wird durch 2malige Extraktion mit je 50 *ml* Äther abgetrennt, die vereinigten Anteile werden neutral gewaschen, über Natriumsulfat getrocknet, eingeengt und über eine kleine Kolonne rektifiziert; Ausbeute: 22,6 g (25% d.Th.) *Phenyl-cyclooctatetraen*; $Kp_{0,3}$: 94–95° (orange); n_D^{25} = 1,6181.

Phenyl-cyclooctatetraen polymerisiert beim Stehen an der Luft, ist aber unter Stickstoff und bei 0° einige Monate haltbar.

---

[1] A. C. Cope et al., Am. Soc. **73**, 3424 (1951); **74**, 175 (1952).

[2] L. A. Paquette, J. R. Malpass u. T. J. Barton, Am. Soc. **91**, 4714 (1969).

Tab. 4. Substituierte Cyclooctatetraene

Cyclooctatetraen (COT)	Bedingungen	Ausbeute [% d.Th.]	F [°C]	Kp [°C]	Kp [Torr]	n_D^{25}	Spektren	Literatur
a) **Monosubstituierte**								
Fluor-	a) Li-COT und Perchlorylfluorid	10					IR, NMR	[1]
	b) Brom-COT und AgF in Pyridin bei ~25°	67						[2]
Chlor-	a) ($C_8H_8Cl_2$) und C_6H_5-Li	26		51–52	5,5	1,5542	UV, IR	[3]
	b) COT → $C_8H_8Cl_2$. Eliminierung von HCl mittels Kalium-tert.-butanolat	83						[4]
Brom-	a) $C_8H_8Br_2$ und C_6H_5-Li	33		52,5–53	1,8	1,5870	UV, IR	[3]
	b) $C_8H_8Br_2$ mit Kalium-tert.-butanolat	86					NMR	[4,5]
Methoxy-	Brom-COT, Kalium-methanolat in DMSO	70–80		46–48	0,4	1,5385 (20°)	NMR	[5]
Äthoxy-	Brom-COT, Kalium-äthanolat in DMSO	58		76	2	1,5250	UV, IR	[5,6]
Isopropyloxy-	Brom-COT, Kalium-isopropanolat in DMSO	60		~ 32	0,02			[7]
tert.-Butyloxy-	Brom-COT, Kalium-tert.-butanolat	36		35	0,02	1,5155 (20°)	NMR	[5]
Methyl-	a) Acetylen und Propin	16		84,5	67	1,5249	UV, IR	[8]
	b) 9,9-Dibrom-bicyclo[6,1,0]nonen-(4) und Kalium-tert.-butanolat in DMSO	33					NMR	[9]
	c) Brom-COT, CH_3MgJ und $CoCl_2$	36						[10]
	d) Cyclooctatetraenyl-lithium + CH_3J	66						[11]
Äthyl-	COT und Äthyl-lithium in Äther	29		81	37	1,5187	UV, IR	[12]

[1] D. E. Gwynn, G. M. Whitesides u. J. D. Roberts, Am. Soc. **87,** 2862 (1965).
[2] G. Schröder et al., B. **104** 2405 (1971).
[3] A. C. Cope u. M. Burg, Am. Soc. **74,** 168 (1952).
[4] R. Huisgen et al. B **104,** 2412 (1971).
[5] G. Schröder et al., Tetrahedron Letters **1966,** 3087.
[6] A. C. Cope, S. F. Schaeren u. E. R. Trumbull, Am. Soc. **76,** 1096 (1954).
[7] G. Schröder, Organ.-Chem.-Institut der Universität Karlsruhe, unveröffentlicht.
[8] A. C. Cope u. H. Campbell, Am. Soc. **74,** 179 (1952).
[9] C. L. Osborn et al., Am. Soc. **87,** 3158 (1965).
[10] T. Martini, Dissertation, Universität (T.H.) Karlsruhe 1968.
[11] L. A. Paquette, J. R. Malpass u. T. J. Barton, Am. Soc. **91,** 4714 (1969).
[12] A. C. Cope u. H. O. van Orden, Am. Soc. **74,** 175 (1952).

Tab. 4. (1. Fortsetzung)

Cyclooctatetraen (COT)	Bedingungen	Ausbeute [% d.Th.]	F [°C]	Kp [°C]	Kp [Torr]	n_D^{25}	Spektren	Literatur
Propyl-	Acetylen und Pentin-(1)	25		73	9	1,5131	UV, IR	1
Butyl-	a) Acetylen und Hexin-(1)	16						1
	b) COT und Butyl-lithium in Äther	14,5		98	20	1,5085	UV, IR	2
Vinyl-	aus Rückständen der Reppe-Synthese			92–92,5	30	1,5664	UV, IR	3
Bi-[cyclooctatetraenyl]	a) LiCOT und $CoCl_2$	24	125,4–126,5				UV	4
	b) Brom-COT, CH_3MgJ und $CoCl_2$	19						5
Phenyl-	a) COT und C_6H_5Li in Äther	27		94–95	0,3	1,6181	UV, IR	6
	b) Acetylen und Phenylacetylen	17						1
	c) Belichtung von Benzol und Phenylacetylen							7
(4-Dimethylamino-phenyl)-	(4-Dimethylamino-phenyl)-lithium und COT in Äther	27	90–90,5				UV, IR	6
(4-Methoxy-phenyl)-	4-Methoxy-phenyl-lithium + COT	3	64–65				UV, NMR	8
Brommethyl-	Hydroxymethyl-COT und PBr_3 in Hexan	65		78	16	1,5893		9
(2-Brom-äthyl)-	(2-p-Tosyloxy-äthyl)-COT, $CaBr_2$	72		65–67	0,13	1,5686		10
Hydroxymethyl-	Acetylen und Propargylalkohol	17		65–66	0,1	1,5612	UV, IR	10
(2-Hydroxy-äthyl)	Acetylen und 4-Hydroxy-butin-(1)	24		77–78	0,2	1,5480	UV, IR	10
(3-Hydroxy-propyl)-	Acetylen und 5-Hydroxy-pentin-(1)	8		91–91,5	0,15	1,5426	IR	11
(1-Hydroxy-äthyl)-	Acetylen und 3-Hydroxy-butin-(*1*)	11		70	0,4	1,5460	IR	11
[2-Hydroxy-propyl-(2)]-	3-Hydroxy-3-methyl-butin-(1) u. Acetylen	13		74,5–75,5	1,3	1,5370	IR	11
(α-Hydroxy-benzyl)-	Reduktion von Benzoyl-COT mit $LiAlH_4$	89		110–120	0,1	1,5982		4

[1] A. C. Cope u. H. C. Campbell, Am. Soc. **74**, 179 (1952).
[2] A. C. Cope u. H. O. van Orden, Am. Soc. **74**, 175 (1952).
[3] L. E. Craig u. C. E. Larrabee, Am. Soc. **73**, 1191 (1951).
A. C. Cope u. S. W. Fenton, Am. Soc. **73**, 1195 (1951).
D. S. Withey, Soc. **1952**, 1930.
[4] A. C. Cope u. D. J. Marshall, Am. Soc. **75**, 3208 (1953).
[5] T. Martini, Dissertation, Universität (T. H.) Karlsruhe 1968.
[6] A. C. Cope u. M. R. Kinter, Am. Soc. **73**, 3424 (1951).
[7] D. Bryce-Smith u. J. E. Lodge, Soc. **1963**, 695.
[8] L. A. Paquette, J. R. Malpass u. T. J. Barton, Am. Soc. **91**, 4714 (1969).
[9] A. C. Cope, R. M. Pike u. D. F. Rugen, Am. Soc. **76**, 4945 (1954).
[10] A. C. Cope u. D. F. Rugen, Am. Soc. **75**, 3215 (1953).
[11] A. C. Cope u. R. M. Pike, Am. Soc. **75**, 3220 (1953).

Tab. 4. (2. Fortsetzung)

Cyclooctatetraen (COT)	Bedingungen	Ausbeute [% d.Th.]	F [°C]	Kp [°C]	Kp [Torr]	n_D^{25}	Spektren	Literatur
(2-Acetoxy-äthyl)-	(2-Hydroxy-äthyl)-COT u. Acetanhydrid	91		81–82	0,15	1,5130	IR	1
(2-p-Tosyloxy-äthyl)-	(2-Hydroxy-äthyl)-COT u. p-Toluolsulfonsäure-chlorid in Pyridin	92						1
(3-p-Tosyloxy-propyl)-	(3-Hydroxy-propyl)-COT u. p-Toluolsulfonsäure-chlorid in Pyridin	96						2
(3-Amino-propyl)-	(2-Cyan-äthyl)-COT u. $LiAlH_4$ in Äther	56		68–68,5	0,1	1,5411	IR	1
(4-Amino-butyl)-	(3-Cyan-propyl)-COT u. $LiAlH_4$ in Äther	39		83	0,7	1,5334	IR	2
(Dimethylamino-methyl)-	Brommethyl-COT u. Dimethylamin in Benzol	43		34–35	0,1	1,5222		3
(2-Dimethylamino-äthyl)-	(2-p-Tosyloxy-äthyl)-COT u. Dimethylamin in Benzol	53		59	0,28	1,5198	IR	1
(3-Dimethylamino-propyl)-	(3-p-Tosyloxy-propyl)-COT u. Dimethylamin in Benzol	54		55	0,01	1,5164	IR	2
Acetyl-	(1-Hydroxy-äthyl)-COT u. CrO_3 in wäßr. Aceton	53		73–74	0,1	1,5548	IR	2
Benzoyl-	Li-COT (aus Brom-COT) u. Benzonitril Hydrolyse	57	38,0–39,5	96	0,06		UV	4
(1-Oximino-äthyl)-	Acetyl-COT u. NH_2OH-HCl	85	150–151					2
Carboxy-	a) Li-COT und CO_2	58	72–73				UV, IR	5
	b) Grignard aus Brom-COT u. CO_2	60						6
(2-Carboxy-äthyl)-	a) (H_2N—CO—CH_2—CH_2)-COT, HCl u. $NaNO_2$	35						3
	b) NC—CH_2—CH_2—COT, NaOH	90	59,2–60				IR	1
	c) (3-Hydroxy-propyl)-COT u. CrO_3	37						2
(3-Carboxy-propyl)-	(3-Cyan-propyl)-COT und NaOH	69		95–97	0,02	1,5310	IR	2
Methoxycarbonyl-	a) Carboxy-COT u. Diazomethan in Äther	89		75–76,2	5	1,5398	UV, IR	5
	b) Propiolsäure-methylester u. Benzol belichtet	8						7

[1] A. C. Cope u. D. F. Rugen, Am. Soc. **75**, 3215 (1953).
[2] A. C. Cope u. R. M. Pike, Am. Soc. **75**, 3220 (1953).
[3] A. C. Cope, R. M. Pike u. D. F. Rugen, Am. Soc. **76**, 4945 (1954).
[4] A. C. Cope u. D. J. Marshall, Am. Soc. **75**, 3208 (1953).
[5] A. C. Cope, M. Burg u. S. W. Fenton, Am. Soc. **74**, 173 (1952).
[6] G. Schröder et al., Tetrahedron Letters **1966**, 3087.
[7] D. Bryce-Smith u. J. E. Lodge, Soc. **1963**, 695.

Tab. 4. (3. Fortsetzung)

Cyclooctatetraen (COT)	Bedingungen	Ausbeute [% d.Th.]	F [°C]	Kp [°C]	Kp [Torr]	n_D^{25}	Spektren	Literatur
Cyanmethyl-	Brommethyl-COT und KCN in wäßrigem THF	44		78–79	0,1	1,5442	IR	1
(2-Cyan-äthyl)-	(2-p-Tosyloxy-äthyl)-COT, KCN in Äthanol	78		62–63	0,25	1,5378	IR	2
(3-Cyan-propyl)-	a) Acetylen und Hexin-(5)-säure-nitril	11		103,5–104,5	0,5	1,5300	IR	3
	b) (3-p-Tosyloxy-propyl)-COT u. KCN	74						3
(Aminocarbonyl-methyl)-	(Cyanmethyl)-COT u. alkal. H_2O_2	74	138,6–139					1
(2-Aminocarbonyl-äthyl)-	(2-Cyan-äthyl)-COT u. alkal. H_2O_2	36	61,8–63					1
b) **Disubstituierte mit gleichen Substituenten***								
1,4-Dibrom-	Brom-cyclooctatetraen 1) + Br_2 2) — HBr							4
1,2-Dimethyl-	a) Acetylen und Butin-(2) nach Reppe	19		107	96	1,5219	IR	5
	b) 7-Chlor-1,6-dimethyl-8-thia-bicyclo[4.3.0] heptadien-(2,4)-8,8-dioxid 1) Kalium-tert.-butanolat 2) Photolyse	—	—	—	—	—		6

* Beim *Dicarboxy-cyclooctatetraen* wurde durch eine Röntgenstrukturanalyse festgestellt, daß die Substituenten nicht an die gleiche Doppelbindung, d.h. in 1,2-Stellung, sondern an zwei benachbarte Doppelbindungen, d.h. in 1,8-Stellung gebunden sind[7]. Es ist naheliegend, daß auch bei anderen disubstituierten Cyclooctatetraenen diese Anordnung energetisch begünstigt ist:

COOH, COOH (1,2-Stellung) ⟶ COOH, COOH (1,8-Stellung)

[1] A. C. Cope, R. M. Pike u. D. F. Rugen, Am. Soc. **76,** 4945 (1954).
[2] A. C. Cope u. D. F. Rugen, Am. Soc. **75,** 3215 (1953).
[3] A. C. Cope u. R. M. Pike, Am. Soc. **75,** 3220 (1953).
[4] W. E. Konz, W. Hechtl u. R. Huisgen, Am. Soc. **92,** 4104 (1970).
[5] A. C. Cope u. H. C. Campbell, Am. Soc. **74,** 179 (1952).
[6] L. A. Paquette, R. E. Wingard u. R. H. Meisinger, Am. Soc. **93,** 1047 (1971).
[7] D. P. Shoemaker, H. Kindler, W. G. Sly u. R. C. Srivastava, Am. Soc. **87,** 482 (1965).
s. a. F. A. L. Anet u. L. A. Bock, Am. Soc. **90,** 7130 (1968).

Tab. 4. (4. Fortsetzung)

Cyclooctatetraen (COT)	Bedingungen	Ausbeute [% d.Th.]	F [°C]	Kp		n_D^{25}	Spektren	Literatur
				[°C]	[Torr]			
1,4-Dimethyl-	1,4-Dibrom-COT + $Li[Cu(CH_3)_2]$	95		60–62	12	1,5206	NMR	1
1,2-Diphenyl-	a) Acetylen und Diphenylacetylen	14	112,4–112,8				UV, IR	2
	b) Phenyl-COT und C_6H_5Li in Äther							3
1,3-Diphenyl-	Phenyl-COT und C_6H_5Li in Äther							3
1,4-Diphenyl-	Phenyl-COT und C_6H_5Li in Äther		47,7–48,8					3
1,5-Diphenyl-	Phenyl-COT und C_6H_5Li in Äther		102,1–102,6					3
1,8-Bis-[brommethyl]-	1,8-Bis-[hydroxymethyl]-COT u. PBr_3 in Pyridin	53	65–66					4
1,8-Bis-[hydroxymethyl]-	a) Acetylen u. 1,4-Diacetoxy-butin-(2); Hydrolyse	22				1,5740		5
	b) 1,8-Dimethoxycarbonyl-COT u. $LiAlH_4/AlCl_3$	94					NMR	6
1,2-Bis-[trifluormethyl]-	Belichtung von Hexafluor-butin und Benzol						NMR, UV	7
1,8-Bis-[1-hydroxy-äthyl]-								8
1,8-Diformyl-	1,8-Bis-[hydroxymethyl]-COT u. MnO_2 oder NiO_2	10–40	124–125					9
1,8-Diacetyl-	1,8-Bis-[1-hydroxy-äthyl]-COT und CrO_3/H_2SO_4							8

[1] W. E. KONZ, W. HECHTL u. R. HUISGEN, Am. Soc. **92**, 4104 (1970).
[2] A. C. COPE u. D. S. SMITH, Am. Soc. **74**, 5136 (1952).
[3] A. C. COPE u. W. R. MOORE, Am. Soc. **77**, 4939 (1955).
[4] J. A. ELIX, M. V. SARGENT u. F. SONDHEIMER, Chem. Commun. **1966**, 508.
[5] A. C. COPE u. J. E. MEILI, Am. Soc. **89**, 1883 (1967).
[6] E. LE GOFF u. R. B. LA COUNT, Tetrahedron Letters **1965**, 2787.
[7] R. S. H. LIU u. C. G. KRESPAN, J. Org. Chem. **34**, 1271 (1969).
[8] P. W. JENKINS, MIT, Cambridge, Massachusetts zitiert in R. BRESLOW, W. VITALE u. K. WENDEL, Tetrahedron Letters **1965**, 365.
[9] R. BRESLOW, W. HORSPOOL, H. SUGIYAMA u. W. VITALE, Am. Soc. **88**, 3677 (1966).

Tab. 4. (5. Fortsetzung)

Cyclooctatetraen (COT)	Bedingungen	Ausbeute [% d.Th.]	F [°C]	Kp [°C]	Kp [Torr]	n_D^{25}	Spektren	Literatur
1,8-Dicarboxy-	a) Acetylen u. Acetylendicarbonsäure-dimethylester; Hydrolyse	10	195–196					[1]
	b) Acetylendicarbonsäure-dimethylester u. Benzol; Hydrolyse		207,5–208,5				UV, IR	[2]
1,8-Dimethoxycarbonyl-	Acetylendicarbonsäure-dimethylester und Benzol belichtet	32	109,5–110				IR	[2,3]
c) **Disubstituierte mit verschiedenen Substituenten**								
8-Methyl-1-methoxycarbonyl-	Butin-(2)-säure-methylester u. Benzol belichtet	50						[4]
2-Methyl-1-(trimethylammoniono-methyl)-...-bromid	1-Methyl-8-methoxycarbonyl-COT 1. $LiAlH_4$ 2. PBr_3 3. $(CH_3)_3N$	28	225–226				NMR	[4]
8-Hydroxymethyl-1-methoxycarbonyl-	1,8-Dimethoxycarbonyl-COT u. $LiAlH_4/AlCl_3$ in Äther bei –75°	11						[5]
d) **Höher substituierte Cyclooctatetraene**								
1,2,5-Trimethoxycarbonyl-	1,5-Dimethoxycarbonyl-quadricyclanon und Propiolsäure-methylester		108				UV, NMR	[6]
2,3-Diäthyl-1-cyan-	Benzonitril u. Hexin-(3) belichtet	~5		62–72	0,07–0,4		UV, IR, NMR	[7]
2,3-Dibutyl-1-cyan-	Benzonitril u. Decin-(5) durch Belichtung						UV	[7]

[1] A. C. Cope u. J. E. Meili, Am. Soc. **89**, 1883 (1967).
[2] D. Bryce-Smith u. J. E. Lodge, Soc. **1963**, 695.
[3] E. Grovenstein u. D. V. Rao, Tetrahedron Letters **1961**, 148.
[4] F. A. L. Anet u. B. Gregorovich, Tetrahedron Letters **1966**, 5961.
[5] E. Le Goff u. R. B. La Count, Tetrahedron Letters **1965**, 2787.
[6] H. Prinzbach u. J. Rivier, Ang. Ch. **79**, 1102 (1967).
[7] J. G. Atkinson, D. E. Ayer, G. Büchi u. E. W. Robb, Am. Soc. **85**, 2257 (1963).

Tab. 1. (6. Fortsetzung)

Cyclooctatetraen (COT)	Bedingungen	Ausbeute [% d.Th.]	F [°C]	Kp [°C]	Kp [Torr]	n_D^{25}	Spektren	Literatur
1,2,4,5-Tetramethyl-	Dichlor-dimethyl-cyclobutene (3 Isomere) dimerisieren beim Enthalogenieren. Diese Dimeren bilden beim Erhitzen drei isomere Tetramethyl-cyclooctatetraene			99	20	1,5175 (20°)	UV, IR, NMR	1
1,2,4,7-Tetramethyl-	Dichlor-dimethyl-cyclobutene (3 Isomere) dimerisieren beim Enthalogenieren. Diese Dimeren bilden beim Erhitzen drei isomere Tetramethyl-cyclooctatetraene			95–96	19	1,5122 (20°)	UV, IR, NMR	1
1,2,5,6-Tetramethyl-	Dichlor-dimethyl-cyclobutene (3 Isomere) dimerisieren beim Enthalogenieren. Diese Dimeren bilden beim Erhitzen drei isomere Tetramethyl-cyclooctatetraene		−11 bis −7	94–95	18	1,5162 (20°)	UV, IR, NMR	1
1,3,5,7-Tetramethyl-	4,6-Dimethyl-2H-pyron dimerisiert photochemisch. Erhitzen der Dimeren	26	69–70				NMR	2
1,2,4,7-Tetraphenyl-	a) 3,4-Epoxy-5-oxo-2,3-diphenyl-cyclopenten-(1) belichtet	24	133–134				UV, IR, NMR	3
	b) 2,4-Bis-[dimethylamino]-1,3-diphenyl-cyclobutan Hofmann-Abbau des quartären Ammoniumsalzes							4
1,3,5,7-Tetraphenyl-	2,4-Bis-[dimethylamino]-1,3-diphenyl-cyclobutan, Hofmann-Abbau des quartären Ammoniumsalzes	34	192–193				UV, IR, NMR	4
1,2,4,6-Tetrakis-[2-hydroxy-propyl-(2)]-	Tetramerisation von 3-Hydroxy-3-methyl-butin-(1) an Nickel-Verbindungen		160,5–163				IR, NMR	5
1,2,4,7-Tetrakis-[2-hydroxy-propyl-(2)]-	Tetramerisation von 3-Hydroxy-3-methyl-butin-(1) an Nickel-Verbindungen						IR, NMR	5
1,3,5,7-Tetrakis-[2-hydroxy-propyl-(2)]-	Tetramerisation von 3-Hydroxy-3-methyl-butin-(1) an Nickel-Verbindungen		225–226				IR, NMR	5
1,3,5,7-Tetraisopropenyl-	1,3,5,7-Tetrakis-[2-hydroxy-propyl-(2)]-COT wird mit p-Toluolsulfonsäure in Toluol erhitzt	88	80				IR, NMR	5

[1] R. Criegee, W. Eberius u. H. A. Brune, B. **101,** 94 (1968).
[2] P. De Mayo u. R. W. Yip, Pr. chem. Soc. **1964,** 84.
[3] A. Padwa u. R. Hartman, Am. Soc. **86,** 4212 (1964); **88,** 1518 (1966).
[4] E. H. White u. H. C. Dunathan, Am. Soc. **86,** 453 (1964).
[5] P. Chini, N. Palladino u. A. Santambrogio, Soc. [C] **1967,** 836.

Tab. 4 (7. Fortsetzung)

Cyclooctatetraen (COT)	Bedingungen	Ausbeute [% d.Th.]	F [°C]	Kp		n_D^{25}	Spektren	Literatur
				[°C]	[Torr]			
1,2,4,6-Tetracarboxy-	Alkalische oder saure Verseifung von 1,2,4,6-Tetramethoxycarbonyl-COT		267–268				IR	1
1,2,4,6-Tetramethoxycarbonyl-	Tetramerisation von Propiolsäure-methylester an $Ni(PCl_3)_4$	83	182,5–183					1
1,2,5,6-Tetramethoxycarbonyl-	1,5-Dimethoxycarbonyl-quadricyclanon und Acetylendicarbonsäure-dimethylester		187				UV, NMR	2
1,2,4,6-Tetraäthoxycarbonyl-	Tetramerisation von Propiolsäure-äthylester an $Ni(PCl_3)_4$ in Cyclohexan bei 20°	28	83,5–84				UV, IR, NMR	1
1,3,5,7-Tetraäthoxycarbonyl-	(wie oben)	1	130,5–131				IR, NMR	1
Octamethyl-	Thermische Zersetzung des Tetramethyl-cyclobutadien-nickel(II)-chlorids		113				IR, UV	3
Octaphenyl-	Eliminierung von Dimethyl-zinnbromid aus Dimethyl-(4-brom-tetraphenyl-butadienyl)-zinn(IV)-bromid	85	425–427					4
Octachlor-	Dimerisation von Tetrachlor-buten-in und $H^{\oplus}$-katalysierte Isomerisierung		172				UV, IR	5
	Erhitzen	75	170–173					6
Octabrom-	Erhitzen	58	186–190					6

[1] J. R. Leto u. M. F. Leto, Am. Soc. **83**, 2944 (1961); Ausbeuten bez. auf umges. Ausgangsmaterial.

[2] H. Prinzbach u. J. Rivier, Ang. Ch. **79**, 1102 (1967).

[3] R. Criegee u. G. Schröder, A. **623**, 1 (1959).

[4] H. H. Freedman, Am. Soc. **83**, 2195 (1961).

[5] A. Roedig, R. Helm, R. West u. R. M. Smith, Tetrahedron Letters **1969**, 2137.

[6] R. Criegee u. R. Huber, B. **103**, 1862 (1970).

Die Wahl des Lösungsmittels hat auf den Reaktionsverlauf entscheidenden Einfluß. Nimmt man Pentan[1] anstelle von Äther, so tritt bei der Reaktion zwischen Butyl- oder 2-Methyl-propyl-lithium und Cyclooctatetraen ausschließlich Addition ein und man erhält substituierte Cyclooctatriene. Bei der Reaktion von Phenyl-natrium mit Cyclooctatetraen in Benzol[1] fällt *Phenyl-cyclooctatetraen* (22% d.Th.) und ein Gemisch der beiden Cyclooctatriene an. Aus Phenyl-magnesiumbromid und Cyclooctatetraen entsteht in Äther *Cyclooctatrien* (42%) und Biphenyl (45%)[1].

Phenyl-cyclooctatetraen reagiert mit Phenyl-lithium zu einem Gemisch von *1,2-*, *1,3-*, *1,4-* und *1,5-Diphenyl-cyclooctatetraenen*[2].

II. Cyclooctatetraen mit einer *trans*-Doppelbindung

Bestrahlung von 1,2,4,7-Tetraphenyl-cyclooctatetraen (I) in Hexan gibt ein Photoisomeres (II), für das die Struktur eines *Tetraphenyl-cyclooctatetraens* mit einer *trans*-Doppelbindung angenommen wird. Bei 25° geht II mit einer Halbwertszeit von 18 Stunden wieder in I über.

Acetylen-dicarbonsäure-dimethylester bildet mit II das 1.4-Addukt *1,3,4,6-Tetraphenyl-7,8-dimethoxycarbonyl-bicyclo[4.2.2]decatetraen-(2,4,7,9)* (III; F: 121–122°)[3]:

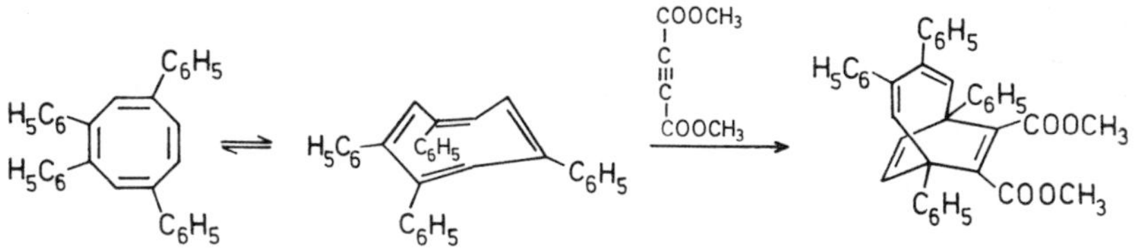

C_6H_5 H_5C_6 H_5C_6 C_6H_5 ⇌ H_5C_6 C_6H_5 C_6H_5 C_6H_5 —[$COOCH_3$–C≡C–$COOCH_3$]→ C_6H_5 H_5C_6 C_6H_5 $COOCH_3$ C_6H_5 $COOCH_3$

I II III

III. Cyclooctatetraen mit Heteroatomen

a) Azacyclooctatetraene (Azocine)

Chlorsulfonylisocyanat reagiert mit Cyclohexadien-(1,4) in Benzol bei 70° zum 2:2 Cycloaddukt[4]. Mit Thiophenol und Pyridin in Aceton oder mit Natronlauge in Aceton läßt sich die Chlorsulfonyl-Gruppe abspalten. Das dabei entstehende Lactam I gibt mit Trimethyloxoniumtetrafluoroborat den Lactimäther II:

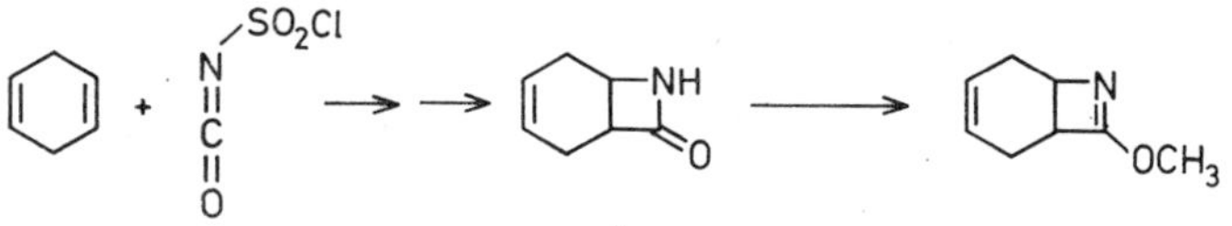

+ O=C=N–SO_2Cl → → NH O (I) → N OCH_3 (II)

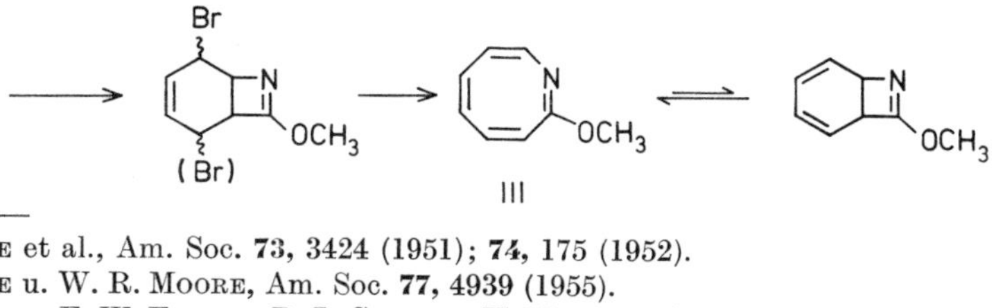

→ Br N OCH_3 (Br) → N OCH_3 (III) ⇌ N OCH_3

---

[1] A. C. Cope et al., Am. Soc. **73**, 3424 (1951); **74**, 175 (1952).
[2] A. C. Cope u. W. R. Moore, Am. Soc. **77**, 4939 (1955).
[3] E. H. White, E. W. Friend, R. L. Stern u. H. Maskill, Am. Soc. **91**, 523 (1969).
[4] L. A. Paquette u. T. Kakihana, Am. Soc. **90**, 3897 (1968).

Bromierung mit N-Brom-succinimid und anschließende Bromwasserstoff-Eliminierung führt zu *2-Methoxy-azacyclooctatetraen* (III).

2-Methoxy-azacyclooctatetraen (2-Methoxy-azocin; III)[1]: (vgl. Formelbild S. 447)

8-Oxo-7-aza-bicyclo[4.2.0]octen-(3) (I): In einen 1-*l*-Dreihalskolben mit Rührer, Tropftrichter mit Druckausgleich und Rückflußkühler mit Trockenrohr wird eine Lösung von 87,5 g (1, 15 Mol) Cyclohexadien-(1,4) in 70 *ml* wasserfreiem Benzol gegeben. Die gerührte Lösung wird auf 72—74° erhitzt, und 141,5 g (1,0 Mol) Chlorsulfonylisocyanat werden innerhalb von 4 Stdn. zugegeben. Anschließend wird noch 7 Stdn. bei dieser Temp. gerührt. Nach dem Abkühlen wird die Mischung auf 500 g Eis in ein 3-*l*-Becherglas gegossen. Man fügt 250 *ml* Aceton zu und hydrolysiert durch tropfenweise Zugabe von 4 n Natronlauge. Der p_H der Lösung wird bei 6—7 und die Temp. durch gelegentliche Zugabe von Eis bei ~ 35° gehalten. Das Produkt wird anschließend 3 mal mit je 500 *ml* Dichlormethan extrahiert. Die organische Phase wird getrocknet, filtriert und eingedampft. Man erhält einen gelben Feststoff, der aus Tetrahydrofuran umkristallisiert wird; Ausbeute: 63,3 g (52% d.Th.); F: 121,5—122,5.

8-Methoxy-7-aza-bicyclo[4.2.0]octadien-(3,7) (II). Eine Lösung von 19,0 g (0,154 Mol) I in 150 *ml* absol. Dichlormethan wird zu 23,6 g (0,194 Mol) Trimethyloxonium-tetrafluoroborat gegeben und die entstandene Suspension 7 Stdn. bei 0° gerührt. Zu dieser Mischung gibt man 400 *ml* kalte 5%ige wäßrige Kaliumcarbonat-Lösung und mischt die Schichten gründlich. Die organische Phase wird abgetrennt und schnell 3 mal mit je 400 *ml* Eiswasser gewaschen und getrocknet. Nach Abziehen des Lösungsmittels wird das zurückbleibende Öl schnell unter vermindertem Druck destilliert, wobei die Vorlage auf —78° gekühlt wird; Ausbeute: 11,4 g (54% d.Th.); $Kp_{0,3}$: 43—44° (farblose Flüssigkeit).

2-Methoxy-azocin (III): Zu einer Suspension von 15,45 (0,087 Mol) N-Brom-succinimid in 150 *ml* Tetrachlormethan werden 11,36 g (0,083 Mol) II und 0,3 g Dibenzoylperoxid gegeben. Das Gemisch wird unter einer Stickstoffatmosphäre unter Rühren zum Sieden erhitzt und mit einer Tageslichtlampe bestrahlt. Nach 10 Min. wird auf Zimmertemp. abgekühlt, filtriert, um Succinimid zu entfernen, und eingedampft. Das zähe, leicht braune Öl wird ohne Reinigung weiterverarbeitet.

Eine Suspension von 18,6 g (0,166 Mol) Kalium-tert.-butanolat in 150 *ml* absol. Äther wird auf 0° abgekühlt und tropfenweise eine Lösung des rohen Bromides in 30 *ml* absol. Tetrahydrofuran unter Stickstoff innerhalb von 10 Min. zugegeben. Die Zugabe wird so dosiert, daß die Lösung schwach unter Rückfluß kocht. Anschließend wird noch 9 Stdn. bei 0° gerührt. Die dunkle Reaktionsmischung wird nun mit 200 *ml* Wasser geschüttelt und die wäßrige Schicht 2 mal mit je 150 *ml* Äther extrahiert. Man vereinigt die organischen Phasen, trocknet, filtriert und zieht das Lösungsmittel ab. Destillation unter vermindertem Druck gibt 5,16 g einer gelben Flüssigkeit (Kp_{14}: 80—84°). Das Gaschromatogramm (Säule: 10% XF-1150 auf 60—80 Chromosorb G; 120°) zeigt 55% 2-Methoxy-azacyclooctatetraen und 45% Benzonitril. Trennung in präparativem Maßstab gibt reines 2-Methoxy-azacyclooctatetraen als gelbe Flüssigkeit.

Aus den methyl-substituierten Cyclohexadienen wurden nach dem gleichen Syntheseweg *2-Methoxy-8-methyl-*, *2-Methoxy-3,8-dimethyl-*, *2-Methoxy-4,6,8-trimethyl-* und *2-Methoxy-3,5,6,8-tetramethyl-azocin* hergestellt[1]. Methoxy-azacyclooctatetraene liegen ebenso wie Cyclooctatetraen in der Wannenkonformation vor und bilden Diels-Alder-Addukte, die sich vom bicyclischen Valenzisomeren ableiten[2]. Das Gleichgewicht zwischen Monocyclus und Bicyclus liegt wie beim Cyclooctatetraen ganz auf der Seite des Monocyclus[3]. Wird nun Azacyclooctatetraen zwischen C_3 und C_8 durch eine Kette von Methylen-Gruppen überbrückt, so kann bei einer Gliederzahl von n = 3 und 4 ausschließlich 7-Aza-bicyclo[4.2.0]octatrien (IV) nachgewiesen werden. Bei einer Brückengliederzahl von n = 5 beginnt ab 100° im Kernresonanzspektrum ein Gleichgewicht zwischen IV und V (s. S. 449) erkennbar zu werden.

---

[1] L. A. Paquette, T. Kakihana, J. F. Hansen u. J. C. Philips, Am. Soc. **93**, 152 (1971).

[2] L. A. Paquette u. J. C. Philips, Am. Soc. **90**, 3898 (1968).

[3] L. A. Paquette, T. Kakihana, J. F. Kelly u. J. R. Malpass, Tetrahedron Letters **1969**, 1455.

Bei n ≥ 6 beobachtet man keinen Klammereffekt mehr. V beherrscht nun ausschließlich das Gleichgewicht[1].

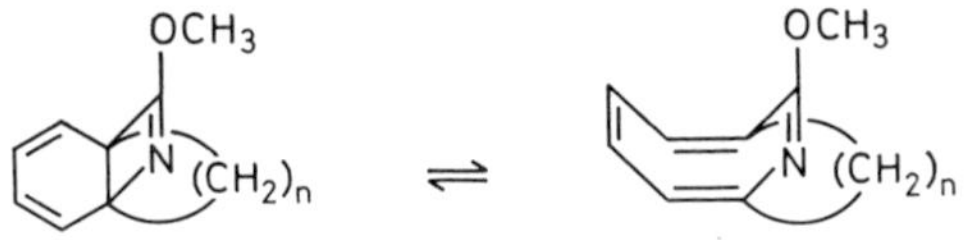

n = 3; IV
n = 4; IV
n = 5; IV; ab 100° Gleichgewicht
n = 6; V; *14-Methoxy-13-aza-bicyclo[6.4.2]tetradecatetraen-(1[12],8,10,13)*

Wird 5,6-Diphenyl-3-methoxycarbonyl-(bzw. 3-äthoxycarbonyl)-1,2,4-triazin (VIa bzw. VIb) mit 7,8-Dimethoxycarbonyl-tricyclo[4.2.2.0^{2,5}]decatrien-(3,7,9)(VII) in siedendem Toluol erhitzt, so entsteht *(2,3-Diphenyl-8-methoxycarbonyl)-azocin-* (VIIIa, F: 125°, 60% d. Th.) bzw. *-8-äthoxycarbonyl-azocin* (VIIIb)[2]:

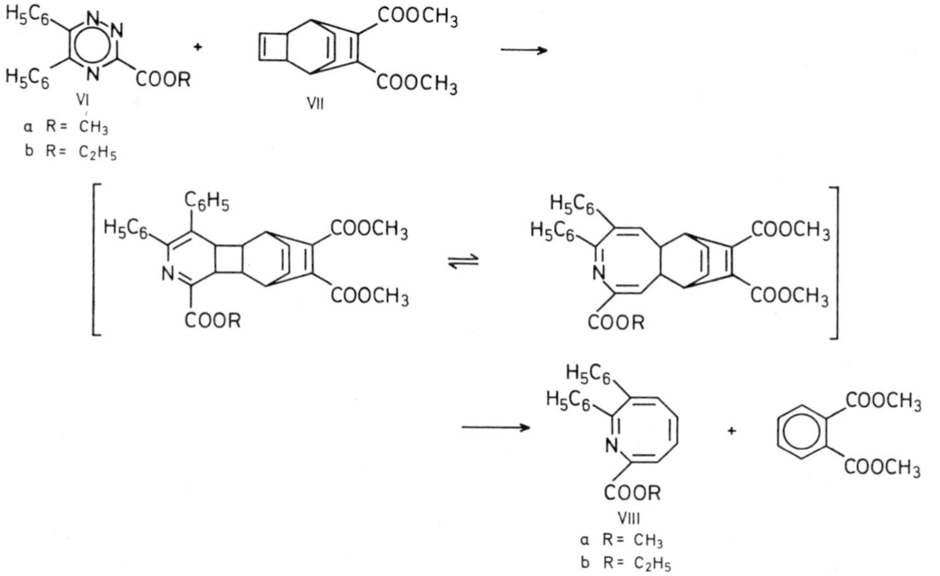

VI a R = CH_3 b R = C_2H_5 + VII →

VIII a R = CH_3 b R = C_2H_5

Setzt man das Triazin VIb mit 9,10-Dimethoxycarbonyl-tricyclo[4.2.2.0^{2,5}]decadien-(3,7) (IX) um, so kann das bei obiger Reaktion als instabiles Zwischenprodukt formulierte 1 : 1 Addukt isoliert werden {*6,7-Diphenyl-13,14-dimethoxycarbonyl-4-äthoxycarbonyl-5-aza-tricyclo[8.2.2.0^{2,9}]tetradecatetraen-(3,5,7,11)*; X; F: 208–209°}[2]:

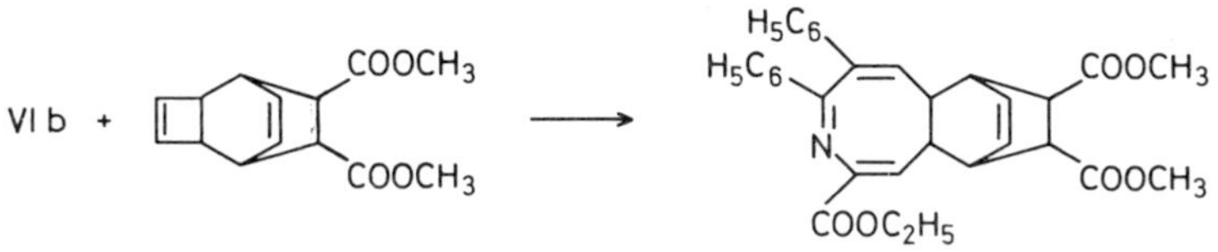

VIb + IX → X

[1] L. A. Paquette, T. Kakihana, J. F. Hansen u. J. C. Philips, Am. Soc. **93**, 152 (1971).
[2] J. A. Elix, W. S. Wilson u. R. N. Warrener, Tetrahedron Letters **1970**, 1837.

b) 1,3,5,7-Tetrathiocin-Tetraanion

Aus Natriumsulfid und Dichlormethan ist *1,3,5,7-Tetrathia-cyclooctan* leicht zugänglich. Butyl-lithium überführt dieses unter geeigneten Reaktionsbedingungen in das *1,3,5,7-Tetrathiocin-Tetraanion*[1]:

Na_2S + CH_2Cl_2 ⟶ [Tetrathiacyclooctan] $\xrightarrow[-4\ C_4H_{10}]{4\ C_4H_9Li}$ [Tetrathiocin-Tetraanion] 4 $Li^{\oplus}$

IV. Anellierte Cyclooctatetraene

a) mit ankondensiertem Vierring

Bicyclo[6.2.0]decatetraen-(1⁸,2,4,6) (*Cyclooctacyclobuten*; II)[2] entsteht bei der Einwirkung von UV-Licht auf 7,8-Bis-[methylen]-cyclooctatrien-(*1,3,5*) (I)[3,4] mit 10%iger Ausbeute:

I (CH_2, CH_2); III (CH_2, CHBr) $\xrightarrow{h\nu}$ IIa, IIb

Bei der Bestrahlung von 8-Methylen-7-brommethylen-cyclooctatrien-(1,3,5) (III) bildet sich ebenfalls II[2]. Das Bromatom wird dabei reduktiv abgespalten. Für II kommen zwei Bindungsisomere in Frage, von denen IIa aus Spannungsgründen bevorzugt wird.

Bicyclo[6.2.0]decapentaen-(1,3,5,7,9) (*Cyclooctacyclobutadien*) ist isomer mit Naphthalin und Azulen. HMO-Berechnungen sagen eine Delokalisationsenergie pro π-Elektron voraus, die etwas niedriger liegt als bei benzoiden Aromaten vergleichbarer Größe[5]. Im Widerspruch dazu stehen die Aussagen der Resonanztheorie und der Perturbationsmethode. Danach weist das Molekül höchstens eine geringe oder keine Delokalisationsenergie auf[6].

---

[1] R. T. Wragg, Tetrahedron Letters **1969**, 4959.
[2] J. A. Elix, M. V. Sargent u. F. Sondheimer, Am. Soc. **89**, 180 (1967); **92**, 969 (1970).
[3] F. A. L. Anet u. B. Gregorovich, Tetrahedron Letters **1966**, 5961.
[4] J. A. Elix, M. V. Sargent u. F. Sondheimer, Chem. Commun. **1966**, 508; Am. Soc. **92**, 962 (1970).
[5] A. Rosowsky et al., Tetrahedron **11**, 121 (1960).
[6] P. J. Garratt u. R. H. Mitchell, Chem. Commun. **1968**, 719.

Während das unsubstituierte Bicyclo[6.2.0]decapentaen bisher unbekannt ist, konnte eine Reihe von Derivaten (IV–IX[1]; X[2]) synthetisiert werden: (V; *2-Chlor-1-methyl-⟨cycloocta-cyclobutadien⟩*; IX; *2-Fluor-1-chlor-2a, 8a-dihydro-⟨cycloocta-cyclobutadien⟩*, s. S. 492):

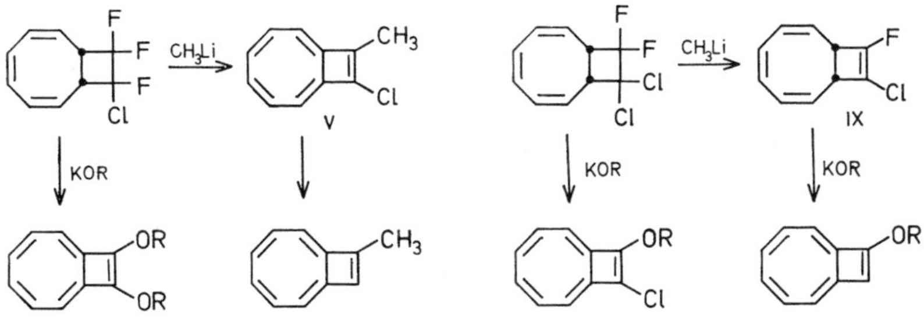

R=OC(CH$_3$)$_3$

IV; *1,2-Di-tert.-butyloxy-⟨cycloocta-cyclobutadien⟩*; 30% d. Th.

VI; *1-Methyl-⟨cycloocta-cyclobutadien⟩*

VII; *2-Chlor-1-tert.-butyloxy-⟨cycloocta-cyclobutadien⟩*; 50% d. Th.

VIII; *1-tert.-Butyloxy-⟨cycloocta-cyclobutadien⟩*; 10% d. Th.

2-Chlor-1-tert.-butyloxy-⟨cycloocta-cyclobutadien⟩ (VII)[1]: 1,5 g 10,10-Difluor-9,9-dichlor-bicyclo[6.2.0]decatrien-(2,4,6) (s. S. 490) werden in ~30 *ml* Pentan gelöst und in einer Stickstoffatmosphäre langsam unter Rühren zu einer eisgekühlten Aufschlämmung von Kalium-tert.-butanolat (aus 1,2 g Kalium) in 30 *ml* Pentan/Äther gegossen. Die Lösung nimmt dabei augenblicklich eine schmutzig-rote Farbe an. Anschließend rührt man noch 2–3 Stdn. bei 30–40°, setzt dann Wasser zu und äthert aus. Alle Operationen werden möglichst unter Sauerstoffausschluß durchgeführt. Das Lösungsmittel wird i. Vak. abgezogen und der tiefrote Rückstand zuerst bei ~ –5° an basischem Aluminiumoxid (Pentan/Äther 9:1) und dann an Silicagel (Pentan) chromatographiert; Ausbeute: ~ 50% d. Th.; bis ~ 25° kristalline, sehr luftempfindliche, thermisch (bis 80°) jedoch recht stabile, tiefrote Substanz.

UV in Äther: λ_{max} 282 mμ (52000), 376 mμ (1100) und viele angedeutete Schultern zwischen 400 und 500 mμ. NMR in CCl$_4$: τ 3,9 Multiplett (6H), τ 8,9 Singulett (9H).

Tribenzo-[a;e;g]-⟨cycloocta-cyclobutadien⟩ (X)[2] wird bei einer Wittig-Reaktion aus 2,2'-Diformyl-biphenyl und 1,2-Bis-[triphenylphosphorylen]-benzocyclobuten als blaßgelbe Kristalle (4% d. Th.; F: 129–130°) erhalten:

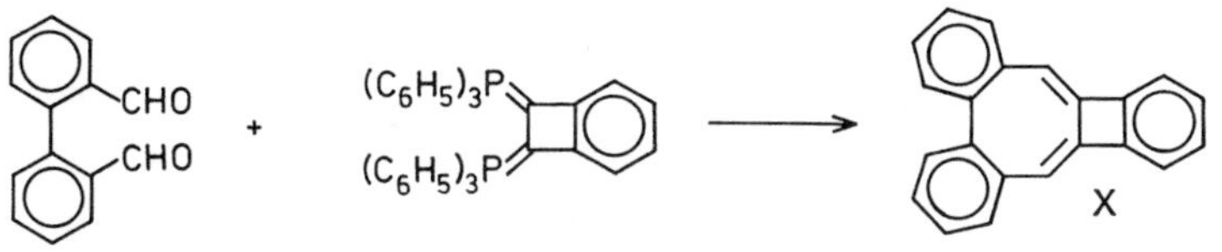

b) mit ankondensiertem Fünfring

1. mit carbocyclischem Fünfring

UV-Belichtung einer Lösung von Diazocyclopentadien in Benzol (s. S. 452) gibt *Cyclopentadien-⟨5-spiro-7⟩-norcaradien* (30–40% d. Th.; I), das sich in Benzol beim Erwärmen auf 75° zu *1H-⟨Cyclopenta-cyclooctatetraen⟩* (IIa) isomerisiert (24% d. Th.)[3]:

[1] G. SCHRÖDER u. H. RÖTTELE, Ang. Ch. **80**, 665 (1968).
G. SCHRÖDER u. P. NIKOLOFF, Organisch-Chemisches Institut der Universität Karlsruhe, unveröffentlicht.

[2] P. J. GARRATT, K. P. C. VOLLHARDT u. R. H. MITCHELL, Soc. [C] **1970**, 2137.

[3] D. SCHÖNLEBER, B. **102**, 1789 (1969).

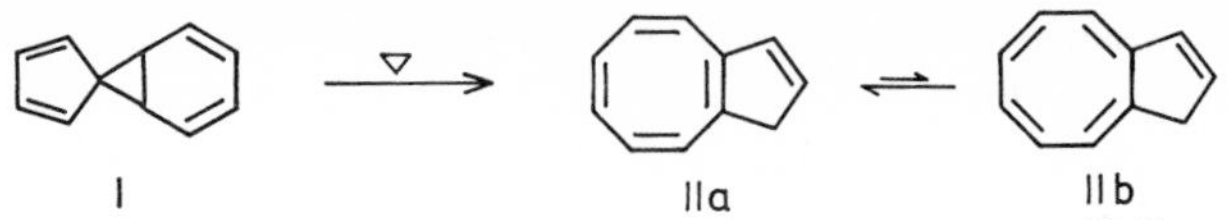

I IIa 85% IIb 15%

Das NMR-Spektrum zeigt, daß nicht ausschließlich IIa vorliegt; ein isomerer Kohlenwasserstoff, wahrscheinlich IIb, ist zu ~15% vorhanden. Zwischen IIa und IIb scheint ein Gleichgewicht zu bestehen. Bei anderen Cyclooctatetraenen wurde eine Aktivierungsenergie von 12–19 kcal für die Verschiebung der Doppelbindungen[1] gefunden.

Wird Diazocyclopentadien in Hexafluorbenzol photolysiert, so erhält man die I analoge Spiroverbindung (30% d.Th.), die beim Erhitzen auf 255° in *4,5,6,7,8,9-Hexafluor-1H-⟨cyclopenta-cyclooctatetraen⟩* (III) umgewandelt wird[2]:

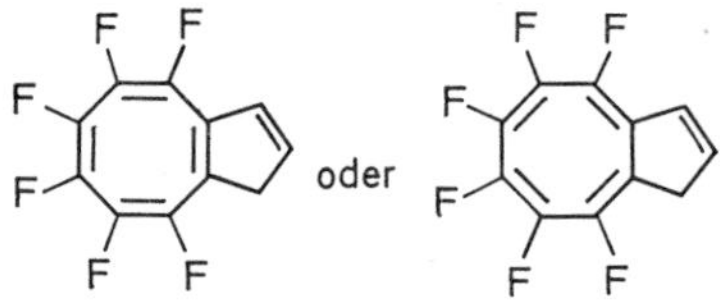

IIIa oder IIIb

In Gegenwart von Methanolat-Anionen unterliegt 1,8-Diacetyl-cyclooctatetraen einer intramolekularen Aldoladdition. Es entsteht *1-Hydroxy-3-oxo-1-methyl-2,3-dihydro-1H-⟨cyclopenta-cyclooctatetraen⟩* (IV), das über V in das sehr instabile *1-Oxo-3-methyl-1H-⟨cyclopenta-cyclooctatetraen⟩* (VI) übergeführt werden kann[3].

Wird V nicht an Aluminiumoxid sondern an Kieselgel chromatographiert, so erhält man *3-Oxo-1-methylen-2,3-dihydro-1H-⟨cyclopenta-cyclooctatetraen⟩* (VII)[3]:

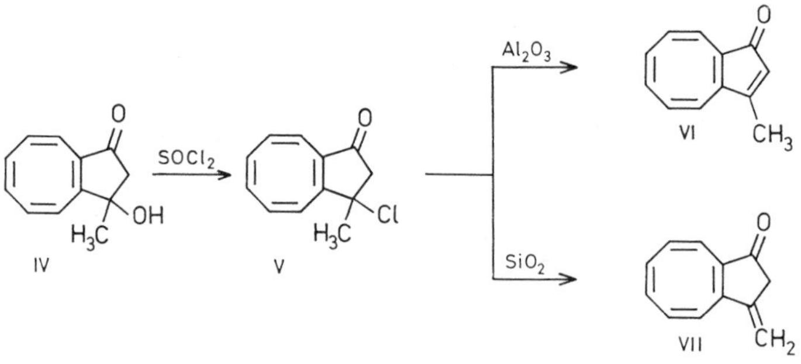

IV $\xrightarrow{SOCl_2}$ V; V $\xrightarrow{Al_2O_3}$ VI; V $\xrightarrow{SiO_2}$ VII

2. mit heterocyclischem Fünfring

Reduktion von 1,8-Dimethoxycarbonyl-cyclooctatetraen mit Aluminiumhydrid bei −75° führt zu einer farblosen Verbindung – vermutlich *8-Hydroxymethyl-1-formyl-cyclooctatetraen* –, die sich in Äther oder schneller auf einer Kieselgelsäule zu *Cycloocta-[c]-furan* (VIII) (48% d. Th.)[4] umwandelt.

[1] D. Schönleber, B. **102**, 1789 (1969).
[2] M. Jones, J. Org. Chem. **33**, 2538 (1968).
[3] R. Breslow, W. Vitale u. K. Wendel, Tetrahedron Letters **1965**, 365.
[4] E. Le Goff u. R. B. La Count, Tetrahedron Letters **1965**, 2787.

VIII ist eine leuchtend gelborange Flüssigkeit, die bei Anwesenheit von Sauerstoff schnell polymerisiert.

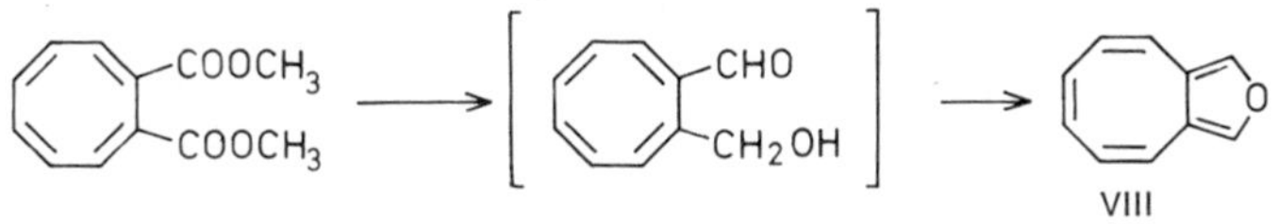

VIII

Oxidation von 1,8-Bis-[hydroxymethyl]-cyclooctatetraen mit Mangan(IV)-oxid gibt *1,8-Diformyl-cyclooctatetraen* (15% d. Th.), *Cycloocta-*[c]*-furan* (VIII; 14% d. Th.) und als Hauptprodukt *1-Oxo-2,3-dihydro-⟨cycloocta-*[c]*-furan⟩* (39% d. Th.; IX)[1]:

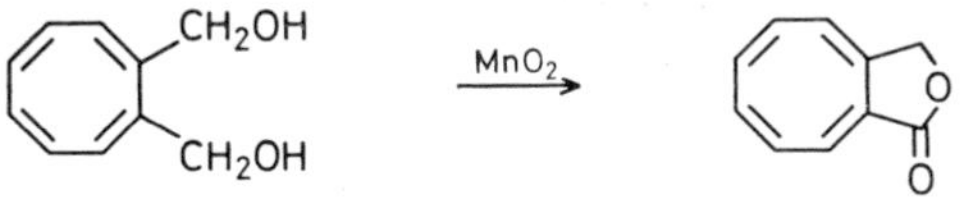

IX

3,4-Bis-[triphenylphosphonionomethyl]-furan-dichlorid (I) und 3,4-Diformyl-furan (II) bilden in Gegenwart von Lithiumäthanolat das instabile, kristalline *Difuro-*[*3,4-a; 3,4-e*]*-cyclooctatetraen* (III; F: 131–133°; 44% d.Th.).

Mit Fumarsäure-di-methylester reagiert III glatt zum Diels-Alder-Addukt IV (77% d.Th.)[1]:

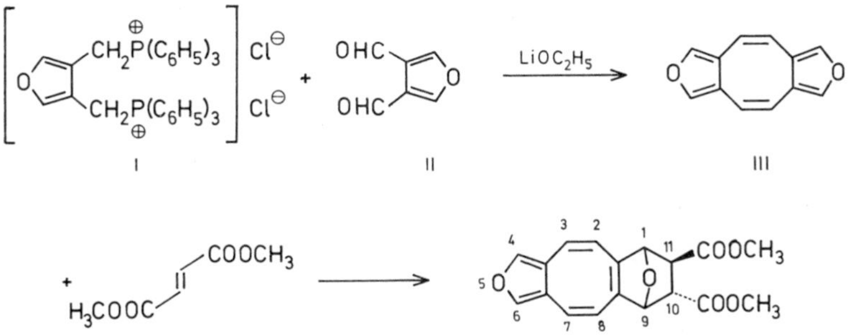

I II III

IV

IV; *trans-10,11-Dimethoxycarbonyl-⟨{furo-*[*3,4-e*]*-cycloocta}-7-oxa-bicyclo*[*2.2.1*]*hepten⟩*

Die Kondensation von 3,4-Diformyl-furan mit 3,4-Bis-[carboxymethyl]-furan in Essigsäure/Trimethylamin und anschließende Veresterung mit Methanol/Schwefelsäure gibt in 3%iger Ausbeute *5,9-Dimethoxycarbonyl-⟨difuro-*[*3,4-a; 3,4-e*]*-cyclooctatetraen⟩* (F: 134–135°)[1]:

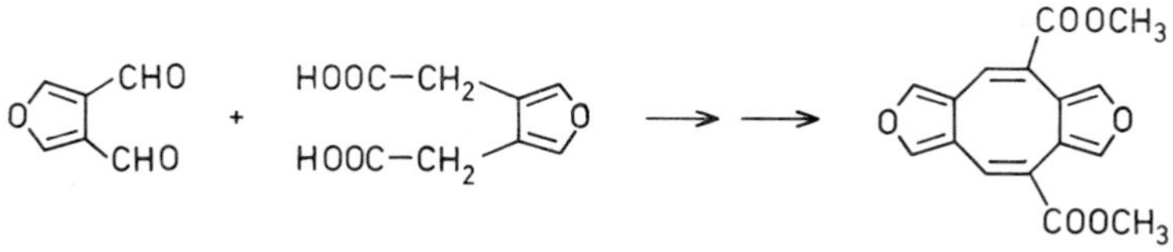

6,8-Dimethyl-⟨furo-[*3,4-e*]*-thieno-*[*3,4-a*]*-cyclooctatetraen⟩* (V; F: 97°) läßt sich analog III synthetisieren (10% d.Th.; S. 454). Mit Fumarsäure-dimethylester erhält man aus V das Diels-Alder-Addukt VI (30% d.Th.; s. S. 454)[2]:

---

[1] J. A. Elix, M. V. Sargent u. F. Sondheimer, Am. Soc. **92**, 973 (1970).

[2] A. P. Bindra, J. A. Elix u. M. V. Sargent, Tetrahedron Letters **1968**, 5573.

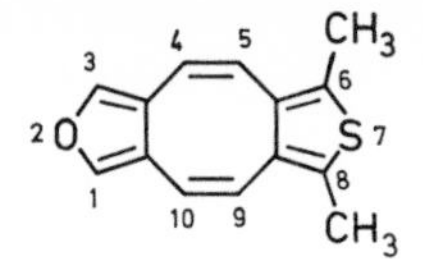

CH_3 CH_3 O S

V

H_3COOC H_3COOC O S CH_3 CH_3

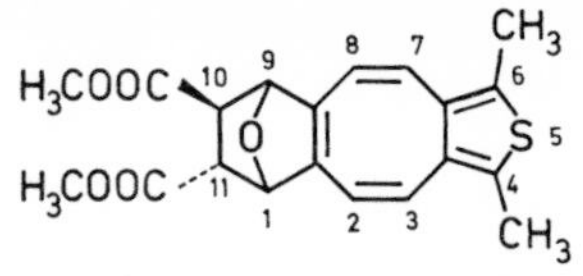

VI; F: 150°; *trans-10,11-Dimethoxycarbonyl-⟨{thieno-[3,4-e]-cycloocta}-7-oxa-bicyclo[2.2.1]hepten⟩*

Wittig Reaktion von Phthalaldehyd mit 3,4-Bis[triphenylphosphonionomethyl]-furan-dichlorid mit Lithiumäthanolat als Base gibt *Furo-[3,4-e]-benzo-[a]-cyclooctatetraen* (VII; 9,3% d. Th.; F: 86–88°)[1]. Mit Fumarsäure-dimethylester erhält man daraus *trans-11,12-Dimethoxycarbonyl-⟨{benzo-[e]-cycloocta}-7-oxa-bicyclo [2.2.1]hepten⟩* (VIII; 57% d. Th.; F: 110–112°)[1].

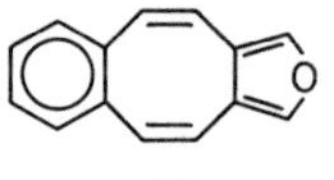

O

VII

$COOCH_3$ O $COOCH_3$

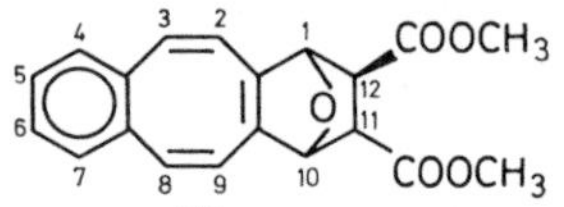

VIII

Durch Abfangreaktionen kann das aus Brom-cyclooctatetraen erhaltene 1,2-Dehydro-cyclooctatetraen indirekt nachgewiesen werden. So entsteht mit Phenylazid in 38%iger Ausbeute *1-Phenyl-1H-⟨cycloocta-1,2,3-triazol⟩* (F: 67,5–68°)[2]:

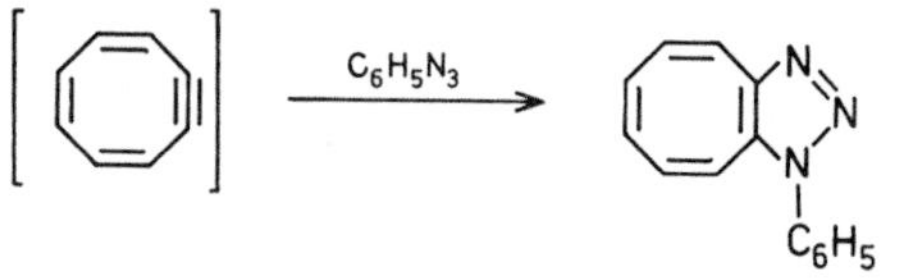

$C_6H_5N_3$ → N N N C_6H_5

c) mit ankondensiertem Sechsring

Wird 11-Chlor-12-thia-tricyclo[4.4.3.0^{1,6}]tridecadien-(2,4)-12,12-dioxid (IX) mit Kalium-tert.-butanolat in Dimethylsulfoxid behandelt, so bildet sich unter Umlagerung *13-Thia-tricyclo[6.4.1.0^{2,7}]tridecatrien-(2^7,9,11)-13,13-dioxid* (X; 56% d. Th.), das bei Gasphasenthermolyse (400°) oder Photolyse Schwefeldioxid verliert und *1,2,3,4-Tetrahydro-⟨benzo-cyclooctatetraen⟩* (XI) bildet[3]:

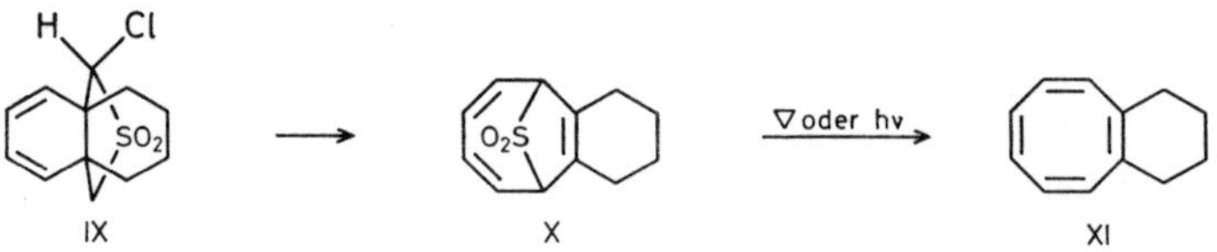

H Cl SO_2 → O_2S ∇ oder hν →

IX X XI

1,2-Dehydro-cyclooctatetraen geht mit 1,2-Bis-[methylen]-cyclobutan eine Diels-Alder-Addition zu *1,2,3,10-Tetrahydro-⟨cycloocta-[e]-benzocyclobutadien⟩* (13,3% d. Th.) ein[4]:

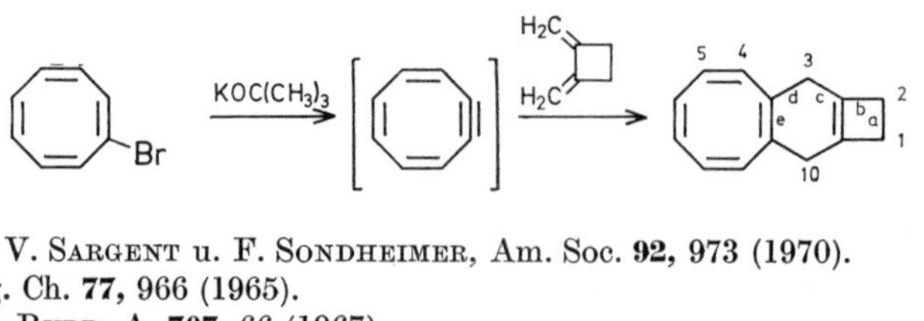

Br $KOC(CH_3)_3$ → H_2C H_2C →

---

[1] J. A. Elix, M. V. Sargent u. F. Sondheimer, Am. Soc. **92,** 973 (1970).
[2] A. Krebs, Ang. Ch. **77,** 966 (1965).
A. Krebs u. D. Byrd, A. **707,** 66 (1967).
[3] L. A. Paquette, R. E. Wingard u. R. H. Meisinger, Am. Soc. **93,** 1047 (1971).
[4] J. A. Elix u. M. V. Sargent, Am. Soc. **91,** 4734 (1969).

Ausgehend von 7,8-Bis-[methylen]-cyclooctatrien-(1,3,5) I sind durch Diels-Alder-Reaktion mit Dienophilen eine Reihe von Cyclooctatetraenen mit ankondensiertem Sechsring zugänglich[1]:

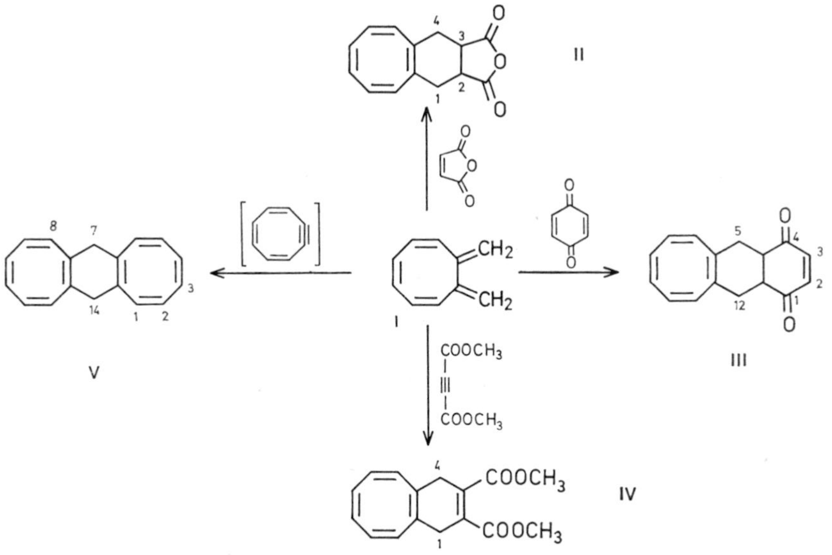

II
CH2
CH2
I
COOCH3
COOCH3
V
III
COOCH3
COOCH3
IV

II; *1,2,3,4-Tetrahydro-⟨benzo-cyclooctatetraen⟩-2,3-dicarbonsäure-anhydrid*; 37% d.Th.; F: 144–145°
III; *1,4-Dioxo-1,4,4a,5,12,12a-hexahydro-⟨cycloocta-[b]-naphthalin⟩*; 34% d.Th.; F: 123–124°
IV; *2,3-Dimethoxycarbonyl-1,4-dihydro-⟨benzo-cyclooctatetraen⟩*; 52% d.Th.; F: 79,5–80,5°
V; *7,14-Dihydro-⟨dicycloocta-[a; d]-benzol⟩*

d) mit ankondensiertem aromatischen Sechsring

1. Benzocyclooctatetraen

α) unsubstituiert

Benzo-cyclooctatetraen (II) kann nach verschiedenen Methoden hergestellt werden:

① Brom-cyclooctatetraen wird bei Anwesenheit von Butadien mit Kalium-tert.-butanolat behandelt. Dabei entsteht *1,4-Dihydro-⟨benzo-cyclooctatetraen⟩* (I), das mit 5,6-Dichlor-2,3-dicyan-p-benzochinon zu II dehydriert wird (Gesamtausbeute: 44,5% d.Th.; F: 50–51°)[2]:

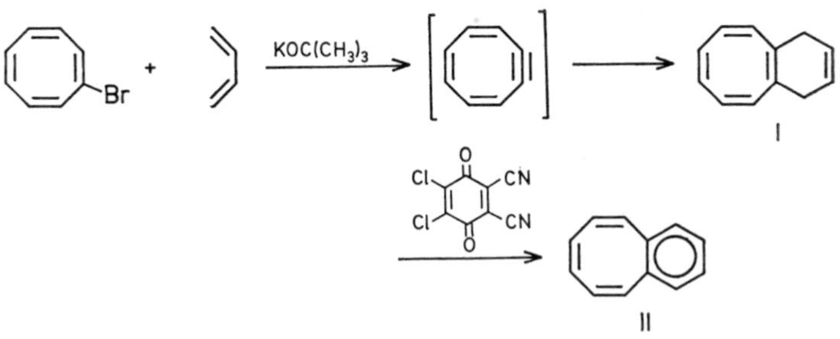

Br
KOC(CH3)3
I
Cl CN
Cl CN
II

[1] J. A. Elix, M. V. Sargent u. F. Sondheimer, Am. Soc. **92,** 962 (1970).
[2] J. A. Elix u. M. V. Sargent, Am. Soc. **91,** 4734 (1969).

Benzo-cyclooctatetraen (II; S. 455)[1]:

1,4-Dihydro-⟨benzo-cyclooctatetraen⟩ (I): Ein starker Strom Butadien wird 3/4 Stdn. durch 250 *ml* absol. Äther geleitet. Dann werden 5 g pulverisiertes Kalium-tert.-butanolat und 5,00 g Brom-cyclooctatetraen zugefügt. Der verschlossene Kolben wird 60 Stdn. im Dunkeln aufbewahrt, die Suspension filtriert, mit Äther ausgewaschen und das Filtrat und die Waschlösung mit 50 *ml* ges. Kochsalz-Lösung geschüttelt und über Magnesiumsulfat getrocknet. Nach Entfernen des Äthers i. Vak. wird der ölige Rückstand über Kieselgel mit Petroläther (Kp: 30–40°) chromatographiert. Dabei fallen 2,57 g nicht umgesetztes Brom-cyclooctatetraen an. Mit Petroläther (Kp: 30–40°)/2% Diäthyläther erhält man 1,82 g I (83%, bez. auf umges. Brom-cyclooctatetraen) als gelbes Öl.

Benzo-cyclooctatetraen (II): 1,82 g I und 2,7 g 5,6-Dichlor-2,3-dicyan-p-benzochinon werden in 120 *ml* absol. Benzol 1,2 Stdn. unter Rückfluß gekocht. Die abgekühlte Lösung gibt man auf eine Aluminiumoxid-Säule und eluiert Benzo-cyclooctatetraen mit Petroläther (Kp: 30—40°)/50% Diäthyläther. Nach Umkristallisation aus Äthanol erhält man blaßgelbe Prismen (1,22 g, 68% d.Th.; F: 49,5—50°).

② Bestrahlung (2537 Å) des relativ leicht zugänglichen Benzobarrelens (III)[2] führt ausschließlich zu *Benzocyclooctatetraen* (II) (95% d.Th.)[3]:

hν (2537 Å)

III II

③ Cyclobutadien-eisentricarbonyl und Benzocyclobutadien-eisentricarbonyl reagieren in Gegenwart von Blei(IV)-acetat zum *Benzo-tricyclo[4.2.0.0^2,5]octadien-(3,7)* (IV) (75% d.Th.)[4], das sich beim Erhitzen oder in Gegenwart von Silberionen schon bei —25° quantitativ zu *Benzo-cyclooctatetraen* (II) isomerisiert[5]:

$Fe(CO)_3$ + $Fe(CO)_3$ —$Pb(OAc)_4$→ IV —∇ oder $AgBF_4$/25°→ II

④ Das bei der Zersetzung von Benzoldiazonium-2-carboxylat in Benzol intermediär entstehende Dehydrobenzol reagiert in Gegenwart von Silberionen mit Benzol[2,6,7] zu *Benzo-cyclooctatetraen* (II; ~ 9% d.Th.), Benzobarrelen und Biphenyl. Es wird angenommen, daß die Silberionen einen relativ stark elektrophilen Komplex mit Dehydrobenzol ausbilden, der für die Entstehung von *Benzo-cyclooctatetraen* (II) verantwortlich ist[7]. In Abwesenheit von Silberionen konnten nur Benzobarrelen (17%) und Biphenylen (2%) neben Spuren von Benzo-cyclooctatetraen und Biphenyl erhalten werden[7].

$N_2^{\oplus}$ $COO^{\ominus}$ —C_6H_6, 45°/$Ag^{\oplus}$→ II

---

1 J. A. ELIX u. M. V. SARGENT, Am. Soc. **91**, 4734 (1969).
2 L. FRIEDMAN u. D. F. LINDOW, Am. Soc. **90**, 2329 (1968).
3 P. W. RABIDEAU, J. B. HAMILTON u. L. FRIEDMAN, Am. Soc. **90**, 4465 (1968).
4 W. MERK u. R. PETTIT, Am. Soc. **89**, 4787 (1967).
5 W. MERK u. R. PETTIT, Am. Soc. **89**, 4788 (1967).
6 R. G. MILLER u. M. STILES, Am. Soc. **85**, 1798 (1963).
M. STILES, U. BURCKHARDT u. G. FREUND, J. Org. Chem. **32**, 3718 (1967).
7 L. FRIEDMAN, Am. Soc. **89**, 3071 (1967).

⑤ Bei der Photolyse von Tricyclo[6.4.0.0^{9,12}]dodecatetraen-(2,4,6,10) (V) mit einer Niederdruck-UV-Lampe bei ~ 30° entsteht u. a. *trans-4a,10a-Dihydro-⟨benzo-cyclooctatetraen⟩* (VI), das sich mit Chloranil in Benzol glatt zu *Benzo-cyclooctatetraen* (II) dehydrieren läßt (~ 30% d.Th., bez. auf umgesetztes V)[1]:

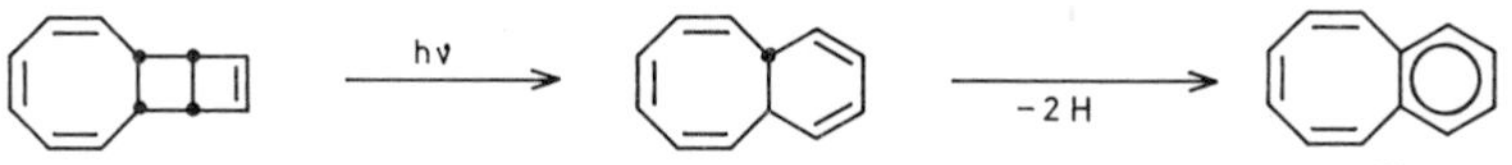

hν

-2 H

V VI II

⑥ Bei der Behandlung von Brom-cyclooctatetraen mit starken Basen entsteht unter Bromwasserstoff-Eliminierung *1,2-Dehydro-cyclooctatetraen*, das mit 1-Diäthylamino-butadien als *Benzo-cyclooctatetraen* (II) abgefangen werden kann (5% d.Th.)[2]:

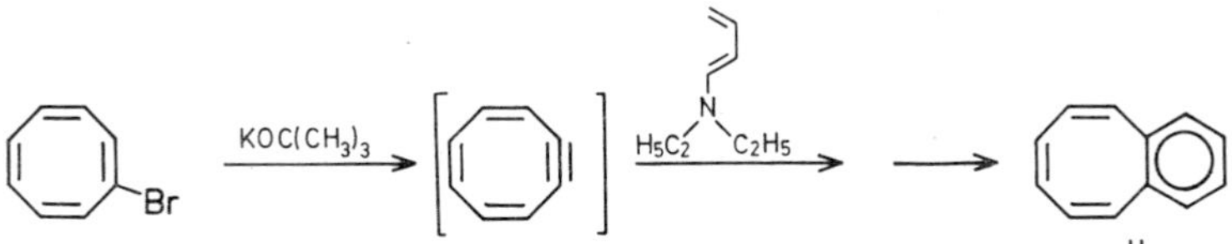

Br $KOC(CH_3)_3$ N H_5C_2 C_2H_5

II

⑦ Aus Phthalaldehyd und dem bifunktionellen Phosphorylen (VII) entsteht *7,8-Dihydro-⟨benzo-cyclooctatetraen⟩* (VIII). Bromieren mit N-Brom-succinimid, Überführen des Bromides in das Acetat und Acetat-Pyrolyse gibt in geringer Menge *Benzo-cyclooctatetraen* (II) (0,7% Gesamtausbeute)[3]:

CHO CHO + $(C_6H_5)_3P{=}CH{-}CH_2$ | $(C_6H_5)_3P{=}CH{-}CH_2$ → → → II

VII VIII

⑧ Dehydrobenzol geht mit Tropon eine 1,6-Cycloaddition zu *11-Oxo-⟨7,8-benzo-bicyclo[4.2.1] nonatrien-(2,4,7)⟩* (IX) ein, das beim Bestrahlen unter Kohlenmonoxid-Abspaltung *Benzo-cyclooctatetraen* (II) bildet[4]:

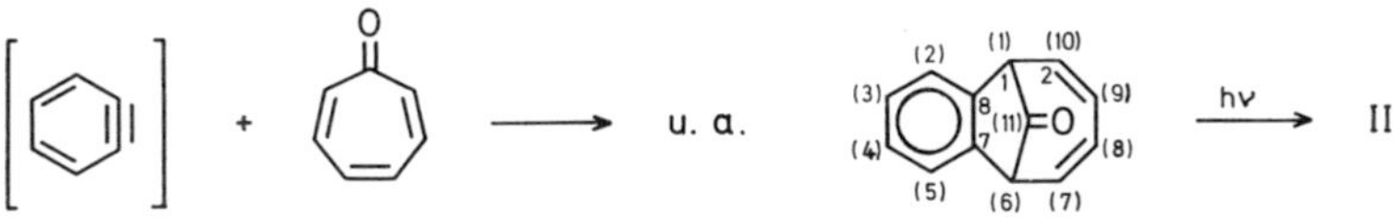

+ O → u. a. (1) (2) (3) (4) (5) (6) (7) (8) (9) (10) (11) O hν → II

IX

⑨ Eliminierung von Chlorwasserstoff aus 11-Chlor-12-thia-tricyclo[4.4.3.0^{1,6}]tridecatetraen-(2,4,7,9)-12,12-dioxid (X) mit Kalium-tert.-butanolat gibt ⟨7,8-Benzo-9-thia-bicyclo[4.2.1] nonatrien-(2,4,7)⟩-11,11-dioxid (XI; 68% d.Th.), das bei Belichtung in Aceton schnell unter Schwefeldioxid-Abspaltung in *Benzocyclooctatetraen* (II) übergeht[5]:

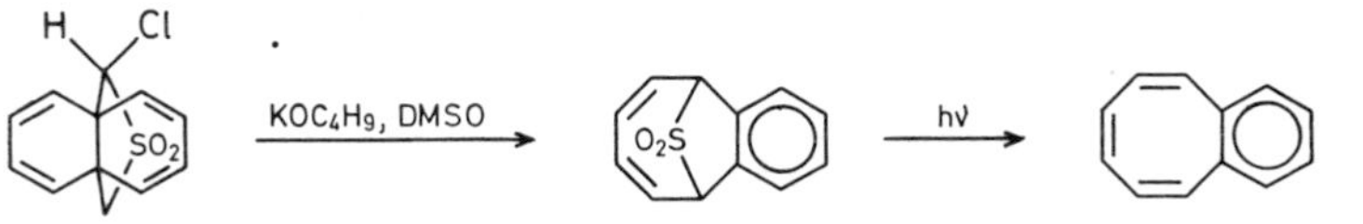

H Cl SO_2 KOC_4H_9, DMSO O_2S hν

X XI II

---

[1] H. Röttele, W. Martin, J. F. M. Oth u. G. Schröder, B. **102**, 3985 (1969).
[2] A. Krebs u. D. Byrd, A. **707**, 66 (1967).
[3] G. Wittig, H. Eggers u. P. Duffner, A. **619**, 10 (1959).
[4] T. Miwa, M. Kato u. T. Tamano, Tetrahedron Letters **1969**, 1761.
[5] L. A. Paquette, R. E. Wingard u. R. H. Meisinger, Am. Soc. **93**, 1047 (1971).

β) mit substituiertem Achtring

Biphenylen (I) addiert in Essigsäureanhydrid unter dem Einfluß von UV-Licht ein Molekül Brom. Dabei entsteht *5,10-Dibrom-⟨benzo-cyclooctatetraen⟩* (II)[1] (25% d. Th.; F: 93–94°).

Bei der Einwirkung von Nitrosylchlorid oder Acetylnitrat auf Biphenylen (I) lassen sich u. a. *10-Chlor-5-nitro-⟨benzo-cyclooctatetraen⟩* (III)[2] (18% d. Th.; F: 111–113°) bzw. *10-Nitro-5-acetoxy-⟨benzo-cyclooctatetraen⟩* (IV) (40% d. Th.; F: 115–116°) isolieren:

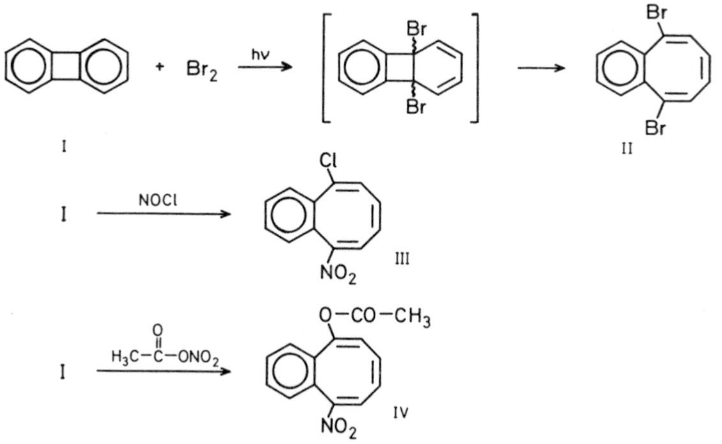

Wird Naphthalin mit Acetylendicarbonsäure-dimethylester auf 180° erhitzt, so erhält man 7,8-Dimethoxycarbonyl-⟨benzo-bicyclo[2.2.2]octatrien⟩ (I) (17% d. Th.), das bei Belichtung in Methanol in *7,8-Dimethoxycarbonyl-⟨benzo-cyclooctatetraen⟩* (II)[3] (80% d. Th.) übergeht und zu *7,8-Dicarboxy-⟨benzo-cyclooctatetraen⟩* (III)[3] (60% d. Th.; F: 200–202°) verseift werden kann:

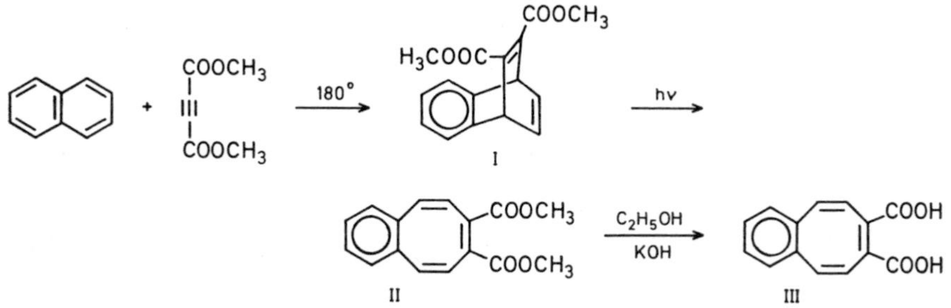

Das Photoaddukt IV aus Naphthalin und Diphenylacetylen isomerisiert sich beim Erhitzen u. a. zu *6,7-Diphenyl-⟨benzo-cyclooctatetraen⟩* (20% d. Th.; F: 94–95°)[4]:

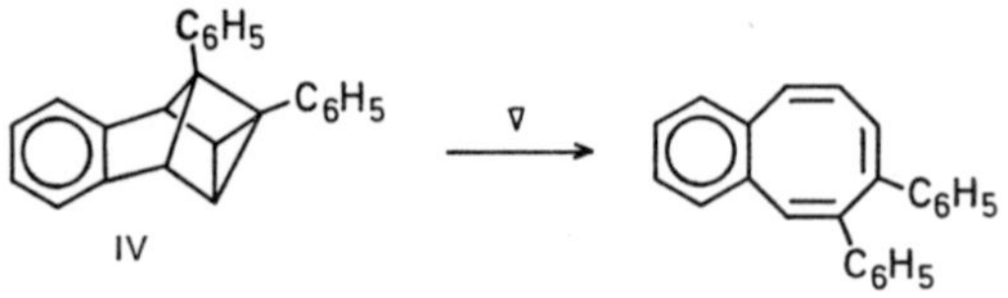

---

[1] J. W. Barton u. K. E. Whitaker, Soc. [C] **1968**, 28.
[2] J. W. Barton u. K. E. Whitaker, Chem. Commun. **1965**, 516.
[3] E. Grovenstein, T. C. Campbell u. T. Shibata, J. Org. Chem. **34**, 2418 (1969).
[4] P. J. Collin u. W. H. F. Sasse, Tetrahedron Letters **1968**, 1689.

Nitriert man Benzo-cyclooctatetraen mit Kupfernitrat in Essigsäureanhydrid, so erhält man ein Gemisch aus *5-*, *6-* und *7-Nitro-⟨benzo-cyclooctatetraen⟩*[1]:

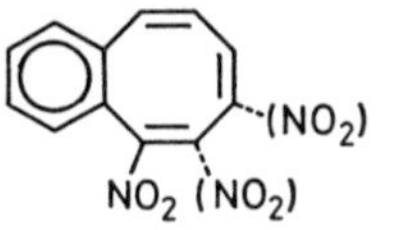

NO_2 (NO_2) (NO_2)

γ) mit substituiertem Benzolring

7,8-Bis-[methylen]-cyclooctatrien-(1,3,5) reagiert mit Acetylendicarbonsäure-dimethylester zum Diels-Alder-Addukt I (*2,3-Dimethoxycarbonyl-1,4-dihydro-⟨benzo-cyclooctatetraen⟩*; 52% d.Th.), das zu *2,3-Dimethoxycarbonyl-⟨benzo-cyclooctatetraen⟩* (II; 80% d.Th.) dehydriert wird[2]. Der Diester II läßt sich zu *2,3-Dicarboxy-⟨benzo-cyclooctatetraen⟩* (F: 175–178°) verseifen:

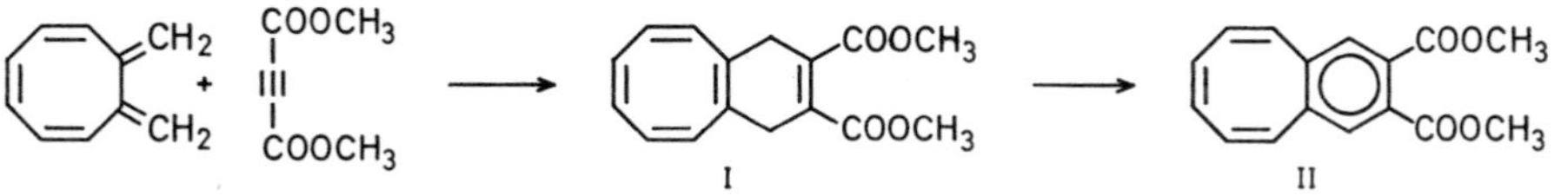

CH_2 + $COOCH_3$ ... → I ($COOCH_3$, $COOCH_3$) → II ($COOCH_3$, $COOCH_3$)

In siedendem Cyclohexan spaltet das aus 8-Methylen-7-chlormethylen- oder -7-brommethylen-cyclooctatrien-(1,3,5) und Acetylendicarbonsäure-dimethylester primär gebildete Addukt Chlorwasserstoff bzw. Bromwasserstoff ab. Dabei entsteht *2,3-Bis-[methoxycarbonyl]-⟨benzo-cyclooctatetraen⟩* (II; 43% d.Th.)[2].

Das aus Brom-cyclooctatetraen mit Kalium-tert.-butanolat in Äther bei Raumtemperatur als reaktive Zwischenstufe entstehende 1,2-Dehydro-cyclooctatetraen gibt mit 1,2-Bis-[methylen]-cyclobutan das Addukt III (*1,2,3,10-Tetrahydro-⟨cycloocta-[e]-benzocyclobutadien⟩*; 13,3% d.Th.), das in quantitativer Ausbeute zu *1,2-Dihydro-⟨cycloocta-[e]-benzocyclobutadien⟩* (IV) dehydriert wird[1]:

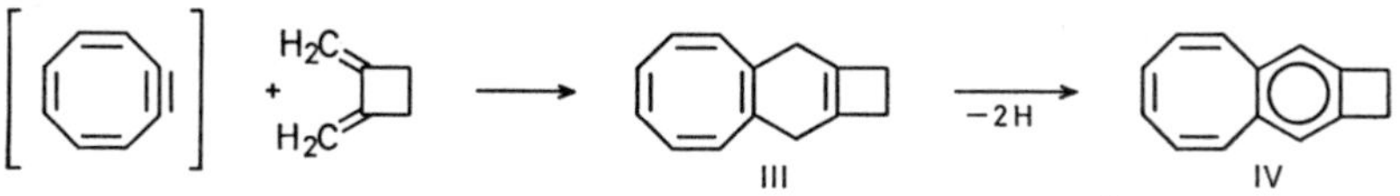

H_2C + H_2C → III $\xrightarrow{-2H}$ IV

Bis-[cycloocta]-[a;d]-benzol (VIII) erhält man auf zwei sehr ähnlichen Wegen[2]:

① 1,2-Dehydro-cyclooctatetraen (V) (aus Brom-cyclooctatetraen und Kalium-tert.-butanolat) reagiert mit 7,8-Bis-[methylen]-cyclooctatrien (VI) zum Addukt VII (*7,14-Dihydro-⟨bis-[cycloocta]-[a;d]-benzol⟩*), das mit 5,6-Dichlor-2,3-dicyan-benzochinon zu VIII (~ 10% d. Th., bez. auf VI; F: 178—181°)[2] dehydriert wird:

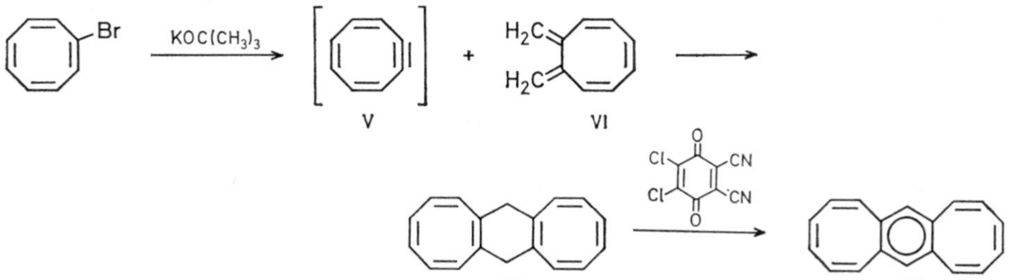

Br $\xrightarrow{KOC(CH_3)_3}$ [V] + VI (H_2C, H_2C) →

VII → (Cl, Cl, CN, CN, O, O) → VIII

[1] J. A. Elix u. M. V. Sargent, Am. Soc. **91, 4734 (1969).**

[2] J. A. Elix, M. V. Sargent u. F. Sondheimer, Am. Soc. **92, 962 (1970).**

② Läßt man Kalium-tert.-butanolat auf äquimolare Teile 1,2-Bis-[brommethyl]-cyclo-octatetraen und Brom-cyclooctatetraen einwirken, so entsteht über die reaktiven Zwischenstufen *8-Methylen-7-brommethylen-cyclooctatrien* (IX) und 1,2-Dehydro-cyclooctatetraen (V) das Addukt X, das sogleich unter Dehydrobromierung in *Bis-[cycloocta]-[a;d]-benzol* (VIII; s. S. 459) übergeht (11% d.Th.)[1]:

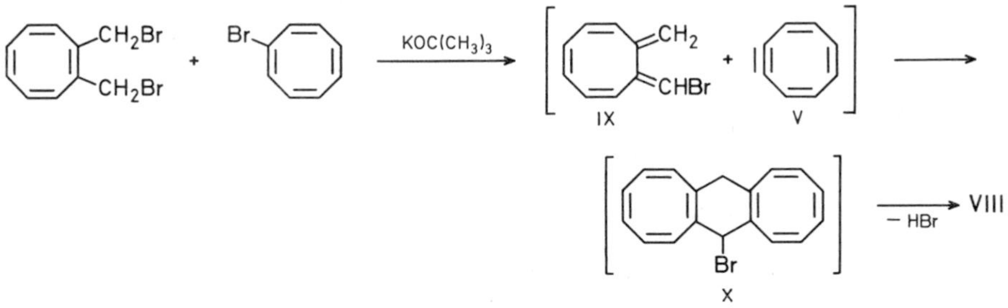

Wird Brom-cyclooctatetraen mit Kalium-tert.-butanolat in ätherischer Lösung in Gegenwart von Tetraphenyl-cyclopentadienon 70 Stdn. bei Raumtemperatur gerührt, so entsteht *1,2,3,4-Tetraphenyl-⟨benzo-cyclooctatetraen⟩* (72% d.Th.). Bei Abwesenheit von Tetraphenyl-cyclopentadienon wird *Cycloocta-[b]-naphthalin* (9% d.Th.) neben *tert.-Butyloxy-cyclooctatetraen* erhalten[2]:

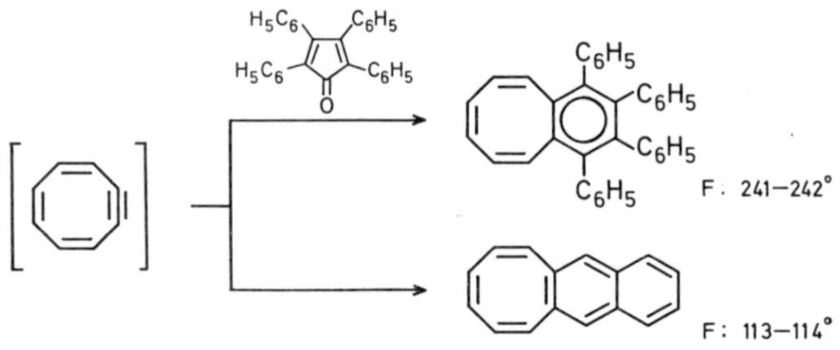

Belichtung von Naphtho-[1,2]-bicyclo[2.2.2]octatrien gibt u.a. *Cycloocta-[a]-naphthalin* (37% d. Th.; F: 52–54°)[3]:

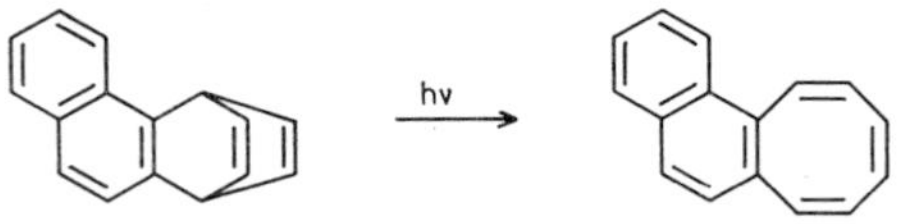

1,2,3,4-Tetrafluor-⟨benzo-cyclooctatetraen⟩ (56% d.Th.) fällt bei der UV-Bestrahlung von 2,3,4,5-Tetrafluor-⟨benzo-bicyclo[2.2.2]octatrien⟩ an[4]:

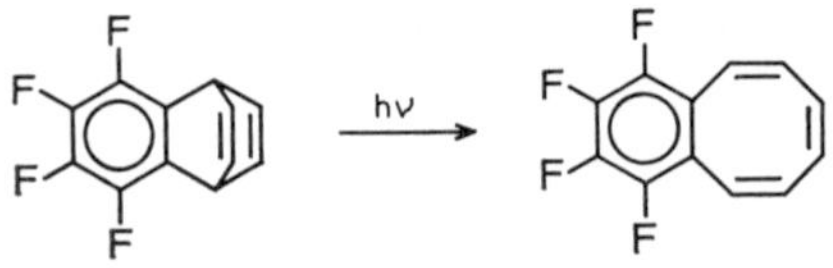

[1] J. A. ELIX, M. V. SARGENT u. F. SONDHEIMER, Am. Soc. **92**, 962 (1970).
[2] A. KREBS u. D. BYRD, A. **707**, 66 (1967).
[3] H. E. ZIMMERMAN u. C. O. BENDER, Am. Soc. **92**, 4366 (1970).
[4] J. P. N. BREWER u. H. HEANY, Chem. Commun. **1967**, 811.

2. Dibenzocyclooctatetraene

α) unsubstituiert

Ausgehend vom Photoaddukt aus Maleinsäure-anhydrid und Phenanthren (1,2-Dicarboxy-1,2,2a,10b-tetrahydro-⟨cyclobuta-[l]-phenanthren⟩) konnte *Dibenzo-[a; c]-cyclooctatetraen* (I; F: 123–124°), in geringer Ausbeute wie folgt synthetisiert werden[1]:

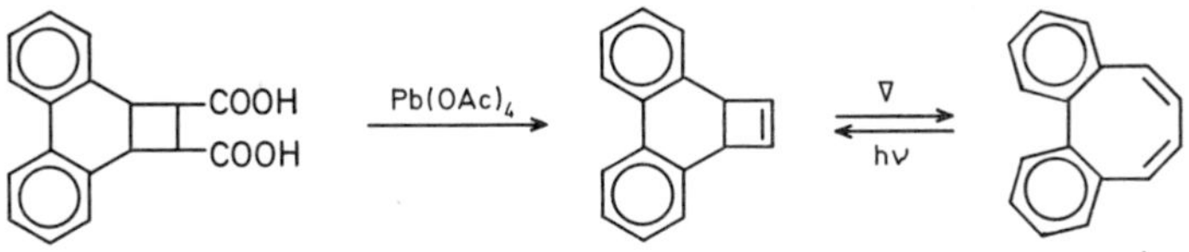

COOH COOH → $Pb(OAc)_4$ → ⇌ ∇ / hν → I

9,10,11,12-Tetraphenyl-⟨dibenzo-[a;c]-cyclooctatetraen⟩ (II; F: 195–197°) ist aus Biphenylen und Tetraphenyl-cyclopentadienon zugänglich (20–25% d.Th.)[2];

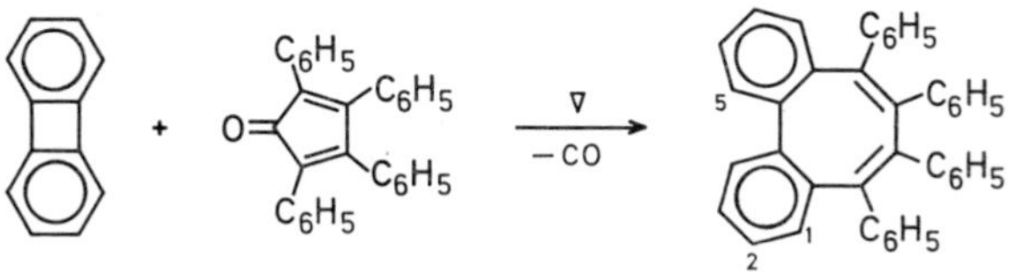

+ O= (C_6H_5)$_4$-cyclopentadienon → ∇ / −CO → II (C_6H_5, C_6H_5, C_6H_5, C_6H_5; 5, 1, 2)

während *Dibenzo-[a;e]-cyclooctatetraen* (IV) nach einer ganzen Reihe von Synthesen hergestellt werden kann:

① Dibenzo-bicyclo[2.2.2]octatrien (III)[3] isomerisiert sich bei Bestrahlung (2537 Å) zu *Dibenzo-[a; e]-cyclooctatetraen* (IV; 75% d.Th.)[4]:

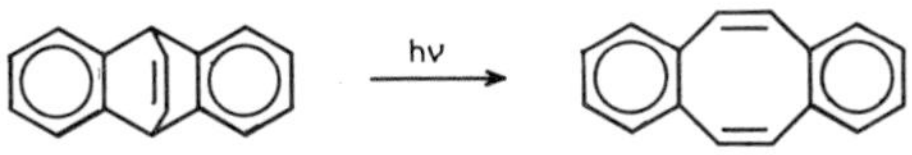

III → hν → IV

② 1,2-Dibrom-⟨benzo-cyclobuten⟩ dimerisiert bei der Debromierung mit Nickel-tetracarbonyl zu Dibenzo-tricyclo[$4.2.0.0^{2,5}$]octadien-(3,7) (V). Dieses isomerisiert sich beim Erhitzen[5] auf 180° oder in Gegenwart von Silbertetrafluoroborat schon bei 20° zu *Dibenzo-[a; e]-cyclooctatetraen* (IV) (73% d.Th.; F: 109°)[6]:

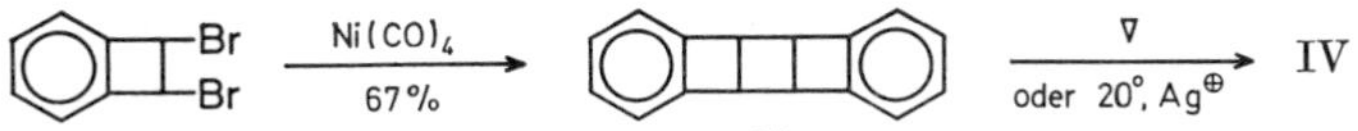

Br Br → $Ni(CO)_4$ / 67% → V → ∇ / oder 20°, $Ag^{\oplus}$ → IV

---

1 E. Vogel, W. Frass u. J. Wolpers, Ang. Ch. **75**, 979 (1963).
2 L. Friedman u. P. W. Rabideau, J. Org. Chem. **33**, 451 (1968).
3 S. Cristol u. R. Bly, Am. Soc. **82**, 6155 (1960).
4 P. W. Rabideau, J. B. Hamilton u. L. Friedman, Am. Soc. **90**, 4465 (1968).
5 M. Avram, D. Dinu, G. Mateescu u. C. D. Nenitzescu, B. **93**, 1789 (1960).
6 W. Merk u. R. Pettit, Am. Soc. **89**, 4788 (1967).

③ *cis, trans-cis-* (VIa) und *all-trans*-4a,6a,10a,12a-Tetrahydro-⟨dibenzo-[a;e]-cyclooctatetraen⟩ (VIb) sind leicht zugängliche Valenzisomere des [16]Annulens. Mit Chloranil erfolgt leichte Dehydrierung zu *Dibenzo-*[*a*; *e*]*-cyclooctatetraen*[1] (60–70% d.Th.):

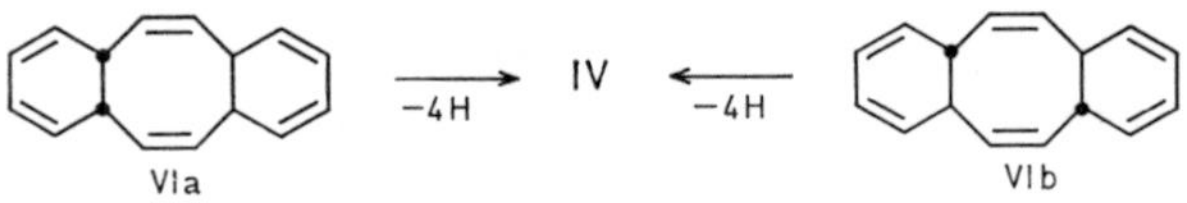

④ 1,2-Dibrom-⟨benzocyclobuten⟩ und 1,2-Bis-[brommethyl]-benzol werden durch eine Suspension von Eisenpulver in siedendem Wasser debromiert. Das entstehende Derivat VII (36% d.Th.) wird mit N-Brom-succinimid bromiert (VIII) und anschließend mit Eisenpulver/Wasser zum *Dibenzo-*[*a*; *e*]*-cyclooctatetraen* (IV) (49% d.Th.) debromiert[2]:

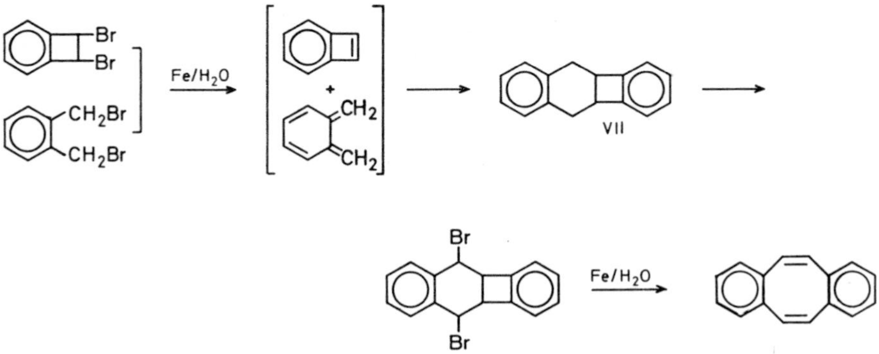

⑤ Die Reaktion des Bisylids IX mit Phthalaldehyd in Anwesenheit von Lithiumbromid[3] (-jodid) gibt in 18% Ausbeute IV:

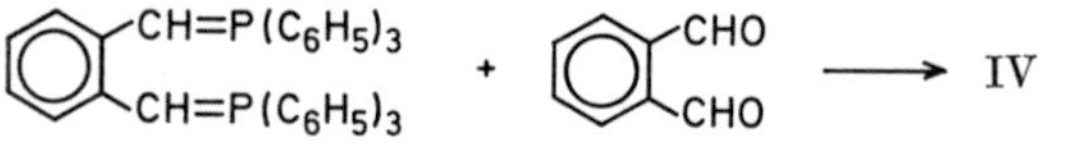

Der obigen Reaktion entspricht die Kondensation von 2 Molekülen Triphenyl-(2-formylbenzyl)-phosphoniumchlorid mit Lithiumäthanolat als Base. Hierbei entsteht IV in 26% Ausbeute[4]:

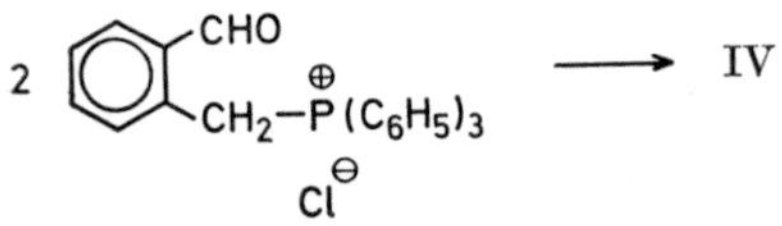

⑥ 1,2-Bis-[brommethyl]-benzol läßt sich mit Natrium zu Dibenzo-cyclooctadien-(1,5) (X; S. 463) dimerisieren. Dessen Bromierung mit N-Brom-succinimid ergibt das Dibrom-Derivat XI, das über die entsprechende Diacetoxy-Verbindung XII in *Dibenzo-*[*a*; *e*]*-cyclooctatetraen* (IV) übergeführt werden kann[5]:

---

[1] G. Schröder, W. Martin u. J. F. M. Oth, Ang. Ch. **79**, 861 (1967).
[2] H. Nozaki u. R. Noyori, Tetrahedron **22**, 2163 (1966).
[3] C. E. Griffin u. J. A. Peters, J. Org. Chem. **28**, 1715 (1963).
[4] C. Brown u. M. V. Sargent, Soc. [C] **1969**, 1818.
[5] A. C. Cope u. S. W. Fenton, Am. Soc. **73**, 1668 (1951).
Eu. Müller u. G. Röscheisen, B. **90**, 543 (1957).

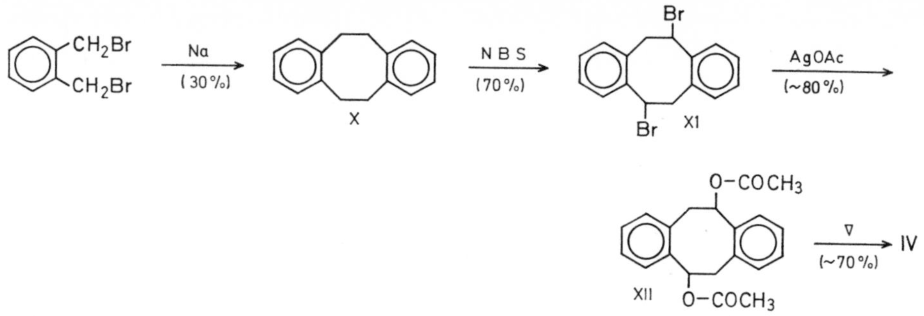

Na (30%) → X → NBS (70%) → XI → AgOAc (~80%) → XII → ∇ (~70%) → IV

⑦ Ausgehend vom 2,3-Dihydro-isoindol-⟨2-spiro-2⟩-2,3-dihydro-isoindol-bromid kann *Dibenzo-[a; e]-cyclooctatetraen* über eine Folge von Abbaureaktionen in geringer Ausbeute erhalten werden[1]:

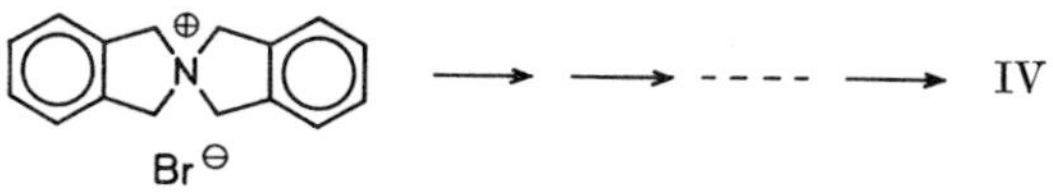

→ → ---- → IV

⑧ Durch Kondensation von Phthalaldehyd mit 1,2-Bis-[cyanmethyl]-benzol entsteht *5,12-Dicyan-⟨dibenzo-[a; e]-cyclooctatetraen⟩* (XIII), dessen Hydrolyse zu *5,12-Dicarboxy-⟨dibenzo-[a; e]-cyclooctatetraen⟩* (XIV) führt. Die Decarboxylierung[2] von XIV ergibt in geringer Ausbeute IV:

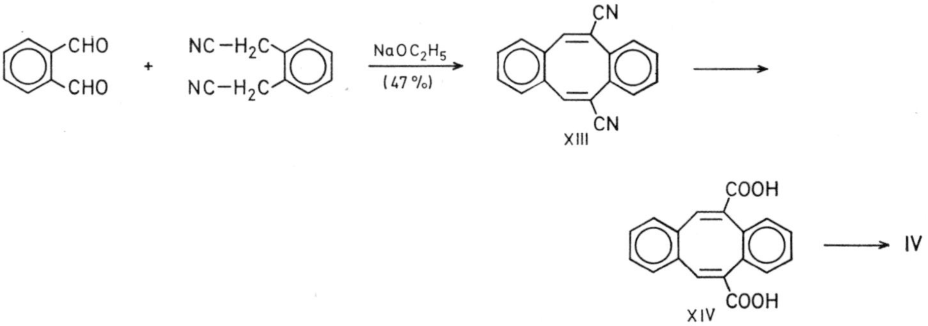

$NaOC_2H_5$ (47%) → XIII → XIV → IV

⑨ Solvolyse von 5-p-Tosyloxymethyl-5H-⟨dibenzo-[a; e]-cycloheptatrien⟩ in verschiedenen Carbonsäuren führt u. a. zu *Dibenzo-[a; e]-cyclooctatetraen* (IV; max. 18% d.Th.)[3]:

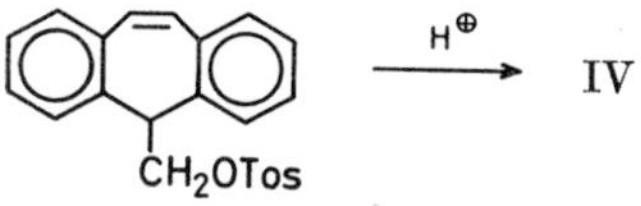

$H^{\oplus}$ → IV

β) substituierte Dibenzocyclooctatetraene

Die Synthesen von *5,12-Dicyan-* und *5,12-Dicarboxy-⟨dibenzo-[a;e]-cyclooctatetraen⟩* sind bereits oben (Weg ⑧, XIII und XIV) beschrieben worden[2].

---

[1] G. WITTIG, H. TENHAEFF, W. SCHOCH u. G. KOENIG, A. **572**, 1 (1951).
[2] L. F. FIESER u. M. M. PECHET, Am. Soc. **68**, 2577 (1946).
[3] C. D. NENITZESCU et al., Tetrahedron Letters **1969**, 1867.

Nicht sensibilisierte Bestrahlung (2537 Å) von substituiertem Dibenzo-bicyclo-[2.2.2]octatrien (I) führt zu substituiertem Dibenzo-[a;e]-cyclooctatetraen. So lassen sich *2-Chlor-⟨dibenzo-[a;e]-cyclooctatetraen⟩* (II; 87% d.Th.) und *5-[2-Hydroxy-propyl-(2)]-⟨dibenzo-[a;e]-cyclooctatetraen⟩* (III) gewinnen[1]:

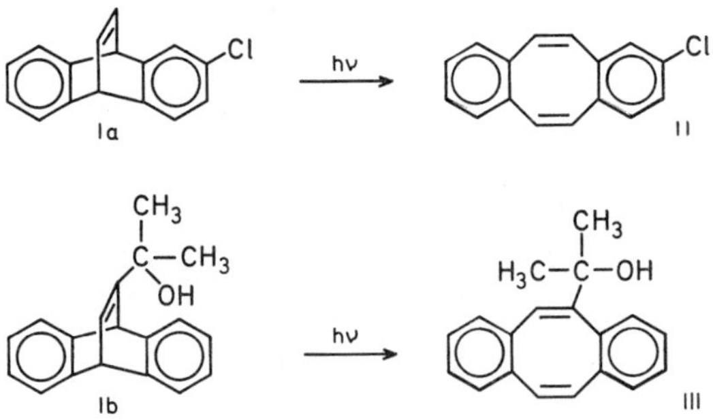

Bei der Gasphasenpyrolyse (700°) der Spiro-Verbindung IV wird u.a. *5,11-Bis-[2-methyl-phenyl]-⟨dibenzo-[a;e]-cyclooctatetraen⟩* (V; 15% d. Th.; F: 243–244°) gebildet[2]:

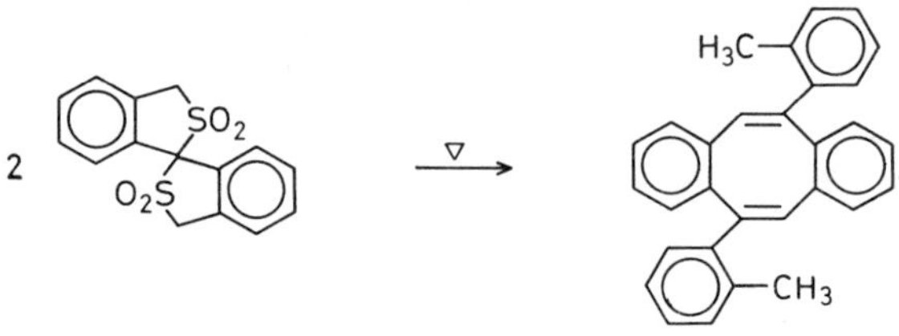

Beim Erhitzen von Benzoldiazoniumcarboxylat in Phenylacetylen wird *5,6-Diphenyl-⟨dibenzo-[a;e]-cyclooctatetraen⟩* (VI)[3] (29% d.Th.; F: 195,5–196°) erhalten.

Wird anstelle von Phenylacetylen 1-Phenyl-propin-(1) eingesetzt, so kann man *11,12-Dimethyl-5,6-diphenyl-⟨dibenzo-[a;e]-cyclooctatetraen⟩* (VII; 0,5% d.Th.; F: 207–208°)[3] isolieren:

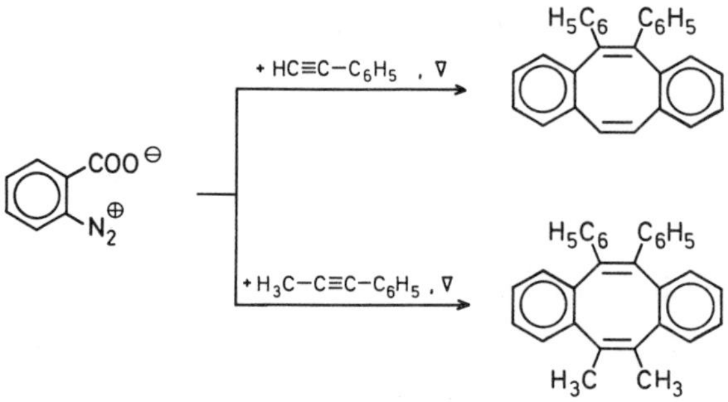

---

[1] P. W. Rabideau, J. B. Hamilton u. L. Friedman, Am. Soc. **90**, 4465 (1968).
[2] M. P. Cava u. J. A. Kuczkowski, Am. Soc. **92**, 5800 (1970).
[3] M. Stiles, U. Burckhardt u. A. Haag, J. Org. Chem. **27**, 4715 (1962).

Enthalogenierung von 1,2-Dibrom-2-methyl-1-phenyl-⟨benzo-cyclobuten⟩ mit verschiedenen Reagenzien gibt ebenfalls VII (s. S. 464; F: 215–216°)[1]:

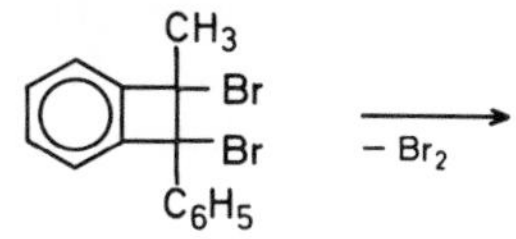

$\xrightarrow[-Br_2]{}$ VII

Zn(Cu)	85% d. Th.
Na/Hg	56% d. Th.
Li/Hg	45% d. Th.

3-Brom-6,11-dicarboxy-⟨dibenzo-[a;e]-cyclooctatetraen⟩ (IX; F: 290–292°), wird bei der Kondensation von 4-Brom-phthalaldehyd mit 1,2-Bis-[cyanmethyl]-benzol und anschließender Verseifung der Cyan-Gruppen in VIII erhalten[2]:

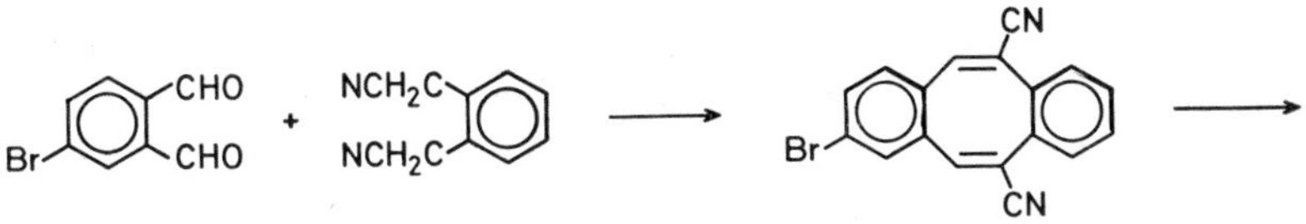

VIII; *3-Brom-6,11-dicyan-⟨dibenzo-[a; e]-cyclooctatetraen⟩*

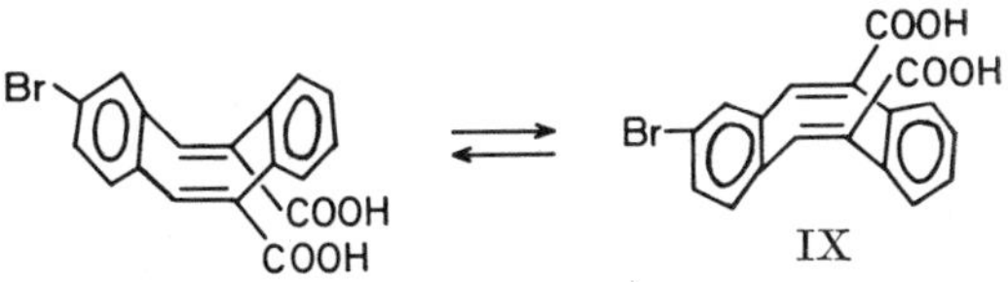

IX

Die Dicarbonsäure IX läßt sich in ihre Antipoden spalten, die bei Zimmertemp. stabil sind, bei höheren Temp. jedoch racemisieren. Die Aktivierungsenergie für das Umklappen des Achtringes wurde auf ~ 27 kcal/Mol geschätzt[2].

Bei der Dimerisation von 6-[Dimethylamino-methylmercapto-methylen]-5-cyanmethylen-cyclohexadien (X) erhält man *6,12-Bis-[dimethylamino]-5,11-dicyan-⟨dibenzo-[a;e]-cyclooctatetraen⟩* (XI; 50% d. Th.; F: 236–238°)[3]:

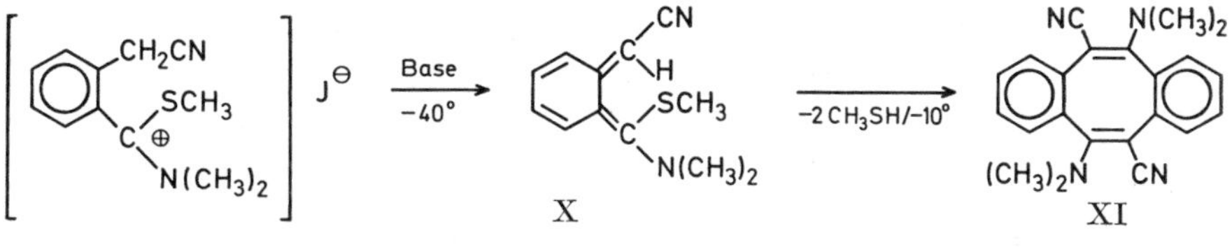

$\xrightarrow[-40°]{Base}$ X $\xrightarrow[-2\,CH_3SH/-10°]{}$ XI

Durch eine Folge von Abbaureaktionen kann aus dem durch Reduktion des Naturstoffs Papaverin zugänglichen Pavin (XII) *2,3,8,9-Tetramethoxy-⟨dibenzo-[a;e]-cyclooctatetraen⟩* (XIII; F: 159–164°) gewonnen werden[4]:

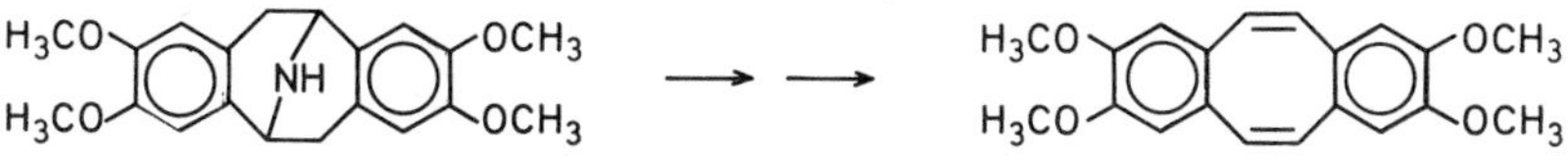

XII → → XIII

[1] A. T. Blomquist u. C. G. Bottomley, Am. Soc. **87**, 86 (1965).
[2] K. Mislow u. H. D. Perlmutter, Am. Soc. **84**, 3591 (1962).
[3] R. Gompper, E. Kutter u. H. Kast, Ang. Ch. **79**, 147 (1967).
[4] A. R. Battersby u. R. Binks, Soc. **1955**, 2888.

3. Dibenzocyclooctatetraen mit heterocyclischem Achtring

5-Oximino-5H-⟨dibenzo-[a; e]-cycloheptatrien⟩ (I) erleidet mit Thionylchlorid eine Beckmann-Umlagerung zu *6-Chlor-⟨dibenzo-[b; f]-azocin⟩* (II). Mit Natriumcyanid kann das Chloratom gegen die Cyan-Gruppe ausgetauscht werden, die dann weiter umgewandelt werden kann[1]:

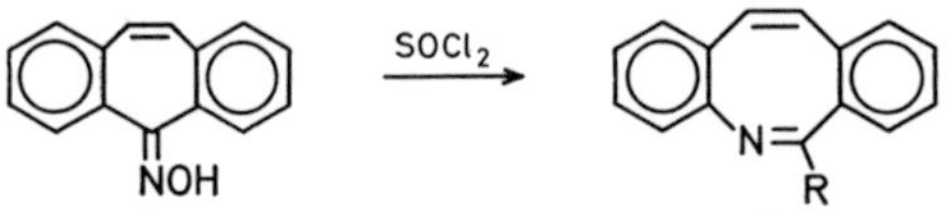

$SOCl_2$

NOH R

I II

R = Cl; *6-Chlor-⟨dibenzo-[b; f]-azocin⟩*
R = CN; *6-Cyan-⟨dibenzo-[b; f]-azocin⟩*
R = CH_2—NH—CHO; *6-(Formylamino-methyl)-⟨dibenzo-[b; f]-azocin⟩*

1,2-Bis-[2-nitro-phenyl]-äthan (III) kann mit Zink/Bariumhydroxid zum cyclischen Hydrazin IV reduziert werden. Nach Oxidation zur Azo-Verbindung wird IV mit N-Brom-succinimid bromiert und durch Behandlung mit Kalium-tert.-butanolat in *Dibenzo-[c; g]-1,2-diazocin* (V) übergeführt[2]:

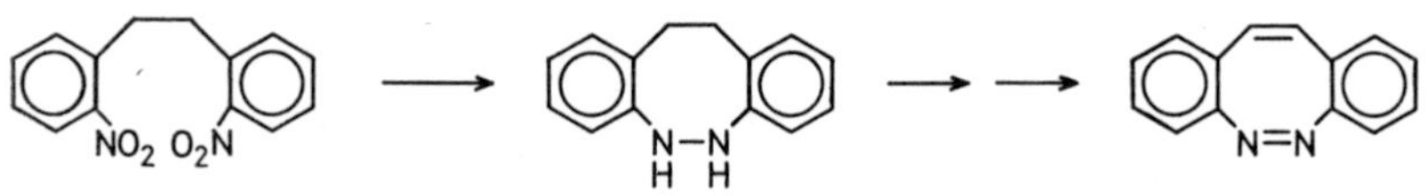

NO_2 O_2N N—N H H N=N

III IV V

Dianthranilid (VI), durch Kondensation von Anthranilsäure-Derivaten[3,4] z.B. Anthranilsäure-methylester (55% d. Th.)[4] erhältlich, wird mit Phosphor(V)-chlorid in *6,12-Dichlor-⟨dibenzo-[b;f]-1,5-diazocin⟩* (VII; 52% d. Th.), überführt, dessen Chloratome gegen Amino-, Methoxy- oder Äthoxy-Gruppen (zu *6,12-Diamino-*, *6,12-Dimethoxy-*, *6,12-Diäthoxy-⟨dibenzo-[b;f]-1,5-diazocin⟩*) ausgetauscht werden können[4].

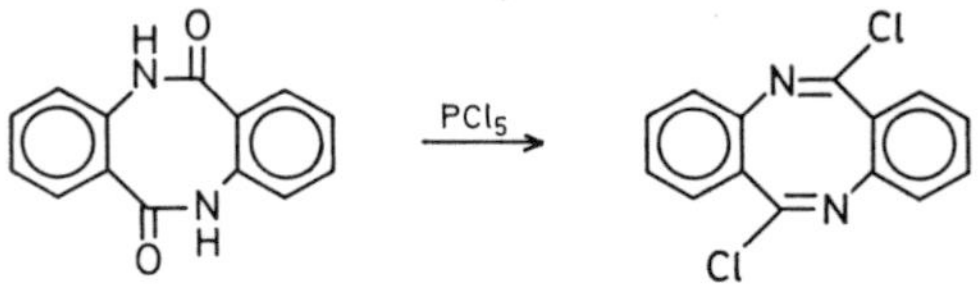

PCl_5

VI VII

Die Kondensation von 4-Chlor-2-benzoyl-anilin mit Zinkchlorid führt zu *2,8-Dichlor-6,12-diphenyl-⟨dibenzo-[b;f]-1,5-diazocin⟩*[5]:

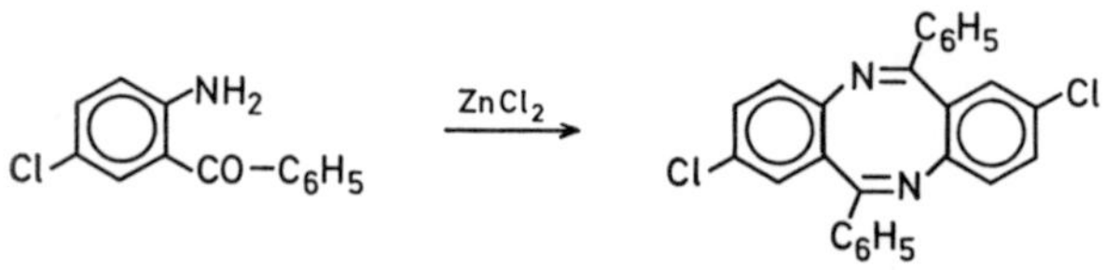

NH_2 Cl CO—C_6H_5 $ZnCl_2$ C_6H_5 Cl Cl C_6H_5

[1] W. J. van der Burg, I. L. Bonta, J. Delobelle, C. Ramon u. B. Vargaftig, J. Med. Chem. **13**, [1] 35 (1970).
[2] W. W. Paudler u. A. G. Zeiler, J. Org. Chem. **3237** (1969).
[3] G. Schroeter, B. **52**, 2224 (1919).
[4] F. C. Cooper u. M. W. Partridge, Soc. **1954**, 3429.
[5] K. Isagawa, T. Ishiwaka, M. Kawai u. Y. Fushizaki, Bl. chem. Soc. Japan **42**, 2066 (1969); C. A. **71**, 70578 (1969).

4. Tribenzocyclooctatetraen

Tetrabenzo-cyclooctatetraen gibt bei der Oxidation mit Chrom(VI)-oxid in Eisessig *⟨Tribenzo-cyclooctatrien⟩-13,14-dicarbonsäure-anhydrid* (I). Daraus entsteht *Tribenzo-cyclooctatetraen* (II)[1] (F: 138,5–139°) durch Pyrolyse in Gegenwart von Bariumhydroxid:

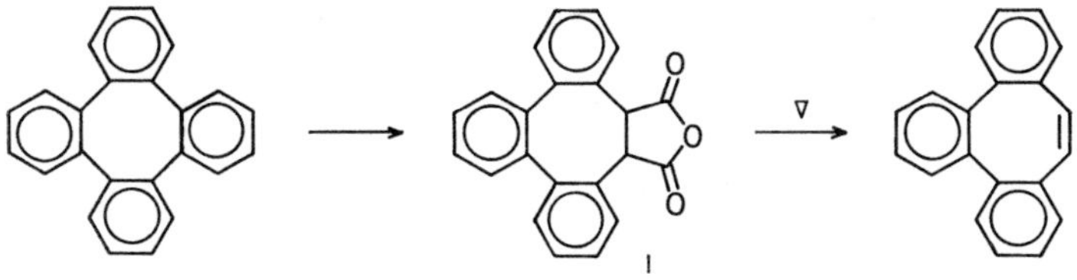

5. Tetrabenzocyclooctatetraen, Tetraphenylen

Biphenylen dimerisiert beim Erhitzen glatt zu *Tetrabenzo-cyclooctatetraen* (III)[2] (96% d.Th.; F: 233°):

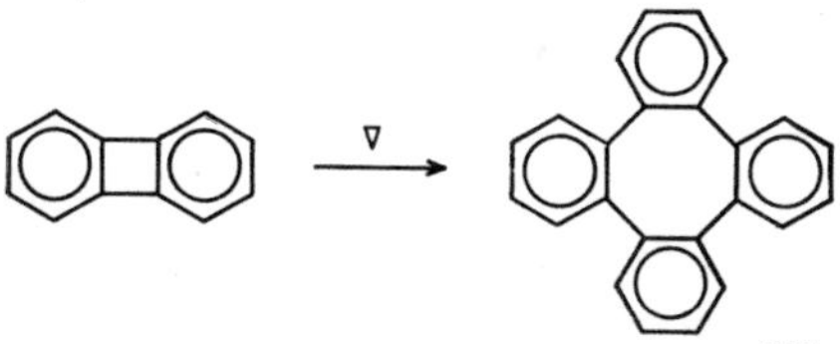

Bei der Einwirkung von Kupfer(II)-chlorid auf 2,2′-Bis-[brommagnesium]-biphenyl[3] bzw. 2,2′-Dilithium-biphenyl[4] entsteht ebenfalls *Tetrabenzo-cyclooctatetraen* (16 bzw. 53% d.Th.):

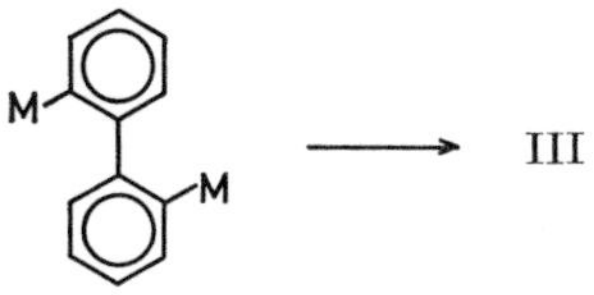

M = MgBr
= Li

3-Nitro-biphenylen-2,2′-jodonium-jodid (IV) reagiert in Gegenwart von Kupfer(I)-oxid bei 300–345° zu *4,5-Dinitro-⟨tetrabenzo-cyclooctatetraen⟩* (V; F: 361–363°)[5]:

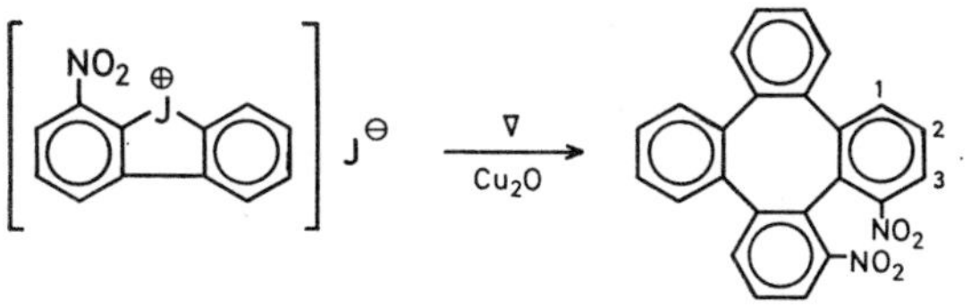

IV V

---

[1] R. G. Shuttleworth, W. S. Rapson u. E. T. Stewart, Soc. **1944**, 71.
W. S. Rapson, H. M. Schwartz u. E. T. Stewart, Soc. **1944**, 73.

[2] D. F. Lindow u. L. Friedman, Am. Soc. **89**, 1271 (1967).

[3] W. S. Rapson, R. G. Shuttleworth u. J. N. van Niekerk, Soc. **1943**, 326.

[4] G. Wittig u. G. Klar, A. **704**, 91 (1967).

[5] J. W. Barton u. K. E. Whitaker, Soc. [C] **1967**, 2097.

Behandelt man die Chinone VIa–d mit einem Gemisch aus Schwefelsäure, Eisessig und Wasser oder mit Aluminiumchlorid in Nitrobenzol, so erhält man hauptsächlich die tetrameren Kondensationsprodukte VIIa–d (Tetraphenyleno-tetrafurane)[1], bei denen der Achtring eingeebnet ist:

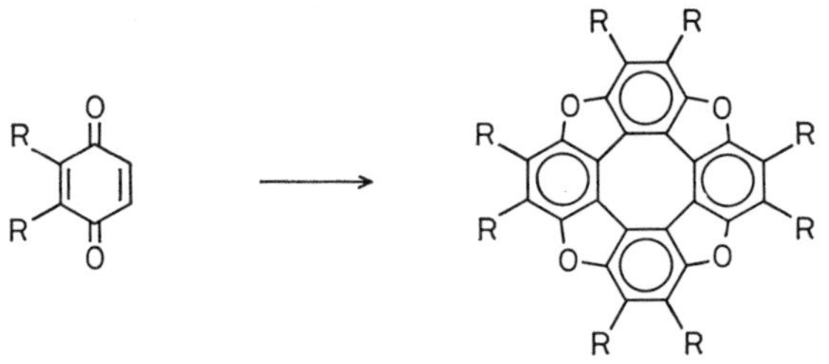

VI a-d

	VII a–d
a; R = CH_3	60% d. Th.
b; R = C_3H_7	60% d. Th.
c; R = —$(CH{=}CH)_2$—	95% d. Th.
d; R = —$(CH_2{-}CH_2)_2$—	—

Die substituierten Tetrabenzo-cyclooctatetraene VIIIa und IXa können über die entsprechenden Carbonsäuren (VIIIb und IXb) und deren Ester (VIIIc und IXc) durch Kondensation mit Polyphosphorsäure in die Ketone X und XII übergeführt werden. Durch Reduktion mit Hydrazinhydrat/Natrium-diäthylenglykolat werden daraus die Kohlenwasserstoffe XI und XIII zugänglich[2]:

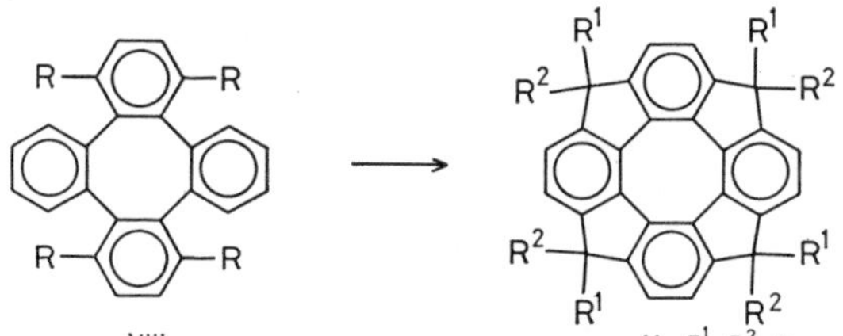

VIII
a; R = CH_3
b; R = COOH
c; R = $COOCH_3$

X; $R^1{-}R^2{=}O$
XI; $R^1 = R^2 = H$

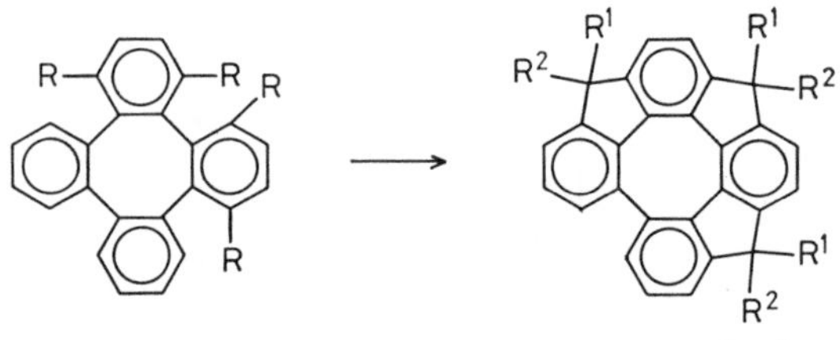

IX
a; R = CH_3
b; R = COOH
c; R = $COOCH_3$

XII; $R^1{-}R^2{=}O$
XIII; $R^1 = R^2 = H$

---

[1] H. Erdtman u. H. E. Högberg, Tetrahedron Letters **1970**, 3389.
[2] D. Hellwinkel u. G. Reiff, Ang. Ch. **82**, 516 (1970).

e) mit ankondensiertem Siebenring

Bei der Chlorwasserstoff-Eliminierung mit Kalium-tert.-butanolat in Dimethylsulfoxid erleidet 12-Chlor-13-thia-tricyclo[5.4.3.0^{1,7}]tetradecadien-(8,10)-13,13-dioxid (XIV) eine Gerüstumlagerung zu *14-Thia-tricyclo[7.4.1.0^{2,8}]tetradecatrien-(2^{8},10,12)-14,14-dioxid* (XV; 56% d. Th.), das bei der Photolyse in Aceton unter Verlust von Schwefeldioxid in *Bicyclo[6.5.0]tridecatetraen-(1^{8},2,4,6)* (*2,3,4,5-Tetrahydro-1H-⟨cycloocta-cycloheptatrien⟩*; XVI) übergeht[1]:

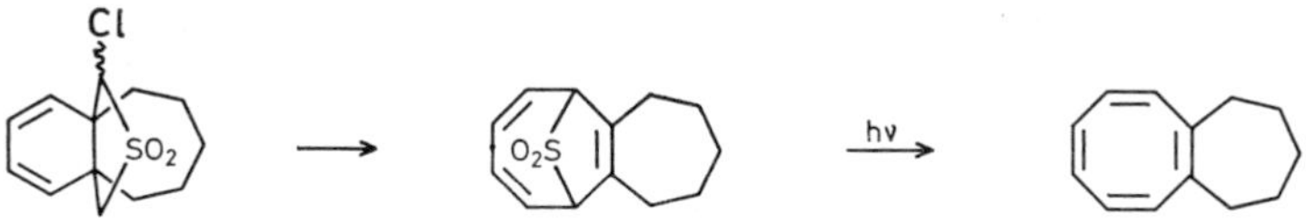

XIV → XV —hν→ XVI

3H-⟨Cyclooctacycloheptatrien⟩ (XVIII; 15% d. Th.)[2] entsteht aus 1,8-Diformyl-cyclooctatetraen und dem Bisphosphorylen XVII. Mit Triphenylmethyl-tetrafluoroborat wird unter Bildung des Tropyliumsalzes XIX ein Hydridion abstrahiert[2]:

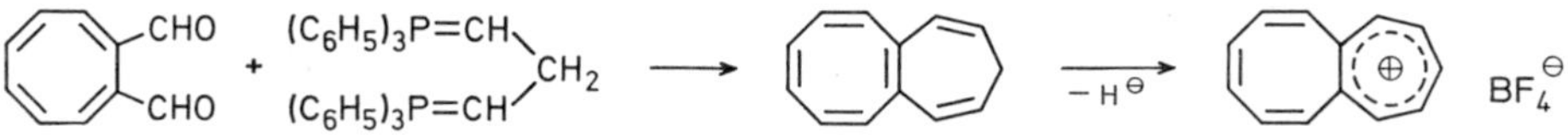

$(C_6H_5)_3P{=}CH-CH_2-CH{=}P(C_6H_5)_3$ (XVII) → XVIII —$-H^{\ominus}$→ XIX $BF_4^{\ominus}$

f) mit ankondensiertem Achtring

Cyclooctin addiert sich photochemisch an Benzol oder Toluol zu *1,2,3,4,5,6-Hexahydro-octalen* bzw. zur entsprechenden *Methyl*-Verbindung (50% d. Th.; bzw. 20–30% d. Th., bez. auf umges. Cyclooctin)[3]:

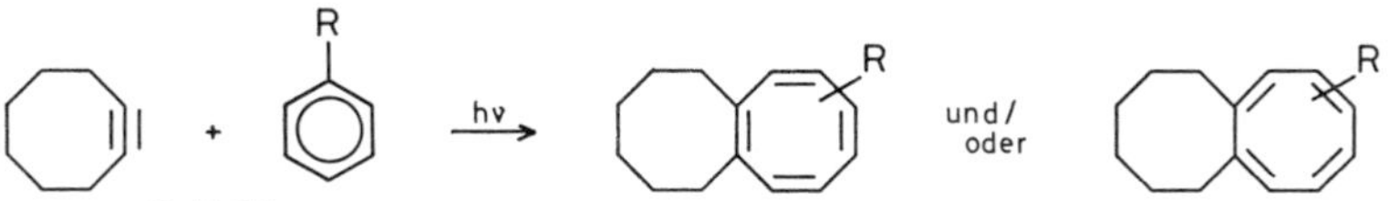

R = H, CH_3 —hν→ und/oder

Bicyclo[6.6.0]tetradecaheptaen-(1^{8},2,4,6,9,11,13), auch *Octalen* genannt, ist ein System mit 14 π-Elektronen. Es zeigt unter der Voraussetzung der Planarität je nach der Berechnungsmethode eine mehr[2] oder weniger[4] große Resonanzenergie. Während unsubstituiertes Octalen bisher nicht synthetisiert werden konnte, gelang es *Benzo-[c]-octalen* (II)[2,5], *Hexabenzo-octalen* (VI)[6], *Furo-[3,4-c]-octalen* (III)[5] (S. 470)

---

[1] L. A. Paquette, R. E. Wingard u. R. H. Meisinger, Am. Soc. **93**, 1047 (1971).
[2] R. Breslow, W. Horspool, H. Sugiyama u. W. Vitale, Am. Soc. **88**, 3677 (1966).
[3] R. D. Miller u. V. Y. Abraitys, Tetrahedron Letters **1971**, 891.
[4] M. J. S. Dewar u. G. J. Gleicher, Am. Soc. **87**, 685 (1965).
[5] J. A. Elix, M. V. Sargent u. F. Sondheimer, Am. Soc. **92**, 973 (1970).
[6] W. Tochtermann, Ang. Ch. **75**, 418 (1963).

und *3,4-Dihydro-octalen* (IV)[1] herzustellen. Bei dem Versuch, IV in Octalen überzuführen, konnte keine definierte Verbindung erhalten werden. Die Synthesen von II (1–2% d.Th.), III (15% d.Th.) und IV (5–10% d.Th.) sind einander analog. 1,8-Diformyl-cyclooctatetraen (I) wird mit einem Bisphosphorylen kondensiert.

Der Octalen-Teil der Verbindungen II und III weist nach den NMR-Spektren keinerlei π-Elektronendelokalisation auf. Die beiden Octalen-Derivate liegen offensichtlich in der Wannen-Konformation vor. Das gleiche gilt auch für *Hexabenzo-octalen* (VI; ~ 18% d. Th.; F: 289–290°), das ausgehend von Tribenzo-tropon (V) synthetisiert werden konnte[2]:

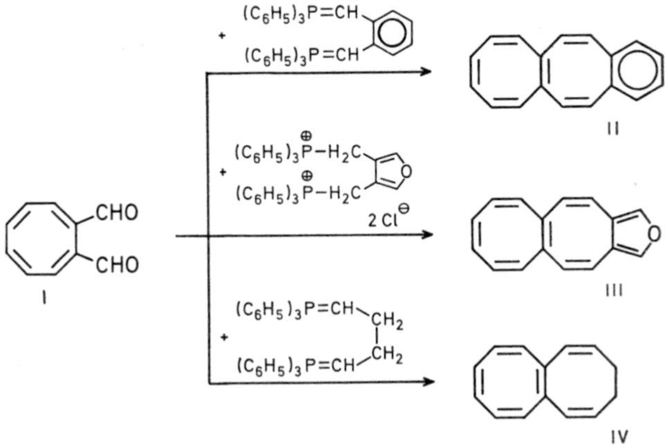

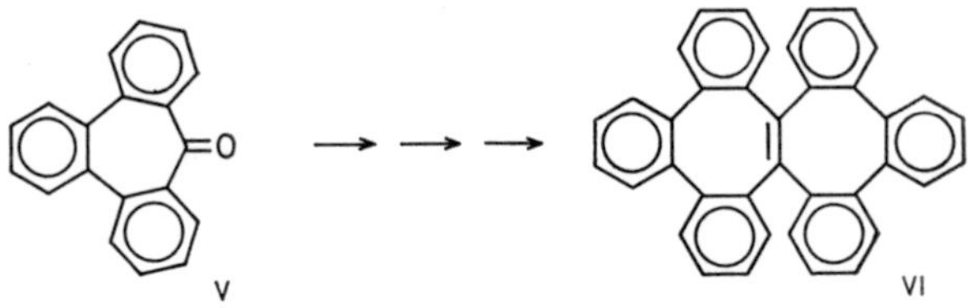

$(C_6H_5)_3P{=}CH$ / $(C_6H_5)_3P{=}CH$ (o-Phenylen) → II

$(C_6H_5)_3\overset{\oplus}{P}{-}H_2C$ / $(C_6H_5)_3\overset{\oplus}{P}{-}H_2C$ (Furan) $2\,Cl^{\ominus}$ → III

$(C_6H_5)_3P{=}CH{-}CH_2$ / $(C_6H_5)_3P{=}CH{-}CH_2$ → IV

I (CHO, CHO)

V → → → VI

Furo-[3,4-c]-octalen (III) gibt mit Fumarsäure-dimethylester ein Diels-Alder-Addukt, bei dem nicht der Furanring, sondern das bicyclische Valenzisomere eines Achtrings die Dienkomponente darstellt[3]:

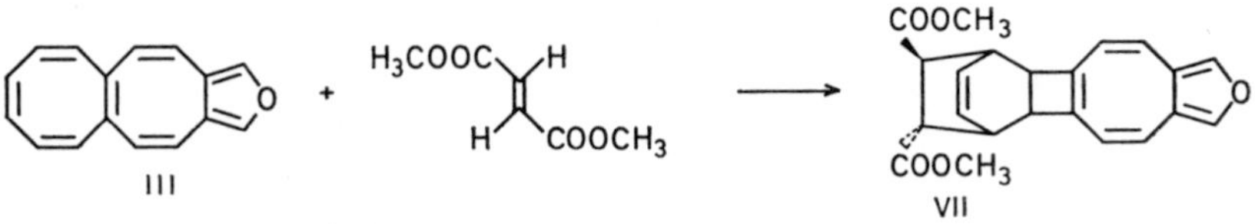

III + $H_3COOC{-}CH{=}CH{-}COOCH_3$ → VII ($COOCH_3$, $COOCH_3$)

VII; *18,19-Dimethoxycarbonyl-8-oxa-pentacyclo*[*13.2.2.*$0^{2,14}$.$0^{3,13}$.$0^{6,10}$]*nonadecahexaen*-(3^{13},*4,6,9, 11,16*); 82% d.Th.

---

[1] R. Breslow, W. Horspool, H. Sugiyama u. W. Vitale, Am. Soc. **88**, 3677 (1966).

[2] W. Tochtermann, Ang. Ch. **75**, 418 (1963).

[3] J. A. Elix, M. V. Sargent u. F. Sondheimer, Am. Soc. **92**, 973 (1970).

A_2. Cyclooctatrien und seine Derivate

Cyclooctatrien-(1,3,5) hat für die theoretische organische Chemie Bedeutung erlangt. An diesem Molekül wurde die „reversible Valenzisomerisierung", auch „Valenztautomerie" genannt, eingehend studiert und erläutert[1].

Cyclooctatrien-(1,3,5) (I) befindet sich mit seinem bicyclischen Valenztautomeren *Bicyclo[4.2.0]octadien-(2,4)* (II) in einem dynamischen Gleichgewicht[1]:

I 85% ⇌ II 15%

Die reinen Kohlenwasserstoffe I und II ergeben jeder für sich bei kurzem Erhitzen auf 80–100° die gleiche Gleichgewichtsmischung.

Die reversible Valenzisomerisierung I ⇌ II gehorcht der Woodward-Hoffmann-Regel für elektrocyclische Reaktionen[2,3]. Sie hat disrotatorischen Charakter.

Da der Energieunterschied zwischen beiden Isomeren nur klein ist, genügen schon sterische oder elektronische Substituenteneffekte, um die mono- oder bicyclische Gleichgewichtsform zu begünstigen. Durch Chlor- oder Brom-Atome an C_7 und C_8 wird das Bicyclo[4.2.0]octadien-(2,4)-System stabilisiert[4-7]. Stehen Substituenten wie die Ester-Gruppe an C_1 oder C_1 und C_6, so wird das Cyclooctatrien-(1,3,5)-System bevorzugt[8].

I. Cyclooctatrien und substituierte Cyclooctatriene

a) Stereospezifische conrotatorische Valenzisomerisierung von Octatetraenen zu Cyclooctatrienen-(1,3,5)

Bei der partiellen Hydrierung von Octadien-(1,7)-diin-(3,5) (I) mit Lindlar-Katalysator entsteht anstelle des erwarteten *cis,cis*-Octatetraens-(1,3,5,7) (II) das valenzisomere *Cyclooctatrien-(1,3,5)* in 80%iger Ausbeute[9]:

$H_2C{=}CH{-}C{\equiv}C{-}C{\equiv}C{-}CH{=}CH_2$ (I) $\xrightarrow{2\,H_2}$ [II] ⟶ Cyclooctatrien

[1] A. C. Cope, A. C. Haven, F. L. Ramp u. E. R. Trumbull, Am. Soc. **74**, 4867 (1952).
[2] R. B. Woodward u. R. Hoffmann, Am. Soc. **87**, 395 (1965); Accounts of chem. Research **1**, 17 (1968); Ang. Ch. **81**, 797 (1969).
[3] D. Seebach, Fortschr. Chem. Forsch. **11**, 177 (1968).
[4] W. Reppe, O. Schlichting, K. Klager u. T. Toepel, A. **560**, 1 (1948).
[5] R. Huisgen u. G. Boche, Tetrahedron Letters **1965**, 1769.
[6] R. Huisgen et al., Am. Soc. **89**, 3344, 3345 (1967); Ang. Ch. **78**, 595 (1966).
[7] R. Huisgen, G. Boche, A. Dahmen u. W. Hechtl, Tetrahedron Letters **1968**, 5215.
[8] E. Vogel, O. Roos u. K. H. Disch, A. **653**, 55 (1962).
G. Wendt, Diplomarbeit, Universität Köln 1962.
W. Krause, Dissertation, Universität Köln 1960.
[9] W. Ziegenbein, B. **98**, 1427 (1965).

Partielle Hydrierung von 1,8-Dimethoxy-octadien-(1,7)-diin-(3,5) (III) ergibt u. a. *all-cis*-1,8-Dimethoxy-octatetraen-(1,3,5,7) (IV). Beim Erhitzen auf ~ 130° erhält man daraus *7,8-Dimethoxy-bicyclo[4.2.0]octadien-(2,4)* (VI; 79% d. Th.)[1]:

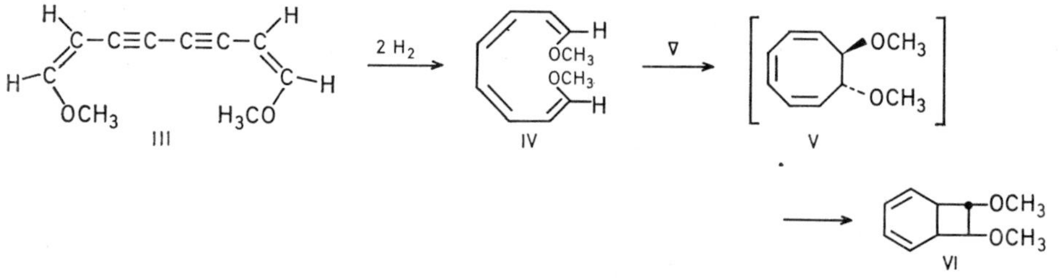

Der Übergang vom Octatetraen IV zum Bicyclooctadien VI gehorcht der Woodward-Hoffmann-Regel für elektrocyclische Reaktionen[2]. Danach muß aus IV primär *trans-7,8-Dimethoxy-cyclooctatrien-(1,3,5)* (V) entstehen, das sich sofort zu *trans*-7,8-Dimethoxy-bicyclo[4.2.0]octadien-(2,4) (VI) isomerisiert.

Bewiesen wurde diese Annahme durch die oxidative Kopplung von *cis*- und *trans*-Penten-(3)-in-(1) und anschließender partieller Hydrierung der entstandenen Produkte zu *trans,cis,cis,trans*-, *all-cis*- und *cis,cis,cis,trans*-Decatetraen-(2,4,6,8), die getrennt werden konnten[3]. Beim Erwärmen laufen elektrocyclische Reaktionen ab, die streng die Woodward-Hoffmann-Regel befolgen.

Die *cis-trans*-isomeren Decatetraene VII, VIII und IX cyclisieren conrotatorisch zu *7,8-Dimethyl-cyclooctatrienen-(1,3,5)* (X und XII). Bei etwas höheren Temperaturen schließt sich die disrotatorische Valenzisomerisierung zu den *7,8-Dimethyl-bicyclo[4.2.0]octadienen-(2,4)* (XI und XIII) an. Alle diese elektrocyclischen Reaktionen führen zu meßbaren Gleichgewichten, deren Lage dem Formelschema zu entnehmen ist[3]:

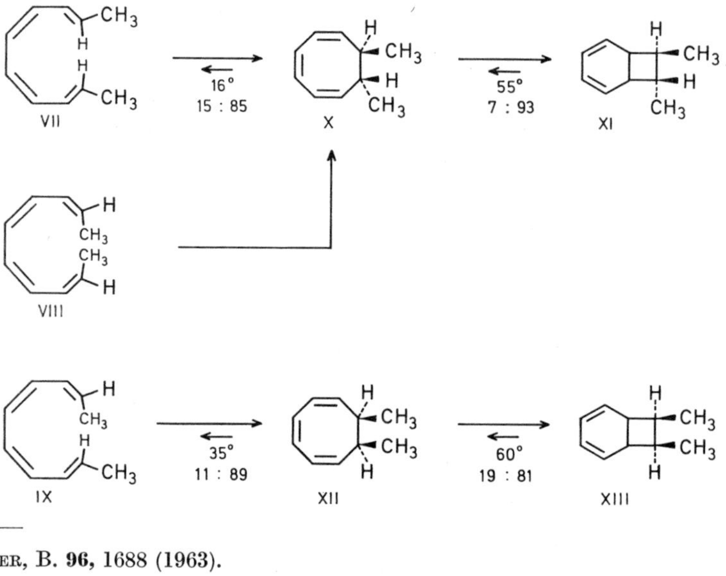

---

[1] H. Meister, B. **96**, 1688 (1963).

[2] R. B. Woodward, u. R. Hoffmann, Am. Soc. **87**, 395 (1965); Accounts of chem. Research **1**, **17** (1968); Ang. Ch. **81**, 797 (1969).

[3] R. Huisgen et al., Am. Soc. **89**, 7130 (1967); Tetrahedron Letters **1969**, 1461, 1465.

Basische Isomerisierung von Octadiin-(1,7) gibt u.a. *Cyclooctatrien-(1,3,5)*. Man nimmt an, daß sich Octadiin-(1,7) zunächst zu *cis,cis*-Octatetraen-(1,3,5,7) isomerisiert, das dann Cyclooctatrien bildet[1]:

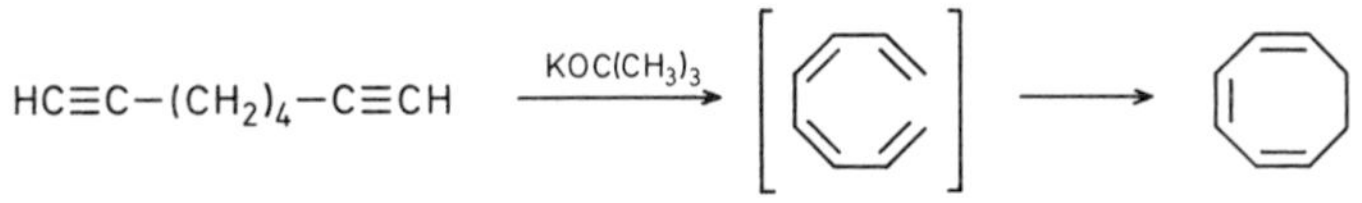

$$HC{\equiv}C{-}(CH_2)_4{-}C{\equiv}CH \xrightarrow{KOC(CH_3)_3}$$

b) Cyclooctatriene aus Butadien und Dienophilen

Ausgehend von Butadien und Maleinsäureanhydrid läßt sich *Cyclooctatrien-(1,3,5)* nach folgendem Schema synthetisieren[2]:

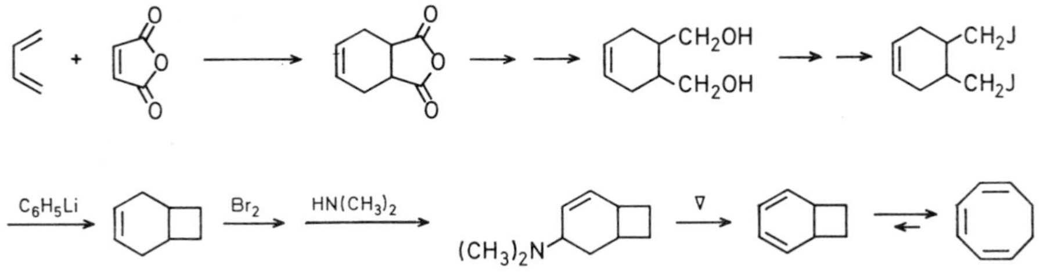

Eine ähnliche Synthese geht von Butadien (oder 1,4-Dichlor-butadien) und Cyclobuten-1,2-dicarbonsäure-diester aus; man erhält *Cyclooctatrien-(1,3,5)-1,6-dicarbonsäure* bzw. *-1,6-dicarbonsäure-dimethylester*[3]:

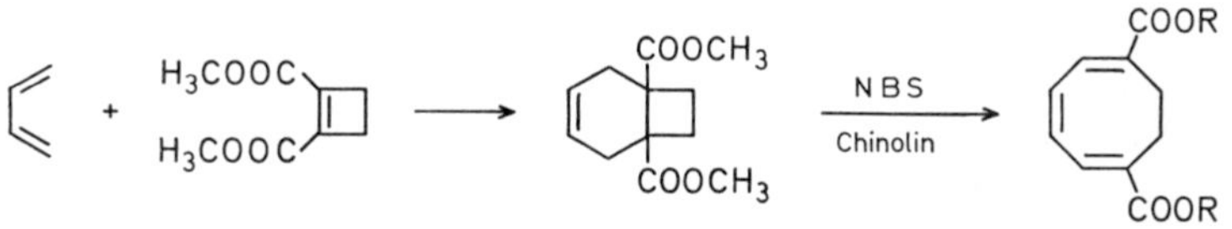

a: $R{=}CH_3$
b: $R{=}H$

c) Cyclooctatriene durch Acyloin-Kondensation

Eine Reihe von 1,2-Dicarbonsäure-diestern kann mit Trimethyl-chlor-silan in einer Acyloin-Kondensation zu Vierring-Systemen cyclisiert werden. So erhält man aus *trans*-4-Methyl-4,5-dimethoxycarbonyl-cyclohexen-(1) (I) mit Natrium in siedendem Toluol *2,3-Bis-[trimethylsilyloxy]-1-methyl-cyclooctatrien-(1,3,6)* (II; 86% d.Th.)[4]:

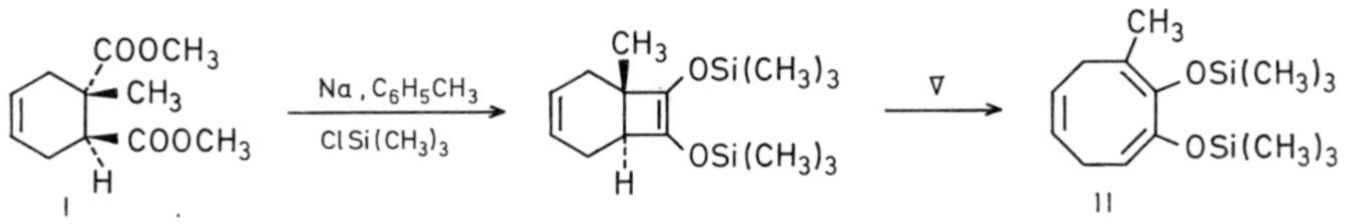

[1] G. Eglinton, R. A. Raphael u. J. A. Zabkiewicz, Soc. [C] **1969,** 469.
[2] K. Alder u. H. A. Dortmann, B. **87,** 1492 (1954).
[3] E. Vogel, O. Roos u. K.-H. Disch, A. **653,** 55 (1962).
[4] J. J. Bloomfield, Tetrahedron Letters **1968,** 587.

d) Cyclooctatrien aus Cyclooctadien-(1,5)

Bei der Bromierung von Cyclooctadien-(1,5) mit einem Äquivalent N-Brom-succinimid entstehen zwei isomere Bromide (53% d. Th.), die bei Behandlung mit Kalium-tert.-butanolat in tert.-Butanol *Cyclooctatrien* (71 % d. Th.) ergeben[1]:

NBS → Br + Br → −HBr

e) Cyclooctatriene aus Cyclooctatetraen

1. Cyclooctatrien-(1,3,5) und -(1,3,6)

Der beste Syntheseweg geht vom Cyclooctatetraen aus. Aus Cyclooctatetraen und Lithium in Äther erhält man ein Dilithium-Addukt, das bei der Zersetzung mit Methanol ein Gemisch der *Cyclooctatriene* (~50% d. Th.) bildet[2,3]. Mit zwei g-Atomen Natrium reagiert Cyclooctatetraen in flüssigem Ammoniak zu einem tief orangefarbenen Natrium-Addukt, dessen Zersetzung mit Ammoniumchlorid ebenfalls ein Gemisch der beiden *Cyclooctatriene* (61% d. Th.) ergibt[3]. Cyclooctatetraen reagiert mit Alkalimetallen unter Aufnahme von zwei Elektronen zum aromatischen Dianion mit zehn π-Elektronen[4]. Das Cyclooctatetraen-Dianion kann bei chemischen Reaktionen als 1,2- oder 1,4-Dicarbanionen-Reagenz in Erscheinung treten (s. S. 477 und 481).

Bei der Reduktion von Cyclooctatetraen mit Zinkstaub und Natronlauge oder wäßrig-alkoholischer Schwefelsäure fällt ein Gemisch der beiden Cyclooctatriene an, in dem *Cyclooctatrien-(1,3,6)* die Hauptkomponente darstellt. Bei der Reduktion mit Zink in alkoholischem Kaliumhydroxid entsteht überwiegend *Cyclooctatrien-(1,3,5)*[5].

Cyclooctatrien-(1,3,5)[6]: In einem 500-*ml*-Dreihalskolben, ausgestattet mit Rührer und Kühler werden 200 *ml* trockenes Ammoniak kondensiert. Bei −80° erfolgt Zugabe einer Lösung von 20,8 g (0,20 Mol) Cyclooctatetraen in 100 *ml* absol. Äther. Anschließend fügt man innerhalb von 20 Min. 10,1 g (0,44 Mol) kleine frisch geschnittene Natriumwürfel zu und rührt dann noch 30 Min. Die Zers. des Dianions[4] erfolgt mit 26,8 g festem Ammoniumchlorid, für dessen Zugabe ~15 Min. benötigt werden. Nach Zufügen von 100 *ml* Äther läßt man das Ammoniak durch Entfernen des Kältebades langsam durch den Kühler entweichen. Der Rückstand wird mit Wasser neutral gewaschen, über Natriumsulfat getrocknet und nach Abdestillieren des Äthers i. Vak. unter Sauerstoffausschluß destilliert; Ausbeute: 18,8 g; Kp_{60}: 68–79°.

Man löst das gelbe Destillat im gleichen Vol. Pentan und wäscht die Lösung mit 50%iger wäßriger Silbernitrat-Lösung so lange, bis sie farblos ist. Dabei wird nicht umgesetztes Cyclooctatetraen als Silbernitrat-Komplex gebunden. Eventuell muß dabei Wasser zugefügt werden, um den sich abscheidenden kristallinen Komplex aufzulösen. Die farblose Pentan-Lösung wird mit Wasser gewaschen, über Natriumsulfat getrocknet und zu einer vorbereiteten Lösung von 0,2 g Kalium in 30 *ml* tert.-Butanol gegeben. Dabei isomerisiert sich Cyclooctatrien-(1,3,6) weitgehend zu *Cyclooctatrien-(1,3,5)*.

Man läßt das Pentan abdestillieren, kocht das zurückbleibende Lösungsgemisch ~ 1 Stde. unter Stickstoff und hydrolysiert mit ~ 150 *ml* Wasser. Die organische Phase wird in Pentan aufgenommen, mit Wasser neutral gewaschen, über Natriumsulfat getrocknet und über eine

---

[1] A. C. Cope, C. L. Stevens u. F. A. Hochstein, Am. Soc. **72**, 2510 (1950).
[2] W. Reppe, O. Schlichting, K. Klager u. T. Toepel, A. **560**, 1 (1948).
[3] A. C. Cope u. F. A. Hochstein, Am. Soc. **72**, 2515 (1950).
[4] T. J. Katz, Am. Soc. **82**, 3784 (1960).
[5] W. O. Jones, Soc. **1954**, 1808.
[6] A. C. Cope, A. C. Haven, F. L. Ramp u. E. R. Trumbull, Am. Soc. **74**, 4867 (1952).

Kolonne abdestilliert. Die Destillation des Rückstandes erfolgt unter Luftausschluß; Ausbeute: 11,5 g (51% d.Th.); Kp_{60}: 70–73°; n_D^{25} = 1,5192.

Dieses Destillat besteht zu ~ 73% aus *Cyclooctatrien-(1,3,5)* und zu ~ 27% aus *Bicyclo[4.2.0]octadien-(2,4)*. Man gibt das Gemisch zu einer Suspension von 14 g pulverisiertem Silbernitrat in siedendem absol. Äthanol. Dabei löst sich Silbernitrat auf. Aus der abdekantierten klaren Lösung kristallisiert beim Abkühlen der *Cyclooctatrien-(1,3,5)-Silbernitrat-Komplex* aus. Er wird aus Äthanol umkristallisiert und zersetzt, indem man ihn in Wasser mit konz., wäßrigem Ammoniak so lange rührt, bis das ausgefallene Silberhydroxid wieder in Lösung gegangen ist. Man trennt das *Cyclooctatrien-(1,3,5)* ab, trocknet es über Kieselgel und destilliert bei 0,5 Torr, wobei die Badtemp. unter 40° bleiben muß; n_D^{25} = 1,5249; λ_{max} = 265 mμ (ε = 3600)[1].

Cyclooctatrien-(1,3,6)[2]: In einen Schüttelautoklaven gibt man 104 g Cyclooctatetraen, 130 g Zinkstaub, 160 g Natriumhydroxid in 320 g Wasser, 200 *ml* Äthanol und 4 Tropfen einer 2%igen Palladium(IV)-chlorid-Lösung (zur Aktivierung des Zinkstaubes). Der Inhalt wird 3 Stdn. auf 90–100° erhitzt und dabei geschüttelt. Das Produkt, bestehend aus einem grauen, nadeligen Niederschlag und einer orangefarbenen Flüssigkeit, wird wasserdampfdestilliert und ergibt 92 g eines schwach gelben Öles, das hauptsächlich aus Cyclooctatrien-(1,3,6) besteht; n_D^{25} = 1,5150.

12 g dieses Öles werden zur Reinigung zusammen mit 150 *ml* Äthanol und 58 g pulverisiertem Silbernitrat unter Rückfluß gekocht und dann heiß filtriert. Beim Abkühlen kristallisieren 25 g *Cyclooctatrien-(1,3,6)-Silbernitrat-Komplex* ($C_8H_{10} \cdot 3AgNO_3$) aus, die man aus Methanol umkristallisiert. Zur Zers. gibt man den Komplex zu überschüssigem, verd., wäßrigem Ammoniak. Das sich abscheidende Öl wird mit Wasser gewaschen und über Natriumsulfat getrocknet. Man erhält so reines Cyclooctatrien-(1,3,6); n_D^{25} = 1,5050.

2. Substituierte Derivate

α) Halogen-cyclooctatriene

Bei der Chlorierung des Cyclooctatetraens erhält man bei der Addition von einem Molekül Chlor *trans-7,8-Dichlor-bicyclo[4.2.0]octadien-(2,4)* (V)[3]. Dieses reagiert mit überschüssigem Chlor zu einem *Tetrachlor-* und schließlich *Hexachlor-* niemals jedoch zu einem Octachlor-Derivat. Die Chlorierung verläuft über ein 8-Chlor-homotropylium-Ion II[4]. Das elektrophile Chlormolekül wird sich bevorzugt den Stellen höchster Elektronendichte nähern. Diese befinden sich beim Cyclooctatetraen oberhalb (und unterhalb) des Achtringes. Der dabei entstehende Komplex I stabilisiert sich zum *endo*-8-Chlor-homotropylium-chlorid (II), das in *cis-7,8-Dichlor-cyclooctatrien-(1,3,5)* (III) übergeht. Thermisch ist III sehr labil, kann aber bei sorgfältigem Arbeiten isoliert werden. Bei leicht erhöhten Temperaturen setzt es sich mit *cis-7,8-Dichlor-bicyclo[4.2.0]octadien-(2,4)* (IV) ins Gleichgewicht, aus dem, je nach den Bedingungen bei 70° und darüber irreversibel *trans-7,8-Dichlor-bicyclo[4.2.0]octadien-(2,4)* (V) hervorgeht:

I → II → III ⇄ (-50°) IV; ≥ 70° → V

[1] A. C. Cope, A. C. Haven, F. L. Ramp u. E. R. Trumbull, Am. Soc. **74**, 4867 (1952).
[2] W. O. Jones, Soc. **1954**, 1808.
[3] W. Reppe, O. Schlichting, K. Klager u. T. Toepel, A. **560**, 1 (1948).
[4] R. Huisgen et al., Am. Soc. **89**, 3344, 3345 (1967); Ang. Ch. **78**, 595 (1966).

Das Chlor-homotropylium-chlorid (II;S. 475) kann bei der Chlorierung von Cyclooctatetraen nicht direkt nachgewiesen werden. Es kann aber z. B. aus *cis-7,8-Dichlor-cyclooctatrien* und Fluor-sulfonsäure bei —20° in flüssigem Schwefeldioxid hergestellt werden[1].

Die Reaktion von Cyclooctatetraen mit Bromwasserstoff ist stark lösungsmittelabhängig. In Benzol erhält man bei 0° ein Gemisch von *5,7-Dibrom-cyclooctadien-(1,3)* (VI) und *7-Brom-cyclooctatrien-(1,3,5)* (VII)[2]. Zwischen VIIa und *7-Brom-bicyclo[4.2.0]octadien-(2,4)* (VIIb) besteht ein Gleichgewicht, das bei 35° etwa 70% VIIa und 30% VIIb enthält:

+ HBr → VI + VIIa ⇌ VIIb

Wird bei der Umsetzung von Cyclooctatetraen mit Bromwasserstoff anstelle von Benzol Eisessig eingesetzt, so entsteht (1-Brom-äthyl)-benzol[3].

7-Brom-cyclooctatrien-(1,3,5) (VII)[2]: 145 g (1,40 Mol) frisch destilliertes Cyclooctatetraen werden auf —10° vorgekühlt und zu 500 *ml* 1,4 m Bromwasserstoff in Benzol gegeben. Nach 40 stdgm. Aufbewahren im Eisschrank wird der unumgesetzte Bromwasserstoff zusammen mit Benzol zuerst bei 0°, später bei 20° i. Vak. abgezogen. Vom zurückbleibenden dunklen Öl lassen sich 68 g VII (53% d.Th. bez. auf eingesetzten Bromwasserstoff) abdestillieren; $Kp_{0,15}$: 47–49°; n_D^{20} = 1,5867.

Durch Natriumacetat in Eisessig wird das Bromatom in VII gegen den Acetoxy-Rest ausgetauscht. Man erhält *7-Acetoxy-cyclooctatrien-(1,3,5)* (VIIIa)[4] (47% d.Th.; $Kp_{0,2}$: 45–46°; n_D^{20}: 1,5074), das mit *7-Acetoxy-bicyclo[4.2.0]octadien-(2,4)* (VIIIb) im Gleichgewicht steht:

VII —NaOAc→ VIIIa ⇌ VIIIb

7-Acetoxy-cyclooctatrien-(1,3,5) (VIII)[4]: Zu 25 g wasserfreiem Natriumacetat in 330 *ml* Eisessig werden unter Rühren und Kühlen bei 10° 56,5 g (305 mMol) 7-Brom-cyclooctatrien-(1,3,5) (VII) innerhalb von 10 Min. zugetropft. Man läßt 24 Stdn. bei 20° reagieren, saugt vom ausgefallenen Natriumbromid ab und engt die Mutterlauge i. Vak. (Badtemp. 35°) auf ~ 150 *ml* ein, wobei weiteres Salz ausfällt. Man läßt erneut 24 Stdn. bei 20° reagieren und destilliert dann den restlichen Eisessig (Badtemp. 35°) ab. Nach Aufarbeitung mit Äther/wäßr.-ges. Natriumhydrogencarbonat-Lösung werden die ätherischen Auszüge über Natriumsulfat getrocknet. Man destilliert das Lösungsmittel ab und kondensiert bei 10^{-4} Torr (Badtemp. 20—50°) den Rückstand um. Aus den so erhaltenen 40,5 g hellgelben Öls destilliert man über eine 30 cm Widmer-Spirale nicht umgesetztes Ausgangsprodukt vom $Kp_{0,1}$: 34—40° ab. Aus dem Rückstand lassen sich durch Destillation ohne Kolonnenaufsatz 23,6 g VIII (47% d.Th., bez. auf umges. VII; $Kp_{0,2}$: 45—46°; n_D^{20} 1,5074) isolieren.

Der Reaktionsablauf bei der Bromierung ist in den entscheidenden Schritten dem der Chlorierung analog. Bei tiefer Temperatur läßt sich *cis-7,8-Dibrom-cycloocta-*

---

[1] R. Huisgen et al. Am. Soc. **89**, 3344, 3345 (1967); Ang. Ch. **78**, 595 (1966).
[2] M. Kröner, B. **100**, 3162 (1967).
[3] W. Reppe, O. Schlichting, K. Klager u. T. Toepel, A. **560**, 1 (1948).
[4] M. Kröner, B. **100**, 3172 (1967).

trien-(1,3,5) (IX) isolieren. Ab ~ −15° lagert es sich in *trans-7,8-Dibrom-cyclooctatrien-(1,3,5)* (X) um, das seinerseits bei > 0° *trans-7,8-Dibrom-bicyclo[4.2.0]octadien-(2,4)* (XI) bildet[1]:

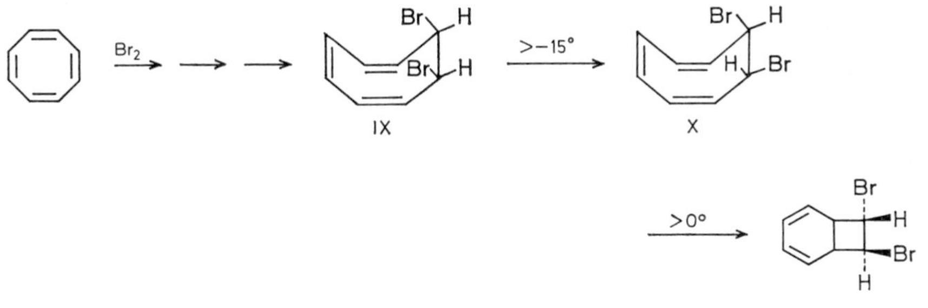

Die Stereochemie der 7,8-Dichlor- und 7,8-Dibrom-bicyclo[4.2.0]octadiene-(2,4) wurde von verschiedenen Arbeitskreisen festgelegt[2].

β) Hydroxy- und Hydroxy-alkyl-cyclooctatriene

Bei der Reduktion von 7-Acetoxy-cyclooctatrien-(1,3,5) mit Lithiumalanat entsteht *7-Hydroxy-cyclooctatrien-(1,3,5)*, (54% d.Th.; F: 45,5–47,5°; $n_D^{20} = 1,5420$)[3]. Die gleiche Verbindung wird in schlechterer Ausbeute und leicht verunreinigt bei der Reduktion von 7-Oxo-cyclooctatrien-(1,3,5) mit Lithiumalanat erhalten[3].

7-Hydroxy-cyclooctatrien-(1,3,5) ist thermolabil. Beim Erwärmen auf 50° fallen u. a. geringe Mengen von *Bis-[cyclooctatrien-(1,3,5)-yl-(7)]-äther* an[3].

7-Hydroxy-7-methyl-cyclooctatrien-(1,3,5) (23% d.Th.; $Kp_{0,3}$: 38–46°) ist aus 7-Oxo-cyclooctatrien-(1,3,5) mit Methyl-magnesiumjodid und anschließender Hydrolyse zugänglich[3]:

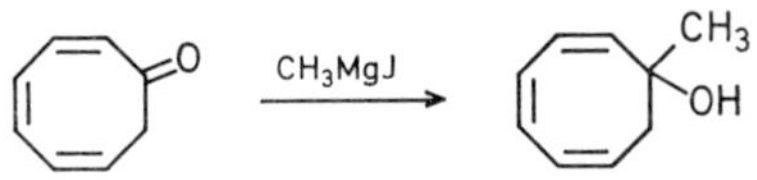

Beim Erwärmen auf ~ 90° erleidet 7-Hydroxy-7-methyl-cyclooctatrien-(1,3,5) Ringöffnung zu isomeren Nonatrienonen[3].

Das Cyclooctatetraen-Dianion (I; S. 478)[4] reagiert mit Aldehyden und Ketonen zu *5,8-Bis-[α-hydroxy-alkyl]-cyclooctatrienen-(1,3,6)* (II) und 7,8-Bis-[α-hydroxy-alkyl]-bicyclo[4.2.0]octadienen-(2,4) (III)[5,6] (s. Tab. 5, S. 478):

---

[1] R. Huisgen u. G. Boche, Tetrahedron Letters **1965**, 1769.
[2] A. T. Blomquist u. A. G. Cook, Chem. & Ind. **1960**, 873.
V. Georgian, L. Georgian u. A. V. Robertson, Tetrahedron **19**, 1219 (1963).
N. L. Allinger, M. A. Miller u. L. A. Tushaus, J. Org. Chem. **28**, 2555 (1963).
C. D. Nenitzescu et al., B. **97**, 372 (1964).
[3] M. Kröner, B. **100**, 3172 (1967).
[4] T. J. Katz, Am. Soc. **82**, 3784 (1960).
[5] T. S. Cantrell u. H. Shechter, Am. Soc. **87**, 136 (1965).
[6] T. S. Cantrell u. H. Shechter, Am. Soc. **89**, 5877 (1967).

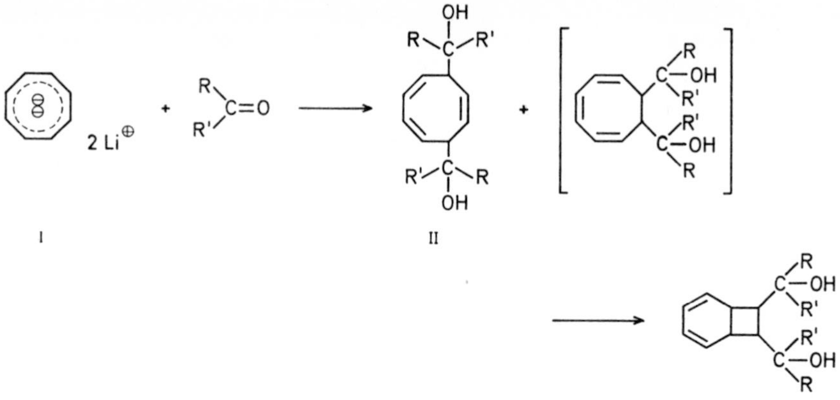

I II

III

Tab. 5. 5,8-Bis-[α-hydroxy-alkyl]-cyclooctatriene-(1,3,6) (II) und 7,8-Bis-[α-hydroxy-alkyl]-bicyclo[4.2.0]-octadiene-(1,3) (III) aus Cyclooctatetraen-Dianion und Aldehyden bzw. Ketonen

Keton oder Aldehyd	Reaktionsprodukte	Ausbeute [% d.Th.]*	F [°C]	Literatur
Acetaldehyd	*5,8-Bis-[1-hydroxy-äthyl]-cyclooctatrien-(1,3,6)*	30		[1]
	7,8-Bis-[1-hydroxy-äthyl]-bicyclo[4.2.0]octadien-(2,4) (als Gemisch vorliegend)	10		
Aceton	*5,8-Bis-[2-hydroxy-propyl-(2)]-cyclooctatrien-(1,3,6)*	36		[1]
	7,8-Bis-[2-hydroxy-propyl-(2)]-bicyclo[4.2.0]octadien-(2,4) (als Gemisch vorliegend)	59		
Benzaldehyd	*5,8-Bis-[α-hydroxy-benzyl]-cyclooctatrien-(1,3,6)*	66		[1]
	7,8-Bis-[α-hydroxy-benzyl]-bicyclo[4.2.0]octadien-(2,4)	15	175–176	
Benzophenon	*5,8-Bis-[α-hydroxy-diphenyl-methyl]-cyclooctatrien-(1,3,6)*	64		[1,2]
	all-trans-1,10-Dihydroxy-1,1,10,10-tetraphenyl-decatetraen-(2,4,6,8)	28		
Fluorenon	*5,8-Bis-[9-hydroxy-fluorenyl-(9)]-cyclooctatrien-(1,3,6)*	42	230–232	[1]

* bez. auf das Cyclooctatetraen-Dianion

Die säurekatalysierte Dehydratisierung des Gemisches aus 5,8-Bis-[1-hydroxy-äthyl]-cyclooctatrien-(1,3,6) und 7,8-Bis-[1-hydroxy-äthyl]-bicyclo[4.2.0]octadien-(2,4) mit p-Toluolsulfonsäure ergibt in einer Retroaldoladdition *7-(1-Hydroxy-äthyl)-cyclooctatrien-(1,3,5)* (48% d.Th.; $Kp_{0,05}$: 62–64°)[1].

[1] T. S. Cantrell u. H. Shechter, Am. Soc. **89**, 5877 (1967).
[2] T. S. Cantrell u. H. Shechter, Am. Soc. **87**, 136 (1965).

2-Methoxy-3,8-dimethyl- und 2-Methoxy-8-methyl-azocin-Dianion reagieren ebenfalls mit Benzophenon, wobei u. a. *2-Methoxy-3,8-dimethyl-6-(α-hydroxy-diphenyl-methyl)-3,6-dihydro-azocin* (1,6 % d. Th., bez. auf Azocin), bzw. *2-Methoxy-6-(α-hydroxy-diphenyl-methyl)-8-(2-hydroxy-2,2-diphenyl-äthyl)-3,6-dihydro-azocin* (6% d.Th., bez auf Azocin) entstehen[1].

γ) Oxo-Derivate

7,8-Epoxi-cyclooctatrien-(1,3,5) (I) läßt sich mit Basen, vorteilhaft mit Lithium-diäthylamid in das isomere *7-Oxo-cyclooctatrien-(1,3,5)* (II); 80–90% d.Th.) überführen[2,3]:

I II

7-Oxo-cyclooctatrien-(1,3,5)[2,3]:

Lithium-diäthylamid: Ein trockener 2-*l*-Vierhalskolben mit Rührer, Rückflußkühler, Tropftrichter (beide mit Trockenröhrchen) und Gaseinleitungsrohr wird mit Stickstoff gespült. Man gibt 8,4 g Lithiumdraht in kleinen Stücken und 120 *ml* absol. Äther in den Kolben. Anschließend wird unter Rühren eine Lösung von 104 g Brombenzol in 240 *ml* absol. Äther mit einer solchen Geschwindigkeit eingetropft, daß das Gemisch ständig am Sieden bleibt. Anschließend wird noch 30 Min. unter Rückfluß gekocht und danach auf $-15°$ abgekühlt. Man gibt nun eine Lösung von 43,8 g Diäthylamin in 120 *ml* Äther innerhalb von 15 Min. zu, wobei Phenyllithium in Lithium-diäthylamid übergeht.

Eine Lösung von 36 g 7,8-Epoxi-cyclooctatrien-(1,3,5) (s. S. 489) in 120 *ml* absol. Äther wird unter Rühren innerhalb von 10 Min. in die Lithium-diäthylamid-Lösung getropft, wobei durch äußere Kühlung die Reaktionstemp. auf $-8°$ bis $-12°$ gehalten wird. Das Reaktionsgemisch färbt sich dabei tief orange und entwickelt merklich Wärme. Nach Ende der Zugabe wird die Mischung bei $-10°$ noch 10 Min. gerührt. Dann gibt man 400 *ml* 3 n Schwefelsäure zu, zuerst langsam, dann mit einer Zulaufgeschwindigkeit, daß im Kolbeninneren eine Temp. von 0° bis $-5°$ herrscht. Die beiden schwach orange gefärbten Phasen werden getrennt. Die wäßrige Phase wird noch 2 mal mit je 300 *ml* Äther extrahiert. Man wäscht die vereinigten Ätherauszüge mit 25 *ml* ges. Natrium-hydrogencarbonat-Lösung und 50 *ml* Wasser, trocknet über Natriumsulfat und destilliert den Äther über eine 20 cm lange Vigreux-Kolonne ab. Der Rückstand wird bei vermindertem Druck destilliert; Ausbeute: 34 g (95% d.Th.); Kp_{13}: 75–105°; $n_D^{25} = 1,5750$.

Eine über das Semicarbazon gereinigte Probe hat $n_D^{25} = 1,5759$.

7-Oxo-cyclooctatrien-(1,3,5) bildet mit Orthoameisensäure-triäthylester *7,7-Diäthoxy-cyclooctatrien-(1,3,5)*[3].

Belichtung von 7-Oxo-cyclooctatrien-(1,3,5) (III) bei $-190°$ ($\lambda > 360$ mμ) läßt u.a. *trans,cis,cis-7-Oxo-cyclooctatrien-(1,3,5)* (IV) entstehen, das sich beim Erwärmen ab $-130°$ u.a. wieder zu III isomerisiert[4]:

III IV

[1] L. A. PAQUETTE u. T. KAKIHANA, Am. Soc. **93**, 174 (1971).

[2] A. C. COPE u. B. D. TIFFANY, Am. Soc. **73**, 4158 (1951).

[3] A. C. COPE, S. F. SCHAEREN u. E. R. TRUMBULL, Am. Soc. **76**, 1096 (1954).

[4] L. L. BARBER, O. L. CHAPMAN, J. D. LASSILA, Am. Soc. **91**, 531 (1969).

Ein weiterer Zugang zum 7-Oxo-cyclooctatrien-(1,3,5)-System wurde bei der Reaktion von Tropon mit Diazoäthan gefunden. Unter Ringerweiterung entsteht hierbei *8-Oxo-7-methyl-cyclooctatrien* (30% d. Th.), das mit seinem bicyclischen Valenzisomeren {*8-Oxo-7-methyl-bicyclo*[*4.2.0*]*octadien-*(*2,4*)} im Gleichgewicht steht[1]:

$CH_3—CHN_2$, $-N_2$; O, CH_3; ⇌; O, CH_3

δ) Stickstoff-Derivate

Cyclooctatetraen reagiert mit Tetrafluorhydrazin, das sehr leicht in zwei Difluoramin-Radikale zerfällt, unter 1,4-Addition zum *5,8-Bis-*[*difluoramino*]-*cyclooctatrien-*(*1,3,6*) (65–70% d. Th.)[2], einer sehr wärme- und sauerstoffempfindlichen Verbindung. Die Reaktion wird durch Zusatz von Azoisobuttersäure-dinitril stark beschleunigt[2]:

+ N_2F_4 → (75—80°, C_6H_5Cl) NF_2, NF_2

5,8-Bis-[difluoramino]-cyclooctatrien-(1,3,6)[2]: Eine Lösung von 3,41 g (0,033 Mol) frisch destilliertem Cyclooctatetraen, 0,02 g (0,15 mMol) Azoisobuttersäure-dinitril und 15 *ml* absol. Chlorbenzol wird in einem 1-*l*-Rundkolben auf —78° abgekühlt und bei 10^{-4} Torr entgast. Dann wird der Kolben unter ~ 1 atm. Tetrafluorhydrazin unter Rühren auf 75—80° erwärmt, bis der Verbrauch an Tetrafluorhydrazin aufhört. Dann läßt man auf Raumtemp. abkühlen und destilliert an einer Hochvakuumlinie in eine Reihe verschieden tief abgekühlter Fallen. Nicht umgesetztes Tetrafluorhydrazin kondensiert in der —196° Kühlfalle, Chlorbenzol und ein Rest Cyclooctatetraen in den —78° Kühlfallen. Die Kühlfalle bei 0° enthält 4,32 g (68% d. Th.) 5,8-Bis-[difluoramino]-cyclooctatrien-(1,3,6) als schwach gelbes Öl. Erneute Umkondensation gibt ein farbloses Öl.

Distickstofftetroxid addiert sich bei Anwesenheit von Sauerstoff bei —70° in Äther an Cyclooctatetraen. Das dabei entstehende *5,8-Dinitro-cyclooctatrien-*(*1,3,6*) (> 34% d. Th.; F: 57–58°, aus Essigsäure-äthylester) zersetzt sich bei Raumtemperatur schnell und oft heftig innerhalb einer bis mehrerer Stunden[3].

7-Oxo-cyclooctatrien-(1,3,5) bildet mit Hydroxylamin *7-Oximino-cyclooctatrien-*(*1,3,5*) (F: 55–57°)[4]. Es handelt sich dabei um ein schwer trennbares Gemisch der *syn-* (I) und *anti*-Form (II)[5]:

=N—OH (I) + =N—OH (II)

I II

[1] M. Franck-Neumann, Tetrahedron Letters **1970**, 2143.
[2] T. S. Cantrell, J. Org. Chem. **32**, 911 (1967).
[3] H. Shechter, J. J. Gardikes, T. S. Cantrell u. G. V. D. Tiers, Am. Soc. **89**, 3005 (1967).
[4] A. C. Cope u. B. D. Tiffany, Am. Soc. **73**, 4158 (1951).
[5] M. Kröner, B. **100**, 3162 (1967).

Die gemeinsame Veresterung von I und II (S. 480) mit Benzolsulfonsäure-chlorid in Pyridin liefert die entsprechenden *7-Benzolsulfonyloximino-cyclooctatriene-(1,3,5)* (91% d. Th.). Durch Säulenchromatographie kann der *anti*-Ester III erhalten werden (F: 70–72°)[1]:

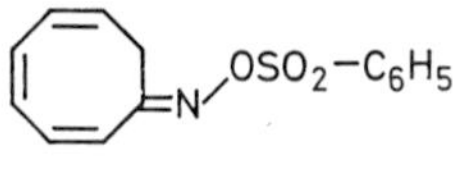

$$=N-OSO_2-C_6H_5$$

III

Eine Mischung von Cyanazid und Cyclooctatetraen entwickelt bei Raumtemperatur ein Mol Stickstoff. Dabei entsteht *7-Cyanimino-cyclooctatrien-(1,3,5)* (73% d. Th.)[2]:

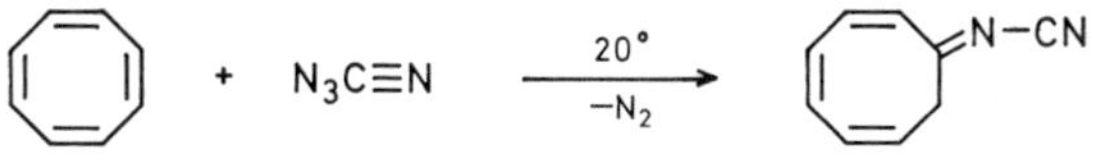

$$+ \quad N_3C{\equiv}N \xrightarrow[-N_2]{20°} \quad =N-CN$$

7-Brom-cyclooctatrien setzt sich bei 0–20° in Benzol mit Natriumazid fast quantitativ zu *7-Azido-cyclooctatrien-(1,3,5)* um, das mit *7-Azido-bicyclo[4.2.0]octadien-(2,4)* im Gleichgewicht steht[1]:

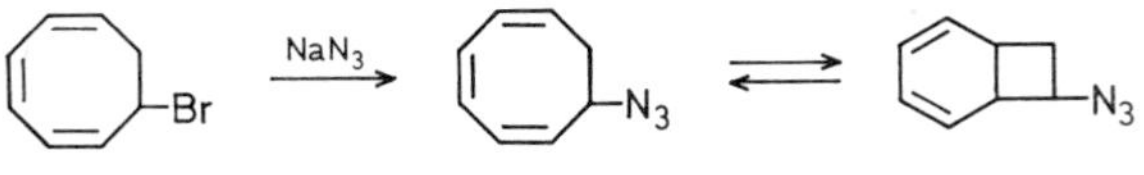

$$-Br \xrightarrow{NaN_3} -N_3 \rightleftharpoons -N_3$$

ε) Alkyl- und Aryl-Derivate[3]

Das Cyclooctatetraen-Dianion[4] reagiert mit Methyljodid[5] zu Gemischen von *5,8-Dimethyl-cyclooctatrien-(1,3,6)* (I) und *7,8-Dimethyl-cyclooctatrien-(1,3,5)* (II). Durch fraktionierte Destillation und präparative Gaschromatographie kann I rein erhalten werden. Es lagert sich beim Erwärmen unter 1,5-Wasserstoff-Verschiebung in *3,8-Dimethyl-cyclooctatrien-(1,3,5)* (III) um, das mit *3,8-Dimethyl-bicyclo[4.2.0] octadien-(2,4)* (IV) im Gleichgewicht steht. Es gelang III und IV als reine Komponenten zu charakterisieren[5]:

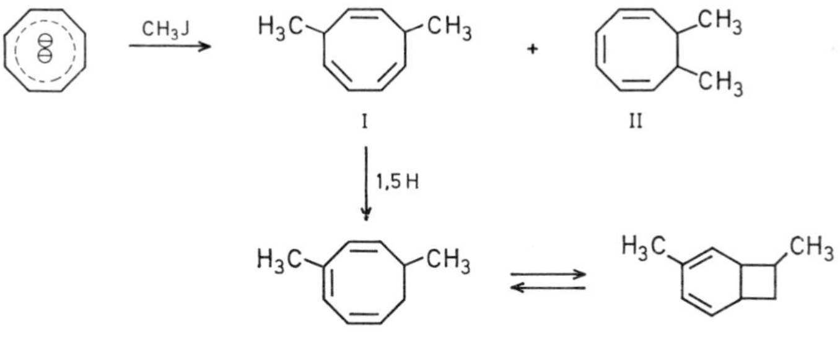

$$\xrightarrow{CH_3J} H_3C-\ldots-CH_3 \ (I) \quad + \quad CH_3, CH_3 \ (II)$$

$$\downarrow 1,5\,H$$

$$H_3C-\ldots-CH_3 \ (III) \rightleftharpoons H_3C, CH_3 \ (IV)$$

---

[1] M. Kröner, B. **100**, 3162 (1967).

[2] A. G. Anastassiou, Am. Soc. **87**, 5512 (1965).

[3] Die Alkylierung und Acylierung des Cyclooctatetraen-Dianions wurde zuerst von Azatyan et al. beschrieben. Die Position der Substituenten in den erhaltenen Cyclooctatrienen wurde nicht aufgeklärt:
V. D. Azatyan, Doklady Akad. SSSR **98**, 403 (1954); C. A. **49**, 12318 (1955).
V. D. Azatyan u. R. S. Gyuli-Kevkhyan, Doklady Akad. Armyan SSR **20**, 81 (1955); C. A. **50**, 4051 (1956).

[4] T. J. Katz, Am. Soc. **82**, 3784 (1960).

[5] D. Bak u. K. Conrow, J. Org. Chem. **31**, 3958 (1966).

Wird das Cyclooctatetraen-Dianion mit Trimethylchlorsilan umgesetzt, so erhält man *7,8-Bis-[trimethylsilyl]-cyclooctatrien-(1,3,5)*[1]:

$$2\,Li^{\oplus} + 2\,ClSi(CH_3)_3 \xrightarrow{-2\,LiCl} \text{7,8-Bis-[}Si(CH_3)_3\text{]-cyclooctatrien}$$

2-Methoxy-azocin und seine Methyl-Derivate nehmen leicht zwei Elektronen unter Ausbildung der aromatischen Dianionen auf. Bei deren Hydrolyse werden die entsprechenden isomeren 2-Methoxy-dihydro-azocine V–VII erhalten[2]:

$$+ H_2O \longrightarrow$$

	V; ... *-3,6-dihydro-azocin*	VI; ... *-3,4-dihydro-azocin*	VII; .... *-7,8-dihydro-azocin*
2-Methoxy-	65	27	8
2-Methoxy-8-methyl-	50	45	
2-Methoxy-3,8-dimethyl-	16	76	
2-Methoxy-4,6,8-trimethyl-	38	33	22
2-Methoxy-3,5,6,8-tetramethyl-	—	94	

Äthyl-cyclooctatrien (VIII; 5% d.Th.; Kp_{30}: 80–82°; n_D^{25} = 1,5020) entsteht als Nebenprodukt bei der Reaktion von Äthyl-lithium mit Cyclooctatetraen in Äther[3] (s. S. 437).

Cyclooctatetraen addiert in Pentan Butyl- und 2-Methyl-propyl-lithium. Nach der Hydrolyse werden *Butyl-* (IX; 18% d.Th.; $Kp_{2,5}$: 67–69,5°; n_D^{25}: = 1,4970) bzw. *(2-Methyl-propyl)-cyclooctatrien* (X; 32% d.Th.; $Kp_{1,8}$: 58,5–60°; n_D^{25} = 1,4947) erhalten[3].

Phenyl-cyclooctatrien (XI; ~11% d.Th.; $Kp_{0,3}$: 93–94°; n_D^{25}: 1,6100–1,6174) wird als Nebenprodukt bei der Reaktion von Phenyl-lithium mit Cyclooctatetraen in Äther erhalten[4]:

R — oder Isomere

VIII; R = C_2H_5 X; R = CH_2—$CH(CH_3)_2$
IX; R = C_4H_9 XI; R = C_6H_5

Cyclooctatetraen zeigt keine besondere Reaktivität gegenüber [2-Cyan-propyl-(2)]-Radikalen. Bei der Zersetzung von Azoisobuttersäure-dinitril in überschüssigem Cyclooctatetraen entsteht *5,8-Bis-[2-cycan-propyl-(2)]-cyclooctatrien-(1,3,6)* (XII; 5,5% d.Th.; bez. auf umges. Azoisobuttersäure-dinitril). Beim Erhitzen isomerisiert es sich glatt zu *3,8-Bis-[2-cyan-propyl-(2)]-bicyclo[4.2.0]octadien-(2,4)* (XIII)[5]:

---

[1] V. D. Azatyan, Izv. Akad. Arm. SSR, **17** [6], 706 (1964); C. A. **63**, 4323 (1965).
[2] L. A. Paquette, T. Kakihana u. J. F. Hansen, Tetrahedron Letters **1970**, 529; Am. Soc. **93**, 168 (1971).
[3] A. C. Cope u. H. O. van Orden, Am. Soc. **74**, 175 (1952).
[4] A. C. Cope u. M. R. Kinter, Am. Soc. **73**, 3424 (1951).
[5] J. L. Kice u. T. S. Cantrell, Am. Soc. **85**, 2298 (1963).

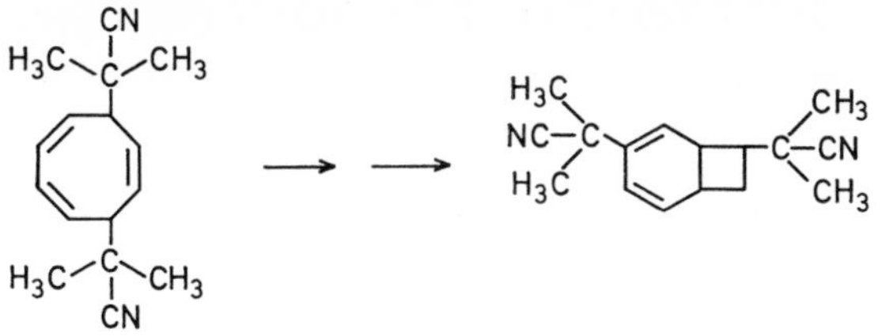

XII → → XIII

ζ) Methylen- und Bis-[methylen]-cyclooctatriene

Das Dibromcarben-Addukt des Cyclooctadiens {I; 9,9-Dibrom-bicyclo[6.1.0] nonen-(4)} reagiert mit Kalium-tert.-butanolat in Dimethylsulfoxid u.a. zu *7-Methylen-cyclooctatrien-(1,3,5)* (II; ~11% d.Th.)[1]:

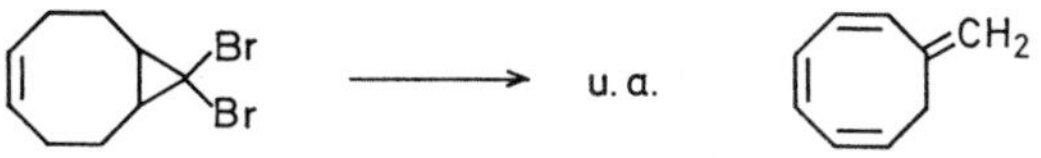

I → u.a. II

1-Cyanmethyl-cyclooctatetraen (III) läßt sich mit Natriumhydroxid bei Raumtemperatur oder durch Erhitzen mit Triäthylamin zu *7-Cyanmethylen-cyclooctatrien-(1,3,5)* (IV) oder *8-Cyanmethylen-cyclooctatrien-(1,3,6)* (V) isomerisieren (87% d.Th.)[2]:

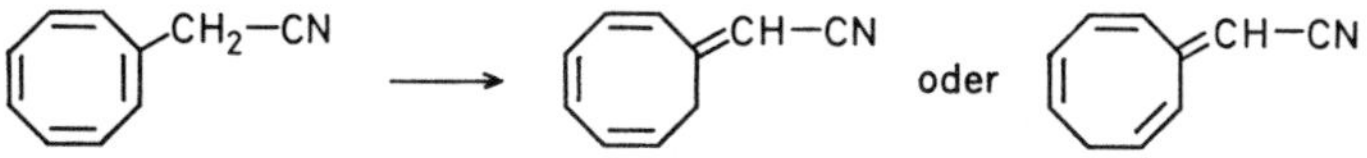

III → IV oder V

7-Oxo-cyclooctatrien-(1,3,5) (VI) kondensiert sich mit Cyanessigsäure-äthylester zu *7-(Äthoxycarbonyl-cyan-methylen)-cyclooctatrien-(1,3,5)* (VII; 10% d.Th.; F: 75–76°)[3]:

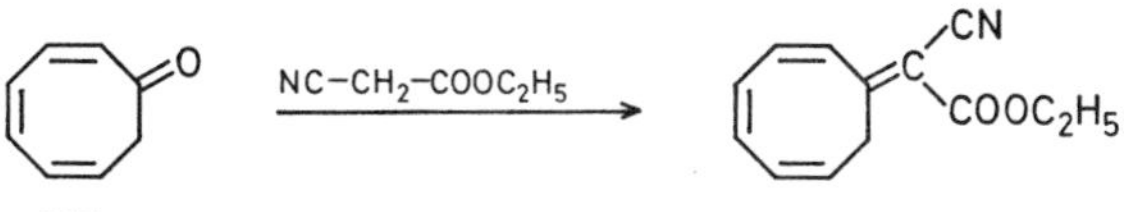

VI $\xrightarrow{NC-CH_2-COOC_2H_5}$ VII

7,8-Bis-[methylen]-cyclooctatrien-(1,3,5) (IX) wird bei der Behandlung von 1,2-Bis-[brommethyl]-cyclooctatetraen (VIII) mit Zink in Dimethylformamid in praktisch quantitativer Ausbeute als gelbes, an der Luft schnell polymerisierendes Öl erhalten[4]:

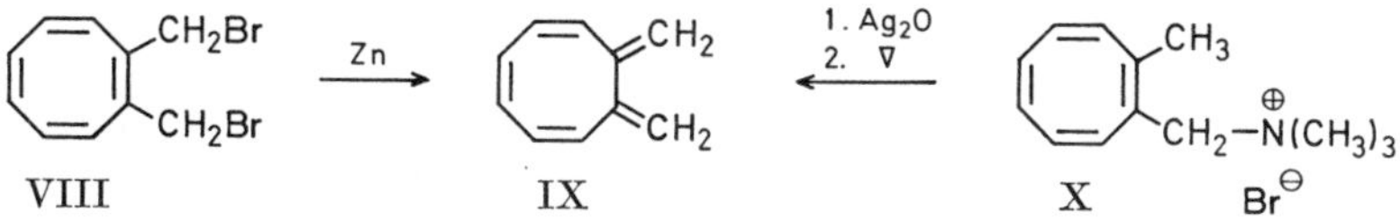

VIII $\xrightarrow{Zn}$ IX $\xleftarrow{1.\ Ag_2O;\ 2.\ \nabla}$ X

[1] P. D. Gardner et al., Am. Soc. **87**, 3158 (1965).
[2] A. C. Cope, R. M. Pike u. D. F. Rugen, Am. Soc. **76**, 4945 (1954).
[3] A. C. Cope, S. F. Schaeren u. E. R. Trumbull, Am. Soc. **76**, 1096 (1954).
[4] J. A. Elix, M. V. Sargent u. F. Sondheimer, Am. Soc. **92**, 962 (1970).

Die gleiche Verbindung IX (35% d. Th.; S. 483) entsteht auch beim Hofmann-Abbau des 2-Methyl-1-(trimethylammoniono-methyl)-cyclooctatetraen-bromids (X)[1].

8-Methylen-7-brommethylen-cyclooctatrien-(1,3,5) (XI; 83% d. Th.)[2] fällt bei der Behandlung von 1,2-Bis-[brommethyl]-cyclooctatetraen (VIII) mit Kalium-tert. butanolat an:

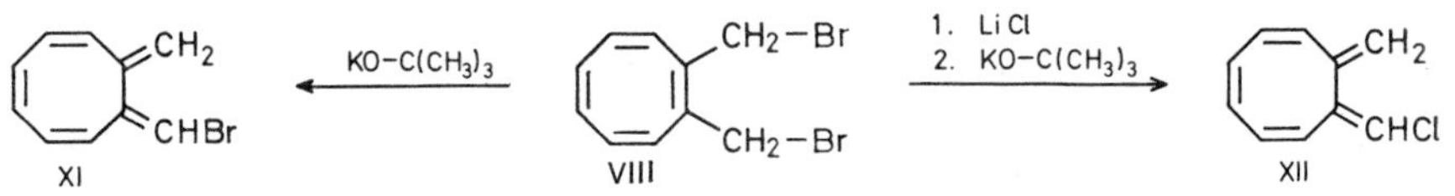

Austausch der beiden Bromatome in VIII gegen Chlor-Atome mit Lithiumchlorid in Dimethylformamid und anschließende Chlorwasserstoff-Eliminierung mit Kalium-tert.-butanolat liefert *8-Methylen-7-chlormethylen-cyclooctatrien-(1,3,5)* (XII; 88% d. Th., bez. auf VIII)[2].

2,3,6,7-Tetrachlor-1,4-bis-[trichlormethyl]-5,8-bis-[dichlormethylen]-cyclooctatrien-(1,3,6) entsteht u.a. bei der Thermolyse von 1,2-Dichlor-3,4-bis-[dichlormethylen]-cyclobuten[3]:

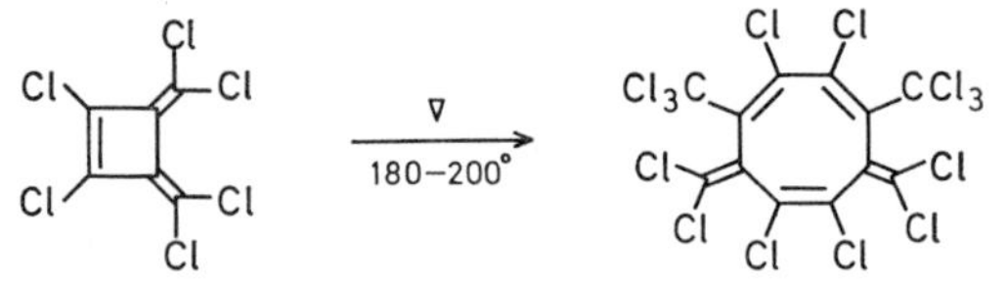

II. Anellierte Cyclooctatriene

a) mit ankondensiertem Dreiring

1. mit carbocyclischem Dreiring[4]

α) Carbenaddition an Cyclooctatetraen

Cyclooctatetraen reagiert ohne Gerüständerung mit „Carbenen". Dabei entstehen Bicyclo[6.1.0]nonatrien-(2,4,6)-Derivate. Sie sind meist thermolabil und lagern sich bei 90–150° in 3a,7a-Dihydro-inden-Verbindungen um[5–8]:

---

[1] F. A. L. Anet u. B. Gregorovich, Tetrahedron Letters **1966**, 5961.

[2] J. A. Elix, M. V. Sargent u. F. Sondheimer, Am. Soc. **92**, 962 (1970).

[3] K. Mano, K. Kusuda, A. Fujino u. T. Sakan, Tetrahedron Letters **1966**, 489.
A. Furusaki u. I. Nitta, Tetrahedron Letters **1968**, 1379.

[4] S. ds. Handb., Bd. IV/3, Carbocyclische Dreiringsysteme, S. 109, 165, 168, 191, 225, 226, 231, 273, 381, 647, 648.

[5] E. Vogel, Ang. Ch. **74**, 838 (1962).

[6] E. Vogel, W. Wiedemann, H. Kiefer u. W. F. Harrison, Tetrahedron Letters **1963**, 673.
H. Kiefer, Dissertation, Universität Köln 1962.

[7] K. Bangert u. V. Boekelheide, Am. Soc. **86**, 905 (1964).

[8] G. J. Fonken u. W. Moran, Chem. & Ind. **1963**, 1841.

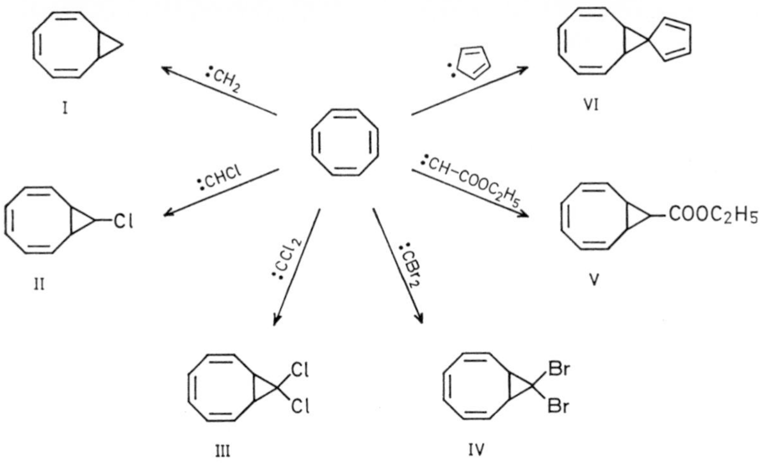

I, II, III, IV, V, VI

9-Äthoxycarbonyl-bicyclo[6.1.0]nonatrien-(2,4,6) (V) läßt sich über *9-Carboxy-*[1] (F: 113,5–114,8°), *9-Chlorcarbonyl-*[2] und *9-Formyl-*[2] in *9-Tosylhydrazonomethyl-bicyclo[6.1.0]nonatrien-(2,4,6)*[2] umwandeln, dessen Natriumsalz thermisch[2] und photolytisch[3] zersetzt werden kann. Dabei entstehen eine Reihe von $C_{10}H_{10}$-Kohlenwasserstoffen.

9-Hydrazinocarbonyl-bicyclo[6.1.0]nonatrien-(2,4,6) kann aus V und Hydrazin erhalten werden[4]. *9-Hydroxymethyl-bicyclo[6.1.0]nonatrien-(2,4,6)* (VII; 72% d. Th.; $Kp_{2,0}$: 94–96°; $n_D^{20} = 1{,}5425$) kann durch Reduktion von V mit Lithiumalanat hergestellt werden[4]:

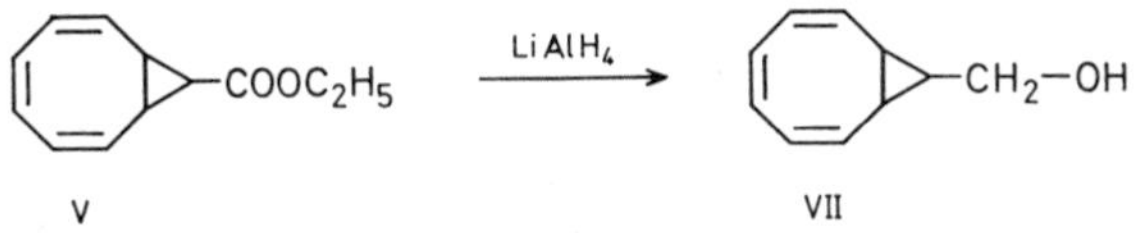

V → ($LiAlH_4$) → VII

Aus V und Phenyl-lithium erhält man *9-(α-Hydroxy-diphenyl-methyl)-bicyclo[6.1.0]nonatrien-(2,4,6)* (VIII a/b)[5]:

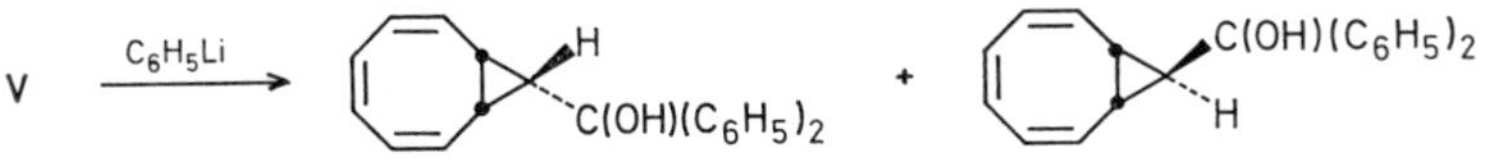

V → (C_6H_5Li) → VIIIa (5%; F: 168,5–169,5°) + VIIIb (90%)

9-Äthoxycarbonyl-bicyclo[6.1.0]nonatrien-(2,4,6) (V)[4]: 12,8 g Diazoessigsäure-äthylester werden unter Rühren zu einer Suspension von 0,8 g Kupferpulver in 17 g Cyclooctatetraen getropft. Bei Beginn der Reaktion beträgt die Temp. 100°, nach beendeter Zugabe (~ 30 Min.) 115°. Während der gesamten Reaktionszeit ist eine Stickstoff-Entwicklung zu beobachten. Man filtriert und destilliert dann das Reaktionsprodukt. Dabei fallen an:

11,0 g nicht umgesetztes Cyclooctatetraen (Kp_{48}: 60–61°)
ungefähr 1 g einer Zwischenfraktion
und 8,3 g (40% bez. auf Diazoessigsäure-äthylester) V als blaßgelbe Flüssigkeit; $Kp_{4,5}$: 102–104°; $n_D^{20} = 1{,}5110$.

[1] S. Akiyoshi u. T. Matsuda, Am. Soc. **77**, 2476 (1955).
[2] M. Jones u. L. T. Scott, Am. Soc. **89**, 150 (1967).
[3] S. Masamune, C. G. Chin, K. Hojo u. R. T. Seidner, Am. Soc. **89**, 4804 (1967).
[4] D. D. Phillips, Am. Soc. **77**, 5179 (1955).
[5] K. Bangert u. V. Boekelheide, Am. Soc. **86**, 1159 (1964).

Tab. 6. Bicyclo[6.1.0]nonatriene-(2,4,6) durch Addition von „Carbenen“ an Cyclooctatetraen (s. Formelbild S. 485 oben)

Carben-Herstellung	Reaktionsprodukt	Ausbeute [% d. Th.]*	F [°C]	Literatur
① Dijodmethan und Zink-Kupferpaar[1] ② Diazomethan[2] und Kupfer (I)-chlorid	*Bicyclo[6.1.0]nonatrien-(2,4,6)* (I)	25–30	18–19	3 4
Dichlormethan und Methyllithium	*syn-* und *anti-9-Chlor-bicyclo [6.1.0]nonatrien-(2,4,6)* (II) (3 Teile *syn-*, 1 Teil *anti-*)	30–56		5
① Chloroform und Kalium-tert.-butanolat[6] ② Thermische Zers. von Natriumtrichloracetat	*9,9-Dichlor-bicyclo[6.1.0]nonatrien-(2,4,6)* (III)	20 44		3,4,7
Bromoform und Kalium-tert.-butanolat[6]	*9,9-Dibrom-bicyclo[6.1.0]nonatrien-(2,4,6)* (IV)	29		3,4,7
Zers. von Diazo-essigsäure-äthylester durch Kupferpulver oder Kupfer(I)-salze	*9-Äthoxycarbonyl-bicyclo [6.1.0.]nonatrien-(2,4,6)* (V)	40		8,9
Zers. von Dicyan-diazomethan	*9,9-Dicyan-bicyclo[6.1.0]nonatrien-(2,4,6)*			10
Photolyse von Diazo-cyclopentadien	*Cyclopentadien-⟨5-spiro-9⟩-bicyclo[6.1.0]nonatrien-(2,4,6)* (VI)	40–50	49–51	11

* Ausbeuten meist auf zersetzten Carbenspender bezogen.

[1] H. E. SIMMONS u. R. D. SMITH, Am. Soc. **80**, 5323 (1958); **81**, 4256 (1959).
[2] EU. MÜLLER, H. FRICKE u. W. RUNDEL, Z. Naturf. **15b**, 753 (1960).
P. P. GASPAR u. W. v. E. DOERING, Dissertation P. P. GASPAR, Yale University 1961.
G. WITTIG u. K. SCHWARZENBACH, A. **650**, 1 (1961).
[3] E. VOGEL, Ang. Ch. **74**, 838 (1962).
[4] H. KIEFER, Dissertation, Universität Köln 1962.
[5] E. A. LA LANCETTE u. R. E. BENSON, Am. Soc. **85**, 2853 (1963).
[6] W. v. E. DOERING u. A. K. HOFFMANN, Am. Soc. **76**, 6162 (1954).
[7] E. VOGEL u. H. KIEFER, Ang. Ch. **73**, 548 (1961).
[8] D. D. PHILLIPS, Am. Soc. **77**, 5179 (1955).
[9] S. AKIYOSHI u. T. MATSUDA, Am. Soc. **77**, 2476 (1955).
[10] E. CIGANEK, Am. Soc. **88**, 1979 (1966).
[11] D. SCHÖNLEBER, B. **102**, 1789 (1969).

β) durch Photosynthesen

Die Belichtung von I gibt u.a. *anti-2,3,4,5-Tetrachlor-tricyclo[4.3.0.0^{7,9}]nonadien-(2,4)* (II), das beim Erhitzen in *exo-3,4,5,6-Tetrachlor-bicyclo[6.1.0]nonatrien-(2,4,6)* (F: 87–88°; III) übergeht[1]:

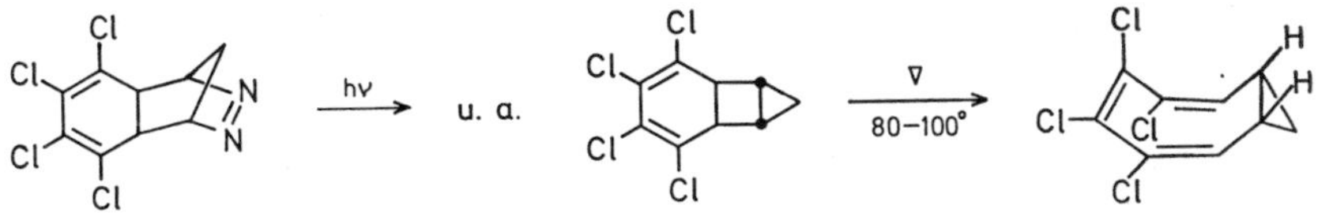

Bei der Belichtung von *cis*-Bicyclo[4.3.0]nonatrien-(2.4,7) (IV; *cis*-3a,8a-Dihydro-inden) in methanolischer Lösung bei –20° mit einer Niederdruck-UV-Lampe erhält man als Hauptprodukt *trans*-Bicyclo[4.3.0]nonatrien-(2,4,7) (V)[2]. In geringerer Menge wird außerdem *cis*-Bicyclo [6.1.0]nonatrien-(2,4,6) (VI) isoliert. Bestrahlt man VI unter den gleichen Bedingungen, so isomerisiert es sich zum gespannten *trans-Bicyclo[6.1.0.]nonatrien-(2,4,6)* (VII)[2]. Zwischenprodukte dieser Photoreaktionen sind thermolabile stereoisomere Cyclononatetraene (s. S. 520)[3]. So öffnet sich IV photolytisch (conrotatorisch) zu *cis,cis,cis,trans-Cyclononatetraen,* aus dem thermisch V hervorgeht. Aus VI erhält man bei der Belichtung (durch disrotatorische Ringöffnung) primär *all-cis-Cyclononatetraen,* das wahrscheinlich in einem Photogleichgewicht mit *cis,cis,cis,trans*-Cyclononatetraen steht. Aus letzterem kann photochemisch (durch disrotatorischen Ringschluß) VII hervorgehen.

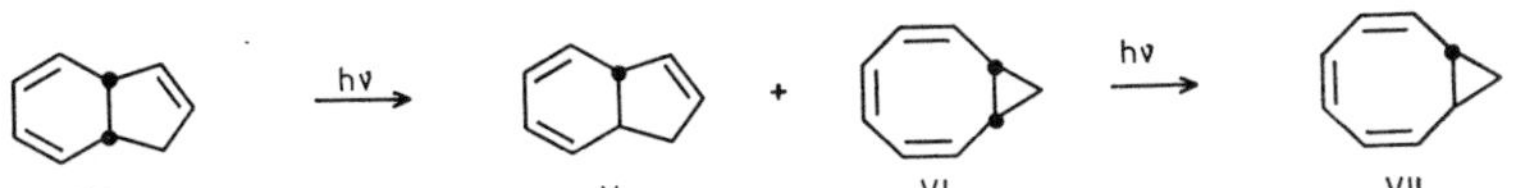

γ) aus Cyclooctatetraen-Dianion

γ₁) *und 1,1-Dihalogen-alkanen*

Das Dilithium- oder Dikaliumsalz des Cyclooctatetraen-Dianions reagiert mit verschiedenen 1,1-Dihalogen-alkanen zu Bicyclo[6.1.0]nonatrienen-(2,4,6)[4,5] (s. Tab. 7, S. 488):

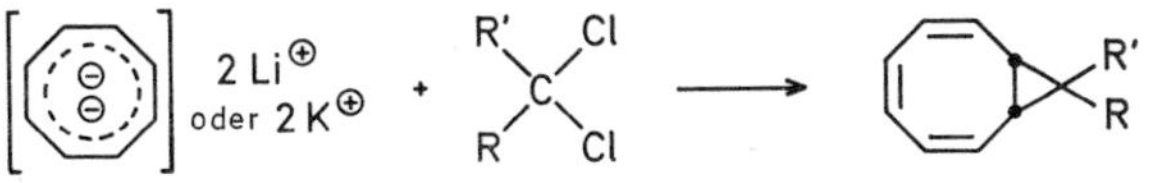

---

1 W. P. Lay u. K. Mackenzie, Chem. Commun. **1970,** 398.
vgl. a. ds. Handb., Bd. IV/5, Photochemie.

2 E. Vogel, W. Grimme u. E. Dinné, Tetrahedron Letters **1965,** 391.

3 S. Masamune, P. M. Baker u. K. Hojo, Chem. Commun. **1969,** 1203.
J. Schwartz, Chem. Commun. **1969,** 883.

4 T. J. Katz u. P. J. Garratt, Am. Soc. **86,** 5194 (1964).

5 T. J. Katz u. P. J. Garratt, Am. Soc. **86,** 4876 (1964).

Tab. 7. Bicyclo[6.1.0]nonatriene-(2,4,6) aus Cyclooctatetraen-Dianion und 1,1-Dihalogen-alkan

1,1-Dihalogen-alkan	Reaktionsprodukt	Ausbeute [% d.Th.]*	Kp		Literatur
			[°C]	[Torr]	
Dichlormethan	*Bicyclo[6.1.0]nonatrien-(2,4,6)*	45	51	7,0	1
Chloroform	*anti-9-Chlor-bicyclo[6.1.0]nonatrien-(2,4,6)*	45	28	0,2	1
Tetrachlormethan	*9,9-Dichlor-bicyclo[6.1.0]nonatrien-(2,4,6)*	19	31	0,05	1
Dichlor-methoxy-methan	*anti-9-Methoxy-bicyclo[6.1.0]nonatrien-(2,4,6)*	27	54–56	1,1	1
1,1-Dichlor-äthan	*syn-9-Methyl-bicyclo[6.1.0]nonatrien-(2,4,6)*	20	35	0,8	2
1,1,1-Trichlor-äthan	*9-Chlor-9-methyl-bicyclo[6.1.0]nonatrien-(2,4,6)*		—	—	2

* bez. auf einges. Cyclooctatetraen-Dianion.

Bicyclo[6.1.0]nonatrien[1]:

Cyclooctatetraen-Dianion:

Methode a[3]: 4,7 g (0,12 g-Atom) Kalium werden zu 6,2 g (0,06 Mol) Cyclooctatetraen in 150 *ml* absol. Tetrahydrofuran gegeben. Unter einer Stickstoffatmosphäre rührt man solange (~ 2,5 Stdn.) bei ~ 30°, bis alles Kalium reagiert hat.

Methode b[2]: 4,0 g (0,57 g-Atom) Lithium werden in kleinen Stücken 250 *ml* absol. Tetrahydrofuran (frisch von Lithiumalanat abdestilliert) bei –78° unter Stickstoff zugefügt. Dann läßt man 26 g (0,25 Mol) Cyclooctatetraen unter heftigem Rühren zulaufen. Man rührt je 24 Stdn. bei –78°, 0° und bei 25°.

Bicyclo[6.1.0]nonatrien[1]: 0,10 Mol Kalium-cyclooctatetraenid wird in Tetrahydrofuran unter Stickstoff innerhalb 1 Stde. zu 250 *ml* Dichlormethan unter Rühren zugetropft. Man rührt anschließend 8 Stdn., gibt 15 *ml* Äthanol zu, um Kaliumreste zu zerstören, fügt dann Wasser zu, um ausgefallenes Kaliumchlorid zu lösen und trennt die Schichten. Die wäßrige Phase wird 2 mal mit 50 *ml* Äther extrahiert. Dann wäscht man die organischen Phasen 3 mal mit je 200 *ml* Wasser und 2 mal mit je 200 *ml* ges. Kochsalz-Lösung. Nach dem Trocknen über Magnesiumsulfat zieht man das Lösungsmittel i. Vak. ab und destilliert den Rückstand. Es gehen bei 8 Torr über:

Fraktion 1: Kp: 31–47°, 0,6 g
Fraktion 2: Kp: 47–51°, 6,1 g.

Erneute Destillation von Fraktion 2 gibt 5,7 g (45% d.Th.; Kp_7: 51°) Bicyclo[6.1.0]nonatrien.

γ_2) *und Carbonsäure-chloriden*

Bei Zugabe einer ätherischen Lösung des Cyclooctatetraen-Dianions (I, s. S. 489) zu überschüssigem Acetylchlorid wird u.a. *9-Acetoxy-9-methyl-bicyclo[6.1.0]nonatrien-(2,4,6)* (II; 22% d.Th., bez. auf I; F: 53,5–54°) erhalten[3]. Phthalsäure-dichlorid reagiert mit I zum *9-Hydroxy-9-(2-carboxy-phenyl)-bicyclo[6.1.0]nonatrien-(2,4,6)-lacton* (III; 28% d. Th., bez. auf I; F: 165–166°)[3]:

[1] T. J. Katz u. P. J. Garratt, Am. Soc. **86**, 5194 (1964).
[2] T. J. Katz u. P. J. Garratt, Am. Soc. **86**, 4876 (1964).
[3] T. S. Cantrell u. H. Shechter, Am. Soc. **89**, 5868 (1967); **83**, 3300 (1963).

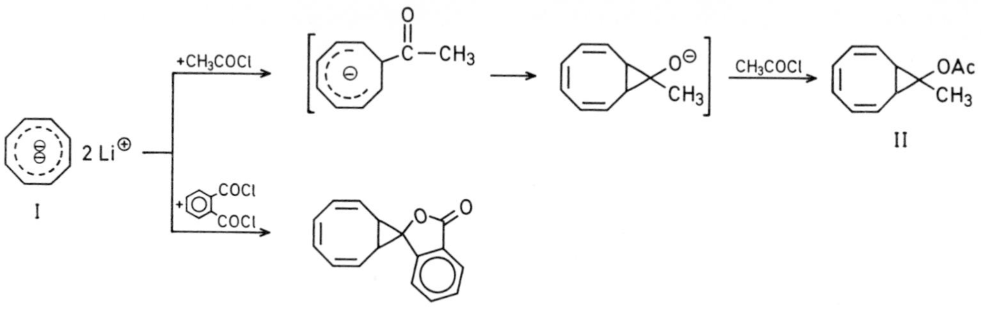

I II III

2. mit heterocyclischem Dreiring

Gegenüber Persäuren verhält sich Cyclooctatetraen wie ein normales Olefin. Mit Perbenzoesäure[1] oder Peressigsäure[2] bildet es *7,8-Epoxi-cyclooctatrien-(1,3,5)* (50% d. Th.).

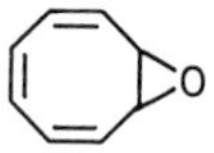

7,8-Epoxi-cyclooctatrien-(1,3,5)[1]: Zu einer Lösung von 78 g Perbenzoesäure in 100 *ml* Chloroform gibt man bei 0° 58 g Cyclooctatetraen und läßt nach 2 stdgm. Stehen bei 0° die Temp. etwas über Raumtemp. ansteigen. Man läßt über Nacht stehen; die Perbenzoesäure ist danach verbraucht. Die Chloroform-Lösung wird nun mit verd. Natronlauge und Wasser ausgeschüttelt und über Natriumsulfat getrocknet. Das Chloroform wird über eine Kolonne abgetrennt und der gelbe, ölige Rückstand dann i. Vak. destilliert. Nach einem Vorlauf, der hauptsächlich aus Cyclooctatetraen besteht, destilliert die Hauptmenge (30 g; 45% d.Th.) des Epoxids als gelbliches Öl bei 73–75°/13 Torr über, das nochmals destilliert wird; Kp_{12}: 72° (farblos); $n_D^{20} = 1,5399$.

9-Äthoxycarbonyl-9-aza-bicyclo[6.1.0]nonatrien-(2,4,6) (35–40% d. Th., bez. auf Äthoxycarbonyl-nitren)[3], wird bei der Reaktion von Äthoxycarbonyl-nitren mit Cyclooctatetraen erhalten:

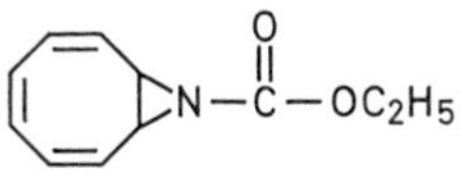

9-Cyan-9-aza-bicyclo[6.1.0]nonatrien-(2,4,6) (III) kann bei der Zersetzung von Cyanazid in Cyclooctatetraen bei 78° neben *7-Cyanimino-cyclooctatrien-(1,3,5)* (I) und *9-Cyan-9-aza-bicyclo[4.2.1]nonatrien-(2,4,7)* (II) erhalten werden[4]. Photolytisch isomerisiert sich II zu III[5]:

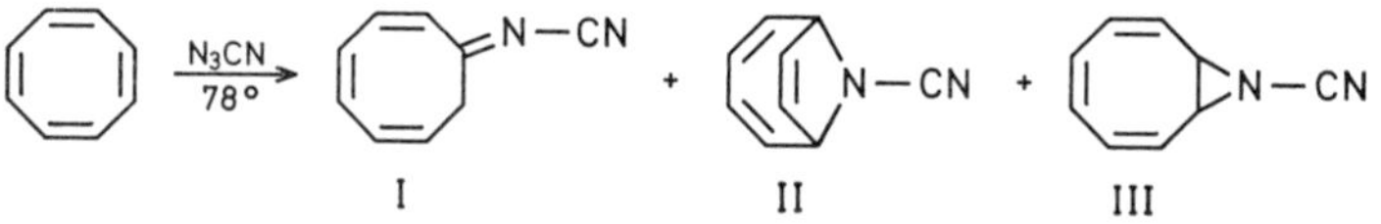

I II III

---

[1] W. REPPE, O. SCHLICHTING, K. KLAGER u. T. TOEPEL, A. **560**, 1 (1948).
[2] A. C. COPE u. B. D. TIFFANY, Am. Soc. **73**, 4158 (1951).
[3] S. MASAMUNE u. N. T. CASTELLUCCI, Ang. Ch. **76**, 569 (1964).
[4] A. G. ANASTASSIOU, Am. Soc. **87**, 5512 (1965); **90**, 1527 (1968).
[5] A. G. ANASTASSIOU u. R. P. CELLURA, Chem. Commun. **1967**, 762.

9-Phenyl-9-phospha-bicyclo[6.1.0]nonatrien-(2,4,6) erhält man bei Einwirkung von Dichlor-phenyl-phosphin auf das Cyclooctatetraen-Dianion[1]:

$Cl_2PC_6H_5$ → P—C_6H_5

b) mit ankondensiertem Vierring

1. mit carbocyclischem Vierring[2]

α) Bicyclo[6.2.0]decatriene-(2,4,6)

Cyclooctatetraen geht mit 2,2-Difluor-1,1-dichlor-äthylen und 1,2,2-Trifluor-1-chlor-äthylen eine [2.2]-Cycloaddition zu *10,10-Difluor-9,9-dichlor-* (I)[3] bzw. *9,10,10-Trifluor-9-chlor-cis-bicyclo[6.2.0]decatrien-(2,4,6)* (IV)[4] ein (Ausbeute jeweils ~18% bez. auf umgesetztes Cyclooctatetraen). Bei Bestrahlung mit UV-Licht entsteht aus I *10,10-Difluor-9,9-dichlor-trans-bicyclo[6.2.0]decatrien-(2,4,6)* (III; ~12% d. Th.)[4].

Ein photochemisch induzierter disrotatorischer Bindungsbruch in I führt intermediär zum Tetrahalogen-*all-cis*-cyclodecatetraen-(*1,3,5,7*) (II), das thermisch conrotatorisch in III übergeht:

+$F_2C{=}CCl_2$ → I; hν → [II]; ∇ → III

+$F_2C{=}CFCl$ → IV

10,10-Difluor-9,9-dichlor-*cis*-bicyclo[6.2.0]decatrien-(2,4,6) (I)[3]: Erhitzt man in einer Ampulle 30 g Cyclooctatetraen mit 40 g 2,2-Difluor-1,1-dichlor-äthylen 70 Stdn. auf ~ 115°, so erhält man nach Abtrennung von 26,2 g nicht umgesetztem 2,2-Difluor-1,1-dichlor-äthylen und von 18 g Cyclooctatetraen aus dem Rückstand 4,7 g I (17% d.Th., bez. auf umgesetztes Cyclooctatetraen); $Kp_{0,05}$: 53°; λ_{max} = 246 mμ (1800); NMR: zwei Multipletts um τ 4,2 [6H] und 6,3 [2H].

Beim Erwärmen von Cyclooctatetraen auf 100° entstehen zwei Dimere [$C_{16}H_{16}$; F: 53° (V) und F: 76° (VI)][5–7]. Nach 68 Stunden Reaktionszeit belaufen sich die Ausbeuten an V {*Tricyclo[8.6.0.0^{2,9}]hexadecahexaen-(3,5,7,11,13,15)*} und VI {*Pentacyclo[9.3.2.0^{2,14}.0^{3,10}.0^{4,9}]hexadecatetraen-(5,7,12,15)*} jeweils auf ~ 20% (bez.

---

[1] T. J. Katz, C. R. Nicholson u. C. A. Reilly, Am. Soc. **88**, 3832 (1966).

[2] s.a.ds. Handb., Bd. IV/4, Isocyclische Vierring-Verbindungen, S. 12, 69, 77, 78, 83, 228, 274, 314, 322, 443.

[3] G. Schröder u. T. Martini, Ang. Ch. **79**, 820 (1967).

[4] T. Martini, Dissertation, Universität Karlsruhe 1968.

[5] G. Schröder u. W. Martin, Ang. Ch. **78**, 117 (1966).

[6] W. O. Jones, Chem. & Ind. **1955**, 16.

[7] G. Schröder, B. **97**, 3131 (1964).

auf umgesetztes Cyclooctatetraen). V reagiert mit Acetylendicarbonsäure-dimethylester zum Addukt VII {*15,16-Dimethoxycarbonyl-pentacyclo[12.2.2.0*^{2,13}*.0*^{3,12}*.0*^{4,11}*]octadeca-pentaen-(5,7,9,15,17)*; 70% d. Th.}. Der Diels-Alder-Reaktion ist dabei eine Valenzisomerisierung im Cyclooctatrien-System vorgelagert. Bei ~ 160° zerfällt VII in Phthalsäure-dimethylester und *Tricyclo[6.4.0.0*^{9,12}*]dodecatetraen-(2,4,6,10)* (VIII; 63% d. Th.)[1,2]:

$H_3COOC-C\equiv C-COOCH_3$, 60°; V → VII ($COOCH_3$, $COOCH_3$); VII →(∇) VIII + Phthalsäure-dimethylester ($COOCH_3$, $COOCH_3$); VI (1–16)

Tricyclo[8.6.0.0^{2,9}**]hexadecahexaen-(3,5,7,11,13,15) (V) und Pentacyclo[9.3.2.0.**^{2,14}**.0**^{3,10}**.0**^{4,9}**] hexadecatetraen-(5,7,12,15) (VI):**

Pentacyclo[9.3.2.0^{2,14}.0^{3,10}.0^{4,9}]hexadecatetraen-(5,7,12,15) (VI): 2275 g Cyclooctatetraen werden in einem Kolben mit aufgesetztem Kapillarrohr 68 Stdn. auf 100° erhitzt. Nicht umgesetztes Cyclooctatetraen wird i. Vak. bei einer Badtemp. von maximal 60° abdestilliert (Vakuum zuerst so einstellen, daß Cyclooctatetraen bei ~35° übergeht). Dann wechselt man die Vorlage und entfernt die Cyclooctatetraen-Reste bei 0,1 Torr und 60° Badtemp. Es bleiben 611 g eines rotbraunen Öles (Umsatz 27%) zurück. Diesem werden 310 *ml* Äther zugesetzt. Man läßt bei −5° bis −10° 12 Stdn. stehen; dabei kristallisiert VI aus. Die Kristalle werden abgenutscht und mehrmals mit kaltem Äthanol gewaschen. Durch 2 maliges Umkristallisieren aus Äthanol/Äther (~ 4:1) wird VI rein erhalten; Ausbeute: ~ 20% d. Th. (bez. auf umgesetztes Cyclooctatetraen); F: 76°.

Tricyclo[8.6.0.0^{2,9}]hexadecahexaen-(3,5,7,11,13,15) (V): Die Mutterlauge der ersten Kristallisation wird im Rotationsverdampfer vom Äther befreit. Darauf gibt man soviel an Äther (in *ml*) zu, wie es einem Drittel des zurückbleibenden Öles (in g) entspricht (~ 130 *ml*). Man kühlt auf 0° ab und impft mit V an oder erzeugt durch Reiben mit einem Glasstab die ersten Kristallkeime. Nach 12 stdgm. Stehen bei ~ −10° wird diese 2. Kristallfraktion abgenutscht und mehrmals mit kaltem Äthanol gewaschen. Durch 2 maliges Umkristallisieren aus einem Äthanol–Äther-Gemisch (~ 3:1) wird V rein erhalten; Ausbeute: ~ 15% d. Th. (bez. auf umgesetztes Cyclooctatetraen); F: 53°.

Ausgehend vom Photodimeren X des N-Cyan-9-aza-bicyclo[4.2.1]nonatriens-(2,4,7) (IX) kann durch eine Folge von Abbaureaktionen ein Dimeres des Cyclooctatetraens mit *cis,trans,cis*-Konfiguration am Vierring erhalten werden[3] {*Tricyclo-[8.6.0.0*^{2,9}*]hexadecahexaen-(3,5,7,11,13,15)*; XI; F: 98–99°}:

IX (N—CN) →(hν/Sens., 70%) X (NCN, NCN) →(KOH/CH_3OH, 65%) (NH, HN) →(HNO_2, 100%) (NNO, ONN) →($Na_2S_2O_4$, $-2N_2$, 65%) XI

[1] G. SCHRÖDER u. W. MARTIN, Ang. Ch. **78**, 117 (1966).
[2] W. MARTIN, Diplomarbeit, Universität Karlsruhe 1965.
[3] A. G. ANASTASSIOU u. R. M. LAZARUS, Chem. Commun. **1970**, 373.

β) Bicyclo[6.2.0]decatetraene-(2,4,6,9)

Bei der **Photolyse** einer Lösung von äquivalenten Teilen Natriummethanolat und *trans*-9-Tosylhydrazonomethyl-bicyclo[6.1.0]nonatrien-(2,4,6) (I) in Tetrahydrofuran bei 0° oder −30° läßt sich u.a. *Bicyclo[6.2.0]decatetraen-(2,4,6,9)*[1] isolieren, wenn beim Aufarbeiten eine Temperatur von 0° nicht überschritten wird:

Mit einer Halbwertszeit von ~ 150 Min. bei 45° lagert sich II quantitativ in *trans*-9,10-Dihydro-naphthalin um.

10-Fluor-9-chlor-bicyclo[6.2.0]decatetraen-(2,4,6,9) (IV) entsteht bei der Enthalogenierung von 10,10-Difluor-9,9-dichlor-*cis*-bicyclo[6.2.0]decatrien-(2,4,6) (III) mit Methyl-lithium in Äther bei −20° (~ 80% d.Th.)[2]:

In Substanz kann IV schon ab ~ 20° ***verpuffen***. In Lösung zerfällt es bei 20° mit einer Halbwertszeit von 550 Min. in 1-Chlor- und 1-Fluor-naphthalin[2].

2. mit heterocyclischem Vierring

Cyclooctatetraen und p-Benzochinon werden unter dem Einfluß von UV-Licht in ein komplexes Gemisch verwandelt, das zu 10% *6-Oxo-cyclohexadien-(1,4)-⟨3-spiro-10⟩-9-oxa-bicyclo[6.2.0]decatrien-(2,4,6)* (V) enthält[3]:

c) mit ankondensiertem Fünfring

Cyclopentadien-⟨5-spiro-7⟩-norcaradien (I; S. 493) lagert sich in Pyridin beim Erwärmen auf 70° in *Bicyclo[6.3.0]undecapentaen-(1,4,6,8,10)* (II; 35–40% d.Th.) um[4]. Mit Lithiumalanat in Tetrahydrofuran wird II zu *Bicyclo[6.3.0]undecatetraen-(1^8,2,4,9)*

[1] S. Masamune, C. G. Chin, K. Hojo u. R. T. Seidner, Am. Soc. **89**, 4804 (1967).
[2] G. Schröder u. T. Martini, Ang. Ch. **79**, 820 (1967).
[3] D. Bryce-Smith, A. Gilbert u. M. G. Johnson, Soc. [C] **1967**, 383.
[4] D. Schönleber, B. **102**, 1789 (1969).

(III; 55% d.Th) reduziert[1]. Bei der Behandlung von II mit Butyl-lithium wird *7-Butyl-bicyclo[6.3.0]undecatetraen-(1⁸,2,4,9)* (IV; 30% d.Th.) erhalten[1]:

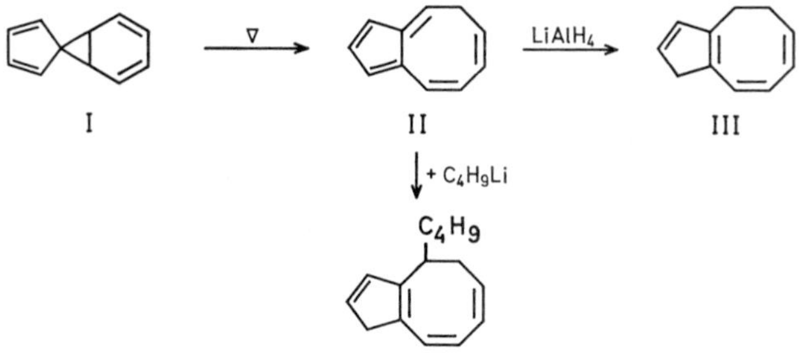

I → (∇) II → ($LiAlH_4$) III

II ↓ ($+ C_4H_9Li$) IV (C_4H_9)

Bei der Photolyse von unsubstituiertem und substituiertem 5-Diazo-cyclopentadien (V) in Benzol (VIa), p-Xylol (VIb) oder 1,3,5-Trimethyl-benzol (VIc) entstehen in 16–72% d.Th. die Bicyclo[6.3.0]undecapentaene (VIIa–f). VIIc hat eine andere Anordnung der Doppelbindungen. Es leitet sich vom Cyclooctatetraen ab[2]:

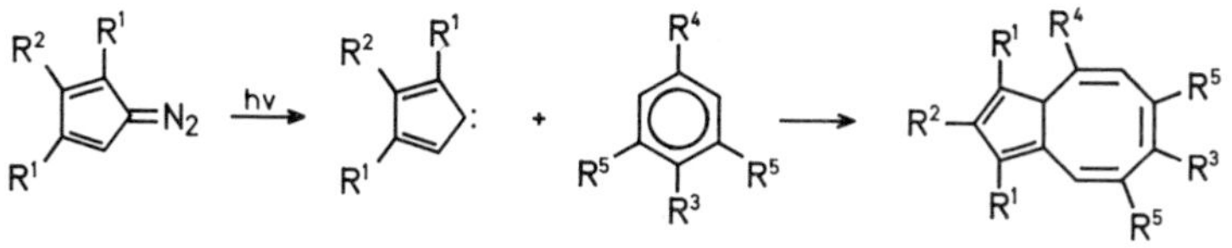

V (R^1, R^2, $=N_2$) → (hν) Carben + VI (R^3, R^4, R^5) → VII

VII	R^1	R^2	R^3	R^4	R^5	… *-bicyclo[6.3.0]undecapentaen-(2,4,6,8,10)*
a	C_6H_5	C_6H_5	H	H	H	*9,10,11-Triphenyl-* …
b	C_6H_5	H	H	H	H	*9,11-Diphenyl-* …
d	C_6H_5	C_6H_5	CH_3	CH_3	H	*2,5-Dimethyl-9,10,11-triphenyl-* …
e	C_6H_5	C_6H_5	H	CH_3	CH_3	*2,4,6-Trimethyl-9,10,11-triphenyl-* …
f	C_6H_5	H	H	CH_3	CH_3	*2,4,6-Trimethyl-9,11-diphenyl-* …

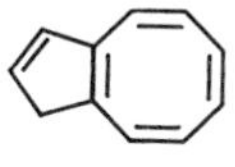

VIIc, R^1, R^2, R^3, R^4, R^5 = H; *Bicyclo[6.3.0]undecapentaen-(1⁸,2,4,6,9)*

d) mit ankondensiertem Sechsring

cis- (II) und *trans-Bicyclo[6.4.0]dodecapentaen-(2,4,6,9,11)* (III; S. 494) entstehen bei der UV-Belichtung von Tricyclo[6.4.0.0^{9,12}]dodecatetraen-(2,4,6,10)(I)[3]. Die Verhältnisse der einzelnen Komponenten hängen von der Bestrahlungsdauer

---

[1] D. SCHÖNLEBER, B. **102**, 1789 (1969).
[2] H. DÜRR u. G. SCHEPPERS, B. **103**, 380 (1970).
[3] H. RÖTTELE, W. MARTIN, J. F. M. OTH u. G. SCHRÖDER, B. **102**, 3985 (1969).

und der Temperatur ab. Bei 42° lagert sich II mit einer Halbwertszeit von ~ 16 Min. in Tricyclo[6.4.0.0^{2,7}]dodecatetraen-(3,5,9,11) (IV) um:

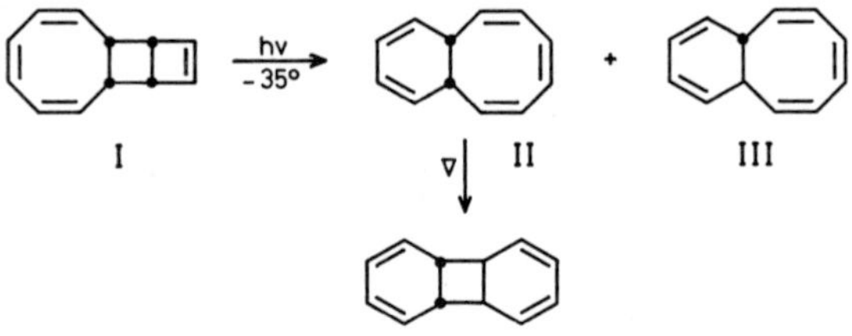

e) mit ankondensiertem aromatischen Sechsring

1. Benzo-cyclooctatriene

Bei der Synthese des *Benzocyclooctatetraens* fallen *7,8-Dihydro-⟨benzo-cyclooctatetraen⟩* (V), *7-Brom-*(VI) und *7-Acetoxy-7,8-dihydro-⟨benzo-cyclooctatetraen⟩* (VII) als isolierbare Zwischenstufen an[1]:

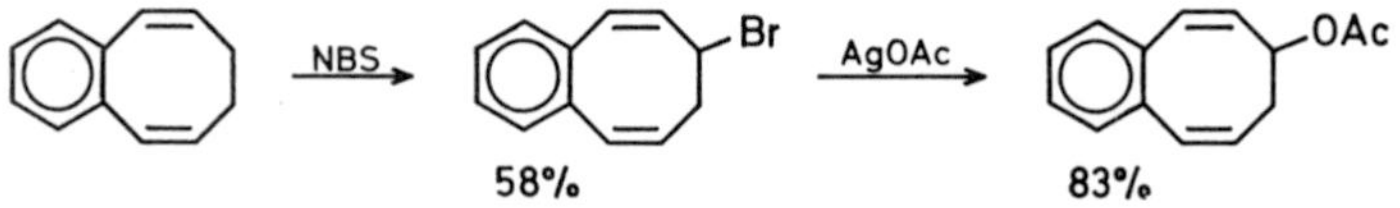

Benzocyclooctatetraen addiert bei −78° ein Mol Brom und gibt *5,6-Dibrom-5,6-dihydro-⟨benzo-cyclooctatetraen⟩*[2] (46% d.Th.; F: 68–70°):

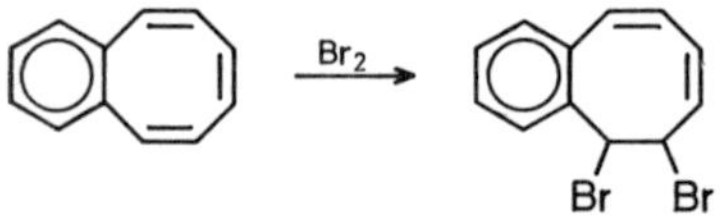

Bei der photoinduzierten Bromierung von Biphenylen entsteht u.a. *5,7,8,10-Tetrabrom-7,8-dihydro-⟨benzo-cyclooctatetraen⟩* (1% d.Th.; F: 139–140°)[3]:

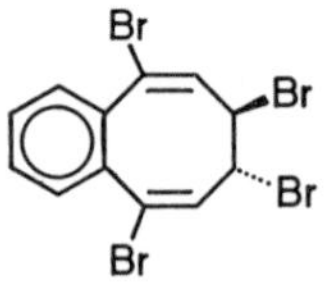

2. Dibenzo-cyclooctatriene

Ausgehend von *Dibenzo-[a;e]-cyclooctatetraen* (I; S. 495) erhält man bei der Bromierung *5,6-Dibrom-5,6-dihydro-⟨dibenzo-[a;e]-cyclooctatetraen⟩*[4] (II; 78% d.Th.; F: 162–

---

[1] G. Wittig, H. Eggers u. P. Duffner, A. **619**, 10 (1959).
[2] J. A. Elix u. M. V. Sargent, Am. Soc. **91**, 4734 (1969).
[3] J. W. Barton u. K. E. Whitaker, Soc. [C] **1968**, 28.
[4] M. P. Cava et al., Tetrahedron **18**, 1005 (1962).

163°). Reduktion von I mit Alkalimetallen und nachfolgende Hydrolyse des Dianions III gibt *5,6-Dihydro-⟨dibenzo-[a;e]-cyclooctatetraen⟩* (IV; 43% d.Th.; F: 58°)[1]:

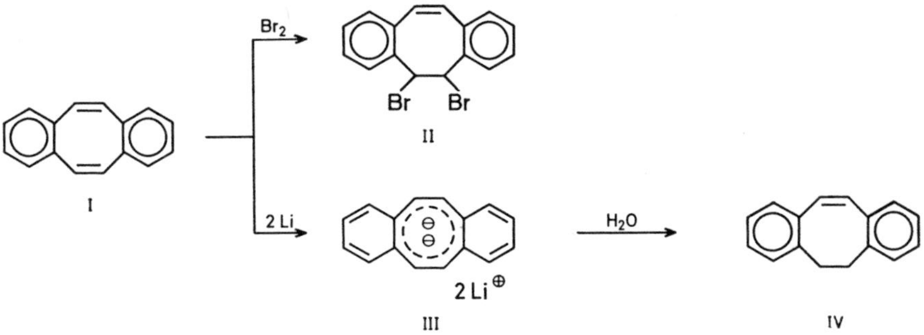

Bei der Acetolyse von 5-Tosyloxymethyl-5H-⟨dibenzo-[a;e]-cycloheptatrien-(1,3,5)⟩ (V) in Eisessig bei Anwesenheit von Natriumacetat tritt Ringerweiterung zu *5-Acetoxy-5,6-dihydro-⟨dibenzo-[a;e]-cyclooctatetraen⟩* (VI; 90% d.Th.) ein[2]:

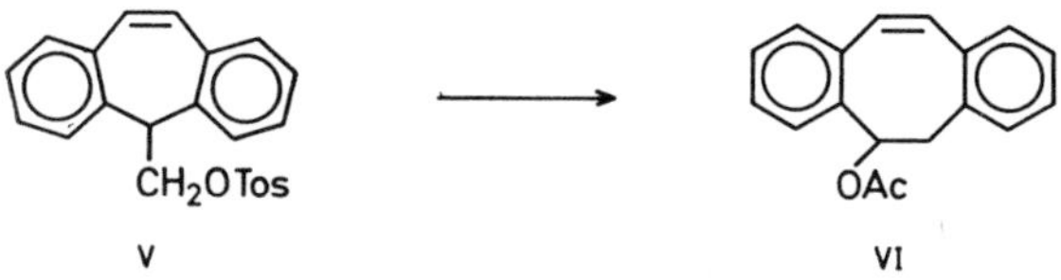

5,6-Dihydro-⟨dibenzo-[a;e]-cyclooctatetraen⟩ (VIIa) und sein 2,3,8,9-Tetramethoxy-Derivat (VIIb)[3] addieren ein Mol Brom. Bei Behandlung mit Kalium-tert.-butanolat/N-Methyl-piperazin werden zwei Mol Bromwasserstoff abgespalten und man erhält *5,6-Bis-[dehydro]-11,12-dihydro-⟨dibenzo-[a;e]-cyclooctatetraen⟩* (VIIIa) bzw. sein *2,3,8,9-Tetramethoxy*-Derivat (VIIIb)[4]:

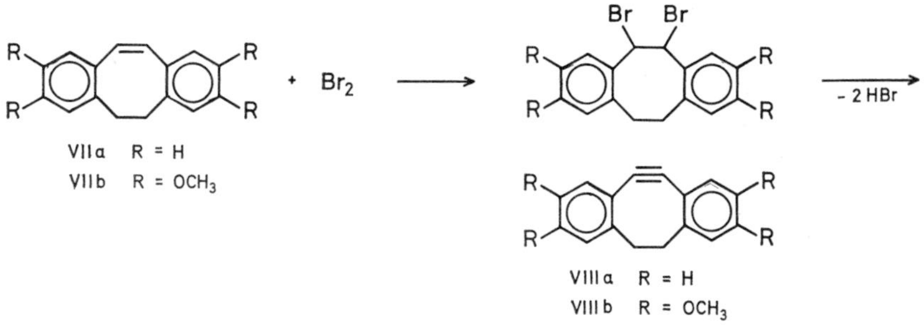

Die C≡C-Dreifachbindung in VIII ist nicht so reaktiv wie im Cyclooctin, aber sie addiert dennoch Azide, Cyclopentadien und Piperidin, wobei IX, X und XI entstehen[4]:

---

[1] T. J. Katz, M. Yoshida u. L. C. Siew, Am. Soc. **87**, 4516 (1965).
[2] C. D. Nenitzescu et al., Tetrahedron Letters **1964**, 3835.
[3] A. R. Battersby u. R. Binks, Soc. **1955**, 2888.
[4] G. Seitz, L. Pohl u. R. Pohlke, Ang. Ch. **81**, 427 (1969).

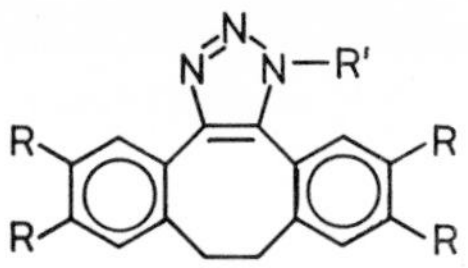

IX; R'=CH_3; C_6H_5; CH_2—$COOC_2H_5$; $COOC_2H_5$

a; R=H; *1-Methyl-* (bzw. *-Phenyl-*; bzw. *-Äthoxycarbonylmethyl-*; bzw. *-Äthoxycarbonyl)-8,9-dihydro-1H-⟨dibenzo-[a; e]-triazolo-[4,5-c]-cyclooctatetraen⟩*

b; R=OCH_3; *5,6,11,12-Trimethoxy-1-methyl-* (bzw. *-phenyl-*; bzw. *-äthoxycarbonylmethyl-*; bzw. *-äthoxycarbonyl)-8,9-dihydro-1H-⟨dibenzo-[a; e]-triazolo-[4,5-c]-cyclooctatetraen⟩*

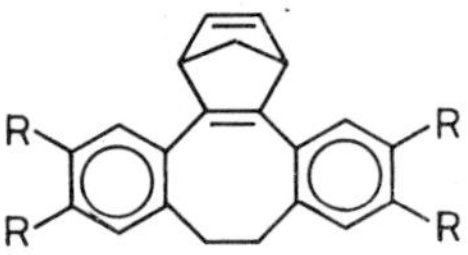

Xa, R = H; *3,4;7,8-Dibenzo-tricyclo[8.2.1.0²˒⁹]tridecatetraen-(2⁹,3,7,11)*
Xb; R = OCH_3; *3,4,9,10-Tetramethoxy-⟨3,4;7,8-dibenzo-tricyclo[8.2.1.0²˒⁹]tridecatetraen-(2⁹,3,7,11)⟩*

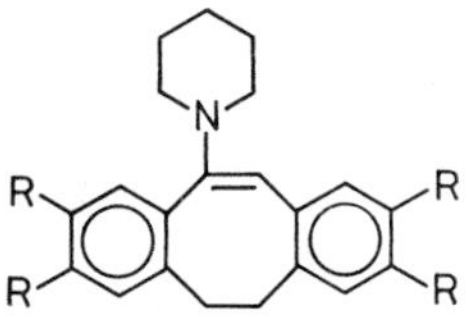

XIa; R = H; *5-Piperidino-11,12-dihydro-⟨dibenzo-[a; e]-cyclooctatetraen⟩*
XIb; R = OCH_3; *5-Piperidino-2,3,8,9-tetramethoxy-11,12-dihydro-⟨dibenzo-[a;e]-cyclooctatetraen⟩*

Behandlung von I mit Phenyl-lithium gibt u.a. 5,6-Bis-[methylmercapto]-5,6,11,12-tetrahydro-⟨dibenzo-[a;e]-cyclooctatetraen⟩ (II; 1–2% d. Th.), das mit äthanolischem Kaliumhydroxid in *11-Methylmercapto-5,6-dihydro-⟨dibenzo-[a;e]-cyclooctatetraen⟩* (III) übergeführt wird[1]:

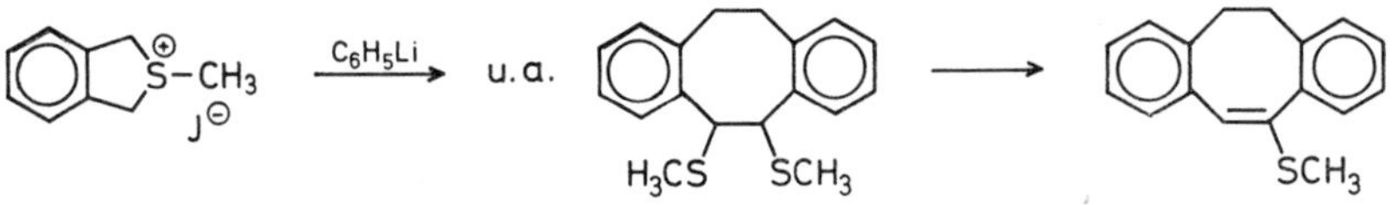

C_6H_5Li u.a. H_3CS SCH_3 SCH_3 CH_3 J⊖

I II III

5-Brom- oder 5-Jod-⟨benzo-[a]-biphenylen⟩ läßt sich mit Natriumdichromat in Essigsäure zu *10-Brom-*(bzw. *10-Jod)-5,12-dioxo-5,12-dihydro-⟨dibenzo[a;d]-cyclooctatetraen⟩* oxidieren (70–80% d. Th.; F: 110–120°, Zers.)[2]:

X= Br; J

5,6,11,12-Tetrahydro-⟨dibenzo-[a;e]-cyclooctatetraen⟩ (IV, S. 497) gibt mit N-Brom-succin-imid 5,11-Dibrom-5,6,11,12-tetrahydro-⟨dibenzo-[a;e]-cyclooctatetraen⟩ (V, 75% d.Th.). Bei Behandlung mit Collidin in Dimethylsulfoxid erhält man *5-Oxo-5,6-di-*

[1] J. Bornstein, J. E. Shields u. J. H. Supple, J. Org. Chem. **32**, 1499 (1967).
[2] M. P. Cava u. K. W. Ratts, J. Org. Chem. **27**, 752 (1962).

hydro-⟨dibenzo-[a;e]-cyclooctatetraen⟩ (VI, 20% d. Th.), das mit Selendioxid zu *5,6-Dioxo-5,6-dihydro-⟨dibenzo-[a;e]-cyclooctatetraen⟩* (VII, 24% d. Th.) oxidiert wird[1]:

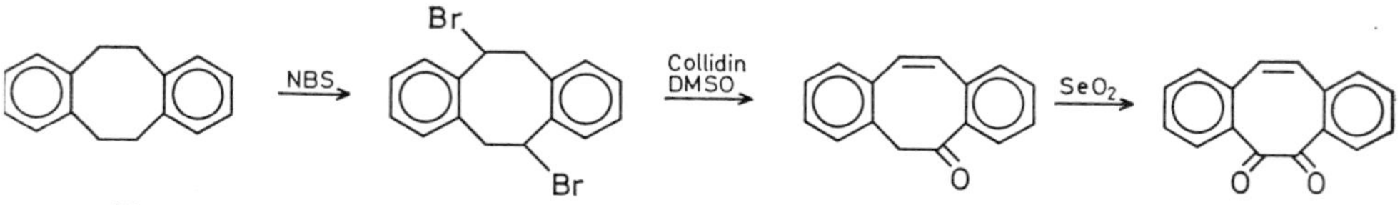

IV → (NBS) V → (Collidin, DMSO) VI → (SeO_2) VII

3. Benzo-heterocyclooctatriene

Aus 5-Oxo-5H-⟨dibenzo-[a; d]-cycloheptatrien⟩ kann über das Oxim durch Beckmann Umlagerung *6-Oxo-5,6-dihydro-⟨dibenzo-[b;f]-azocin⟩* (II) erhalten werden. Dieses kann in verschiedene 5-substituierte 5,6-Dihydro-⟨dibenzo-[b;f]-azocine⟩ (III) umgewandelt werden[2]:

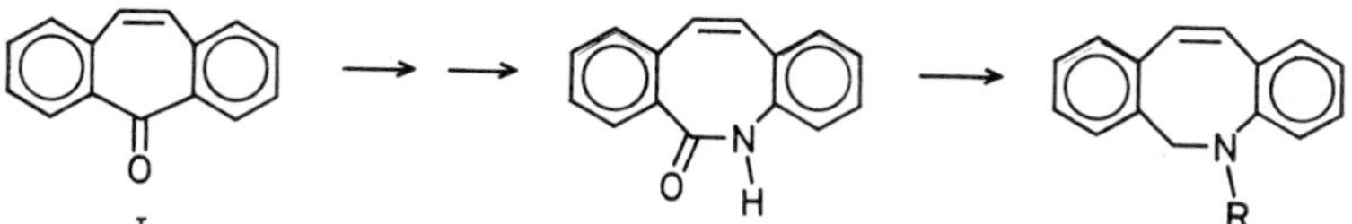

I → → II → III

Wird die Beckmann Umlagerung mit Thionylchlorid durchgeführt, so kommt man zu IV, das in V, VI und VII übergeführt werden kann[3]:

IV; *6-Chlor-⟨dibenzo-[b;f]-azocin⟩* → Va, b; *6-Aminomethyl-* bzw. *6-Methylaminomethyl-5,6-dihydro-⟨dibenzo-[b;f]-azocin⟩*

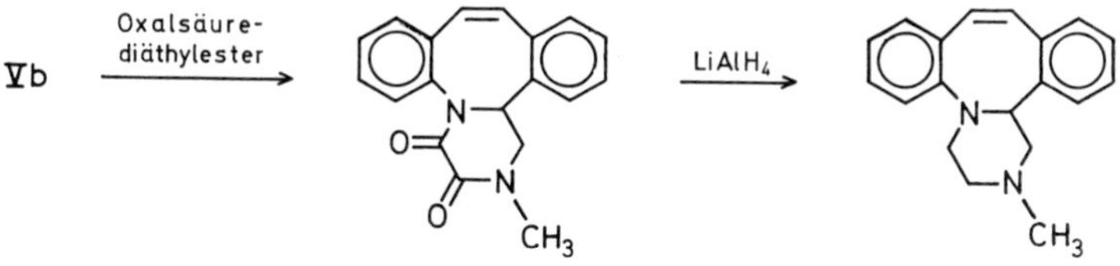

Vb → (Oxalsäure-diäthylester) VI → ($LiAlH_4$) VII

VI; *3,4-Dioxo-2-methyl-1,2,3,4,4a,14b-hexahydro-⟨dibenzo-[b; f]-pyridazino-[1,2-h]-azocin⟩*
VII; *2-Methyl-1,2,3,4,4a,14b-hexahydro-⟨dibenzo-[b; f]-pyridazino-[1,2-h]-azocin⟩*

1,2-Bis-[2-nitro-phenyl]-äthan kann zum cyclischen Hydrazin (VIII; S.498) reduziert werden. Oxidation, Bromierung mit N-Brom-succinimid und Eliminierung von Bromwasserstoff gibt schließlich *Dibenzo-[c; g]-1,2-diazocin* (IX). Durch Reduktion mit Zink/Bariumhydroxid erhält man daraus *5,6-Dihydro-⟨dibenzo-[c; g]-1,2-diazocin⟩*

---

[1] P. Yates, E. G. Lewars u. P. H. Mc.Cabe, Canad. J. Chem. **48**, 788 (1970).
[2] US. P. 3448102 (1965), Squibb, E. R., & Sons,; Erf.: H. L. Yale u. F. A. Sowinski; C. A. **71**, 49802 (1969).
[3] W. J. van der Burg, I. L. Bonta, J. Delobelle, C. Ramon u. B. Vargaftig, J. Med. Chem. **13** [1] 35 (1970).

(X), dessen H-Atome am Stickstoff mit Methyljodid in Anwesenheit von Natrium-hydrogen-carbonat durch Methyl-Gruppen ersetzt werden können[1]:

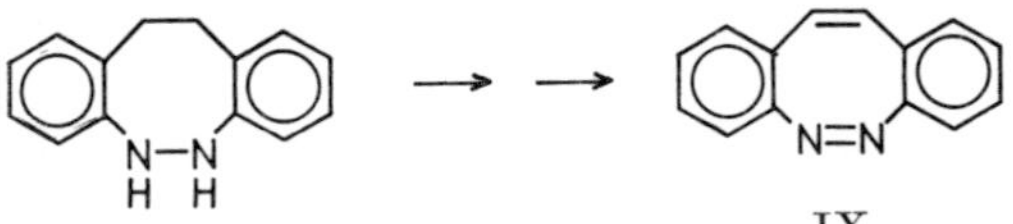

VIII → → IX

X ⟶ XI

XI: $R^1 = R^2 = CH_3$: *5,6-Dimethyl-5,6-dihydro-⟨dibenzo-[c; g]-1,2-diazocin⟩*
$R^1 = H$; $R^2 = CH_3$; *5-Methyl-5,6-dihydro-⟨dibenzo-[c; g]-1,2-diazocin⟩*

5,8-Dihydro-⟨benzo-[b]-1,4-dioxocin⟩ (XII) gibt mit N-Brom-succinimid ein nicht isoliertes Dibrom-Derivat, das mit Zinkstaub zum farblosen *Benzo-[b]-1,4-dioxocin* (XIII; 10% d.Th.; F: 5°) enthalogeniert werden kann[2]:

XII $\xrightarrow{NBS}$ Dibromid $\xrightarrow{Zn}$ XIII

Von XII führen zwei weitere Synthesewege mit geringerer Ausbeute[2] zu XIII.

3,4-Dihydro-isochinolin addiert in Äther bei Bortrifluorid-Katalyse das Inamin XIV zu *4-Dimethylamino-5-phenyl-1,2-dihydro-⟨benzo-[d]-azocin⟩* (XV; 75% d.Th.)[3]:

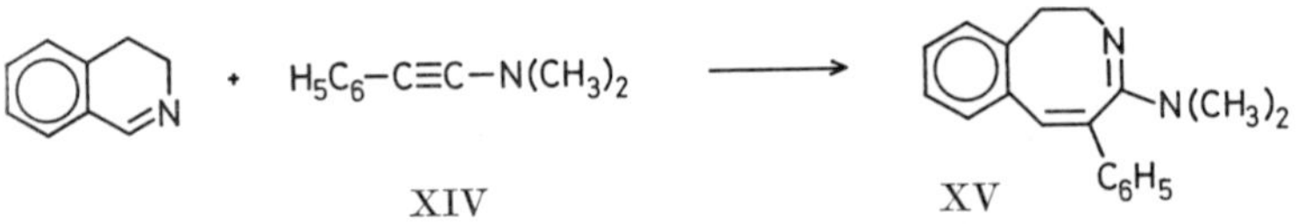

+ $H_5C_6-C{\equiv}C-N(CH_3)_2$ (XIV) ⟶ XV ($N(CH_3)_2$, C_6H_5)

1,2-Bis-[carboxymethyl]-benzol wird mit Thionylchlorid in das Carbon-säure-chlorid übergeführt. Dieses wird mit Benzol bzw. m-Xylol nach Friedel-Crafts alkyliert und das entstandene Diketon mit Hydrazin zu *2,5-Diphenyl-* bzw. *2,5-Bis-[2,4-dimethyl-phenyl]-1,6-dihydro-⟨benzo-[e]-1,2-diazocin⟩* cyclisiert[4]:

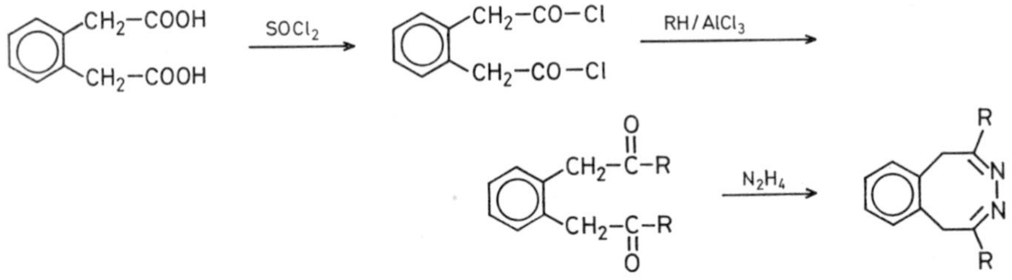

$C_6H_4(CH_2-COOH)_2 \xrightarrow{SOCl_2} C_6H_4(CH_2-CO-Cl)_2 \xrightarrow{RH/AlCl_3} C_6H_4(CH_2-CO-R)_2 \xrightarrow{N_2H_4}$ (R, N, N, R)

1 W. W. Paudler u. A. G. Zeiler, J. Org. Chem. **34**, 3237 (1969).
2 W. Schroth u. B. Werner, Ang. Ch. **79**, 684 (1967).
3 R. Fuks u. H. G. Viehe, B. **103**, 573 (1970).
4 N. L. Allinger u. G. A. Youngdale, J. Org. Chem. **25**, 1509 (1960).

Wird 6-Chlor-2-chlormethyl-4-phenyl-chinazolin-3-oxid (I) mit wasserfreiem Hydrazin behandelt, so erhält man *9-Chlor-5-hydroxylamino-1-phenyl-3,4-dihydro-⟨benzo-[f]-1,2,5-triazocin⟩* (II; F: 232–235°), dessen Substituenten wie folgt umgewandelt werden können[1]. Mit Acetanhydrid lassen sich die Hydroxylamino- und die Hydrazino-Gruppe acetylieren {III; *9-Chlor-5-(O-acetyl-hydroxylamino)-1-phenyl-3-acetyl-3,4-dihydro-⟨benzo-[f]-1,2,5-triazocin⟩*; F: 230–231°}. Mit Basen wird die O-Acetyl-Bindung hydrolytisch gespalten {IV; *9-Chlor-5-hydroxylamino-1-phenyl-3-acetyl-3,4-dihydro-⟨benzo-[f]-1,2,5-triazocin⟩*; F: 225–226°}. Durch Reduktion mit H_2/Raney-Nickel wird die Hydroxylamino-Gruppe in II zur Amino-Gruppe reduziert {V; *9-Chlor-5-amino-1-phenyl-3-acetyl-3,4-dihydro-⟨benzo-[f]-1,2,5-triazocin⟩*; F: 173–174°}:

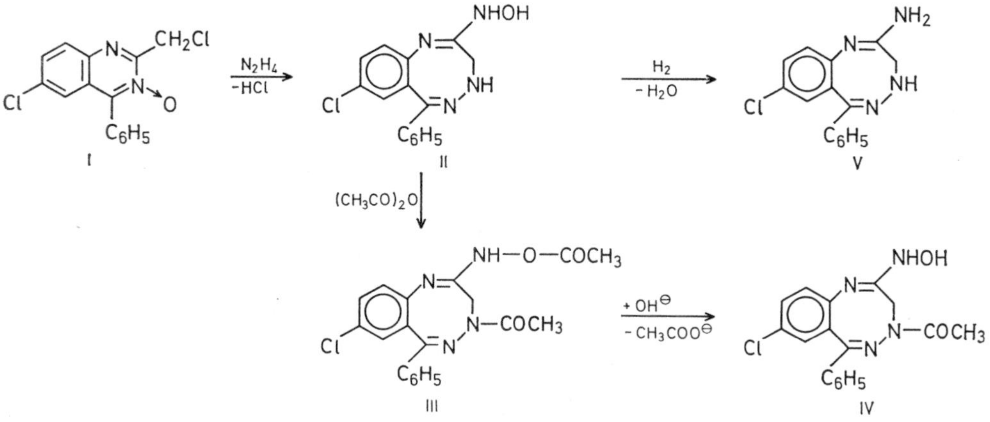

III. Überbrückte Cyclooctatriene

a) Bicyclo[4.2.1]nonatrien-(2,4,7)

1. unsubstituiert

Bicyclo[4.2.1]nonatrien-(2,4,7) (I) kann auf verschiedenen Synthesewegen hergestellt werden:

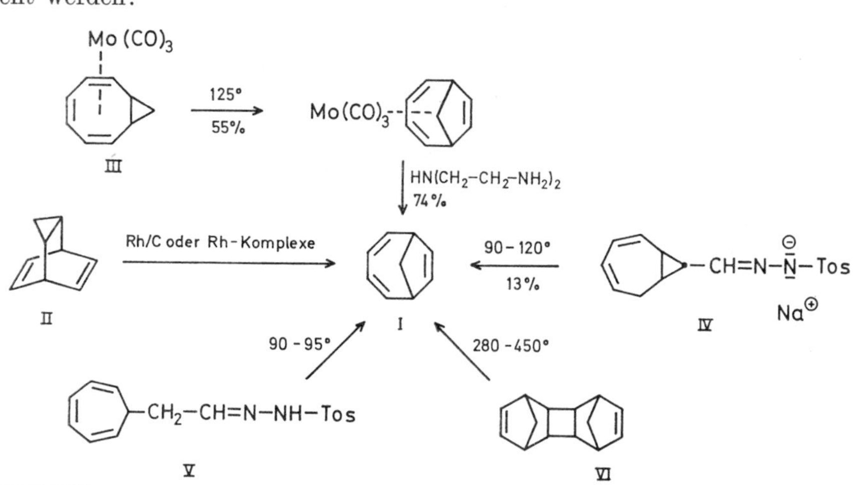

---

[1] K. Meguro u. Y. Kuwada, Tetrahedron Letters **1970**, 4039.

① Tricyclo[3.2.2.0^{2,4}]nonadien (II; S. 499 unten) lagert sich an Rhodium/C bei 130° zu 98% oder an verschiedenen Rhodiumkomplexen bei 25–130° in Ausbeuten zwischen 25- und 100% in I um[1].

② Der Molybdäntricarbonyl-Komplex des *cis*-Bicyclo[6.1.0]nonatriens-(2,4,6) (III; S. 499 unten) isomerisiert sich bei 120° zum Molybdäntricarbonyl-Komplex von I (55% d.Th.), aus dem man mit Bis-[2-amino-äthyl]-amin freies I (74% d.Th.) erhält[2].

③ Thermische Zersetzung des Natriumsalzes des 8-Tosylhydrazonomethyl-bicyclo[5.1.0]octadiens-(2,4) (IV; ~ 13% d.Th.; S. 499 unten)[3].

④ Thermische Zersetzung von 7-(2-Tosylhydrazono-äthyl)-cycloheptatrien-(1,3,5) (V; S. 499 unten)[4].

⑤ Pyrolyse des Pentacyclo[8.2.1.1^{4,7},0^{2,9},0^{3,8}]tetradecadiens-(5,11) (VI; S. 499 unten)[5].

2. Substituierte Bicyclo[4.2.1]nonatriene

9-Phenyl-bicyclo[4.2.1]nonatrien-(2,4,7) (VIII)[4] (30% d.Th.; F: 22–25°), wird bei Zersetzung des 7-(2-Tosylhydrazono-1-phenyl-äthyl)-cycloheptatriens-(1,3,5) (VII) isoliert:

CH–CH=N–NH–Tos; C_6H_5 —▽→ H; C_6H_5

VII VIII

Cyclopentadien-⟨5-spiro-9⟩-bicyclo[6.1.0]nonatrien-(2,4,6) (IX) isomerisiert sich beim Erhitzen in Heptan zu *Cyclopentadien-⟨5-spiro-9⟩-bicyclo[4.2.1] nonatrien-(2,4,7)*] (X; 25–30% d.Th.; F: 26–28°)[6]:

—90°→

IX X

Das Cyclooctatetraen-Dianion reagiert als 1,4-Dicarbanion-Reagenz mit überschüssigem Acetyl-, Benzoyl- und 4-Brom-benzoylchlorid zu 9,9-disubstituierten Bicyclo[4.2.1]nonatrienen[7]. Dabei ist die Ester- bzw. die Hydroxy-Gruppe *syn*-ständig in bezug auf die C_4-Brücke. *9-Hydroxy-9-methyl-bicyclo[4.2.1] nonatrien-(2,4,7)* (I) entsteht schon bei der Aufarbeitung durch Hydrolyse von dem *9-Acetoxy-9-methyl*-Derivat[7], *9-Hydroxy-9-phenyl-bicyclo[4.2.1]nonatrien-(2,4,7)* (III)[8] erst durch energische alkalische Hydrolyse aus *9-Benzoyloxy-9-phenyl-bicyclo[4.2.1] nonatrien* (II)[7]. Mit 4-Brom-benzoylchlorid erhält man *9-(4-Brom-benzoyloxy)-9-(4-brom-phenyl)-bicyclo[4.2.1]nonatrien-(2,4,7)* (IV; 44% d.Th.; F: 166–167°):

---

1 T. J. Katz u. S. A. Cerefice, Tetrahedron Letters **1969**, 2561.
2 W. Grimme, B. **100**, 113 (1967).
3 M. Jones u. S. D. Reich, Am. Soc. **89**, 3935 (1967).
4 H. Tsuruta, K. Kurabayashi u. T. Mukai, Tetrahedron Letters **1967**, 3775.
5 L. G. Cannell, Tetrahedron Letters **1966**, 5967.
6 D. Schönleber, B. **102**, 1789 (1969).
7 T. S. Cantrell u. H. Shechter, Am. Soc. **89**, 5868 (1967); **83**, 3300 (1963).
8 A. S. Kende u. T. L. Bogard, Tetrahedron Letters **1967**, 3383.

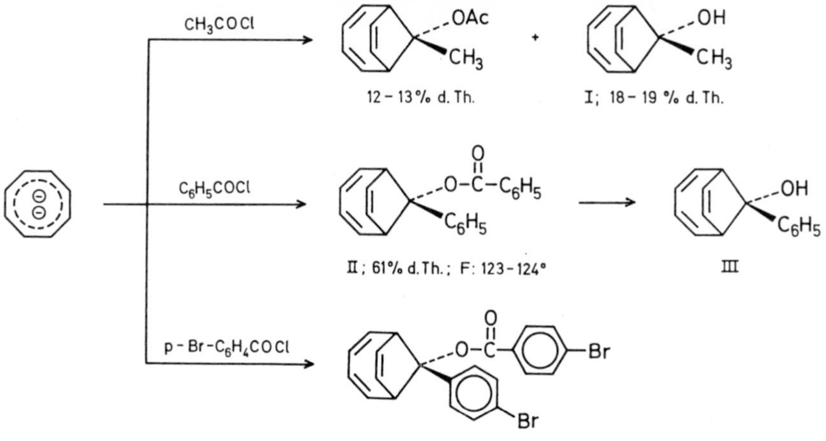

Dicyancarben reagiert mit Cyclooctatetraen teilweise unter 1,4-Addition zu *9,9-Dicyan-bicyclo[4.2.1]nonatrien-(2,4,7)*[1]. Ebenso wie Dicyancarben verhält sich auch Cyannitren. So bildet sich u.a. aus Cyclooctatetraen und Cyanazid bei 78° *9-Cyan-9-aza-bicyclo[4.2.1]nonatrien-(2,4,7)* (V; F: 102–103°)[2]. Dichlor-phenyl-phosphin und das Cyclooctatetraen-Dianion (VI) geben *9-Phenyl-9-phospha-bicyclo[6.1.0]nonatrien-(2,4,6)* (VII), das sich thermisch zu *9-Phenyl-9-phospha-bicyclo[4.2.1]nonatrien-(2,4,7)* (VIII) isomerisiert[3]:

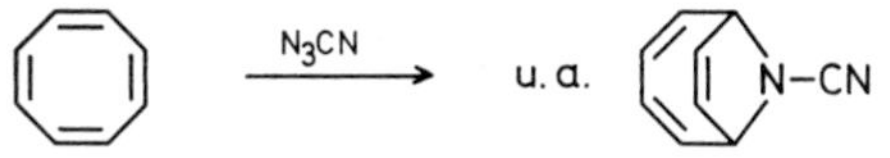

VIII kann in Lösung durch Sauerstoff oder Wasserstoffperoxid zu *9-Phenyl-9-phospha-bicyclo[4.2.1]nonatrien-9-oxid* (IX) oxidiert werden[3,4]:

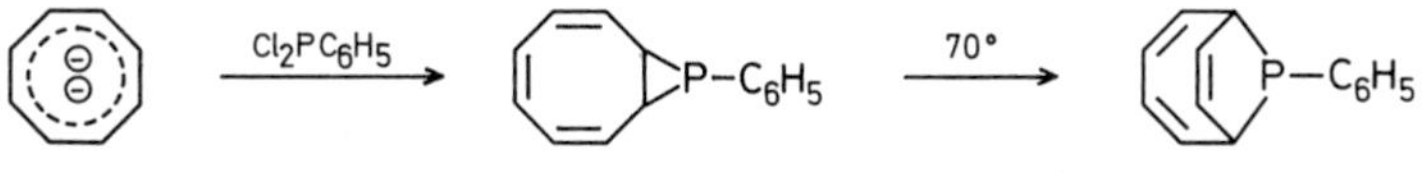

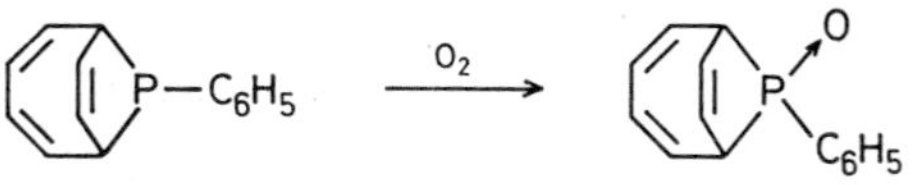

1,6-Disubstituiertes 7-Chlor-8-thia-bicyclo[4.3.0]nonadien-(2,4)-8,8-dioxid (X; S. 502) lagert sich bei Behandlung mit Kalium-tert.-butanolat in Dimethylsulfoxid in 7,8-di-substituiertes 9-Thia-bicyclo[4.2.1]nonatrien-9,9-dioxid (XI) um[5]:

[1] A. G. Anastassiou, R. P. Cellura u. E. Ciganek, Tetrahedron Letters **1970**, 5267.

[2] A. G. Anastassiou, Am. Soc. **87**, 5512 (1965).

[3] T. J. Katz, C. R. Nicholson u. C. A. Reilly, Am. Soc. **88**, 3832 (1966).

[4] T. J. Katz, J. C. Carnahan, G. M. Clarke u. N. Acton, Am. Soc. **92**, 734 (1970).

[5] L. A. Paquette, R. E. Wingard u. R. H. Meisinger, Am. Soc. **93**, 1047 (1971).

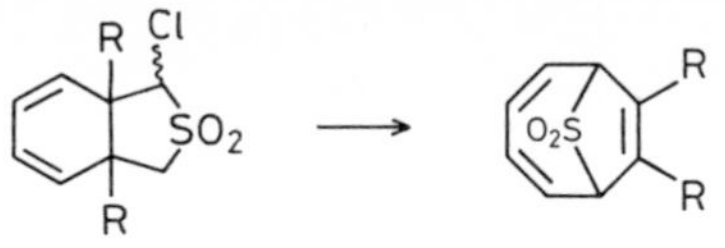

XI; R=CH_3; *7,8-Dimethyl-9-thia-bicyclo[4.2.1]nonatrien-(2,4,7)-9,9-dioxid*
R—R = —$(CH{=}CH)_2$—; *⟨7,8-Benzo-9-thia-bicyclo[4.2.1]nonatrien-(2,4,7)⟩-11,11-dioxid*
R—R = —$(CH_2)_4$—; *13-Thia-tricyclo[6.4.1.0^{2,7}]tridecatrien-(2^7,9,11)-13,13-dioxid*
R—R = —$(CH_2)_5$—; *14-Thia-tricyclo[7.4.1.0^{2,8}]tetradecatrien-(2^8,10,12)-14,14-dioxid*

b) Bicyclo[4.2.2]decatetraen-(2,4,7,9)

1. unsubstituiert

Bicyclo[4.2.2]decatetraen-(2,4,7,9) (I) kann auf verschiedenen Wegen erhalten werden:

① durch schwermetallinduzierte Umlagerung {Quecksilber(II)-bromid[1], Bis-[benzonitril]-palladiumchlorid[2]} von Bullvalen (II)[3] (60–90% d. Th.).

② durch Belichtung von *cis-* (III) bzw. *trans*-9,10-Dihydro-naphthalin (IV) oder Bicyclo[6.2.0]decatetraen-(2,4,6,9) (V) (65–70% d. Th.)[4].

③ durch Zersetzung des 9-Tosylhydrazonomethyl-bicyclo[6.1.0]nonatriens-(2,4,6) (VI) (Pyrolyse: 38% I[5]; hν: 7% I[6], Ausbeute jeweils auf das erhaltene Produktgemisch bezogen):

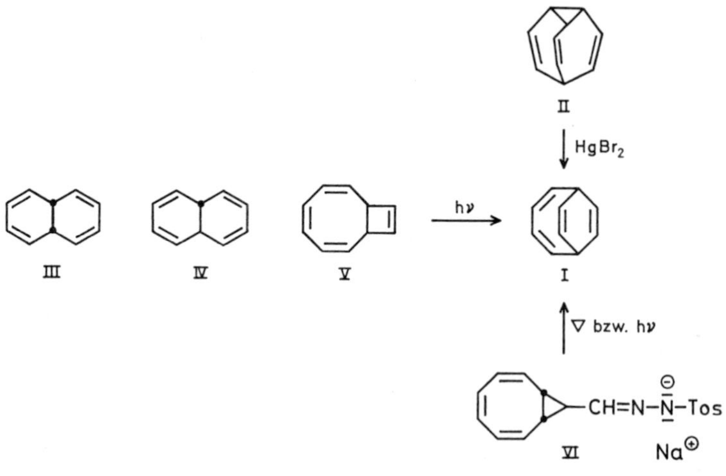

[1] H.-P. Löffler u. G. Schröder, Ang. Ch. **80**, 758 (1968).
[2] E. Vedejs, Am. Soc. **90**, 4751 (1968).
[3] G. Schröder, B. **97**, 3140 (1964).
[4] S. Masamune et al., Am. Soc. **90**, 5286 (1968).
[5] M. Jones u. L. T. Scott, Am. Soc. **89**, 150 (1967).
[6] S. Masamune, C. G. Chin, K. Hojo u. R. T. Seidner, Am. Soc. **89**, 4804 (1967).

④ Sowohl bei der Thermo- als auch bei der Photolyse von 2,3-Diaza-tetracyclo[$5.4.1.0^{4,11}.0^{8,12}$]dodecatrien-(2,5,9) (VII) wird *Bicyclo[4.2.2]decatetraen-(2,4,7,9)* (53 bzw. 37% d.Th.) erzeugt[1]:

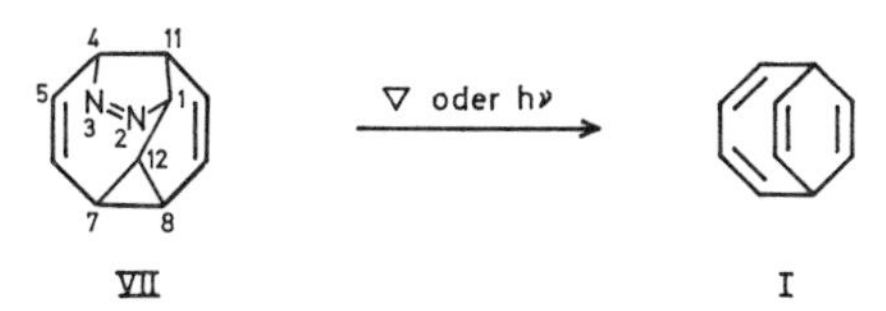

Bei der Belichtung[2] von Bullvalen (II) entsteht ebenfalls sehr wenig I.

Bicyclo[4.2.2]decatetraen-(2,4,7,9) (I)[3,4]: Ein Gemisch aus 20 g Bullvalen und 12 g Quecksilber(II)-bromid wird in 360 *ml* Äther/Pentan (1 : 1) unter Stickstoff gerührt. Die Reaktion wird gaschromatographisch (Säule: Carbowax, 150°) verfolgt. Nach ~ 14 Stdn. ist Bullvalen vollständig verbraucht. Man gibt nun zu dem Reaktionsgemisch unter starkem Rühren überschüssiges Natriumsulfid hinzu. Dann wird abfiltriert, das Lösungsmittel über eine Kolonne abdestilliert und der Rückstand i. Vak. (~ 60° Badtemp., 2 Torr) destilliert. Man erhält 17,6 g eines Rohproduktes, das zu 90% aus I besteht. Eine weitere Reinigung ist durch präparative Gaschromatographie (Säule: Carbowax, 150°) möglich.

Ersetzt man eine Doppelbindung im Bicyclo[4.2.2]decatetraen durch einen Cyclobutenring, so kommt man zu *Tricyclo[4.4.2.$0^{2,5}$]dodecatetraen-(3,7,9,11)* (IX). Es wird neben gleichen Teilen Benzol beim Erhitzen von Tricyclo[6.4.0.$0^{9,12}$]dodecatetraen-(2,4,6,10) (VIII) auf 120° erhalten[5]:

120°

VIII IX

2. Substituierte Bicyclo[4.2.2]decatetraene

Durch schwermetallinduzierte Umlagerung des Bullvalen-Systems werden aus Brom- (Ia) und Methoxycarbonyl-bullvalen (Ib) *7-Brom-* (IIa) (84% d.Th.)[3] und *7-Methoxycarbonyl-bicyclo[4.2.2]decatetraen-(2,4,7,9)* (IIb) (80% d.Th.)[3] zugänglich (S. 504). Fluorbullvalen (III)[6] das zu 80% aus dem B- und zu 20% aus dem O_B- und/oder O_C-Isomeren[7] besteht, lagert sich zu einem Gemisch aus *6-Fluor-* (IV) (47% d.Th.) und *7- (oder 2)-Fluor-bicyclo[4.2.2]decatetraen-(2,4,7,9)* (V; 14% d.Th.)[3] um (S. 504). Die Stellung des Substituenten im Umlagerungsprodukt scheint von dem das Gleichgewichtsgemisch beherrschenden Positionsisomeren des substituierten Bullvalens abhängig zu sein[3]:

---

1 S. Masamune, H. Zenda, M. Wiesel, N. Nakatsuka u. G. Bigam, Am. Soc. **90**, 2727 (1968).
2 M. Jones, Am. Soc. **89**, 4236 (1967).
3 H.-P. Löffler u. G. Schröder, Ang. Ch. **80**, 758 (1968).
4 G. Schröder u. H.-P. Löffler, Organisch-Chemisches Institut der Universität Karlsruhe (TH), unveröffentlicht.
5 G. Schröder u. W. Martin, Ang. Ch. **78**, 117 (1966).
Zur Stereochemie von IX siehe: L. A. Paquette u. J. C. Stowell, Tetrahedron Letters **1969**, 4159.
6 J. F. M. Oth, R. Merényi, H. Röttele u. G. Schröder, Tetrahedron Letters **1968**, 3941.
7 B = Substituent am Brückenkopf; O = Substituent steht an einem olefinischen C-Atom (O_C: näher am Cyclopropanring; O_B: näher am Brückenkopf).
S. a. J. F. M. Oth, R. Merényi, J. Nielsen u. G. Schröder, B. **98**, 3385 (1965).

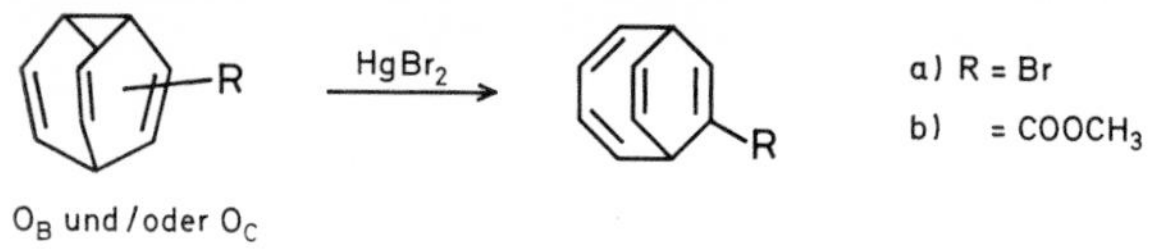

a) R = Br
b) = $COOCH_3$

O_B und/oder O_C

I II

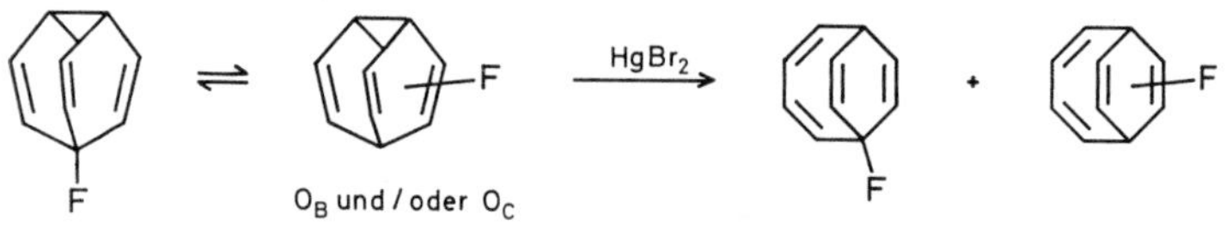

O_B und/oder O_C

III IV V

10-Fluor-9-chlor-bicyclo[6.2.0]decatetraen-(2,4,6,9) (VI) gibt bei der Photolyse u.a. zwei Isomere, denen die Strukturen *3-Fluor-2-chlor*-(VII) und *8-Fluor-7-chlor-bicyclo[4.2.2]decatetraen-(2,4,7,9)* (VIII) (je ~ 14% d. Th., gaschromatographisch bestimmt) zukommen[1]:

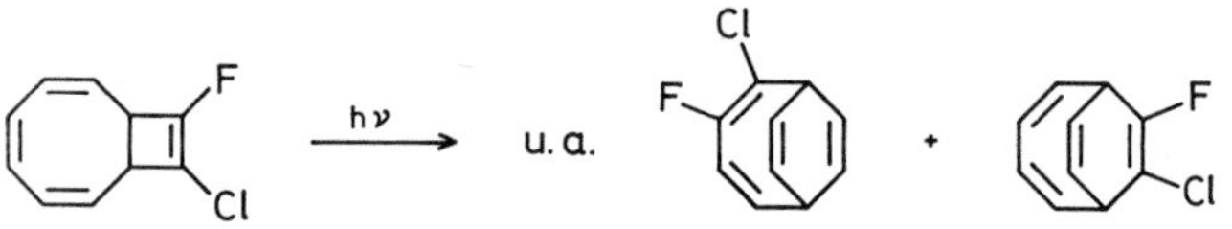

VI VII VIII

Cyclooctatetraen-eisentricarbonyl (IX) reagiert bei höheren Temperaturen mit Alkinen zu disubstituierten[2] Bicyclo[4.2.2]decatetraenen X:

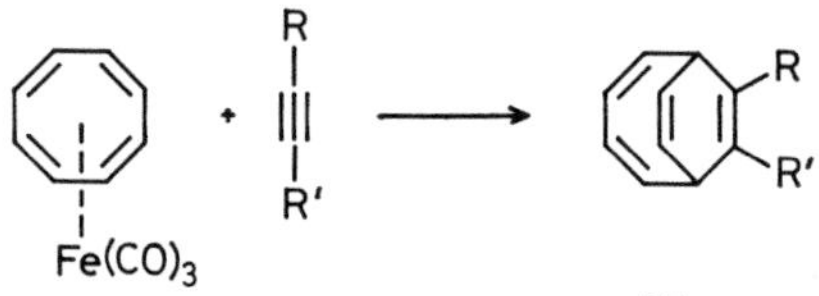

IX X

X; R,R' = C_6H_5; *7,8-Diphenyl-bicyclo[4.2.2]decatetraen-(2,4,7,9)* 35% d.Th.
R = C_6H_5; R' = $COOCH_3$; *8-Phenyl-7-methoxycarbonyl-bicyclo[4.2.2]decatetraen-(2,4,7,9)* 15% d.Th.
R = C_6H_5; R' = $(CH_3)_3Si$; *8-Trimethylsilyl-7-phenyl-bicyclo[4.2.2]decatetraen-(2,4,7,9)* 10% d.Th.

cis-9,10-Dihydro-naphthalin-9,10-dicarbonsäure-anhydrid (XI) isomerisiert sich bei Belichtung mit einer Niederdrucklampe u.a. zu *Bicyclo[4.2.2]decatetraen-(2,4,7,9)-3,4-dicarbonsäure-anhydrid* (XII)[3,4]. Hydrolyse von XII liefert das isomere *7,8-Dicarboxy-bicyclo[4.2.2]decatetraen-(2,4,7,9)* (XIII). Durch schonende Dehydratisierung läßt sich daraus *Bicyclo[4.2.2]decatetraen-(2,4,7,9)-7,8-dicarbonsäure-anhydrid* (XIV) erhalten, das bei Raumtemperatur wieder in XII übergeht[4]. Diese Umlagerungen sind als Diels-Alder/Retro-Diels-Alder-Reaktionen zu formulieren. Sie konnten auch im unsubstituierten Bicyclo[4.2.2]decatetraen nachgewiesen werden[5].

[1] H. Röttele, P. Nikoloff, J. F. M. Oth u. G. Schröder, B. **102**, 3367 (1969).
[2] U. Krüerke, Ang. Ch. **79**, 55 (1967).
[3] E. Vogel et al., Ang. Ch. **78**, 599 (1966).
[4] W. Grimme, H. J. Riebel u. E. Vogel, Ang. Ch. **80**, 803 (1968).
[5] R. T. Seidner, N. Nakatsuka u. S. Masamune, Canad. J. Chem. **48**, 187 (1970).

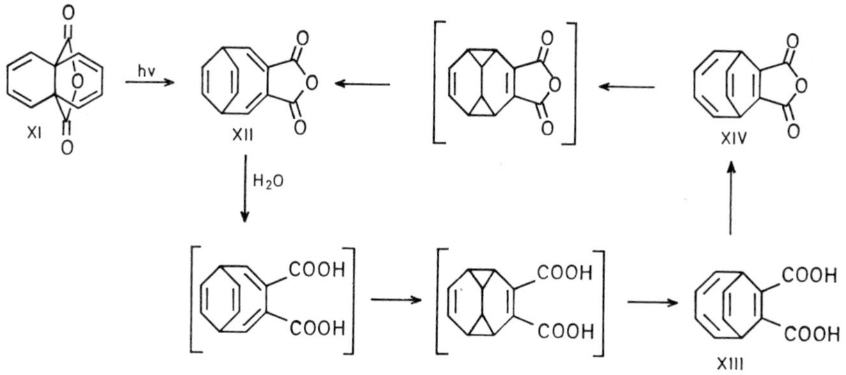

Belichtet man das tricyclische Lacton XV bei −78° in Methanol, so erhält man ein Produkt (60% d. Th.; F: 93,5–95°), das, wie kernresonanzspektroskopische Untersuchungen zeigen, in Lösung aus drei miteinander im Gleichgewicht befindlichen Verbindungen besteht[1]:

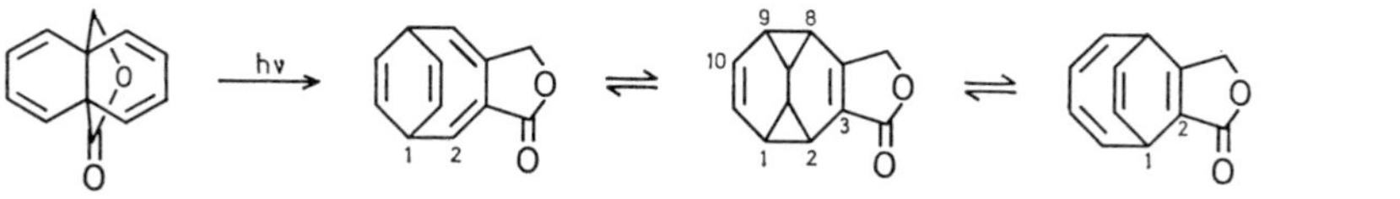

XV

23%

4-Oxo-5-oxa-tricyclo [7.2.2.0^{3,7}]trideca-tetraen-(2,7,10,12)

45%

4-Oxo-5-oxa-penta-cyclo[6.3.2.0^{2,12}.0^{3,7}.0^{9,13}]tridecadien-(3^{7},10)

32%

3-Oxo-4-oxa-tricyclo[5.4.2.0^{2,6}]tridecatetraen-(2^{6},8,9,11)

UV-Belichtung von 12-Oxa-tricyclo[4.4.3.0]tridecatetraen-(2,4,7,9) (I) führt zu 12-Oxa-pentacyclo[4.4.3.0^{1,6}.0^{2,10}.0^{5,7}]tridecadien-(3,8) (II; 95% d. Th.). Dieses isomerisiert sich bei 22° mit einer Halbwertszeit von zwei Stunden glatt zu *5-Oxa-tricyclo [7.2.2.0^{3,7}]tridecatetraen-(2,7,10,12)* (III)[2]. Ebenso isomerisiert sich das pentacyclische Imid IV zu *Bicyclo[4.2.2]decatetraen-(2,4,7,9)-3,4-dicarbonsäure-methylimid* ($t_{1/2}$ = 3 Stdn. bei 60°)[2]:

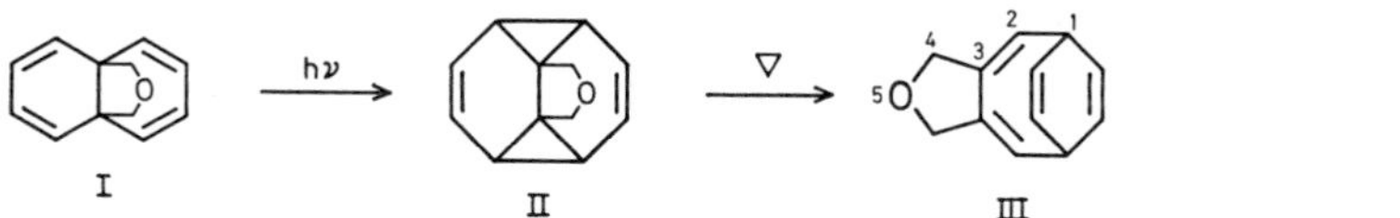

I II III 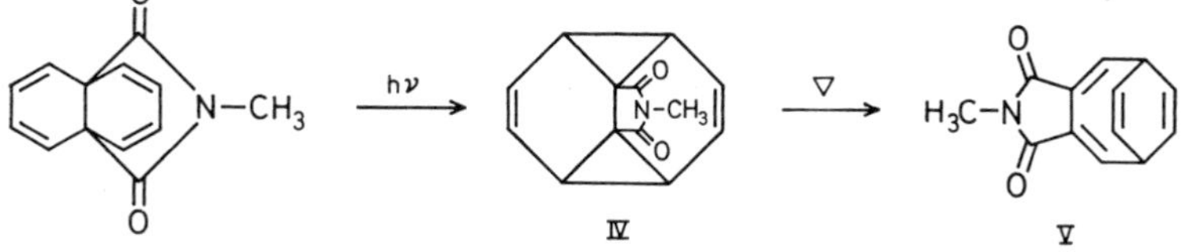 IV V

[1] W. von Philipsborn, J. Altman, E. Babad, J. J. Bloomfield, D. Ginsburg u. M. B. Rubin, Helv. **53**, 725 (1970).
Vgl. ds. Handb., Bd. IV/5, Photochemie

[2] E. Babad, D. Ginsburg u. M. B. Rubin, Tetrahedron Letters **1968**, 2361.
J. Altman, E. Babad, M. B. Rubin u. D. Ginsburg, Tetrahedron Letters **1969**, 1125.
S. a. J. S. McConaghy u. J. J. Bloomfield, Tetrahedron Letters **1969**, 1121.

7,8-Benzo-bicyclo[4.2.2]decatetraen-(2,4,7,9) fällt bei der Zersetzung von Benzol-diazonium-2-carboxylat in Cyclooctatetraen bei 35° (31%, bez. auf das Produktgemisch) an[1]:

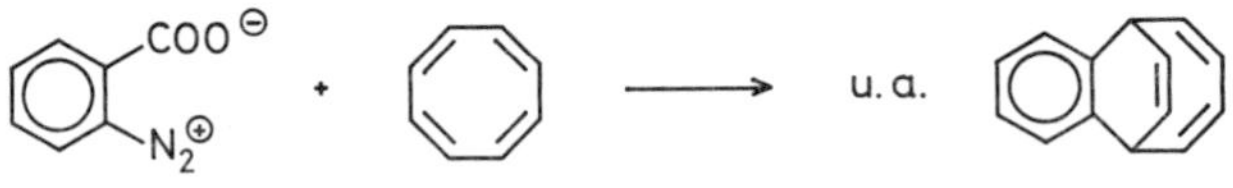

u. a.

c) Heterocyclische Bicyclo[4.2.2]decatetraene und -triene

Einen leichten Zugang zum Aza-bicyclo[4.2.2]decatetraen-System erschließt die Reaktion von Chlorsulfonylisocyanat mit Cyclooctatetraen[2,3]. Unter 1,4-Addition bildet sich dabei *7-Chlorsulfonyl-8-oxo-7-aza-bicyclo[4.2.2]decatrien-(2,4,9)* (I), dessen Chlorsulfonyl-Gruppe in praktisch quantitativer Ausbeute durch Thiophenol und Pyridin in Aceton oder durch 4n wäßrige Natronlauge in Aceton abgespalten werden kann. Das dabei entstehende *8-Oxo-7-aza-tricyclo[4.2.2]decatrien-(2,4,9)* (II) läßt sich mit Trimethyloxoniumtetrafluoroborat in *8-Methoxy-7-aza-bicyclo[4.2.2] decatetraen-(2,4,7,9)* (III) überführen:

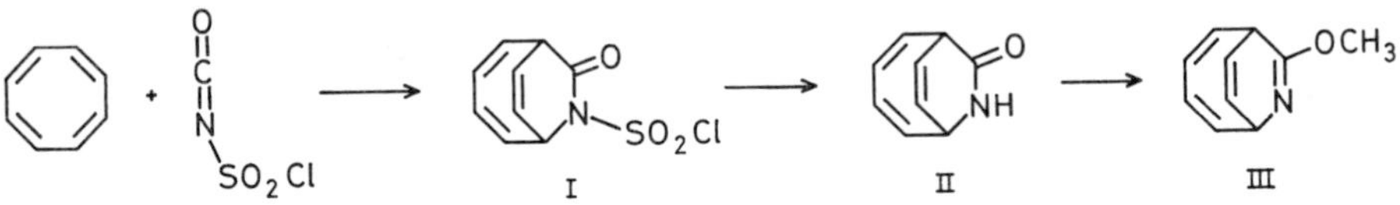

I II III

Das zu III isomere *3-Methoxy-2-aza-bicyclo[4.2.2]decatetraen-(2,4,7,9)* bildet sich u. a. bei der Photolyse von Methoxy-azabullvalen[4]:

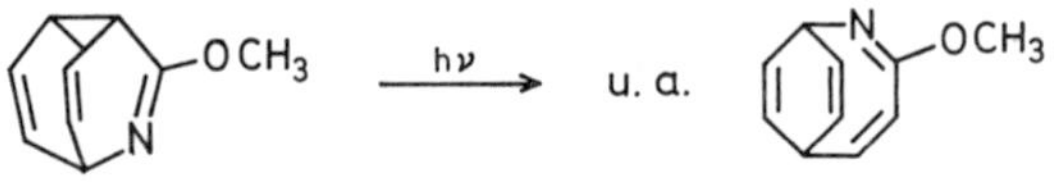

$h\nu$ u. a.

Werden anstelle von Cyclooctatetraen substituierte Cyclooctatetraene eingesetzt, so erhält man substituierte 8-Methoxy-7-aza-bicyclo[4.2.2]decatetraene (IVa und IVb)[5]:

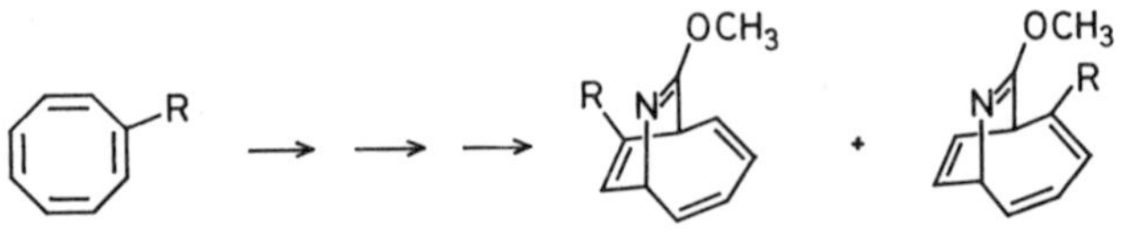

IVa IVb

[1] E. Vedejs u. R. A. Shepherd, Tetrahedron Letters **1970**, 1863.
[2] L. A. Paquette u. T. J. Barton, Am. Soc. **89**, 5480 (1967).
[3] P. Wegener, Tetrahedron Letters **1967**, 4985.
[4] L. A. Paquette u. G. R. Krow, Am. Soc. **90**, 7149 (1968).
[5] L. A. Paquette, J. R. Malpass u. T. J. Barton, Am. Soc. **91**, 4714 (1969).

R	IV a + b [% d.Th.]	-*7-aza-bicyclo[4.2.2]decatetraen-(2,4,7,9)* (vgl. S. 506)	
		IVa [%]	IVb [%]
CH_3	82	*8-Methoxy-9-methyl-* 65	*8-Methoxy-2-methyl-* 35
C_6H_5	52	*8-Methoxy-9-phenyl-* 80	*8-Methoxy-2-phenyl-* 20
4-OCH_3—C_6H_4	74	*8-Methoxy-9-(4-methoxy-phenyl)-* 45	*8-Methoxy-2-(4-methoxy-phenyl)-* 55
OCH_3	62*	*8,9-Dimethoxy-* 55	*2,8-Dimethoxy-* 4

* einschließlich Va und Vb; der Vinyläther hydrolysiert teilweise zu Va und Vb:

Va; *8-Methoxy-9-oxo-7-aza-bicyclo[4.2.2]decatrien-(2,4,7)*
Vb; *8-Methoxy-2-oxo-7-aza-bicyclo[4.2.2]decatrien-(3,7,9)*

Benzo-cyclooctatetraen gibt mit N-Chlorsulfonyl-isocyanat und anschließender Hydrolyse *10-Oxo-⟨2,3-benzo-7-aza-bicyclo[4.2.2]decatrien-(2,4,9)⟩* (VI; 82% d.Th.), das mit Meerweins Reagenz in *10-Methoxy-⟨2,3-benzo-7-aza-bicyclo[4.2.2]decatetraen-(2,4,7,9)⟩* (VII; 96% d.Th.; F: 76–80°) umgewandelt wird[1]:

1. $(CH_3)_3OBF_4$
2. Na_2CO_3 / H_2O

Bei der Reaktion von Cyclooctatetraen mit Chlorsulfonylisocyanat sind Vorsichtsmaßnahmen zu treffen, da das Gemisch heftig ***explodieren*** kann.

7,8-Diaza-bicyclo[4.2.2]decatrien-(2,4,9)-7,8-dicarbonsäure-phenylimid (II)[2] ist das 1,4-Addukt aus Cyclooctatetraen und 3,5-Dioxo-4-phenyl-4,5-dihydro-3H-1,2,4-triazol (I). Ebenso wie mit Chlorsulfonylisocyanat reagiert auch hier Cyclooctatetraen als Monocyclus:

[1] L. A. PAQUETTE, J. R. MALPASS u. T. J. BARTON, Am. Soc. **91**, 4714 (1969).
[2] A. B. EVNIN, R. D. MILLER u. G. R. EVANEGA, Tetrahedron Letters **1968**, 5863.

B. Umwandlung

Im Folgenden werden hauptsächlich Reaktionen behandelt, die bei den Synthesen von Cyclooctatetraen und Cyclooctatrien unberücksichtigt blieben, wie z.B. Komplexbildung, Reduktion zu Cyclooctadien, Cycloocten, Cyclooctan, sowie Reaktionen, die unter Ringverengung, -erweiterung oder -spaltung verlaufen. Einige typische Beispiele für dieses Verhalten werden aufgeführt.

I. Reaktionen unter Erhalt des Achtringes

a) Reduktion[1]

Bei der katalytischen Hydrierung mit Palladium auf Kohle in Essigsäure[2] oder mit Chrom-Nickel-Katalysator in Methanol unter Druck[2] erhält man aus Cyclooctatetraen *Cyclooctan*:

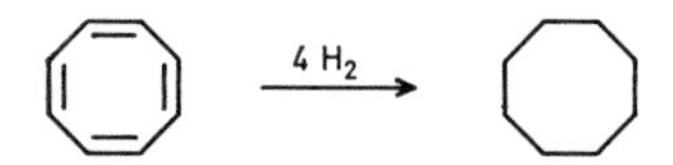

Dagegen kann man mit einem Palladium-Calciumcarbonat-Katalysator in Methanol in guter Ausbeute (85% d.Th.) *Cycloocten* erhalten[2,3].

Cyclooctatetraen wird von einer Aluminium-Nickellegierung in wäßrigem Natriumhydroxid zu *Cycloocten*[4] reduziert. Mit Natrium in siedendem Äthanol[5,6] erhält man ein Gemisch der verschiedenen Cyclooctadiene. Durch selektive Extraktion[5] mit wäßriger Silbernitrat-Lösung lassen sich *Cyclooctadien-(1,3)*, *Cyclooctadien-(1,4)* und *Cyclooctadien-(1,5)* rein erhalten.

b) Reaktionen zu aromatischen Acht-Ringsystemen[7]

Cyclooctatetraen nimmt leicht 2 Elektronen unter Ausbildung des aromatischen *Cyclooctatetraen-Dianions*[8] auf:

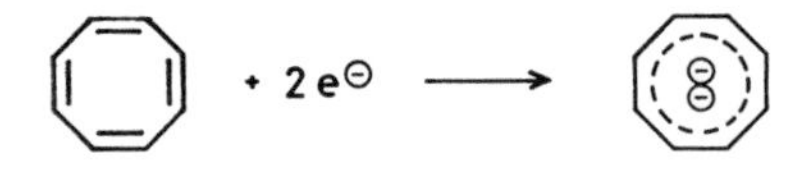

---

[1] s. ds. Handb., Bd. V/1a, Kap. Alkane und Cycloalkane; S. 78; Bd. V/1b, Kap. Olefin; Bd. V/1c, Kap. Diene, S. 444.

[2] W. Reppe, O. Schlichting, K. Klager u. T. Toepel, A. **560**, 1 (1948).

[3] A. C. Cope u. L. L. Estes, Am. Soc. **72**, 1128 (1950).

[4] W. O. Jones, Soc. **1954**, 1808.

[5] W. O. Jones, Soc. **1954**, 312.

[6] L. E. Craig, R. M. Elofson u. I. J. Ressa, Am. Soc. **75**, 480 (1953).

[7] s. ds. Handb., Bd. V/2, Kap. Carbocyclische π-Elektronen-Systeme.

[8] T. J. Katz, W. H. Reinmuth u. D. E. Smith, Am. Soc. **84**, 802 (1962).
T. J. Katz, Am. Soc. **82**, 3784, 3785 (1960).
H. L. Strauss, T. J. Katz u. G. K. Fraenkel, Am. Soc. **85**, 2360 (1963).

Bei der Reduktion von Cyclooctatetraen in flüssigem Ammoniak kann auch das *Cyclooctatetraen-Radikalanion* nachgewiesen werden. Zwischen dem Dianion und dem Radikalanion findet ein schneller Elektronenaustausch statt[1]:

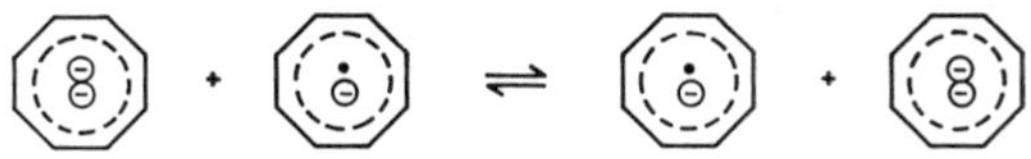

2-Methoxy-3,5,6,8-tetramethyl-azocin nimmt ebenfalls leicht zwei Elektronen auf[2]:

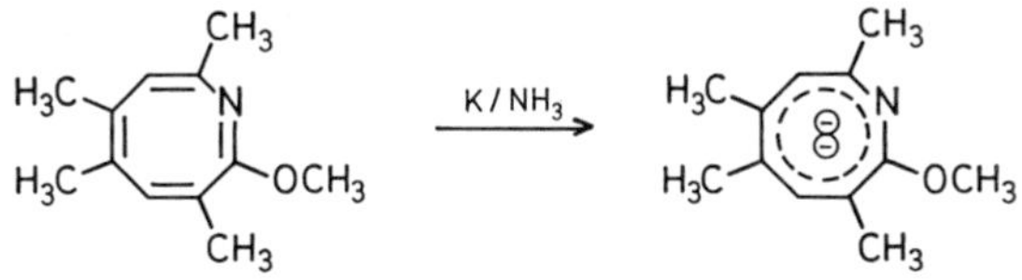

K / NH_3

Triphenylmethyltetrafluoroborat abstrahiert in Dichlormethan aus den Metallkomplexen des Cyclooctatriens-(1,3,5) ein Hydridion. Dabei bildet sich der Metall-tricarbonyl-Komplex des *Homotropyliumtetrafluoroborates* aus[3]:

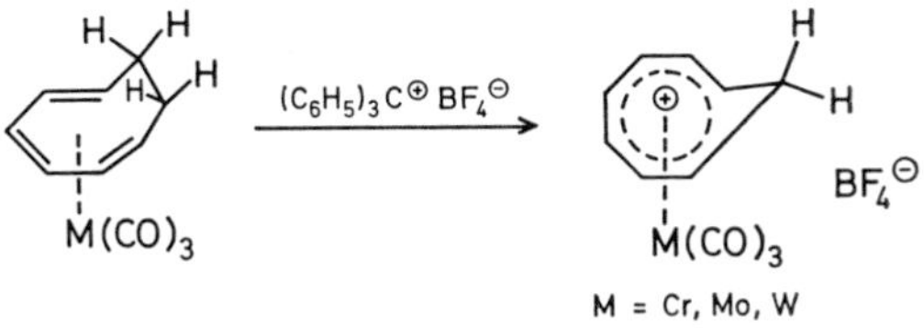

$(C_6H_5)_3C^{\oplus}\ BF_4^{\ominus}$

M = Cr, Mo, W

Im Gegensatz dazu erhält man bei der Protonierung (−120°) des *Cyclooctatetraen-eisentricarbonyl-Komplexes* kein homoaromatisches System, sondern zunächst den *Cyclooctatrienyl-eisentricarbonyl-Komplex*, der sich bei −60° in den *Bicyclo*[*5.1.0*]*octadien-eisentricarbonyl-Komplex* umwandelt[4]:

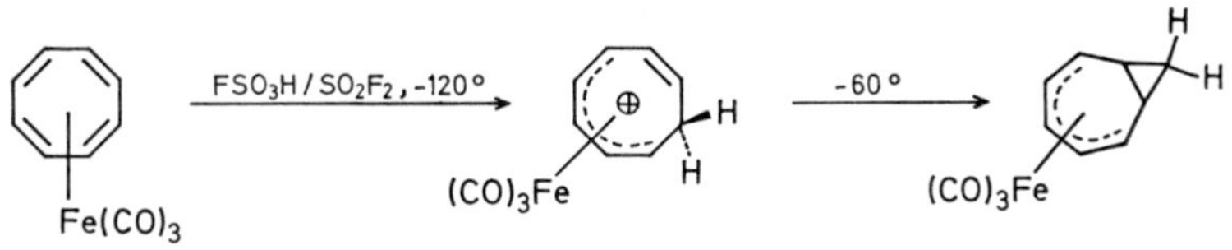

FSO_3H / SO_2F_2, −120°; −60°

Äquimolare Mengen von Chlorwasserstoff und Cyclooctatetraen reagieren mit Antimon(V)-chlorid in Nitromethan praktisch quantitativ zum *Homotropylium-hexachloroantimonat*[5]:

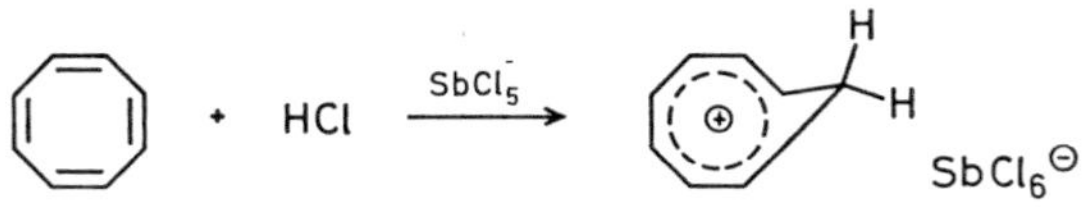

$SbCl_5$; $SbCl_6^{\ominus}$

Die Ausbildung eines homoaromatischen Systems bei der Protonierung von Cyclooctatetraen (mit Fluorsulfonsäure) wird durch kernresonanzspektroskopische Messungen bewiesen[6].

---

[1] F. J. Smentowski u. G. R. Stevenson, Am. Soc. **91**, 7401 (1969).
[2] L. A. Paquette et al., Tetrahedron Letters **1970**, 529, 533.
[3] R. Aumann u. S. Winstein, Tetrahedron Letters **1970**, 903.
[4] M. Brookhart u. E. R. Davis, Am. Soc. **92**, 7622 (1970).
[5] J. L. v. Rosenberg, J. E. Mahler u. R. Pettit, Am. Soc. **84**, 2842 (1962).
[6] P. Warner, D. L. Harris, C. H. Bradley u. S. Winstein, Tetrahedron Letters **1970**, 4013.

cis-7,8-Dichlor-cyclooctatrien-(1,3,5) (I) reagiert mit Antimon(V)-chlorid in Dichlormethan bei −15° unter Ausbildung des *exo-8-Chlor-homotropyliumions* (II). Mit Fluorsulfonsäure entsteht aus I das *endo-8-Chlor-homotropyliumion* (III)[1]. Bei 30° lagert sich III mit einer Halbwertszeit von 37,7 Minuten in II um:

I ⇌ ; I —$SbCl_5$, −15°→ II ; —FSO_3H, 0°→ III ; III —30°→ II

In stark acidem Medium wie Schwefeldioxid/Fluorsulfonsäure oder Schwefeldioxid/Fluorsulfonsäure/Antimon(V)-fluorid wird Cyclooctatrien-(1,3,5)-on-(7) (IV) protoniert. Das Kernresonanzspektrum spricht für das homoaromatische *Hydroxy-homotropyliumion* (V)[2]:

IV —$H^{\oplus}$→ V

Weitere substituierte Homotropyliumionen werden in der Literatur beschrieben[3].

c) Bindungsverschiebung im Cyclooctatetraen

Cyclooctatetraen und monosubstituierte Cyclooctatetraene zeigen eine rasche, NMR-spektroskopisch zu verfolgende Bindungsverschiebung[4]. Die beiden miteinander im Gleichgewicht stehenden Isomeren sind energiegleich. Anders dagegen verhalten sich die disubstituierten Cyclooctatetraene mit benachbarten Substituenten. Wie bei einigen Verbindungen nachgewiesen werden konnte, sind die Isomeren, bei denen die Substituenten an zwei Doppelbindungen – in 1,8-Position – stehen (VII) energetisch bevorzugt gegenüber den Isomeren mit den Substituenten in 1,2-Stellung (VI):

VI ⇌ VII

[1] G. Boche, W. Hechtl, H. Huber u. R. Huisgen, Am. Soc. **89**, 3344 (1967).
[2] M. Brookhart, M. Ogliaruso u. S. Winstein, Am. Soc. **89**, 1965 (1967).
[3] C. E. Keller u. R. Pettit, Am. Soc. **88**, 604, 606 (1966).
W. Merk u. R. Pettit, Am. Soc. **90**, 814 (1968).
[4] F. A. L. Anet, Am. Soc. **84**, 671 (1962).
J. D. Roberts, Ang. Ch. **75**, 26 (1963).
S. a. M. J. S. Dewar, A. Harget u. E. Haselbach, Am. Soc. **91**, 7521 (1969).

So konnte bei der *Cyclooctatetraen-dicarbonsäure* durch eine Röntgenstrukturanalyse die 1,8-Stellung der Carboxy-Gruppen bewiesen werden[1]:

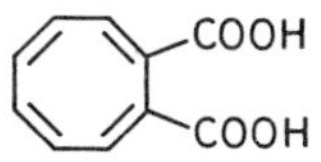

COOH
COOH

1-Methoxycarbonyl-8-methyl-cyclooctatetraen (VIII) geht bei Belichtung bei −40° in das energiereichere 1,2-Isomere (IX) über, das sich thermisch bei −12° wieder zum energieärmeren VIII isomerisiert[2]:

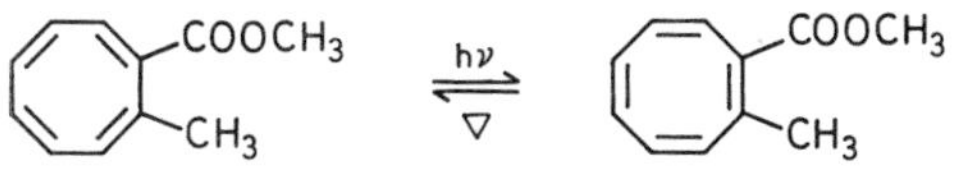

$COOCH_3$ / CH_3 (VIII) $\underset{\nabla}{\overset{h\nu}{\rightleftarrows}}$ $COOCH_3$ / CH_3 (IX)

d) Metallkomplexe des Cyclooctatetraens[3]

Cyclooctatetraen bildet mit einer Reihe von Metallen definierte Komplexe z.B. mit Silber[4]; Eisen[5]; Platin ($C_8H_8PtJ_2$)[6]; Palladium ($C_8H_8PdCl_2$)[7], Kupfer ($C_8H_8CuCl_2$)[8]; Kobalt [$C_8H_8CoC_5H_5$; $C_8H_8(CoC_5H_5)_2$][7,9], Nickel [$(C_8H_8)_2Ni$][10]; Titan[11,12]; Zirkonium[12]; Hafnium[12]; Chrom[13]; Molybdän[13,14]; Wolfram[13]; Uran[15]; Ruthenium[16]; Rhodium[17]; Cer[18]; Praseodym[18]; Neodym[18]; Samarium[18]; Europium[19];

---

[1] D. P. Shoemaker, H. Kindler, W. G. Sly u. R. C. Srivastava, Am. Soc. **87**, 482 (1965).
[2] F. A. L. Anet u. L. A. Bock, Am. Soc. **90**, 7130 (1968).
[3] Komplexe des Cyclooctatriens mit Übergangsmetallen siehe:
E. O. Fischer, C. Palm u. H. P. Fritz, B. **92**, 2645 (1959).
R. B. King, Inorg. Chem. **2**, 807 (1963).
Vgl. ds. Handb., Bd. XIII, Kap. Metall-π-Komplexe.
[4] A. C. Cope u. F. A. Hochstein, Am. Soc. **72**, 2515 (1950).
W. Reppe, O. Schlichting, K. Klager u. T. Toepel, A. **560**, 1 (1948).
[5] T. A. Manuel u. F. G. A. Stone, Pr. chem. Soc. **1959**, 90; Am. Soc. **82**, 366 (1960).
M. D. Rausch u. G. N. Schrauzer, Chem. & Ind. **1959**, 957.
A. Nakamura u. N. Hagihara, Bl. chem. Soc. Japan **32**, 880 (1959); C. A. **54**, 14213 (1960).
F. A. L. Anet, H. D. Kaesz, A. Maasbol u. S. Winstein, Am. Soc. **89**, 2489 (1967).
F. A. L. Anet, Am. Soc. **89**, 2491 (1967).
A. Carbonaro et al., Am. Soc. **90**, 4453 (1968).
G. Allegra, A. Colombo, A. Immirzi u. I. W. Bassi, Am. Soc. **90**, 4455 (1968).
[6] K. A. Jensen, Acta chem. scand. **7**, 868 (1953).
[7] H. P. Fritz u. H. Keller, B. **95**, 158, 820 (1962).
[8] G. N. Schrauzer u. S. Eichler, B. **95**, 260 (1962).
[9] A. Nakamura u. N. Hagihara, Bl. chem. Soc. Japan **33**, 425 (1960); C. A. **54**, 20917 (1960).
[10] G. Wilke et al., Ang. Ch. **75**, 14 (1963).
[11] H. Breil u. G. Wilke, Ang. Ch. **78**, 942 (1966).
H. O. van Oven u. H. J. de Liefde Meijer, J. Organometal. Chem. **19**, 373 (1969).
[12] K. M. Sharma, S. K. Anand, R. K. Multani u. B. D. Jain, J. Organometal. Chem. **25**, 447 (1970).
[13] F. A. Cotton, J. W. Faller u. A. Musco, Am. Soc. **90**, 1438 (1968).
[14] F. A. Cotton, J. W. Faller u. A. Musco, Am. Soc. **88**, 4506 (1966).
J. S. McKechnie u. I. C. Paul, Am. Soc. **88**, 5927 (1966).
[15] A. Streitwieser u. U. Müller-Westerhoff, Am. Soc. **90**, 7364 (1968).
[16] F. A. Cotton u. W. T. Edwards, Am. Soc. **90**, 5412 (1968).
F. A. Cotton, A. Davison, T. J. Marks u. A. Musco, Am. Soc. **91**, 6598 (1969).
[17] M. A. Bennett u. G. Wilkinson, Soc. **1961**, 1418.
[18] F. Mares, K. Hodgson u. A. Streitwieser, J. Organometal. Chem. **24**, C 68 (1970).
[19] R. G. Hayes u. J. L. Thomas, Am. Soc. **91**, 6876 (1969).

Terbium[1] und Ytterbium[2]. Eine ausführliche Behandlung der zahlreichen Cyclooctatetraen-Komplexe, die bis 1963 synthetisiert wurden, findet man in einer Monographie[3] sowie in ds. Handb., Bd. XIII, Kap. Metall-π-Komplexe.

Mit Silbernitrat werden 3 kristalline Addukte gebildet[4] $(C_8H_8)_2AgNO_3$; $C_8H_8AgNO_3$; $(C_8H_8)_2(AgNO_3)_3$. Eine Röntgenstrukturanalyse[5] des Komplexes C_8H_8-$AgNO_3$ zeigt, daß das Silberion an zwei nicht benachbarte Doppelbindungen eines Cyclooctatetraen-Moleküls gebunden ist. Eine schwächere Wechselwirkung besteht mit der Doppelbindung eines benachbarten Cyclooctatetraen-Moleküls. Die einzelnen $Ag^{\oplus}$ · COT-Einheiten vereinigen sich auf diese Weise zu langen Ketten:

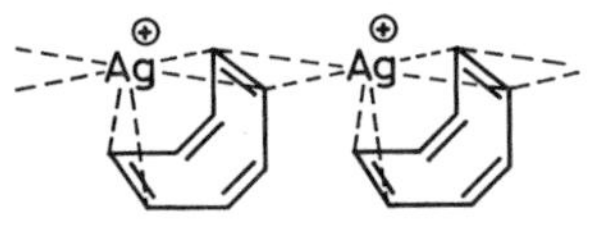

Der Komplex $C_8H_8 \cdot Fe(CO)_3$ zeigt temperaturabhängige NMR-Spektren[6]. Bei Raumtemperatur beobachtet man nur ein Resonanzsignal. Bei $-155°$ findet man dagegen eine Aufspaltung in vier Signale. Dieses Verhalten kann durch schnelle 1,2-Verschiebungen der $Fe(CO)_3$-Gruppe erklärt werden, wobei sich gleichzeitig das ganze π-Bindungssystem verschiebt.

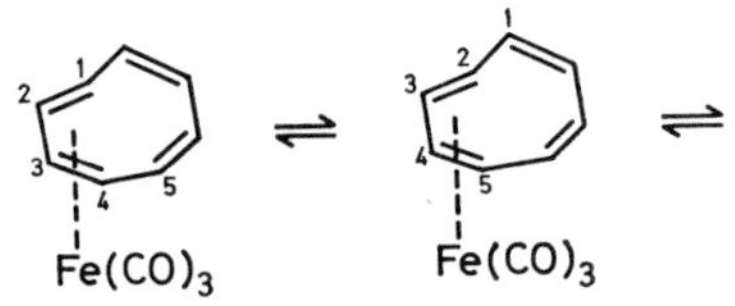

Die gleiche Erscheinung findet man auch bei Cyclooctatetraen-Rutheniumtricarbonyl $[C_8H_8Ru(CO)_3]$[7], Cyclooctatetraen-Molybdäntricarbonyl $[C_8H_8Mo(CO)_3]$[8] und Cyclooctatetraen-Osmiumtricarbonyl $[C_8H_8 \cdot Os(CO)_3]$[9].

Cyclooctatetraen-Eisentricarbonyl bildet mit disubstituierten Acetylenen Diels-Alder-Addukte, die sich vom monocyclischen Cyclooctatetraen ableiten[10].

Cyclooctatetraen-Komplexe gehen elektrophile Substitutionen ein. So gelingt die Formylierung von Cyclooctatetraen-Eisentricarbonyl mit Phosphoroxychlorid und Dimethylformamid zu *Formyl-cyclooctatetraen-Eisentricarbonyl*[11]:

---

[1] F. Mares, K. Hodgson u. A. Streitwieser, J. Organometal. Chem. **24**, C 68 (1970).
[2] R. G. Hayes u. J. L. Thomas, Am. Soc. **91**, 6876 (1969).
[3] E. O. Fischer u. H. Werner, „*Metall-π-Komplexe mit di- und oligoolefinischen Liganden*", S. 80, 82, Verlag Chemie, Weinheim 1963.
[4] A. C. Cope u. F. A. Hochstein, Am. Soc. **72**, 2515 (1950).
[5] F. S. Mathews u. W. N. Lipscomb, J. phys. Chem. **63**, 845 (1959).
[6] R. Grubbs, R. Breslow, R. Herber u. S. J. Lippard, Am. Soc. **89**, 6864 (1967).
F. A. L. Anet, H. D. Kaesz, A. Maasbol u. S. Winstein, Am. Soc. **89**, 2489 (1967).
F. A. Cotton, Accounts of Chemical Research **1**, 257 (1968).
[7] F. A. Cotton, A. Davison u. A. Musco, Am. Soc. **89**, 6796 (1967).
M. I. Bruce, M. Cooke, M. Green u. F. G. A. Stone, Chem. Commun. **1967**, 523.
[8] S. Winstein, H. D. Kaesz, C. G. Kreiter u. E. C. Friedrich, Am. Soc. **87**, 3267 (1965).
F. A. Cotton, J. W. Faller u. A. Musco, Am. Soc. **88**, 4506 (1966).
[9] M. Cooke, R. J. Goodfellow, M. Green, J. P. Maher u. J. R. Yandle, Chem. Commun. **1970**, 565.
[10] Siehe Bicyclo[4.2.2]decatetraene S. 504.
[11] B. F. G. Johnson, J. Lewis, A. W. Parkins u. G. L. Randall, Chem. Commun. **1969**, 595.

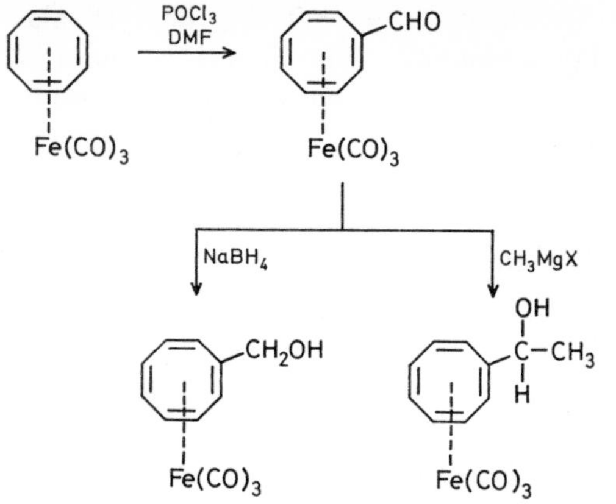

Hydroxymethyl-cycloocta-tetraen-Eisentricarbonyl *(1-Hydroxy-äthyl)-cycloocta-tetraen-Eisentricarbonyl*

(1,1,1,3,3,3-Hexafluor-isopropyliden)-malonsäure-dinitril geht mit Cyclooctatetraen-Eisentricarbonyl bzw. -Rutheniumtricarbonyl eine Cycloaddition[1] ein. Hexafluoraceton addiert sich an Cyclooctatetraen-Rutheniumtricarbonyl[1]:

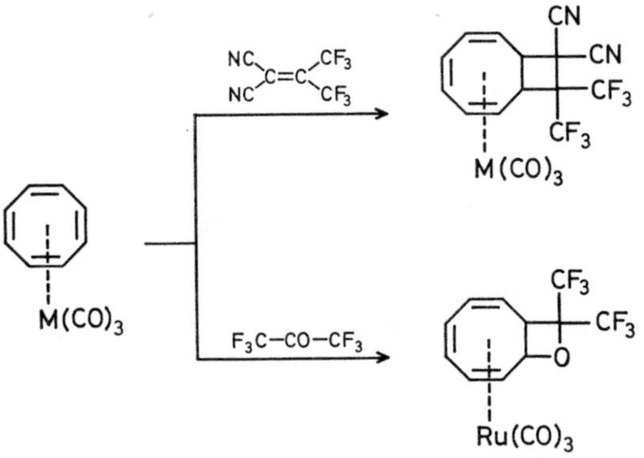

I; M = Fe; *10,10-Bis-[trifluormethyl]-9,9-dicyan-bicyclo[6.2.0]decatrien-(2,4,6)-Eisentricarbonyl*

I; M = Ru; *10,10-Bis-[trifluormethyl]-9,9-dicyan-bicyclo[6.2.0]decatrien-(2,4,6)-Rutheniumtricarbonyl*

II; *10,10-Bis-[trifluor-methyl]-9-oxa-bicyclo[6.2.0]decatrien-(2,4,6)-Rutheniumtricarbonyl*

Aus dem *Cyclooctatetraen-Dianion* und Uran(IV)-chlorid wird *Dicyclooctatetraenyl-uran* (*Uranocen*), ein echter Sandwich-Komplex, erhalten[2]:

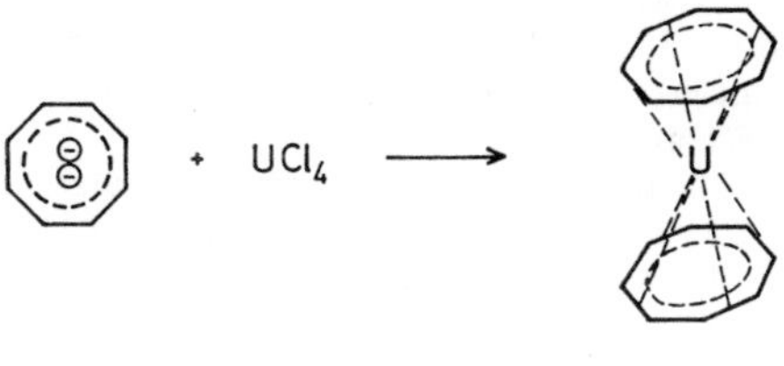

[1] M. GREEN u. D. C. WOOD, Chem. Commun. **1967**, 1062.

[2] A. STREITWIESER u. U. MÜLLER-WESTERHOFF, Am. Soc. **90**, 7364 (1968).
A. ZALKIN u. K. N. RAYMOND, Am. Soc. **91**, 5667 (1969).

Nach dem gleichen Syntheseprinzip sind aus dem Dianion und Thorium(IV)-chlorid[1], Neptunium(IV)-chlorid[2] oder Plutonium(IV)-chlorid (als $[(C_2H_5)_4N]_2PuCl_6$)[2] die entsprechenden Sandwich-Komplexe (*Dicyclooctatetraenyl-thorium, -neptunium* bzw. *-plutonium*) zugänglich.

II. Reaktionen unter Ringverengung

a) Diels-Alder-Additionen[3]

Mit Dienophilen wie Maleinsäureanhydrid reagieren Cyclooctatetraen[4] und Cyclooctatrien[5] als Bicyclen, Bicyclo[4.2.0]octatrien-(2,4,7), bzw. Bicyclo[4.2.0]octadien-(2,4). Der Diels-Alder-Addition ist also eine elektrocyclische Reaktion vorgelagert[6]:

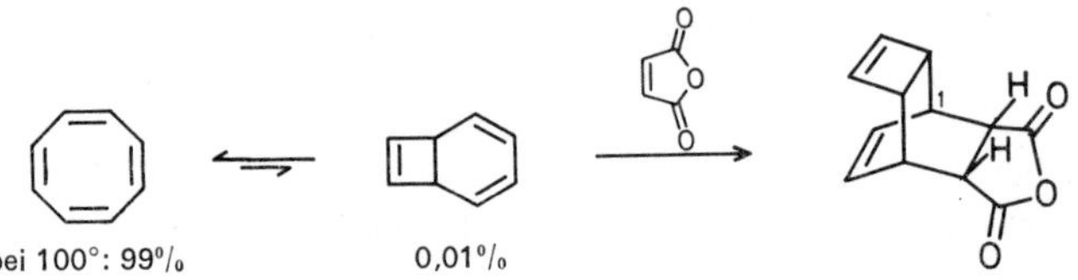

bei 100°: 99% 0,01%

Tricyclo[4.2.2.0^{2,5}]decadien-(3,7)-9,10-dicarbonsäure-anhydrid

Durch den sog. Klammereffekt kann Bicyclo[4.2.0]octatrien stabilisiert werden (s. S. 448)[7].

Geeignete Substituenten scheinen ebenfalls das Gleichgewicht auf die Seite des Bicyclus zu verschieben. So besteht zwischen *1,4-Dimethyl-2,3-diphenyl-cyclooctatetraen* (I) und *1,6-Dimethyl-7,8-diphenyl-bicyclo[4.2.0]octatrien-(2,4,7)* (II) ein zwischen 0 und 100° kernresonanzspektroskopisch nachweisbares Gleichgewicht. Bei Temperaturen $\geq$ 120° treten zusätzliche Signale auf, die dem Gleichgewicht I $\rightleftharpoons$ III zugeordnet werden[8]:

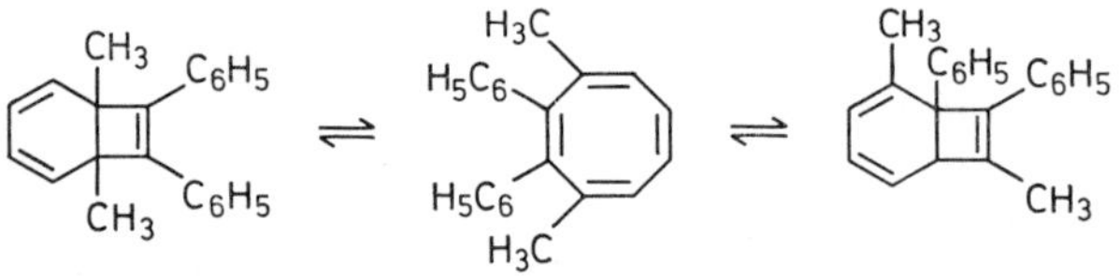

II I III; *2,7-Dimethyl-1,8-diphenyl-bicyclo[4.2.0]octatrien-(2,4,7)*

---

[1] A. Streitwieser u. N. Yoshida, Am. Soc. **91**, 7528 (1969).
[2] O. G. Karraker, J. A. Stone, E. R. Jones u. N. Edelstein, Am. Soc. **92**, 4841 (1970).
[3] Cyclooctatetraen reagiert mit geeigneten Dienen auch als Dienophil.
Siehe: G. I. Fray u. D. P. S. Smith, Soc. [C] **1969**, 2710.
vgl. a. ds. Handb., Bd. IV/4, Kap. Isocyclische Vierringsysteme.
[4] W. Reppe, O. Schlichting, K. Klager u. T. Toepel, A. **560**, 1 (1948).
[5] A. C. Cope, A. C. Haven, F. L. Ramp u. E. R. Trumbull, Am. Soc. **74**, 4867 (1952).
[6] R. Huisgen u. F. Mietzsch, Ang. Ch. **76**, 36 (1964).
E. Vogel, H. Kiefer u. W. R. Roth, Ang. Ch. **76**, 432 (1964).
R. Huisgen, W. E. Konz u. G. E. Gream, Am. Soc. **92**, 4105 (1970).
[7] L. A. Paquette, T. Kakihana, J. F. Hansen u. J. C. Philips, Am. Soc. **93**, 152 (1971).
[8] I. W. McCay u. R. N. Warrener, Tetrahedron Letters **1970**, 4779, 4783.

Eines der wenigen Beispiele für eine Diels-Alder-Addition unter Erhalt des Achtringes ist die Reaktion mit 3,5-Dioxo-4,5-dihydro-3H-1,2,4-triazolen[1]:

7,8-Diaza-bicyclo[4.2.2] decatrien-(2,4,9)-7,8-dicarbonsäure-imid

b) Photochemische Reaktionen[2]

Bei der sensibilisierten UV-Bestrahlung von Cyclooctatetraen entstehen *Semibullvalen* und Benzol. Es können 5% Semibullvalen, bezogen auf umgesetztes Cyclooctatetraen isoliert werden[3]:

hν/Aceton

Diese Isomerisierung kann auch thermisch ausgelöst werden. Octamethyl-[4] und 1,3,5,7-Tetramethyl-cyclooctatetraen[3] lagern sich beim Erhitzen auf 240–250° teilweise zu den entsprechenden Semibullvalenen um.

Bei der Photolyse von Cyclooctatrien-(1,3,5) (I)[5,6] bilden sich *Bicyclo[4.2.0]octadien-(2,7)* (II) und *Tricyclo[3.3.0.0^2,8]octen-(3)* (III):

hν

I II III

Wird dagegen Cyclooctatrien-(1,3,6) (IV)[6] bestrahlt, so erhält man außer II und III *Bicyclo[5.1.0]octadien-(2,5)* (V), *Tricyclo[3.3.0.0^2,4]octen-(6)* (VI), *Tricyclo[5.1.0.0^2,4]octen-(5)* (VII) sowie einen Kohlenwasserstoff der vermuteten Struktur VIII {*Tricyclo[4.2.0.0^2,4]octen-(7)*}:

hν II + III + V + VI + VII + VIII

IV V VI VII VIII

---

1 A. B. Evnin, R. D. Miller u. G. R. Evanega, Tetrahedron Letters **1968**, 5863.
A. B. Evnin, A. Y. Lam, J. J. Maher u. J. J. Blyskal, Tetrahedron Letters **1969**, 4497.

2 Vgl. hierzu ds. Handb., Bd. IV/3, Kap. Carbocyclische Vierringsysteme: Bd. IV/5, Photochemie.

3 H. E. Zimmerman u. H. Iwamura, Am. Soc. **90**, 4763 (1968); **92**, 2015 (1970).

4 R. Criegee u. R. Askani, Ang. Ch. **80**, 531 (1968).

5 W. R. Roth u. B. Peltzer, Ang. Ch. **76**, 378 (1964).
J. Zirner u. S. Winstein, Pr. chem. Soc. **1964**, 235.

6 O. L. Chapman, G. W. Borden, R. W. King u. B. Winkler, Am. Soc. **86**, 2660 (1964).

c) Reaktionen mit Säure bzw. Säure-Derivaten

Aus Cyclooctatetraen und Bromwasserstoffsäure in Eisessig entsteht *(1-Brom-äthyl)-benzol*[1]:

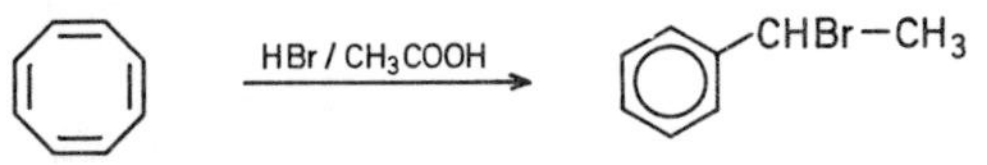

HBr / CH_3COOH → CHBr–CH_3

Friedel-Crafts-Reaktionen des Cyclooctatetraens führen nur selten zu definierten Produkten. Mit Acetylchlorid oder Propionsäure-chlorid und Aluminiumchlorid entstehen in Ausbeuten von 2–3% *o-Methyl-zimtaldehyd*, bzw. *o-Äthyl-zimtaldehyd*[2]:

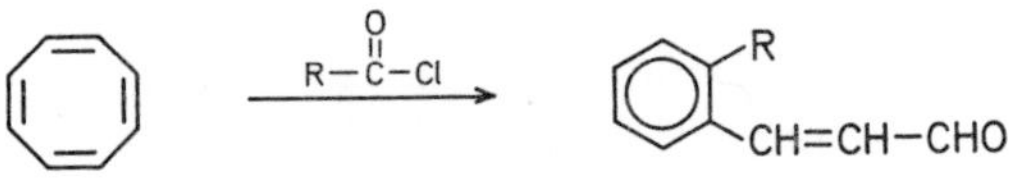

R–C(=O)–Cl → R, CH=CH–CHO

R = CH_3; C_2H_5

Cyclooctatetraen reagiert mit N-Chlor-sulfonylisocyanat zum *7-Chlorsulfonyl-8-oxo-7-aza-bicyclo[4.2.2]decatrien-(2,4,9)* (I), das mit Thiophenol in Pyridin zum Lactam II {*8-Oxo-7-aza-bicyclo[4.2.2]decatrien-(2,4,9)*} reduziert wird. Alkylierung mit Meerweins Reagenz gibt den Lactimäther III {*8-Methoxy-7-aza-bicyclo-[4.2.2]decatetraen-(2,4,7,9)*}, der bei Belichtung unter Ringverengung in *Methoxy-azabullvalen* (IV) übergeht[3] (vgl. a. S. 506):

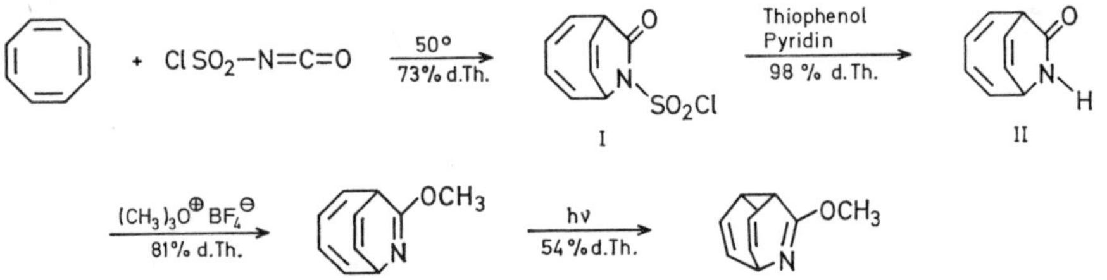

+ Cl SO_2–N=C=O → 50° / 73% d.Th. → I (O, N–SO_2Cl) → Thiophenol, Pyridin / 98 % d.Th. → II (O, N–H)

$(CH_3)_3O^{\oplus}BF_4^{\ominus}$ / 81% d.Th. → III (OCH_3, N) → hν / 54% d.Th. → IV (OCH_3, N)

d) Oxidation von Cyclooctatetraen

Oxidationsreaktionen des Cyclooctatetraens laufen sehr häufig unter Ringverengung ab. So entsteht aus Cyclooctatetraen mit Sauerstoff und Metalloxiden *Benzoesäure* (70% d.Th.)[1]. Mit Permanganat in wäßriger Lösung bildet sich *Benzaldehyd* neben *Benzoesäure*, mit Chrom(VI)-oxid in Eisessig in geringer Menge *Terephthalsäure*[1].

Das aus Cyclooctatetraen und Persäuren zugängliche *7,8-Epoxi-cyclooctatrien* (V) lagert sich säurekatalysiert über das nachweisbare *7-Formyl-cycloheptatrien-(1,3,5)* (VI) in *Phenylacetaldehyd* (VII) um[4]:

---

[1] W. Reppe, O. Schlichting, K. Klager u. T. Toepel, A. **560**, 1 (1948).
[2] A. C. Cope, T. A. Liss u. D. S. Smith, Am. Soc. **79**, 240 (1957).
[3] L. A. Paquette u. T. J. Barton, Am. Soc. **89**, 5480 (1967).
P. Wegener, Tetrahedron Letters **1967**, 4985.
[4] C. R. Ganellin u. R. Pettit, Soc. **1958**, 576.

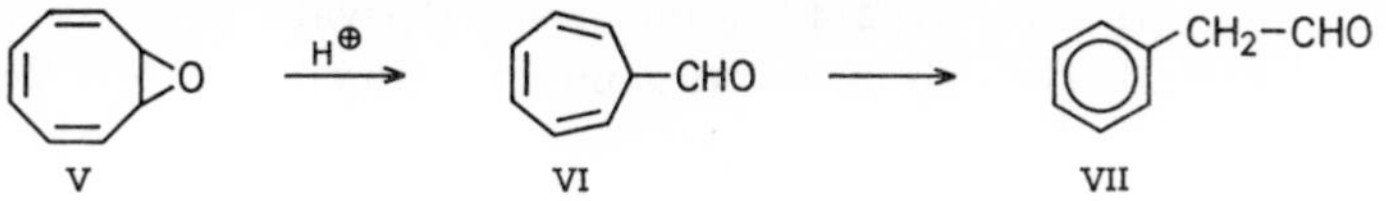

V VI VII

Mit Quecksilbersulfat und Wasser bildet sich in 70% Ausbeute *Phenylacetaldehyd*[1,2]. Dagegen erhält man mit Quecksilber-acetat in Methanol *7-(Dimethoxy-methyl)-cycloheptatrien-(1,3,5)*, das beim Behandeln mit wäßriger Säure ebenfalls in *Phenylacetaldehyd* übergeführt wird[2]:

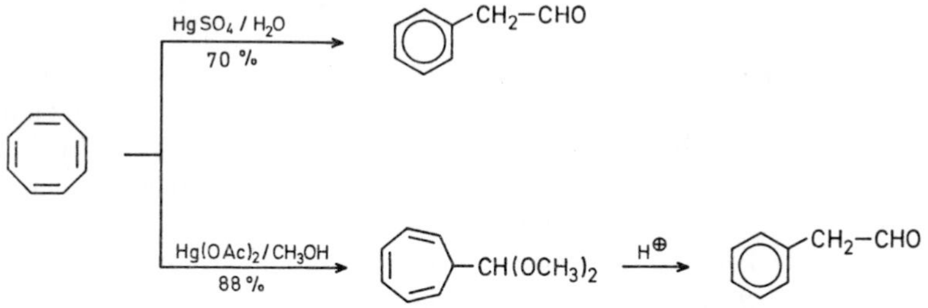

Mit Blei(IV)-acetat erhält man je nach den Reaktionsbedingungen in Ausbeuten um 30% *7,8-Diacetoxy-bicyclo[4.2.0]octadien-(2,4)* (I), *7-(Dimethoxy-methyl)-* (II) oder *7-(Diacetoxy-methyl)-cycloheptatrien-(1,3,5)* (III)[3]:

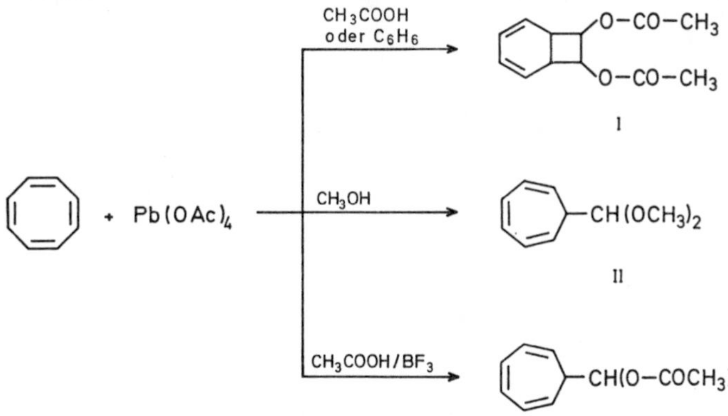

I

II

III

e) Thermische Reaktionen

Beim Erhitzen von Fluor[4], Chlor- oder Brom-cyclooctatetraen bilden sich die entsprechenden *trans-β-Fluor-*, *-Chlor-* und *-Brom-styrole*[4,5]:

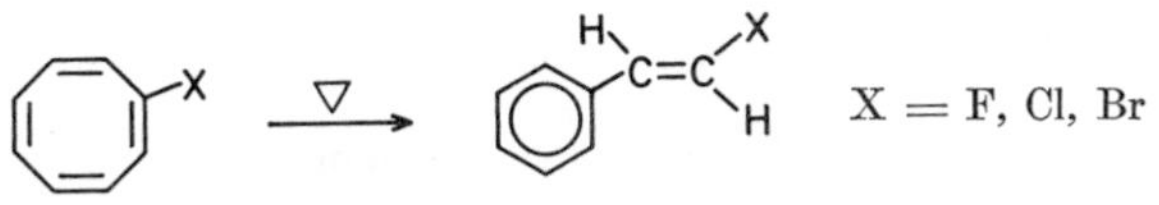

X = F, Cl, Br

[1] W. Reppe, O. Schlichting, K. Klager u. T. Toepel, A. **560**, 1 (1948).
[2] A. C. Cope, N. A. Nelson u. D. S. Smith, Am. Soc. **76**, 1100 (1954).
[3] M. Finkelstein, B. **90**, 2097 (1957).
[4] G. Schröder, G. Kirsch, J. F. M. Oth, R. Huisgen, W. E. Konz u. U. Schnegg, B. **104**, 2405 (1971).
[5] R. Huisgen et al., Am. Soc. **92**, 4102, 4104 (1970).
A. C. Cope u. M. Burg, Am. Soc. **74**, 168 (1952).

Bicyclo[6.1.0]nonatrien-(2,4,6) und seine Derivate lagern sich beim Erhitzen[1] und beim Bestrahlen[2] vorwiegend in Dihydroinden-Verbindungen um; z.B.:

IV V VI

IV; *trans-Bicyclo[6.1.0]nonatrien-(2,4,6)*
V; *cis-Bicyclo[4.3.0]nonatrien-(2,4,7)*
VI; *trans-Bicyclo[4.3.0]nonatrien-(2,4,7)*

Die photochemisch induzierten Reaktionen verlaufen primär über das instabile Cyclononatetraen[2], das sich in einer elektrocyclischen Reaktion zu den Endprodukten isomerisiert. Bei der thermisch ausgelösten Umlagerung von 9-Chlorbicyclo[6.1.0]nonatrien-(2,4,6) konnten zwei verschiedene Mechanismen nachgewiesen werden[1]. So verläuft, wie mit Hilfe von deuteriummarkierten Verbindungen nachgewiesen wurde, beim *exo*-9-Chlor-9-deutero-bicyclo[6.1.0]nonatrien-(2,4,6) (VII) die Umlagerung zu *9-Chlor-9-deutero-cis-bicyclo[4.3.0]nonatrien-(2,4,7)* (VIII) über das Cyclononatetraen, das dann elektrocyclisch einen Ringschluß erleidet. *Endo-9-*Chlor-9-deutero-bicyclo[6.1.0]nonatrien-(2,4,6) (IX) isomerisiert sich zunächst zum gespannten *endo-8-Chlor-8-deutero-tricyclo[4.3.0.0^{7,9}]nonadien-(2,4)* (X). Bei der Öffnung des Dreiringes entsteht daraus *9-Chlor-8-deutero-cis-bicyclo[4.3.0]nonatrien-(2,4,7)* (XI):

VII VIII IX X XI

Als weiterer Mechanismus wird bei der thermischen Umlagerung von Bicyclo[6.1.0]nonatrien-Derivaten in verschiedenen Fällen primär eine Cope-Umlagerung des *cis*-1,2-Divinyl-cyclopropan-Systems angenommen[3].

Thermisch dimerisiert Cyclooctatetraen zu *Tricyclo[8.6.0.0^{2,9}]hexadecahexaen-(3,5,7,11,13,15)* (F: 53°; I), das sich unter Ringverengung zu *Pentacyclo[9.3.2.0^{2,14}.0^{3,10}.0^{4,9}]hexadecatetraen-(5,7,12,15)* (F: 76°, II) umlagert[4] (vgl. S. 519):

[1] J. C. Barborak, T.-M. Su, P. v. R. Schleyer, G. Boche u. G. Schneider, Am. Soc. **93**, 279 (1971).

[2] S. Masamune, P. M. Baker u. K. Hojo, Chem. Commun. **1969**, 1203.
A. G. Anastassiou, V. Orfanos u. J. H. Gebrian, Tetrahedron Letters **1969**, 4491.
J. Schwartz, Chem. Commun. **1969**, 833.

[3] P. Radlick u. W. Fenical, Am. Soc. **91**, 1560 (1969).
S. W. Staley u. T. J. Henry, Am. Soc. **91**, 1239, 7787 (1969).

[4] G. Schröder, B. **97**, 3131 (1964); Ang. Ch. **75**, 722 (1963).
R. Merényi, J. F. M. Oth u. G. Schröder, B. **97**, 3150 (1964).
G. Schröder u. J. F. M. Oth, Ang. Ch. **79**, 458 (1967).
Zur Stereochemie von II siehe: K. I. G. Reid u. I. C. Paul, Chem. Commun. **1970**, 1106.

UV-Belichtung dieses Dimeren II in Äther führt unter Abspaltung von Benzol zu *Bullvalen*[1] (75% d.Th.; F: 95–96°).

f) Umsetzungen zu Vierring-Verbindungen
(vgl. ds. Handb., Bd. IV/4, Isocycliche Vierring-Verbindungen)

Mit Halogen[2], mit Quecksilbersulfat in Eisessig[3] und mit Dienophilen[2] reagiert Cyclooctatetraen unter Ausbildung eines Vierringes. Ebenso verhält sich Cyclooctatrien-(1,3,5) bei der Reaktion mit Dienophilen[4]. Abbaureaktionen der Addukte führen zu den einfachen Vierring-Verbindungen. Es gelingt so die Herstellung von *Cyclobuten*[4,5], *cis-3,4-Dichlor-cyclobuten*[6], *Cyclobuten-3,4-dicarbonsäure-diester*[5] und *3,3-Dimethoxy-cyclobuten*[7]:

Aus 3,4-Dichlor-cyclobuten können die *Eisentricarbonyl*-Komplexe des *Cyclobutadiens* synthetisiert werden[8]:

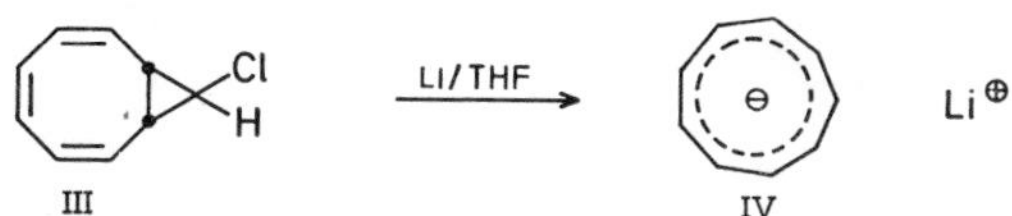

III. Reaktionen unter Ringerweiterung

a) Cyclononatetraenyl-Anion[9,10]

9-Chlor-bicyclo[6.1.0]nonatrien-(2,4,6) (III), das z.B. durch Cyclopropanisierung von Cyclooctatetraen mit Dichlormethan/Methyl-lithium leicht zugänglich ist, reagiert glatt mit Lithium in absol. Tetrahydrofuran unter Ausbildung des *all-cis-Cyclononatetraenyl-Anions* (IV), eines planaren, aromatischen 10π-Elektronensystems[9]:

---

[1] G. SCHRÖDER, B. **97**, 3140 (1964).
s. ds. Handb., Bd. IV/3, Isocyclische Dreiringsysteme, S. 532.
[2] W. REPPE, O. SCHLICHTING. K. KLAGER u. T. TOEPEL, A. **560**, 1 (1948).
[3] A. C. COPE, N. A. NELSON u. D. S. SMITH, Am. Soc. **76**, 1100 (1954).
[4] A. C. COPE, A. C. HAVEN, F. L. RAMP u. E. R. TRUMBULL, Am. Soc. **74**, 4867 (1952).
[5] E. VOGEL, A. **615**, 14 (1958).
[6] C. D. NENITZESCU et al., B. **97**, 372 (1964).
[7] E. VOGEL u. K. HASSE, A. **615**, 22 (1958).
[8] G. F. EMERSON, L. WATTS u. R. PETTIT, Am. Soc. **87**, 131 (1965).
[9] T. J. KATZ u. P. J. GARRATT, Am. Soc. **85**, 2852 (1963).
E. A. LA LANCETTE u. R. E. BENSON, Am. Soc. **85**, 2853 (1963).
[10] G. BOCHE, D. MARTENS u. W. DANZER, Ang. Ch. **81**, 1003 (1969).

Läßt man auf 9-Methoxy-bicyclo[6.1.0]nonatrien-(2,4,6) (V) bei tiefer Temperatur Kalium einwirken, so erhält man zunächst das *cis,cis,cis,trans-Cyclononatetraenyl-Anion* (VI)[1], das sich thermisch zu VII isomerisiert:

V + K ⟶ VI $K^{\oplus}$ ⟶ VII $K^{\oplus}$

Ausgehend vom Cyclononatetraenyl-Anion (VII) kann das instabile *all-cis-Cyclononatetraen* durch Protonierung bei tiefer Temperatur erhalten werden[2,3]. Bei der Reduktion mit Rhodiumkatalysator oder Raney-Nickel unter 0° erhält man *Cyclononan*[2].

Belichtung von Bicyclo[6.1.0]nonatrien-(2,4,6) (I) bei tiefer Temperatur liefert u.a. *cis,cis,cis,trans-* (IV)[4] und *all-cis-Cyclononatetraen* (II)[4,5]. Thermisch isomerisiert sich *all-cis*-Cyclononatetraen (II) zu *cis-Bicyclo[4.3.0]nonatrien-(2,4,7)* (III) und *cis,cis,cis,trans*-Cyclononatetraen (IV) zu *trans-Bicyclo[4.3.0]nonatrien-(2,4,7)* (V)[4,5]:

I —hν→ II —▽ / 50°→ III

I —hν→ IV —▽ / -15°→ V

Bicyclo[6.1.0]nonatrien-(2,4,6) gibt mit Tetracyanäthylen in siedendem Tetrahydrofuran ein Addukt, das sich vom Cyclononatetraen ableitet[6]:

+ (NC)₂C=C(CN)₂ —THF→

10,10,11,11-Tetracyan-bicyclo [7.2.0]undecatrien-(2,4,7)

[1] G. Boche, D. Martens u. W. Danzer, Ang. Ch. **81**, 1003 (1969).
P. Radlick u. G. Alford, Am. Soc. **91**, 6529 (1969).

[2] A. G. Anastassiou, V. Orfanos u. J. H. Gebrian, Tetrahedron Letters **1969**, 4491.

[3] G. Boche, H. Böhme u. D. Martens, Ang. Ch. **81**, 565 (1969).

[4] S. Masamune, P. M. Baker u. K. Hojo, Chem. Commun. **1969**, 1203.

[5] J. Schwartz, Chem. Commun. **1969**, 833.
A. G. Anastassiou, V. Orfanos u. J. H. Gebrian, Tetrahedron Letters **1969**, 4491.

[6] W. H. Okamura u. T. W. Osborn, Am. Soc. **92**, 1061 (1970).
C. S. Baxter u. P. J. Garratt, Am. Soc. **92**, 1062 (1970).

b) Azacyclononatetraen-(2,4,6,8) (Azonin)

N-Äthoxycarbonyl-azonin (I) entsteht sowohl bei der Belichtung von N-Äthoxycarbonyl-9-aza-bicyclo[6.1.0]nonatrien-(2,4,6) (II)[1,2] als auch von N-Äthoxycarbonyl-4-aza-bicyclo[5.2.0]nonatrien-(2,5,8) (III)[2] als thermolabile Substanz. Bei 20° isomerisiert sich I zu *1-Äthoxycarbonyl-3a,7a-dihydro-indol* (IV). Basenbehandlung von I gibt unsubstituiertes *1H-Azonin* (V)[3]:

N–$COOC_2H_5$ II; N–$COOC_2H_5$ III; hν → N–$COOC_2H_5$ I; $KOC(CH_3)_3$ → NH V; ∇/20° → N, $COOC_2H_5$ IV

c) Oxa-cyclononatetraen-(2,4,6,8) (Oxonin)

Bei der Belichtung von 7,8-Epoxi-cyclooctatrien-(1,3,5) (I) findet eine disrotatorische Ringöffnung zu *Oxonin* (II) statt[4]. Dieses geht thermisch in *cis-3a,7a-Dihydro-⟨benzo-[b]-furan⟩* (III) über. Neben *all-cis-Oxonin* wird bei der Belichtung auch das äußerst thermolabile *cis,cis,cis,trans-Oxonin* (IV)[5] gebildet, das sich zu *trans-3a,7a-Dihydro-⟨benzo-[b]-furan⟩* (V) isomerisiert:

O I; hν → O II; ∇/30° → O III; O IV; ∇/<-15° → O V

d) Cyclononatetraen-Anion-Radikal (VII)[6,7] und -Dianion (VIII)[8]

Das homoaromatische 9π-Elektronensystem des *Cyclononatetraen-Anion-Radikals* entsteht z.B. bei der Einwirkung von Kalium auf *cis*-Bicyclo[6.1.0]nonatrien-

---

[1] A. G. Anastassiou u. J. H. Gebrian, Am. Soc. **91**, 4011 (1969); Tetrahedron Letters **1969**, 5239.
A. G. Anastassiou, R. P. Cellura u. J. H. Gebrian, Chem. Commun. **1970**, 375.

[2] S. Masamune, K. Hojo u. S. Takada, Chem. Commun. **1969**, 1204.

[3] A. G. Anastassiou et al., Tetrahedron Letters **1970**, 825; Chem. Commun. **1970**, 1133.

[4] A. G. Anastassiou et al., Chem. Commun. **1969**, 903, 1521; **1970**, 1133.
P. D. Gardner et al., Chem. Commun. **1969**, 1522.

[5] S. Masamune, S. Takada u. R. T. Seidner, Am. Soc. **91**, 7769 (1969).

[6] R. Rieke, M. Ogliaruso, R. McClung u. S. Winstein, Am. Soc. **88**, 4729 (1966).
F. J. Smentowski, R. M. Owens u. B. D. Faubion, Am. Soc. **90**, 1537 (1968).

[7] T. J. Katz u. C. Talcott, Am. Soc. **88**, 4732 (1966).

[8] M. Ogliaruso, R. Rieke u. S. Winstein, Am. Soc. **88**, 4731 (1966).
M. Ogliaruso u. S. Winstein, Am. Soc. **89**, 5290 (1967).

(2,4,6)(VI)[1]. Weitere Einwirkung von Kalium auf VII führt zum *Cyclononatetraen-Dianion* (VIII)[2]:

VI —K→ VII $K^{\oplus}$ —K→ VIII $2K^{\oplus}$

Dagegen ist aus *trans*-Bicyclo[6.1.0]nonatrien-(2,4,6) und Kalium nur ein klassisches Anion-Radikal erhältlich[3].

e) Annulene[4]

Das Dimere des Cyclooctatetraens (F: 53°, I) bildet mit Acetylen-dicarbonsäure-dimethylester das Addukt II {*15,16-Dimethoxycarbonyl-pentacyclo*[*12.2.2.0*^{2,13}.*0*^{3,12}.*0*^{4,11}]*octadecapentaen-(5,7,9,15,17)*}, dessen Thermolyse *Tricyclo*[*6.4.0.0*^{9,12}]*dodecatetraen-(2,4,6,10)* (III) gibt[5]. Bei der Tieftemperaturphotolyse von III entsteht das äußerst thermolabile [*12*]*Annulen* (IV)[6] (bis 80% d.Th.), das über 2 instabile Zwischenstufen in 2 Moleküle *Benzol* zerfällt:

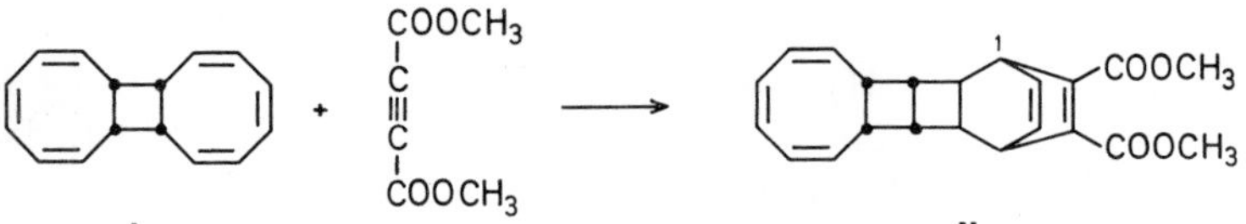

I + $COOCH_3$–C≡C–$COOCH_3$ ⟶ II ($COOCH_3$, $COOCH_3$)

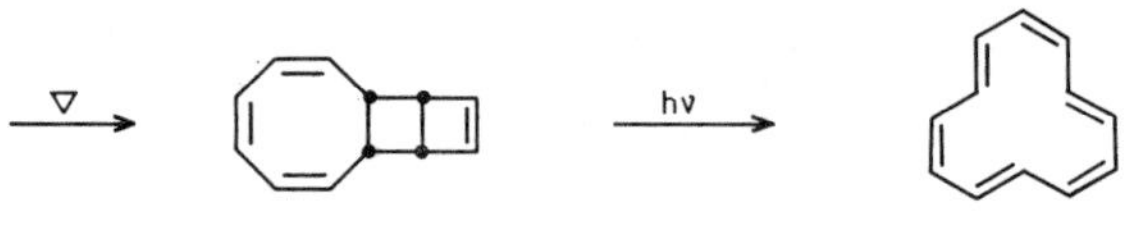

—∇→ III —hν→ IV

Belichtet man das Dimere (F: 53°, I) mit einer UV-Lampe, so erhält man das tiefrote [*16*]*Annulen* (V)[7] (59% d.Th.; F: 90–91°):

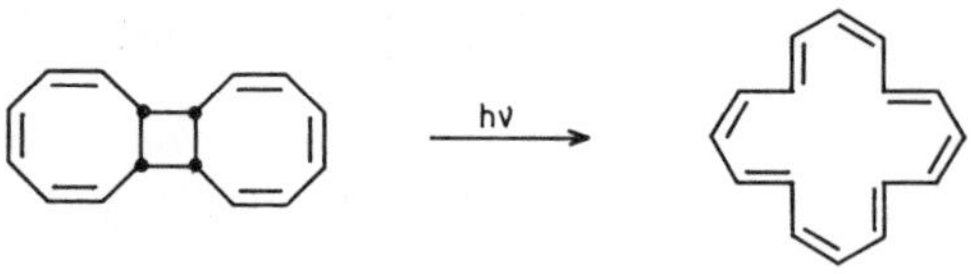

I —hν→ V

---

[1] R. Rieke, M. Ogliaruso, R. McClung u. S. Winstein, Am. Soc. **88,** 4729 (1966). F. J. Smentowski, R. M. Owens u. B. D, Faubion, Am. Soc. **90,** 1537 (1968).

[2] M. Ogliaruso, R. Rieke u. S. Winstein, Am. Soc. **88,** 4731 (1966). M. Ogliaruso u. S. Winstein, Am. Soc. **89,** 5290 (1967).

[3] G. Moshuk, G. Petrowski u. S. Winstein, Am. Soc. **90,** 2179 (1968).

[4] S. ds. Bd., S. 529 ff.

[5] G. Schröder u. W. Martin, Ang. Ch. **78,** 117 (1966).

[6] G. Schröder, J. F. M. Oth et al., B. **102,** 3985 (1969); Tetrahedron Letters **1970,** 61.

[7] G. Schröder u. J. F. M. Oth, Tetrahedron Letters **1966,** 4083. W. Martin, Dissertation Universität (TH) Karlsruhe 1968.

Substituierte Dimere des Cyclooctatetraens liefern substituierte [16]Annulene[1].

2,2-Difluor-1,1-dichlor-äthylen reagiert mit dem Dimeren (F: 53°) unter Ringverengung zum pentacyclischen 2:2 Cycloaddukt (21% d. Th., bez. auf $C_{16}H_{16}$), das sich mit Zink zu *4-Fluor-5-chlor-pentacyclo[8.8.0.0^{2,9}.0^{3,6}.0^{11,18}]octadecapentaen-(4,7,12,14,16)* (VI; 80% d. Th.) enthalogenieren läßt. Bei der Photolyse öffnet sich VI zum rotvioletten stabilen *2-Fluor-1-chlor-[18]annulen*[2] (VII; 20% d. Th.):

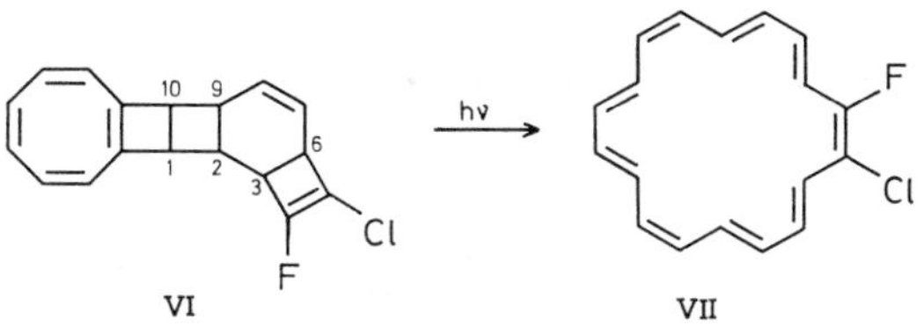

VI → (hν) → VII

IV. Reaktionen unter Spaltung des Achtringes[3]

Bei der Reaktion des Cyclooctatetraen-Dianions (I) mit Benzophenon findet man teilweise Ringöffnung zu *1,10-Dihydroxy-1,1,10,10-tetraphenyl-decatetraen-(2,4,6,8)* (II; 28% d.Th.)[4,5]:

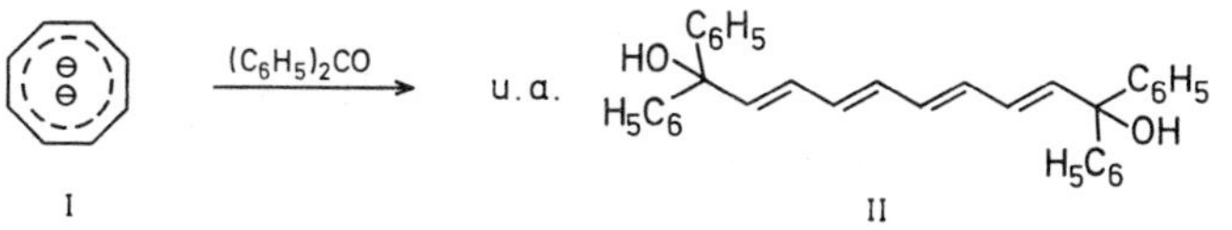

I → ($(C_6H_5)_2CO$) → u.a. II

Auch die Acylierung des Dianions (I) führt teilweise zur Ringspaltung[6]:

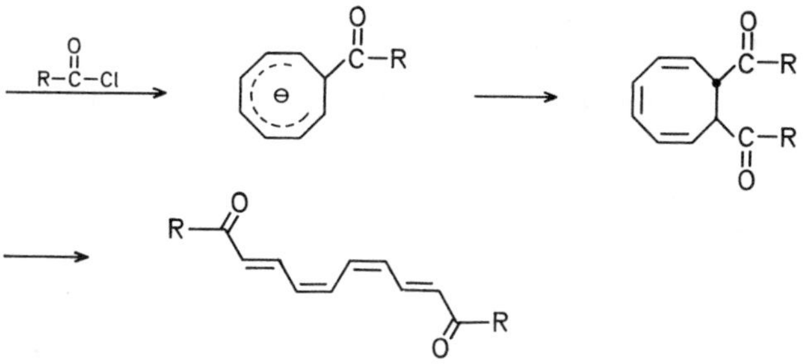

I → (R–CO–Cl) → → →

R = CH_3; *2,11-Dioxo-dodecatetraen-(trans-3, cis-5, cis-7, trans-9)*
R = C_6H_5; *1,10-Dioxo-1,10-diphenyl-decatetraen-(trans-2, cis-4, cis-6, trans-8)*
R = p-Br-C_6H_4; *1,10-Dioxo-1,10-bis-[4-brom-phenyl]-decatetraen-(trans-2, cis-4, cis-6, trans-8)*

Carboxylierung des Cyclooctatetraen-Dianions gibt ein Gemisch zweier Carbonsäuren, das überwiegend aus *trans,cis,cis,trans-Decatetraen-(2,4,6,8)-disäure* (50–

[1] G. SCHRÖDER, G. KIRSCH u. J. F. M. OTH, Tetrahedron Letters **1969**, 4575.
[2] G. SCHRÖDER u. R. NEUBERG, Universität Karlsruhe, unveröffentlicht.
[3] Vgl. ds. Bd., Kap. Offenkettige Polyene, S. 162ff.
[4] T. S. CANTRELL u. H. SHECHTER, Am. Soc. **87**, 136 (1965).
[5] T. S. CANTRELL u. H. SHECHTER, Am. Soc. **89**, 5877 (1967).
[6] T. S. CANTRELL u. H. SHECHTER, Am. Soc. **89**, 5868 (1967).

65% d. Th.) besteht, daneben erhält man *1,4-Dicarboxy-cyclooctatrien-(2,5,7)* (2–3% d. Th.)[1]:

$$\text{Cyclooctatetraen-Dianion} \xrightarrow[2.\ H_3O^{\oplus}]{1.\ CO_2} HOOC-(CH=CH)_3-CH=CH-COOH$$

Bei der Abspaltung von Wasser aus 7,8-Bis-[α-hydroxy-benzyl]-bicyclo [4.2.0]octadien-(2,4) (III) mit p-Toluolsulfonsäure oder Jod entsteht *1,10-Diphenyl-decapentaen-(1,3,5,7,9)* (IV)[2]:

$$I + H_5C_6-CHO \longrightarrow \left\{ \text{Cyclooctatrien mit } 2\times CH(OH)-C_6H_5 \right\} \longrightarrow \text{III}$$

$$\xrightarrow{H_3C-C_6H_4-SO_3H} H_5C_6-(CH=CH)_5-C_6H_5 \quad \text{IV}$$

Einwirkung von Phenyl-magnesiumbromid auf Benzoyl-cyclooctatetraen gibt *9-Oxo-1,9-diphenyl-nonatetraen-(1,3,5,7)* (20% d. Th.)[3]:

$$C_8H_7-CO-C_6H_5 + H_5C_6-MgBr \longrightarrow H_5C_6-(CH=CH)_4-CO-C_6H_5$$

Bei dem Versuch, *trans*-7,8-Diacetoxy-bicyclo[4.2.0]octadien-(2,4) (V) mit Lithiumalanat zum entsprechenden Diol zu reduzieren, wird *Octatrien-(2,4,6)-dial* (VI; 50–60% d. Th.) erhalten[4]:

$$\text{V} \xrightarrow{LiAlH_4/O_2} OHC-(CH=CH)_3-CHO \quad \text{VI}$$

Behandelt man *trans*-7,8-Dibrom-bicyclo[4.2.0]octadien-(2,4) mit Kaliumcyanid in 1,4-Dioxan/Wasser, so erhält man nicht das entsprechende Dinitril, sondern *Decatetraen-(2,4,6,8)-disäure-dinitril*[5]:

$$\text{Dibrom-bicyclooctadien} + KCN \longrightarrow NC-(CH=CH)_4-CN$$

---

[1] T. S. Cantrell, Am. Soc. **92**, 5480 (1970).
[2] T. S. Cantrell u. H. Shechter, Am. Soc. **89**. 5877 (1967).
[3] A. C. Cope u. D. J. Marshall, Am. Soc. **75**, 3208 (1953).
[4] R. Anet, Tetrahedron Letters **1961**, 720.
[5] H. Hoever, Tetrahedron Letters **1962**, 255.

7,8-Dibrom-bicyclo[4.2.0]octadien-(2,4) läßt sich in ätherischer Lösung leicht mit Alkinyl-magnesiumbromiden substituieren. Es werden jedoch nicht die Dialkinyl-Derivate des Bicyclooctadiens isoliert, sondern die entsprechenden offenkettigen Verbindungen (15–55% d. Th.)[1]:

$$\xrightarrow[-2\,MgBr_2]{2\,R-C\equiv C-MgBr} R-C\equiv C-(CH{=}CH)_4-C\equiv C-R$$

R = C_6H_5; p-Cl-C_6H_4; p-CH_3O-C_6H_4; H_5C_6-C_6H_4; $C(CH_3)_3$

7-Hydroxy-cyclooctatrien-(1,3,5) erleidet thermisch eine Ringöffnung zu *Octatrien-(2,4,6)-al* (90% d. Th.; R = H)[2]. Alkyl- und Arylsubstitution in 7-Stellung erhöht die Umlagerungsneigung[2]:

$$\rightleftharpoons \quad \xrightarrow{\nabla} H_3C-(CH{=}CH)_3-C(=O)-R$$

R = H; *Octatrien-(2,4,6)-al*
= CH_3; *8-Oxo-nonatrien-(2,4,6)*
= C_6H_5; *1-Oxo-1-phenyl-octatrien-(2,4,6)*

Wird Cyclooctatrien-(1,3,5)-on-(7) in Methanol belichtet, so findet Ringöffnung zu *Octatrien-(2,4,6)-säure-methylester* statt[3]:

$$\xrightarrow[CH_3OH]{h\nu} \quad \xrightarrow{CH_3OH} H_3CO-C(=O)-(CH{=}CH)_3-CH_3$$

C. Bibliographie

L. E. Craig, *The Chemistry of Eight-Membered Carbocycles*, Chem. Reviews **49**, 103–236 (1951).

R. A. Raphael, *Cyclooctatetraene*, in: D. Ginsburg, *Non-Benzenoid Aromatic Compounds*, S. 465, Interscience Publishers, New York, 1959.

G. N. Schrauzer, P. Glockner u. S. Eichler, *Koordinations-Chemie und Katalyse; Untersuchungen über die Cyclooctatetraen-Synthese nach W. Reppe*, Ang. Ch. **76**, 28 (1964).

R. Huisgen u. F. Mietzsch, *Zur Valenztautomerie des Cyclooctatetraens*, Ang. Ch. **76**, 36 (1964).

G. Schröder, *Cyclooctatetraen*, Verlag Chemie, Weinheim/Bergstraße, 1965.

[1] Eu. Müller, H. Straub u. J. M. Rao, Tetrahedron Letters **1970**, 773.
[2] M. Kröner, B. **100**, 3172 (1967).
[3] L. L. Barber, O. L. Chapman u. J. D. Lassila, Am. Soc. **91**, 531 (1969).

Methoden zur Herstellung und Umwandlung höherer cyclischer konjugierter Polyolefine und Poly-en-ine mit mehr als acht Kohlenstoffatomen

bearbeitet von

Prof. Dr. PETER GARRATT

Department of Chemistry University College London

und

Prof. Dr. KLAUS GROHMANN

Sandoz-Pharmaceuticals, Hanover, New Yersey

mit 6 Tabellen

Literatur berücksichtigt bis 1971.

Inhalt

Annulene

a) Eigenschaften . . . 531
1. Röntgenstrukturanalyse . . . 532
2. Spektroskopische Eigenschaften . . . 532
UV-Spektren . . . 532
NMR-Spektren . . . 536
sonstige Eigenschaften . . . 539
b) Nomenklatur . . . 543

A. Herstellung . . . 544

I. Allgemeine Herstellungsmethoden . . . 544
a) durch Ringschluß mit nachfolgender Umlagerung und Hydrierung nach Sondheimer . . . 545
1. Oxidativer Ringschluß von endständigen Diinen . . . 545
2. Prototrope Umlagerung cyclischer Polyine . . . 546
3. Partielle Hydrierung von Dehydroannulenen . . . 548
b) überbrückte Annulene aus bereits vorgebildeten Ringsystemen nach Vogel . . . 549
c) weitere nur speziell anwendbare Herstellungsmethoden . . . 550

II. Herstellung (z. Tl. einschl. Reaktionen) von Annulenen und Dehydroannulenen bzw. deren Derivaten nach Ringgliederzahl geordnet . . . 550
a) 9 gliedriger Ring . . . 551
b) 10 gliedriger Ring . . . 552
c) 11 gliedriger Ring . . . 554
d) 12 gliedriger Ring . . . 554
e) 14 gliedriger Ring . . . 559
f) 16 gliedriger Ring . . . 567
g) 18 gliedriger Ring . . . 569
h) höher gliedrige Ringe . . . 571

III. Herstellung von Annulenen aus anderen Annulenen unter Erhaltung des Systems . . . 576
a) Bromierung . . . 576
b) Nitrierung . . . 578
c) Friedel-Crafts-Reaktion . . . 579
d) Formylierung . . . 581
e) Sulfonyloxylierung . . . 582

IV. Metall-π-Komplexe . . . 582

V. Übersichtstabelle . . . 583

B. Umwandlung . . . 598

I. Intramolekulare Ringschlußreaktionen unter teilweiser Spaltung . . . 598
a) thermisch . . . 598
b) photochemisch . . . 600

II. Additionsreaktionen 601
a) von Halogenen 601
b) Diels-Alder-Reaktion 603
III. Reduktion 603
a) mit Alkalimetallen 603
b) polarographische Reduktion 606

C. Bibliographie 607

Höhere cyclisch-konjugierte Polyolefine und Poly-en-ine mit mehr als acht Kohlenstoffatomen[1]

Die höheren cyclischen Polyolefine sind Homologe des Benzols und des Cyclooctatetraens und daher von großem theoretischen Interesse. Aufgrund von quantentheoretischen Berechnungen sagte man voraus[2], daß monocyclische Systeme mit $(4n + 2)\pi$-Elektronen im Grundzustand eine abgeschlossene Elektronenschale haben sollten und daher aromatisch sein müßten, im Gegensatz zu $(4n)\pi$-Systemen[3]. Ferner wurde darauf hingewiesen, daß in den Strukturen der höheren cyclischen Polyene, in denen die Abweichung von den normalen Bindungswinkeln ein Minimum beträgt, Wechselwirkungen der inneren Wasserstoffatome auftreten[4]. Danach sollte das erste ebene konjugierte System[4] mit für eine Synthese genügend kleiner von der Waals Wechselwirkung das *[30]Annulen* sein. Nach Berechnungen sollte mit steigender Ringgröße die durch Delokalisierung erlangte Stabilität im Vergleich mit solchen Systemen abnehmen, in denen die Bindungen alternieren. Schließlich müßten letztere begünstigt sein.

Die Synthese der höheren cyclischen Polyene stellte somit eine Herausforderung an die organischen Chemiker dar. Zuerst gelang die Herstellung von benzoannelierten Derivaten. Später konnte eine Anzahl der höheren unsubstituierten cyclischen Polyene synthetisiert werden. Das Studium ihrer Eigenschaften erlaubte es, die theoretischen Voraussagen und Betrachtungen auf ihre Richtigkeit zu prüfen.

a) Eigenschaften

Die Hückel-Regel[2] bildet die theoretische Basis, auf deren Grundlage eine Voraussage gemacht werden kann, ob ein monocyclisch konjugiertes System aromatisch ist oder nicht. Eine Anzahl von Eigenschaften sind zur Definition des Begriffs „aromatisch" herangezogen worden. Im klassischen Sinne[5] waren aromatische Verbindungen durch ihre Stabilität und ihre chemischen Eigenschaften charakterisiert. In jüngerer Zeit hat man versucht, den Begriff „aromatisch" von den physikalischen Eigenschaften des Grundzustandes eines Systems abzuleiten. Aromatische Verbin-

---

[1] We are deeply grateful to Professor Dr. F. Sondheimer for his advice and encouragement in preparing the manuscript. We are also indepted to Dr. H. J. Luthard for reading the German translation and making many helpful suggestions. We thank Professor Drs. R. A. Raphael, H. A. Staab, K. G. Untch and E. Vogel for providing unpublished experimental methods.

[2] E. Hückel, Z. Phys. **70**, 204 (1931).
E. Hückel, *Grundzüge der Theorie Ungesättigter und Aromatischer Verbindungen*, Verlag Chemie, Berlin 1938.

[3] S. a. J. I. Musher in: J. S. Waugh, *Advances in Magnetic Resonance*, Bd. 2. S. 216, Academic Press 1966.

[4] K. Mislow, J. chem. Physics **20**, 1489 (1952).

[5] E. Erlenmeyer, A. **137**, 344 (1866).

dungen sollten im Grundzustand ein delokalisiertes Elektronensystem aufweisen. Alle C—C-Bindungen sollten die gleiche Länge haben[1]. Eine aromatische Verbindung sollte diamagnetische Anisotropie zeigen[2] und einen Ringstrom im magnetischen Feld[3]. Die Bindungslängen können durch Röntgenstrukturanalyse bestimmt werden. Der Ringstrom ergibt sich aus dem NMR-Spektrum[3] oder durch direkte Messung der diamagnetischen Anisotropie[4].

$(4n + 2)\pi$-Elektronensysteme sollten eine diamagnetische Anisotropie aufweisen und daher einen diamagnetischen Ringstrom zeigen, während $(4n)\pi$-Elektronensysteme eine paramagnetische Anisotropie und somit einen paramagnetischen Ringstrom besitzen sollten[5]. Diese Effekte lassen sich leicht im NMR-Spektrum beobachten. Ein diamagnetischer Ringstrom sollte die inneren Protonen „shielded" und die äußeren „deshielded" erscheinen lassen, während ein paramagnetischer Ringstrom umgekehrt die äußeren Protonen „shielded" und die inneren „deshielded" erscheinen lassen sollte.

1. Röntgenstrukturanalyse

Eine Reihe von Annulenen und Annulen-Derivaten wurde röntgenstruktur-analytisch untersucht. *1,6-Methano-[10]annulen-2-carbonsäure* (III) besitzt einen nicht ebenen Perimeter und seine peripheren Bindungslängen liegen zwischen 1,38–1,42 Å[6]. Über die Struktur von *1,6-Epoxi-[10]annulen* s. Lit. [7]. *5,11,17-Tris-[dehydro]-⟨tribenzo-[a;e;i]-[12]annulen⟩* (IV) ist eben; die Bindungslängen sind ähnlich denen des Diphenyl-acetylens[8]. *1,8-Bis-[dehydro]-[14]annulen* (V) ist eben und zentrosymmetrisch[9]. Die Bindungslänge der leicht gebogenen C≡C-Bindungen beträgt 1,208 Å. Die restlichen Bindungen haben eine Länge zwischen 1,378–1,403 Å.

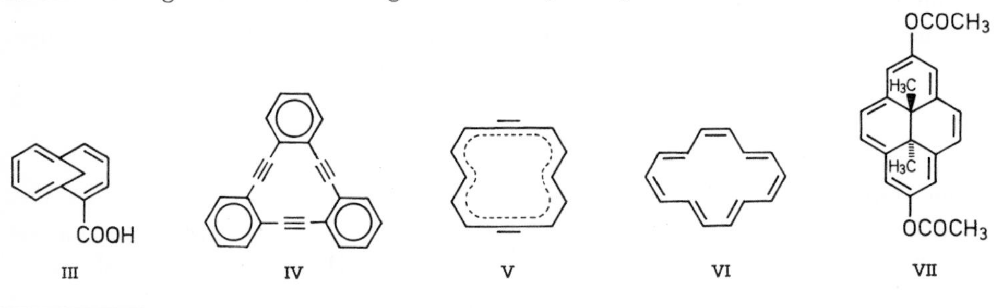

[1] S. z. B. G. W. Wheland: *Resonance in Organic Chemistry*, Kap. 4, John Wiley 1955.
[2] L. Pauling, J. Chem. Physics **4**, 673 (1936).
[3] J. A. Elvidge u. L. M. Jackman, Soc. **1961**, 859.
L. M. Jackman et al., Am. Soc. **84**, 4307 (1962).
[4] H. J. Dauben, Symposium on Aromaticity, Sheffield, England 6.–8. 7. 1966.
s. a. H. J. Dauben, J. D. Wilson u. J. L. Laity, Am. Soc. **90**, 811 (1968); **91**, 1191 (1969).
[5] J. A. Pople u. K. G. Untch, Am. Soc. **88**, 4811 (1966).
F. Baer, H. Kuhn u. W. Regel, Z. Naturf. [a] **22**, 103 (1967).
H. C. Longuet-Higgins, The Chemical Society, (London), Special Publication **21**, 109 (1967); C. A. **68**, 17132 (1968).
[6] M. Dobler u. J. D. Dunitz, Helv. **48**, 1429 (1965).
[7] N. A. Bailey u. R. H. Mason, Chem. Commun. **1967**, 1038.
[8] H. Irngartinger, L. Leiserowitz u. G. M. J. Schmidt, B. **103**, 1119 (1970).
[9] N. A. Bailey u. R. H. Mason, Proc. roy. Soc. [A] **290**, 94 (1966).

Eine vorläufige Röntgenstrukturanalyse des Hauptisomeren vom *[14]Annulen* (VI, S. 532) weist daraufhin, daß es zentrosymmetrisch ist[1]. Im *2,7-Diacetoxy-trans-15,16-dimethyl-15,16-dihydro-pyren* (VII, S. 532) variieren die Perimeter-Bindungslängen zwischen 1,386 und 1,401 Å und das Molekül ist nahezu planar[2]. Im *trans-15,16-Diäthyl-15,16-dihydro-pyren* variieren die Bindungslängen des Perimeters zwischen 1,392 und 1,400 Å; die maximale Abweichung von der Ebene ist 0,081 Å[3]. *syn-1,6;8,13-Bis-[epoxi]-[14]annulen* (VIII)[4] und *1,6;8,13-Propandiyliden-(1,3)-[14]annulen* (IX)[5] sind fast planar, zeigen dennoch kein Alternieren der Bindungen. *[16]Annulen* (X) besitzt alternierende *cis*- und *trans*-C=C-Doppelbindungen und ist ein fast ebenes Molekül[6]. Die vier inneren Wasserstoffe sind versetzt angeordnet. *[18]Annulen* (XI) ist praktisch eben, besitzt ein Symmetriezentrum und zwei Bindungstypen. Diese besitzen verschiedene Längen („*cisoid*" 1,419 ± 0,004 Å, „*transoid*" 1,382 ± 0,003Å), alternieren jedoch nicht[7]. *1,7,13-Tris-[dehydro]-[18]annulen* (XII) besitzt eine alternierende *cis-trans*-Anordnung der C=C-Doppelbindungen[8].

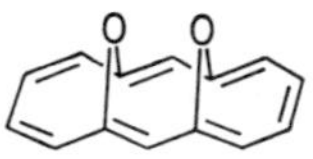

VIII 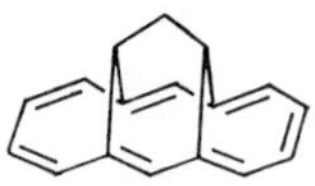 IX 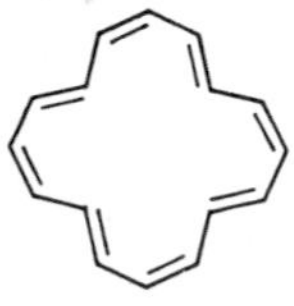 X

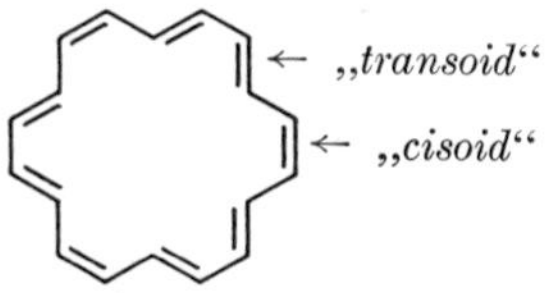

← „*transoid*"
← „*cisoid*"

XI  XII

2. Spektroskopische Eigenschaften

UV-Spektren

Die höheren Annulene besitzen charakteristische Maxima im ultravioletten und im sichtbaren Gebiet. Die kleine Anzahl an verfügbaren Systemen macht eine definierte Zuordnung schwierig. Die Wellenlänge des Hauptmaximums steigt mit steigender Ringgröße. Eine gewisse Abwechslung zwischen (4n) und (4n + 2)π-Elektro-

---

[1] J. Bregman, Nature **194**, 679 (1962).
[2] A. W. Hanson, Acta crystallogr. **18**, 599 (1965).
[3] V. Boekelheide u. T. Miyasaka, Am. Soc. **89**, 1709 (1967).
[4] P. Ganis u. J. D. Dunitz, Helv. **50**, 2369 (1967).
[5] G. Casalone, A. Gavezzotti, A. Mugnoli u. M. Simonetta, Ang. Ch. **82**, 516 (1970).
[6] S. M. Johnson u. I. C. Paul, Am. Soc. **90**, 6555 (1968).
S. M. Johnson, I. C. Paul u. S. D. King, Soc. [B] **1970**, 643.
[7] J. Bregman et al., Acta crystallogr. **19**, 227 (1965).
F. L. Hirschfeld u. D. Rabinovich, Acta crystallogr. **19**, 235 (1965).
[8] N. A. Bailey u. R. H. Mason, Proc. Chem. Soc. **1964**, 356.

nensystemen ist zu beobachten. Das Hauptmaximum der letzteren erscheint bei höheren Wellenlängen (s. Tab. 1). Ähnliche Zuordnungen können für die Dehydroannulene gemacht werden (s. Tab. 2, S. 535). Theoretische Betrachtungen dieser Spektren sind veröffentlicht worden[1].

Tab. 1. UV-Spektren von Annulenen

Annulen	λ_{Max}(nm)	ε	Literatur
[*6*][a]	184	45000	2
[*8*][b]	kein Maximum	—	3
cis-[*10*]	256	2000	4
mono-*trans*-[*10*]	257	29000	4
1,6-Methano-[*10*]	256	68000	5
1,6-Epoxi-[*10*][c]	257	74500	6,7
[*14*][d]	317	69000	8–10
[*16*][d]	284	77000	11,12
[*18*][d]	369	303000	8,9,13
[*20*][e]	322	124000	14
[*22*][c]	400	141000	15
[*24*][d]	364	201000	8,13
[*30*][f]	428	144000	13

a Heptan
b Cyclohexan
c Äthanol
d 2,2,4-Trimethyl-pentan
e Äther
f 1,3-Dioxan

---

[1] D. W. Davies, Tetrahedron Letters **1959,** No. 8, 4.
M. Gouterman u. G. Wagniere, Tetrahedron Letters **1960,** No. 11, 22; J. chem Physics **36,** 1188 (1962).
H. C. Longuet-Higgins u. L. Salem, Proc. roy. Soc. [A] **257,** 445 (1960).
H. R. Blattmann et al., Helv. **49,** 2017 (1966).
H. R. Blattmann, E. Heilbronner u. G. Wagniere, Am. Soc. **90,** 4786 (1968).
F. A. VanCatledge u. N. A. Allinger, Am. Soc. **91,** 2582 (1969).
E. A. Power u. T. Thirunamachandran, Chem. Phys. Lett. **3,** 361 (1969).
[2] J. R. Platt u. H. B. Klevens, Chem. Reviews **41,** 405 (1947).
[3] W. Reppe et al., A. **560,** 10 (1948).
[4] S. Masamune, K. Hojo, K. Hojo, G. Bigam u. D. L. Rabenstein, Am. Soc. **93,** 4966 (1971).
[5] E. Vogel u. H. D. Roth, Ang. Ch. **76,** 145 (1964).
[6] E. Vogel et al., Ang. Ch. **76,** 785 (1964).
[7] F. Sondheimer u. A. Shani, Am. Soc. **86,** 3168 (1964); **89,** 6310 (1967).
[8] F. Sondheimer, Pure Appl. Chem. **7,** 363 (1963).
[9] F. Sondheimer, Pr. roy. Soc. [A] **297,** 173 (1967).
[10] Y. Gaoni u. F. Sondheimer, Pr. chem. Soc. **1964,** 299.
[11] I. C. Calder, Y. Gaoni u. F. Sondheimer, Am. Soc. **90,** 4946 (1968).
[12] G. Schröder u. J. F. M. Oth, Tetrahedron Letters **1966,** 4083.
G. Schröder, W. Martin u. J. F. M. Oth, Ang. Ch. **79,** 861 (1967).
[13] F. Sondheimer, R. Wolovsky u. Y. Amiel, Am. Soc. **84,** 274 (1962).
[14] B. W. Metcalf u. F. Sondheimer, Am. Soc. **93,** 6675 (1971).
[15] R. M. McQuilkin, B. W. Metcalf u. F. Sondheimer, Chem. Commun. **1971,** 338.

Tab. 2. UV-Spektren von Dehydro-annulenen

Dehydro-annulen	λ_{Max}[nm][a]	ε	Literatur
1,5-Bis-[dehydro]-[12]	249	54800	1
1,5,9-Tris-[dehydro]-[12]	247	54200	1–3
Dehydro-[14]-(I)-	311	85000	4,5
Dehydro-[14]-(II)-	314	95000	4
1,7-Bis-[dehydro]-[14]	304	83000	f
1,8-Bis-[dehydro]-[14]	310	210000	4,5
1,5,9-Tris-[dehydro]-[14][b]	305	137000	6
1,3-Bis-[dehydro-[16]	281	55500	7
1,9-Bis-[dehydro]-[16]	283	54000	4,7
1,3,9-Tris-[dehydro]-[16]	290	51500	7
1,7,13-Tris-[dehydro]-[18]-I-	335	190000	4,8
1,7,13-Tris-[dehydro]-[18]-II-	331	166000	4,8
1,3,7,13-Tetrakis-[dehydro]-[18]	327	99000	4,8
1,3,7,9,13,15-Hexakis-[dehydro]-[18]	333	75800	9
Dehydro-[20]	322	124000	10
1,9-Bis-[dehydro]-[20]	319	109000	11
Dehydro-[22][c]	372	132000	12
1,7,13,19-Tetrakis-[dehydro]-[24][c]	340	225000	13
1,3,7,9,13,15,19,21-Octakis-[dehydro]-[24][c,d]	352	45100	14
Dehydro-[26][c]	386	152000	15
Tris-[dehydro]-[26][c]	383	119000	16
Bis-[dehydro]-[28]	373	177000	f
Tris-[dehydro]-[30]	397	114000	11
Pentakis-[dehydro]-[30][e]	389	141000	13

a Alle nicht weiter gekennzeichneten Verbindungen wurden in 2,2,4-Trimethyl-pentan vermessen.
b Pentan
c Äther
d Weitere Absorptionen: 243 nm (ε = 50600), 248 nm (50400).
e 1,3-Dioxan
f = Y. GAONI u. F. SONDHEIMER, unveröffentlicht.

---

[1] R. WOLOVSKY u. F. SONDHEIMER, Am. Soc. **87**, 5720 (1965).
[2] K. G. UNTCH u. D. C. WYSOCKI, Am. Soc. **88**, 2608 (1966).
[3] F. SONDHEIMER et al. Am. Soc. **88**, 2610 (1966).
[4] F. SONDHEIMER, Pr. roy. Soc. [A] **297**, 173 (1967).
[5] F. SONDHEIMER u. Y. GAONI, Am. Soc. **82**, 5765 (1960).
[6] J. H. MAYER u. F. SONDHEIMER, Am. Soc. **88**, 602 (1966).
[7] I. C. CALDER, Y. GAONI u. F. SONDHEIMER, Am. Soc., **90**, 4946 (1968).
[8] R. WOLOVSKY, Am. Soc. **87**, 3638 (1965).
[9] W. H. OKAMURA u. F. SONDHEIMER, Am. Soc. **89**, 5991 (1967).
[10] B. W. METCALF u. F. SONDHEIMER, Am. Soc. **93**, 6675 (1971).
[11] F. SONDHEIMER u. Y. GAONI, Am. Soc. **84**, 3520 (1962).
[12] R. M. MCQUILKIN u. F. SONDHEIMER, Am. Soc. **92**, 6341 (1970).
[13] F. SONDHEIMER u. R. WOLOVSKY, Am. Soc. **84**, 260 (1962).
[14] R. M. MCQUILKIN, P. J. GARRATT u. F. SONDHEIMER, Am. Soc. **92**, 6682 (1970).
[15] B. W. METCALF u. F. SONDHEIMER, Am. Soc. **93**, 5271 (1971).
[16] C. C. LEZNOFF u. F. SONDHEIMER, Am. Soc. **89**, 4247 (1967).

β) NMR-Spektren

Die NMR-Spektren der Annulene und der Dehydroannulene sind als Hauptkriterium dafür benutzt worden, ob diese Verbindungen aromatisch sind oder nicht. Wie erwartet zeigen die (4n + 2)π-Elektronen-Systeme, in denen ein diamagnetischer Ringstrom induziert werden kann, Spektren, in denen die äußeren Protonen „deshielded" sind, die inneren dagegen „shielded". Anfänglich hatte man erwartet, daß (4n)π-Elektronen-Systeme dem Cyclooctatetraen gleichen und Absorptionen ähnlich wie Olefine zeigen würden. Es zeigte sich jedoch, daß diese Verbindungen ein „antiaromatisches" Spektrum zeigen, in denen die äußeren Protonen „shielded", die inneren Protonen „deshielded" sind[1–4]. Theoretische Betrachtungen dazu vgl. Lit.[5], sowie die ausführliche Übersicht[6].

Tab. 3. Temperaturabhängigkeit der NMR-Spektren von Annulenen

Annulen	Tempera′tur [°C]	NMR (τ)	Temperatur [°C]	NMR (τ)	Literatur
cis-[10][a]	— 40	4,43	— 160	4,43	7
mono-trans-[10][b]	— 40	4,14	— 100	3,96; 4,34	7
[12][c]	— 80,2	3,12 (6 H), 4,03 (6 H)	— 170	2,17 (3 H); 4,12 (9 H)	8–10
[14]-I[d]-	30	4,42	— 70	2,4 (10 H); 10,0 (4 H)	1,11,12
[14]-II[d]-	25	3,91	— 155	3,18 (11 H); ~ 6,45 (3 H)	10
[16][e]	30	3,29	— 110	—0,43 (4 H); 4,6 (12 H)	3
[18][a]	110	4,55	— 70	0,72 (12 H); 12,99 (6 H)	1,11,12
[20][a]	30	2,82	— 105	— 3,09 bis — 0,9 (7 H) 3,4–5,9 (13 H)	13
[22][a]	65	4,35	— 90	0,35–0,7 (14 H) 10,4–11,2 (8 H)	14
[24][a]	30	2,75	— 80	— 2,9 bis — 1,2 (~ 9 H) 5,27 (~ 15 H)	4

a THF-d_8
b 3-Methyl-pentan-d_{14}
c 50% THF-d_8/50% $(CD_3)_2O$
d $CDCl_3$
e 50% CS_2, 50% CD_2Cl_2

[1] F. Sondheimer et al., Spec. Public. Chem. Soc. (London) **21**, 75 (1967).
[2] K. G. Untch u. D. C. Wysocki, Am. Soc. **88**, 2608 (1966).
[3] G. Schröder u. J. F. M. Oth, Tetrahedron Letters **1966**, 4083.
[4] I. C. Calder u. F. Sondheimer, Chem. Commun. **1966**, 904.
[5] J. A. Pople u. K. G. Untch, Am. Soc. **88**, 4811 (1966).
F. Baer, H. Kuhn u. W. Regel, Z. Naturf. [a] **22**, 103 (1967).
H. C. Longuet-Higgins, The Chemical Society, (London), Special Publication **21**, 109 (1967); C. A. **68**, 17 132 (1968).
[6] R. C. Haddon, V. R. Haddon u. L. M. Jackman, Fortschr. Chem. Forsch. **16**, 103 (1971).
[7] S. Masamune, K. Hojo, K. Hojo, G. Bigam u. D. L. Rabenstein, Am. Soc. **93**, 4966 (1971).
[8] J. F. M. Oth, H. Röttele u. G. Schröder. Tetrahedron Letters **1970**, 61.
[9] J. F. M. Oth, J. M. Gilles u. G. Schröder, Tetrahedron Letters **1970**, 67.
[10] J. F. M. Oth in G. Chiurdoglu, *Conformational Analysis*, IUPAC, S. 573, Butterworth, London 1971.
[11] F. Sondheimer, Pr. roy. Soc. [A] **297**, 173 (1967).
[12] Y. Gaoni et al., Proc. chem. Soc. **1964**, 397.
[13] B. W. Metcalf u. F. Sondheimer, Am. Soc. **93**, 6675 (1971).
[14] R. M. McQuilkin, B. W. Metcalf u. F. Sondheimer, Chem. Commun. **1971**, 338.

Wie man der Tab. 3 (S. 536) entnehmen kann, sind die beobachteten Spektren der Annulene temperaturabhängig. Bei höheren Temperaturen wird ein einzelnes Protonensignal beobachtet. Beim Abkühlen tritt Aufspaltung in zwei Signalgruppen ein, die den inneren und den äußeren Protonen entsprechen. Die Temperaturabhängigkeit der Spektren wird durch den Austausch zwischen inneren und äußeren Protonen hervorgerufen. Dieser wird beim Abkühlen verlangsamt.

Beim *[18]Annulen* können die Signale für die inneren und die äußeren Protonen bei Zimmertemperatur beobachtet werden. In anderen Fällen ist die Mobilität des Systems zu groß und getrennte Signalgruppen können nur bei tieferen Temperaturen beobachtet werden. Die Energiebarriere für den Übergang eines inneren in ein äußeres Proton ist relativ klein. Sie variiert zwischen 13,4 kcal Mol^{-1} für *[18]Annulen* und 8,6 kcal Mol^{-1} für *[16]Annulen*[1].

Die Dehydro-annulene mit 14- und 18-gliedrigem Ring zeigen bei Zimmertemperatur getrennte Signale für die inneren und die äußeren Protonen. Eine Koaleszenz beider Signalgruppen konnte selbst bei höheren Temperaturen nicht beobachtet werden (s. Tab. 4, S. 538/539). Die NMR-Spektren des *Tris-[dehydro]-[26]annulen* (I), des *Tris-[dehydro]-[30]annulen* (II) und des *Pentakis-[dehydro]-[30]annulen* (III) lassen keine getrennten Signale für die inneren und äußeren Protonen erkennen. Sie entsprechen mehr den Spektren linearer Polyenine und werden auch bei $-60°$ nicht verändert. Eine Anzahl von Dehydro-annulenen der 4n-Reihe hat temperaturabhängige NMR-Spektren[2] (s. Tab. 4, S. 538/539). Die Energiebarriere für den Übergang eines inneren in ein äußeres Proton ist von ähnlicher Größenordnung wie bei den Annulenen[1]. Es scheint daher, daß in den höheren cyclischen Polyeninen die Bindungen alternieren[3]. Die Ringgröße in der das Alternieren der Bindungen gegenüber der Delokalisierung begünstigt wird, liegt zwischen dem 22- und dem 30-gliedrigen Ring, in guter Übereinstimmung mit der Voraussage[4].

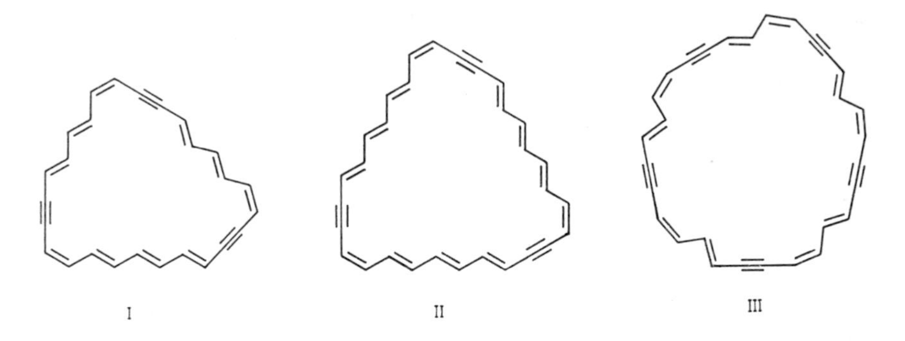

Die benzoannelierten Annulene zeigen normalerweise ein NMR-Spektrum, das dem des benzoiden Systems, von dem sie sich ableiten, ähnlich ist. Im Falle der

---

[1] I. C. Calder u. P. J. Garratt, Soc. [B] **1967**, 660.
Komplizierte Berechnungen auf der Grundlage der „line shape analysis" ergeben praktisch den gleichen Wert; J. F. M. Oth in G. Chiurdoglu *Conformational Analysis*, IUPAC, S. 573, Butterworth, London 1971.

[2] F. Sondheimer et al., Spec. Public Chem. Soc. (London) **21**, 75, (1967).

[3] H. C. Longuet-Higgins u. L. Salem, Pr. roy. Soc. [A] **251**, 172 (1959).

[4] M. J. S. Dewar u. G. J. Gleicher, Am. Soc. **87**, 685 (1965).
s. a. M. J. S. Dewar u. C. de Llano, Am. Soc. **91**, 789 (1969).

Tab. 4. NMR-Spektren von Dehydro-annulenen

Dehydro-annulen	NMR (τ) bei ~ −80°	NMR (τ) bei ~ 35°	NMR (τ) bei ~ 100°	Literatur
1,5-Bis-[dehydro]-[12][a]	−1,55 (2H); 4,82 (2H) 5,24 (2H); 5,69 (2H)	−1,18 (2H); 4,84 (2H) 5,32 (2H); 5,73 (2H)		1
1,5,9-Tris-[dehydro]-[12][b]	*	5,58		1,2,3
Dehydro-[14]-(I)-	1,17 bis 2,40 (10 H)** 10,92 (2H)	1,5–2,7 (10H); 10,7 (2H)	1,4–2,8 (10H)[e] 10,2–10,6 (2H)[e]	1,2
Dehydro-[14]-(II)[c]-		1,6–2,6 (10 H); 10,6 (2H)		1,2
1,7-Bis-[dehydro]-[14][b]		1,4–2,7 (8H); 10,7 (2H)		1,2
1,8-Bis-[dehydro]-[14][c]		0,36 (4H); 1,46 (4H); 15,48 (2H)		1,2
1,5,9-Tris-[dehydro]-[14][b]		0,53–1,92 (7H); 14,96 (1H)		1
1,3-Bis-[dehydro]-[16][a]	Verschmelzen der Banden bei niedrigem Feld	−3,05 (1H); −0,50 (2H) 1,85 (2H); 4,2–5,3 (5H); 5,50 (2H)		4
1,9-Bis-[dehydro]-[16][a]	0,2 (2H); 3,92 (6H); 4,55 (4H)	2,12 (4H); 4,12 (4H); 4,73 (4H)		1
1,3,9-Tris-[dehydro]-[16][a]	−3,60 (0,4H); −3,05 (0,4H); −2,00 (0,6H); 1,10 (0,6H); 2,40 (0,6H); 3,5–5,6 (7,5H)	0,8 (2H); 1,5 (1H); 2,65 (1H); 3,8–4,7 (3H) 5,0–5,4 (3H)		4
1,7,13-Tris-[dehydro]-[18]-I[b]		1,9–3,0 (9H); 8,26 (3H)		1,5
1,7,13-Tris-[dehydro]-[18]-II[b]		1,7–3,1 (9H); 8,17 (2H); 8,28 (1H)		1,5
1,3,7,13-Tetrakis-[dehydro]-[18][b]		1,8–3,4 (8H); 7,6–7,8 (2H)		1,5
1,3,7,9,13,15-Hexakis-[dehydro]-[18][b]	*	2,98		6
Dehydro-[20][f]	−3,3 bis −0,1 (5 H) 4,0–5,7 (13 H)			7

* Keine charakteristische Veränderung beim Abkühlen
** Gemessen bei −60°

a $(CD_3)_2CO$
b CCl_4
c $CDCl_3$
d $(CD_2)_4O$
e $C_6D_5CD_3$
f THF-d_8

[1] F. SONDHEIMER et al., Spec. Public. Chem. Soc. (London) **21**, 75 (1967).
[2] F. SONDHEIMER, Pr. roy. Soc. [A] **297**, 173 (1967).
[3] K. G. UNTCH u. D. C. WYSOCKI, Am. Soc. **88**, 2608 (1966).
[4] I. C. CALDER et al., Am. Soc., **90**, **4954** (1968).
[5] R. WOLOVSKY, Am. Soc. **87**, **3638** (1965).
[6] W. H. OKAMURA u. F. SONDHEIMER, Am. Soc. **89**, 5991 (1967).
[7] B. W. METCALF u. F. SONDHEIMER, Am. Soc. **93**, 6675 (1971).

Tab. 4 (Fortsetzung)

Dehydro-annulen	NMR (τ) bei ~ −80°	NMR (τ) bei ~35°	NMR (τ) bei ~100°	Literatur
1,11-Bis[dehydro]-[20][a]	−1,6(2H); −0,45(2H); 4,40(8H); 4,93(4H)	1,60 (4H); 2,55(4H) 4,32(4H); 4,91(4H)		1
Dehydro-[22][b]	*	1,55–3,75 (13 H) 6,55–9,30 (7 H)		2
1,7,13,19-Tetrakis-[dehydro]-[24][c]	*	1,60(4H); 4,40–5,02 (12H)	1,9(4H); 4,1–4,9 (12H)	1
1,3,7,9,13,15,19,21-Octakis-[dehydro]-[24][d]		3,85		3
Dehydro-[26][b]	2,1–3,8 (15 H); 5,2–6,0 (9 H)	***		4
Tris-[dehydro]-[26][a,e]	*	~ 2,0–4,5		5
Tris-[dehydro]-[30][a]	*	~ 2,5–4,5		1**
Pentakis-[dehydro]-[30][a]	*	~ 2,5–4,5		1**

* Keine charakteristische Veränderung beim Abkühlen
** F. SONDHEIMER, unveröffentlicht
*** Spektrum ist ähnlich dem bei niedrigerer Temp., jedoch weniger gut aufgelöst.

a $CDCl_3$
b CD_2Cl_2
c $C_6D_5CD_3$
d THF-d_8
e $(CD_3)_2CO$

überbrückten *[10]* und *[14]Annulene* mit protonentragender Brücke erscheinen die Brückenprotonen bei sehr hohem Feld (s. Tab. 5, S. 540). Im *trans-15,16-Diäthyl-15,16-dihydro-pyren* ist das Signal der Methylen-Gruppe bei höherem Feld als das der Methyl-Gruppe. Dies zeigt, daß die Methylen-Gruppe einem stärkeren Einfluß des Ringstroms unterliegt[6]. Durch Variieren der 15,16-Substituenten sollte es möglich sein, eine Karte des magnetischen Feldes im Inneren des Ringes anzulegen.

Sonstige Eigenschaften

Messungen der Molekülsuszeptibilität wurden am *1,8-Bis-[dehydro]-[14]annulen* (I, S. 541) durchgeführt. Der daraus erhaltene Wert für die diamagnetische Anisotro-

[1] F. SONDHEIMER et al., Spec. Public. Chem. Soc. (London) **21**, 75 (1967).
[2] R. M. MCQUILKIN u. F. SONDHEIMER, Am. Soc. **92**, 6341 (1970).
[3] R. M. MCQUILKIN, P. J. GARRATT u. F. SONDHEIMER, Am. Soc. **92**, 6682 (1970).
[4] B. W. METCALF u. F. SONDHEIMER, Am. Soc. **93**, 5271 (1971).
[5] C. C. LEZNOFF u. F. SONDHEIMER, Am. Soc. **89**, 4247 (1967).
[6] V. BOEKELHEIDE u. T. MIYASAKA, Am. Soc. **89**, 1709 (1967).

Tab. 5. NMR-Spektren von überbrückten Annulenen

Annulen	NMR (τ)	Literatur
1,6-Methano-[10][a]	2,73 (4H); 3,05 (4H); 10,52 (2H)	1
1,6-Epoxi-[10][a]	2,54 (4H); 2,74 (4H)	1
1,6-Imino-[10][a]	2,8 (8H); 11,1 (1H)	2,3
Cyclo[3.2.2]azin	2,1–2,8 (7H)	4
Cyclo[3.3.3]azin[b]	6,35 (3H); 7,93 (6H)	5
13,14-Dihydro-13,14-diaza-pyracyclen	3,18 (2H); 3,68 (4H); 6,72 (4H)	6
trans-15,16-Dihydro-pyren[c]	1,42 (4H); 1,50 (4H); 1,98–2,11 (2H); 15,49 (2H)	7
trans-15,16-Dimethyl-15,16-dihydro-pyren[d]	1,33 (6H); 1,43 (2H); 1,77–2,02 (2H); 14,25 (6H)	8
trans-15,16-Diäthyl-15,16-dihydro-pyren[d]	1,33 (4H); 1,36 (4H); 2,05 (2H); 11,85 (6H); 13,96 (4H)	9
cis-15,16-Dimethyl-15,16-dihydro-pyren[d]	1,26 (4H); 1,76 (4H); 2,50 (2H); 12,06 (2H)	10
syn-1,6; 8,13-Bis-[epoxi]-[14][d]	2,06(2H); 2,25 (4H); 2,40 (4H)	11
syn-8,13-Epoxi-1,6-methano-[14][d]	2,25 (2H); 2,2–2,7 (8H); 9,08 (1H); 11,40 (1H)	12
1,6; 8,13-Propandiyliden-(1,3)-[14][d]	2,12 (2H); 2,26–2,45 (8H); 10,61 (2H); 11,16 (2H)	13
1,6; 8,13-Butandiyliden-(1,4)-[14][a]	2,14 (2H); 2,43–2,88 (8H); 9,48 (4H); 10,96 (2H)	14
anti-1,6; 8,13-Bis-[methano]-[14][d]	3,67 (2H); 3,8 (8 H); 7,52; 8,12 (4H)*	15
1,4; 7,10; 13,16-Tris-[epoxi]-[18][a]	1,32 (6H); 1,34 (6H)	16

* Aufgenommen bei 30°; Spektrum ist temp.-abhängig.

a CCl_4 c Cyclohexan
b $[(CH_3)_3Si]_2O$ d $CDCl_3$

[1] H. Gunther, Z. Naturf. [b] **20,** 948 (1965).
[2] E. Vogel, Spec. Public. Chem. Soc. (London) **21,** 113 (1967).
[3] E. Vogel, W. P. Pretzer u. W. A. Böll, Tetrahedron Letters **1965,** 3613.
[4] V. Boekelheide, F. Gerson, E. Heilbronner u. D. Menche, Helv. **46,** 1951 (1963).
[5] D. Farquhar u. D. Leaver, Chem. Commun. **1969,** 24.
[6] W. W. Paudler u. E. A. Stephan, Am. Soc. **92,** 4468 (1970).
[7] R. H. Mitchell u. V. Boekelheide, Am. Soc. **92,** 3510 (1970).
[8] V. Boekelheide u. J. B. Phillips, Am. Soc. **85,** 1545 (1963); **89,** 1695 (1967); Pr. Nation. Acad. USA **51,** 550 (1964).
[9] V. Boekelheide u. T. Miyasaka, Am. Soc. **89,** 1709 (1967).
[10] R. H. Mitchell u. V. Boekelheide, Chem. Commun. **1970,** 1555.
[11] E. Vogel et al., Ang. Ch. **78,** 755 (1966).
[12] E. Vogel, N. Haberland u. J. Ick, Ang. Ch. **82,** 514 (1970).
[13] E. Vogel, A. Vogel, H.-K. Kübbeler u. W. Sturm, Ang. Ch. **82,** 512 (1970).
[14] E. Vogel, W. Sturm u. H. D. Cremer, Ang. Ch. **82,** 513 (1970).
[15] E. Vogel, U. Haberland u. H. Günther, Ang. Ch. **82,** 510 (1970).
[16] G. M. Badger, J. A. Elix, G. E. Lewis, U. P. Singh u. T. M. Spotswood, Chem. Commun. **1965,** 269.

Tab. 5. (Fortsetzung)

Annulen	NMR (τ)	Literatur
1,4-Epoxi-7,10; 13,16-bis-[epithio]-[18][a]	2,90 (2H); 3,14–3,33 (4H); 3,26 (2H); 3,14–3,58 (4H)	1
1,4; 7,10-Bis-[epoxi]-13,16-epithio-[18]	1,15 (2H); 1,0–1,72 (4H); 1,64 (2H); 1,61–1,71 (4H)	2
1,4-Epiimino-7,10; 13,16-bis-[epithio]-[18][b]	1,77 (1H); 3,00 (2H); 3,30 (4H); 3,42–3,45 (4H); 3,56–3,60 (2H)	3
1,4; 7,10; 13,16; 19,22-Tetrakis-[epoxi]-[24][b]		
Isomer I	1,3–1,4 (4H); 4,1–5,2 (12H)	4
Isomer II	1,3–1,4 (3H); 4,1–5,2 (13H)	4
1,4; 7,10; 13,16; 19,22; 25,28-Pentakis-[epoxi]-[30][b]		
Isomer I	3,38 (3H); 3,44 (3H); 3,48 (3H); 3,59 (3H); 3,64 (2H); 3,74, 3,96 (2H); 4,95 (4H)	4
Isomer II	3,32 (4H); 3,37 (2H); 3,42 (4H); 3,60–4,02 (10H)	4
1,4; 7,10; 13,16; 19,22; 25,28; 31,34-Hexakis-[epoxi]-[36]	2,40–4,20	4

a $CDCl_3$ b CCl_4

pie ist in guter Übereinstimmung mit dem berechneten[5]. Die perpendikulare diamagnetische Anisotropie des *15,16-Dimethyl-15,16-dihydro-pyrens*(II) wurde ebenfalls gemessen und man fand einen relativ großen Wert in Übereinstimmung mit der Tatsache, daß II ein delokalisiertes peripheres π-Elektronensystem besitzt[6].

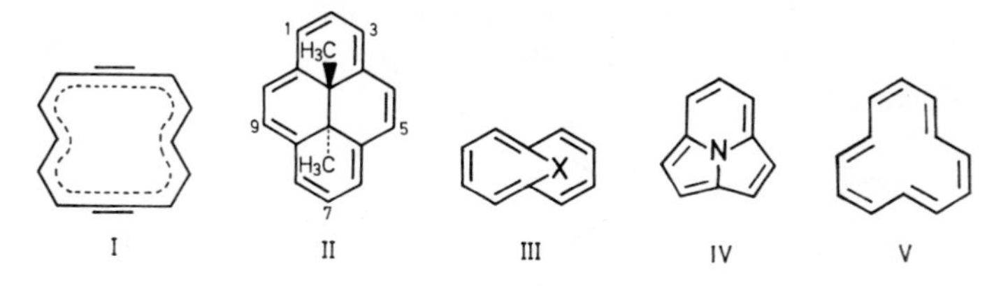

Die ESR-Spektren der Radikal-Anionen des *1,6-Methano-[10]*(III; X = CH_2)[7], *1,6-Epoxi-[10]* (III; X = O)[7] bzw. *1,6-Epiimino-[10]annulens* (III; X = NH)[8] sowie ihrer deuterierten Derivate wurden untersucht[7]. Die beobachteten Spin-

[1] G. M. Badger, G. E. Lewis u. U. P. Singh, Austral. J. Chem. **19**, 257 (1966).
[2] G. M. Badger, G. E. Lewis u. U. P. Singh, Austral. J. Chem. **19**, 1461 (1966).
[3] G. M. Badger, G. E. Lewis u. U. P. Singh, Austral. J. Chem. **20**, 1635 (1967).
[4] J. A. Elix, Austral. J. Chem. **22**, 1951 (1969).
[5] N. A. Bailey, M. Gerloch u. R. Mason, Mol. Phys. **10**, 327 (1966).
[6] H. J. Dauben, J. D. Wilson u. J. L. Laity, Am. Soc. **90**, 811 (1968); **91**, 1991 (1969).
[7] F. Gerson et al., Helv. **48**, 1494 (1965).
[8] F. Gerson, J. Heinzer u. E. Vogel, Helv. **53**, 95 (1970).

dichten sind in guter Übereinstimmung mit den vorausgesagten, die man mittels einer HMO-Berechnung unter Berücksichtigung des Effekts der Brücke auf das Elektronensystem erhielt. Das Radikal-Anion des *Cyclo[3.2.2]azins* (IV, S. 541) (hergestellt durch Reduktion mit Alkalimetall in Diglyme) besitzt eine Elektronenverteilung wie das Modell eines [10]Annulens[1]. Nach der gleichen Methode werden die Radikal-Anionen vom *[12]Annulen*[2] (V, S. 541) *1,5-Bis-*[*dehydro*]-[*12*]*annulen* (VI)[3] und *1,5,9-Tris-*[*dehydro*]-[*12*]*annulen* (VII)[3] hergestellt.

VI  VII 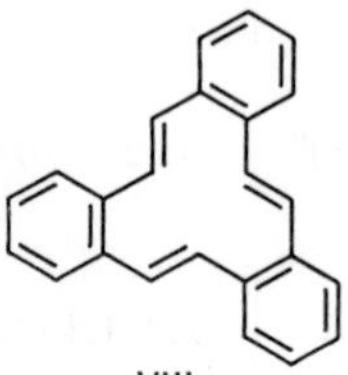 VIII 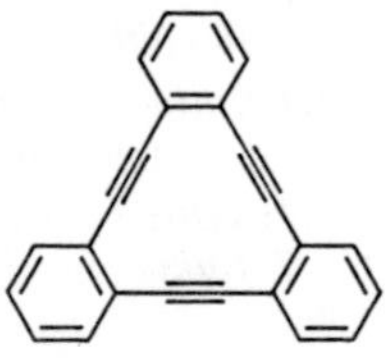 IX

Die Radikal-Anionen des *Tribenzo-*[*a;e:i*]-[*12*]*annulens* (VIII) und des *5,11,17-Tris-*[*dehydro*]-⟨*tribenzo-*[*a;e;i*]-[*12*]*annulens*⟩ (IX) wurden hergestellt und ihr ESR-Spektrum aufgenommen[4]. Die mit Hilfe der HMO-Methode berechneten Spindichten stimmen mit den beobachteten nicht überein. Die Ursache dafür ist möglicherweise in der Vernachlässigung der Dreifachbindung in IX und der nicht ebenen Struktur von VIII bei der Berechnung zu suchen.

Beim Radikal-Anion des *1,8-Bis-*[*dehydro*]-[*14*]*annulens* (I; S. 541) besteht eine relativ gute Übereinstimmung zwischen beobachteten und nach der HMO-Methode berechneten Spindichten. SCF-Berechnungen lieferten keine Übereinstimmung mit den beobachteten Werten[5]. Die ESR-Spektren des Radikal-Kations und -Anions des *trans-15,16-Dimethyl-15,16-dihydro-pyren* (II; S. 541) sind in guter Übereinstimmung mit den auf Grund von MO-Berechnungen erhaltenen Werten. Die Berechnungen basierten auf der Voraussetzung eines delokalisierten peripheren 14π-Systems. Die zentrale „Butan"-Gruppe wirkt als Elektronendonor im Radialkation und als Elektronenacceptor im Anion[6].

Das Radikal-Anion vom *syn-1,6;8,13-Bis-*[*epoxi*]-[*14*]*annulen* (X) zeigt die zu erwartende Elektronenverteilung, unter der Annahme, daß die Brückensauerstoffe elektronen-abstoßend wirken[7]. Die ESR-Spektren der Radikal-Anionen vom [*18*] *Annulen* (XI)[8] und vom *1,4;7,16;13,16-Tris-*[*epithio*]-[*18*]*annulen* (XII)[9] wurden erhalten und diskutiert[10].

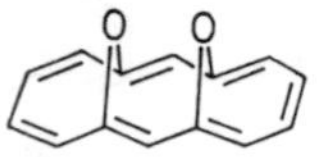

X 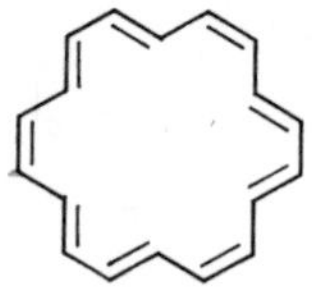 XI 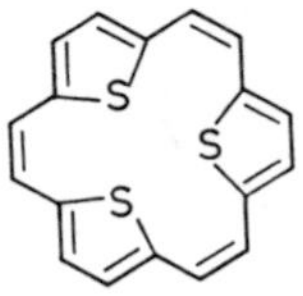 XII

[1] F. Gerson u. J. D. W. van Voorst, Helv. **46**, 2257 (1963).
[2] J. F. M. Oth u. G. Schröder, Soc. [B] **1971**, 904.
[3] P. J. Garratt, N. E. Rowland u. F. Sondheimer, Tetrahedron **27**, 3151 (1971).
[4] H. Brunner et al., Tetrahedron Letters **1966**, 2775.
[5] N. M. Atherton, R. Mason u. R. J. Wratten, Mol. Phys. **11**, 525 (1966).
[6] F. Gerson, E. Heilbronner u. V. Boekelheide, Helv. **47**, 1123 (1964).
[7] F. Gerson, J. Heinzer u. E. Vogel, Helv. **53**, 103 (1970).
[8] J. F. M. Oth, E. P. Woo, P. J. Garratt u. F. Sondheimer, unveröffentlicht.
[9] F. Gerson u. J. Heinzer, Helv. **51**, 366 (1968).
[10] F. Gerson u. F. H. Hammons in J. P. Snyder, *Nonbenzoid Aromatics*, Vol. 2, S. 81, Academic Press, New York 1971.

Ferner wurde die Exaltation der diamagnetischen Suszeptibilität als ein Kriterium für die Aromatizität der Annulene herangezogen[1,2]. Während *1,6-Methano-[10]* (III; X = CH_2) bzw. *1,6-Epoxi-[10]annulen* (III; X = O) und *trans-15,16-Dimethyl-15,16-dihydro-pyren* (II, S. 541) nach dieser Methode sich wie aromatische Verbindungen verhalten zeigt das *[16]Annulen* keinen aromatischen Charakter.

Die Bildungsenthalpien von *1,6-Methano-[10]* (III; X = CH_2), *1,6-Epoxi-[10]* (III; X = O) und *1,6-Epiimino-[10]annulen* (III; X = NH, S. 541) wurden durch Verbrennungscalorimetrie bestimmt[3]. Die ursprünglich angegebenen Werte für *[18]Annulen* (XI, S. 542)[4] sind vermutlich falsch[5].

Über weitere theoretische Abhandlungen s. Lit.[6]. Es sollte nicht unerwähnt bleiben, das zahlreiche der beschriebenen verbrückten Annulene keine makrocyclischen Systeme sind, während, wie zu erwarten, die höheren Homologen des Benzols und Cyclobutadiens die Eigenschaften makrocyclischer Systeme zeigen.

b) Nomenklatur

Im folgenden wird die von F. Sondheimer und R. Wolovsky[7] eingeführte Nomenklatur benutzt. Danach werden vollkonjugierte monocyclische Polyene als Annulene bezeichnet. Die Zahl vor „Annulen" bezeichnet die Ringgröße. Cyclische voll-konjugierte Poly-en-ine sind demnach Dehydroannulene. Die Bezeichnungen mono-, bis-, tris- usw. geben die Anzahl der Dreifachbindungen und eine nachgestellte Ziffer in Klammern ihre Position im Ring an: Cyclooctadecanonaen-(1,3,5,7,9,11,13,

---

1 H. J. Dauben, J. D. Wilson u. J. L. Laity, Am. Soc. **90**, 811 (1968); **91**, 1991 (1969).

2 H. J. Dauben, J. D. Wilson u. J. L. Laity in J. P. Snyder *Nonbenzenoid Aromaties*, Vol. 2, S. 167, Academic Press, New York 1971.

3 W. Bremser, R. Hagen, E. Heilbronner u. E. Vogel, Helv. **52**, 418 (1969).

4 A. E. Beezer, C. T. Mortimer, H. D. Springall, F. Sondheimer u. R. Wolovsky, Soc. **1965**, 216.

5 J. M. Gilles, J. F. M. Oth, F. Sondheimer u. E. P. Woo, Soc. [B] **1971**, 2177.

6 Für weiterführende Literatur siehe:
M. J. S. Dewar u. C. de Llano, Am. Soc. **91**, 789 (1969).
T. M. Krygowski, Tetrahedron Letters **1970**, 1311.
D. B. Chang u. J. E. Drummond, J. Chem. Phys. **52**, 4533 (1970).
B. A. Hess u. L. J. Schaad, Am. Soc. **93**, 305 (1971).

7 F. Sondheimer u. R. Wolovsky, Am. Soc. **84**, 260 (1962).
J. F. M. Oth schlägt folgenden Schlüssel zur Kennzeichnung der Konfiguration der Annulene vor[8]. Die Zahl 0 wird der *cis*-C=C-Doppelbindung und die Ziffer 1 der *trans*-C=C-Doppelbindung zugeordnet. Die Zahlen werden alsdann so addiert, daß sie die niedrigste binäre Ziffer ergeben, die dann in die zugehörige Dezimalziffer übertragen wird. So ergibt z. B. das *[18]Annulen* (I, S. 544) die Anordnung

C T T C T T C T T

0 1 1 0 1 1 0 1 1

mit der Dezimal-Ziffer 219. Damit wird das Annulen I (S. 544) als *[18]-219-Annulen* eindeutig beschrieben.

8 J. F. M. Oth in G. Chiurdoglu *Conformational Analysis*, IUPAC, S. 1919 Butterworth, London 1971.

15,17) (I) ist somit das *[18]Annulen* und entsprechend Cyclohexadecahexaen-(3,5,7, 11,13,15)-diin-(1,9)(II) das *1,9-Bis-[dehydro]-[16]annulen*:

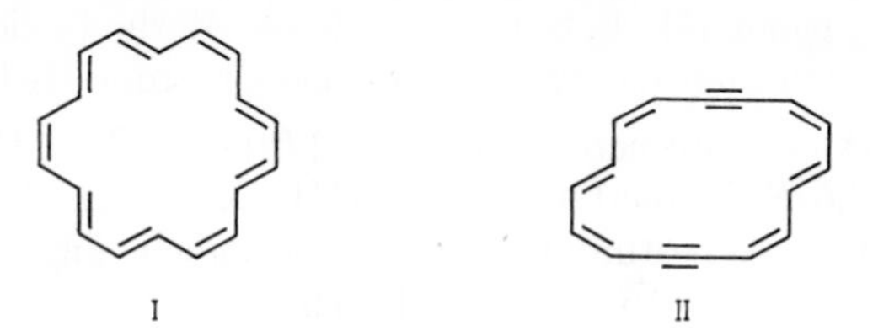

I II

A. Herstellung

I. Allgemeine Herstellungsmethoden von Annulenen, Dehydro-annulenen bzw. überbrückten Annulenen

Die allgemeinste Methode zur Herstellung von Annulenen und Dehydro-annulenen ist die Methode nach Sondheimer[1–3]. Sie durchläuft die folgenden drei Stufen:

① Oxidative Verknüpfung von α,ω-Diacetylenen zu cyclischen Verbindungen, die die 1,3-Diacetylen-Gruppierung enthalten.

② Basenkatalysierte Umlagerung der cyclischen Polyacetylene zu den entsprechenden Dehydro-annulenen.

③ Partielle katalytische Hydrierung der Dehydro-annulene zu den entsprechenden Annulenen.

Auch die Norcaradien-Cycloheptatrien-Valenztautomerie wird zur Synthese von überbrückten [10]Annulenen herangezogen[4,5]. Dieser elegante Weg wurde zur Herstellung einer Vielzahl überbrückter [10]Annulene[5–9], sowie doppelt überbrückter [14]Annulene[10] ausgebaut.

Neben diesen zwei recht allgemein anwendbaren Herstellungsprinzipien existieren eine Reihe anderer mehr spezifischer Methoden zur Synthese einzelner Annulene. Da ihre Anwendung meist auf einzelne Verbindungen beschränkt ist, werden sie in diesem Abschnitt nur kurz aufgezählt. Ihre ausführliche Besprechung erfolgt bei den einzelnen Annulenen (s. S. 550).

---

[1] F. Sondheimer, Pure Appl. Chem. **7**, 363 (1963).
[2] F. Sondheimer, Pr. roy. Soc. [A] **297**, 173 (1967).
[3] F. Sondheimer et al., Spec. Public. Chem. Soc. (London) **21**, 75 (1967).
[4] E. Vogel u. H. D. Roth, Ang. Ch. **76**, 145 (1964).
[5] E. Vogel, Spec. Public. Chem. Soc. (London) **21**, 113 (1967).
[6] E. Vogel u. W. A. Böll, Ang. Ch. **76**, 784 (1964).
[7] E. Vogel et al., Ang. Ch. **76**, 785 (1964).
[8] E. Vogel, W. P. Pretzer u. W. A. Böll, Tetrahedron Letters **1965**, 3613.
[9] E. Vogel, W. Schröck u. W. A. Böll, Ang. Ch. **78**, 753 (1966).
E. Vogel et al., Ang. Ch. **78**, 754 (1966).
[10] E. Vogel et al., Ang. Ch. **78**, 755 (1966).

a) durch Ringschluß mit nachfolgender Umlagerung und Hydrierung nach Sondheimer[1,2]

1. Oxidativer Ringschluß von endständigen Diinen[3]

Allgemein werden endständige Acetylene beim Durchleiten von Luft oder Sauerstoff durch eine heterogene Mischung eines Acetylens mit Ammoniumchlorid und Kupfer(I)-chlorid in Wasser oxidativ dimerisiert[4,5]. Diese Reaktion, bekannt als Glaser-Verknüpfung, kann auf α,ω-Diacetylene (z.B. I) übertragen werden[1,2], wobei man sowohl lineare Oligomere als auch cyclische Dimere (z.B. II) erhält. Aus Hexadiin-(1,5) erhält man jedoch unter diesen Bedingungen kein cyclisches Dimeres[6] II. Erst durch Modifikation der Reaktionsbedingungen (Zugabe von Benzol) entsteht ein Zweiphasensystem, das das Reaktionsprodukt vollständig löst. Auf diese Weise kann das cyclische Dimere II in einer Ausbeute von mindestens 10% d. Th. erhalten werden[7]:

$$2\ H_2C(C{\equiv}CH){-}H_2C(C{\equiv}CH)\ \text{(I)}\ \xrightarrow[\text{Benzol}]{CuCl,\ NH_4Cl,\ H_2O}\ \text{(II)}$$

I II

Cyclododecatetrain-(1,3,7,9) (II)[7]: In einem 3-*l*-Dreihalskolben, der mit einem wirksamen KPG-Rührer, einem Gaseinleitungsrohr und einem Rückflußkühler versehen ist, befinden sich 48 g Ammoniumchlorid, 30 g Kupfer(I)-chlorid, 127 *ml* Wasser, 0,3 *ml* konz. Salzsäure und 1,5 *l* Benzol. Auf dem Rückflußkühler sitzt ein mit Aceton/Trockeneis gefüllter Kühlfinger, um Verluste an Hexadiin-(1,5) zu vermeiden. Man erwärmt die Reaktionsmischung in einem Wasserbad auf 55° und leitet unter starkem Rühren einen lebhaften Sauerstoffstrom (~ 2,5 *l*/Min). hindurch[8]. In einem Guß wird jetzt eine Lösung von 15 g Hexadiin-(1,5)[9] in 30 *ml* Äthanol hinzugefügt. Die blaugrüne Suspension färbt sich gelb. Im Laufe der Reaktion erfolgt langsamer Farbumschlag nach grün. Nach 2 Stdn. bei 55° läßt man abkühlen, trennt die gelbe Benzolschicht ab, wäscht die wäßrige Phase 2mal mit Benzol, filtriert die vereinigten Benzolextrakte, wäscht sie mit Wasser und trocknet sie über wasserfreiem Natriumsulfat. Man wiederholt die Reaktion mit einer zweiten Portion von 15 g Hexadiin-(1,5). Die vereinigten getrockneten Benzolextrakte werden i. Vak. auf ~ 700 *ml* eingeengt (dieses Vol. erwies sich als optimal. Weitere Konzentrierung führt zu starker Zersetzung des cyclischen Dimeren, während verdünntere Lösungen nicht mehr wirksam chromatographiert werden können).

Das Konzentrat wird so schnell wie möglich an 3,2 kg Aluminiumoxid (Merck, sauer) chromatographiert. Die Säule wird mit Pentan angesetzt und mit Pentan eluiert. Zuerst werden Benzol und zwei unbekannte Chlor-Verbindungen eluiert. Dem Pentan wird jetzt in steigendem Maße Äther zugesetzt. Man nimmt 200 *ml* Fraktionen ab. Die Fraktionen 29–48, eluiert mit 15–20% Äther, enthalten Cyclododecatetrain-(1,3,7,9), das leicht durch seine Polymerisationsneigung

---

[1] F. Sondheimer, Pure Appl. Chem. 7, 363 (1963).
[2] F. Sondheimer, Pr. roy. Soc. [A] **297**, 173 (1967).
[3] Oxidative Kupplung von Acetylenen s. a.:
G. Eglinton u. W. McCrae in: R. A. Raphael, E. C. Taylor u. H. Wynberg, *Advances in Organic Chemistry, Methods and Results*, Bd. 4, S. 225, Interscience Publishers 1963.
[4] C. Glaser, B. **2**, 422 (1869).
[5] C. Glaser, A. **154**, 159 (1870).
[6] F. Sondheimer, Y. Amiel u. R. Wolovsky, Am. Soc. **79**, 6263 (1957).
[7] R. Wolovsky u. F. Sondheimer, Am. Soc. **87**, 5720 (1965).
[8] Eine wirksame Durchmischung der Reaktionsmischung und ein starker Sauerstoffstrom sind wichtig. Andererseits fällt die Ausbeute des cyclischen Dimeren stark ab.
[9] R. A. Raphael u. F. Sondheimer, Soc., **1950**, 120.

nachzuweisen ist (Ein in die Lösung eingetauchter Streifen Filterpapier färbt sich beim Trocknen bei Anwesenheit von II in einem Strom warmer Luft schwarzbraun.)

Die vereinigten Fraktionen werden unmittelbar für die nächste Stufe, die prototrope Umlagerung mit Kalium-tert-butanolat, eingesetzt. Versuche, Cyclododecatetrain-(1,3,7,9) zu isolieren, scheitern an dessen Instabilität (Ausbeute: >10% d. Th.).

Die oxidative Verknüpfung von Acetylenen kann auch in Pyridin mit Kupfer-(II)-acetat als Oxidationsmittel durchgeführt werden[1,2]. Nach dieser Methode erhält man cyclische Dimere, Trimere und höhere cyclische Oligomere[3] ebenso wie cyclische Monomere[1,2], ferner annelierte Dehydro-annulene[4,5] und nicht annelierte Systeme[6,7].

Annulene durch oxidative Verknüpfung von Hexadiin-(1,5) nach Eglinton[8,9]; allgemeine Arbeitsvorschrift: In einem 2-*l*-Dreihalskolben werden 1,4 *l* trockenes frisch destilliertes Pyridin und 225 g feingepulvertes Kupfer(II)-acetat-Monohydrat auf 55° erwärmt. Zu der gut gerührten Mischung gibt man nun eine Lösung von 15 g frisch destilliertem Hexadiin-(1,5)[10] in 100 *ml* trockenem Pyridin. Nach 3 Stdn. bei 55° läßt man die Reaktionsmischung abkühlen und über Nacht stehen. Der Niederschlag wird abgesaugt und der Filterrückstand mit warmem Benzol gewaschen. Die Benzol-Extrakte werden gesondert gesammelt. Im Rotationsverdampfer wird das Pyridin vorsichtig abgedampft, die Temp. des Wasserbades soll dabei 45° möglichst nicht übersteigen. Der Rückstand wird mit den Benzol-Extrakten aufgenommen, die Lösung mit Wasser, verd. Salzsäure und nochmals mit Wasser gewaschen, getrocknet und vorsichtig i. Vak. auf ~ 200 *ml* eingeengt (die Temp. des Wasserbades soll 50° nicht übersteigen).

Die Lösung enthält neben dem linearen Dimeren cyclische Trimere, Tetramere, Pentamere, Hexamere und Heptamere. Die cyclischen Oligomeren können durch Chromatographie an Aluminiumoxid abgetrennt werden[8].

Zur Herstellung der Dehydro-annulene wird die gesamte Lösung der Behandlung mit Kalium-tert.-butanolat unterworfen und die erhaltene Mischung chromatographisch in die Kompenenten aufgetrennt.

2. Prototrope Umlagerung cyclischer Polyine

Wie bekannt[11] lagern sich lineare 1,5-Diine bei der Behandlung mit Kalium-tert.-butanolat in tert.-Butanol in konjugierte Dienine um:

Hexadien-(1,5) → Hexadien-(3,5)-in-(1)

Unterwirft man entsprechend gewählte cyclische Verbindungen mit 1,5-Diin-Gruppierung, durch oxidative Verknüpfung leicht zugänglich (S. 545), der Behandlung mit Kalium-tert.-butanolat, so erhält man direkt Dehydro-annulene[6,7], z. B.:

---

[1] G. Eglinton u. A. R. Galbraith, Chem. & Ind. **1956**, 737.
[2] G. Eglinton u. A. R. Galbraith, Soc. **1959**, 889.
[3] F. Sondheimer, Y. Amiel u. R. Wolovsky, Am. Soc. **79**, 4247 (1957); **81**, 4600 (1959).
[4] O. M. Behr et al., Soc. **1960**, 3614.
[5] O. M. Behr et al., Soc. **1964**, 1151.
[6] F. Sondheimer, Pure Appl. Chem. **7**, 363 (1963).
[7] F. Sondheimer, Pr. roy. Soc. [A] **297**, 173 (1967).
[8] F. Sondheimer, u. R. Wolovsky, Am. Soc. **84**, 260 (1962).
[9] F. Sondheimer, unveröffentlicht.
Herstellung von *[18]Annulen*, K. Stöckel u. F. Sondheimer, Org. Synth., in Druck.
[10] R. A. Raphael u. F. Sondheimer, Soc. **1950**, 120.
Hexadiin-(1,5) erhältlich bei Farchan Research Laboratories, 4702 East 355th Street, Willoughby, Ohio 44094 USA.
[11] F. Sondheimer, D. A. Ben-Efraim u. Y. Gaoni, Am. Soc. **83**, 1682 (1961).

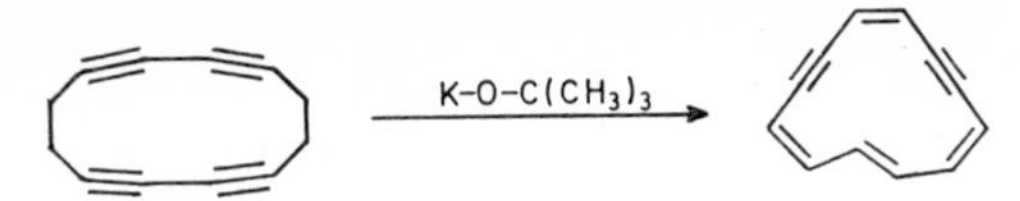

Cyclododecatetrain-(1,3,7,9) *1,5-Bis-[dehydro]-[12]annulen*

In einer Reihe von Fällen beobachtet man eine der prototropen Umlagerung parallel verlaufende Dehydrierung. Die erhaltenen Dehydro-annulene weisen daher einen höheren Oxidationsgrad als das Ausgangsmaterial auf[1,2]. Transannulare Reaktionen werden ebenfalls beobachtet, besonders in den kleineren Ringen[1,2].

Annulene durch prototrope Umlagerung cyclischer Polyine[3]; allgemeine Arbeitsvorschrift: Zu 200 *ml* getrockneter Benzol-Lösung des Rohproduktes der oxidativen Verknüpfung von Hexadiin-(1,5) nach Eglinton (s. S. 546) gibt man 250 *ml* einer ges. Lösung von Kalium-tert.-butanolat in tert. Butanol und kocht die Mischung 30 Min. am Rückfluß unter Feuchtigkeitsausschluß. Die erhaltene intensiv rotbraune Mischung wird auf ~ 5° abgekühlt und filtriert. Der Filter-Rückstand wird mit Benzol gewaschen und zum Filtrat mehr Benzol gegeben. Danach wird das Filtrat gut mit Wasser gewaschen, getrocknet und vorsichtig i. Vak. auf ~ 100 *ml* eingeengt (Wasserbadtemp. darf nicht über 50° steigen). Die eingeengte dunkelrote Lösung wird unverzüglich an einer Säule von 3 kg Aluminiumoxid, angesetzt mit Pentan, chromatographiert. Die Säule wird nacheinander mit Pentan, Pentan/Diäthyläther, Diäthyläther, Diäthyläther/Chloroform und zum Schluß mit Chloroform gewaschen. Es werden 500 *ml* Fraktionen gesammelt. Während der Chromatographie beobachtet man 5 getrennte gefärbte Zonen (I–V).

Aus den Fraktionen 33–46 (1. Farbbande, rotbraune Lösung, eluiert mit Pentan-Äther 17 : 3 bis 4 : 1) erhält man nach Abdampfen der Solventen und Umkristallisieren aus Pentan 410 mg (2,8% d. Th.; spektroskopisch ber. Ausbeute: 485 mg = 3,3% d. Th.) *1,7,13-Tris-[dehydro]-[18]annulen* (I); F: 190–192° (Zers., hellbraune Platten); benzolische Lösung: konz. = dunkelrotbraun; verd. = gelborange.

Aus den Fraktionen 55–81 (2. Farbbande, weinrote Lösung, eluiert mit Pentan-Äther 4 : 1 bis 3 : 1) erhält man nach dem Einengen der vereinigten Fraktionen und Abkühlen 190 mg (1,3% d. Th.; spektroskopisch ermittelte Ausbeute: 295 mg = 2,0% d. Th.) *1,7,13,19-Tetrakis-[dehydro]-[24]annulen* (II; dunkel-purpur gefärbte Prismen; benzolische Lösung: konz. = tief dunkelrot; verd. = rot-orange).

Die Fraktionen 137–187 (3. Farbbande, intensivrote Lösungen, eluiert mit Pentan-Äther 1 : 1 und mit Äther) enthalten unvollständig getrennt sowohl *1,7,13,19,25-Pentakis-[dehydro]-[30]annulen* (III) als auch *1,7,13,19,25,31-Hexakis-[dehydro]-[36]annulen* (IV), die man vereinigt und nochmals an 500 g Aluminiumoxid chromatographiert. Mit Pentan-Äther 2 : 3 erhält man zuerst *1,7,13,19,25-Pentakis-[dehydro]-[30]annulen* (III, S 548), gefolgt von einer Mischfraktion mit dem 36gliedrigen Ring. Schließlich eluiert man das reine *1,7,13,19,25,31-Hexakis-[dehydro]-[36]annulen* (IV, S. 548).

Einengen der ersten Fraktionen und Stehenlassen ergeben 31 mg (0,21% d. Th.; spektroskopisch ermittelte Ausbeute: 145 mg = 1,0% d. Th.) *1,7,13,19,25-Pentakis-[dehydro]-[30]annulen* (III; rot-orange Prismen; benzolische Lösungen: konz. = rot; verd. = gelborange; vgl. S. 548).

Einengen der polareren Fraktionen und Stehenlassen ergeben 35 mg nicht ganz reines *1,7,13,19,25,31-Hexakis-[dehydro]-[36]annulen* (IV; orange-rotes Pulver; benzolische Lösungen: konz. = rot; verd. = orange; S. 548).

I; C_{18}

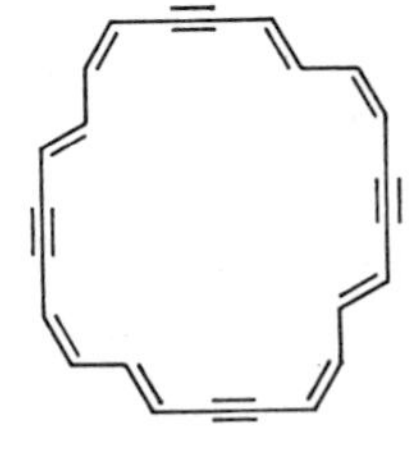

II; C_{24}

---

1 F. Sondheimer, Pure Appl. Chem. **7**, 363 (1963).

2 F. Sondheimer, Pr. roy. Soc. [A] **297**, 173 (1967).

3 F. Sondheimer u. R. Wolovsky, Am. Soc. **84**, 260 (1962).

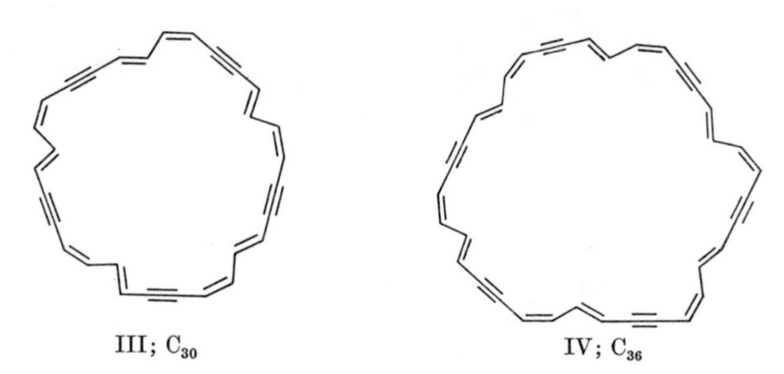

III; C_{30} IV; C_{36}

Wenn größere Mengen der einzelnen Dehydro-annulene benötigt werden, so empfiehlt sich folgendes Verfahren:

60 g Hexadiin-(1,5) werden in 4×15 g-Portionen oxidativ verknüpft und die vereinigten benzolischen Lösungen der basenkatalysierten Umlagerung unterworfen, auf ~ 100 *ml* eingeengt und an 3 kg Aluminiumoxid chromatographiert. Eluieren mit Petroläther/Äther liefert Fraktionen, die neben I (S. 547) noch Triphenylen enthalten. Es folgen Fraktionen mit reinem I, dann Mischungen von I mit II (S. 547) und schließlich reines II. Nach Eluierung von II wird die Säule mit Chloroform gewaschen und die Mischfraktionen nochmals an 1 kg Aluminiumoxid chromatographiert, wodurch eine gute Trennung zwischen II und I erzielt wird. Die Chloroform-Fraktionen werden nach Abdampfen des Solvents nochmals an 1,5 kg Aluminiumoxid chromatographiert, wodurch III und IV getrennt werden. Die erhaltenen Ausbeuten sind mit den vorher beschriebenen vergleichbar.

Weitere Dehydro-[18]annulene lassen sich aus dieser Reaktionsmischung erhalten[1].

3. Partielle Hydrierung der Dehydro-annulene

In vielen Fällen ist es möglich, die oben hergestellten Dehydro-annulene unter Verwendung eines Lindlar-Katalysators[2] oder von Palladium an Kohle[3,4] zu den entsprechenden Annulenen zu hydrieren. Dabei werden parallel verlaufende *trans*-annulare Reaktionen beobachtet[5].

[18]Annulen[6–8]:

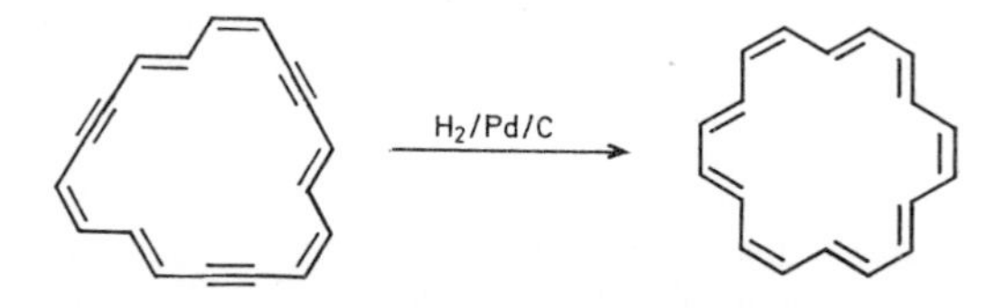

Eine Suspension eines 10%igen Palladium/Tierkohle-Katalysators in 40 *ml* thiophenfreiem Benzol wird mit Wasserstoff gesättigt. Dann fügt man eine Lösung von 1,04 g 1,7,13-Tris-[dehydro]-[18]annulen in 60 *ml* Benzol hinzu und rührt die Mischung in einer Wasserstoff-Atmosphäre ~ 1,5 Stdn. bei 23° und 755 Torr; 669 *ml* Wasserstoff werden aufgenommen. Man filtriert

1 R. Wolovsky, Am. Soc. **87**, 3638 (1965).
2 H. Lindlar, Helv. **35**, 446 (1952).
vgl. ds. Handb., Bd. V/1c, Kap. Diene, S. 470.
3 F. Sondheimer, Pure Appl. Chem. **7**, 363 (1963).
4 F. Sondheimer, Pr. roy. Soc. [A] **297**, 173 (1967).
5 O. M. Behr et al., Soc. **1960**, 3614.
6 F. Sondheimer, R. Wolovsky u. Y. Amiel, Am. Soc. **84**, 274 (1962).
7 Modifizierte Synthese s. H. P. Figeys u. M. Gelbeke, Tetrahedron Letters **1970**, 5139.
8 K. Stöckel u. F. Sondheimer, Org. Synth., im Druck.

vom Katalysator und wäscht das Filter mit Benzol. Die gelbgrüne Lösung zeigt im UV gegen Benzol das neue Maximum des [18]Annulens bei 378 nm. Spektroskopisch ergibt sich eine Ausbeute von ~32% d. Th., während sich ~5,5% Ausgangsverbindung nachweisen lassen.

Die Lösung wird i. Vak. vorsichtig auf 10 *ml* eingeengt und an 500 g Aluminiumoxid chromatographiert. Die Chromatographie wird UV-spektroskopisch verfolgt. Die mit Pentan/Äther (17 : 3 bis 4 : 1) eluierten Fraktionen enthalten unumgesetztes Ausgangsprodukt. Es folgen Mischfraktionen mit steigendem Gehalt an [18]Annulen. Schließlich wird mit Pentan/Äther 3 : 1 reines *[18]Annulen* eluiert. Die an [18]Annulen reichen Fraktionen werden vereinigt, i. Vak. eingeengt und abgekühlt; in ziegelroten Nadeln kristallisiert *[18]Annulen* aus (λ_{max}: 369 nm); Ausbeute: 268 mg (25,1% d. Th.). Die Verbindung kann in kleinen Mengen bei 120–130° und 0,05 Torr sublimiert werden; benzolische Lösung: konz. = gelbgrün; verd. = zitronengelb.

b) Überbrückte Annulene aus bereits vorgebildeten Ringsystemen nach E. Vogel

In Anlehnung an die ausgiebigen Untersuchungen der Norcaradien-Cycloheptatrien-Valenztautomerie wandte Vogel dieses Konzept zur Synthese des *1,6-Methano-[10]annulens*[1] an. Im Prinzip ist diese Methode allgemein auf die Synthese linear verbrückter Annulene anwendbar.

1,6-Methano-[10]annulen (V)[2]**:**

:CCl_2 Cl Cl
I II III
Br Br Br Br
IV V

11,11-Dichlor-tricyclo[4.4.1.0^{1,6}]undecadien-(3,8) (II): Zu einer Suspension von 170g (1,5 Mol) Kalium-tert.-butanolat in einer Lösung von 159 g (1,2 Mol) 1,4,5,8-Tetrahydro-naphthalin (I) in 1,5 *l* Äther werden bei –15° allmählich 144 g (1,2 Mol) Chloroform gegeben. Nach der Hydrolyse erhält man durch Destillation 142 g eines Adduktgemisches vom Siedepunkt 80–88°/ 0,1 Torr, das in der Vorlage erstarrt und aus Methanol umkristallisiert wird; Ausbeute: 102 g (39% d. Th.); F: 91–92°.

Tricyclo[4.4.1.0^{1,6}]undecadien-(3,8) (III): 87 g (0,4 Mol) II in 500 *ml* Äther werden bei –75° langsam in eine Lösung von 60 g (2,6 g Atom) Natrium in 1 *l* flüss. Ammoniak eingetragen. Nach 2 Stdn. Rühren läßt man das Ammoniak verdampfen und hydrolysiert unter Stickstoffatmosphäre vorsichtig zuerst mit 300 *ml* Methanol bei –60° und dann mit 500 *ml* Wasser, extrahiert mit Pentan, trocknet und destilliert; Ausbeute: 52 g (89% d. Th.); Kp_{11}: 80–81°; n_D^{20} = 1,5186.

3,4,8,9-Tetrabrom-tricyclo[4.4.1.0^{1,6}]undecan (IV): Zu 44 g (0,3 Mol) III in 120 *ml* Dichlormethan tropft man bei –55° eine Lösung von 96 g (0,6 Mol) Brom in 90 *ml* Dichlormethan. Nach Abzug des Lösungsmittels bei 0° wird der Rückstand 2mal aus Äthanol/Essigsäure-äthylester (1 : 1) umkristallisiert; Ausbeute: 100 g (71% d. Th.); F: 122–124° (Isomerengemisch).

1,6-Methano-[10]annulen (V): 94 g (0,2 Mol) IV werden in 600 *ml* 15%iger methanolischer Kalilauge 5 Stdn. unter Rückfluß erhitzt. Nach dem Zusatz von 3 *l* Wasser extrahiert man 3mal mit je 200 *ml* Pentan. Das Lösungsmittel wird über eine Kolonne abgedampft und der ölige Rückstand über eine heizbare 35 cm lange Füllkörperkolonne (Raschig-Ringe) fraktioniert destilliert; Ausbeute: 22,5 g (79% d. Th.); Reinheitsgrad: ~ 99%; Kp_1: 70–71°; F: 28–29° (aus Methanol).

---

[1] E. Vogel, Spec. Public. Chem. Soc. (London) **21**, 113 (1967).

[2] E. Vogel, unveröffentlicht.

Ein modifizierter Herstellungsweg für *1,6-Methano-[10]annulen* erbringt etwas bessere Ausbeuten[1].

c) Weitere nur speziell anwendbare Herstellungsmethoden

Neben den beschriebenen allgemein anwendbaren Methoden zur Herstellung von Annulenen werden noch die folgenden Reaktionstypen zur Synthese einzelner Annulene bzw. ihrer Derivate benützt:

Photolytische Ringöffnung (s. S. 550)
Wittig-Reaktion (s. S. 551)
Ullmann-Castro-Reaktion (s. S. 557).
Wurtz-Fittig-Reaktion (s. S. 561)
Perkin-Kondensation (s. S. 570)

II. Herstellung einschließlich Reaktionen von Annulenen, Dehydroannulenen bzw. deren Derivaten, nach Ringgliederzahl geordnet

a) Verbindungen mit 9-gliedrigem Ring

Das hierher gehörende *Cyclononatetraen-Anion*(I)[2,3], sein Mono-*trans* Isomeres (II)[4] und *1,5-Methano-cyclononatetraen-Anion*(III)[5,6] werden als carbocyclische π-Elektronen-Systeme in ds. Handb., Bd. V/2 beschrieben.

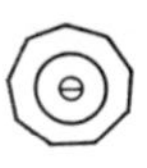

I

II

III

b) Verbindungen mit 10-gliedrigem Ring[7]

Bei der Photolyse von *cis*-9,10-Dihydro-naphthalin in 3-Deuteromethyl-pentan bei –60° erhält man unter anderem *mono-trans-[10]Annulen* (A, S. 551) und *all-cis-[10] annulen* (B), denen die beobachteten NMR Signale bei τ 4,16 (–40°, temperaturabhängig) und bei τ 4,34 zugeordnet werden[8]. A gibt beim Aufwärmen (–25°) *trans-9,10-Dihydro-naphthalin* während B oberhalb –10° die entsprechende *cis*-Verbin-

---

[1] P. H. Nelson u. K. G. Untch, Tetrahedron Letters **1969**, 4415.
[2] T. J. Katz u. P. J. Garratt, Am. Soc. **85**, 2852 (1963); **86**, 5194 (1964).
[3] E. A. Lalancette u. R. E. Benson, Am. Soc. **85**, 2853 (1963); **87**, 1941 (1965).
[4] G. Boche, D. Martens u. W. Danzer, Ang. Ch. **81**, 1003 (1969).
[5] W. Grimme et al., Ang. Ch. **78**, 643 (1966).
[6] P. Radlick u. W. Rosen, Am. Soc. **88**, 3461 (1966).
[7] Als Übersichtsartikel s.:
A. Streitwieser: *Molecular Orbital Theory for Organic Chemists*, S. 284, John Wiley 1961.
P. J. Garratt u. M. V. Sargent in: E. C. Taylor u. H. Wynberg, *Advances in Organic Chemistry, Methods and Results*, Vol. 1, Bd. 6, S. 1, Interscience Publishers, London 1968.
[8] S. Masamune u. R. T. Seidner, Chem. Commun. **1969**, 542.

dung liefert. Bei der Tieftemperatur-Reduktion des Photolysats bei (−70°) mit einem Rhodium-Katalysator und Wasserstoff werden Cyclodecane in guter Ausbeute erhalten.

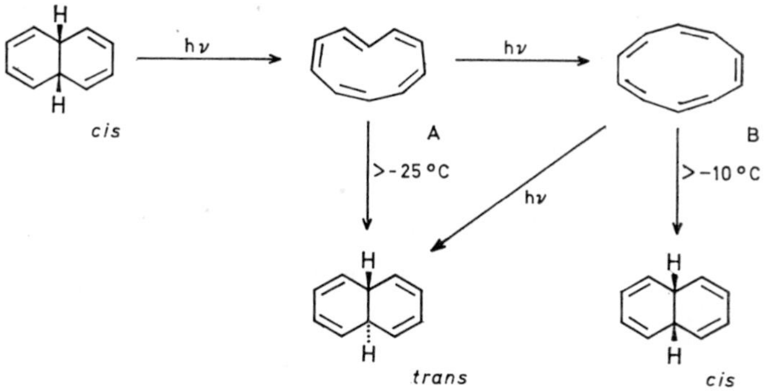

Demgegenüber liefert *trans*-9,10-Dihydro-naphthalin bei der Photolyse unter ähnlichen Bedingungen praktisch kein [10]Annulen[1]. Beim Nacharbeiten früherer Arbeiten konnte gezeigt werden, daß das Verhalten von *trans*-9,10-Dihydro-naphthalin bei der Photolyse konzentrations-abhängig ist[2], und das *cis*- oder *di-trans-[10]Annulen* entsteht. Bei der Photolyse von *cis*-9,10-Dihydro-naphthalin können *Mono-trans-* und *all-cis-[10]Annulen* durch Tieftemperatur-Chromatographie (−60°) als kristalline Verbindungen erhalten werden[3] (die Konfiguration wurde u.a. durch die thermische Umwandlung von A in *trans-* und von B in *cis*-9,10-Dihydro-naphthalin bestätigt).

Analog erhält man aus *trans*-15,16-Dimethyl-15,16-dihydro-pyren *2,2-Dimethyl-[2.2]metacyclophan*. Die Reaktion ist thermisch reversibel[4]:

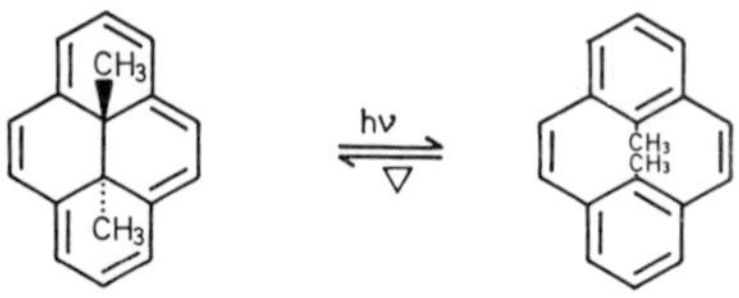

Die Wittig-Reaktion zwischen Naphthalin-1,8-dialdehyd und dem Bis-ylid von 1,8-Bis-[brommethyl]-naphthalin liefert unter anderem *Dinaphtho-[1,8,8a-a,b; 1,8,8a-f,g]-[10]annulen*[5], für das eine voll konjugierte Zehnerringstruktur nicht geschrieben werden kann:

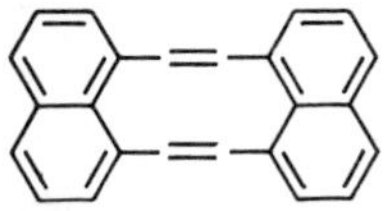

---

1 S. Masamune u. R. T. Seidner, Chem. Commun. **1969**, 542.

2 E. E. van Tamelen u. R. H. Greeley, Chem. Commun. **1971**, 601.
E. E. van Tamelen, T. L. Burkoth u. R. H. Greeley, Am. Soc. **93**, 6120 (1971).
Für eine zusammenfassende Darstellung des [10]Annulen-Problems s. T. L. Burkoth u. E. E. van Tamelen in J. P. Snyder *Nonbenzenoid Aromatics* I (1969), Academic Press, New York 1970.

3 S. Masamune, K. Hojo, K. Hojo, G. Bigam u. D. L. Rabenstein, Am. Soc. **93**, 4966 (1971).

4 H. R. Blattman et al., Am. Soc. **87**, 130 (1965).

5 R. H. Mitchell u. F. Sondheimer, Am. Soc. **90**, 530 (1968).

Versuche zur Herstellung von 7,15-Bis-[dehydro]-⟨dinaphtho-[1,8,8a-a,b; 1,8,8a-f,g]-[10] annulen⟩ (V) mißlangen[1,2]. Vermutlich ist das Annulen V instabil und wird leicht zu Zethren (VI) umgewandelt:

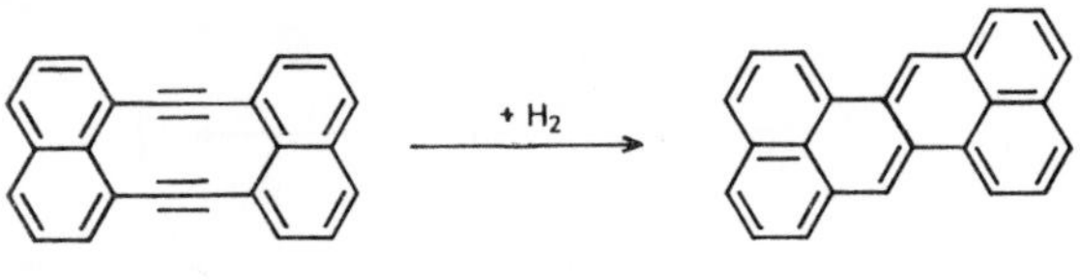

$+ H_2$

V VI

Die Wittig Reaktion von o-Phthaldialdehyd und 2,2′-Bis-[triphenylphosphoniono-methyl]-biphenyl-dibromid mit Lithiummethanolat liefert u.a. *mono-trans-Tribenzo-[a;c;g]-[10]annulen*[3]:

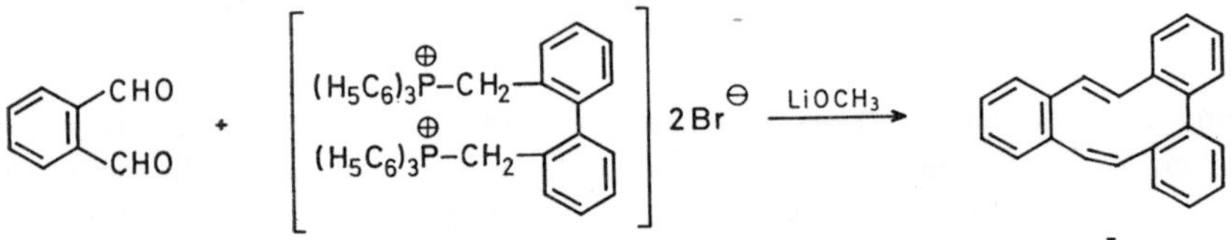

CHO CHO + $[(H_5C_6)_3\overset{\oplus}{P}-CH_2 \; (H_5C_6)_3\overset{\oplus}{P}-CH_2]$ $2Br^{\ominus}$ $LiOCH_3$

I

Die Reaktion von Biphenyl-2,2′-dialdehyd mit 3,4-Bis-[triphenylphosphoniono-methyl]-furan-dichlorid liefert analog *mono-trans-Dibenzo-[a;c]-furo-[3,4-g]-[10] annulen* (II)[4] als eine Mischung zweier Konformeren (die ursprünglich angenommenen di-*trans*-Konformeren sind falsch)[5]. Bei der Diels-Alder-Reaktion von II mit Fumarsäure-dimethylester entsteht ein Derivat mit der vermutlichen Struktur III[4]:

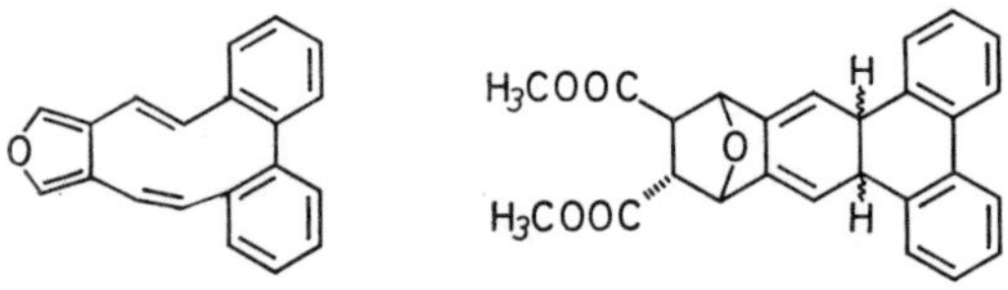

H_3COOC H_3COOC H H

II III

Eine Anzahl in 1,6-Stellung überbrückter [10]Annulene (IV) wurden nach der Methode von Vogel hergestellt[6-10]:

IV ⇌ V

[1] H. A. Staab, A. Nissen u. J. Ipaktschi, Ang. Ch. **80**, 241 (1968).
[2] R. H. Mitchell u. F. Sondheimer, Tetrahedron **26**, 2141 (1970).
[3] K. Grohmann u. F. Sondheimer, Am. Soc. **89**, 7119 (1967).
[4] A. P. Bindra, J. A. Elix u. M. V. Sargent, Austral. J. Chem. **24**, 1721 (1971).
[5] A. P. Bindra, J. A. Elix u. M. V. Sargent, Tetrahedron Letters **1968**, 4335; Austral. J. Chem. **22**, 1449 (1969).
[6] E. Vogel u. H. D. Roth, Ang. Ch. **76**, 145 (1964).
[7] E. Vogel, Spec. Public. Chem. Soc. (London) **21**, 113 (1967).
[8] E. Vogel u. W. A. Böll, Ang. Ch. **76**, 784 (1964).
[9] E. Vogel et al., Ang. Ch. **76**, 785 (1964).
[10] F. Sondheimer u. A. Shani, Am. Soc. **86**, 3168 (1964); **89**, 6310 (1967).

Die stabilen Verbindungen sind gut charakterisiert. Die 1,6-Brücke hebt die für die Instabilität unverbrückter Systeme verantwortliche Wechselwirkung der inneren Wasserstoffatome auf. Die Lage des Valenzautomerie-Gleichgewichts zwischen bicyclischer Struktur IV und der tricyclischen Struktur V (S. 552) hängt von der Natur der Brücke ab. Besteht die Brücke nur aus einem Atom, so liegt ausschließlich die voll konjugierte bicyclische Struktur IV vor. Enthält die Brücke mehr als ein Atom, so liegt ausschließlich die tricyclische Struktur V vor[1,2].

1,6-Methano-[10]annulen(IV, X = CH_2; S. 552) reagiert mit N-Brom-succinimid unter Bildung des 2-Brom- sowie des 2,7-Dibrom-Derivates und mit Brom bei −75° unter Bildung eines Tetrabromids VI, das bei Behandlung mit Kalium-tert.-butanolat in Äther in *2,7-Dibrom-1,6-methano[10]annulen* (VII) und *2,10-Dibromo-1,6-methano-[10]annulen* (VIII) übergeht[3]:

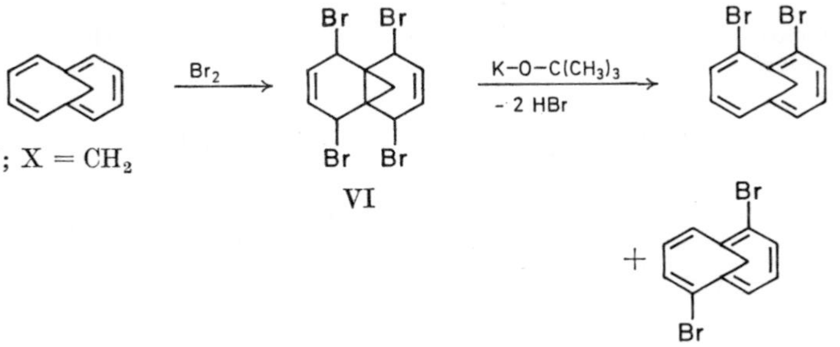

IV; X = CH_2 —Br_2→ VI —$K{-}O{-}C(CH_3)_3$, −2 HBr→ VIII + VII

Bei Umsatz von 1,6-Methano-[10]annulen mit Maleinsäureanhydrid bzw. Acetylendicarbonsäure-diester erhält man die entsprechenden Diels-Alder-Addukte[4]. *6-Epoxi-[10]annulen* (IV, X = O) läßt sich zu *2-* bzw. *3-Nitro-1,6-epoxi-[10]annulen* nitrieren[5]. Mit Brom erhält man aus IV (X = O) IX und X, die bei Behandlung mit Kalium-tert.-butanolat in *2-Brom-1,6-epoxi-[10]annulen* (XI) bzw. *2,7-Dibrom-1,6-epoxi-[10]annulen* (XII) übergehen[4]:

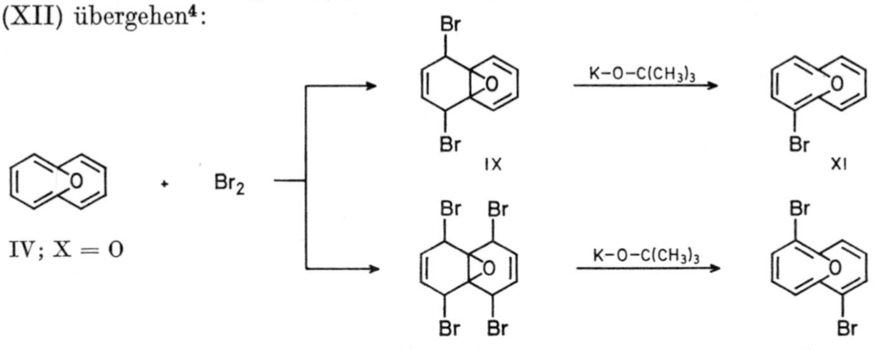

IV; X = O + Br_2 → IX —$K{-}O{-}C(CH_3)_3$→ XI

IV; X = O + Br_2 → X —$K{-}O{-}C(CH_3)_3$→ XII

6,11-Methano-⟨benzocyclobuta-[1,2-a]-[10]annulen⟩ wird bei der Wittig-Reaktion von 1,6-Diformyl-cycloheptatrien-(1,3,5) mit 1,2-Bis-[triphenylphosphoranyliden]-1,2-dihydro-benzocyclobutadien in Äther/Benzol erhalten[6]:

---

[1] J. J. BLOOMFIELD u. W. J. QUINLIN, Am. Soc. **86**, 2738 (1964).
[2] E. VOGEL, W. MAIER u. J. EIMER, Tetrahedron Letters **1966**, 655.
J. J. BLOOMFIELD u. J. R. SMILEY IRELAN, Tetrahedron Letters **1966**, 2971.
[3] E. VOGEL, W. A. BÖLL u. M. BISKUP, Tetrahedron Letters **1966**, 1569.
[4] E. VOGEL, W. GRIMME u. S. KORTE, Tetrahedron Letters **1965**, 3625.
[5] F. SONDHEIMER u. A. SHANI, Am. Soc. **86**, 3168 (1964); **89**, 6310 (1967).
[6] P. J. GARRATT u. K. P. C. VOLLHARDT, Ang. Ch. **83**, 111 (1971).

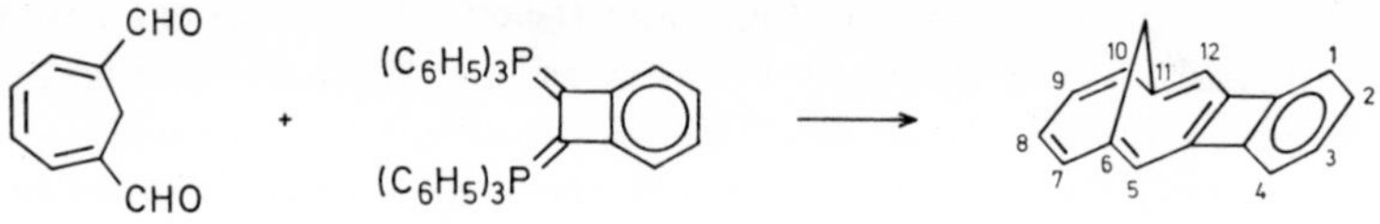

CHO
CHO
+
$(C_6H_5)_3P$
$(C_6H_5)_3P$
1 2 3 4 5 6 7 8 9 10 11 12

Cyclo[3.2.2]azin ist ein [10]Annulen und wird nach folgendem Schema hergestellt[1]:

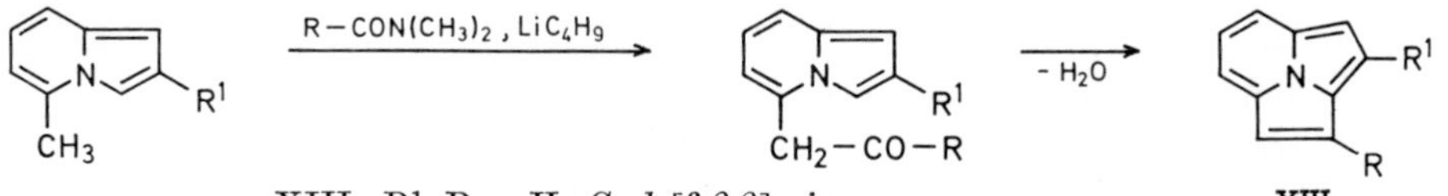

$R - CON(CH_3)_2$, LiC_4H_9
$-H_2O$
N R^1 CH_3
N R^1 CH_2-CO-R
N R^1 R

XIII; R^1, R = H; *Cyclo[3.2.2]azin*
R^1, R = C_6H_5; *2,3-Diphenyl-cyclo[3.2.2]azin*

XIII

Im NMR-Spektrum sind die Protonen nach niedrigerem Feld verschoben[2] im Gegensatz zum *Cyclo[3.3.3]azin*[3].

c) Verbindungen mit 11-gliedrigem Ring

Die Grundverbindung dieser Reihe, das Cycloundecapentaenyl-Kation (I) ist unbekannt, jedoch konnte sein 1,6-methylen-überbrücktes Derivat II hergestellt werden[4]. (s. ds. Handb., Bd. V/2, Kap. Carbocyclische π-Elektronen-Systeme):

⊕ ⊕

I II

d) Verbindungen mit einem 12-gliedrigen Ring

Bei der Tieftemperatur-Photolyse von *syn*-Tricyclo[8.2.0.0^{2,3}]dodecatetraen-(3,5,7,11) (A), *cis*- und *trans*-Bicyclo[6.4.0]dodecapentaen-(2,4,6,9,11) (B und C) in Octadeutero-furan bei −100° wird in guten Ausbeuten *[12]Annulen* (III) erhalten[5]:

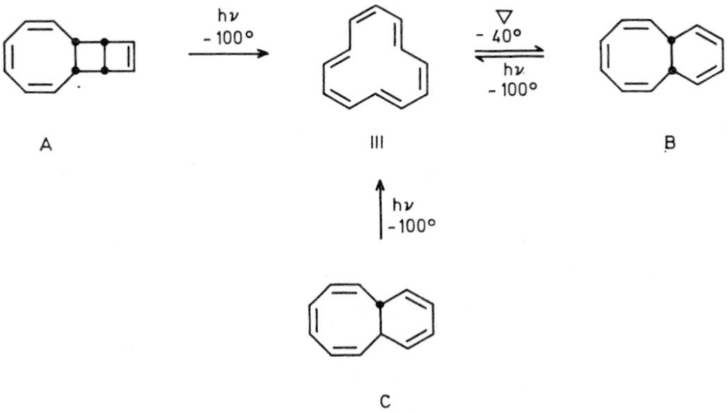

hν −100°
∇ −40°
hν −100°
hν −100°

A III B C

[1] R. Windgassen, W. H. Saunders u. V. Boekelheide, Am. Soc. **81**, 1459 (1959).
[2] V. Boekelheide, F. Gerson, E. Heilbronner u. D. Meuche, Helv. **46**, 1951 (1963).
[3] D. Farquhar u. D. Leaver, Chem. Commun. **1969**, 24.
[4] W. Grimme, H. Hoffman u. E. Vogel, Ang. Ch. **77**, 348 (1965).
E. Vogel, R. Feldmann u. H. Duwel, Tetrahedron Letters **1970**, 1941.
[5] J. F. M. Oth, H. Röttele, J. M. Gilles u. G. Schröder, Tetrahedron Letters **1970**, 67.

Das [12]Annulen ist sehr instabil und wandelt sich leicht in B um (damit sind die früheren Strukturvorschläge falsch)[1,2]; es besitzt ferner auf Grund der Form der Elektronenwolke eine niedrige Energiebarriere für den Konformationswechsel[3].

Tribenzo-[a;e;i]-[12]annulen (IV)[4] wird durch Wittig-Reaktion hergestellt:

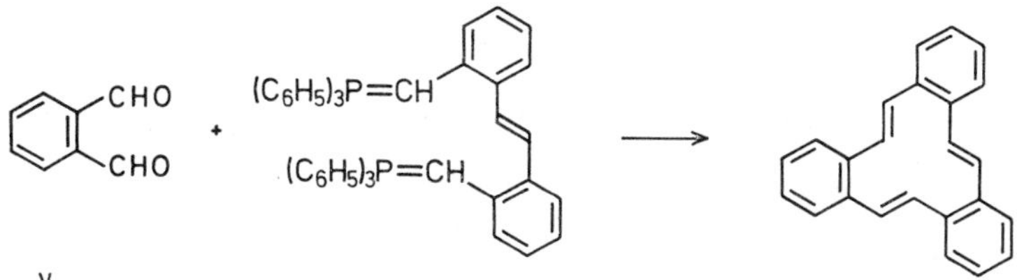

CHO CHO + $(C_6H_5)_3P{=}CH$ $(C_6H_5)_3P{=}CH$ ⟶

V VI IV

Tribenzo-[a;e;i]-[12]annulen[5]: Eine Suspension von 22,23 g (0,025 Mol) 2,2′-Bis-[triphenyl-phosphonium-methyl]-*trans*-stilben-dibromid, hergestellt aus 2,2′-Bis-[brommethyl]-*trans*-stilben und Triphenylphosphin, in 1700 *ml* trockenem Tetrahydrofuran wird bei Raumtemp. durch Behandlung mit 65 *ml* einer 0,77 n ätherischen Phenyl-lithium-Lösung (0,050 Mol) in das Bis-ylid VI übergeführt, das als roter Niederschlag anfällt.

Die Mischung wird dann auf 65° erhitzt und eine Lösung von 3,35 g (0,025 Mol) o-Phthalaldehyd (V) in 50 *ml* trockenem Tetrahydrofuran innerhalb 3 Stdn. zugegeben. Dabei löst sich das Bis-ylid und die rote Farbe verschwindet. Nach Abkühlen auf Raumtemp. läßt man den Ansatz über Nacht stehen, verdampft das Lösungsmittel und extrahiert den braunen zähen Rückstand mit Cyclohexan im Soxhlet-Apparat. Die Extraktlösung wird zur Trockne gebracht und der Rückstand auf neutralem Aluminiumoxid mit Dichlormethan/Cyclohexan (1 : 3) chromatographiert, worauf 3,9 g (51% d. Th.) einer Mischung zweier Kohlenwasserstoffe mit dem Molekulargewicht 306 isoliert werden.

Läßt man das Lösungsmittel einer Lösung dieser Mischung in Tetrahydrofuran langsam verdampfen, so kristallisiert *Tribenzo-[a;e;i]-[12]-annulen* aus; Ausbeute: 0,7 g (9,2% d. Th.); F: 219–220° (lange dünne Nadeln).

trans, trans- bzw. *cis,cis-Tetrabenzo-[a;e;g;k]-[12]annulen* (VIII) wird durch eine siebenstufige Synthese aus dem Spiro-Ammoniumsalz VII durch eine Reihe von Stevens-Umlagerungen und Hofmann-Eliminierungen hergestellt[6]:

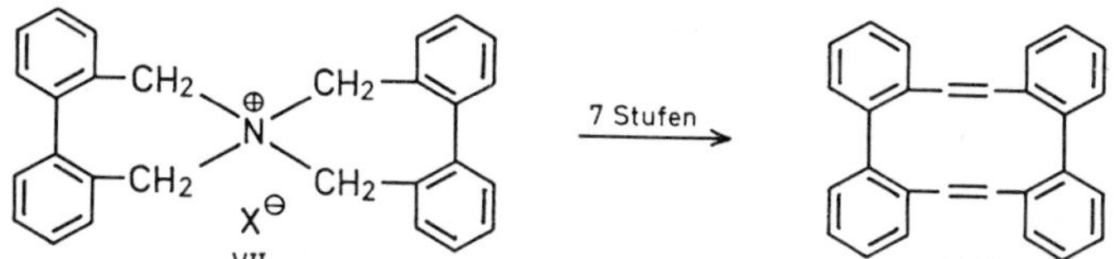

CH_2 CH_2 $N^{\oplus}$ CH_2 CH_2 $X^{\ominus}$ —7 Stufen→

VII VIII

Das *trans,trans*-Isomere geht beim Erhitzen in das Phenanthren-Dimere über. Die *cis,cis*-Verbindung ist dagegen thermisch stabil. *Cis,cis-Tetrabenzo-[12]annulen* kann ebenfalls durch Wittig-Reaktion aus 2,2′-Diformyl-biphenyl und dem Bis-Ylid des 2,2′-Bis-[triphenylphosphoniummethyl]-biphenyl hergestellt werden[7,8].

---

1 R. Wolovsky u. F. Sondheimer, Am. Soc. **87**, 5720 (1965).
2 G. Wilke, Ang. Ch. **69**, 397 (1957).
3 J. F. M. Oth, H. Röttele, J. M. Gilles u. G. Schröder, Tetrahedron Letters **1970**, 67.
4 H. A. Staab, F. Graf u. B. Junge, Tetrahedron Letters **1966**, 743.
5 H. A. Staab u. F. Graf, B. **103**, 1107 (1970).
H. A. Staab u. R. Bader, B. **103**, 1157 (1970).
H. A. Staab, unveröffentlicht.
6 G. Wittig, G. Koenig u. K. Clauss, A. **593**, 127 (1955).
7 E. D. Bergmann, B, **1965**, 2681.
8 K. Grohmann u. R. H. Mitchell, unveröffentlicht.

Dehydro-[12]annulene werden entweder ausgehend von Hexadiin-(1,5) nach Sondheimer [z. B. *1,5-Bis-[dehydro]-[12]annulen*[1] (IX) und *1,5,9-Tris-[dehydro]-[12] annulen* (XII)][1,2] hergestellt oder durch Bromwasserstoff-Abspaltung aus entsprechenden Brom-cycloalkenen [z. B. *1,5,9-Tris-[dehydro]-[12]annulen* (XII)[3] aus XI]:

IX 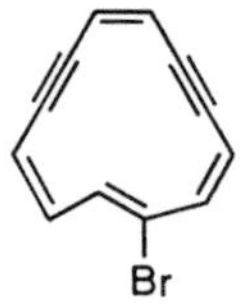 XIII

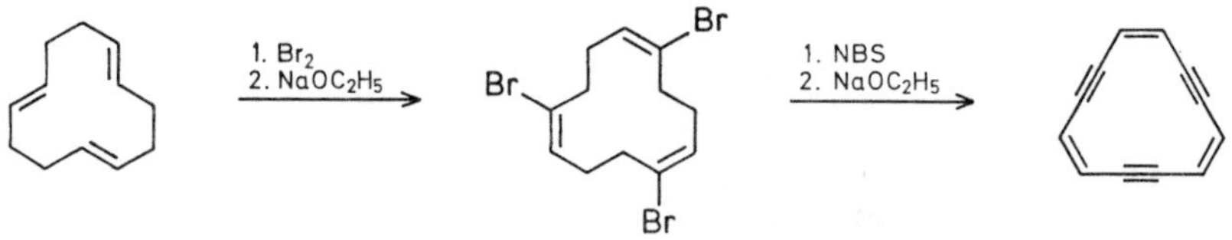

Br

X $\xrightarrow{\text{1. } Br_2 \text{ 2. } NaOC_2H_5}$ XI $\xrightarrow{\text{1. NBS 2. } NaOC_2H_5}$ XII

Br Br Br

Bei der Behandlung des Hauptproduktes der Bromierung (N-Brom-succinimid) von X mit Natriumäthanolat in Äthanol (25°) erhält man *9-Brom-1,5-bis-[dehydro]-[12]annulen* (XIII)[4].

1,5,9-Tris-[dehydro]-[12]annulen(XII)[5]:

1,2,5,6,10-Hexabrom-cyclododecan: 48 g (0,3 Mol) Brom werden zu einer gekühlten (0–5°) Lösung von 16,2 g (0,1 Mol) all-*trans*-Cyclododecatrien-(1,5,9) in 100 *ml* Eisessig getropft (die Temp. darf 15° nicht überschreiten). Man läßt die Reaktionsmischung aufwärmen und rührt über Nacht. Der ausgefallene kristalline Niederschlag wird abgesaugt, mit Chloroform gewaschen und getrocknet; Ausbeute an reinem Isomeren A: 11,9 g (19% d. Th.); F: 177–179°.

Das Filtrat wird auf ~ 600 *ml* Eiswasser gegossen und mit Chloroform extrahiert. Die Extrakte werden mit 2% Natriumthiosulfat-Lösung, mit 5% Natriumhydrogencarbonat-Lösung und mit Wasser gewaschen. Nach dem Trocknen über Natriumsulfat wird das Lösungsmittel i. Vak. abgezogen und das zurückbleibende Öl (50,7 g) an Kieselgel chromatographiert. Eine kristalline Fraktion wird aus Hexan und aus Chloroform umkristallisiert; Ausbeute an Isomer B: 3,2 g (4,5% d. Th.); F: 119–120°.

1,5,9-Tribrom-*all-cis*-dodecatrien-(1,5,9) (XI):

Aus Isomer B: Das ölige Hexabrom-Derivat (5,2 g = 0,08 Mol; nach dem IR-Spektrum ~ 76% Isomer B) wird in 750 *ml* Äthanol gelöst und unter Stickstoff innerhalb 30 Min. zu einer Lösung von 0,57 Mol Natriumäthanolat in 300 *ml* Äthanol gegeben. Anschließend kocht man die Reaktionsmischung 12 Stdn. am Rückfluß, läßt abkühlen und filtriert das ausgefallene Natriumbromid ab. Der größte Teil des Äthanols wird abdestilliert, 250 *ml* Wasser hinzugefügt und die wäßrige Suspension mit 5 mal 100 *ml* Hexan extrahiert. Die vereinigten organischen Extrakte werden mit Wasser gewaschen, über Natriumsulfat getrocknet und das Hexan i. Vak. abgezogen. Das zurückbleibende Öl (27,1 g) wird an Kieselgel chromatographiert. Mit Chloroform wird ein halb kristallines Gemisch (18,6 g) eluiert, das nach dem Digerieren mit wenig Hexan ~ 1 g 1,5,9-Tribrom-*all-cis*-dodecatrien-(1,5,9) (F: 116,5–117,5°) liefert. (Die Ausbeute an kristallinem Material schwankte von Ansatz zu Ansatz zwischen 3 und 12% d. Th.).

Isomer A ergibt unter den gleichen Bedingungen ~ 8% d. Th. des Tribrom-cyclododecatriens.

1,3,5,7,9,11-Hexabromo-*all-cis*-cyclododecatrien-(1,5,9): Eine Lösung von 1,99 g (0,005 Mol) 1,5,9-Tribromo-*all-cis*-cyclododecatrien-(1,5,9) in 60 *ml* Tetrachlormethan und 2,67 g

[1] R. Wolovsky u. F. Sondheimer, Am. Soc. **87**, 5720 (1965).
[2] F. Sondheimer et al., Am. Soc. **88**, 2610 (1966).
[3] K. G. Untch u. D. C. Wysocki, Am. Soc. **88**, 2608 (1966).
[4] K. G. Untch u. D. C. Wysocki, Am. Soc. **89**, 6386 (1967).
[5] K. G. Untch, unveröffentlicht.

(0,015 Mol) N-Brom-succinimid werden 15 Min. unter Stickstoff am Rückfluß gekocht. Während dieser Zeit wird die Lösung mit einer 250 W Lampe bestrahlt. Nach dem Abkühlen filtriert man das Succinimid (98% d.Th.) ab und destilliert das Lösungsmittel i. Vak. ab. Der ölige Rückstand wird ohne weitere Reinigung für die Dehydrohalogenierung verwendet.

1,5,9-Tris-[dehydro]-[12]annulen (XII, S. 556): Eine Lösung des oben erhaltenen rohen Hexabromids (1,85 g) in 30 *ml* Äthanol wird unter Stickstoff zu einer Lösung von 0,013 Mol Natrium-äthanolat in 10 *ml* Äthanol getropft (die Lösung färbt sich tiefrot). Man kocht die Reaktionsmischung 35 Min. am Rückfluß. Nach dem Abkühlen filtriert man das ausgefallene Natriumbromid ab und entfernt den Alkohol im Vakuum. Der Rückstand wird mit 50 *ml* Wasser versetzt, und die Mischung mit 100 *ml* Äther extrahiert. Der Ätherextrakt wird mit Wasser gewaschen, über Magnesiumsulfat getrocknet, i. Vak. eingedampft und der ölige Rückstand (0,48 g) an Kieselgel chromatographiert. Eluieren mit Chloroform liefert 0,261 g (58% d.Th.) eines roten viskosen Öles, das langsam durchkristallisiert.; nach Umkristallisieren aus Pentan; F: 95–95,5° (ziegelrote Nadeln).

Auch die benzannelierten Derivate von IX und XII (S. 556) sind bekannt[1–3]. So wird *5,9-Bis-[dehydro]-⟨dibenzo-[a; i]-[12]annulen⟩* (XIV) durch Ullmann-Castro-Reaktion von 2,2'-Bis-[kupfer-äthinyl]-*trans*-stilben mit *cis*-1,2-Dijod-äthylen in Pyridin gewonnen[1]:

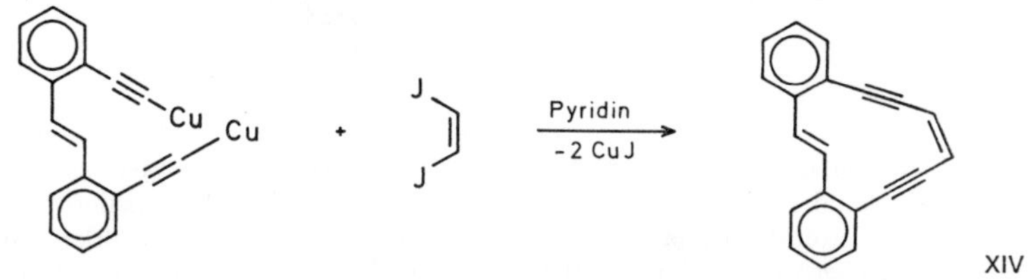

Cu Cu + J J —Pyridin / -2 CuJ→ XIV

Trans,trans- und *cis,trans-5,6-Dehydro-⟨tribenzo-[a;e;i]-[12]annulen⟩* (XV) wird mit Hilfe der Wittig-Reaktion aus o-Phthalaldehyd und dem Bis-Ylid XVI gewonnen. Bromierung und anschließende Dehydrobromierung führt zu einem Gemisch aus 5,11-*Bis-[dehydro]-* (XVII) bzw. *5,11,17-Tris-[dehydro]-⟨tribenzo-[a;e;i]-[12]annulen* (XVIII), wobei letzteres bei wiederholter Bromierung und Dehydrobromierung der Mischung in guter Ausbeute erhalten wird[2,3]:

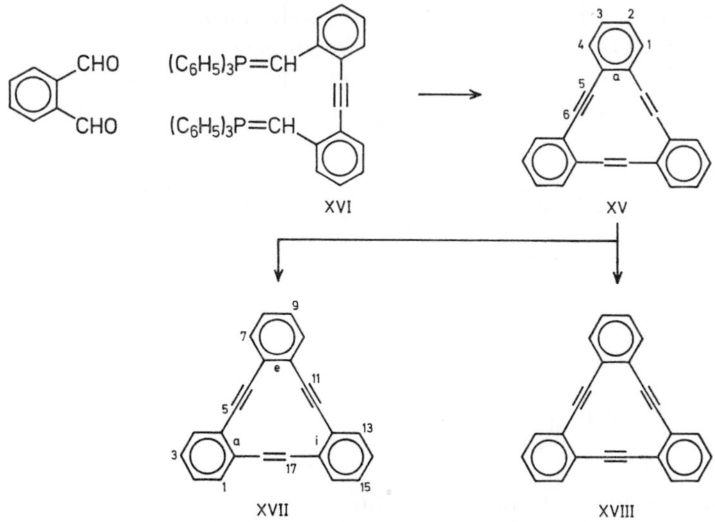

CHO CHO $(C_6H_5)_3P{=}CH$ $(C_6H_5)_3P{=}CH$ XVI → XV

XVII XVIII

Das Annulen XVII wird ebenfalls in guten Ausbeuten durch Ullmann-Castro-Reaktion erhalten[1].

[1] H. A. Staab u. R. Bader, B. **103**, 1157 (1970).

[2] H. A. Staab u. F. Graf, Tetrahedron Letters **1966**, 751; B. **103**, 1107 (1970).

[3] I. D. Campbell et al., Chem. Commun. **1966**, 87.

5,11,15-Tris-[dehydro]-⟨dibenzo-[a;e]-[12]annulen⟩ (XIX) wird nach Ullman-Castro aus Bis-[2-(kupfer-äthinyl)-phenyl]-acetylen und *cis*-1,2-Dijod-äthylen[1] sowie *5,11,17-Tris-[dehydro]-⟨tribenzo-[a;e;i]-[12]annulen⟩* (XVIII) aus 3 Molen Kupfer-(2-jod-phenyl)-acetylenid[2] in Pyriden hergestellt:

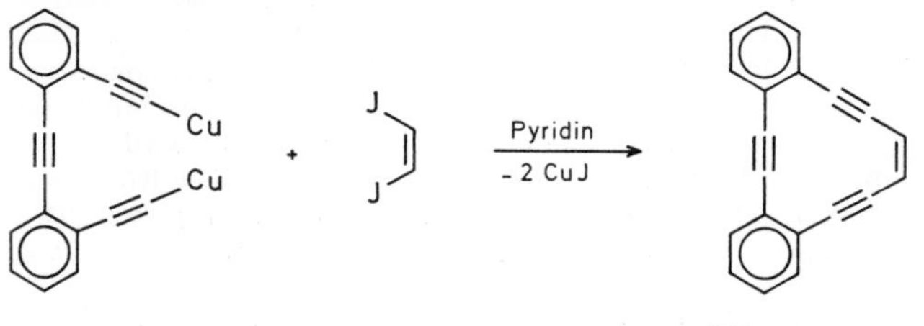

Cu Cu + J J — Pyridin, −2 CuJ → XIX

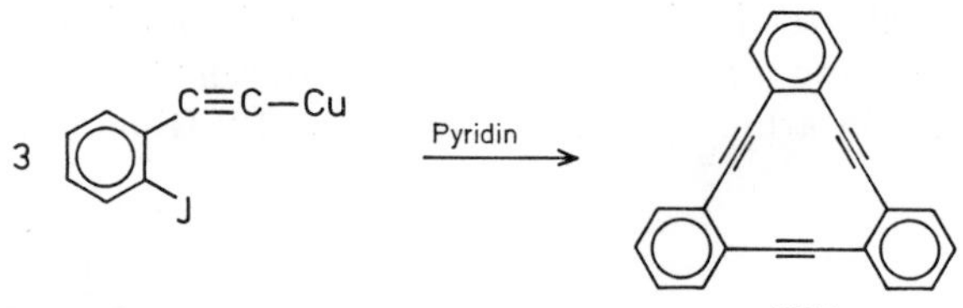

3 C≡C—Cu, J — Pyridin → XVIII

5,11,17-Tris-[dehydro]-⟨tribenzo-[a;e;i]-[12]annulen⟩ (XVIII)[3]: Eine Lösung von 1 g Kupfer-(2-jod-phenyl)-acetylenid in 200 *ml* trockenem frisch unter Stickstoff destilliertem Pyridin wird 6 Stdn. in einer Stickstoffatmosphäre zum Sieden erhitzt. Nach dem Abkühlen wird die Reaktionslösung auf Eis gegossen, mit verd. Schwefelsäure neutralisiert und mit Äther extrahiert. Das nach Trocknen der Ätherphase und Verjagen des Äthers erhaltene Rohprodukt wurde durch präparative Dünnschichtchromatographie gereinigt (Silica-Gel, Benzol: Leichtbenzin 15:85; die Bande des Trimeren XVIII (fluoresziert gelb im UV-Licht); Ausbeute: 40% d.Th.); F: 219 bis 220° (aus Methanol).

Neben dem Trimeren XVIII erhält man noch ein Tetrameres, dessen Bande (kurz hinter der Bande des Trimeren) im UV-Licht blau fluoresziert.

5,7,13,15-Tetrakis-[dehydro]-⟨dibenzo-[a;g]-[12]annulen (XX) wird durch oxidative Verknüpfung von 1,2-Diäthinyl-benzol unter Eglinton-Bedingungen erhalten[4]. Analog erhält man *9,11,21,23-Tetrakis-[dehydro]-⟨bis-phenanthreno-[9,10-a;9,10-g]-[12] annulen⟩* (XXI)[5] aus 9,10-Diäthinyl-phenanthren und *1,2,3,4,9,10,11,12-Octahydro-5,7,13,15-tetrakis-[dehydro]-⟨dibenzo-[a;g]-[12]annulen⟩* (XXII) aus 1,2-Diäthinyl-cyclohexen[6]:

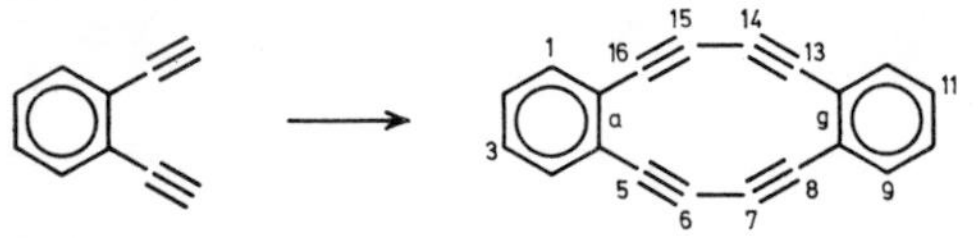

XX

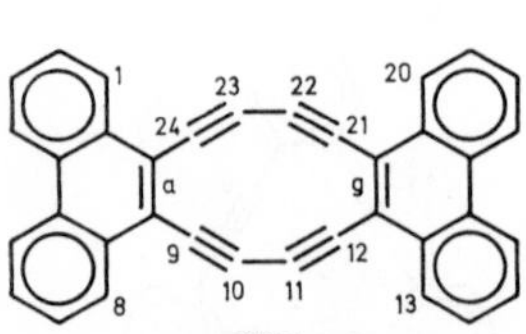

XXI

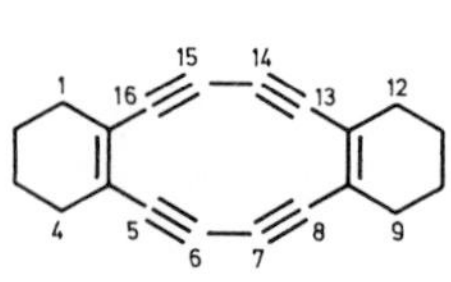

XXII

[1] H. A. Staab u. R. Bader, B. **103**, 1157 (1970).
[2] I. D. Campbell et al., Chem. Commun. **1966**, 87.
[3] R. A. Raphael, unveröffentlicht.
[4] O. M. Behr et al., Soc, **1960**, 3614.
[5] M. Morimoto, S. Agiyama, S. Misumi u. M. Nakagawa, Bl. Chem. Soc. Japan **35**, 857 (1962).
[6] G. Pilling u. F. Sondheimer, Am. Soc. **93**, 1970 (1971).

Durch Kupfer(I)-chlorid katalysierte Kupplung von Bis-[2-lithium-phenyl]-acetylen wird *9,19-Bis-[dehydro]-⟨tetrabenzo-[a;c;g;i]-[12]annulen⟩* erhalten[1]:

Zu den verbrückten [12]Annulenen zählen auch Verbindungen mit Stickstoff als Brücke. So erhält man ausgehend von 4-Chlor-chinolizinium-perchlorat (I) über 3 Stufen *1,3-Dibutyloxycarbonyl-cyclo[3.3.3]azin* (II) das zum reinen *Cyclo[3.3.3] azin* (III) abgebaut werden kann[2]:

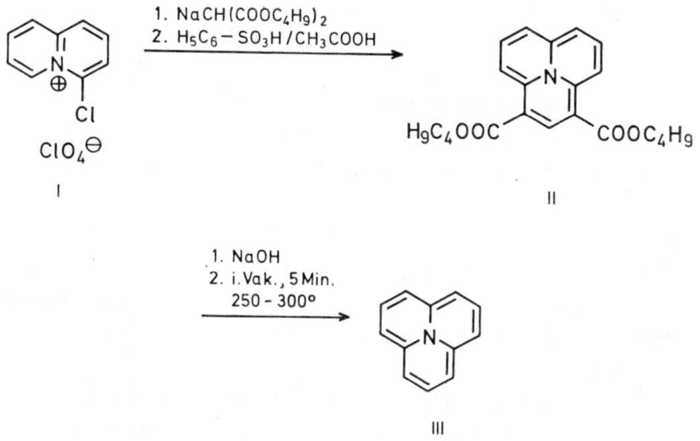

1. $NaCH(COOC_4H_9)_2$
2. $H_5C_6-SO_3H/CH_3COOH$

I II

1. NaOH
2. i. Vak., 5 Min. 250–300°

III

13,14-Dihydro-13,14-diaza-pyracyclen (VI) erhält man aus 3,6,9,12-Tetraoxo-cyclodecadien-(1,7) auf folgendem Wege[3]:

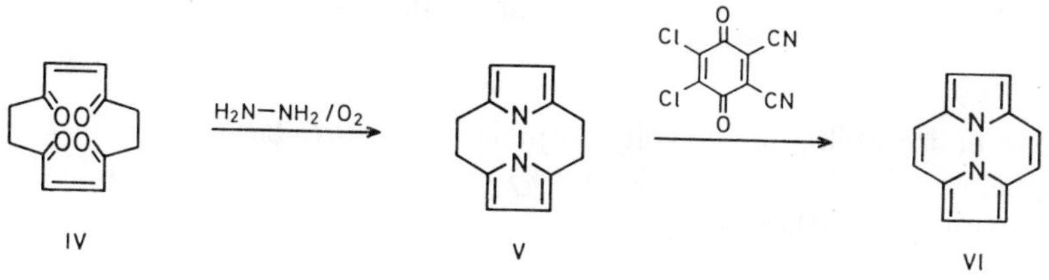

H_2N-NH_2/O_2

IV V VI

e) Verbindungen mit 14-gliedrigem Ring

Den Grundkörper dieser Klasse, das *[14] Annulen* (I, S. 560) erhält man ausgehend von *trans,trans*-Tetradecadien-(4,10)-triin-(1,7,13) nach der Methode von Sondheimer[4]:

[1] H. A. STAAB u. E. WEHNIGER, Ang. Ch. **80**, 240 (1968).
[2] D. FARQUHAR u. D. LEAVER, Chem. Commun. **1969**, 24; III besitzt ein 12-π-Peripherie mit paramagnetischen Ringstrom aufgrund der Hochfeld NMR Verschiebung.
[3] W. W. PAUDLER u. E. A. STEPHAN, Am. Soc. **92**, 4468 (1970).
[4] F. SONDHEIMER u. Y. GAONI, Am. Soc. **82**, 5765 (1960).

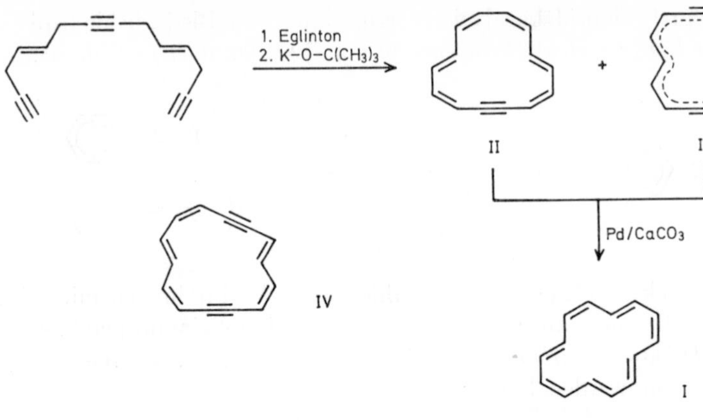

1. Eglinton
2. K–O–C(CH3)3

II III

Pd/CaCO3

IV

I

Das *[14]Annulen* wird dabei als 6:1 Mischung zweier Konfigurationsisomere erhalten[1,2], die beide isoliert werden konnten[1]. Bei Raumtemperatur stellt sich sehr rasch das Gleichgewicht zwischen ihnen ein[1]. Versuche, *[14]Annulen* elektrophil zu substituieren, verliefen ergebnislos[3] (vgl. a. S. 576ff.).

Dehydro-[14]annulen (II) und das stabilere *1,8-Bis-[dehydro]-[14]annulen* (III) stellen Zwischenprodukte dar[4,5]. *Dehydro-[14]annulen* (II) wurde in Form zweier unterschiedlich stabiler Konfigurationsisomerer erhalten[6].

1,8-Bis-[dehydro]-[14]annulen (III) besitzt einen beträchtlichen Ringstrom, der sich in seinem Kernresonanzspektrum[5,6] sowie in seiner diamagnetischen Anisotropie[7] zu erkennen gibt. Es scheint, aufgrund dieser Kriterien eine der aromatischsten Verbindungen in dieser Stoffklasse zu sein. Die Dehydroannulene II und III können elektrophil substituiert werden[3,6].

1,7-Bis-[dehydro]-[14]annulen (IV; s. o.) konnte auf ähnliche Weise hergestellt werden. *1,5,9-Tris-[dehydro]-[14]annulen* fällt u.a. bei der Solvolyse von 6,13-Bis-[methansulfonyloxy]-cyclotetradecatetrain-(1,3,8,10) an[8]:

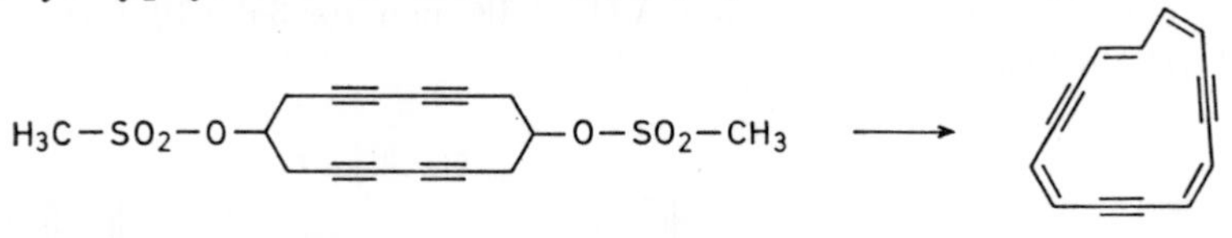

H_3C-SO_2-O- ... $-O-SO_2-CH_3$ ⟶

Das extrem instabile, nicht voll konjugierbare *7,9,18,20-Tetrakis-[dehydro]-⟨dinaphtho-[1,8,8a–a,b;1,8,8a–h,i]-[14]annulen⟩* erhält man durch Glaser-Verknüpfung von 1,8-Diäthinyl-naphthalin[9]:

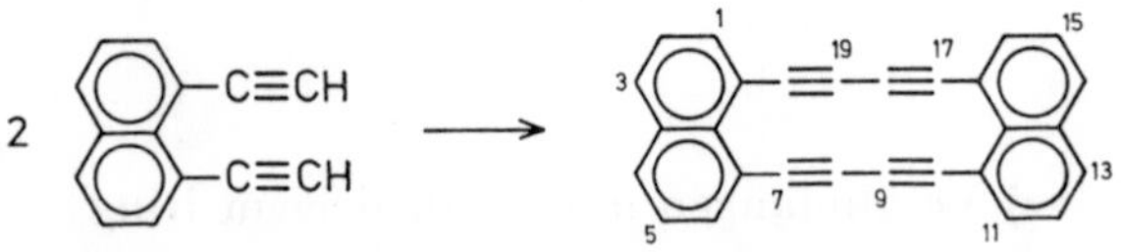

2 C≡CH C≡CH ⟶ 1 3 5 7 9 11 13 15 17 19

[1] Y. Gaoni u. F. Sondheimer, Pr. chem. Soc. **1964**, 299.
[2] J. F. M. Oth in G. Chiurdoglu *Conformational Analysis*, IUPAC, Butterworth, London 1971.
[3] Y. Gaoni u. F. Sondheimer, Am. Soc. **86**, 521 (1964).
[4] F. Sondheimer u. Y. Gaoni, Am. Soc. **82**, 5765 (1960).
[5] F. Sondheimer et al., Am. Soc. **84**, 4595 (1962).
[6] F. Sondheimer, Pr. roy. Soc. [A] **297**, 173 (1967); unveröffentlicht.
[7] N. A. Bailey, M. Gerloch u. R. Mason, Mcl. Phys. **10**, 327 (1966).
[8] J. H. Mayer u. F. Sondheimer, Am. Soc. **88**, 602 (1966).
[9] R. H. Mitchell u. F. Sondheimer, Tetrahedron **24**, 1397 (1968).

Trans-15,16-Dimethyl-15,16-dihydro-pyren (VI) wird durch nachstehende vielstufige Synthese erhalten[1]:

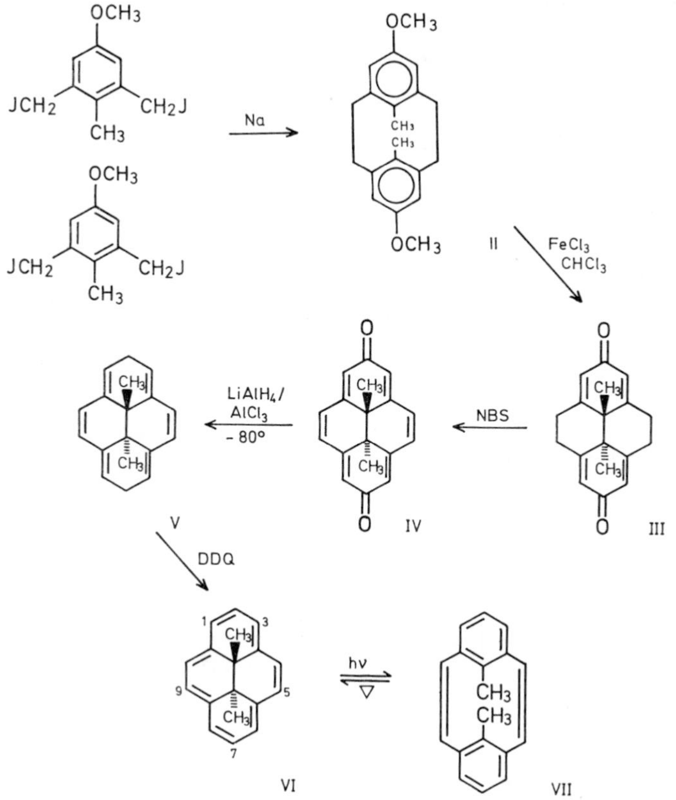

Die Methyl-Gruppen erwiesen sich als sehr geeignet zum Studium der Wirkung des Ringstromes innerhalb des Ringes. Durch Photolyse wird VI in VII umgewandelt (vgl. S. 551), die Reaktion ist thermisch reversibel[2]. VI läßt sich elektrophil substituieren, z.B. zu *2-Nitro-* und *2,7-Dibrom-trans-15,16-dimethyl-* bzw. *-trans-15,16-Dimethyl-2-acetyl-15,16-dihydro-pyren* und einer Reihe anderer Derivate[3]. *15,16-Dimethyl-15,16-dihydro-pyren* erweist sich auf Grund spektroskopischer und chemischer Kriterien als aromatisch[1,3]. Das ebenfalls aromatische *15,16-Diäthyl-15,16-dihydro-pyren* wird nach ähnlicher Methode gewonnen[4].

Eine andere Synthese von *trans-15,16-Dimethyl-15,16-dihydro-pyren* (X), im Schema auf S. 562 näher erläutert, geht einen völlig neuen Weg[5]:

---

[1] V. Boekelheide u. J. B. Phillips, Am. Soc. **85**, 1545 (1963); **89**, 1695 (1967); Pr. Nation. Acad. USA **51**, 550 (1964).
[2] H. R. Blattmann et al., Am. Soc. **87**, 130 (1965).
[3] J. B. Phillips et al., Am. Soc. **89**, 1704 (1967).
[4] V. Boekelheide u. T. Miyasaka, Am. Soc. **89**, 1709 (1967).
[5] R. H. Mitchell u. V. Boekelheide, Tetrahedron Letters **1970**, 1197.

$BrCH_2$ CH_2Br CH_3 — Na_2S/C_2H_5OH → S CH_3 CH_3 S + *Syn*-isomere IX

anti, VIII

$[(CH_3O)_2\overset{\oplus}{C}H]\ BF_4^{\ominus}$, CH_2Cl_2

$H_3C-S^{\oplus}$ CH_3 CH_3 $^{\oplus}S-CH_3$ $2\ BF_4^{\ominus}$ — NaH, THF → CH_3 CH_3 $S-CH_3$ H_3C-S

$[(CH_3O)_2\overset{\oplus}{C}H]\ BF_4^{\ominus}$, CH_2Cl_2

$(CH_3)_2\overset{\oplus}{S}$ CH_3 CH_3 $\overset{\oplus}{S}(CH_3)_2$ $2\ BF_4^{\ominus}$ — tert.-C_4H_9OH, $K-O-C(CH_3)_3$, Kochen → CH_3 CH_3 X

Dieser Syntheseweg wurde ebenfalls zur Herstellung von *trans-15,16-Dihydro-pyren* (XI) eingesetzt[1]. XI besitzt einen starken diamagnetischen Ringstrom und das NMR-Spektrum ist ähnlich den 15,16-disubstituierten Derivaten. Unter Belichtung bzw. in Gegenwart von Sauerstoff geht IX leicht in Pyren über. Das *cis-15,16-Dimethyl-15,16-dihydro-pyren* (XII, smaragd-grün), erhalten aus dem *syn*-Isomeren IX, scheint diamagnetisch zu sein, obwohl die Verschiebung der Methylprotonen nach höherem und die der Ringprotonen nach niederem Feld geringer sind als beim *trans*-Derivat X[2].

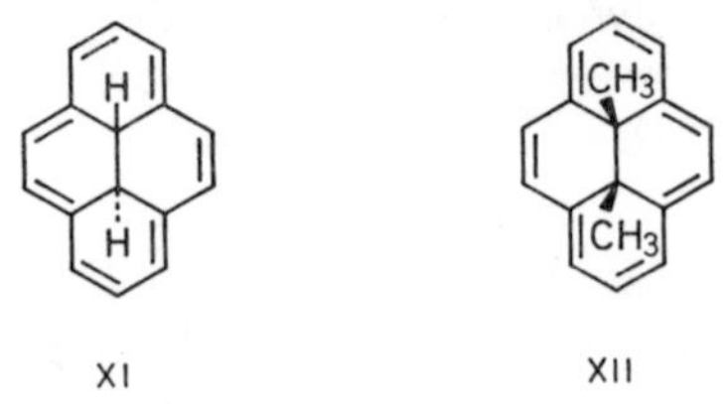

***Trans*-15,16-Dimethyl-15,16-dihydro-pyren (VI;** vgl. Formelschema S. 561)[3]**:**

2,6-Dibrom-4-methoxy-1-methyl-benzol: 640 g (2,21 Mol) rohes Natriumsalz des 2,6-Dibrom-4-hydroxy-1-methyl-benzols werden in einer Lösung aus 30 g Natriumhydroxid

[1] R. H. MITCHELL u. V. BOEKELHEIDE, Am. Soc. **92,** 3510 (1970).

[2] R. H. MITCHELL u. V. BOEKELHEIDE, Chem. Commun. **1970,** 1555.

[3] V. BOEKELHEIDE u. J. B. PHILLIPS, Am. Soc. **85,** 1545 (1963); **89,** 1695 (1967); Pr. Nation. Acad. USA **51,** 550 (1964).

und 1,5 *l* Wasser gelöst. Zu der gerührten Lösung fügt man innerhalb 1 Stde. 250 *ml* Dimethylsulfat. Die Temp. soll dabei 30° möglichst nicht übersteigen. Anschließend wird die Reaktionsmischung auf 90° erwärmt und schließlich für 1 Stde. zum Sieden erhitzt. Nach dem Abkühlen auf 50° trennt man die organische Schicht ab und destilliert in einem Claisenkolben; Ausbeute: 385 g (62% d. Th.); Kp_{15}: 154°. Das farblose Öl kristallisiert beim Stehen; F: 47–48° (aus Methanol bei –10°).

5-Methoxy-2-methyl-1,3-dicyan-benzol: Eine Lösung von 235 g 2,6-Dibrom-4-methoxy-1-methyl-benzol und 170 g Kupfer(I)-cyanid in 300 *ml* N-Methyl-pyrrolidon-(2) wird 3 Stdn. auf 170° erhitzt. Während der Reaktion fällt Kupfer(I)-bromid aus. Nach 3 Stdn. läßt man die Reaktionsmischung etwas abkühlen. Zu der noch warmen Suspension wird unter Rühren vorsichtig 1 *l* Wasser gegeben. Der abgeschiedene Festkörper wird abfiltriert und nacheinander gründlich mit Wasser, verd. Salpetersäure, verd. Ammoniak-Lösung und nochmals mit Wasser gewaschen. Der gelb-braune Rückstand wird nun 4mal mit je 500 *ml* heißem Aceton extrahiert. Die vereinigten Acetonextrakte werden zur Trockene eingedampft und der Rückstand in siedendem Chloroform gelöst und heiß durch 50 g Aluminiumoxid filtriert. Die auf 500 *ml* eingeengte Chloroform-Lösung wird mit 1,5 *l* heißem Methanol verdünnt und stehen gelassen. Die erste Fraktion ergibt 90 g farblose Nadeln (F: 175–176°); aus der Mutterlauge lassen sich nach Einengen auf 500 *ml* weitere 31 g gewinnen; Gesamtausbeute: 121 g (85% d. Th.).

5-Methoxy-2-methyl-isophthalsäure: Eine Mischung von 116 g 5-Methoxy-2-methyl-1,3-dicyan-benzol in einer Lösung von 150 g Kaliumhydroxid in 750 *ml* Wasser wird unter Rückfluß solange zum Sieden erhitzt, bis eine klare Lösung entsteht (24 Stdn.). Nach dem Abkühlen wird die Lösung vorsichtig mit 300 *ml* konz. Salzsäure angesäuert. Der abgeschiedene Festkörper wird abfiltriert, gründlich mit Wasser gewaschen und getrocknet; Rohausbeute: 132 g (99% d. Th.).

Das Rohprodukt ist genügend rein für die nächste Stufe. F: 220,5–222,0° (aus Isopanol; feine farblose Nadeln).

5-Methoxy-2-methyl-isophthalsäure-dimethylester: Eine Lösung von 130 g der zuvor erhaltenen Isophthalsäure in 1 *l* Methanol wird mit Salzsäuregas gesättigt und 5 Stdn. zum Sieden erhitzt. Danach wird die Reaktionsmischung entweder auf 1 kg zerstoßenes Eis gegossen (der abgeschiedene Methylester erstarrt bald und wird abfiltriert), oder man extrahiert mit Äther, wäscht die Ätherphase neutral, trocknet, destilliert den Äther ab und fraktioniert i. Vak.; Ausbeute: 123 g (84% d. Th.); Kp_{15}: 192° (farbloses Öl, das erstarrt); F: 40–42° [F: 41–42°, aus Petroläther (Kp: 30–60°)].

5 Methoxy-2-methyl-1,3-bis-[hydroxymethyl]-benzol: Eine Lösung von 73 g 5-Methoxy-2-methyl-isophthalsäure-dimethylester in 750 *ml* Äther wird unter Rühren zu einer ätherischen Lösung von 35 g Lithiumanalat in 1,5 *l* Äther getropft. Anschließend kocht man 5 Stdn. am Rückfluß und rührt die Mischung über Nacht. Der Überschuß an Lithiumalanat wird durch vorsichtige Zugabe von Essigsäure-äthylester und anschließend von verd. Schwefelsäure zerstört. Die abgetrennte Ätherschicht wird mit Wasser gewaschen, getrocknet und zur Trockne eingedampft. Der feste Rückstand wird aus 900 *ml* 60%igem wäßrigen Methanol umkristallisiert; Ausbeute: 46 g (83% d. Th.); F: 140–142° (F: 142–143°, aus Benzol).

Die Löslichkeit der Hydroxy-Verbindung in Äther ist mäßig und es kann vorkommen, daß das Produkt bei der Hydrolyse ausfällt. In diesem Fall sammelt man den gesamten Festkörper und extrahiert ihn im Soxhlet-Apparat mit Chloroform. Da 5-Methoxy-2-methyl-1,3-bis-[hydroxymethyl]-benzol relativ wasserlöslich ist, hat die Aufarbeitung sorgfältig zu geschehen.

5-Methoxy-2-methyl-1,3-bis-[brommethyl]-benzol: Zu einer Lösung von 40 g der obigen Hydroxy-Verbindung in 400 *ml* Benzol gibt man unter Rühren innerhalb 15 Min. eine Lösung von 24,0 g Phosphor(III)-bromid in 50 *ml* Benzol. Die Reaktionsmischung wird für 5 Min. zum Sieden erhitzt, abgekühlt, von anorganischen Resten abdekantiert und auf 1 kg Eis gegossen. Nachdem das Gemisch gründlich gerührt wurde, trennt man die Benzolschicht ab, trocknet sie und dampft i. Vak. zur Trockne ein. Der feste Rückstand wird aus Cyclohexan umkristallisiert; Ausbeute: 47,6 g (70% d. Th.); F: 133–134°.

5-Methoxy-2-methyl-1,3-bis-[jodmethyl]-benzol (I, S. 561): Eine Mischung von 50,0 g 5-Methoxy-2-methyl-1,3-bis-[brommethyl]-benzol und 200 g Natriumjodid in 2 *l* trockenem Tetrahydrofuran wird 2 Stdn. am Rückfluß gekocht. Nachdem der größte Teil des Solvens i. Vak. abdestilliert worden ist, fügt man 1,5 kg fein zerstoßenes Eis zur Reaktionsmischung. Der abgeschiedene Niederschlag wird abfiltriert, mit Wasser gewaschen und getrocknet, dann in 200 *ml* Dichlormethan aufgenommen und zur Entfernung von gelben Verunreinigungen durch eine kurze Kieselgursäule (Florosil) filtriert. Die Lösung wird sodann auf 100 *ml* eingeengt und mit

200 *ml* kaltem Methanol verdünnt, das ausgefallene Jod-Derivat wird abfiltriert; Ausbeute: 48,0 g (70% d.Th.); F: 138° (farblose Platten).

5,31-Dimethoxy-2,10-dimethyl-[2.2]metacyclophan (II, S. 561): Eine Lösung von 30,0 g 5-Methoxy-2-methyl-1,3-bis-[jodmethyl]-benzol in 1 *l* trockenem Tetrahydrofuran wird innerhalb von 70 Stdn. unter Rühren durch einen Herschberg-Tropftrichter zu einer Suspension von 20,0 g Natriumstaub in 1 *l* Tetrahydrofuran, das 2 g Tetraphenyl-äthylen enthält, hinzugetropft. Die Reaktion wird bei Zimmertemp. unter einer Stickstoffatmosphäre durchgeführt. Zum Schluß filtriert man vom unverbrauchten Natrium ab und dampft das Lösungsmittel i. Vak. ab. Der Rückstand wird in 500 *ml* Dichlormethan aufgenommen, 500 *ml* Wasser und verd. Salzsäure werden hinzugefügt. Die so gewaschene organische Phase wird abgetrennt und durch eine kurze Florisil-Säule (30 g) filtriert. Das Filtrat wird i. Vak. eingeengt und in 50 *ml* heißem Tetrachlormethan zu einer klaren Lösung wiedergelöst. Die Tetrachlormethan-Lösung liefert beim Abkühlen 4,1 g Kristalle (eine Mischung aus dem gewünschten Metacyclophan II und Tetraphenyl-äthylen). Die Mutterlauge wird auf 20 *ml* eingeengt und mit 60 *ml* heißem Cyclohexan verdünnt. Der zähe Niederschlag, der sich abscheidet, enthält kein Metacyclophan II. Die Cyclohexan-Mutterlauge wird zur Trockne eingedampft und der schwach gelbe Rückstand bei 150° (0,02 Torr) sublimiert. Auf diese Weise erhält man 1,6 g einer Metacyclophan/Tetraphenyl-äthylen-Mischung. Die vereinigten Fraktionen (4,1 + 1,6 g) werden in Benzol aufgenommen und an Aluminiumoxid basisch (Woelm, Aktivität 1) chromatographiert. Mit Chloroform erhält man 2,19 g (20% d.Th.) II (F: 211–212°, weiße Nadeln).

Obwohl die ersten Versuche mit dem Dijodid durchgeführt wurden, zeigten weitere Studien, daß sich nach der obigen Methode auch das Dibromid ebenso erfolgreich dimerisieren läßt. Eingehende Untersuchungen zeigten, daß die obige Methode die beste ist und reproduzierbare Ausbeuten liefert. In einzelnen Ansätzen ließen sich Ausbeuten in der Höhe von 27,5% d. Th. erhalten.

2,7-Dioxo-15,16-dimethyl-2,4,5,7,9,10,15,16-octahydro-pyren(III, S. 561): Die Oxidations-Lösung wird durch Zugabe von 2,13 g konz. Schwefelsäure zu einer kalten Lösung von 2,67 g Chrom(VI)-oxid in 5 *ml* Wasser und Auffüllen mit Wasser auf 10 *ml* hergestellt.

0,70 *ml* (1,87 mMol) der so bereiteten Chromsäure-Lösung wird nun tropfenweise zu einer gerührten Suspension von 800 mg (2,70 mMol) II in 20 *ml* Aceton gegeben. Innerhalb von 5 Min. scheidet sich der blaßgelbe Komplex nahezu vollständig ab. Man rührt weitere 10 Min. und fügt 100 *ml* Wasser hinzu. Die Reaktionsmischung wird 3 mal mit je 50 *ml* Dichlormethan extrahiert, die vereinigten Extrakte mit 5%iger Natriumhydrogencarbonat-Lösung und mit Wasser gewaschen, getrocknet und i. Vak. zur Trockne eingedampft. Der Rückstand wird aus Methanol und aus Dichlormethan umkristallisiert; Ausbeute: 680 mg (94% d.Th.); F: 265°.

trans-15,16-Dimethyl-15,16-dihydro-pyrenchinon-(2,7) (IV, S. 561): Eine Lösung von 860 g (3,23 mMol) III in 350 *ml* trockenem Tetrachlormethan wird mit 1,170 g (6,50 mMol) N-Brom-succinimid und 15 mg Azoisobuttersäure-dinitril zum Sieden erhitzt. Die Lösung färbt sich zuerst braun, um im Laufe 1 Stde. eine gelbe Färbe anzunehmen. Die Reaktionsmischung wird i. Vak. zur Trockne eingedampft, der Rückstand in Dichlormethan gelöst und an Aluminiumoxid (Woelm, neutral, Aktivität 3) chromatographiert. Die gelben Fraktionen der tiefgelben Zone werden eingeengt; Ausbeute: 760 mg (90,5% d.Th.); F: 252° (Zers.); gelbe Nadeln.

trans-15,16-Dimethyl-2,7,15,16-tetrahydro-pyren (V, S. 561): Man kocht eine Lösung von 4,0 g Lithiumalanat in 240 *ml* trockenem Äther für 2 Stdn., fügt 14,0 g Aluminiumchlorid hinzu und kocht die Mischung weitere 2 Stdn. Anschließend kühlt man die Reaktionsmischung auf –80° ab und fügt unter Rühren innerhalb 2 Stdn. eine Lösung von 300 mg des Chinons IV in 70 *ml* trockenem Benzol und 150 *ml* trockenem Äther hinzu. Nach der Zugabe wird die orangefarbene Suspension 2 Stdn. bei –80° gerührt. Man läßt die Mischung dann aufwärmen, zerstört den Überschuß an Aluminiumhydrid mit Essigsäure-äthylester und fügt 50 *ml* Eiswasser hinzu. Die organische Phase wird abgetrennt, mit Wasser gewaschen und bis auf wenige *ml* eingeengt. Das Konzentrat wird über Florosil chromatographiert. Mit Petroläther (Kp: 30–60°) eluiert man eine tiefgelbe Zone; die Lösung wird eingeengt und der kristalline Rückstand aus Methanol umkristallisiert; Ausbeute: 154 mg (57% d.Th.); F: 168–170°.

Die Eluierung einer tiefgrünen Bande von der Säule liefert das Annulen VI, zu dessen präparativer Herstellung daher beide Fraktionen der Chromatographie der folgenden Dehydrierung unterworfen werden.

trans-15,16-Dimethyl-15,16-dihydro-pyren (VI, S. 561):

Katalytische Dehydrierung: Die bei der obigen Reduktion erhaltenen gelben und grünen Fraktionen werden vereinigt und zur Trockne eingeengt. Der kristalline Rückstand (225 mg) wird in 200 *ml* frisch destilliertem Cyclohexan gelöst und nach Zugabe von 300 *mg* eines 30%igen Palladium-Tierkohle-Katalysators für 12 Stdn. am Rückfluß gekocht. Nachdem man vom Katalysator abfiltriert hat, engt man die grüne Lösung zur Trockne ein und sublimiert den Rückstand bei 100° (0,01 Torr); Ausbeute: 198 mg (75% d. Th.); dunkelgrüne Kristalle. Zur Reinigung wird in Petroläther (Kp: 30–60°) aufgenommen, über neutralem Aluminiumoxid (Woelm, Aktivität 2) chromatographiert, die Lösung eingeengt und der Rückstand aus Methanol umkristallisiert; F: 119–120° (dunkelgrüne Platten).

Dehydrierung mit 2,6-Dichlor-3,5-dicyan-benzochinon-(1,4) (*DDQ*): Eine Mischung von 50 mg V und 100 mg DDQ in 25 *ml* trockenem Benzol wird für 2 Stdn. zum Sieden erhitzt. Die Lösung wird zur Trockene eingeengt; der Rückstand in Pentan/Äther (20: 1) aufgenommen und über neutralem Aluminiumoxid (Woelm, Aktivität 1) chromatographiert. Die tiefgrünen Fraktionen werden bis zur Trockne eingeengt und der Rückstand aus Methanol umkristallisiert; Ausbeute: 48 mg (98% d. Th.); F: 119–120°.

Es gelingt nicht 15,16-Dihydro-15,16-diaza-pyren VII aus dem Cyclophan VI herzustellen[1]:

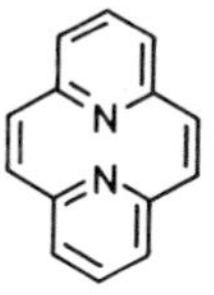

VI 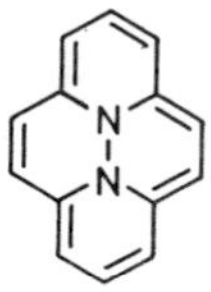 VII

Anti-1,6;8,13-Bis-[*methano*]-[*14*]*annulen* (XI) erhält man durch Umsetzung von 7,14-Dihydro-*anti*-1,6;8,13-bis-[methano]-[14]annulen (IX) [hergestellt aus VIII nach der Methode von Vogel][2] mit N-Brom-succinimid und auschließender Behandlung des Dibromids X mit Natriumjodid in Aceton[3]:

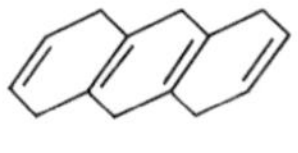

VIII

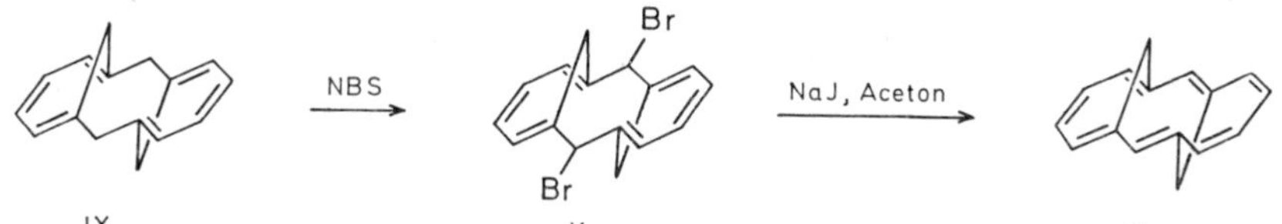

IX —NBS→ X —NaJ, Aceton→ XI

Aufgrund der spektroskopischen und chemischen Kriterien hat XI olefinischen Charakter. Durch konz. Schwefelsäure wird XI unter Bildung eines bemerkenswert stabilen Carbeniumions XII protoniert, woraus mit Eiswasser das *7-Hydroxy*-Derivat XIII gebildet wird[3]:

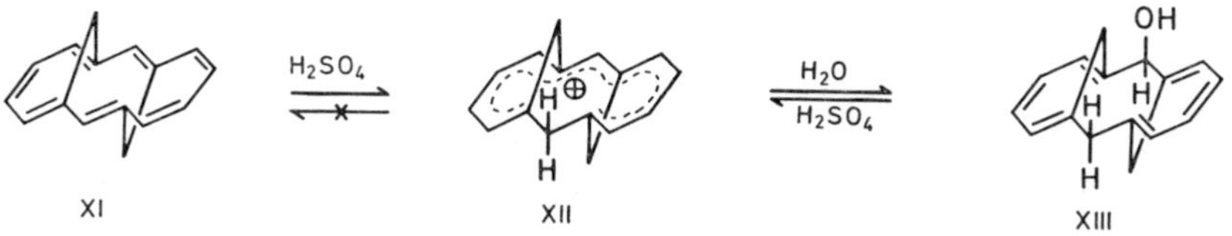

XI —H_2SO_4→ XII ⇌ (H_2O / H_2SO_4) XIII

[1] V. Boekelheide u. J. A. Lawson, Chem. Commun. **1970**, 1558.
[2] E. Vogel, M. Biskup, A. Vogel, U. Haberland u. J. Eimer, Ang. Ch. **78**, 642 (1966).
[3] E. Vogel, U. Haberland u. H. Günther, Ang. Ch. **82**, 510 (1970).

1,6;8,13-Propandiyliden-(1,3)-[14]annulen (XV) wird durch eine vielstufige Synthese aus VIII (S. 565) über das Dihydro-[14]annulen-keton XIV erhalten[1]:

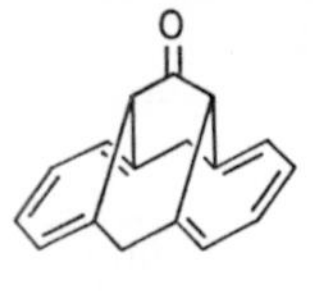

XIV  XV

XV läßt sich elektrophil substituieren, wobei Erstsubstitution bevorzugt in 2 Stellung erfolgt[1]. *1,6;8,13-Butandiyliden-(1,4)-[14]annulen* (XVIII) wird aus dem Keton XIV nach folgendem Weg gewonnen[2]:

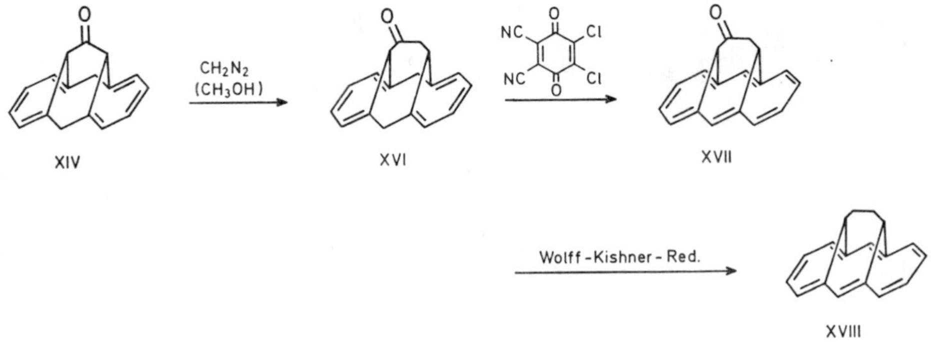

CH_2N_2 (CH_3OH)

XIV XVI XVII

Wolff-Kishner-Red.

XVIII

Syn-8,13-Epoxi-1,6-methano-[14]annulen (XXIII) wird ausgehend vom 1,4,5,8,9,10-Hexahydro-anthracen (VIII, S. 565) durch Cyclopropanierung nach Simmons-Smith zu XIX nach folgendem Schema erhalten[3]:

XIX

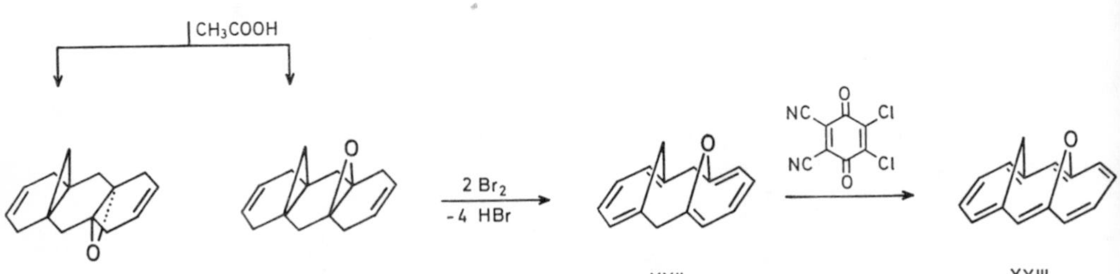

CH_3COOH

anti; XX *syn*; XXI

2 Br_2 / −4 HBr

XXII XXIII

Das Gemisch von XX und XXI wird an Aluminiumoxid getrennt. Das Annulen XXIII läßt sich elektrophil substituieren[3].

[1] E. Vogel, A. Vogel, H. K. Kubbeler u. W. Sturm, Ang. Ch. **82**, 512 (1970).
[2] E. Vogel, W. Sturm u. H. D. Cremer, Ang. Ch. **82**, 513 (1970).
[3] E. Vogel, U. Haberland u. J. Ick, Ang. Ch. **82**, 514 (1970).

Syn-1,6;8,13-Bis-[epoxi]-[14]annulen[1] kann ähnlich dem 1,6-Epoxi-[10]annulen (s. S. 552 f.) hergestellt werden:

f) Verbindungen mit 16-gliedrigem Ring:

[16]Annulen (III) kann entweder ausgehend von *trans*-Octen-(4)-diin-(1,7) (I) nach der Methode von Sondheimer[2–5] oder durch Photolyse des *all-cis*-Dimeren des Cyclooctatetraens (II) hergestellt werden[6,7]:

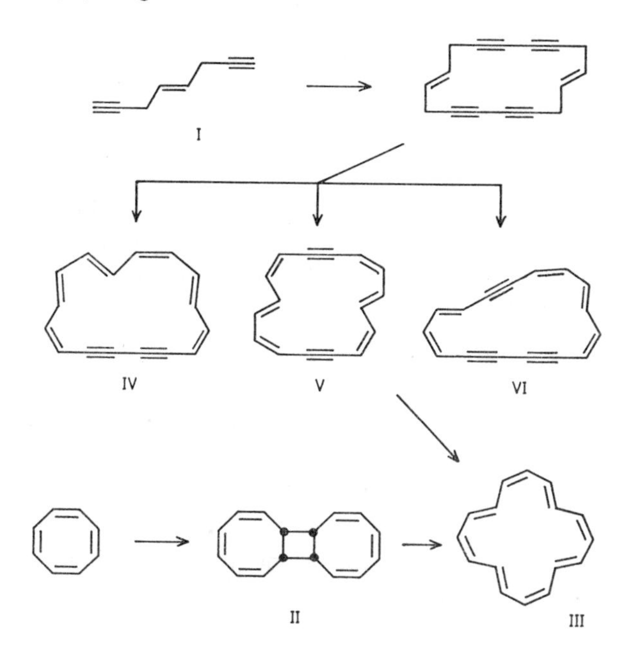

[16]Annulen (III)[6]: 15 g *all-cis*-Tricyclo[8.6.0.0^{2,9}]hexadecahexaen-(3,5,7,11,13,15) (II; Dimeres Cyclooctatetraen; F: 53°) werden in Äther mit einer Hochdruck-UV-Tauchlampe von 125 W 70 Stdn. bestrahlt. Nach dem Abziehen des Lösungsmittels kristallisieren aus dem dunkelroten öligen Rückstand 3,5 g permanganatfarbene Kristalle aus, die mit kaltem Äthanol gewaschen und anschließend aus Äthanol/Äther umkristallisiert werden; Ausbeute: 2,0 g (13% d. Th.); F: 90–91°.

Durch Photolyse bei 0° läßt sich die Ausbeute an [16]Annulen auf ~ 60% d. Th. steigern[7].

Bei der Synthese nach Sondheimer können *1,3-Bis-[dehydro]-[16]annulen* (IV) und

---

[1] E. Vogel et al., Ang. Ch. **78**, 755 (1966).
[2] F. Sondheimer, Pure Appl. Chem. **7**, 363 (1963).
[3] F. Sondheimer, Pr. roy. Soc. [A] **297**, 173 (1967).
[4] F. Sondheimer u. Y. Gaoni, Am. Soc. **83**, 4863 (1961).
[5] I. C. Calder, Y. Gaoni u. F. Sondheimer, Am. Soc. **90**, 4946 (1968).
I. C. Calder et al., Am. Soc. **90**, 4954 (1968).
[6] G. Schröder u. J. F. M. Oth, Tetrahedron Letters **1966**, 4083.
[7] G. Schröder, W. Martin u. J. F. M. Oth, Ang. Ch. **79**, 861 (1967).

1,9-Bis-[dehydro]-[16]annulen (V) sowie *1,3,9-Tris-[dehydro]-[16]annulen* (VI) als Zwischenprodukte isoliert werden (S. 567)[1–4].

Trans-Tetrabenzo-[a;e;i;m]-[16]annulen (VII) kann wie folgt hergestellt werden[5]:

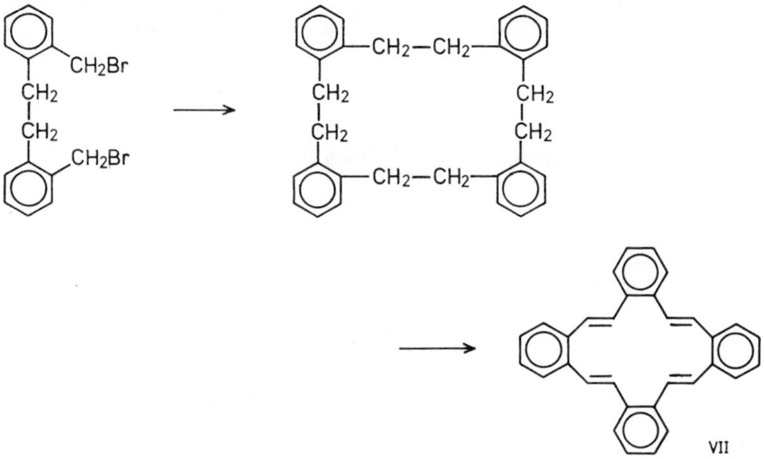

VII

Die Synthese von VII gelingt auch mit Hilfe der Wittig-Reaktion[6].

5,11,17,23-Tetrakis-[dehydro]-⟨tetrabenzo-[a;e;i;m]-[16]annulen wird als zweites Produkt der Ullmann-Castro-Reaktion von (2-Jod-phenyl)-acetylen isoliert[7] (s. S. 558).

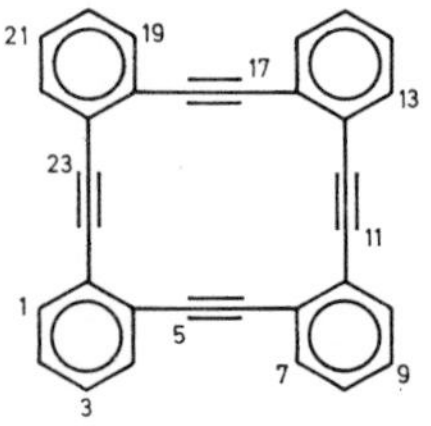

Durch Ringerweiterung von *trans*-15,16-Dimethyl-15,16-dihydro-pyren erhält man über das Dianion IX das *3,x-Dimethyl-1,6;9,14-butandiyliden-(2,3)-[16]annulen* (X) als Isomerengemisch[8]:

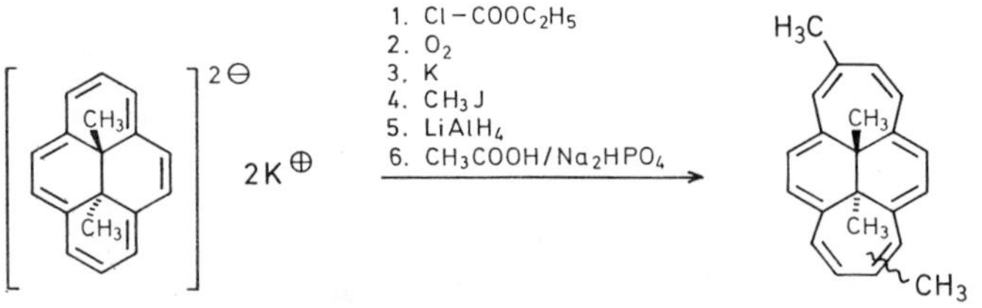

1. $Cl-COOC_2H_5$
2. O_2
3. K
4. CH_3J
5. $LiAlH_4$
6. CH_3COOH/Na_2HPO_4

IX X

[1] F. Sondheimer, Pure Appl. Chem. **7**, 363 (1963).
[2] F. Sondheimer, Pr. roy. Soc. [A] **297**, 173 (1967).
[3] F. Sondheimer u. Y. Gaoni, Am. Soc. **83**, 4863 (1961).
[4] I. C. Calder, Y. Gaoni u. F. Sondheimer, Am. Soc. **90**, 4946 (1968).
I. C. Calder et al., Am. Soc. **90**, 4954 (1968).
[5] E. D. Bergmann u. Z. Pelchowicz, Am. Soc. **75**, 4281 (1953).
[6] C. E. Griffin, K. R. Martin u. B. E. Douglas, J. Org. Chem. **27**, 1627 (1962).
[7] I. D. Campbell et al., Chem. Commun. **1966**, 87.
[8] R. H. Mitchell u. V. Boekelheide, Chem. Commun. **1970**, 1557.

g) Verbindungen mit 18-gliedrigem Ring:

[18]Annulen[1] (I), nach der Methode von Sondheimer hergestellt (s. S. 545 ff.), läßt sich elektrophil substituieren (z. B.: *Nitro-* und *Acetyl-[18]annulen*[2]). Zwei isomere *1,7,13-Tris-[dehydro]-[18]annulene* (II und III) und ein *1,3,7,13-Tetrakis-[dehydro]-[18]annulen* (IV) konnten als Zwischenprodukte bei der Herstellung von [18] Annulen isoliert werden[3,4] (II läßt sich auch auf einem anderen Weg herstellen[5]). *1,3,7,9,13,15-Hexakis-[dehydro]-[18]annulen* (V) wird bei der oxidativen Verknüpfung von *cis*-Hexen-(3)-diin-(1,5) unter den Eglinton-Bedingungen isoliert[6].

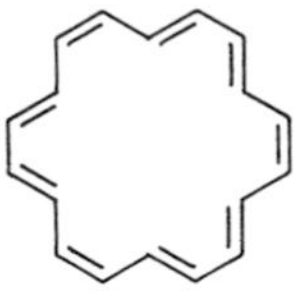

I 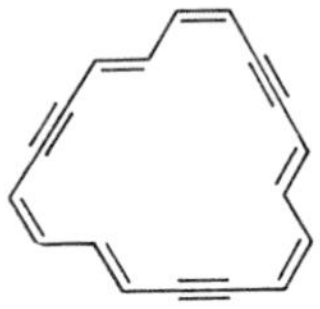 II 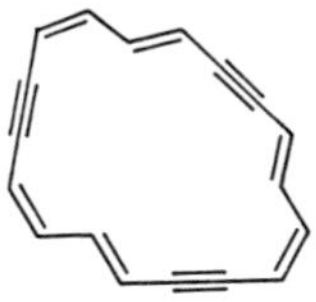 III

IV 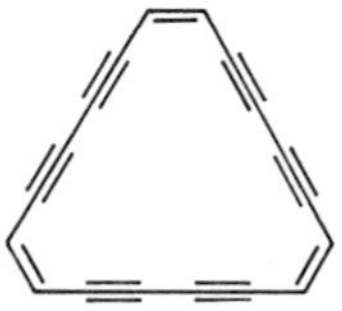 V

Durch partielle Deuterierung von II an Palladium/Calciumcarbonat erhält man *Hexadeutero-[18]annulen*[7], das wahrscheinlich als Gleichgewichtsgemisch der Strukturen VI–VIII vorliegt:

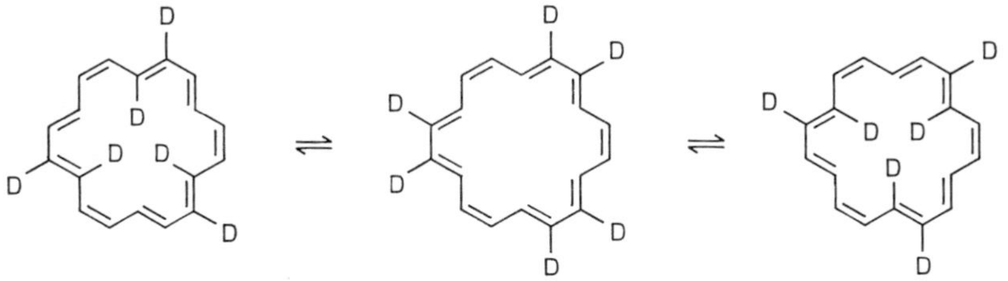

VI ⇌ VII ⇌ VIII

6,13,20-Tris-[dehydro]-⟨trinaphtho-[1,7,8,8a-a,b,c;1,7,8,8a-g,h,i;1,7,8,8a-m,n,o]-[18]annulen (IX) sowie *5,13,21-Tris-[dehydro]-⟨tribenzo-[a;g;m]-[18]annulen⟩* (X) werden nach Ullmann-Castro hergestellt (S. 570)[8]:

---

[1] F. Sondheimer, R. Wolovsky u. Y. Amiel, Am. Soc. **84**, 274 (1962).
[2] I. C. Calder et al., Soc. [C] **1967**, 1041.
[3] F. Sondheimer u. R. Wolovsky, Am. Soc. **84**, 260 (1962).
[4] R. Wolovsky, Am. Soc. **87**, 3638 (1965).
[5] F. Sondheimer, Y. Amiel u. Y. Gaoni, Am. Soc. **84**, 270 (1962).
[6] W. H. Okamura u. F. Sondheimer, Am. Soc. **89**, 5991 (1967).
[7] R. Wolovsky, E. P. Woo u. F. Sondheimer, Tetrahedron **26**, 2133 (1970).
[8] K. Endo, Y. Sakata u. S. Misumi, Tetrahedron Letters **1970**, 2557.

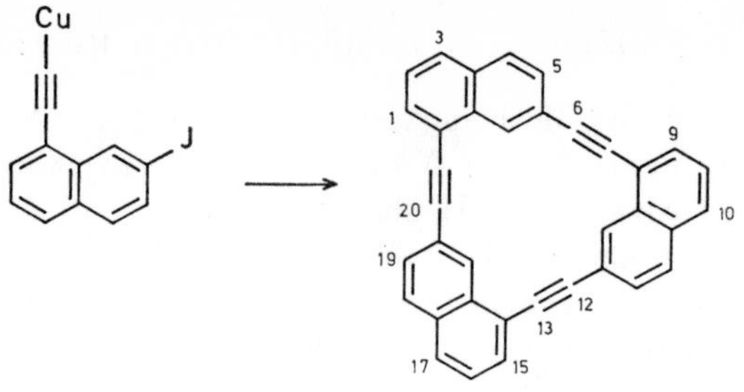

Durch Perkin-Kondensation von 2,5-Bis-[carboxymethyl]-thiophen (XI) mit α,β-Bis-[5-formyl-thienyl-(2)]-acrylsäure-methylester (XII) erhält man nach anschließender Veresterung, Verseifung und Decarboxylierung *1,4;7,10;13,16-Tris-[epithio]-[18]annulen* (XIII)[1]:

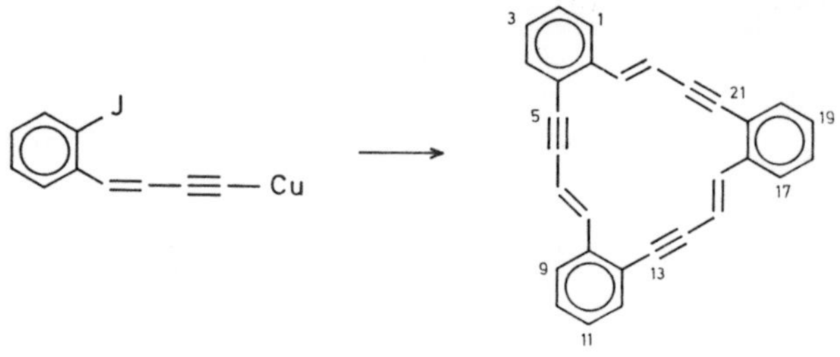

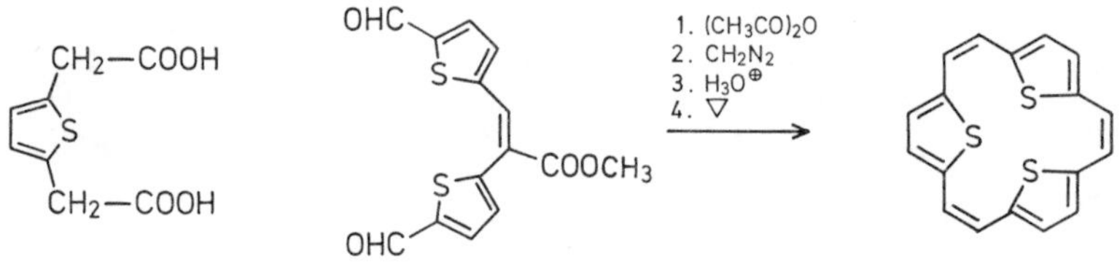

Analog erhält man *1,4;7,10;13,16-Tris-[epoxi]-[18]annulen* (XIVa)[2], *1,4;7,10-Bis-[epoxi]-13,16-epithio-[18]annulen* (XIVb)[3], *1,4-Epoxi-7,10;13,16-bis-[epithio]-[18]-annulen* (XIVc)[4] und *1,4-Epi-imino-7,10;13,16-bis-[epithio]-[18]annulen* (XIVd)[5]:

---

1 G. M. BADGER, G. E. LEWIS u. U. P. SINGH, Austral. J. Chem. **19**, 251, 1461 (1966).

2 G. M. BADGER et al., Chem. Commun., **1965**, 269.
G. M. BADGER, J. A. ELIX u. G. E. LEWIS, Austral. J. Chem. **19**, 1221 (1966).

3 G. M. BADGER, J. A. ELIX u. G. E. LEWIS, Pr. chem. Soc. **1964**, 82; Austral. J. Chem. **18**, 71 (1965).

4 G. M. BADGER, G. E. LEWIS u. U. P. SINGH, Austral. J. Chem. **19**, 257, 1461 (1966).

5 G. M. BADGER, G. E. LEWIS u. U. P. SINGH, Austral. J. Chem. **20**, 1635 (1967).

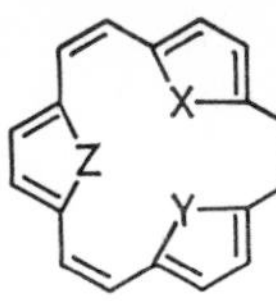

XIV a) X = Y = Z = O
b) X = Y = O; Z = S
c) X = O; Y = Z = S
d) X = NH; Y = Z = S

1,4;7,10;13,16-Tris-[epithio]-[18]annulen (XIII; S. 570)[1]:

12,17-Dicarboxy-5-methoxycarbonyl- und 5,12,17-Trimethoxycarbonyl-1,4; 7,10;13,16-tris-[epithio]-[18]annulen: Eine Mischung von 1,9 g 2,5-Bis-[carboxymethyl]-thiophen (XI), 3,0 g α,β-Bis-[5-formyl-thienyl-(2)]-acrylsäure-methylester (XII), 10 *ml* Essigsäure-anhydrid und 10 *ml* Triäthylamin wird für 30 Min. auf 100° erhitzt. Man läßt abkühlen, fügt 20 *ml* konz. Salzsäure und 40 *ml* Wasser hinzu. Der ausgefallene rote Niederschlag (5,0 g) wird abgesaugt und mit Wasser gewaschen. Aus dem Filtrat scheiden sich beim Stehen über Nacht 30,4 mg *12,17-Dicarboxy-5-methoxycarbonyl-1,4;7,10;13,16-tris-*[*epithio*]-[*18*]*annulen* aus (gelb-oranges Pulver).

Der rote Niederschlag (5 g) wird 1 Stde. mit 240 *ml* absol. mit chlorwasserstoffges. Methanol am Rückfluß gekocht und abgekühlt. Die Mischung wird in Eiswasser gegossen und mit Chloroform extrahiert. Man trocknet die Chloroformschicht nach dem Waschen mit ges. Bariumhydrogencarbonat-Lösung über Magnesiumsulfat, zieht das Lösungsmittel i. Vak. ab, löst den Rückstand in einer kleinen Menge Chloroform und chromatographiert über neutralem Aluminiumoxid. Man eluiert mit Chloroform. Aus dem gelben Eluat isoliert man nach Abdampfen des Lösungsmittels und Umkristallisation aus Benzol (Tierkohle) 685 mg (14% d.Th.) *5,12,17-Trimethoxycarbonyl-1,4;7,10;13,16-tris-*[*epithio*]-[*18*]*annulen*; F: 257–259° (gelbe Prismen).

5,12,17-Tricarboxy-1,4;7,10;13,16-tris-[epithio]-[18]annulen: Eine Mischung des oben hergestellten Esters (685 mg), Kaliumhydroxid (8,0 g) und 80 *ml* 50%igem Äthanol wird 30 Min. am Rückfluß gekocht. I. Vak. wird der Alkohol abgezogen und die wäßrig alkalische Lösung angesäuert. Der ausgefallene orange Festkörper (536 mg = 85,6% d.Th.) wird abgesaugt, mit Wasser gewaschen und aus Eisessig umkristallisiert (orangefarbenes Pulver); Zers. p.: 300° (ohne zu schmelzen).

1,4;7,10;13,16-Tris-[epithio]-[18]annulen: Zur Decarboxylierung der obigen Tricarbonsäure werden 300 mg in 3 *ml* Chinolin und mit 200 mg Kupferchromit für 75 Min. auf 210–220° erhitzt. Nach dem Abkühlen säuert man mit überschüssiger 10%iger Salzsäure an und extrahiert die so erhaltene Suspension mit Chloroform. Die Chloroform-Schicht wird mit verd. Salzsäure, Wasser und zum Schluß mit Natriumhydrogencarbonat-Lösung gewaschen. Nach dem Trocknen über Calciumchlorid engt man die Lösung bis zur Trockne ein, absorbiert den Rückstand an neutralem Aluminiumoxid und chromatographiert an einer Säule des gleichen Materials (2×24 cm) mit Äther als Eluierungsmittel. Die ersten Fraktionen liefern beim Einengen eine gelb-organge Verbindung (120 mg; F: 65–67°), der an einer ähnlichen Säule nochmals chromatographiert wird. Mit Äther/Hexan (1:1) erhält man orangerote Fraktionen, man engt ein und kristallisiert aus Äthanol/Wasser um; Ausbeute: 67 mg (30% d.Th.); F: 74,5–75,5° (gelbe Platten).

h) Annulene mit einem mehr als 18-gliedrigen Ring

Annulene und Dehydroannulene mit mehr als 18 Kohlenstoffatomen im Ring sind nach der Methode von Sondheimer zugänglich[2–5]. Die einzige gut charakterisierte

---

1 G. M. Badger, G. E. Lewis u. U. P. Singh, Austral. J. Chem. **19**, 251, 1461 (1966).
2 F. Sondheimer, Pure Appl. Chem. **7**, 363 (1963).
3 F. Sondheimer, Pr. roy. Soc. [A] **297, 173** (1967).
4 F. Sondheimer et al., Spec. Public. Chem. Soc. (London) **21,** 75 (1967).
5 C. C. Leznoff u. F. Sondheimer, Am. Soc. **89**, 4247 (1967).

Verbindung mit einem 20gliedrigen Ring ist das *1,11-Bis-[dehydro]-[20]annulen* (I)[1,2], das von Decatriin-(1,5,9) ausgehend, hergestellt wurde. *Dehydro-[20]annulen* (II) und *[20]Annulen* (III) werden nach folgendem Schema kristallin erhalten[3,4]:

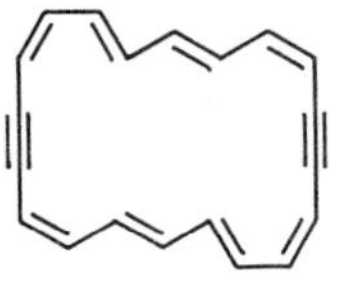

I

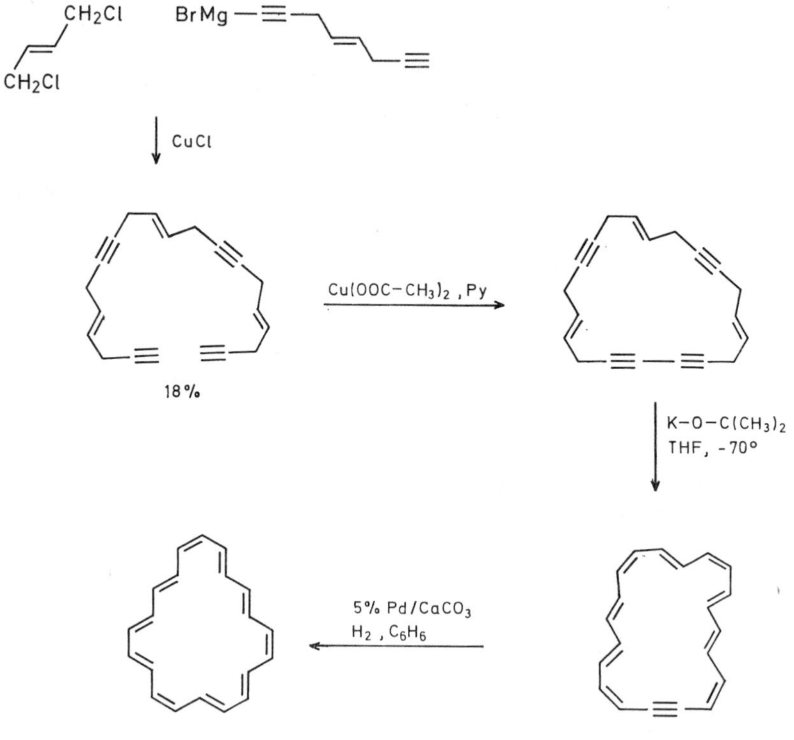

CH_2Cl CH_2Cl BrMg—≡—

CuCl

18%

$Cu(OOC-CH_3)_2$, Py

$K-O-C(CH_3)_2$
THF, -70°

5% $Pd/CaCO_3$
H_2, C_6H_6

III

II

Auf gleichem Wege erhält man ausgehend vom 1,6-Dibrom-hexadien-(*trans*-2, *trans*-4) und Octen-(*trans*-4)-diin-(1,7)-yl-magnesiumbromid *Dehydro-[22]annulen* (IV)[5] bzw. *[22]Annulen* (V)[6]:

---

[1] F. Sondheimer u. Y. Gaoni, Am. Soc. **83,** 1259 (1961).
[2] F. Sondheimer u. Y. Gaoni, Am. Soc. **84,** 3520 (1962).
[3] F. Sondheimer, R. Wolovsky u. D. A. Ben-Efraim, Am. Soc. **83,** 1686 (1961).
[4] B. W. Metcalf u. F. Sondheimer, Am. Soc. **93,** 6675 (1971).
[5] R. M. McQuilkin u. F. Sondheimer, Am. Soc. **92,** 6341 (1970).
[6] R. M. McQuilkin, B. W. Metcalf u. F. Sondheimer, Chem. Commun. **1971,** 338.

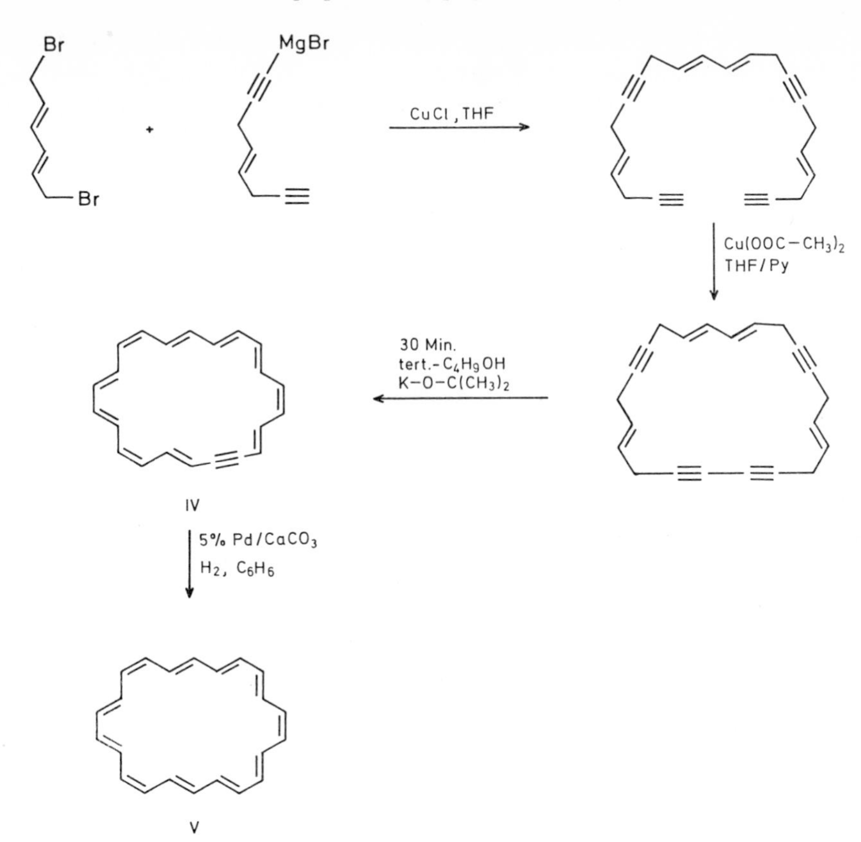

Bei der Synthese von *[24] Annulen* (VI) ausgehend von dem bei der Eglinton-Verknüpfung aus Hexadiin-(1,5) erhaltenen Tetrameren[1,2] läßt sich *1,7,13,19-Tetrakis-[dehydro]-[24]annulen* (VII) als Zwischenstufe isolieren[1]:

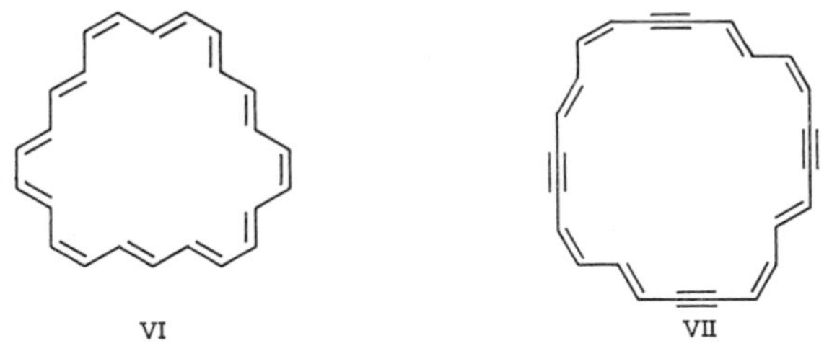

1,3,7,9,13,15,19,21-Octakis-[dehydro]-[24]annulen (I) scheint nicht eben zu sein[3]:

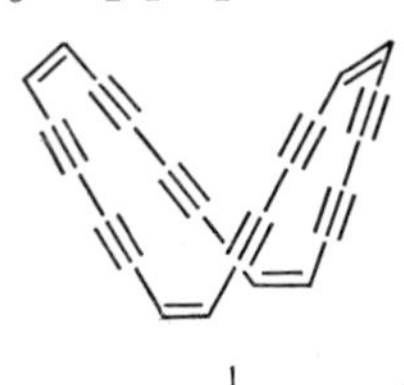

---

[1] F. SONDHEIMER u. R. WOLOVSKY, Am. Soc. **84**, 260 (1962).
[2] F. SONDHEIMER, R. WOLOVSKY u. Y. AMIEL, Am. Soc. **84**, 274 (1962).
[3] R. M. MCQUILKIN, P. J. GARRATT u. F. SONDHEIMER, Am. Soc. **92**, 6682 (1970); hier auch Herstellung.

Bei der Behandlung des Phosphonium-Salzes II mit Lithiumäthanolat werden neben offenkettigen Verbindungen, 1,4;7,10;13,16-Tris-[epoxi]-[18]annulen, zwei Pentakis-[epoxi]-[30]annulene, Hexakis-[epoxi]-[36]annulen auch zwei *1,4;7,10;13,16;19,22-Tetrakis-[epoxi]-[24]annulene*[1] gewonnen:

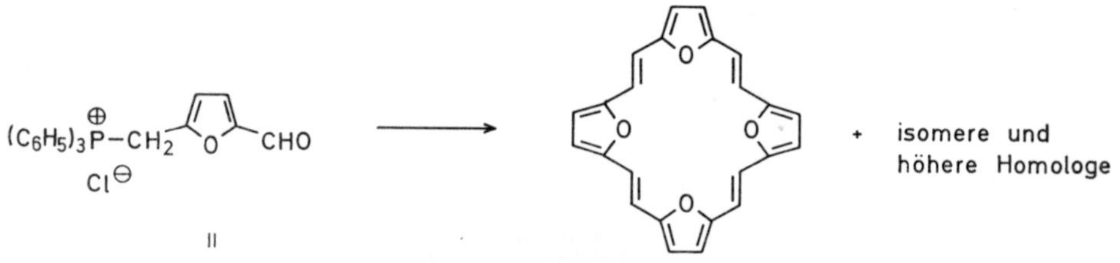

$(C_6H_5)_3\overset{\oplus}{P}-CH_2$–(Furan)–CHO $Cl^{\ominus}$ (II) ⟶ [Tetrakis-epoxi-24-annulen] + isomere und höhere Homologe

Nach der bereits auf S. 573 angegebenen Methode erhält man ausgehend vom 1,6-Dibrom-hexadien-(*trans*-2, *trans*-4) (III) das *Dehydro-[26]annulen* (IV), mit diamagnetischem Ringstrom[2]:

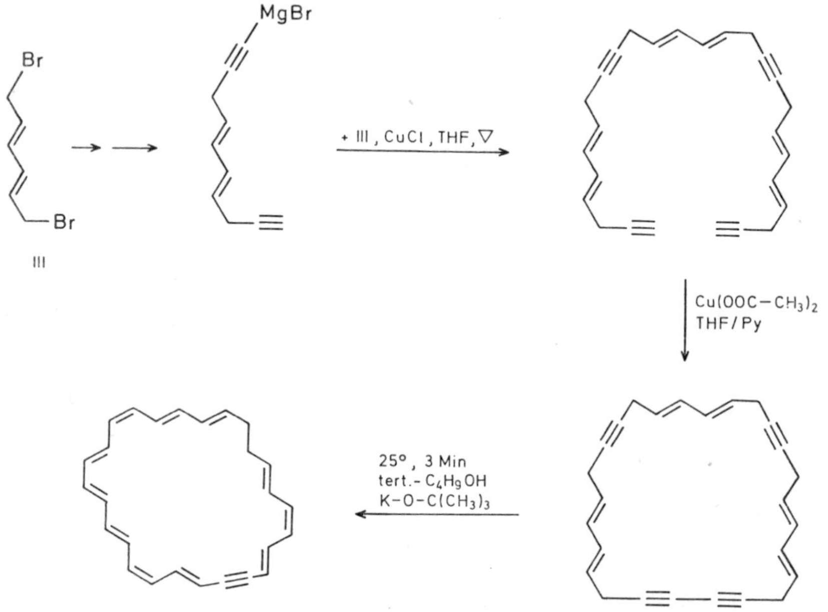

III → → (MgBr-Diin) —[+ III, CuCl, THF, ▽]→ ⟶ [Cu(OOC–CH₃)₂, THF/Py] ⟶ —[25°, 3 Min, tert.-C_4H_9OH, $K-O-C(CH_3)_3$]→ IV

Oxidative Verknüpfung von *trans*-Tridecen-(9)-triin-(1,6,12)-ol-(4) unter Glaser-Bedingungen (s. S. 545) führt über das symmetrische Dimere und dessen Bis-Methansulfonsäureester zum *1,9,17-Tris-[dehydro]-[26]annulen*[3]:

---

[1] J. A. Elix, Austral. J. Chem. **22**, 1951 (1969); hier auch getrennte Herstellung von 2 isomeren *Pentakis-[epoxi]-[30]annulen* bzw. *Hexakis-[epoxi]-[36]annulenen*.

[2] B. W. Metcalf u. F. Sondheimer, Am. Soc. **93**, 5271 (1971).

[3] C. C. Leznoff u. F. Sondheimer, Am. Soc. **89**, 4247 (1967).

[30]Annulen (VII) wurde sowohl bei der partiellen Hydrierung von *1,11,21-Tris-[dehydro]-[30]annulen* (VIII)[1] als auch von *1,7,13,19,25-Pentakis-[dehydro]-[30] annulen* (IX)[2] erhalten, die wiederum nach der Methode von Sondheimer (s. S. 545ff.) aus Decatriin-(1,5,9) bzw. aus Hexadiin-(1,5)[3] hergestellt wurden.

VIII

VII

IX

1,7,13,19,25,31-Hexakis-[dehydro]-[36]annulen ist ebenfalls beschrieben worden[3].

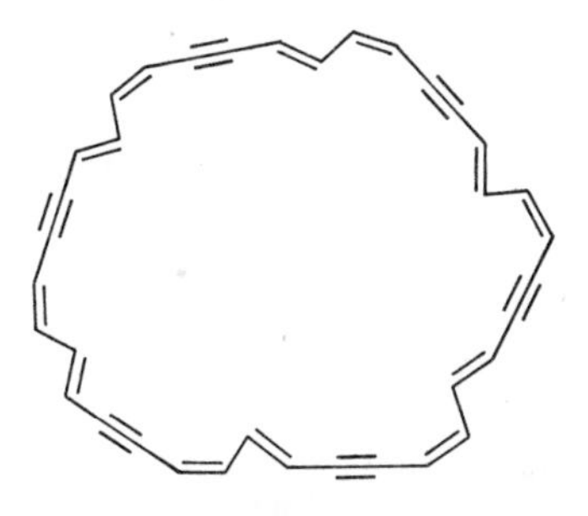

[1] F. SONDHEIMER u. Y. GAONI, Am. Soc. **84**, 3520 (1962).
[2] F. SONDHEIMER, R. WOLOVSKY u. Y. AMIEL, Am. Soc. **84**, 274 (1962).
[3] F. SONDHEIMER u. R. WOLOVSKY, Am. Soc. **84**, 260 (1962).

III. Herstellung substituierter Annulene aus anderen Annulenen unter Erhalt des Systems

Das [18]Annulen ist das einzige unverbrückte makrocyclische Annulen, für das detaillierte Angaben über elektrophile Substitutionen vorliegen. Unter sorgfältig kontrollierten Bedingungen sind eine Reihe von substituierten Derivaten hergestellt worden[1,2]. Derivate des [14]Annulens konnten nicht erhalten werden, während Monodehydro-[14]annulen und 1,8-Bis-[dehydro]-[14]annulen Substitutionsprodukte liefern[3]. 1,6-Methano-[10]annulen[4] und die 1,6;8,13 verbrückten [14]Annulene[5] gehen eine Vielzahl von Substitutionsreaktionen ein. Auch *trans*-15,16-Dimethyl-15,16-dihydro-pyren[6] und *trans*-15,16-Diäthyl-15,16-dihydro-pyren[7] liefern Substitutionsprodukte. Der Mechanismus dieser Reaktionen ist nur in sehr wenigen Fällen untersucht worden.

a) Bromierung von Annulenen

Behandelt man 1,6-Methano-[10]annulen (I) mit Brom in Chloroform bei 0° oder mit N-Brom-succinimid, so erhält man *2-Brom-1,6-methano-[10]annulen* (III)[8]. Wird die Zwischenverbindung II bei −75° mit Brom in Chloroform weiterbromiert so wird

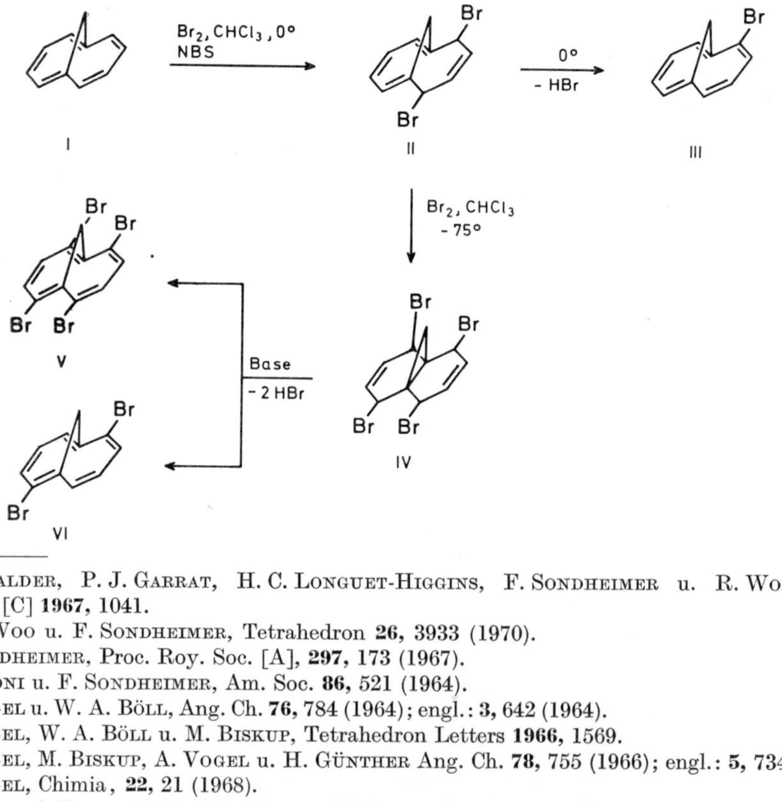

[1] I. C. Calder, P. J. Garrat, H. C. Longuet-Higgins, F. Sondheimer u. R. Wolovsky, Soc. [C] **1967**, 1041.

[2] E. P. Woo u. F. Sondheimer, Tetrahedron **26**, 3933 (1970).

[3] F. Sondheimer, Proc. Roy. Soc. [A], **297**, 173 (1967).
Y. Gaoni u. F. Sondheimer, Am. Soc. **86**, 521 (1964).

[4] E. Vogel u. W. A. Böll, Ang. Ch. **76**, 784 (1964); engl.: **3**, 642 (1964).
E. Vogel, W. A. Böll u. M. Biskup, Tetrahedron Letters **1966**, 1569.

[5] E. Vogel, M. Biskup, A. Vogel u. H. Günther Ang. Ch. **78**, 755 (1966); engl.: **5**, 734 (1966).
E. Vogel, Chimia, **22**, 21 (1968).
E. Vogel, A. Vogel, H.-K. Kübbeler u. W. Sturm, Ang. Ch. **82**, 572 (1970); engl.: **9**, 514 (1970).
E. Vogel, U. Haberland u. J. Ick, Ang. Ch. **82**, 514 (1970); engl.: **9**, 517 (1970).

[6] J. B. Phillips, R. Molyneux, E. Sturm u. V. Boekelheide, Am. Soc. **89**, 1704 (1967).

[7] V. Boekelheide u. T. Migasaka, Am. Soc. **89**, 1709 (1967).

[8] E. Vogel u. W. A. Böll, Ang. Ch. **76**, 784 (1964); engl.: **3**, 642 (1964).

das Tetrabromid IV erhalten, das bei der Behandlung mit einer Base eine Mischung von *2,10-Dibrom-* (V) und *2,7-Dibrom-1,6-methano-[10]annulen* (VI, S. 576) liefert[1].

Auf ähnliche Weise gewinnt man aus 1,6-Epoxi-[10]annulen (VII) über das Dibrom-Derivat VIII[1,2] *2-Brom-1,6-epoxi-[10]annulen* (IX)[1] bzw. *2,7-Dibrom-1,6-epoxi-[10]annulen* (X)[1]:

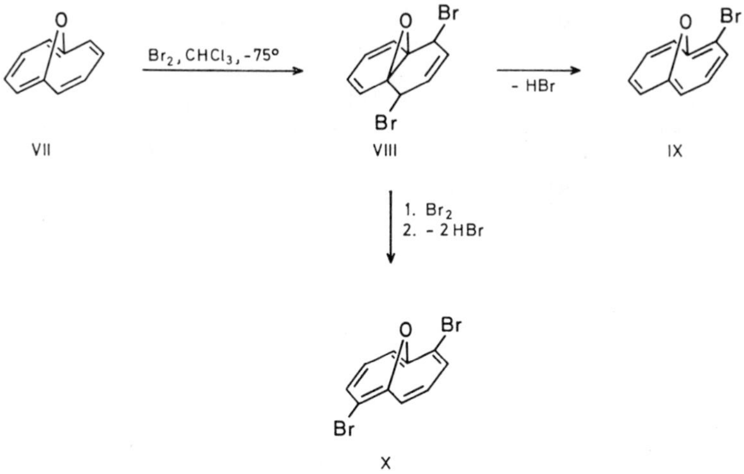

VII —(Br_2, $CHCl_3$, -75°)→ VIII —(- HBr)→ IX

VIII —(1. Br_2 2. - 2 HBr)→ X

Trans-15,16-Dimethyl-15,16-dihydro-pyren (XI) ergibt bei Behandlung mit Brom in Tetrachlormethan ein komplexes Gemisch polysubstituierter Produkte[3]; mit N-Brom-succinimid dagegen in glatter Reaktion *2,7-Dibrom-trans-15,16-dimethyl-15,16-dihydro-pyren* (XII)[3]:

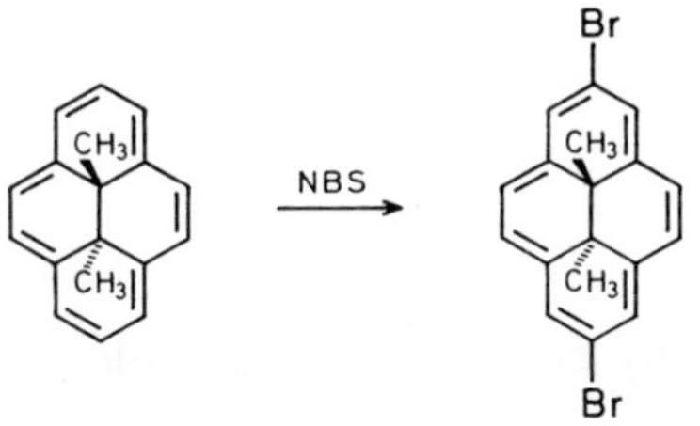

XI —(NBS)→ XII

2,7-Dibrom-trans-15,16-dimethyl-15,16-dihydro-pyren (XII)[3]: Eine Lösung von 50 mg 15,16-Dimethyl-15,16-dihydro-pyren (XI), 80 mg umkristallisiertes N-Brom-succinimid und 5 mg Dibenzoyl-peroxid in 150 *ml* Tetrachlormethan wird unter Rückfluß 4 Stdn. erhitzt. Danach wird das Lösungsmittel i. Vak. entfernt, der Rückstand an neutralem Aluminiumoxid (Woelm Nr. 1) mit Diäthyläther/Petroläther (1 : 20) chromatographiert. Das Eluat der tiefgrünen Zone wird eingeengt und der kristalline Rückstand aus Chloroform/Methanol umkristallisiert; Ausbeute: 16 mg (Ausbeute: ~ 27% d. Th.); F: 213–214° (grüne Nadeln); λ_{max} = 342 nm (Cyclohexan).

---

[1] E. Vogel, W. A. Böll u. M. Biskup, Tetrahedron Letters **1966,** 1569.

[2] A. Shani u. F. Sondheimer, Am. Soc. **89,** 6310 (1967).

[3] J. B. Philips, R. J. Molneux, E. Sturm u. V. Boekelheide, Am. Soc. **89,** 1704 (1967).

Die Bromierung von *syn*-1,6;8,13-Bis-[epoxi]-[14]annulen (XIII) mit Brom in Dichlormethan liefert *2-Brom-syn-1,6;8,13-bis-[epoxi]-[14]annulen* (XIV)[1]:

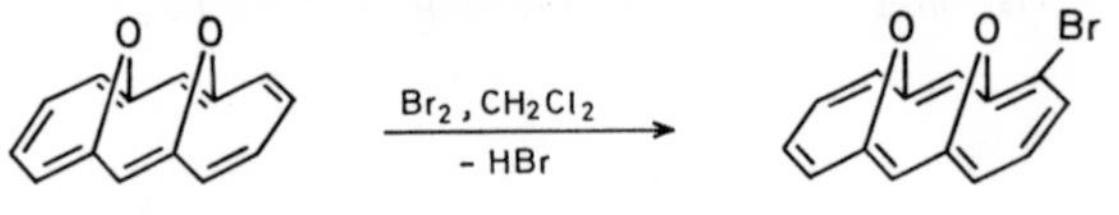

$$\text{XIII} \xrightarrow[-\,HBr]{Br_2,\ CH_2Cl_2} \text{XIV}$$

Während [18]Annulen (XV) mit Pyridiniumbromid-perbromid in Benzol bei Raumtemperatur *Brom-[18]annulen* (XVI)[2] ergibt, führt die Bromierung in Dichlormethan und in Gegenwart von Bortrifluorid-ätherat zu einem Gemisch von mono-, di- und tribromierten [18]Annulenen[2]:

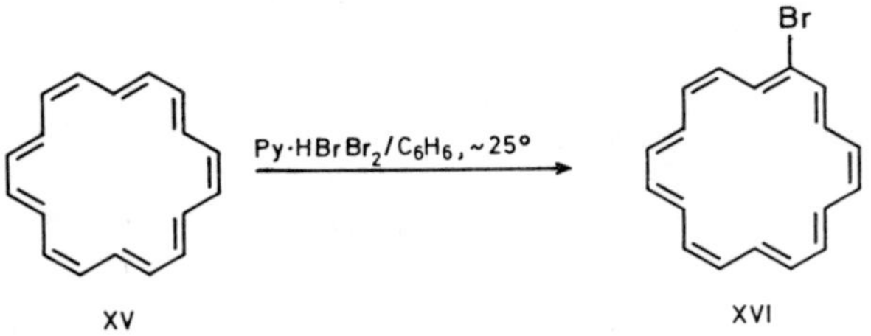

$$\text{XV} \xrightarrow{Py\cdot HBrBr_2/C_6H_6,\ \sim 25^\circ} \text{XVI}$$

Versuche einer Bromierung von 1,4;7,10;13,16-tris-heteroverbrückten [18]Annulenen (z.B. XVII), führten nur zu Additionsprodukten[3]:

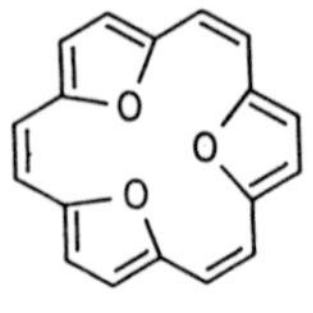

XVII

b) Nitrierung von Annulenen

Die Nitrierung von 1,6-Methano-[10]annulen (I) mit Kupfer(II)-nitrat in Essigsäureanhydrid führt zu *2-Nitro-*(II) und *3-Nitro-1,6-methano-[10]annulen* (III), neben einer geringen Menge eines Dinitro-Derivates[4]:

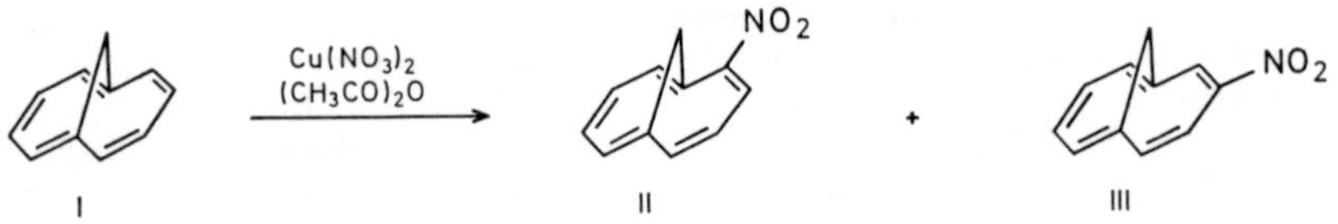

$$\text{I} \xrightarrow[(CH_3CO)_2O]{Cu(NO_3)_2} \text{II} + \text{III}$$

[1] E. Vogel, Chimia **22**, 21 (1968).
[2] E. P. Woo u. F. Sondheimer, Tetrahedron **26**, 3933 (1970).
[3] G. M. Badger, G. E. Lewis u. U. P. Singh, Austral. J. Chem. **19**, 1461 (1966).
[4] E. Vogel u. W. A. Böll, Ang. Ch. **76**, 784 (1964); engl.: **3**, 642 (1964).

Ebenso erhält man unter ähnlichen Bedingungen aus 1,6-Epoxi-[10]annulen *2-Nitro-* und *3-Nitro-1,6-epoxi-[10]annulen*[1].

Dagegen führt die Nitrierung einer ganzen Reihe von Annulenen mit Kupfer(II)-nitrat in Essigsäureanhydrid vornehmlich zu Mononitro-Derivaten; z. B.:

1,8-Bis-[dehydro]-[14]annulen	→	*3-Nitro-1,8-bis-[dehydro]-[14]annulen*[2]
Dehydro-[14]annulen	→	*Nitro-dehydro-[14]annulen*[2]
trans-15,16-Dimethyl-15,16-dihydro-pyren	→	*2-Nitro-trans-15,16-dimethyl-15,16-dihydro-pyren*[3]
trans-15,16-Diäthyl-15,16-dihydro-pyren	→	*2-Nitro-trans-15,16-diäthyl-15,16-dihydro-pyren*[4]
syn-1,6; 8,13-Bis-[epoxi]-[14]annulen	→	*2-Nitro-syn-1,6; 8,13-bis-[epoxi]-[14]annulen*[5]
1,7,13-Tris-[dehydro]-[18]annulen	→	*3-Nitro-1,7,13-tris-[dehydro]-[18]annulen*[6]

[18]Annulen wird zunächst überwiegend zum *Nitro-[18]annulen* nitriert[6], Weiternitrierung führt zu einem Gemisch von *Dinitro-[18]annulenen*[7].

Nitro-[18]annulen[6]**:** Eine Lösung von 12 mg [18]Annulen in 30 *ml* Essigsäureanhydrid wird zu einer Lösung von 50 mg Kupfer(II)-nitrat-trihydrat in 15 *ml* Essigsäureanhydrid gegeben. Die Mischung wird 2 Min. bei Raumtemp. gerührt und sofort anschließend in eine kalte natriumcarbonathaltige Lösung eingerührt. Es wird mit Äther extrahiert, die organische Lösung mit Natriumcarbonat-Lösung und Wasser gewaschen, getrocknet und das Lösungsmittel i. Vak. abgezogen. Der Rückstand wird in ~ 2,5 *ml* Benzol gelöst und an Aluminiumoxid (100 g Camag, Aktivität II) zunächst mit Pentan/Diäthyläther (4 : 1) {4,3 mg (36%) [18]Annulen} danach mit Pentan/Diäthyläther (1 : 3) eluiert; Ausbeute: 5,5 mg (60% d. Th., bez. auf umgesetztes Annulen); F: 185–186° (Zers.; aus Äther dunkelrote Nadeln); λ_{max} ($CHCl_3$): 337, 385–390, 528, 640, 716, 818 nm (ε: 35, 200, 62, 600, 9300, 585, 725, 1450).

c) Friedel-Crafts-Reaktionen von Annulenen

Während die Acetylierung von 1,6-Methano-[10]annulen(I) mit Essigsäureanhydrid und Zinn(IV)-chlorid *2-Acetyl-1,6-methano-[10]annulen* (II)[8] liefert, erhält man aus 1,6-Epoxi-[10]annulen das 1-Acetoxy-naphthalin als Hauptprodukt[1].

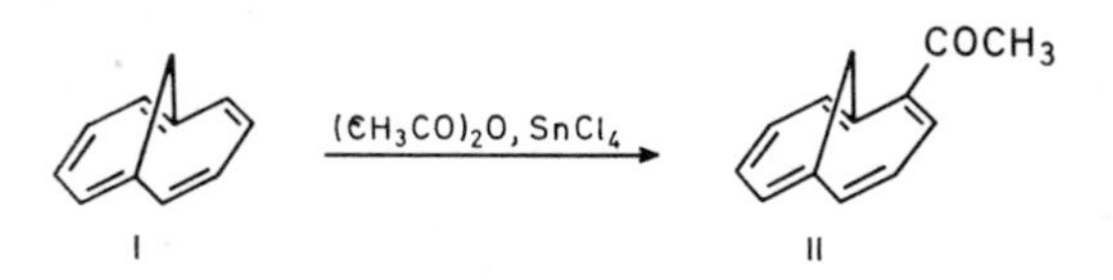

3-Acetyl-1,8-bis-[dehydro]-[14]annulen (IV) wird bei der Umsetzung von 1,8-Bis-[dehydro]-[14]annulen (III; S. 580) mit Essigsäureanhydrid und Bortrifluorid-ätherat in

---

[1] A. Shani u. F. Sondheimer, Am. Soc. **89**, 6310 (1967).
[2] Y. Gaoni u. F. Sondheimer, Am. Soc. **86**, 521 (1964).
[3] J. B. Phillips, R. J. Molyneux, E. Sturm u. V. Boekelheide, Am. Soc. **89**, 1704 (1967).
[4] V. Boekelheide u. T. Miyasaka, Am. Soc. **89**, 1709 (1967).
[5] E. Vogel, Chimia **22**, 21 (1968).
[6] I. C. Calder, P. J. Garratt, H. C. Longuet-Higgins, F. Sondheimer u. R. Wolovsky, Soc. [C] **1967**, 1041.
[7] E. P. Woo u. F. Sondheimer, Tetrahedron **26**, 3933 (1970).
[8] E. Vogel u. W. A. Böll, Ang. Ch. **76**, 784 (1964); engl.: **3**, 642 (1964).

Dichlormethan erhalten[1]. Monodehydro-[14]annulen liefert unter den gleichen Bedingungen ein *Acetyl-dehydro-[14]annulen*[1]:

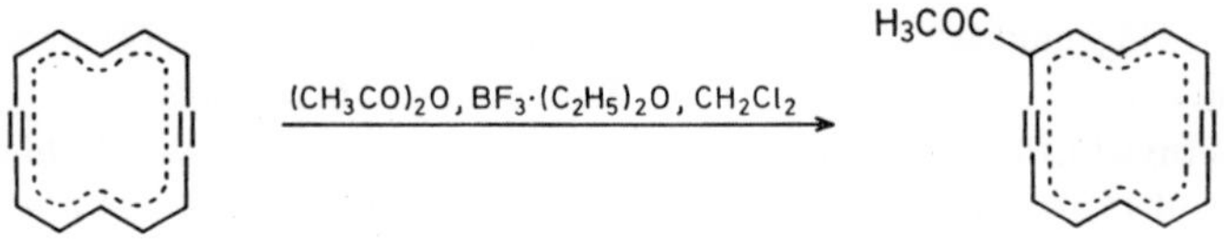

III IV

Wird *trans*-15,16-Dimethyl-15,16-dihydro-pyren (V) mit Essigsäureanhydrid und Bortrifluorid-ätherat bzw. mit Benzoylchlorid und Aluminiumchlorid in Dichlormethan umgesetzt, so erhält man *2-Acetyl-* (VIa) bzw. *2-Benzoyl-trans-15,16-dimethyl-15,16-dihydro-pyren* (VIb)[2]:

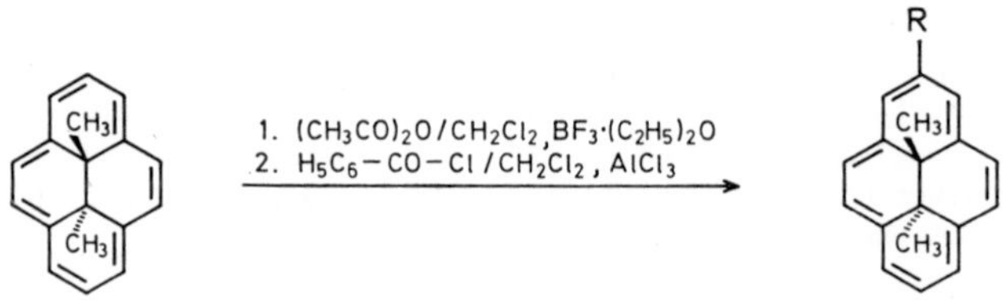

V

VI a; R = $COCH_3$
VI b; R = COC_6H_5

Während die Acetylierung von *syn*-1,6; 8,13-Bis-[epoxi]-[14]annulen (VII) mit Essigsäureanhydrid in Gegenwart von Bortrifluorid *2-Acetyl-syn-1,6; 8,13-bis-[epoxi]-[14]annulen* (VIII)[3] liefert, erhält man aus *syn*-8,13-Epoxi-1,6-methano-[14] annulen (IX) ein Gemisch von *2-Acetyl-* (X), *9-Acetyl-* (XI) und *10-Acetyl-syn-8,13-epoxi-1,6-methano-[14]annulen* (XII, S. 581)[4]:

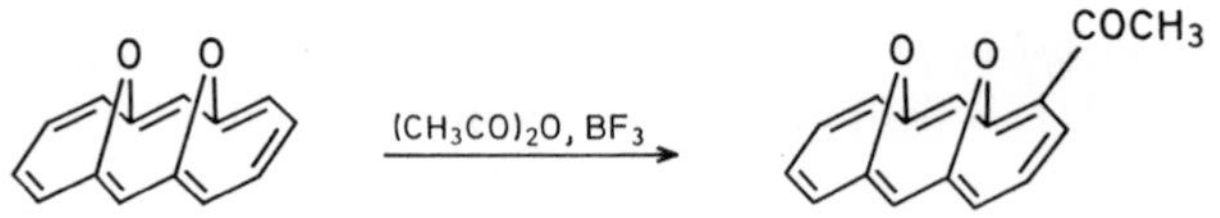

VII VIII

---

[1] Y. Gaoni u. F. Sondheimer, Am. Soc. **86**, 521 (1964).

[2] J. B. Phillips, R. J. Molyneux, E. Sturm u. V. Boekelheide, Am. Soc. **89**, 1704 (1967).

[3] E. Vogel, Chimia **22**, 21 (1968).

[4] E. Vogel, U. Haberland u. J. Ick, Ang. Ch. **82**, 514 (1970); engl.: **9**, 517 (1970).

$$\text{IX} \xrightarrow[BF_3 \cdot (C_2H_5)_2O]{(CH_3CO)_2O} \text{X} + \text{XI} + \text{XII}$$

Die Acetylierung von [18]Annulen (XIII) liefert unter den gleichen Bedingungen *Acetyl-[18]annulen* (XIV)[1]:

$$\text{XIII} \xrightarrow{(CH_3CO)_2O,\ BF_3 \cdot (C_2H_5)_2O} \text{XIV}$$

Acetyl-[18]annulen (XIV)[1]: Zu einer Lösung von 20 mg [18]Annulen in 8 *ml* Dichlormethan/2,5 *ml* Essigsäureanhydrid werden 25 Tropfen Bortrifluorid-Diäthylätherat gegeben. Die Lösung wird 30 Sek. bei Zimmertemp. belassen und die nunmehr dunkle Lösung in eine Diäthyläther-Natriumcarbonat-Lösung eingerührt. Die organische Phase wird mit einer Natriumcarbonat-Lösung, danach mit Wasser gewaschen und das Lösungsmittel i. Vak. abgedampft. Der Rückstand wird in ~ 2 *ml* Benzol gelöst und an 100 g Aluminiumoxid (Camag, Aktivität II) zunächst mit Pentan/Diäthyläther (4:1) zur Elution von unverbrauchtem [18]Annulen und danach mit Diäthyläther chromatographiert. Das unverbrauchte [18]Annulen wird in mehrfacher Folge bis zum fast vollständigen Verbrauch acetyliert; Gesamtausbeute: 6,5 mg (28% d.Th.); orange-braune Kristalle.

d) Formylierung von Annulenen

Während die Vilsmeier-Reaktion bei *trans*-15,16-Dimethyl-15,16-dihydro-pyren (I) zu keinem Erfolg führte[1], konnte nach dem Verfahren von Rieche, durch Umsetzung mit Dichlormethyl-butyl-äther bei 0° in Gegenwart von Zinn(IV)-chlorid *trans-15,16-Dimethyl-2-formyl-15,16-dihydro-pyren* (II) erhalten werden[2]:

$$\text{I} \xrightarrow{Cl_2CH-O-C_4H_9,\ SnCl_4,\ 0°} \text{II}$$

[1] I. C. Calder, P. J. Garratt, H. C. Longuet-Higgins, F. Sondheimer u. R. Wolovsky, Soc. [C] **1967**, 1041.

[2] J. B. Phillips, R. J. Molyneux, E. Sturm u. V. Boekelheide, Am. Soc. **89**, 1704 (1967).

Dagegen führt die Umsetzung von [18]Annulen (III) in Dimethylformamid und Phosphoroxychlorid nach Vilsmeier zum *Formyl-[18]annulen* (IV)[1]:

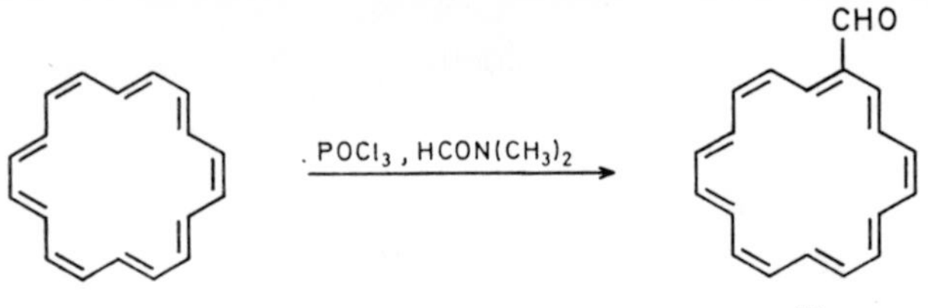

CHO

$POCl_3$, $HCON(CH_3)_2$

III IV

e) Sulfonierung von Annulenen

Während die Sulfonierung von 1,6-Epoxi-[10]annulen lediglich Naphthalin-Derivate liefert[2], erhält man aus 1,8-Bis-[dehydro]-[14]annulen (V) mit Oleum in 1,4-Dioxan *3-Sulfo-1,8-bis-[dehydro]-[14]annulen*, das über das Silbersalz in *3-Methoxysulfon-bis-[dehydro]-[14]annulen* (VI) übergeführt werden kann[3]:

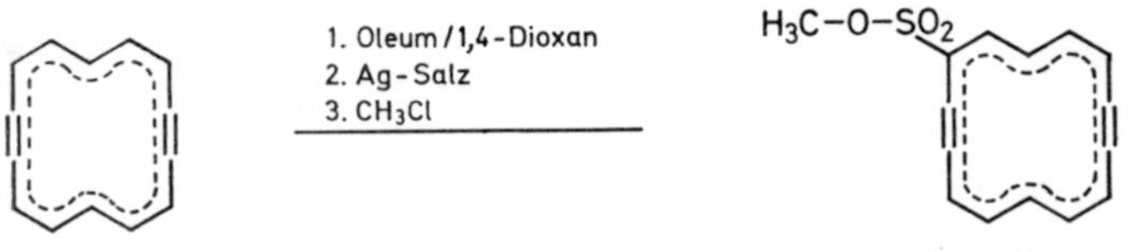

1. Oleum/1,4-Dioxan
2. Ag-Salz
3. CH_3Cl

$H_3C-O-SO_2$

V VI

Monodehydro-[14]annulen ergibt unter ähnlichen Bedingungen *3-Methoxysulfon-monodehydro-[14]annulen*[3].

IV. Metall-π-Komplexe von Annulenen

Annulen-Metall-π-Komplexe sind nur wenige bekannt. So erhält man z. B. vom *1,6-Methano-[10]annulen* sowohl den *Chromtricarbonyl-* als auch den *Molybdäntricarbonyl-Komplex*[4]. Wie durch Röntgenstrukturanalyse gezeigt werden konnte[5], befindet sich das Metallatom im Chromtricarbonyl-Komplex (I) auf der entgegengesetzten Seite der Methylenbrücke. Die Umsetzung von Molybdänhexacarbonyl mit 1,6-Methano[10]annulen führt zu einem zu I analogen Komplex[4,6]; daneben erhält man den Bicyclo[5.5.0]dodecatetraen-(2,4,8,10)-bis-[molybdäntricarbonyl]-Komplex II).

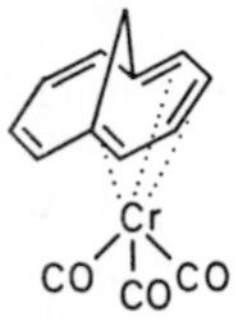

Cr
CO CO CO

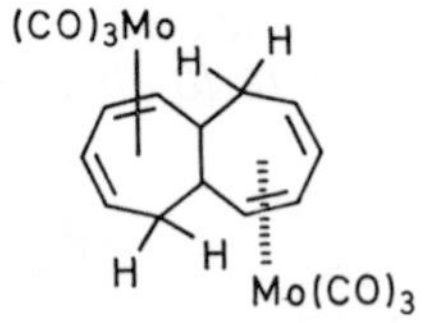

$(CO)_3Mo$ H H
H H $Mo(CO)_3$

I II

---

[1] E. P. Woo u. F. Sondheimer, Tetrahedron **26**, 3933 (1970).
[2] A. Shani u. F. Sondheimer, Am. Soc. **89**, 6310 (1967).
[3] Y. Gaoni u. F. Sondheimer, Am. Soc. **86**, 521 (1964).
[4] E. O. Fischer, H. Rühle, E. Vogel u. W. Grimme, Ang. Ch. **78**, 548 (1966); engl.: **5**, 518 (1966); die Methylprotonen von I sind nach niedrigerem Feld verschoben als jene in 1,6-Methano-[10]annulen.
[5] P. E. Baikie u. O. S. Mills, Soc. [A] **1969**, 328.
[6] P. F. Lindley u. O. S. Mills, Soc. [A] **1969**, 1286.

Tab. 6. Eigenschaften verschiedener Annulene, Dehydroannulene und deren verbrückten Derivate

Name	F [°C]	Aussehen und andere Eigenschaften	UV Spektrum*		Synthese s. S.	Literatur
			λ_{max}[nm]	ε		
cis-[10]Annulen	*		256	2000	551	1
mono-trans-[10]Annulen	*		257	29000	551	1
Mono-trans-Tribenzo-[a;c;g]-[10]annulen 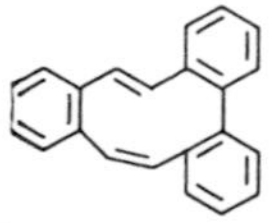	121–122	farblose Prismen	242	33900	552	2
Mono-trans-Dibenzo-[a;c]-furo-[3,4-g]-[10]annulen (R = H)	113	farblose Prismen	243	25700	552	3
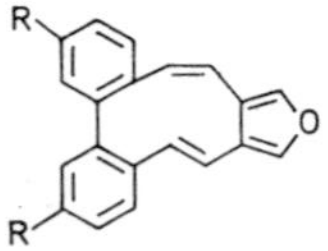 (Hauptkonformer) R = iso-C_3H_7; *8,7-Diisopropyl-...*	100–101	farblose Nadeln	243 248	1700 7600	551	3
Dinaphtho-[1,8,8a-a,b;1,8,8a-f,g]-[10]annulen 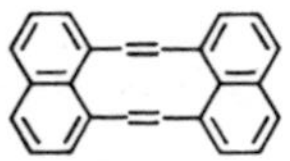	175–176 (Zers.)	farblose Nadeln			551	4

* Kristallisiert bei – 80°; instabil bei Raumtemp.

[1] S. Masamune, K. Hojo, K. Hojo, G. Bigam u. D. L. Rabenstein, Am. Soc. **93**, 4966 (1971).
[2] K. Grohmann u. F. Sondheimer, Am. Soc. **89**, 7119 (1967).
[3] A. P. Bindra, J. A. Elix u. M. V. Sargent, Tetrahedron Letters **1968**, 4335; Austral. J. Chem. **22**, 1449 (1969); **24**, 1721 (1971).
[4] R. H. Mitchell u. F. Sondheimer, Am. Soc. **90**, 530 (1968).

Tab. 6. (1. Fortsetzung)

Name	Kp [°C]	Kp [Torr]	F [°C]	Aussehen und andere Eigenschaften	UV Spektrum* λ_{max}[nm]	UV Spektrum* ε	Synthese s. S.	Literatur
1,6-Methano-[10]annulen	70–71	1	28–29	farblose Kristalle	256	68000	549 ff.	1
2-Brom-	87–88	0,05		gelbes Öl	266	49500	576	2,3
11-Brom-			122–123	zitronengelbe Kristalle	258	49500		4
2,7-Dibrom-			87	gelbe Kristalle	277	61000	553, 576	2,3
2,10-Dibrom-			76	gelbe Kristalle			553, 576	3
2-Acetyl-	92–94	0,06		oranges Öl			579	2
2-Carboxy-			172–173	orange-braune Kristalle				2
2,10-Dicarboxy-			214–215	bildet *Anhydrid*; F: 196°				5
2-Amino-	97–98	0,07		gelbes Öl	254	42000		6
2-Hydroxy-			26	im Gleichgewicht mit *Keton*				6
11-Hydroxy-			71–72					7
2-tert.-Butyloxy-	76–78	0,01			260	49000		8
3-tert.-Butyloxy-			27		262	70000		8
11-Acetoxy-			92–93					7
2-Piperidyl- / *3-Piperidyl-*	114–116	0,04		rötlich-gelbe Mischung, säulenchromatographisch getrennt	225	31000		8

* Nur die Lagen und Intensitäten der stärksten UV-Absorptionen sind verzeichnet.

1 E. Vogel u. H. D. Roth, Ang. Ch. **76**, 145 (1964); engl.: **3**, 228.
2 E. Vogel u. W. A. Böll, Ang. Ch. **76**, 784 (1964); engl.: **3**, 642.
3 E. Vogel, W. A. Böll u. M. Biskup, Tetrahedron Letters **1966**, 1569.
4 E. Vogel, W. Grimme u. S. Korte, Tetrahedron Letters **1965**, 3625.
5 E. Vogel, Spec. Public. Chem. Soc. (London) **21**, 113 (1967).
6 E. Vogel, W. Schröck u. W. A. Böll, Ang. Ch. **98**, 753 (1966); engl.: **5**, 732.
7 E. Vogel et al., Ang. Ch. **78**, 754 (1966); engl.: **5**, 732.
8 W. A. Böll, Ang. Ch. **78**, 755 (1966).; engl.: **5**, 733.

Tab. 6. (2. Fortsetzung)

Name	Kp		F	Aussehen und andere Eigenschaften	UV Spektrum*		Synthese s. S.	Literatur
	[°C]	[Torr]	[°C]		λ_{max}[nm]	ε		
1,6-Methano-[10]-annulen (Fortsetzung)								
2-Nitro-	109–110	0,04		gelbes Öl, Isomerengemisch			578	1
3-Nitro-	109–110	0,04		gelbes Öl, Isomerengemisch			578	1
2,7-Dinitro-			113	gelborange			578	1
11-Cyan-			100–101					1
11-Aminomethyl-	87–90	0,08						
11-Trimethylammonium-.....-jodid			224–226					1 2
11-Methylen-			85–86	blaßgelbe Kristalle	258	67500		1
1,6-Epoxi-[10]annulen			53–54 52–53	hellgelbe Kristalle	255 257	72000 74500	552 f.	3 4
2-Brom-	92–93	0,01	15–17				553, 577	5
2,7-Dibrom-			97–98				553, 577	5
2-Nitro-			86,5–87,5				553, 579	3
3-Nitro-			48–49				553, 579	3
2-Methoxycarbonyl-			33					5
1,6-Imino-[10]-annulen	60–61	0,02	16	gelbe Kristalle; bildet *Hydrochlorid* mit HCl			552ff.	6
11-Methyl-	77	0,3	50–51	gelbe Kristalle				6
11-Acetyl-			160–161	hellgelbe Kristalle	252	57000		2,6

* Nur die Lagen und Intensitäten der stärksten UV-Absorptionen sind verzeichnet.

[1] E. Vogel u. W. A. Böll, Ang. Ch. **76**, 784 (1964); engl.: **3**, 642 (1964).

[2] E. Vogel et al., Ang. Ch. **78**, 754 (1966); engl.: **5**, 732.

[3] F. Sondheimer u. A. Shani, Am. Soc. **86**, 3168 (1964); **89**, 6310 (1967).

[4] E. Vogel et al., Ang. Ch. **76**, 785 (1964); engl.: **3**, 642.

[5] E. Vogel, W. A. Böll u. M. Biskup, Tetrahedron Letters **1966**, 1569.

[6] E. Vogel, W. P. Pretzer u. W. A. Böll, Tetrahedron Letters **1965**, 3613.

Tab. 6. (3. Fortsetzung)

Name	F [°C]	Aussehen und andere Eigenschaften	UV Spektrum*		Synthese s. S.	Literatur
			λ_{max}[nm]	ε		
6,11-Methano-⟨benzocyclobuta-[1,2-a]-[10]annulen⟩	166–167	gelbe Kristalle	280	53600	553	[1]
Cyclo[3.2.2]azin	63,5–64,5	gelbe Nadeln	244	37200	554	[2]
[12]Annulen					554	[3]
1,5-Bis-[dehydro]-[12]annulen	54–55(Zers.)	braun-violette Kristalle	249	54800	556	[4]
9-Brom-1,5-bis-[dehydro]-[12]annulen		rötlich-braunes Öl	251	35000	556	[5]
1,5,9-Tris-[dehydro]-[12]annulen	96 (Zers.)	ziegelrote Nadeln	247	54200	556	[4,6,7]

* Nur die Lagen und Intensitäten der stärksten UV-Absorptionen sind verzeichnet.

[1] P. J. Garratt u. K. P. C. Vollhardt. Ang. Ch. **83**, 111 (1971).
[2] R. Windgassen, W. H. Saunders u. V. Boekelheide, Am. Soc. **81**, 1459 (1959).
[3] J. F. M. Oth, H. Röttele, J. M. Gilles u. G. Schröder, Tetrahedron Letters **1970**, 67.
[4] R. Wolovsky u. F. Sondheimer, Soc. **87**, 5720 (1965).
[5] K. G. Untch u. D. C. Wysocki, Am. Soc. **89**, 6386 (1967).
[6] K. G. Untch u. D. C. Wysocki, Am. Soc. **88**, 2608 (1966).
[7] F. Sondheimer et al., Am. Soc. **88**, 2610 (1966).

Tab. 6. (4. Fortsetzung)

Name	F [°C]	Aussehen und andere Eigenschaften	UV Spektrum*		Synthese s. S.	Literatur
			λ [nm]	ε		
5,9-Bis-[dehydro]-⟨dibenzo-[a;i]-[12]annulen⟩ 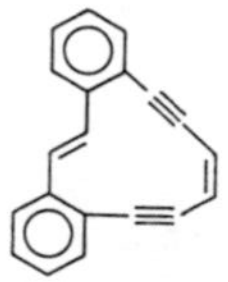	114–115	gelbe Nadeln			557	1
5,11,15-Tris-[dehydro]-⟨dibenzo-[a;e]-[12]annulen⟩ 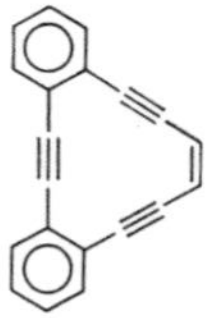	111–113	gelbe Nadeln	293	178800	558	1
5,7,13,15-Tetrakis-[dehydro]-⟨dibenzo-[a;g]-[12]annulen⟩ 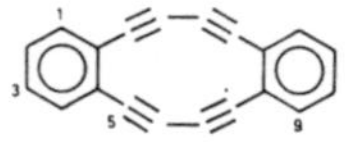		kanariengelbe Kristalle 1 : 1 Komplex mit Trinitro-fluorenon; F: 160° (Zers.)	304	120000	558	2

* Nur die Lagen und Intensitäten der stärksten UV-Absorptionen sind verzeichnet.

[1] H. A. Staab u. R. Bader, B. **103**, 1157 (1970).

[2] O. M. Behr et al., Soc. **1960**, 3614.

Tab. 6. (5. Fortsetzung)

Name	F [°C]	Aussehen und andere Eigenschaften	UV Spektrum*		Synthese s. S.	Literatur
			λ [nm]	ε		
Tribenzo-[a;e;i]-[12]annulen	219–220	farblose Kristalle	267	36800	555	1
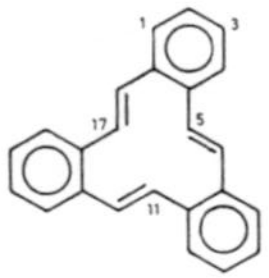 *5-Dehydro-trans,trans-*	203–204,5				557	1,3
5-Dehydro-cis,trans-	123–124,5				557	2,3
5,11-Bis-[dehydro]-	204–206	gelbe Nadeln	290	135600	557	2,3
5,11,17-Tris-[dehydro]-	214,5–216	gelbe Nadeln	290	370000	557 f.	3
	219–220,5		289	244000		4
*Tetrabenzo-[a;c;g;i]-[12]annulen***,						
trans-trans-	163–164	farblose Kristalle	250	27000	555	5
cis-cis	297,5–298	farblose Kristalle	240	37500	555	5
5,11-Bis-[dehydro]- . . .	221–222	farblose Kristalle	222	73700	559	6
9,11,21,23-Tetrakis-[dehydro]-⟨bis-phenanthreno-[9,10-a; 9,10-g]-[12]annulen[12] 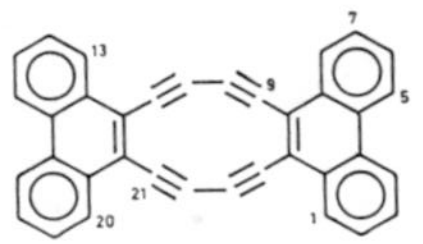		orange Nadeln	396	324000	558	7

* Nur die Lagen und Intensitäten der stärksten UV-Absorptionen sind verzeichnet. ** siehe jedoch S. 555.

[1] H. A. Staab, F. Graf u. B. Junge, Tetrahedron Letters **1966, 743.**

[2] H. A. Staab u. R. Bader, B. **103,** 1157 (1970).

[3] H. A. Staab u. F. Graf, Tetrahedron Letters **1966,** 751.

[4] I. D. Campbell et al., Chem. Commun. **1966,** 87.

[5] G. Wittig, G. Koenig u. K. Clauss, A. **593,** 127 (1955).

[6] H. A. Staab u. E. Wehinger, Ang. Ch. **80,** 240 (1968); engl.: **7,** 225.

[7] M. Morimoto et al., Bl. chem. Soc. Japan **35,** 857 (1962).

Tab. 6. (6. Fortsetzung)

Name	F [°C]	Aussehen und andere Eigenschaften	UV Spektrum*		Synthese s. S.	Literatur
			λ_{max}[nm]	ε		
1,2,3,4,9,10,11,12-Octahydro-5,7,13,15-tetrakis-[dehydro]-⟨dibenzo-[a;g]-[12]annulen⟩	100 (Zers.)	orange-rote Nadeln (unbeständig)	242	23600	558	1
Cyclo[3.3.3]azin		braune Kristalle	458		559	2
13,14-Dihydro-13,14-diaza-pyracyclen (1,4; 7,10-Hydrazin-diyliden-[12]annulen)		purpurfarben	238	25000	559	3

* Nur die Lagen und Intensitäten der stärksten UV-Absorptionen sind verzeichnet.

[1] G. M. Pilling u. F. Sondheimer, Am. Soc. **93,** 1970 (1971).
[2] D. Farquhar u. D. Leaver, Chem. Commun. **1969,** 24.
[3] W. W. Paudler u. E. A. Stephan, Am. Soc. **92,** 4468 (1970).

Tab. 6. (7. Fortsetzung)

Name	F [°C]	Aussehen und andere Eigenschaften	UV Spektrum*		Synthese s. S.	Literatur
			λ_{max}[nm]	ε		
[14]Annulen (Hauptkonfiguration)	134–135	dunkelbraune Nadeln; Zers. innerhalb eines Tages bei 25°	317	69000	559 f.	1,2,3
Dehydro-[14]annulen						
stabiles Konfigurationsisomeres	148–149	leuchtend rote Platten	311	85000	560	1,2
x-Methoxysulfon	153–155	rote Platten	315	71500		1,4
x-Nitro-	188–189	braune Nadeln	328	59500		1,4
x-Acetyl-			319 (Isomer 1)			1
			328 (Isomer 2)			1
Dehydro-[14]annulen						
instabiles Konfigurationsisomeres	95–100	rote Platten	314	95000	560	1
1,8-Bis-[dehydro]-[14]annulen		rote Platten	310	210000	560	1,2
3-Nitro-		schwarze Nadeln	327	85500	579	1,4
x-Nitro-		schwarze Nadeln; sehr instabil	322	52000	579	1,4
3-Acetyl-	125–126	braune Nadeln	321	137000	580	1,4
3-Methoxysulfon-	168–169	rote Nadeln	315	179000	590	1,4

* Nur die Lagen und Intensitäten der stärksten UV-Absorptionen sind verzeichnet.

[1] F. Sondheimer, Pr. roy. Soc. [A] **297**, 173 (1967).
[2] F. Sondheimer u. Y. Gaoni, Am. Soc. **82**, 5765 (1960).
[3] Y. Gaoni u. F. Sondheimer, Pr. chem. Soc. **1964**, 299.
[4] Y. Gaoni u. F. Sondheimer, Am. Soc. **86**, 521 (1964).

Tab. 6. (8. Fortsetzung)

Name	F [°C]	Aussehen und andere Eigenschaften	UV Spektrum*		Synthese s. S.	Literatur
			λ_{max}[nm]	ε		
1,7-Bis-[dehydro]-[14]annulen	175–176	orange Platten			560	1
1,5,9-Tris-[dehydro]-[14]annulen		rote Platten	305	137000	560	2
trans-15,16-Dihydro-pyren		tiefgrüne Lösung			562	3
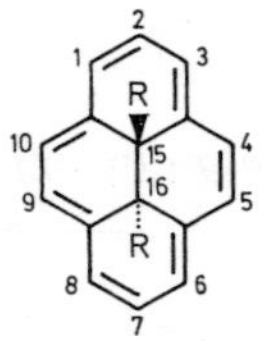 *2,7-Dibrom-trans-15,16-dimethyl-*	214–215	grüne Nadeln	342	111000	561, 577	4
2-Nitro-trans-15,16-dimethyl-	172–173	tief purpurrote Kristalle	348	59200	561, 579	4
2-Nitro-trans-15,16-diäthyl-	135–137	tief purpurrote Platten	355	38500	579	5
2-Acetamino-trans-15,16-dimethyl-	178–180	grüne Platten	342	35900		4
2-Acetamino-trans-15,16-dimethyl-7-formyl-	202–203	purpurfarbene Platten	348	78800		4
2,7-Diacetoxy-trans-15,16-dimethyl-	210–211	dunkelgrüne Nadeln	337	97400		4
2,7-Diacetoxy-trans-15,16-diäthyl-	164–166	dunkelgrüne Prismen	348	76000		5
trans-15,16-Dimethyl-	119–119,5	grüne Kristalle	337,5	87000	561 ff.	6
trans-15,16-Dimethyl-2-acetyl-		rotes Öl			561, 580	4
trans-15,16-Dimethyl-2-benzoyl-	142–144	rote Nadeln	347	60000	580	4
trans-15,16-Dimethyl-2,7(?)-dibenzoyl-	194–195	purpurfarbene Nadeln				4

* Nur die Lagen und Intensitäten der stärksten UV-Absorptionen sind verzeichnet.

[1] F. Sondheimer, Pr. roy. Soc. [A] **297**, 173 (1967).
[2] J. H. Mayer u. F. Sondheimer, Am. Soc. **88**, 602 (1966).
[3] R. H. Mitchell u. V. Boekelheide, Am. Soc. **92**, 3510 (1970).
[4] J. B. Phillips et al., Am. Soc. **89**, 1704 (1965).
[5] V. Boekelheide u. T. Miyasaka, Am. Soc. **89**, 1709 (1967).
[6] V. Boekelheide u. J. B. Phillips, Am. Soc. **85**, 1545 (1963); **89**, 1695; Pr. Nation. Acad. USA **51**, 550

Tab. 6. (9. Fortsetzung)

Name	F [°C]	Aussehen und andere Eigenschaften	UV Spektrum*		Synthese s. S.	Literatur
			λ_{max}[nm]	ε		
trans-15,16-Dihydro-pyren (Fortsetzung)						1
trans-15,16-Dimethyl-2-formyl-	131–132	rote Platten	342	28200	581	
trans-15,16-Diäthyl-	148–151	tiefgrüne Säulen	348	63900	561	2
cis-15,16-Dimethyl-15,16-dihydro-pyren	90–95	smaragdgrüne Kristalle	330	23000	562	3
anti-1,6; 8,13-Bis-[methano]-[14]annulen	41–42	zitronengelbe Kristalle	217	33600	565	4
1,6; 8,13-Propandiyliden-(1,3)-[14]annulen	180–181	gelborange	303	165000	566	5
16-Oxo-	220–221	orange	308	10640		5
1,6; 8,13-Butandiyliden-(1,4)-[14]annulen	175–176	gelb	302	145000	566	6
16-Oxo-	164–165		305	121000	566	6

* Nur die Lagen und Intensitäten der stärksten UV Absorptionen sind verzeichnet.

[1] J. B. Phillips et al., Am. Soc. **89**, 1704 (1965).
[2] V. Boekelheide u. T. Miyasaka, Am. Soc. **89**, 1709 (1967).
[3] R. H. Mitchell u. V. Boekelheide, Chem. Commun. **1970**, 1555.
[4] E. Vogel, U. Haberland u. H. Günther, Ang. Ch. **82**, 510 (1970).
[5] E. Vogel, A. Vogel, H. K. Kübbeler u. W. Sturm, Ang. Ch. **82**, 512 (1970); engl.: **9**, 514.
[6] E. Vogel, W. Sturm u. H. D. Cremer, Ang. Ch. **82**, 513 (1970); engl.: **9**, 515.

Name	F [°C]	Aussehen und andere Eigenschaften	UV Spektrum		Synthese s. S.	Literatur
			λ_{max}[nm]	ε		
syn-8,13-Epoxi-1,6-methano-[14]annulen	118–119	orange-rot	300	141 700	566 f.	1
2-Acetyl-	159–160	rot			580	1
9-Acetyl-	107–108	rot			580	1
10-Acetyl- 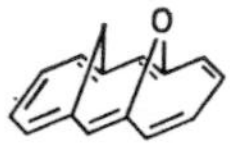	117–118	rot			580	1
syn-1,6;8,13-Bis-[epoxi]-[14]annulen	230	karminrote Blättchen	306	169 000	567	2
2-Brom- 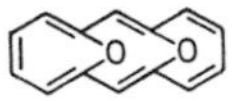					578	3
2-Nitro-					579	3
2-Acetyl-					580	3
7,9,18,20-Tetrakis-[dehydro]-⟨dinaphtho-[1,8,8a-a,b;1,8,8a-h,i]-[14]-annulen⟩		nur bis –15° in Lösung stabil	328	10 000	560	4
[16]Annulen	92–93	braune Prismen	284	77 000	567	5–8
1,3-Bis-[dehydro]-		violett	281	55 000	567	7
1,9-Bis-[dehydro]-	90–91	braune Platten	283	54 000	568	7
1,3,9-Tris-[dehydro]-	59–60 (Zers.)	dunkelbraune Platten	290	51 000	568	7
⟨Tetrabenzo-[a;e;i;m]-[16]annulen⟩	267–268	farblose Prismen	278	3 200	568	9,10
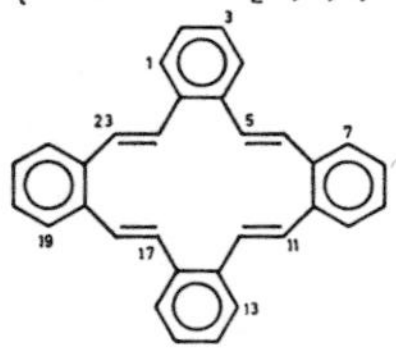 *5,11,17,23-Tetrakis-[dehydro]-*		gelbe Kristalle			568	11

* Nur die Lagen und Intensitäten der stärksten UV Absorptionen sind verzeichnet.

[1] E. Vogel, U. Haberland u. J. Ick, Ang. Ch. **82**, 514 (1970); engl.: **9**, 517 (1970).
[2] E. Vogel et al., Ang. Ch. **78**, 755 (1966); engl.: **5**, 734 (1966).
[3] E. Vogel, Chimia **22**, 21 (1968).
[4] R. H. Mitchell u. F. Sondheimer, Tetrahedron **24**, 1397 (1968).
[5] F. Sondheimer, Pure Appl. Chem. **7**, 363 (1963).
[6] F. Sondheimer, Pr. roy. Soc. [A] **297**, 173 (1967).
[7] I. C. Calder, Y. Gaoni u. F. Sondheimer, Am. Soc., **90**, 4946 (1968). I. C. Calder et al., Am. Soc., **90**, 4954 (1968).
[8] G. Schröder u. J. F. M. Oth, Tetrahedron Letters **1966**, 4983.
[9] E. D. Bergmann u. Z. Pelchowicz, Am. Soc. **75**, 4281 (1953).
[10] C. E. Griffin, K. R. Martin u. B. E. Douglas, J. Org. Chem. **27**, 1627 (1962).
[11] I. D. Campbell et al., Chem. Commun. **1966**, 87.

Tab. 6. (11. Fortsetzung)

Name	F [°C]	Aussehen und andere Eigenschaften	UV Spektrum* λ [nm]	UV Spektrum* ε	Synthese s. S.	Literatur
3,x-Dimethyl-1,6; 9,14-butandiyliden-(2,3)-[16]annulen 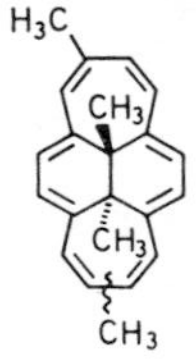		grüne Kristalle	346		568	1
[18]Annulen		braunrote Nadeln,	369	303000	549 f., 569	2
Nitro-	185–186 (Zers.)	dunkelrote Nadeln	385–390	62000	569, 579	3
Acetyl-		orangebraune Kristalle	378	91000	569, 580 f.	3
Brom-		rot-violette Kristalle	373,5	331100	578	4
Methyl-		purpur-rote Kristalle	371,5	263000		4
Methoxycarbonyl-	173–175	braun-violette Kristalle	376	104700		4
Formyl-		dunkel-purpurne Kristalle	379	77620	582	4
*1,7,13-Tris-[dehydro]-[18]annulen-*I	190–192 (Zers.)	hellbraune Platten	335	190000	547 f., 569	5
3-Nitro-	140–141 (Zers.)	rotbraune Kristalle	358	70000	579	3

* Nur die Lagen und Intensitäten der stärksten UV-Absorptionen sind verzeichnet.

[1] R. H. Mitchell u. V. Boekelheide, Chem. Commun. **1970**, 1557.
[2] F. Sondheimer, R. Wolovsky u. Y. Amiel, Am. Soc. **84**, 274 (1962).
[3] I. C. Calder et al., Soc. [C] **1967**, 1041.
[4] E. P. Woo u. F. Sondheimer, Tetrahedron **26**, 3933 (1970).
[5] R. Wolovsky, Am. Soc. **87**, 3638 (1965).

Tab. 6. (12. Fortsetzung)

Name	F [°C]	Aussehen und andere Eigenschaften	UV Spektrum*		Synthese s. S.	Literatur
			λ_{mxa}[nm]	ε		
5,6,11,12,17,18-Hexamethyl-1,7,13-Tris-[dehydro]-[18]annulen-II	200 (Zers.)	rotbraune Prismen hellbraune Platten	343 331	148500 166000		1 2
1,3,7,13-Tetrakis-[dehydro]-[18]annulen	190 (Zers.)	ziegelrote Platten	327	99000	569	1
1,3,7,9,13,15-Hexakis-[dehydro]-[18]annulen			333	75800	569	3
6,13,20-Tris-[dehydro]-⟨trinaphtho-[1,7,8,8a-a,b,c; 1,7,8,8a-g,h,i; 1,7,8,8a-m,n,o]-[18]annulen⟩ 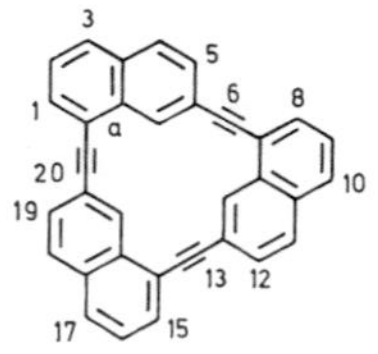	> 360 (Zers.)	blaßgelbe Nadeln			569	4
5,13,21-Tris-[dehydro]-⟨tribenzo-[a;g;m]-[18]annulen⟩ 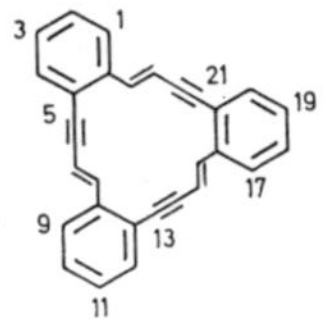	> 275 (Zers.)	gelbe Nadeln			569	4

* Nur die Lagen und Intensitäten der stärksten UV-Absorptionen sind verzeichnet.

[1] F. Sondheimer u. D. A. Ben-Efraim, Am. Soc. **85**, 52 (1963).
[2] R. Wolovsky, Am. Soc. **87**, 3638 (1965).
[3] W. H. Okamura u. F. Sondheimer, Am. Soc. **89**, 5991 (1967).
[4] K. Endo, Y. Sakata u. S. Misumi, Tetrahedron Letters **1970**, 2557.

Tab. 6. (13. Fortsetzung)

Name	F [°C]	Aussehen und andere Eigenschaften	UV Spektrum* λ [nm]	UV Spektrum* ε	Synthese s. S.	Literatur
X=Y=Z=O; *1,4;7,10;13,16-Tris-[epoxi]-[18]annulen*		tiefrote Prismen	332	288000	570, 574	1
X=Y=O; Z=S; *1,4;7,10-Bis-[epoxi]-13,16-epithio-[18]annulen*		scharlachrote Platten	343	95000	570	2
Z=O; X=Y=S; *1,4-Epoxi-7,10;13,16-bis-[epithio]-[18]annulen*	103–103,5	orange Nadeln	292	29300	570	3
X=Y=Z=S; *1,4;7,10;13,16-Tris-[epithio]-[18]annulen*	74,5–75,5	gelbe Platten	204	18000	570 f.	2
X=NH; Y=Z=S, *1,4-Epi-imino-1,10;13,16-bis-[epithio]-[18]annulen*	129–130	gelbe Kristalle	235	25000	570	4
[20]Annulen	139–140 (Zers.)	braunrote Nadeln	323	146000	572	5
Dehydro-	Zers.	braunpurpurne Nadeln	322	124000	572	5
1,11-Bis-[dehydro]-	176–177 (Zers.)	braunviolette Platten	319	109000	572	6,7
[22]Annulen	Zers.	dunkelpurpurfarben	400	141000	572	8
Dehydro-	~ 220 (Zers.)	rotpurpurfarben	372	132000	572	9
[24]Annulen		dunkelblaue Nadeln; vollständige Zers. bei 25° nach einem Tag	364	201000	573	10
1,7,13,19-Tetrakis-[dehydro]-		dunkelpurpurfarbene Prismen	340	225000	547 f., 573	11

* Nur die Lagen und Intensitäten der stärksten UV-Absorptionen sind verzeichnet.

[1] G. M. Badger et al., Chem. Commun., **1965**, 269. G. M. Badger, J. A. Elix u. G. E. Lewis, Austral. J. Chem. **19**, 1221 (1966).
[2] G. M. Badger, J. A. Elix u. G. E. Lewis, Pr. chem. Soc. **1964**, 82. G. M. Badger, J. A. Elix u. G. E. Lewis, Austral. J. Chem. **18**, 71 (1965).
[3] G. M. Badger, G. E. Lewis u. U. P. Singh, Austral. J. Chem. **19**, 257,
[5] B. W. Metcalf u. F. Sondheimer, Am. Soc. **93**, 6675 (1971).
[6] F. Sondheimer u. Y. Gaoni, Am. Soc. **83**, 1259 (1961).
[7] F. Sondheimer u. Y. Gaoni, Am. Soc. **84**, 3520 (1962).
[8] R. M. McQuilkin, B. W. Metcalf u. F. Sondheimer, Chem. Commun. **1971**, 338.

Tab. 6. (14. Fortsetzung)

Name	F [°C]	Aussehen und andere Eigenschaften	UV-Spektrum*		Synthese s. S.	Literatur
			λ_{max}[nm]	ε		
1,3,7,9,13,15,19,21-Octakis-[dehydro]-	~ 130 (***Explosion***)	gelborange	352**	45100	573	1
1,4; 7,10; 13,16; 19,22-Tetrakis-[epoxi]-[24]annulen Isomer I	216–217	dunkelviolette Prismen	360	146000	574	2
Isomer II	269–270	violette Prismen	362	156000		2
Dehydro-**[26]annulen**	Zers.	dunkel-purpurne Rhomben	386	152000	574	3
Tris-[dehydro]-[26]annulen		rotbraune Kristalle	383	119000	574	4
[30]Annulen		rotbraune Kristalle	428	144000		5
Tris-[dehydro]-**[30]annulen**		dunkelbraunviolette Kristalle	397	114000	575	6
Pentakis-[dehydro]-[30]annulen		orangerote Prismen	389	141000	547f., 575	7
1,4; 7,10; 13,16; 19,22; 25,28-Pentakis-[epoxi]-[30]annulen Isomer I	218–220 (Zers.)	schwarzrote Prismen	410	73900	574	2
Isomer II	192–194 (Zers.)	tiefrote Nadeln	412	83700	574	2
Hexakis-[dehydro]-**[36]annulen**		orangerotes Pulver	396	63200	547f., 575	7
1,4; 7,10; 13,16; 19,22; 25,28; 31,34-Hexakis-[epoxi]-[36]annulen	250–252	schwarzrote Nadeln	425	60700	574	2

* Nur die Lagen und Intensitäten der stärksten UV-Absorptionen sind verzeichnet.
** Hat zusätzlich Maxima bei kürzerer Wellenlänge.

[1] R. M. McQuilkin, P. J. Garratt u. F. Sondheimer, Am. Soc. **92,** 6682 (1971).
[2] J. A. Elix, Austral. J. Chem. **22,** 1951 (1969).
[3] B. W. Metcalf u. F. Sondheimer, Am. Soc. **93,** 5271 (1971).
[4] C. C. Leznoff u. F. Sondheimer, Am. Soc. **89,** 4247 (1967).
[5] F. Sondheimer, R. Wolovsky u. Y. Amiel, Am. Soc. **84.** 274 (1962).
[6] F. Sondheimer u. Y. Gaoni, Am. Soc. **84,** 3520 (1962).
[7] F. Sondheimer u. R. Wolovsky. Am. Soc. **84,** 260 (1962).

[14]Annulen reagiert mit Triamin-chromtricarbonyl unter Bildung des Komplexes III, der in Lösung unter Bildung von [14]Annulen wieder zerfällt[1]. Vermutlich verläuft der Zerfall über *trans*-Bicyclo[6.6.0]tetradecahexaen-(2,4,6,9,11,13) (IV).

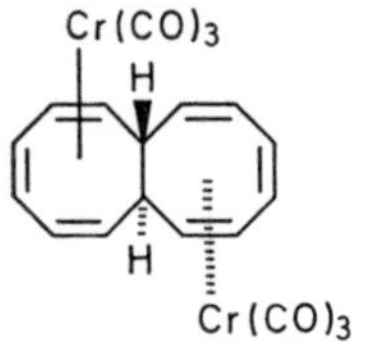

III 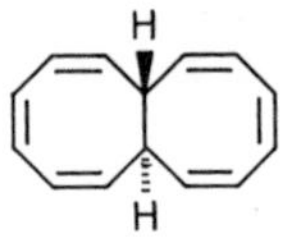 IV

Anti-1,6; 8,13-Bis-[methano]-[14]annulen setzt sich mit Chromhexacarbonyl zum *Chromtricarbonyl*-Komplex V[2], vermutlich einem Dienkomplex, um. Versuche zur Herstellung von [18]Annulen-Metall-π-Komplexen waren bisher erfolglos[3].

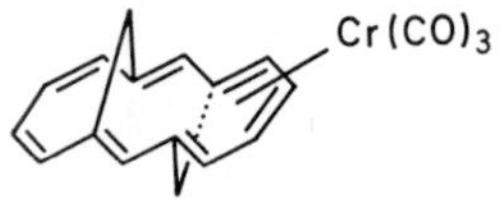

V

B. Umwandlung

I. Umlagerungen von Annulenen

a) thermisch

All-cis-[10]annulen(I) lagert sich bei ~ −10° zu *cis-9,10-Dihydro-naphthalin* (II) um, während mono-*trans*-[10]Annulen (III) bei ~ −25° in *trans-9,10-Dihydro-naphthalin* (IV) übergeht[4]. Die Verbindungen II und IV sind die zu erwartenden Produkte der durch Orbitalsymmetrie gesteuerten concerted Reaktionen (vgl. auch S. 550f.).

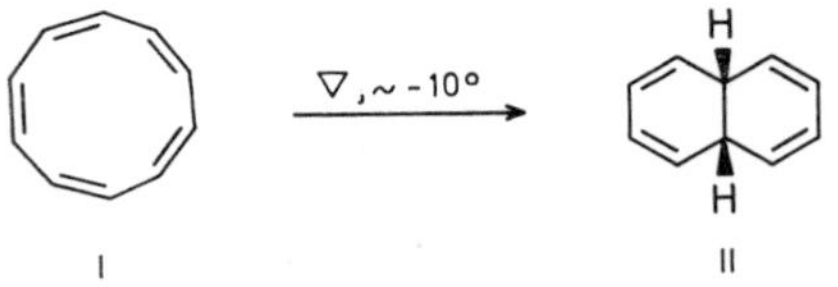

I → (∇, ~ −10°) → II

III → (∇, −25°) → IV

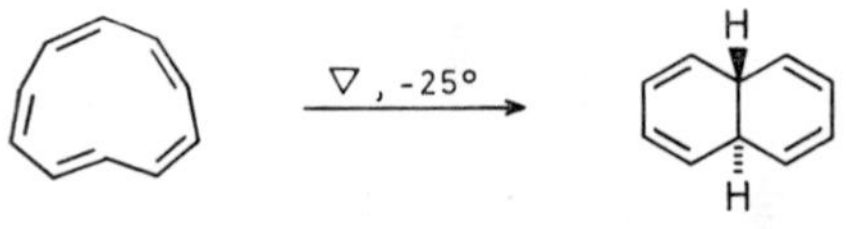

[1] K. Stöckel, F. Sondheimer, T. A. Clarke, M. Guss u. R. Mason, Am. Soc. **93**, 2571 (1971).
[2] M. J. Barrow u. O. S. Mills, Chem. Commun. **1971**, 220.
[3] K. Stöckel et al., Am. Soc. **93**, 2571 (1971); dort Fußnote 1.
[4] S. Masamune u. R. T. Seidner, Chem. Commun. **1969**, 542.
S. Masamune et al., Am. Soc. **93**, 4966 (1971).

[12]Annulen (V) lagert sich thermisch bei −40° zu *cis-Bicyclo[6.4.0]dodeca-pentaen-(2,4,6,9,11)* (VII) um[1]. Bei 20° erfährt der Bicyclus eine weitere Umlagerung zum *Tricyclo[6.4.0.0^{2,7}]dodecatetraen-(3,5,9,11)* (VIII), das oberhalb 30° zu *Benzol* zerfällt[1]. Photolytisch geht VII bei −100° wieder in das [12]Annulen über. Da die Umlagerung von V zu VII aufgrund von Orbitalsymmetriebetrachtungen nicht erlaubt ist, wird zur Deutung der Umwandlung das Konfigurationisomere VI angenommen, das mit [12]Annulen (V) im Gleichgewicht stehen soll.

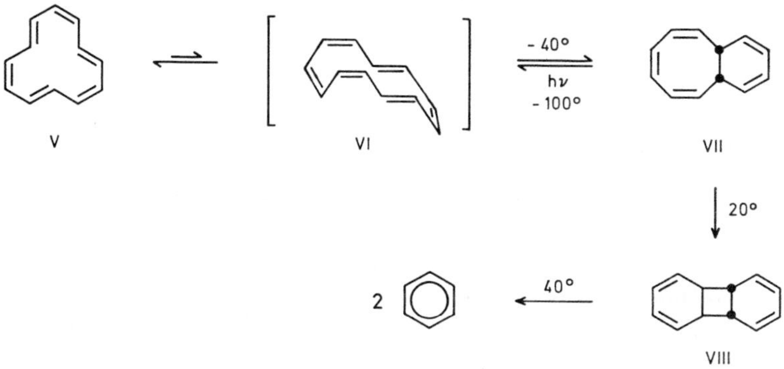

V ⇌ [VI] —(−40°; hν −100°)⇌ VII —(20°)→ VIII —(40°)→ 2 Benzol

Beide isomeren Monodehydro-[14]annulene ergeben in siedendem Dimethylsulfoxid je 50% d.Th. *Phenanthren*[2].

Trans-15,16-Dimethyl-15,16-dihydro-pyren (XII) erfährt bei 200° eine thermisch erlaubte, suprafacile 1,5-Verschiebung der Methyl-Gruppe und man erhält *trans-3a, 3b-Dimethyl-3a,3b-dihydro-pyren*[3]:

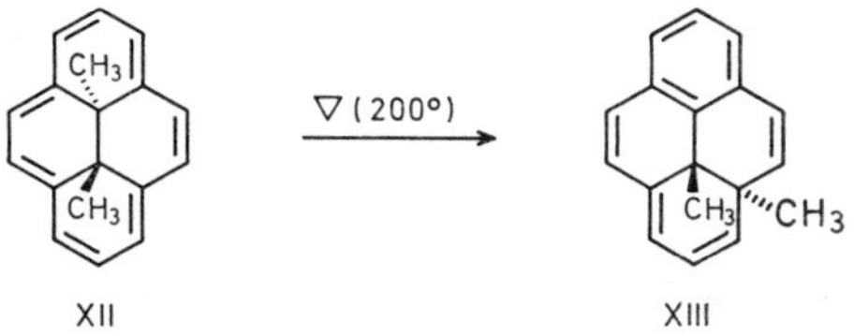

XII —∇ (200°)→ XIII

[16]Annulen (IX) wird thermisch zu *cis-anti-cis-Tricyclo[10.4.0.0^{4,9}]hexadeca-hexaen-(2,5,7,10,13,15)* (XI) umgelagert[4]. Falls die Umlagerung durch Orbitalsymmetrie gesteuert wird, muß sie über das Konformere X verlaufen. Durch Photolyse wird der Tricyclus XI wieder in das [16]Annulen überführt.

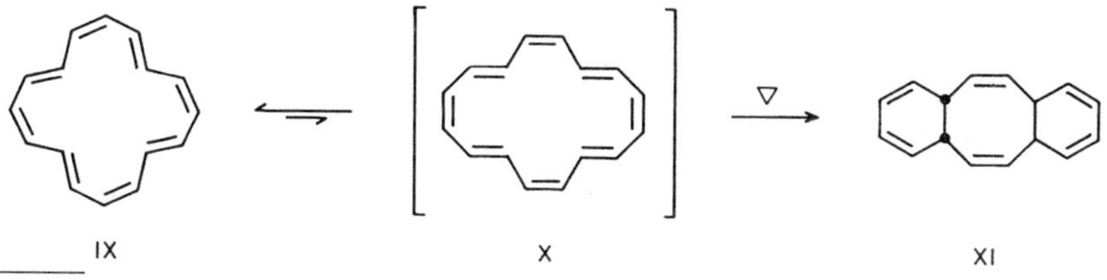

IX ⇌ [X] —∇→ XI

[1] J. F. M. Oth, H. Röttele u. G. Schröder, Tetrahedron Letters **1970**, 61.

[2] F. Sondheimer, Proc. Roy. Soc. [A] **297**, 173 (1967).

[3] V. Boekelheide, *Proceedings of the Robert Welch Foundation*, Vol. 12, S. 83, Houston/Texas 1969; Methylgruppen-Austausch tritt hier nicht ein.

[4] G. Schröder, W. Martin u. J. F. M. Oth, Ang. Ch. **79**, 861 (1967); engl.: **6**, 870 (1967).

Thermisch zerfällt [18]Annulen (XIV) bei 130° in Dimethylformamid bzw. Diglym als Lösungsmittel in *Benzol* und *7,8-Dihydro-⟨benzo-cyclooctatetraen⟩* (XV)[1] (die Bildung von XV macht im Verlauf der Reaktion Wasserstoffverschiebungen erforderlich):

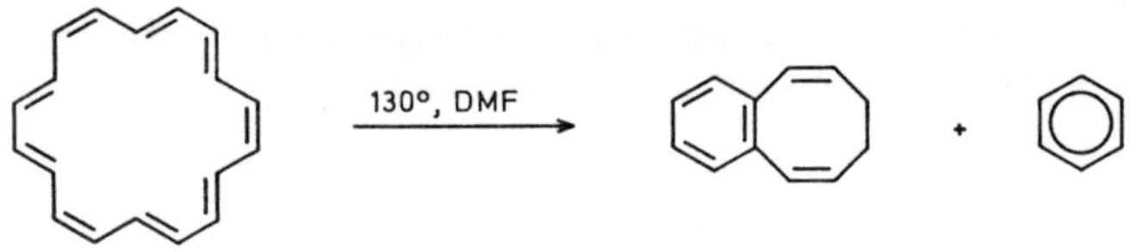

130°, DMF

XIV XV

b) Photochemische Umlagerungen von Annulenen
(vgl. a. ds. Handb., Bd. IV/5, Photochemie)

Die konzentrations-[2] und temperatur-abhängige[3] Photoreaktion von [10]Annulenen ist äußerst komplex, da die entstehenden Produkte photosensitiv sind und deshalb zu einem Viel-Gemisch führen. So soll *all-cis*-[10]Annulen (I) bei niedriger Temperatur, unter der Voraussetzung, das der Prozeß durch Orbitalsymmetrie gesteuert wird, das *trans-9,10-Dihydro-naphthalin* (II) ergeben[3]; die Reaktion ist reversibel bzw. führt zu I oder zum di-*trans*-Derivat[2]. *Mono-trans*-[10]Annulen (III) geht zunächst bei Belichtung in das *all-cis*-Derivat I über[3] (vgl. S. 550 f.).

hν hν hν H H

III I II

[12]Annulen (IV) lagert sich bei der Photolyse bei −70° oder darüber zu *trans-Bicyclo[6.4.0]dodecapentaen-(2,4,6,9,11)* (VI)[4] um. Unterwirft man Lösungen vom Bicyclus VI der Photolyse bei −100° so wird [12]Annulen (IV) zurückerhalten. Da aufgrund der Orbitalsymmetrie die Prozesse nicht erlaubt sind, wurde V, das Konfigurationsisomere von IV, als ein mit IV im Gleichgewicht vorliegendes Zwischenprodukt formuliert.

hν > −70° hν −100°

IV V VI

[1] K. Stöckel u. F. Sondheimer, Privatmitteilung.
[2] E. E. van Tamelen u. T. L. Burkoth, Am. Soc. **89**, 151 (1967).
E. E. van Tamelen u. R. H. Greeley, Chem. Commun. **1971**, 601.
[3] S. Masamune u. R. T. Seidner, Chem. Commun. **1969**, 542.
[4] J. F. M. Oth, H. Röttele u. G. Schröder, Tetrahedron Letters **1970**, 61.

Die Photolyse[1] von *trans*-15,16-Dimethyl-15,16-dihydro-pyren (X) bewirkt eine Umwandlung in das Valenzisomere XI. Eine ähnliche Photoisomerisation tritt beim *trans*-15,16-Diäthyl- sowie bei allen anderen *trans*-15,16-Dihydro-pyren-Derivaten ein[1,2]. Die *cis*-Derivate unterliegen dieser Photoisomerisation[3] nicht.

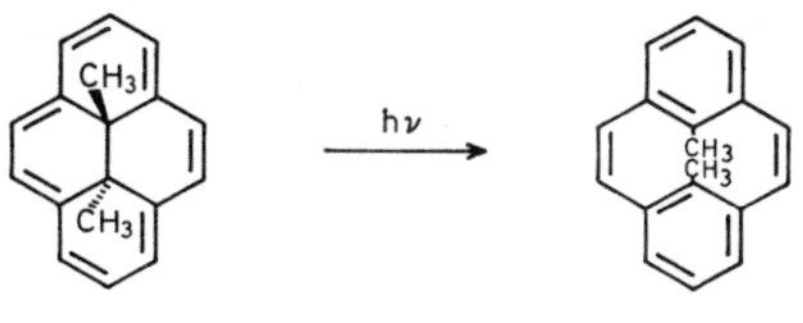

CH_3 CH_3 hν CH_3 CH_3

X XI

Bei der Photolyse von [16]Annulen (VII) bei 20° entsteht *trans-anti-trans-Tricyclo [10.4.0.0⁴,⁹]hexadecahexaen-(2,5,7,10,13,15)* (IX)[4]. Die Umlagerung soll über das Konformationsisomere VIII verlaufen:

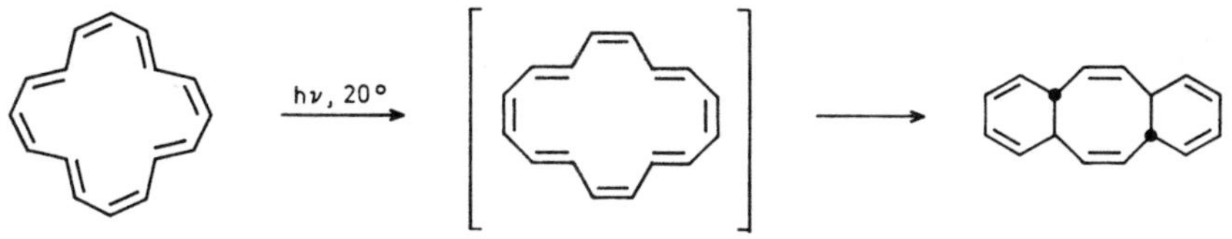

hν, 20°

VII VIII IX

II. Additions-Reaktionen von Annulenen

Viele Reaktionen, die als Substitutionsreaktion (s. S. 576) diskutiert werden, dürften in Wirklichkeit nach einem Additions-Eliminierungsmechanismus ablaufen. Die einzige Reaktion, die bis jetzt eingehend untersucht wurde (die Bromierung von 1,6-Methano-[10]annulen) nimmt diesen Weg[5]. Einen Unterschied im Verhalten von 4n- und 4n + 2-Annulenen könnte man erwarten, ließ sich jedoch noch nicht eindeutig nachweisen.

a) Addition von Halogen

Die Bromierung von 1,6-Methano-[10]annulen (I) mit Brom bei – 75° in Chloroform liefert unter 1,4-Addition zunächst *7,10-Dibrom-bicyclo[4.4.1]undecatetraen-(1,3,5,8)* (II; S. 602), das zu *2,5,7,10-Tetrabrom-tricyclo[4.4.1.0¹,⁶]undecadien-(3,8)* (III, S. 602) weiterbromiert wird[5]. In ähnlicher Weise erhält man aus 1,6-Epoxi-[10]annulen (IV) bei

[1] J. B. PHILLIPS u. V. BOEKELHEIDE, Am. Soc. **89**, 1695 (1967).
[2] V. BOEKELHEIDE u. T. MIYASAKA, Am. Soc. **89**, 1709 (1967).
[3] R. H. MITCHELL u. V. BOEKELHEIDE, Chem. Commun. **1970**, 1555.
[4] G. SCHRÖDER, W. MARTIN u. J. F. M. OTH, Ang. Ch. **79**, 861; engl.: **6**, 870 (1967).
[5] E. VOGEL, W. A. BÖLL u. M. BISKUP, Tetrahedron Letters **1966**, 1569.

– 75° *7,10-Dibrom-11-oxa-tricyclo[4.4.1.0^1,6]undecatrien-(2,4,8)* (V)[1] bzw. durch Weiterbromierung *2,5,7,10-Tetrabrom-11-oxa-tricyclo[4.4.1.0^1,6]undecadien-(3,8)* (VI)[1,2].

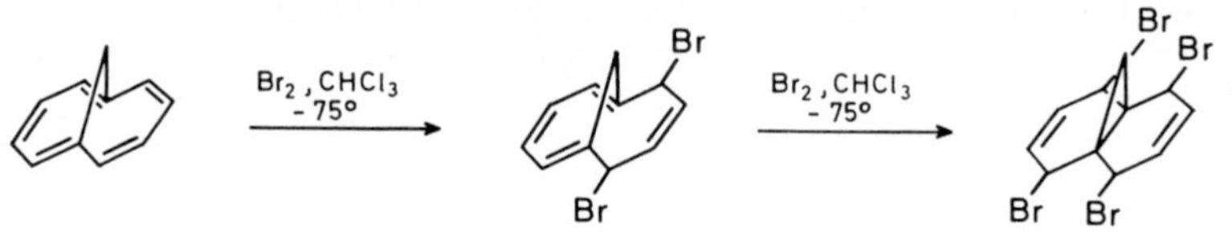

Br_2, $CHCl_3$ – 75° ; Br_2, $CHCl_3$ – 75°

I II III

Br_2, CH_2Cl_2 ; Br_2, CH_2Cl_2

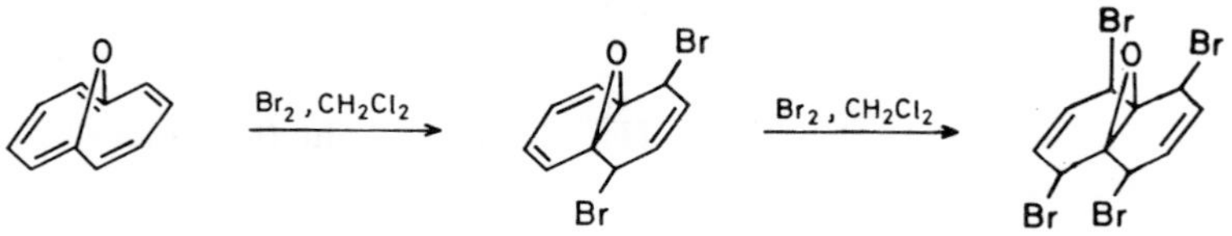

IV V VI

Anti-1,6; 8,13-Bis-[methano]-[14]annulen (VII), das die Eigenschaften eines Polyolefins hat, addiert Brom unter Bildung des Dibromids VIII {*2,9-Dibrom-tricyclo-[8.4.1.1^3,8]hexadecahexaen-(3,5,7,10,12,14)*}[3], das keine Neigung zur Abspaltung von Bromwasserstoff zeigt:

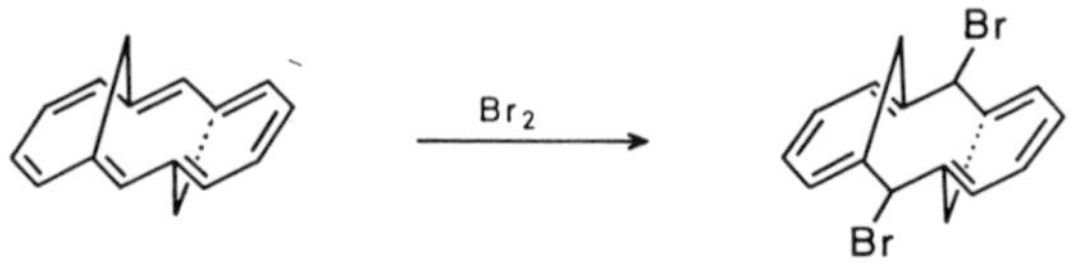

Br_2

VII VIII

Bei Raumtemperatur in Dichlormethan addiert [18]Annulen 5–6 Bromatome zu nicht näher definierten Verbindungen[4]. Auch die 1,4; 7,10; 13,16-Trihetero-[18] annulene ergeben bei der Bromierung Additionsprodukte[5,6]. So addiert 1,4; 7,10-Bis-[epoxi]-13,16-epithio-[18]annulen (IX) sechs Bromatome.

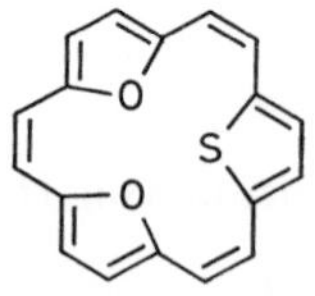

IX

---

[1] E. Vogel, W. A. Böll u. M. Biskup, Tetrahedron Letters **1966**, 1569.
[2] A. Shani u. F. Sondheimer, Am. Soc. **89**, 6310 (1967).
[3] E. Vogel, U. Haberland u. H. Günther, Ang. Ch. **82**, 510 (1970); engl.: **9**, 513 (1970).
[4] F. Sondheimer, R. Wolovsky u. Y. Amiel, Am. Soc. **84**, 274 (1962).
[5] G. M. Badger, J. A. Elix, G. E. Lewis, U. P. Singh u. T. M. Spotswood, Chem. Commun. **1965**, 269.
G. M. Badger, J. A. Elix u. G. E. Lewis, Austral. J. Chem. **19**, 1221 (1966).
[6] G. M. Badger, G. E. Lewis u. U. P. Singh, Austral. J. Chem. **19**, 1461 (1966).

b) Diels-Alder-Reaktionen von Annulenen

Acetylendicarbonsäure-dimethylester[1] reagiert bei 120° in Chlorbenzol mit 1,6-Methano-[10]annulen (X) zum Addukt XI {*9,10 Dimethoxycarbonyl-tetracyclo*[*6.2.2.1*^{2,7}.*0*^{2,7}]*tridecatetraen-(3,5,9,11)*}, das bei 400°/1 Torr in *Benzocyclopropen* (XII) und *Phthalsäure-dimethylester* zerfällt:

COOCH₃–C≡C–COOCH₃; Cl–C₆H₅, 120°; 400°, 1 Torr

X XI XII

[18]Annulen reagiert mit Maleinsäureanhydrid zu einem 1 : 4 Addukt[2], dagegen liefert 1,4; 7,10-Bis-[epoxi]-13,16-epithio-[18]annulen kein Addukt[3].

III. Reduktionen von Annulenen

a) durch Alkalimetalle

In Analogie zur Reaktion von Cyclooctatetraen mit Alkalimetallen[4] (s. a. S. 508ff.) sollten die höheren 4n-Annulene über das Radikal-Anion zum entsprechenden Dianion mit (4n + 2)-π-Elektronen reduziert werden. In Übereinstimmung mit dieser Voraussage werden [12]Annulen (I)[5] und [16]Annulen (III, S. 604)[6] durch Kalium zum *[12]Annulen-Dianion* (II) bzw. *[16]Annulen-Dianion* (IV) reduziert. Beide Dianionen zeigen keine konformative Beweglichkeit und besitzen einen diamagnetischen Ringstrom, im Gegensatz zu den neutralen Vorläufern. Das NMR-Spektrum zeigt die erwartete Änderung, wobei das Spektrum des Dianions IV (S. 604) bis 140° temperaturunabhängig ist.

Das [12]Annulen-Dianion (II) ist bis 30° stabil – [12]Annulen lagert sich bereits bei –50° um – und besitzt eine um mindestens 8 kcal/Mol größere Resonanzenergie als das isoelektrische [14]Annulen. Die Resonanzenergie von IV (S. 604) liegt um 10 kcal/Mol höher als die des isoelektronischen [18]Annulens.

2 K → [ ]$^{2\ominus}$ 2 K$^{\oplus}$

I II

---

1 E. Vogel, W. Grimme u. S. Korte, Tetrahedron Letters **1965**, 3625.
2 F. Sondheimer, R. Wolovsky u. Y. Amiel, Am. Soc. **84**, 274 (1962).
3 G. M. Badger, G. E. Lewis u. U. P. Singh, Austral. J. Chem. **19**, 1461 (1966).
4 T. J. Katz, Am. Soc. **82**, 3784f. (1960).
5 J. F. M. Oth u. G. Schröder, Soc. [B] **1971**, 904.
6 J. F. M. Oth, J. Anthoine u. J. M. Gilles, Tetrahedron Letters **1968**, 6265.

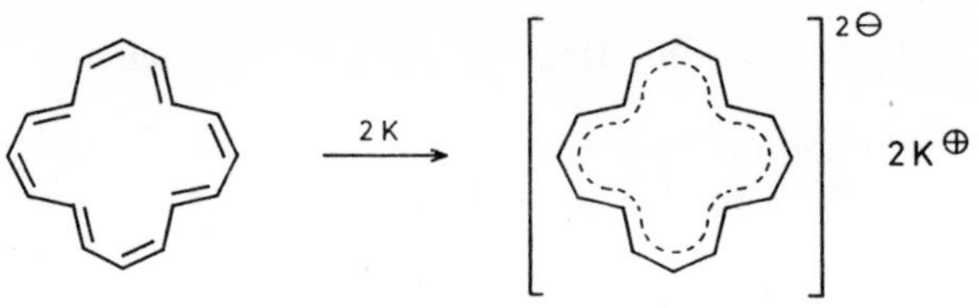

2 K
$2\ominus$
$2 K^{\oplus}$
III IV

Die Reduktion des verbrückten [16]Annulens V mit Kalium führt ebenfalls zum Dianion {*3,x-Dimethyl-1,6; 9,14-trans-butandiyliden-(2,3)-[16]annulen-Dianion*; VI}[1]:

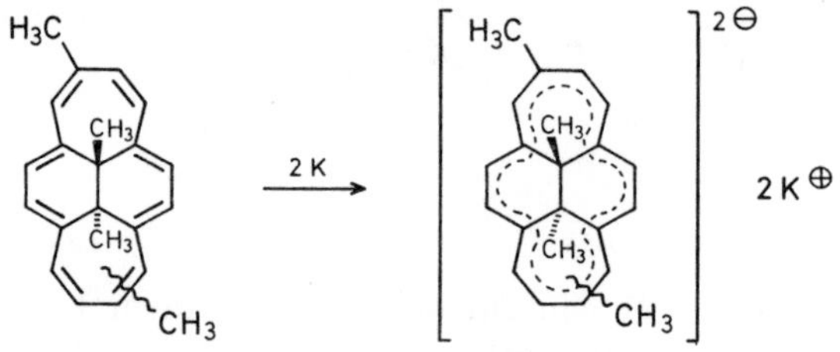

H_3C CH_3 CH_3 CH_3 2 K $2\ominus$ $2 K^{\oplus}$
V VI

Dehydro-[12]annulene und -[24]annulene werden ebenso mittels Alkalimetallen zu den entsprechenden Dianionen reduziert[2]; z. B.:

1,5-Bis-[dehydro]-[12]annulen (VII) → *1,5-Bis-[dehydro]-[12]annulen-Dianion* (VIII)[3]
1,5,9-Tris-[dehydro]-[12]annulen (IX) → *1,5,9-Tris-[dehydro]-[12]annulen-Dianion* (X)[3]
Octakis-[dehydro]-[24]annulen (XI) → *Octakis-[dehydro]-[24]annulen-Dianion* (XII)[4]

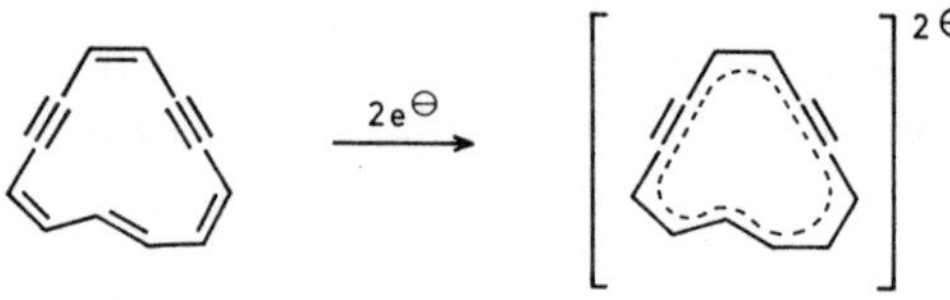

$2e^{\ominus}$ $2\ominus$
VII VIII

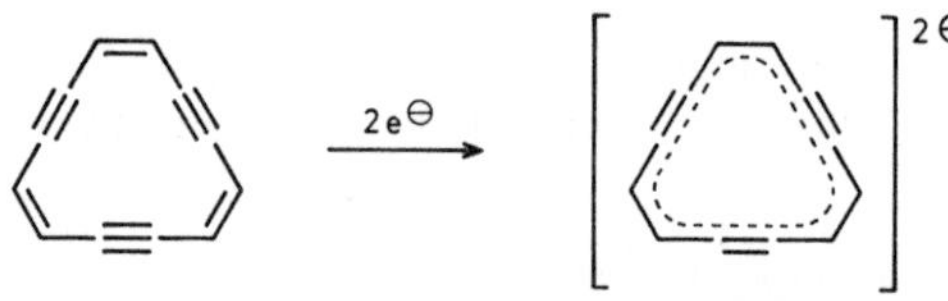

$2e^{\ominus}$ $2\ominus$
IX X

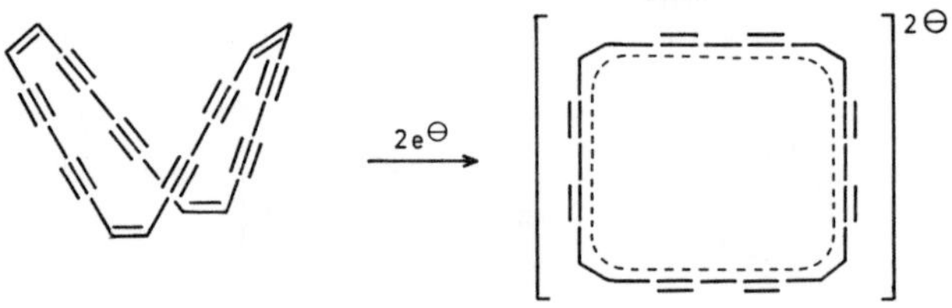

$2e^{\ominus}$ $2\ominus$
XI XII

[1] R. H. Mitchell u. V. Boekelheide, Chem. Commun. **1970**, 1557; das NMR-Spektrum zeigt die erwartete Änderung von einer paratropen zu einer diatropen Spezies.

[2] Die Dianionen besitzen einen diamagnetischen Ringstrom; die intermediär gebildeten Radikal-Anionen zeigen die zu erwartenden ESR-Spektren[3,4].

[3] P. J. Garratt, N. E. Rowland u. F. Sondheimer, Tetrahedron **27**, 3157 (1971).

[4] R. M. McQuilkin, P. J. Garratt u. F. Sondheimer, Am. Soc. **92**, 6682 (1970).

Die Reduktion von (4n + 2)-Annulenen mit Alkalimetallen sollte zu den entsprechenden Dianionen mit 4n π-Elektronen führen. Wenn die Reduktion über Einelektronen-Prozesse abläuft, muß sich zunächst ein Radikal-Anion bilden, wobei ein Elektron in ein anti-bindendes Orbital eintritt. Die *Radikal-Anionen* vom *1,6-Methano-* (XIIIa)[1], *1,6-Epoxi-* (XIIIb)[1] und *1,6-Epi-imino-[10]annulen* (XIIIc)[2] werden in der Regel in 1,2-Dimethoxy-äthan hergestellt. *Cyclo[3.2.2]azin* (XIV) ergibt unter ähnlichen Bedingungen ein *Radikal-Anion*[3].

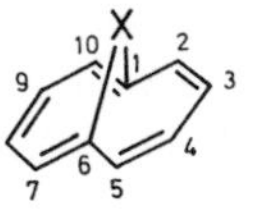

XIII a X = CH_2
XIII b X = O
XIII c X = NH

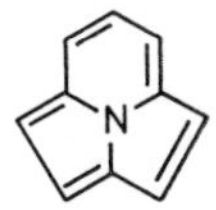

XIV

Auch 1,8-Bis-[dehydro]-[14]annulen wird durch Alkalimetalle in Dimethylformamid bzw. Tetrahydrofuran zum entsprechenden Radikal-Anion reduziert[4]:

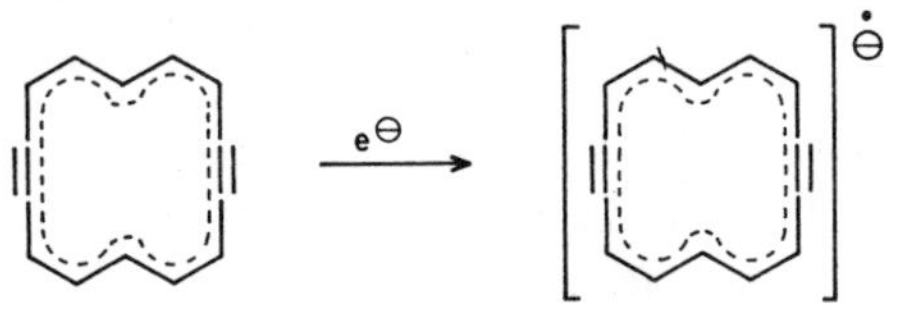

trans-15,16-Dimethyl-15,16-dihydro-pyren (XV) wird mit Kalium zunächst zum *Radikal-Anion*[5] dann zum *Dianion* (XVI) reduziert[6]. Letzteres besitzt im Gegensatz zu XV einen paramagnetischen Ringstrom. *trans*-15,16-Diäthyl- und *trans*-15,16-Dipropyl-15,16-dihydro-pyren zeigen ein ähnliches Verhalten[6].

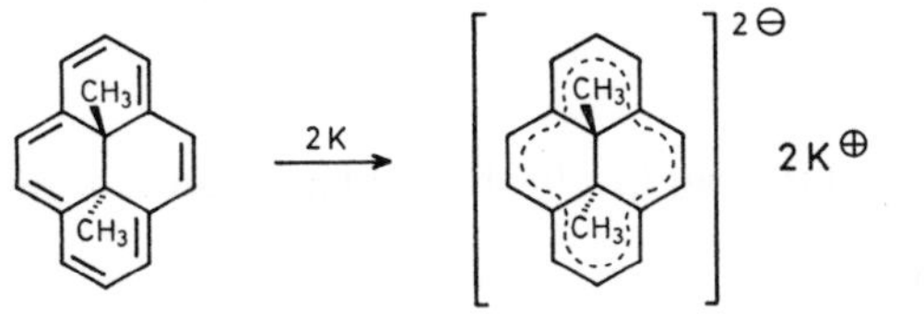

XV 2K → XVI $2K^{\oplus}$

[1] F. Gerson, E. Heilbronner, W. A. Böll u. E. Vogel, Helv. **48**, 1494 (1965); die Hyperfeinkopplungskonstanten des Radikal-Anions vom 1,6-Methano-[10]annulen und seines deuterierten Derivats zeigen, das den Atomen 2,5,7,10 (in Übereinstimmung mit dem einfachen HMO-Modell) die höchste Elektronendichte zukommt.

[2] F. Gerson, F. Heinzer u. E. Vogel, Helv. **53**, 103 (1970).

[3] F. Gerson u. J. D. W. van Voorst, Helv. **46**, 2257 (1963).

[4] HMO-Berechnungen, in denen die C≡C-Dreifachbindungen als Störungen behandelt werden, geben Ladungsdichten in Übereinstimmung mit den Hyperfeinkopplungskonstanten:
N. M. Atherton, R. Mason u. R. J. Wratten, Mol. Phys. **11**, 525 (1966).
F. Gerson u. T. H. Hammons in J. P. Snyder, *Nonbenzenoid Aromatics*, Vol. 2, S. 149, Academic Press, New York 1971.

[5] F. Gerson, E. Heilbronner u. V. Boekelheide, Helv. **47**, 1123 (1964).

[6] R. H. Mitchell, E. Klopfenstein u. V. Boekelheide, Am. Soc. **91**, 4931 (1969).

Syn-1,6; 8,13-Bis-[epoxi]-[14]annulen (XVII) wird durch Natrium in Dimethylformamid zum *Radikal-Anion* XVIII reduziert[1]:

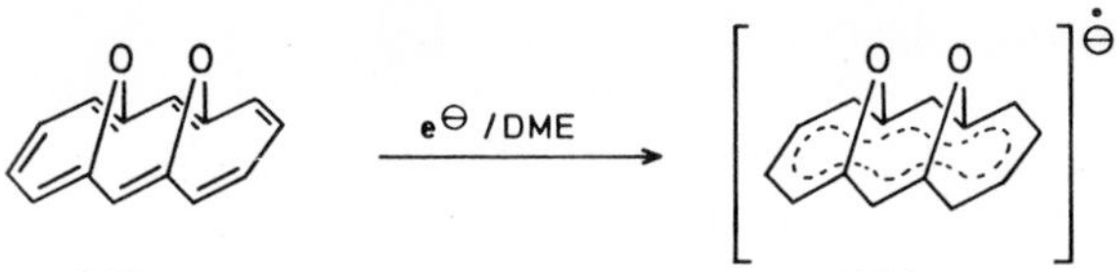

XVII → ($e^{\ominus}$ / DME) → XVIII

Mit Kalium erhält man aus *[18]Annulen* (XIX) über das *Radikal-Anion* ein *Dianion*, das als ein Gemisch zweier Konformationsisomeren XXa und XXb vorliegt[2] und nur bis 0° beständig ist.

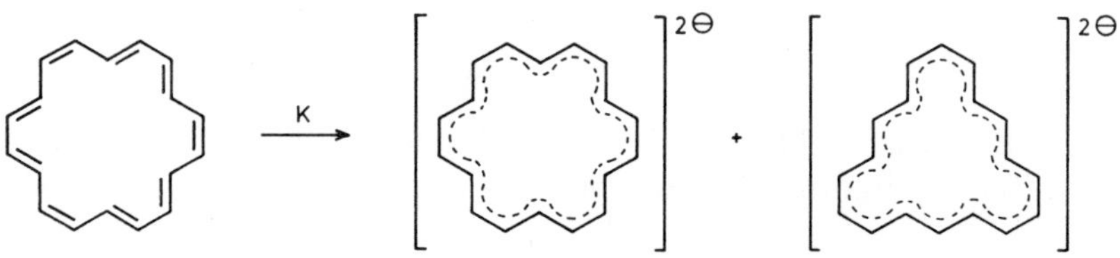

XIX → (K) → XXa + XXb

1,4; 7,10; 13,16-Tris-[epithio]-[18]annulen (XXI) wird ebenfalls von Alkalimetallen zum *Radikal-Anion* XXII reduziert[3], das im NMR-Spektrum sechs „sets" von je zwei äquivalenten Protonen besitzt.

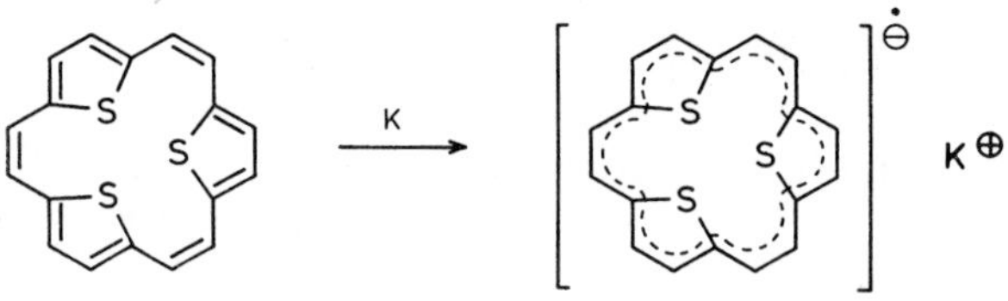

XXI → (K) → XXII $K^{\oplus}$

b) polarographische Reduktion von Annulenen

Die polarographische Reduktion[4] von *[12]Annulen* bei −80° in Tetrahydrofuran und in Gegenwart von Tetrabutylammonium-perchlorat verläuft ebenfalls über das *Radikal-Anion* ($\varepsilon_{1/2}$ −1,35 Volt) zum *Dianion* ($\varepsilon_{1/2}$ −2,0 Volt)[4]. In Dimethylformamid als Lösungsmittel wird *[16]Annulen* analog über das *Radikal-Anion* ($\varepsilon_{1/2}$ −1,23 Volt) zum *Dianion* ($\varepsilon_{1/2}$ −1,52 Volt) reduziert[5]. Über die elektrolytische Reduktion von syn-1,6; 8,13-Bis-[epoxi]-[1] und 1,8-Bis-[dehydro]-[14]annulen[6] s. Literatur.

---

1 F. Gerson, J. Heinzer u. E. Vogel, Helv. **53**, 103 (1970).
2 J. F. M. Oth, Privatmitteilung; beim Dianion erscheinen im NMR-Spektrum die inneren Protonen bei τ −19,5 und −18,1, und die äußeren bei τ −11,13.
3 F. Gerson u. J. Heinzer, Helv. **51**, 366 (1968).
4 J. F. M. Oth u. G. Schröder, Soc. [B] **1971**, 904.
5 J. F. M. Oth, G. Anthoine u. J. M. Gilles, Tetrahedron Letters **1968**, 6265.
6 N. M. Atherton, R. Mason u. R. J. Wratten, Mol. Phys. **11**, 525 (1966).

C. Bibliographie

F. SONDHEIMER, *Recent Advances in the Chemistry of Large-Ring Conjugated Systems,* Rev. pure appl. **7,** 363 (1963).

D. LLOYD, *Carbocyclic Nonbenzoid Aromatic Compounds,* Elsevier Publ. Co., New York 1966.

F. SONDHEIMER, *The Annulenes,* Proc. Roy. Soc. [A] **297,** 173 (1967).

F. SONDHEIMER, I. C. CALDER, J. A. ELIX, Y. GAONI, P. J. GARRATT, K. GROHMANN, G. DI MAIO, J. MAYER, M. V. SARGENT u. R. WOLOVSKY, *The Annulenes and Related Compounds,* Soc. (Special Publ.) **21,** 1967.

E. VOGEL, *Aromatic 10π-Electron Systems,* Soc. (Special Publ.) **21,** 113, 1967.

A. J. JONES, *Criteria for Aromatic Character,* Rev. pure appl. Chem. **18,** 253 (1968).

E. VOGEL, *Aromatic 10 and 14π-Electron Systems,* Chimia, **22,** 21 (1968).

G. M. BADGER, *Aromatic Character and Aromaticity,* Cambridge Univ. Press, London 1969.

V. BOEKELHEIDE, *Syntheses of Aromatic Molecules Bearing Substituents within the Cavity of the Pi Electron Cloud,* in W. O. MILLIGAN, Proceedings of the Robert A. Welch Foundation Conferences on Chemical Research, XII, Organic Synthesis, S. 83, Houston 1969.

T. I. BURKOTH u. E. E. VAN TAMELEN, *The Cyclodecapentaene Problem,* in J. P. SNYDER, Nonbenzenoid Aromatics, Vol. 1 S. 63, Academic Press, New York 1969.

H. P. FIGEYS, *Electronic Structure and Spectral Properties of Annulenes and Related Compounds,* in D. LLOYD, Topics in Carbocyclic Chemistry 1, 269, Logos Press, 1969.

P. J. GARRATT u. M. V. SARGENT, *Nonbenzoid Conjugated Cyclic Hydrocarbons* in E. C. TAYLOR u. H. WYNBERG, Advances in Organic Chemistry **6,** 1, Interscience Publ. Inc. New York 1969.

F. SONDHEIMER, *Recent Progress in the Annulene Field,* in W. O. MILLIGAN, Proceedings of the Robert A. Welch Foundation Conferences on Chemical Research, XII Organic Synthesis, S. 125, Houston 1969.

E. VOGEL, *Aromatic 10 and 14π-Electron Systems* in W. O. MILLIGAN, Proceedings of the Robert A. Welch Foundation Conferences on Chemical Research, XII Organic Synthesis, S. 215, Houston 1969.

V. BOEKELHEIDE u. R. H. MITCHELL, *Novel Molecules Bearing Substituents within the Cavity of the π-Electron Cloud-A New Synthetic Approach,* S. 150. The Jerusalem Symposia on Quantum Chemistry and Biochemistry, Vol. 3 Israel Academy of Science and Humanities, Jerusalem 1971.

P. J. GARRATT, *Aromaticity,* McGraw-Hill, New York–Toronto–London 1971.

F. GERSON u. J. HAMMONS, *ESR Spectra of Radical Ions of Nonbenzoid Aromatics,* in J. P. SNYDER, Nonbenzoid Aromatics, Vol. **2,** S. 82, Academic Press New York 1971.

R. C. HADDON, V. R. HADDON u. L. M. JACKMANN, *NMR-Spectroscopy of Annulenes,* in Topics in Current Chemistry **16,** S. 103, Springer-Verlag, Berlin-Heidelberg 1971.

J. F. M. OTH, *Conformational Mobility and Fast π-Band Shift in the Annulenes,* Rev. pure appl. Chem. **24,** 573 (1971).

F. VOGEL, *Aromatic and Non-aromatic 14 π-Elektron Systems,* IUPAC **28,** 355 (1971).

Methoden zur Herstellung und Umwandlung konjugierter En-ine

bearbeitet von

Prof. Dr. HANS NEUNHOEFFER

und

Prof. Dr. WALTER K. FRANKE

Lehrstuhl für Chemie der Technischen Gewerbe
der Technischen Hochschule Darmstadt

Mit 11 Tabellen

Literatur berücksichtigt bis 1970.

Inhalt

En-ine 615

A. Herstellung 624

I. durch Aufbaureaktionen 625

a) aus Acetylen bzw. Alkinen 625

1. katalytisch 625

α) in Lösung 625

β) an festen Katalysatoren 629

2. durch andere Methoden 629

b) aus einem Alkin-(1) und einem Olefin 630

c) aus einem Alkin-(1) und einem Allen 631

d) durch Wittig-Reaktion 631

e) aus Cyclopropanen oder Cyclopropenen 632

f) aus Heterocyclen 632

1. aus Thiophenen 632

2. aus Pyridazin-N-oxiden 633

II. aus Verbindungen mit gleicher Kohlenstoffzahl 633

a) unter Erhaltung des Kohlenstoff-Gerüstes 633

1. durch Abspaltungsreaktionen 633

α) durch Dehydrohalogenierung 633

α_1) von 3- bzw. 4-Halogen-alkinen einschl. über in situ hergestellte . . . 633

α_2) aus Dihalogen-olefinen 635

$\alpha\alpha_1$) direkt 635

$\alpha\alpha_2$) über in situ hergestellte aus Vinyl-ketonen 636

α_3) aus Halogen-allenen 638

β) durch Dehydratisierung von Hydroxy-alkinen 639

γ) durch Abspaltung von Alkohol, Mercaptan, p-Toluolsulfonsäure bzw. Essigsäure 644

γ_1) von Alkoholen bzw. Mercaptanen 644

$\gamma\gamma_1$) aus Alkinyl-äthern bzw. -thioäthern 644

$\gamma\gamma_2$) aus Allenyl-thioäthern 651

γ_2) von Toluolsulfonsäure aus p-Toluolsulfonsäure-alkinylestern 653

γ_3) von Essigsäure aus Essigsäure-alkinylestern 654

δ) Abspaltung von tert. Aminen aus quartären Ammonium-Verbindungen . 654

2. durch Reduktion mit teilw. gekoppelter Abspaltung 655

α) von Halogen-Verbindungen 655

α_1) von 1,1-Dihalogen-butadienen 655

α_2) von Tetrahalogen-butanen 656

α_3) von Polyhalogen-Verbindungen 656

β) aus Halogen-alkoxy-Verbindungen 657

γ) von Dien-inen 657

δ) von Diinen 659

3. durch Isomerisierung nicht konjugierter En-ine (Allyl-Umlagerung) 660

b) durch Isomerisierung von Cyclopropyl-alkinen 660

III. durch Abbaureaktionen (Fragmentierung) 661

IV. aus anderen Vinylacetylenen unter Erhaltung der En-in-Struktur 662

a) durch Ketten-Verlängerung 662

1. mit metallorganischen Verbindungen 662

2. mit Hilfe der Friedel-Crafts-Reaktion 664

3. mit Carbenen 666

b) durch Isomerisierung 666

c) durch gekoppelte Additions- und Abspaltungsreaktionen 669

B. Umwandlung von Eninen 671

I. Salze und π-Komplexe der En-ine 671

II. Reaktionen unter Erhaltung des En-in-Systems 671

a) Isomerisierungen 671

b) Reaktionen über Metall-Verbindungen zu heterosubstituierten En-inen 672

1. über die Metallsalze der En-ine 672

2. über die Grignard-Verbindungen der En-ine 673

c) durch Kondensation 674

1. mit Orthoameisensäure-triäthylester 674

2. mit Aldehyden in Gegenwart von Aminen 675

d) Reaktion mit Carbenen (s. Kap. B. III. b 2. β) . . . . (692)

e) Oligomerisierungen (s. Kap. B. III. b 2. α) . . . . (690)

III. Reaktionen unter Verlust des En-in-Systems 675

a) Addition ohne Neuknüpfung von C—C-Bindungen 675

1. Addition von Wasserstoff 675

2. Addition von H-X-Verbindungen 677

α) von Aminen 677

β) von Wasser 678

γ) von Wasser und Alkoholen bzw. Phenolen 679

δ) von Alkoholen bzw. Phenolen 680

ε) von Schwefel-Verbindungen 681

ζ) von Halogen-Wasserstoff-Verbindungen 682

μ) von Hypohalogeniten 683

ϑ) von Carbonsäuren bzw. Carbonsäure-chloriden 684

3. Addition von Halogenen 684

4. Addition von Phosphorhalogeniden 686

5. Addition von Silanen, Germanen, Stannanen und Alanen 686

b) Addition mit C—C-Neuknüpfung 687

1. Einfache Additionen 687

α) von lithium-organischen Verbindungen 687

β) von Halogen-Verbindungen 687

β_1) von Halogen-alkanen 687

β_2) von Chloralkyl-äthern 688

γ) von Aryldiazoniumsalzen 688

δ) von Carbonsäure-chloriden, Cyanwasserstoff bzw. Kohlensäure-diestern . 689

ε) von Kohlenstoff-Radikalen 689

2. Cycloadditionen 690

α) Oligomerisierungen 690

β) zu Cyclopropan-Derivaten mit Carbenen 692

γ) zu Cyclobutan-Derivaten mit Tetrafluor-äthylen 693

δ) Diels-Alder-Reaktion 693

ε) zu Heterocyclen 693

ε_1) zu Epoxiden mit Peroxiden 693

ε_2) 1,3-Dipolare Cycloadditionen 694

ε_3) mit Ketonen und Ammoniak 695

C. Bibliographie 695

En-ine

Allgemeines

Unter dem Begriff „En-ine" lassen sich prinzipiell drei Verbindungsklassen zusammenfassen:

① Verbindungen mit einer C=C-Doppel- und einer C≡C-Dreifachbindung, die in Konjugation zueinander stehen.
② Verbindungen mit einer C=C-Doppel- und einer C≡C-Dreifachbindung, die durch ein oder mehrere Kohlenstoffatome voneinander getrennt sind.
③ Verbindungen, die eine oder mehrere C=C-Doppel- neben einer oder mehreren C≡C-Dreifachbindungen im Molekül enthalten.

Von diesen drei Verbindungsklassen soll im folgenden nur die erste Gruppe behandelt werden, da sich durch die Konjugation der Doppelbindung mit der Dreifachbindung ein besonderes Reaktionsverhalten ergeben kann, das von dem der Olefine bzw. Acetylene merklich abweicht, ähnlich den konjugierten Olefinen.

Bei den zu beschreibenden Verbindungen handelt es sich um das *Vinylacetylen* (*Buten-in*; I) und seine Abkömmlinge:

$$H-C\equiv C-CH=CH_2 \quad I$$

Die beiden anderen Verbindungsklassen werden an anderen Stellen dieses Handbuchs abgehandelt[1].

Nach dem Plan des Gesamtwerkes werden im vorliegenden Abschnitt bevorzugt die reinen C—H-Verbindungen der Buten-in-Reihe behandelt; Buten-ine, die ein Heteroatom tragen, werden nur in Ausnahmefällen berücksichtigt, z.B. Tab. 1 (S. 616).

Verbindungen, in denen die Doppelbindung Bestandteil eines Ringsystems ist, werden immer dann besprochen, wenn nur diese eine Doppelbindung vorhanden ist und in Konjugation zur Dreifachbindung steht. Die Doppelbindungen eines aromatischen Ringsystems werden grundsätzlich nicht als Doppelbindungen angesehen.

Physikalische Eigenschaften

In Tab. 1 (S. 616) sind die bekannten Vinylacetylene mit ihren Siedepunkten, Schmelzpunkten, Dichten und Brechungsindices zusammengestellt. Die Werte für diese physikalischen Daten schwanken in der Literatur sehr stark. Das liegt sicher nicht nur daran, daß verschieden saubere Produkte gemessen wurden, sondern daß viele Vinylacetylene in der *cis*- oder *trans*-Form vorliegen können. In den meisten Fällen beziehen sich die angegebenen Werte auf Mischungen der beiden Isomeren, ohne daß das Mischungsverhältnis bestimmt wurde. Die in Tab. 1 aufgenommenen Werte sind daher Näherungswerte.

---

[1] Aufbau der C≡C-Dreifachbindung, s. ds. Handb., Bd. V/2, Kap. Acetylene.
Aufbau der C=C-Doppelbindung, s. ds. Handb., Bd. V/1 b, Kap. Olefine.
Aufbau der Polyin-Bindung, s. ds. Handb., Bd. V/2, Kap. Polyine.
Aufbau der Diene, s. ds. Handb., Bd. V/1 c, Kap. Diene.
Aufbau der Polyene, s. ds. Bd., Kap. Offenkettige Polyene, S. 1; Kap. Cyclische Polyene, S. 301, 417, 527.

Tab. 1. Physikalische Daten von En-inen

R–CH=CH–C≡C–H R	En-in		Kp [°C]	Kp [Torr]	n_D^{20}	d_{20}
H	*Butenin*		4–6			
CH_3	*Penten-(3)-in-(1)*		45–50		1,4350	0,7293
		cis-	44,5		1,4340	0,7297
		trans-	52		1,4377	0,7270
C_2H_5	*Hexen-(3)-in-(1)*		73–81		1,4412	0,7425
		trans-			1,443	
C_3H_7	*Hepten-(3)-in-(1)*		100–106		1,4455	
		cis-	100–101		1,4437	
		trans-	107		1,4493	
i-C_3H_7	*5-Methyl-hexen-(3)-in-(1)*		100–106		1,4455	
C_4H_9	*Octen-(3)-in-(1)*		35–40	26	1,4659	
					1,4508	
i-C_4H_9	*6-Methyl-hepten-(3)-in-(1)*		118–125		1,4483	
tert.-C_4H_9	*5,5-Dimethyl-hexen-(3)-in-(1)*		48–50	100	1,4460	
C_5H_{11}	*Nonen-(3)-in-(1)*		47–52	12		
C_6H_{13}	*Decen-(3)-in-(1)*		64–70	12	1,4564	0,7822
C_7H_{15}	*Undecen-(3)-in-(1)*		75–81	15	1,4587	
C_8H_{17}	*Dodecen-(3)-in-(1)*		95–100	12	1,4586	
C_9H_{19}	*Tridecen-(3)-in-(1)*		112–118	10	1,4610	
$C_{10}H_{21}$	*Tetraceden-(3)-in-(1)*		126–131	10	1,4618	
C_6H_{11}	*4-Cyclohexyl-buten-(3)-in-(1)*				1,4945	
C_6H_5	*4-Phenyl-buten-(3)-in-(1)*		62	2	1,6047	0,9788
		cis	49–50	2	1,6105	

4-CH_3—C_6H_4	*4-(4-Methyl-phenyl)-buten-(3)-in-(1)*	*cis*	85–90	6	1,5950	
3-CH_3—C_6H_4	*4-(3-Methyl-phenyl)-buten-(3)-in-(1)*	*cis*	73–74	2	1,6033	
2-CH_3—C_6H	*4-(2-Methyl-phenyl)-buten-(3)-in-(1)*	*cis*	46–47	1		(mp. 40–42°)
4-Cl—C_6H_4	*4-(4-Chlor-phenyl)-buten-(3)-in-(1)*		88–89	3	1,6118	1,1466
4-H_3CO—C_6H	*4-(4-Methoxy-phenyl)-buten-(3)-in-(1)*		100–105	3	1,5965	
		cis	66–69	1		
2-H_3CO—C_6H	*4-(2-Methoxy-phenyl)-buten-(3)-in-(1)*	*cis*	71–72	2	1,6098	
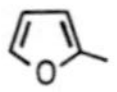	*4-[Furyl-(2)]-buten-(3)-in-(1)*		40–60	0,001	1,5822	
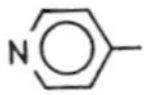	*4-Pyridyl-(4)-buten-(3)-in-(1)*		55–75	0,001	1,6025	
H_5C_6—CH_2—	*5-Phenyl-penten-(3)-in-(1)*				1,4910	

$H_2C{=}C(R){-}C{\equiv}C{-}H$

R						
CH_3	*3-Methyl-buten-(3)-in-(1)*		34–36		1,4151	0,7064
C_2H_5	*3-Methylen-pentin-(1)*		63		1,4264	0,7390
i-C_4H_9	*5-Methyl-3-methylen-hexin-(1)*					
tert.-C_4H_9	*4,4-Dimethyl-3-methylen-pentin-(1)*		98		1,4320	0,7609
tert.-C_5H_{11}	*5,5-Dimethyl-3-methylen-hexin-(1)*		127–128		1,4413	
—CH_2—C_6H_{11}	*3-Cyclohexylmethyl-buten-(3)-in-(1)*				1,4910	
Cl	*3-Chlor-buten-(3)-in-(1)*		55		1,475	0,9938
OCH_3	*3-Methoxy-buten-(3)-in-(1)*		86–87		1,4446	0,8712
OC_2H_5	*3-Äthoxy-buten-(3)-in-(1)*		103–104		1,4432	0,8570

Tab. 1. (1. Fortsetzung)

En-in		Kp [°C]	Kp [Torr]	n_D^{20}	d_{20}
$H_2C{=}CH{-}C{\equiv}C{-}R$					
R					
CH_3	*Penten-(1)-in-(3)*	59–60		1,4490	0,7406
C_2H_5	*Hexen-(1)-in-(3)*	83–84		1,4522	0,7486
C_3H_7	*Hepten-(1)-in-(3)*	109–110		1,4550	0,7654
i-C_3H_7	*5-Methyl-hexen-(1)-in-(3)*	98,5		1,4545	0,768
C_4H_9	*Octen-(1)-in-(3)*	134–135		1,4560	0,7741
i-C_4H_9	*6-Methyl-hepten-(1)-in-(3)*	120,5		1,4470	0,7668
tert.-C_4H_9	*5,5-Dimethyl-hexen-(1)-in-(3)*	47	100	1,4430	0,7456
C_5H_{11}	*Nonen-(1)-in-(3)*	59–60	20	1,4580	0,7782
i-C_5H_{11}	*7-Methyl-octen-(1)-in-(3)*	76–77	60	1,4571	0,7803
C_6H_{13}	*Decen-(1)-in-(3)*	76–77	20	1,4598	0,7873
C_8H_{17}	*Dodecen-(1)-in-(3)*	110–111	20	1,4620	0,7964
C_6H_5	*1-Phenyl-buten-(3)-in-(1)*	96	20	1,6018	0,948
$(C_6H_5)_3C$	*5,5,5-Triphenyl-penten-(1)-in-(3)*			1,6287	1,1125
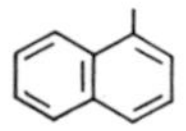	*1-Naphthyl-(1)-buten-(3)-in-(1)*	125–127	3	1,6240	1,027
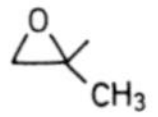 O CH_3	*5,6-Epoxi-5-methyl-hexen-(1)-in-(3)*	50–51	15	1,5739	0,9249
$(CH_3)_3Si$	*1-Trimethylsilyl-buten-(3)-in-(1)*	52–53	80	1,4428	0,7719
$(C_6H_5)_3Si$	*1-Triphenylsilyl-buten-(3)-in-(1)*			1,6579	1,0860

$R(R')C{=}CH{-}C{\equiv}C{-}H$

R	R′	Name	Kp [°C]	[Torr]	n_D	d
CH_3	CH_3	*4-Methyl-penten-(3)-in-(1)*	81–83		1,4505	0,7537
CH_3	C_2H_5	*4-Methyl-hexen-(3)-in-(1)*	103–106		1,4568	
C_2H_5	C_2H_5	*4-Äthyl-hexen-(3)-in-(1)*			1,4603	
$-CH_2-CH_2-CH_2-CH_2-$		*Propinyliden-cyclopentan*			1,4988	
$-CH_2-CH_2-CH_2-CH_2-CH_2-$		*Propinyliden-cyclohexan*			1,5060	

$R{-}CH{=}C(R'){-}C{\equiv}C{-}H$

R	R′	Name	Kp [°C]	[Torr]	n_D	d
CH_3	CH_3	*3-Methyl-penten-(3)-in-(1)*	69–70		1,4370	0,7413
CH_3	C_2H_5	*3-Äthyl-penten-(3)-in-(1)*	93		1,4366	0,7671
CH_3	$i-C_3H_7$	*3-Isopropyl-penten-(3)-in-(1)*				
CH_3	C_5H_{11}	*3-Äthyliden-octin-(1)*	53	11	1,4464	
CH_3	$4-Cl-C_6H_4$	*3-(4-Chlor-phenyl)-penten-(3)-in-(1)*	90–91	3	1,5910	1,0985
C_2H_5	CH_3	*3-Methyl-hexen-(3)-in-(1)*	93			
C_3H_7	C_2H_5	*3-Äthyl-hepten-(3)-in-(1)*	136–137		1,4450	0,7794
$i-C_4H_9$	CH_3	*3,6-Dimethyl-hepten-(3)-in-(1)*	123–124		1,4470	
tert.-C_5H_{11}	CH_3	*3,6,6-Trimethyl-hepten-(3)-in-(1)*	41–41	12	1,4507	
C_6H_5	CH_3	*3-Methyl-4-phenyl-buten-(3)-in-(1)*	69–71	0,5	1,5620	
$-CH_2-CH_2-CH_2-$		*1-Äthinyl-cyclopenten*	60–61	100	1,4900	0,8596
$-CH_2-CH_2-CH_2-CH_2-$		*1-Äthinyl-cyclohexen*	74–75	90	1,4955	0,9032
$-CH_2-CH_2-CH(CH_3)-$		*3-Methyl-1-äthinyl-cyclopenten*	163		1,4630	0,8568
C_5H_{11}	CH_3	*3-Methyl-nonen-(3)-in-(1)*	53	11	1,4464	
$(CH_3)_2CH-CH_2-CH_2-CH(CH_3)-CH_2-CH_2-CH_2-$	CH_3	*3,7,11-Trimethyl-dodecen-(3)-in-(1)*	95–96	4	1,4530	0,8083
$H_{11}C_6-CH_2-$	CH_3	*3-Methyl-5-cyclohexyl-penten-(3)-in-(1)*	65–67	3	1,4820	
$(2-CH_3-C_6H_{10})-CH_2-$	CH_3	*3-Methyl-5-(2-methyl-cyclohexyl)-penten-(3)-in-(1)*	66–70	2		
$(4-CH_3-C_6H_{10})-CH_2-$	CH_3	*3-Methyl-5-(4-methyl-cyclohexyl)-penten-(3)-in-(1)*	103–104	11		

Tab. 1. (2. Fortsetzung)

R	R′	En-in	Kp [°C]	Kp [Torr]	n_D^{20}	d_{20}
$R-CH=C(R')-C\equiv C-H$						
$-CH_2-CH_2-CH(C(CH_3)_3)-$		*3-tert.-Butyl-1-äthinyl-cyclopenten*	92–94	15		
$-CH_2-CH_2-CH_2-CH_2-CH_2-$		*1-Äthinyl-cyclohepten*	65	10		
$H_2C=C(R)-C\equiv C-R'$						
CH_3	CH_3	*2-Methyl-penten-(1)-in-(3)*	82–83		1,4512	0,7518
CH_3	C_2H_5	*2-Methyl-hexen-(1)-in-(3)*	104,5–105,5		1,4518	0,7572
CH_3	tert.-C_4H_9	*2,5,5-Trimethyl-hexen-(1)-in-(3)*	61–62	100	1,4420	0,7682
CH_3	C_6H_5	*3-Methyl-1-phenyl-buten-(3)-in-(1)*	101–102	15	1,5835	0,9247
CH_3	$Si(CH_3)_3$	*3-Methyl-1-trimethylsilyl-buten-(3)-in-(1)*	32–33	15	1,4518	0,7739
C_3H_7	C_3H_7	*6-Methylen-nonin-(4)*	88–89	40	1,455	
C_4H_9	C_4H_9	*7-Methylen-undecin-(5)*	64,5–65	5	1,459	
tert.-C_4H_9	CH_3	*5,5-Dimethyl-4-methylen-hexin-(2)*	59–60	50	1,4538	0,7887
tert.-C_4H_9	C_2H_5	*6,6-Dimethyl-5-methylen-heptin-(3)*	74–74,5	50	1,4518	0,7774
tert.-C_4H_9	tert.-C_4H_9	*2,2,6,6-Tetramethyl-5-methylen-heptin-(3)*	92–93	90	1,438	
Br	CH_3	*2-Brom-penten-(1)-in-(3)*	52–53	40	1,5255	1,4010
Br	C_2H_5	*2-Brom-hexen-(1)-in-(3)*	67,5–68,5	40	1,5156	1,3081
Br	C_3H_7	*2-Brom-hepten-(1)-in-(3)*	83–84	40	1,5092	1,2443
Br	C_4H_9	*2-Brom-octen-(1)-in-(3)*	102–103	40	1,5051	1,2005
Br	i-C_5H_{11}	*2-Brom-7-methyl-octen-(1)-in-(3)*	113–115	40	1,4998	1,1619
CH_3O	CH_3	*2-Methoxy-penten-(1)-in-(3)*	38,5–39	20	1,4675	0,8838

CH_3O	C_2H_5	*2-Methoxy-hexen-(1)-in-(3)*		52–52,5	20	1,4658	0,8764
CH_3O	C_3H_7	*2-Methoxy-hepten-(1)-in-(3)*		66,8–67	20	1,4650	0,8679
CH_3O	C_4H_9	*2-Methoxy-octen-(1)-in-(3)*		83,5–84	20	1,4652	0,8649
CH_3O	$i\text{-}C_5H_{11}$	*2-Methoxy-7-methyl-octen-(1)-in-(3)*		93,5–94	20	1,4642	0,8571
C_2H_5O	CH_3	*2-Äthoxy-penten-(1)-in-(3)*		50–51	20	1,4648	0,8730
C_2H_5O	C_2H_5	*2-Äthoxy-hexen-(1)-in-(3)*		63,5–64	20	1,4631	0,8672
C_2H_5O	C_6H_5	*3-Äthoxy-1-phenyl-buten-(3)-in-(1)*		126	14	1,5683	1,023

$R{-}CH{=}CH{-}C{\equiv}C{-}R'$

R	R′						
CH_3	CH_3	*Hexen-(4)-in-(2)*		92–93		1,4634	0,7710
			cis-	90–91		1,4620	0,7673
			trans-	99		1,4635	
CH_3	$H_5C_6{-}CH_2{-}$	*1-Phenyl-hexen-(4)-in-(2)*		140–143	10	1,5698	0,9744
C_2H_5	CH_3	*Hepten-(4)-in-(2)*		55–56	100	1,4622	0,7725
C_3H_7	CH_3	*Octen-(4)-in-(2)*		59–60	50	1,4630	0,7833
C_3H_7	C_3H_7	*Decen-(6)-in-(4)*	*cis*	67–68	17	1,4574	
			trans	72–73	18	1,4659	
C_4H_9	CH_3	*Nonen-(4)-in-(2)*		79–80	50	1,4640	0,7848
C_4H_9	CH_2Br	*1-Brom-nonen-(4)-in-(2)*		63–64	0,4	1,5145	
C_6H_5	C_4H_9	*1-Phenyl-octen-(1)-in-(3)*		144–146	2	1,5613	
C_6H_5	C_6H_5	*1,4-Diphenyl-buten-(3)-in-(1)*		(F: 95,5–96°)			
$H_5C_6{-}CH_2$	CH_3	*6-Phenyl-hexen-(4)-in-(2)*		124	4	1,5698	0,9735
$H_5C_6{-}CH_2{-}$	H_5C_6	*1,5-Diphenyl-penten-(3)-in-(1)*		164–166	2	1,6215	1,03154
$(CH_3)_3Si$	CH_3	*1-Trimethylsilyl-penten-(1)-in-(3)*		47–49	20	1,4600	0,7811

Tab. 1. (3. Fortsetzung)

En-in				Kp [°C]	Kp [Torr]	n_D^{20}	d_{20}
$R(R')C{=}C(R''){-}C{\equiv}C{-}H$							
R	R′	R″					
CH_3	CH_3	$i\text{-}C_3H_7$	*4-Methyl-3-isopropyl-penten-(3)-in-(1)*	147			
CH_3	CH_3	$tert.\text{-}C_4H_9$	*4-Methyl-3-tert.-butyl-penten-(3)-in-(1)*	43	23	1,4428	
$R(R')C{=}CH{-}C{\equiv}C{-}R''$							
R	R′	R″					
CH_3	CH_3	CH_3	*5-Methyl-hexen-(4)-in-(2)*	56–57	90	1,46595	0,7849
CH_3	CH_3	$i\text{-}C_3H_7$	*2,6-Dimethyl-hepten-(2)-in-(4)*	62–63	35	1,4605	0,7925
CH_3	CH_3	C_4H_9	*2-Methyl-nonen-(2)-in-(4)*	100	85	1,4610	
CH_3	CH_3	1-Hydroxy-cyclohexyl (OH)	*4-Methyl-1-(1-hydroxy-cyclohexyl)-penten-(3)-in-(1)*	126–128	11	1,5070	
$R{-}CH{=}C(R'){-}C{\equiv}C{-}R''$							
R	R′	R″					
CH_3	CH_3	CH_3	*4-Methyl-hexen-(4)-in-(2)*	107–108	737	1,45057	0,7783
CH_3	CH_3	$i\text{-}C_3H_7$	*2,5-Dimethyl-hepten-(5)-in-(3)*	60–62	50	1,4532	0,7670
CH_3	CH_3	C_4H_8Cl	*9-Chlor-3-methyl-nonen-(2)-in-(4)*	122	20	1,4882	
CH_3	C_2H_5	$tert.\text{-}C_4H_9$	*2,2-Dimethyl-5-äthyl-hepten-(5)-in-(3)*	65–66	30	1,44926	0,76699

C_2H_5	C_3H_7	C_6H_5	*3-Propyl-1-phenyl-hexen-(3)-in-(1)*	110–111	0,5	1,5540	0,9049
C_4H_9	CH_3	C_6H_5	*3-Methyl-1-phenyl-octen-(3)-in-(1)*	107–108	0,5	1,5456	0,9114
$-CH_2-CH_2-CH_2-$		CH_3	*1-Propin-(1)-yl-cyclopenten*	47–48	10		
$-CH_2-CH_2-CH_2-CH_2-$		CH_3	*1-Propin-(1)-yl-cyclohexen*	75	14		
$-CH_2-CH_2-CH_2-CH_2-$		C_2H_5	*1-Cyclohexen-(1)-yl-butin-(1)*	83	10	1,501	
$-CH_2-CH_2-CH_2-CH_2-$		C_4H_9	*1-Cyclohexen-(1)-yl-hexin-(1)*	77	0,3	1,496	
$-CH_2-CH_2-CH_2-CH_2-$		C_6H_5	*1-(Phenyl-äthinyl)-cyclohexen*	112	0,4		
$-CH_2-CH_2-CH_2-CH_2-$		$Si(CH_3)_3$	*1-(Trimethylsilyl-äthinyl)-cyclohexen*	107,5–108		1,4840	0,8616
$-CH_2-CH_2-CH_2-CH_2-CH_2-$		CH_3	*1-Propin-(1)-yl-cyclohepten*	78–79	10		

$$\begin{matrix} R \\ R' \end{matrix}\!\!>C=\underset{\displaystyle R''}{\underset{|}{C}}-C\equiv C-R'''$$

R	R′	R″	R‴					
CH_3	CH_3	CH_3	$i\text{-}C_3H_7$	*2,3,6-Trimethyl-hepten-(2)-in-(4)*	81–82	45	1,4645	0,7859
CH_3	CH_3	CH_3	$tert.\text{-}C_4H_9$	*2,3,6,6-Tetramethyl-hepten-(2)-in-(4)*	86,5–87	50	1,4560	0,7758
CH_3	CH_3	$i\text{-}C_3H_7$	CH_3	*5-Methyl-4-isopropyl-hexen-(4)-in-(2)*	76	45	1,4668	0,8034
CH_3	CH_3	$i\text{-}C_3H_7$	$tert.\text{-}C_4H_9$	*2,6,6-Trimethyl-3-isopropyl-hepten-(2)-in-(4)*	58,5	7	1,4518	0,7778
C_6H_5	C_6H_5	C_6H_5	C_6H_5	*1,3,4,4-Tetraphenyl-buten-(3)-in-(1)*	(F: 135–136°)			

In Tab. 2 (S. 625) sind die Dipolmomente einiger Vinylacetylene zusammengestellt.

Die spektroskopischen Eigenschaften der Vinylacetylene sind eingehend untersucht worden. An dieser Stelle soll jedoch nicht ausführlich darauf eingegangen werden, da genügend Spezialliteratur vorhanden ist. Die Bande für die C=C-Doppelbindung in den Vinylacetylenen erscheint im Infrarotspektrum zwischen 1600 und 1620 cm^{-1}, die Bande für die endständige Acetylen-Bindung bei 2115 und 3300 cm^{-1} und für mittelständige Dreifachbindungen bei 2230–2235 cm^{-1}.

Die Ultraviolettspektren aliphatischer Vinylacetylene haben ein Maximum bei ~ 228 nm, die aromatischer Vinylacetylene bei ~ 250 nm.

Die Struktur einiger Vinylacetylene ist mit Hilfe der Elektronenbeugung bestimmt worden. Dabei wurden für *Buten-in* und *Penten-(1)-in-(3)* folgende Werte erhalten[1,2]:

$$H{-}C\equiv C{-}CH{=}CH_2 \quad (C\equiv C: 1{,}20\,Å;\ C{-}C: 1{,}42\,Å;\ C{=}C: 1{,}35\,Å)$$

$$H_3C{-}C\equiv C{-}CH{=}CH_2 \quad (H_3C{-}C: 1{,}47\,Å;\ C\equiv C: 1{,}20\,Å;\ C{-}C: 1{,}42\,Å;\ C{=}C: 1{,}35\,Å)$$

Über weitere Angaben s. Literatur[3].

Aus diesen Ergebnissen wird deutlich, daß die C—C-Einfachbindung zwischen der Doppel- und der Dreifachbindung merklich verkürzt ist, und zwar von 1,54 Å auf 1,42 Å und damit merklich näher an einer Doppelbindung als an einer Einfachbindung liegt. Diese Verkürzung der Einfachbindung hat zu ausgedehnten Diskursionen (Hyperkonjugation) Anlaß gegeben. Die Bindungslängen der Doppel- und der Dreifachbindung sind nicht verändert. Im *Penten-(1)-in-(3)* ist nicht nur die mittelständige Einfachbindung stark verkürzt, sondern auch die Bindung zwischen der Methyl-Gruppe und der Dreifachbindung, wenn auch nicht so stark wie die mittelständige Bindung.

Die bei diesen Vinylacetylenen gefundenen Bindungsverhältnisse sind denen im Butadien analog:

$$H_2C{=}CH{-}CH{=}CH_2 \quad (C{=}C: 1{,}36\,Å;\ C{-}C: 1{,}46\,Å;\ C{=}C: 1{,}36\,Å)$$

A. Herstellung

Die einfachste und zugleich wichtigste Verbindung der Klasse der konjugierten En-ine ist das *Buten-(3)-in-(1)* (*Vinylacetylen*) selbst. Es wurde erstmalig im Jahre 1913 durch Destillation von 1,4-Bis-[trimethylammoniono]-buten-(2)-dihydroxid mit Kaliumhydroxid gewonnen[4]. Analoge Verfahren sind in den folgenden Jahren auch für die Herstellung substituierter Vinylacetylene angewandt worden (s. S. 654 ff.).

Heute wird *Buten-(3)-in-(1)* nahezu ausschließlich durch katalytische Dimerisierung von Acetylen (s. S. 625 ff.) gewonnen, während sich für die Herstellung der substituierten Vinylacetylene die Dehydratisierung (s. S. 639 ff.) der aus Acetylenen und Oxo-Verbindungen gewonnenen Acetylencarbinole und die Kettenverlängerung (s. S. 662 ff.) einfacher Vinylacetylene bewährt haben.

---

[1] R. Spurr u. V. Schomaker, Am. Soc. **64**, 2693 (1942).

[2] F. Becker, Umschau Wiss. Techn. **53**, 37 (1953).

[3] T. Fukuyama, K. Kuchitsu u. M. Kozo, Bull. Chem. Soc. Japan **1969**, 379–382.

[4] R. Willstätter u. T. Wirth, B. **46**, 538 (1913).

Tab. 2. Dipolmomente einiger En-ine

En-in		Dipol-moment	Literatur
$H-C\equiv C-CH=CH_2$	*Buten-in*	0,77	1
$H-C\equiv C-CH=CH-C_6H_5$	*4-Phenyl-buten-(3)-in-(1)*	0,97	2
$H_5C_6-C\equiv C-CH=CH_2$	*1-Phenyl-buten-(3)-in-(1)*	0,27	2
$H-C\equiv C-CH=CH-CH_3$ *cis*	*Penten-(3)-in-(1)*	0,85	1
trans		0,93	1
$H_3C-C\equiv C-CH=CH_2$	*Penten-(1)-in-(3)*	0,57	1
$H_5C_2-C\equiv C-CH=CH_2$	*Hexen-(1)-in-(3)*	0,62	1
$H_7C_3-C\equiv C-CH=CH_2$	*Hepten-(1)-in-(3)*	0,65	1
$H_9C_4-C\equiv C-CH=CH_2$	*Octen-(1)-in-(3)*	0,63	1
$(CH_3)_3C-C\equiv C-CH=CH_2$	*5,5-Dimethyl-hexen-(3)-in-(1)*	0,57	3
$H_{11}C_5-C\equiv C-CH=CH_2$	*Nonen-(1)-in-(3)*	0,65	1
$H_{13}C_6-C\equiv C-CH=CH_2$	*Decen-(1)-in-(3)*	0,67	1
$H_{17}C_8-C\equiv C-CH=CH_2$	*Dodecen-(1)-in-(3)*	0,68	1
$H-C\equiv C-C(CH_3)=CH_2$	*2-Methyl-buten-(1)-in-(3)*	0,55	1
$H-C\equiv C-C(C(CH_3)_3)=CH_2$	*4,4-Dimethyl-3-methylen-pentin-(1)*	0,69	1
$H_3C-C\equiv C-C(CH_3)=CH_2$	*2-Methyl-penten-(1)-in-(3)*	0,65	4
$H_3C-C\equiv C-C(C(CH_3)_3)=CH_2$	*5,5-Dimethyl-4-methylen-hexin-(2)*	0,67	4
$H_5C_2-C\equiv C-C(C(CH_3)_3)=CH_2$	*6,6-Dimethyl-5-methylen-heptin-(3)*	0,64	4
$(CH_3)_3C-C\equiv C-C(CH_3)=CH_2$	*2,5,5-Trimethyl-hexen-(3)-in-(1)*	0,68	3
$(C_6H_5)_3C-C\equiv C-CH=CH_2$	*5,5,5-Triphenyl-penten-(1)-in-(3)*	0,85	3

I. En-ine durch Aufbaureaktionen

a) aus Acetylenen bzw. Alkinen

1. katalytisch

α) in Lösung

Die katalytische Dimerisierung von Acetylen zu *Buten-(3)-in-(1)* (*Vinylacetylen*) wurde erstmalig im Jahre 1931 beschrieben[5]. Als Katalysator wurde eine salzsaure Lösung von Kupfer(I)-chlorid und Ammoniak in Gegenwart von Kupferpulver verwendet. Daneben entstehen durch Trimerisierung des Acetylens *Hexadien-(1,5)-in-(3)*

---

[1] A. A. Petrov, K. S. Mingaleva u. B. S. Kupin, Dokl. Akad. SSSR, **123**, 298 (1958); C. A. **53**, 4845 (1959).

[2] H. Lumbroso, R. Golse u. A. Liermann, Bl. **1956**, 1608.

[3] A. A. Petrov et al., Ž. obšč. Chim. **31**, 3521 (1961); C. A. **57**, 7295 (1962).

[4] A. A. Petrov, B. S. Kupin, T. V. Yakovleva u. K. S. Mingaleva, Ž. obšč. Chim. **29**, 3732 (1959); C. A. **54**, 19454 (1960).

[5] J. A. Nieuwland et al., Am. Soc. **53**, 4201–4242 (1931).

sowie höhermolekulare Verbindungen. Die Dimerisierung des Acetylens zu Vinylacetylen wurde sowohl theoretisch[1–6] als auch praktisch[7–43] eingehend mit dem Ziel unter-

---

[1] S. A. Vartanyan u. S. K. Pirenyan, Izv. Akad. Arm. SSR **23**, 23–28 (1956); C. A. **51**, 10439 (1956).
S. A. Vartanyan et al., Materialy Nauchn. Konf. Inst. Khim. Nauk Azerb., Ar. i Gruz. SSR, Acad. Nauk. SSR, Inst. Org. Khim., Erevan **1957**, 192; C. A. **58**, 11199 (1963).
G. F. Tikhonov et al., Khim. Atsetilena **1968**, 451; C. A. **71**, 29810 (1969).

[2] A. L. Klebansiĭ, L. G. Tzyurikh u. I. M. Dolgopolskiĭ, Izv. Akad. SSSR **1935**, 189–227; C. A. **30**, 1259 (1936).

[3] A. L. Klebanskiĭ, Trudy Vniisk Im Lebedeva **1**, 50, 80 (1948).

[4] A. L. Klebanskiĭ, I. M. Dolgopolski u. Z. F. Dobler, Doklady Akad. SSSR **114**, 323 (1957); C. A. **52**, 234 (1958).

[5] O. A. Chaltykyan, Ž. obšč. Chim. **18**, 1626 (1948); C. A. **43**, 3307 (1949).

[6] R. Vestin, Acta chem scand. **3**, 650–52 (1949).

[7] US. P. 1811959 (1931), DuPont, Erf.: J. A. Nieuwland; C. **1931** II, 1921.

[8] US. P. 1926039 (1933), DuPont, Erf.: F. B. Downing, A. S. Carter u. D. Hutton; C. **1934** II, 1990–91.

[9] US. P. 1971656 (1934), Carbide and Carbon Chemicals Co., Erf.: G. A. Perkins u. W. J. Toussaint; C. **1936** I, 1960.

[10] Fr. P. 823333 (1938), I. G. Farb.; C. **1938** I, 3693f.

[11] US. P. 2162373 (1939), DuPont, Erf.: A. S. Carter u. H. W. Starkweather; C. **1939** II, 2847.

[12] H. Schmitz u. H. J. Schumacher, Z. El. Ch. **45**, 503–517 (1939); C. A. **33**, 9102 (1939).

[13] N. D. Zelinskii, N. S. Koslow u. R. S. Ster, Izv. Akad. SSSR **1934**, 141–151; C. **1935** I, 1946.

[14] Z. Hurukawa u. S. Nakamura, J. Soc. Chem. Ind. Japan Spl. **41**, 198B–200B (1938); C. **1939** I, 2686.

[15] H. J. Backer u. T. A. H. Blaas, R. **61**, 787 (1942).

[16] T. Tanaka u. S. Tanaka, J. Soc. Chem. Ind. Japan **46**, 152–155 (1943); C. A. **43**, 1598 (1949).

[17] M. Iguchi u. G. Nakanishi, Journal of the Society of Rubber Industry of Japan **15**, 753–758, 759–764 (1942); C. A. **43**, 3225 (1949).

[18] Jap. P. 158106 (1943), Nippon Tire Co.; C. A. **44**, 1126 (1950).

[19] Jap. P. 154814 (1943), Institute of Synthetic Organic Chemical Research; C. A. **44**, 1525 (1950).

[20] US. P. 2486659 (1949), P. Kurtz; C. A. **44**, 4022 (1950).

[21] Jap. P. 179364 (1949), G. Kita, J. Furukawa u. T. Tsukamoto; C. A. **46**, 1577 (1952).

[22] M. Iguchi u. T. Kanno, J. Soc. Chem. Ind., Japan Spl. **45**, 9–10 (1942); C. A. **44**, 8313 (1950).

[23] DBP 869948 (1953), BASF, Erf.: R. Stadler u. A. Auerhahn; C. A. **49**, 10551 (1953).

[24] K. K. Georgieff, W. T. Cave u. K. G. Blaikie, Am. Soc. **76**, 5494–5499 (1954).

[25] V. Tichy, Chem. Průmysl **5**, 493–98 (1955); C. A. **50**, 10439 (1956).

[26] US. P. 2796448 (1957), DuPont, Erf.: A. E. Root; C. A. **51**, 12385 (1957).

[27] Ital. P. 620289 (1958), Sicedison Societe per Azioni, Erf.: B. Bruni, A. Magelli u. G. Patron; C. A. **56**, 8559 (1962).

[28] Tschechosl. P. 102528 (1962), J. Vitovek, J. Zizka u. J. Sustek; C. A. **59**, 9784 (1963).

[29] M. Sulzbacher, Manufacturing Chemist **34**, 580–582 (1963); C. A. **60**, 7881 (1964).

[30] S. A. Vartanyan, S. K. Pirenyan u. G. A. Musakhanyan, Materialy Nauchni Konf. Inst. Khim. Akad. nauk. Azerb., Arm. Si Gruz., Akad. Nauk. SSSR, Inst. Organ. Khim. Erevan **1957**, 192–222; C. A. **58**, 11199 (1963).

[31] Tschechosl. P. 89800 (1959), J. Pinkava; C. A. **54**, 24391 (1960).

[32] US. P. 2918141 (1959), Knapsack Griesheim AG., Erf.: K. Sennewald et al.,; C. A. **55**, 1440 (1961).

[33] US. P. 2947795 (1960), DuPont, Erf.: R. W. Keown; C. A. **55**, 3428 (1961).

[34] Brit. P. 842969 (1960), Knapsack Griesheim AG.; C. A. **55**, 3428 (1961).

[35] DBP 1090195 (1960); 1119851 (1961), Knapsack Griesheim AG., Erf.: K. Sennewald, F. Pohl u. W. Meininger; C. A. **55**, 15353 (1961), **56**, 14087 (1962).

[36] G. F. Tikhonov et al., Kinet. Katal. **7**, 914–916 (1966); **8**, 520–526 (1967); C. A. **66**, 22611g (1967); **68**, 29136p (1968).

[37] Niederl. Appl. 6615153 (1967), Knapsack Griesheim AG.; C. A. **67**, 90376n (1967).

[38] K. A. Kurginyan u. R. G. Karapetyan, Arm. chim. Ž. **20**, 705–715 (1967); C. A. **68**, 95043g (1968).

[39] O. N. Temkin et. al., Kinet. Katal. **8**, 1236–1239 (1967); C. A. **68**, 95079y (1968).

[40] US. P. 3431307 (1969), DuPont, Erf.: A. P. Kottenhahn; C. A. **70**, 96147x (1960).

(Fortsetzung s. S. 627)

sucht, den Umsatz des Acetylens zu erhöhen, die Ausbeute an Vinylacetylen zu steigern und die unerwünschte Trimerisierung zu Hexadien-(1,5)-in-(3) zu vermeiden. In vielen Fällen wurde das zunächst angewandte Katalysatorsystem verändert.

Die Wirkung des Kupfers soll durch Zusätze anderer Metalle[1–4] oder durch teilweisen Ersatz durch Kobalt-[5] oder Mangan[6]-Verbindungen gesteigert werden. Auch das Ammoniumchlorid kann durch andere stickstoff-haltige Basen[7–14] oder durch Kaliumchlorid[15–21] und die Salzsäure durch andere Säuren[22–25] ersetzt werden.

Weiterhin kann die Reaktion in Gegenwart von Dispergierungsmitteln oder organischen Lösungsmitteln bzw. in organischen Lösungsmitteln durchgeführt werden[9–11,13,26–35].

---

[1] J. Murata, J. Soc. Chim. Ind. Japan, **47**, 199–201 (1944); C. A. **42**, 6310 (1948).
[2] Jap. P. 158670 (1943), Japan Celluloid Co.; C. A. **43**, 7073 (1949).
Brit. P. 1043763 (1966), DuPont; C. A. **65**, 18497 (1966).
[3] T. Iguchi, Journal of the Society of Rubber Industry of Japan **16**, 771–774 (1943); C. A. **44**, 5138 (1950).
[4] USSR. P. 232243 (1968), Institut of Fine Chem. Techn., Erf.: R. M. Flid et al.; C. A. **70**, 114586w (1969).
[5] Tschechosl. P. 87682 (1958), F. Strand u. B. Kovarik; C. A. **55**, 18592 (1961).
[6] DDR.P. 22385 (1961), A. Grimm u. M. Schloeffel; C.A. **58**, 1344 (1963).
[7] Fr.P. 43351 (1934), DuPont, **1934** II, 1991.
[8] K. Sugino, Y. Aiya u. K. Ariga, J. Soc. Chem. Ind. **46**, 573–576 (1943); C.A. **42**, 6310 (1948).
I. Mita, J. Chem. Soc. Japan, **64**, 633 (1943); C. A. **41**, 3742 (1947).
[9] Brit.P. 945778 (1964), DuPont; C.A. **60**, 10545 (1964).
[10] US.P. 2934575 (1960), DuPont, Erf.: D. Apotheker; C.A. **54**, 15992 (1960).
[11] US.P. 2875258 (1959), DuPont, Erf.: D. Apotheker; C.A. **53**, 12172 (1959).
[12] Jap.P. 153480 (1942), Nippon Carbide Industrial Co.; C.A. **43**, 3032 (1949).
[13] Brit.P. 940662 (1963), DuPont; C.A. **60**, 6744 (1964).
[14] US.P. 2759985 (1956), DuPont, Erf.: A. E. Root; C.A. **51**, 5112 (1957).
Def. Publ. US. P. Off. 629901 (1968), DuPont, Erf.: R. E. Ashmore; C. A. **71**, 2953 (1969).
[15] Def. Publ. US.P. Off. 668665 (1968), DuPont, Erf.: C.A. Aufdermarsh; C. A. **71**, 2953c (1969).
[16] US.P. 2999887 (1959) DuPont, Erf.: J. B. Finlay; C.A. **56**, 5834 (1962).
[17] Brit.P. 793748 (1958), DuPont, Erf.: A. E. Root; C.A. **52**, 17796 (1958).
[18] US.P. 2934576 (1960), DuPont, Erf.: E. P. Goffinet; C.A. **54**, 17264 (1960).
[19] US.P. 2857435 (1958), DuPont, Erf.: A. A. Gonzales; C.A. **53**, 9065 (1959).
[20] US.P. 2200057 (1940), DuPont, Erf.: A. S. Carter u. F. W. Johnson; C.A. **40**, 5859 (1940).
[21] Brit.P. 1032898 (1966), Knapsack Griesheim AG.; C.A. **65**, 8758 (1966).
[22] Fr.P. 41454 (1933), DuPont; C. **1933** I, 3003.
[23] US.P. 2219379 (1941), DuPont; Erf.: A. S. Carter; C.A. **35**, 10644 (1941).
[24] Jap.P. 153480 (1942), Nippon Carbide Industrial Co.; C.A. **43**, 3023 (1949).
[25] Jap.P. 155852 (1943), Nippon Nitrogenous Fertilizers Co.; C.A. **44**, 2011 (1950).
[26] US.P. 2227478 (1941), I.G. Farb., Erf.: A. Wolfram, H. Kokusch u. A. Perlick; C. A. **35**, 2531 (1941).
[27] US.P. 2857435 (1958), DuPont, Erf.: A. A. Gonzales; C.A. **53**, 9065 (1959).
[28] US.P. 2924631 (1960), DuPont, Erf.: D. Apotheker; C.A. **54**, 11989 (1960).
[29] Brit.P. 810761 (1959), DuPont; C.A. **53**, 16961 (1959).
[30] DBP 850889 (1952), Chemische Werke Hüls A. G., Erf.: D. Kästner, F. Zobel u. P. Kurtz; C.A. **52**, 10145 ((1958).
[31] Jap. P. 158068 (1943), Institute of Synthetic Organic Chemical Research; C. A. **44**, 1126 (1950).
[32] Jap. P. 156738 (1943), Sumitomo Chemical Industries Co.; C. A. **44**, 1525 (1950).

(Fortsetzung s. S. 628)

(Fortsetzung v. S. 626)

[41] USSR.P. 215511 (1968), I. M. Dolgopolskii et al.; C. A. **69**, 51525g (1968).
[42] O. N. Temkin et. al., Katal. Reakts. Židk. Faze, Tr. Vses. Konf. 2nd, Alma Ata, Kaz. SSR **1966**, 49–57 (Publ. 1967); C. A. **69**, 76328h (1968).
[43] Tschechosl. P. 105823 (1962), M. Rusek et al.; C. A. **60**, 2751 (1964).

Ferner wurde gezeigt[1], daß sich Acetylen auch mit dem Nickelsalz des Acetessigsäure-äthylesters in Gegenwart von Pyridin zu *Vinylacetylen* dimerisieren läßt. Auch bei Ersatz des Kupfer(I)-chlorids durch Calciumchlorid tritt Dimerisierung des Acetylens ein[2,3].

Buten-(3)-in-(1) (Vinylacetylen)[4]: Durch eine Katalysator-Lösung aus 440 g Kupfer(I)-chlorid, 235 g Ammoniumchlorid, 500 g Wasser, 20 g Kupferpulver, 2,5 g Pyrogallol und 7 g konz. Salzsäure wird bei 60° ein Strom Acetylen geleitet, der vorher mit Wasser, Schwefelsäure und einer ges. alkalischen Pyrogallol-Lösung gewaschen wurde. Das Abgas wird durch einen Turm, der mit Calciumchlorid gefüllt ist, und eine auf —75° gekühlte Kühlfalle geleitet. In der Kühlfalle, in der sich 1 g Pyrogallol befindet, sammeln sich innerhalb 6 Stdn. 45 g Reaktionsprodukt an, das hauptsächlich aus Vinylacetylen besteht; Kp: 4–6°. Während aller Operationen besteht ***Explosions***-Gefahr.

Beim Erwärmen monosubstituierter Acetylene [Alkine-(1)] mit Kupfer(I)-Salzen in Essigsäure erhält man 1,4-disubstituierte Butenine[5–10]; jedoch ist diese Reaktion bei weitem nicht so ausführlich untersucht worden wie die Dimerisierung des Acetylens:

$$2\ R-C\equiv C-H \xrightarrow{Cu^{\oplus}/CH_3COOH} R-CH=CH-C\equiv C-R$$

R		
= CH_3	*Hexen-(4)-in-(2)*[8]	24% d.Th.
= C_3H_7	*Decen-(6)-in-(4)*[10]	49% d.Th.
= tert.-C_4H_9	*2,2,7,7-Tetramethyl-octen-(5)-in-(3)*[10]	26% d.Th.
= C_5H_{11}	*Tetradecen-(8)-in-(6)*[7]	60% d.Th.
= C_6H_{13}	*Hexadecen-(9)-in-(7)*[10]	46% d.Th.
= C_6H_5	*1,4-Diphenyl-buten-(3)-in-(1)*[5,7,10]	50–65% d.Th.
= —CH_2—COOH	*Octen-(5)-in-(3)-disäure*[6,7]	65–75% d.Th.
= —$(CH_2)_8$—COOH	*Eicosen-(12)-in-(10)-disäure*[6,7]	30–70% d.Th.

In einigen Fällen ist es gelungen, nach diesem Verfahren auch zwei verschiedene Acetylene zur Reaktion zu bringen[7,11]; z.B.:

Acetylen + Propin	→	*Penten-(3)-in-(1)*[11]	~ 5% d.Th.
Phenylacetylen + Hexin-(1)	→	*1-Phenyl-octen-(1)-in-(3)*[7]	24% d.Th.

Entsprechende Ergebnisse erhält man, wenn Acetylene mit Tris-[triphenylphosphin]-rhodium(I)-chlorid behandelt werden[12], z. B.: *1,4-Diphenyl-buten-(3)-in-(1)* aus Phenyl-acetylen.

[1] US.P. 2667520 (1954), DuPont, Erf.: E. C. Herrick u. J. C. Sauer; C.A. **48**, 6162 (1954).
[2] M. Iguchi, Journal of the Society of Rubber Industry of Japan, **15**, 536–541 (1942); C.A. **43**, 5222 (1949).
[3] Brit.P. 788380 (1958), DuPont; C.A. **52**, 16193 (1958).
[4] H. J. Backer u. T. A. H. Blaas, R. **61**, 787 (1942).
[5] F. Strauss, A. **342**, 225 (1905).
[6] M. Akhtar u. B. C. L. Weedon, Proc. chem. Soc. **1958**, 303.
[7] R. F. Garwood, E. Oskay u. B. C. L. Weedon, Chem. & Ind. **1962**, 1684.
[8] US. P. 2952718 (1960), DuPont, Erf.: J. C. Kauer; C. A. **55**, 4360 (1961).
[9] W. P. Norris u. W. G. Finnegan, J. Org. Chem. **31**, 3292 (1966).
[10] E. V. Dehmlow, Z. Naturf. **21** b, 815 (1966).
[11] H. H. Schlubach u. V. Wolf, A. **568**, 141–159 (1950).
[12] H. Singer u. G. Wilkinson, Soc. [A] **1968**, 849–853.
R. J. Kern, Chem. Commun. **1968**, 706.

Fortsetzung v. S. 627

[33] Brit. P. 628731 (1949), W. E. Jones u. R. L. Barker; C. A. **44**, 2543 (1950).
[34] J. C. Ghosh, A. N. Roy u. N. V. Krishnamurty, J. Sci. Ind. Research **6**, No. 1 B, 1–4 (1947); C. A. **41**, 5089 (1947).
[35] Def. Publ. US.P. Off. 630130 (1968), DuPont, Erf.: E. E. Fischer u. R. M. Tabibian; C.A. **71**, 21678h (1969).

Auch die Dimerisation von Acetylenen mittels Natriumacetylenid liefert En-ine[1]. Behandelt man monosubstituierte Acetylene 10 Stdn. bei 30° mit einem Gemisch aus 3 Teilen Diäthyl-zink und 1 Teil Tetra-tert.-butyloxy-chrom, so werden in nahezu quantitativer Ausbeute 1,3-disubstituierte Vinylacetylene [2-substituierte Alken-(1)-ine-(3)] gebildet[2]:

$$R-C\equiv C-H \xrightarrow{(C_2H_5)_2Zn/(\text{tert.-}C_4H_9O)_4Cr} R-C\equiv C-\underset{\substack{|\\ R}}{C}=CH_2$$

$R = C_3H_7$	*6-Methylen-nonin-(4)*	~100% d.Th.
$= C_4H_9$	*7-Methylen-undecin-(5)*	~100% d.Th.
$=$ tert.-C_4H_9	*2,2,6,6-Tetramethyl-5-methylen-heptin-(3)*	~100% d.Th.

Bei erhöhter Temperatur verläuft die Reaktion schneller, jedoch treten Nebenreaktionen auf, während bei 30° nur die 1,3-disubstituierten Vinylacetylene beobachtet werden. 1,4-disubstituierte Vinylacetylene konnten nicht nachgewiesen werden.

β) Dimerisierung des Acetylens an festen Katalysatoren

Eine ganze Reihe von Untersuchungen haben gezeigt, daß es für die Dimerisierung des Acetylens zu Vinylacetylen nicht notwendig ist, den Katalysator in Lösung zu bringen; man kann die Dimerisierung auch in der Gasphase durchführen[3-10] und mit auf Trägern aufgebrachten Katalysatoren arbeiten.

2. andere Aufbaureaktionen von En-inen aus Acetylen

Viele Beobachtungen machen wahrscheinlich, daß *Vinylacetylen* das erste Produkt der Polymerisation des Acetylens ist. Daher entsteht Vinylacetylen bei allen Verfahren, bei denen Acetylen unter Bedingungen hergestellt oder umgesetzt wird, unter denen man es auch polymerisieren kann; z.B. bei der thermischen[11-18] und der photochemischen[19-22] Behandlung von Acetylen sowie bei der Pyrolyse von Kohlenwasserstoffen[23-34] und bei der Elektrolyse von Alkohol[35].

---

[1] J. Kriz, M. J. Benes u. J. Peska, Collect. Czech. Chem. Commun. **32**, 4043–4054 (1967).
[2] N. Hagihara et al., Bl. Chem. Soc. Japan **34**, 982 (1961); C. A. **56**, 4598 (1962).
[3] T. Komoda, J. Chem. Soc. Japan, **63**, 949–954 (1942); C. A. **41**, 3742 (1947).
[4] T. Komoda, J. Chem. Soc. Japan, **63**, 955–962; C. A. **41**, 3743 (1947).
[5] T. Komoda, J. Chem. Soc. Japan, **63**, 963–969, 970–975; C. A. **41**, 3743 (1947).
[6] J. Murata, J. Soc. Chem. Ind., Japan, **47**, 199 (1944); C. A. **42**, 6310 (1948).
[7] Jap. P. 159002 (1943), Osaka Indust. Testing Lab., Erf.: J. Murata; C. A. **43**, 7950 (1949).
[8] US. P. 2216437 (1941), Cons. f. Elektrochem. Industr. GmbH, Erf.: P. Halbig, E. Reiter u. F. Stadler; C. A. **35**, 757 (1941).
[9] US. P. 2222394 (1941) Wacker Ges. f. Elektrochem. Ind., Erf.: H. Berg, H. Heim u. F. Leiss; C. A. **35**, 1807 (1941).
[10] Schweiz. P. 240614 (1946), Lonza Elektrizitätswerke u. chem. Fabriken; C. A. **43**, 6643 (1949).
[11] C. F. Cullis u. N. H. Franklin, Proc. roy. Soc. [A] **280**, 139–152 (1964).
[12] M. S. B. Munson u. R. C. Anderson, Carbon **1**, 51–54 (1963); C. A. **60**, 3989 (1964).
[13] S. S. Abadzhev u. V. U. Shevchuk, Gazovaya Promyshlennost **10**, 33–38 (1965); C. A. **63**, 13017 (1965).
[14] I. I. Strizhevskii et al., Ž. vses. Chim. obšč. **10**, 108 (1965); C. A. **62**, 14190 (1965).
[15] G. B. Skinner u. E. M. Sokoloski, J. Phys. Chem. **64**, 1962–53 (1960).
[16] J. D. Frazee u. R. C. Anderson, U. S. Dept. Com., Office Techn. Serv. PB Rept. 144384 (1959); C. A. **55**, 19749 (1961).
[17] C. F. Aten u. E. F. Greene, Combustion and Flame **5**, 55–56 (1961); C. A. **55**, 20397 (1961).
[18] J. N. Bradley u. G. B. Kistiakowsky, J. Chem. Physics **35**, 264–270 (1961).
[19] M. Zelikoff u. M. Aschenbrand, J. Chem. Physics **24**, 1034–1037 (1956).
[20] A. G. Sherwood u. H. E. Gunning, J. phys. Chem. **69**, 1732–1736 (1965).
S. Tsunashima u. S. Sato, Bull. Chem. Soc. Japan **1968**, 2281; C. A. **70**, 8091 (1969).

(Fortsetzung s. S. 630)

b) Vinylacetylene aus einem Alkin-(1) und einem Olefin

Durch Reaktion von metallorganischen Verbindungen mit Halogen-Verbindungen lassen sich C—C-Bindungen neuknüpfen. Wird als eine der beiden Verbindungen ein Acetylen und als andere ein Olefin verwendet, so lassen sich Vinylacetylene synthetisieren. Dabei kann sowohl der Rest der metallorganischen Verbindung als auch der der Halogen-Verbindung acetylenischer oder olefinischer Struktur sein:

$$\left.\begin{array}{l} R-C\equiv C-M + X-CH=CH-R' \\ R-C\equiv C-X + M-CH=CH-R' \end{array}\right] \xrightarrow[-MX]{} R-C\equiv C-CH=CH-R'$$

Als metallorganische Verbindungen sind Grignard-Verbindungen[1-3] und Natrium-[4], Lithium-[5] oder Kupfer-acetylenide[6] eingesetzt worden.

1,4-Diphenyl-buten-(3)-in-(1)[1-3]:

(Phenyl-äthinyl)-magnesiumchlorid: 16,3 g Phenylacetylen in 150 *ml* Diäthyläther werden mit 130 *ml* einer ätherischen Butyl-magnesiumchlorid-Lösung (aus 3,95 g Magnesium und 15 g 1-Chlor-butan) 2 Stdn. unter Rückfluß erhitzt und nach Zusatz von 100 *ml* Tetrahydrofuran nochmals 1 Stde. gekocht. Danach läßt man abkühlen.

1,4-Diphenyl-buten-(3)-in-(1): Zum abgekühlten Reaktionsgemisch gibt man 1 g Cobalt(II)-chlorid und tropft dann unter gutem Rühren 18,3 g β-Brom-styrol zu. Es wird weitere 45 Min. gerührt, anschließend mit 150 *ml* 2n Salzsäure bei 0° zersetzt, mit Äther extrahiert, die Ätherphase über Natriumsulfat getrocknet und eingedampft. Der Rückstand wird aus Äthanol umkristallisiert; Ausbeute: 5 g (25% d. Th.); F: 95–96° (Nadeln).

Analog erhält man aus:

2,5-Dichlor-hexin-(3) + Propyl-MgBr	→ *5-Methyl-octen-(1)-in-(3)*[1]	10% d. Th.
Hexin-(1)-yl-MgX + 1-Chlor-2-methyl-propen	→ *2-Methyl-nonen-(2)-in-(4)*[2]	24% d. Th.
Chlor-äthinyl-MgX + *cis*-1-Brom-propen	→ *1-Chlor-penten-(3)-in-(1)*[3]	31% d. Th.

[1] R. Ja. Levina, Ju. S. Shabarov u. V. R. Skrarchenko, Vestnik. Moskov. Univ. **9**, No. 2, Ser. Fiz.-Mat. i Estestven. Nauk No. 1 63–67 (1954); C. A. **49**, 5261[e–g] (1955).
[2] H. K. Black, D. H. S. Horn u. B. C. L. Weedon, Soc. **1954**, 1704–1709.
[3] H. G. Viehe, E. Franchimont u. P. Valange, B. **92**, 3064–3075 (1959).
[4] Tschechosl. P. 125094 (1967), J. Kriz, M. Benes u. J. Peska; C. A. **69**, 51573[w] (1968).
I. L. Knunyants u. E. Y. Pervova, Izv. Akad. SSSR **1967**, 71; C. A. **66**, 115374[c] (1967).
[5] P. Tarrant, J. Savory u. E. S. Iglehart, J. Org. Chem. **29**, 2009 (1964).
[6] J. Burdon et al., Chem. Commun. **1967**, 1259.
L. Y. Ukhin et al., Ž. Org. Chim. **4**, 25 (1968); C. A. **68**, 78330 (1968).

(Fortsetzung v. S. 629)

[21] B. L. Dunicz, Am. Soc. **63**, 2461–2472 (1941).
[22] W. Kemula u. S. Mrazek, Z. physik. Chem. [B] **23**, 358 (1933).
[23] F. Zobel, Ang. Ch. **20**, 260 (1948).
[24] W. Hunsmann, B. **83**, 213–217 (1950).
[25] S. R. Smith u. A. S. Gordon, J. Chem. Physics **22**, 1150–1151 (1954).
[26] R. Wirtz u. N. Pechtold, Erdöl Kohle **15**, 977–982 (1962).
[27] P. P. Cherevka et al., Khim Prom. **1964**, 582–584; C. A. **61**, 13873 (1964).
[28] A. Kuppermann u. M. Burton, Radiation Research **10**, 636–654 (1959); C. A. **53**, 19635 (1959).
[29] Brit. P. 945778 (1964), DuPont; C. A. **60**, 10545 (1964).
[30] D. Meneghini u. I. Sorgato, G. **62**, 627 (1932).
[31] N. S. Andrejew, A. N. Makashina u. A. E. Malzewa, Sinteticheskiĭ Kauchuk **3**, Nr. 3, 12 (1934); C. **1935** II, 3588.
[32] D. T. Iljin, E. N. Eremin u. V. I. Sidorov, Ž. prikl. Chim. **39**, 1141–1147 (1966); C. A. **65**, 5273 (1966).
[33] H. Pichler, Chem. Eng. Progr. **61**, 63–67 (1961); C. A. **64**, 1861 (1966).
[34] S. Tsunashima u. S. Sato, Bull. Chem. Soc. Japan **1968**, 2281–2284.
[35] Fr. P. 1065598 (1954), A. Dubios; C. A. **53**, 14000 (1959).

c) Vinylacetylene aus einem Alkin-(1) und einem Allen

Allen reagiert mit Propin oder Butin-(1) in Gegenwart von Palladium(II)-nitrat zu *2-Methyl-penten-(1)-in-(3)* bzw. *2-Methyl-hexen-(1)-in-(3)*[1] (Ausbeuten sind nicht hoch):

$$H_2C{=}C{=}CH_2 + R{-}C{\equiv}CH \xrightarrow{Pd(NO_3)_2} H_2C{=}\underset{\displaystyle CH_3}{\underset{|}{C}}{-}C{\equiv}C{-}R$$

$$R = CH_3;\ C_2H_5$$

d) Vinylacetylene durch Wittig-Reaktion

Mit Hilfe der Wittig-Reaktion[2] läßt sich leicht eine C=C-Doppelbindung in ein organisches Molekül einführen. Dazu benötigt man einen Aldehyd oder ein Keton und eine Halogen-Verbindung:

$$R{-}CH_2Br + (C_6H_5)_3P \rightarrow [R{-}CH_2{-}\overset{\oplus}{P}(C_6H_5)_3]Br^{\ominus} \xrightarrow{+R'R''CO + B^{\oplus}} R'R''C{=}CHR$$

Für die Synthese von Vinylacetylenen ist es ohne Bedeutung, ob die benötigte C≡C-Dreifachbindung mit der Oxo-Verbindung[3] oder mit der Halogen-Verbindung[4-7] eingeführt wird. Beide Varianten sind erfolgreich erprobt worden:

$$R{-}C{\equiv}C{-}\overset{\displaystyle Br}{\overset{|}{C}}H{-}R' + (C_6H_5)_3P \rightarrow [R{-}C{\equiv}C{-}\overset{\displaystyle R'}{\overset{|}{C}}H{-}\overset{\oplus}{P}(C_6H_5)_3]Br^{\ominus} \xrightarrow[(B^{\oplus})]{R''{-}CHO} R{-}C{\equiv}C{-}\overset{\displaystyle R'}{\overset{|}{C}}{=}CH{-}R''$$

$$R''CH_2{-}Br + (C_6H_5)_3P \rightarrow [R''{-}CH_2{-}\overset{\oplus}{P}(C_6H_5)_3]Br^{\ominus} \xrightarrow[(B^{\oplus})]{R{-}C{\equiv}C{-}CO{-}R'} R{-}C{\equiv}C{-}\overset{\displaystyle R'}{\overset{|}{C}}{=}CH{-}R''$$

4-Phenyl-buten-(3)-in-(1)[6, s. a. 4]**:**

Propargyl-triphenyl-phosphoniumbromid: Zu 26,23 g Triphenyl-phosphin in 50 *ml* 1,4-Dioxan tropft man 11,3 *ml* 48%ige Bromwasserstoffsäure. Das Gemisch wird mit 12 g 3-Brom-propin in 20 *ml* 1,4-Dioxan versetzt, kurz erhitzt und nach dem Abklingen der heftigen Reaktion 2 Stdn. bei ~20° nachgerührt. Nach dem Kühlen und Absaugen erhält man 21 g Rohprodukt, das aus Äthanol umkristallisiert wird; Ausbeute: 56% d.Th.; F: 156–158°.

4-Phenyl-buten-(3)-in-(1) (*cis,trans*-Gemisch): 38,1 g Propargyl-triphenyl-phosphoniumbromid und 8,4 g frisch dest. Benzaldehyd werden in 160 *ml* Acetonitril gelöst und bei −50° mit 60–80 *ml* flüssigem absol. Ammoniak versetzt. Es wird 4 Stdn. bei −50° gerührt, dann das Ammoniak langsam unter Rühren abgedampft, 4 Stdn. bei 0° gerührt und über Nacht bei 0° stehen gelassen. Man säuert mit verd. Phosphorsäure an und arbeitet mit tiefsiedendem Petroläther auf. Nach der Abtrennung des Triphenylphosphinoxids werden 6,2 g Rohprodukt erhalten, die im Hochvak. bei 40–50° (Luftbadtemp.)/0,001 Torr destilliert werden; Ausbeute: 75% der Theorie.

---

[1] US.P. 3458562 (1969), Dow Chem. Corp., Erf.: G. D. SHIER; C. A. **71,** 80641p (1969).
[2] G. WITTIG u. U. SCHÖLLKOPF, B. **87,** 1318 (1954).
vgl. a. ds. Handb., Bd. V/1 b, Kap. Olefine, S. 384 ff.; Bd. V/1 c, Kap. Diene, 575 ff.; vgl. a. ds. Bd., S. 88 ff.
[3] N. HAGIHARA et al., Bl. Chem. Soc. Japan **34,** 892 (1961); C. A. **56,** 4598 (1962).
[4] A. BUTENANDT u. E. HECKER, Nucleus **5,** 325–332 (1964); C. A. **62,** 6382 (1965).
[5] DBP 1165582 (1964), Farbf. Bayer, Erf.: K. EITER u. H. OEDIGER; C. A. **60,** 15844 (1964).
[6] K. EITER u. H. OEDIGER, A. **682,** 62–70 (1965).
[7] P. S. WALLIS, Chem. & Ind. **1958,** 1086.

Analog erhält man aus:

4-Formyl-pyridin + Triphenyl-propargyl-phosphoniumbromid	→	*4-Pyridyl-(4)-buten-(3)-in-(1)*[1,2]	72% d. Th.
Furfural + Triphenyl-propargyl-phosphoniumbromid	→	*4-Furyl-(2)-buten-(3)-in-(1)*[1,2]	48% d. Th.
Propinal + Dodecyl-triphenyl-phosphoniumbromid	→	*Pentadecen-(3)-in-(1)*[3]	
Decan-10-al-1-säure-äthylester + Hexin-(2)-yl-triphenyl-phosphoniumbromid	→	*Hexadecen-(10)-in-(12)-säure-äthylester*[4]	
Nonin-(4)-on-(5) + Methyl-triphenyl-phosphoniumbromid	→	*5-Methylen-nonin-(4)*[5]	

e) Vinylacetylene aus Cyclopropanen oder Cyclopropenen

Die Reaktion von Diphenylmethyl-lithium mit 3,3-Dichlor-1,2-diphenyl-cyclopropen in Tetrahydrofuran liefert *1,3,4,4-Tetraphenyl-buten-(3)-in-(1)*[6]:

$$(C_6H_5)_2CH{-}Li + \text{3,3-Dichlor-1,2-diphenyl-cyclopropen} \xrightarrow{THF} H_5C_6{-}C{\equiv}C{-}C(C_6H_5){=}C(C_6H_5)_2$$

3,3-Dichlor-1,1,2-trimethyl-cyclopropan reagiert mit Kalium-tert.-butanolat in Dimethylsulfoxid zu 3-Chlor-2,2-dimethyl-1-methylen-cyclopropan und *2-Methyl-penten-(1)-in-(3)*[7]:

$$\text{3,3-Dichlor-1,1,2-trimethyl-cyclopropan} + (CH_3)_3C{-}O{-}K \xrightarrow{DMSO} \text{3-Chlor-2,2-dimethyl-1-methylen-cyclopropan} + H_2C{=}C(CH_3){-}C{\equiv}C{-}CH_3$$

Analog wird aus 2,2-Dichlor-1,1-dimethyl-cyclopropan *3-Methyl-buten-(3)-in-(1)* gebildet[8].

f) Vinylacetylene aus Heterocyclen

1. aus Thiophenen

Die Alkylierung von Thiophenen mit Alkyljodiden führt zur Bildung von heterosubstituierten Vinylacetylenen[9], z.B. zu *5-Äthylmercapto-hexen-(4)-in-(2)*:

$$\text{2,5-Dimethyl-thiophen} + C_2H_5{-}J \longrightarrow H_3C{-}C{\equiv}C{-}CH{=}C(S{-}C_2H_5){-}CH_3$$

---

[1] DBP 1165582 (1964), Farbf. Bayer, Erf.: K. Eiter u. H. Oediger; C. A. **60,** 15844 (1964).
[2] K. Eiter u. H. Oediger, A. **682,** 62–70 (1965).
[3] P. S. Wallis, Chem. & Ind. **1958,** 1086.
[4] A. Butenandt u. E. Hecker, Nucleus **5,** 325–332 (1964); C. A. **62,** 6382 (1965).
[5] N. Hagihara et al., Bl. Chem. Soc. Japan **34,** 892 (1961); C. A. **56,** 4598 (1962).
[6] G. Melloni u. J. Ciabattoni, Chem. Commun. **1968,** 1505.
[7] T. C. Shield u. W. E. Billups, Chem. Ind. (London) **1967,** 1999.
[8] L. Crombie, P. R. Griffiths u. B. J. Walker, Soc. [D] **1969,** 1206.
[9] S. Gronowitz u. T. Freyd, Acta chim. Scand. **23,** 2540–2542 (1969).

2. aus Pyridazin-N-oxiden

Die Reaktion von Pyridazin-N-oxiden mit Grignard-Reagentien oder Phenyllithium führt zur Bildung von substituierten Vinylacetylenen[1]; z. B.: *4-Phenyl-buten-(3)-in-(1)*:

$$\text{Pyridazin-N-oxid} + H_5C_6{-}MgBr \longrightarrow H_5C_6{-}CH{=}CH{-}C{\equiv}CH$$

Tab. 3. Vinylacetylene aus Pyradizin-N-oxiden und Grignard-Verbindungen

-pyridazin-N-oxid	R-MgBr	*trans*-En-ine		Ausbeute [% d.Th.]
H	C_6H_5MgBr	$H_5C_6{-}CH{=}CH{-}C{\equiv}C{-}H$	*4-Phenyl-buten-(3)-in-(1)*	35
H	$p{-}CH_3{-}C_6H_4MgBr$	$p{-}CH_3{-}C_6H_4{-}CH{=}CH{-}C{\equiv}C{-}H$	*4-(4-Methyl-phenyl)-buten-(3)-in-(1)*	35
H	$m{-}CH_3{-}C_6H_4MgBr$	$m{-}CH_3{-}C_6H_4{-}CH{=}CH{-}C{\equiv}C{-}H$	*4-(3-Methyl-phenyl)-buten-(3)-in-(1)*	31
H	$o{-}CH_3{-}C_6H_4MgBr$	$o{-}CH_3{-}C_6H_4{-}CH{=}CH{-}C{\equiv}C{-}H$	*4-(2-Methyl-phenyl)-buten-(3)-in-(1)*	41
H	$p{-}CH_3O{-}C_6H_4MgBr$	$p{-}CH_3O{-}C_6H_4{-}CH{=}CH{-}C{\equiv}C{-}H$	*4-(4-Methoxy-phenyl)-buten-(3)-in-(1)*	8
H	$o{-}CH_3O{-}C_6H_4MgBr$	$o{-}CH_3{-}C_6H_4{-}CH{=}CH{-}C{\equiv}C{-}H$	*4-(3-Methoxy-phenyl)-buten-(3)-in-(1)*	22
$3{-}CH_3$	C_6H_5MgBr	$H_5C_6{-}CH{=}CH{-}C{\equiv}C{-}CH_3$	*1-Phenyl-penten-(1)-in-(3)*	40–50
$4{-}CH_3$	C_6H_5MgBr		*1-Phenyl-penten-(1)-in-(3)*	40–50
$5{-}CH_3$	C_6H_5MgBr	$H_5C_6{-}CH{=}C(CH_3){-}C{\equiv}C{-}H$	*3-Methyl-4-phenyl-buten-(3)-in-(1)*	40–50
$6{-}CH_3$	C_6H_5MgBr	$(H_5C_6)(H_3C)C{=}CH{-}C{\equiv}C{-}H$	*2-Phenyl-penten-(2)-in-(4)*	40–50

II. Vinylacetylene aus Verbindungen mit gleicher Kohlenstoffzahl

a) unter Erhaltung des Kohlenstoffgerüstes

Im wesentlichen werden im folgenden abgehandelt:

die reinen Abspaltungsreaktionen
die Reduktion mit teilweiser gekoppelter Abspaltung
die Isomerisierung nicht konjugierter Diene

1. durch Abspaltungsreaktionen

α) Dehydrohalogenierung

α₁) von 3- bzw. 4-Halogen-alkinen einschl. der über in situ hergestellten

Durch Halogenwasserstoff-Abspaltung aus 3- oder 4-Halogen-alkinen läßt sich leicht eine C=C-Doppelbindung in ein Molekül einführen:

[1] G. Okusa, M. Kumagai u. T. Itai, Chem. Pharm. Bull. 1969, 2502–2506; C.A. **72**, 100622[s] (1970); Soc. [D] **1969**, 710f.
H. Igeta, T. Tsuchiya u. T. Nakai, Tetrahedron Letters **1969**, 2667–2670.

$$R{-}C{\equiv}C{-}\underset{}{\overset{X}{\overset{|}{C}}H}{-}\overset{R''}{\overset{|}{C}}H{-}R' \xrightarrow[-HX]{} R{-}C{\equiv}C{-}CH{=}C\genfrac{}{}{0pt}{}{R''}{R'} \xleftarrow[-HX]{} R{-}C{\equiv}C{-}CH_2{-}\overset{X}{\overset{|}{\underset{R'}{\underset{|}{C}}}}{-}R''$$

In den meisten Fällen ist diese Methode nur als eine spezielle Variante der auf S. 639 ff. beschriebenen Dehydratisierung von α- bzw. β-Hydroxy-alkinen anzusehen, wobei hier das Hydroxy-alkin erst in die Halogen-Verbindung übergeführt und isoliert wird, bevor Halogenwasserstoff abgespalten wird:

$$R{-}C{\equiv}C{-}\overset{OH}{\overset{|}{C}}H{-}\overset{R'}{\overset{|}{C}}H{-}R'' \xrightarrow[-H_2O]{} R{-}C{\equiv}C{-}CH{=}C\genfrac{}{}{0pt}{}{R'}{R''}$$

$$R{-}C{\equiv}C{-}\overset{OH}{\overset{|}{C}}H{-}\overset{R'}{\overset{|}{C}}H{-}R'' \longrightarrow R{-}C{\equiv}C{-}\underset{X}{\underset{|}{C}}H{-}\underset{R'}{\underset{|}{C}}H{-}R'' \xrightarrow[]{-HX} R{-}C{\equiv}C{-}CH{=}C\genfrac{}{}{0pt}{}{R'}{R''}$$

Die Dehydratisierung der 3- oder 4-Hydroxy-alkine mit Phosphoroxychlorid/Pyridin oder Thionylchlorid/Pyridin dürfte über die entsprechenden Halogen-Verbindungen verlaufen, die unter der Einwirkung von Pyridin Halogenwasserstoff abspalten. Die Umwandlung der Hydroxy-alkine in Halogen-alkine ist häufig von der Bildung der En-ine begleitet.

Die Umwandlung der 3- oder 4-Hydroxy-alkine in die Halogen-alkine erfolgt bereits mit Halogenwasserstoff, besonders gut in Gegenwart von Kupfer(I)-chlorid, Ammoniumchlorid und Kupferbronze. Daneben haben sich auch Phosphor(III)-chlorid und -bromid, Thionylchlorid und Phosphor(V)-chlorid bewährt.

Die Halogenwasserstoff-Abspaltung aus den Halogen-alkinen erfolgt mit Kalium- oder Natriumhydroxid[1–13], Alkoholaten[1–3,14] oder Natriumamid in flüssigem Ammoniak[13,15–17].

Weiterhin ist die Halogenwasserstoff-Abspaltung aus Halogen-alkinen bei der Einwirkung folgender Reagentien beobachtet worden: Pyridin[18], N,N-Dimethyl-anilin[19], Hydrazin[20]

---

1 R. Quelet u. R. Golse, C. r. **224**, 661–663 (1947).
2 R. Golse, Ann. Chimica [12] **3**, 527–569 (1948).
3 A. N. Pudovik, Ž. obšč. Chim. **21**, 1462–1471 (1951); C. A. **46**, 4467 (1952).
4 R. Golse u. Le-van-Thoi, C. r. **230**, 210 f. (1950).
5 G. F. Hennion u. D. E. Maloney, Am. Soc. **73**, 4735–4737 (1951).
6 K. K. Georgieff u. Y. Richard, Canad. J. Chem. **36**, 1280–1283 (1958).
7 M. F. Shostakowskii u. A. C. Chomenko, Izv. Akad. SSSR, **1960**, 1098–1103; C. A. **55**, 349 (1961).
8 A. A. Petrov u. J. I. Porfireva, Ž. obšč. Chim. **23**, 1867–1873 (1953); C. A. **49**, 147 (1955); Dokl. Akad. SSSR, **90**, 561–564 (1953); C. A. **49**, 12285 (1955).
9 US. P. 2657244 (1953), DuPont, Erf.: A. C. Barney u. P. S. Pinkney; C. A. **48**, 12800 (1954).
10 K. V. Balyan u. N. A. Borovikova, Ž. obšč. Chim. **29**, 2882–2889 (1959); C. A. **54**, 12019 (1960).
11 M. F. Shostakowskii u. A. C. Chomenko, Izv. Akad. SSSR, **1958**, 519; C. A. **53**, 7002 (1959).
12 L. Crombie u. A. G. Jacklin, Soc. **1957**, 1632–1646.
13 A. Roedig u. R. Kohlhaupt, Tetrahedron Letters **1964**, 1107.
14 R. Golse u. J. Gavarret, Bl. **1950**, 216–218.
15 M. Akhtar, T. A. Richards u. B. C. L. Weedon, Soc. **1959**, 933–940.
16 P. C. Wailes, Austral. J. Chem. **12**, 173–189 (1959); C. A. **53**, 21636 (1959).
17 E. R. H. Jones, H. H. Lee u. M. C. Whiting, Soc. **1960**, 3483–3489.
18 F. Moulin, Helv. **34**, 2416–2431 (1951).
19 J. Cymeran-Craig, E. G. Davis u. J. S. Lake, Soc. **1954**, 1874–1879.
20 B. V. Joffe et al., Ž. org. Chim. **1968**, 1752–1758; C.A. **70**, 28314z (1969).

1,5-Diaza-bicyclo[4.3.0]nonen-(5)[1], Natriumacetylenid[2], Natrium[3], Magnesium[4], Aluminium/Quecksilber[5] oder Grignard-Verbindungen[6].

In einigen Fällen wurde die Halogenwasserstoff-Abspaltung auch bei der Destillation der Halogen-alkine beobachtet[7–9].

Bei der Abspaltung von Halogenwasserstoff aus Halogen-alkinen ist zu beachten, daß unter der Einwirkung der Basen eine Isomerisierung des gebildeten En-ins zum Allen eintreten kann, so daß nicht immer die erwartete Verbindung isoliert wird.

1-Phenyl-buten-(3)-in-(1)[10]: Zu einer Lösung von 8 g Kalium in 100 *ml* Äthanol werden 10 g Wasser gegeben. Danach werden 14 g 4-Brom-1-phenyl-butin-(1) zugetropft. Die Mischung wird 2 Stdn. zum Sieden erhitzt. Nach dem Abdampfen des Alkohols unter vermindertem Druck wird der Rückstand mehrmals mit Äther extrahiert. Die Ätherextrakte werden mit Natriumsulfat getrocknet und fraktioniert destilliert; Ausbeute: 4 g (46% d.Th.); Kp_{20}: 96°.

4-Phenyl-buten-(3)-in-(1)[11]: Eine Lösung von Natriumamid in flüssigem Ammoniak (hergestellt aus 3,5 g Natrium) wird innerhalb 5 Min. unter Rühren mit 7,8 g 4-Chlor-4-phenyl-butin-(1) versetzt und 4 Stdn. gerührt. Danach werden vorsichtig 12 g Ammoniumchlorid zugegeben und das Ammoniak über Nacht verdampft. Der Rückstand wird mit 200 *ml* Wasser versetzt und mit 150 *ml* Äther extrahiert. Der Ätherextrakt wird mit Wasser gewaschen, über Natriumsulfat getrocknet, eingedampft und der Rückstand i. Vak. destilliert; Ausbeute: 3,0 g (55% d.Th.); Kp_1: 56°; n_D^{24} = 1,6095.

Mit 1,5-Diaza-bicyclo[4.3.0]nonen-(5) als Base werden ebenfalls 55% d.Th. *4-Phenyl-buten-(3)-in-(1)* erhalten[1].

Über die Herstellung von Vinylacetylenen aus 3-Halogen-5-acetoxy-alkinen s. S. 661.

a_2) *Vinylacetylene durch Halogenwasserstoff-Abspaltung aus bzw. über in situ hergestellten Dihalogen-olefinen*

aa_1) aus Dihalogen-olefinen

Sind in einem Olefin zwei Halogenatome vorhanden, so wird durch zweimalige Halogenwasserstoff-Abspaltung die benötigte C≡C-Dreifachbindung aufgebaut:

---

[1] K. Eiter u. H. Oediger, A. **682**, 62–70 (1965).
E. Truscheit u. K. Eiter, A. **658**, 65–90 (1962); Herstellung des Sexuallockstoffs *Bombykol* [*Tridecen-(10)-in-(12)-säure-methylester*].
Herstellung der Eiter-Basen s. ds. Handb., Bd. V/1b, Kap. Olefine, S. 159f.

[2] F. Sondheimer, Soc. **1950**, 877–882.

[3] A. I. Zakharova, Ž. obšč. Chim. **19**, 83–91 (1949); C. A. **43**, 6153 (1949).

[4] J. L. Derocque, U. Beisswenger u. M. Hanack, Tetrahedron Letters **1969**, 2149–2152.

[5] T. I. Temnikova u. Z. A. Baskova, Ž. obšč. Chim. **21**, 1823–1825 (1951); C. A. **46**, 6584 (1952).

[6] T. L. Jacobs u. R. A. Meyers, Am. Soc. **86**, 5244–5250 (1964).

[7] A. I. Zakharova u. Z. I. Sergeeva, Ž. obšč. Chim. **18**, 1322–1327 (1948); C. A. **43**, 2182 (1949).

[8] G. F. Hennion, J. J. Sheehan u. D. E. Maloney, Am. Soc. **72**, 3542–3545 (1950).

[9] A. I. Zakharova u. G. M. Murashova, Ž. obšč. Chim. **26**, 3328–3331 (1956); C. A. **51**, 8639 (1957).

[10] R. Quelet u. R. Golse, C. r. **224**, 661–663 (1947).

[11] E. R. H. Jones, H. H. Lee u. M. C. Whiting, Soc. **1960**, 3483–3489.

$$\left.\begin{array}{ll} H_2C{=}CH{-}CHCl{-}CH_2{-}Cl & ^{1-3} \\ Cl{-}CH{=}CH{-}CH_2{-}CH_2{-}Cl & ^{1} \\ Cl{-}CH_2{-}CH{=}CH{-}CH_2{-}Cl & ^{2,3} \\ Cl{-}CH_2{-}CH{=}CCl{-}CH_3 & ^{4-6} \end{array}\right\} \xrightarrow{-2\,HCl} HC{\equiv}C{-}CH{=}CH_2$$

Buten-(3)-in-(1) (Vinylacetylen)[5]: Zu einer Mischung aus 80 g Äthyl-Cellosolve (2-Methoxy-äthanol) und 54 g trockenem, fein gepulvertem Kaliumhydroxid werden 3,0 g frisch destilliertes 1,3-Dichlor-buten-(2) gegeben. Die Mischung wird unter Rühren 3 Stdn. auf 90° erwärmt. Dabei fällt Kaliumchlorid aus, eine Gasentwicklung wird jedoch nicht beobachtet. Erhitzt man die Mischung langsam auf 124–125°, so fängt sie an zu sieden, und Gasentwicklung setzt ein. Das Gas geht durch einen Rückflußkühler, einen Gaszähler und ein Trockenrohr (Calciumchlorid) und wird kondensiert (Aceton/Trockeneis). Die Reaktion war nach 10–12 Stdn. beendet; Ausbeute: ~82% d. Th.; Kp: 5–6°.

$\alpha\alpha_2$) über in situ hergestellte Dihalogen-olefine (aus Vinylketonen)

Vinylketone reagieren mit Phosphor(V)-chlorid zu α,α-Dihalogen-olefinen, die meist nicht isoliert werden können, da sie unter Halogenwasserstoff-Abspaltung in Monohalogen-butadiene übergehen:

$$R{-}CH{=}CH{-}\underset{\underset{O}{\|}}{C}{-}CH_2{-}R' \xrightarrow{PCl_5} [R{-}CH{=}CH{-}CCl_2{-}CH_2{-}R'] \rightarrow R{-}CH{=}CH{-}\overset{Cl}{\overset{|}{C}}{=}CH{-}R$$

Aus den so hergestellten Monohalogen-butadienen läßt sich wiederum Halogenwasserstoff mit Kaliumhydroxid oder Natriumamid abspalten und es bilden sich Vinylacetylene[7–10]:

$$R{-}CH{=}CH{-}\overset{Cl}{\overset{|}{C}}{=}CH{-}R' \xrightarrow[-HCl]{[KOH]} R{-}CH{=}CH{-}C{\equiv}C{-}R'$$

Penten-(1)-in-(3)[7,8]:

2-Chlor-pentadien-(1,3): Zu einer Suspension von 250 g Phosphor(V)-chlorid in 150 *ml* Schwefelkohlenstoff werden unter Eiskühlung langsam 90,7 g Penten-(1)-on-(4) gegeben. Nach 30 Min. wird 40–45 Min. auf 55–58° erwärmt und anschließend die Reaktionsmischung mit Wasserdampf destilliert. Die Schwefelkohlenstoffphase wird abgetrennt, mit Calciumchlorid getrocknet und destilliert; Kp: 130°.

Penten-(1)-in-(3): 51,2 g des erhaltenen 2-Chlor-pentadiens-(1,3) werden durch eine Kapillare, die kurz unterhalb der Flüssigkeitsoberfläche endet, in eine auf 150–155° erwärmte Mischung aus 38 g Kaliumhydroxid in 180 g 2-(2-Methoxy-äthoxy)-äthanol eingebracht. Das entstehende

[1] A. L. Klebanskiĭ, R. M. Sorokina u. Z. J. Chavin, Ž. obšč. Chim. **17**, 235–252 (1947); C. A. **42**, 514 (1948).
[2] W. J. Croxall u. J. O. V. Hook, Am. Soc. **76**, 1700 (1954).
[3] G. de Wies u. H. G. Peer, R. **82**, 521–22 (1963).
[4] G. F. Hennion, C. C. Price u. T. F. McKeon, Am. Soc. **76**, 5160 (1954); Org. Synthesis Coll. Vol. IV, 683.
[5] O. Babyan, Ž. prikl. Chim. **38**, 448 f. (1965); C. A. **60**, 13025 (1965).
[6] C. C. Price u. T. F. McKeon, J. Polymer Sci. **41**, 445–455 (1959); C. A. **54**, 11558 (1960). I. A. Maretina u. A. A. Petrov, Ž. obšč. Chim. **32**, 127 (1962); C. A. **58**, 7820 (1963).
[7] T. Bruun et al., Acta chem. scand. **5**, 1244–1259 (1951).
[8] V. Grignard, Bl. [3] **21**, 574 (1899).
[9] M. Mouseron u. J. Julien, Bl. **1946**, 239.
[10] T. G. Shishmakova et al., Izv. Akad. SSSR **1966**, 360; C. A. **64**, 17452 (1966).

Tab. 4. En-ine durch Abspaltung von Halogenwasserstoff aus Halogen-alkinen

En-in		Ausbeute [% d.Th.]	Literatur
$H_3C-CH_2-C\equiv C-CH=CH_2$	*Hexen-(1)-in-(3)*	23	1
$H-C\equiv C-C(CH_3)=CH_2$	*3-Methyl-buten-(3)-in-(1)*	26	2–6
$H_3C-(CH_2)_{10}-CH=CH-C\equiv CH$	*Pentadecen-(3)-in-(1)*		7
$H_5C_6-C\equiv C-CH=CH_2$	*1-Phenyl-buten-(3)-in-(1)*	46–90	8–11
$HC\equiv C-CH=CH-C_6H_5$	*4-Phenyl-buten-(3)-in-(1)*	90	10,12–14
$H_3C-C\equiv C-CH=CH-CH_2-C_6H_5$	*6-Phenyl-hexen-(4)-in-(2)*	44	15
$H_3C-C\equiv C-C(CH_3)=CH_2$	*2-Methyl-penten-(1)-in-(3)*	11–21	16
$H_3C-C(CH_3)_2-C\equiv C-C(CH_3)=CH_2$	*2,5,5-Trimethyl-hexen-(1)-in-(3)*	20	17
$H_5C_6-C\equiv C-C(CH_3)=CH_2$	*3-Methyl-1-phenyl-buten-(3)-in-(1)*		18
$H_3C-C\equiv C-C(CH_3)=CH-CH_3$	*4-Methyl-hexen-(4)-in-(2)*		19
$H-C\equiv C-C(Cl)=CH_2$	*3-Chlor-buten-(3)-in-(1)*		20–22
$R-C\equiv C-C(Br)=CH_2$	*2-Brom-alken-(1)-in-(3)*	50–60	23
$R-C\equiv C-C(OR')=CH_2$	*2-Alkoxy-alken-(1)-in-(3)*	99–100	24
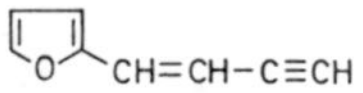 Furyl-(2)-$CH=CH-C\equiv CH$	*4-Furyl-(2)-buten-(3)-in-(1)*	50	14

[1] B. V. Joffe et al., Ž. org. Chim. **1968,** 1752–1758; C. A. **70,** 28314z (1969).
[2] A. N. Pudovik, Ž. obšč. Chim. **21,** 1462–1471 (1951); C. A. **46,** 4467 (1952).
[3] G. F. Hennion u. D. E. Maloney, Am. Soc. **73,** 4735–4737 (1951).
[4] F. Moulin, Helv. **34,** 2416–2431 (1951).
[5] T. I. Temnikova u. Z. A. Baskova, Ž. obšč. Chim. **21,** 1823–1825 (1951); C. A. **46,** 6584 (1952).
[6] G. F. Hennion, J. J. Sheehan u. D. E. Maloney, Am. Soc. **72,** 3542–3545 (1950).
[7] P. C. Wailes, Austral. J. Chem. **12,** 173–189 (1959); C. A. **53,** 21636 (1959).
[8] R. Quelet u. R. Golse, C. r. **224,** 661–663 (1947).
[9] R. Golse, Ann. Chimica [12] **3,** 527–569 (1948).
[10] C. V. Balyan u. N. A. Borovikova, Ž. obšč. Chim. **29,** 2882–2889 (1959); C. A. **54,** 12019 (1960).
[11] R. Golse u. J. Gavarret, Bl. **1950,** 216–218.
[12] R. Golse u. Le-van-Thoi, C. r. **230,** 210f. (1950).
[13] M. Akhtar, T. A. Richards u. B. C. L. Weedon, Soc. **1959,** 933–940.
[14] K. Eiter u. H. Oedinger, A. **682,** 62–70 (1965).
E. Truscheit u. K. Eiter, A. **658,** 65–90 (1962); Herstellung von Sexuallockstoff *Bomlykol* [*Tridecen-(10)-in-(12)-säure-methylester*].
[15] J. Cymerman-Craig, E. G. Davis u. J. S. Lake, Soc. **1954,** 1874–1879.

(Fortsetzung s. S. 638)

Reaktionsprodukt destilliert ab und wird in einer gekühlten Vorlage aufgefangen und fraktioniert destilliert; Ausbeute: 4,1 g (12% d.Th.); Kp: 57–60°.

Analog erhält man aus

5-Oxo-2-methyl-hexen-(3)	→	*5-Methyl-hexen-(3)-in-(1)*[1]
2-Oxo-6-methyl-hepten-(3)	→	*6-Methyl-hepten-(3)-in-(1)*[1]
1-Acetyl-cyclohexen-(1)	→	*1-Äthinyl-cyclohexen-(1)*[2]
5-Methyl-1-acetyl-cyclohexen-(1)	→	*5-Methyl-1-äthinyl-cyclohexen-(1)*[2]

a_3) *Vinylacetylene aus Halogen-allenen*

Analog der Spaltung von Allenyl-thioäthern werden auch Halogen-allene durch Basen in Vinylacetylene umgewandelt[3]:

$$Cl{-}CH{=}C{=}C(R){-}CH(R''){-}R' \xrightarrow{-HCl} HC{\equiv}C{-}C(R){=}C(R')(R'')$$

Als Base wurde auch in diesem Falle Natriumamid[3], Natrium-[4] oder Kaliumhydroxid[5] verwendet.

3,4-Bis-[4-methoxy-phenyl]-hexen-(3)-in-(1)[3]: Zu 500 *ml* Ammoniak werden unter Rühren bei −35° 100 mg Eisen(III)-nitrat und 1,5 g Natrium in kleinen Stücken gegeben. Nach 30 Min. ist die blaue Farbe der Lösung verschwunden, es wird jedoch weitere 90 Min. gerührt. Nun werden 1,5 g 1-Chlor-3,4-bis-[4-methoxy-phenyl]-hexadien-(1,2) in 25 *ml* Äther tropfenweise zugegeben. Nach 30 Min. gibt man Äther und Ammoniumchlorid zu und dampft das Ammoniak ab. Es wird in Äther aufgenommen, der Äther abgedampft und der Rückstand aus Hexan an Aluminiumoxid (40 g) adsorbiert. Sodann wird mit Äther/Benzol (1:20) extrahiert und die Reinigung wiederholt; Ausbeute: 400 mg (30% d.Th.); F: 125°.

Die Abspaltung von Halogenwasserstoff gelingt auch mittels Kupfer(I)-salzen in Dimethylformamid[6]; so erhält man z.B. aus:

$Br{-}CH{=}C{=}CH{-}C_3H_7$	⟶	*Hexen-(3)-in-(1)*	50% d.Th.
$Br{-}CH{=}C{=}C(CH_3){-}CH_3$	⟶	*3-Methyl-buten-(3)-in-(1)*	22% d.Th.
$Br{-}CH{=}C{=}C(CH_3){-}C_2H_5$	⟶	*3-Methyl-penten-(3)-in-(1)*	58% d.Th.
$Br{-}CH{=}C{=}C(C_2H_5){-}C_2H_5$	⟶	*3-Äthyl-penten-(3)-in-(1)*	45% d.Th.
$Br{-}CH{=}C{=}C(CH_3){-}C(CH_3)_2{-}CH_3$	⟶	*4,4-Dimethyl-3-methylen-pentin-(1)*	63% d.Th.

[1] V. Grignard, Bl. [3] **21**, 574 (1899).
[2] M. Mouseron u. J. Jukien, Bl. **1946**, 239.

(Fortsetzung s. S. 639)

(Fortsetzung v. S. 637)

[16] T. L. Jacobs u. R. A. Meyers, Am. Soc. **86**, 5244 (1964).
[17] A. I. Zakharova u. G. M. Murashov, Ž. obšč. Chim. **26**, 3328–3331 (1956); C. A. **51**, 8639 (1957).
[18] A. I. Zakharova u. Z. I. Zergeeva, Ž. obšč. Chim. **18**, 1322–1327 (1948); C. A. **43**, 2182 (1949).
[19] A. I. Zakharova, Ž. obšč. Chim. **19**, 83–91 (1949); C. A. **43**, 6153 (1949).
[20] K. K. Georgieff u. Y. Richard, Canad. J. Chem. **36**, 1280–1283 (1958).
[21] M. F. Shostakowskii u. A. C. Chomenko, Izv. Akad. SSSR, **1960**, 1098–1103; C. A. **55**, 349 (1961).
[22] M. F. Shostakowskii u. A. C. Chomenko, Izv. Akad. SSSR, **1958**, 519; C. A. **53**, 7002 (1959).
[23] A. A. Petrov u. J. I. Porfireva, Ž. obšč. Chim. **23**, 1867–1873 (1953); C. A. **49**, 147 (1955).
[24] A. A. Petrov u. J. I. Porfireva, Doklady Akad. SSSR **90**, 561–564 (1953); C. A. **49**, 12285 (1955).

β) Vinylacetylene durch Dehydratisierung von Hydroxy-alkinen

3-Hydroxy- und 4-Hydroxy-alkine gehen mit wasserentziehenden Mitteln in Vinylacetylene über, sofern sie in geeigneter Stellung ein Wasserstoffatom tragen. Während die 3-Hydroxy-alkine ausschließlich Vinylacetylene liefern:

$$R-CH(R')-CH(OH)-C\equiv C-R'' \xrightarrow{-H_2O} (R)(R')C=CH-C\equiv C-R''$$

entsteht aus den 4-Hydroxy-alkinen meist eine Mischung der konjugierten und isolierten En-ine, wobei jedoch die Vinylacetylene in der überwiegenden Menge gebildet werden:

$$R-CH(R')-CH(OH)-CH_2-C\equiv C-R'' \xrightarrow{-H_2O} R-CH(R')-CH=CH-C\equiv C-R'' + (R)(R')C=CH-CH_2-C\equiv C-R''$$

Da dies das wichtigste Verfahren zur Herstellung der Vinylacetylene ist, soll an dieser Stelle kurz auf einige Herstellungsmethoden für die 3- und 4-Hydroxy-alkine eingegangen werden (vgl. a. ds. Handb., Bd. V/2, Kap. Acetylene).

3-Hydroxy-alkine lassen sich hauptsächlich nach 3-Verfahren gewinnen:

① aus Alkinen-(1) und Oxo-Verbindungen

Alkine-(1) lagern sich sehr leicht an Aldehyde und Ketone an[1]. Als Lösungsmittel werden Äther, Tetrahydrofuran und Benzol verwendet. Die Reaktion kann durch gepulvertes Kaliumhydroxid katalysiert werden[2]; Lithium- und Natriumhydroxid katalysieren dagegen die Reaktion nicht:

$$R-C\equiv C-H + (R'')(R')C=O \xrightarrow{KOH} R-C\equiv C-C(R'')(OH)-R'$$

3-Hydroxy-3-methyl-1-phenyl-pentin-(1)[3]**:** Zu einer auf 0° gekühlten Mischung aus 30 g (0,294 Mol) Phenylacetylen und 22,0 g (0,305 Mol) Butanon in 100 *ml* absol. Diäthyläther werden 20 g gepulvertes Kaliumhydroxid gegeben. Die Mischung wird 11 Stdn. gerührt und bleibt dann über Nacht bei 0° stehen. Danach wird mit gepulvertem Trockeneis versetzt und anschließend vom ausgefallenen Kaliumcarbonat abfiltriert. Nach dem Abdampfen des Äthers wird i. Vak. destilliert; Ausbeute: 38,29 g (74,4% d. Th.); Kp_{15}: 138–140°.

② aus Alkalimetall-acetyleniden und Oxo-Verbindungen

$$R-C\equiv C-H + Na(Li) \xrightarrow{\text{flüss. } NH_3} R-C\equiv C-Na(Li) \xrightarrow{(R'')(R')C=O} R-C\equiv C-C(R')(OH)-R''$$

2-Methyl-butin-(3)-ol-(2)[4]**:** Durch eine auf –50° gekühlte Lösung von 7,35 Mol Natriumacetylenid[5] in 3–4 *l* flüssigem Ammoniak wird 10 Min. Acetylen geleitet; anschließend werden

[1] A. Favorskii, Ж. **37**, 643 (1905); C. **1905** II, 1018.
s. ds. Handb., Bd. VI/1a, Kap. Alkohole.
[2] E. D. Bergmann, M. Sulzbacher u. D. F. Herman, J. Appl. Chem. **3**, 39–42 (1953).
[3] E. E. Smissmann et al., Am. Soc. **78**, 3395–400 (1956).
[4] J. F. Froning u. G. F. Hennion, Am. Soc. **62**, 654 (1940).
[5] G. F. Hennion, Proc. Ind. Acad. Sci., **48**, 116 (1938).

(Fortsetzung v. S. 638)

[3] C. W. Shoppee, J. Cymerman-Craig u. R. E. Lach, Soc. **1961**, 1311–1321.
[4] G. F. Hennion u. D. E. Maloney, Am Soc. **73**, 4735 (1951)
[5] A. A. Petrov, Ž. obšč. Chim. **25**, 1483 (1955); C. A. **50**, 4767 (1956).
[6] P. M. Greaves et al., Soc. [C] **1966**, 1976–1978.
Fr. P. 1502349 (1967), Brewing Patents Ltd.; C.A. **70**, 11207u (1969).

innerhalb von 30 Min. 465 g (8 Mol) Aceton zugegeben. Währenddessen wird weiterhin Acetylen durch die Lösung eingeleitet. Anschließend läßt man das Ammoniak verdampfen, gibt 1 *l* Diäthyläther und gut gekühlte 35%ige Schwefelsäure hinzu, bis der Niederschlag gelöst ist. Die wäßrige Schicht wird abgetrennt und erneut mit Äther ausgeschüttelt. Die Ätherextrakte werden vereinigt und über Natriumcarbonat getrocknet und fraktioniert destilliert. Die bei 60–102° siedende Fraktion wird erneut getrocknet und wieder destilliert; Ausbeute: 545 g (88% d.Th.); Kp: 102–104°; n_D^{20} = 1,4211; d^{20} = 0,8623.

③ aus Grignard-Verbindungen und Oxo-Verbindungen
Alkine-(1) gehen mit Äthyl-magnesiumbromid in Alkinyl-magnesiumbromide über

$$R{-}C{\equiv}C{-}H + H_5C_2{-}MgBr \rightarrow R{-}C{\equiv}C{-}MgBr + C_2H_6$$

die mit Oxo-Verbindungen Carbinole liefern:

$$R{-}C{\equiv}C{-}MgBr + \begin{matrix}R''\\R'\end{matrix}\!\!>\!C{=}O \rightarrow R{-}C{\equiv}C{-}\overset{R''}{\underset{OH}{C}}{-}R'$$

Die Alkinyl-Grignard-Verbindung braucht nicht isoliert zu werden; beide Reaktionen können nacheinander in einem Kolben durchgeführt werden.

3-Hydroxy-3,4-dimethyl-1-phenyl-pentin-(1)[1]: Zu einer ätherischen Äthyl-magnesiumbromid-Lösung, hergestellt aus 12 g Magnesium, 73 g Äthylbromid und 100 *ml* absol. Diäthyläther, werden 61 g Phenylacetylen gegeben, danach wird 6 Stdn. zum Sieden erhitzt. Nach dem Abkühlen werden 34 g (0,4 Mol) 2-Methyl-butanon unter Rühren zugetropft. Es wird 2 Stdn. zum Sieden erhitzt und anschließend mit Eis und Essigsäure zersetzt. Die überschüssige Essigsäure wird mit 10%iger Natriumhydrogencarbonat-Lösung neutralisiert und die neutrale wäßrige Lösung 2mal mit 100 *ml* Diäthyläther extrahiert. Die Ätherextrakte werden mit Wasser gewaschen und über Natriumsulfat getrocknet. Nach dem Abdampfen des Äthers wird fraktioniert destilliert. Die bei 120–135°/10 Torr siedende Fraktion wird gesammelt und über eine Kolonne fraktioniert; Ausbeute: 60,3 g (80% d.Th.); Kp_8: 128–132°; F: 42–43°.

4-Hydroxy-alkine lassen sich im wesentlichen nach folgenden Verfahren gewinnen:

① aus Propargyl-halogeniden, Zink und Oxo-Verbindungen[2]
Die Reaktion wird in inerten Lösungsmitteln (Benzol, Äther ...) durchgeführt. Verwendet man Propargyl-bromid bzw. 1-Brom-alkine-(2), so erhält man in guten Ausbeuten 4-Hydroxy-alkine:

$$2\ R{-}C{\equiv}C{-}CH_2{-}Br + Zn + 2\ \begin{matrix}R''\\R'\end{matrix}\!\!>\!C{=}O \xrightarrow[-ZnBr_2]{} 2\ R{-}C{\equiv}C{-}CH_2{-}\overset{R''}{\underset{OH}{C}}{-}R'$$

3-(1-Hydroxy-cyclohexyl)-propin-(1)[3]: Zu 75 g aktiviertem Zinkstaub unter 100 *ml* absol. Äther wird unter Rühren eine Mischung aus 119 g Propargylbromid, 130 g Cyclohexanon und 300 *ml* absol. Diäthyläther gegeben. Die Reaktion wird durch Jod und kurzes Erhitzen eingeleitet und so reguliert, daß sie flott in Gang bleibt. Nach beendetem Eintropfen wird 5 Stdn. auf dem Wasserbad erwärmt und dann über Nacht bei Raumtemp. weitergerührt. Die Reaktionsmischung, aus der sich ein weißer Niederschlag abgeschieden hat, wird mit Eis und verd. Schwefelsäure zerlegt, die Ätherschicht abgetrennt und die wäßrige Schicht erneut ausgeäthert. Die ätherischen Extrakte werden mehrmals mit wenig 6n Schwefelsäure durchgeschüttelt, um ätherlösliche Zink-Verbindungen zu entfernen, schließlich mit verd. Natriumcarbonat-Lösung und Wasser gewaschen und der Äther abdestilliert.

Der Rückstand wird mit 150 *ml* Benzol versetzt und bei normalem Druck destilliert, anschließend wird bei 12 Torr fraktioniert. Es wird die bei 50–85° siedende Fraktion aufgefangen, dann die Destillation unterbrochen, der Destillationsrückstand mit 15 g feingepulvertem Bariumhydroxid versetzt und erneut i.Vak. destilliert, wobei die Badtemp. bis auf

[1] E. E. Smissmann et al., Am. Soc. **78**, 3395–4000 (1956).
[2] S. Reformatzky, B. **20**, 1210 (1887); J. pr. **54**, 469 (1896).
[3] A. Mondon, A. **577**, 181–201 (1952).

160° gesteigert wird. Das so erhaltene Destillat wird mit Benzol entwässert, der Rückstand mit der zuerst aufgefangenen Fraktion vereinigt und über eine Kolonne fraktioniert; Ausbeute: 105 g (76,5% d.Th.); Kp_{12}: 82–85°; F: 59°.

② aus Alkalimetall-acetyleniden und 1,2-Epoxiden:

$$R-C\equiv C-Na \quad + \quad \underset{O}{\triangledown}-R' \longrightarrow R-C\equiv C-CH_2-\underset{OH}{\underset{|}{CH}}-R'$$

Pentin-(1)-ol-(4)[1]: Aus 1000 g flüss. Ammoniak, 117,2 g Natrium und 136 g Acetylen wird eine Natriumacetylenid-Lösung hergestellt. Dazu tropft man 250 g Methyl-oxiran und rührt anschließend über Nacht, wobei das Ammoniak verdampft. Nun wird langsam mit 600 *ml* Wasser versetzt und mit Essigsäure angesäuert. Die Mischung wird einer Wasserdampfdestillation unterworfen, das Destillat mit Kaliumcarbonat gesättigt und die organische Phase abgetrennt. Nach dem Trocknen mit Natriumsulfat wird destilliert; Ausbeute: 137,7 g (38% d.Th.); Kp: 127,3–127,5°.

Für die Abspaltung von Wasser aus 3- und 4-Hydroxy-alkinen zur Herstellung von Vinylacetylenen sind praktisch alle in der organischen Chemie bekannten Dehydratisierungsmittel eingesetzt worden.

Als wichtigste Dehydratisierungsmittel können Natrium-[2] oder Kaliumhydrogensulfat[3–10], Phosphoroxychlorid/Pyridin[7,11–20], verdünnte Schwefelsäure[10,21–34],

[1] P. Pomerantz et al., J. Res. Bur. Stand. **52**, 51–58 (1954).
[2] US.P. 2542551 (1951), Röhm u. Haas Co., Erf.: C. H. McKeever u. J. O. VanHook; C. A. **45**, 7591 (1951).
[3] A. Mondon, A. **577**, 181–201 (1952).
[4] J. Cymerman-Craig, E. G. Davis u. J. S. Lake, Soc. **1954**, 1874–79.
[5] N. M. Malenock u. S. D. Kulkina, Ž. obšč. Chim. **28**, 434–438 (1958); C. A. **52**, 13669 (1958).
[6] J. M. Gverdtsiteli, R. Papava u. E. Gelashvili, Tr. Tbilissk. Gos. Univ. 1961, **80**, 139–46; C. A. **60**, 15747 (1964).
[7] T. S. Skrodskaya, A. G. Yudasina u. M. S. Malinovskii, Sintez i Svoistva Monomerov, Akademiya Nauk SSSR, Institut Neftechimicheskogo Sinteza im A. V. Topchieva, Sbornik Rabot 12-oi Konferentsii po Vysokomolekulyarnym Soedineniyane **1962**, 292–295; C. A. **62**, 5241 (1965).
[8] R. H. Jaeger, Chem. & Ind. **1954**, 1106.
[9] L. Combie, Chem. & Ind. **1954**, 1109f.
[10] N. Newerowitsch. Ж **37**, 652–654 (1902); C. **1905** II, 1020.
[11] I. A. Favorskaya u. L. V. Federova, Ž. obšč. Chim. **24**, 242–251 (1954); C. A. **49**, 4538 (1955).
[12] I. N. Nazarov u. E. A. Mistryukov, Izv. Akad. SSSR, **1958**, 335–338; C. A. **52**, 12751 (1958).
[13] S. A. Vartanyan u. S. L. Shagbatyan, Izv. Akad. Arm. SSR **17**, 95–102 (1964); C. A. **61**, 3058 (1964).
[14] Jap. P. 17955 (1962) Takeda Chemical Industries Ltd., Erf.: T. Moki u. K. Higara; C. A. **59**, 11244 (1963).
[15] V. Mozolis u. Z. Alaune, Lietuvos TRS Mokslu Akad. Darbei, Ser. B. **1963**, 107–112; C. A. **59**, 11283 (1963).
[16] I. V. Zaitseva, E. M. Auvinen u. I. A. Favorskaya, Ž. obšč. Chim. **33**, 3501–3504 (1963); C. A. **60**, 7924 (1964).
[17] L. Vo-Quang u. P. Cadiot, Bl. **1965**, 1525–1534; C. A. **63**, 8178 (1963).
R. Mantione, C. r. [C] **264**, 1668 (1967).
[18] C. W. Shoppee, J. Cymerman-Craig u. R. E. Lack, Soc. **1961**, 1311–1321.
[19] J. C. Hamlet, Soc. **1951**, 2652.
[20] R. H. Jaeger, Chem. & Ind. **1954**, 1106.
[21] Brit. P. 569373 (1944), C. Weizmann; C. A. **41**, 5545 (1947).
[22] K. A. Ogloblin, Ž. obšč. Chim. **18**, 2153–2164 (1948); C. A. **43**, 3777 (1948).
[23] I. L. Kotlyarevskiĭ u. E. D. Vasiljeva, Izv. Akad. SSSR, **1961**, 1834–1840; C. A. **56**, 11565 (1962).
[24] E. D. Vasileva, I. L. Kotljarevskiĭ u. Y. M. Faierschtein, Izv. Akad. SSSR **1965**, 322–330; C. A. **62**, 14619 (1965).
[25] M. Apparu u. R. Glenat, Bl. **1968**, 1106–1112.

(Fortsetzung s. S. 642)

Essigsäureanhydrid[1–10] und Essigsäureanhydrid/Schwefelsäure[11–15] angesehen werden.

Aber auch mit Phosphor(V)-oxid[16–19], Phosphorsäure[20–22], Ameisensäure[19,23,24], Oxalsäure[6,16,20,25–27], p-Toluolsulfonsäure[1,28–30], Chlorwasserstoff[31], Essigsäureanhydrid/Phosphorsäure[32], Acetylchlorid[33,34], Phosphor(V)-chlorid/Pyridin[35], Thionylchlorid/Pyridin[36,37], Kupfer-

1 I. N. NAZAROV u. E. A. MISTRYUKOV, Izv. Akad SSSR, **1958**,335–338; C. A. **52**, 12751 (1958).
2 M. APPARU u. R. GLENAT, Bl. **1968**, 1106–1112.
3 N. M. MALENOK u. I. V. SOLOGUB, Ž. obšč. Chim. **23**, 1129–1133 (1953); C. A. **47**, 12210 (1953).
4 A. F. THOMPSON, J. G. BURR u. E. N. SHAW, Am. Soc. **63**, 186–188 (1941).
5 N. M. MALENOK, Ž. obšč. Chim. **9**, 1947–1952 (1939); C. A. **34**, 4385 (1940).
6 N. M. MALENOK, Ž. obšč. Chim. **10**, 150–153 (1940); C. A. **34**, 7286 (1940).
7 N. M. MALENOK u. I. W. SOLOGUB, Ž. obšč. Chim. **6**, 1904–1909 (1936); C. **1937** I, 4093.
8 C. W. SHOPPEE, J. CYMERMAN-CRAIG u. R. E. LACK, Soc. **1961**, 1311–1321.
9 J. F. LABARRE u. R. MATHIS-NOEL, C. r. **252**, 3456–3461 (1961).
10 A. F. THOMPSON, Am. Soc. **64**, 365 (1942).
11 H. H. INHOFFEN u. F. BOHLMANN, A. **565**, 41–44 (1949).
12 E. D. BERGMANN, M. SULZBACHER u. D. F. HERMAN, J. Appl. Chem. **3**, 39–42 (1953).
13 E. D. BERGMANN u. D. F. HERMAN, J. Appl. Chem. **3**, 42–48 (1953).
14 E. D. BERGMANN u. Y. SPRINZAK, J. Appl. Chem. **3**, 97–98 (1953).
15 A. F. THOMPSON, N. A. MILASU u. I. RORNO, Am. Soc. **63**, 754 (1941).
16 Brit. P. 569373 (1944), C. WEIZMANN; C. A. **41**, 5545 (1947).
17 N. M. MALENOK u. S. D. KULKINA, Ž. obšč. Chim. **19**, 1715–1719 (1949); C. A. **44**, 1077 (1950).
18 N. M. MALENOK u. I. SOLOGUB, Ž. obšč. Chim. **11**, 983–986 (1941); C. A. **37**, 355 (1943).
19 M. F. ANSELL, J. W. HANCOCK u. W. J. HICKINBOTTOM, Soc. **1956**, 911–917.
20 US. P. 2542551 (1951), C. H. MCKEEVER u. J. O. VANHOOK; C. A. **45**, 7591 (1951).
21 V. MOZOLIS u. Z. ALAUNE, Lietuvos TRS Mokslu Akad. Darbei, Ser. B. **1963**, 107–112; C. A. **59**, 11283 (1963).
22 J. COLONGE u. F. GELIN, Bl. **1954**, 799.
23 C. D. HURD u. W. D. MCPHEE, Am. Soc. **71**, 398–401 (1949).
24 G. K. KRASILNIKOVA u. G. P. KUGATOVA-SHEMYAKINA, Ž. Org. Chim. **2**, 197–201 (1966); C. A. **65**, 2141 (1966).
25 J. P. PELISSIER, C. r. **243**, 851–852 (1956).
26 A. F. THOMPSON u. E. N. SHAW, Am. Soc. **64**, 363 (1942).
27 N. M. MALENOK u. I. SOLOGUB, Ž. obšč. Chim. **10**, 150–153 (1940); C. **1940** II, 616.
28 K. ADLER et al., A. **586**, 138–46 (1954).
29 US. P. 1950441 (1934), DuPont, Erf.: W. H. CAROTHERS u. D. D. COFFMANN; C. **1934** II, 1037f.
30 W. H. CAROTHERS, Am. Soc. **54**, 4071 (1943).
31 A. I. ZACHAROVA u. G. M. MURASHOV, Ž. obšč. Chim. **26** ,3328–3331 (1956); C. A. **51**, 8639 (1957). A. I. ZACHAROVA, Ž. obšč. Chim. **17**, 686 (1947); **19**, 83 (1949); C. A. **42**, 1871 (1948); **43**, 6153 (1949).
32 A. I. MARETINA u. A. A. PETROV, Ž. obšč. Chim. **30**, 419–428 (1960); C. A. **55**, 23329 (1961).
33 H. FIESELMANN u. K. SASSE, B. **89**, 1775–1791 (1956).
34 J. C. HAMLET, Soc. **1951**, 2652.
35 Brit. P. 773632 (1957), Diamond Alkali Co., Erf.: M. J. SKEETERS u. J. R. BALDRIDGE; C. A. **51**, 16512 (1957).
36 Y. R. BHATIA, P. D. LANDOR u. S. R. LANDOR, Soc. **1959**, 24–29.
37 M. S. NEUMANN, J. Org. Chem. **17**, 962 (1952).

(Fortsetzung v. S. 641)

26 B. S. KUPIN u. A. A. PETROV, Ž. obšč. Chim. **29**, 3738–3742 (1959); C. A. **54**, 455 (1960).
27 A. I. SACHAROVA u. W. B. BASEL-SIGOVA, Ž. obšč. Chim. **11**, 68 (1941); C. A. **35**, 5457 (1941).
28 E. D. BERGMANN, Am. Soc. **73**, 1218–1220 (1951).
29 M. C. NEWMAN, W. S. FONES u. W. T. BOOTH, Am. Soc. **67**, 1053 (1045).
30 K. A. OGLOBLIN, Ž. obšč. Chim. **18**, 2156 (1948); C. A. **43**, 3777 (1949).
31 J. BORK, Ж **37**, 647–650 (1902); C. **1905** II, 1019.
32 M. SKOSSAREWSKI, Ж **37**, 645 (1902); C. **1905**, II 1018.
33 J. BORK, Ж **37**, 647–652; C. **1905**, II, 1020.
34 E. E. SMISSMAN et al., Soc. **78**, 3395–3400 (1956).

sulfat[1–3], Kaliumhydroxid[4], Alkalimetall-amiden in flüssigem Ammoniak[5] und Phosphor(III)-chlorid[6] sind gute Ergebnisse erzielt worden.

In der Dampfphase gehen Hydroxy-alkine bei Temperaturen über 200° unter Wasser-Abspaltung in Vinylacetylene über. Dabei wurden folgende Katalysatoren verwendet: Magnesiumsulfat[7–15], Aluminiumoxid[16–20], Aluminiumphosphat[21–26], Porzellan[15,21,25–28], Zinkphosphat/Phosphorsäure[29], Phosphorsäure/Kohle[16], Phosphorsäure/Cellit[30] und Aluminium[31]. Zuweilen wird auch bei der Herstellung der Hydroxy-alkine bereits die Bildung von Vinylacetylenen beobachtet[32]. Über den Mechanismus der Dehydratisierung s. Literatur[33].

---

[1] J. P. PELISIER, C. r. **243**, 851–852 (1956).
[2] US. P. 2775262 (1956), NOPCO Chemical Co, Erf.: K. H. SCHAAF u. R. KAPP; C. A. **51**, 8133 (1958).
[3] Jap. P. 4962/66 (1962), S. ABE et al.; C. A. **65**, 616 (1966).
[4] K. V. BALYAN u. N. A. BOROVIKOVA, Ž. obšč. Chim. **29**, 2882–2889 (1959); C. A. **54**, 12019 (1960).
[5] Neth. Appl. 6513673 (1967), N. V. ORGANON; C.A. **67**, 63772 (1967).
[6] A. I. ZACHAROVA, Ž. obšč. Chim. **18**, 1322–1324 (1948); C. A. **43**, 2182 (1949).
[7] H. H. INHOFFEN, F. BOHLMANN u. M. BOHLMANN, A. **565**, 41–44 (1949).
[8] I. A. SHIKHEEV, Ž. obšč. Chim. **16**, 657–663 (1946); C. A. **41**, 1205 (1947).
[9] I. A. FAVORSKAYA, Ž. obšč. Chim. **18**, 52–59 (1948). C. A. **42**, 4905 (1948).
[10] Y. P. ARTSYBASHEVA u. I. A. FAVORSKAYA, Ž. obšč. Chim. **33**, 1047–1048 (1963); C. A. **59**, 8578 (1963).
[11] Y. P. ARTSYBASHEVA u. I. A. FAVORSKAYA, Ž. obšč. Chim. **28**, 3238f. (1958); **32**, 2380f (1962); C. A. **53**, 12162 (1959); **58**, 8883 (1963).
[12] I. A. FAVORSKAYA u. A. A. GAVRILOVSKAYA, Ž. obšč. Chim. **33**, 2472 (1963); C. A. **59**, 15155 (1963).
[13] DRP 290558 (1916), Farbenfabriken Bayer & Co.; C. **1916** I, 644.
[14] H. SCHEIBLER u. A. FISCHER, B. **55**, 2903 (1922).
[15] I. A. FAVORSKAYA, E. M. AUVINEN u. Y. P. ARTSYBASHEVA, Ž. obšč. Chim. **28**, 1785–1791 (1958); C. A. **53**, 1097 (1959).
[16] Brit. P. 569373 (1944), C. WEIZMANN; C. A. **41**, 5545 (1947).
[17] J. F. LABARRE u. R. MATHIS-NOEL, C. r. **252**, 3456–3461 (1961).
[18] K. ALDER, H. v. BRACHEL u. K. KAISER, A. **608**, 195–215 (1957).
[19] P. CHINI et al., Chimica e Ind. **46**, 1049–1053 (1964); C. A. **62**, 1553 (1965).
[20] H. SOBOTKA u. J. D. CHANLEY, Am. Soc. **70**, 3914 (1948).
[21] K. A. OGLOBLIN, Ž. obšč. Chim. **18**, 2153 (1948); C. A. **43**, 3777 (1949).
[22] C. L. LEESE u. R. A. RAPHAEL, Soc. **1950**, 2725–2730.
[23] I. HEILBRON et al., Soc. **1949**, 1829.
[24] J. ATTENBURROW, Soc. **1952**, 1094.
[25] I. A. FAVORSKAYA u. L. V. FEDEROVA, Ž. obšč. Chim. **24**, 242–251 (1954); C. A. **49**, 4538 (1955).
[26] K. A. OGLOBLIN, Ž. obšč. Chim. **18**, 2153–2164 (1948); C. A. **43**, 3777 (1948).
[27] I. A. FAVORSKAYA u. F. V. FEDEROVA, Ž. obšč. Chim. **21**, 635–642 (1951); C. A. **45**, 9457 (1951).
[28] I. A. FAVORSKAYA u. Y. P. ARTSYBASHEVA, Ž. obšč. Chim. **30**, 789–794 (1960); C. A. **55**, 350 (1961).
[29] US.P. 2524865 (1950), Publicker Industries Inc., Erf.: E. V. WINSLOW; C. A. **45**, 1617 (1951).
[30] US.P. 2524866 (1950), Publicker Industries Inc., Erf.: E. V. WINSLOW; C. A. **45**, 1617 (1951).
US.P. 3388181 (1968), General Aniline and Film Corp., Erf.: H. D. ANSPORN; C.A. **69**, 51526 (1968).
[31] A. F. THOMPSON, Am. Soc. **64**, 574f. (1942).
[32] C. D. HURD, Am. Soc. **53**, 1073 (1931).
[33] M. APPARU u. R. GLENAT, Bl. **1968**, 1113–1116.

1-Phenyl-octen-(1)-in-(3)[1]: Eine Mischung von 3 g 1-Phenyl-octin-(3)-ol-(2) und 2,2 g frisch gepulvertem, trockenem, Kaliumhydrogensulfat wird 1 Stde. bei 35 Torr auf 190° (Badtemp.) erhitzt. Die Dehydratisierung setzt bei 175° ein. Die Destillation des Rückstandes ergibt 1,5 g (56% d.Th.); Kp_2: 144–146°; n_D^{20} = 1,5613.

1-Äthinyl-cyclohexen[2]: Eine Lösung von 55 *ml* Phosphoroxychlorid in 55 *ml* absol. Pyridin wird so schnell zu einer Lösung von 100 g 1-Äthinyl-cyclohexanol in 150 *ml* absol. Pyridin getropft, daß die Mischung gerade am Sieden bleibt. Anschließend wird noch 1 Stde. auf dem Wasserbad erhitzt, dann auf Eis gegossen, mit Pentan extrahiert und destilliert; Ausbeute: 69 g (80% d.Th.); Kp_{40}: 53–54°; n_D^{20} = 1,4978.

3,4-Bis-[4-methoxy-phenyl]-buten-(3)-in-(1)[3]: 200 mg 3,4-Bis-[4-methoxy-phenyl]-butin-(1)-ol-(3) werden 45 Min. mit 10 *ml* Acetanhydrid auf 130° erwärmt. Es wird auf Eis/Wasser gegossen und mit Äther extrahiert. Nach dem Abdampfen des Äthers wird in Hexan aufgenommen, an 10 g Aluminiumoxid adsorbiert und mit 100 *ml* Hexan eluiert; Ausbeute: 100 mg (53% d.Th.); F: 85°.

3-Methyl-buten-(3)-in-(1):

mit verd. Schwefelsäure[4]: 200 g 3-Methyl-butin-(1)-ol-(3) werden langsam zu 300 g auf 95–100° erwärmte, 30%ige Schwefelsäure getropft. Die entstehenden Dämpfe werden durch eine Kolonne destilliert. Schließlich wird die Temp. langsam erhöht, bis keine organischen Produkte mehr überdestillieren. Das Destillat besteht aus einer organischen und einer wäßrigen Schicht. Aus der letzteren werden die organischen Produkte durch Zugabe von trockenem Kaliumcarbonat (Kühlung) abgeschieden. Die vereinigten organischen Phasen werden fraktioniert destilliert und ergeben:

116 g (58,25% d.Th.) unumgesetztes *3-Methyl-butin-(1)-ol-(3)*

59,1 g (90% d.Th., bez. auf umges. Alkohol) *3-Methyl-buten-(3)-in-(1)*; Kp: 34–36°.

in der Gasphase[5]: 150 g 3-Methyl-butin-(1)-ol-(3) werden durch eine auf 270–280° erhitzte Kolonne mit Aluminiumoxid AGS destilliert. Die Destillationsgeschwindigkeit wird so reguliert, daß am Kolonnenkopf die Temp. ~ 85–90° beträgt. Unter diesen Bedingungen scheiden sich Kohlenwasserstoff und Wasser in der Vorlage etwa im Verhältnis 5 : 1 ab. 3-Methyl-buten-(3)-in-(1) wird abgetrennt, getrocknet und destilliert; Ausbeute: 70–80 g (70% d.Th.); Kp: 34–36°.

Weitere so hergestellte En-ine s. Tab. 5 (S. 645).

γ) Vinylacetylene durch Abspaltung von Alkohol, Mercaptan, p-Toluolsulfonsäure bzw. Essigsäure

γ_1) *von Alkoholen bzw. Mercaptanen*

$\gamma\gamma_1$) aus Alkinyl-äthern bzw. -thioäthern

Durch Abspaltung von Alkoholen oder Mercaptanen aus Alkinyläthern bzw. -thioäthern erhält man in guten Ausbeuten Vinylacetylene[6–16]:

$$R{-}CH_2{-}CH_2{-}C{\equiv}C{-}OR' \;(-SR') \rightarrow R{-}CH{=}CH{-}C{\equiv}C{-}H \leftarrow R{-}CH_2{-}C{\equiv}C{-}CH_2{-}OR' \;(-SR')$$

[1] J. Cymerman-Craig, E. G. Davis u. J. S. Lake, Soc. **1954**, 1874–1879.
[2] I. N. Nazarov u. E. A. Mistryukov, Izv. Akad. SSSR, **1958**, 335–338; C. A. **52**, 12751 (1958).
[3] J. F. Labarre u. R. Mathis-Noel, C. r. **252**, 3456–3461 (1961).
[4] E. D. Bergmann, Am. Soc. **73**, 1218–1220 (1951).
[5] K. Alder, H. v. Brachel u. K. Kaiser, A. **608**, 195–215 (1957).
[6] P. L. Viguier, Ann. chim. et phys. [8] **28**, 481–485 (1913).
[7] M. H. Durand u. L. Piaux, C. r. **246**, 1055 (1958).
[8] L. Brandsma, P. P. Montijn u. J. F. Arens, R. **82**, 1115 (1963).
[9] P. P. Montijn, R. **84**, 271 (1965).
[10] J. H. v. Boom, L. Brandsma u. J. F. Arens, R. **85**, 580–600 (1966).
[11] J. H. v. Boom, L. Brandsma u. J. F. Arens, R. **85**, 952 (1966).
[12] M. Julia u. M. Baillarge, C. r. **254**, 4313 (1962).
[13] G. M. Mkryan u. S. L. Mudshoyan, Izv. Akad. Arm. SSR, **18**, 44–49 (1965); C. A. **63**, 6842 (1965).
[14] G. M. Mkryan et al., Arm. Khim. Ž. **20**, 701 (1967); C. A. **68**, 59023s (1968).
[15] G. M. Mkryan et al., Ž. Org. Chim. **1969**, 1563; C. A. **72**, 11986b (1970).
[16] Neth. Appl. 6513473 (1967), N. V. Organon; C. A. **67**, 63772g (1967).

Tab. 5. Vinyl-acetylene durch Dehydratisierung aus 3- bzw. 4-Hydroxy-alkinen

$$R^1-C\equiv C-C(R^2)=C(R^3)R^4$$

En-ine				En-ine	Ausbeute [% d.Th.]	Literatur
R^1	R^2	R^3	R^4			
H	H	H	H	*Buten-(3)-in-(1)* (*Vinylacetylen*)		1
C_6H_5	H	H	H	*1-Phenyl-buten-(3)-in-(1)*		2
H	CH_3	H	H	*3-Methyl-buten-(3)-in-(1)*	11–90	3–23
H	C_2H_5	H	H	*3-Methylen-pentin-(1)*	10	24
H	tert.-C_4H_9	H	H	*4,4-Dimethyl-3-methylen-pentin-(1)*	18–70	7,25–29

[1] L. Combie, Chem. & Ind. **1954**, 1109f.

[2] K. V. Balyan u. N. A. Borovikova, Ž. obšč. Chim. **29**, 2882–2889 (1959); C. A. **54**, 12019 (1960).

[3] US. P. 2542551 (1951), C. H. McKeever u. J. O. Van Hook; C. A. **45**, 7591 (1951).

[4] A. Mondon, A. **577**, 181–201 (1952).

[5] E. E. Smissman et al., Am. Soc. **78**, 3395 (1956).

[6] I. N. Nazarov u. E. A. Mistryukov, Izv. Akad. SSSR, **1958**, 335–338; C. A. **52**, 12751 (1958).

[7] Brit. P. 569373 (1944), C. Weizmann; C. A. **41**, 5545 (1947).

[8] I. L. Kotlyarevskiĭ u. E. D. Vasiljeva, Izv. Akad. SSSR, **1961**, 1834–1840; C. A. **56**, 11565 (1962).

[9] A. I. Sacharova u. W. B. Basel-Sigova, Ž. obšč. Chim. **11**, 68 (1941); C. A. **35**, 5457 (1941).

[10] E. D. Bergmann, Am. Soc. **73**, 1218–1220 (1951).

[11] M. C. Newman, W. S. Fones u. W. T. Booth, Am. Soc. **67**, 1053 (1945).

[12] K. A. Ogloblin, Ž. obšč. Chim. **18**, 2156 (1948); C. A. **43**, 3777 (1949).

[13] H. H. Inhoffen u. F. Bohlmann, A. **565**, 41–44 (1949).

[14] B. S. Kupin u. A. A. Petrov, Ž. obšč. Chim. **29**, 3738–42 (1959); C. A. **54**, 455ª (1960).

[15] C. D. Hurd u. W. D. McPhee, Am. Soc. **71**, 398–401 (1949).

[16] US. P. 1950441 (1934), DuPont, Erf.: W. H. Carothers u. D. D. Coffmann; C. **1934** II, 1037f.

[17] W. H. Carothers, Am. Soc. **54**, 4071 (1932).

[18] DRP 290558 (1916), Farbenfabriken Bayer & Co.; C. **1916** I, 644.

[19] K. Alder, H. v. Brachel u. K. Kaiser, A. **608**, 195–215 (1957).

[20] P. Chini et al., Chimica e Ind. **46**, 1049–1053 (1964); C. A. **62**, 1553 (1965).

[21] J. Attenburrow, Soc. **1952**, 1094.

[22] US. P. 2524865 (1950), E. V. Winslow; C. A. **45**, 1617 (1951).

[23] US. P. 2524866 (1950), E. V. Winslow; C. A. **45**, 1617 (1951).
US. P. 3388181 (1968), General Aniline and Film Corp., Erf.: H. D. Anspon; C. A. **69**, 51526 (1968).

[24] A. F. Thompson, Am. Soc. **64**, 365 (1942).

[25] L. Vo-Quang u. P. Cadiot, Bl. **1965**, 1525–1534; C. A. **63**, 8178 (1963).

[26] N. M. Malenok u. I. Sologub, Z. obšč. Chim. **10**, 150–153 (1940); C. **1940** II, 616.

[27] Y. P. Artsybasheva u. I. A. Favorskaya, Ž. obšč. Chim. **32**, 2380f. (1962); C. A. **58**, 8883 (1963).

[28] Y. P. Artsybasheva u. I. A. Favorskaya, Ž. obšč. Chim. **28**, 3238–3242 (1958); C. A. **53**, 12162 (1959).

[29] I. A. Favorskaya, E. M. Auvinen u. Y. P. Artsybasheva, Ž. obšč. Chim. **28**, 1785–1791 (1958); C. A. **53**, 1097 (1953).

Tab. 5. (1. Fortsetzung)

$$R^1{-}C{\equiv}C{-}C(R^2){=}C(R^3)(R^4)$$

En-ine				En-ine	Ausbeute [% d. Th.]	Literatur
R^1	R^2	R^3	R^4			
H	C_6H_5	H	H	*3-Phenyl-buten-(3)-in-(1)*		1
H	$H_3C{-}CH_2{-}C(CH_3)_2{-}$	H	H	*4,4-Dimethyl-3-methylen-hexin-(1)*	9–34	2
H	H	CH_3	H	*Penten-(3)-in-(1)*	44	3,4
CH_3	CH_3	H	H	*2-Methyl-penten-(1)-in-(3)*	60	5
CH_3	tert.-C_4H_9	H	H	*5,5-Dimethyl-4-methylen-hexin-(2)*		6
tert.-C_4H_9	CH_3	H	H	*2,5,5-Trimethyl-hexen-(1)-in-(3)*		7
C_6H_5	CH_3	H	H	*3-Methyl-1-phenyl-buten-(3)-in-(1)*	30–94	8–10
C_6H_5	tert.-C_4H_9	H	H	*4,4-Dimethyl-3-methylen-1-phenyl-pentin-(1)*		11

[1] E. D. Vasileva, I. L. Kotljarevskiĭ u. Y. M. Faierschtein, Izv. Akad. SSSR **1965,** 322–330; C. A. **62,** 14619 (1965).

[2] E. E. Smissman et al., Am. Soc., **78,** 3395 (1956).

[3] I. A. Favorskaya, C. M. Auvinen u. Y. P. Artsybasheva, Ž. obšč. Chim. **28,** 1785–1791 (1958); C. A. **53,** 1097 (1959).

[4] G. K. Krasilnikova et al., Ž. obšč. Chim. **2,** 197 (1966); C. A. **65,** 2141 (1966).

[5] J. Cymerman-Craig, E. G. Davis u. J. S. Lake, Soc. **1954,** 1874–1879.

[6] I. A. Favorskaya u. Y. P. Artsybasheva, Ž. obšč. Chim. **30,** 789 (1960); C. A. **55,** 350 (1961).

[7] A. I. Maretina u. A. A. Petrov, Ž. obšč. Chim. **30,** 419–428 (1960); C. A. **55,** 23329 (1961).

[8] H. Fieselmann u. K. Sasse, B. **89,** 1775–1791 (1956).

[9] M. Skossarewski, Ж **37,** 645 (1902); C **1905** II, 1018.

[10] A. I. Zacharova, Ž. obšč. Chim. **18,** 1322–1324 (1948); C. A. **43,** 2182 (1949).

[11] N. Newerowitsch, Ж **37,** 652–654 (1902); C. **1905** II, 1020.

Tab. 5. (2. Fortsetzung)

$$R^1-C\equiv C-C(R^2)=C(R^3)R^4$$

En-ine				En-ine	Ausbeute [% d. Th.]	Literatur
R^1	R^2	R^3	R^4			
CH_3	H	$H_5C_6-CH_2-$	H	*6-Phenyl-hexen-(4)-in-(2)*	36	1
C_4H_9	H	C_6H_5	H	*1-Phenyl-octen-(1)-in-(3)*	50	1
C_6H_5	H	CH_3	H	*1-Phenyl-penten-(3)-in-(1)*	45	2
C_6H_5	H	C_2H_5	H	*1-Phenyl-hexen-(3)-in-(1)*	41	2
C_6H_5	H	C_5H_{11}	H	*1-Phenyl-nonen-(3)-in-(1)*	15	3,4
C_6H_5	H	$H_5C_6-CH_2-$	H	*1,5-Diphenyl-penten-(3)-in-(1)*	50	5
H	CH_3	CH_3	H	*3-Methyl-penten-(3)-in-(1)*	17–80	6–14
H	CH_3	C_2H_5	H	*3-Methyl-hexen-(3)-in-(1)*	16–67	9,15–17
H	CH_3	C_3H_7	H	*3-Methyl-hepten-(3)-in-(1)*		9
H	CH_3	C_5H_{11}	H	*3-Methyl-nonen-(3)-in-(1)*		14
H	CH_3	$-CH_2-C_6H_{11}$	H	*3-Methyl-5-cyclohexyl-penten-(3)-in-(1)*	26–72	18

[1] J. Cymerman-Craig, E. G. Davis u. J. S. Lake, Soc. **1954,** 1874–1879.
[2] N. M. Malenok u. I. Sologub, Ž. obšč. Chim. **11,** 983–986 (1941); C. A. **37,** 355 (1943).
[3] N. M. Malenok, Ž. obšč. Chim. **10,** 150–153 (1940); C. A. **34,** 7286 (1940).
[4] N. M. Malenok u. I. Sologub, Ž. obšč. Chim. **10,** 150–153 (1940); C. **1940** II, 616.
[5] N. M. Malenok u. S. D. Kulkina, Ž. obšč. Chim. **19,** 1715–1719 (1949); C. A. **44,** 1077 (1950).
[6] I. N. Nazarov u. E. A. Mistryukov, Izv. Akad. SSSR **1958,** 335–338; C. A. **52,** 12751 (1958).
[7] B. S. Kupin u. A. A. Petrov, Ž. obšč. Chim. **29,** 3738–3742 (1959); C. A. **54,** 455 (1960).
[8] J. Bork, Ж **37,** 647–650 (1902); C. **1905** II, 1019.
[9] N. M. Malenok, Ž. obšč. Chim. **9,** 1947–1952 (1939); C. A. **34,** 4385 (1940).
[10] A. F. Thompson, Am. Soc. **64,** 365 (1942).
[11] A. F. Thompson et al., Am. Soc., **63,** 754 (1941).
[12] J. P. Pelisier, C. r. **243,** 851–852 (1956).
[13] W. H. Carothers, Am. Soc. **54,** 4071 (1932).
[14] C. L. Leese u. R. A. Raphael, Soc. **1950,** 2615–2730.
[15] G. K. Krasilnikova et al., Ž. obšč. Chim. **2,** 147 (1966); C. A. **65,** 2141 (1966).
[16] I. A. Shikheer, Ž. obšč. Chim. **16,** 657–663 (1946); C. A. **41,** 1205 (1947).
[17] I. A. Favorskaya u. F. V. Federova, Ž. obšč. Chim. **21,** 635–642 (1951); C. A. **45,** 9457 (1951).
[18] V. Mozolis u. Z. Alaune, Lituvos TRS Mokelu Akad. Darbei, Ser. B. **1963,** 107–112; C. A. **59,** 11283 (1963).

Tab. 5. (8. Fortsetzung)

$$R^1{-}C{\equiv}C{-}C(R^2){=}C(R^3)(R^4)$$

En-ine				En-ine	Ausbeute [% d. Th.]	Literatur
R^1	R^2	R^3	R^4			
H	CH_3	$C_{10}H_{21}$	H	*3-Methyl-tetradecen-(3)-in-(1)*	88	1
H	C_2H_5	CH_3	H	*3-Äthyl-penten-(3)-in-(1)*	8–60	2,3
H	C_3H_7	C_2H_5	H	*3-Propyl-hexen-(3)-in-(1)*	76	4
H	tert.-C_4H_9	CH_3	H	*3-tert.-Butyl-penten-(3)-in-(1)*	17–33	5,6
H	C_5H_{11}	CH_3	H	*3-Äthyliden-octin-(1)*	6–46	5
H	4-$H_3CO{-}C_6H_4$	4-$H_3CO{-}C_6H_4$	H	*3,4-Bis-[4-methoxy-phenyl]-buten-(3)-in-(1)*	30–89	7
H	$-CH_2{-}CH_2{-}CH_2-$		H	*1-Äthinyl-cyclopenten*	30–78	8–11
H	$-CH_2{-}CH_2{-}CH_2{-}CH_2-$		H	*1-Äthinyl-cyclohexen*	30–86	2,4,9, 12–19
H	$-CH_2{-}CH_2{-}CH_2{-}CH_2{-}CH_2-$		H	*1-Äthinyl-cyclohepten*	52–58	9,10
H	$-CH_2{-}CH(CH_3){-}O{-}CH_2-$		H	*6-Methyl-4-äthinyl-5,6-dihydro-2H-pyran*		20

[1] Japan Appl. No. 4962166, S. Abe; C. A. **65,** 616 (1966).
[2] N. M. Malenok, Ž. obšč. Chim. **9,** 1947–1952 (1939); C. A. **34,** 4385 (1940).
[3] A. F. Thompson et al., Am. Soc. **63,** 186 (1941).
[4] R. H. Jaeger, Chem. & Ind. **1954,** 1106.
[5] G. K. Krasilnikova u. G. P. Kugatova-Shemyakina, Ž. Org. Chim. **2,** 197–201 (1966); C. A. **65,** 2141 (1966).
[6] J. Attenburrow, Soc. **1952,** 1094.
[7] J. F. Labarre u. R. Mathis-Noel, C. r. **252,** 3456–3461 (1961).
[8] I. N. Nazarov u. E. A. Mistryukov, Izv. Akad. SSSR **1958,** 335–338; C. A. **52,** 12751 (1958).
[9] L. Vo-Quang u. P. Cadiot, Bl. **1965,** 1525–1534; C. A. **63,** 8178 (1963).
[10] I. Heilbron et al., Soc. **1949,** 1829.
[11] I. A. Favorskaya u. F. V. Federova, Ž. obšč. Chim. **21,** 635–642 (1951); C. A. **45,** 9457 (1951).
[12] L. Combie, Chem. & Ind. **1954,** 1109f.
[13] J. C. Hamlet, Soc. **1951,** 2652.
[14] J. P. Pelisier, C. r. **243,** 851–852 (1956).
[15] W. H. Carothers, Am. Soc. **54,** 4071 (1932).
[16] Y. R. Bhatia, P. D. Landor u. S. R. Landor, Soc. **1959,** 24–29.
[17] M. S. Neumann, J. Org. Chem. **17,** 962 (1952).
[18] Jap. P. 4962/66 (1962), S. Abe; C. A. **65,** 616 (1966).
[19] I. A. Favorskaya u. L. V. Federova, Ž. obšč. Chim. **24,** 242–251 (1954); C. A. **49,** 4538 (1955).
[20] S. A. Vartanyan u. S. L. Shagbatyan, Izv. Akad. Arm. SSR **17,** 95–102 (1964); C. A. **61,** 3058 (1964).

Tab. 5. (4. Fortsetzung)

$$R^1-C\equiv C-C(R^2)=C(R^3)R^4$$

En-ine				En-ine	Ausbeute [% d. Th.]	Literatur
R^1	R^2	R^3	R^4			
H	H	CH_3	$C_{11}H_{23}$	*4-Methyl-pentadecen-(3)-in-(1)*	86	1
H	H	$-CH_2-CH_2-CH_2-CH_2-CH_2-$		*3-Cyclohexyliden-propin*		2
CH_3	CH_3	CH_3	H	*4-Methyl-hexen-(4)-in-(2)*	42	3
CH_3	CH_3	C_4H_9	H	*4-Methyl-nonen-(4)-in-(2)*	51	3
CH_3	$-CH_2-CH_2-CH_2-$		H	*1-Propin-(1)-yl-cyclopenten*	70	4,5
CH_3	$-CH_2-CH_2-CH_2-CH_2-$		H	*1-Propin-(1)-yl-cyclohexen*	63	5
CH_3	$-CH_2-CH_2-CH_2-CH_2-CH_2-$		H	*1-Propin-(1)-yl-cyclohepten*	38	5
$i-C_3H_7$	CH_3	CH_3	H	*3,6-Dimethyl-hepten-(2)-in-(4)*	55	3
C_4H_9	CH_3	CH_3	H	*3-Methyl-nonen-(2)-in-(4)*	83	6
C_4H_9	CH_3	C_2H_5	H	*4-Methyl-decen-(3)-in-(5)*	78	6
tert.$-C_4H_9$	CH_3	CH_3	H	*3,6,6-Trimethyl-hepten-(2)-in-(4)*	39	3
C_6H_5	CH_3	CH_3	H	*3-Methyl-1-phenyl-penten-(3)-in-(1)*	25	7
C_6H_5	CH_3	C_2H_5	H	*3-Methyl-1-phenyl-hexen-(3)-in-(1)*	80	8
C_6H_5	CH_3	C_4H_9	H	*3-Methyl-1-phenyl-octen-(3)-in-(1)*	83	9

[1] Jap.P. 17955 (1962), Takeda Chem. Ind. Ltd., Erf.: T. Moki u. K. Higava; C. A. **59,** 11244 (1963).
[2] A. Mondon, A. **577**, 181–201 (1952).
[3] A. F. Thompson, Am. Soc. **64**, 574 f. (1942).
[4] I. V. Zaitseva, E. M. Auvinen u. I. A. Favorskaja, Ž. obšč. Chim. **33**, 3501–3504 (1963); C. A. **60**, 7924 (1964).
[5] L. Vo-Quang u. P. Cadiot, Bl. **1965**, 1525–1534; C. A. **63**, 8178 (1963).
[6] N. M. Malenok, Ž. obšč. Chim. **9**, 1947–1952 (1939); C. A. **34**, 4385 (1940).
[7] J. Bork, Ж **37**, 647–652; C **1905** II, 1020.
[8] N. M. Malenok, Ž. obšč. Chim. **10**, 150–153 (1940); C. A. **34**, 7286 (1940).
[9] N. M. Malenock u. S. D. Kulkina, Ž. obšč. Chim. **28**, 434–438 (1958); C. A. **52**, 13669 (1958).

Tab. 5. (5. Fortsetzung)

$$R^1{-}C{\equiv}C{-}C(R^2){=}C(R^3)(R^4)$$

En-ine				En-ine	Ausbeute [% d. Th.]	Literatur
R_1	R_2	R_3	R_4			
C_6H_5	CH_3	C_5H_{11}	H	*3-Methyl-1-phenyl-nonen-(3)-in-(1)*		1
C_6H_5	C_3H_7	C_2H_5	H	*3-Propyl-1-phenyl-hexen-(3)-in-(1)*	83	2
C_6H_5	$-CH_2-CH_2-CH_2-CH_2-$		H	*1-Phenyläthinyl-cyclohexen*	88	3
C_6H_5	$-CH_2-CH_2-CH_2-CH(CH_3)-$		H	*3-Methyl-1-phenyläthinyl-cyclohexen*	44	4
CH_3	H	CH_3	CH_3	*5-Methyl-hexen-(4)-in-(1)*	44	5
C_4H_9	H	$-CH_2-CH_2-CH_2-CH_2-$		*1-Cyclopentyliden-heptin-(2)*	75–80	6
H	tert.-C_4H_9	CH_3	CH_3	*4-Methyl-3-tert.-butyl-penten-(3)-in-(1)*	7–80	7,8
H	$-C(CH_3)_2-CH_2-CH_2-CH_2-$		CH_3	*2,6,6-Trimethyl-1-äthinyl-cyclohexen*	15	9,10
CH_3	i-C_3H_7	CH_3	CH_3	*5-Methyl-4-isopropyl-hexen-(4)-in-(2)*		11
C_4H_9	i-C_3H_7	CH_3	CH_3	*2-Methyl-3-isopropyl-nonen-(2)-in-(4)*	46	12
C_6H_5	CH_3	CH_3	CH_3	*3,4-Dimethyl-1-phenyl-penten-(3)-in-(1)*	20	13

[1] C. W. Shoppee, J. Cymerman-Craig u. R. E. Lack, Soc. **1961**, 1311–1321.
[2] A. F. Thompson, J. G. Burr u. E. N. Shaw, Am. Soc. **63**, 186–188 (1941).
[3] H. Fieselmann u. K. Sasse, B. **89**, 1775–1791 (1956).
[4] E. Bertroud, Ж **37**, 655 1902; C. **1905** II, 1020.
[5] I. A. Favorskaya, E. M. Auvinen u. Y. B. Artsybasheva, Ž. obšč. Chim. **28**, 1785–1791 (1958); C. A. **53**, 1097 (1959).
[6] J. C. Hamlet, Soc. **1951**, 2652.
[7] G. K. Krasilnikova u. G. P. Kugatova-Shemyakina, Ž. Org. Chim. **2**, 197–201 (1966); C. A. **65**, 2141 (1966).
[8] Y. P. Artsybasheva u. I. A. Favorskaya, Ž. obšč. Chim. **33**, 1047–1048 (1963); C. A. **59**, 8578 (1963).
[9] Jap. P. 4962/66 (1962), S. Abe; C. A. **65**, 616 (1966).
[10] J. Attenburrow, Soc. **1952**, 1094.
[11] I. A. Favorskaya u. Y. P. Artsybasheva, Ž. obšč. Chim. **30**, 789 (1960); C. A. **55**, 350 (1961).
[12] A. F. Thompson, Am. Soc. **64**, 574 f. (1942).
[13] J. Bork, Ж **37**, 647–652; C. **1905** II, 1020.

Die Abspaltung der Alkohole bzw. Mercaptane wird in Gegenwart von Basen durchgeführt. Während bei Verwendung von Kaliumhydroxid Temperaturen um 180° notwendig sind und man mit Kalium-tert.-butanolat bei 120° arbeiten muß, kann diese Reaktion bei Verwendung von Natriumamid oder Natriumalkanolat in flüssigem Ammoniak durchgeführt werden.

Der Mechanismus dieser Reaktion ist noch nicht eindeutig geklärt, daher kann keine Aussage gemacht werden, ob bei dieser Reaktion die Alkinyl-Verbindungen durch die Base zuerst in Allen-Verbindungen umgewandelt werden, aus denen dann Alkohol bzw. Mercaptan abgespalten wird, oder ob sich zuerst Kumulene bilden, die sich anschließend in die Vinylacetylene umlagern.

Vinylacetylene aus Alkinyläthern; allgemeine Arbeitsvorschrift[1]: 0,5 Mol des Alkinyläthers werden langsam (1 Tropfen/Sek.) zu einer kräftig gerührten Suspension von 2–3 Mol Natriumamid in flüssigem Ammoniak (1 m Lösung) getropft. Bei der Herstellung niedrig siedender Vinylacetylene werden 150 *ml* Äther zugegeben. Nach 2 Stdn. wird Ammoniak abdestilliert, der Kolben auf −70° gekühlt und mit einem Kühlfinger (Aceton/Trockeneis) versehen. Nun werden so rasch als möglich 500 *ml* Eis-Wasser zugegeben. Die Ätherschicht wird abgetrennt, mit stark verd. Salzsäure und Wasser gewaschen und über Natriumsulfat getrocknet. Nach dem Abdampfen des Äthers wird durch eine 20 cm Vigreux-Kolonne fraktioniert.

$\gamma\gamma_2$) aus Allenyl-thioäthern

Allenylthioäther werden durch Kaliumamid in flüssigem Ammoniak in Vinylacetylene und Mercaptide gespalten[2]:

$$H_3C-CH=C=C\begin{matrix}\nearrow R' \\ \searrow SR''\end{matrix} \xrightarrow{KNH_2/NH_3} HC\equiv C-CH=CH-R' + R''SK$$

Die Ausbeuten liegen bei dieser Reaktion bei 80–90%. Die benötigten Allenylthioäther werden durch Alkylierung von Alkinylthioäthern hergestellt.

Vinylacetylene aus Allenylthioäthern; allgemeine Arbeitsvorschrift[2]: 0,3 Mol Allenylthioäther werden unter kräftigem Rühren innerhalb von 5 Min. zu einer Lösung von 0,65 Mol Kaliumamid in 0,4 *l* flüssigem Ammoniak gegeben. Es wird 1 Stde. weitergerührt und anschließend das Ammoniak auf dem Wasserbad verdampft. Der feste Rückstand wird zersetzt, indem unter kräftigem Rühren Wasser zugetropft wird. Bei flüchtigen En-inen muß dabei ein Kühlfinger mit Aceton/Kohlendioxidschnee aufgesetzt werden. Die wäßrige Lösung wird 3mal mit Äther extrahiert, die vereinigten Ätherauszüge mit Wasser gewaschen und über Magnesiumsulfat getrocknet. Der Äther wird über eine Kolonne abdestilliert und der Rückstand über eine Kolonne fraktioniert; Ausbeute: 82–88% der Theorie.

So erhält man aus

4-Mercapto-heptadien-(2,3)	→	*Hepten-(3)-in-(1)*	82–88% d. Th.
4-Mercapto-5-methyl-heptadien-(2,3)	→	*5-Methyl-hepten-(3)-in-(1)*	
4-Mercapto-octadien-(2,3)	→	*Octen-(3)-in-(1)*	
4-Mercapto-nonadien-(2,3)	→	*Nonen-(3)-in-(1)*	
4-Mercapto-decadien-(2,3)	→	*Decen-(3)-in-(1)*	
4-Mercapto-dodecadien-(2,3)	→	*Dodecen-(3)-in-(1)*	

Allenyläther der Struktur I werden durch Kaliumhydroxid in 80–90%iger Ausbeute in *3-Methyl-buten-(3)-in-(1)* übergeführt[3]:

$$\underset{\text{I}}{RO-CH_2-\underset{CH_3}{\underset{|}{C}}=C=CH_2} \xrightarrow[-ROH]{KOH} H_2C=\underset{CH_3}{\underset{|}{C}}-C\equiv CH$$

---

[1] P. P. Montijn, R. **84**, 271 (1965).

[2] P. P. Montijn u. L. Brandsma, R. **83**, 456 (1964).

[3] G. M. Mkryan, E. E. Kaplanyan u. S. L. Undzhoyan Arm. Chim. Ž. **20**, 701–704 (1967); C.A. **68**, 59023s (1968).

Tab. 6. Vinylacetylene aus Alkinyl-äthern bzw. -thioäthern

En-in		Ausbeute [% d.Th.]	Literatur
$H_2C{=}CH{-}C{\equiv}C{-}H$	*Buten-(3)-in-(1)* (*Vinylacetylen*)	82	1,2
$H_3C{-}CH{=}CH{-}C{\equiv}C{-}H$	*Penten-(3)-in-(1)*	70–77	1,2
$H_5C_2{-}CH{=}CH{-}C{\equiv}C{-}H$	*Hexen-(3)-in-(1)*	42–67	1,2
$H_7C_3{-}CH{=}CH{-}C{\equiv}C{-}H$	*Hepten-(3)-in-(1)*	45–78	1,2
$H_9C_4{-}CH{=}CH{-}C{\equiv}C{-}H$	*Octen-(3)-in-(1)*	78	1
$(CH_3)_2C{=}CH{-}C{\equiv}C{-}H$	*4-Methyl-penten-(3)-in-(1)*	85	2
$H_5C_2{-}C(CH_3){=}CH{-}C{\equiv}C{-}H$	*4-Methyl-hexen-(3)-in-(1)*	88	2
$(C_2H_5)_2C{=}CH{-}C{\equiv}C{-}H$	*4-Äthyl-hexen-(3)-in-(1)*	88	2
(Cyclopentyliden)=CH−C≡CH	*3-Cyclopentyliden-propin*	94	2
(Cyclohexyliden)=CH−C≡CH	*3-Cyclohexyliden-propin*	91–95	2
$H_{11}C_5{-}C(CH_3){=}CH{-}C{\equiv}C{-}H$	*4-Methyl-nonen-(3)-in-(1)*	87	2
$C_2H_5O{-}CH{=}CH{-}C{\equiv}C{-}H$	*4-Äthoxy-buten-(3)-in-(1)*	79–80	2–4
$C_4H_9O{-}CH{=}CH{-}C{\equiv}C{-}H$	*4-Butyloxy-buten-(3)-in-(1)*	78	2
$O_2N{-}C_6H_4{-}O{-}CH{=}CH{-}C{\equiv}CH$	*4-(4-Nitro-phenoxy)-buten-(3)-in-(1)*		5
$(C_2H_5O)_2C{=}CH{-}C{\equiv}C{-}H$	*4,4-Diäthoxy-buten-(3)-in-(1)*	75	2
$C_2H_5O{-}CH_2{-}CH{=}CH{-}C{\equiv}C{-}H$	*5-Äthoxy-penten-(3)-in-(1)*	75	2
$C_2H_5O{-}CH{=}CH{-}C{\equiv}C{-}C_2H_5$	*1-Äthoxy-hexen-(1)-in-(3)*	40	6
$C_2H_5O{-}CH{=}CH{-}C{\equiv}C{-}C_3H_7$	*1-Äthoxy-hepten-(1)-in-(3)*	40	6
$H_2C{=}CH{-}C{\equiv}C{-}S{-}C_2H_5$	*1-Äthylmercapto-buten-(3)-in-(1)*	15–71	7
$H_2C{=}CH{-}C{\equiv}C{-}S{-}CH(CH_3){-}CH_3$	*1-Isopropylmercapto-buten-(3)-in-(1)*	39–76	7
$H_2C{=}CH{-}C{\equiv}C{-}S{-}C(CH_3)_3$	*1-tert.-Butylmercapto-buten-(3)-in-(1)*	65–72	7
$H_3C{-}CH{=}CH{-}C{\equiv}C{-}S{-}C_2H_5$	*1-Äthylmercapto-penten-(3)-in-(1)*	72	7
$(CH_3)_2C{=}CH{-}C{\equiv}C{-}S{-}C_2H_5$	*1-Äthylmercapto-4-methyl-penten-(3)-in-(1)*	62	7

[1] L. Brandsma, P. P. Montijn u. J. F. Arens, R. **82**, 1115 (1963).
[2] P. P. Montijn, R. **84**, 271 (1965).
[3] P. L. Viguier, Ann. chim. et phys. [8] **28**, 481–485 (1913).
[4] G. M. Mkryan u. S. L. Mudshoyan, Izv. Akad. Arm. SSR, **18**, 44–49 (1965); C. A. **63**, 6842 (1965).
[5] M. Julia u. M. Baillarge, C. r. **254**, 4313 (1962).
[6] M. H. Durand u. P. Piaux, C. r. **246**, 1055 (1958).
[7] J. H. v. Boom, L. Brandsma u. J. F. Arens, R. **85**, 580–600 (1966).

γ_2) *von Toluolsulfonsäure aus p-Toluolsulfonsäure-alkinylestern*

Die Herstellung von Vinylacetylenen aus p-Toluolsulfonsäure-alkinylestern ist der Dehydrohalogenierung (s. S. 633ff.) analog. In diesem Falle werden die Hydroxy-alkine mit p-Toluolsulfonsäure-chlorid in die entsprechenden Ester übergeführt, aus denen anschließend durch Einwirkung von Kaliumhydroxid p-Toluolsulfonsäure abgespalten und damit die gewünschte C=C-Doppelbindung erhalten wird[1-13].

Buten-(3)-in-(1) (Vinylacetylen)[1,2]:

p-Toluolsulfonsäure-butin-(3)-ylester: Eine Lösung von 42,6 g p-Toluolsulfonsäure-chlorid in 20,5 g warmem Pyridin wird möglichst rasch abgekühlt, um kleine Kristalle zu erhalten. Dann werden 14 g Butin-(3)-ol-(1) während 30 Min. unter Rühren zugegeben. Durch äußere Kühlung wird die Temp. unterhalb 25° gehalten; nachdem die Reaktion abgeklungen ist, bleibt die Mischung 18 Stdn. bei 20° stehen. Dann werden unter Kühlung 30 *ml* Wasser zugegeben; nach Beendigung der exothermen Reaktion wird die Mischung in kaltes Wasser gegossen und mit Äther extrahiert. Die ätherische Lösung wird wiederholt mit Schwefelsäure gewaschen, um das Pyridin restlos zu entfernen, und anschließend mit Natriumhydrogencarbonat-Lösung und Wasser gewaschen. Nach dem Eindampfen der getrockneten Lösung werden bei 100°/0,01 Torr flüchtige Anteile entfernt und der rohe Ester als Rückstand erhalten; Ausbeute: 37 g (84% d.Th.); $n_D^{22} = 1,5252$.

Der rohe Ester wird direkt zur Herstellung des En-ins verwendet.

Vinylacetylen: 85 g p-Toluolsulfonsäure-butin-(3)-ylester in 50 *ml* Äthanol werden tropfenweise zu einer Lösung von 25 g Kaliumhydroxid in 30 *ml* Wasser gegeben, die eine Spur Teepol® enthält. Die Mischung wird bei einer Temp. von 60° gehalten. Eine gleichmäßige Gasentwicklung tritt ein. Die Dämpfe werden durch einen Rückflußkühler und ein Calciumchlorid-Rohr geleitet und in 2 Kühlfallen bei −25° (Kohlendioxidschnee/Tetrachlormethan) kondensiert. Nach Beendigung der Reaktion wird das Vinylacetylen erneut destilliert, indem man die Kühlfallen auf +15° erwärmt und das Destillat bei −25° wieder kondensiert, nachdem es zur Trocknung noch einmal über Calciumchlorid geleitet wurde; Ausbeute: 18,2 g (92% d.Th.); Kp: 4–6°.

Analog erhält man aus

Pentin-(1)-ol-(4)	→	*Penten-(3)-in-(1)*[1-4]	91–97% d.Th.
Heptin-(1)-ol-(4)	→	*Hepten-(3)-in-(1)*[5,6]	96% d.Th.
Octin-(1)-ol-(4)	→	*Octen-(3)-in-(1)*[7]	55% d.Th.
Decin-(1)-ol-(4)	→	*Decen-(3)-in-(1)*[8,9]	79% d.Th.
4-Hydroxy-5,5-diäthoxy-4-methyl-pentin-(1)	→	*5,5-Diäthoxy-4-methyl-penten-(3)-in-(1)*[10]	
5-Methyl-hexin-(2)-ol-(5)	→	*5-Methyl-hexen-(4)-in-(2)*[11]	44% d.Th.
Hexin-(2)-ol-(5)	→	*Hexen-(4)-in-(2)*[11]	44% d.Th.
4-Furyl-(2)-butin-(1)-ol-(4)	→	*4-Furyl-(2)-buten-(3)-in-(1)*[4]	98% d.Th.

[1] J. L. H. Allan u. M. C. Whiting, Soc. **1953**, 3314–3316.
[2] G. Eglinton u. M. C. Whiting, Soc. **1950**, 3650.
[3] P. Pomerantz et al., J. Res. Bur. Stand. **52**, 51–58 (1954); C. A. **49**, 8083 (1955).
[4] I. Yoshioka, H. Hikino u. Y. Saski, Chem. Pharm. Bull. (Tokyo) **8**, 957–959 (1960); C. A. **55**, 27256 (1961).
[5] A. Butenandt u. E. Hecker, Ang. Ch. **73**, 349–353 (1961); Nucleus (Paris) **5**, 325 (1964); C. A. **62**, 6382 (1965).
[6] A. Butenandt et al., A. **658**, 39–64 (1962).
[7] L. Crombie u. A. G. Jacklin, Soc. **1957**, 1632–1646.
[8] W. Surber et al., Helv. **39**, 1299–1311 (1956).
[9] L. Crombie u. A. G. Jacklin, Soc. **1957**, 1622–1631.
[10] Brit. P. 866691 (1961), Hoffmann La Roche; C. A. **58**, 4428 (1963).
[11] I. A. Favorskaya, E. M. Auvinen u. Y. P. Artsybasheva, Ž. obšč. Chim. **28**, 1785–1791 (1958); C. A. **53**, 1097 (1959).
[12] L. Crombie, Chem. & Ind. **1954**, 1109–1110; C. A. **49**, 14651 (1956).
[13] A. A. Petrov et al., Ž. obšč. Chim. **27**, 1175 (1957); C. A. **52**, 3661 (1958).

γ_3) von Essigsäure aus Essigsäure-alkinylestern

Vinylacetylene entstehen aus Essigsäure-alkinylestern durch Abspaltung von Essigsäure mittels Pyridin[1].

δ) Vinylacetylene durch Abspaltung von tert. Aminen aus quartären Ammonium-Verbindungen

Durch Hofmann-Abbau des 1,4-Bis-[trimethylammoniono]-buten-(2)-dihydroxids wurde erstmals *Buten-(3)-in-(1)* (*Vinylacetylen*)[2] gewonnen:

$$[(CH_3)_3\overset{\oplus}{N}-CH_2-CH=CH-CH_2-\overset{\oplus}{N}(CH_3)_3]\ 2\,OH^{\ominus} \rightarrow H-C\equiv C-CH=CH_2$$

Bereits 30 Jahre vorher war nach der gleichen Methode *Penten-(1)-in-(3)* hergestellt, jedoch nicht in seiner Struktur erkannt worden[3].

Die Untersuchungen sind inzwischen auf die Synthese einer ganzen Reihe anderer Vinylacetylene übertragen worden[4–22]. Zur Herstellung der Vinylacetylene wird das quartäre Ammoniumsalz in der Regel mit 20–25%iger Natronlauge bei 120° umgesetzt. Das primäre Reaktionsprodukt des Abbaus der quartären Ammoniumsalze muß keineswegs das gewünschte Vinylacetylen sein; vielmehr können sich die primär entstehenden Kohlenwasserstoffe zu Vinylacetylenen isomerisieren.

Beim Abbau von geeigneten Halogenalkyl-ammoniumsalzen erhält man häufig ebenfalls Vinylacetylene, da unter den angewandten Bedingungen die primär entstehenden Halogenkohlenwasserstoffe durch Abspaltung von Halogenwasserstoff in Vinylacetylene übergehen können.

---

[1] M. Bertrand u. H. Monti, Tetrahedron Letters **1968**, 1069–1073.
[2] R. Willstätter u. T. Wirth, B. **46**, 538 (1913).
[3] A. Ladenburg, B. **15**, 1024 (1882); A. **247**, 60 (1888).
[4] J. v. Braun u. W. Teuffert, B. **61**, 1092 (1928).
[5] H. Sargent, E. R. Buchman u. J. P. Farquher, Am. Soc. **64**, 2692 (1942).
[6] A. T. Babajan et al., Ž. obšč. Chim. **25**, 1610 (1955); C. A. **50**, 4808 (1956).
[7] A. T. Babajan et al., Ž. obšč. Chim. **25**, 2445 (1955); C. A. **50**, 9280 (1956).
[8] A. T. Babajan et al., Ž. obšč. Chim. **27**, 1827 (1957); C. A. **52**, 4471 (1958).
[9] A. T. Babajan et al., Ž. obšč. Chim. **28**, 1259 (1958); C. A. **52**, 19906 (1958).
[10] A. T. Babajan et al., Z. obšč. Chim. **29**, 386 (1959); C. A. **54**, 1265 (1960).
[11] A. T. Babajan et al., Ž. obšč. Chim. **31**, 825 (1961); C. A. **55**, 23327 (1961).
[12] A. T. Babajan et al., Ž. obšč. Chim. **31**, 611 (1961); C. A. **55**, 23326 (1961).
[13] A. T. Babajan et al., Ž. obšč. Chim. **33**, 1766 (1963); C. A. **59**, 9847 (1963).
[14] A. T. Babajan et al., Izv. Akad. Arm. SSR, Fiz.-Mat., Estestven. i Techn. Nauk **9**, 25–29 (1956); C. A. **51**, 8001 (1957).
[15] A. T. Babajan et al., Dokl. Akad. Nauk Arm. SSR **26**, 153–162 (1958); C. A. **52**, 19906 (1958).
[16] A. T. Babajan, Izv. Vyss. Uch. Zav., Chim. i chim. Techn. **2**, 594–600 (1959); C. A. **54**, 8592 (1960).
[17] J. M. Slobodin et al., Ž. obšč. Chim. **23**, 167 (1953); C. A. **48**, 1233 (1954).
[18] J. M. Slobodin et al., Ž. obšč. Chim. **26**, 691 (1956); C. A. **50**, 14502 (1956).
[19] J. M. Slobodin et al., Ž. obšč. Chim. **27**, 2473 (1957); C. A. **52**, 7119 (1958).
[20] C. W. Kruse u. R. F. Kleinschmidt, Am. Soc. **83**, 216–220, (1961).
[21] R. Lukas u. J. Pliml, Chem. Listy **49**, 1815–1820 (1955); C. A. **50**, 9378 (1956).
[22] I. Y. Zubarov, Arm. Chim. Ž. **19**, 209–213 (1966); C. A. **65**, 10482 (1966).

Penten-(3)-in-(1)[1, s.a. 2–6]: 57,5 g 1,4-Bis-[trimethylammoniono]-penten-(2)-dijodid werden in einer Lösung aus 27 g Kaliumhydroxid in 70 *ml* Wasser gelöst. Diese Lösung wird in einem Ölbad von 120–135° erwärmt. Das gebildete Destillat wird in einer auf −15° gekühlten Vorlage aufgefangen. Nach dem Ansäuern mit 6n Salzsäure wird der Kohlenwasserstoff abgetrennt, über Kaliumcarbonat und Natrium getrocknet und über eine Kolonne fraktioniert; Ausbeute: 11,0 g (73% d.Th.); Kp: 59–60°.

Analog erhält man

Buten-(3)-in-(1)[7–18]	30–95% d.Th.
Penten-(3)-in-(1)[5]	40% d.Th.
3-Methyl-buten-(3)-in-(1)[5,13,17,19]	52–54% d.Th.
Hexen-(4)-in-(2)[5,20]	85% d.Th.
1-Chlor-buten-(3)-in-(1)[12,15,16]	46% d.Th.
1-Phenyl-buten-(3)-in-(1)[13]	42% d.Th.
6-Methoxy-penten-(1)-in-(3)[21]	87% d.Th.

2. Vinylacetylene durch Reduktion mit teilweiser gekoppelter Abspaltung

α) von Halogen-Verbindungen

α₁) von 1,1-Dihalogen-butadienen

Bei der Einwirkung von Phenyl-lithium in Äther auf 2,2-Dichlor-1-cyclohexen-(1)-yl-äthylen erhält man *1-Äthinyl-cyclohexen*[22]:

$$\text{C}_6\text{H}_9\text{–CH=CCl}_2 \xrightarrow{\text{LiC}_6\text{H}_5} \text{C}_6\text{H}_9\text{–C}\equiv\text{CH}$$

Genauere Untersuchungen über diese Reaktion liegen bisher nicht vor, so daß über deren Allgemeingültigkeit keine Aussage gemacht werden kann.

---

1 H. Sargent, E. R. Buchman u. J. P. Farquher, Am. Soc. **64**, 2692 (1942).
2 A. Ladenburg, B. **15**, 1024 (1882); A. **247**, 60 (1888).
3 J. v. Braun u. W. Teuffert, B. **61**, 1092 (1928).
4 J. M. Slobodin et al., Ž. obšč. Chim. **23**, 167 (1953); C. A. **48**, 1233 (1954).
5 J. M. Slobodin et al., Ž. obšč. Chim. **27**, 2473 (1957); C A. **52**, 7119 (1958).
6 R. Lukas u. J. Pliml, Chem. Listy **49**, 1815–1820 (1955); C. A. **50**, 9378 (1956).
7 R. Willstätter u. T. Wirth, B. **46**, 538 (1913).
8 A. T. Babajan et al., Ž. obšč. Chim. **25**, 1610 (1955); C. A. **50**, 4808 (1956).
9 A. T. Babajan et al., Ž. obšč. Chim. **25**, 2445 (1955); C. A. **50**, 9280 (1956).
10 A. T. Babajan et al., Ž. obšč. Chim. **27**, 1827 (1957); C. A. **52**, 4471 (1958).
11 A. T. Babajan et al., Ž. obšč. Chim. **28**, 1259 (1958); C. A. **52**, 19906 (1958).
12 A. T. Babajan et al., Ž. obšč. Chim. **29**, 386 (1959); C. A. **54**, 1265 (1960).
13 A. T. Babajan et al., Ž. obšč. Chim. **33**, 1766 (1963); C. A. **59**, 9847 (1963).
14 A. T. Babajan et al., Izv. Akad. Arm. SSR, Fiz.-Mat., Estestven. i Techn. Nauk **9**, 25–29 (1956); C. A. **51**, 8001 (1957).
15 A. T. Babajan et al., Dokl. Akad. Nauk. Arm. SSR **26**, 153–162 (1958); C. A. **52**, 19906 (1958).
16 A. T. Babajan, Izv. Vyss. Uch. Zav., Chim i chim. Techn. **2**, 594–600 (1959); C. A. **54**, 8592 (1960).
17 C. W. Kruse u. R. F. Kleinschmidt, Am. Soc. **83**, 216–220, (1961).
18 I. Y. Zubarov, Arm. Chim. Ž. **19**, 209–213 (1966); C. A. **65**, 10482 (1966).
19 A. T. Babajan et al., Ž. obšč. Chim. **31**, 825 (1961); C. A. **55**, 23327 (1961).
20 J. M. Slobodin et al., Ž. obšč. Chim. **26**, 691 (1956); C. A. **50**, 14502 (1956).
21 A. T. Babajan et al., Ž. obšč. Chim. **31**, 611 (1961); C. A. **55**, 23326 (1961).
22 J. Normant, Bl. **1963**, 1868–1875.

1-Äthinyl-cyclohexen[1]: Zu einer Lösung von 0,3 Mol Phenyl-lithium, hergestellt aus 4,1 g Lithium und 46,8 g Brombenzol, in 150 *ml* Äther werden bei 0° 26,5 g 2,2-Dichlor-1-cyclohexen-(1)-yl-äthylen getropft. Die Mischung wird so lange gekühlt, bis eine homogene Phase entsteht. Ihre Färbung hat sich dann von rot nach gelbgrün verändert. Nun wird so lange zum Sieden erhitzt, bis plötzlich eine Fällung eintritt (~ 10 Stdn.). Die abgekühlte Lösung wird auf Eis-Wasser gegossen. Die wäßrige Phase wird 3 mal mit Äther extrahiert, die Ätherschichten vereinigt und mit Calciumchlorid getrocknet. Nach dem Abdampfen des Äthers wird der Rückstand i. Vak. fraktioniert; Ausbeute: 1 g (6% d. Th.); Kp_{14}: 29–33°.

α_2) *von Tetrahalogen-butanen*

Die Behandlung von 1,2,3,4-Tetrabrom-butanen mit alkoholischer Natronlauge bei 120° führt, neben der hauptsächlichen Bildung von Diinen, auch zur Bildung von Vinylacetylenen[2–4]:

$$R-\underset{Br}{CH}-\overset{Br}{CH}-\underset{Br}{CH}-\overset{Br}{CH}-R' \rightarrow R-C\equiv C-CH=CH-R'$$

z. B. *Buten-(3)-in-(1)*[2] und *Penten-(3)-in-(1)*[3,4].

Genauere Untersuchungen über diese Reaktion liegen noch nicht vor, so daß über den Reaktionsverlauf und die allgemeine Anwendbarkeit dieser Reaktion keine Aussagen gemacht werden können:

α_3) *von Polyhalogen-Verbindungen*

Die Reduktion von Polyhalogen-Verbindungen des Butens und Butadiens mit Zink in Äthanol oder Aceton, wobei sich ein Zusatz von Natriumjodid und Kupfer(II)-chlorid als günstig erwiesen hat, führt zur Bildung einer Reihe von C_4-Kohlenwasserstoffen, in denen merkliche Mengen Vinylacetylen enthalten sind[5–8]:

$$\left.\begin{array}{l} X_2C=CX-CX=CX_2 \\ X_2CH-CX_2-CX=CHX \end{array}\right] \xrightarrow{Zn} HC\equiv C-CH=CH_2$$

Buten-(3)-in-(1)

Analog erhält man *1,4-Diphenyl-buten-(3)-in-(1)*[7].

Bei Verwendung von Deuteriumoxid als Lösungsmittel werden deuterierte Vinylacetylene erhalten[9]:

$$Cl_2C=CCl-CCl=CCl_2 \xrightarrow[D_2O]{Zn} D_2C=CD-C\equiv CD$$

Tetradeutero-buten-(3)-in-(1)

---

[1] J. Normant, Bl. **1963**, 1868–1875.

[2] US. P. 2455677 (1948), Standard Oil Development Co., Erf.: J. H. Horeczy; C. A. **43**, 2216 (1949).

[3] C. Prevost, A. ch. **10**, 356 (1928).

[4] E. R. H. Jones u. M. C. Whiting, Soc. **1953**, 3317.

[5] A. Roedig u. A. Kling, A. **580**, 20–24 (1953).

[6] F. Strauss u. L. Kollek, B. **59**, 1664 (1926).

[7] F. Strauss, L. Kollek u. H. Hauptmann, B. **63**, 1899 (1930).

[8] F. Strauss, A. **342**, 243 (1905).

[9] D. Craig u. R. B. Fowler, J. Org. Chem. **26**, 713–716 (1961).

Setzt man Hexachlor-butadien-(1,3) mit Butyl-Lithium um, so erhält man, neben anderen Verbindungen, *Tetrachlor-buten-(3)-in-(1)*[1]:

$$Cl_2C{=}\underset{\displaystyle Cl}{C}{-}\underset{\displaystyle Cl}{C}{=}CCl_2 \xrightarrow{BuLi} ClC{\equiv}C{-}\underset{\displaystyle Cl}{C}{=}CCl_2$$

β) Vinylacetylene aus Halogen-alkoxy-Verbindungen

Eine weitere zur Herstellung von Vinylacetylenen angewandte Methode ist die von Reformatzky gefundene Einführung einer Doppelbindung in ein Molekül durch Behandlung von 2-Halogen-1-alkoxy-Verbindungen mit Zinkstaub in Äthanol. Werden in diese Reaktion Verbindungen des Typs I oder II eingesetzt, so erhält man in guten Ausbeuten Vinylacetylene[2–7] (vgl. Tab. 7, S. 658):

$$\underset{\text{I}}{R{-}C{\equiv}C{-}\underset{\displaystyle X}{CH}{-}\underset{\displaystyle OR''}{CH}{-}R'} \longrightarrow R{-}C{\equiv}C{-}CH{=}CH{-}R' \longleftarrow \underset{\text{II}}{R{-}C{\equiv}C{-}\underset{\displaystyle R''O}{CH}{-}\underset{\displaystyle X}{CH}{-}R'}$$

Decen-(1)-in-(3)[3]:

1-Brom-2-äthoxy-decin-(3): 116 g (0,5 Mol) 1,2-Dibrom-1-äthoxy-äthan werden in der 4fachen Menge absol. Äthanol gelöst und zu einer Lösung von 0,5 Mol Octin-(1)-yl-magnesium-bromid in absol. Äther getropft. Nach Beendigung der Zugabe wird 3 Stdn. unter gleichzeitigem Rühren auf dem Wasserbad erhitzt. Anschließend wird auf Eis gegossen, mit Salzsäure angesäuert und die Ätherphase abdestilliert (Ausbeute: 88% d.Th).

Decen-(1)-in-(3): Das rohe 1-Brom-2-äthoxy-decin-(3) wird in einem 2-*l*-Dreihalskolben in der 3fachen Menge Äthanol gelöst und mit 3 Äquivalenten Zinkstaub portionsweise versetzt. Anschließend wird 96 Stdn. unter Rühren zum Sieden erhitzt. Nach dem Abfiltrieren des Zinkstaubs wird mit der 8–10fachen Menge gekühlter, verd. Salzsäure versetzt. Die obere Schicht wird abgetrennt, über Calciumchlorid getrocknet und unter vermindertem Druck fraktioniert; Ausbeute: 44,3 g (74% d.Th.); Kp_4: 45–45,5°.

γ) Vinylacetylene durch Reduktion von Dien-inen

Verbindungen, die zwei C=C-Doppelbindungen und eine C≡C-Dreifachbindung besitzen, wobei die Dreifachbindung mit mindestens einer Doppelbindung in Konjugation stehen muß, lassen sich durch Überführung der isolierten Doppelbindung in eine C—C-Einfachbindung in Vinylacetylene umwandeln.

Die Hydrierung der einen Doppelbindung ist bisher noch nicht beschrieben worden. In allen bekannt gewordenen Fällen sind hetero-substituierte Vinylacetylene erhalten worden, deshalb soll hier nur ganz kurz auf diese Möglichkeit für die Synthese von Vinylacetylenen eingegangen werden.

---

1 D. K. Jenkins, Chem. & Ind. **1971**, 254.
2 R. Lespieau u. C. Guillemonat, C. r. **195**, 245 (1932).
3 W. F. Anzilotti u. R. R. Vogt, Am. Soc. **61**, 573 (1939).
4 R. Quelet u. R. Golse, C. r. **224**, 661–663 (1947).
5 R. Quelet u. R. Golse, Bl. **1947**, 313–316.
6 R. Golse, A. ch. [12] **3**, 542 (1948).
7 G. Pfeiffer, C. r. **258**, 3499–3501 (1964).
vgl. a. ds. Handb., Bd. XIII/2, Kap. Zink-organische Verbindungen.

Tab. 7. Vinylacetylene aus 2-Halogen-1-alkoxy-Verbindungen

En-ine		Ausbeute [% d.Th.]	Literatur
$H_2C{=}CH{-}C{\equiv}C{-}H$	*Buten-(3)-in-(1)* (*Vinylacetylen*)		[1]
$H_2C{=}CH{-}C{\equiv}C{-}C_3H_7$	*Hepten-(1)-in-(3)*	77	[2]
$H_2C{=}CH{-}C{\equiv}C{-}CH(CH_3){-}CH_3$	*5-Methyl-hexen-(1)-in-(3)*		[3]
$H_2C{=}CH{-}C{\equiv}C{-}C_4H_9$	*Octen-(1)-in-(3)*	73	[2]
$H_2C{=}CH{-}C{\equiv}C{-}CH_2{-}CH(CH_3){-}CH_3$	*6-Methyl-hepten-(1)-in-(3)*		[3]
$H_2C{=}CH{-}C{\equiv}C{-}C_5H_{11}$	*Nonen-(1)-in-(3)*	76	[2]
$H_2C{=}CH{-}C{\equiv}C{-}C_8H_{17}$	*Dodecen-(1)-in-(3)*	73	[2]
$H_2C{=}CH{-}C{\equiv}C{-}C_6H_5$	*1-Phenyl-buten-(3)-in-(1)*	8	[4–6]
$H_3C{-}CH{=}CH{-}C{\equiv}C{-}C_4H_9$	*Nonen-(2)-in-(4)*	70	[2]
$H_3C{-}CH{=}CH{-}C{\equiv}C{-}C_5H_{11}$	*Decen-(2)-in-(4)*	73	[2]

Die Reaktion von Dien-inen mit Dichlorcarben führt zur Bildung von 1-(3,3-Dichlor-cyclopropyl)-alken-(3)-inen-(1)[7]:

$$H_2C{=}CH{-}C{\equiv}C{-}CH{=}CH{-}CH_3 \; + \; :CCl_2 \longrightarrow H_2C{=}CH{-}C{\equiv}C{-}\text{(2-CH}_3\text{-3,3-Cl}_2\text{-cyclopropyl)}$$

1-(3,3-Dichlor-2-methyl-cyclopropyl)-buten-(3)-in-(1)

Die Umsetzung von Dien-inen mit Persäuren liefert 5,6-Epoxi-alken-(1)-ine-(3)[8]:

$$H_2C{=}CH{-}C{\equiv}C{-}C(CH_3){=}CH_2 \; + \; H_3C{-}COOOH \xrightarrow[-\,CH_3COOH]{} H_2C{=}CH{-}C{\equiv}C{-}C(CH_3)\text{(epoxid)}$$

5,6-Epoxi-5-methyl-hexen-(1)-in-(3)

---

[1] R. Lespieau u. C. Guillemonat, C. r. **195**, 246 (1932).
[2] W. F. Anzilotti u. R. R. Vogt, Am. Soc. **61**, 573 (1939).
[3] G. Pfeiffer, C. r. **258**, 3499–3501 (1964).
[4] R. Quelet u. R. Golse, C. r. **224**, 661–663 (1947).
[5] R. Quelet u. R. Golse, Bl. **1947**, 313–316.
[6] R. Golse, A. ch. [12] **3**, 542 (1948).
[7] M. G. Avetjan, L. L. Nikogosjan u. S. G. Matsojan, Izv. Akad. Arm. SSR **18**, 427 f. (1965); C. A. **63**, 17917 (1965).
[8] I. G. Tishchenko u. M. G. Gurevich, Zhidkofaznoe Okislenie Nepredelnykh Organ. Soedin. Sb. **1961**, No. 1, 85–96; C. A. **58**, 3307 (1963).

Die Reaktion der Dien-ine mit Halogenwasserstoffen oder Halogenen liefert Halogen- bzw. Dihalogen-alken-(1)-ine-(3)[1,2]:

$$H_2C{=}CH{-}C{\equiv}C{-}(CH_2)_n{-}C(R){=}C(R')(R'') \xrightarrow{+X_2} H_2C{=}CH{-}C{\equiv}C{-}(CH_2)_n{-}CX(R){-}CX(R''){-}R'$$

$$H_2C{=}CH{-}C{\equiv}C{-}(CH_2)_n{-}C(R){=}C(R')(R'') \xrightarrow{+HX} H_2C{=}CH{-}C{\equiv}C{-}(CH_2)_n{-}CX(R){-}CH(R''){-}R'$$

Die Anlagerung von Chlormethoxy-alkanen in Gegenwart von Zinkchlorid führt zur Bildung von Chlor-methoxy-alken-(1)-inen-(3)[3]:

$$H_2C{=}CH{-}C{\equiv}C{-}(CH_2)_n{-}C(R){=}C(R')(R'') + R'''{-}O{-}CH_2{-}X \longrightarrow H_2C{=}CH{-}C{\equiv}C{-}(CH_2)_n{-}CX(R){-}C(R')(R''){-}CH_2{-}OR'''$$

$$\longrightarrow H_2C{=}CH{-}C{\equiv}C{-}(CH_2)_n{-}C(R)(CH_2{-}OR'''){-}C(R')(R''){-}X$$

Schließlich kann auch eine der beiden Doppelbindungen in den Dien-inen mit aktiven Fluor-olefinen, wie Tetrafluor-äthylen[4] oder anderen Fluor-olefinen[5] umgesetzt werden, wobei sich z.B. aus Hexadien-(1,5)-in-(3) ein 1-Cyclobutyl-buten-(3)-in-(1)-Derivat bildet:

$$H_2C{=}CH{-}C{\equiv}C{-}CH{=}CH_2 + (a)(b)C{=}C(c)(d) \longrightarrow H_2C{=}CH{-}C{\equiv}C{-}\text{Cyclobutyl}(a,b,c,d)$$

δ) Vinylacetylene durch Reduktion von Diinen

Durch Umwandlung einer C≡C-Dreifachbindung in konjugierten Diinen in eine C=C-Doppelbindung könnte ebenfalls Vinylacetylene herstellen.

Die Hydrierung der Diine bleibt in der Regel nicht auf der Stufe der Vinylacetylene stehen, zum Teil hat sich beim Überprüfen früherer Angaben herausgestellt, daß es sich bei den nach dieser Methode hergestellten Verbindungen nicht um Vinylacetylene gehandelt hat[6–9].

---

[1] L. M. Kogan u. N. P. Ignatova, Ž. obšč. Chim. **33**, 883–888 (1963); C. A. **59**, 7357 (1963).
[2] A. A. Petrov u. Y. I. Porfireva, Ž. obšč. Chim. **32**, 750–757 (1962); C. A. **58**, 7820 (1963).
[3] S. A. Vartanyan, L. G. Mesropyan u. A. O. Tosunyan, Izv. Akad. Arm. SSR **16**, 137–144 (1963); C. A. **59**, 13806 (1963).
S. A. Vartanyan u. F. V. Dangyan, Izv. Akad. Arm. SSR **18**, 269–273 (1963); C. A. **63**, 17876 (1965).
[4] US. P. 2462347 (1949), DuPont, Erf.: P. L. Barrick; C. A. **43**, 4294 (1949).
[5] C. T. Randy u. R. E. Benson, J. Org. Chem. **27**, 39–42 (1962).
[6] F. Strauss, A. **342**, 249 (1905).
[7] V. Grignard, C. r. **188**, 1533 (1929).
[8] V. Grignard, R. **48**, 903 (1929).
[9] L. B. Sokolov et al., Ž. Org. Chim. **1**, 1544–1549 (1965); C. A. **64**, 577 (1966).

In einigen weiteren Fällen ist die Synthese hetero-substituierter Vinylacetylene aus Diacetylenen durch Addition von Chlor[1] Brom[2–4], Halogenwasserstoff[2,3,5,6], Alkoholen[7–9] oder Mercaptanen[3,4,10,11] beschrieben worden.

3. Vinylacetylene durch Isomerisierung nicht konjugierter En-ine (Allyl-Umlagerung)

Eine große Anzahl von Allyl-acetylenen läßt sich durch Allyl-Verschiebung in Vinylacetylene umwandeln. So entstehen aus Allyl-acetylenen bei der Behandlung mit N-Brom-succinimid bromhaltige Vinylacetylene[12]:

$$R{-}CH{=}CH{-}CH_2{-}C{\equiv}C{-}R' \xrightarrow{NBS} R{-}\underset{}{\overset{Br}{\overset{|}{C}}}H{-}CH{=}CH{-}C{\equiv}C{-}R'$$

Ebenso erhält man bei der Behandlung von Vinyl-äthinyl-carbinolen mit Phosphor-(III)-bromid[13] unter Allyl-Verschiebung bromhaltige Vinylacetylene:

$$R{-}CH{=}CH{-}\underset{OH}{\underset{|}{C}}H{-}C{\equiv}C{-}R' \xrightarrow{PBr_3} R{-}\overset{Br}{\overset{|}{C}}H{-}CH{=}CH{-}C{\equiv}C{-}R'$$

b) Vinylacetylene durch Isomerisierung von Cyclopropyl-alkinen

Bei der Behandlung von 3-Hydroxy-3-cyclopropyl-butin-(1) mit Bromwasserstoff erhält man unter Aufspaltung des Cyclopropanringes *6-Brom-3-methyl-hexen-(3)-in-(1)*[14].

Analoge Beobachtungen wurden bereits bei der Behandlung der gleichen Verbindung mit Phosphor(III)-chlorid bzw. Kupfer(II)-chlorid/Ammoniumchlorid/Salzsäure gemacht[15,16]; z. B.:

$$\triangleright{-}\underset{OH}{\underset{|}{\overset{CH_3}{\overset{|}{C}}}}{-}C{\equiv}C{-}H + Cl^{\ominus} \xrightarrow[-OH^{\ominus}]{} Cl{-}CH_2{-}CH_2{-}CH{=}\underset{CH_3}{\underset{|}{C}}{-}C{\equiv}C{-}H$$

6-Chlor-3-methyl-hexen-(3)-in-(1)

---

[1] G. M. Mkryan et al., Arm. Chim Ž. **19**, 192–198 (1966); C. A. **65**, 10479 (1966).
[2] Y. K. Porfireva, A. A. Petrov u. L. B. Sokolov, Ž. obšč. Chim. **34**, 1873–1881 (1964); C. A. **61**, 8151 (1964).
[3] A. A. Petrov, Y. I. Porfireva u. L. B. Sokolov, Dokl. Akad. SSSR **151**, 1343–1346 (1963); C. A. **59**, 13801 (1963).
[4] Y. I. Porfireva, E. S. Turbanova u. A. A. Petrov, Ž. obšč. Chim. **34**, 3966–3974 (1964); C. A. **62**, 8994 (1965).
[5] E. S. Turbanova, Y. J. Porfireva u. A. A. Petrov, Ž. Org. Chim. **3**, 1558–1565 (1967); C. A. **68**, 2528 (1968).
[6] Y. I. Porfireva et al., Ž. obšč. Chim. **1969**, 591; C. A. **71**, 21616 (1969).
[7] B. P. Gusev u. V. F. Kucherov, Izv. Akad. SSSR **1964**, 1318–1319; C. A. **61**, 11882 (1964).
[8] DRP 601822 (1934), I. G. Farb., Erf.: A. Auerhahn u. R. Stadler; C. A. **28**, 7262 (1934).
[9] DBP 1251307 (1967), Chem. Werke Hüls, Erf.: E. Berger et al.; C. A. **68**, 49049 (1968).
[10] Y. I. Porfireva, L. B. Sokolov u. A. A. Petrov, Ž. obšč. Chim. **34**, 1881–1886 (1964); C. A. **61**, 8151 (1964).
[11] W. Schroth et al., Ang. Ch. Int. Ed. **6**, 698 (1967).
[12] G. Pfeifer, Bl. **1963**, 537–540.
[13] C. W. Shoppee, J. Cymerman-Craig u. R. E. Lack, Soc. [C] **1961**, 1311–1321.
[14] M. Julia u. C. Descoins, Bl. **1962**, 1933–1939.
[15] T. A. Favorskaya u. S. L. Bresler, Ž. obšč. Chim. **27**, 1179–1185 (1957); C. A. **52**, 3800 (1958).
[16] T. A. Favorskaya, Ž. obšč. Chim. **11**, 1246–1254 (1941); C. A. **39**, 4047 (1945).

III. Vinylacetylene durch (Abbaureaktionen) Fragmentierung

β-Hydroxy-aldehyde und -ketone reagieren mit Alkin-(1)-yl-magnesium-Verbindungen zu Äthinyl-1,3-diolen:

$$R-\underset{OH}{CH}-CH_2-CHO + BrMgC{\equiv}C-R' \xrightarrow{H_2O} R-\underset{OH}{CH}-CH_2-\underset{OH}{CH}-C{\equiv}C-R' + MgBr(OH)$$

Diese Äthinyl-1,3-diole werden bei der Behandlung mit verdünnter Schwefelsäure in Vinylacetylene, Oxo-Verbindungen und Wasser gespalten[1-4]:

$$R-\underset{O-H}{CH}-CH_2-\underset{OH}{CH}-C{\equiv}C-R' \longrightarrow R-CHO + H_2C{=}CH-C{\equiv}C-R' + H_2O$$

Äthinyl-1,3-diole reagieren mit Acetylchlorid zu den entsprechenden Halogen-acetoxy-Derivaten, die bei der Behandlung mit gepulvertem Kaliumhydroxid in Vinylacetylene übergehen[5]:

$$HO-CH_2-\overset{R}{CH}-\underset{OH}{\overset{R^1}{C}}-C{\equiv}C-R^2 \xrightarrow[-H_2O]{CH_3COCl} CH_3COO-CH_2-\overset{R}{CH}-\underset{Cl}{\overset{R^1}{C}}-C{\equiv}C-R^2$$

$$\xrightarrow[-CH_3COOH,\ KCl]{KOH} \begin{matrix}R\\H_3C\end{matrix}{>}C{=}\overset{R^1}{C}-C{\equiv}C-R^2 \quad \text{I}$$

I, $R = H$; $R^1 = CH_3$;	$R^2 = (CH_3)_2CH$;	*3,6-Dimethyl-hepten-(2)-in-(4)*	60–65% d. Th.
$R = CH_3$; $R^1 = H$;	$R^2 = (CH_3)_2CH$;	*2,6-Dimethyl-hepten-(2)-in-(4)*	60–65% d. Th.
$R = R^1 = CH_3$;	$R^2 = (CH_3)_2CH$;	*2,3,6-Trimethyl-hepten-(2)-in-(4)*	60–65% d. Th.
	$R^2 = (CH_3)_3C$;	*2,3,6,6-Tetramethyl-hepten-(2)-in-(4)*	60–65% d. Th.

α-Hydroxy-alken-ine werden bei der Behandlung mit wäßriger Kalilauge ebenfalls in Oxo-Verbindungen und Vinylacetylene gespalten[6]:

$$R-\underset{OH}{\overset{R'}{C}}-C{\equiv}C-CH{=}CH-R'' \xrightarrow{KOH} \begin{matrix}R\\R'\end{matrix}{>}C{=}O + H-C{\equiv}C-CH{=}CH-R''$$

Da die α-Hydroxy-alken-ine jedoch aus Vinylacetylenen und Ketonen hergestellt werden, spielt diese Reaktion, die Umkehrung der Synthese, keine Rolle für die Synthese von Vinylacetylenen.

3-Chlor-alkadien-(2,4)-ale werden ebenfalls bei der Behandlung mit Alkalien in Vinylacetylene gespalten[7]:

$$R-CH{=}CH-\underset{Cl}{C}{=}CH-CHO \xrightarrow[-NaCl,\ -HCOOH]{NaOH} R-CH{=}CH-C{\equiv}C-H$$

---

[1] I. A. Favorskaya et al., Ž. obšč. Chim. **27**, 52 (1957); C. A. **51**, 12025 (1957).
[2] I. A. Favorskaya et al., Ž. obšč. Chim. **29**, 2522 (1959); C. A. **54**, 10844 (1960).
[3] I. A. Favorskaya et al., Ž. obšč. Chim. **34**, 1065 (1964); C. A. **61**, 628 (1964).
[4] E. D. Venus-Danilova u. V. I. Serkova, Ž. obšč. Chim. **24**, 998 (1954); C. A. **49**, 8891 (1955).
[5] I. A. Favorskaya et al., Ž. obšč. Chim. **35**, 435 (1965); C. A. **63**, 1693 (1965).
[6] D. V. Sokolov, G. S. Litvinenko u. Z. I. Isin, Izvestiya Akademii Nauk Kazakhoskoi, SSR, Seriya khimicheskikh Nauk **1959**, 68–71; C. A. **53**, 19840 (1959).
[7] J. Lötzbeyer u. K. Bodendorf, B. **100**, 2620 (1967).

Die 3-Chlor-alkadien-(2,4)-ale können leicht aus ungesättigten Ketonen und Vilsmeier-Reagentien mit nachfolgender Verseifung hergestellt werden:

$$R{-}CH{=}CH{-}\underset{\underset{O}{\|}}{C}{-}CH_3 \xrightarrow[\text{2. Hydrolyse}]{\text{1. Vilsmeier}} R{-}CH{=}CH{-}\underset{\underset{Cl}{|}}{C}{=}CH{-}CHO$$

Tab. 8. Vinylacetylene durch Abbaureaktionen (Fragmentierung)

En-in		Ausbeute [% d.Th.]	Literatur
$H_2C{=}CH{-}C{\equiv}C{-}H$	*Buten-(3)-in-(1)* (*Vinylacetylen*)	81	1
$H_5C_6{-}CH{=}CH{-}C{\equiv}C{-}H$	*4-Phenyl-buten-(3)-in-(1)*	64	2
$H_3CO{-}C_6H_4{-}CH{=}CH{-}C{\equiv}CH$	*4-(4-Methoxy-phenyl)-buten-(3)-in-(1)*	87	2
$(H_3CO)_2C_6H_3{-}CH{=}CH{-}C{\equiv}CH$	*4-(3,4-Dimethoxy-phenyl)-buten-(3)-in-(1)*	98	2
$H_2C{=}CH{-}C{\equiv}C{-}C_6H_5$	*1-Phenyl-buten-(3)-in-(1)*		3
$H_2C{=}C(CH_3){-}C{\equiv}C{-}C_6H_5$	*3-Methyl-1-phenyl-buten-(3)-in-(1)*	90	4
$H_2C{=}C(CH_3){-}C{\equiv}C{-}CH_3$	*2-Methyl-penten-(1)-in-(3)*		5

IV. Vinylacetylene aus anderen Vinylacetylenen unter Erhalt der En-in-Struktur

a) durch Kettenverlängerung

Für die Kettenverlängerung von Vinylacetylenen sind eine Reihe von Möglichkeiten erarbeitet worden, die man in zwei Gruppen einteilen kann:

ⓐ Verlängerung an der acetylenischen Gruppe des En-ins
ⓑ Verlängerung an der olefinischen Seite des Moleküls

1. mit metallorganischen Verbindungen

Alle Vinylacetylene mit terminaler Acetylen-Gruppe lassen sich in metallorganische Verbindungen überführen. Durch Reaktion mit Äthyl-magnesiumbromid erhält man die Alken-(3)-in-(1)-yl-magnesium-Verbindungen und durch Reaktion mit Natrium-, Kalium- oder Lithium-amid in flüssigem Ammoniak die Alkalimetall-

[1] D. V. Sokolov, G. S. Litvinenko u. Z. I. Isin, Izvestiya Akademii Nauk Kazakhoskoi, SSR, Seriya khimicheskikh Nauk **1959**, 68—71; C. A. **53**, 19840 (1959).
[2] J. Lötzbeyer u. K. Bodendorf, B. **100**, 2620 (1967).
[3] E. D. Venus-Danilova u. V. I. Serkova, Ž. obšč. Chim. **24**, 998 (1954); C. A. **49**, 8891 (1955).
[4] I. A. Favorskaya et al., Ž. obšč. Chim. **27**, 52 (1957); C. A. **51**, 12025 (1957).
[5] I. A. Favorskaya et al., Ž. obšč. Chim. **29**, 2522 (1959); C. A. **54**, 10844 (1960).

alken-(3)-in-(1)-ide. Sowohl die Grignard-[1-4] als auch die Alkalimetall-Verbindungen[5-17] reagieren mit den üblichen Alkylierungsmitteln, wie Halogen-alkanen oder Schwefelsäure-dialkylestern zu an der Acetylen-Gruppe alkylierten Vinylacetylenen:

$$R{-}CH{=}CH{-}C{\equiv}C{-}H + C_2H_5MgBr \rightarrow R{-}CH{=}CH{-}C{\equiv}C{-}MgBr \xrightarrow[-MgBrX]{+R'-X} R{-}CH{=}CH{-}C{\equiv}C{-}R'$$

$$R{-}CH{=}CH{-}C{\equiv}C{-}H + NaNH_2 \xrightarrow[-NH_3]{} R{-}CH{=}CH{-}C{\equiv}C{-}Na \xrightarrow{O_2S(OR')_2} R{-}CH{=}CH{-}C{\equiv}C{-}R'$$

Auch die Silber-alken-(3)-in-(1)-ide reagieren mit Alkylhalogeniden zu alkylierten Vinylacetylenen[18].

5,5,5-Triphenyl-penten-(1)-in-(3)[1-4]: Zu 2,5 g Vinylacetylen (Buten-in) in Äther wird langsam und unter Rühren eine ätherische Lösung von 6,6 g Äthyl-magnesiumbromid getropft. Das Zutropfen wird so reguliert, daß der Äther siedet. Danach wird eine ätherische Lösung von 10 g Chlor-triphenyl-methan zugetropft. Anschließend wird mit Wasser zersetzt und mehrmals mit Äther extrahiert. Nach dem Trocknen über Natriumsulfat wird der Äther abgedampft und die erhaltenen Kristalle werden aus Äthanol umkristallisiert; Ausbeute: 7,5 g (71% d. Th.); F: 134–135°.

Weitere Beispiele enthält Tab. 9 (S. 664).

Vinylacetylene aus anderen Vinylacetylenen durch Kettenverlängerung; allgemeine Arbeitsvorschrift[9]: Zu einer Natriumamid-Lösung, hergestellt aus 0,2 g Mol Natrium und 700 *ml* Ammoniak, tropft man unter Kühlung und gutem Rühren innerhalb von 20 Min. eine Lösung des Vinylacetylens (Buten-ins) in 100 *ml* Äther und anschließend 0,2 g Mol des Jod-alkans. Die Mischung wird noch 20 Min. gerührt, dann mit 20 g Ammoniumchlorid versetzt und bleibt nun so lange stehen, bis das Ammoniak verdampft ist. Der Rückstand wird mit 200 *ml* Wasser und 100 *ml* Äther aufgenommen, die ätherische Phase abgetrennt, 2mal mit Wasser gewaschen und über Calciumchlorid getrocknet. Zu der Ätherlösung wird wenig Hydrochinon gegeben und dann fraktioniert destilliert.

Beispiele der so hergestellten Vinylacetylene enthält Tab. 10 (S. 665).

---

[1] S. A. Vartanyan, V. N. Sharmagortsjan u. S. O. Badanjan, Izv. Akad. Arm. SSR **10**, 125–129 (1957); C. A. **52**, 4469 (1958).
[2] I. A. Maretina u. A. A. Petrov, Ž. obšč. Chim. **32**, 127–132 (1962); C. A. **58**, 7820 (1963). A. A. Petrov u. K. A. Molodova, Ž. obšč. Chim. **32**, 3510 (1962); C. A. **58**, 12411 (1963).
[3] S. D. Thorn, G. F. Hennion u. J. A. Nieuwland, Am. Soc. **58**, 796 f. (1936).
[4] W. H. Carothers u. G. J. Berchet, Am. Soc. **55**, 1094–1096 (1933).
[5] A. A. Petrov u. E. A. Lepovskaya, Ž. obšč. Chim. **23**, 1038–1046 (1953); C. A. **48**, 8181 (1954).
[6] A. A. Petrov u. V. A. Kormer, Ž. obšč. Chim. **34**, 1868–1873 (1964); C. A. **61**, 9517 (1964).
[7] J. H. van Boom et al., R. **84**, 813–820 (1965).
[8] C. C. Price u. T. F. McKeon, J. Polymer Sci. **41**, 445–455 (1959); C. A. **54**, 11558 (1960).
[9] A. A. Petrov et al., Ž. obšč. Chim. **29**, 3732–3737 (1959); C. A. **54**, 19454 (1960).
[10] I. A. Favorskaya u. Y. B. Artsybasheva, Ž. obšč. Chim. **30**, 789–794 (1960); C. A. **55**, 350 (1961).
[11] C. W. Kruse u. R. F. Kleinschmidt, Am. Soc. **83**, 216–220 (1961).
[12] B. S. Kupin u. A. A. Petrov, Trudy Leningradskogo Technologicheskogo Instituta imeni Lensoveta, No. **60**, 70–74 (1960); C. A. **55**, 20905 (1961).
[13] H. Sargent, E. R. Buchman u. J. P. Farguhar, Am. Soc. **64**, 2692 (1942).
[14] A. A. Petrov, K. S. Mungaleva u. B. S. Kupin, Dokl. Akad. SSSR, **123**, 298–300 (1958); C. A. **53**, 4845 (1959).
[15] R. A. Jacobson u. W. H. Carothers, Am. Soc. **55**, 1622–1627 (1933).
[16] L. Crombie u. A. G. Jacklin, Soc. **1957**, 1622.
[17] A. Butenandt u. E. Hecker, Ang. Ch. **73**, 349 (1961); Nucleus (Paris) **5**, 325 (1964); C. A. **62**, 6382 (1965).
[18] R. S. Rewdikar, J. Vikram Univ. **7**, 3–4 (1963); C.A. **66**, 37526g (1967).

Tab. 9. Vinylacetylene aus Buten-(3)-in-(1)-yl-magnesium-Verbindungen und einem Halogen-alkan

$R-C\equiv C-CH=CH_2$ R		Ausbeute [% d.Th.]	Literatur
$H_3C-O-CH_2-$	*5-Methoxy-penten-(1)-in-(3)*		1
$H_5C_2-O-CH_2-$	*5-Äthoxy-penten-(1)-in-(3)*		1
$H_9C_4-O-CH_2-$	*5-Butyloxy-penten-(1)-in-(3)*		1
$H_3C-CH(CH_3)-CH_2-O-CH_2-$	*5-(2-Methyl-propyloxy)-penten-(1)-in-(3)*		1
$H_3C-CH(CH_3)-CH_2-CH_2-O-CH_2-$	*5-(3-Methyl-butyloxy)-penten-(1)-in (3)*		1
$H_3C-CH(CH_3)-$	*5-Methyl-hexen-(1)-in-(3)*	50	2
H_3C-CH_2-	*Hexen-(1)-in-(3)*		3

Halogenhaltige Enine lassen sich mit Grignard-Verbindungen umsetzen, wodurch ebenfalls eine Kettenverlängerung eintritt[4]:

$$R^2-MgX + R^1-C(R)(Cl)-C\equiv C-CH=CH_2 \rightarrow R_1-C(R)(R_2)-C\equiv C-CH=CH_2$$

2. Vinylacetylene durch Kettenverlängerung mit Hilfe der Friedel-Crafts-Reaktion

Alken-(3)-in-(1)-yl-magnesium-Verbindungen reagieren mit Aldehyden oder Ketonen zu α-Hydroxy-alken-(3)-inen:

$$R-CH=CH-C\equiv C-MgBr + \underset{R'}{\overset{R''}{>}}C=O \xrightarrow[-MgBr(OH)]{H_2O} R-CH=CH-C\equiv C-C(R'')(OH)-R'$$

die unter Friedel-Crafts-Bedingungen aktivierte Aromaten wie Phenole oder Amine alkylieren[5-8]:

$$R-CH=CH-C\equiv C-C(R'')(R')-OH + H-C_6H_4-OH \xrightarrow[H_2O]{H_3PO_4} R-CH=CH-C\equiv C-C(R'')(R')-C_6H_4-OH$$

[1] S. A. Vartanyan, V. N. Sharmagortsyan u. S. O. Badanyan, Izv. Akad. Arm. SSR **10**, 125–129 (1957); C. A. **52**, 4469 (1958).

[2] I. A. Maretina u. A. A. Petrov, Ž. obšč. Chim. **32**, 127–132 (1962); C. A. **58**, 7820 (1963).

[3] S. D. Thorn, G. F. Hennion u. J. A. Nieuwland, Am. Soc. **58**, 796f. (1936).

[4] S. A. Vartanyan, Sh. O. Badanyan u. Z. T. Karapetyan, Arm. Chim. Ž. **1969**, 77–79; C.A. **71**, 29973 (1969).

[5] S. A. Vartanyan, S. K. Vardapetyan u. S. O. Badanyan, Izv. Akad. Arm. SSR **18**, 222–224 (1965); C. A. **63**, 14738 (1965).

[6] S. A. Vartanyan, S. K. Vardapetyan u. S. O. Badanyan, Izv. Akad. Arm. SSR **15**, 139–145 (1962); C. A. **59**, 3805 (1963).

[7] S. A. Vartanyan, S. K. Vardapetyan u. S. O. Badanyan, Izv. Akad. Arm. SSR **13**, 419–423 (1960); C. A. **55**, 27173 (1961).

[8] S. A. Vartanyan, S. K. Vardapetyan u. S. O. Badanyan, Ž. obšč. Chim. **32**, 3188–3195 (1962); C. A. **59**, 3804 (1963).

Tab. 10. Vinylacetylene aus 1-Natrium-alken-(3)-inen-(1) und Halogen-alkanen

$R^1-C{\equiv}C-C(R^2){=}C(R^3)(R^4)$

R^1	R^2	R^3	R^4		Ausbeute [% d. Th.]	Literatur
CH_3	H	H	H	*Penten-(1)-in-(3)*		1–4
C_2H_5	H	H	H	*Hexen-(1)-in-(3)*		1,3–5
C_3H_7	H	H	H	*Hepten-(1)-in-(3)*		1,3
C_4H_9	H	H	H	*Octen-(1)-in-(3)*		1,3,4
$-CH_2-CH(CH_3)-CH_3$	H	H	H	*6-Methyl-hepten-(1)-in-(3)*		1
$-CH_2-CH_2-CH(CH_3)-CH_3$	H	H	H	*7-Methyl-octen-(1)-in-(3)*		1
CH_3	H	CH_3	H	*Hexen-(4)-in-(2)*		6,7
C_2H_5	H	CH_3	H	*Hepten-(2)-in-(4)*		6
C_3H_7	H	CH_3	H	*Octen-(2)-in-(4)*		6
C_4H_9	H	CH_3	H	*Nonen-(2)-in-(4)*		6
H_5H_{11}	H	H	H	*Nonen-(1)-in-(3)*	60	3,8
C_6H_{13}	H	H	H	*Decen-(1)-in-(3)*	73	3,8
C_7H_{15}	H	H	H	*Undecen-(1)-in-(3)*		4
C_8H_{17}	H	H	H	*Dodecen-(1)-in-(3)*	70	3,7
H	H	CH_3	H	*Penten-(3)-in-(1)*		3,8
H	CH_3	H	H	*3-Methyl-buten-(3)-in-(1)*		3
H	tert.-C_4H_9	H	H	*4,4-Dimethyl-3-methyl-len-pentin-(1)*		3,9
CH_3	tert.-C_4H_9	H	H	*5,5-Dimethyl-4-methy-len-hexin-(2)*	38	9
CH_3	CH_3	H	H	*2-Methyl-penten-(1) in-(3)*	42	10
H	H	CH_3	CH_3	*4-Methyl-penten-(3)-in-(1)*		11
H	H	C_5H_{11}	H	*Nonen-(3)-in-(1)*		7
H	H	H_9C_4O	H	*4-Butyloxy-buten-(3)-in-(1)*		7

[1] A. A. Petrov u. E. A. Lepovskaya, Ž. obšč. Chim. **23**,1038–1046 (1953); C. A. **48**, 8181 (1954).
[2] H. Sargent, E. R. Buchman u. J. P. Farguhar, Am Soc. **64**, 2692 (1942).
[3] A. A. Petrov, K. S. Míngaleva u. B. S. Kupin, Doklady Akad. SSSR **123**, 298–300 (1958); C. A. **53**, 4845 (1959).
[4] R. A. Jacobson u. W. H. Carothers, Am. Soc. **55**, 1622–1627 (1933).
[5] C. C. Price u. T. F. McKeon, J. Polymer Sci. **41**, 445–455 (1959); C. A. **54**, 11558 (1960).
[6] A. A. Petrov u. V. A. Kormer, Ž. obšč. Chim. **34**, 1868–1873 (1964); C. A. **61**, 9517 (1964).
[7] J. H. van Boom et al., R. **84**, 813–820 (1965).
[8] A. A. Petrov et al., Ž. obšč. Chim. **29**, 3732–3737 (1959); C. A. **54**, 19454 (1960).
[9] I. A. Favorskaya u. Y. B. Artsybasheva, Ž. obšč. Chim. **30**, 789–794 (1960); C. A. **55**, 350 (1961).
[10] C. W. Kruse u. R. F. Kleinschmidt, Am. Soc. **83**, 216–220 (1961).
[11] B. S. Kupin u. A. A. Petrov, Trudy Leningradskogo Technologicheskogo Instituta imeni Lensoveta, No. **60**, 70–74 (1960); C. A. **55**, 20905 (1961).

Tab. 10. (Fortsetzung)

$R^1-C\equiv C-C(R^2)=C(R^3)(R^4)$					Ausbeute [% d. Th.]	Literatur
R^1	R^2	R^3	R^4			
H	H	$-CH_2OH$	H	*Penten-(3)-in-(1)-ol-(5)*		[1]
H	H	$(CH_3)_2C(OH)-$	H	*5-Hydroxy-5-methyl-hexen-(3)-in-(1)*		[1]
CH_3	H	C_5H_{11}	H	*Decen-(4)-in-(2)*		[1]
CH_3	H	C_6H_{11}	H	*Undecen-(4)-in-(2)*	92	[1]
CH_3	H	H_9C_4-O-	H	*1-Butyloxy-penten-(1)-in-(3)*	89	[1]
CH_3	H	$-CH_2OH$	H	*Hexen-(4)-in-(2)-ol-(6)*	78	[1]
CH_3	H	$(CH_3)_2C(OH)-$	H	*6-Hydroxy-6-methyl-hepten-(4)-in-(2)*	77	[1]
H	H	C_2H_5	H	*Hexen-(3)-in-(1)*	78	[1]
H	H	C_6H_{13}	H	*Decen-(3)-in-(1)*	81	[1]
H	H	C_6H_{11}	H	*4-Cyclohexyl-buten-(3)-in-(1)*	89	[1]

5-(2-Hydroxy-phenyl)-penten-(1)-in-(3)[2]: Zu 0,5 g Mol o-Kresol in 20 *ml* Phosphorsäure (d = 1,71) werden 0,45 g Mol Penten-(1)-in-(3)-ol-(5) getropft. Das Reaktionsgemisch wird 30–50 Stdn. auf 65–70° erhitzt. Nach dem Abkühlen wird mit Äther extrahiert, die Ätherphase mit Wasser gewaschen und über Magnesiumsulfat getrocknet. Nach dem Abdampfen des Äthers wird i. Vak. fraktioniert; Ausbeute: 38% d. Th.); Kp_3: 126°.

In Tab. 11 (S. 667) sind entsprechend hergestellte Vinylacetylene zusammengestellt.

3. Vinylacetylene durch Kettenverlängerung mit Carbenen

Carbene reagieren mit Vinylacetylenen, die eine terminale Acetylen-Gruppe besitzen, zu an der Acetylen-Gruppe substituierten Vinylacetylenen. Mit dieser Methode wurde aus 3-Methyl-buten-(3)-in-(1) 2-Methyl-penten-(1)-in-(3) (33% d. Th.) erhalten[3]:

$$H_2C=C(CH_3)-C\equiv C-H + :CH_2 \rightarrow H_2C=C(CH_3)-C\equiv C-CH_3$$

b) Vinylacetylene durch Isomerisierungen von anderen Vinylacetylenen

Eine große Zahl von Vinylacetylenen entsteht dadurch, daß sich die primär bei einer Reaktion entstehenden Verbindungen zu Vinylacetylenen isomerisieren. Diese Reaktionen sollen jedoch nicht an dieser Stelle behandelt werden, da sie noch nicht so weit untersucht sind, daß man gezielte Voraussagen machen kann.

---

[1] J. H. van Boom et al., R. **84**, 813–820 (1965).
[2] S. A. Vartanyan, S. K. Vardapetyan u. S. O. Badanyan, Ž. obšč. Chim. **32**, 3188–3195 (1962); C. A. **59**, 3804 (1963).
[3] L. Vo-Quang u. P. Cadiot, Bl. **1965**, 1525–1534.

$R^4O-C_6H_3(R^3)-C(R^1)(R^2)-C\equiv C-CH=CH_2$

R^1	R^2	R^3	R^4		Ausbeute [% d.Th.]	Kp [°C]	Kp [Torr]	Literatur
CH_3	CH_3	H	H	*5-Methyl-5-(4-hydroxy-phenyl)-hexen-(1)-in-(3)*	31	135–138	8	1
CH_3	CH_3	H	CH_3	*5-Methyl-5-(4-methoxy-phenyl)-hexen-(1)-in-(3)*	24–85	115–116	4	1,2
CH_3	CH_3	H	C_2H_5	*5-Methyl-5-(4-äthoxy-phenyl)-hexen-(1)-in-(3)*	84	138–140	5	2
CH_3	CH_3	H	C_3H_7	*5-Methyl-5-(4-propyloxy-phenyl)-hexen-(1)-in-(3)*	26–87	130–132	3	1,2
CH_3	CH_3	H	C_4H_9	*5-Methyl-5-(4-butyloxy-phenyl)-hexen-(1)-in-(3)*	82	140	3	2
CH_3	CH_3	CH_3	C_3H_7	*5-Methyl-5-(4-propyloxy-2-methyl-phenyl)-hexen-(1)-in-(3)*	41	133–136	3	1
C_2H_5	CH_3	H	CH_3	*5-Methyl-5-(4-methoxy-phenyl)-hepten-(1)-in-(3)*	19	131–132	4	1
$-CH_2-CH_2-CH_2-CH_2-CH_2-$		H	CH_3	*1-[1-(4-Methoxy-phenyl)-cyclohexyl]-buten-(3)-in-(1)*	16	144–145	2	1
C_3H_7	H	H	C_3H_7	*5-(4-Propyloxy-phenyl)-octen-(1)-in-(3)*	79	145–147	3	3
C_3H_7	H	H	C_5H_{11}	*5-(Pentyloxy-phenyl)-octen-(1)-in-(3)*	76	140	2	3
CH_3	C_2H_5	H	C_2H_5	*5-Methyl-5-(4-äthoxy-phenyl)-hepten-(1)-in-(3)*	60	116–117	1	3
CH_3	C_2H_5	H	C_3H_7	*5-Methyl-5-(4-propyloxy-phenyl)-hepten-(1)-in-(3)*	71	139	3	3
CH_3	C_2H_5	H	C_4H_9	*5-Methyl-5-(4-butylocxy-phenyl)-hepten-(1)-in-(3)*	80	142–143	2	3
CH_3	H	CH_3	H	*5-(4-Hydroxy-3-methyl-phenyl)-hexen-(1)-in-(3)*	38	126	3	4
C_3H_7	H	CH_3	H	*5-(4-Hydroxy-3-methyl-phenyl)-octen-(1)-in-(3)*	50	146–147	3	4
$-CH(CH_3)-CH_3$	H	CH_3	H	*6-Methyl-5-(4-hydroxy-3-methyl-phenyl)-hepten-(1)-in-(3)*	45	150	7	4
CH_3	C_2H_5	CH_3	H	*5-Methyl-5-(4-hydroxy-3-methyl-phenyl)-hepten-(1)-in-(3)*	48	130	1	4
$-CH_2-CH_2-CH_2-CH_2-CH_2-$		CH_3	H	*1-[1-(4-Hydroxy-3-methyl-phenyl)-cyclohexyl]-buten-(3)-in-(1)*	80	185–187	5	4
$-CH_2-CH_2-CH(CH_3)-CH_2-CH_2-$		CH_3	H	*1-[4-Methyl-1-(4-hydroxy-3-methyl-phenyl)-cyclohexyl]-buten-(3)-in-(1)*	78	171	2	4
		H	H	*1-[4-Methyl-1-(4-hydroxy-phenyl)-cyclohexyl]-buten-(3)-in-(1)*	78	177–178	5	4

[1] S. A. Vartanyan, S. K. Vardapetyan u. S. O. Badanyan, Izv. Akad. Arm. SSR, **18**, 222–224 (1965); C. A. **63**, 14738 (1965).

[2] S. A. Vartanyan, S. K. Vardapetyan u. S. O. Badanyan, Izv. Akad. Arm. SSR **13**, 419–423 (1960); C. A. **55**, 27173 (1961).

[3] S. A. Vartanyan, S. K. Vardapetyan u. S. O. Badanyan, Izv. Akad. Arm. SSR **15**, 347–52 (1962); C. A. **59**, 3805 (1963).

[4] S. A. Vartanyan, S. K. Vardapetyan u. S. O. Badanyan, Ž. obšč. Chim. **32**, 3188–95 (1962); C. A. **59**, 3804 (1963).

Tab. 11. (Fortsetzung)

$R^4O-C_6H_3(R^3)-C(R^1)(R^2)-C\equiv C-CH=CH_2$

R^1	R^2	R^3	R^4		Ausbeute [% d.Th.]	Kp [°C]	Kp [Torr]	Literatur
CH_3	H	CH_3	CH_3	*5-(4-Methoxy-3-methyl-phenyl)-hexen-(1)-in-(3)*	80	128–129	5	1
CH_3	H	CH_3	C_2H_5	*5-(4-Äthoxy-3-methyl-phenyl)-hexen-(1)-in-(3)*	70	130	4	1
C_3H_7	H	CH_3	C_4H_9	*5-(4-Butyloxy-3-methyl-phenyl)-octen-(1)-in-(3)*	70	162–163	4	1
i-C_3H_7	H	CH_3	C_2H_5	*6-Methyl-5-(4-äthoxy-3-methyl-phenyl)-hepten-(1)-in-(3)*	72	154–155	7	1
CH_3	CH_3	CH_3	CH_3	*5-Methyl-5-(4-methoxy-3-methyl-phenyl)-hexen-(1)-in-(3)*	75	144	10	1
CH_3	CH_3	CH_3	C_2H_5	*5-Methyl-5-(4-äthoxy-3-methyl-phenyl)-hexen-(1)-in-(3)*	85	(F:39–40°)		1
CH_3	CH_3	CH_3	C_3H_7	*5-Methyl-5-(4-propyloxy-3-methyl-phenyl)-hexen-(1)-in-(3)*	75	129	1	1
CH_3	CH_3	CH_3	C_4H_9	*5-Methyl-5-(4-butyloxy-3-methyl-phenyl)-hexen-(1)-in-(3)*	70	141	4	1
CH_3	C_2H_5	CH_3	CH_3	*5-Methyl-5-(4-methoxy-3-methyl-phenyl)-hepten-(1)-in-(3)*	72	134–135	4	1
CH_3	C_2H_5	CH_3	C_3H_7	*5-Methyl-5-(4-propyloxy-3-methyl-phenyl)-hepten-(1)-in-(3)*	75	138–139	2	1
$-CH_2-CH_2-CH_2-CH_2-CH_2-$		CH_3	CH_3	*1-[1-(4-Methoxy-3-methyl-phenyl)-cyclohexyl]-buten-(3)-in-(1)*	75	147	1	1
$-CH_2-CH_2-CH_2-CH_2-CH_2-$		CH_3	C_2H_5	*1-[1-(4-Äthoxy-3-methyl-phenyl)-cyclohexyl]-buten-(3)-in-(1)*	70	162–163	3	1
$-CH_2-CH_2-CH(CH_3)-CH_2-CH_2-$		CH_3	CH_3	*1-[4-Methyl-1-(4-methoxy-3-methyl-phenyl)-cyclohexyl]-buten-(3)-in-(1)*	80	161	6	1
		CH_3	C_2H_5	*1-[4-Methyl-1-(4-äthoxy-3-methyl-phenyl)-cyclohexyl]-buten-(3)-in-(1)*	75	180	4	1
		CH_3	C_4H_9	*1-[4-Methyl-1-(4-butyloxy-3-methyl-phenyl)-cyclohexyl]-buten-(3)-in-(1)*	70	155–157	3	1
		H	CH_3	*1-[4-Methyl-1-(4-methoxy-phenyl)-cyclohexyl]-buten-(3)-in-(1)*	78	152	2	1
		H	C_2H_5	*1-[4-Methyl-1-(4-äthoxy-phenyl)-cylcohexyl]-buten-(3)-in-(1)*	70	168	3	1
		H	C_3H_7	*1-[4-Methyl-1-(4-propyloxy-phenyl)-cyclohexyl]-buten-(3)-in-(1)*	70	162–164	2	1

Stattdessen soll an dieser Stelle nur die gezielte Synthese bestimmter Vinylacetylene aus anderen Vinylacetylenen besprochen werden.

Vinylacetylene, die an der Acetylen-Bindung eine Methyl-Gruppe tragen, lassen sich durch Behandlung mit Kaliumamid[1] oder Natriumamid[2] in flüssigem Ammoniak in Vinylacetylene mit terminaler Acetylen-Gruppe umwandeln:

$$H_3C-C\equiv C-CH=CH-R \xrightarrow{[KNH_2]} H-C\equiv C-CH=CH-CH_2-R$$

4-Cyclohexyl-buten-(3)-in-(1)[1]: Zu einer kräftig gerührten Lösung von 0,6 Mol (33,6 g) Kaliumamid in 1 *l* flüssigem Ammoniak werden 0,4 Mol (53,6 g) 1-Cyclohexyliden-butin-(2) getropft. Danach wird das Ammoniak abgedampft. Wenn 70% des Ammoniaks abgedampft sind, werden 600 *ml* absol. Äther zugegeben und das restliche Ammoniak auf dem Wasserbad bei 40° abgezogen. Nun wird auf −10° abgekühlt und unter kräftigem Rühren mit 500 *ml* Eis-Wasser versetzt. Wenn alles gelöst ist, wird die wäßrige Schicht abgetrennt und mit 150 *ml* Äther extrahiert. Die vereinigten Ätherauszüge werden gewaschen und über Magnesiumsulfat getrocknet. Nach dem Abdampfen des Äthers wird über eine 30 cm Widmerkolonne destilliert; Ausbeute: 48,2 g (90% d. Th.); Kp_9: 69–70°.

Analog erhält man aus

Hexen-(4)-in-(2)	→	*Hexen-(3)-in-(1)*	78% d. Th.
Decen-(4)-in-(2)	→	*Decen-(3)-in-(1)*	81% d. Th.
1-Cyclohexyl-penten-(1)-in-(3)	→	*5-Cyclohexyl-penten-(3)-in-(1)*	89% d. Th.
1-Butyloxy-penten-(1)-in-(3)	→	*5-Butyloxy-penten-(3)-in-(1)*	96% d. Th.
Hexen-(2)-in-(4)-ol-(1)	→	*Hexen-(3)-in-(1)-ol-(6)*	82% d. Th.
Octen-(4)-in-(2)-ol-(8)	→	*Octen-(3)-in-(1)-ol-(6)*	92% d. Th.
5-Hydroxy-5-methyl-hexen-(4)-in-(2)	→	*5-Hydroxy-5-methyl-hexen-(3)-in-(1)*	93% d. Th.
1-Hydroxy-2-methyl-penten-(1)-in-(3)	→	*5-Hydroxy-4-methyl-penten-(3)-in-(1)*	91% d. Th.
1-Propin-(1)-yl-cyclohexen	→	*3-Cyclohexyliden-propin*	93% d. Th.

Andererseits läßt sich Penten-(3)-in-(1) durch Kalium-tert.-butanolat in Dimethylsulfoxid zu *Penten-(1)-in-(3)* isomerisieren[3]:

$$HC\equiv C-CH=CH-CH_3 \xrightarrow{KO-C(CH_3)_3(CH_3)_2SO} H_3C-C\equiv C-CH=CH_2$$

c) Vinylacetylene durch gekoppelte Additions- und Abspaltungsreaktionen

Vinylacetylene, die an der terminalen olefinischen Gruppe noch ein Wasserstoffatom tragen, lassen sich durch Reaktion mit aromatischen Diazoniumsalzen arylieren[4]:

$$H-C\equiv C-CH=CH_2 \xrightarrow{+[ArN_2^{\oplus}]X^{\ominus}} H-C\equiv C-CH=CH-Ar$$

$$H-C\equiv C-CH=CH_2 \xrightarrow[-N_2]{+[ArN_2^{\oplus}]X^{\ominus}} H-C\equiv C-\underset{X}{\underset{|}{CH}}-CH_2-Ar \xrightarrow{-HX} H-C\equiv C-CH=CH-Ar$$

Ar = C_6H_5; *4-Phenyl-buten-(3)-in-(1)*
$2,5\text{-}Cl_2\text{-}C_6H_3$; *4-(2,5-Dichlor-phenyl)-buten-(3)-in-(1)*

---

[1] J. H. van Boom et al., R. **84**, 813–820 (1965).
[2] A. A. Petrov u. V. A. Kormer, Ž. obšč. Chim. **34**, 1868 (1964); engl.: 1879.
B. S. Kupin u. A. A. Petrov, Trudy Leningrad, Tekhnd. Inst. im Lensoveta **60**, 70 (1960); C. A. **55**, 20905 (1961).
[3] L. Brandsma et al., R. **86**, 1077–1081 (1967).
[4] US. P. 2657244 (1953), DuPont, Erf.: A. L. Barney u. P. S. Pinkney; C. A. **48**, 12800 (1954).

Durch Addition eines Moleküls XY an ein Vinylacetylen und anschließende Abspaltung eines Moleküls HX läßt sich der Rest Y in Vinylacetylene einführen.

So erhält man aus Vinylacetylenen durch Brom-Addition und anschließende Bromwasserstoff-Abspaltung bromhaltige Vinylacetylene[1]:

$$R{-}CH{=}CH{-}C{\equiv}C{-}H \xrightarrow{+Br_2} \begin{cases} R{-}CH{=}CH{-}C(Br){=}CH{-}Br \longrightarrow R{-}CH{=}CH{-}C{\equiv}C{-}Br \\ R{-}CH(Br){-}CH{=}C{=}CH{-}Br \longrightarrow R{-}C(Br){=}CH{-}C{\equiv}C{-}H \end{cases}$$

Durch Reaktion von Vinylacetylenen mit Benzolsulfonsäure-dibromamid in Methanol erhält man β-Brom-α-methoxy-acetylene, aus denen durch Bromwasserstoff-Abspaltung Methoxy-vinylacetylene erhalten werden[2]:

$$R{-}CH{=}CH{-}C{\equiv}C{-}R' + H_5C_6{-}SO_2NBr_2 + CH_3OH \longrightarrow R{-}CH(Br){-}CH(OCH_3){-}C{\equiv}C{-}R' \xrightarrow{-HBr} R{-}CH{=}C(OCH_3){-}C{\equiv}C{-}R'$$

Werden an Vinylacetylene gleichzeitig Jod und Stickstoffdioxid angelagert, so erhält man β-Jod-α-nitro-acetylene, die durch Abspaltung von Jodwasserstoff in Nitro-vinylacetylene übergeführt werden können[3]:

$$R{-}CH{=}CH{-}C{\equiv}C{-}R' + J_2 + NO_2 \rightarrow R{-}CH(J){-}CH(NO_2){-}C{\equiv}C{-}R' \xrightarrow{-HJ} R{-}CH{=}C(NO_2){-}C{\equiv}C{-}R'$$

Halogenide der Vinylacetylene reagieren, wie andere Halogen-Verbindungen auch, mit Phosphorsäure-trialkylestern zu quartären Phosphoniumsalzen, die sich anschließend durch Michael-Arbusow-Umlagerung in Alken-(3)-in-(1)-phosphonsäureester umwandeln[4]; z.B.:

$$H_2C{=}CH{-}C{\equiv}C{-}Br + (C_2H_5O)_3P \rightarrow [H_2C{=}CH{-}C{\equiv}C{-}\overset{\oplus}{P}(OC_2H_5)_3]Br^{\ominus} \xrightarrow{-C_2H_5Br} H_2C{=}CH{-}C{\equiv}C{-}PO(OC_2H_5)_2$$

Buten-(3)-in-(1)-phosphonsäure-diäthylester

---

[1] A. A. Petrov u. Y. I. Porfireva, Ž. obšč. Chim. **27**, 1805–1813 (1957); C. A. **52**, 4468 (1958).

[2] I. A. Maretina u. A. A. Petrov, Ž. obšč. Chim. **32**, 127–132 (1962); C. A. **58**, 7820 (1963).

[3] A. A. Petrov, K. B. Rall u. A. I. Vildavskaja, Ž. obšč. Chim. **34**, 3513 f. (1964); C. A. **62**, 2700 (1965).
A. I. Vildavskaya u. K. B. Rall, Ž org. Chim. **1968**, 959; C. A. **69**, 43325[b] (1968).

[4] B. I. Ionin u. A. A. Petrov, Ž. obšč. Chim. **32**, 2387 f. (1962); **34**, 1174 f. (1964); C. A. **58**, 9115 (1963); **61**, 1890 (1964).

B. Umwandlung

I. Salze und π-Komplexe der En-ine

En-ine mit terminaler C≡C-Dreifachbindung bilden, wie alle terminalen Acetylene, mit Kupfer-, Silber- oder Quecksilber-Salzen Acetylenide[1], und ergeben mit Kobalt-octacarbonyl unter Verdrängung von zwei Kohlenmonoxid-Liganden π-Komplexe z. B. {*Bis-[buten-(3)-in-(1)-yl]-hexacarbonyl-dicobalt*}[2]:

$$H_2C{=}CH{-}C{\equiv}CH + Co_2(CO)_9 \rightarrow Co_2(CO)_6(CH_2{=}CH{-}C{\equiv}CH)_2$$

II. Reaktionen unter Erhaltung des En-in-Systems

a) Isomerisierung

En-ine **ohne** terminale C≡C-Dreifachbindung lassen sich durch Kaliumamid in flüssigem Ammoniak in En-ine mit terminaler C≡C-Dreifachbindung isomerisieren, die anschließend alkyliert werden können[3] (s. S. 662 ff.). Die Isomerisierung der En-ine ist bereits auf S. 666 näher abgehandelt worden.

Äthinyl-cyclohexene lassen sich aromatisieren; so erhält man durch Überleiten von 1-Äthinyl-cyclohexen-(1) über Platin/Kohle bei 200° *Äthyl-benzol*[4]:

$$\text{1-Äthinyl-cyclohexen-(1)} \; (C{\equiv}CH) \xrightarrow{Pt/C;\ 200^\circ} C_6H_5{-}C_2H_5$$

Diese Isomerisierung kann auch mit Kalium-tert.-butanolat in Dimethylsulfoxid durchgeführt werden[5].

---

[1] V. Grignard, Bl. [3] **21**, 574, 576 (1899).
R. Willstätter u. T. Wirth, B. **46**, 538 (1913).
R. Lespieau, I. Guillemonat u. Ution, Kolloid-Z., **63**, 86 (1933).
W. H. Carothers, R. A. Jacobson u. G. J. Berchet, Am. Soc. **55**, 4666 (1933).
T. H. Vaughn, Am. Soc. **55**, 4771 (1933).
A. L. Klebanskiĭ u. J. M. Dobromilskaya, Sintez Kautsch. **5**, 6–12 (1936); C. **1937** I, 1808.
I. M. Dolgopolskiĭ, I. M. Dobromilskaya, K. S. Moiseeva u. F. B. Nankina, Ž. obšč. Chim., **19**, 1281 (1946); C. A. **41**, 6721 (1947).
I. A. Favorskaya, Ž. obšč. Chim. **19**, 2051 (1949); C. A. **44**, 3875 (1950).
R. Vestin u. A. Somersalo, Acta. Chem. scand. **3**, 125 (1949).
J. L. H. Allan u. M. C. Whiting, Soc. **1953**, 3314.
Brit. P. 809319 (1959), DuPont; C. A. **53**, 15973 (1959).
I. M. Dolgopolskii et al., Ž. obšč. Chim. **29**, 2512 (1959); C.A. **54**, 9591 (1960); Z. prikl. Chim. **33**, 195, 283, 716, 931 (1960); C.A. **54**, 10825, 14885, 20851, 17002 (1960).
R. S. Rewdikar, J. Vikram Univ. **7**, 3–4 (1963); C.A. **66**, 87526g (1967).
Vgl. a. ds. Handb., Bd. V/2, Kap. Acetylene.
M. Akhtar, T. A. Richards u. B. C. L. Weedon, Soc. **1959**, 933.
P. Chini et al., Chimiae Ind. **64**, 1049 (1964); C. A. **62**, 1553 (1965).
J. Vitovec u. M. Sadek, Coll. Czech. chem. Commun. **25**, 1972 (1960).
O. A. Chaltykyan, Ž. obšč. Chim. **18**, 1626 (1948); C. A. **43**, 3307 (1949).
G. E. Coates u. C. Parkin, J. Inorg. Nucl. chem. **26**, 55 (1961); C. A. **56**, 13777 (1962).

[2] H. Greenfield et al., Am. Soc. **78**, 120 (1956).
M. R. Tirpak, C. A. Hollingsworth u. J. H. Wotiz, J. Org. Chem., **25**, 687 (1960).
Vgl. a. ds. Handb., Bd. XIII, Kap. Metall-π-Komplexe.

[3] A. A. Petrov u. V. A. Kormer, Ž. obšč. Chim., **34**, 1868 (1964); C. A. **61**, 9517 (1964).

[4] R. J. Lewina u. S. J. Lewina, Ž. obšč. Chim. **8**, 1776 (1938); C. **1939** I, 4941.

[5] L. Brandsma et al., R. **86**, 1077–1081 (1967).
R. Mantione, C. r. [C] **264**, 1668 (1967).

b) Reaktionen über Metall-Verbindungen zu heterosubstituierten En-inen

1. über die Metallsalze der Enine

Die zu diesem Abschnitt gehörenden Reaktionen sind zum überwiegenden Teil bereits auf S. 662ff. im Herstellungsteil besprochen worden.

An dieser Stelle sollen zusätzlich einige Reaktionen beschrieben werden, die zu heterosubstituierten En-inen führen.

Enine mit terminaler C≡C-Dreifachbindung lassen sich durch Reaktion mit Natrium- oder Kaliumamid in flüssigem Ammoniak in ihre Natrium- bzw. Kaliumsalze überführen, die, wie aus dem nachstehenden Schema ersichtlich, vielseitig weiter umgesetzt werden können:

$$R{-}CH{=}\underset{R'}{C}{-}C{\equiv}C{-}H \longrightarrow [R{-}CH{=}\underset{R'}{C}{-}C{\equiv}C]^{\ominus}M^{\oplus}$$

M = Na; K

$$\xrightarrow{R''X} R{-}CH{=}\underset{R'}{C}{-}C{\equiv}C{-}R'' \quad [1]$$

$$\xrightarrow{>{=}O} R{-}CH{=}\underset{R'}{C}{-}C{\equiv}C{-}\underset{OH}{\overset{|}{C}}{-} \quad [2]$$

$$\xrightarrow{\text{Epoxid}} R{-}CH{=}\underset{R'}{C}{-}C{\equiv}C{-}\underset{|}{\overset{|}{C}}{-}\underset{|}{\overset{|}{C}}{-}OH \quad [3]$$

$$\xrightarrow{S, Se, Te; R''X} R{-}CH{=}\underset{R'}{C}{-}C{\equiv}C{-}S{-}R'' \;(Se, Te) \quad [4]$$

$$\xrightarrow{CO_2} R{-}CH{=}\underset{R'}{C}{-}C{\equiv}C{-}COOH \quad [5]$$

$$\xrightarrow{R''_3SnX} R{-}CH{=}\underset{R'}{C}{-}C{\equiv}C{-}Sn\,R''_3 \quad [6]$$

$$\xrightarrow{Cl{-}COOC_2H_5} R{-}CH{=}\underset{R'}{C}{-}C{\equiv}C{-}COOC_2H_5 \quad [5]$$

Weiterhin reagieren alle En-ine mit terminaler C≡C-Dreifachbindung mit Carbonyl-Gruppen in Gegenwart von Kaliumhydroxid[7]:

$$H_2C{=}CH{-}C{\equiv}CH + O{=}C\!\begin{smallmatrix}R'\\R''\end{smallmatrix} \xrightarrow{KOH} H_2C{=}CH{-}C{\equiv}C{-}\underset{OH}{\overset{R'}{C}}{-}R''$$

---

[1] s. S. 662 ff.

[2] I. M. Heilbron et al., Soc., **1943**, 267.
S. ds. Handb., Bd. VI/1a, Kap. Alkohole

[3] W. J. Croxall u. J. O. Van Hook, Am. Soc. **76**, 1700 (1954).
A. A. Petrov, Yu. I. Porfireva u. V. A. Kormer, Ž. obšč. Chim. **30**, 1518 (1960); C. A. **55**, 23330 (1961).
Vgl. ds. Handb., Bd. VI/1a, Kap. Alkohole.

[4] A. A. Petrov et al., Ž. obšč. Chim. **34**, 1899 (1954); C. A. **61**, 8179 (1964).
Vgl. ds. Handb., Bd. IX.

[5] I. A. Favorskaya, Ž. obšč. Chim. **19**, 2051 (1949); C. A. **44**, 3875 (1950).
I. A. Favorskaya u. L. V. Federova, Sintez org. soed., **2**, 152 (1952); C. A. **48**, 573 (1954).
Vgl. ds. Handb., Bd. VIII, Kap. Carbonsäuren.

[6] V. S. Zavgorodnii u. A. A. Petrov, Ž. obšč. Chim. **32**, 3527 (1962); C. A. **58**, 12593 (1963).
Vgl. ds. Handb., Bd. XIII/6, Kap. Zinn-organische Verbindungen.

(Fortsetzung s. S. 673)

2. über die Grignard-Verbindungen der En-ine

Ebenso wie mit Alkalimetallamiden reagieren En-ine mit terminaler C≡C-Dreifachbindung auch mit Grignard-Verbindungen (vgl. ds. Handb., Bd. XIII/2, Kap. Magnesium-organische Verbindungen); z. B.:

$$H_2C{=}CH{-}C{\equiv}C{-}H + H_3C{-}MgBr \rightarrow H_2C{=}CH{-}C{\equiv}C{-}MgBr + CH_4$$

Buten-(3)-in-(1)-yl-magnesiumbromid

Die so gebildeten Grignard-Verbindungen lassen sich alkylieren[1] (Reaktion A) und silylieren[2] (Reaktion B); reagieren[3] mit Aldehyden und Ketonen (Reaktion C) und zeigen auch sonst alle Reaktionen, die man von Grignard-Verbindungen her kennt[4]:

$$H_2C{=}CH{-}C{\equiv}C{-}MgBr \xrightarrow{RX} H_2C{=}CH{-}C{\equiv}C{-}R \quad \text{Reaktion A}$$

$$H_2C{=}CH{-}C{\equiv}C{-}MgBr \xrightarrow{R_3SiX} H_2C{=}CH{-}C{\equiv}C{-}SiR_3 \quad \text{Reaktion B}$$

$$H_2C{=}CH{-}C{\equiv}C{-}MgBr \xrightarrow{>C{=}O} H_2C{=}CH{-}C{\equiv}C{-}\overset{|}{\underset{OH}{C}}{-} \quad \text{Reaktion C}$$

[1] S. S. 662ff.

[2] K. Bowden, E. A. Brande u. E. R. H. Jones, Soc. **1946**, 948.
A. D. Petrov u. S. I. Sadych-Sade, Doklady Akad. SSSR **85**, 1297 (1952); C. A. **47**, 4218 (1953).
A. D. Petrov, S. I. Sadych-Sade u. Y. P. Egorer, Izv. Akad. SSSR, **1954**, 722; C. A. **49**, 10835 (1955).
A. D. Petrov, S. I. Sadych-Sade u. V. H. Vdovin, Izv. Akad. SSSR, **1955**, 181; C. A. **49**, 8843 (1955).
M. D. Stadnichuk u. A. A. Petrov, Ž. obšč. Chim. **31**, 411 (1961); C. A. **55**, 23329 (1961).
M. D. Stadnichuk u. A. A. Petrov, Ž. obšč. Chim. **32**, 3522 (1962); C. A. **58**, 12593 (1963).

(Fortsetzung s. S. 674)

(Fortsetzung v. S. 672)

[7] I. N. Nazarov u. I. I. Zaretskaya, Ž. obšč. Chim., **18**, 681 (1948); C. A. **43**, 117 (1949); Izv. Akad. SSSR **1949**, 178, 184; C. A. **43**, 6623 (1949).
I. N. Nazarov u. I. L. Kotlyarevskii, Ž. obšč. Chim. **18**, 896 (1948); C. A. **43**, 117 (1949).
I. N. Nazarov, V. Ya. Raigorodskaya u. V. A. Rudenko, Izv. Akad. SSSR **1949**, 68; C. A. **43**, 6622 (1949).
I. N. Nazarov, A. I. Kuznetsova u. I. A. Gurvich, Ž. obšč. Chim. **20**, 376 (1950); C. A. **44**, 8911 (1950).
I. N. Nazarov u. M. S. Burmistrova, Ž. obšč. Chim. **20**, 1304 (1950); C. A. **45**, 1562 (1951).
I. N. Nazarov u. S. S. Bakhmutskaya, Ž. obšč. Chim. **20**, 1837 (1950); C. A. **45**, 2866 (1951).
R. J. Tedeschi et al., J. Org. Chem. **28**, 1740 (1963).
S. A. Vartanyan u. A. G. Terzyan, Izv. Akad. Arm. SSR, Khim. Nauki **11**, 37 (1958); C. A. **52**, 19905 (1958).
S. A. Vartanyan u. V. N. Zhamagortsyan, Izv. Akad. Arm. SSR, Khim. Nauki **11**, 99 (1958); C. A. **53**, 9053 (1959).
S. A. Vartanyan et al., Izv. Akad. Arm. SSR, Khim. Nauki **12**, 37, 107 (1959); C. A. **54**, 6539 (1960); **55**, 5369 (1961).
S. A. Vartanyan u. G. A. Chukhadzhyan, Izv. Akad. Arm. SSR, Khim. Nauki **12**, 413 (1959); **15**, 53 (1962); C. A. **55**, 5370 (1961); **59**, 387 (1963).
S. A. Vartanyan, N. V. Zhamagortsyan u. Sh. O. Bandanyan, Izv. Akad. Nauk Arm. SSR, Khim. Nauki **15**, 449 (1962); C. A. **59**, 6349 (1963).
S. A. Vartanyan u. Sh. L. Shagbatyan, Izv. Akad. Arm. SSR, Khim. Nauki **14**, 577 (1961); **17**, 95 (1964); C. A. **59**, 3873 (1963); **61**, 3058 (1964).
Vgl. ds. Handb., Bd. VI/1a, Kap. Alkohole.

c) durch Kondensation

1. mit Orthoameisensäure-triäthylester

Orthoameisensäure-triäthylester reagiert mit En-inen mit terminaler C≡C-Dreifachbindung unter Alkohol-Abspaltung zu z.B. *5,5-Diäthoxy-penten-(1)-in-(3)*[1]:

$$H_2C{=}CH{-}C{\equiv}CH \; + \; HC(OC_2H_5)_3 \longrightarrow H_2C{=}CH{-}C{\equiv}C{-}CH(OC_2H_5)_2$$

[1] V. B. MOCHALIN u. N. G. IVANOVA, Ž. obšč. Chim. **31**, 3896 (1961); C. A. **57**, 8450 (1962).

(Fortsetzung v. S. 673)
M. F. SHOSTAKOVSKII et al., Izv. Akad. Nauk SSSR, **1964**, 565; C. A. **60**, 15901 (1964).
Vgl. ds. Handb., Bd. XIII/6, Kap. Silizium-organische Verbindungen.

[3] I. M. HEILBRON et al., Soc. **1943**, 267.
E. R. H. JONES u. B. C. L. WEEDON, Soc. **1946**, 937.
I. N. NAZAROV u. I. L. KOTLYAREVSKII, Ž. obšč. Chim. **18**, 903 (1948); C. A. **43**, 118 (1949); Izv. Akad. SSSR **1949**, 293; C. A. **43**, 6624 (1949).
I. N. NAZAROV, A. I. KUZNETSOVA u. I. A. GURVICH, Ž. obšč. Chim. **20**, 376 (1950); C. A. **44**, 891 (1950).
I. N. NAZAROV u. M. S. BURMISTROVA, Ž. obšč. Chim. **20**, 1304 (1950); C. A. **45**, 1562 (1951).
I. N. NAZAROV u. S. A. VARTANYAN, Ž. obšč. Chim. **20**, 1829 (1950); C. A. **45**, 2865 (1951).
I. N. NAZAROV, G. P. VERKHOLETOVA u. I. V. TORGOV, Ž. obšč. Chim. **29**, 3313 (1959); C. A. **54**, 14218 (1960).
H. H. INHOFFEN u. F. BOHLMANN, A. **565**, 41 (1949).
A. MONDON, A. **577**, 181 (1952).
L. CROMBIL, Chem. & Ind. **1954**, 1109.
K. ALDER, H. v. BRACHEL u. K. KAISER, A. **608**, 195 (1957).
S. A. VARTANYAN u. G. A. CHUKHADZHYAN, Izv. Akad. Arm. SSR, Khim. Nauki, **12**, 179 (1959) **15**, 53 (1962); C. A. **54**, 7707 (1960); **59**, 3873 (1963).
S. A. VARTANYAN, V. N. ZHAMAGORTSYAN u. O. A. TOSUNYAN, Izv. Akad. Arm. SSR, Khim. Nauki, **14**, 139 (1961); C. A. **56**, 14040 (1962).
S. A. VARTANYAN u. S. L. SHAGBATYAN, Izv. Akad. Arm. SSR, Khim. Nauki, **14**, 577 (1961); C. A. **59**, 3873 (1963).
J. F. LABARRE u. R. MATHIS-NOEL, C. r. **252**, 3459 (1961).
Vgl. ds. Handb., Bd. VI/1a, Kap. Alkohole.
B. W. NASH et al., Soc. **1965**, 2983.
E. N. KARAULOVA et al., Khim. geterocycl. Soed. **1967**, 51; C. A. **67**, 64185^e (1967).
F. Y. PERVEEV u. N. I. KUDRYASHOVA, Ž. obšč. Chim. **22**, 1580 (1952); C. A. **47**, 9251 (1953).

[4] I. HEILBRON et al., Soc. **1949**, 1829.
C. L. LEESE u. R. A. RAPHAEL, Soc. **1950**, 2725.
N. S. NEWMAN, I. WALTCHER u. H. F. GINSBERG, J. Org. Chem. **17**, 962 (1952).
F. BOHLMANN, B. **86**, 657 (1953).
A. A. PETROV, S. V. ZAVGORODNII u. V. A. KORMER, Ž. obšč. Chim. **32**, 1349 (1962); C. A. **58**, 1481 (1963).
J. L. H. ALLAN, E. R. H. JONES u. H. C. WHITING, Soc. **1955**, 1862.
W. SURBER, V. THEUS, L. COLOMBI u. H. SCHINZ, Helv. **39**, 1299 (1956).
A. V. BOGDANOVA, M. F. SHOSTAKOVSKII u. G. I. PLOTNIKOVA, Dokl. Akad. SSSR **134**, 587 (1960); C. A. **55**, 6429 (1961).
M. F. SHOSTAKOVSKII, A. V. BOGDANOVA u. G. I. PLOTNIKOVA, Izv. Akad. SSSR **1961**, 905; C. A. **55**, 27044 (1961).
L. A. YANOVSKAYA u. V. F. KINDEROV, Izv. Akad. SSSR **1961**, 1830; C. A. **56**, 12728 (1962).
B. V. MOCHALIN u. N. G. IVANOVA, Ž. obšč. Chim. **31**, 3896 (1961); C. A. **57**, 8450 (1962).
F. YA. Perveev u. N. I. KUDRYASHOVA, Ž. obšč. Chim. **23**, 348 (1953); C. A. **48**, 2566 (1954).
L. F. CHELPANOVA, A. A. PETROV, G. P. BONDAREV u. V. D. NEMIROVSKII, Ž. obšč. Chim. **32**, 2487 (1962); C. A. **58**, 12411 (1963).
V. S. ZAVGORODNII u. A. A. PETROV, Ž. obšč. Chim., **32**, 3514, 3522, 3527 (1962); C. A. **58**, 12593 (1963).
A. A. PETROV et al., Ž. obšč. Chim. **34**, 1899 (1964); C. A. **61**, 8179 (1964).
E. N. KARAULOVA et al., Chim. Geterozikl. Soed. **1967**, 51–58; C.A. **67**, 64185^e (1967).

2. mit Aldehyden in Gegenwart von Aminen

En-ine mit terminaler C≡C-Dreifachbindung reagieren mit Formaldehyd in Gegenwart von Aminen in einer Mannich-Reaktion[1]:

$$H_2C{=}C(CH_3){-}C{\equiv}CH + HCHO + R_2NH \longrightarrow H_2C{=}C(CH_3){-}C{\equiv}C{-}CH_2{-}NR_2$$

d) Reaktion mit Carbenen

s. S. 692

e) Oligomerisierung

s. S. 690

III. Reaktionen unter Verlust des En-in-Systems

a) Addition ohne Neuknüpfung von C—C-Bindungen

1. von Wasserstoff[2]

Die vollständige Hydrierung der En-ine I (S. 676) liefert die entsprechenden gesättigten Kohlenwasserstoffe[3] II. Unter geeigneten Bedingungen gelingt es jedoch, die Hydrierung so zu leiten, daß überwiegend Butadiene[4] III bzw. Butene[5] IV entstehen:

---

1 D. D. Coffmann, Am. Soc. **57**, 1978 (1936).
I. N. Nazarov u. E. A. Mistryukov, Izv. Akad. SSSR **1958**, 335; C. A. **52**, 12751 (1958).
M. F. Shostakovskii, A. V. Bogdanova u. G. I. Plotnikova, Izv. Akad. SSSR **1961**, 905; C. A. **55**, 27044 (1961).

2 Vgl. ds. Handb., Bd. IV/1, Kap. Reduktion.

3 S. V. Lederer, A. I. Gielyaera u. A. N. Vasileva, Ž. obšč. Chim. **5**, 1421–1433 (1935); C. **1936** II, 1521.
H. Sargent, E. R. Buchmann u. J. P. Farguhar, Am. Soc. **64**, 2692 (1942).
I. A. Shikheev, Ž. obšč. Chim. **16**, 657 (1946); C. A. **41**, 1205 (1947).
R. Quelet u. R. Golse, Bl. **1947**, 313; C. r. **224**, 661 (1947).
R. Golse, Ann. Chimica [12] **3**, 527 (1948).
R. Golse u. Le-Van-Thoi, C. r. **230**, 210 (1950).
I. Heilbron, E. R. H. Jones u. R. W. Richardson, Soc. **1949**, 287.
R. Harada, J. Chem. Soc. Japan, pure Chem. Sect. **75**, 727 (1954); C. A. **49**, 10235 (1955).
C. W. Shoppee, J. Cymerman-Craig u. R. E. Lack, Soc. **1961**, 1311.
M. F. Shostakovskii, A. V. Bogdanova u. G. I. Plotnikova, Izv. Akad. SSSR **1961**, 905; C. A. **55**, 27044 (1961).
Yu. P. Artsybasheva u. I. A. Favorskaya, Ž. obšč. Chim. **32**, 2380 (1962); C. A. **58**, 8883 (1963).
L. F. Chelpanova et al., Ž. obšč. Chim. **32**, 2487 (1962); C. A. **58**, 12411 (1963).
T. A. Favorskaya u. Yu. M. Portnyagin, Ž. obšč. Chim. **34**, 1065 (1964); C. A. **61**, 628 (1965).
Vgl. ds. Handb., Bd. V/1a, Kap. Gesättigte Kohlenwasserstoffe, S. 8 ff.

4 US. P. 1959343 (1930), DuPont, Erf.: W. S. Calcott, A. S. Carter u. F. B. Downing; C. **1936** I, 2451.
US. P. 2145059 (1939), I. G. Farb., Erf.: R. Stadler, K. Ackermann u. E. Lehrer; C. A. **33**, 2914 (1939).
US. P. 2210828 (1939), I. G. Farb., Erf.: A. Auerhahn u. R. Stadler; C. A. **35**, 134 (1939).
US. P. 3070641 (1962), Petro-Tex Chemical Co., Erf.: J. W. Herndon u. L. M. Welch; C. A. **58**, 12418 (1963).
US. P. 3091654 (1960), Esso Research and Engeneering Co., Erf.: W. N. Kestner; C. A. **59**, 12640 (1963).
Brit. P. 486094 (1936); 498242 (1937); Fr. P. 828145 (1937); 834111 (1938), I. G. Farb.; C. **1938** II, 2649, 2349; **1939** I, 2871; C. A. **33**, 3393 (1939).
Brit. P. 740851 (1955) Ortho Pharmaceutical Corp.; C. A. **51**, 479 (1957).
Japan P. 155698 (1948) Kanegabuchi Textile Co.; C. A. **44**, 363 (1950).
DBP. 1196642 (1965), Chem. Werke Hüls AG, Erf.: M. Reich; C. A. **63**, 16212 (1965).
L. K. Freidlin u. Y. Y. Kaup, Izv. Akad. SSSR **1964**, 1501; C. A. **64**, 19356 (1966).
S. V. Lebedev, A. I. Gulyaeva u. A. N. Vasileva, Ž. obšč. Chim. **5**, 1421 (1935); C. **1936** II, 1521

(Fortsetzung s. S. 676)

$$\underset{\text{I}}{R{-}C{\equiv}C{-}\underset{R'}{C}{=}C\begin{smallmatrix}R''\\R'''\end{smallmatrix}} \longrightarrow \underset{\text{III}}{R{-}CH{=}CH{-}\underset{R'}{C}{=}C\begin{smallmatrix}R''\\R'''\end{smallmatrix}} \longrightarrow \begin{cases} R{-}CH_2{-}CH_2{-}\underset{R'}{C}{=}C\begin{smallmatrix}R''\\R'''\end{smallmatrix} \quad \text{IV} \\ R{-}CH{=}CH{-}\underset{R'}{CH}{-}\overset{R''}{CH}{-}R''' \end{cases}$$

$$\text{I} \downarrow \quad \underset{\text{II}}{R{-}CH_2{-}CH_2{-}\underset{R'}{CH}{-}\underset{R'''}{CH}{-}R''}$$

(Fortsetzung v. S. 675)

Z. Hurukawa, K. Nakaguti u. T. Tukamoto, J. Soc. Chem. Ind. Japan [Suppl.] **43,** 142B (1939); C. **1940** II, 1373.

Z. Hurukawa, J. electrochem. Ass. Japan, **7,** 2 (1939); C. **1940** I, 1761.

A. F. Thompson u. S. B. Wyatt, Am. Soc. **62,** 2555 (1940).

A. F. Thompson u. E. N. Show, Am. Soc. **64,** 363 (1942).

I. N. Azerbaev, Ž. obšč. Chim. **15,** 412 (1945); C. A. **40,** 4683 (1946).

J. H. Pinckard, B. Wille u. L. Zechmeister, Am. Soc. **70,** 1938 (1948).

A. L. Klebanskii, L. D. Popov u. N. Ya. Tsukerman, Ž. obšč. Chim. **16.** 2083 (1948); C. A. **42,** 857 (1948).

I. Heilbron, E. R. H. Jones u. R. W. Richardson, Soc. **1949,** 287.

J. Cymerman-Craig, E. G. Davis u. J. S. Lake, Soc. **1954,** 1874.

T. Sasa, J. Soc. Org. Synthet. Chem. Japan **12,** 24 (1954); C. A. **51,** 2779 (1957).

K. V. Balyan, A. A. Petrov u. Yu. I. Porforeva, Ž. obšč. Chim. **26,** 1926 (1956); **27,** 365 (1957); C. A. **51,** 4927 (1957); **52,** 15394 (1958).

I. V. Garmonov, A. L. Klebanski u. K. K. Chevychalova, Ž. obšč. Chim. **29,** 824, 830, 836 (1959); C. A. **54,** 1259 (1960).

K. V. Balyan u. N. A. Borovikova, Ž. obšč. Chim. **29,** 2553, 2882 (1959); C. A. **54,** 10817, 12019 (1960).

M. F. Shostakovskiĭ, A. V. Bogdanova u. G. K. Krasilnikova, Izv. Akad. SSSR **1959,** 320; C. A. **53,** 19941 (1959).

L. K. Freidlin u. V. I. Gorshkov, Doklady Akad. SSSR **131,** 1109 (1960); C. A. **54,** 20983 (1960).

A. Rieche, A. Grimm u. H. Albrecht, Brennstoff-Chem. **42,** 177 (1961); C. A. **55,** 27007 (1961).

H. Albrecht, Monatsber. Deut. Akad. Wiss. Berlin **3,** 714 (1961); C. A. **58,** 2354 (1963).

M. F. Shostakovskiĭ, A. V. Bogdanova u. G. I. Plotnikova, Izv. Akad. SSSR **1961,** 905; C. A. **55,** 27044 (1961).

V. A. Kormer u. A. A. Petrov, Doklady Akad. SSSR **146, 1343** (1962); C. A. **58,** 8883 (1963).

N. L. Snaina, P. S. Kogan u. S. N. Kazarnovskii, Kataliticheskie Reaktsii v Zhidkoi Fase, Akad. Nauk Kaz. SSR, Kazakhsk. Gos Univ., Kazaskhsk. Resp. Pravlenie Mendeleevskogo Obshchestva, Tr. Vses. Konf., Alma-Ata **1962,** 54 (1963); C. A. **60,** 11813 (1964).

V. V. Markova, V. A. Kormer u. A. A. Petrov, Ž. obšč. Chim. **35.** 1669 (1965); C. A. **63,** 17870 (1965).

L. K. Freidlin et al., Ivz. Akad. SSSR **1959,** 1679; C. A. **54,** 8590 (1960).

Vgl. ds. Handb., Bd. V/1c, Kap. Diene, S. 448ff., 468.

[5] Japan P. 175273 (1947), Nissan Chemical-Industries Co.; Erf.: T. Fujimura; C. A. **44,** 6875 (1950).

Japan P. 175301 (1947), Nihon Volatile Oil Co.; Erf.: Sh. Mitsukuri u. M. Shinbo; C. A. **44,** 6875 (1950).

Japan P. 175632 (1948), Nippon Nitrogenous Fertilizers Co.; Erf.: M. Oshima, G. Nishikawa u. E. Igarashi; C. A. **44,** 8358 (1950).

J. Furukawa et al., J. Chem. Soc. Japan, Ind. Chem. Sect. **51,** 100 (1948); C. A. **45,** 536 (1951).

Japan P. 176198 (1948), S. Mitsukuri, M. Shinbo u. M. Yoshinaga; C. A. **45,** 7583 (1951).

K. V. Balyan, Z. A. Lerman u. L. A. Merkureva, Ž. obšč. Chim. **28,** 110 (1958); C. A. **52,** 12746 (1958).

H. Albrecht, Monatsber. Deut. Akad. Wiss. Berlin, **3,** 714 (1961); C. A. **58,** 2354 (1963).

S. ds. Handb., Bd. V/1b, Kap. Olefine.

Die Kinetik der Hydrierung ist an Nickel/Kieselgur-Katalysatoren untersucht worden[1], der Mechanismus beim *3-Methyl-buten-(3)-in-(1)*[2]. Für die Hydrierung sind praktisch alle üblichen Hydrierungskatalysatoren verwendet worden. Daneben sind auch Reduktionen mit Kupfer-Zink-Legierung und mit Chrom(II)-hydroxid beschrieben.

Die Reduktion mit Dialkyl-aluminium-hydrid ergibt Butadiene, Butene und Butane[3] sowie Acetylene[3]. Die Reduktion mit Cyclopentadienyl-metall-tricarbonyl-hydriden liefert ebenfalls Acetylene[4]. Die Reduktion mit Natriumborhydrid ergibt Butadiene[5]: Acetylene werden bei der Hydrierung Silicium-haltiger En-ine als Hauptprodukt erhalten[6].

Butadien-(1,2) (*Methyl-allen*) wurde bei der Hydrierung von Buten-in an einem Eisen-Aluminium-Katalysator erhalten[7].

Cyclopentadienyl-tricarbonyl-metall-hydride (Cr, Mo, W) reduzieren selektiv die C=C-Doppelbindung[8].

2. Addition von H-X-Verbindungen

α) von Aminen

Bei der Addition von Aminen oder deren Lithiumsalzen an En-ine werden zwei Reaktionsprodukte isoliert (s. S. 678): Allene ①, die aus einer 1,4-Additon entstanden sind[9,10], und Acetylene ②, die durch Addition an die C=C-Doppelbindung entstanden sein können[11]:

[1] N. L. Sanina, S. N. Kazornovskiĭ u. P. S. Kogan, Gidrirovanie Žirov. Sacharov Furfurola, **1967**, 262–267; Neftekhimiya **6**, 13 (1966); Tr. Khim. Khim. Technol. **1968**, 124; C. A. **64**, 17376 (1966); **69**, 76206 (1968); **72**, 42534^{w} (1970).

[2] A. M. Sokolskaya, S. M. Reshetnikov u. S. A. Ryabinina, Elektrochimiya **1967**, 1487–1491; C.A. **69**, 80752 (1968).

[3] V. V. Markova, V. A. Kormer u. A. A. Petrov, Ž. obšč. Chim. **35**, 447 (1965); C. A. **63**, 1688 (1965).
V. A. Kormer u. A. A. Petrov, Doklady Akad. SSSR **146**, 1343 (1962); C. A. **58**, 8883 (1963).

[4] Japan P. 6910245 (1969), Toyo Rayon Co., Ltd., Erf.: H. Kondo u. A. Miyake; C.A. **71**, 60659^{x} (1969).

[5] V. V. Markova, V. A. Kormer u. A. A. Petrov, Ž. obšč. Chim. **35**, 1669 (1965); C. A. **63**, 17870 (1965).

[6] M. D. Stadnichuk u. A. A. Petrov, Ž. obšč. Chim. **31**, 1855 (1961); C. A. **55**, 27022 (1961); Ž. obšč. Chim. **32**, 3522 (1962); C. A. **58**, 12593 (1963).

[7] US. P. 2366311 (1945), The United Gas Improvement Co.; Erf.: F. W. Breuer; C. A. **39**, 1648 (1945).
S. ds. Handb. Bd. V/2, Kap. Allene.

[8] Japan. P. 6910245 (1969), Toyo Rayon Co., Erf.: H. Kondo u. A. Miyake; C. A. **71**, 60659 (1969).

[9] V. A. Engelhardt, Am. Soc. **78**, 107 (1956).
S. A. Vartanyan u. S. O. Badanyan, Izv. Akad. Arm. SSR, Khim. Nauki **11**, 185 (1958); C. A. **53**, 6989 (1959).
A. A. Petrov u. V. A. Kormer, Doklady Akad. SSSR **126**, 1278 (1959); C. A. **53**, 21617 (1959).
V. A. Kormer u. A. A. Petrov, Ž. obšč. Chim. **30**, 918 (1960); C. A. **55**, 2465 (1961).
L. N. Cherkasov u. K. V. Balyan, Ž. Org. Chim. **1968**, 757–759; C.A. **69**, 18731^{y} (1968).
L. N. Cherkasov, Izv. Vyssh. Ucheb. Zaved. Khim. Khim. Technol. **1969**, 1531; C. A. **72**, 110685^{w} (1970).

[10] S. A. Vartanyan u. Sh. O. Badanyan, Izv. Akad. Arm. SSR, Khim. Nauki **12**, 37 (1959); C. A. **54**, 6538 (1960).
s. a. ds. Handb., Bd. V/2, Kap. Allene.

[11] S. A. Vartanyan u. Sh. O. Badanyan, Izv. Akad. Arm. SSR, Khim. Nauki **10**, 347 (1957); C. A. **52**, 12860 (1958).
S. A. Vartanyan, S. K. Vardapetyan u. Sh. O. Badanyan, Izv. Akad. Arm. SSR, Khim. Nauki **14**, 255 (1961); C. A. **56**, 14137 (1962).
A. A. Petrov u. V. A. Kormer, Doklady Akad. SSSR **126**, 1278 (1959); C. A. **53**, 21617 (1959).
V. P. Lopatinski, E. E. Sirotkina u. T. N. Zinchenko, Tr. Tomskogo, Gos. Univ., Ser. Khim. **170**, 83 (1964); C. A. **63**, 565 (1965).
s. a. ds. Handb., Bd. V/2, Kap. Acetylene.

$$H_2C{=}CH{-}C{\equiv}CH \;+\; R_2NH(Li) \longrightarrow \begin{cases} H_2C{=}C{=}CH{-}CH_2{-}NR_2 & (1) \\ HC{\equiv}C{-}CH_2{-}CH_2{-}NR_2 & (2) \end{cases}$$

Die isolierten Acetylene sollen jedoch nicht durch Addition der Amine an die C=C-Doppelbindung, sondern durch Isomerisierung der grundsätzlich primär gebildeten Allene unter dem Einfluß überschüssigen Amins entstehen[1]:

$$H_2C{=}C{=}CH{-}CH_2{-}NR_2 \xrightarrow{R_2NH} HC{\equiv}C{-}CH_2{-}CH_2{-}NR_2$$

Die Reaktion von Buten-in mit Ammoniak am Blei/Cadmium-Katalysator liefert im wesentlichen *2-Methyl-pyridin* (*α-Picolin*)[2], während die Struktur der bei der Umsetzung von Buten-in mit sek. Aminen erhaltenen Produkte (z.B. Morpholino-butadien-Base) nicht näher angegeben wurde[3].

β) von Wasser

Die Addition von Wasser an En-ine verläuft in fast allen bisher untersuchten Fällen so, daß Vinyl-ketone[4] entstehen:

$$R{-}C{\equiv}C{-}\underset{R'}{\underset{|}{C}}{=}C\begin{matrix}R''\\R'''\end{matrix} \;+\; H_2O \longrightarrow R{-}CH_2{-}\underset{O}{\underset{\|}{C}}{-}\underset{R'}{\underset{|}{C}}{=}C\begin{matrix}R''\\R'''\end{matrix}$$

Die Hydratisierung wird in Gegenwart von Quecksilber(II)-Salzen und Säuren durchgeführt[5], wobei sich jedoch ein Zusatz von Eisen(II)-Salzen oft als günstig er-

---

1 S. A. Vartanyan u. Sh. O. Badanyan, Izv. Akad. Arm. SSR, Khim. Nauki **12**, 37 (1959); C. A. **54**, 6538 (1960).

2 US. P. 2175 299 (1937), DuPont; Erf.: A. S. Carter; C. **1940** I, 3450.

3 DRP. 731559 (1940), I. G. Farb.; Erf.: W. Bock u. W. Seidel; C. **1943** II, 1233.
US.P. 2419736 (1947), B. F. Goodrich Co., Erf.: A. W. Sloan; C. A. **41**, 4811 (1947).

4 Vgl. ds. Handb., Bd. VII/2, Kap. Ketone.

5 T. A. Favorskaya u. I. A. Favorskaya, Ž. obšč. Chim. **10**, 451 (1940); C. **1940** II, 1567.
I. A. Favorskaya u. L. V. Federova, Ž. obšč. Chim. **23**, 47 (1953); **24**, 242 (1954); C. A. **48**, 610 (1954); **49**, 4538 (1955).
E. M. McMahon et al., Am. Soc. **70**, 2971 (1948).
T. I. Temnikova u. Z. A. Baskova, Ž. obšč. Chim. **21**, 1823 (1951); C. A. **46**, 6584 (1952).
I. N. Nazarov, S. A. Vartanyan u. S. G. Matsoyan, Ž. obšč. Chim. **25**, 1111 (1955); C. A. **50**, 3415 (1956).
N. A. Doson u. R. A. Raphael, Soc. **1955**, 3558.
M. F. Ansell, J. W. Hancok u. W. J. Hickinbottom, Soc. **1956**, 911.
I. N. Nazarov u. S. G. Matsoyan, Ž. obšč. Chim. **27**, 2115, 2629 (1957); C. A. **52**, 6143, 7155 (1958).
S. G. Matsoyan, G. A. Chukhadzhyan u. S. A. Vartanyan. Ž. obšč. Chim. **29**, 451 (1959); C. A. **53**, 21913 (1959).
B. S. Kupin u. A. A. Petrov, Ž. obšč. Chim. **29**, 2281 (1959); C. A. **54**, 9722 (1960).
S. A. Vartanyan u. G. A. Chukhadzhyan, Izv. Akad. Arm. SSR Khim. Nauki **12**, 179 (1959); C. A. **54**, 7707 (1960).
S. A. Vartanyan u. Sh. O. Badanyan, Izv. Akad. Arm. SSR, Khim. Nauk **14**, 477 (1961); C. A. **58**, 6729 (1963).
I. A. Favorskaya u. E. M. Auvinen, Ž. obšč. Chim. **32**, 1373 (1962); C. A. **58**, 7935 (1963).
I. V. Zaitseva, E. M. Auvinen u. I. A. Favorskaya, Ž. obšč. Chim. **33**, 3501 (1963); C. A. **60**, 7924 (1964).
DBP. 926007 (1955), BASF, Erf.: E. Eberhardt et al.; C. A. **52**, 13778 (1958).

wiesen hat[1]. Es sind aber auch Hydratisierungen in Gegenwart von Kupfer(I)-Ionen[2] bzw. eines Ionenaustauschers[3] oder in der Gasphase[4] beschrieben worden.

In einem Falle ist bei der Hydratisierung von Vinylacetylenen auch die Bildung von Allyl-ketonen beobachtet worden[5], z.B.:

$$H_5C_6-C\equiv C-CH=CH_2 \longrightarrow H_5C_6-\underset{\underset{O}{\|}}{C}-CH_2-CH=CH_2$$

4-Oxo-4-phenyl-buten-(1)

γ) Gleichzeitige Anlagerung von Wasser und Alkoholen bzw. Phenolen

Die gleichzeitige Anlagerung von Wasser und Alkoholen an En-ine führt zur Bildung von β-Alkoxy-ketonen[6]:

$$H_2C=CH-C\equiv CH + H_2O + ROH \xrightarrow{Hg^{2\oplus},\ H^{\oplus}} RO-CH_2-CH_2-\underset{\underset{O}{\|}}{C}-CH_3$$

Die Addition von Wasser an Buten-in in Gegenwart von Essigsäure liefert *4-Acetoxy-2-oxo-butan*[7]:

$$HC\equiv C-CH=CH_2 + H_2O + CH_3COOH \rightarrow H_3C-\underset{\underset{O}{\|}}{C}-CH_2-CH_2-O-\underset{\underset{O}{\|}}{C}-CH_3$$

---

1 I. A. Favorskaya et al., Ž. obšč. Chim. **28**, 1785 (1958); C. A. **53**, 1097 (1959).
K. A. Ogloblin, Ž. obšč. Chim. **18**, 2153 (1948); C. A. **43**, 3777 (1949).
Yu. A. Gorin u. L. P. Bogdanova, Ž. obšč. Chim. **28**, 1144 (1958); C. A. **53**, 275 (1959).
A. A. Petrov u. B. S. Kupin, Ž. obšč. Chim. **28**, 1999 (1958); C. A. **53**, 1098 (1959).
Y. P. Artsybasheva u. I. A. Favorskaya, Ž. obšč. Chim. **28**, 3238 (1958); C. A. **53**, 12162 (1959).
I. A. Favorskaya, Ž. obšč. Chim. **19**, 2051 (1959); C. A. **44**, 3875 (1950).
B. S. Kupin u. A. A. Petrov, Ž. obšč. Chim. **29**, 3838 (1959); **32**, 2494 (1962); C. A. **54**, 19454 (1960); **58**, 12411 (1963); Trudy Leningrad. Tekhnol. Inst. Im. Lensoveta **60**, 70 (1960); C. A. **55**, 20905 (1961).

2 N. G. Karapetyan, A. S. Tarkhanyan u. A. N. Lyubimova, Izv. Akad. Arm. SSR, Khim. Nauki **17**, 398 (1964); **18**, 360, 472 (1965); C. A. **61**, 15950 (1964); **63**, 17883 (1965); **64**, 11043 (1966).
N. G. Karapetyan u. A. N. Lyubimova, Katal. Reakts. Zhidk. Faze, Tr. Vses. Konf., 2nd, Alma-Ata, **1966**, 505–507 (Publ. 1967); C.A. **68**, 113992ˣ (1968).
A. S. Tarakhanyan u. E. M. Agayan, Katal. Reakts. Zhidk. Faze, Tr. Vses. Konf., 2nd, Alma-Ata, **1966**, 508–510 (Publ. 1967); C.A. **69**, 35092ʰ (1968).

3 K. A. Grigoryan, A. A. Panfilow u. V. I. Isagulyants, Doklady Akad. Arm. SSR **35**, 33 (1962); C. A. **58**, 2362 (1963).
M. Apparu u. R. Glenat, Bl. **1968**, 1113.

4 US. P. 2524865 (1950), Publicker Industries Inc., Erf.: E. V. Winslow; C. A. **45**, 1617 (1951).
Yu. A. Gorin u. L. P. Bogdanova, Ž. obšč. Chim. **28**, 657, 1144 (1958); C. A. **52**, 17095 (1958); **53**, 275 (1959).

5 I. A. Favorskaya et al., Ž. org. Chim. **4**, 368–371 (1968); C.A. **68**, 104633ᵈ (1968).

6 I. N. Nazarov et al., Ž. obšč. Chim. **23**, 1986 (1953); C. A. **49**, 3002 (1955).
I. N. Nazarov, S. A. Vartanyan u. S. G. Matsoyan, Ž. obšč. Chim. **25**, 1111 (1955); C. A. **50**, 3415 (1956).
I. A. Favorskaya u. N. N. Kopylov-Shakmatov, Ž. obšč. Chim. **27**, 2406 (1957); C. A. **52**, 7155 (1958).
S. G. Matsoyan, G. A. Chukhadzhyan u. S. A. Vartanyan, Ž. obšč. Chim. **29**, 451 (1959); C. A. **53**, 21913 (1959).
S. A. Vartanyan u. Sh. O. Badanyan, Izv. Akad. Arm. SSR. Khim. Nauki **14**, 477 (1961); C. A. **58**, 6729 (1963).
Vgl. ds. Handb., Bd. VII/2, Kap. Ketone.

7 I. N. Nazarov, S. G. Matsoyan u. S. A. Vartanyan, Ž. obšč. Chim. **27**, 1818 (1957); C. A. **52**, 461 (1958).

δ) von Alkoholen bzw. Phenolen[1]

Die Addition von Alkoholen an En-ine beginnt an der C≡C-Dreifachbindung. Die primär entstehenden Alkoxy-butadiene I und II lassen sich isolieren, wenn die Addition in alkalischem Medium durchgeführt wird[2–10]. Die Additionsrichtung scheint von der Temperatur, der Base und dem Alkohol abzuhängen; eine kritische Abhandlung der beschriebenen, oft stark von einander abweichenden Ergebnisse, findet sich in der Literatur[6].

$$R-CH=CH-C\equiv C-R' + ROH \rightarrow \underset{\text{I}}{R-CH=CH-CH=\underset{R'}{C}-OR} + \underset{\text{II}}{R-CH=CH-\underset{OR}{C}=CH-R'}$$

Wird die Reaktion von En-inen mit Alkoholen in Gegenwart von Quecksilber-(II)-Salzen und Bortrifluorid[11–15] bzw. in der Gasphase in Gegenwart von Zinkoxid[16] durchgeführt, so isoliert man überwiegend die Ketale von Vinylketonen III:

$$H_2C=CH-C\equiv C-H + 2\ ROH \xrightarrow{HgO,\ BF_3} H_2C=CH-\underset{OR}{\overset{OR}{C}}-CH_3$$

III; z. B.: R = C_2H_5; *3,3-Diäthoxy-buten-(1)*

In einem Falle ist unter diesen Bedingungen auch das Monoadditionsprodukt II in geringer Menge nachgewiesen worden[15].

Wird die Addition der Alkohole an En-ine zusätzlich in Gegenwart von Säuren durchgeführt, so wird auch an die C=C-Doppelbindung Alkohol addiert[17–22]:

---

[1] US. P. 2013725 (1933), DuPont, Erf.: W. H. Carothers; C. **1936** I, 4502.
A. L. Klebanskii u. K. K. Chevychalova, Ž. obšč. Chim. **16**, 1101 (1946); C. A. **41**, 2693 (1947).
[2] R. A. Jacobson, H. B. Dykstra u. W. H. Carothers, Am. Soc. **56**, 1169 (1934).
[3] A. L. Klebanskii, L. G. Jyurich u. I. M. Dolgopolskii, Izv. Akad. SSSR **1935**, 189; C. **1935** II, 3842.
[4] O. Wichterle u. J. Prochazka, Chem. Listy **36**, 278 (1942); C. A. **44**, 1890 (1950).
[5] DBP 857372 (1952), Cons. f. Elektrochem. Ind.; Erf.: P. Halbig u. A. Treibs.
[6] A. Treibs, Ang. Ch. **60**, 289 (1948).
[7] A. A. Petrov u. B. S. Kupin, Ž. obšč. Chim. **28**, 1999 (1958); C. A. **53**, 1098 (1959).
[8] A. A. Petrov u. B. S. Kupin, Ž. obšč. Chim. **30**, 2430 (1960); C. A. **55**, 11283 (1961).
[9] B. S. Kupin u. A. A. Petrov, Ž. obšč. Chim. **29**, 1151 (1959); **34**, 1897 (1964); C. A. **54**, 1278 (1960); **61**, 8145 (1964).
[10] E. N. Prileshaeva et al., Izv. Akad. SSSR **1967**, 1879; C. A. **68**, 95224s (1968).
[11] I. A. Favorskaya u. L. V. Federova, Ž. obšč. Chim. **23**, 47 (1953); C. A. **48**, 610 (1954).
[12] I. A. Favorskaya u. L. V. Federova, Ž. obšč. Chim. **24**, 242 (1954); C. A. **49**, 4538 (1955).
[13] I A. Favorskaya u. I. N. Makarova, Ž. obšč. Chim. **25**, 1477 (1955); C. A. **50**, 4883 (1956).
[14] I. A. Favorskaya u. N. N. Kopylov-Shakmatov, Ž. obšč. Chim. **27**, 2406 (1957); C. A. **52**, 7155 (1958).
[15] I. V. Zaitseva, E. M. Auvinen u. I. A. Favorskaya, Ž. obšč. Chim. **33**, 3501 (1963); C. A. **60**, 7924 (1964).
[16] Y. A. Gorin u. L. P. Bogdanova, Ž. obšč. Chim. **29**, 365 (1959); C. A. **53**, 21647 (1959).
[17] D. B. Kilian, G. F. Hennion u. J. A. Niewland, Am. Soc. **56**, 1786 (1934).
[18] D. B. Kilian, G. F. Hennion u. J. A. Nieuwland, Am. Soc. **58**, 892 (1936).
[19] D. B. Kilian, G. F. Hennion u. J. A. Nieuwland, Am. Soc. **58**, 1658 (1936).
[20] R. O. Norris, J. J. Verbanc u. G. F. Hennion, Am. Soc. **60**, 1159 (1938); **61**, 887 (1939).
[21] M. Murakami u. S. Senoh, Repts. Sci. Research Inst. **29**, 533 (1953); C. A. **49**, 10249 (1955).
[22] US. P. 2354632 (1944), Allien Property Custodian; Erf.: A. Wolfram u. H. Jahn; C. A. **38**, 6300 (1944).

$$H_2C{=}CH{-}C{\equiv}C{-}H + 3\ ROH \xrightarrow{Hg^{2\oplus}, BF_3, H^{\oplus}} RO{-}CH_2{-}CH_2{-}C(OR)_2{-}CH_3$$

Phenole reagieren mit Buten-in in Gegenwart von Quecksilberoxid zu 2-Aryl-oxy-butadienen-(1,3)[1,2]:

$$H_2C{=}CH{-}C{\equiv}C{-}H + ArOH \rightarrow H_2C{=}CH{-}C(OAr){=}CH_2$$

ε) von Schwefel-Verbindungen[3]

Mercaptane lagern sich unter ionischen Bedingungen bevorzugt an die C≡C-Dreifachbindung der En-ine an, Addition an die C=C-Doppelbindung und 1.4-Addition tritt in sehr viel geringerem Maße auf[4–11]. Das Verhältnis der drei Produkte ist von der Temperatur und der Struktur des Mercaptans abhängig[8].

Entgegen früheren Angaben wird der Schwefel-haltige Rest am endständigen C-Atom der C≡C-Dreifachbindung gebunden:

$$H_2C{=}CH{-}C{\equiv}C{-}H + R{-}SH \rightarrow H_2C{=}CH{-}CH{=}CH{-}SR$$

Wird die Reaktion in 1,4-Dioxan oder Tetrahydrofuran durchgeführt, so wird bis zu 92% 1.4-Addition unter Bildung von *4-Alkylmercapto-butadienen-(1,2)* beobachtet[11]:

$$H_2C{=}CH{-}C{\equiv}C{-}H + R{-}SH \rightarrow RS{-}CH_2{-}CH{=}C{=}CH_2$$

Werden die Mercaptane radikalisch an die En-ine addiert, so wird die Addition an die C=C-Doppelbindung begünstigt[10,12], die Zusammensetzung des Reaktionsgemisches hängt jedoch stark von der Struktur des En-ins ab.

Die Struktur der Verbindungen, die bei der Umsetzung von En-inen mit Schwefelwasserstoff erhalten wurden, ist nicht beschrieben worden[4–6].

Chlorsulfene lagern sich bevorzugt an die C=C-Doppelbindung der En-ine an[13]:

$$H_2C{=}CH{-}C{\equiv}C{-}H + R{-}S{-}Cl \rightarrow Cl{-}CH_2{-}CH(SR){-}C{\equiv}C{-}H + RS{-}CH_2{-}CH(Cl){-}C{\equiv}C{-}H$$

---

[1] T. L. Jacobs u. A. Mihailovski, Tetrahedron Letters **1967**, 2607.
D. B. Kilian, G. F. Hennion u. J. A. Nieuwland, Am. Soc. **58**, 1658 (1936).

[2] Vgl. ds. Handb., Bd. V/1c, Kap. Diene, S. 504ff.

[3] Vgl. ds. Handb., Bd. IX.

[4] US. P. 2013725 (1933), DuPont, Erf.: W. H. Carothers; C. **1936** I, 4502.

[5] Brit. P. 578124 (1964), DuPont, Erf.: A. M. Alvarado; C. A. **41**, 2429 (1947).

[6] B. S. Kupin u. A. A. Petrov, Ž. Org. Chim. **1**, 244 (1965); C. A. **62**, 14442 (1965).

[7] A. A. Petrov u. B. S. Kupin, Ž. Org. Chim. **2**, 1904 (1966); C.A. **66**, 54968[c] (1967).

[8] E. N. Prilizhaeva u. V. N. Petrov, Izv. Akad. SSSR **1966**, 1494–1495; C. A. **66**, 54757[h] (1967).

[9] V. N. Petrov et al., Izv. Akad. SSSR **1966**, 2180–2188; C.A. **66**, 85217[m] (1967).

[10] E. N. Prilizhaeva, V. N. Petrov u. A. N. Chudyakova, Izv. Akad. SSSR **1968**, 1097–1102; C.A. **69**, 76556[f] (1968).

[11] E. N. Prilizhaeva, V. N. Petrov u. G. S. Vasilev, Izv. Akad. SSSR **1967**, 1879; C.A. **68**, 95224[g] (1968).

[12] I. G. Sulimov u. M. D. Stadnichuk, Ž. obšč. Chim. **37**, 1906–1915 (1967); C.A. **68**, 29760[n] (1968).
I. G. Sulimov u. M. D. Stadnichuk, Khim. prakt. Primen. Kremniorg. Soed. Tr. Soresch. **1966**, 57 (Publ. 1968); C. A. **72**, 54422[u] (1970).

[13] S. I. Radchenko u. A. A. Petrov, Ž. Org. Chim. **1**, 47 (1965); C. A. **62**, 14484 (1965).
P. E. Butler u. W. H. Müller, Tetrahedron Letters **1966**, 2179.

Die Reaktion von En-inen mit Rhodanwasserstoff ergibt *2-Rhodano-butadien-(1,3)*[1]:

$$H_2C{=}CH{-}C{\equiv}C{-}H + HSCN \rightarrow H_2C{=}CH{-}\underset{\displaystyle SCN}{\underset{|}{C}}{=}CH_2$$

Bei der Reaktion von En-inen mit Schwefeldioxid wurden Polymere erhalten, deren Struktur nicht bestimmt wurde[2].

ζ) von Halogen-Wasserstoff-Verbindungen

Bei der Addition eines Mols Halogenwasserstoff an ein Buten-in sind drei Reaktionsprodukte zu erwarten; Butadiene I durch Addition an die C≡C-Dreifachbindung, Acetylene II durch Addition an die C=C-Doppelbindung und Allene III über eine 1.4-Addition:

$$H_2C{=}CH{-}C{\equiv}CH + HX \rightarrow \begin{cases} H_2C{=}CH{-}\underset{\displaystyle X}{\underset{|}{C}}{=}CH_2 & \text{I} \\ H_3C{-}\underset{\displaystyle X}{\underset{|}{CH}}{-}C{\equiv}CH & \text{II} \\ X{-}CH_2{-}CH{=}C{=}CH_2 & \text{III} \end{cases}$$

Berechnungen nach der LCAO-Methode ergeben, daß alle diese drei Additionsrichtungen an En-ine möglich sind[3].

Die praktischen Untersuchungen zeigten dann, daß es einige Fälle gibt, in denen gleichzeitig alle drei zu erwartenden oder zwei der theoretisch möglichen Additionsprodukte auftreten[4–13]; häufig wird jedoch nur Addition an die C≡C-Dreifachbindung beobachtet[14]:

$$R{-}CH{=}\underset{\displaystyle R'}{\underset{|}{C}}{-}C{\equiv}CH + HX \rightarrow R{-}CH{=}\underset{\displaystyle R'}{\underset{|}{C}}{-}\underset{\displaystyle X}{\underset{|}{C}}{=}CH_2$$

---

[1] M. Kotake, I. Mita u. Y. Mikami, J. Chem. Soc. Japan **62,** 88 (1941); C. A. **37,** 4055 (1943).
[2] Ya. M. Slobodin, Ž. obšč. Chim. **16,** 1831 (1946); C. A. **41,** 6186 (1947).
[3] M. Cocordano, Bl. **1962,** 738.
[4] E. D. Bergmann u. D. Herrman, Am. Soc. **73,** 4013 (1951).
[5] A. A. Petrov, G. I. Semenev u. N. P. Sopov, Ž. obšč. Chim. **27,** 928 (1957); C. A. **52,** 3661 (1958).
[6] A. A. Petrov u. Yu. I. Porforeva, Ž. obšč. Chim. **27,** 2076 (1957); **33,** 3215 (1963); C. A. **52,** 6145 (1958); **60,** 3990 (1964).
[7] J. C. Traynard, C. r. **249,** 136 (1959); **250,** 1504 (1960); Bl. **1960,** 19.
[8] I. M. Dolgopolskii u. Yu. V. Trenke, Ž. obšč. Chim. **33,** 773 (1963); C. A. **59,** 7356 (1963).
[9] I. M. Dolgopolskii, Yu. V. Trenke u. M. Kh. Blyumental, Ž. obšč. Chim. **33,** 1071 (1963); C. A. **59,** 9771 (1963).
[10] US. P. 1950441 (1939), DuPont; Erf.: W. H. Carothers u. D. D. Coffmann; C. **1934** II, 1037.
[11] US. P. 2451612 (1948), DuPont; Erf.: R. A. Jacobson; C. **1934** II, 1037.
[12] US. P. 2519199 (1950), DuPont; Erf.: L. F. Salisbury; C. A. **45,** 2496 (1951).
[13] V. N. Petrov et al., Izv. Akad. SSSR **1966,** 2180–2188; C.A. **66,** 85217m (1967).
[14] Japan. P. 153195 (1942), Hidachi Manufg. Co.; C. A. **44,** 3513 (1950).
Japan. P. 158294 (1943), South Manchurian Railway Co.; C. A. **44,** 1126 (1950).
Brit. P. 590381 (1947), DuPont; C. A. **42,** 333 (1948).
W. H. Carothers, I. Williams, A. M. Collins u. J. E. Kirby, Am. Soc. **53,** 4203 (1931).
W. H. Carothers u. D. D. Coffmann, Am. Soc. **54,** 4071 (1932).
W. H. Carothers, Am. M. Collins u. J. E. Kirby, Am. Soc. **55,** 786 (1933).
(Fortsetzung s. S. 683)

Der primäre Reaktionsschritt ist eine 1.4-Addition; die isolierten Butadiene entstehen durch Isomerisierung der Allene[1].

In Gegenwart von Aluminiumchlorid oder anderer Lewis-Säuren wird überwiegend eine 1.4-Addition unter Bildung von Allenen beobachtet[2]:

$$R{-}CH{=}\underset{\displaystyle R'}{\underset{|}{C}}{-}C{\equiv}CH + HX \xrightarrow{AlCl_3} R{-}\overset{\displaystyle X}{\overset{|}{C}}H{-}\underset{\displaystyle R'}{\underset{|}{C}}{=}C{=}CH_2$$

η) Umsetzung mit Hypohalogeniten

Die Addition von Hypohalogeniten an En-ine ist in mehreren Fällen beschrieben worden. In allen Fällen wird eine Addition an die C=C-Doppelbindung beobachtet, wobei das Halogen an das terminale C-Atom tritt[3]:

$$R{-}C{\equiv}C{-}CH{=}CH_2 + R'{-}OX \rightarrow R{-}C{\equiv}C{-}\underset{\displaystyle OR}{\underset{|}{C}}H{-}CH_2{-}X$$

Bei der Umsetzung der meisten En-ine mit terminaler C≡C-Dreifachbindung mit Hypohalogeniten wurde dagegen ein Austausch des sauren Wasserstoffatoms gegen Halogen beobachtet[4], z.B.:

$$H_3C{-}CH{=}CH{-}C{\equiv}C{-}H + NaOBr \rightarrow H_3C{-}CH{=}CH{-}C{\equiv}C{-}Br$$

1-Brom-penten-(3)-in-(1)

1-Brom-penten-(3)-in-(1) erhält man auch aus dem entsprechenden Stannyl-acetylen und Brom[5].

---

[1] T. Herbertz, B. **92**, 541 (1959).
W. H. Carothers, G. J. Berchet u. A. M. Collins, Am. Soc. **54**, 4066 (1932).
W. H. Carothers u. G. J. Berchet, Am. Soc. **55**, 2807 (1933).

[2] S. A. Vartanyan u. Sh. O. Badanyan, Izv. Akad. Arm. SSR, Khim. Nauki **15**, 231 (1962); C. A. **59**, 3755 (1963).

[3] A. H. Baum, R. R. Vogt u. G. H. Hennion, Am. Soc. **61**, 1458 (1939).
A. A. Petrov u. Yu. I. Porfireva, Doklady Akad. SSSR **90**, 561 (1953); C. A. **49**, 12285 (1955).
A. A. Petrov et al., Ž. obšč. Chim. **23**, 1120 (1953); C. A. **47**, 12209 (1953).
A. A. Petrov, Ž. obšč. Chim. **24**, 803 (1954); C. A. **49**, 8089 (1955).
A. A. Petrov, Y. I. Porfireva u. G. I. Semenov, Ž. obšč. Chim. **28**, 2325 (1958); C. A. **53**, 3030 (1959).
I. A. Maretina u. A. A. Petrov, Z. obšč. Chim. **32**, 127 (1962); C. A. **58**, 7820 (1963).

[4] R. A. Jacobson u. W. H. Carothers, Am. Soc. **55**, 4668 (1933).
T. H. Vaughn u. J. A. Nieuwland, Am. Soc. **56**, 1208 (1934).
A. L. Klebanskii, A. S. Wolkenstein u. L. P. Oplowa, Ž. obšč. Chim. **5**, 1255–1267 (1935); C. **1936** I, 3414.
F. Bohlmann u. P. Herbst, B. **91**, 1631 (1958).

[5] V. S. Zavgorodnii u. A. A. Petrov, Ž. obšč. Chim. **32**, 3514 (1962); C. A. **58**, 12593 (1963).

(Fortsetzung v. S. 682)
R. A. Jacobson u. W. H. Carothers, Am. Soc. **55**, 1624 (1933).
Z. Hurukawa u. S. Nakamura, J. Soc. Chim. Ind. Japan, **41**, 198 (1938); C. **1939** I, 2686.
T. Komoda, J. Chem. Soc. Japan **63**, 1194 (1942); C. A. **41**, 3743 (1947).
H. Yoshinaga, J. Chem. Soc. Japan **68**, 11 (1947); C. A. **43**, 7898 (1949).
A. A. Petrov u. E. A. Leporskaya, Ž. obšč. Chim. **23**, 1038 (1953); C. A. **48**, 8181 (1954).
A. A. Petrov u. Yu. I. Porfireva, Ž. obšč. Chim. **27**, 2076 (1957); C. A. **52**, 6145 (1958).
I. M. Dolgopolskii, I. M. Dobromilskaya u. B. A. Byzov, Ž. prikl. Chim. **31**, 1534, 1716 (1958); **32**, 194 (1959); C. A. **53**, 6057, 6987, 11193 (1959).
Brit. P. 1066728 (1967), DuPont, Erf.: M. L. Crosswait; C.A. **67**, 53625^{x} (1967).

ϑ) von Carbonsäuren bzw. Carbonsäure-anhydriden

Carbonsäuren addieren sich, insbesondere in Gegenwart von Quecksilber(II)-Salzen und Bortrifluorid, an En-ine unter Bildung von 2-Acyloxy-butadienen[1]:

$$H_2C{=}CH{-}C{\equiv}C{-}H \ + \ R{-}COOH \longrightarrow H_2C{=}CH{-}C(O{-}C({=}O){-}R){=}CH_2$$

In Gegenwart von Cadmiumphosphat entstehen 1-Acyloxy-butadiene[2].

Bei der Umsetzung in der Gasphase (200–250°) an verschiedenen Katalysatoren ($ZnO \cdot Al_2O_3$; $CdO \cdot Al_2O_3$; $CaO \cdot Al_2O_3$) wurde ebenfalls Addition an die C≡C-Dreifachbindung beobachtet; es entstehen *Butadien-(1,3)-yl-(1)-* und *Butadien-(1,3)-yl-(2)-ester*[3].

Die Reaktion von 2-Methyl-penten-(1)-in-(3) mit Acetanhydrid gibt *4-Acetoxy-4-methyl-pentin-(2)*[3].

3. Addition von Halogenen

Bei der Addition von Halogenen an En-ine sind, wie bei der Addition von Halogenwasserstoffen, drei Additionsrichtungen möglich: die Addition an die C=C-Doppelbindung ①, an die C≡C-Dreifachbindung ② und eine 1,4-Addition ③:

$$H_2C{=}CH{-}C{\equiv}CH \ + \ X_2 \longrightarrow \begin{cases} X{-}CH_2{-}CH(X){-}C{\equiv}CH & ① \\ H_2C{=}CH{-}C(X){=}CH{-}X & ② \\ X{-}CH_2{-}CH{=}C{=}CH{-}X & ③ \end{cases}$$

Welche Additionsrichtung bevorzugt wird, hängt von der Struktur der ungesättigten Verbindung ab[4–8]; ebenso die Reaktionsordnung[9].

---

[1] J. H. Wernitz, Am. Soc. **57**, 204 (1934).
A. L. Klebanskii u. K. Chevuichalova, Sintez Kaut. **4**, 5 (1935); C. A. **29**, 6799 (1935).
A. L. Klebanskii, L. G. Zjurich u. I. M. Dolgopolskii, Izv. Akad. SSSR **1935**, 189; C. **1935** II, 3842.
I. N. Nazarov, G. P. Vercholetova u. L. D. Bergelsen, Izv. Akad. SSSR **1948**, 511; C. A. **43**, 2576 (1949).
T. G. Arefeva u. Y. A. Gorin, Ž. Org. Chim. **1970**, 621; C. A. **72**, 141982f (1970).

[2] L. N. Vorober u. A. A. Petrov, Ž. Org. Chim. **2**, 1568–1572 (1966); **3**, 964–967 (1967); C.A. **66**, 64784d (1967); **67**, 99544y (1967).

[3] A. I. Zakharov, Ž. obšč. Chim. **17**, 686 (1947); C. A. **42**, 1871 (1948).

[4] K. Rengert u. H. J. Schumacher, B. **73**, 1025 (1940).
C. Prevost, P. Souchay u. J. Chauvilier, Bl. **1951**, 714.
E. M. Brainina u. R. Kh. Freidlina, Izv. Akad. SSSR **1950**, 315; C. A. **45**, 546 (1951).
A. A. Petrov u. N. P. Sopov, Ž. obšč. Chim. **20**, 708 (1950); C. A. **44**, 7751 (1950).
A. A. Petrov u. Y. I. Porfireva, Doklady Akad. SSSR **89**, 873 (1953); **111**, 839 (1956); C. A. **48**, 6373 (1954); **51**, 9469 (1957); Ž. obšč. Chim. **23**, 1867 (1953); **27**, 1805 (1957); **29**, 2830 (1959); C. A. **49**, 147 (1955); **52**, 4468 (1958); **54**, 11969 (1960).

(Fortsetzung s. S. 685)

Bei der Addition von 2 Molen Halogen an En-ine sind, falls die Struktur bestimmt wurde, ausschließlich 1,2,3,4-Tetrahalogen-butene beschrieben worden[1,2]; z. B.:

$$H_2C{=}CH{-}C{\equiv}C{-}C_6H_5 + 2\,Br_2 \rightarrow Br{-}CH_2{-}\underset{}{\overset{Br}{\overset{|}{C}}}H{-}\overset{Br}{\overset{|}{C}}{=}C\begin{smallmatrix}Br\\C_6H_5\end{smallmatrix}$$

1,2,3,4-Tetrabrom-1-phenyl-buten-(1)

Umsetzung mit überschüssigem Halogen führen zu Hexahalogen-butanen[2,3]:

$$H_2C{=}CH{-}C{\equiv}CH + 3\,X_2 \rightarrow X{-}CH_2{-}\overset{X}{\overset{|}{C}}H{-}CX_2{-}CHX_2$$

Die gleichzeitige Addition von Jod und Stickstoffdioxid führt zur Bildung von β-Jod-α-nitro-alkinen[4,5] (s. S. 670); z. B.:

$$H_2C{=}CH{-}C{\equiv}CH + J_2 + NO_2 \rightarrow J{-}CH_2{-}\underset{NO_2}{\underset{|}{C}}H{-}C{\equiv}CH$$

4-Jod-3-nitro-butin-(1)

---

1 R. QUELET u. R. GOLSE, C. r. **224**, 661 (1947); Bl. **1947**, 313.
R. GOLSE, Ann. Chimica [12] **3**, 527 (1948).
R. GOLSE u. J. GAVARET, Bl. **1950**, 216.
R. GOLSE u. LE-VAN-THOI, C. r. **230**, 210 (1954).
K. RENGERT u. H. J. SCHUHMACHER, B. **73**, 1025 (1940).

2 Vgl. ds. Handb., Bd. V/3, Kap. Fluor-Verbindungen; Kap. Chlor-Verbindungen; Bd. V/4, Kap. Brom- und Jod-Verbindungen.

3 DBP 1000797 (1957), BASF, Erf.: R. KELLER u. E. KEYSSNER; C. A. **54**, 1294 (1960).

4 A. A. PETROV, K. B. RALL u. A. I. VILDAVSKAYA, Ž. obšč. Chim. **34**, 3513 (1964); C.A. **62**, 2700 (1965).

5 Vgl. ds. Handb., Bd. V/4, Kap. Jod-Verbindungen; Bd. X/1, Kap. Aliphatische Nitro-Verbindungen.

(Fortsetzung v. S. 684)
A. A. PETROV, G. I. SEMENOV u. N. P. SOPOV, Ž. obšč. Chim. **27**, 928 (1957); C. A. **52**, 3661 (1958).
A. A. PETROV et al., Ž. obšč. Chim., **28**, 2320 (1958); C. A. **53**, 3030 (1959).
A. A. PETROV u. T. V. YAKOVLEVA, Izv. Akad. SSSR, Ser. Fiz. **23**, 1226 (1959); Ž. obšč. Chim. **29**, 1878 (1959); C. A. **54**, 8592 (1960); C. A. **54**, 6309 (1960).
A. A. PETROV, Y. I. PORFIREVA u. T. V. YAKOVLEVA, Ž. obšč. Chim. **30**, 1441 (1960); C. A. **55**, 1409 (1961).
I. A. MARETINA u. A. A. PETROV, Ž. obšč. Chim. **32**, 127 (1962); C. A. **58**, 7820 (1963).

5 R. QUELET u. R. GOLSE, C. r. **224**, 661 (1947); Bl. **1947**, 313.
R. GOLSE, Ann. Chimica [12] **3**, 527 (1948).
R. GOLSE u. J. GAVARET, Bl. **1950**, 216.
R. GOLSE u. LE-VAN-THOI, C. r. **239**, 210 (1954).
K. RENGERT u. H. J. SCHUMACHER, B. **73**, 1025 (1940).

6 DBP 1000797 (1957), BASF, Erf.: R. KELLER u. E. KEYSSNER; C. A. **54**, 1294 (1960).

7 A. A. PETROV, K. B. RALL u. A. I. VILDAVSKAYA, Ž. obšč. Chim. **34**, 3513 (1964); C. A. **62**, 2700 (1965).

8 Vgl. ds. Handb., Bd. V/3, Kap. Fluor-Verbindungen; Kap. Chlor-Verbindungen; Bd. V/4, Kap. Brom- und Jod-Verbindungen; Bd. V/1 c, Kap. Diene; Bd. V/2, Kap. Allene; Kap. Acetylene.

9 G. D. MELNIKOV u. Y. I. PORFIREVA, Ž. org. Chim. **6**, 1953–1959 (1970); C. A. **74**, 12363^{m} (1971).
N. N. BELYAER, M. D. STADNICHUK u. A. A. PETROV, Ž. obšč. Chim. **1968**, 886–893; C.A. **69**, 76166^{d} (1968).

4. Addition von Phosphorhalogeniden

Bei der Reaktion von En-inen mit Phosphorhalogeniden (PCl_5, $POCl_3$) findet in der Regel eine Addition an die C≡C-Dreifachbindung statt[1]:

$$H_2C{=}CH{-}C{\equiv}CH \xrightarrow{POCl_3} H_2C{=}CH{-}C(Cl){=}CH{-}POCl_2$$

$$H_2C{=}CH{-}C{\equiv}CH \xrightarrow{PCl_5/SO_2} H_2C{=}CH{-}C(Cl){=}CH{-}POCl_2$$

2-Chlor-butadien-(1,3)-1-phosphonsäure-dichlorid

In einem Falle ist bei der Reaktion von 3-Methyl-buten-(3)-in-(1) mit Phosphor(V)-chlorid (mit nachfolgender Behandlung von Schwefeldioxid) neben der Addition von Chlor an die C≡C-Dreifachbindung und die C=C-Doppelbindung[2] auch eine Substitution in der Methyl-Gruppe beschrieben worden[3]:

$$H_2C{=}C(CH_3){-}C{\equiv}CH + PCl_5 \longrightarrow Cl{-}CH_2{-}C(CH_3)(Cl){-}C(Cl){=}CH{-}Cl + Cl{-}CH_2{-}C({=}CH_2){-}C(Cl){=}CH{-}POCl_2$$

1,2,3,4-Tetrachlor-3-methyl-buten-(1) *2-Chlor-3-chlormethyl-butadien-(1,3)-1-phosphonsäure-dichlorid*

5. Addition von Silanen, Germanen, Stannanen und Alanen[4]

Silane[5], Germane[6] und Stannane[7] addieren sich bevorzugt an die C≡C-Dreifach-fachbindung von En-inen:

$$H_2C{=}CH{-}C{\equiv}CH + R^1{-}M(R^2)(R^3){-}H \rightarrow H_2C{=}CH{-}CH{=}CH{-}M(R^2)(R^3){-}R^1$$

M = Si, Ge, Sn

---

[1] Y. M. Zinovev, L. I. Muler u. L. Z. Soborovskii, Ž. obšč. Chim. **24**, 380 (1954); C. A. **49**, 4503 (1955).
B. A. Vovsi, A. A. Petrov et al., Nauch. Dokl. Vyshei Shkoly, Khim. i. Khim. Tekhnol. **1958**, 335; C. A. **52**, 19911 (1958).
Vgl. ds. Handb., Bd. V/1c, Kap. Diene; Bd. XII/1, Kap. Phosphonsäure-dichloride.
A. A. Petrov, Yu. I. Porfireva u. V. I. Savchenko, Ž. obšč. Chim. **29**, 4096 (1959); C.A. **54**, 20843 (1960).
K. N. Anisimov u. G. M. Kunitzkaya, Izv. Akad. SSSR **1961**, 274; C. A. **55**, 18562 (1961).

[2] K. N. Anisimov u. G. K. Fedorova, Dopovidi Akad. Nauk Ukr. R.S.R. **1960**, 1245; C. A. **56**, 499 (1962).

[3] K. N. Anisimov, G. M. Kunitzkaya u. N. A. Slovokhnotova, Izv. Akad. SSSR **1961**, 64; C. A. **55**, 18562 (1961).
Vgl. ds. Handb., Bd. V/3, Kap. Chlor-Verbindungen.

[4] Vgl. ds. Handb., Bd. XIII/5, Kap. Silicium-organische Verbindungen; Bd. XIII/6, Kap. Germanium-organische Verbindungen.

[5] A. D. Petrov u. S. I. Sadych-Zade, Izv. Akad. SSSR **1958**, 513–514; C.A. **53**, 6995 (1959).

[6] M. Lesbre u. J. Satge, C.r. **250**, 2220–2222 (1960).
M. Massol, J. Satge u. Y. Cabadi, C. r. [C] **1969**, 1814–1816.

[7] E. N. Maltseva, V. S. Zavgorodnii u. A. A. Petrov, Ž. obšč. Chim. **1969**, 152–159; C.A. **70**, 106625t (1969).
USSR.P. 158573 (1963), N. V. Komarov et al.; C. A. **60**, 15910 (1964).

Alane reagieren mit En-inen mit terminaler Acetylen-Gruppe überwiegend unter Metallierung, erst danach tritt Addition an die Doppelbindung auf. Addition an die Dreifachbindung wird nur in untergeordnetem Maße beobachtet[1].

b) Addition mit C—C-Neuknüpfung

1. Einfache Addition

α) von Lithium-organischen Verbindungen

Butyl-, Benzyl- und Phenyl-lithium addiert sich an En-ine mit mittelständiger C≡C-Dreifachbindung in 1.4-Stellung[2]. So erhält man z.B. aus 5,5-Dimethyl-hexen-(1)-in-(3) und Butyl-lithium *2,2-Dimethyl-decadien-(3,4)*:

$$H_3C-C(CH_3)_2-C\equiv C-CH=CH_2 + LiC_4H_9 \rightarrow H_3C-C(CH_3)_2-CH=C=CH-CH_2-C_4H_9$$

Die Kinetik und der Mechanismus dieser Reaktion sind eingehend untersucht worden[3].

β) von Halogen-Verbindungen

β₁) *von Halogen-alkanen*

Tert. Halogen-alkane addieren sich in Gegenwart von Zinkchlorid an En-ine. Dabei wird sowohl eine Addition an die C≡C-Dreifachbindung[4,5] als auch eine 1.4-Addition beobachtet[4]:

$$H_2C=CH-C\equiv CH + R_3CX \xrightarrow{ZnX_2} \begin{cases} H_2C=CH-C(X)=CH-CR_3 \\ R_3C-CH_2-CH=C=CHX \end{cases}$$

---

[1] V. A. Kormer u. A. A. Petrov, Doklady Akad. SSSR **146**, 1343 (1962); C. A. **58**, 8883 (1963).
V. V. Markova, V. A. Kormer u. A. A. Petrov, Ž. obšč. Chim. **37**, 226–229, 1987–1996 (1967); C.A. **66**, 95106p (1967); **68**, 86770q (1968).

[2] A. A. Petrov u. V. A. Kormer, Doklady Akad. SSSR **125**, 1041 (1959); Ž. obšč. Chim. **30**, 3845 (1960); C. A. **53**, 21610 (1959); **55**, 20923 (1961).
A. A. Petrov, I. A. Maretina u. V. A. Kormer, Ž. obšč. Chim. **33**, 413 (1963); C. A. **59**, 1462 (1963).
V. A. Kormer u. A. A. Petrov, Ž. obšč. Chim. **30**, 216 (1960); C. A. **54**, 22313 (1960).
L. N. Cherkasov et al., Ž. Org. Chim. **2**, 1938–1942 (1966); **4**, 204–207 (1968); C.A. **66**, 75761v (1967); **68**, 104634e (1968); Izv. Vyssh. Ucheb. Zaved., Khim. Khim. Technol. **1969**, 1368; C. A. **72**, 89913g (1970).
L. M. Zubritskii u. K. V. Balyan, Ž. Org. Chim. **1969**, 2132; C. A. **72**, 66506n (1970).
S. ds. Handb., Bd. XIII/1, Kap. Lithium-organische Verbindungen; Bd. V/2, Kap. Allene.

[3] V. A. Kormer, A. A. Petrov, I. G. Savich u. T. G. Podporina, Ž. obšč. Chim. **32**, 318 (1962); C. A. **57**, 13593 (1962).

[4] A. A. Petrov u. K. V. Leets, Doklady Akad. SSSR **95**, 285 (1954); C. A. **49**, 3777 (1955).
s. ds. Handb., Bd. V/1c, Kap. Diene; Bd. V/2, Kap. Allene.

[5] A. A. Petrov u. K. V. Leets, Ž. obšč. Chim. **26**, 407 (1956); C. A. **50**, 11936 (1956).
I. A. Maretina, A. A. Petrov u. T. V. Yakovleva, Ž. obšč. Chim. **29**, 3992 (1959); C. A. **54**, 20830 (1960).
I. A. Maretina u. A. A. Petrov, Ž. obšč. Chim. **31**, 419 (1961); C. A. **55**, 23329 (1961).

Bei der Addition von Allylbromiden an Vinylacetylene ist vor allem eine 1.4-Addition beobachtet worden[1]; z.B.:

$$H_3C-CH=CH-\underset{Br}{CH}-CH_3 + H_2C=\underset{CH_3}{C}-C\equiv CH \rightarrow Br-CH_2-\underset{CH_3}{C}=C=CH-\underset{CH_3}{CH}-CH=CH-CH_3$$

1-Brom-2,5-dimethyl-octatrien-(2,3,6)

β_2) *von Chloralkyl-äthern*

Chloralkyl-äther addieren sich an En-ine in Gegenwart von Zinkchlorid in allen drei möglichen Additionsrichtungen, (an die C≡C-Dreifachbindung, an die C=C-Doppelbindung und in 1.4-Stellung)[2], z.B.:

$$H_2C=\underset{CH_3}{C}-C\equiv CH + ClCH_2-OCH_3 \xrightarrow{ZnCl_2}$$

$$\rightarrow H_2C=\underset{H_3C}{C}-\underset{Cl}{C}=CH-CH_2-OCH_3$$ *3-Chlor-5-methoxy-2-methyl-pentadien-(1,3)*

$$\rightarrow HC\equiv C-\overset{Cl}{\underset{CH_3}{C}}-CH_2-CH_2-OCH_3$$ *3-Chlor-5-methoxy-3-methyl-pentin-(1)*

$$\rightarrow Cl-CH_2-\underset{CH_3}{C}=C=CH-CH_2-OCH_3$$ *1-Chlor-5-methoxy-2-methyl-pentadien-(2,3)*

γ) von Aryldiazoniumsalzen

Die in diesen Abschnitt gehörenden Reaktionen sind größtenteils bereits auf S. 662ff. besprochen worden, da sie zur Kettenverlängerung von En-inen verwendet werden können.

Neben der Addition an die C=C-Doppelbindung, die zu α-Halogen-alkinen führt[3,4] und aus denen durch Chlorwasserstoff-Abspaltung neue En-ine erhalten werden:

$$H_2C=CH-C\equiv CH + [Ar-\overset{\oplus}{N_2}]X^{\ominus} \xrightarrow[-N_2]{} Ar-CH_2-\underset{X}{CH}-C\equiv CH \xrightarrow[-HX]{} Ar-CH=CH-C\equiv CH$$

ist auch eine 1.4-Addition beobachtet worden[3,4]:

$$H_2C=CH-C\equiv CH + [Ar-\overset{\oplus}{N_2}]X^{\ominus} \xrightarrow[-N_2]{} Ar-CH_2-CH=C=CH-X$$

---

[1] I. A. Maretina u. A. A. Petrov, Ž. Org. Chim. **3**, 1900 (1967); C. A. **68**, 38957j (1968).

[2] H. B. Dykstra, Am. Soc. **58**, 1747 (1936).
S. A. Vartanyan et al. Izv. Akad. Arm. SSSR, Khim. Nauk **15**, 337 (1962); **16**, 137, 499 (1963); **17**, 184 (1964), **18**, 227 (1965); C. A. **59**, 3755, 13806 (1963); **60**, 13125 (1964); **61**, 8175 (1964); **63**, 14793 (1965); Ž. obšč. Chim. **33**, 62 (1963); C.A. **59**, 6241 (1963); Arm. Chim Ž. **19**, 520–526 (1966); C. A. **66**, 54942q (1967); Chim. Atsetilena **1968**, 129–133; C. A. **71**, 30301g (1969).
S. I. Sadych-Zade et al., Azerb. Khim. Ž. **1963**, 37; C. A. **60**, 399 (1964).
Vgl. ds. Handb., Bd. V/1c, Kap. Diene; Bd. V/3, Kap. Chlor-Verbindungen; Bd. V/2, Kap. Allene.

(Fortsetzung s. S. 689)

δ) von Carbonsäure-chloriden, Cyanwasserstoff bzw. Kohlensäure-diestern

Die Addition von Carbonsäure-chloriden an En-ine liefert [2-Chlor-butadien-(1,3)-yl]-ketone[1]:

$$H_2C=CH-C\equiv C-H + R-COCl \rightarrow H_2C=CH-C(Cl)=CH-CO-R$$

Vinylacetylen reagiert mit Acetylchlorid in Gegenwart eines Kupfer-Amin-Komplexes zu *Chloropren*[2].

Bei der Reaktion von 3-Methyl-buten-(3)-in-(1) mit Kohlensäure-diäthylester in Gegenwart von Natriummethanolat erhält man *3-Äthoxy-4-methyl-pentadien-(2,4)-säure-äthylester* und *3,3-Diäthoxy-4-methyl-penten-(4)-säure-äthylester*[3]:

$$H-C\equiv C-C(CH_3)=CH_2 + O=C(OC_2H_5)_2 \longrightarrow C_2H_5O-C(=O)-CH=C(OC_2H_5)-C(CH_3)=CH_2 +$$

$$C_2H_5O-C(=O)-CH_2-C(OC_2H_5)(OC_2H_5)-C(CH_3)=CH_2$$

Aus Buten-in und Blausäure entsteht *1-Cyan-butadien* [*Pentadien-(2,4)-säure-nitril*][4]:

$$H_2C=CH-C\equiv C-H + HCN \rightarrow H_2C=CH-CH=CH-CN$$

bei hohen Temperaturen dagegen *Acrylnitril*[5].

ε) von Kohlenstoff-Radikalen

Bei der Reaktion von En-inen mit Triphenylmethyl-Radikalen entstehen durch 1.4-Addition von zwei Radikalen Allene[6]:

$$R-CH=CH-C\equiv C-R' + 2(C_6H_5)_3C\cdot \longrightarrow (C_6H_5)_3C-CH(R)-CH=C=C(R')-C(C_6H_5)_3$$

---

[1] Brit. P. 461080 (1937), I. G. Farb.; C. A. **31**, 4676 (1937).
S. O. BADANYAN, K. L. SARKISYAN u. A. A. GEVORKYAN, Ž. Org. Chim. **7**, 622 (1971).

[2] T. KOMADA, J. Chem. Soc. Japan **63**, 1194 (1942); C. A. **41**, 3743 (1947).
Vgl. ds. Handb., Bd. V/1c, Kap. Diene.

[3] W. J. CROXALL u. M. F. FEGLEY, Am. **71**, 1261 (1949).
Vgl. ds. Handb., Bd. V/1c, Kap. Diene.

[4] US. P. 2322696 (1944), Alien Property Custodian, Erf.: P. KURTZ u. H. SCHWARZ; C. A. **38**, 118 (1944).

[5] US.P. 2433182 (1946), Philipps Petrol. Co., Erf.: I. L. WOLK; C. A. **42**, 3425 (1948).

[6] A. F. THOMPSON u. D. M. SUSGENOW, Am. Soc. **65**, 486 (1943).
YU. I. KHERUZE u. A. A. PETROV, Ž. obšč. Chim. **31**, 2559 (1961); C. A. **56**, 14121 (1962).
S. ds. Handb., Bd. V/2, Kap. Allene.

(Fortsetzung v. S. 688)

[3] US. P. 2657244 (1953), DuPont; Erf.: A. L. BARNEY u. P. S. PINKNEY; C. A. **48**, 12800 (1954).
A. V. DOMBROVSKII, Ž. obšč. Chim. **27**, 3050 (1957); C. A. **52**, 8087 (1958).

[4] A. A. PETROV et al., Ž. obšč. Chim. **29**, 2101 (1959); C. A. **54**, 8677 (1960).
A. V. DOMBROVSKII, Ž. obšč. Chim. **30**, 700 (1960); C. A. **55**, 421 (1961).
YU. I. KHERUZE u. A. A. PETROV, Ž. obšč. Chim. **30**, 2528 (1960); **31**, 428, 772 (1961); C. A. **55**, 21002, 23330, 33385 (1961).

2. Cycloaddition

α) Oligomerisierung

Unter der Bezeichnung „Oligomerisierung von En-inen“ sollen diejenigen Reaktionen zusammengefaßt werden, bei denen neue Verbindungen aus mehr als einem Mol En-in entstehen.

Dabei ist als erstes die oxidative Verknüpfung von zwei En-inen mit terminalen C≡C-Dreifachbindungen zu Dien-diinen in Gegenwart von Kupfer(II)-Ionen zu nennen[1], z.B.:

$$2\ H_2C{=}CH{-}C{\equiv}C{-}H \xrightarrow{Cu^{\oplus\oplus},\ O_2} H_2C{=}CH{-}C{\equiv}C{-}C{\equiv}C{-}CH{=}CH_2$$

Octadien-(1,7)-diin-(3,5)

In einem Falle ist eine Dimerisierung eines En-ins beschrieben worden, die zu einem Trien-in führt[2], und die damit der Synthese von Buten-in aus Acetylen entspricht:

$$2\ H_5C_6{-}CH{=}CH{-}C{\equiv}C{-}H \rightarrow H_5C_6{-}CH{=}CH{-}CH{=}CH{-}C{\equiv}C{-}CH{=}CH{-}C_6H_5$$

1,8-Diphenyl-octatrien-(1,5,7)-in-(3)

Acetylen selbst reagiert ebenfalls mit Buten-in, meist schon bei der Synthese des Buten-ins, unter Bildung von *Hexadien-(1,5)-in-(3)* (s.S. 625).

Die Cyclodimerisierung von Buten-in liefert *Styrol*[3], während die von 3-Methyl-buten-(3)-in-(1) *3-Methyl-1-isopropenyl-benzol* ergibt[4]:

$$2\ H_2C{=}C(R){-}C{\equiv}CH \longrightarrow \text{1-}(CH_2{=}C(R){-})\text{-3-}R\text{-benzol}$$

R = H; CH_3

[1] T. G. Shishmakova et al., Izv. Akad. SSSR **1966**, 360; C. A. **64**, 17452 (1966).
I. M. Dolgopolski, I. M. Dobromilskaya u. S. Y. Bok, Ž. obšč. Chim. **17**, 1111 (1947); C. A. **42**, 4517 (1948).
T. Bruun et al., Acta chim. Scand. **5**, 1244 (1951).
DBP. 847005 (1952), BASF, Erf.: F. Kohler; C. A. **47**, 11218 (1953).
F. Bohlmann u. H. Sinn, B. **88**, 1869 (1955).
L. Crombie u. A. G. Jacklin, Soc. **1957**, 1632.
US. P. 2796442 (1957), Chemische Werke Hüls, Erf.: W. Franke u. H. Meister; C. A. **51**, 17984 (1957).
F. Bohlmann u. P. Herbst, B. **91**, 1631 (1958).
M. Akhtar, T. A. Richards u. B. C. L. Weedon, Soc. **1959**, 933.
I. Yoshioka, H. Hikino u. Y. Sasaki, Chem. Pharm. Bull (Japan), **8**, 957 (1960); C. A. **55**, 27256 (1961).
I. M. Dolgopolskii,,A. L. Klebanskii u. Z. F. Dobler, J. prikl. Chim. **36**, 394 (1963) ; C. A. **59**, 3753 (1963).

[2] I. Yoshioka, H. Hikino u. Y. Sasaki, Chem. Pharm. Bull. (Japan), **8**, 957 (1960); C. A. **55**, 27256 (1961).

[3] H. B. Dykstra, Am. Soc. **56**, 1625 (1934).
A. L. Klebanskii, L. G. Zjurich u. I. M. Dolgopolskii, Izv. Akad. SSSR **1935**, 189; C. **1935** II, 3842.

[4] A. I. Zakharova u. V. A. Bezel-Sycheva, Ž. obšč. Chim. **11**, 67 (1941); C. A. **35**, 5457 (1941).
vgl. ds. Handb., Bd. V/1 b, Olefine.

Über den Mechanismus der Cyclodimerisierung von 3-Methyl-buten-(3)-in-(1) s. Literatur[1].

Die Cyclotrimerisierung von Buten-in[2] liefert *Trivinyl-benzol* und von 3-Methyl-buten-(3)-in-(1)[3] *Triisopropenyl-benzol*:

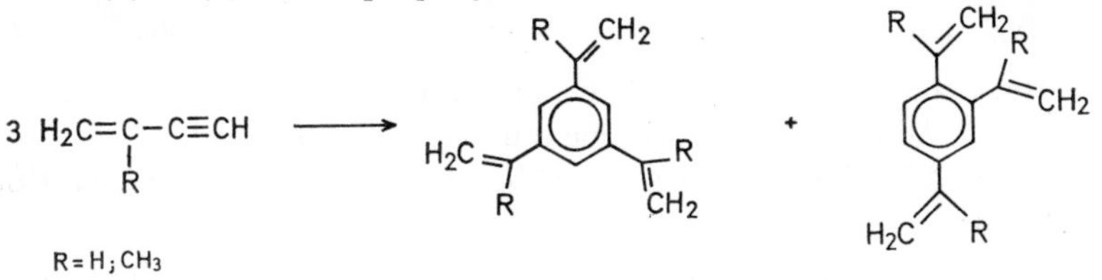

$$3\ H_2C{=}C(R){-}C{\equiv}CH \longrightarrow$$

R = H; CH_3

Als Katalysatoren für die Cyclotrimerisierung werden $Ni(CO)_{4-x} \cdot [(C_6H_5)_3P]_x$, $AlCl_3 \cdot TiCl_4$, $(C_6H_5)_3P \cdot NiCl_2 \cdot NaBH_4$, Bis-[$\pi$-allyl]Ni und $Al(i\text{-}C_4H_9)_3 \cdot TiCl_4$ eingesetzt.

Die Reaktion von Buten-in mit Alkoholen in Gegenwart von Nickeltetracarbonyl liefert 4-Vinyl-cyclohexen-(1)-1,4-dicarbonsäure-diester[4]:

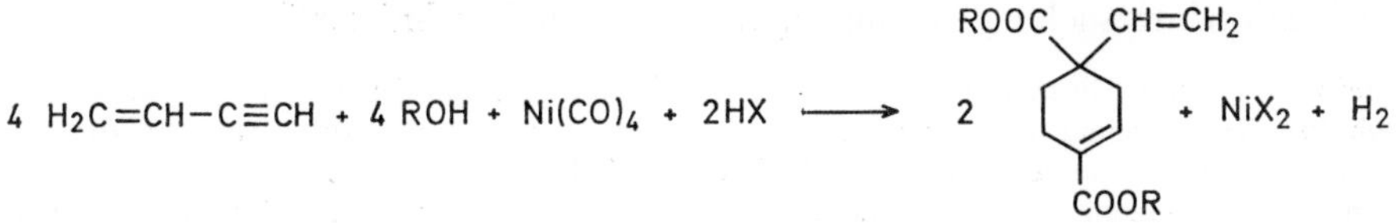

$$4\ H_2C{=}CH{-}C{\equiv}CH + 4\ ROH + Ni(CO)_4 + 2HX \longrightarrow 2\ (\text{ROOC, CH=CH}_2\text{, COOR}) + NiX_2 + H_2$$

Unter analogen Reaktionsbedingungen erhält man aus 3-Methyl-buten-(3)-in-(1) *1-Methyl-5-isopropenyl-cyclohexen-(1)-3,4-dicarbonsäure*[5]:

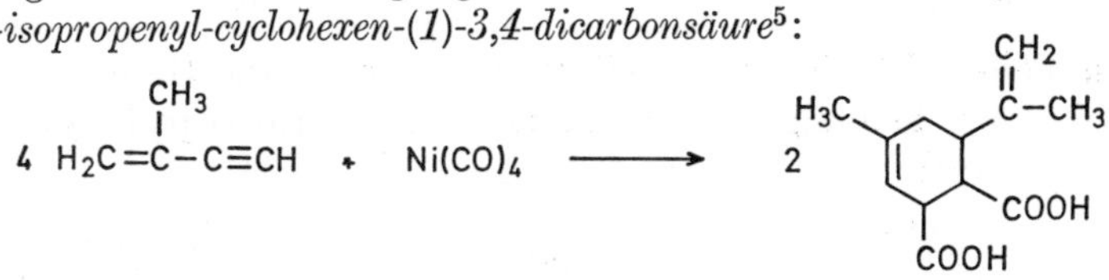

$$4\ H_2C{=}C(CH_3){-}C{\equiv}CH + Ni(CO)_4 \longrightarrow 2$$

Die Dimerisierung von Tetrachlor-buten-in bei 100–120° liefert *Octachlor-benzocyclobuten*[6]:

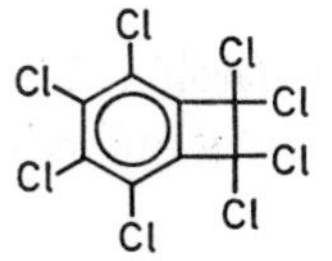

[1] M. Herberhold u. G. S. Hammond, Z. El. Ch. **1968**, 309–314.

[2] F. W. Hoover, O. W. Webster u. C. T. Handy, J. Org. Chem. **26**, 2234 (1961).
A. Furlani-Donda u. G. Moretti, J. Org. Chem. **31**, 985 (1966).
K. L. Makovetskii et al., Ž. Org. Chim. **2**, 753 (1966); C. A. **65**, 13577 (1966).
G. A. Chukhadzhyan et al., Arm. Chim. Ž. **1969**, 1039; C. A. **72**, 79206q (1970).

[3] US. P. 2542551 (1951), Röhm & Haas Co., Erf.: C. M. McKeever u. J. O. Van Hook; C. A. **45**, 7591 (1951).
P. Chini, G. De Venuto, T. Salvatori u. M. De Malde, Chim. Ind. (Milan) **46**, 1049 (1964); C. A. **62**, 1553 (1965).
A. Furlani Donda u. A. Guerrieri, Ric. Si. Sez. A, **6**, 287 (1964); C. A. **63**, 1874 (1965).
Ital. P. 692722 (1965), Laboratori Riuniti Studi e Ricerche S. p. A., Erf.: M. De Maldi et al.; C.A. **66**, 28495b (1967).
G. A. Chŭchadzhyan u. T. S. Migranyan, Arm. Chim. Ž. **1967**, 812–818; C.A. **69**, 2431q (1968).

[4] E. R. H. Jones, T. Y. Shen u. M. C. Whiting, Soc. **1951**, 763.
W. Reppe, A. **582**, 1 (1953).
A. Ya. Yakubovich u. E. V. Volkova, Dokl. Akad. SSSR **84**, 1183 (1952); C. A. **47**, 2378 (1953).
A. Ya. Yakubovich u. E. V. Volkova, Ž. obšč. Chim. **30**, 3972 (1960); C. A. **55**, 25798 (1961).

[5] E. D. Bergmann u. E. Zimkin, Soc. **1950**, 3455.

[6] A. Roedig u. R. Kohlhaupt, Tetrahedron Letters **1964**, 1107.
A. Roedig et al., Tetrahedron Letters **1969**, 2137.
s. ds. Handb., Bd. IV/4, Kap. Isocyclische Vierringsysteme, S. 161.

Weitere Beispiele finden sich in der Literatur; sie enthalten jedoch keine Strukturangabe über die erhaltenen Produkte[1].

β) Umsetzung mit Carbenen zu Cyclopropan-Derivaten

(vgl. a. ds. Handb., Bd. IV/3, Carbocyclische Dreiringverbindungen)

Bei der Reaktion von En-(1)-in-(3)-en mit Carbenen hängt es von der Struktur des Enins ab, ob Addition an die Doppelbindung unter Bildung von Äthinyl-cyclopropanen I oder Addition an die Dreifachbindung unter Bildung von *Vinyl-cyclopropenen* II eintritt[2-12]:

$$>C=\underset{|}{C}-C\equiv C- \quad + \quad :C\begin{matrix}R\\R'\end{matrix} \longrightarrow \text{I} \quad + \quad \text{II}$$

Eingehende Untersuchungen führten zu folgenden Ergebnissen[12]:

① Bei konjugierten En-inen mit einem Rest in 2-Stellung, zwei oder drei Resten an der Doppelbindung oder freiem acetylenischem Wasserstoff überwiegt die Anlagerung an die Doppelbindung. Die Ausbeuten bei diesen Reaktionen sind gut.

② En-ine mit keinem oder nur einem Rest in 1-Stellung und substituiertem Acetylen sind desaktiviert. Erfolgt dennoch Addition, so überwiegend bis ausschließlich an der Dreifachbindung.

In einigen Fällen ist eine gleichzeitige Addition an die C≡C-Dreifachbindung und die C=C-Doppelbindung unter Bildung von Cyclopropyl-cyclopropenen beobachtet worden[3,4]:

$$H_2C=\overset{CH_3}{\overset{|}{C}}-C\equiv C-CH_3 \quad + \quad 2\,:C\begin{matrix}R\\R'\end{matrix} \longrightarrow$$

Bei En-inen mit terminaler C≡C-Dreifachbindung kann außerdem Einschiebung des Carbens in die acide C—H-Bindung auftreten[6,7]:

$$H_2C=\underset{CH_3}{\underset{|}{C}}-C\equiv CH \quad + \quad :C\begin{matrix}R\\R'\end{matrix} \longrightarrow H_2C=\underset{CH_3}{\underset{|}{C}}-C\equiv C-\overset{R'}{\overset{|}{C}}H-R$$

---

[1] H. Yoshinaga, J. Chem. Soc. Japan **68**, 11 (1947); C. A. **43**, 7899 (1949).
Brit. P. 730038 (1955), Mitsui Chemical Industries Co.,; C. A. **50**, 7854 (1956).
I. A. Favorskaya, Yu. P. Artsybasheva u. L. V. Federova, Ž. obšč. Chim. **27**, 1490 (1957); C. A. **52**, 3703 (1958).

[2] I. A. Dyakonov, I. A. Favorskaya, L. P. Danilkina u. E. M. Auvinen, Ž. obšč. Chim. **30**, 3503 (1960); C. A. **51**, 19814 (1961).

[3] I. A. Dyakonov u. L. P. Danilkina, Ž. obšč. Chim. **32**, 1008 (1962); C. A. **58**, 6703 (1963).

[4] I. A. Dyakonov u. L. P. Danilkina, Ž. obšč. Chim. **34**, 738 (1964); C. A. **60**, 15745 (1964).

[5] L. P. Danilkina, I. A. Dyakonov u. G. I. Roslovtseva, Ž. Org. Chim. **1**, 465 (1965); C. A. **63**, 1688 (1965).

[6] L. Vo-Quang, P. Cadiot u. A. Willemart, C. r. **255**, 950 (1962).

[7] L. Vo-Quang u. P. Cadiot, Bl. **1965**, 1525.

[8] G. S. Nikolskaya u. A. T. Troshchenko, Ž. Org. Chim. **3**, 498–500 (1967); C.A. **67**, 2927q (1967).

[9] M. Bertrand u. H. Monti, Tetrahedron Letters **1968**, 1069–1073

[10] R. N. Gmyzina, I. A. Dyakonov u. L. P. Danilkina, Ž. Org. Chim. **6**, 2168–2175 (1970); C. A. **74**, 53107z (1971).

[11] E. V. Dehmlow, B. **101**, 410–426 (1968); Tetrahedron Letters **1966**, 378.

[12] E. V. Dehmlow, B. **101**, 427–434 (1968).

γ) zu Cyclobutan-Derivaten mit Tetrafluor-äthylen

(vgl. ds. Handb., Bd. IV/4, Isocyclische Vierring-Verbindungen)

Buten-in reagiert sowohl mit der C=C-Doppel- als auch mit der C≡C-Dreifachbindung mit Tetrafluor-äthylen bei 100° in (2 + 2)-Cycloadditionen zu *2,2,3,3-Tetrafluor-1-äthinyl-cyclobutan* (I), *3,3,4,4-Tetrafluor-1-vinyl-cyclobuten* (II) und *3,3,4,4-Tetrafluor*-1-*(2,2,3,3-tetrafluor-cyclobutyl)-cyclobuten-(1)* III)[1]:

$$H_2C{=}CH{-}C{\equiv}C{-}H + F_2C{=}CF_2 \longrightarrow \text{I} + \text{II} + \text{III}$$

δ) Diels-Alder-Reaktionen

Vinylacetylen reagiert mit Hexachlor-cyclopentadien zu *1,2,3,4,7,7-Hexachlor-5-äthinyl-bicyclo[2.2.1]hepten-(2)*[2]:

$$H_2C{=}CH{-}C{\equiv}CH + \text{Hexachlor-cyclopentadien} \longrightarrow \text{1,2,3,4,7,7-Hexachlor-5-äthinyl-bicyclo[2.2.1]hepten-(2)}$$

ε) zu Heterocyclen

ε₁) *zu Epoxiden mit Peroxiden*

Bei der Oxidation von En-inen mit Peroxiden (Peressigsäure, Wasserstoffperoxid) isoliert man in fast allen Fällen die Äthinyl-oxirane[3-5] I:

$$R{-}CH{=}CH{-}C{\equiv}C{-}R' + R''{-}O{-}O{-}H \longrightarrow R{-}\underset{\diagdown O \diagup}{CH{-}CH}{-}C{\equiv}C{-}R' \quad \text{(I)}$$

Als Nebenprodukte treten 1,2-Diole[3] II bzw. deren Monoacetyl-Derivate[3-5] III auf:

$$R{-}CH{=}CH{-}C{\equiv}C{-}R' + H_3C{-}CO{-}OOH \longrightarrow R{-}\underset{OH}{CH}{-}\underset{OH}{CH}{-}C{\equiv}C{-}R' \text{ (II)}, \quad R{-}\underset{OH}{CH}{-}\underset{O-CO-CH_3}{CH}{-}C{\equiv}C{-}R' \text{ (III)}$$

---

[1] D. D. Coffman, P. L. Barrick, R. D. Cramer u. M. S. Raasch, Am. Soc. **71**, 490 (1949).
US. P. 2462347 (1949), DuPont, Erf.: P. L. Barrick; C. A. **43**, 4294 (1949).

[2] M. F. Shostakovskii et al., Doklady Akad. SSSR **173**, 843–846 (1967); C. A. **67**, 43857ᵏ (1967).

[3] N. M. Malenok et al., Ž. obšč. Chim. **6**, 1904 (1936); **9**, 1947 (1939); **10**, 150 (1940); **11**, 983 (1941); **19**, 1715 (1949); **23**, 1129 (1953); **24**, 1212 (1954); **28**, 434 (1958); C. A. **31**, 4285 (1937); C. **1940** I, 2463; C. A. **34**, 7286 (1940); **37**, 355 (1943); **44**, 1077 (1950); **47**, 12210 (1953); **49**, 12428 (1955); **52**, 13669 (1958).

[4] A. A. Petrov et al., Ž. obšč. Chim. **29**, 2278 (1959); C. A. **54**, 9722 (1960).

[5] T. S. Skrodskaya, A. G. Yudasina u. M. S. Malinovskii, Sintez i Svoistva Monomerov, Akad. Nauk SSSR, Inst. Neftekhim. Sinteza Sb. Rabot. 12-oi Konf. po Vysokomolekul. Soedin. **1962**, 292; C. A. **62**, 5241 (1965).

V. A. Engelhardt u. J. E. Castle, Am. Soc. **75**, 1734 (1953).

In einem Falle ist auch ein oxidativer Angriff einer Seitenkette beobachtet worden[1]:

$$H_5C_2-CH=C(CH_2-CH_2-CH_3)-C\equiv C-C_6H_5 + H_3C-CO-OOH \longrightarrow H_5C_2-CH=C(CH(O-CO-CH_3)-CH_2-CH_3)-C\equiv C-C_6H_5$$

3-(1-Acetoxy-propyl)-1-phenyl-hexen-(3)-in-(1)

ε_2) *1,3-Dipolare Cycloadditionen*

Als 1.3-dipolare Komponenten sind bisher nur Diazomethan[2], Benzonitril-N-oxid[3] und Diphenylnitron[4] mit En-inen umgesetzt worden. Beim Vinylacetylen und an der acetylenischen Seite substituierten En-inen wurde Reaktion der Doppelbindung, bei an der olefinischen Seite substituierten En-inen Reaktion der Dreifachbindung beobachtet:

$$H_2C=CH-C\equiv C-R \xrightarrow{CH_2N_2} \text{I}; \quad \xrightarrow{H_5C_6-C\equiv N\rightarrow O} \text{II}; \quad \xrightarrow{H_5C_6-CH=N(\rightarrow O)-C_6H_5} \text{III}$$

I; R = H; *3-Äthinyl-4,5-dihydro-1H-pyrazol*[2]

II; R = H; *5-Äthinyl-* / R = CH_3; *5-Propin-(1)-yl-* / R = C_2H_5; *5-Butin-(1)-yl-* } *-3-phenyl-4,5-dihydro-1,2-oxazol*[3]

III; R = H; *5-Äthinyl-* / R = CH_3; *5-Propin-(1)-yl-* / R = C_2H_5; *5-Butin-(1)-yl-* } *-2,3-diphenyl-tetrahydro-1,2-oxazol*[4]

$$R-CH=CH-C\equiv CH + H_5C_6-C\equiv N\rightarrow O \longrightarrow \text{3-}H_5C_6\text{-1,2-oxazol-5-yl}-CH=CH-R$$

R = H; *5-Vinyl-*
R = CH_3; *5-Propenyl-*
R = CH_2—OH; *5-(3-Hydroxy-propenyl-)*
R = C_6H_5; *5-(2-Phenyl-vinyl)-*
} *-3-phenyl-1,2-oxazol*[3]

Bei der Reaktion von 4-Methoxy-buten-(3)-in-(1) mit Dimethyl-diazomethan oder Diphenylnitrilimin wurde nur Addition an die C≡C-Dreifachbindung beobachtet[5]:

---

[1] N. M. Malenok et al., Ž. obšč. Chim. **6**, 1904 (1936); **9**, 1947 (1939); **10**, 150 (1940; **11**, 983 (1941); **19**, 1135 (1949); **23**, 1135 (1953); **24**, 1212 (1954); **28**, 434 (1958); C. A. **31**, 4285 (1937); C. **1940** I, 2463; C. A. **34**, 7286 (1940); **37**, 355 (1943); **44**, 1077 (1950); **47**, 12210 (1953); **49**, 12428 (1955); **52**, 13669 (1958).

[2] A. T. Troshchenko u. A. A. Petrov, Doklady Akad. SSSR **119**, 292 (1958); C. A. **52**, 11015 (1958).

[3] V. N. Christokletov, A. T. Troshchenko u. A. A. Petrov, Doklady Akad. SSSR **135**, 631 (1960); C. A. **55**, 11393 (1961); Ž. obšč. Chim. **33**, 789 (1963); C. A. **59**, 10014 (1963).

[4] V. N. Christokletov u. A. A. Petrov, Ž. obšč. Chim. **32**, 2385 (1962); C. A. **58**, 9040 (1963).

[5] M. Noel, Vo-Quang-yen u. L. Vo-Quang, C. r. [C] **1970**, 80–82.

$H_3C-O-CH=CH-C{\equiv}CH$ → $(CH_3)_2CN_2$ → I; → $H_5C_6-\overset{\oplus}{C}{\equiv}N-\overset{\ominus}{N}-C_6H_5$ → II + III

I; *3,3-Dimethyl-5-(2-methoxy-vinyl)-3H-pyrazol*
II; *4-(2-Methoxy-vinyl)-1,3-diphenyl-1H-pyrazol*
III; *5-(2-Methoxy-vinyl)-1,3-diphenyl-3H-pyrazol*

ε_3) *mit Ketonen und Ammoniak*

Die Reaktion von En-inen mit Ketonen und Ammoniak in der Gasphase führt zur Bildung von mehrfach substituierten Pyridinen[1]. Ein Teil der gefundenen Verbindungen bildet sich jedoch auch schon aus dem Keton und Ammoniak. Als Beispiel für diese Reaktion sei die Umsetzung von 3-Methyl-buten-(3)-in-(1) mit Aceton und Ammoniak angeführt:

$$H_2C=C(CH_3)-C{\equiv}C-H + H_3C-CO-CH_3 + NH_3 \longrightarrow$$

2,3,6-Trimethyl-pyridin; 51,6% + *2,4,6-Trimethyl-pyridin*; 25,6% + *2,6-Dimethyl-pyridin*; 18% + *2,3,5,6-Tetramethyl-pyridin*; 4%

C. Bibliographie

I. N. Nazarov, Trudy Konferentsii Vysokomolekulyar. Soed., Akad. SSSR, Otdel. Khim. Nauk i. Otdel. Fiz.-Mat. Nauk **1,** 24 (1943) (Publ. 1945); C. A. **41,** 3808 (1947).

A. Treibs, Ang. Ch. **60,** 289 (1948).

A. A. Petrov, *Vinylacetylen und seine Homologen,* Usp. Chim. **29,** 1049–1087 (1960); C. A. **55,** 3411 (1961).

S. A. Vartanyan et al., *Polymerisation von Acetylen zu Vinylacetylen und der Reaktionsmechanismus,* Materialy Nauchn. Konf. Inst. Khim., Akad. Nauk Azerb., Arm. i Gruz. SSR, Akad. Nauk Arm. SSR, Inst. Organ. Khim. Erevan **1957,** 192–222; C. A. **58,** 11199 (1963).

M. Sulzbacker, *Fine Chemicals manufacture,* Mfg. Chemist **34,** 580, 582 (1963); C. A. **60,** 7881 (1964).

A. N. Baratov, Ž. Vses. Chim. obšč. **12,** 318–24 (1967).

[1] I. L. Kotlyarevskii et al., Izv. Akad. SSSR **1960,** 1272, 1440, 1629; **1961,** 1834; **1965,** 322; C. A. **54,** 24714 (1960); **55,** 533, 8404 (1961); **56,** 11565 (1962); **62,** 14619 (1965).

R. Y. Mushii u. F. B. Moshkovich, *Explosive Properties of higher acetylenes*, Ž. Vses. Khim. obshchest. **12**, 318 (1967); C. A. **67**, 92449ⁿ (1967).

S. A. Vartanyan, *Die Chemie des Vinylacetylens und seine Eigenschaften*, Izv. Akad. Arm. SSR, Erevan, **1966**; C. A. **67**, 108173^{f} (1967).

H. G. Viehe, *Chemistry of Acetylenes*, M. Dekker Inc., New York 1969.

Beilsteins Handbuch der Organischen Chemie, Bd. I, Bd. V, J. Springer Verlag, Berlin.

Autorenregister

Aardt, J. H. P. van, s. van Aardt, J. H. P.
Aasen, A. J., u. Jensen, S. L. 100, 193
Abadzhev, S. S., u. Shevchuk, V. U. 629
Abe, S. 648, 650
—, et al., 643
Abel, E. W., Bennett, M. A., Burton, R., u. Wilkinson, G. 326, 405. 408, 409, 410
—, —, u. Wilkinson, G. 405
Abraitys, V. Y., vgl. Miller, R. D. 469
Abu-Nasr, A. M., u. Holman, R. T. 65
Acheson, R. M., Barltrop, J. A., Hichens, M., u. Hichens, R. E. 15, 182
Acker, D. S., u. Anderson, B. C. 204, 212
Ackermann, K., vgl. Stadler, R. 675
Acree, S. F., vgl. Marshall, E. K. 338
Acton, N., vgl. Katz, T. J. 501
Adams, Q., u. Haller, H. L. 267
A.E.C. Société de Chimie Organique et Biologique 43
Agayan, E. M., vgl. Tarakhanyan, A. S. 679
Agfa (Aktiengesellschaft für Anilin-Fabrikation) 275, 291
Agfa-Ansco Corp. 268, 272
Agiyama, S., vgl. Morimoto, M. 558
Agnés, G., vgl. Chiusoli, G. P. 223
Ahmad, R., u. Weedon, B. C. L. 39, 144, 181
Aiya, Y., vgl. Sugino, K. 627
Akhrem, I. S., vgl. Volpin, M. E. 328, 329, 330, 337, 403
Akhtar, M., Richards, T. A., u. Weedon, B. C. L. 634, 637, 671, 690
—, u. Weedon, B. C. L. 144, 628
Akiyoshi, S., u. Matsuda, T. 485, 486
Akopyan, A. N., u. Aslamazyan, V. S. 46, 199, 207, 209, 212
—, —, u. Rostomyan, J. M. 212, 224
Alanija, V. P., u. Sokolov, N. A. 147
Alaune, Z., vgl. Mozolis, V. 641, 642, 647
Albrecht, H. 676
—, vgl. Rieche, A. 676
Alder, K., et al. 642
—, u. Brachel, H. von 23, 24, 36, 37, 38, 54, 205, 206, 207, 219, 220
—, —, u. Kaiser, K. 643, 644, 645, 674
—, vgl. Diels, O. 206, 207
—, u. Dortmann, H. A. 473
—, Dreike, A., Erpenbach, H., u. Wicker, U. 64, 164, 165, 205, 206
—, u. Jakobs, G. 377, 379
—, Jungen, H., u. Rust, K. 315, 380, 381, 382
—, Kaiser, K., u. Schumacher, M. 332, 333, 385
—, u. Kuth, R. 192, 205, 207
—, Muders, R., Krane, W., u. Wirtz, P. 383
—, u. Schmitz, P. 339
—, u. Schumacher, M. 166, 205, 207, 208, 209, 223
Alderson, T., Jenner, E. L., u. Lindsey, R. V. 64, 78
Alford, G., vgl. Radlick, P. 520
Allan, J. L. H., Jones, E. R. H., u. Whiting, H. C. 674
—, u. Whiting, M. C. 653, 671
Allegra, G., Colombo, A., Immirzi, A., u. Bassi, I. W. 511
Allerhand, A., u. Gutowsky, H. S. 390
Allied Chemical Corp. 244
Allien Property Custodian 680, 689
Allinger, N., vgl. Binsch, G. 310
Allinger, N. A., vgl. Van Catledge, F. A. 534
Allinger, N. L., Miller, M. A., u. Tushaus, L. A. 434, 477
—, u. Youngdale, G. A. 498
Allmann, R., vgl. Kawada, I. 284
Alm, J., vgl. Langenbeck, W. 142, 195
Altman, J., Babad, E., Rubin, M. B., u. Ginsburg, D. 505
—, vgl. Philipsborn, W. von 505
American Cyanamid Co. 80
Amiel, Y., vgl. Sondheimer, F. 534, 545, 546, 548, 569, 573, 575, 594, 596, 597, 602, 603
Anand, S. K., vgl. Sharma, K. M. 511
Anastassiou, A. G. 481, 489, 501
—, et al. 521
—, u. Cellura, R. P. 489
—, —, u. Ciganek, E. 501
—, —, u. Gebrian, J. H. 521
—, u. Gebrian, J. H. 521
—, u. Lazarus, R. M. 491
—, Orfanos, V., u. Gebrian, J. H. 518, 520
Anciaux, A. J., vgl. Hubert, A. J. 62
Andersen, F. A., Bak, B., u. Hillebert, A. 433
Anderson, B. C., vgl. Acker, D. S. 204, 212
Anderson, D. M. W., Bell, F., u. Duncan, J. L. 147
Anderson, R. C., vgl. Frazee, J. D. 629
—, vgl. Munson, M. S. B. 629
Anderson, R. F. 193
Ando, T., et al. 355, 356
Andree, F., vgl. Buchta, E. 48, 111, 112, 115, 186
Andrejew, N. S., Makashina, A. N., u. Malzewa, A. E. 630
Anet, F. A. L. 311, 363, 423, 424, 510, 511
—, u. Bock, L. A. 442, 511
—, Bourn, A. J. R., u. Lin, Y. S. 424
—, u. Gregorovich, B. 432, 444, 450, 484
—, Kaesz, H. D., Maasbol, A., u. Winstein, S. 511, 512
Anet, R. 171, 524
Angl, J. M., vgl. Tate, C. P. 407
Anish, A. W. 258, 280
—, u. Clark, C. A. 284
Anisimov, K. N., u. Federova, G. K. 686
—, u. Kunitzkaya, G. M. 686
—, —, u. Slovokhnotova, N. A. 686
Ansell, M. F., Hancock, J. W., u. Hickinbottom, W. J. 642, 678
Ansporn, H. D. 643, 645

Anthoine, J., vgl. Oth, J. F. M. 603, 606
Anzilotti, W. F., u. Vogt, R. R. 657, 658
Apotheker, D. 627
Apparu, M., u. Glenat, R. 641, 642, 643, 679
Arai, S., et al. 414
Arbusow, B. A. 128
—, vgl. Vilchinskaya, A. R. 206
—, u. Vilchinskaya, A. R. 206
Arcamone, F., et al. 100, 160, 193, 215
Arefeva, T. G., u. Gorin, Y. A. 684
Arend, W., vgl. Inhoffen, H. H. 172
—, vgl. Pommer, H. 146
Arens, J. F. 138, 140, 155
—, vgl. Boom, J. H. von 644, 652
—, vgl. Brandsma, L. 644, 652
—, vgl. van Dorp, D. A. 70
—, u. van Dorp, D. A. 70, 149, 150
Ariga, K., vgl. Sugino, K. 627
Armsen, R., vgl. Bestmann, H. J. 95, 127
Arndt, F., Loewe, L., u. Avren, S. 338
Arnold, Z. 236
—, u. Holý, A. 155, 223
—, vgl. Zemlicka, J. 236, 293
Artsybasheva, Y. P., vgl. Favorskaya, I. A. 643, 645, 646, 650, 653, 663, 665, 692
—, u. Favorskaja, I. A. 643, 645, 650, 675, 679
Aschenbrand, M., vgl. Zelikoff, M. 629
Ashmore, R. E. 627
Askani, R., vgl. Criegee, R. 515
Aslamazyan, V. S., vgl. Akopyan, A. N. 46, 199, 207, 209, 212, 224
Asmus, K. D., vgl. Hafner, K. 148
Asmus, R. 253
Aten, C. F., u. Greene, E. F. 629
Atherton, N. M., Mason, R., u. Wratten, R. J. 542, 605, 606
Atkinson, J. G., et al. 432
—, Ayer, D. E., Büchi, G., u. Robb, E. W. 168, 444
Atlantic Richfield Co. 211
Attenburrow, J. 643, 645, 650
—, et al. 76
Auerhahn, A., vgl. Stadler, R. 626
—, u. Stadler, R. 660, 675
Aufdermarsh, C. A. 627
Aumann, R., u. Winstein, S. 509
Auvinen, C. M., vgl. Favorskaya, I. A. 643, 645, 646, 650, 653
Auvinen, E. M., vgl. Dyakonov, I. A. 692
—, vgl. Favorskaya, I. A. 678
—, vgl. Zaitseva, I. V. 641, 649, 678, 680
Auwera, A. L. van der, s. Van der Auwera, A. L.
Avetyan, M. G., Nikogosyan, L. L., u. Matsoyan, S. G. 658
Avram, M., Dinu, D., Mateescu, G., u. Nenitzescu, C. D. 461
Avren. S., vgl. Arndt, F. 338
Ayer, D. E., vgl. Atkinson, J. G. 168, 444
Azatyan, V. D. 482
—, et al. 481
—, u. Gyuli-Kevkhyan, R. S. 481
Azerbaev, I. N. 676

Baas, J. L., Davies-Fidder, A., Visser, F. R., u. Huisman, H. O. 15
Babad, E., vgl. Altman, J. 505
—, Ginsburg, D., u. Rubin, M. B. 505
—, vgl. Philipsborn, W. von 505
Babajan, A. T. 654, 655
Babcock, J. C., vgl. Beal, P. F. 99, 108
Babyan, O. 636
Backer, H. J., u. Blaas, T. A. H. 626, 628
Badanyan, S. O., Sarkisyan, K. L., u. Gevorkyan, A. A. 689
—, vgl. Vartanyan, S. A. 663, 664, 666, 667, 668, 673, 677, 678, 679, 683
Bader, R., vgl. Staab, H. A. 555, 556, 557, 558, 587, 588
Badger, G. M. 607
—, et al. 570, 596
—, Elix, J. A., u. Lewis, G. E. 570, 596, 602
—, —, —, Singh, U. P., u. Spotswood, T. M. 540, 602
—, Lewis, G. E., u. Singh, U. P. 570, 571
—, —, u. Singh, U. P. 541, 570, 578, 596, 602, 603
Baer, F., u. Kuhn, R. 285
—, Kuhn, H., u. Regel, W. 532, 536
Bagby, M. O., vgl. Mikolajczak, K. L. 62, 222
Bahr, F., vgl. König, W. 265
Baikie, P. E., u. Mills, O. S. 582
Bailey, N. A., Gerloch, M., u. Mason, R. 541, 560
—, u. Mason, R. H. 532, 533
Bailey, W. J., u. Barcley, R. 54
—, vgl. Cope, A. C. 423, 433
Baillarge, M., vgl. Julia, M. 644, 652
Bak, B., vgl. Andersen, F. A. 433
Bak, D., u. Conrow, K. 481
Baker, P. M., vgl. Masamune, S. 487, 518, 520
Bakhmutskaya, S. S., vgl. Nazarov, I. N. 673
Baldassari, A., u. Gaudino, M. 254
Baldridge, J. R., vgl. Skeeters, M. J. 642
Ball, S., Goodwin, T. W., u. Morton, R. A. 181
Ballester, M. 82
Balli, H., vgl. Hünig, S. 284
Baltes, J., Wechmann, O., u. Weghorst, F. 65
Balyan, K. V., u. Borovikova, N. A. 634, 637, 643, 645, 676
—, vgl. Cherkasov, L. N. 677
—, Lerman, Z. A., u. Merkureva, L. A. 676
—, Petrov, A. A., u. Porforeva, Y. I. 676
—, vgl. Zubritskii, L. M. 687
Bancher, E., vgl. Scherz, H. 257
Bangert, K., u. Boekelheide, V. 484, 485
Baralle, R., vgl. Metzger, J. 252
Barany, H. C., Braude, E. A., u. Coles, J. A. 39
Baratov, A. N. 695
Barber, L. L., Chapman, O. L., u. Lassila, J. D. 170, 479, 525
Barber, M. S., et al. 31, 90
—, Davis, J. B., Jackman, L. M., u. Weedon, B. C. L. 31
—, Jackman, L. M., Manchand, P. S., u. Weedon, B. C. L. 98, 100, 121
—, —, Warren, C. K., u. Weedon, B. C. L. 214
Barborak, J. C., Su, T. M., Schleyer, P. von R., Boche, G., u. Schneider, G. 518
Barcley, R., vgl. Bailey, W. J. 54
Barelle, R., vgl. Lavíré, H. 265
Barker, R. L., vgl. Jones, W. E. 628
Barltrop, J. A., vgl. Acheson, R. M. 15, 182

Barney, A. L., u. Pinkney, P. S. 634, 669, 689
Barrick, P. L. 659, 693
—, vgl. Coffman, D. D. 693
Barrow, M. J., u. Mills, O. S. 598
Bartels-Keith, J. R., Johnson, A. W., u. Langemann, A. 341
—, —, u. Taylor, W. I. 341
Bartlett, L., et al. 31
Barton, D. H. R., 162, 163, 168
—, Hewitt, G., u. Sammes, P. G. 148
—, u. Quinkert, G. 164
Barton, J. W., u. Whitaker, K. E. 458, 467, 494
Barton, T. J., vgl. Paquette, L. A. 437, 438, 439, 440, 506, 507, 516
Bartram, K., vgl. Inhoffen, H. H. 28, 141, 147, 150
Barua, A. B., vgl. Barua, R. K. 161
Barua, R. K., u. Barua, A. B. 161
—, u. Nair, M. G. R. 175, 176, 181
Basel-Sigova, W. B., vgl. Sacharova, A. I. 642, 645
BASF (Badische Anilin- & Soda-Fabrik AG) 16, 23, 39, 52, 72, 73, 77, 78, 79, 80, 91, 92, 93, 94, 96, 97, 99, 101, 105, 106, 115, 116, 117, 118, 119, 120, 122, 123, 124, 127, 130, 131, 132, 134, 137, 145, 146, 148, 150, 153, 157, 173, 176, 178, 179, 180, 181, 186, 188, 203, 222, 425, 426, 678, 685, 690
Baskova, Z. A., vgl. Temnikova, T. I. 635, 637, 678
Bassel, A., vgl. König, W. 265
Bassi, I. W., vgl. Allegra, G. 511
Bastiansen, O., Hedberg, L., u. Hedberg, K. 423
Bates, R. B., vgl. Mikolajczak, K. L. 62, 222
Battersby, A. R., u. Binks, R. 465, 495
Battiste, M. A. 356, 357, 415
—, et al. 356, 357
—, u. Burns, M. E. 376
—, vgl. Halton, B. 357
Batty, J. W., et al. 145
Bauer, F., vgl. Schneider, W. 291
—, u. Wilmanns, G. 260, 287
Bauer, W., vgl. Dieterle, W. 240
Baum, A. H., Vogt, R. R., u. Hennion, G. H. 683
Baxter, C. S., u. Garratt, P. J. 520
Baxter, J. G. 225
—, vgl. Robeson, C. D. 24, 208
—, vgl. Weisler, L. 178
Beal, P. F., Babcock, J. C., u. Lincoln, F. H. 99, 108
Beattie, S., Heilbron, I. M., u. Irving, F. 270
Becke, F., vgl. Pirzer, H. 425
Becker, F. 624
Beckmann, W., et al. 425
Beezer, A. E., Mortimer, C. T., Springall, H. D., Sondheimer, F., u. Wolowsky, R. 543
Behr, O. M., et al. 546, 548, 558, 587
Beilenson, B. 248
—, u. Hamer, F. M. 249, 271
Beisswenger, U., vgl. Derocque, J. L. 635
Bell, F., vgl. Anderson, D. M. W. 147
Belyaer, N. N., Stadnichuk, M. D., u. Petrov, A. A. 685
Bender, C. O., vgl. Zimmerman, H. E. 460
Ben-Efraim, D. A., vgl. Sondheimer, F. 14, 59, 62, 546, 572, 595
Benes, M. J., vgl. Kriz, J. 629, 630
Bennerville, P. L. de, s. De Bennerville, P. L.
Bennett, M. A., vgl. Abel, E. W. 326, 405, 408, 409, 410
—, Bramley, R., u. Watt, R. 414
—, Pratt, L., u. Wilkinson, G. 407
—, u. Wilkinson, G. 511
Benson, R. E., vgl. Lalancette, E. A. 486, 519, 550
—, vgl. Randy, C. T. 659
Benton, C. H. 191
—, u. Robeson, C. D. 65, 190
Benz, J., vgl. Karrer, P. 42
Berchet, G. J., vgl. Carothers, W. H. 663, 671, 683
Berding, C., vgl. Kutepow, N. von 425
Berg, H., Heim, H., u. Leiss, F. 629
Bergelson, L. D., et al. 111
—, vgl. Nazarov, I. N. 684
—, u. Shemyakin, M. M. 88, 92, 94, 130
Berger, E., et al. 660
Bergmann, E. D. 555, 642, 644, 645
—, u. Herman, D. F. 642, 682
Bergmann, E. D., u. Pelchowicz, Z. 360, 568, 593
—, u. Sprinzak, Y. 642
—, Sulzbacher, M., u. Herman, D. F. 639, 642
—, u. Zimkin, E. 691
Berlin, L., u. Heimke, P. 241
—, vgl. Sieglitz, A. 241, 287, 288
Bernhard, G., vgl. Hünig, S. 233
Berson, J. A. 314, 315, 316, 363
—, et al. 307, 309, 354
—, u. Willcott, M. R. 307, 316, 363
Bertelli, D. J., vgl. Dauben, H. J. 412
—, Golino, C., u. Dreyer, D. L. 396
Bertrand, M., u. Monti, H. 654, 692
Bertroud, E. 650
Besthorn, E. 284
Bestmann, H. J. 89, 90, 91, 93, 94, 98, 125, 126, 127, 360
—, et al. 360
—, Armsen, R., u. Wagner, H. 95, 127
—, u. Kratzer, O. 94, 95, 126, 360
—, —, u. Simon, H. 125, 126
—, u. Schulz, H. 90, 111
—, u. Seng, F. 95
Beutel, R. H. 16
—, et al. 29, 67
Bew, R. E., Cambie, R. C., Jones, E. R. H., u. Lowe, G. 191
Beynon, J. H., et al. 430
Bezel-Sycheva, V. A., vgl. Zakharova, A. I. 690
Bharucha, K. R., u. Weedon, B. C. L. 144, 182, 183
Bhatia, Y. R., Landor, P. D., u. Landor, S. R. 642, 648
Bianchi, M. L., et al. 193
Bibby, J., Sons Ltd. 207
Bickel, A. F., vgl. Ter Borg, A. P. 327, 328, 395, 400, 401
Biel, J. M., vgl. Judd, C. J. 334
Biethan, U., Klusack, H., u. Musso, H. 389
Bigam, G., vgl. Masamune, S. 503, 534, 536, 551, 583
Billups, W. E., vgl. Shield, T. C. 632
Bindra, A. P., Elix, J. A., u. Sargent, M. V. 453, 552, 582, 583
Binks, R., vgl. Battersby, A. R. 465, 495

Binsch, G., Eliel, E. L., u. Allinger, N. 310
—, Tamir, J., u. Dean Hill, R. 13
Birch, A. J., u. Fitton, H. 189
Birchall, T., u. Rodd, E. H. 239, 258
Biskup, M., vgl. Vogel, E. 553, 565, 576, 577, 584, 585, 601, 602
Bisneter, M. B., vgl. King, R. B. 407, 412
Blaas, T. A. H., vgl. Backer, H. J. 626, 628
Black, H. K., Horn, D. H. S., u. Weedon, B. C. L. 630
Blaikie, K. G., vgl. Georgieff, K. K. 626
Blair, J. A., McLanghlin, G. P., u. Paslawski, J. 398
Blattman, H. R., et al. 534, 551, 561
—, Heilbronner, E., u. Wagniere, G. 534
Blatz, P. E. 146
—, et al. 186
—, u. Pippert, D. L. 16
Blömer, A. 257
Blomquist, A. T., u. Bottomley, C. G. 465
—, u. Cook, A. G. 434, 477
—, u. Kwiatek, J. 349
Bloomfield, J. J. 473
—, vgl. McConaghy, J. S. 505
—, vgl. Philipsborn, W. von 505
—, u. Quinlin, W. J. 553
—, u. Smiley Irelan, J. R. 553
Blout, E. R., Fields, M., u. Carplus, R. 30
Bly, R., vgl. Cristol, S. 461
Blyskal, J. J., vgl. Evnin, A. B. 515
Blyumental, M. K., vgl. Dolgopolskii, I. M. 682
Boake, A. 164
Bobromilskaya, I. M., vgl. Dolgopolskii, I. M. 683
Boch, J., vgl. Redel, J. 43, 145
Boche, G., vgl. Barborak, J. C. 518
—, Böhme, H., u. Martens, D. 520
—, Hechtl, W., Huber, H., u. Huisgen, R. 510
—, vgl. Huisgen, R. 434, 471, 477
—, u. Huisgen, R. 435
—, Martens, D., u. Danzer, W. 519, 550
Bock, H., u. Tom-Dieck, H. 408
Bock, L. A., vgl. Anet, F. A. L. 442, 511
Bock, W., u. Seidel, W. 678
Bodea, C. 190
—, et al. 177
—, Neamtu, G., u. Tămas, V. 35
—, vgl. Nicoara, E. 201, 211
—, u. Nicoara, E. 160, 176, 211, 218
—, —, u. Salontai, T. 175, 211
—, vgl. Tămas, V. 173, 190
—, u. Tămas, V. 211
—, —, u. Neamtu, G. 35, 173
Bodendorf, K., vgl. Lötzbeyer, J. 189, 661, 662
Böeseken, J. 199
Boegman, N., Durung, F., u. Garbers, C. F. 147
Böhme, H., vgl. Boche, G. 520
Boekelheide, V. 599, 607
—, vgl. Bangert, K. 484, 485
—, vgl. Gerson, F. 542
—, —, Heilbronner, E., u. Meuche, D. 540, 554
—, u. Lawson, J. A. 565
—, vgl. Mitchell, R. H. 540, 561, 562, 568, 591, 592, 594, 601, 604, 605
—, u. Mitchell, R. H. 607
—, u. Miyasaka, T. 533, 539, 540, 561, 576, 579, 591, 592, 601
—, vgl. Phillips, J. B. 576, 577, 579, 580, 581, 601
—, u. Phillips, J. B. 540, 561, 562, 591
—, vgl. Windgassen, R. 554, 586
Böll, W. A. 584
—, vgl. Gerson, F. 605
—, vgl. Vogel, E. 540, 544, 552, 553, 576, 577, 578, 579, 584, 585, 601, 602
Bogard, T. L., vgl. Kende, A. S. 500
Bogdanova, A. V., vgl. Shostakovskii, M. F. 674, 675, 676
—, —, u. Plotnikova, G. I. 674
Bogdanova, L. P., vgl. Gorin, Y. A. 679, 680
Bohlmann, F. 14, 16, 28, 46, 47, 184, 674
—, u. Herbst, P. 690, 683
—, vgl. Inhoffen, H. H. 20, 21, 23, 28, 30, 42, 44, 72, 140, 141, 147, 149, 150, 186, 195, 214, 225, 642, 643, 645, 674
—, u. Mannhardt, H. J. 14, 22, 27, 32, 96
—, u. Sinn, H. 690
Bohlmann, M., vgl. Inhoffen, H. H. 33, 149, 150, 186, 643
Bok, S. Y., vgl. Dolgopolski, I. M. 690
Bolgiano, N. C., vgl. Woods, G. F. 37, 38, 186, 205, 222
Bondarev, G. P., vgl. Chelpanova, L. F. 674
Bondi, A., vgl. Budowski, P. 43
Bonin, W. von, vgl. Grewe, R. 148
Bonnett, R., Spark, A. A., u. Weedon, B. C. L. 100, 104
Bonta, I. L., vgl. van der Burg, W. J. 466, 497
Book, G. 252
Boom, J. H. van, s. Van Boom, J. H.
Booth, W. T., vgl. Newman, M. C. 642, 645
Borden, G. W., vgl. Chapman, O. L. 164, 170, 367, 515
—, Chapman, O. L., et al. 371, 372, 373
—, —, Swindell, R., u. Tezuka, T. 367
Borg, A. P. ter, s. TerBorg, A. P.
Boriack, C. J., vgl. Willcott, M. R. 352
Bork, J. 642, 647, 649, 650
Bork, S., vgl. Inhoffen, H. H. 48, 81, 150, 181
Bornholdt, B. 43
Bornstein, J., Shields, J. E., u. Supple, J. H. 496
Borovikova, N. A., vgl. Balyan, C. V. 634, 637, 643, 645, 676
Bots, J. P. L., vgl. Havinga, E. 164
Bottomley, C. G., vgl. Blomquist, A. T. 465
Bourn, A. J. R., vgl. Anet, F. A. L. 424
Bowden, K., Brande, E. A., u. Jones, E. R. H. 673
Boyde, P., vgl. Richter, M. 33, 199, 200, 202, 203, 210, 211
Brachel, H. von, vgl. Alder, K. 23, 24, 36, 37, 38, 54, 205, 206, 207, 219, 220, 643, 644, 645, 674
Brack, A. 260
Bradley, C. H., vgl. Warner, P. 509
Bradley, J. N., u. Kistiakowsky, G. B. 629
Brainína, E. M., u. Freidlina, R. V. 684
Bramley, R., vgl. Bennett, M. A. 414
Brandsma, L., et al. 669, 671
—, vgl. Boom, J. H. von 644, 652
—, vgl. Montijn, P. P. 651
—, —, u. Arens, J. F. 644, 652

Braren, W., u. Buchner, E. 339
Braude, E. A., vgl. Barany, H. C. 39
—, vgl. Bowden, K. 673
—, Jones, E. R. H., Koch, H. P., Richardson, R. W., u. Sondheimer, F. 19
Braun, J. von, u. Teuffert, W. 654, 655
Breckoff, W. E., vgl. Köbrich, G. 29, 86, 87, 88, 101
Bredereck, H., Effenberger, F., u. Brendle, T. 257
—, —, Gleiter, R., u. Hirsch, K. A. 293
Bregman, J. 533
—, et al. 533
Breil, H., u. Wilke, G. 511
Breitschaft, S., vgl. Fischer, E. O. 407
Brember, A. R., et al. 373, 416
—, Gorman, A. A., Leyland, R. L., u. Sheridan, J. B. 375
—, —, u. Sheridan, J. B. 375
Bremser, W., Hagen, R., Heilbronner, E., u. Vogel, E. 543
Brendle, Th., vgl. Bredereck, H. 257
Brenner, M., vgl. Foote, C. S. 215
Brenninger, W., vgl. Hünig, S. 233
Bresler, S. L., vgl. Favorskaya, T. A. 660
Breslow, R., u. Chang, H. W. 415
—, vgl. Grubbs, R. 512
—, Horspool, W., Sugiyama, H., u. Vitale, W. 443, 469, 470
—, Vitale, W., u. Wendel, K. 443, 452
Breuer, F. W. 677
Brewer, J. P. N., u. Heany, H. 460
Brewing Patents Ltd. 639
Brocker, L. G. S. 259
Brockmann, H., vgl. Kuhn, R. 160, 194, 197, 214
Brode, W. R., vgl. Mowry, D. T. 65
Brokaw, G. Y. 178
Brooker, L. G. S. 265, 285, 288, 294, 299
—, u. Fumia, A. 277
—, vgl. Jenkins, Ph. W. 273
—, vgl. Keyes, G. H. 251
—, u. Keyes, G. H. 248, 263
—, u. Smith, L. A. 281
—, u. Sprague, R. H. 257
—, vgl. van Lare, E. J. 289
—, u. van Lare, E. J. 234, 254
—, u. Webster, F. G. 273
—, u. White, F. L. 257, 263
Brookhart, M., u. Davis, E. R. 509
—, Ogliaruso, M., u. Winstein, S. 510
Brown, C., u. Sargent, M. V. 462
Brown, J. B., vgl. Mowry, D. T. 65
Bruce, M. I., Cooke, M., Green, M., u. Stone, F. G. A. 512
Brück, B., vgl. Severin, T. 39
Brügel, W. 31
Brüggemann, J., Krauss, W., u. Tiews, J. 16, 32
Brune, H. A., vgl. Criegee, R. 429, 445
Bruni, B., Magelli, A., u. Patron, G. 626
Brunken, J., u. Poppe, E. J. 288
Brunner, H., et al. 542
Bruun, T., et al. 636, 690
—, Heilbron, I. M., Weedon, B. C. L., u. Woods, R. J. 42
Bryce-Smith, D., Gilbert, A., u. Grzonka, J. 432
—, —, u. Johnson, M. G. 492
—, u. Lodge, J. E. 432, 440, 441, 444
—, u. Perkins, N. A. 329, 395
Buchecker, R., Yokoyama, H., u. Eugster, C. H. 31
Buchman, E. R., vgl. Sargent, H. 654, 655, 663, 665, 675
Buchner, E. 339, 398
—, vgl. Braren, W. 339
—, u. Curtius, T. 339
—, u. Delbrück, K. 341
—, u. Feldmann, L. 341
—, u. Lingg, F. 339
—, u. Schottenhammer, K. 341
—, u. Schulze, P. 341
Buchta, E., u. Andree, F. 48, 111, 112, 115, 186
—, u. Kallert, W. 34
—, u. Weidinger, H. 34
Buddrus, J. 92, 123
—, vgl. Finger, C. 169
Budowski, P., u. Bondi, A. 43
Büchel, K. H., u. Conte, A. 386, 392, 393
—, vgl. Korte, F. 320, 329, 330, 391
Büchi, G., vgl. Atkinson, J. G. 168, 444
—, u. Burgess, E. M. 164, 170
Bürgle, P., vgl. Föhlisch, B. 335
Bütler, R., vgl. Grob, E. C. 159, 161
Büttner, H., vgl. Köbrich, G. 28, 85
Bullot, J., vgl. Julia, M. 70
Bu'Lock, J. D., Leeming, P. R., u. Smith, H. G. 150, 153
Burckhardt, U., vgl. Stiles, M. 456, 464
Burdon, J., et al. 630
Burg, M., vgl. Cope, A. C. 434, 435, 436, 439, 441, 517
Burg, W. J. van der, s. Van der Burg, W. J.
Burger H. 92, 93
Burgess, E. M., vgl. Büchi, G. 164, 170
Burke, H. J., vgl. Corey, E. J. 332, 333, 399
Burkoth, T. L., vgl. van Tamelen, E. E. 551, 600
—, u. van Tamelen, E. E. 551, 607
Burmistrova, M. S., vgl. Nazarov, I. N. 673, 674
Burns, M. E., vgl. Battiste, M. A. 376
Burr, J. G., vgl. Thompson, A. F. 642, 650
Burrell, J. W. K., et al. 31
Burton, M., vgl. Kuppermann, A. 630
Burton, R., vgl. Abel, E. W. 326, 405, 408, 409, 410
—, Pratt, L., u. Wilkinson, G. 412
Bush, W. V., u. Zechmeister, L. 177, 190
Bushweller, C. H., et al. 416
Butcher, S. S. 311
Butenandt, A., et al. 653
—, u. Hecker, E. 631, 632, 653, 663
Butler, P. E., u. Müller, W. H. 681
Buttinger, L. B. 80
Byrd, D., vgl. Krebs, A. 454, 457, 460
Byzov, B. A., vgl. Dolgopolskii, I. M. 683

Cabadi, Y., vgl. Massol, M. 686
Cadiot, P., vgl. Vo-Quang, L. 641, 645, 648, 649, 666, 692
Cairns, T. L., et al. 79
Cais, M., Frankel, E. N., u. Rejoan, A. 199
—, u. Maoz, N. 190
Čajka, E. A., vgl. Jagupolskij, L. M. 82
Calcott, W. S., Carter, A. S., u. Downing, F. B. 675
Calder, I. C., et al. 538, 567, 568, 569, 593, 594
—, Gaoni, Y., u. Sondheimer, F. 534, 535, 567, 568, 593

Calder, I. C., u. Garratt, P. J. 537
—, —, Longuet-Higgins, Sondheimer, F. 576, 579, 581
—, —, —, —, u. Wolovsky, R. 580
—, vgl. Sondheimer, F. 607
—, u. Sondheimer, F. 536
Calvarado, A. M. 681
Calvert, J. G., u. Pitts, J. N. 164
Cama, H. R., vgl. Jungalwala, F. B. 218
Cambie, R. C., vgl. Bew, R. E. 191
Campbell, H. C., vgl. Cope, A. C. 426, 427, 439, 440, 442
Campbell, I. D., et al. 557, 558, 568, 588, 593
Campbell, T. C., vgl. Grovenstein, E. 432, 458
Cannell, L. G. 500
Cantrell, T. S. 171, 480, 524
—, vgl. Kice, J. L. 482
—. vgl. Shechter, H. 480
—, u. Shechter, H. 39, 171, 218, 477, 478, 488, 500, 523, 524
Caple, G., vgl. Marvell, E. N. 220
Caple, R., vgl. Cristoll, S. J. 352
Carbide and Carbon Chemicals Co. 626
Carbonaro, A., et al. 511
Cardenas, C. G. 64
Cargill, R. L., vgl. Dauben, W. G. 306, 350, 365, 366
Carnahan, J. C., vgl. Katz, T. J. 501
Carothers, W. H. 642, 645, 647, 648, 680, 681
—, u. Berchet, G. J. 663
—, —, u. Collins, A. M. 683
—, u. Coffman, D. D. 642, 645, 682
—, Collins, A. M., u. Kirby, J. E. 682
—, vgl. Jacobson, R. A. 663, 665, 680, 683
—, Jacobson, R. A., u. Berchet, G. J. 671
—, Williams, T., Collins, A. M., u. Kirby, J. E. 682
Carplus, R., vgl. Blout, E. R. 30
Carr, F. H., u. Price, E. A. 16, 32
Carter, A. S. 627, 678
—, vgl. Calcott, W. S. 675
—, vgl. Downing, F. B. 626
—, u. Johnson, F. W. 627
—. u. Starkweather, H. W. 626
Casalone, G., Gavezzotti, A., Mugnoli, A., u. Simonetta, M. 533
Cass, R. C., vgl. Springall, H. D. 423
Castellucci, N. T., vgl. Masamune, S. 489
Castle, J. E. 693
Catledge, F. A. van, s. Van Catledge, F. A.
Cava, M. P., et al. 494
—, u. Kuczkowski, J. A. 464
—, u. Ratts, K. W. 496
Cave, W. T., vgl. Georgieff, K. K. 626
Cawley, J. D., u. Humphlett, W. J. 68
—, vgl. Reedy, A. J. 176
—, Robeson, C. D., u. Humphlett, W. J. 65, 68
—, vgl. Shantz, E. M. 57
Cellura, R. P., vgl. Anastassion, A. G. 489, 501, 521
Cerefice, S. A., vgl. Katz, T. J. 500
Cervinka, O., u. Kriz, O. 217
Chaltykyan, O. A. 626, 671
Chandhari, F. M., u. Pauson, P. L. 412
Chang, D. B., u. Drummond, T. E. 543
Chang, H. W., vgl. Breslow, R. 415
Chanley, J. D., vgl. Sobotka, H. 643
Chapman, O. L. 163, 164, 166, 170, 217, 220
—, vgl. Barber, L. L. 170, 479, 525
—, vgl. Borden, G. W. 367, 371, 372, 373
—, u. Borden, G. W. 164, 170, 367
—, —, King, R. W., u. Winkler, B. 515
—, u. Fitton, P. 345, 346, 347, 348
—, u. Smith, S. L. 370
Chaquin, P., vgl. Leraux, Y. 144
Charlton, J. L., vgl. Skattebøl, L. 166, 220
Charon, E. 158
Chas. Pfizer & Co. 178
Chatain, H., u. Fridenson, A. 178
Chauvilier, J., vgl. Prevost, C. 684
Chavin, Z. J., vgl. Klebanskiĭ, A. L. 636
Chaykovsky, M., vgl. Greenwald, R. 92
Chechak, A. J. 89
—, u. Robeson, C. D. 120
—, —, u. Stern, M. H. 83
—, Stern, M. H., u. Robeson, C. D. 83, 84
Cheeseman, G. W. H., et al. 42, 70, 183
—, Heilbron, J. M., Jones, E. R. H., u. Weedon, B. C. L.71
Chejfec, S. A., u. Svesnikov, N. N. 277
Chelpanova, L. F., et al. 675
—, Petrov, A. A., Bondarev, G. P., u. Nemirovskii, V. D. 674
Chemerda, J. M., vgl. Tischler, M. 320
Chemische Werke Hüls AG. 204, 627, 660, 675, 690
Cherevka, P. P., et al. 630
Cherkasov, L. N. 677
—, et al. 687
—, u. Balyan, K. V. 677
Chessik, J. P., vgl. Klump, K. N. 363
Chevuichatova, K., vgl. Klebanskiĭ, A. L. 684
Chevychalova, K. K., vgl. Garmolov, I. V. 676
—, vgl. Klebanskiĭ, A. L. 680
Chichester, C. O., vgl. El-Tiinay, A. H. 174
—, vgl. Inhoffen, H. H. 17
Chin, C. G., vgl. Masamune, S. 485, 492, 502
Chini, P., et al. 643, 645, 671
—, De Venuto, G., Salvatori, T., u. De Malde, M. 691
—, Palladino, N., u. Santambrogio, A. 427, 445
Chisholm, M. J., vgl. Hopkins, C. Y. 191
—, u. Hopkins, C. Y. 191
Chiurdoglu, G. 536, 537, 543, 560
Chiusoli, G. P., u. Agnès, G. 223
Cholnoky, L., et al. 159, 175
—, u. Györgyfy, K. 214
—, Szaboles, J., Cooper, R. D. G., u. Weedon, B. C. L. 215
—, vgl. Zechmeister, L. 159, 194
Chomenko, A. C., vgl. Shostakowskii, M. F. 634, 638
Chopard, P. A., vgl. Hudson, R. F. 124
Chrétien-Bessière, Y. 164, 202
—, et al. 191
Christel, J. S., u. Halper, W. H. 351
Christmann, K. F., vgl. Schlosser, M. 94
Christokletov, V. N., u. Petrov, A. A. 694
—, Troshchenko, A. T., u. Petrov, A. A. 694
Chu, J. Y., vgl. Kende, A. S. 398
Chuah, Y. N., vgl. Whitlock, H. W. 190
Chuchadzhyan, G. A., s. Chukhadzhyan, G. A.
Chudyakova, A. N., vgl. Prilizhaeva, E. 681
Chukhadzhyan, G. A. 691
—, vgl. Matsoyan, S. G. 678, 679
—, u. Migranyan, T. S. 691
—, vgl. Vartanyan, S. A. 673, 674, 678

Ciabattoni, J., vgl. Melloni, G. 632
Ciappenelli, D., u. Rosenblum, M. 414
CIBA, Ltd. 257, 269
Ciegler, A. 193
Ciernik, J., u. Mistr, A. 289
Ciganek, E. 307, 309, 310, 315, 316, 343, 354, 372, 376, 416, 486
—, vgl. Anastassius, A. G. 501
—, vgl. Reich, H. J. 307, 363
Cinnamon, J. M., u. Weiss, K. 378
Cioranescu, E., Nenitzescu, C. D., et al. 404
Claes, H. 22
Claisen, A. 234, 235
Claisen, L. 296
Clark, C. A., vgl. Anish, A. W. 284
Clarke, G. M., vgl. Katz, T. J. 501
Clarke, S. C., u. Johnson, B. L. 357
Clarke, T. A., vgl. Stöckel, K. 598
Clauss, K., vgl. Wittig, G. 555, 588
Closs, G. L., u. Larrabee, R. B. 306
Coates, G. E., u. Parkin, C. 671
Cocordano, M. 682
Coenen, M., vgl. König, W. 265
Coffey, R. S., Johns, R. B., u. Johnson, A. W. 341, 397
Coffman, D. D. 675
—, Barrick, P. L., Cramer, R. D., u. Raasch, M. S. 693
—, vgl. Carothers, W. H. 642, 645, 682
Coles, J. A., vgl. Barany, H. C. 39
Collet, P. D., u. Compere, M. A. 265
Collin, P. J., u. Sasse, W. H. F. 458
Collins, A. M., vgl. Carothers, W. H. 682, 683
Collins, P. M., u. Hart, H. 164
Collins, R. B., u. Kendall, J. D. 290
Colombi, L., vgl. Surber, W. 674
Colombo, A., vgl. Allegra, G. 511
Colonge, J., u. Frank, P. 147
—, u. Gelin, F. 642
—, u. Sibend, J. 332
Commercial Solvents Corp. 193
Compere, M. A., vgl. Collet, P. D. 265
Conrow, K. 319, 325, 326, 328, 329, 330, 402, 403
—, vgl. Bak, D. 481
—, Howden, M. E., u. Davis, D. 311, 312, 333, 363, 376
Consortium für Elektrochemische Industrie GmbH 629, 680
Conte, A., vgl. Büchel, K. H. 386, 392, 393
Cook, A.G., vgl. Blomquist, A. T. 434, 477
Cook, C. E. van der, s. Van der Cook, C. E.
Cooke, M., vgl. Bruce, M. I. 512
—, Goodfellow, R. J., Green, M., Maher, J. P., u. Yandle, J. R. 512
Cookson, R. C., Drake, B. V., Hudec, J., u. Morrison, A. 387
—, Gilani, S. S. H., u. Stevens, I. D. R. 378
—, u. Jones, D. W. 429
Cooper, F. C., u. Partridge, M. W. 466
Cooper, R. D. G., vgl. Cholnoky, L. 215
—, Davis, J. B., u. Weedon, B. C. L. 100
Cope, A. C., et al. 437, 438, 447
—, u. Bailey, W. J. 423, 433
—, u. Burg, M. 434, 435, 439, 517
—, Burg, M., u. Fenton, S. W. 436, 441
—, u. Campbell, H. C. 426, 427, 439, 440, 442
—, u. D'Addieco, A. A. 331
—, u. Estes, L. L. 508
—, u. Fenton, S. W. 425, 440, 462
—, Haven, A. C., Ramp, F. L., u. Trumbull, E. R. 471, 474, 475, 514, 519
—, u. Hochstein, F. A. 474, 511, 512
—, u. Kinter, M. R. 440, 482
—, Liss, T. A., u. Smith, D. S. 516
—, u. Marshall, D. J. 171, 437, 440, 441, 524
—, u. Meili, J. E. 426, 443, 444
—, u. Moore, W. R. 443, 447
—, Nelson, N. A., u. Smith, D. S. 358, 359, 517, 519
—, u. Pike, R. M. 426, 441, 442
—, —, u. Rugen, D. F. 440, 441, 442, 483
—, u. Rugen, D. F. 426, 440, 441, 442
—, Schaeren, S. F., u. Trumbull, E. R. 436, 439, 479, 483
—, u. Smith, D. S. 426, 443
—, Stevens, C. L., u. Hochstein, F. A. 474
—, u. Tiffany, B. D. 436, 479, 480, 489
Cope, A. C., u. Van Orden, H. O. 439, 440, 482
Copenhafer, R. A., vgl. Rieke, R. D. 431
Corbier, P. B., u. Teisseire, P. J. 57
Corey, E. J., u. Burke, H. J. 332, 399
—, —, u. Remers, W. A. 333
—, vgl. Greenwald, R. 92
Corman, J., u. Zajic, J. E. 193
Cormier, M. 175, 181
Corts, G. J. B., u. Nanta, W. T. 334
Costes, C., vgl. Monties, B. 218
Cotton, F. A. 412, 413, 414, 512
—, Davison, A., Marks, T. J., u. Musco, A. 511
—, —, u. Musco, A. 512
—, u. Edwards, W. T. 511
—, Faller, J. W., u. Musco, A. 511, 512
—, McCleverty, J. A., u. White, J. E. 408
—, u. Reich, C. R. 413
Coulson, C. A., vgl. Mackenzie, K. 25
—, u. Stewart, E. T. 12, 13
Count, R. B., La, s. LaCount, R. B.
Courtot, P., u. LeGoff-Hays, O. 167
—, u. Robert, J. M. 167
—, u. Rumin, R. 167
Cox, O., vgl. Paquette, L. A. 355
Craig, B. M., vgl. Takagi, T. 199
Craig, D., u. Fowler, R. B. 656
Craig, L. E. 525
—, Elofson, R. M., u. Ressa, I. J. 508
—, u. Larrabee, C. E. 425, 440
Crain, D. L., vgl. Kenton, J. R. 64
—, vgl. Zuech, E. A. 64, 220
Cramer, R. D., vgl. Coffman, D. D. 693
Crawford, R. V., u. Toseland, P. A. 207
Cremer, H. D., vgl. Vogel, E. 540, 566, 592
Criegee, R., u. Askani, R. 515
—, Eberius, W., u. Brune, H. A. 429, 445
—, u. Huber, R. 428, 446
—, u. Schröder, G. 426, 429, 446
Cristol, S., u. Bly, R. 461
Cristoll, S. J., u. Caple, R. 352

Crombie, L. 641, 645, 648, 653, 674
—, Griffiths, P. J., u. Walker, B. J. 632
—, u. Jacklin, A. G. 634, 653, 663, 690
Cross, A. D., vgl. Knox, L. H. 309
Crosswait, M. L. 683
Crowley, K. J. 58, 163, 166, 217, 220, 221
Croxall, W. J., u. Fegley, M. F. 689
—, u. van Hook, J. O. 636, 672
Cullis, C. F., u. Franklin, N. H. 629
Cupas, C. A., vgl. Heyd, W. E. 312
—, Schumann, W., u. Heyd, W. E. 388
Curtis, R. H. 264
Curtius, T., vgl. Buchner, E. 339
Cymerman-Craig, J., Davis, E. G., u. Lake, J. S. 634, 637, 641, 644, 646, 647, 676
—, vgl. Shoppee, C. W. 639, 641, 642, 650, 660, 675

Dabelow, M., u. Philips, A. 243
D'Addieco, A. A., vgl. Cope, A. C. 331
Dähne, S. 299
—, vgl. Leupold, D. 233
—, —, Nikolajewski, H. E., u. Radeglia, R. 233
—, vgl. Nikolajewski, H. E. 188, 236, 237
—, vgl. Radeglia, R. 233
—, u. Ranft, J. 233
Dahmen, A., vgl. Huisgen, R. 219, 222, 471
—, u. Huisgen, R. 222
Dale, J. 25
Dalle, J. P., vgl. Mousseron-Canet, M. 42, 215
Dangyan, F. V., vgl. Vartanyan, S. A. 659
Danilkina, L. P., vgl. Dyakonov, I. A. 692
—, Dyakonov, I. A., u. Roslovtseva, G. I. 692
—, vgl. Gmyzina, R. N. 692
Danzer, W., vgl. Boche, G. 519, 520, 550
Darms, R., Threlfall, T. T., Pesaro, M., u. Eschenmoser, A. 346, 349
Das, B. C., vgl. Gianotti, C. 30, 224
Dauben, H. J. 532
—, et al. 395
—, u. Bertelli, D. J. 412
—, u. Hannon, L. R. 406
—, vgl. Harrison, A. G. 319, 414
Dauben H. J., u. Riff, M. R. 401
—, vgl. Vincow, G. 414
—, Wilson, J. D., u. Laity, J. L. 532, 541, 543
Dauben, W. G., u. Cargill, R. L. 306, 350, 365, 366
—, u. Smith, J. H. 222
Daubert, B. F., vgl. Woltemate, M. L. 199
David, L., vgl. Kergomard, A. 220
—, —, u. Vincent, J. S. 220
Davies, D. W. 534
Davies-Fidder, A., vgl. Baas, J. L. 15
Davis, D., vgl. Conrow, K. 311, 312, 333, 363, 376
Davis, E. G., vgl. Cymerman-Craig, J. 634, 637, 646, 647, 676
—, vgl. Cymerman-Craig, J. 641, 644
Davis, E. R., vgl. Brookhart, M. 509
Davis, J. B., et al. 31
—, vgl. Barber, M. S. 31
—, vgl. Cooper, R. D. G. 100
—, Jackmann, L. M., Siddons, P. T., u. Weedon, B. C. L. 100
—, u. Weedon, B. C. L. 177
Davis, R. F., vgl. Tulinsky, A. 311
—, u. Tulinsky, A. 311
Davison, A., vgl. Cotton, F. A. 511, 512
Davison, V. L., vgl. Frankel, E. N. 65
Dawson, C. R., vgl. Monnikendam, P. 64
Day, W. C., u. Erdmann, J. G. 216
Dean Hill, R., vgl. Binsch, G. 13
De Bennerville, P. L., vgl. Hwa, J. C. H. 49
Deemer, L. F., Lutwak, L., u. Strong, F. M. 69
Dehmlow, E. V. 628, 692
de Kock, R. J., Minnard, N. G., u. Havinga, E. 166
Delbrück, K., vgl. Buchner, E. 341
de Lief de Meijer, H. J., vgl. van Oven, H. O. 511
de Llano, C., vgl. Dewar, M. J. S. 537, 543
Delobelle, J., vgl. van der Burg, W. J. 466, 497
De Malde, M., et al. 691
—, vgl. Chini, P. 691
de Mayo, P., vgl. Skattebøl, L. 166, 220
—, u. Yip, R. W. 430, 445
Dennilauler, R., vgl. Metzger, J. 252
Deno, N. C., et al. 16
—, u. Pittman, C. U. 220
Depoorter, H., Libeer, J., u. van Mierlo, G. 266
—, —, —, u. Nys, J. M. 260
—, Nys, J., u. van Dormael, A. 266
de Puy, C. H., vgl. Doering, W. von E. 339
Derbyshire, H. G. 283
Derives Résiniques et Terpeniques S. A. 200, 210
Derocque, J. L., Beisswenger, U., u. Hanack, M. 635
Desalbres, L. 200, 210
Descoins, C., vgl. Julia, M. 59, 62, 141, 660
Dessy, R. E., vgl. Theis, R. J. 222
Detert, F. L., vgl. Doering, W. v. E. 397
De Venuto, G., vgl. Chini, P. 691
Dewar, M. J. S., u. de Llano, C. 537, 543
—, u. Ganellin, C. R. 340
—, —, u. Pettit, R. 398
—, u. Gleicher, G. J. 13, 469, 537
—, Harget, A., u. Haselbach, E. 424, 510
—, u. Pettit, R. 339, 341
de Wies, G., u. Peer, H. G. 636
Diamond Alkali Co. 642
Dieck, H. tom, s. Tom Dieck, H.
Diels, O., u. Alder, K. 206, 207
Dieterle, W. 240, 267
—, u. Bauer, W. 240
—, u. Riester, O. 274
—, u. Zeh, W. 268, 272
Dikoré, K., vgl. Kröhnke, F. 286
di Maio, G., vgl. Sondheimer, F. 607
Dimroth, K., et al. 284
—, u. Nürrenbach, A. 127
Dinné, E., vgl. Vogel, E. 220, 487
Dinu, D., vgl. Avram, M. 461
Disch, K. H., vgl. Vogel, E. 471, 473
Dobler, M., u. Dunitz, J. D. 532
Dobler, Z. F., vgl. Dolgopolskii, I. M. 690
—, vgl. Klebanskii, A. L. 626
Dobromilskaya, I. (Y.) M., vgl. Dolgopolskii, I. M. 671, 690
—, vgl. Klebanskii, A. L. 671
Doering, W. v. E., u. Detert, F. L. 397

Doering, W. v. E., vgl. Gaspar, P. P. 486
—, u. Gaspar, P. P. 317
—. u. Goldstein, M. J. 308
—, u. Hoffmann, A. K. 486
—, u. Knox, L. H. 326, 327, 335, 337, 393, 395, 397
—, u. Krauch, H. 325, 326, 327, 416
—, Mayer, J. R., u. de Puy, C. H. 339
—, u. Roth, W. R. 389
—, u. Wiley, D. H. 398
Dörr, F. 233
Doja, M. Q. 298
Dolgopolskii, I. M., et al. 627, 671
—, Dobromilskaya, I. M., u. Bok, S. Y. 690
—, —, u. Byzov, B. A. 683
—, —, Maiseeva, K. S., u. Nankina, F. B. 671
—, vgl. Klebanskii, A. L. 626, 680, 684, 690
—, —, u. Dobler, Z. F. 690
—, u. Trenke, Yu. V. 682
—, —, u. Blyumental, M. Kh. 682
Dombrovskii, A. V. 689
Dongen, J. P. C. M. van, s. Van Dongen, J. P. C. M.
Doorrakina, G. A., vgl. Freedman, H. H. 376
Dormael, A. van, s. Van Dormael, A.
Dormidontova, V. P., vgl. Kovalev, B. G. 98, 99, 110
Dorp, W. A. van, s. Van Dorp, W. A.
Dorssen, W. v., vgl. van Romburgh, P. 54
Dortmann, H. A., vgl. Alder, K. 473
Doson, N. A., u. Raphael, R. A. 678
Dos Santos-Veiga, J. 415
Douglas, B. E., vgl. Griffin, C. E. 568, 593
Dow Chem. Corp. 631
Dowd, P. 362
Downing, F. B., vgl. Calcott, W. S. 675
—, Carter, A. S., u. Hutton, D. 626
Doyle, F. P., vgl. Kendall, J. D. 276
—, u. Kendall, J. D. 269
Drake, B. V., vgl. Cookson, R. C. 387
Drau, R. u. Révérend-Decock, B. T. 391
Dreiding, A. S., vgl. Weth, E. 314, 315
Dreike, A., vgl. Alder, K. 64, 164, 165, 205, 206
Dreyer, D. L., vgl. Bertelli, D. J. 396
Drischel, W., vgl. Köbrich, G. 29, 87, 88, 101
Druckrey, E., vgl. Prinzbach, H. 163, 167, 217, 219, 222, 306
Drukker, A. E., vgl. Judd, C. J. 334
Drumm, P. J., vgl. Kuhn, R. 34
Drummond, T. E., vgl. Chang, D. B. 543
Dryden, H. L. 349
Dubios, A. 630
Duck, E. W., Jenkins, D. K., Locke, J. M., u. Wallis, S. R. 64
—, Ridgewell, B. J., u. Locke, J. M. 210
Dürr, H., u. Scheppers, G. 342, 344, 493
—, Sergio, R., u. Scheppers, G. 391
—, vgl. Walter, R. 246, 247
Duffin, G. F., vgl. Kendall, J. D. 281
Duffner, P., vgl. Wittig, G. 92, 361, 457, 494
Duggan, D. E., vgl. Woods, G. F. 37, 38, 186, 205, 222
Dunathan, H. C., vgl. White, E. H. 429
Duncan, J. L., vgl. Anderson, D. M. W. 147
Dunicz, B. L. 630
Dunitz, J. D., vgl. Dobler, M. 532
—, vgl. Ganis, P. 533
Dupont, G., et al. 196
DuPont (E. I. Du Pont de Nemours & Co., Wilmington/USA) 79, 626, 627, 628, 630, 634, 642, 645, 659, 669, 671, 675, 678, 680, 681, 682, 683, 689, 693
Durand, M. H., u. Piaux, L. 644, 652
Durung, F., vgl. Boegman, N. 147
Duwel, H., vgl. Vogel, E. 554
Dyakonov, I. A., vgl. Danilkina, L. P. 692
—, u. Danilkina, L. P. 692
—, Favorskaya, I. A., Danilkina, L. P., u. Auvinen, E. M. 692
—, vgl. Gmyzina, R. N. 692
Dykstra, H. B. 688, 690
—, vgl. Jacobson, R. A. 680
Dymsakova, G. M., vgl. Lapickij, G. A. 183

Eade, R. A., Ellis, J., Simes, J. J. H., u. Shannon, J. S. 215
Eastman Kodak Co. 48, 65, 68, 83, 84, 89, 120, 158, 176, 178, 184, 186, 190, 191, 239, 248, 252, 257, 258, 259, 262, 263, 264, 276, 277, 282, 285, 287, 288, 289, 294
Eberhardt, E., et al. 678
Eberius, W., vgl. Criegee, R. 429, 445
Eberson, L., et al. 359
Ebnöther, A., Jucker, E., u. Stoll, A. 312
Ecke, G. G. 190
Eckell, A., vgl. Meinwald, J. 163, 166, 220
Edelstein, N., vgl. Karraker, O. G. 514
Eder, J. M. 243, 267, 298
Edisbury, J. R., Gillan, A. E., Heilbron, I. M., u. Morton, R. A. 43
Edman, J. R. 306
Edmunds, F. S., u. Johnstone, R. A. 97, 216, 222, 223
Edwards, H. D. 291, 292
—, vgl. Kendall, J. D. 291
—, u. Kendall, J. D. 291
Edwards, W. T., vgl. Cotton, F. A. 511
Effenberger, F., vgl. Bredereck, H. 257, 293
Egger, H., vgl. Schlögl, K. 28, 103, 140, 146
Egger, K. W. 63, 220, 363, 364
—, u. Moser, W. R. 313
Eggers, H., vgl. Wittig, G. 92, 361, 457, 494
Eglinton, G., u. Galbraith, A. R. 546
—, u. McCrae, W. 545
—, Raphael, R. A., u. Zabkiewicz, J. A. 473
—, u. Whiting, M. C. 653
Egorer, Y. P., vgl. Petrov, A. D. 673
Ehrlich, P., u. Sachs, F. 294
Eichler, S., vgl. Schrauzer, G. N. 425, 511
Eiden, F. 286
Eimer, J., vgl. Vogel, E. 553, 565
Eiter, K., vgl. Kabbe, H. J. 42, 43, 55, 56, 140, 153, 178
—, vgl. Oediger, H. 50, 51, 92, 124, 125
—, u. Oediger, H. 124, 631, 632, 635, 637
—, —, Henecka, H., u. Lorenz, R. 147
—, —, u. Truscheit, E. 57
—, vgl. Truscheit, E. 55, 178, 635, 637
—, u. Truscheit, E. 42, 140, 150, 152, 153, 154, 184
—, —, u. Oediger, H. 36, 37, 41, 42, 43, 55, 56, 57, 67, 68, 69, 140, 149, 150, 151, 152, 153, 154, 165
Eliel, E. L., vgl. Binsch, G. 310

Elix, J. A. 541, 574, 597
—, vgl. Badger, G. M. 540, 570, 596, 602
—, vgl. Bindra, A. P. 453, 552, 582, 583
—, u. Sargent, M. V. 454, 455, 456, 459, 494
—, —, u. Sondheimer, F. 443, 450, 453, 454, 455, 459, 460, 469, 470, 483, 484
—, vgl. Sondheimer, F. 607
—, Wilson, W. S., u. Warrener, R. N. 449
Elliott, I. W., vgl. Jordan, N. W. 327, 329, 380, 382
Ellis, J., vgl. Eade, R. A. 215
Ellis, R. F., u. Frey, H. M. 363
Ellis, R. J., vgl. Frey, H. M. 363
Elofson, R. M., vgl. Craig, L. E. 508
El-Tiinay, A. H., u. Chichester, C. O. 174
Elvidge, J. A., u. Jackman, L. M. 532
Embree, N. D., vgl. Shantz, E. M. 57
Emerson, G. F., Watts, L., u. Pettit, R. 519
Emken, E. A., vgl. Frankel, E. N. 65
Emmons, W. D., vgl. Wadsworth, W. S. 127
Endo, K., Sakata, Y., u. Misumi, S. 569, 595
Engel, B., et al. 193
Engelhardt, E. L. 323, 334
Engelhardt, V. A. 677
—, u. Castle, J. E. 693
Ennis, C. L., vgl. Jones, W. M. 415
Entschel, R., Eugster, C. H., u. Karrer, P. 215
—, u. Karrer, P. 173, 175, 176
Enzell, C. R. 31
—, Francis, G. W., u. Jensen, S. L. 30
Erbe, S. 33
Erdmann, J. G., vgl. Day, W. C. 216
Erdtman, H. 191
—, u. Högberg, H. E. 468
Eremin, E. N., vgl. Iljin, D. T. 630
Erickson, K. L., vgl. Meinwald, J. 163, 166, 220
Erlenmeyer, E. 531
Erpenbach, H., vgl. Alder, K. 64, 164, 165, 205, 206
Errede, L. A., vgl. Swarc, M. 33
Eschenmoser, A., vgl. Darms, R. 346, 349
—, vgl. Rennhard, H. H. 396
—, vgl. Schreiber, J. 308, 346
Esso Research and Engeneering Co. 169, 203, 675
Estada, C., vgl. Lora-Tamajo, M. 209
Estes, L. L., vgl. Cope, A. C. 508
Ethyl Corp. 189, 190
Eugster, C. H., et al. 31
—, vgl. Buchecker, R. 31
—, vgl. Entschel, R. 215
—, vgl. Garbers, C. F. 14, 19, 76
—, vgl. Karrer, P. 14, 26, 27, 42, 140, 144, 145, 150, 152 183
—, vgl. Ziegler, H. H. von 19
Evanega, G. R., vgl. Evnin, A. B. 507, 515
Evans, M. V., u. Lord, R. C. 349
Evans, W. J., u. Smiles, S. 254
Evnin, A. B., Lam, A. Y., Maher, J. J., u. Blyskal, J. J. 515
—, Miller, R. D., u. Evanega, G. R. 507, 515

Fabrycy, A., vgl. Wizinger, R. 266
Faierschtein, Y. M., vgl. Vasileva, E. D. 641, 646
Faigle, J. W., Müller, H., Philipsborn, W. von, u. Karrer, P. 214
Faller, J. W. 414
—, vgl. Cotton, F. A. 511, 512
Fankuchen, I., vgl. Kaufman, H. S. 423
Farbenfabriken Bayer AG, Leverkusen 42, 50, 55, 57, 124, 140, 147, 150, 152, 153, 154, 165, 178, 184, 253, 257, 260, 286, 631, 632, 643, 645
Farbw. Hoechst (Farbwerke Höchst vormals Meister Lucius & Brüning) 95, 126, 180, 241, 243, 251, 286, 287
Farmaceutici Italia 193
Farmer, E. H., Laroia, B. D., MacLean Switz, T., u. Thorpe, J. F. 46
—, u. Martin, S. R. W. 204
Farquhar, D., u. Leaver, D. 540, 554, 559, 589
—, vgl. Sargent, H. 654, 655, 663, 665, 675
Ferrania 254, 269
Farrow, W. M., u. Tabenkin, B. 193
Farzar, K. R., et al. 173
Fassnacht, J. H., vgl. Nelson, N. A. 342, 345, 347
Faubion, B. D., vgl. Smentowski, F. J. 521, 522
Favie, C., vgl. Mousseron-Canet, M. 24
Favorskii, A. 639
Favorskaya, I. A. 643, 671, 672, 679
—, et al. 661, 662, 679
—, vgl. Artsybasheva, Y. P. 643, 645, 646, 650, 675, 679
—, u. Artsybasheva, Y. P. 643, 663, 665
—, —, u. Federova, L. V. 692
—, u. Auvinen, E. M. 678
—, —, u. Artsybasheva, Y. P. 643, 645, 650, 653
—, vgl. Dyakonov, I. A. 692
—, vgl. Favorskaya, T. A. 678
—, u. Federova, F. V. 647, 648
—, u. Federova, L. V. 641, 643, 648, 672, 678, 680
—, u. Gavrilovskaya, A. A. 643
—, u. Kopylov-Shakmatov, N. N. 679, 680
—, u. Makarova, I. N. 680
—, vgl. Zaitseva, I. V. 641, 649, 678, 680
Favorskaya, T. A. 660
—, u. Bresler, S. L. 660
—, u. Favorskaya, I. A. 678
—, u. Portnyagin, Yu. M. 675
Federova, F. V., vgl. Favorskaja, I. A. 647, 648
Federova, G. A., vgl. Lapickij, G. A. 183
Federova, G. K., vgl. Anisimov, K. N. 686
Federova, L. V., vgl. Favorskaya, I. A. 641, 643, 647, 648, 672, 678, 680, 692
Fegley, M. F., vgl. Croxall, W. J. 689
Feichtmayr, F., et al. 25, 26
Feldmann, K., vgl. Scheibe, G. 234
Feldmann, L., vgl. Buchner, E. 341
Feldmann, R., vgl. Vogel, E. 554
Feldt, R. D., vgl. Spangler, C. W. 38
Fenical, W., vgl. Radlick, P. 518
Fenton, S. W., vgl. Cope, A. C. 425, 436, 440, 441, 462
Ferrande, R., vgl. Meunier, P. 181, 218
Ferrini, P. G., u. Marxer, A. 326
Field, F. H. 313
Fields, E. K., vgl. Kharasch, M. S. 82
Fields, M., vgl. Blout, E. R. 30
Fieselmann, H., u. Sasse, K. 642, 646, 650

Fieser, L. F., u. Pechet, M. M. 463
Figeys, H. P. 607
—, u. Gelbeke, M. 548
Filmfabrik Wolfen 297
Finger, C., Nerdel, F., Weyerstahl, P., Buddrus, J., u. Klamann, D. 169
Finkelstein, M. 359, 517
Finlay, J. B. 627
Finnegan, W. G., vgl. Norris, W. P. 628
Firl, J., vgl. Kresze, G. 212
Fischer, A., vgl. Scheibler, H. 643
—, vgl. Hammond, G. S. 306
Fischer, E. E., u. Tabibian, R. M. 628
Fischer, E. O., u. Breitschaft, S. 407
—, vgl. Müller, J. 412
—, u. Müller, J. 412
—, Palm, C., u. Fritz, H. P. 511
—, Rühle, H., Vogel, E., u. Grimme, W. 582
—, u. Werner, H. 512
Fischer, F. G., u. Löwenberg, K. 36, 150, 154
—, u. Schulze, H. 143
Fischer, H. 25, 76
—, vgl. Kuhn, R. 76
Fischer, L. G. M., vgl. Huisman, H. O. 68, 71
Fischer, O. 252
Fischer, R. 294
Fisher, N. I., vgl. Hamer, F. M. 252
—, u. Hamer, F. M. 248
Fitton, H., vgl. Birch, A. J. 189
Fitton, P., vgl. Chapman, O. L. 345, 346, 347, 348
Fleischacker, H., u. Woods, G. F. 37, 206, 219
Fletcher, G. L. 191
Flett, M. S. C., et al. 423
Flid, R. M., et al. 627
Florian, W., vgl. Meerwein, H. 250
Föhlisch, B. 396
—, Bürgle, P., u. Krohenburger, D. 335
Förster, E., vgl. Hirsch, B. 237
—, u. Hirsch, B. 297
Fones, W. S., vgl. Newman, M. C. 642, 645
Fonken, G. J. 162, 163, 166, 217, 219, 220, 222
—, u. Mehrota, K. 163
—, u. Moran, W. 484
Foote, S. C., et al. 22
—, u. Brenner, M. 215
Ford, J. A., vgl. Wadsworth, D. H. 130
Foster, W. E. 189
Fraenkel, G. K., vgl. Strauss, H. L. 508
Fragner, J. 192, 225
Franchimont, E., vgl. Viehe, H. G. 630
Francis, G. W., vgl. Enzell, C. R. 30
Franck-Neumann, M. 480
Frank, P., vgl. Colonge, J. 147
Franke, W., u. Meister, H. 690
Frankel, E. N., vgl. Cais, M. 199
—, Emken, E. A., u. Davison, V. L. 65
Franklin, N. H., vgl. Cullis, C. F. 629
Franzus, B., et al. 352
—, u. Snyder, E. I. 352
—, vgl. Wicklatz, J. E. 80
Frass, W., vgl. Vogel, E. 461
Fray, G. I., u. Smith, D. P. S. 514
Frazee, J. D., u. Anderson, R. C. 629
Freedman, H. H. 446
—, Doorrakina, G. A., u. Sandel, V. R. 376
—, vgl. Pawley, G. S. 430
—, u. Peterson, D. R. 430
Freeman, F. 291
Freeman, P. K., u. Kuper, D. G. 169
Freidlin, L. K., et al. 676
—, u. Groshkov, V. I. 676
—, Kaup, Y. Y. 676
Freidlina, R. K., vgl. Brainina, E. M. 684
Freudenberg, K. 423
Freund, G., vgl. Stiles, M. 456
Frey, D. J., vgl. Kendall, J. D. 289
Frey, H. M., vgl. Ellis, R. F. 363
—, u. Ellis, R. J. 363
—, u. Walsh, R. 219
Freyd, T., vgl. Gronowitz, S. 632
Freyschlag, H., et al. 69, 71, 72, 93, 130, 188, 203
—, vgl. Nürrenbach, A. 188
—, —, Reif, W., u. Pommer, H. 116
—, vgl. Pasedach, H. 39
—, Reif, W., Nürrenbach, A., u. Pommer, H. 97, 105, 106
—, —, —, u. Sarnecki, W. 92
—, —, u. Pommer, H. 130
Fricke, H., vgl. Müller, Eu. 308, 336, 337, 338, 353, 376, 395, 486
Fridenson, A., vgl. Chatain, H. 178
Friederich, H., u. Hoffmann, H. 79, 222
—, Schweckendiek, W., u. Sepp, K. 79
Friedman, L. 456
—, vgl. Lindow, D. F. 456, 467
—, vgl. Rabideau, P. W. 456, 461, 464
—, u. Rabideau, P. W. 461
Friedrich, E. C., vgl. Winstein, S. 512
Friedrich, K., u. Hartmann, W. 147
Friend, E. W., vgl. White, E. H. 447
Fritsch, K. H., vgl. Hünig, S. 284, 290
Fritz, H. P., vgl. Fischer, E. O. 511
—, u. Keller, H. 511
Froning, J. F., u. Hennion, G. F. 639
Fronzaglia, A., vgl. King, R. B. 407, 408, 413
Fry, D. J., u. Kendall, J. D. 281
Fuchs, B. 169
—, u. Yankelevich, S. 169
Fuchs, K., u. Grauaug, E. 283
Fujimura, T. 676
Fujino, A., vgl. Mano, K. 484
Fujise, Y., vgl. Ito, S. 386, 387
Fujita, I., Yamamoto, R., u. Kobata, K. 350
Fuks, R., u. Viehe, H. G. 498
Fukuyama, T., Kuchitsu, K., u. Kozo, M. 624
Fulde, R. C. 193
Fumia, A., vgl. Brooker, L. G. S. 277
Furlani Donda, A., u. Guerrieri, A. 691
—, u. Meretti, G. 691
Furukawa, J., et al. 676
—, vgl. Kita, G. 626
Furusaki, A., u. Nitta, I. 484
Fushizaki, Y., vgl. Isagawa, K. 466

Gaertner, G. W., vgl. Halper, W. H. 351
Galbraith, A. R., vgl. Eglinton, G. 546
Gale, D. M., Middleton, W. J., u. Krespan, C. G. 342, 343, 350, 367
Gaudino, M., u. Baldassari, A. 254
Ganellin, C. R., vgl. Dewar, M. J. S. 340, 398
—, u. Pettit, R. 516
Ganguly, J., u. Murthy, S. K. 160, 162, 192, 193

Ganis, P., u. Dunitz, J. D. 533
Gaoni, Y., et al. 536
—, vgl. Calder, I. C. 534, 535, 567, 568, 593
—, Leznoff, C. C., u. Sondheimer, F. 61
—, vgl. Sondheimer, F. 535, 546, 559, 560, 567, 568, 572, 575, 590, 596, 597, 607
—, u. Sondheimer, F. 534, 535, 560, 579, 580, 582, 590
Garbers, C. F. 17
—, vgl. Boegman, N. 147
—, Eugster, C. H., u. Karrer, P. 14, 19, 76
—, Schmid, H., u. Karrer, P. 215
—, vgl. Schneider, D. F. 101
—, Schneider, D. F., u. van der Merwe, J. P. 72, 119
Gardikes, J. J., vgl. Shechter, H. 480
Gardner, P. D., et al. 437, 483, 521
Garmolov, I. V., Klebanski, A. L., u. Chevychalova, K. K. 676
Garratt, P. J. 607
—, vgl. Baxter, C. S. 520
—, vgl. Calder, I. C. 537, 576, 579, 581
—, vgl. Katz, T. J. 487, 488, 519, 550
—, vgl. McQuilkin, R. M. 535, 539, 573, 597, 604
—, u. Mitchell, R. H. 450
—, vgl. Oth, J. F. M. 542
—, Rowland, N. E., u. Sondheimer, F. 542, 604
—, u. Sargent, M. V. 550, 607
—, vgl. Sondheimer, F. 607
—, u. Vollhardt, K. P. C. 553, 586
—, —, u. Mitchell, R. H. 451
Garwood, R. F., Oskay, E., u. Weedon, B. C. L. 628
Gaspar, B. 296, 297
Gaspar, P. P. 486
—, vgl. Doering, W. von E. 317
—, u. Doering, W. von E. 486
Gassmann, P. G., vgl. Schuster, D. J. 166, 169
Gasteiger, J., Gream, G. E., Huisgen, R., Konz, W. E., u. Schnegg, U. 434, 435
Gauger, J., vgl. Manecke, G. 295
Gaurat, C., vgl. Metzger, J. 252
Gavarret, J., vgl. Golse, R. 634, 637, 685
Gavezzotti, A., vgl. Casalone, G. 533
Gavrilovskaya, A. A., vgl. Favorskaya, I. A. 643
Gebrian, J. H., vgl. Anastassiou, A. G. 518, 520, 521
Geigy, I. R., AG. 249, 334
Geissler, G., vgl. Wittig, G. 89
Gelashvili, E., vgl. Gverdtsiteli, J. M. 641
Gelbeke, M., vgl. Figeys, H. P. 548
Gelin, F., vgl. Colonge, J. 642
General Aniline Film Corp. 241, 250, 251, 258, 262, 263, 278, 279, 280, 282, 283, 284, 289, 297, 298, 643, 645
Georgian, L., vgl. Georgian, V. 434, 477
Georgian, V., Georgian, L., u. Robertson, A. V. 434, 477
Georgieff, K. K., Cave, W. T., u. Blaikie, K. G. 626
—, u. Richard, Y. 634, 638
Gerhart, F., vgl. Schöllkopf, U. 131
Gerlach, K., vgl. Kröhnke, F. 237
Gerloch, M., vgl. Bailey, N. A. 541, 560
Gerson, F., et al. 541
—, vgl. Boekelheide, V. 540, 554
—, u. Hammons, J. H. 542, 543, 605, 607
—, Heilbronner, E., u. Boekelheide, V. 542, 605
—, —, Böll, W. A., u. Vogel, E. 605
—, u. Heinzer, J. 542, 606
—, —, u. Vogel, E. 541, 542
—, u. van Voorst, J. D. W. 542, 605
Geske, D. H. 395
Gevaert, A. G. 242, 257, 258, 260, 263, 271
Gevirtz, A. H., vgl. Goldstein, M. J. 378, 384
Gevorkyan, A. A., vgl. Badanyan, S. O. 689
Ghosh, J. C., Roy, A. N., u. Krishnamurty, N. V. 628
Ghys, T. H., vgl. van Dormael, A. E. 263
Gianotti, C. 224
—, Das, B. C., u. Lederer, E. 30, 224
Gibas, J., vgl. Surmatis, J. D. 50, 68, 104, 122, 182
Gielyaera, A. I., vgl. Lederer, S. V. 675
Gilani, S. S. H., vgl. Cookson, R. C. 378
Gilbert, A., vgl. Bryce-Smith, D. 432, 492
Gillan, A. E., vgl. Edisbury, J. R. 43
Gilles, J. M., vgl. Oth, J. F. M. 536, 554, 555, 586, 603, 606
—, Oth, J. F. M., Sondheimer, F., u. Woo, E. P. 543
Ginsburg, D., vgl. Altman, J. 505
—, vgl. Babad, E. 505
—, vgl. Philipsborn, W. von 505
Ginsburg, H. F., vgl. Newman, N. S. 674
Ginsburg, V. A., et al. 80
Givens, R. S. 370
Glafkides, P. 299
Glaser, C. 545
Glaxo Lab. Ltd. 70, 173, 183
Gleicher, G. J., vgl. Dewar, M. J. S. 13, 469, 537
Gleiter, R., vgl. Bredereck, H. 293
Glenat, R., vgl. Apparu, M. 641, 642, 643, 679
Glidden Co. 198
Glockner, P., vgl. Schrauzer, G. N. 425
Gmyzina, R. N., Dyakonov, I. A., u. Danilkina, L. P. 692
Goerland, E., vgl. Willcott, M. R. 350, 376
Görlitz, M., vgl. Günther, H. 311, 313
—, u. Günther, H. 307, 309, 363, 416
Götze, J., vgl. König, W. 255
—, u. Socher, H. 246, 256
Goff, E. le., s. LeGoff, E.
Goff-Hays, O. le, s. LeGoff-Hays, O.
Goffinet, E. P. 627
Goldfarb, T. D., u. Lindquist, L. 167, 219
Goldstein, M. J., vgl. Doering, W. von E. 308
—, u. Gevirtz, A. H. 378, 384
Goliasch, K., vgl. Hafner, K. 17
Golino, C., vgl. Bertelli, D. J. 396
Golse, R. 634, 637, 657, 658, 675, 685
—, u. Gavarret, J. 634, 637 685
—, u. Le-van-Thoi 634, 637, 675, 685
—, vgl. Lumbroso, H. 625
—, vgl. Quelet, R. 634, 635, 637, 657, 658, 675, 685
Gompper, R., Kutter, E., u. Kast, H. 465
—, u. Seybold, G. 430
—, Wagner, H. U., u. Kutter, E. 33
Gonzales, A. A. 627
Goodfellow, R. J., vgl. Cooke, M. 512
Goodrich, B. F., Co. 678

Goodwin, T. W., vgl. Ball, S. 181
Gorbach, G., u. Hochbahn, P. 199
Gordon, A. S., vgl. Smith, S. R. 630
Gordon, J. E. 233
Gorin, Y. A., vgl. Arefeva, T. G. 684
—, u. Bogdanova, L. P. 679, 680
Gorman, A. A., vgl. Brember, A. R. 375
Gorshkov, V. I., vgl. Freidlin, L. K. 676
Gosselink, E. P., vgl. Lemal, D. M. 352
Gouterman, M., u. Wagniere, G. 534
Graf, F., vgl. Staab, H. A. 555, 557, 588
Grafton, H. K. 264
Grain Processing Corp. 193
Grassetti, D. R., u. Klein, H. C. 184
Grauaug, E., vgl. Fuchs, K. 283
Gream, G. E., vgl. Gasteiger, J. 434, 435
—, vgl. Huisgen, R. 514
Greaves, P. M., et al. 639
Greeley, R. H., vgl. van Tamelen, E. E. 551, 600
Green, M., vgl. Bruce, M. I. 512
—, vgl. Cooke, M. 512
—, u. Wood, D. C. 513
Greene, E. F., vgl. Aten, C. F. 629
Greenfield, H., et al. 671
Greenwald, R., Chaykovsky, M., u. Corey, E. J. 92
Gregorovich, B., vgl. Anet, F. A. L. 432, 444, 450, 484
Grell, W., u. Machleidt, H. 93
Grellmann, K. H., u. Kühnle, W. 170
Grewe, R., u. Bonin, W. von 148
Griffin, C. E., Martin, K. R., u. Douglas, B. E. 568, 593
—, u. Peters, J. A. 462
Griffin, G. W., u. Vellturo, A. F. 169
Griffiths, P. J., vgl. Crombie, L. 632
Grignard, V. 636, 638, 659, 671
Grigoryan, K. A., Panfilow, A. A., u. Isagulyants, V. A. 679
Grimm, A., vgl. Rieche, A. 676
—, u. Schloeffel, M. 627
Grimme, W. 500
—, et al. 550
—, vgl. Fischer, E. O. 582
—, Hoffman, H., u. Vogel, E. 554
—, Riebel, H. J., u. Vogel, E. 504
—, vgl. Roth, W. R. 408
—, vgl. Vogel, E. 220, 384, 487, 553, 603
Gripenberg, J. 399, 402
Grob, C. A. 402
Grob, E. C., u. Bütler, R. 159, 161
—, u. Siekmann, W. 175
Grohmann, K., u. Mitchell, R. H. 555
—, vgl. Sondheimer, F. 607
—, u. Sondheimer, F. 552, 583
Gronowitz, S., u. Freyd, T. 632
Grovenstein, E., Campbell, T. C., u. Shibata, T. 432, 458
—, u. Rao, D. V. 432, 444
Grubbs, R., Breslow, R., Herber, R., u. Winstein, S. 512
Gruber, G. W., vgl. Pomerantz, M. 376
Grundmann, C., vgl. Kuhn, R. 14, 147, 160, 196
—, u. Ottmann, G. 315, 339, 394
Gruz, B. E., vgl. Jagupolskij, L. M. 245
Grzonka, J., vgl. Bryce-Smith, D. 432
Günther, H. 309, 416, 540
—, vgl. Görlitz, M. 307, 309, 363, 416
—, Görlitz, M., u. Hinrichs, H. H. 311, 313
—, u. Hinrichs, H. H. 313
—, u. Keller, T. 310, 416
—, vgl. Vogel, E. 384, 540, 565, 576, 592, 602
—, u. Wenzel, R. 313
Guerrieri, A., vgl. Furlani-Donda, A. 691
Guillemonat, C., vgl. Lespieau, R. 657, 658, 671
Gulyaeva, A. I., vgl. Lebedev, S. V. 676
Gunning, H. E., vgl. Sherwood, A. G. 629
Gunstone, F. D. 202
Gurevich, M. G., vgl. Tishchenko, I. G. 658
Gurich, I. A., vgl. Nazarov, I. N. 673, 674
Guser, B. P., u. Kucherov, V. F. 660
Guss, M., vgl. Stöckel, K. 598
Gutowsky, H. S., vgl. Allerhand, A. 390
Gutsche, C. D., u. Johnson, H. E. 340
Gutsell, E. S., vgl. Wright, J. B. 397
Gverdtsiteli, J. M., Papava, R., u. Gelashvili, E. 641
Gwynn, D. E., Whitesides, G. M., u. Roberts, J. D. 424, 433, 439
Györgyfy, K., vgl. Cholnoky, L. 218
Gyuli-Kevkhyan R. S., vgl. Azatyan, V. D. 481
Haag, A., vgl. Stiles, M. 464
Haag, W., vgl. Wittig, G. 89
Haberland, U., vgl. Vogel, E. 540, 565, 566, 576, 580, 592, 593, 602
Haddon, R. C., Haddon, V. R., u. Jackman, L. M. 536, 607
Haddon, V. R., vgl. Haddon, R. C. 536, 607
Haeck, H. H., et al. 143, 144, 147
—, u. Kralt, T. 146, 184, 185
—, —, u. Leeuwen, P. H. 184
Härtel, A. 23
Hafner, K., u. Asmus, K. D. 148
—, u. Goliasch, K. 17
—, u. Pelster, H. 16
—, u. Rellensmann, W. 331, 334, 394, 400, 401
Hagemann, H., vgl. Prinzbach, H. 163, 219, 222
Hagen, R., vgl. Bremser, W. 543
Hagihara, N., et al. 629, 631, 632
—, vgl. Nakamura, A. 511
Hahn, E., vgl. Wittig, G. 415
Halbig, P., Reiter, E., u. Stadler, F. 629
—, u. Treibs, A. 680
Hale, S. S., vgl. Moore, W. R. 306
Hall, G. E., u. Roberts, J. B. 416
Haller, H. L., vgl. Adams, Q. 267
Halper, W. H., vgl. Christel, J. S. 351
—, Gaertner, G. W., Swift, E. W., u. Pollard, G. E. 351
Halton, B., Battiste, M. A., et al. 357
Hamer, F. M., 246, 248, 251, 252, 254, 255, 256, 267, 271, 299
—, vgl. Beilenson, B. 249, 271
—, vgl. Fischer, N. I. 248
—, u. Fisher, N. I. 252
Hamer, J. 211
Hamilton, J. B., vgl. Rabideau, P. W. 456, 461, 464
Hamlet, J. C. 641, 642, 648, 650
Hammond, G. S., et al. 22
—, vgl. Herberhold, M. 691
—, Turo, N. J., u. Fischer, A. 306
Hammons, T. H., vgl. Gerson, F. 542, 543, 605, 607
Hamprecht, G., vgl. Sarnecki, W. 186
Hanack, M., vgl. Derocque, J. L. 635
—, u. Schneider, H. J. 74
Hancock, J. W., vgl. Ansell, M. F. 642, 678

Handy, C. T., vgl. Hoover, F. W. 691
Hannon, L. R., vgl. Dauben, H. J. 406
Hansen, J. F., vgl. Paquette, L. A. 448, 449, 482, 514
Hanson, A. W. 533
Hanze, A. R., et al. 177
Harada, R. 675
Harburger Fettchemie GmbH. 65
Harget, A., vgl. Dewar, M. J. S. 424, 510
Harmon, K. M., et al. 393, 396
Harrington, R. W., vgl. Lemal, D. M. 352
Harris, D. L., vgl. Warner, P. 509
Harris, R. S., vgl. Sebrell, W. H. 16, 17, 19, 33, 160, 161, 162, 192, 193, 213, 215, 225
Harrison, A. G., Dauben, H. J., et al. 414
—, Honnen, L. R., Dauben, H. J. u. Lossing, F. P. 319
Harrison, W. F., vgl. Vogel, E. 484
Hart, H., vgl. Collins, P. M. 164
Hartenstein, J. H., vgl. Prinzbach, H. 163, 166, 167, 219, 222, 306
Hartman, P. H., vgl. Pomerantz, C. M. 376
Hartman, R., vgl. Padwa, A. 431, 445
Hartmann, H. 265
Hartmann, W., vgl. Friedrich, K. 147
Haselbach, E., vgl. Dewar, M. J. S. 424, 510
Hashimoto, J., Ryang, M., u. Tsutsumi, S. 80
Hasse, K., vgl. Vogel, E. 519
Hasselt, J. F. B. von 199, 200, 203
Hauptmann, H., vgl. Strauss, F. 656
Haven, A. C., vgl. Cope, A. C. 471, 474, 475, 514, 519
Havinga, E. 163
—, u. Bots, J. P. L. 164
—, vgl. de Kock, R. J. 166
Hawks, O. D. 184, 191
Hayes, R. G., u. Thomas, J. L. 511, 512
Heany, H., vgl. Brewer, J. P. N. 460
Hechtl, W., vgl. Boche, G. 510
—, vgl. Huisgen, R. 471
—, vgl. Konz, W. E. 434, 442, 443
Hecker, E., vgl. Butenandt, A. 631, 632, 653, 663
Hedberg, K., vgl. Bastiansen, O. 423
—, u. Schomaker, V. 423
Hedberg, L., vgl. Bastiansen, O. 423
Hegge, E., vgl. Jensen, S. L. 193
Heidelberger, M., vgl. Willstätter, R. 424
Heilbron, J. M., et al. 70, 183, 643, 648, 672, 674
—, vgl. Beattie, S. 270
—, vgl. Bruum, T. 42
—, vgl. Cheeseman, G. W. H. 71
—, vgl. Edisbury, J. R. 43
—, Johnsen, A. W., u. Jones, W. E. 183
—, u. Jones, E. R. H. 183
—, —, u. O'Sullivan, D. G. 148, 150
—, —, u. Richardson, R. W. 675, 676
—, Morton, R. A., u. Webster, E. T. 216
—, Weedon, B. C. L., Jones, E. R. H., u. Jansen, A. B. A. 70
Heilbronner, E., vgl. Blattmann, H. R. 534
—, vgl. Boekelheide, V. 540, 554
—, vgl. Bremser, W. 543
—, vgl. Gerson, F. 542, 605
—, vgl. Merz, J. H. 12, 13, 25, 26, 27, 28
—, vgl. Rennhard, H. H. 396
—, vgl. Schaeppi, W. H. 396
Heim, H., vgl. Berg, H. 629
Heimke, P., vgl. Berlin, L. 241
—, vgl. Sieglitz, A. 241, 287, 288
Heinicke, R., vgl. Jutz, C. 187
Heinzer, J., vgl. Gerson, F. 541, 542
Heiss, J., vgl. Scheibe, G. 234
Helden, R. van, s. Van Helden, R.
Helfenstein, A., vgl. Karrer, P. 196, 198, 213, 214
Hellwinkel, D., u. Reif, G. 468
Helm, R., vgl. Roedig, A. 431, 446
Henbest, H. B., et al. 43, 173, 176, 181
Henecka, H., vgl. Eiter, K. 147
Hennion, G. F., vgl. Baum, A. H. 639, 683
—, vgl. Froning, J. F. 639
—, vgl. Kilian, D. B. 680, 681
Hennion, G. F., u. Maloney, D. E. 634, 637, 639
—, vgl. Norris, R. O. 680
—, Price, C. C., u. McKeon, T. F. 636
—, Sheehan, J. J., u. Maloney, D. E. 635, 637
—, vgl. Thorn, S. D. 663, 664
Henry, T. J., vgl. Staley, S. W. 518
Hensley, L. C. 282
—, vgl. Thompson, T. R. 250
Herb, S. F., vgl. Nichols, P. L. 65
Herber, R., vgl. Grubbs, R. 512
Herberhold, M., u. Hammond, G. S. 691
Herberts, T. 683
Herbst, P., vgl. Bohlmann, F. 683, 690
Herman, D. F., vgl. Bergmann, E. D. 639, 642, 682
Herndon, W. C., u. Lowry, L. L. 351
Herndorn, J. W., u. Welch, L. M. 675
Herrick, E. C., u. Sauer, J. C. 628
Hertzberg, S., u. Jensen, S. L. 172, 174, 175, 177, 193, 218
Heseltine, D. W. 276
Hess, B. A., u. Schaad, L. J. 543
Hess, W., vgl. Karrer, P. 182
Heusner, A. 329, 331, 394, 416
Hewitt, G., vgl. Barton, D. H. R. 148
Heyd, W. E., vgl. Cupas, C. A. 388
—, u. Cupas, C. A. 312
Hichens, M., vgl. Acheson, R. M. 15, 182
Hichens, R. E., vgl. Acheson, R. M. 15, 182
Hickinbottom, W. J., vgl. Ansell, M. F. 642, 678
Hidachi Manufg. Co. 682
Higara, K., vgl. Moki, T. 641
Higuchi, T., u. Reinstein, J. A. 57
Hikino, H., vgl. Yoshioka, I. 653, 690
Hillebert, A., vgl. Andersen, F. A. 433
Hinrichs, H. H., vgl. Günther, H. 311, 313
Hirsch, B. 269
—, vgl. Förster, E. 297
—, u. Förster, E. 237
—, vgl. Nikolajewski, H. E. 188, 236, 237
Hirsch, K. A., vgl. Bredereck, H. 293
Hirschfeld, F. L., u. Rabinovich, D. 533

Hochbahn, P., vgl. Gorbach, G. 199
Hochstein, F. A., vgl. Cope, A. C. 474, 511, 512
Hodgson, K., vgl. Mares, F. 511, 512
Högberg, H. E., vgl. Erdtman, H. 468
Hoever, H. 171, 524
Hoffer, M., vgl. Kuhn, R. 149, 203
Hoffman, H., vgl. Grimme, W. 554
Hoffmann, A. K., vgl. Doering, W. von E. 486
Hoffmann, H., vgl. Friederich, H. 79, 222
—, vgl. Horner, L. 127
Hoffmann, R. 309
—, vgl. Woodward, R. B. 162, 219, 306, 314, 317, 355, 364, 387, 391, 416, 471
—, u. Woodward, R. B. 387
Hoffmann, R. W., et al. 316
—, u. Schneider, J. 363
—, vgl. Pasedach, H. 39
Hoffmann-La Roche u. Co., AG 48, 51, 68, 70, 99, 108, 121, 178, 185, 193, 323, 343, 653
Hoffsommer, R. D., Taub, D., u. Wendler, N. L. 334
Hofmann, A. W. 252
Hofmann, P. S., vgl. van der Stelt, C. 321
Hojo, K., vgl. Masamune, S. 485, 487, 492, 502, 518, 520, 521, 534, 536, 551, 583
Hollingsworth, C. A., vgl. Tirpak, M. R. 671
Holman, R. T., vgl. Abu-Nasr, A. M. 65
Holmes, J., u. Pettit, R. 395
Holý, A., vgl. Arnold, Z. 155, 223
Holyer, N. F., u. Weedon, B. C. L. 213
Holzel, R., Leftwick, A. P., u. Weedon, B. C. L. 176
Honnen, L. R., vgl. Harrison, A. G. 319
Hoogewerf, S. 252
Hook, J. O. van, s. Van Hook, J. O.
Hoover, F. W., Webster, O. W., u. Handy, C. T. 691
Hopkins, C. Y., vgl. Chisholm, M. J. 191
—, u. Chisholm, M. J. 191
Horeczy, J. H. 656
Horio, M., vgl. Lauer, K. 253
Horn, D. H. S., vgl. Black, H. K. 630
Hornberger, P., vgl. Wittig, G. 142, 185
Horner, L. 88, 92, 94, 124, 127, 128, 129, 130
—, et al. 127, 130, 131, 132, 188
—, Hoffmann, H., u. Wippel, H. G. 127
—, —, —, u. Klahre, G. 127
Horspool, W., vgl. Breslow, R. 443, 469, 470
Horstmann, H. O., vgl. Tochtermann, W. 313
Houk, K. N., u. Woodward, R. B. 387
Howden. M. E., vgl. Conrow, K. 311, 312, 333, 363, 376
Howe, I., u. McLafferty, F. W. 313
Huber, H., vgl. Boche, G. 510
—, vgl. Huisgen, R. 219, 222
Huber, R., vgl. Criegee, R. 428, 446
Hubert, A. J. 61
—, u. Anciaux, A. J. 62
Hudec, J., vgl. Cookson, R. C. 387
Hudson, R. F., Chopard, P. A., u. Salvadori, G. 124
Hückel, E. 531
Hünig, S. 257, 296
—, et al. 284, 290
—, Balli, H., u. Quast, H. 284
—, Bernhard, G., Liptay, W., u. Brenninger, W. 233
—, u. Fritsch, K. H. 284, 290
—, u. Quast, H. 299
Huisgen, R. 307
—, et al. 434, 439, 471, 472, 475, 476, 517
—, vgl. Boche, G. 435, 510
—, u. Boche, G. 434, 471, 477
—, —, Dahmen, A., u. Hechtl, W. 471
—, vgl. Dahmen, A. 222
—, Dahmen, A., u. Huber, H. 219, 222
—, vgl. Gasteiger, J. 434, 435
—, u. Juppe, G. 353
—, vgl. Konz, W. E. 434, 442, 443
—, u. Konz, W. E. 435
—, —, u. Gream, G. E. 514
—, u. Laschtúvka, E. 147, 202
—, u. Mietzsch, F. 514
—, vgl. Schröder, G. 433, 517
Huisman, H. O. 184
—, et al. 180, 186
—, vgl. Baas, J. L. 15
—, vgl. Leevwen, P. H. van 41
—, u. Smit, A. 184, 185
—, —, van Leeuwen, P. H., u. Van Rij, J. H. 69
—, —, Vromen, S., u. Fischer, L. G. M. 68, 71
—, vgl. van den Tempel, P. J. 133
Hummel, G., vgl. Sarnecki, W. 186
Humphlett, W. J. 153
—, vgl. Cawley, J. D. 65, 68
Hunsmann, W. 630
Hunter, R. F., u. Williams, N. E. 161
Hurd, C. D. 643
—, u. McPhee, W. D. 642, 645
Hurukawa, Z. 676
—, Nakaguti, K., u. Tukamoto, T. 676
—, u. Nakamura, S. 626, 683
Hutton, D., vgl. Downing, F. B. 626
Hutton, J., u. Waters, W. A. 378
Hwa, J. C. H., De Bennerville, P. L., u. Sims, H. J. 49
—, u. Sims, H. 49

Ichikawa, M., Tsutsui, M., u. Vohwinkel, F. 190
Ichikawa, T., u. Kato, T. 119
ICI (Imperial Chemical Industries Ltd., Manchester) 239, 240, 258
Ick, J., vgl. Vogel, E. 540, 566, 576, 580, 593
Ida, T., et al. 204
Igarashi, E., vgl. Oshima, M. 676
Igeta, H., Tsuchiya, T., u. Nakai, T. 633
I. G. Farb. (I.G. Farbenindustrie AG) 240, 241, 242, 243, 246, 247, 249, 252, 254, 256, 259, 260, 261, 262, 263, 267, 268, 269, 272, 273, 274, 278, 285, 287, 289, 295, 626, 627, 660, 675, 678
Iglehart, E. S., vgl. Tarrant, P. 630
Ignatova, N. P., vgl. Kogan, L. M. 659
Iguchi, M. 628
—, u. Kanno, T. 626
—, u. Nakanishi, G. 626
Iguchi, T. 627
Ilford Ltd. 241, 242, 260, 269, 271, 276, 280, 281, 282, 289, 291
Iljin, D. T., Eremin, E. N., u. Siderov, V. I. 630
Immirzi, A., vgl. Allegra, G. 511
Inhoffen, H. H., et al. 22, 30, 36, 42, 47, 48, 69, 72, 139, 140, 149, 150, 151, 194
—, u. Arend, W. 172
—, u. Bohlmann, F. 33, 149, 150, 225, 645, 674
—, —, u. Bartram, K. 28, 141, 147, 150
—, —, u. Bohlmann, M. 33, 149, 150, 186, 643

Inhoffen, H. H., Bohlmann, F., u. Linhoff, G. 214
—, —, u. Rummert, G. 20, 21, 23, 28, 30, 42, 44, 140
—, Bork, S., u. Schwieter, U. 150, 181
—, Krause, H.-J., u. Bork, S. 48, 81
—, u. Leibner, G. 28, 32, 40, 42, 44
—, u. Pommer, H. 192
—, —, u. Bohlmann, F. 72, 195
—, —, u. Meth, E.-G. 40, 42, 81, 138, 194, 214
—, —, u. Winkelmann, K. 81, 215
—, Radscheit, K., Stache, U. u. Koppe, V. 29, 202
—, u. Raspé, G. 22, 24, 41, 42, 69, 150
—, Schwieter, U., Chichester, C. O., u. Mackinney, G. 17
—, —, u. Raspé, G. 21, 150
—, u. Siemer, H. 17, 21, 23, 225
Institut of Fine Chem. Techn. 627
Institute of Synthetic Organic Chemical Research 626, 627
International Flavors and Fragrances, Inc. 200
International Synthetic Rubber Co. 210
Ionin, B. I., u. Petrov, A. A. 670
Ipaktschi, J., vgl. Staab, H. A. 552
Irie, T., vgl. Tanida, H. 356
Irngartinger, H., Leiserowitz, L., u. Schmidt, G. M. J. 532
Irving, F., vgl. Beattie, S. 270
Isagawa, K., Ishiwaka, T., Kawai, M., u. Fushizaki, Y. 466
Isagulyants, V. A., vgl. Grigoryan, K. A. 679
Ishiwaka, T., vgl. Isagawa, K. 466
Isin, Z. I., vgl. Sokolov, D. V. 661, 662
Isler, O., 45, 50, 52, 70, 155, 156
—, et al. 21, 22, 23, 41, 42, 50, 51, 52, 53, 70, 74, 97, 103, 110, 113, 114, 139, 140, 144, 155, 156, 157, 177, 178, 179, 180, 184
—, Kläui, H., u. Solms, U. 192
—, vgl. Mayer, H. 124
—, Montavon, M., Rüegg, R., u. Zeller, P. 45, 48
—, Rüegg, R., u. Schwieter, U. 27, 29, 33, 192, 193
Isler, O., u. Schudel, P. 42, 45, 52, 100, 109, 132, 138, 141, 142, 144, 149, 150, 152, 155, 181, 225
—, vgl. Schwieter, U. 19, 24, 33, 73, 192, 213, 215
—, u. Schwieter, U. 173, 181, 184
Ismail, A. F. A., vgl. Schönberg, A. 82
Itai, T., vgl. Okusa, G. 633
Ito, S., Fujise, Y., u. Woods, M. C. 386, 387
Ivanova, N. G., vgl. Mochalin, V. B. 674
Iwai, I., et al. 86
—, vgl. Miyadera T. 86
Iwamura, H., vgl. Zimmerman, H. E. 515
Iwaschenko, A., vgl. Nefedow, O. 355, 356

J. s. a. Y
Jacklin, A. G., vgl. Crombie, L. 634, 653, 663, 690
Jackman, L. M., et al. 532
—, vgl. Barber, M. S. 31, 99, 100, 121, 214
—, vgl. Davis, J. B. 100
—, vgl. Elvidge, J. A. 532
—, vgl. Haddon, R. C. 536, 607
—, vgl. Jensen, S. L. 193
—, u. Jensen, S. L. 193
Jacob, K., vgl. Treibs, A. 295
Jacobs, H. A. M., et al. 140
Jacobs, T. L., u. Meyers, R. A. 635, 638
—, u. Mihailovski, A. 681
Jacobsen, S., et al. 203
Jacobson, R. A. 682
—, u. Carothers, W. H. 663, 665, 671, 683
—, Dykstra, H. B., u. Carothers, W. H. 680
Jaeger, H. K. 193
Jaeger, L., u. Karrer, P. 173, 175, 176
Jaeger, R. H. 641, 648
Jagupolskij, L. M., u. Čajka, E. A. 82
—, u. Gruz, B. E. 245
Jahn, H., vgl. Wolfram, A. 680
Jain, B. D., vgl. Sharma, K. M. 511
Jain, S. K., vgl. Tilak, B. D. 266
Jakobs, G., vgl. Alder, K. 377, 379
Jakobsen, E. 252
Jakubavich, A. Y., s. Yakubavich, A. Y.
Janovskaja, L. A. 12, 13, 28, 30, 98, 99, 113, 114,, 134, 136
Janovskaja, L. A., et al. 157
—, u. Kinderov, V. F. 674
—, Kovalev, B. G., u. Kučerov, V. F. 98
—, Kozyrkin, B. I., u. Kučerov, V. F. 210
—, vgl. Kučerov, V. F. 110, 112
—, u. Kučerov, V. F. 110, 112, 134
—, Stepanova, R. H., Kogan, G. A., u. Kučerov, V. F. 113, 114
—, —, u. Kučerov, V. F. 37, 48, 136
Jansen, A. B. A., vgl. Heilbron, J. M. 70
Japan Celluloid Co. 627
Jauer, E. A., vgl. Nikolajewski, H. E. 237
Jenkins, D. K. 657
—, vgl. Duck, E. W. 64
Jenkins, P. W. 443
—, u. Brooker, L. G. S. 273
Jenner, E. L., vgl. Alderson, T. 64, 78
Jensen, F. R., u. Smith, L. A. 311, 363
Jensen, K. A. 511
Jensen, S. L. 25, 28, 30, 31, 177, 183, 193, 225
—, vgl. Aasen, A. J. 100, 193
—, vgl. Enzell, C. R. 30
—, Hegge, E., u. Jackmann, L. M. 193
—, vgl. Hertzberg, S. 172, 174, 175, 177, 193, 218
—, vgl. Jackmann, L. M. 193
—, vgl. McCormick, A. 178
Joffe, B. V., et al. 634, 637
Johns, R. B., vgl. Coffey, R. S. 341, 397
—, u. Johnson, A. W. 397
—, —, u. Murray, J. 341, 397
Johnson, A. W. 91, 128, 401
—, vgl. Bartelskeith, J. R. 341
—, vgl. Coffey, R. S. 341, 397
—, vgl. Heilbron, I. M. 183
—, vgl. Johns, R. B. 341, 397
—, Langemann, A., u. Tišler, M. 395
—, u. Tišler, M. 395
Johnson, B. F. G., Lewis, J., Parkins, A. W., u. Randall, G. L. 512
Johnson, B. L., vgl. Clarke, S. C. 357
Johnson, F. W., vgl. Carter, A. S. 627
Johnson, H. E., vgl. Gutsche, C. D. 340
Johnson, M. G., vgl. Bryce-Smith, D. 492
Johnson, N., vgl. Spangler, C. W. 37

Johnson, S. M., u. Paul, I. C. 533
—, Paul, I. C., u. King, S. D. 533
Johnson, W. H., vgl. Prosen, E. J. 423
Johnstone, R. A., vgl. Edmunds, F. S. 97, 216, 222, 223
Jones, A. J. 607
Jones, D. W., vgl. Cookson, R. C. 429
Jones, E. R. H., vgl. Allan, J. L. H. 674
—, vgl. Bew, R. E. 191
—, vgl. Bowden, K. 673
—, vgl. Braude, E. A. 19
—, vgl. Cheeseman, G. W. H. 71
—, vgl. Heilbron, J. M. 70, 148, 150, 183, 675, 676
—, vgl. Karraker, O. G. 514
—, Lee, H. H., u. Whiting, M. C. 634, 635
—, O'Sullivan, D. G., u. Whiting, M. C. 150
—, Shaw, B. L., u. Whiting, M. C. 59, 62
—, Shen, T. Y., u. Whiting, M. C. 691
—, u. Weedon, B. C. L. 674
—, u. Whiting, M. C. 656
Jones, L. B., u. Jones, V. K. 317, 318, 364, 369, 370, 374, 416
Jones, M. 309, 452, 503
—, u. Petrillo, E. W. 354, 355
—, u. Reich, S. D. 500
—, u. Scott, L. T. 485, 502
Jones, V. K., vgl. Jones, L. B. 317, 318, 364, 369, 370, 374, 416
Jones, W. M. 416
—, u. Ennis, C. L. 415
—, vgl. Rostek, C. J. 355, 377
Jones, W. O. 474, 475, 490, 508
Jones, W. W., u. Barker, R. L. 628
Jordan, N. W., u. Elliott, I. W. 327, 329, 380, 382
Jouanneteau, J., vgl. Meunier, P. 181, 218
Jovtscheff, A. 200
Jucker, E. 218
—, vgl. Ebnöther, A. 312
—, vgl. Karrer, P. 16, 160, 172, 175, 176, 192, 193, 194, 195, 196, 199, 200, 213, 214, 216, 218, 225
Judd, C. J., Drukker, A. E., u. Biel, J. M. 334
Julia, M. 141
—, et al. 75, 141
—, u. Baillarge, M. 644, 652
—, u. Bullot, J. 70
—, u. Descoins, C. 59, 62, 141, 660
Julien, J., vgl. Mouseron, M. 636, 638
Jungalwala, F. B., u. Cama, H. R. 218
Junge, B., vgl. Staab, H. A. 555, 588
Jungen, H., vgl. Alder, K. 315, 380, 381, 382
Juppe, G., vgl. Huisgen, R. 353
—, u. Wolf, A. P. 398
Jutz, C. 86, 237
—, u. Heinicke, R. 187
—, Kirchlechner, R., u. Seidel, H. 293
—, u. Müller, E. 84
—, Müller, W., u. Müller, E. 236
—, vgl. Scheibe, G. 233
—, u. Voithenleitner, F. 318, 319, 327, 396
Jyurich, L. G., vgl. Klebenskii, A. L. 680, 684, 690

Kabbe, H. J., vgl. Oediger, H. 50, 51, 92
—, Truscheit, E., u. Eiter, K. 42, 43, 55, 56, 140, 153, 178
Kaesz, H. D., vgl. Anet, F. A. L. 511, 512
—, vgl. Winstein, S. 512
Kaindl, K., vgl. Scherz, H. 257
Kainrath, P. 246, 298
Kaiser, K., vgl. Alder, K. 332, 333, 385, 643, 644, 645, 674
Kakihana, T., vgl. Paquette, L. A. 447, 448, 449, 479, 482, 514
Kalb, G. H., u. Sauer, J. C. 79
Kallert, W., vgl. Buchta, E. 34
Kanegabuchi Textile Co. 675
Kaneko, Y., vgl. Terashima, T. 191
Kanno, T., vgl. Iguchi, M. 626
Kaplan, M. L., vgl. Murray, R. W. 315, 363
Kaplanyan, E. E., vgl. Mkryan, G. M. 651
Kapp, R., vgl. Schaaf, K. H. 188, 643
Karapetyan, R. G., vgl. Kurginyan, K. A. 626
—, u. Lyubimova, A. N. 679
—, Tarkhanyan, A. S., u. Lyubimova, A. N. 679
Karaulova, E. N., et al. 674
Karle, I. L. 423
Karmas, G., vgl. Oroshnik, W. 29, 58, 64, 65, 66, 67, 214
Karraker, O. G., Stone, J. A., Jones, E. R., u. Edelstein, N. 514
Karrer, P. 28
—, et al. 198, 218
—, u. Benz, J. 42
—, vgl. Entschel, R. 173, 175, 176, 215
—, u. Eugster, C. H. 14, 26, 27, 42, 140, 144, 145, 150, 152, 183
—, —, u. Tobler, E. 42, 140
—, vgl. Faigle, J. W. 214
—, vgl. Garbers, C. F. 14, 19, 76, 215
—, Helfenstein, A., Wehrli, H., u. Wettstein, A. 213, 214
—, —, Widmer, R. 196, 198
—, u. Hess, W. 182
—, vgl. Jaeger, L. 173, 175, 176
—, u. Jucker, E. 16, 160, 172, 175, 176, 192, 193, 194, 195, 196, 199, 200, 213, 214, 216, 218, 225
—, u. Leumann, E. 175
—, vgl. Martin, C. 176
—, u. Morf, R. 195
—, —, u. Schöpp, K. 214
—, u. Rüegger, A. 197
—, u. Rutschmann, J. 35
—, u. Schick, E. 150
—, u. Schneider, P. 214
—, u. Schwyzer, R. 148
—, vgl. Ziegler, H. H. von 19
Kast, H., vgl. Gompper, R. 465
Kato, M., vgl. Miwa, T. 457
Kato, T., vgl. Ichikawa, T. 119
Katsui, G., u. Suigusa, R. 191
Katz, T. J. 474, 477, 481, 508, 603
—, Carnahan, J. C., Clarke, G. M., u. Acton, N. 501
—, u. Cerefice, S. A. 500
—, u. Garratt, P. J. 487, 488, 519, 550
—, Nicholson, C. R., u. Reilly, C. A. 490, 501
—, Reinmuth, W. H., u. Smith, D. E. 508
—, vgl. Strauss, H. L. 508
—, u. Talcott, C. 521
—, Yoshida, M., u. Siew, L. C. 495
Kauer, J. C. 628
Kaufman, H. S., Fankuchen, I., u. Mark, H. 423
Kaufmann, A. 252
Kaufmann, H. P., u. Sud, R. K. 24
Kaup, Y. Y., vgl. Freidlin, L. K. 676
Kawada, I. u. Allmann, R. 284
Kawai, M., vgl. Isagawa, K. 466

Kazanskij, B. A., vgl. Rozengart, M. J. 220
Kazarnovskii, S. N., vgl. Sanina, N. L. 676, 677
Keller, C. E., u. Pettit, R. 510
Keller, H., vgl. Fritz, H. P. 511
Keller, R., u. Keyssner, E. 685
Keller, T., vgl. Günther, H. 310, 416
Kelly, J. F., vgl. Paquette, L. A. 448
Kemula, W., u. Mrazek, S. 630
Kendall, J. D. 241, 242, 249, 252, 280, 281, 283, 284, 287, 289, 292
—, vgl. Collins, R. B. 290
—, vgl. Doyle, F. P. 269
—, u. Doyle, F. P. 276
—, u. Duffin, G. F. 281
—, vgl. Edwards, H. D. 291
—, u. Edwards, H. D. 291
—, vgl. Fry, D. J. 281
—, Frey, D. J., u. Morgan, A. J. 289
—, u. Mayer, T. R. 282
—, u. Mayo, J. H. 260, 291, 292
—, u. Suggate, H. G. 292
—, u. Wood, H. W. 269
—, —, u. Majer, J. R. 269
Kende, A. S., u. Bogard, T. L. 500
—, u. Chu, J. Y. 398
Kenton, J. R., Crain, D. L., u. Zuech, E. A. 64
Keown, R. W. 626
Kergomard, A., vgl. David, L. 220
—, u. David, L. 220
Kerkovius, W., vgl. Rupe, H. 333
Kern, R. J. 628
Kessler, H. 307, 310, 326, 337, 340, 413
—, vgl. Müller, Eu. 306, 308, 310, 336, 337, 338, 339, 352, 353, 376, 389, 416
—, u. Müller, Eu. 311, 313
Kestner, W. N. 675
Keyes, G. H. 294
—, vgl. Brooker, L. G. S. 248, 263
—, u. Brooker, L. G. S. 251
—, vgl. White, F. L. 239
Keyssner, E., vgl. Keller, R. 685
Kharasch, M. S., Nudenberg, W., u. Fields, E. K. 82
—, —, u. Sternfeld, E. 82
—, u. Sternfeld, E. 81, 224
Kheruze, Yu. I., u. Petrov, A. A. 689
Kice, J. L., u. Cantrell, T. S. 482
Kiefer, H. 484, 486
—, vgl. Vogel, E. 484, 486, 514
Kikuchi, S., u. Tani, T. 233
Kimata, T., vgl. Takahasi, H. 64
Kinderov, V. F., vgl. Yanovskaya, L. A. 674
Kindler, H., vgl. Shoemaker, D. P. 442, 511
King, J., u. Leaver, D. 169
King, R. B. 511
—, u. Bisneter, M. B. 407, 412
—, u. Fronzaglia, A. 407, 408, 413
King, R. W., vgl. Chapman, O. L. 515
King, S. D., vgl. Johnson, S. M. 533
Kinter, M. R., vgl. Cope. A. C. 440, 482
Kiprianov, A. J. 265
—, et al. 264, 284
—, vgl. Tolmačëv, A. I. 276
Kirby, J. E., vgl. Carothers, W. H. 682
Kirchlechner, R., vgl. Jutz, C. 293
Kirk-Othmer 234, 299
Kirsch, G., vgl. Schröder, G. 433, 434, 517, 523
Kistiakowsky, G. B., vgl. Bradley, J. N. 629
Kita, G., Furukawa, J., u. Tsukamoto, T. 626
Kitaharo, K., vgl. Nozoe, T. 322
Kitzing, R., vgl. Prinzbach, H. 163, 222
Kläui, H., vgl. Isler, O. 192
Klager, K., vgl. Reppe, W. 471, 474, 475, 476, 489, 508, 511, 514, 516, 517, 519
Klages, F. 299
Klahre, G., vgl. Horner, L. 127
Klamann, D., vgl. Finger, C. 169
—, u. Weyerstahl, P. 89
Klar, G., vgl. Wittig, G. 467
Klebanskiĭ, A. L. 626
—, u. Chevuichatova, K. 684
—, u. Chevychalova, K. K. 680
—, u. Dobromilskaya, J. M. 671
—, vgl. Dolgopolskii, I. M. 690
—, —, u. Dobler, Z. F. 626
—, vgl. Garmolov, I. V. 676
—, Jyurich, L. G., u. Dolgopolskiĭ, I. M. 680, 684, 690
—, Popov, L. D., u. Tsukerman, N. Y. 676
—, Sorokina, R. M., u. Chavin, Z. J. 636
—, Tzyurikh, L. G., u. Dolgopolskiĭ, I. M. 626
—, Wolkenstein, A. S., u. Oplowa, L. P. 683
Klein, A., vgl. Wittig, G. 14, 147, 199
Klein, H. C. 183, 184, 188
—, vgl. Grassetti, D. R. 184
—, vgl. Schaaf, K. H. 188
Kleinschmidt, R. F., vgl. Kruse, C. W. 654, 655, 663, 665
—, vgl. Zuech, E. A. 64, 220
Kleist, W., vgl. König, W. 255
Klevens, H. B., vgl. Platt, J. R. 534
Klian, D. B., Hennion, G. F., u. Niewland, J. A. 680, 681
Kling, A., vgl. Roedig, A. 656
Kloosterziel, H., vgl. Ter Borg, A. P. 314, 315, 317, 322, 325, 363, 366, 367, 368, 369, 375
Klopfenstein, E., vgl. Mitchell, R. H. 605
Klump, K. N., u. Chessik, J. P. 363
Klusack, H., vgl. Biethan, U. 389
Knappsack Griesheim 626, 627
Knitsch, K. W., vgl. Langenbeck, 142, 195
Knobloch, H., vgl. Vogel, H. 192
Knorr, L. 296
Knott, E. B. 239, 257, 258, 284, 287, 290
Knox, L. H., vgl. Doering, W. von E. 326, 327, 335, 337, 393, 395, 397
—, Velarde, E., u. Cross, A. D. 309
Knunyants, I. L., u. Pervova, E. Y. 630
Kobata, K., vgl. Fujita, I. 350
Koch, H. P., vgl. Braude, E. A. 19
Kock, R. J. de, s. De Kock, R. J.
Kodak s. a. Eastman
Kodak Ltd. 239, 248, 250, 257, 258, 259, 263, 284, 285, 286
Kodak-Pathé 248, 249, 252, 255, 258, 262, 263, 272, 284
Koe, B. K., vgl. Zechmeister, L. 34
Köbrich, G. 87
—, u. Breckoff, W. E. 86, 87
—, —, u. Drischel, W. 29, 87, 88, 101
—, u. Büttner, H. 28, 85
—, u. Wunder, D. 86
Koenig, G., vgl. Wittig, G. 463, 555, 588
König, H., Reif, W., u. Pommer, H. 181
König, W. 235, 252, 253, 254, 257, 268, 271
—, et al. 274
—, Coenen, M., Bahr, F., Bassel, A., u. May, B. 265
—, Kleist, W., u. Götze, J. 255

Koerner von Gustorf, E. 22, 212
—, u. Leitich, J. 206
Körösy, F. 16
Kogan, G. A., vgl. Janovskaya, L. A. 113, 114
—, vgl. Kucerov, V. F. 112
Kogan, L. M., et al. 82
—, u. Ignatova, N. P. 659
Kogan, P. S., vgl. Sanina, N. L. 676, 677
Kohler, E. P., Tishler, M., Potter, H., u. Thompson, H. T. 377, 379
Kohler, F. 690
Kohlhaupt, R., vgl. Roedig, A. 634, 691
Kokusch, H., vgl. Wolfram, A. 627
Kollek, L., vgl. Strauss, F. 656
Kollonitsch, J., vgl. Tischler, M. 320
Kolomnikova, G. D., vgl. Kursanow, D. N. 328
Komarov, N. V., et al. 686
Komoda, T. 629, 683, 689
Konaka, R., vgl. Nakagawa, K. 181
Kondo, H., vgl. Miyake, A. 197
—, u. Miyake, A. 677
Koninklijke Pharmaceutische Fabrieken 321, 322
Konz, W. E., vgl. Gasteiger, J. 434, 435
—, Hechtl, W., u. Huisgen, R. 434, 442, 443
—, vgl. Huisgen, R. 435, 514
—, vgl. Schröder, G. 433, 517
Koppe, V., vgl. Inhoffen, H. H. 29, 202
Kopylov-Shakmatov, N. N., vgl. Favorskaya, I. A. 679, 680
Kormer, V. A., vgl. Markova, V. V. 676, 677, 687
—, vgl. Petrov, A. A. 663, 665, 669, 671, 672, 674, 677, 687
—, u. Petrov, A. A. 676, 677, 687
—, —, Savich, I. G., u. Podporina, T. G. 687
Korte, F., Büchel, K. H., u. Wiese, F. F. 320, 329, 330, 391
Korte, S., vgl. Vogel, E. 553, 584, 603
Kortüm, G., vgl. Lohr, J. E. 233
Koslow, N. S., vgl. Zelinskii, N. D. 626
Koslowsky, R. 261, 262
Kosolapoff, G. M. 91, 128
Kotake, M., Mita, I., u. Mikami, Y. 682
Kotlyarevskii, I. L., et al. 695
—, vgl. Nazarov, I. N. 673, 674
—, vgl. Vasiljeva, E. D. 641, 646
—, u. Vasiljeva, E. D. 641, 645
Kottenhahn, A. P. 626
Kovalev, B. G., et al. 112
—, vgl. Janovskaya, L. A. 98
—, vgl. Kučerov, V. F. 110, 112
—, u. Šamšurin, A. A. 52, 158
—, —, u. Dormidontova, V. P. 98, 99, 110
Kozo, M., vgl. Fukuyama, T. 624
Kozyrkin, B. I., vgl. Janovskaya, L. A. 210
Kralt, T., vgl. Haeck, H. H. 146, 184, 185
Krane, W., vgl. Alder, K. 383
Krasilnikova, G. K., et al. 646, 647
—, u. Kugatova-Shemyakina, G. P. 642, 648, 650
—, vgl. Shostakovskii, M. F. 676
Krasnaya, Ž. A., u. Kučerov, V. F. 54, 155, 184
Kratzer, O. 94, 95, 125, 126, 127
—, vgl. Bestmann, H. J. 94, 95, 125, 126, 360
Krauch, H., vgl. Doering, W. von E. 325, 326, 327, 416
Krause, H.-J., vgl. Inhoffen, H. H. 48, 81
Krause, W. 471
—, vgl. Brüggemann, J. 16, 32
Krebs, A. 435, 454
—, u. Byrd, D. 454, 457, 460
Kreiter, C. G., vgl. Winstein, S. 512
Krespan, C. G., vgl. Gale, D. M. 342, 343, 350, 367
—, vgl. Liu, R. S. H. 432, 443
Kresze, G., u. Firl, J. 212
Kreutzberger, A. 257
Krinsky, N. I., vgl. Schimmer, B. P. 175, 218
Kripple, W., vgl. Tate, C. P. 407
Krishnamurty, N. V., vgl. Ghosh, J. C. 628
Kriz, J., Benes, M. J., u. Peska, J. 629, 630
Kriz, O., vgl. Cervinka, O. 217
Kröhnke, F. 147, 148
—, u. Dikoré, K. 286
—, u. Gerlach, K. 237
Kröner, M. 22, 164, 170, 476, 477, 480, 481, 525
Krohenburger, D., vgl. Föhlisch, B. 335
Krow, G. R., vgl. Paquette, L. A. 506
Krüerke, U. 504
Kruse, C. W., u. Kleinschmidt, R. F. 654, 655, 663, 665
Krygowski, T. M. 543
Kubler, D. G. 52, 155
Kučerov, V. F., vgl. Gusev. B. P. 660
—, vgl. Janovskaya, L. A. 37, 48, 98, 110, 113, 114, 134, 136, 210
Kučerov, V. F., Kovalev, B. G., Kogan, G. A., u. Janovskaya, L. A. 112
—, —, Nazarova, J. J., u. Janovskaya, L. A. 110
—, vgl. Krasnaya, Ž. A. 54, 155, 184
Kuchitsu, K., vgl. Fukuyama, T. 624
Kuczkowski, J. A., vgl. Cava, M. P. 464
Kudryashova, N. I., vgl. Perveev, F. Y. 674
Kübbeler, H. K., vgl. Vogel, E. 540, 566, 576, 592
Kühnle, W., vgl. Grellmann, K. H. 170
Küppers, H., vgl. Tochtermann, W. 312
Kugatova-Shemyakina, G. P., vgl. Krasilnikova, G. K. 642, 648, 650
Kuhn, H. 25
—, et al. 234
—, vgl. Baer, F. 532, 536
Kuhn, R. 14, 15, 27, 32, 34, 39, 47, 55, 83, 138, 142, 145, 146, 147, 180, 195, 196
—, et al. 17
—, u. Baer, F. 285
—, u. Brockmann, H. 160, 194, 195, 197, 214
—, u. Drumm, P. J. 34
—, u. Fischer, H. 76
—, u. Grundmann, C. 14, 39, 55, 147, 160, 196
—, u. Hoffer, M. 149, 203
—, u. Möller, E. F. 194, 195, 196
—, u. Morris, C. I. O. R. 185
—, u. Rebel, O. 158
—, u. Staab, H. A. 151, 195
—, u. Wagner-Jauregg, T. 207, 208
—, u. Wallenfels, K. 39, 46, 47, 145, 195
—, u. Winterstein, A. 14, 46, 47, 147, 158, 194, 196, 199, 216
Kulkina, S. D., vgl. Malenock, N. M. 641, 642, 647, 649
Kumagai, M., vgl. Okusa, G. 633
Kumetat, K., u. Riester, O. 260
Kunitzkaya, G. M., vgl. Anisimov, K. N. 686
Kuper, D. G., vgl. Freeman, P. K. 169
Kupin, B. S., vgl. Petrov, A. A. 625, 663, 665
—, u. Petrov, A. A. 642, 645, 647, 663, 665, 669, 678, 679, 680, 681
Kuppermann, A., u. Burton, M. 630

Kurabayashi, K., vgl. Tsuruta, H. 389, 404, 500
Kurginyan, K. A., u. Karapetyan, R. G. 626
Kuroda, Y., vgl. Terashima, T. 191
Kursanov, D. N., vgl. Parnes, Z. N. 325, 328
—, Parnes, Z. N., u. Kolomnikova, G. D. 328
—, vgl. Volpin, M. E. 328, 329, 330, 337
—, u. Volpin, M. E. 337, 395
Kurtz, P. 626
—, u. Schwarz, H. 689
Kusuda, K., vgl. Mano, K. 484
—, vgl. West, R. 350
Kutepow, N. von, Berding, C., u. Pfab, W. 425
—, u. Reis, H. 425
—, vgl. Seibt, H. 77, 78
Kuth, R., vgl. Alder, K. 192, 205, 207
Kutter, E., vgl. Gompper, R. 33, 465
Kuwada, Y., vgl. Meguro, K. 499
Kuzerov, V. F., s. Kucerov, V. F.
Kuznetsova, A. I., vgl. Nazarov, I. N. 673, 674
Kwiatek, J., vgl. Blomquist, A. T. 349

Labarre, J. F., u. Mathis-Noel, R. 642, 643, 644, 648, 674
Laboratori Riuniti Studi e Ricerche S.p.A. 691
Lach, R. E., vgl. Shoppee, C. W. 639, 641, 642, 650, 660, 675
La Count, R. B., vgl. Le Goff, E. 443, 444, 452
Ladenburg, A. 654, 655
Lässig, W. 249
Laity, J. L., vgl. Dauben, H. J. 532, 541, 543
Lake, J. S., vgl. Cymerman-Craig, J. 634, 637, 641, 644, 646, 647, 676
La Lancette, E. A., u. Benson, R. E. 486, 519, 550
Lalande, S. M., vgl. Weiss, K. 324
L'Alimentation Equilibrée 178
Lam, A. Y., vgl. Evnin, A. B. 515
Lambert, J. B. 390
Lancaster, J. E., vgl. Milks, J. E. 66, 206
Lancette, E. A. la, s. La Lancette, E. A.
Lande, S. M. la, s. La Lande, S. M.
Landis, P. S. 82
Landor, P. D., vgl. Bhatia, Y. R. 642, 648
Landor, S. R., vgl. Bhatia, Y. R. 642, 648
Langemann, A., vgl. Bartels-keith, J. R. 341
—, vgl. Johnson, A. W. 395
Langenbeck, W., Alm, J., u. Knitsch, K. W., 142, 195
Lapickij, G. A., Makin, S. M., u. Dymsakova, G. M. 183
—, —, Presnov, A. E., u. Federova, G. A. 183
Lapkin, J. J., u. Sinnatulina, G. J. 131
Lare, E. J. van, s. Van Lare, E. J.
Largman, C., vgl. Moore, W. R. 306
Larive, H., et al. 249
—, u. Barelle, R. 265
—, vgl. Metzger, J. 252
Laroia, B. D., vgl. Farmer, E. H. 46
Larrabee, C. E., vgl. Craig, L. E. 425, 440
Larrabee, R. B., vgl. Closs, G. L. 306
Laschtuvka, E., vgl. Huisgen, R. 147, 202
Lassila, J. D., vgl. Barker, L. L. 170, 479, 525
Lauer, K., u. Horio, M. 253
Laukamp, H., Nauta, W. T., u. MacLean, C. 415
Lawrenson, I. J., u. Rushworth, F. A. 423
Lawson, J. A., vgl. Boekelheide, V. 565
Lay, W. P., u. Mackenzie, K. 487
Lazarus, R. M., vgl. Anastassiou, A. G. 491
Leaver, D., vgl. Farquhar, D. 540, 554, 559, 589
—, vgl. King, J. 169
Lebedev, S. V., Gulyaeva, A. I., u. Vasileva, A. N. 676
Le Carotène Francais 161
Lederer, E., vgl. Gianotti, C. 30, 224
Lederer, S. V., Gielyaera, A. I., u. Vasileva, A. N. 675
Lee, F. T. H., vgl. Schuster, D. J. 164, 166, 169, 170
Lee, H. H., vgl. Jones, E. R. H. 634, 635
Leeming, P. R., vgl. BuLock J. D. 150, 153
Leese, C. L., u. Raphael, R. A. 643, 647, 674
Leets, K. V., vgl. Petrov, A. A. 687
Leeuwen, P. H., von, vgl. Haeck, H. H. 184
—, u. Huisman, H. O. 41
Leftwick, A. P., vgl. Holzel, R. 176
—, u. Weedon, B. C. L. 101, 176, 177
Le Goff, E., u. La Count, R. B. 443, 444, 452
Le Goff-Hays, O., vgl. Courtot, P. 167
Lehrer, E., vgl. Stadler, R. 675
Leibner, G., vgl. Inhoffen, H. H. 28, 32, 40, 42, 44
Leiserowitz, L., vgl. Irngartinger, H. 532
Leiss, F., vgl. Berg, H. 629
Leisten, J. A., u. Walton, P. R. 16
Leitich, J., vgl. Koerner von Gustorf, E. 206
Lemal, D. M., Gosselink, E. P., u. McGregor, S. D. 352
—, Lovald, R. A., u. Harrington, R. W. 352
Leon, J. L., vgl. Lora-Tamajo, M. 209
Leporskaya, E. A., vgl. Petrov, A. A. 663, 665, 683
Leraux, Y., u. Chaquin, P. 144
Lerman, Z. A., vgl. Balyan, K. V. 676
Lerner, D. (A.) 31
—, Mani, J. C., u. Mousseron-Canet, M. 215
—, vgl. Mousseron-Canet, M. 24, 224
Lesbre, M., u. Satge, J. 686
Lespieau, R. 671
—, u. Guillemonat, C. 657, 658, 671
—, —, u. Utéan 671
Leto, J. R., u. Leto, M. F. 427, 446
Leto, M. F., vgl. Leto, J. R. 427, 446
Leumann, E., vgl. Karrer, P. 175
Leupold, D., vgl. Dähne, S. 233
—, u. Dähne, S. 233
Le-van-Thoi, vgl. Golse, R. 634, 637, 675, 685
Levina, R. J., u. Levina, S. J. 671
—, Shabarov, Ju. S., u. Skrarchenko, V. R. 630
Levina, S. J., vgl. Levina, R. J. 671
Levisalles, J. 89, 92, 94
Levkoev, I. I., Vompe, A. F., u. Sveschnikov, N. N. 299
Lewars, E. G., vgl. Yates, P. 497
Lewina, s. Levina
Lewis, G. E., vgl. Badger, G. M. 540, 541, 570, 571, 578, 596, 602, 603
Lewis, J., vgl. Johnson, B. F. G. 512
Lewis, K. E., u. Steiner, H. 220
Ley, K., vgl. Müller, Eu. 415
Leyland, R. L., vgl. Brember, A. R. 375

Leznoff, C. C., vgl. Gaoni, Y. 61
—, u. Sondheimer, F. 535, 539, 571, 574, 597
Libeer, M. J., vgl. Depoorter, H. 260, 266
Lieb, F., vgl. Märkl, G. 284
Liebermann, C., u. Mühle, G. 200
Liermann, A., vgl. Lumbroso, H. 625
Lin, Y. S., vgl. Anet, F. A. L. 424
Lincoln, F. H., vgl. Beal, P. F. 99, 108
Lindlar, H. 76, 548
Lindley, P. F., u. Mills, O. S. 582
Lindow, D. F., vgl. Friedman, L. 456
—, u. Friedman, L. 467
Lindquist, L., vgl. Goldfarb, T. D. 167, 219
Lindsay, D. G., u. Reese, C. B. 355, 356
Lindsey, R. V., vgl. Alderson, T. 64, 78
Lingg, F., vgl. Buchner, E. 339
Linhoff, G., vgl. Inhoffen, H. H. 214
Linstumelle, G. 371, 372
Lipina, E. S., et al. 147
Lippard, S. J., vgl. Grubbs, R. 512
Lippincott, E. R., Lord, R. C., u. McDonald, R. S. 424
Lipscomb, W. N., vgl. Mathews, F. S. 512
—, vgl. Pawley, G. S. 430
Liptay, W. 25, 26
—, vgl. Hünig, S. 233
Liss, T. A., vgl. Cope, A. C. 516
Litvinenko, G. S., vgl. Sokolov, D. V. 661, 662
Liu, R. S., H. u. Krespan, C. G. 432, 443
Llano, C. de, s. de Llano, C.
Lloyd, D. 607
Locke, J. M., vgl. Duck, E. W. 64, 210
Lockwood, B., vgl. Swarthout, J. 193
Lodge, J. E., vgl. Bryce-Smith, D. 432, 440, 441, 444
Löffler, H. P., vgl. Schröder, G. 503
—, u. Schröder, G. 502, 503
Lötzbeyer, J., u. Bodendorf, K. 189, 661, 662
Loewe, L., vgl. Arndt, F. 338
Löwenberg, K., vgl. Fischer, F. G. 36, 150, 154
Lohr, J. E., u. Kortüm, G. 233
Longuet-Higgins, H. C. 532, 536
Longuet-Higgins, H. C., vgl. Calder, I. C. 576, 579, 581
—, u. Orgel, L. E. 425
—, u. Salem, L. 534, 537
Lonza Elektrizitätswerke u. Chem. Fabriken 629
Looker, J. J. 321, 329, 331, 334, 396
Lopatinski, V. P., Sirotkina, E. E., u. Zinchenko, T. N. 677
Lora-Tamajo, M., Leon, J. L., u. Estada, C. 209
Lord, R. C., vgl. Evans, M. V. 349
—, vgl. Lippincott, E. R. 424
Lorenz, R., vgl. Eiter, K. 147
Lossing, F. P., vgl. Harrison, A. G. 319
Lovald, R. A., vgl. Lemal, D. M. 352
Lowe, G., vgl. Bew, R. E. 191
Lowry, L. L., vgl. Herndon, W. C. 351
Lowry, N., vgl. Sargent, G. D. 403
Lüttringhaus, A., u. Schill, G. 147
Lukas, R., u. Pliml, J. 654, 655
Lumbroso, H., Golse, R., u. Liermann, A. 625
Lustgarten, R. K., u. Richey, H. G. 352
Lutwak, L., vgl. Deemer, L. F. 69
Lyubimova, A. N., vgl. Karapetyan, N. G. 679

Maasbol, A., vgl. Anet, F. A. L. 511, 512
McCabe, P. H., vgl. Yates, P. 497
McCay, I. W., u. Warrener, R. N. 514
McCleverty, J. A., vgl. Cotton, F. A. 408
McClung, R., vgl. Rieke, R. 521, 522
McConaghy, J. S., u. Bloomfield, J. J. 505
McCormick, A., u. Jensen, S. L. 178
McCrae, W., vgl. Eglinton, G. 545
McDonald, R. S., vgl. Lippincott, E. R. 424
McGillavry, C. H. 19
McGregor, S. D., vgl. Lemal, D. M. 352
Machleidt, H., vgl. Grell, W. 93
—, u. Strehlke, G. 137
—, u. Wessendorf, R. 133, 137
McKechnie, J. S., u. Paul, I. C. 511
McKeever, C. H., u. van Hock, J. O. 641, 642, 645, 691
Mackenzie, K. 16. 17, 19, 20, 64, 65
—, u. Coulson, C. A. 25
—, vgl. Lay, W. P. 487
McKeon, T. F., vgl. Hennion, G. F. 636
—, vgl. Price, C. C. 636, 663, 665
Mackinney, G., et al. 193
—, vgl. Inhoffen, H. H. 17
McLafferty, F. W., vgl. Howe, I. 313
McLanghlin, G. P., vgl. Blair, J. A. 398
Mac Lean, C., vgl. Laukamp, H. 415
MacLean Switz, T., vgl. Farmer, E. H. 46
McMahon, E. M. 678
McPhee, W. D., vgl. Hurd, C. D. 642, 645
McQuilkin, R. M., Garratt, P. J., u. Sondheimer, F. 535, 539, 573, 597, 604
—, Metcalf, B. W., u. Sondheimer, F. 534, 535, 536, 572, 596
—, u. Sondheimer, F. 535, 539, 572, 596
Mader, J. 216
Maekawa, E., Suzuki, Y. u. Sugiyama, S. 250
Maercker, A. 89, 92, 94
Märkl, G., u. Lieb, F. 284
Magin, A., vgl. Reppe, W. 80
Magnelli, A., vgl. Bruni, B. 626
Maher, J. J., Evnin, A. B. 515
Maher, J. P., vgl. Cooke, M. 512
Mahler, J. E., vgl. Rosenberg, J. L. von 509
Maier, G. 305, 306, 416
Maier, W., vgl. Vogel, E. 553
Maier-Borst, W., vgl. Plieninger, H. 49
Maio, G., di s. di Maio, G.
Maiseeva, K. S., vgl. Dolgopolskiĭ, I. M. 671
Maitlis, P. M., u. Stone, F. G. A. 429
Majer, J. R., vgl. Kendall, J. D. 269
Makarova, I. N., vgl. Favorskaya, I. A. 680
Makashina, A. N., vgl. Andrejew, N. S. 630
Makin, S. M. 53, 104, 105
—, et al. 52, 155, 156, 237
—, vgl. Lapichij, G. A. 183
—, u. Roškov, I. N. 52
—, u. Sudakova, V. S. 53
Makovetskii, K. K., et al. 691
Malde, M. de, s. De Malde, M.
Malenok, N. M. 642, 647, 648, 649
—, et al. 693, 694
—, u. Kulkina, S. D. 641, 642, 647, 649

Malenok, N. M., u. Sologub, 642, 645, 647
Malhotra, S. S., u. Whiting, M. C. 28, 69, 77, 141, 188
Malinovskii, M. S., vgl. Skrodskaya, T. S. 641, 693
Maloney, D. E., vgl. Hennion, G. F. 634, 635, 637, 639
Malpass, J. R., vgl. Paquette, L. A. 437, 438, 439, 440, 448, 506, 507
Maltseva, E. N., Zavgorodnii, V. S., u. Petrov, A. A. 686
Malzewa, A. E., vgl. Andrejew, N. S. 630
Manchand, P. S., et al. 73, 97, 121
—, vgl. Barber, M. S. 98, 100, 121
—, u. Weedon, B. C. L. 101, 104, 133
Manecke, G., u. Gauger, J. 295
—, Ramlow, G., u. Storck, W. 205
Mani, J. C., vgl. Lerner, D. 215
—, vgl. Mousseron-Canet, M. 24, 42, 215, 224
—, vgl. Wei, K. 170
Mannhardt, H. J., vgl. Bohlmann, F. 14, 22, 27, 32, 96
Mannschreck, A., vgl. Staab, H. A. 178, 179, 180
—, vgl. Tochtermann, W. 312, 320, 415
Mano, K., Kusuda, K., Fujino, A., u. Sakan, T. 484
Mantione, R. 641, 671
Manuel, T. A., u. Stone, F. G. A. 407, 511
Maoz, N., vgl. Cais, M. 190
Mares, F., Hodgson, K., u. Streitwieser, A. 511, 512
Maretina, I. A., vgl. Petrov, A. A. 636, 687
—, u. Petrov, A. A. 642, 646, 663, 664, 670, 683, 685, 687, 688
—, —, u. Yakovleva, T. V. 687
Mark, H., vgl. Kaufman, H. S. 423
Markova, V. V., Kormer, V. A., u. Petrov, A. A. 676, 677, 687
Marks, T. J., vgl. Cotton, F. A. 511
Marshall, D., u. Whiting, M. C. 140
Marshall, D. J., vgl. Cope, A. C. 171, 437, 440, 441, 524
Marshall, E. K., u. Acree, S. F. 338
Martens, D., vgl. Boche, G. 519, 520, 550
Martin, C., u. Karrer, P. 176
Martin, D., Weise, A., u. Niclas, H. J. 433
Martin, K. R., vgl. Griffin, C. E. 568, 593
Martin, S. R. W., vgl. Farmer, E. H. 204
Martin, W. 491, 522
—, vgl. Röttele, H. 457, 493
—, vgl. Schröder, G. 462, 490, 491, 503, 522, 534, 567, 599, 601
Martini, T. 436, 437, 439, 440, 490
—, vgl. Oth, J. F. M. 424, 434, 435, 436
—, vgl. Schröder, G. 490, 492
Marvell, E. N., Caple, G., u. Schatz, B. 220
—, u. Seubert, J. 14, 223
Marxer, A., vgl. Ferrini, P. G. 326
Masamune, S., et al. 502, 598
—, Baker, P. M., u. Hojo, K. 518, 520
—, —, —, u. Schwartz, J. 487
—, u. Castelluci, N. T. 489
—, Chin, C. G., Hojo, K., u. Seidner, R. T. 485, 492, 502
—, Hojo, K., Bigam, G., u. Rabenstein, D. L. 583
—, —, Hojo, K., Bigam, G., u. Rabenstein, D. L. 534, 536, 551, 582
—, vgl. Seidner, R. T. 504, 550
—, u. Seidner, R. T. 551, 598, 600
—, Takada, S., u. Seidner, R. T. 521
—, Zenda, H., Wiesel, M., Nakatsuka, N., u. Bigam, G. 503
Mase, Y. 55, 181, 184
Maskill, H., vgl. White, E. H. 447
Mason, R. (H.), vgl. Atherton, N. M. 542, 605, 606
—, vgl. Bailey, N. A. 532, 533, 541, 560
—, vgl. Stöckel, K. 598
Massol, M., Satge, J., u. Cabadi, Y. 686
Mateescu, G., vgl. Avram, M. 461
Mathews, F. S., u. Lipscomb, W. N. 512
Mathis-Noel, R., vgl. Labarre, J. F. 642, 643, 644, 648, 674
Matsoyan, S. G., vgl. Avetjan, M. G. 658
—, Chukhadzhyan, G. A., u. Vartanyan, S. A. 678, 679
—, vgl. Nazarov, I. N. 678, 679
Matsuda, T., vgl. Akiyoshi, S. 485, 486
—, u. Sugishita, M. 360
May, B., vgl. König, W. 265
Mayer, H., Montavon, M., Rüegg, R., u. Isler, O. 124
Mayer, J., vgl. Sondheimer, F. 607
Mayer, J. R., vgl. Doering, W. von E. 339
—, u. Sondheimer, F. 535, 560, 591
Mayer, T. R., vgl. Kendall, J. D. 282
Mayo, J. H., vgl. Kendall, J. D. 260, 291, 292
Mazzocchi, P. H., vgl. Meinwald, J. 101, 220
Mc s. unter Mac
Mebane, A. D. 14, 32, 81, 82
—, vgl. Oroshnik, W. 19, 29, 58, 64, 65, 66, 67, 191, 214
Meerwein, H., et al. 335, 337
—, Florian, W., Schön, N., u. Stopp, G. 250
Meguro, K., u. Kuwada, Y. 499
Mehrota, K., vg. Fonken, G. J. 163
Meier, H. 299
Meijer, H. J. de Lief de, s. de Lief de Meijer
Meili, J. E., vgl. Cope, A. C. 426, 443, 444
Meininger, W., vgl. Sennewald, K. 626
Meinwald, J. 163
—, Eckell, A., u. Erickson, K. L. 163, 166, 220
—, u. Mazzocchi, P. H. 101, 163, 220
Meisinger, R. H., vgl. Paquette, L. A. 442, 454, 457, 469, 501
Meister, H. 202, 222, 472
—, vgl. Franke, W. 690
—, vgl. Reppe, W. 425
Meisters, A., u. Wailes, P. C. 183
Melloni, G., u. Ciabattoni, J. 632
Melnikov, G. D., u. Porfireva, Yu. I. 685
Meneghini, D., u. Sorgato, I. 630
Merck & Co. 16, 320, 322, 323, 324, 334, 400
Merényi, R., vgl. Oth, J. F. M. 424, 434, 435, 436, 503
—, Oth, J. F. M., u. Schröder, G. 518
—, vgl. Schröder, G. 390
Meretti, G., u. Furlani-Donda, A. 691
Merk, W., u. Pettit, R. 428, 456, 461, 510
Merkureva, L. A., vgl. Balyan, K. V. 676
Merling, G. 398
Merritt, R. F., vgl. Moore, W. R. 306
Merwe, J. P. van der, s. Van der Merwe, J. P.

Merz, J. H., Straub, P. A., u. Heilbronner, E. 12, 13, 25, 26, 27, 28
Mesropyan, L. G., vgl. Vartanyan, S. A. 659
Metcalf, B. W., vgl. McQuilkin, R. M. 534, 536, 572, 596
—, u. Sondheimer, F. 534, 535, 536, 538, 539, 572, 574, 596, 597
Meth, E.-G., vgl. Inhoffen, H. H. 40, 42, 81, 138, 194, 214
Metzger, J., Larive, H., Dennilauler, R., Baralle, R., u. Gaurat, C. 252
Meuche, D., vgl. Boekelheide, V. 540, 554
Meuers, N. van s. Van Meuers, N.
Meunier, P. F. 161
—, et al. 161
—, Jouanneteau, J., u. Ferrande, R. 181, 218
Meyer, K. 257
Meyer, R. E. 159
Meyers, R. A., vgl. Jacobs, T. L. 635, 638
Michailov, B. M., et al. 54
—, u. Povarov, L. S., 53, 54
—, vgl. Ter-Sarkisjan, G. S. 56
—, u. Ter-Sarkisjan, G. S. 52, 53, 155
Michalowicz, W. A., vgl. Shackelford, J. M. 37, 38, 205, 210
Middleton, W. J. 188
—, vgl. Gale, D. M. 342, 343, 350, 367
Mierlo, G. J. van, s. Van Mierlo, G. G.
Miescher, G. M. 193
Miethe, A. 252
—, u. Traube, A. 251
Mietzsch, F., vgl. Huisgen, R. 514
Migranyan, T. S., vgl. Chuchadzhyan, G. A. 691
Mihailovski, A., vgl. Jacobs, T. L. 681
Mikami, Y., vgl. Kotake, M. 682
Mikolajczak, K. L., Bagby, M. O., Bates, R. B., u. Wolff, J. A. 62, 222
Milas, N. A. 160
Milasu, N. A., vgl. Thompson, A. F. 642
Miles, Lab. Inc. 193
Milks, J. E., u. Lancaster, J. E. 66, 206
Miller, D. B. 358
Miller, M. A., vgl. Allinger, N. L. 434, 477
Miller, R. D., u. Abraitys, V. Y. 469
—, vgl. Evnin, A. B. 507, 515
Miller, R. G., u. Stiles, M. 456
Milligen, W. O. 607
Mills, O. S., vgl. Baikie, P. E. 582
—, vgl. Barrow, M. J. 598
—, vgl. Lindley, P. F. 582
Mills, W. H. 252
Milvitskaya, E. M., u. Plate, A. F. 377, 380
—, vgl. Pryanishnikova, M. A. 351
Mingaleva, K. S., vgl. Petrov, A. A. 625, 663, 665
Minnard, N. G., vgl. de Kock, R. J. 166
Minnesota Mining and Manuf. Co. 64
Mistr, A., vgl. Ciernik, J. 289
Mislow, K. 531
—, u. Perlmutter, H. D. 465
Mistryukov, E. A., vgl. Nazarov, I. N. 641, 642, 644, 645, 647, 648, 675
Misumi, S., vgl. Endo, K. 569, 595
—, vgl. Morimoto, M. 558
—, u. Nakagawa, M. 101
Mita, I. 627
—, vgl. Kotake, M. 682
Mitchell, R. H., vgl. Boekelheide, V. 607
—, u. Boekelheide, V. 540, 561, 562, 568, 591, 592, 594, 601, 604
—, vgl. Garratt, P. J. 450, 451
—, vgl. Grohmann, K. 555
—, Klopfenstein, E., u. Boekelheide, V. 605
—, u. Sondheimer, F. 551, 552, 560, 583, 593
Mitsui Chemical Industries Co. 692
Mitsukuri, S., u. Shinbo, M. 676
—, Shinbo, M., u. Yoshinaga, M. 676
Miwa, T., Kato, M., u. Tamano, T. 457
Miyadera, T., Ohki, E., u. Iwai, I. 86
Miyake, A., vgl. Kondo, H. 677
—, u. Kondo, H. 197
Miyasaka, T., vgl. Boekelheide, V. 533, 539, 540, 561, 576, 579, 591, 592, 601
Mizuguchi, J., et al. 395
Mkryan, G. M., et al. 644, 660
—, Kaplanyan, E. E., u. Undzhoyan, S. L. 651
—, u. Mudshoyan, S. L. 644, 652
Mochalin, V. B., u. Ivanova, N. G. 674
Mock, W. L. 212
Möller, E. F., vgl. Kuhn, R. 194, 195, 196
Möller, F., vgl. Oediger, H. 50, 51, 92
Moki, T., u. Higara, K. 641, 649
Molodova, K. A., vgl. Petrov, A. A. 663
Molyneux, R. J., vgl. Phillips, J. B. 576, 577, 579, 580, 581
Mondon, A. 640, 641, 645, 649, 674
Monnikendam, P., u. Dawson, C. R. 64
Montavon, M., et al. 70, 183
—, vgl. Isler, O. 45, 48
—, vgl. Mayer, H. 124
Monti, H., vgl. Bertrand, M. 654, 692
Monties, B., u. Costes, C. 218
Montijn, P. P. 644, 651, 652
—, vgl. Brandsma, L. 644, 652
—, u. Brandsma, L. 651
Moore, W. R., vgl. Cope, A. C. 443, 447
—, Hale, S. S., u. Largman, C. 306
—, Ward, H. R., u. Merritt, R. F. 306
Moran, W., vgl. Fonken, G. J. 484
Morf, R., vgl. Karrer, P. 195, 214
Morgan, A. J., vgl. Kendall, J. D. 289
Morimoto, M., et al. 588
—, Agiyama, S., Misumi, S., u. Nakagawa, M. 558
Moritani, J., et al. 400
—, vgl. Murahashi, S. 323, 324, 416
Morris, C. I. O. R., vgl. Kuhn, R. 185
Morrison, A., vgl. Cookson, R. C. 387
Mortikov, E. S., vgl. Rozengart, M. J. 220
Mortimer, C. T., vgl. Beezer, A. E. 543
Morton, R. A., vgl. Ball, S. 181
—, vgl. Edisbury, J. R. 43
—, vgl. Heilbron, I. M. 216
Moser, W. R., vgl. Egger, K. W. 313
Moshkovich, F. B., vgl. Muskii, R. Y. 696
Moshuk, G., Petrowski, G., u. Winstein, S. 522
Moulin, F. 634, 637
Mousseron, M. 55, 163, 178, 217, 224
Mousseron-Canet, M., Dalle, J. P., u. Mani, J. C. 215
—, u. Julien, J. 636, 638
—, vgl. Lerner, D. 215
—, Lerner, D., u. Mani, J. C. 224
—, Mani, J. C., Dalle, J. P., u. Olivé, J. L. 42, 215
—, —, Favie, C., u. Lerner, D. 24
—, —, u. Lerner, D. 224
—, vgl. Olivé, J. L. 211
—, u. Olivé, J. L. 23

Mowry, D. T., Brode, W. R., u. Brown, J. B. 65
Mozolis, V., u. Alaune, Z. 641, 642, 647
Mrazek, S., vgl. Kemula, W. 630
Muders, R., vgl. Alder, K. 383
Mudshoyan, S. L., vgl. Mkryan, G. M. 644, 652
Mühle, G., vgl. Liebermann, C. 200
Müller, Eu. 270
—, et al. 337, 338
—, u. Fricke, H. 395
—, —, u. Kessler, H. 308, 337, 338, 339, 353, 376
—, —, u. Rundel, W. 336, 486
—, vgl. Kessler, H. 311, 313
—, u. Kessler, H. 306, 308, 310, 352
—, —, et al. 308, 337
—, —, u. Suhr, H. 308
—, —, u. Zeeh, B. 336, 338, 389, 416
—, u. Ley, K. 415
—, u. Röscheisen, G. 462
—, u. Straub, H. 168
—, —, u. Rao, J. M. 168, 525
Müller, E., vgl. Jutz, C. 84, 236
Müller, H., vgl. Faigle, J. W. 214
—, Wittenberg, D., Seibt, H., u. Scharf, E. 77, 79
Müller, J., vgl. Fischer, E. O. 412
—, u. Fischer, E. O. 412
Müller, W., vgl. Jutz, C. 236
Müller, W. H., vgl. Butler, P. E. 681
Müller-Westerhoff, U., vgl. Streitwieser, A. 511, 513
Mugnoli, A., vgl. Casalone, G. 533
Mukai, T., vgl. Toda, T. 315, 374, 376
—, vgl. Tsuruta, H. 389, 404, 500
Muler, L. I., vgl. Zinovev, Y. M. 686
Multani, R. K., vgl. Sharma, K. M. 511
Munro, J. D., u. Pauson, P. L. 406
Munson, M. S. B., u. Anderson, R. C. 629
Mur, G. D., vgl. Parnes, Z. N. 328
Murahashi, S., u. Moritani, I. 323, 324
—, —, u. Nishino, M. 416
Murakami, M., u. Senoh, S. 680
Murashova, G. M., vgl. Zakharova, A. I. 635, 638, 642
Murata, J. 627, 629
Murdoch, H. D., u. Weiss, E. 190
Murray, J., vgl. Johns, R. B. 341, 397
Murray, R. W., u. Kaplan, M. L. 315, 363
Murrell, J. N. 12, 13, 25
Murthy, S. K., vgl. Ganguly, J. 160, 162, 192, 193
Musakhanyan, G. A., vgl. Vartanyan, S. A. 626
Musco, A., vgl. Cotton, F. A. 511, 512
Musher, J. I. 531
Muskii, R. Y., u. Moshkovich, F. B. 696
Musso, H., vgl. Biethan, U. 389
Nair, M. G. R., Barua, R. K. 175, 176, 181
Nakagawa, K., Konaka, R., u. Nakata, T. 181
Nakagawa, M., vgl. Morimoto, M. 558
Nakagawa, N., vgl. Misumi, S. 101
Nakaguti, K., vgl. Hurukawa, Z. 676
Nakai, T., vgl. Igeta, H. 633
Nakamiya, Z. 209
Nakamura, A., u. Hagihara, N. 511
—, u. Tsutsui, M. 190
Nakamura, S., vgl. Hurukawa, Z. 626, 683
—, vgl. Saikachi, H. 101
Nakanishi, G., vgl. Iguchi, M. 626
Nakao, H., vgl. Sunagawa, G. 397
Nakata, T., vgl. Nakagawa, K. 181
Nakatsuka, N., vgl. Masamune, S. 503
—, vgl. Seidner, R. T. 504
Nankina, F. B., vgl. Dolgopolskiĭ, I. M. 671
Nanta, W. T., vgl. Corts, G. J. B. 334
—, vgl. Laukamp, H. 415
—, vgl. van der Stelt, C. 321
National Distillers and Chem. Corp. 77
Naves, Y. R. 224
Nawiasky, P., u. Speer, R. J. 262
Nayler, P., u. Whiting, M. C. 14, 45
Nazarov, I. N. 695
—, et al. 679
—, u. Bakhmutskaya, S. S. 673
—, u. Burmistrova, M. S. 673, 674
—, u. Kotlyarevskii, I. L. 673, 674
—, Kuznetsova, A. I., u. Gurich, I. A. 673, 674
—, u. Matsoyan, S. G. 678
—, —, u. Vartanyan, S. A. 679
Nazarov, I. N., u. Mistryukov, E. A. 641, 642, 644, 645, 647, 648, 675
—, Raigorodskaya, V. Y., u. Rudenko, V. A. 673
—, u. Vartanyan, S. A. 674
—, —, u. Matsoyan, S. G. 678, 679
—, Verckoletova, G. P., u. Bergelsen, L. D. 684
—, —, u. Torgov, I. V. 674
—, u. Zaretskaya, I. I. 673
Nazarova, J. J., vgl. Kučerov, V. F. 110
Neamtu, G., vgl. Bodea, C. 35, 173
Nefedow, O., Nowizkaja, N., u. Iwaschenko, A. 355, 356
—, —, u. Petrov, A. D. 358
Nelson, N. A., vgl. Cope, A. C. 358, 359, 517, 519
—, Fassnacht, J. H., u. Piper, J. U. 342, 345, 347
Nelson, P. H., u. Untch, K. G. 550
Nelson, R. C., vgl. Petruzella, N. 233
—, vgl. Selsby, R. S. 233
Nemirovskii, V. D., vgl. Chelpanova, L. F. 674
Nenitzescu, C. D., et al. 428, 434, 463, 477, 495, 519
—, vgl. Avram, M. 461
—, vgl. Cioranescu, E. 404
Nerdel, F., vgl. Finger, C. 169
Neuberg, R., vgl. Schröder, G. 523
Neuenschwander, M., u. Niederhauser, A. 430
Neumann, M. S. 642, 648
Newerowitsch, N. 641, 646
Newman, M. C., Fones, W. S., u. Booth, W. T. 642, 645
Newman, N. S., Waltcher, I., u. Ginsberg, H. F. 674
Nichols, P. L., Herb, S. F., u. Riemenschneider, R. W. 65
Nicholson, C. R., vgl. Katz, T. J. 490, 501
Niclas, H. J., vgl. Martin, D. 433
Nicoara, E., vgl. Bodea, C. 160, 175, 176, 211, 218
—, Osianu, D., u. Bodea, C. 201, 211
Nicolaux, G., vgl. Redel, J. 191
Nicolaux, J. M., et al. 43
Niederhauser, A., vgl. Neuenschwander, M. 430
Niekerk, J. N., van s. Van Niekerk, J. N.
Nielsen, A. T., vgl. Stieg, W. E. 178
Nielsen, J., vgl. Oth, J. F. M. 503

Nieuwland, J. A. 626
—, et al. 80, 625
—, vgl. Kilian, D. B. 680, 681
—, vgl. Thorn, S. D. 663, 664
—, vgl. Vaughn, T. H. 683
—, u. Vogt, R. C. 80
Nihon Volatile Oil, Co. 676
Nikogosyan, L. L., vgl. Avetyan, M. G. 658
Nikolaeva, N. A., vgl. Ter-Sarkisyan, G. S. 56
Nikolajewski, H. E., et al. 188
—, vgl. Dähne, S. 233
—, Dähne, S., u. Hirsch, B. 188, 236
—, —, —, u. Jauer, E. A. 237
Nikoloff, P., vgl. Röttele, H. 504
—, vgl. Schröder, G. 451
Nikolskaya, G. S., u. Troshchenko, A. T. 692
Ninet, L., u. Renaut, T. 193
—, —, u. Tissier, R. 193
Nippon Carbide Industrial Co. 627
Nippon Nitrogenous Fertilizers Co. 627, 676
Nippon Tire Co. 626
Nishikawa, G., vgl. Oshima, M. 676
Nishino, M., vgl. Murahashi, S. 416
Nissan Chemical-Industries, Co. 676
Nissen, A., vgl. Staab, H. A. 552
Nitta, I., vgl. Furusaki, A. 484
Nitta, M., vgl. Toda, T. 315, 374, 376
Noel, M., Vo-Quang-Yen, u. Vo-Quang, L. 694
Nogradi, M. 312
Nopco Chemical Co. 182, 183, 184, 188, 643
Normant, J. F. 82, 655, 656
Norris, R. O., Verbanc, J. J., u. Hennion, G. F. 680
Norris, W. P., u. Finnegan, W. G. 628
Novitskaya, N. N., vgl. Nefedov, O. M. 355, 356, 358
Nozaki, H., u. Noyori, R. 462
Noyori, R., vgl. Nozaki, H. 462
Nozoe, T., u. Kitaharo, K. 322
—, u. Takahashi, K. 396
Nudenberg, W., vgl. Kharasch, M. S. 82
Nürrenbach, A., vgl. Dimroth, K. 127
—, vgl. Freyschlag, H. 92, 97, 105, 106, 116
—, u. Pommer, H. 127, 188
Nürrenbach. A., Reif, W., u. Freyschlag, H. 188
—, vgl. Sarnecki, W. 91, 96, 99, 120, 127
—, Sarnecki, W., u. Reif, W. 91, 96
N. V. ... s. unter den betreffenden Firmen
Nys, I. 299
Nys, J. M., vgl. Depoorter, H. 260, 266

Oediger, H., vgl. Eiter, K. 36, 37, 41, 42, 43, 55, 67, 68, 69, 124, 140, 147, 149, 150, 151, 152, 153, 154, 165, 631, 632, 635, 637
—, u. Eiter, K. 50, 124, 125
—, Kabbe, H. J., Möller, F., u. Eiter, K. 50, 51, 92
Ofner, A., vgl. Surmatis, J. D. 70, 104
Ogata, T. 253, 255, 268
Ogawa, H., vgl. Saikachi, H. 158
Ogliaruso, M., vgl. Brookhart, M. 510
—, vgl. Rieke, R. 521, 522
—, Rieke, R., u. Winstein, S. 521, 522
—, u. Winstein, S. 521, 522
Ogloblin, K. A. 641, 642, 643, 645, 679
Ohki, E., vgl. Miyadera, T. 86
Okamura, W. H., u. Osborn, T. W. 520
—, u. Sondheimer, F. 535, 538, 569, 595
Okusa, G., Kumagai, M., u. Itai, T. 633
Olivé, J. L., vgl. Mousserou-Canet, M. 23, 42, 215
—, u. Mousseron-Canet, M. 211
Ollis, W. D., u. Sutherland, I. O. 312
Olsen, J. A. 162
Oplowa, L. P., vgl. Klebanskii, A. L. 683
Orden, H. O. van, s. Van Orden, H. O.
Orfanos, V., vgl. Anastassiou, A. G. 518, 520
Organon, N. V. 150, 180, 185, 643, 644
Orgel, L. E., vgl. Longuet-Higgins, H. C. 425
Orlando, C. M., u. Weiss, K. 415
Oroshnik, W. 43, 66, 202
—, Karmas, G., u. Mebane, A. D. 29, 65, 66, 67, 214
—, u. Mebane, A. D. 19, 191
—, —, u. Karmas, G. 58, 64, 66
Ortho Pharmaceutical Corp. 54, 66, 675
Osaka Indust. Testing Lab. 629
Osborn, C. L., et al. 439
Osborn, T. W., vgl. Okamura, W. H. 520
Oshima, M., Nishikawa, G., u. Igarashi, E. 676
Osianu, D., vgl. Nicoara, E. 201, 211
Oskay, E., vgl. Garwood, R. F. 628
O'Sullivan, D. G., vgl. Heilbron, J. 148, 150
—, vgl. Jones, E. R. H. 150
Oth, J. F. M. 536, 537, 543, 560, 606, 607
—, Anthoine, J., u. Gilles, J. M. 603, 606
—, vgl. Gilles, J. M. 543
—, Gilles, J. M., u. Schröder, G. 536
—, vgl. Merényi, R. 518
—, Merényi, R., Martini, T., u. Schröder, G. 424, 434, 435, 436
—, —, Nielsen, J., u. Schröder, G. 503
—, —, Röttele, H., u. Schröder, G. 503
—, vgl. Röttele, H. 457, 493, 504
—, Röttele, H., Gilles, J. M., u. Schröder, G. 554, 555, 586
—, —, u. Schröder, G. 536, 599, 600
—, vgl. Schröder, G. 390, 433, 462, 517, 518, 522, 523, 534, 536, 567, 593, 599
—, u. Schröder, G. 542, 603, 606
—, Woo, E. P., Garratt, P. J., u. Sondheimer, F. 542
Ottmann, G., vgl. Grundmann, C. 315, 339, 394
Oven, H. O. van, s. Van Oven, H. O.
Owens, R. M., vgl. Smentowski, F. J. 521, 522

Paal, Z., u. Tétényi, P. 220
Padwa, A., u. Hartman, R. 431, 445
Palladino, N., vgl. Chini, P. 427, 445
Palm, C., vgl. Fischer, E. O. 511
Panfilow, A. A., vgl. Grigoryan, K. A. 679
Papava, R., vgl. Gverdtsiteli, J. M. 641
Paquette, L. A., et al. 509
—, u. Barton, T. J. 506, 516
—, u. Cox, O. 355
—, u. Kakihana, T. 447, 479
—, —, u. Hansen, J. F. 482
—, —, —, u. Philips, J. C. 448, 449, 514

Paquette, L. A., Kakihana, T., Kelly, J. F., u. Malpass, J. R. 448
—, u. Krow, G. R. 506
—, Malpass, J. R., u. Barton, T. J. 437, 438, 439, 440, 506, 507
—, u. Philips, J. C. 448
—, u. Stowell, J. C. 503
—, Wingard, R. E., u. Meisinger, R. H. 442, 454, 457, 469, 501
Parkin, C. vgl. Coates, G. E. 671
Parkins, A. W., vgl. Johnson, B. F. G. 512
Parnes, Z. N., et al. 328
—, vgl. Kursanow, D. N. 328
—, Mur, G. D., u. Kursanov, D. N. 328
—, Volpin, M. E., u. Kursanow, D. N. 325
Partridge, M. W., vgl. Cooper, F. C. 466
Pasedach, H., Schneider, K., Freyschlag, H., u. Hoffmann, W. 39
Pasetske, R. F., u. Wheeler, D. H. 223
Paslawski, J., vgl. Blair, J. A. 398
Pasto, D. J. 401
Patai, S. 12, 13, 16, 17, 19, 20, 25, 59, 64, 65, 69, 71, 76, 94, 130
Patron, G., vgl. Bruni, B. 626
Pattendon, G. 98, 99
—, et al. 119
—, Way, J. E., u. Weedon, B. C. L. 123
—, u. Weedon, B. C. L. 109
Paudler, W. W., u. Stephan, E. A. 540, 559, 589
—, u. Zeiler, A. G. 466, 498
Paul, I. C., vgl. Johnson, S. M. 533
—, vgl. McKechnie, J. S. 511
—, vgl. Reid, K. I. G. 518
Pauling, L. 13, 17, 532
Pauson, P. L., vgl. Chandhari, F. M. 412
—, vgl. Munro, J. D. 406
—, Smith, G. E., u. Valentine, J. H. 405, 406, 408, 409, 411
Pawda, A., vgl. Schuster, D. J. 166, 169
Pawley, G. S., Lipscomb, W. N. 430
Pechet, M. M., vgl. Fieser, L. F. 463
Pechthold, N., vgl. Wirtz, R. 630
Peer, H. G., vgl. de Wies, G. 636
Peitscher, G., vgl. Ziegenbein, W. 204
Pelchowicz, Z., vgl. Bergmann, E. D. 360, 568, 593
Pelissier, J. P. 642, 643, 647, 648
Pelster, H., vgl. Hafner, K. 16
Peltzer, B., vgl. Roth, W. R. 167, 219, 515
Perkins, G. A., u. Toussaint, W. J. 626
Perkins, N. A., vgl. Bryce-Smith, D. 329, 395
Perlick, A., vgl. Wolfram, A. 627
Perlmutter, H. D., vgl. Mislow, K. 465
Perrins, N. C., u. Simons, J. P. 168
Perveev, F. Y., u. Kudryashova, N. I. 674
Pervova, E. Y., vgl. Knunyants, I. L. 630
Pesaro, M., vgl. Darms, R. 346, 349
Peska, J., vgl. Kriz, J. 629, 630
Peters, J. A., vgl. Griffin, C. E. 462
Peterson, D. R., vgl. Freedman, H. H. 430
Petraguani, N., u. Schill, G. 109
Petrillo, E. W., vgl. Jones, M. 355
Petro-Tex Chemical Co. 675
Petrov, A. A. 639, 683, 695
—, et al. 625, 653, 663, 665, 672, 674, 681, 682, 683, 685, 689, 693
—, vgl. Balyan, K. V. 676
—, vgl. Belyaer, N. N. 685
—, vgl. Chelpanova, L. F. 674
—, vgl. Christokletov, V. N. 694
—, vgl. Ionin, B. I. 670
—, vgl. Kheruze, Yu. I. 689
—, vgl. Kormer, V. A. 676, 677, 687
—, u. Kormer, V. A. 663, 665, 669, 671, 677, 687
—, vgl. Kupin, B. S. 642, 645, 647, 663, 665, 669, 678, 679, 680, 681
—, Kupin, B. S., Yakovleva, T. V., u. Mingaleva, K. S. 625
—, u. Leets, K. V. 687
—, u. Leporskaya, E. A. 663, 665, 683
—, vgl. Maltseva, E. N. 686
—, vgl. Maretina, A. I. 636, 642, 646, 663, 664, 670, 683, 685, 687, 688
—, Maretina, I. A., u. Kormer, V. A. 687
—, vgl. Markova, V. V. 676, 677, 687
Petrov, A. A., Mingaleva, K. S., u. Kupin, B. S. 625, 663, 665
—, u. Molodova, K. A. 663
—, vgl. Porfireva, Y. K. 660
—, u. Porfireva, J. I. 634, 638, 659, 670, 682, 683, 684
—, —, u. Kormer, V. A. 672
—, —, u. Savchenko, V. I. 686
—, —, u. Semenov, G. I. 683
—, —, u. Sokolov, L. B. 660
—, —, u. Yakovleva, T. V. 685
—, vgl. Radchenko, S. I. 681
—, Rall, K. B., u. Vildavskaya, A. I. 670, 685
—, Semenov, G. I., u. Sopov, N. P. 682, 685
—, u. Sopov, N. P. 684
—, vgl. Stadnichuk, M. D. 673, 677
—, vgl. Troshchenko, A. T. 694
—, vgl. Turbanova, E. S. 660
—, vgl. Vorober, L. N. 684
—, vgl. Vovsi, B. A. 686
—, u. Yakovleva, T. V. 685
—, vgl. Zargorodnii, V. S. 672, 674, 683
—, —, u. Kormer, V. A. 674
Petrov, A. D., vgl. Nefedov, O. M. 358
—, u. Sadyech-Zade, S. I. 189, 673, 686
—, —, u. Egorer, Y. P. 673
—, —, u. Vdovin, V. H. 673
Petrov, V., u. Stephenson, O. 146
Petrov, V. N., vgl. Prilizhaeva, E. N. 681
Petrowski, G., vgl. Moshuk, G. 522
Petruzella, N., Takeda, S., u. Nelson, R. C. 233
Pettit, R., vgl. Dewar, M. J. S. 339, 341, 398
—, vgl. Emerson, G. F. 519
—, vgl. Ganellin, C. R. 516
—, vgl. Holmes, J. 395
—, vgl. Keller, C. E. 510
—, vgl. Merk, W. 428, 456, 461, 510
—, vgl. Rosenberg, J. L. von 509
—, vgl. Watts, J. S. 394
Pfab, W., vgl. Kutepow, N. von 425
Pfeiffer, G. 58, 75, 657, 658, 660
Philips, A., vgl. Dabelow, M. 243
Philips, J. C., vgl. Paquette, L. A. 448, 449, 514
Philipsborn, W. von, Altman, J., Babad, E., Bloomfield, J. J., Ginsburg, D., u. Rubin, M. B. 505
—, vgl. Faigle, J. W. 214
Phillips, D. D. 485, 486

Phillips, J. B., et al. 561, 591, 592
—, vgl. Boekelheide, V. 540, 561, 562, 591
—, u. Boekelheide, V. 601
—, Molyneux, R. J., Sturm, E., u. Boekelheide, V. 576, 577, 579, 580, 581
Phillips' Gloeilampen-Fabr. 57, 95, 145, 178, 184, 185, 186
Phillips Petroleum Co. 64, 80, 689
Piaux, L., vgl. Durand, M. H. 644, 652
Pichler, H. 630
Piggott, H. A., u. Rodd, E. 239, 258
Pike, R. M., vgl. Cope, A. C. 426, 440, 441, 442, 483
Pilling, G., u. Sondheimer, F. 558, 589
Pinckard, J. H., Wille, B., u. Zechmeister, L. 676
Pinkava, J. 626
Pinkney, P. S., vgl. Barney, A. L. 634, 669, 689
Piper, J. U., vgl. Nelson, N. A. 342, 345, 347
Pippert, D. L., vgl. Blatz, P. E. 16
Pirenyan, S. K., vgl. Vartanyan, S. A. 626
Pirzer, H., u. Becke, F. 425
—, Stadler, R., u. Becke, F. 425
Pittman, C. U., vgl. Deno, N. C. 220
Pitts, J. N., vgl. Calvert, J. G. 164
—, vgl. Wei, K. 170
Planta, C. von, et al. 31, 32
—, vgl. Schwieter, U. 24, 73
Plate, A. F., vgl. Milvitskaya, E. M. 377, 380
—, vgl. Pryanishnikova, M. A. 351
Platt, J. R., u. Klevens, H. B. 534
Plieninger, H., u. Maier-Borst, W. 49
Pliml, J., vgl. Lukas, R. 654, 655
Plotnikova, G., vgl. Bogdanova, A. V. 674
—, vgl. Shostakovskii, M. F. 674, 675, 676
Podporina, T. G., vgl. Kormer, V. A. 687
Pogár, A., u. Zechmeister, L. 172
Pohl, F., vgl. Sennewald, K. 626
Pohl, L., vgl. Seitz, G. 495
Pohlke, R., vgl. Seitz, G. 495
Poirier, Y. 264
Pollard, G. E., vgl. Halper, W. H. 351
Pomerantz, C. M., u. Hartman, P. H. 376
Pomerantz, M., u. Gruber, G. W. 376
Pomerantz, P., et al. 641, 653
Pommer, H. 21, 24, 40, 41, 42, 52, 67, 69, 71, 72, 90, 91, 93, 100, 102, 119, 124, 127, 130, 148, 150, 153, 155, 156, 157, 179, 181, 186, 188, 203, 225, 340
—, u. Arend, W. 146
—, vgl. Freyschlag, H. 97, 105, 106, 116, 130
—, vgl. Inhoffen, H. H. 40, 42, 72, 81, 138, 192, 194, 195, 214, 215
Pommer, H., vgl. König, H. 181
—, vgl. Nürrenbach, A. 127, 188
—, vgl. Reif, W. 118, 122
—, vgl. Sarnecki, W. 72, 73, 91, 180, 186
—, u. Sarnecki, W. 23, 91, 115, 116, 117, 118, 120, 124, 178, 203
—, vgl. Stilz, W. 130, 131, 132, 134, 137
—, vgl. Wittig, G. 92, 145, 188
—, u. Wittig, G. 93, 101
—, —, u. Sarnecki, W. 92
Pople, J. A., u. Untch, K. G. 532, 536
Popov, L. D., vgl. Klevanskii, A. L. 676
Poppe, E. J., vgl. Brunken, J. 288
Porfireva, Y. I., et al. 660
—, vgl. Balyan, K. V. 676
—, vgl. Melnikov, G. D. 685
—, vgl. Petrov, A. A. 634, 638, 659, 660, 670, 672, 682, 683, 684, 685, 686
—, Petrov, A. A., u. Sokolov, L. B. 660
—, Sokolov, L. B., u. Petrov, A. A. 660
—, vgl. Turbanova, E. S. 660
—, Turbanova, E. S., u. Petrov, A. A. 660
Portnyagin, Yu. M., vgl. Favorskaya, T. A. 675
Potter, H., vgl. Kohler, E. P. 377, 379
Povarov, L. S., vgl. Michailov, B. M. 53, 54
Power, E. A., u. Thirunamachandran, T. 534
Praefcke, K., vgl. Schönberg, A. 312
Pratt, L., vgl. Bennett, M. A. 407
—, vgl. Burton, R. 412
Presnov, A. E., vgl. Lapickij, G. A. 183
Pretzer, W. P., vgl. Vogel, E. 540, 584
Preuss, H. 25
Prevost, C. 656
—, Souchay, P., u. Chauvilier, J. 684
Price, C. C., vgl. Hennion, G. F. 636
—, u. McKeon, T. F. 636, 663, 665
Price, E. A., vgl. Carr, F. H. 16, 32
Prileshaeva, E. N., et al. 680
—, u. Petrov, V. N. 681
—, —, u. Chudyakova, A. N. 681
—, —, u. Vasilev, G. S. 681
Prinzbach, H. 326
—, et al. 219
—, u. Druckrey, E. 163, 166, 217, 222, 306
—, u. Hagemann, H. 219, 222
—, —, Hartenstein, J. H., u. Kitzing, R. 163, 222
—, u. Hartenstein, J. H. 166, 167, 219, 222, 306
—, u. Rivier, J. 432, 444, 446
—, u. Seip, D. 326
Prochazka, J., vgl. Wichterle, O. 680
Prosen, E. J., Johnson, W. H., u. Rossini, F. D. 423
Protiva, M., vgl. Seidlova, V. 334
Pryanishnikova, M. A., Milvitskaya, E. M., u. Plate, A. F. 351
Psaar, H., vgl. Weissel, O. 286
Publicker Industries Inc. 643, 679
Pudovik, A. N. 634, 637
Pullman, A. 13, 162
—, u. Pullman, B. 13, 17, 18, 18, 20, 162
Pullman, B., vgl. Pullman, A. 13, 17, 18, 19, 20, 162
Pummerer, R., u. Rebmann, L. 200, 211
—, —, u. Reindel, W. 199, 200, 203 ,211

Quast, H., vgl. Hünig, S. 284, 299
Quelet, R., u. Golse, R. 634, 635, 637, 657, 658, 675, 685
Quinkert, G., vgl. Barton, D. H. R. 164
Quinlin, W. J., vgl. Bloomfield, J. J. 553

Raasch, M. S., vgl. Coffman, D. D. 693
Rabenstein, D. L., vgl. Masamune, S. 534, 536, 551, 583

Rabideau, P. W., vgl. Friedman, L. 461
—, Hamilton, J. B., u. Friedman, L. 456, 461, 464
Rabinovich, D., vgl. Hirschfeld, F. L. 533
Radchenko, S. I., u. Petrov, A. A. 681
Radeglia, R., vgl. Dähne, S. 233
—, u. Dähne, S. 233
Radlick, P., u. Alford, G. 520
—, u. Fenical, W. 518
—, u. Rosen, W. 550
Radscheit, K., vgl. Inhoffen, H. H. 29, 202
Raigorodskaya, V. Y., vgl. Nazarov, I. N. 673
Rall, K. B., vgl. Petrov, A. A. 670, 685
—, vgl. Vildavskaya, A. I. 670
Ramlow, G., vgl. Manecke, G. 205
Ramon, C., vgl. van der Burg, W. J. 466, 497
Ramp, F. L., vgl. Cope, A. C. 471, 474, 475, 514, 519
Ramsay, M. V. J., vgl. Sutherland, I. O. 312
Randall, G. L., vgl. Johnson, B. F. G. 512
Randy, C. T., u. Benson, R. E. 659
Ranft, J., vgl. Dähne, S. 233
Rao, D. V., vgl. Grovenstein, E. 432, 444
Rao, J. M., vgl. Müller, Eu. 168, 525
Raphael, R. A. 525, 558
—, vgl. Doson, N. A. 678
—, vgl. Eglinton, G. 473
—, vgl. Leese, C. L. 643, 647, 674
—, u. Sondheimer, F. 545, 546
—, Taylor, E. C., u. Wynberg, H. 545
Rapson, W. S., Schwartz, H. M., u. Stewart, E. T. 467
—, vgl. Shuttleworth, R. G. 467
—, Shuttleworth, R. G., u. van Niekerk, J. N. 467
Raspé, G., vgl. Inhoffen, H. H. 21, 22, 24, 41, 42, 69, 150
Ratts, K. W., vgl. Cava, M. P. 496
Raue, R., vgl. Weissel, O. 286
Rausch, M. D., u. Schrauzer, G. N. 511
Raymond, K. N., vgl. Zalkin, A. 513
Razenberg, E., vgl. Ter Borg, A. P. 317, 363, 367, 368, 369, 375
Rebel, O., vgl. Kuhn, R. 158
Rebmann, L., vgl. Pummerer, R. 199, 200, 203, 211
Redel, J., u. Boch, J. 43, 145
—, u. Nicolaux, G. 191
Reedy, A. J. 48, 158, 176
—, u. Cawley, J. D. 176
Reese, C. B., vgl. Lindsay, D. G. 355, 356
Reformatzky, S. 640
Regel, W., vgl. Baer, F. 532, 536
Reich, C. R., vgl. Cotton, F. A. 413
Reich, H. J., Ciganek, E., u. Roberts, J. D. 307, 363
Reich, M. 675
Reich, S. D., vgl. Jones, M. 500
—, vgl. Sargent, G. D. 403
Reichardt, C. 270
Reid, K. I. G., u. Paul, I. C. 518
Reif, W., vgl. Freyschlag, H. 92, 97, 105, 106, 116, 130
—, vgl. König, H. 181
—, vgl. Nürrenbach, A. 91, 96, 188
—, u. Pommer, H. 118, 122
—, vgl. Sarnecki, W. 91, 96, 99, 120, 127, 180
Reiff, G., vgl. Hellwinkel, D. 468
Reilly, C. A., vgl. Katz, T. J. 490, 501
Reindel, W., vgl. Pummerer, R. 199, 200, 203, 211
Reinheimer, H., et al. 80
Reinmuth, W. H., vgl. Katz, T. J. 508
Reinstein, J. A., vgl. Higuchi, T. 57
Reis, H., vgl. Kutepow, N. von 425
Reiter, E., vgl. Halbig, P. 629
Rejoan, A., vgl. Cais, M. 199
Rellensmann, W., vgl. Hafner, K. 331, 334, 394, 400, 401
Remers, W. A., vgl. Corey, E. J. 333
Renaut, J., vgl. Ninet, L. 193
Rengert, K., u. Schuhmacher, H. J. 684, 685
Rennhard, H. H., Heilbronner, E., u. Eschenmoser, A. 396
Reppe, W. 691
—, et al. 423, 425, 434, 436, 437, 534
—, u. Magin, A. 80
—, Schlichting, O., Klager, K., u. Toepel, T. 471, 474, 475, 476, 489, 508, 511, 514, 516, 517, 519
—, —, u. Meister, H. 425
—, —, u. Schweter, W. 425
Reshetnikov, S. M., vgl. Sokolskaya, A. M. 677
Ressa, I. J., vgl. Craig, L. E. 508
Révérend-Decock, B. T., vgl. Drau, R. 391
Rewdikar, R. S. 663, 671
Reynolds, R. J., Tobacco Co. 48
Rhodes, R. P. 203
Rhône Poulenc 141, 176, 193
Richard, Y., vgl. Georgieff, K. K. 634, 638
Richards, T. A., vgl. Akhtar, M. 634, 637, 671, 690
Richardson, D. B., et al. 376
Richardson, R. W., vgl. Braude, E. A. 19
—, vgl. Heilbron, J. 675, 676
Richey, H. G., vgl. Lustgarten, R. K. 352
Richter, M., u. Boyde, P. 33, 199, 200, 202, 203, 210, 211
Ridgewell, B. J., vgl. Duck, E. W. 210
Riebel, H. J., vgl. Grimme, W. 504
Rieche, A., Grimm, A., u. Albrecht, H. 676
Rieke, R., vgl. Ogliaruso, M. 521, 522
—, Ogliaruso, M., McClung, R., u. Winstein, S. 521, 522
Rieke, R. D., u. Copenhafer, R. A. 431
Riemenschneider, R. W., vgl. Nichols, P. L. 65
Riester, O. 245, 247, 254, 256, 278, 286, 295
—, vgl. Dieterle, W. 274
—, vgl. Kumetat, K. 260
—, vgl. Schneider, W. 291
—, vgl. Wilmanns, G. 261
Riff, M. R., vgl. Dauben, H. J. 401
Rij, J. H. van, s. Van Rij, J. H.
Rivett, D. E. A. 223
Rivier, J., vgl. Prinzbach, H. 432, 444, 446
Robb, E. W., vgl. Atkinson, J. G. 168, 444
Robert, J. M., vgl. Courtot, P. 167
Roberts, J. B., vgl. Hall, G. E. 416
Roberts, J. D. 423, 424, 510
—, vgl. Gwynn, D. E. 424, 433, 439
—, vgl. Reich, H. J. 307, 363
Robertson, A. V., vgl. Georgian, V. 434, 477

Robeson, C. D. 84
—, et al. 24, 179, 208
—, u. Baxter, J. G. 24, 208
—, vgl. Benton, C. H. 65, 190, 191
—, vgl. Cawley, J. D. 65, 68
—, vgl. Chechak, A. J. 83, 84, 120
Rodd, E., vgl. Piggott, H. A. 239, 258
Rodd, E. H., vgl. Birchall, T. 239, 258
Roedig, A., et al. 691
—, Helm, R., West, R., u. Smith, R. M. 431, 446
—, u. Kling, A. 656
—, u. Kohlhaupt, R. 634, 691
Röhm & Haas Co. 691
Roels, O. 16, 192
Röscheisen, G., vgl. Müller, Eu. 462
Röttele, H., Martin, W., Oth, J. F. M., u. Schröder, G. 457, 493
—, Nikoloff, P., Oth, J. F. M., u. Schröder, G. 504
—, vgl. Oth, J. F. M. 503, 554, 555, 586, 599, 600
—, vgl. Schröder, G. 451
Rohm & Haas, Co. 641
Rohr, W., vgl. Staab, H. A. 178, 179
Romburgh, P. van, s. Van Romburgh, P.
Roos, O., vgl. Vogel, E. 471, 473
Root, A. E. 626, 627
Roquitte, B. C. 351
Rorno, I., vgl. Thompson, A. F. 642
Rosen, W., vgl. Radlick, P. 550
Rosenberg, J. L. von, Mahler, J. E., u. Pettit, R. 509
Rosenblum, C., vgl. Wendler, N. L. 161
Rosenblum, M., vgl. Ciappenelli, D. 414
Roškov, I. N., vgl. Makin, S. M. 52
Roskovtseva, G. I., vgl. Danilkina, L. P. 692
Rosowsky, A., et al. 450
Rossini, F. D., vgl. Prosen, E. J. 423
Rostek, C. J., u. Jones, W. M. 355, 377
Rostomyan, J. M., vgl. Akopyan, A. N. 212, 224
Roth, W. R. 317, 366
—, vgl. Doering, W. von E. 389
—, u. Grimme, W. 408
—, u. Peltzer, B. 167, 219, 515
—, vgl. Vogel, E. 308, 353, 514, 534, 544, 552
Roverts & Co. Ltd. 164
Rowland, N. E., vgl. Garratt, P. J. 542, 604
Rowland, R. W. 48
Roy, A. N., vgl. Ghosh, J. C. 628
Rozengart, M. J., Mortikov, E. S., u. Kazanskij, B. A. 220
Rubin, M. B., vgl. Altman, J. 505
—, vgl. Babad, E. 505
—, vgl. Philipsborn, W. von 505
Rudenko, V. A., vgl. Nazarov, I. N. 673
Rüegg, R. 121
—, et al. 12, 44, 52, 73, 102, 121, 123, 140, 155, 161, 178, 179, 184
—, vgl. Isler, O. 27, 28, 33, 45, 48, 192, 193
—, vgl. Mayer, H. 124
—, vgl. Schwieter, U. 24, 73
Rüegger, A., vgl. Karrer, P. 197
Rühle, H., vgl. Fischer, E. O. 582
Rugen, D. F., vgl. Cope, A. C. 426, 440, 441, 442, 483
Rumin, R., vgl. Courtot, P. 167
Rummert, G., vgl. Inhoffen, H. H. 20, 21, 23, 28, 30, 42, 44, 140
Rundel, W., vgl. Müller. Eu. 336, 486
Runge, F. F. 298
Rupe, H., u. Kerkovius, W. 333
Ruschig, H., u. Seidl, G. 180
Rusek, M., et al. 627
Rushworth, F. A., vgl. Lawrenson, I. J. 423
Rust, K., vgl. Alder, K. 315, 380, 381, 382
Rutschmann, J., vgl. Karrer, P. 35
Ryabinina, S. A., vgl. Sokolskaya, A. M. 677
Ryang, M., vgl. Hashimoto, J. 80
Rys, P., u. Zollinger, H. 299

Sacharova, A. I., u. Basel-Sigova, W. B. 642, 645
Sachs, F., vgl. Ehrlich, P. 294
Sadek, M., vgl. Vitovec, J. 671
S.A. des Etablissements Roure-Bertrand Fils & Justin Dupont 57
Sadych-Zade, S. I., et al. 688
—, vgl. Petrov, A. D. 189, 673, 686
Saikachi, H., u. Nakamura, S. 101
Saikachi, H., u. Ogawa, H. 158
Sakan, T., vgl. Mano, K. 484
Sakata, Y., vgl. Endo, K. 569, 595
Salem, L., vgl. Longuet-Higgins, H. C. 534, 537
Salisbury, L. F. 682
Salontai, T., vgl. Bodea, C. 175, 211
Salvadori, G., vgl. Hudson, R. F. 124
Salvatori, T., vgl. Chini, P. 691
Sammes, P. G., vgl. Barton, D. H. R. 148
Šamšurin, A. A., vgl. Kovalev, B. G. 52, 98, 99, 110, 158
Sandel, V. R., vgl. Freedman, H. H. 376
Sandoz AG. 266
Sanina, N. L., Kazarnovskij, S. N., u. Kogan, P. S. 677
—, Kogan, P. S., u. Kazarnovskii, S. N. 676
Santambrogio, A., vgl. Chini, P. 427, 445
Sargent, G. D., Lowry, N., u. Reich, S. D. 403
Sargent, H., Buchman, E. R., u. Farquher, J. P. 654, 655, 663, 665, 675
Sargent, M. V., vgl. Bindra, A. P. 453, 582
—, vgl. Brown, C. 462
—, vgl. Elix, J. A. 443, 450, 453, 454, 455, 456, 459, 460, 469, 470, 483, 484, 494, 552, 583
—, vgl. Garratt, P. J. 550, 607
—, vgl. Sondheimer, F. 607
Sarkisyan, K. L., vgl. Badanyan, S. O. 689
Sarnecki, W. 16, 178, 179
—, vgl. Freyschlag, H. 92
—, vgl. Nürrenbach, A. 91, 96
—, Nürrenbach, A., u. Reif, W. 91, 96, 99, 120, 127
—, vgl. Pommer, H. 23, 91, 92, 115, 116, 117, 118, 120, 124, 178, 203
—, u. Pommer, H. 72, 73, 91
—, Schwarzmann, M., Pommer, H., Hamprecht, G., u. Hummel, G. 186
—, Synnatschke, G., Reif, W., u. Pommer, H. 180
Sasa, T. 670
Saski, Y., vgl. Yoshioka, I. 653, 690
Sasse, K., vgl. Fieselmann, H. 642, 646, 650
Sasse, W. H. F., vgl. Collin, P. J. 458

Satge, J., vgl. Lesbre, M. 686
—, vgl. Massol, M. 686
Sato, S., vgl. Tsunashima, S. 629, 630
Sauer, J. C., vgl. Herrick, E. C. 628
—, vgl. Kalb, G. H. 79
Saunders, M. 390
Saunders, W. H., vgl. Windgassen, R. 554, 586
Savchenko, V. I., vgl. Petrov, A. A. 686
Savich, I. G., vgl. Kormer, V. A. 687
Savory, J., vgl. Tarrant, P. 630

Sch s. a. Sh
Schaad, L. J., vgl. Hess, B. A. 543
Schaaf, K. H., u. Kapp, R. 643
—, Klein, H. C., u. Kapp, R. 188
Schaeppi, W. H., Schmid, R. W., u. Heilbronner, E. 396
Schaeren, S. F., vgl. Cope, A. C. 437, 439, 479, 483
Scharf, E., vgl. Müller, H. 77, 79
Schatz, B., vgl. Marvell, E. N. 220
Scheibe, G. 233, 244, 252
—, Heiss, J., u. Feldmann, K. 234
—, Seiffert, W., Wengenmayr, H., u. Jutz, C. 233
Scheibler, H., u. Fischer, A. 643
Scheppers, G., vgl. Dürr, H. 342, 344, 391, 493
Scherz, H., Stehlik, G., Bancher, E., u. Kaindl, K. 257
Schick, E., vgl. Karrer, P. 150
Schill, G., vgl. Lüttringhaus, A. 147
—, vgl. Petraguani, N. 109
Schimmer, B. P., u. Krinsky, N. I. 175, 218
Schinz, H., vgl. Surber, W. 674
Schleussner 257
Schleyer, P. von R., vgl. Barborak, J. C. 518
Schlichting, O., vgl. Reppe, W. 425, 471, 474, 475, 476, 489, 508, 511, 514, 516, 517, 519
Schloeffel, M., vgl. Grimm, A. 627
Schlögl, K., u. Egger, H. 28, 103, 140, 146
—, u. Steyrer, W. 46
Schlosser, M. 188, 437
—, u. Christmann, K. F. 94
—, vgl. Wittig, G. 124
Schlubach, H. H., u. Wolf, V. 628
Schmid, H., vgl. Garbers, C. F. 215
Schmid, R. W., vgl. Schaeppi, W. H. 396
Schmidt, G. M. J., vgl. Irngartinger, H. 532
Schmitt, J. 33, 34
Schmitz, H., u. Schumacher, H. J. 626
Schmitz, P., vgl. Alder, K. 339
Schnabel, B., vgl. Tochtermann, W. 312, 320, 415
Schnabel, J., vgl. Severin, T. 57
Schnegg, U., vgl. Gasteiger, J. 434, 435
—, vgl. Schröder, G. 433, 517
Schneider, D. F., vgl. Garbers, C. F. 72, 119
—, u. Garbers, C. F. 101
—, vgl. Weedon, B. C. L. 101
Schneider, G., vgl. Barborak, J. C. 518
Schneider, H. J., vgl. Hanack, M. 74
Schneider, J., vgl. Hoffmann, R. W. 363
Schneider, K., vgl. Pasedach, H. 39
Schneider, P., vgl. Karrer, P. 214
Schneider, W., Bauer, F., u. Riester, O. 291
Schneider, W. P. 94
Schoch, W., vgl. Wittig, G. 463
Schöllkopf, U. 88, 91, 94, 97, 98, 131, 188
—, u. Gerhart, F. 131
—, vgl. Wittig, G. 89, 188, 631
Schön, N., vgl. Meerwein, H. 250
Schönberg, A. 164, 166, 217, 220, 222
—, u. Ismail, A. F. A. 82
—, Sodtke, U., u. Praefcke, K. 312
Schönleber, D. 309, 451, 452, 486, 492, 493, 500
Schöpp, K., vgl. Karrer, P. 214
Schomaker, V., vgl. Hedberg, K. 423
—, vgl. Sparr, R. 624
Schottenhammer, K., vgl. Buchner, E. 341
Schouwenaars, M. A., vgl. v. d. Straete, L. A. 258
Schrauzer, G. N. 78
—, u. Eichler, S. 425, 511
—, Glockner, P., u. Eichler, S. 425
—, vgl. Rausch, M. D. 511
Schreiber, J., Eschenmoser, A., et al. 308, 346
Schröck, W., vgl. Vogel, E. 544, 584
Schröder, G. 436, 439, 490, 502, 518, 519, 525
—, et al. 439, 441
—, vgl. Criegee, R. 426, 429, 446
—, u. Kirsch, G. 434
—, —, u. Oth, J. F. M. 523
—, —, —, Huisgen, R., Konz, W. E., u. Schnegg, U. 433, 517
—, vgl. Löffler, H. P. 502
—, u. Löffler, H. P. 503
—, u. Martin, W. 490, 491, 503, 522
—, —, u. Oth, J. F. M. 462, 534, 567, 599, 601
—, u. Martini, T. 490, 492
—, vgl. Merényi, R. 518
—, u. Neuberg, R. 523
—, u. Nikoloff, P. 451
—, vgl. Oth, J. F. M. 424, 434, 435, 436, 503, 536, 542, 554, 555, 586, 599, 600, 603, 606
—, u. Oth, J. F. M. 390, 518, 522, 534, 536, 567, 593
—, —, et al. 522
—, —, u. Merenyi, R. 390
—, vgl. Röttele, H. 457, 493, 504
—, u. Röttele, H. 451
Schroeter, G. 466
Schröter, R. 198
Schroth, W., et al. 660
—, u. Werner, B. 498
Schudel, P., vgl. Isler, O. 42, 52, 100, 109, 132, 138, 141, 142, 144, 149, 150, 152, 155, 181, 225
Schuloff, R. 243
Schulz, H., vgl. Bestmann, H. J. 90, 111
Schulze, H., vgl. Fischer, F. G. 143
Schulze, P., vgl. Buchner, E. 341
Schumacher, H. J., vgl. Schmitz, H. 626
—, vgl. Rengert, K. 684, 685
Schumacher, M., vgl. Alder, K. 166, 205, 207, 208, 209, 223, 332, 333, 385
Schumann, W., vgl. Cupas, C. A. 388
Schuppe, O. E., vgl. Wadsworth, D. H. 130
Schuster, D. J., Lee, F. H., Pawda, A., u. Gassmann, P. G. 166, 169
—, Sckolnick, B. R., u. Lee, F. T. H. 164, 170
Schwartz, H. M., vgl. Rapson, W. S. 467

Schwartz, J. 518, 520
—, vgl. Masamune, S. 487
Schwartzman, L. H., vgl. Shackelford, J. M. 37, 38, 205, 210
—, vgl. Woods, G. F. 14, 37, 38, 194, 199, 204
Schwarz, G. 257, 271
Schwarz, H., vgl. Kurtz, P. 689
Schwarzenbach, K., vgl. Wittig, G. 486
Schwarzkopf, O., et al. 186
Schwarzmann, M., vgl. Sarnecki, W. 186
Schweckendiek, W., vgl. Friederich, H. 79
Schweiger, B., vgl. Swarthout, J. 193
Schweter, W., vgl. Reppe, W. 425
Schwieter, U., et al. 19, 23, 25, 30, 31, 32, 52, 95, 96, 98, 106, 108, 112, 117, 119, 122, 124, 125, 129, 130, 135, 136, 155, 179, 180, 181, 186
—, vgl. Inhoffen, H. H. 17, 21, 150, 181
—, vgl. Isler, O. 27, 28, 33, 173, 181, 184, 192, 193
—, u. Isler, O. 19, 33, 192, 213, 215
—, Planta, C. von, Rüegg, R., u. Isler, O. 24, 73
—, vgl. Würsch, J. 17
Schwyzer, R., vgl. Karrer, P. 148
Sckolnick, B. R., vgl. Schuster, D. J. 164, 170
Scott, L. T., vgl. Jones, M. 485, 502
Sebrell, W. H., u. Harris, R. S. 16, 17, 19, 33, 160, 161, 162, 192, 193, 213, 215, 225
Secretary of Agriculture of USA 193
Seebach, D. 387, 471
Seibt, H., u. Kutepow, N. von 77, 78
—, vgl. Müller, H. 77, 79
Seidel, H., vgl. Jutz, C. 293
Seidel, W., vgl. Bock, W. 678
Seidenfaden, W. 299
Seidl, G., vgl. Ruschig, H. 180
Seidlova, V., u. Protiva, M. 334
Seidner, R. T., vgl. Masamune, S. 485, 492, 502, 521, 550, 551, 598, 600
—, Nakatsuka, N., u. Masamune, S. 504
Seiffert, W., vgl. Scheibe, G. 233
Seip, D., vgl. Prinzbach, H. 326
Seitz, G., Pohl, L., u. Pohlke, R. 495
Selsby, R. S., u. Nelson, R. C. 233
Semenov, G. I., vgl. Petrov, A. A. 682, 683, 685
Seng, F., vgl. Bestmann, H. J. 95
Sennewald, K., et al. 626
—, Pohl, F., u. Meininger, W. 626
Senoh, S., vgl. Murakami, M. 680
Sepp, K., vgl. Friederich, H. 79
Sergeeva, Z. I., s. Zergeeva, Z. I.
Sergio, R., vgl. Dürr, H. 391
Serkova, V. I., vgl. Venus-Danilova, E. D. 661, 662
Seubert, J., vgl. Marvell, E. N. 14, 223
Seus, E. J., vgl. Wadsworth, D. H. 130
Severin, T., u. Brück, B. 39
—, u. Schnabel, J. 57
Seybold, G., vgl. Gompper, R. 430
Shabarov, Ju. S., vgl. Levina, R. Ja 630
Shackelford, J. M., Michalowicz, W. A., u. Schwartzman, L. H. 37, 38, 205, 210
Shagbatyan, S. L., vgl. Vartanyan, S. A. 641, 648, 673, 674
Shamshurin, A. A., s. Šamšurin, A. A.
Shani, A., vgl. Sondheimer, F. 534, 552, 553, 585
—, u. Sondheimer, F. 577, 579, 582, 602
Shannon, J. S., vgl. Eade, R. A. 215
Shantz, E. M. 43
—, et al. 43
—, Cawley, J. D., u. Embree, N. D. 57
Sharma, K. M., Anand, S. K., Multani, R. K., u. Jain, B. D. 511
Sharmagortsyan, V. N., vgl. Vartanyan, S. A. 663, 665
Shaw, B. L., vgl. Jones, E. R. H. 59, 62
—, u. Whiting, M. C. 59
Shaw, E. N., vgl. Thompson, A. F. 642, 650, 676
Shechter, H., vgl. Cantrell, T. S. 39, 171, 218, 477, 478, 488, 500, 523, 524
—, Gardikes, J. J., Cantrell, T. S., u. Tiers, G. V. D. 480
Sheehan, J. J., vgl. Hennion, G. F. 635, 637
Shell Development Co. 351
Shell Int. Research 402
Shemyakin, M. M., vgl. Bergelson, L. D. 88, 92, 94, 130
Shen, T. Y., vgl. Jones, E. R. H. 691
Sheng, M. N., u. Zazacek, J. G. 211
Shepherd, R. A., vgl. Vedejs, E. 506
Sheridan, J. B., vgl. Brember, A. R. 375
Sherwood, A. G., u. Gunning, H. E. 629
Shevchuk, V. U., vgl. Abadzhev, S. S. 629
Shibata, T., vgl. Grovenstein, E. 432, 458
Shield, T. C., u. Billups, W. E. 632
Shields, J. E., vgl. Bornstein, J. 496
Shier, G. D. 631
Shikheev, I. A. 643, 647, 675
Shinbo, M., vgl. Mitsukuri, S. 676
Shishmakova, T. G., et al. 636, 690
Shoemaker, D. P., Kindler, H., Sly, W. G., u. Srivastava, R. C. 442, 511
Shoppee, C. W., Cymerman-Craig, J., u. Lach, R. E. 639, 641, 642, 650, 660, 675
Shostakovskii, M. F., et al. 674, 693
—, vgl. Bogdanova, A. V. 746
—, Bogdanova, A. V., u. Krasitnikova, G. K. 676
—, —, u. Plotnikova, G. I. 674, 675, 676
—, u. Chomenko, A. C. 634, 638
Shriner, R. L. 153
Shuttleworth, R. G., vgl. Rapson, W. S. 467
—, Rapson, W. S., u. Stewart, E. T. 467
Sibend, J., vgl. Colonge, J. 332
Sicedison Societe per Azioni 626
Siddons, P. T., vgl. Davis, J. B. 100
Siderov, V. I., vgl. Iljin, D. T. 630
Sieglitz, A., Berlin, L., u. Heimke, P. 241, 287, 288
—, vgl. Wolff, P. 259
Siekmann, W., vgl. Grob, E. C. 175
Siemer, H., vgl. Inhoffen, H. H. 17, 21, 23, 225
Siew, L. C., vgl. Katz, T. J. 495

Simes, J. J. H., vgl. Eade, R. A. 215
Simmons, H. E., u. Smith, R. D. 486
Simon, H., vgl. Bestmann, H. J. 125, 126
Simonetta, M., vgl. Casalone, G. 533
Simons, J. P., vgl. Perrins, N. C. 168
Sims, H. J., vgl. Hwa, J. C. H. 49
Singer, H., u. Wilkinson, G. 628
—, vgl. Winkhaus, G. 412
Singh, P. O., vgl. Badger, G. M. 571
Singh, U. P., vgl. Badger, G. M. 540, 541, 570, 578, 596, 602, 603
Sinn, H., vgl. Bohlmann, F. 690
Sinnatulina, G. J., vgl. Lapkin, J. J. 131
Sirotkina, E. E., vgl. Lopatinski, V. P. 677
Skattebøl, L., Charlton, J. L., u. de Mayo, P. 166, 220
Skeeters, M. J., u. Baldridge, J. R. 642
Skinner, G. B., u. Sokoloski, E. M. 629
Skossarewski, M. 642, 646
Skrarchenko, V. R., vgl. Levina, R. Ja. 630
Skrodskaya, T. S., Yudasina, A. G., u. Malinovskii, M. S. 641, 693
Sloan, A. W. 678
Slobodin, Y. M. 682
—, et al. 654, 655
Slominskij, J. L., vgl. Tolmačěv, A. I. 276
Slovokhnotova, N. A., vgl. Anisimov, K. N. 686
Sly, W. G., vgl. Shoemaker, D. P. 442, 511
Smentowski, F. J., Owens, R. M., u. Faubion, B. D. 521, 522
—, u. Stevenson, G. R. 509
Smiles, S., vgl. Evans, W. J. 254
Smiley Irelan, J. R., vgl. Bloomfield, J. J. 553
Smissmann, E. E., et al. 639, 640, 642, 645, 646
—, u. Voldeng, A. N. 146
Smit, A. 75
—, vgl. Huisman, H. O. 68, 69, 71, 184, 185
Smith, D. E., vgl. Katz, T. J. 508
Smith, D. P. S., vgl. Fray, G. I. 514
Smith, D. S., vgl. Cope, A. C. 358, 359, 426, 443, 516, 517, 519
Smith, G. E., vgl. Pauson, P. L. 405, 406, 408, 409, 411
Smith, H. G., vgl. Bu'Lock, J. D. 150, 153
Smith, J. H., vgl. Dauben, W. G. 222
Smith, L. A., vgl. Brooker, L. G. S. 281
—, vgl. Jensen, F. R. 311, 363
Smith, R. D., vgl. Simmons, H. E. 486
Smith, R. M., vgl. Roedig, A. 431, 446
Smith, S. L., vgl. Chapman, O. L. 370
Smith, S. R., u. Gordon, A. S. 630
Smith, T. A., vgl. Taylor, H. F. 214, 216
Snigusa, R., vgl. Katsui, G. 191
Snyder, E. I., vgl. Franzus, B. 352
Snyder, J. P. 542, 551, 605, 607
Sobel, A. E., u. Werbin, H. 33
Soborovskii, L. Z., vgl. Zinovev, Y. M. 686
Sobotka, H., u. Chanley, J. D. 643
Socher, H., vgl. Götze, J. 246, 256
Societé de Produits Chim. et de Synthèse 220
Socony Vacuum Oil Co. 82
Sodtke, U., vgl. Schönberg, A. 312
Sörensen, J. S., u. Sörensen, N. A. 191
Sörensen, N. A., vgl. Sörensen, J. S. 191
Sokoloski, E. M., vgl. Skinner, G. B. 629
Sokolov, D. V., Litvinenko, G. S., u. Isin, Z. I. 661, 662
Sokolov, L. B., et al. 659
—, vgl. Petrov, A. A. 660
—, vgl. Porfireva, Y. I. 660
Sokolov, N. A., vgl. Alanija, V. P. 147
Sokolskaya, A. M., Reshetnikov, S. M., u. Ryabinina, S. A. 677
Solms, U., vgl. Isler, O. 192
Solodovnik, V. D. 191, 192
Sologub, I. V., vgl. Malenok, N. M. 642, 645, 647
Soma, N., et al. 328
—, vgl. Sunagawa, G. 397
Somersalo, A., vgl. Vestin, R. 671
Sondheimer, F. 534, 535, 536, 538, 544, 545, 546, 547, 548, 560, 567, 568, 571, 576, 590, 591, 593, 599, 607, 635
—, et al. 535, 536, 537, 538, 539, 544, 556, 650, 571, 586
—, Amiel, Y., u. Gaoni, Y. 569
—, —, u. Wolovsky, R. 545, 546
Sondheimer, F., vgl. Beezer, A. E. 543
—, u. Ben-Efraim, D. A. 595
—, —, u. Gaoni, Y. 546
—, —, u. Wolovsky, R. 14, 59, 61, 62
—, vgl. Braude, E. A. 19
—, vgl. Calder, I. C. 534, 535, 567, 568, 576, 579, 581, 593
—, Calder, I. C., Elix, J. A., Gaoni, Y., Garratt, P. J., Grohmann, K., di Maio, G., Mayer, J., Sargent, M. V., u. Wolovsky, R. 607
—, vgl. Elix, J. A. 443, 450, 453, 454, 455, 459, 460, 469, 470, 483, 484
—, vgl. Gaoni, Y. 61, 534, 535, 560, 576, 579, 580, 582, 590
—, u. Gaoni, Y. 535, 558, 559, 560, 567, 568, 572, 575, 590, 596, 597
—, vgl. Garratt, P. J. 542, 604
—, vgl. Gilles, J. M. 543
—, vgl. Grohmann, K. 552, 583
—, vgl. Leznoff, C. C. 535, 539, 571, 574, 597
—, vgl. McQuilkin, R. M. 534, 535, 536, 539, 572, 573, 596, 597, 604
—, vgl. Mayer, J. H. 535, 560, 591
—, vgl. Metcalf, B. W. 534, 535, 536, 538, 539, 572, 574, 596, 597
—, vgl. Mitchell, R. H. 551, 552, 560, 583, 593
—, vgl. Okamura, W. H. 535, 538, 569, 595
—, vgl. Oth, J. F. M. 542
—, vgl. Pilling, G. 558, 589
—, vgl. Raphael, R. A. 545, 546
—, vgl. Shani, A. 577, 579, 582, 602
—, u. Shani, A. 534, 552, 553, 585
—, vgl. Stöckel, K. 546, 548, 598, 600
—, vgl. Wolovsky, R. 535, 555, 556, 569, 586
—, u. Wolovsky, R. 535, 543, 546, 547, 569, 573, 575, 596, 597
—, —, u. Amiel, Y. 534, 548, 569, 573, 575, 594, 596, 597, 602, 603
—, —, u. Ben-Efraim, D. A. 572
—, vgl. Woo, E. P. 576, 578, 579, 582, 594
Sopov, N. P., vgl. Petrov, A. A. 663, 665, 682, 684, 685
Sorensen, T. S. 16, 36, 39, 101, 110, 220
Sorgato, I., vgl. Meneghini, D. 630
Šorm, F. 340

Sorokina, L. P., vgl. Zacharkin, L. L. 144, 158
Sorokina, R. M., vgl. Klebanskiĭ, A. L. 636
Souchay, P., vgl. Prevost, C. 684
South Mandurian Railway Co. 682
Sowinski, F. A., vgl. Yale, H. L. 497
Spalteholz, W. 251, 252
Spangler, C. W. 14, 21, 37, 220
—, u. Feldt, R. D. 38
—, u. Johnson, N. 37
—, u. Woods, G. F. 49
Spark, A. A., vgl. Bonnett, R. 100, 104
Spatz, S. M., u. Steiner, R. J. 244
Speer, R. J., vgl. Nawiasky, P. 262
Spotswood, T. M., vgl. Badger, G. M. 540, 602
Sprague, R. H. 263, 264
—, vgl. Brooker, L. G. S. 257
Sprenger, H. E., u. Ziegenbein, W. 90, 295
Springall, H. D., vgl. Beezer, A. E. 543
—, White, T. R., u. Cass, R. C. 423
Sprinzak, Y., vgl. Bergmann, E. D. 642
Spurr, R., u. Schomaker, V. 624
Squibb, E. R., & Sons 497
Sribnaja, W. P., vgl. Tolmačev, A. I. 277
Srinivasan, R. 162, 166, 217, 219, 220, 365, 366
Srivastava, R. C., vgl. Shoemaker, D. P. 442, 511
Staab, H. A. 178, 179, 299, 555
—, u. Bader, R. 555, 556, 557, 558, 587, 588
—, u. Graf, F. 555, 557, 588
—, —, u. Junge, B. 555, 588
—, vgl. Kuhn, R. 150, 195
—, u. Mannschreck, A. 178, 179, 180
—, Nissen, A., u. Ipaktschi, J. 552
—, u. Rohr, W. 178, 179
—, —, u. Mannschreck, A. 178, 179
—, u. Wehinger, E. 559, 588
Stache, U., vgl. Inhoffen, H. H. 29, 202
Stachel, H. 264
Stadler, F., vgl. Halbig, P. 629
Stadler, R., Ackermann, K., u. Lehrer, E. 675
—, vgl. Auerhahn, A. 660, 675
—, u. Auerhahn, A. 626
—, vgl. Pirzer, H. 425
Stadnichuk, M. D., vgl. Belyaer, N. N. 685
—, u. Petrov, A. A. 673, 677
—, vgl. Sulimov, I. G. 681
Staley, S. W., u. Henry, T. J. 518
Standard Oil Development Co. 656
Stanienda, A. 233
Stanley, L. N. 297
Starkweather, H. W., vgl. Carter, A. S. 626
Stecher, K. H., vgl. Tochtermann, W. 313
Stechl, H. H. 165
Stehlik, G., vgl. Scherz, H. 257
Steiner, H., vgl. Lewis, K. E. 220
Steiner, R. J., vgl. Spatz, S. M. 244
Stelt, C. van der, s. Van der Stelt, C.
Stepanova, R. N., vgl. Janovskaya, L. A. 37, 48, 113, 114, 136
Stephan, E. A., vgl. Paudler, W. W. 540, 559, 589
Stephenson, O., vgl. Petrov, V. 146
Ster, R. S., vgl. Zelinskii, N. D. 626
Stern, M. H., vgl. Chechak, A. J. 83, 84
Stern, R. L., vgl. White, E. H. 447
Sternfeld, E., vgl. Kharasch, M. S. 81, 82, 224
Stevens, C. L., vgl. Cope, A. C. 474
Stevens, I. D. R., vgl. Cookson, R. C. 378
Stevenson, G. R., vgl. Smentowski, F. J. 509
Stewart, E. T., vgl. Coulson, C. A. 12, 13
—, vgl. Rapson, W. S. 467
—, vgl. Shuttleworth, R. G. 467
Steyrer, W., vgl. Schlögl, K. 46
Stieg, W. E., u. Nielsen, A. T. 178
Stiles, M., Burckhardt, U., u. Freund, G. 456
—, —, u. Haag, A. 464
—, vgl. Miller, R. G. 456
Stilz, W. 92, 93
—, u. Pommer, H. 130, 131, 132, 134, 137
—, vgl. Wittig, G. 145
Stöckel, K., et al. 598
—, u. Sondheimer, F. 546, 548, 600
—, —, Clarke, T. A., Guss, M., u. Mason, R. 598
Stoll, A., vgl. Ebnöther, A. 312
Stone, F. G. A., vgl. Bruce, M. I. 512
—, vgl. Maitlis, P. M. 429
—, vgl. Manuel, T. A. 407, 511
Stone, J. A., vgl. Karraker, O. G. 514
Stopp, G., vgl. Meerwein, H. 250
Storck, W., vgl. Manecke, G. 205
Story, W. R. 306
Stowell, J. C., vgl. Paquette, L. A. 503
Straete, L. A. van der, s. Van der Straete, L. A.
Strand, F., u. Kovarik, B. 627
Straub, H. 168
—, vgl. Müller, Eu. 168, 525
Straub, P. A., vgl. Merz, J. H. 12, 13, 25, 26, 27, 28
Strauss, F. 628, 656, 659
—, u. Kollek, L. 656
—, —, u. Hauptmann, H. 656
Strauss, H. L., Katz, T. J., u. Fraenkel, G. K. 508
Strehlke, G., vgl. Machleidt, H. 137
Streitwieser, A. 550
—, vgl. Mares, F. 511, 512
—, u. Müller-Westerhoff, U. 511, 513
—, u. Yoshida, N. 514
Strell, M. 291
Strizhevskii, I. I., et al. 629
Strohmeier, W. 405, 408, 409, 410
Strong, F. M., vgl. Deemer, L. F. 69
Studiengesellschaft Kohle mbH. 78
Stugis, W. C. 191
Sturm, E., vgl. Phillips, J. B. 576, 577, 579, 580, 581
Sturm, W., vgl. Vogel, E. 540, 566, 576, 592
Su, T. M., vgl. Barborak, J. C. 518
Sud, R. K., vgl. Kaufmann, H. P. 24
Sudakova, V. S., vgl. Makin, S. M. 53
Suga, K., et al. 204
Suggate, H. G., vgl. Kendall, J. D. 292
Sugino, K., Aiya, Y., u. Ariga, K. 627
Sugishita, M., vgl. Matsuda, T. 360
Sugiyama, H., vgl. Breslow, R. 443, 469, 470
Sugiyama, S., vgl. Maekawa, E. 250
Suhr, H., vgl. Müller, Eu. 308
Šulezko, A. A. 273
Sulimov, I. G., u. Stadnichuk, M. D. 681
Sulzbacher, M. 626, 695
—, vgl. Bergmann, E. D. 639, 642
Sumitomo Chemical Industries Co. 628
Sunagawa, G., Soma, N., u. Nakao, H. 397
Supple, J. H., vgl. Bornstein, J. 496

Surber, W., et al. 653
—, Theus, V., Colombi, L., u. Schinz, H. 674
Surmatis, J. D. 48, 51, 68
—, et al. 73, 122, 176, 181
—, Gibas, J., u. Thommen, R. 50, 68, 122, 182
—, u. Ofner, A. 70
—, —, Gibas, J., u. Thommen, R. 104
—, u. Thommen, R. 51, 70, 176, 177
—, u. Walser, A. 121
Susgenow, D. M., vgl. Thompson, A. F. 689
Sustek, J., vgl. Vitovek, J. 626
Sutherland, I. O., vgl. Ollis, W. D. 312
—, u. Ramsay, M. V. J. 312
Suzuki, Y., vgl. Maekawa, E. 250
Svešnikov, N. N., vgl. Chejfec, S. A. 277
—, vgl. Levkoev, I. I. 299
Swarc, M. 33
—, vgl. Errede, L. A. 33
Swarthout, J., Lockwood, B., u. Schweiger, B. 193
Swern, D. 202, 211
Swift, E. W., u. Halper, W. H. 351
Swift & Co. 193
Swindell, R., vgl. Borden, G. W. 367
Synnatschke, G., vgl. Sarnecki, W. 180
Szabo, D., u. Szaboles, J. 159
Szaboles, J., vgl. Cholnoky, L. 215
—, vgl. Szabo, D. 159

Tabenkin, B., vgl. Farrow, W. M. 193
Tabibian, R. M., vgl. Fischer, E. E. 628
Takada, S., vgl. Masamune, S. 521
Takadi, T., u. Craig, B. M. 199
Takahashi, K. 321
—, vgl. Nozoe, T. 396
Takahasi, H., Kimata, T., u. Yamaguchi, M. 64
Takeda, S., vgl. Petruzella, N. 233
Takeda Chemical Industries Ltd. 641, 649
Talcott, C., vgl. Katz, T. J. 521
Tamano, T., vgl. Miwa, T. 457
Tămas, V., vgl. Bodea, C. 35, 173, 211
—, u. Bodea, C. 173, 190
Tamelen, E. E. van, s. Van Tamelen, E. E.
Tamir, J., vgl. Binsch, G. 13
Tanaka, S., vgl. Tanaka, T. 626
Tanaka, T., u. Tanaka, S. 626
Tani, H., vgl. Toda, F. 82
—, u. Toda, F. 82
Tani, T., vgl. Kikuchi, S. 233
Tanida, H., Tsuji, T., u. Irie, T. 356
Tarakhanyan, A. S., u. Agayan, E. M. 679
—, vgl. Karapetyan, N. G. 679
Tarrant, P., Savary, J., u. Iglehart, E. S. 630
Tate, C. P., Angl, J. M., u. Kripple, W. 407
Taub, D., vgl. Hoffsommer, R. D. 334
Taylor, E. C., vgl. Raphael, R. A. 545
—, u. Wynberg, H. 550
Taylor, H. F., u. Smith, T. A. 214, 216
Taylor, W. I., vgl. Bartels-Keith, J. R. 341
Tedeschi, R. J., et al. 673
Teisseire, P. J., vgl. Corbier, P. B. 57
Temkin, O. N., et al. 626, 627
Temnikova, T. I., u. Baskova, Z. A. 635, 637, 678
Tempel, P. J., van den, s. Van den Tempel, P. J.
Tenhaeff, H., vgl. Wittig, G. 463
Terashima, T., Kuroda, Y., u. Kaneko, Y. 191
Ter Borg, A. P., et al. 402
—, u. Bickel, A. F. 400, 401
—, u. Kloosterziel, H. 314, 315, 317, 363, 366, 367
—, —, u. van Meurs, N. 314, 315, 325, 363
—, —, u. Westphal, Y. L. 322
—, Razenberg, E., u. Kloosterziel, H. 317, 363, 367, 368, 369, 375
—, van Helden, R., u. Bickel, A. F. 327, 328, 395
Ter-Sarkisjan, G. S., vgl. Michaílov, B. M. 52 53, 155
—, Nikolaeva, N. A., u. Michaílov, B. M. 56
Tetenyi, P., vgl. Paal, Z. 220
Teufffert, W., vgl. Braun, J. von 654, 655
Tezuka, T., vgl. Borden, G. W. 367
Theilacker, W., u. Wessel, H. 173, 176
Theimer, E. T. 200
Theis, R. J., u. Dessy, R. E. 222
Theus, V., vgl. Surber, W. 674
Thiele, J. 158
Thirunamachandran, T., vgl. Power, E. A. 534
Thoi, le van, s. Le-van-Thoi
Thomas, J. L., vgl. Hayes, R. G. 511, 512
Thommen, R., vgl. Surmatis, J. D. 50, 51, 68, 70, 104, 122, 176, 177, 182
Thompson, A. F. 642, 643, 645, 647, 649, 650
—, et al. 646, 648
—, Burr, J. G., u. Shaw, E. N. 642, 650
—, Milasu, N. A., u. Rorno, I. 642
—, u. Shaw, E. N. 642, 676
—, u. Susgenow, D. M. 689
Thompson, H. T., vgl. Kohler, E. P. 377, 379
Thompson, T. R. 250, 251, 263, 279, 280, 289
—, u. Hensley, L. C. 250
Thomson, A. J. 31
Thorn, S. D., Hennion, G. F., u. Nieuwland, J. A. 663, 664
Thorpe, J. F., vgl. Farmer, E. H. 46
Threlfall, T. T., vgl. Darms, R. 346, 349
Throndsen, H. P., Wheatley, P. J., u. Zeiss, H. 430
Thrush, B. A., u. Zwolenik, J. J. 414
Tichy, V. 626
Tiers, G. V. D., vgl. Shechter, H. 480
Tiews, J., vgl. Brüggemann, J. 16, 32
Tiffany, B. D., vgl. Cope, A. C. 436, 479, 480, 489
Tiinay, A. H., el, s. El-Tiinay, A. H.
Tikhonov, G. F., et al. 626
Tilak, B. D., u. Jain, S. K. 266
Tirpak, M. R., Hollingsworth, C. A., u. Wotiz, J. H. 671
Tischler, M., Chemerda, J. M., u. Kollonitsch, J. 320
Tishchenko, I. G., u. Gurevich, M. G. 658
Tišler, M., vgl. Johnson, A. W. 395
—, vgl. Kohler, E. P. 377, 379
—, vgl. Wendler, N. L. 161
Tissier, R., vgl. Ninet, L. 193
Tobler, E., vgl. Karrer, P. 42, 140
Tochtermann, W. 311, 313, 416, 469, 470
—, u. Horstmann, H. O. 313
—, u. Küppers, H. 312
—, Schnabel, B., u. Mannschreck, A. 312, 320, 415
—, u. Stecher, K. H. 313
—, vgl. Wittig, G. 415
Toda, F., vgl. Tani, H. 82
—, u. Tani, H. 82
Toda, T., Nitta, M., u. Mukai, T. 315, 374, 376
Toepel, T., vgl. Reppe, W. 471, 474, 475, 476, 489, 508, 511, 514, 516, 517, 519

Tolmačev, A. I., Slominskij, J. L., u. Kiprianov, A. I. 276
—, Sribnaya, W. P., u. Ušenko, I. K. 277
Tom-Dieck, H., vgl. Bock, H. 408
Torgov, I. V., vgl. Nazarov, I. N. 674
Toseland, P. A., vgl. Crawford, R. V. 207
Tosunyan, A. O., vgl. Vartanyan, S. A. 659, 674
Toussaint, W. J., vgl. Perkins, G. A. 626
Toyo Rayon Co., Ltd. 677
Traetteberg, M. 423
Traube, A., vgl. Miethe, A. 251
Traynard, J. C. 682
Treibs, A. 680, 695
—, vgl. Halbig, P. 680
—, u. Jacob, K. 295
Trenke, Yu. V., vgl. Dolgopolskii, I. M. 682
Trippett, S. 88, 89, 91, 92, 94
—, u. Walker, D. M. 98, 105
Troshchenko, A. T., vgl. Christokletov, V. N. 694
—, vgl. Nikoloskaya, G. S. 692
—, u. Petrov, A. A. 694
Trumbull, E. R., vgl. Cope, A. C. 436, 439, 471, 474, 475, 479, 483, 514, 519
Truscheit, E., et al. 55
—, vgl. Eiter, K. 36, 37, 41, 42, 43, 55, 56, 57, 67, 68, 69, 140, 149, 150, 151, 152, 153, 154, 165, 184
—, u. Eiter, K. 55, 635, 637
—, —, et al. 178
—, vgl. Kabbe, H. J. 42, 43, 55, 56, 140, 153, 178
Tsuchiya, T., vgl. Igeta, H. 633
Tsuji, T., vgl. Tanida, H. 356
Tsukamoto, T., vgl. Kita, G. 626
Tsukerman, N. Y., vgl. Klebanskii, A. L. 676
Tsunashima, S., u. Sato, S. 629, 630
Tsuruta, H., Kurabayashi, K., u. Mukai, T. 389, 404, 500
Tsutsui, M., vgl. Ichikawa, M. 190
—, vgl. Nakamura, A. 190
Tsutsumi, S., vgl. Hashimoto, J. 80
Tukamoto, T., vgl. Hurukawa, Z. 676
Tulinsky, A., vgl. Davis, R. F. 311
—, u. Davis, R. F. 311
Turbanova, E. S., vgl. Porfireva, Y. I. 660
—, Porfireva, Y. J., u. Petrov, A. A. 660
Turner, R. B., et al. 423
Turo, N. J., vgl. Hammond, G. S. 306
Tushaus, L. A., vgl. Allinger, N. L. 434, 477
Tuzson, P., vgl. Zechmeister, L. 199
Tzyurikh, L. G., vgl. Klebanskiĭ, A. L. 626

Ukhin, L. Y., et al. 630
Undzhoyan, S. L., vgl. Mkryan, G. M. 651
United Gas Improvement 677
Untch, K. G. 556
—, vgl. Nelson, P. H. 550
—, vgl. Pople, J. A. 532, 536
—, u. Wysocki, D. C. 535, 536, 538, 556, 586
Upjohn 193
US Dept. of Agriculture 193
Ušenko, I. K., vgl. Tolmačev, A. I. 277
Ution, vgl. Lespieau, R. 671

Valange, P., vgl. Viehe, H. G. 630
Valentine, J. H., vgl. Pauson, P. L. 405, 406, 408, 409, 411
van Aardt, J. H. P. 341
van Boom, J. H., et al. 663, 665, 666, 669
—, Brandsma, L., u. Arens, J. F. 644, 652
Van Catledge, F. A., u. Allinger, N. A. 534
Van den Tempel, P. J., u. Huisman, H. O. 133
van der Auwera, A. L. 295
Van der Burg, W. J., Bonta, I. L., Delobelle, J., Ramon, C., u. Vargaftig, B. 466, 497
Van der Cook, C. E., vgl. Yokoyama, H. 143, 144, 159
van der Merwe, J. P., vgl. Garbers, C. F. 72, 119
van der Stelt, C., Hofman, P. S., u. Nauto, W. T. 321
van der Straete, L. A., u. Schouwenaars, M. A. 258
van de Vloed, H. 335, 337
Van Dongen, J. P. C. M., et al. 59, 60, 61
van Dormael, A. 242, 266, 284, 299
—, vgl. Depoorter, H. 266
—, u. Ghys, T. H. 263
Van Dorp, W. A. 252
—, vgl. Arens, J. F. 70, 149, 150
—, u. Arens, J. F. 70
van Helden, R., vgl. Ter Borg, A. P. 327, 328, 395
Van Hook, J. O., vgl. Croxall, W. J. 636, 672
—, vgl. Mc Keever, C. H. 641, 642, 645, 691
van Lare, E. J. 234
—, vgl. Brooker, L. G. S. 234, 254
—, u. Brooker, L. G. S. 289
Van Leeuwen, P. H., vgl. Huisman, H. O. 69
van Meurs, N., vgl. Ter Borg, A. P. 314, 315, 325, 363
van Mierlo, G. G., vgl. Depoorter, H. 260, 266
van Niekerk, J. N., vgl. Rapson, W. S. 467
Van Orden, H. O., vgl. Cope, A. C. 439, 440, 482
van Oven, H. O., u. de Liefde Meijer, H. J. 511
Van Rij, J. H., vgl. Huisman, H. O. 69
van Romburgh, P., u. Dorssen, W. v. 54
van Tamelen, E. E., vgl. Burkoth, T. L. 551, 607
—, u. Burkoth, T. L. 551, 600
—, —, u. Greeley, R. H. 551, 600
Van Voorst, J. D. W., vgl. Gerson, F. 542, 605
Vardapetyan, S. K., vgl. Vartanyan, S. A. 664, 666, 667, 668, 677
Vargaftig, B., vgl. van der Burg, W. J. 466, 497
Vartanyan, S. A. 696
—, et al. 60, 626, 673, 688, 695
—, u. Badanyan, S. O. 677, 678, 679, 683
—, —, u. Karapetyan, Z. T. 664
—, u. Chukhadzhyan, G. A. 673, 674, 678
—, u. Dangyan, F. V. 659
—, vgl. Matsoyan, S. G. 678, 679
—, Mesropyan, L. G., u. Tosunyan, A. O. 659
—, vgl. Nazarov, I. V. 674, 678, 679
—, u. Pirenyan, S. K. 626
—, —, u. Musakhanyan, G. A. 626
—, u. Shagbatyan, S. L. 641 648, 673, 674
—, Sharmagortsyan, V. N., u. Badanjan, S. O. 663, 664
—, Vardapetyan, S. K., u. Badanyan, S. O. 664, 666, 667, 668, 677
—, u. Zhamagortsyan, V. N. 673
—, —, u. Bandanyan, S. O. 673
—, —, u. Tosunyan, O. A. 674
Vasilev, G. S., vgl. Prizlihaeva, E. N. 681
Vasileva, A. N., vgl. Lebedev, S. V. 676
—, vgl. Lederer, S. V. 675

Vasilyeva, E. D., vgl. Kotlyarevskiĭ, I. L. 641, 645
—, Kotlyarevskiĭ, I. L., u. Faierschtein, Y. M. 641, 646
Vaughn, T. H. 671
—, u. Nieuwland, J. A. 683
Vdovin, V. H., vgl. Petrov, A. D. 673
Vecchi, M., et al. 30, 32, 178
Vedejs, E. 502
—, u. Shepherd, R. A. 506
Velarde, E., vgl. Knox, L. H. 309
Vellturo, A. F., vgl. Griffin, G. W. 169
Venkataraman, K. 299
Venter, K. K., et al. 98
Venus-Danilova, E. D., u. Serkova, V. I. 661, 662
Venuto, G. de s. De Venuto, G.
Verbanc, J. J., vgl. Norris, R. O. 680
Verkholetova, G. P. vgl. Nazarov, I. N. 674, 684
Vestin, R. 626
—, u. Somersalo, A. 671
Viehe, H. G. 696
—, Franchimont, E., u. Valange, P. 630
—, vgl. Fuks, R. 498
Viguier, P. L. 644, 652
Vilchinskaya, A. R., vgl. Arbuzov, B. A. 206
—, u. Arbuzov, B. A. 206
Vildavskaya, A. I., vgl. Petrov, A. A. 670, 685
—, u. Rall, K. B. 670
Vincent, J. S., vgl. David, L. 220
Vincow, G., Dauben, H. J., et al. 414
—, vgl. Volland, W. V. 363, 414
Viola, A., vgl. Woods, G. F. 37, 219, 220
Visser, F. R., vgl. Baas, J. L. 15
Vitale, W., vgl. Breslow, R. 443, 452, 469, 470
Vitovec, J., u. Sadek, M. 671
—, Zizka, J., u. Sustek, J. 626
Vloed, H. van der, s. van der Vloed, H.
Vogel, A., vgl. Vogel, E. 540, 565, 566, 576, 592
Vogel, E. 484, 486, 519, 540, 544, 549, 552, 576, 578, 579, 580, 584, 593, 607
—, et al. 308, 309, 416, 504, 534, 540, 544, 552, 567, 584, 585, 593
—, Biskup, M., Vogel, A., u. Günther, H. 576
—, —, —, Haberland, U., u. Eimer, J. 565
—, u. Böll, W. A. 544, 552, 576, 578, 579, 584, 585
—, —, u. Biskup, M. 553, 576, 577, 584, 585, 601, 602
Vogel, E., vgl. Bremser, W. 543
—, Feldmann, R., u. Duwel, H. 554
—, vgl. Fischer, E. O. 582
—, Frass, W., u. Wolpers, J. 461
—, vgl. Gerson, F. 541, 542, 605
—, vgl. Grimme, W. 504, 554
—, Grimme, W., u. Dinné, E. 220, 487
—, —, u. Korte, S. 553, 584, 603
—, Haberland, U., u. Günther, H. 540, 565, 592, 602
—, —, u. Ick, J. 540, 566, 576, 580, 593
—, u. Hasse, K. 519
—, u. Kiefer, H. 486
—, —, u. Roth, W. R. 514
—, Korte, S., Grimme W., u. Günther, H. 384
—, —, u. Eimer, J. 553
—, Pretzer, W. P. u. Böll, W. A. 540, 544, 585
—, Roos, O., u. Disch, K. H. 471, 473
—, u. Roth. H. D. 534, 544, 552, 584
—, Schröck, W., u. Böll, W. A. 544
—, Sturm, W., u. Cremer, H. D. 540, 566, 592
—, Vogel, A., Kübbeler, H. K., u. Sturm, W. 540, 566, 576, 592
—, Wendisch, D., u. Roth, W. R. 308, 353
—, Wiedemann, W., Kiefer, H., u. Harrison, W. F. 484
Vogel, H., u. Knobloch, H. 192
Vogt, R. C., vgl. Nieuwland, J. A. 80
Vogt, R. R., vgl. Anzilotti, W. F. 657, 658
—, vgl. Baum, A. H. 683
Vohwinkel, F., vgl. Ichikawa, M. 190
Voithenleitner, F., vgl. Jutz, C. 318, 319, 327, 396
Voldeng, A. N., vgl. Smissman, E. E. 146
Volkova, E. V., vgl. Yakubovich, A. Ya. 691
Volland, W. V., u. Vincow, G. 363, 414
Vollhardt, K. P. C., vgl. Garratt, P. J. 451, 553, 586
Volpin, M. E., u. Akhrem, I. S. 403
—, Akhrem, I. S., u. Kursanov, D. N. 328, 329, 330, 337
—, vgl. Kursanov, D. N. 337, 395
—, vgl. Parnes, Z. D. 325
Vompe, A. F., vgl. Levkoev, I. I. 299
Von Bonin, W. s. Bonin, W. von
Von Cholnoky, L., s. Cholnoky, L. von
Von E. Doering, W., s. Doering, W. von E.
Von Hasselt, J. F. B. s. Von Hasselt, J. F. B.
Von Kutepow, N., s. Kutepow, N. von
Von Leevwen, P. H., s. Leevwen, P. H. von
Von Philipsborn, W., s. Philipsborn, W. von
Von Planta, C., s. Planta, C. von
Von Rosenberg, J. L., s. Rosenberg, J. L. von
Von R. Schleyer, P., s. Schleyer, P. von R.
Von Ziegler, H. H., s. Ziegler, H. H. von
Voorst, J. D. W. van, s. Van Voorst, J. D. W.
Vo-Quang, L., u. Cadiot, P. 641, 645, 648, 649, 666, 692
—, —, u. Willemart, A. 692
—, vgl. Noel, M. 694
Vo-Quang-Yen, vgl. Noel, M. 694
Vorober, L. N., u. Petrov, A. A. 684
Vovsi, B. A., u. Petrov. A. A., et al. 686
Vrabely, V., vgl. Zechmeister, L. 194, 199
Vromen, S., vgl. Huisman, H. O. 68, 71

Wacker, Ges. f. Elektrochem. Ind. 629
Wadsworth, D. H., Schuppe, O. E., Seus, E. J., u. Ford, J. A. 130
Wadsworth, W. S., u. Emmons, W. D. 127
Wagner, H., vgl. Bestmann, H. J. 95, 127
Wagner, H. U., vgl. Gompper, R. 33
Wagner-Jauregg, T., vgl. Kuhn, R. 207, 208
Wagniere, G., vgl. Blattmann, H. R. 534
—, vgl. Gouterman, M. 534
Wailes, P. C. 634, 637
—, vgl. Meisters, A. 183
Wald, G. 161
Walker, B. J., vgl. Crombie, L. 632
Walker, D. M., vgl. Trippett, S. 98, 105
Wallenfels, K., vgl. Kuhn, R. 39, 46, 47, 145, 195
Wallis, P. S. 631, 632
Wallis, S. R., vgl. Duck, E. W. 64

Walser, A., vgl. Surmatis, J. D. 121
Walsh, R., vgl. Frey, H. M. 219
Waltcher, I., vgl. Newman, N. S. 674
Walter, R., u. Dürr, H. 246, 247
Walton, P, R., vgl. Leisten, J. A. 16
Ward, H. R., vgl. Moore, W. R. 306
Warner, P., Harris, D. L., Bradley, C. H., u. Winstein, S. 509
Warren, C. K., vgl. Barber, M. S. 214
—, u. Weedon, B. C. L. 144, 159, 183
Warrener, R. N., vgl. Elix, J. A. 449
—, vgl. McCay, I. W. 514
Waser, E., vgl. Willstätter, R. 424
Wassermann, A. 16
Waters, W. A., vgl. Hutton, J. 378
Watt, R., vgl. Bennett, M. A. 414
Watts, J. S., u. Pettit, R. 394
Watts, L., vgl. Emerson, G. F. 519
Waugh, J. S. 531
Way, J. E., vgl. Pattendon, G. 123
Webb, R. L. 198
Webster, E. T., vgl. Heilbron, I. M. 216
Webster, F. G., vgl. Brooker, L. G. S. 273
Webster, O. W., vgl. Hoover, F. W. 691
Wechmann, O., vgl. Baltes, J. 65
Weedon, B. C. L. 25, 28, 29, 30, 31, 95, 107, 192, 225
—, vgl. Ahmad, R. 39, 144, 181
—, vgl. Akhtar, M. 144, 628, 634, 637, 670, 690
—, vgl. Barber, M. S. 31, 98, 100, 121, 214
—, vgl. Bharucha, K. R. 144, 182, 183
—, vgl. Black, H. K. 630
—, vgl. Bonnett, R. 100, 104
—, vgl. Bruum, T. 42
—, vgl. Cheeseman, G. W. H. 71
—, vgl. Cholnoky, L. 215
—, vgl. Cooper, R. D. G. 100
—, vgl. Davis, J. B. 100, 177
—, vgl. Garwood, R. F. 628
—, vgl. Heilbron, J. M. 70
—, vgl. Holyer, N. F. 213
—, vgl. Holzel, R. 176
—, vgl. Jones, E. R. H. 674
—, vgl. Leftwick, A. P. 101, 176, 177
Weedon, B. C. L., vgl. Manchand, P. S. 101, 104, 133
—, vgl. Pattendon, G. 109, 123
—, vgl. Schneider, D. F. 101
—, vgl. Warren, C. K. 144, 159, 183
—, u. Woods, R. J. 16
Wegener, P. 506, 516
Weghorst, F., vgl. Baltes, J. 65
Wehinger, E., vgl. Staab, H. A. 559, 588
Wehrli, H., vgl. Karrer, P. 213, 214
Wei, K., Mani, J. C., u. Pitts, J. N. 170
Weidinger, H., vgl. Buchta, E. 34
Weigmann, H. D., vgl. Wittig, G. 124
Weise, A., vgl. Martin, D. 433
Weisler, L. 186
—, u. Baxter, J. G. 178
Weiss, E., vgl. Murdoch, H. D. 190
Weiss, K. 399, 415
—, vgl. Cinnamon, J. M. 378
—, u. Lalande, S. M. 324
—, vgl. Orlando, C. M. 415
Weissel, O., Raue, R., u. Psaar, H. 286
Weizmann, C. 641, 642, 643, 645
Welch, L. M., vgl. Herndon, J. W. 675
Wendel, K., vgl. Breslow, R. 443, 452
Wendisch, D., vgl. Vogel, E. 308, 353
Wendler, N. L., vgl. Hoffsommer, R. D. 334
—, Rosenblum, C., u. Tishler, M. 161
Wendt, G. 471
Wengenmayr, H., vgl. Scheibe, G. 233
Wenzel, R., vgl. Günther, H. 313
Werbin, H., vgl. Sobel, A. E. 33
Werner, B., vgl. Schroth, W. 498
Werner, H., vgl. Fischer, E. O. 512
Wernitz, J. H. 684
Wessel, H., vgl. Theilacker, W. 173, 176
Wessendorf, R., vgl. Machleidt, H. 133, 137
West, R., u. Kusuda, K. 350
—, vgl. Roedig, A. 431, 446
Westphal, Y. L., vgl. Ter Borg, A. P. 322
Weth, E., u. Dreiding, A. S. 314, 315
Wettstein, A., vgl. Karrer, P. 213
Weyerstahl, P., et al. 169
—, vgl. Finger, C. 169
—, vgl. Klamann, D. 89
Wheatley, P. J., vgl. Throndsen, H. P. 430
Wheeler, D. H., vgl. Pasetzke, R. F. 223
Wheland, G. W. 533
Whitaker, K. E., vgl. Barton, J. W. 458, 467, 494
White, E. H., u. Dunathan, H. C. 429, 445
—, Friend, E. W., Stern, R. L., u. Maskill, H. 447
White, F. K. 239, 258
White, F. L., vgl. Brooker, L. G. S. 257, 263
—, u. Keyes, G. H. 239
White, J. E., vgl. Cotton, F. A. 408
White, M. J., vgl. Yokoyama, H. 143, 144, 159, 182
White, T. R., vgl. Springall, H. D. 423
Whitesides, G. M., vgl. Gwynn, D. E. 424, 433, 439
Whiting, M. C., vgl. Allan, J. L. H. 653, 671, 674
—, vgl. Eglington, G. 653
—, vgl. Jones, E. R. H. 59, 62, 150, 634, 635, 656, 691
—, vgl. Malhotra, S. S. 28, 69, 77, 141, 188
—, vgl. Marshall, D. 140
—, vgl. Nayler, P. 14, 45
—, vgl. Shaw, B. L. 59
Whitlock, H. W., u. Chuah, Y. N. 190
Wichterle, O. W., u. Prochazka, J. 680
Wicker, U., vgl. Alder, K. 64, 164, 165, 205, 206
Wicklatz, J. E., u. Franzus, B. 80
Widmer, R., vgl. Karrer, P. 196, 198
Wiedemann, W., vgl. Vogel, E. 484
Wies, G. de s. De Wies, G.
Wiese, F. F., vgl. Korte, F. 320, 329, 330, 391
Wiesel, M., vgl. Masamune, S. 503
Wietbrock, R., vgl. Wittig, G. 14, 199
Wiley, D. H., vgl. Doering, W. v. E. 398
Wiley, R. H., et al. 31
Wilke, G. 555
—, et al. 433, 511
—, vgl. Breil, H. 511
Wilkinson, G., vgl. Abel, E. W. 326, 405, 408, 409, 410
—, vgl. Bennett, M. A. 407, 511
—, vgl. Burton, R. 412
—, vgl. Singer, H. 628

Willcott, M. R., vgl. Berson, J. A. 307, 316, 363
—, u. Boriack, C. J. 352
—, u. Goerland, E. 350, 376
Wille, B., vgl. Pinckard, J. H. 676
Willemart, A., vgl. Vo-Quang, L. 692
Williams, I., vgl. Carothers, W. H. 682
Williams, N. E., vgl. Hunter, R. F. 161
Willstaedt, H. 193
Willstätter, R. 331
—, u. Heidelberger, M. 424
—, u. Waser, E. 424
—, u. Wirth, T. 624, 654, 555, 671
Wilmanns, G., vgl. Bauer, F. 260, 287
—, u. Riester, O. 261
Wilson, J. D., vgl. Dauben, H. J. 532, 541, 543
Wilson, W. S., vgl. Elix, J. A. 449
Winberg, H. E. 355
Windgassen, R., Saunders, W. H., u. Boekelheide, V. 554, 586
Wingard, R. E., vgl. Paquette, L. A. 442, 454, 457, 469, 501
Winkelmann, K., vgl. Inhoffen, H. H. 81, 215
Winkhaus, G., u. Singer, H. 412
Winkler, B., vgl. Chapman, O. L . 515
Winslow, E. V. 643, 645, 679
Winstein, S., vgl. Anet, F. A. L. 511, 512
—, vgl. Aumann, R. 509
—, vgl. Brookhart, M. 510
—, Kaesz, H. D., Kreiter, C. G., u. Friedrich, E. C. 5î2
—, vgl. Moshuk, G. 522
—, vgl. Ogliaruso, M. 521, 522
—, vgl. Rieke, R. 521, 522
—, vgl. Warner, P. 509
—, vgl. Zirner, J. 515
Winter, C., et al. 241
Wintersberger, K., u. Zirger, G. 425
Winterstein, A. 33, 160, 161, 192, 193, 225
—, vgl. Kuhn, R. 14, 46, 47, 147, 158, 194, 196, 199, 216
Wippel, H. G., vgl. Horner, L. 127
Wirth, T., vgl. Willstätter, R. 624, 654, 655, 671
Wirtz, P., vgl. Alder, K. 383
—, u. Pechtold, N. 630
Withey, D. S. 440
Wittenberg, D. 79
—, vgl. Müller, H. 77
Wittig, G. 89, 185
—, Eggers, H., u. Duffner, P. 92, 361, 457, 494
—, u. Geissler, G. 89
—, u. Haag, W. 89
—, Hahn, E., u. Tochtermann, W. 415
—, u. Hornberger, P. 142, 185
—, u. Klar, G. 467
—, u. Klein, A. 14, 147, 199
—, Koenig, G., u. Clauss, K. 555, 588
—, vgl. Pommer, H. 92, 93, 101
—, u. Pommer, H. 92
—, —, u. Stilz, W. 145
—, u. Schöllkopf, U. 89, 631
—, —, u. Pommer, H. 188
—, u. Schwarzenbach, K. 486
—, Tenhaeff, H., Schoch, W., u. Koenig, G. 463
—, Weigmann, H. D., u. Schlosser, M. 124
—, u. Wietbrock, R. 14, 199
Wizinger, R. 266, 298
—, u. Fabrycy, A. 266
Wolf, A. P. vgl. Juppe, G. 398
Wolf, H. 299
Wolf, J. A., vgl. Mikolajczak, K. L. 52, 222
Wolf, V., vgl. Schlubach, H. H. 628
Wolff, P. 241
—, u. Sieglitz, A. 259
Wolfram, A., u. Jahn, H. 680
—, Kokusch, H., u. Perlick, A. 627
Wolk, I. L. 689
Wolkenstein, A. S., Klebanskii, A. L. 683
Wolovsky, R. 535, 538, 548, 569, 594, 595
—, vgl. Beezer, A. E. 543
—, vgl. Calder, I. C. 580
—, vgl. Sondheimer, F. 14, 59, 61, 62, 534, 535, 543, 545, 546, 547, 548, 569, 572, 573, 575, 579, 580, 581, 594, 596, 597, 602, 603, 607
—, u. Sondheimer, F. 535, 555, 556, 586
—, Woo, E. P., u. Sondheimer, F. 569
Wolpers, J., vgl. Vogel E. 461
Woltemate, M. L., u. Daubert, B. F. 199
Woo, E. P., vgl. Gilles, J. M. 543
—, vgl. Oth, J. F. M. 542
—, u. Sondheimer, F. 576, 578, 579, 582, 594
—, vgl. Wolovsky, R. 569
Wood, D. C., vgl. Green, M. 513
Wood, H. W., vgl. Kendall, J. D. 269
Woods, G. F. 37
—, Bolgiano, N. C., u. Duggan, D. E. 37, 38, 186, 205, 222
—, vgl. Fleischacker, H. 37, 206, 219
—, u. Schwartzman, L. H. 14, 37, 38, 194, 199, 204
—, vgl. Spangler, C. W. 49
—, u. Viola, A. 37, 219, 220
Woods, M. C., vgl. Ito, S. 386, 387
Woods, R. J., vgl. Bruum, T. 42
—, vgl. Weedon, B. C. L. 16
Woods, W. G. 351, 352
Woodward, R. B., vgl. Hoffmann R. 387
—, u. Hoffmann, R. 162, 219, 306, 314, 317, 355, 364, 387, 391, 471, 476
—, vgl. Houk, K. N. 387
Wotiz, J. H., vgl. Tirpak, M. R. 671
Wragg, R. T. 450
Wratten, R. J., vgl. Atherton, N. M. 542, 605, 606
Wright, J. B., u. Gutsell, E. S. 397
Würsch, J., u. Schwieter, U. 17
Wynberg, H. 607
—, vgl. Raphael, R. A. 545
—, vgl. Taylor, E. C. 550
Wysocki, D. C., vgl. Untch, K. G. 535, 536, 538, 556, 586

Y vgl. a. J
Yagupolskij s. Jagupolskij
Yakovleva, T. V., vgl. Maretina, I. A. 687
—, vgl. Petrov, A. A. 625, 685
Yakubavich, A. Y., u. Volkova, E. V. 691
Yale, H. L., u. Sowinski, F. A. 497
Yamaguchi, H. 264
Yamaguchi, M. 213
—, vgl. Takahasi, H. 64
Yamamoto, R., vgl. Fujita, I. 350
Yandle, J. R., vgl. Cooke, M. 512
Yankelevich, S., vgl. Fuchs, B. 169
Yanovskaya s. Janovskaya
Yao, S. K. 298
Yates, P., Lewars, E. G., u. McCabe, P. H. 497
Yip, R. W., vgl. de Mayo, P. 430, 445
Yokoyama, G., vgl. Buchecker, R. 31
—, u. White, M. J. 159, 182
—, —, u. Vandercook, C. E. 143, 144, 159
Yoshida, M., vgl. Katz, T. J. 495
Yoshida, N., vgl. Streitwieser, A. 514

Yoshinaga, H. 683, 692
Yoshinaga, M., vgl. Mitsukuri, S. 676
Yoshioka, I., Hikino, H., u. Saski, Y. 653, 690
Youngdale, G. A., vgl. Allinger, N. L. 498
Yudasina, A. G., vgl. Skrodskaya, T. S. 641, 693

Zabkiewicz, J. A., vgl. Eglinton, G. 473
Zacharkin, L. L., u. Sorokina, L. P. 144, 158
Zahradnik, R. 25
Zaitseva, I. V., Auvinen, E. M., u. Favorskaja, I. A. 641, 649, 678, 680
Zajic, J. E., vgl. Corman, J. 193
Zakharova, A. I. 635, 638, 642, 643, 646, 684
—, u. Bezel-Sycheva, V. A. 690
—, u. Murashova, G. M. 635, 638, 642
—, u. Sergeeva, Z. I. 635, 638
Zalkin, A., u. Raymond, K. N. 513
Zanger, M., et al. 188
Zaretskaya, I. I., vgl. Nazarov, I. N. 673
Zavgorodnii, V. S., vgl. Maltseva, E. N. 686
—, vgl. Petrov, A. A. 674
Zavgorodnii, V. S., u. Petrov, A. A. 672, 674, 683
Zazacek, J. G., vgl. Sheng, M. N. 211
Zechmeister, L. 16, 17, 18, 19, 21, 23, 24, 25, 28, 29, 30, 34, 172, 173, 176, 177, 190, 193, 225
—, et al. 13, 17, 162
—, vgl. Bush, W. V. 177, 190
—, u. Cholnoky, L. von 159
—, —, u. Vrábely, V. 194
—, u. Koe, B. K. 34
—, vgl. Pinckard, J. H. 676
—, vgl. Pogár, A. 172
—, u. Tuzson, P. 199
—, u. Vrabély, V. 199
Zeeh, B., vgl. Müller, Eu. 336, 338, 389, 416
Zeh, W., vgl. Dieterle, W. 268, 272
Zeiler, A. G., vgl. Paudler, W. W. 466, 498
Zeiss, H., vgl. Throndsen, H. P. 430
Zeiss Ikon 257
Zelikoff, M., u. Aschenbrand, M. 629
Zelinskii, N. D., Koslow, N. S., u. Ster, R. S. 626
Zeller, P., et al. 44, 70, 74, 140
—, vgl. Isler, O. 45, 48
Zemlicka, J., vgl. Arnold, Z. 293
—, u. Arnold, Z. 236
Zenda, H., vgl. Masamune, S. 503
Zergeeva, Z. I., vgl. Zakharova, A. I. 635, 638
Zhamagortsyan, V. N., vgl. Vartanyan, S. A. 673, 674
Ziegenbein, W. 138, 219, 222, 471
—, u. Peitscher, G. 204
—, vgl. Sprenger, H. E. 90, 295
Ziegler, H. H. von, Eugster, C. H., u. Karrer, P. 19
Ziegler, K. 150, 186, 437
Zimkin, E., vgl. Bergmann, E. D. 691
Zimmerman, H. E., u. Bender, C. O. 460
—, u. Iwamura, H. 515
Zinchenko, T. N., vgl. Lopatinski, V. P. 677
Zincke, T. 235, 271
Zinovev, Y. M., Muler, L. I., u. Soborovskii, L. Z. 686
Zirger, G., vgl. Wintersberger, K. 425
Zirner, J., u. Winstein, S. 515
Zizka, J., vgl. Vitovek, J. 626
Zjurich, L. G., s. Jyurich, L. G.
Zobel, F. 630
Zollinger, H., vgl. Rys, P. 299
Zubarov, I. Y. 654, 655
Zubritskii, L. M., u. Balyan, K. V. 687
Zuech, E. A. 64
—, Crain, D. L., u. Kleinschmidt, R. F. 64, 220
—, vgl. Kenton, J. R. 64
Zwicky, H. 299
Zwolenik, J. J., vgl. Thrush, B. A. 414

Sachregister

Die Namen der hergestellten Verbindungen entsprechen weitgehend dem Beilsteinprinzip. Trivialnamen oder Handelsbezeichnungen werden nur in Ausnahmefällen, Kurzbezeichnungen dagegen allgemein gebracht.

Sammelnamen der Verbindungsklassen s. Inhaltsverzeichnis S. 3 ff., 229 f., 303 f., 419 f., 529 f., 611 ff.

Über die Nomenklatur der in diesem Band abgehandelten Verbindungsklassen s. S. 8 ff., 543 f.

Fettgedruckte Ziffern verweisen auf Vorschriften oder ausführliche Beschreibungen.

A

2-Acetamino-*trans*-15,16-dimethyl-15,16-dihydro-pyren 591
2-Acetamino-*trans*-15,16-dimethyl-7-formyl-15,16-dihydro-pyren 591
(2-Acetoxy-äthyl)-cyclooctatetraen 441
7-Acetoxy-cyclooctatrien-(1,3,5) aus 7-Brom-cyclooctatrien-(1,3,5) und Natriumacetat **476**
7-Acetoxy-7,8-dihydro-⟨benzo-cylooctatetraen⟩ 494
5-Acetoxy-5,6-dihydro-dibenzo-[a;e]-cyclooctatetraen **404, 495**
11-Acetoxy-1,6-methano-[10]annulen 584
9-Acetoxy-9-methyl-bicyclo[4.2.1]nonatrien-(2,4,7) 500
9-Acetoxy-9-methyl-bicyclo[6.1.0]nonatrien-(2,4,6) 488
5-Acetoxymethyl-5H-⟨dibenzo-[a;e]-cycloheptatrien⟩ 404
1-Acetoxy-1-methyl-1a,7a-dihydro-⟨cyclopropa-cyclooctatetraen⟩ {9-Acetoxy-9-methyl-bicyclo[6.1.0]nonatrien-(2,4,6)} 488
4-Acetoxy-4-methyl-pentin-(2) 684
4-Acetoxy-2-oxo-butan 678
3-(1-Acetoxy-propyl)-1-phenyl-hexen-(3)-in-(1)694
2-Acetoxy-3,7,7-trimethyl-cycloheptatrien 332
Acetyl-[18]annulen aus [18]Annulen und Acetanhydrid **581**
3-Acetyl-1,8-bis-[dehydro]-[14]annulen 580, 590
2-Acetyl-*syn*-1,6;8,13-bis-[epoxi]-[14]annulen 580
Acetyl-cyclooctatetraen 426, 441
Acetyl-dehydro-[14]annulen 580
2-(bzw. 9-; bzw. 10)-Acetyl-*syn*-8,13-epoxi-1,6-methano-[14]annulen 580
11-Acetyl-1,6-imino-[10]annulen 585
2-Acetyl-1,6-methano-[10]annulen 579, 584
Acrylnitril 689
Acyl-beryllium-halogenide 131
1-Acyloxy-butadiene 684
1-Äthinyl-cyclohepten 620, 648
1-Äthinyl-cyclohexen 619, 638, 648, 655
aus 1-Äthinyl-cyclohexanol durch Dehydratisierung mittels Phosphoroxychlorid/Pyridin **644**
aus 2,2-Dichlor-1-[cyclohexen-(1)-yl]-äthylen und Phenyl-lithium **656**
1-Äthinyl-cyclopenten 619, 648
3-Äthinyl-4,5-dihydro-1H-pyrazol 694
Äthinyl-keten-diäthylacetal [4,4 Diäthoxy-buten-(3)-in-(1)] 652
4-Äthinyl-3-phenyl-4,5-dihydro-1,2-oxazol 694
(2-Äthoxy-äthoxy)-cycloheptatrien 352
3-Äthoxy-buten-(3)-in-(1) 618
4-Äthoxy-buten-(3)-in-(1) 652
7-Äthoxycarbonyl-7-aza-bicyclo[4.3.0]nonatrien-(2,4,8) (1-Äthoxycarbonyl-3a,7a-dihydro-indol) 521
9-Äthoxycarbonyl-9-aza-bicyclo[6.1.0]nonatrien-(2,4,6) 489
1-Äthoxycarbonyl-azonin 521
6-Äthoxycarbonyl-5H-⟨benzo-[a]-cycloheptatrien⟩ 353
6-Äthoxycarbonyl-6H-⟨benzo-[b]-cycloheptatrien⟩ (1-Äthoxycarbonyl-1a,7b-dihydro-1H-⟨cyclopropa-[a]-naphthalin⟩) aus Naphthalin und Diazoessigsäure-äthylester **353**
1- (bzw. 6)-Äthoxycarbonyl-bicyclo[3.2.0]heptadien-(2,6) 371
9-Äthoxycarbonyl-bicyclo[6.1.0]nonatrien-(2,4,6) 486
aus Cyclooctatetraen, Diazoessigsäure-äthylester und Kupferpulver **485**
7-(Äthoxycarbonyl-cyan-methyl)-cycloheptatrien [Cycloheptatrienyl-(7)-malonsäure-äthylester-nitril] 330
7-(Äthoxycarbonyl-cyan-methylen)-cyclooctatrien-(1,3,5) 483
2-Äthoxycarbonyl-cycloheptatrien 372
3-Äthoxycarbonyl-cycloheptatrien 371
7-Äthoxycarbonyl-cycloheptatrien aus Benzol und Diazoessigsäure-äthylester **339**
1-Äthoxycarbonyl-1a,7a-dihydro-1H-⟨cyclopropa-cyclooctatetraen⟩ {9-Äthoxycarbonyl-bicyclo [6.1.0]nonatrien-(2,4,6)} 486
aus Cyclooctatetraen, Diazoessigsäure-äthylester und Kupferpulver **485**
1-Äthoxycarbonyl-1a,7b-dihydro-1H-⟨cyclopropa-[a]-naphthalin⟩ aus Naphthalin und Diazoessigsäure-äthylester **353**
1-Äthoxycarbonyl-8,9-dihydro-1H-⟨dibenzo-[a;e]-triazolo-[4,5-c]-cyclooctatetraen⟩ 496
1-Äthoxycarbonyl-3a,7a-dihydro-indol 521
7-Äthoxycarbonylmethyl-cycloheptatrien-Chromtricarbonyl- bzw. -Molybdäntricarbonyl-Komplex 406, 411
1-Äthoxycarbonylmethyl-8,9-dihydro-1H-⟨dibenzo-[a;e]-triazolo-[4,5-c]-cyclooctatetraen⟩ 496
8-Äthoxycarbonyl-nonadien-(3,5)-disäure-diäthylester 204
2-(Äthoxycarbonyloxycarbonyloxy)-3,7,7-trimethyl-cycloheptatrien 332
2-Äthoxycarbonyloxy-3,7,7-trimethyl-cycloheptatrien 332

Äthoxy-cyclooctatetraen 436, 439

1-Äthoxy-hepten-(1)-in-(3) 652

1-Äthoxy-hexatrien-(1,3,5) 53, 61

1-Äthoxy-hexen-(1)-in-(3) 652

2-Äthoxy-hexen-(1)-in-(3) 621

1-[1-(4-Äthoxy-3-methyl-phenyl)-cyclohexyl]-buten-(3)-in-(1) 668

5-(4-Äthoxy-3-methyl-phenyl)-hexen-(1)-in-(3) 668

6-Äthoxy-3-methyl-1-[2,6,6-trimethyl-cyclohexen-(1)-yl]-hexatrien-(1,3,5) aus 3-Methyl-5-[2,6,6-trimethyl-cyclohexen-(2)-yliden]-pentadien, Triphenylphosphin, Chlorwasserstoff, Ameisensäure-äthylester und Natriummethanolat **117**

2-Äthoxy-penten-(1)-in-(3) 621

5-Äthoxy-penten-(1)-in-(3) 664

5-Äthoxy-penten-(3)-in-(1) 652

3-Äthoxy-1-phenyl-buten-(3)-in-(1) 621

1-(4-Äthoxy-phenyl)-3-cyan-2-äthoxycarbonyl-pyrrol 202

15-(3-Äthoxy-phenyl)-pentadecatrien-(3,5,7) 64

3-Äthyl-2-[2-(N-acetyl-anilino)-vinyl]-⟨benzo-1,3-thiazolium⟩-p-toluolsulfonat aus 2-Methyl-⟨benzo-1,3-thiazol⟩, p-Toluolsulfonsäure-äthylester, Essigsäureanhydrid und N,N-Diphenylformamidin **240**

3-Äthyl-2-[2-äthyl-3-(3-äthyl-2,3-dihydro-⟨benzo-1,3-selenazol⟩-yliden)-propenyl]-⟨benzo-1,3-selenazolium⟩-jodid aus 2-Methyl-3-äthyl-⟨benzo-1,3-selenazolium⟩-p-tosylat, Orthopropionsäure-triäthylester und Kaliumjodid **256**

3-Äthyl-2-{3-[4-äthyl-5-(2-(3-äthyl-2,3-dihydro-⟨benzo-1,3-thiazol⟩-yliden-äthylidenamino)-4,5-dihydro-1,3,4-thiadiazolyliden-(5)]-propenyl}-⟨benzo-1,3-thiazolium⟩-jodid 284

3-Äthyl-2-[2-äthyl-3-(3-äthyl-5-phenyl-2,3-dihydro-⟨benzo-1,3-oxazol⟩-yliden)-propenyl]-5-phenyl-⟨benzo-1,3-oxazolium⟩-äthylsulfat aus 2-Methyl-5-phenyl-⟨benzo-1,3-oxazol⟩, Diäthylsulfat und Orthopropionsäure-triäthylester **256**

3-Äthyl-2-[7-(3-äthyl-2,3-dihydro-⟨benzo-1,3-thiazol⟩-yliden)-heptatrien-(1,3,5)-yl]-⟨benzo-1,3-thiazolium⟩-perchlorat aus 2-Methyl-3-äthyl-⟨benzo-1,3-thiazolium⟩-p-tosylat, 1-(1,2,3,4-Tetrahydro-chinolino)-5-[1,2,3,4-tetrahydro-chinolyliden-(1)]-pentadien-(1,3)-chlorid und Natriumperchlorat **271f.**

3-Äthyl-2-[9-(3-äthyl-2,3-dihydro-⟨benzo-1,3-thiazol⟩-ylidenmethyl]-bicyclo[4.4.0]decadien-(1,9)-yliden-(3)-methyl]-⟨benzo-1,3-thiazolium⟩-jodid 276

3-Äthyl-2-{2-[5-(3-äthyl-2,3-dihydro-⟨benzo-1,3-thiazol⟩-ylidenmethyl)-thienyl-(2)]-vinyl}-⟨benzo-1,3-thiazolium⟩-Salz 273

3-Äthyl-2-[9-(3-äthyl-2,3-dihydro-⟨benzo-1,3-thiazol⟩-yliden)-nonatetraen-(1,3,5,7)-yl]-⟨benzo-1,3-thiazolium⟩-jodid 274

3-Äthyl-2-[5-(3-äthyl-2,3-dihydro-⟨benzo-1,3-thiazol⟩-yliden)-pentadien-(1,3)-yl]-⟨benzo-1,3-thiazolium⟩-perchlorat 268
aus 2-Methyl-3-äthyl-⟨benzo-1,3-thiazolium⟩-p-tosylat und 1-(4-Methyl-anilino-3-(4-methyl-phenylimino)-propen-(1)-hydrochlorid und Ammoniumperchlorat **269**

3-Äthyl-2-[3-(3-äthyl-2,3-dihydro-⟨benzo-1,3-thiazol⟩-yliden)-propenyl]-⟨benzo-1,3-thiazolium⟩-jodid aus 2-Methyl-⟨benzo-1,3-thiazol⟩, Diäthylsulfat, Orthoameisensäure-triäthylester und Kaliumjodid **254f.**

3-Äthyl-2-{5-[3-(3-äthyl-2,3-dihydro-⟨benzo-1,3-thiazol⟩-yliden-propenyl]-thienyl-(2)}-⟨benzo-1,3-thiazolium⟩-Salz 273

3-Äthyl-2-[11-(3-äthyl-2,3-dihydro-⟨benzo-1,3-thiazol⟩-yliden)-undecapentaen-(1,3,5,7,9)-yl]-⟨benzo-1,2-thiazolium⟩-jodid 275

1-Äthyl-4-[7-(1-äthyl-1,4-dihydro-chinolyliden)-heptatrien-(1,3,5)-yl]-chinolin 272

1-Äthyl-4-[3-(1-äthyl-1,4-dihydro-chinolyliden)-propenyl]-chinolinium-bromid 267

3-Äthyl-2-[2-äthylmercapto-5-cyan-5-äthoxycarbonyl-pentadien-(2,4)-yliden]-2,3-dihydro-⟨benzo-1,3-thiazol⟩ 292

3-Äthyl-2-[2-äthyl-3-(5-methoxy-3-äthyl-2,3-dihydro-⟨benzo-1,3-selenazol⟩-yliden)-propenyl]-⟨benzo-1,3-thiazolium⟩-jodid aus 5-Methoxy-3-äthyl-2-[2-anilino-buten-(1)-yl]-⟨benzo-1,3-selenazolium⟩-jodid und 2-Methyl-3-äthyl-⟨benzo-1,3-thiazolium⟩-jodid **262**

Äthyl-benzol 364, 671

6-(1-Äthyl-⟨benzo-1,3-thiazol⟩-yliden)-hexadien-(2,4)-al {3-Äthyl-2-[5-formyl-pentadien-(2,4-yliden]-2,3-dihydro-⟨benzo-1,3-thiazol⟩} 272

3-{2-[3-Äthyl-⟨benzo-1,3-thiazol⟩-yl-(2)]-vinyl}-1-{2-[3-äthyl-2,3-dihydro-⟨benzo-1,3-thiazol⟩-yliden]-äthyliden}-2-[2,6-dioxo-4-oxi-1,3-di-äthyl-1,2,3,6-tetrahydro-1,3-diazinyl-(5)]-inden-betain 273

3-Äthyl-benzthiazolo-dimethin-5-(3′-äthyl-rhodanin)-neutrocyanin aus 3-Äthyl-2-(2-phenyl-imino-äthyliden)-2,3-dihydro-⟨benzo-1,3-thiazol⟩ und 3-Äthyl-rhodanin **287f.**

3-Äthyl-benzthiazolo-O-methin-5-(3′-äthyl-rhodanin)-neutrocyanin aus 2-Methylmercapto-3-äthyl-⟨benzo-1,3-thiazolium⟩-jodid, Diäthylsulfat, Pyridin und 3-Äthyl-rhodanin **285f.**

3-Äthyl-benzthiazolo-2-tetramethin-5′-(3′-äthyl-rhodanin)-neutrocyanin aus 2-Methylmercapto-3-äthyl-⟨benzo-1,3-thiazolium⟩-p-toluolsulfonat und 3-Äthyl-5-[buten-(2)-yliden]-rhodanin **290**

9-Äthyl-bis-[3-äthyl-5-phenyl-benzoxazolo]-trimethin-cyanin-äthylsulfat aus 2-Methyl-5-phenyl-⟨benzo-1,3-oxazol⟩, Diäthylsulfat und Orthopropionsäure-triäthylester **256**

3-Äthyl-buten-(3)-in-(1) [3-Methylen-pentin-(1)] 617, 645

Äthyl-cycloheptatrien 337

1-Äthyl-cycloheptatrien **366**

7-Äthyl-cycloheptatrien 326, 358

Äthyl-cyclooctatetraen 438f.

Äthyl-cyclooctatrien 438, 482

3-{2-[3-Äthyl-2,3-dihydro-⟨benzo-1,3-thiazol⟩-yliden]-äthyliden}-1,5-bis-[3-äthyl-⟨benzo-1,3-thiazol⟩-yl-(2)]-pentadien-(1,4)-bis-[tetrafluoroborat] 270

2-[3-Äthyl-2,3-dihydro-⟨benzo-1,3-thiazol⟩-yliden-(2)-methyl]-3-äthyl-⟨benzo-1,3-selenazolium⟩-jodid aus 2-Methyl-3-äthyl-⟨benzo-1,3-selenazolium⟩-jodid und 2-Methylmercapto-3-äthyl-⟨benzo-1,3-thiazolium⟩-jodid **249**

2-[3-Äthyl-2,3-dihydro-⟨benzo-1,3-thiazol⟩-yliden-(2)-methyl]-3-äthyl-⟨benzo-1,3-thiazolium⟩-jodid aus 2-Methyl-3-äthyl-⟨benzo-1,3-thiazolium⟩-p-toluolsulfonat, 2-Methylmercapto-3-äthyl-⟨benzo-1,3-thiazolium⟩-äthylsulfat und Kaliumjodid **247**

2-[3-Äthyl-2,3-dihydro-⟨benzo-1,3-thiazol⟩-yliden-(2)-methyl]-1-äthyl-chinolinium-jodid aus 2-Jod-1-äthyl-chinolinium-jodid, 2-Methyl-1-äthyl-⟨benzo-1,3-thiazolium⟩-jodid und Kaliumcarbonat **248**

5-(1-Äthyl-1,4-dihydro-chinolyliden)-1,3-bis-[1-äthyl-chinolyl-(4)]-pentadien-(1,3)-dibromid 267

4-(1-Äthyl-1,4-dihydro-chinolyliden-methyl)-1-äthyl-chinolinium-bromid aus 4-Methyl-chinolin, Chinolin, Diäthylsulfat und Kaliumbromid **252f.**

2-(1-Äthyl-1,2-dihydro-chinolyliden-methyl]-1-äthyl-chinolinium-jodid aus 2-Methyl-1-äthyl-chinolinium-jodid und 2-Äthylmercapto-1-äthyl-chinolinium-jodid **246**

2-[1-Äthyl-1,4-dihydro-chinolyliden-methyl]-1-äthyl-chinolinium-jodid aus 2-Methyl-1-äthyl-chinolinium-jodid, 1-Äthyl-chinolinium-jodid und Natriumhydroxid **251**

3-Äthyl-2-{5-[5,5-dimethyl-3-(3-äthyl-2,3-dihydro-⟨benzo-1,3-thiazol⟩-ylidenmethyl)-cyclohexen-(2)-yliden]-2-(2-acetoxy-phenyl)-pentadien-(1,3)-yl}-⟨benzo-1,3-thiazolium⟩-jodid 277

3-Äthyl-2-[5-formyl-pentadien-(2,4)-yliden]-2,3-dihydro-⟨benzo-1,3-thiazol⟩ 272

3-Äthyl-hepten-(3)-in-(1) 619

4-Äthyl-hexen-(3)-in-(1) 619, 652

3-Äthyliden-octin-(1) 619, 648

2-Äthylmercapto-1-äthyl-chinolinium-jodid aus 2-Thiono-1-äthyl-1,2-dihydro-chinolin und Jodäthan **246**

1-Äthylmercapto-buten-(3)-in-(1) 652

2-Äthylmercapto-6,10-dimethyl-undecatetraen-(1,3,5,9) 54

5-Äthylmercapto-hexen-(4)-in-(2) 632

1-Äthylmercapto-4-methyl-penten-(3)-in-(1) 652

1-Äthylmercapto-penten-(3)-in-(1) 652

3-Äthyl-2-[2-methyl-3-(3-äthyl-2,3-dihydro-⟨benzo-1,3-oxazol⟩-yliden)-propenyl]-⟨benzo-1,3-oxa-zolium⟩-jodid aus 2-Methyl-3-äthyl-⟨benzo-1,3-oxazolium⟩-jodid und Orthoessigsäure-triäthylester **255**

3-Äthyl-2-[2-methylmercapto-3-(3-äthyl-2,3-dihydro-⟨benzo-1,3-thiazol⟩-yliden)-propenyl]-benzo-1,3-thiazolium⟩-äthylsulfat bzw. -perchlorat 258

3-Äthyl-2-{4-oxo-3-äthyl-5-[2-(3-äthyl-2,3-dihydro-⟨benzo-1,3-thiazol⟩-yliden)-äthyliden]-tetrahydro-1,3-thiazolylidenmethyl}-⟨benzo-1,3-thiazolium⟩-p-toluolsulfonat aus 4-Oxo-2-thiono-3-äthyl-5-[2-(3-äthyl-2,3-dihydro-⟨benzo-1,3-thiazol⟩-yliden)-äthyliden]-tetrahydro-1,3-thiazol, Dimethylsulfat, Pyridin und 2-Methyl-3-äthyl-⟨benzo-1,3-thiazolium⟩-p-toluolsulfonat **279**

3-Äthyl-2-[4-oxo-3-äthyl-4-(3-äthyl-2,3-dihydro-⟨benzo-1,3-thiazol⟩-yliden)-tetrahydro-1,3-thiazolylidenmethyl]-⟨benzo-1,3-thiazolium⟩-p-toluolsulfonat aus 4-Oxo-2-thiono-3-äthyl-5-(3-äthyl-2,3-dihydro-⟨benzo-1,3-thiazol⟩-yliden)-tetrahydro-1,3-thiazol, Dimethylsulfat, Pyridin und 2-Methyl-3-äthyl-⟨benzo-1,3-thiazolium⟩-p-toluolsulfonat **278f.**

3-Äthyl-2-{4-oxo-3-äthyl-5-[1-äthylmercapto-2-(3-äthyl-2,3-dihydro-1,3-thiazolyliden)-äthylliden]-tetrahydro-1,3-thiazolylidenmethyl}-⟨benzo-1,3-thiazolium⟩-jodid 280

3-Äthyl-2-{4-oxo-3-phenyl-5-[2-(3-äthyl-2,3-dihydro-⟨benzo-1,3-thiazol⟩-yliden)-äthyliden]-tetrahydro-1,3-thiazolylidenmethyl}-⟨benzo-1,3-thiazolium⟩-jodid 279

3-Äthyl-penten-(3)-in-(1) 619, 638, 648

β-(2-Äthyl-phenyl)-acrolein (o-Äthyl-zimtaldehyd) 516

3-Äthyl-2-(2-phenylimino-äthyliden)-2,3-dihydro-⟨benzo-1,3-thiazol⟩ aus 3-Äthyl-2-[2-(N-acetyl-anilino)-vinyl]-⟨benzo-1,3-thiazolium⟩-p-toluolsulfonat durch Verseifung **240**

Äthylrot aus 2-Methyl-1-äthyl-chinolinium-jodid, 1-Äthyl-chinolinium-jodid und Natriumhydroxid **251**

o-Äthyl-zimtaldehyd 516

2-Alkoxy-alken-(1)-ine-(3) 637

7-Alkoxycarbonyl-cycloheptatrien 378

8-Alkyl-x-carboxy-8-aza-bicyclo[3.2.1]octen-(2) 394

7-Alkyl- (bzw. -Aryl)-cycloheptatriene aus magnesium- oder lithium-organischen Verbindungen und Tropylium-perchlorat, -chlorid oder -bromid; allgemeine Arbeitsvorschrift **326**

5-Alkyl-5H-⟨dibenzo-[a;e]-cyclotreptatriene⟩ 322

4-Alkylmercapto-butadiene 681

Allen 677

Allocyanin 267

Alloocimen 9, 58, 63, 154, 165f., 217, 219
aus α-Pinen durch Pyrolyse **164f.**
Chromtricarbonyl-Komplex 190
Eisentricarbonyl-Komplex 190

7-Allyl-cycloheptatrien 326

(4-Amino-butyl)-cyclooctatetraen 441

(2-Aminocarbonyl-äthyl)-cyclooctatetraen 442

(Aminocarbonyl-methyl)-cyclooctatetraen 442

8-Amino-x-carboxy-8-aza-bicyclo[3.2.1]octen-(2) 394

5-Amino-5H-⟨dibenzo-[a;e]-cycloheptatrien⟩ 322

2-Amino-1,6-methano-[10]annulen 584

6-Aminomethyl-5,6-dihydro-⟨dibenzo-[b;f]-azocin⟩ 497

11-Aminomethyl-1,6-methano-[10]annulen 585

(4-Amino-phenyl)-cycloheptatrien 319

(3-Amino-propyl)-cyclooctatetraen 441

d,l-Anhydro-ekgonin aus Cycloheptatrien-3-carbonsäure und Methylamin **394**

Anhydro-Vitamin A 9, 43, 55f.

[6]Annulen (UV-Spektrum) 534

[8]Annulen (UV-Spektrum) 534

[10]Annulen 550

cis-[10]Annulen 551, 583
 NMR-Spektrum 536
 UV-Spektrum 534

all-cis-[10]Annulen 550, 551

mono-trans-[10]Annulen 550, 552, 583
 NMR-Spektrum 536
 UV-Spektren 534

di-trans-[10]Annulen 551

[12]Annulen 522, 554, 606
 NMR-Spektrum 536
 Radikal-Anion 542

[14]Annulen 533, 559f., 590
 NMR-Spektrum 536
 UV-Spektrum 534

[16]Annulen 522, 533, 543, 550 593, 606
 durch Photolyse des *all-cis*-Tricyclo[8.6.0.0^{2,9}] hexadecahexaen-(3,5,7,11,13,16) **567**
 NMR-Spektrum 530f.
 UV-Spektrum 534

[18]Annulen 533, 542, 544, 569, 594, 606
 durch katalyt. Hydrierung von 1,7,13-Tris-[dehydro]-[18]annulen **548f.**
 NMR-Spektrum 536f.
 UV-Spektrum 534

[20]Annulen 572, 596
 NMR-Spektrum 536
 UV-Spektrum 534

[22]Annulen 572, 596
 NMR-Spektrum 536
 UV-Spektrum 534

[24]Annulen 573, 596
 NMR-Spektrum 536
 UV-Spektrum 534

[30]Annulen 531, 575, 597
 UV-Spektrum 534

[12]Annulen-Radikal-Anion 542

β-Apo-2′-carotinal 107

β-Apo-4′-carotinal 107

β-Apo-6′-carotinal 107

α-Apo-8′-carotinal 160

β-Apo-8′-carotinal 12, 107, 123, 160f.

β-Apo-10′-carotinal 12, 105, 160f.

β-Apo-12′-carotinal 12, 105, 140, 160
 aus [3-Formyl-buten-(2)-yl]-triphenyl-phosphonium-bromid, Orthoameisensäure-triäthylester, Natriumäthanolat und Vitamin A-Aldehyd **97f.**
 aus *β*-Jonylidenäthyl-triphenyl-phosphonium-hydrogensulfat und 2,7-Dimethyl-octatrien-(2,4,6)-dial **116**

β-Apo-14′-carotinal 12

Apo-2,2′-carotindial 109

Apo-4,4′-carotindial 109

Apo-6,6′-carotindial 109, 160

Apo-8,8′-carotindial 9, 12, 107, 156

all-trans-Apo-8,8′-carotindial aus dem Rückstand von kristallinem *all-trans*-Apo-8,8′-carotindial durch Isomerisierung **23**

Apo-10,10′-carotindial [4,9-Dimethyl-dodecapentaen-(2, 4,6,8,10)-dial] 145

Apo-12,12′-carotindial 11, 128, 161
 aus 1,4-Bis-[diäthoxy-phosphonyl]-buten-(2), 2-Oxo-propanal-dimethylacetal und Natriumamid **129**

Apo-8,8′-carotindial-bis-[diäthylacetal] 107

Apo-12,12′-carotindial-bis-[diäthylacetal] 39

Apo-12,12′-carotindiol [2,7-Dimethyl-octatrien-(2,4,6)-diol-(1,8)] 186

Apo-2,2′-carotindisäure-diäthylester aus Apo-4,4′-carotindial, (Diäthoxy-phosphonyl)-essigsäure-äthylester und Natriumäthanolat **130**

Apo-4,4′-carotindisäure-diäthylester 135

Apo-6,6′-carotindisäure (Norbixin) 9

Apo-8,8′-carotindisäure (Crocetin) 9, 15

Apo-6,6′-carotindisäure-diäthylester 113, 135

Apo-8,8′-carotindisäure-diäthylester 135

Apo-8,8′-carotindisäure-dialkylester 115

Apo-6,6′-carotindisäure-dimethylester 115, 123
 aus der 10,10′-Mono-*cis*-Verbindung durch Umlagerung **22**

Apo-8,8′-carotindisäure-dimethylester 115, 129
 aus 2,7-Dimethyl-octatrien-(2,4,6)-dial, 3-Methoxycarbonyl-buten-(2)-phosphonsäure-diäthylester und Natriummethanolat **130**

all-trans-Apo-8,8′carotindisäure-dimethylester aus 8,8′-Mono-*cis*-crocetin-dimethylester durch Umlagerung **22**

Apo-10,10′-carotindisäure-dimethylester 113

Apo-12,12′-carotindisäure-dimethylester [2,7-Dimethyl-octatrien-(2,4,6)-disäure-dimethylester] aus 3,6-Dibrom-2,7-dimethyl-octen-(4)-disäure-dimethylester durch Abspaltung von Bromwasserstoff **48f.**

Apo-6,6′-carotindisäure-monomethylester (Bixin) 9, 15

β-Apo-12′-carotinsäure 12, 121

β-Apo-14′-carotinsäure 184

β-Apo-4′-carotinsäure-äthylester 113

β-Apo-8′-carotinsäure-äthylester aus Retinyl-triphenyl-phosphonium-chlorid, 2,6-Dimethyl-octatrien-(2,4,6)-al-(8)-säure-äthylester und Natriumäthanolat **117**

β-Apo-12′-carotinsäure-äthylester 121
β-Apo-8′-carotinsäure-nitril 187
β-Apo-12′-carotinsäure-nitril 187
Apo-6′-lycopinal 160
Apo-8′-lycopinal 105
Apo-10′-lycopinal 160
Apo-15-lycopinal 9, 161
Arachidonsäure-Isomerisierung **65**
7-Aryl-cycloheptatriene 319
7-Aryl- (bzw. -Alkyl)-cycloheptatriene aus magnesium- bzw. lithium-organischen Verbindungen und Tropylium-perchlorat, -chlorid bzw. -bromid; allgemeine Arbeitsvorschrift **326**
Asperenon 99
Astacin 177
Auramin 238
Aurin 298
Axerophthen 10, 69, 101, 103, 119, 188
Axerophthol (Vitamin A) 8f., 15, 33, 138, 159, 181, 183ff., 186
 aus Fischleberöl **192**
 dimeres 10, 224
  aus Wal-Leberöl **192**
 Isomere 24
all-trans-Axerophthol
 [14-^{14}C] 17
 [15-^{14}C] 17
 [6,7-^{14}C] 17
Axerophthol-acetat (Vitamin A-acetat) 16, 29, 67, 119, 123, 139, 179, 184
 aus β-Jonylidenäthyl-triphenyl-phosphoniumchlorid und 4-Acetoxy-2-methyl-buten-(2)-al **116**
 Eisentricarbonyl-Komplex 190
9-*cis*-Axerophthol-acetat (9-*cis*-Vitamin A-acetat)
 aus 4-Brom-9-acetoxy-3,7-dimethyl-1-[2,6,6-trimethyl-cyclohexen-(1)-yl]-nonatrien-(1,5,7) und 1,5-Diaza-bicyclo[4.3.0]nonen-(5) **50f.**
Axerophthol-amin (Vitamin A-amin) 186f.
Axerophthol-methyläther (Vitamin A-methyläther) 178
Axerophthol-palmitat (Vitamin A-palmitat) 178
Axerophthol-trimethylsilyläther (Vitamin A-trimethylsilyläther) 32, 178
7-Aza-bicyclo[4.3.0]nonatrien-(2,4,8)-7-carbonsäure-äthylester (1-Äthoxycarbonyl-3a,7a-dihydro-indol) 521
9-Aza-bicyclo[6.1.0]nonatrien-(2,4,6)-9-carbonsäure-äthylester 489
8-Aza-bicyclo[3.2.1]octen-(2)-carbonsäure 394
Aza-Michlers-Hydrolblau 238
Azastreptocyanine 238
7-Azido-bicyclo[4.2.0]octadien-(2,4) 481
7-Azido-cyclooctatrien-(1,3,5) 481
Azocin-1-carbonsäure-äthylester 521
1H-Azonin 521

B

Barbaralan 389f.
Barbaralon 389f.
Barbitursäure 285
Benzaldehyd 398, 516
7,8-Benzo-bicyclo[4.2.2]decatetraen-(2,4,7,9) 506
Benzo-bicyclo[4.1.0]heptadien-(2,4) 308, 353, 376
Benzo-bicyclo[3.1.0]hexen-(2) 338
5H-⟨Benzo-[a]-cycloheptatrien⟩ 352f.
 aus 1,3-Bis-[triphenyl-phosphonio]-propan-dibromid und Natriumamid sowie o-Phthal-dialdehyd **361**
 aus 5-Diazo-cyclopentadien durch Bestrahlung **342**
6H-⟨Benzo-cycloheptatrien⟩ 308, 353, 376
7H-⟨Benzo-cycloheptatrien⟩ 357
 aus 1,3-Bis-[triphenyl-phosphonio]-propan-dibromid und Natriumamid sowie o-Phthal-dialdehyd **361**
 aus 5-Diazo-cyclopentadien durch Bestrahlung **342**
5H-⟨Benzo-cycloheptatrien⟩-6-carbonsäure 353
 durch Verseifung von 1-Äthoxycarbonyl-1a,7b dihydro-1H-⟨cyclopropa-[a]-naphthalin⟩ **354**
5H-⟨Benzo-cycloheptatrien⟩-6-carbonsäure-äthylester **353**
6H-⟨Benzo-cycloheptatrien⟩-6-carbonsäure-äthylester (1-Äthoxycarbonyl-1a,7b-di-hydro-1H-⟨cyclopropa-[a]-naphthalin⟩)
 aus Naphthalin und Diazoessigsäure-äthylester **353**
Benzocyclooctatetraen 455, 457, 494
 durch Dehydrierung von 1,4-Dihydro-⟨benzo-cyclooctatetraen) mit 5,6-Dichlor-2,3-dicyan-p-benzochinon **456**
⟨Benzo-cyclooctatetraen⟩-2,3-dicarbonsäure 459
⟨Benzo-cyclooctatetraen⟩-7,8-dicarbonsäure 458
⟨Benzo-cyclooctatetraen⟩-2,3-dicarbonsäure-dimethylester 459
⟨Benzo-cyclooctatetraen⟩-7,8-dicarbonsäure-dimethylester 458
Benzo-[b]-1,4-dioxocin 498
Benzoesäure 516
7-Benzolsulfonyloximino-cyclooctatriene-(1,3,5) 481
Benzonorcaradien 308, 353, 376
Benzo-[c]-octalen 469
⟨7,8-Benzo-9-thia-bicyclo[4.2.1]nonatrien-(2,4,7)⟩-11,11-dioxid 457, 502
Benzo-tricyclo[4.2.0.0^{2,5}]octadien-(3,7) 456
Benzo-tricyclo[5.1.0.0^{2,4}]octen-(5) (1,1a,1b,2,2a,7b-Hexahydro-⟨bis-cyclopropa-[a;c]-naphthalin⟩) 376
Benzoyl-cyclooctatetraen 441
9-Benzoyloxy-9-phenyl-bicyclo[4.2.1]nonatrien 500
2-Benzoyloxy-3,7,7-trimethyl-cycloheptatrien 332
Benzthio-heptamethin-cyanin 275
Benzthio-monomethin-cyanin 275
Benzthio-nonamethin-cyanin 275
Benzthio-pentamethin-cyanin 275
Benzthio-trimethin-cyanin 275
Benzthio-undecamethin-cyanin 275
Bernsteinsäure 213f.
„Besthornscher Farbstoff" 284
Bicyclo[6.2.0]decapentaen-(1,3,5,7,9) 450
Bicyclo[4.2.2]decatetraen-(2,4,7,9) 502
 durch Umlagerung von Bullvalen **503**
cis- (bzw.- *trans*)-Bicyclo[4.4.0]decatetraen-(2,4,7,9) [trans- (bzw. cis)-9,10-Dihydro-naphthalin 550
Bicyclo[6.2.0]decatetraen-(1^8,2,4,6) 450
Bicyclo[6.2.0]decatetraen-(2,4,6,9) 492

Bicyclo[4.3.1]decatetraen-Anion (1,5-Methano-cyclononatetraen-Anion) 550
Bicyclo[4.2.2]decatetraen-(2,4,7,9)-7-carbonsäure-methylester 503
Bicyclo[4.2.2]decatetraen-(2,4,7,9)-7,8-dicarbonsäure 504
Bicyclo[4.2.2]decatetraen-(2,4,7,9)-3,4- (bzw. -7,8) dicarbonsäure-anhydrid 504
Bicyclo[4.2.2]decatetraen-(2,4,7,9)-3,4-dicarbonsäure-methylimid 505
Bicyclo[5.3.0]decatrien-(1^{7},2,4) (1,2,3,4-Tetrahydro-azulen) 339
Bicyclo[6.4.0]dodecapentaen-(1^{8},2,4,6,10) (1,4-Dihydro-⟨benzo-cyclooctatetraen⟩) 455
    aus Brom-cyclooctatetraen, Butadien und Kalium-tert.-butanolat **456**
Bicyclo[6.4.0]dodecapentaen-(2,4,6,9,11) 493
trans-Bicyclo[6.4.0]dodecapentaen-(2,4,6,9,11) 493
Bicyclo[6.4.0]dodecapentaen-(1^{8},2,4,6,10)-2,3-dicarbonsäure-dimethylester (2,3-Dimethoxy-carbonyl-1,4-dihydro-⟨benzo-cyclooctatetraen⟩ 445, 459
Bicyclo[6.4.0]dodecatetraen-(1^{8},2,4,6) (1,2,3,4-Tetrahydro-⟨benzo-cyclooctatetraen⟩) 454
Bicyclo[6.4.0]dodecatetraen-(1^{8},2,4,6)-10,11-dicarbonsäure-anhydrid (1,2,3,4-Tetrahydro-⟨benzo-cyclooctatetraen⟩-2,3-dicarbonsäure-anhydrid) 455
Bicyclo[3.2.0]heptadien-(2,6) 342, 365f.
    aus Cycloheptatrien durch Bestrahlung **365**
Bicyclo[4.1.0]heptadien-(2,4) (Norcaradien) 362
Bicyclo[3.2.0]heptadien-(2,6)-1- (bzw. -6)-carbonsäure-äthylester 371
Bi-cycloheptatrienyl-(1) 370
    Chromtricarbonyl-Komplex 410
    Molybdäntricarbonyl-Komplex 410
Bi-cycloheptatrienyl-(1′,7) 370
Bi-cycloheptatrienyl-(7)-bis-[molybdäntricarbonyl]-Komplex 410
Bi-cycloheptatrienyliden 415f.
Bi-cycloheptyl 399
Bicyclo[4.2.1]nonatrien-(2,4,7) 499
cis-(bzw. *trans*) Bicyclo[4.3.0]nonatrien-(2,4,7) 518, 520
Bicyclo[6.1.0]nonatrien-(2,4,6) 486
    aus Kalium-cyclooctatetraenid und Dichlor-methan **488**
cis-Bicyclo[6.1.0]nonatrien-(2,4,6) 487
trans-Bicyclo[6.1.0]nonatrien-(2,4,6) 487, 518
Bicyclo[6.1.0]nonatrien-(2,4,6)-9-carbonsäure 485
Bicyclo[6.1.0]nonatrien-(2,4,6)-9-carbonsäure-äthylester 486
    aus Cyclooctatetraen, Diazoessigsäure-äthylester und Kupferpulver **485**
Bicyclo[6.1.0]nonatrien-(2,4,6)-9-carbonsäure-chlorid 485
Bicyclo[6.1.0]nonatrien-(2,4,6)-9-carbonsäure-hydrazid {9-Hydrazinocarbonyl-bicyclo[6.1.0]nonatrien-(2,4,6)} 485
Bicyclo[6.1.0]nonatrien-(2,4,6)-⟨9-spiro-1⟩-3-oxo-1,3-dihydro-⟨benzo-[c]-furan⟩ {9-Hydroxy-9-(2-carboxy-phenyl)-bicyclo[6.1.0]nonatrien-(2,4,6)-lacton} 488
Bicyclo[4.2.0]octadien-(2,4) 471, 475
Bicyclo[4.2.0]octadien-(2,7) 515
Bicyclo[5.1.0]octadien-(2,4) 389
Bicyclo[5.1.0]octadien-(2,5) 389, 515
Bicyclo[5.1.0]octadien-Eisentricarbonyl-Komplex 509
Bi-[cyclooctatetraenyl] 437, 440
Bicyclo[6.6.0]tetradecaheptaen-(1^{8},2,4,6,9,11,13) 469
Bicyclo[6.6.0]tetradecatetraen-(1,3,5,7) (1,2,3,4,5,6-Hexahydro-octalin) 469
Bicyclo[6.5.0]tridecatetraen-(1^{8},2,4,6) 469
Bicyclo[6.3.0]undecapentaen-(1^{8},2,4,6,9) 451, 493
Bicyclo[6.3.0]undecapentaen-(1,4,6,8,10) 492f.
Bicyclo[6.3.0]undecatetraen-(1^{8},2,4,9) 492
Bindschedlers Grün 238
Biphenyl 221
    Derivate, aus Trienen durch katalytische Hydrierung; allgemeine Arbeitsvorschrift **221**
Bis-[3-äthyl-benzo-1,3-thiazolo]-heptamethin-cyaninperchlorat aus 2-Methyl-3-äthyl-⟨benzo-1,3-thiazolium⟩-p-tosylat, 1-(1,2,3,4-Tetrahydro-chinolino)-5-[1,2,3,4-tetrahydro-chinolyliden-(1)]-pentadien-(1,3)-chlorid und Natriumperchlorat **271f.**
Bis-[3-äthyl-benzo-1,3-thiazolo]-monomethin-cyanin-jodid aus 2-Methyl-3-äthyl-⟨benzo-1,3-thiazolium⟩-p-toluolsulfonat, 2-Methylmercapto-3-äthyl-⟨benzo-1,3-thiazolium⟩-äthylsulfat und Kaliumjodid **247**
Bis-[3-äthyl-benzo-1,3-thiazolo]-pentamethin-cyanin-perchlorat 268
    aus 2-Methyl-3-äthyl-⟨benzo-1,3-thiazolium⟩-tosylat und 1-(4-Methyl-anilino)-3-(4-methyl-phenylimino)-propen-(1)-hydrochlorid und Ammoniumperchlorat **269**
1,3-Bis-[3-äthyl-⟨benzo-1,3-thiazol⟩-yl-(2)]-5-(3-äthyl-2,3-dihydro-⟨benzo-1,3-thiazol⟩-yliden)-pentadien-(1,3)-dijodid 282
Bis-[1-äthyl-chino]-2-monomethin-chlorid ausBis-[1-äthyl-chino]-2-monomethin-bromid durch Umsalzung **247**
Bis-[1-äthyl-chino]-2-monomethincyanin-jodid aus 2-Methyl-1-äthyl-chinolinium-jodid und 2-Äthylmercapto-1-äthyl-chonolinium-jodid **246**
2,4-Bis-[1-äthyl-1,2-dihydro-chinolylidenmethyl]-1-äthyl-chinolinium-jodid 281
Bis-[barbitursäure]-azaoxonol 298
    Ammoniumsalz (Murexid) 298
1,8-Bis-[brommethyl]-cyclooctatetraen 443
1,12-Bis-[4-brom-phenyl]-dodecatetraen-(3,5,7,9)-diin-(1,11) 168
Bis-[buten-(3)-in-(1)-yl]-hexacarbonyl-dicobalt 671
8,9-Bis-[chlorcarbonyl]-3-äthoxycarbonyl-tri-cyclo[3.2.2.$0^{2,4}$]nonen-(6) 381
8,9-Bis-[chlorcarbonyl]-tricyclo[3.2.2.$0^{2,4}$]nonen-(6) 379
Bis-[5-chlor-1,3-dimethyl-benzimidazol]-tri-methin-cyanin-chlorid aus 5-Chlor-1,2-dimethyl-benzimidazol, Dimethylsulfat und Chloroform **254**
3,8-Bis-[2-cyan-propyl-(2)]-bicyclo[4.2.0]octa-dien-(2,4) 482
5,8-Bis-[2-cyan-propyl-(2)]-cyclooctatrien-(1,3,6) 482
Bis-[cycloocta]-[a;d]-benzol 459, 460
Bis-[cyclooctatrien-(1,3,5)-yl-(7)]-äther 477

1,5-Bis-[dehydro]-[12]annulen 586
NMR-Spektrum 538
Radikal-Anion 542
UV-Spektrum 535
1,7-Bis-[dehydro]-[14]annulen 591
NMR-Spektrum 538
UV-Spektrum 535
1,8-Bis-[dehydro]-[14]annulen 532, 542, 590
diamagnetische Anisotropie 539
NMR-Spektrum 538
UV-Spektrum 535
1,3-Bis-[dehydro]-[16]annulen
NMR-Spektrum 538
UV-Spektrum 535
1,9-Bis-[dehydro]-[16]annulen 544
NMR-Spektrum 538
UV-Spektrum 535
1,9-Bis-[dehydro]-[20]annulen (UV-Spektrum) 535
1,11-Bis-[dehydro]-[20]annulen (NMR-Spektrum) 539
Bis-[dehydro]-[28]annulen (UV-Spektrum) 535
5,9-Bis-[dehydro]-⟨dibenzo-[a;i]-[12]annulen⟩ 587
3,4;3′,4′-Bis-[dehydro]-lycopin durch Dehydrierung von Lycopin mit N-Brom-succinimid **35**
5,11-Bis-[dehydro]-⟨tetrabenzo-[a;c;g;i]-[12]annulen⟩ 588
5,11-Bis-[dehydro]-⟨tribenzo-[a;e;i]-[12]annulen⟩ 588
13,13′-Bis-[desmethyl]-β-carotin 28
1,4-Bis-[diäthoxy-phosphonyl]-buten-(2) aus Phosphorigsäure-triäthylester und 1,4-Dibrom-buten-(2) **129**
5,8-Bis-[difluoramino]-cyclooctatrien-(1,3,6) aus Cyclooctatetraen, Tetrafluorhydrazin und Azoisobuttersäure-dinitril **480**
3,6-Bis-[dimethylamino]-9-(2-carboxy-phenyl)-xanthylium-chlorid (Rhodamin) 238
6,12-Bis-[dimethylamino]-5,11-dicyan-⟨dibenzo-[a;e]-cyclooctatetraen⟩ 465
1,4-Bis-[1-dimethylamino-3-dimethylimminio-propenyl-(2)]-benzol-diperchlorat 236
7,7-Bis-[dimethylamino]-heptatrien-(2,4,6)-tetramethyl-amidinium-perchlorat 85
1,5-Bis-[dimethylamino]-3-methyl-pentamethin-streptocyanin-perchlorat 236
1,9-Bis-[dimethylamino]-nonamethin-streptocyanin-Salz 237
1,5-Bis-[dimethylamino]-octadien-(2,3) 60
2,5-Bis-[2,4-dimethyl-phenyl]-1,6-dihydro-⟨benzo-[e]-1,2-diazocin⟩ 498
3,4-Bis-[1,3-dioxolan-⟨2-spiro-4⟩-cyclohexyl]-hexatrien-(1,3,5) 29
3,6-Bis-[4,4-diphenyl-butadienyl]-cyclohexen-(1)-4,5-dicarbonsäure-anhydrid und 4,4′-Bis-[2,2-diphenyl-vinyl]-bi-[cyclohexen-(2)-yl]-5,6;5′,6′-tetracarbonsäure-bis-anhydrid aus 1,1,12,12-Tetraphenyl-dodecahexaen und Maleinsäureanhydrid **208**
4,4′-Bis-[2,2-diphenyl-vinyl]-bi-[cyclohexen-(2)-yl]-5,6;5′,6′-tetracarbonsäure-bis-anhydrid und 3,6-Bis-[4,4-diphenyl-butadienyl]-cyclohexen (1)-4,5-dicarbonsäure-anhydrid aus 1,1,12,12-Tetraphenyl-dodecahexaen und Maleinsäure-anhydrid **208**
3,6-Bis-[2,2-diphenyl-vinyl]-cyclohexen-(1)-4,5-dicarbonsäure-anhydrid aus 1,1,8,8-Tetraphenyl-octatetraen und Maleinsäureanhydrid **209**
syn-1,6;8,13-Bis-[epoxi]-[14]annulen 533, 606
NMR-Spektrum 540
Radikal-Anion 542
1,2,7,8,-Bis-[epoxi]-2,6-dimethyl-octen-(4) 210
1,4;7,10-Bis-[epoxi]-13,16-epithio-[18]annulen (NMR-Spektrum) 541
1,4-Bis-[fluorenyliden]-buten 34, 57, 133
7,8-Bis-[1-hydroxy-äthyl]-bicyclo[4.2.0]octadien-(2,4) 478
1,8-Bis-[1-hydroxy-äthyl]-cyclooctatetraen **443**
5,8-Bis-[1-hydroxy-äthyl]-cyclooctatrien-(1,3,6) 478
5,8-Bis-[α-hydroxy-alkyl]-cyclooctatriene-(1,3,6) 477
7,8-Bis-[α-hydroxy-benzyl]-bicyclo[4.2.0]octadien-(2,4) 478
5,8-Bis-[α-hydroxy-benzyl]-cyclooctatrien-(1,3,6) 478
5,8-Bis-[α-hydroxy-diphenyl-methyl]-cyclooctatrien-(1,3,6) 478
5,8-Bis-[9-hydroxy-fluorenyl-(9)]-cyclooctatrien-(1,3,6) 478
1,2-Bis-[hydroxymethyl]-cyclooctatetraen 426
1,8-Bis-[hydroxymethyl]-cyclooctatetraen **443**
7,8-Bis-[2-hydroxy-propyl-(2)]-bicyclo[4.2.0]octadien-(2,4) 478
5,8-Bis-[2-hydroxy-propyl-(2)-]-cyclooctatrien-(1,3,6) 478
anti-1,6;8,13-Bis-[methano]-[14]annulen 592
NMR-Spektrum 540
1,2-Bis-[4-methoxy-phenyl]-buten-(1)-in-(3) 648
3,4-Bis-[4-methoxy-phenyl]-buten-(3)-in-(1) aus 3,4-Bis-[4-methoxy-phenyl]-butin-(1)-ol-(3) und Acetanhydrid **644**
3,4-Bis-[4-methoxy-phenyl]-hexen-(3)-in-(1) aus 1-Chlor-3,4-bis-[4-methoxy-phenyl]-hexadien-(1,2) und Natriumamid **638**
Bis-[N-methyl-anilin]-pentamethin-streptocyanin-nitrat aus 1-[2,4-Dinitro-phenyl]-pyridiniumchlorid, N-Methyl-anilin und Ammoniumnitrat **235**
3,6-Bis-[methylen]-cyclohexadien-(1,4) 33
3,6-Bis-[methylen]-cyclohexen 54
7,8-Bis-[methylen]-cyclooctatrien-(1,3,5) 483
2,5-Bis-[methylen]-hexen-(3)-disäure-dinitril [2,5-Dicyan-hexatrien-(1,3,5)] 167
(Bis-[methylmercapto]-methylen)-malonsäure-dinitril 391
5,11-Bis-[2-methyl-phenyl]-⟨dibenzo-[a;e]-cyclooctatetraen⟩ 464
Bis-[5-morpholino-3,4-diphenyl-thienyl-(2)]-methyl-Salz 265
1,5-Bis-[5-morpholino-3,4-diphenyl-thienyl-(2)]-pentadienyl-Salz 265
1,3-Bis-[5-morpholino-3,4-diphenyl-thienyl-(2)]-propenyl-Salz 265
1,4-Bis-[4-oxo-2-thiono-3-äthyl-tetrahydro-1,3-thiazolylidenmethylamino]-benzol 294
7,7-Bis-[pentafluor-äthyl]-cycloheptatrien **343**
1,4-Bis-{2-[1,3,3,5,6-pentamethyl-3H-indolyl-(2)]-vinylamino}-benzol-dichlorid aus 1,3,3,5,6-Pentamethyl-2-formylmethylen-2,3-dihydro-indol und 1,4-Diamino-benzol-dihydrochlorid **242**

Bis-[4-(1-phenyl-3-methyl-pyrazolon]-azaoxonol 298
Bis-[1,2,3,4-tetrahydro-chinolin]-trimethin-streptocyanin-chlorid aus Propargylaldehyd, 1,2,3,4-Tetrahydro-chinolin und Salzsäure **235**
Bis-[thiobarbitur]-pentamethin-oxonol-pyridiniumsalz aus Thiobarbitursäure und Bis-[anilino]-pentamethin-streptocyanin-bromid **296**
4,4-Bis-[trifluormethyl]-bicyclo[3.2.0]heptadien-(2,6) 343, 367
7,7-Bis-[trifluormethyl]-cycloheptatrien 342f., 350
  aus Bis-[trifluor-methyl]-diazomethan durch Erhitzen in Benzol **342**
1,2-Bis-[trifluormethyl]-cyclooctatetraen 432, 443
10,10-Bis-[trifluormethyl]-9,9-dicyan-bicyclo[6.2.0]decatrien-(2,4,6)
  Eisentricarbonyl-Komplex 513
  Rutheniumtricarbonyl-Komplex 513
10,10-Bis-[trifluormethyl]-9-oxa-bicyclo[6.2.0]decatrien-(2,4,6)-Rutheniumtricarbonyl-Komplex 513
1,12-Bis-[2,4,6-trimethyl-phenyl]-dodecatetraen-(3,5,7,9)-diin-(1,11) 168
7,8-Bis-[trimethylsilyl]-cyclooctatrien-(1,3,5) 482
Bis-[2-(triphenylphosphonio-methyl)-phenyl]-methan-dibromid aus Bis-[2-brommethyl-phenyl]-methan und Triphenyl-phosphin **360**
1,3-Bis-[triphenyl-phosphonio]-propan-dibromid aus Triphenylphosphin und 1,3-Dibrom-propan durch Erhitzen **361**
Bixin 9, 15
Bixindialdehyd 109, 160
Bomlykol 635, 637
1-Brom-2-äthoxy-decin-(3) aus 1,2-Dibrom-1-äthoxy-äthan und Octin-(1)-yl-magnesiumbromid **657**
(1-Brom-äthyl)-benzol 516
(2-Brom-äthyl)-cyclooctatetraen 440
2-Brom-alken-(1)-in-(3) 637
Brom-[18]annulen 578
9-(4-Brom-benzoyloxy)-9-(4-brom-phenyl)-bicyclo[4.2.1]nonatrien-(2,4,7) 500
9-Brom-1,5-bis-[dehydro]-[12]annulen 586
2-Brom-*syn*-1,6;8,13-bis-[epoxi]-[14]annulen 578
Brom-cycloheptatrien 337
Brom-cyclooctatetraen 434, 439
  durch Bromierung von Cyclooctatetraen und anschließende Bromwasserstoff-Abspaltung mit Kalium-tert.-butanolat **435**
7-Brom-cyclooctatrien-(1,3,5) aus Cyclooctatetraen und Bromwasserstoff **476**
3-Brom-6,11-dicarboxy-⟨dibenzo-[a;e]-cyclooctatetraen⟩ 465
3-Brom-6,11-dicyan-⟨dibenzo-[a;e]-cyclooctatetraen⟩ 465
7-Brom-7,8-dihydro-⟨benzo-cyclooctatetraen⟩ 494
1-Brom-2,5-dimethyl-octatrien-(2,3,6) 688
10-Brom-5,12-dioxo-5,12-dihydro-⟨dibenzo-[a;d]-cyclooctatetraen⟩ 496
2-Brom-1,6-epoxi-[10]annulen 577, 585
2-Brom-hepten-(1)-in-(3) 620
2-Brom-hexatrien-(1,3,5) 49, 58, 75
2-Brom-hexen-(1)-in-(3) 620
2-(bzw. 11)-Brom-1,6-methano-[10]annulen 584
Brommethyl-cyclooctatetraen 440
6-Brom-3-methyl-hexen-(3)-in-(1) 660
9-Brom-6-methyl-nonatrien-(2,4,6) 75
2-Brom-7-methyl-octen-(1)-in-(3) 620
1-Brom-nonen-(4)-in-(2) 621
2-Brom-octen-(1)-in-(3) 620
1-Brom-penten-(3)-in-(1) 683
2-Brom-penten-(1)-in-(3) 620
1-Brom-1-phenyl-äthan [(1-Brom-äthyl)-benzol] 516
trans-2-Brom-1-phenyl-äthylen (β-Brom-styrol) 435, 517
7-[3- (bzw. -4)-Brom-phenyl]-cycloheptatrien 319
10-Brom-retinal (10-Brom-Vitamin A-Aldehyd) 88
trans-β-Brom-styrol 435, 517
10-Brom-Vitamin A-Aldehyd 88
„Buchner-Ester" 315
Bullvalen 390, 519
Butadien-(1,2) 677
Butadien-(1,3)-yl-(1)-ester 684
Butadien-(1,3)-yl-(2)-ester 684
Butadien-(1,3)-yl-oxiran [5,6-Epoxi-hexadien-(1,3)] 210
1,6;8,13-Butandiyliden-(1,4)-[14]annulen 540, 592
Buten-(2)-1,4-diphosphonsäure-diäthylester {1,4-Bis-[diäthoxy-phosphonyl]-buten-(2)} aus Phosphorigsäure-triäthylester und 1,4-Dibrom-buten-(2) **129**
Buten-(3)-in-(1) 615, 624f., 628f., 645, 652, 654ff., 658, 662
  Dipolmoment 625
  aus Acetylen durch Dimerisierung **628**
  durch Halogenwasserstoff-Abspaltung aus 1,3-Dichlor-buten-(2) und Kaliumhydroxid **636**
  aus p-Toluolsulfonsäure-butin-(3)-yl-ester und Kaliumhydroxid **653**
Buten-ine aus
  Alkinyl-äthern durch Abspaltung von Alkoholen mittels Natriumamid; allgemeine Herstellungsvorschrift **651**
  Allenyl-thioäthern und Kaliumamid; allgemeine Arbeitsvorschrift **651**
  anderen Buten-inen durch Kettenverlängerung mit Natriumamid und Jod-alkanen; allgemeine Herstellungsvorschrift **663**
Buten-(3)-in-(1)-phosphonsäure-diäthylester 670
Buten-(3)-in-(1)-yl-magnesiumbromid 673
3-tert.-Butyl-1-äthinyl-cyclopenten 620
7-Butyl-bicyclo[6.3.0]undecatetraen-(1^{8},2,4,9) 493
3-tert.-Butyl-buten-(3)-in-(1) [4,4-Dimethyl-3-methylen-pentin-(1)] 617, 638, 645, 665
  Dipolmoment 625
tert.-Butyl-cycloheptatrien 337
7-tert.Butyl-cycloheptatrien 326
Butyl-cyclooctatetraen 426, 438, 440
Butyl-cyclooctatrien 438, 482
4-Butyl-4,5-dihydro-1H-⟨cyclopenta-cyclooctatetraen⟩{7-Butyl-bicyclo[6.3.0]undecatetraen-(1^{8},2,4,9)} 493
2-tert.-Butyl-hexen-(1)-in-(3) [6,6 Dimethyl-5-methylen-heptin-(1)] 620, 625
  Dipolmoment 625
1-tert.-Butylmercapto-buten-(3)-in-(1) 652

9-tert.Butyloxy-bicyclo[6.2.0]decapentaen-(1,3,5,7,9) (1-tert. Butyloxy-⟨cyclobuta-cyclooctatetraen⟩) 451
4-Butyloxy-buten-(3)-in-(1) 652, 665
tert.-Butyloxy-cycloheptatrien 352
1-tert.Butyloxy-⟨cycloocta-cyclobutadien⟩ 451
tert.-Butyloxy-cyclooctatetraen 436, 439, 460
2- (bzw. 3)-tert.-Butyloxy-1,6-methano-[10]annulen 584
5-(4-Butyloxy-3-methyl-phenyl)-octen-(1)-in-(3) 668
1-Butyloxy-penten-(1)-in-(3) 666
5-Butyloxy-penten-(1)-in-(3) 664
5-Butyloxy-penten-(3)-in-(1) 669
3-tert.-Butyl-penten-(3)-in-(1) [5,5-Dimethyl-3-methylen-hexin-(1)] 620, 625, 646, 648, 666
Dipolmoment 625
3-tert.-Butyl-1-phenyl-buten-(3)-in-(1) [4,4-Dimethyl-3-methylen-1-phenyl-pentin-(1)] 646

C

β-C_{19}-Ätheracetal 52
β-C_{14}-Aldehyd 11
β-C_{15}-Aldehyd 11, 53, 161
β-C_{16}-Aldehyd 156
β-C_{19}-Aldehyd 11, 44, 52,
aus β-C_{16}-Aldehyd, Orthoameisensäure-äthylester, 1-Methoxy-propen und Zinkchlorid **156**
β-C_{20}-Aldehyd (Apo-15-lycopinal, Pseudo-Vitamin-A-Aldehyd) 9, 161
C_{20}-Aldehyd s. Vitamin-A-Aldehyde
β-C_{25}-Aldehyd (β-Apo-12′-carotinal) 12, 105, 140, 160
aus [3-Formyl-buten-(2)-yl]-triphenyl-phosphonium-bromid, Orthoameisensäure-triäthylester, Natriumäthanolat und Vitamin A-Aldehyd **97f.**
aus β-Jonylidenäthyl-triphenyl-phosphoniumhydrogensulfat und 2,7-Dimethyl-octatrien-(2,4,6)-dial **116**
β-C_{25}-Aldehyd (15,15′-Dehydro-β-apo-12′-carotinal) 44
C_{25}-Aldehyd (Dihydro-apo-12′-lycopinal) 105
β-C_{27}-Aldehyd (β-Apo-10′-carotinal) 12, 105, 160f.
C_{27}-Aldehyd (Apo-10′-lycopinal) 160
β-C_{30}-Aldehyd (β-Apo-8′-carotinal) 12, 107, 123, 160f.
C_{30}-Aldehyd (Apo-8′-lycopinal) 105
β-C_{32}-Aldehyd (β-Apo-6′-carotinal) 107
C_{32}-Aldehyd (Apo-6′-lycopinal) 160
β-C_{35}-Aldehyd (β-Apo-4′-carotinal) 107
β-C_{37}-Aldehyd (β-Apo-2′-carotinal) 107
β-C_{40}-Aldehyd (Torularhodinaldehyd) 107
β-C_{19}-Aldehyd-diäthylacetal 105
β-C_{15}-Alkohol {4-Hydroxy-4-methyl-6-[2,6,6-trimethyl-cyclohexen-(1)-yl]-hexen-(5)-in-(1)} 11
β-C_{16}-Alkohol {3-Methyl-5-[2,6,6-trimethyl-cyclohexen-(1)-yl]-pentadien-(2,4)-ol} 71
C_{17}-Alkohol {5-Methyl-7-[2,6,6-trimethyl-cyclohexen-(1)-yl]-heptatrien-(2,4,6)-ol} 186
C_{20}-Alkohol s. Vitamin A
C_{26}-Alkohol {4-Hydroxy-4,8,12-trimethyl-14-[2,6,6-trimethyl-cyclohexen-(1)-yl]-tetradecapentaen-(5,7,9,11,13)-in-(1)} aus 11-Oxo-3,7-dimethyl-1-[2,6,6-trimethyl-cyclohexen-(1)-yl]-dodecapentaen-(1,3,5,7,9), Propargylbromid und Zinkwolle **152**
C_{10}-Dial (Apo-12,12′-carotindial) 11,128, 161
aus 1,4-Bis-[diäthoxy-phosphonyl]-buten-(2), 2-Oxo-pronanal-dimethylacetal und Natriumamid **129**
C_{14}-Dial [4,9-Dimethyl-dodecapentaen-(2,4,6,8,10)-dial] 145
C_{20}-Dial (Apo-8,8′-carotindial) 9, 12, 107, 156
aus dem Rückstand der kristallinen *all-trans*-Verbindung durch Isomerisierung **23**
C_{20}-Dial (8,8′-Dehydro-crocetindialdehyd) aus Dehydro-C_{14}-dialdehyd-bis-[diäthylacetal], 1-Äthoxy-propen und Zinkchlorid **157**
C_{24}-Dial (Apo-6,6′-carotindial) 109, 160
C_{24}-Dial (Bixindialdehyd) 109, 160
C_{30}-Dial (Apo-4,4′-carotindial) 109
C_{34}-Dial (Apo-2,2′-carotindial) 109
C_{40}-Dial (3,3′,4,4′-Tetrahydro-16,16′-lycopindial 109
aus [8,8-Dimethoxy-3,7-dimethyl-octatrien-(2,4,6)-yl]-triphenyl-phosphoniumbromid, Orthoameisensäure-triäthylester, Natriummethanolat und Crocetindialdehyd **98**
C_{10}-Dial-bis-[diäthylacetal] [1,1,8,8-Tetraäthoxy-2,7-dimethyl-octatrien-(2,4,6)] 39
C_{26}-Dial-bis-[diäthylacetal] (Apo-12,12′-dial-bis-[diäthylacetal] 167
C_{30}-Diketon [3,23-Dioxo-2,6,10,15,19,23-hexamethyl-tetracosanonaen-(4,6,8,10,12,14,16,18,20)] 144
β-C_{40}-Diketon 155
β-C_{40}-Diketon (Cantaxanthin) 11, 176
β-C_{40}-Diketon (3,3′-Dioxo-retro-dehydro-carotin, Rhodoxanthin) 124
β-C_{40}-Diketon (3,3′-Dioxo-β-carotin) 124, 197
C_{10}-Diol [2,7-Dimethyl-octatrien-(2,4,6)-diol-(1,8)] 186
β-C_{40}-Diol-(13,13′) 11
β-C_{40}-Diol-(14,14′) [15,15′-Dehydro-7,7′-dihydro-β-C_{40}-diol-(14,14′)] 11, 40
C_{20}-Disäure (Crocetin) 9, 15
C_{24}-Disäure (Norbixin) 9
C_{14}-Disäure-diäthylester (Apo-10,10′-carotindisäure-diäthylester) 113
C_{20}-Disäure-diäthylester (Apo-8,8′-carotindisäure-diäthylester) 135
C_{20}-Disäure-diäthylester (Isocrocetin-diäthylester) 135
C_{24}-Disäure-diäthylester (Apo-6,6′-carotindisäure-diäthylester) 113, 135
C_{24}-Disäure-diäthylester (Isonorbixin-diäthylester) 135
C_{30}-Disäure-diäthylester (Apo-4,4′-carotindisäure-diäthylester) 135
C_{34}-Disäure-diäthylester (Apo-2,2′-carotindisäure-diäthylester) aus Apo-4,4′-carotindial, (Diäthoxy-phosphonyl)-essigsäure-äthylester und Natriumäthanolat **130**
C_{40}-Disäure-diäthylester [3,6′4,4′-Tetradehydrolycopindisäure-(16,16′)-diäthylester] 137
C_{20}-Disäure-dialkylester (Apo-8,8′-carotindisäure-dialkylester) 115
C_{10}-Disäure-dimethylester [2,7-Dimethyl-octatrien-(2,4,6)-disäure-dimethylester] aus 3,6-Dibrom-2,7-dimethyl-octen-(4)-disäure-dime-

thylester durch Abspaltung von Bromwasserstoff **48f.**
C_{20}-Disäure-dimethylester (Apo-8,8'-carotindisäure-dimethylester) 115, 129
aus 2,7-Dimethyl-octatrien-(2,4,6)-dial, 3-Methoxycarbonyl-buten-(2)-phosphonsäurediäthylester und Natriummethanolat **130**
all-trans, aus 8,8'-Mono-*cis*-crocetin-dimethylester durch Umlagerung **22**
C_{20}-Disäure-dimethylester (15,15'-Dehydro-apo-8,8'-cartotindisäure-dimethylester) aus 2,7-Dimethyl-octadien-(2,6)-in-(4)-dial und 4-Brom-2-methyl-buten-(2)-säure-methylester **151**
C_{24}-Disäure-dimethylester (Apo-6,6'-carotindisäure-dimethylester) 115, 123
all-trans, aus der 10,10'-Mono-*cis*-Verbindung durch Umlagerung **22**
C_{24}-Disäure-monomethylester (Bixin) 9, 15
β-C_{16}-Enol-äthyläther {6-Äthoxy-3-methyl-1-[2,6,6-trimethyl-cyclohexen-(1)-yl]-hexatrien-(1,3,5)} aus 3-Methyl-5-[2,6,6-trimethylcyclohexen-(1)-yliden]-pentadien, Triphenylphosphin, Ameisensäure-äthylester, Chlorwasserstoff und Natriummethanolat **117**
β-C_{18}-Keton 11, 57, 131
β-C_{23}-Keton (Retinyliden-aceton) 143
aus Vitamin A-Acetat, Aceton und Aluminium-tri-tert.-butanolat **144**
β-C_{31}-Keton {17-Oxo-3,7,12,16-tetramethyl-1-[2,6,6-trimethyl-cyclohexen-(1)-yl]-octadecaoctaen-(1,3,5,7,9,11,13,15)} 182
β-C_{33}-Keton (Citranaxanthin) 11, 14, 143
aus β-Apo-8'-carotinal, Aceton und Kalilauge **144**
β-C_{35}-Keton {19-Oxo-3,7,12,16,20-pentamethyl-1-[2,6,6-trimethyl-cyclohexen-(1)-yl]-heneicosanonaen-(1,3,5,7,9,11,13,15,17)} 144
β-C_{40}-Keton (10-Oxo-7,10-dihydro-β-carotin) 123
β-C_{15}-Kohlenwasserstoff {3-Methyl-5-[2,6,6-trimethyl-cyclohexen-(1)-yliden]-pentadien-(1,3)} 71
β-C_{16}-Kohlenwasserstoff 11, 51
β-C_{19}-Kohlenwasserstoff {3,7-Dimethyl-1-[2,6,6-trimethyl-cyclohexen-(1)-yl]-octatetraen-(1,3,5,7)} 131
β-C_{19}-Kohlenwasserstoff {2,6-Dimethyl-8-[2,6,6-trimethyl-cyclohexen-(1)-yl]-octatrien-(1,5,7)-in-(3)} 33
β-C_{20}-Kohlenwasserstoff (Axerophthen) 10, 69, 101, 103, 119, 188
β-C_{20}-Kohlenwasserstoff s. a. Anhydro-Vitamin A
β-C_{30}-Kohlenwasserstoff 11, 83
aus β-C_{30}-Diol-(9,9') und Diphosphor-tetrajodid und Jod-Abspaltung **47f.**
β-C_{30}-Kohlenwasserstoff {3,8-Dimethyl-1,10-bis-[2,6,6-trimethyl-cyclohexen-(1)-yl]-decatetraen-(1,3,7,9)-in-(5)} 40
β-C_{38}-Kohlenwasserstoff (13,13'-Bis-[desmethyl]-β-carotin) 28
β-C_{40}-Kohlenwasserstoff s. a. Carotine bzw. Dehydro-carotine bzw. Isocarotin
C_{40}-Kohlenwasserstoff (3,4;3',4'-Bis-[dehydro]-lycopin) aus Lycopin und N-Brom-succinimid) **35**
β-C_{40}-Kohlenwasserstoff (3',4'-Dehydro-γ-carotin) 103
β-C_{40}-Kohlenwasserstoff (7',8'-Dihydro-15,15'-dehydro-γ-carotin) 103
C_{40}-Kohlenwasserstoff (Lycopin) 9, 23, 34f., 84, 119, 140, 160
aus Geranyliden-triphenyl-phosphoran und Crocetindialdehyd **97**
β-C_{44}-Polyen 78
C_{10}-Säure [3,7-Dimethyl-octatrien-(2,4,6)-säure] 150
β-C_{15}-Säure 11
β-C_{17}-Säure 11, 59, 141, 149
β-C_{20}-Säure s. Vitamin A-Säure
β-C_{22}-Säure (β-Apo-14'-carotinsäure) 184
β-C_{25}-Säure (β-Apo-12'-carotinsäure) 12, 121
β-C_{25}-Säure-äthylester (β-Apo-12'-carotinsäure-äthylester) 121
β-C_{30}-Säure-äthylester (β-Apo-8'-carotinsäure-äthylester) aus Retinyl-triphenyl-phosphoniumchlorid, 2,6-Dimethyl-octatrien-(2,4,6)-8-al-1-säure-äthylester und Natriummethanolat **117**
β-C_{35}-Säure-äthylester (β-Apo-4'-carotinsäure-äthylester) 113
β-C_{40}-Säure-äthylester (Torularhodin-äthylester) 113
C_{10}-Säure-methylester [2,6-Dimethyl-octatrien-(2,4,6)-säure-methylester] aus 2-Methyl-buten-(2)-al und 4-Brom-2-methyl-buten-(2)-säure-methylester und Jod/Zink **151**
β-C_{17}-Säure-methylester 41
C_{30}-Säure-methylester 133
β-C_{15}-Säure-nitril (β-Jonyliden-acetonitril) 187
β-C_{25}-Säure-nitril (β-Apo-12'-carotinsäure-nitril) 187
β-C_{30}-Säure-nitril (β-Apo-8'-carotinsäure-nitril) 187
β-C_{20}-Thiapyran 83
aus 13-*cis*-Vitamin-A-Aldehyd in Pyridin und Schwefelwasserstoff **84**
Cantaxanthin 11, 176
Carbonyl-Olefinierung nach Wittig 72, 88, 90, 96f.
(2-Carboxy-äthyl)-cyclooctatetraen 441
Carboxy-8-aza-bicyclo[3.2.1]octen-(2) 394
6-Carboxy-5H-⟨benzo-[a]-cycloheptatrien⟩ 353
durch Verseifung von 1-Äthoxycarbonyl-1a,7b-dihydro-1H-⟨cyclopropa-[a]-naphthalin⟩ **354**
9-Carboxy-bicyclo[6.1.0]nonatrien-(2,4,6) 485
5-Carboxy-cycloheptadien-(1,3) 401
3-Carboxy-cycloheptatrien aus Cycloheptatrien-7-carbonsäure-äthylester durch Verseifung und Umlagerung **315**
5-Carboxy-cyclohexadien-(1,3) 222
Carboxy-cyclooctatetraen 441
aus Brom-cyclooctatetraen Magnesium und Trockeneis **436**
1-Carboxy-1a,7a-dihydro-⟨cyclopropa-cyclooctatetraen⟩ {Bicyclo[6.1.0]nonatrien-(2,4,6)-9-carbonsäure} 485
2-Carboxy-dodecapentaen-(2,4,6,8,10)-säure [Decatetraen-(2,4,6,8)-yliden-malonsäure] 145
2-Carboxy-1,6-methano-[10]annulen 532, 584
7-Carboxymethyl-cycloheptatrien [Cycloheptatrienyl-(7)-essigsäure] 330
(3-Carboxy-propyl)-cyclooctatetraen 441
3-Carboxy-tricyclo[3.2.2.$0^{2,4}$]nonen-(6)-8,9-dicarbonsäure-anhydrid 380

α-Carotin 10
β-Carotin 8, 10, 19, 24, 27f., 33, 43, 45, 48, 50, 68, 83, 114, 123, 126f., 138ff., 156, 158, 172
aus wäßrigen Nährmedien von Mikroorganismen (z. B. Stämme von Blakeslea trispora) **193**
aus β-C_{40}-Diol-(13,13′) durch Dehydratisierung mit N-Brom-succinimid **43**
aus Retinyl-triphenyl-phosphonium-hydrogensulfat, 4-Nitroso-1-dimethylamino-benzol und Diäthylamin **127**
aus Triphenyl-phosphin-hydrobromid, 9-Vinyl-β-jonol, 2,7-Dimethyl-octatrien-(2,4,6)-dial und Natriummethanolat **114f.**
aus Triphenyl-phosphonium-hydrogensulfat, *all-trans-* und *cis*-Vitamin-A-acetat, Natriummethanolat und Vitamin-A-Aldehyd **99**
tetrakis-[Eisentricarbonyl]-Komplex 190
15,15′-*mono-cis*-β-Carotin 20, 121
all-trans-β-Carotin 20, 22f., 50, 84, 115, 119, 121
aus 15,15′-mono-*cis*-β-Carotin durch Umlagerung **22**
aus der Mutterlauge von *all-trans*-β-Carotin und Jod **23**
aus den Rückständen der *cis-trans*-Gemische von β-Carotin durch Isomerisierung **23**
aus „C_{20}-Thiapyran", Kohlendioxid und Zinkamalgam **84**
β-Carotin-[6,6′-^{14}C] 17
β-Carotin-[15,15′-^{14}C) 17
γ-Carotin 10, 121
σ-Carotin 10
ε-Carotin 10
ζ-Carotin 9, 34
β-Carotin-14,15-dicarbonsäure-dimethylester 146
Carotine aus Karotten, Palmöl, Algen **192**
β-Carotin-5,8-epoxid 10, 218
Carotinoide aus Mikroorganismen **193**
β-Carotinon-aldehyd 160
Carr-Price-Reaktion" 32
cis-Carvonsäure durch Ozonisierung von 2-(4-Methoxy-benzoyloxy)-3,7,7-trimethyl-cycloheptatrien **399**
Cetylalkohol 195
Chinolinblau aus 4-Methyl-chinolin, Chinolin, Diäthylsulfat und Kaliumbromid **252f.**
Chinolingelb 285
Chino-trimethin-cyanin 247
9-Chlor-5-(O-acetyl-hydroxylamino)-1-phenyl-3-acetyl-3,4-dihydro-⟨benzo-[f]-1,2,5-triazocin⟩ 499
9-Chlor-5-amino-1-phenyl-3-acetyl-3,4-dihydro-⟨benzo-[f]-1,2,5-triazocin⟩ 499
anti-9-Chlor-bicyclo[6.1.0]nonatrien-(2,4,6) 486, 488
syn-9-Chlor-bicyclo[6.1.0]nonatrien-(2,4,6) 486
3-Chlor-1,5-bis-[dimethylamino]-2-(dimethylimminio-methyl)-pentamethin-streptocyanin-Salz 236
3-Chlor-1,5-bis-[dimethylimminio-methyl]-4-(dimethylamino-methylen)-penten-(2)-Salz 236
2-Chlor-butadien-(1,3) (Chloropren) 689
2-Chlor-butadien-(1,3)-1-phosphonsäure-dichlorid 686
1-Chlor-buten-(3)-in-(1) 655
3-Chlor-buten-(3)-in-(1) 617, 637
2-Chlor-1-tert.-butyloxy-⟨cycloocta-cyclobutadien⟩ aus 10,10-Difluor-9,9-dichlor-bicyclo [6.2.0]decatrien-(2,4,6) und Kalium-tert.-butanolat **451**
9-Chlorcarbonyl-bicyclo[6.1.0]nonatrien-(2,4,6) 485
2-Chlor-3-chlormethyl-butadien-(1,3)-1-phosphonsäure-dichlorid 686
3-Chlor-5-cyan-5H-⟨dibenzo-[a;e]-cycloheptatrien⟩ 322
Chlor-cycloheptatrien 337
Chlor-cyclooctatetraen 439
aus *cis*-7,8-Dichlor-cyclooctatrien-(1,3,5) durch Eliminierung von Chlorwasserstoff mit Kalium-tert.-butanolat **434**
8-Chlor-cyclooctatrienylium-Ion (8-Chlor-homotropylium-Ion) 510
9-Chlor-8-deutero-*cis*-bicyclo[4.3.0]nonatrien-(2,4,7) 518
exo-9-Chlor-9-deutero-bicyclo[6.1.0]nonatrien-(2,4,6) 518
endo-8-Chlor-8-deutero-tricyclo[4.3.0.$0^{7,9}$]nonadien-(2,4) 518
6-Chlor-⟨dibenzo-[b;f]-azocin⟩ 466, 497
5-Chlor-5H-⟨dibenzo-[a;e]-cycloheptatrien⟩ 321
2-Chlor-⟨dibenzo-[a;e]-cyclooctatetraen⟩ 464
anti-1-Chlor-1a,7a-dihydro-1H-⟨cyclopropa-cyclooctatetraen⟩ {*anti*-9-Chlor-bicyclo[6.1.0]nonatrien-(2,4,6)} 486, 488
syn-1-Chlor-1a,7a-dihydro-1H-⟨cyclopropa-cyclooctatetraen⟩ {*syn*-9-Chlor-bicyclo[6.1.0]nontrien-(2,4,6)} 486
5-Chlor-1,3-dimethyl-2-[3-(5-chlor-1,3-dimethyl-2,3-dihydro-benzimidazolyliden)-propenyl]-benzimidazolium-chlorid aus 5-Chlor-1,2-dimethyl-benzimidazol, Dimethylsulfat und Chloroform **254**
3-Chlor-2,6-dimethyl-heptatrien-(1,3,5) 169
1- (bzw. 2-; bzw. 3)-Chlor-hexatrien-(1,3,5) 49
endo- (bzw. *endo*)-8-Chlor-homotropylium-Ion 510
9-Chlor-5-hydroxylamino-1-phenyl-3-acetyl-3,4-dihydro-⟨benzo-[f]-1,2,5-triazocin⟩ 499
9-Chlor-5-hydroxylamino-1-phenyl-3,4-dihydro-⟨benzo-[f]-1,2,5-triazocin⟩ 499
1-Chlor-5-methoxy-2-methyl-pentadien-(2,3) 688
3-Chlor-5-methoxy-2-methyl-pentadien-(1,3) 688
3-Chlor-5-methoxy-3-methyl-pentin-(1) 688
9-Chlor-9-methyl-bicyclo[6.1.0]nonatrien-(2,4,6) 488
2-Chlor-1-methyl-⟨cyclobuta-cyclooctatetraen⟩ 451
5-Chlormethyl-cyclohexadien-(1,3)-5-carbonsäure-6-carbonsäure-methylester aus 5-Chlormethyl-cyclohexadien-(1,3)-5,6-dicarbonsäure-anhydrid, Schwefelsäure und Methanol **346**
5-Chlormethyl-cyclohexadien-(1,3)-5,6-dicarbonsäure-anhydrid aus α-Pyron und Chlormethyl-maleinsäure-anhydrid durch Erhitzen **346**
5-Chlormethyl-cyclohexadien-(1,3)-5,6-dicarbonsäure-dimethylester aus 5-Chlormethyl-cyclohexadien-(1,3)-5-carbonsäure-6-carbonsäure-methylester und Diazomethan **346**
2-Chlor-1-methyl-⟨cycloocta-cyclobutadien⟩ 451
1-Chlor-1-methyl-1a,7a-dihydro-⟨cyclopropa-cyclooctatetraen⟩ {9-Chlor-9-methyl-bicyclo [6.1.0]nonatrien-(2,4,6)} 488

7-Chlor-6-methyl-heptatrien-(2,4,6)-säure 169
6-Chlor-3-methyl-hexen-(3)-in-(1) 660
5-Chlormethyl-5-methoxycarbonyl-cyclohexadien-(1,3) aus Chlormethyl-cyclohexadien-(1,3)-5,6-dicarbonsäure-anhydrid, Schwefelsäure und Methanol **346**
9-Chlor-3-methyl-nonen-(2)-in-(4) 620
9-Chlor-9-methyl-9H-⟨tribenzo-cycloheptatrien⟩ 324
4-Chlor-3-methyl-1-[2,6,6-trimethyl-cyclohexen-(1)-yl]-butadien-(1,3) 101
10-Chlor-5-nitro-⟨benzo-cyclooctatetraen⟩ 458
Chloropren 689
2-Chlor-pentadien-(1,3) aus Penten-(1)-on-(4) und Phosphor(V)-chlorid **636**
1-Chlor-penten-(3-)-in-(1-) 630
trans-2-Chlor-1-phenyl-äthylen (*trans*-β-Chlorstyrol) 434, 517
4-(4-Chlor-phenyl)-buten-(3)-in-(1) 617
7-(3-Chlor-phenyl)-cycloheptatrien 319
3-(4-Chlor-phenyl)-cycloheptatrien 325
7-(4-Chlor-phenyl)-cycloheptatrien 319
3-Chlor-7-phenyl-heptatrien-(2,4,6)-al 189
3-(4-Chlor-phenyl)-penten-(3)-in-(1) 619
5-(3-Chlor-propyl)-5H-⟨dibenzo-[a;e]-cycloheptatrien⟩ 324
10-Chlor-retinal-dimethylimminium-perchlorat (10-Chlor-Vitamin A-Aldehyd-dimethylimminiumperchlorat) 88
aus β-Jonyliden-chlor-methan, Butyl-lithium 5-Dimethylamino-3-methyl-pentadien-(2,4)-al und Perchlorsäure **87f.**
trans-β-Chlor-styrol 434, 517
7-Chlorsulfonyl-8-oxo-7-aza-bicyclo[4.2.2]decatrien-(2,4,9) 506, 516
2-Chlor-3,4,5,6-tetramethyl-octatrien-(2,4,6) 80
9-Chlor-9H-⟨tribenzo-cycloheptatrien⟩ 324
x-Chlor-3,6,7-trimethoxycarbonyl-tricyclo[3.2.2.0^{2,4}]nonadien-(6,8) 383
Chlor-tropylium-chlorid 396
10-Chlor-Vitamin-A-Aldehyd-dimethyl-imminium-perchlorat 88
aus β-Jonyliden-chlor-methan, Butyl-lithium, 5-Dimethylamino-3-methyl-pentadien-(2,4)-al und Perchlorsäure **87f.**
Chrysen 221
Citranaxanthin 11, 14, 143
aus β-Apo-8′-carotinal, Aceton und Kalilauge **144**
α- (bzw. β)-8-Citraurin 160
Cope-Umlagerung, intramolekulare 306
Corticrocin 191
Cosmen [2,6-Dimethyl-octatetraen-(1,3,5,7)] 14, 45, 166, 191
Crocetin 9, 15
Crocetin-diäthylester 135
Crocetindialdehyd 9, 12, 107, 156
all-trans-Crocetin-aldehyd aus dem Rückstand von kristallinem *all-trans*-Crocetin-dialdehyd durch Isomerisierung **23**
Crocetindialdehyd-bis-[diäthylacetal] 107
Crocetin-dialkylester 115
Crocetin-dimethylester 115, 129
aus 2,7-Dimethyl-octatrien-(2,4,6)-dial, 3-Methoxycarbonyl-buten-(2)-phosphonsäure-diäthylester und Natriummethanolat **130**
all-trans-Crocetin-dimethylester aus 8,8′-Mono-*cis*-crocetin-dimethylester durch Isomerisierung **22**
Cumaranon 285
(2-Cyan-äthyl)-cyclooctatetraen 442
15-Cyan-β-apo-15′-carotinsäureester {5,9-Dimethyl-11-[2,6,6-trimethyl-cyclohexen-(1)-yl]-2-cyan-undecapentaen-(2,4,6,8,10)-säureester} 148
15-Cyan-β-apo-15′-carotinsäure-nitril {4,8-Dimethyl-10-[2,6,6-trimethyl-cyclohexen-(1)-yl]-1,1-dicyan-decapentaen-(1,3,5,7,9)} 148
9-Cyan-9-aza-bicyclo[4.2.1]nonatrien-(2,4,7) 489
9-Cyan-9-aza-bicyclo[6.1.0]nonatrien-(2,4,6) 489, 501
7-Cyan-bicyclo[4.1.0]heptadien-7-carbonsäure-methylester 310
1-Cyan-butadien 689
2-Cyan-cycloheptatrien 317, 367
7-Cyan-cycloheptatrien
Chrompentacarbonyl-Komplex 411
Chromtricarbonyl-Komplex 406, 411
Molybdäntricarbonyl-Komplex 406
7-Cyan-cycloheptatrien-7-carbonsäure-methylester 310
6-Cyan-⟨dibenzo-[b;f]-azocin⟩ 466
2-Cyan-6-[1,3-dimethyl-2,3-dihydro-⟨benzoimidazol⟩-yliden-(2)]-hexadien-(2,4)-säure-butylester 293
7-Cyanimino-cyclooctatrien-(1,3,5) 481, 489
11-Cyan-1,6-methano-[10]annulen 585
7-Cyan-7-methoxycarbonyl-bicyclo[4.1.0]heptadien 310
7-Cyan-7-methoxycarbonyl-cycloheptatrien 310
7-Cyanmethyl-cycloheptatrien [Cycloheptatrienyl-(7)-acetonitril] 330
Cyanmethyl-cyclooctatetraen 442
7-Cyanmethylen-cyclooctatrien-(1,3,5) 483
8-Cyanmethylen-cyclooctatrien-(1,3,6) 483
(3-Cyan-propyl)-cyclooctatetraen 426, 442
3-Cyan-tricyclo[3.2.2.0^{2,4}]nonadien-(6,8)-6,7-dicarbonsäure-dimethylester 384
Cyclo[3.2.2]azin 542, 586
NMR-Spektrum 540
Cyclo[3.3.3]azin 589
NMR-Spektrum 540
Cyclobuta-cyclooctatetraen {Bicyclo[6.2.0]decapentaen-(1,3,5,7,9)} 450
Cyclobutadien-Eisentricarbonyl-Komplex 519
Cyclobuten 519
Cyclobuten-3,4-dicarbonsäure-diester 519
Cyclododecatetrain-(1,3,7,9) durch oxidativen Ringschluß von Hexadiin-(1,5) **545f.**
3H-⟨Cyclohepta-cyclooctatetraen⟩ 469
Cycloheptadien-(1,3) aus Cycloheptatrien und Natrium **400**
Cycloheptadien-(1,3)-5-carbonsäure 401
Cycloheptadien-7-carbonsäure-alkylester 378
5H- (bzw. 7H)-⟨Cyclohepta-[l]-phenanthren⟩ 344
Cycloheptatrien 310f., 328, 331, 347, 349f., 350f., 355f., 357f.
durch Umlagerung von Bicyclo[2.2.1]heptadien **349**
Chromtricarbonyl-Komplex 408
aus Chromhexacarbonyl und Cycloheptatrien **405**

Cycloheptatrien
Molybdäntricarbonyl-Komplex 408
aus Molybdänhexacarbonyl und Cycloheptatrien **405**
Ruthenium(II)-dichlorid-Komplex aus Ruthenium(III)-chlorid und Cycloheptatrien **412**
Wolframtricarbonyl-Komplex 408
aus Cycloheptatrien und dem Acetonitril-Komplex des Wolframtricarbonyls **407**
Cycloheptatrien-3-carbonsäure aus Cycloheptatrien-7-carbonsäure-äthylester durch Verseifung und Umlagerung **315**
Cycloheptatrien-2-carbonsäure-äthylester 372
Cycloheptatrien-3-carbonsäure-äthylester 371
Cycloheptatrien-7-carbonsäure-äthylester aus Benzol und Diazoessigsäure-äthylester **339**
Cycloheptatrien-7-carbonsäure-alkylester 378
Cycloheptatrien-1,6-dicarbonsäure-anhydrid 349
Cycloheptatrien-1,6-dicarbonsäure-dimethylester aus 5-Chlormethyl-cyclohexadien-(1,3)-5,6-dicarbonsäure-dimethylester und Kalium-tert. butanolat **346, 349**
Cycloheptatrien-7,7-dicarbonsäure-dimethylester 307, 354
Cycloheptatriene durch katalytische Homoiogisierung von Aromaten mittels Kupfer(I)-bromid und Diazomethan; allgemeine Arbeitsvorschrift **338**
Cycloheptatrien-eisen-cycloheptadien-(1,3)-Komplex 412
Cycloheptatrienid-Anion 401
Cycloheptatrienyl-(7)-acetaldehyd 329f.
Cycloheptatrienyl-(7)-acetonitril 330
1-Cycloheptatrienyl-(7)-cycloheptatrien 370
Cycloheptatrienyl-cyclooctadien-ruthenium(0) 412
1-Cycloheptatrienyl-(7)-1,2-diäthoxycarbonyl-hydrazin 378
Cycloheptatrienyl-(7)-essigsäure 330
1-Cycloheptatrienyl-(7)-inden 326
Cycloheptatrienyl-(7)-malonsäure 330
Cycloheptatrienyl-(7)-malonsäure-äthylester-nitril 330
Cycloheptatrienyl-(7)-malonsäure-diäthylester 330
Chromtricarbonyl-Komplex 411
Molybdäntricarbonyl-Komplex 406
2-Cycloheptatrienyl-(7)-naphthalin [7-Naphthyl-(2)-cycloheptatrien] 319
2-Cycloheptatrienyl-(7)-propanal 330
3-Cycloheptatrienyl-(7)-propin
Chromtricarbonyl-Komplex 406, 411
Molybdäntricarbonyl-Komplex 406
Cycloheptatrienyl-Radikal 414
5-Cycloheptatrienyl-(7)-1,2,3,4-tetraphenyl-cyclopentadien 326
Cyclohepten aus Cycloheptatrien und Natriumamid **400f.**
Cyclohepten-(1)-yl-acetylen (1-Äthinyl-cyclohepten) 620, 648
1-Cyclohepten-(1)-yl-propin 623, 649
Cyclohexadien-(1,3) 169, 220
Cyclohexadien-(1,3)-5-carbonsäure 222
Cyclohexen-(1)-yl-acetylen (Äthinyl-cyclohexen) 619, 638, 648, 655
aus 1-Äthinyl-cyclohexanol durch Dehydratisierung **644**
aus 2,2-Dichlor-1-[cyclohexen-(1)-yl]-äthylen und Phenyl-lithium **656**
1-Cyclohexen-(1)-yl-butadien 163
1-Cyclohexen-(1)-yl-butin-(1) 623
1-Cyclohexen-(1)-yl-hexin-(1) 623
1-Cyclohexen-(1)-yl-propin 623, 649
4-Cyclohexyl-buten-(3)-in-(1) 616, 666
aus 1-Cyclohexyliden-butin-(2)-und Kaliumamid in flüssigem Ammoniak **669**
3-Cyclohexyliden-propin 619, 649, 652, 669
3-Cyclohexylmethyl-buten-(3)-in-(1) 617
5-Cyclohexyl-penten-(3)-in-(1) 669
Cyclononan 520
Cyclononatetraen
Anion 550
Anion-Radikal 521
Dianion 522
all-cis-Cyclononatetraen 487, 520
Anion 519
cis,cis,cis,trans-Cyclononatetraen 487, 520
Anion 520
Cycloocta-cyclobutadien 450
Cycloocta-cyclobuten 450
3H-⟨Cycloocta-cycloheptatrien⟩ 469
Cyclooctadien-(1,3) (bzw. -1,4) 508
Cyclooctadien-(1,5) 78, 508
Cyclooctadien-cycloheptatrienyl-ruthenium(0) 412
Cycloocta-[c]-furan 452f.
Cycloocta-[a]-naphthalin 460
Cycloocta-[b]-naphthalin 460
Cyclooctatetraen 423, 425, 431f., 433, 525
aus Acetylen und Nickelacetylacetonat als Katalysator **427**
Dianion 508, 513
Eisentricarbonyl-Komplex 509, 512
Cyclooctatetraen-carbonsäure 441
aus Brom-cyclooctatetraen, Magnesium und Trockeneis **436**
Cyclooctatetraen-carbonsäure-methylester 432, 436, 441
Cyclooctatetraen-dicarbonsäure 442, 511
Cyclooctatetraen-1,8-dicarbonsäure 426, 444
Cyclooctatetraen-1,8-dicarbonsäure-dimethylester 432, 444
Cyclooctatetraen-1,2,4,6-tetracarbonsäure 446
Cyclooctatetraen-1,2,4,6- (bzw. -1,3,5,7)-tetracarbonsäure-tetraäthylester 427, 446
Cyclooctatetraen-1,2,4,6-tetracarbonsäure-tetramethylester 427, 446
Cyclooctatetraen-1,2,5,6-tetracarbonsäure-tetramethylester 432, 446
Cyclooctatetraen-1,2,5-tricarbonsäure-trimethylester 432, 444
Cyclooctatetraenyl-acetonitril (Cyanmethyl-cyclooctatetraen) 442
4-Cyclooctatetraenyl-butansäure [(3-Carboxy-propyl)-cyclooctatetraen] 441
4-Cyclooctatetraenyl-butansäure-nitril 426, 446
Cyclooctatetraenyl-lithium 436
3-Cyclooctatetraenyl-propansäure [(2-Carboxy-äthyl)-cyclooctatetraen] 441
Cyclooctatrien-(1,3,5) 222, 437f., 471, 473f.
durch Reduktion von Cyclooctatetraen in Natriumamid **474**
Eisentricarbonyl-Komplex 509
Silbernitrat-Komplex 475
Cyclooctatrien-(1,3,6) 438
aus Cyclooctatetraen durch Reduktion mit Zinkstaub **475**

Cyclooctatrien-(1,3,6)
Silbernitrat-Komplex 475
Eisentricarbonyl-Komplex 509
Cyclooctatrien-(1,3,5)-1,6-dicarbonsäure 473
Cyclooctatrien-(1,3,5)-4,7-dicarbonsäure 524
Cyclooctatrien-(1,3,5)-1,6-dicarbonsäure-dimethylester 473
Cyclooctatrien-in 435, 457
Cyclooctatrien-(2,4,6)-yliden-acetonitril [7-Cyan-methylen-cyclooctatrien-(1,3,5)] 483
Cyclooctatrien-(2,4,7)-yliden-acetonitril [8-Cyan-methylen-cyclooctatrien-(1,3,6)] 483
Cyclooctatrien-(2,4,6)-yliden-malonsäure-äthyl-ester-nitril [7-(Äthoxycarbonyl-cyan-methylen)-cyclooctatrien-(1,3,5)] 483
Cyclooctatrienylium-hexachloroantimonat bzw. -tetrafluoroborat (Homotropylium-...) 509
Cycloocten 508
1H-⟨Cyclopenta-cyclooctatetraen⟩ {Bicyclo[6.3.0]undecapentaen-(1^8,2,4,6,9)} 451f., 492f.
5H-⟨Cyclopenta-cyclooctatetraen⟩ {Bicyclo[6.3.0]undecapentaen-(1,4,6,8,10)} 492f.
Cyclopentadien-⟨5-spiro-7⟩-bicyclo[4.1.0]heptadien-(2,4) (Cyclopentadien-⟨5-spiro-7⟩-norcaradien) 451
Cyclopentadien-⟨5-spiro-9⟩-bicyclo[4.2.1]nonatrien-(2,4,7) 500
Cyclopentadien-⟨5-spiro-9⟩-bicyclo[6.1.0]nonatrien-(2,4,6) 486
Cyclopentadien-⟨5-spiro-8⟩-bicyclo[5.1.0]octadiene-(2,5), substituierte, neben 7-Cyclopentadienyl-(5)-cycloheptatrienen durch Photolyse von Diazo-cyclopentadienen in Cycloheptatrien **391**
Cyclopentadien-⟨5-spiro-7⟩-norcaradien 451
7-Cyclopentadienyl-cycloheptatrien
Chromtricarbonyl-Komplex 406
Molybdäntricarbonyl-Komplex 406
Wolframdicarbonyl-Komplex 413
7-Cyclopentadienyl-(5)-cycloheptatriene durch Photolyse von Diazo-cyclopentadienen in Cycloheptatrien **391**
7-Cyclopentadienyl-cycloheptatrienyl-Chrom(0)-Komplex 407
aus Cyclopentadien, Cycloheptatrien, Isopropyl-magnesiumbromid und Chrom(III)-chlorid **412**
(Cyclopentadienyl-molybdäntricarbonyl)-(cycloheptatrienyl-eisentricarbonyl) 413
Cyclopenten-(1)-yl-acetylen (1-Äthinyl-cyclopenten) 619, 648
1-Cyclopenten-(1)-yl-propin 623, 649
1-Cyclopentyliden-heptin-(2) 650
3-Cyclopentyliden-propin 619, 652

D

Decachlor-octatetraen-(1,3,5,7) 82
Decansäure 196
Decapentaen-(1,3,5,7,9) 14, 61, 81
Decapreno-β-carotin 10, 27
Decatetraen-(2,4,6,8) 32, 61, 171
Decatetraen-(2,4,6,8)-disäure 55, 62, 171
trans,cis,cis,trans-Decatetraen-(2,4,6,8)-disäure 523
Decatetraen-(2,4,6,8)-disäure-äthylester-nitril 137
Decatetraen-(2,4,6,8)-disäure-diäthylester 113, 135
Decatetraen-(2,4,6,8)-disäure-dinitril 171, 524
Decatetraen-(2,4,6,8)-säure 145
Decatetraen-(2,4,6,8)-säure-äthylester 111
Decatetraen-(2,4,6,8)-yliden-malonsäure 145
Decen-(1)-in-(3) 615, 618, 665
Dipolmoment 625
aus 1-Brom-2-äthoxy-decin-(3) und Zinkstaub **657**
Decen-(2)-in-(4) 658
Decen-(3)-in-(1) 616, 651, 653, 666, 669
Decen-(4)-in-(2) 666
Decen-(6)-in-(4) 621, 628
15,15'-Dehydro-β-C_{25}-Aldehyd (15,15'-Dehydro-β-apo-12'-carotinal) 44
Dehydro-β-C_{20}-Alkohol (3-Dehydro-Vitamin A, Vitamin A_2) 9, 173, 186
Dehydro-[14]annulen
instabile Konfiguration 590
stabile Konfiguration 590
NMR-Spektrum 538
UV-Spektrum 535
Dehydro-[20]annulen 572, 596
NMR-Spektrum 538
UV-Spektrum 535
Dehydro-[22]annulen 572, 596
NMR-Spektrum 539
UV-Spektrum 535
Dehydro-[26]annulen 574, 597
NMR-Spektrum 539
UV-Spektrum 535
Dehydro-annulene
durch oxidative-Verknüpfung von Hexadiin-(1,5) nach Eglinton; allgemeine Arbeitsvorschrift **546**
durch prototrope Umlagerung cyclischer Olefine mit Kalium-tert.-butanolat; allgemeine Arbeitsvorschrift **547f.**
15,15'-Dehydro-β-apo-12'-carotinal 44
15,15'-Dehydro-apo-8,8'-carotindial (8,8'-Dehycrocetindialdheyd) aus Dehydro-C_{14}-dialdehyd-bis-[diäthylacetal], 1-Äthoxy-propen, Zinkchlorid und Bortrifluorid-Ätherat **157**
15,15'-Dehydro-apo-8,8'-carotindisäure-dimethylester aus 2,7-Dimethyl-octadien-(2,6)-in-(4)-dial und 4-Brom-2-methyl-buten-(2)-säure-methylester mit amalgamiertem Zink **151**
3-Dehydro-axerophthol 9, 173, 186
15,15'-Dehydro-β-carotin 19, 28, 40, 50, 103, 119, 123, 133
aus 15,15'-Dehydro-β-C_{40}-diol-(14,14') und
Salzsäure **50**
p-Toluolsulfonsäure **42**
3',4'-Dehydro-γ-carotin 103
15,15'-Dehydro-γ-carotin 123
8,8'-Dehydro-crocetindialdehyd aus „Dehydro-C_{14}-Dialdehyd-bis-[diäthylacetal]", 1-Äthoxy-propen, Zinkchlorid und Bortrifluorid-Ätherat **157**
8,8'-Dehydro-crocetin-dimethylester aus 2,7-Dimethyl-octadien-(2,6)-in-(4)-dial und 4-Brom-2-methyl-buten-(2)-säure-methylester mit amalgamiertem Zink **151**

1,2-Dehydro-cyclooctatetraen 457
8,8'-Dehydro-C_{20}-dial (8,8'-Dehydro-crocetindialdehyd) aus Dehydro-C_{14}-dialdehyd-bis-[diäthylacetal], 1-Äthoxy-propen, Zinkchlorid und Bortrifluorid-Ätherat **157**
15,15'-Dehydro-7,7'-dihydro-β-C_{40}-diol-(14,14') 11, 40
Dehydro-jonon 48
(3,4-Dehydro-β-jonyliden-äthyl)-triphenyl-phosphonium-chlorid 73
11,12-Dehydro-β-C_{16}-Kohlenwasserstoff {4-Methyl-6-[2,6,6-trimethyl-cyclohexen-(1)-yl]-hexadien-(3,5)-in-(1)} 51, 56
11,12-Dehydro-β-C_{19}-Kohlenwasserstoff {2,6-Dimethyl-8-[2,6,6-trimethyl-cyclohexen-(1)-yl]-octatrien-(1,5,7)-in-(3)} 33
11,12-Dehydro-β-C_{30}-Kohlenwasserstoff {3,8-Dimethyl-1,10-bis-[2,6,6-trimethyl-cyclohexen-(1)-yl]-decatetraen-(1,3,7,9)-in-(5)} 40
3',4'-Dehydro-β-C_{40}-Kohlenwasserstoff (3',4'-Dehydro-γ-carotin) 103
15,15'-Dehydro-β-C_{40}-Kohlenwasserstoff (15,15'-Dehydro-γ-carotin) 123
15,15'-Dehydro-C_{40}-Kohlenwasserstoff (15,15'-Dehydro-lycopin) 103, 119
15,15'-Dehydro-lycopin 103, 119
3-Dehydro-retinol 9, 173, 186
Dehydro-retro-carotin s. Retro-dehydro-carotin
15,15'-Dehydro-7,7',12,12'-tetrahydro-β-C_{40}-diketon 53
5-Dehydro-*cis,trans*-(bzw. -*trans,trans*)-⟨tribenzo-[a;e;i]-[12]annulen⟩ 588
3-Dehydro-Vitamin A 9, 173, 186
3,4-Dehydro-Vitamin A-Säure (Vitamin A_2-Säure) 24
11,12-Dehydro-Vitamin A-säureester {3,7-Dimethyl-9-[2,6,6-trimethyl-cyclohexen-(1)-yl]-nonatrien-(2,6,8)-in-(4)-säureester} 40
11,12-Dehydro-Vitamin-A-säure-methylester 153
Deutero-bicyclo[3.2.0]heptadien-(2,6) 366
1-Deutero-cycloheptatrien 366
7-Deutero-cycloheptatrien 325, 352
aus Lithium-aluminiumdeuterid und Tropyliumbromid **325**
Molybdäntricarbonyl-Komplex 408
Deutero-toluol 366
7,8-Diacetoxy-bicyclo[4.2.0]octadien-(2,4) 517
4,4'-Diacetoxy-15,15'-dehydro-β-carotin 74
2,7-Diacetoxy-*trans*-15,16-diäthyl-15,16-dihydropyren 591
2,7-Diacetoxy-*trans*-15,16-dimethyl-15,16-dihydro-pyren 533, 591
7-(Diacetoxymethyl)-cycloheptatrien 359, 517
aus Cyclooctatetraen, Blei(IV)-acetat und Bortrifluorid/Eisessig-Komplex **359**
1,8-Diacetoxy-cyclooctatetraen 168
1,8-Diacetyl-cyclooctatetraen 443
2,10-Diäthoxy-11-[3-äthyl-2,3-dihydro-⟨benzo-1,3-thiazol⟩-yliden]-1-[3-äthyl-⟨benzo-1,3-thiazol⟩-yl-(2)]-undecapentaen-(1,3,5,7,9)-jodid 277
3,3-Diäthoxy-buten-(1) 680
4,4-Diäthoxy-buten-(3)-in-(1) 652
7-(1,2-Diäthoxycarbonyl-hydrazino)-cycloheptatrien [1-Cycloheptatrienyl-(7)-1,2-diäthoxycarbonyl-hydrazin] 378
7-(Diäthoxycarbonyl-methyl)-cycloheptatrien [Cycloheptatrienyl-(7)-malonsäure-diäthylester] 330
Chromtricarbonyl-Komplex 411
Molybdäntricarbonyl-Komplex 406
8,9-Diäthoxycarbonyl-tricyclo[3.2.2.0^{2,4}]nonadien-(6,8) 379
7,7-Diäthoxy-cyclooctatrien-(1,3,5) 479
6,12-Diäthoxy-⟨dibenzo-[b;f]-1,5-diazocin⟩ 466
3,10-Diäthoxy-4,9-dimethyl-decatetraen-(1,3,7,9)-in-(5) 53
5,5-Diäthoxy-4-methyl-penten-(3)-in-(1) 653
5,5-Diäthoxy-penten-(3)-in-(1) 674
1,1'-Diäthyl-2-benzthio-2'-benzseleno-pseudocyanin-jodid aus 2-Methyl-3-äthyl-⟨benzo-1,3-selenazolium⟩-jodid und 2-Methylmercapto-3-äthyl-⟨benzo-1,3-thiazolium⟩-jodid **249**
3,3'-Diäthyl-benzthio-carbocyanin-jodid aus 2-Methyl-⟨benzo-1,3-thiazol⟩, Diäthylsulfat, Orthoameisensäure-triäthylester und Kaliumjodid **254f.**
3,3-Diäthyl-benzthio-nonamethin-cyanin-jodid 274
1,3'-Diäthyl-benzthio-pseudocyanin-jodid aus 2-Jod-1-äthyl-chinolinium-jodid, 2-Methyl-1-äthyl-⟨benzo-1,3)-thiazolium⟩-jodid und Kaliumcarbonat **248**
3,3'-Diäthyl-benzthio-undecamethincyanin-jodid 275
3,3'-Diäthyl-2,2'-bis-[2-(4-oxo-2-thiono-3-allyl-tetrahydro-1,3-thiazolyliden)-äthyliden]-2,2',3,3'-tetrahydro-bi-[1,3-thiazolyl-(4)] 282
2,3-Diäthyl-1-cyan-cyclooctatetraen 432, 444
trans-15,16-Diäthyl-15,16-dihydro-pyren 533, 592
NMR-Spektrum 539 f.
N,N'-Diäthyl-pseudo-isocyanin-chlorid aus Bis-[1-äthyl-chino]-monomethincyanin-bromid durch Umsalzung **247**
3,4-Dialkoxycarbonyl-cyclobuten 519
2,9-Dialkoxy-3,8-dimethyl-decatetraen-(1,3,7,9)-in-(5) 53
6,12-Diamino-⟨dibenzo-[b;f]-1,5-diazocin⟩ 466
7,8-Diaza-bicyclo[4.2.2]decatrien-(2,4,9)-7,8-dicarbonsäure-imid 515
7,8-Diaza-bicyclo[4.2.2]decatrien-(2,4,9)-7,8-dicarbonsäure-phenylimid 507
6,7-Diaza-tricyclo[3.2.2.0^{2,4}]hepten-(8)-6,7-dicarbonsäure-phenylimid 378
Diazomethan-Lösung aus N-Nitroso-N-methyl-harnstoff **338**
Dibenzo-bicyclo[4.1.0]heptadien (Dibenzo-nor-caradien) 308
5H-⟨Dibenzo-[a;e]-cycloheptatrien⟩ 332, 334, 351f.
durch Oxidation des Bis-[2-(triphenylphosphonio-methyl)-phenyl]-methan-dibromid **360**
durch Pyrolyse von Dibenzo-bicyclo[2.2.1]heptadien **352**
Dibenzo-[a;c]-cyclooctatetraen 461
Dibenzo-[a;e]-cyclooctatetraen 461ff., 494
⟨Dibenzo-[a;e]-cyclooctatetraen⟩-5,12-dicarbonsäure **463**
Dibenzo-bicyclo[4.1.0]heptadien 308
Dibenzo-[c;g]-1,2-diazocin 466, 497
mono-trans-Dibenzo-[a;c]-furo-[3,4-g]-[10]annulen 552, 583

Dibenzo-norcaradien 308
3,4;7,8-Dibenzo-tricyclo[8.2.1.$0^{2,9}$]tridecatetraen-(2^9,3,7,11) 496
5,10-Dibrom-⟨benzo-cyclooctatetraen⟩ 458
9,9-Dibrom-bicyclo[6.1.0]nonatrien-(2,4,6) 486
trans-7,8-Dibrom-bicyclo[4.2.0]octadien-(2,4) 477
7,10-Dibrom-bicyclo[4.4.1]undecatetraen-(1,3,5,8) 601
3,6-Dibrom-cycloheptadien-(1,4) 393
5,7-Dibrom-cyclooctadien-(1,3) 476
1,2-Dibrom-cyclooctatetraen 442
cis-7,8-Dibrom-cyclooctatrien-(1,3,5) 476
trans-7,8-Dibrom-cyclooctatrien-(1,3,5) 434, 477
4,4'-Dibrom-15,15'-dehydro-β-carotin 74
5,6-Dibrom-5,6-dihydro-⟨benzo-cyclooctatetraen⟩ 494
1,1-Dibrom-1a,7a-dihydro-1H-⟨cyclopropa-cyclooctatetraen⟩ {9,9-Dibrom-bicyclo[6.1.0]nonatrien-(2,4,6)} 486
5,6-Dibrom-5,6-dihydro-⟨dibenzo-[a;e]-cyclooctatetraen⟩ 494
2,7-Dibrom-*trans*-15,16-dimethyl-15,16-dihydropyren 591
aus *trans*-15,16-Dimethyl-15,16-dihydropyren, N-Brom-succinimid und Dibenzoylperoxid **577**
1,12-Dibrom-4,9-dimethyl-dodecadien-(3,9)-diin-(5,7) 75
1,8-Dibrom-2,7-dimethyl-octatrien-(2,4,6) 70
2,7-Dibrom-1,6-epoxi-[10]annulen 577, 585
1,6-Dibrom-hexadien-(2,4) 199
2,7-(bzw. 2,10)-Dibrom-1,6-methano-[10]annulen 584
2,6-Dibrom-4-methoxy-1-methyl-benzol aus dem Natriumsalz des 2,6-Dibrom-4-hydroxy-1-methyl-benzols und Dimethylsulfat **562f.**
2,7-Dibrom-octatrien-(2,4,6)-dial 52
2,3-Dibutyl-1-cyan-cyclooctatetraen 444
1,2-Di-tert.-butyloxy-⟨cycloocta-cyclobutadien⟩ 451
2,3-Dicarboxy-⟨benzo-cyclooctatetraen⟩ 459
7,8-Dicarboxy-⟨benzo-cyclooctatetraen⟩ 458
7,8-Dicarboxy-bicyclo[4.2.2]decatetraen-(2,4,7,9) 504
Dicarboxy-cyclooctatetraen 442, 511
1,8-Dicarboxy-cyclooctatetraen 426, 444
1,6-Dicarboxy-cyclooctatrien-(1,3,5) 473
4,7-Dicarboxy-cyclooctatrien-(1,3,5) 524
5,12-Dicarboxy-⟨dibenzo-[a;e]-cyclooctatetraen⟩ 463
2,10-Dicarboxy-1,6-methano-[10]annulen 584
12,17-Dicarboxy-5-methoxycarbonyl-1,4; 7,10; 13,16-tris-[epithio]-[18]annulen aus 2,5-Bis-[carboxymethyl]-thiophen, 2,3-Bis-[5-formyl-thienyl-(2)]-acrylsäure-methylester, Essigsäureanhydrid und Triäthylamin **571**
7-(Dicarboxy-methyl)-cycloheptatrien [Cycloheptatrienyl-(7)-malonsäure] 330
5-(Dicarboxy-methyl)-5H-⟨dibenzo-[a;e]-cycloheptatrien⟩ 321
2,4-Dichlor-benzaldehyd 223
9,9-Dichlor-bicyclo[6.1.0]nonatrien-(2,4,6) 486, 488
cis-(bzw. *trans*)-7,8-Dichlor-bicyclo[4.2.0]octadien-(2,4) 475
cis-3,4-Dichlor-cyclobuten 428, 519
Dichlor-cycloheptatrien 335
cis-7,8-Dichlor-cyclooctatrien-(1,3,5) 475
durch Chlorierung von Cyclooctatetraen **434**
6,12-Dichlor-⟨dibenzo-[b;f]-1,5-diazocin⟩ 466
1,1-Dichlor-1a,7a-dihydro-1H-⟨cyclopropa-cyclooctatetraen⟩ {9,9-Dichlor-bicyclo[6.1.0]nonatrien-(2,4,6)} 486, 488
2,8-Dichlor-6,12-diphenyl-⟨dibenzo-[b;f]-1,5-diazocin⟩ 466
3,4-Dichlor-hexatrien-(1,3,5) 46
1-(3,3-Dichlor-2-methyl-cyclopropyl)-buten-(3)-in-(1) 658
9,9-Dichlor-nonatetraen-(2,4,6,8)-säure-äthylester 137
1,1-Dichlor-octatetraen-(1,3,5,7) 168
4-(2,5-Dichlor-phenyl)-buten-(3)-in-(1) 669
10,10-Dichlor-tetracyclo[3.3.3.$0^{2,8}$.$0^{9,11}$]undecadien-(3,6) 390
11,11-Dichlor-tricyclo[4.4.1.$0^{1,6}$]undecadien-(3,8) aus 1,4,5,8-Tetrahydro-naphthalin, Kalium-tert.-butanolat und Chloroform **549**
6,6-Dicyan-⟨2,3-benzo-bicyclo[3.2.0]heptadien-(2,6)⟩ (3,3-Dicyan-2a,7b-dihydro-3H-⟨cyclobuta-[a]-inden⟩ 372
9,9-Dicyan-⟨benzo-bicyclo[4.1.0]heptadien-(2,4)⟩ (1,1-Dicyan-1a,7b-dihydro-1H-⟨cyclopropa-[a]-naphthalin⟩ 343
5,5-Dicyan-5H-⟨benzo-cycloheptatrien⟩ 315, 343
5,9-Dicyan-5H-⟨benzo-cycloheptatrien⟩ 316
5,9-Dicyan-7H-⟨benzo-cycloheptatrien⟩ 316, 354
7,7-Dicyan-7H-⟨benzo-cycloheptatrien⟩ 316, 343
7,7-Dicyan-bicyclo[4.1.0.]heptadien-(2,4) 307, 343
7,7-Dicyan-bicyclo[4.1.0]heptan 309
9,9-Dicyan-bicyclo[4.2.1]nonatrien-(2,4,7) 501
9,9-Dicyan-bicyclo[6.1.0]nonatrien-(2,4,6) 486
7,7-Dicyan-cycloheptatrien 309
5,12-Dicyan-⟨dibenzo-[a;e]-cyclooctatetraen⟩ 463
3,3-Dicyan-2a,7b-dihydro-3H-⟨cyclobuta-[a]-inden⟩ 372
1,1-Dicyan-1a,7b-dihydro-1H-⟨cyclopropa-cyclooctatetraen⟩ {9,9-Dicyan-bicyclo[6.1.0]nonatrien-(2,4,6)} 486
1,1-Dicyan-1a,7b-dihydro-1H-⟨cyclopropa-[a]-naphthalin⟩ 343
2,5-Dicyan-hexatrien-(1,3,5) 167
7,7-Dicyan-norcaradien 307, 343
Dicycloheptatrienyl-(7)-äther
aus Tropylium-tetrafluoroborat und Natriumhydroxid **327**
Bis-[molybdäntricarbonyl]-Komplex 410
Dicycloheptatrienyl-(7)-amin 327
Dicycloheptatrienyl-(7)-sulfid 327
Dicyclooctatetraenyl-neptunium 514
Dicyclooctatetraenyl-plutonium 514
Dicyclooctatetraenyl-thorium 514
Dicyclooctatetraenyl-uran 513
5,6-Didehydro-11,12-dihydro-⟨dibenzo-[a;e]-cyclooctatetraen⟩ 495
1,10-Diferrocenyl-decapentaen(1,3,5,7,9) 103
1,6-Diferrocenyl-hexatrien-(1,3,5) 103
1,8-Diferrocenyl-octatraen-(1,3,5,7) 103
10,10-Difluor-9,9-dichlor-*cis*-bicyclo[6.2.0]decatrien-(2,4,6) aus Cyclooctatetraen und 2,2-Difluor-1,1-dichlor-äthylen **490**
11,11-Difluor-3,4-dicyan-tetracyclo[4.4.1.$0^{1,6}$.$2^{2,5}$]tridecatetraen-(3,7,9,11) 384
1,8-Diformyl-cyclooctatetraen 443, 454

Difuro-[3,4-a; 3,4-e]-cyclooctatetraen 453
Dihydro-C_{25}-Aldehyd [2,7,11,15,19-Pentamethyl-eicosaheptaen-(2,4,6,8,10,14,18)-al] 105
7,8-Dihydro-apo-12′-lycopinal [2,7,11,15,19-Pentamethyl-eicosaheptaen-(2,4,6,8,10,14,18)-al] 105
5,6-Dihydro-axerophthol (5,6-Dihydro-Vitamin A) 186
1,4-Dihydro-⟨benzo-cyclooctatetraen⟩ 455
aus Brom-cyclooctatetraen Butadien und Kaliumtert.-butanolat **456**
4a,10a-Dihydro-⟨benzo-cyclooctatetraen⟩ {Bicyclo[6.4.0]dodecapentaen-(2,4,6,9,11)} 493
trans-4a,10a-Dihydro-⟨benzo-cyclooctatetraen⟩ 457
7,8-Dihydro-⟨benzo-cyclooctatetraen⟩ 457, 494
1,4-Dihydro-⟨benzo-cyclooctatetraen⟩-2,3-dicarbonsäure-dimethylester 445, 459
cis-(bzw. *trans*)-3a,7a-Dihydro-⟨benzo-[6]-furan⟩ 521
2-[11-(2,3-Dihydro-⟨benzo-1,3-thiazol)-yliden]-⟨benzo-1,3-thiazolium⟩-Salz (Benzthio-undecamethin-cyanin) 275
2-[7-(2,3-Dihydro-⟨benzo-1,3-thiazol⟩-yliden)-heptatrien-(1,3,5)-yl]-⟨benzo-1,3-thiazolium⟩-Salz (Benzthio-heptamethin-cyanin) 275
2-(2,3-Dihydro-⟨benzo-1,3-thiazol⟩-ylidenmethyl)-⟨benzo-1,3-thiazolium⟩-Salz (Benzthio-monomethin-cyanin) 275
2-[8-(2,3-Dihydro-⟨benzo-1,3-thiazol⟩-yliden)-nonatetraen-(1,3,5,7)]-⟨benzo-1,3-thiazolium⟩-Salz (Benzthio-nonamethin-cyanin) 275
2-[5-(2,3-Dihydro-⟨benzo-1,3-thiazol⟩-yliden)-pentadien-(1,3)-yl]-⟨benzo-1,3-thiazolium⟩-Salz (Benzthio-pentamethin-cyanin) 275
2-[3-(2,3-Dihydro-⟨benzo-1,3-thiazol⟩-yliden)-propenyl]-⟨benzo-1,3-thiazolium⟩-Salz (Benzthio-trimethin-cyanin) 275
7,14-Dihydro-⟨bis-cycloocta-[a;d]-benzol⟩ 455
Dihydro-bullvalen 390
7,7′-Dihydro-β-carotin 45, 81, 197
aus 15,15′-Dehydro-β-C_{40}-diol-(14,14′) in N,N-Diäthyl-anilin durch „Dehydroxylierung" mit Lithiumanalat („Whiting-Reaktion") **45**
1,2-Dihydro-⟨cyclobuta-cyclooctatetraen⟩ {Bicyclo[6.2.0]decatetraen-(1^{8},2,4,6)} 450
2a,8a-Dihydro-⟨cyclobuta-cyclooctatetraen⟩ {Bicyclo[6.2.0]decatetraen-(2,4,6,9)} 492
5,6-Dihydro-10H-⟨cyclohepta-[a]-naphthalin⟩ 340
1,2-Dihydro-⟨cycloocta-[e]-benzocyclobutadien⟩ 459
4,5-Dihydro-1H-⟨cyclopenta-cyclooctatetraen⟩ {Bicyclo[6.3.0]undecatetraen-(1^{8},2,4,9)} 492
1a,7a-Dihydro-1H-⟨cyclopropa-cyclooctatetraen⟩ {Bicyclo[6.1.0]nonatrien-(2,4,6)} 486
aus Kalium-cyclooctatetraenid und Dichlormethan **488**
cis-1a,7a-Dihydro-1H-⟨cylcopropa-cyclooctatetraen⟩ {*cis*-Bicyclo[6.1.0]nonatrien-(2,4,6)} 487
trans-1a,7a-Dihydro-1H-⟨cyclopropa-cyclooctatetraen⟩ {*trans*-Bicyclo[6.1.0]nonatrien-(2,4,6)} 487, 518
1a,7a-Dihydro-⟨cyclopropa-cyclooctatetraen⟩-1-carbonsäure {Bicyclo[6.1.0]nonatrien-(2,4,6)-9-carbonsäure} 485
1a,7a,-Dihydro-⟨cyclopropa-cyclooctatetraen⟩-1-carbonsäure-äthylester {9-Äthoxycarbonyl-bicyclo[6.1.0]nonatrien-(2,4,6)} 486
aus Cyclooctatetraen, Diazoessigsäure-äthylester und Kupferpulver **485**
1a,7a-Dihydro-⟨cyclopropa-cyclooctatetraen⟩-1-carbonsäure-chlorid {Bicyclo[6.1.0]nonatrien-(2,4,6)-9-carbonsäure-chlorid} 485
1a,7a-Dihydro-⟨cyclopropa-cyclooctatetraen⟩-1-carbonsäure-hydrazid {9-Hydrazinocarbonyl-bicyclo[6.1.0]nonatrien-(2,4,6)} 485
1a,7a-Dihydro-1H-⟨cyclopropa-cyclooctatetraen⟩-⟨1-spiro-1⟩-3-oxo-1,3-dihydro-⟨benzo-[c]-furan⟩ {9-Hydroxy-9-(2-carboxy-phenyl)-bicyclo[6.1.0]nonatrien-(2,4,6)-lacton} 488
1a,7b-Dihydro-1H-⟨cyclopropa-[a]-naphthalin⟩ 308, 353, 376
1a,7b-Dihydro-⟨cyclopropa-[a]-naphthalin⟩-1-carbonsäure-äthylester aus Naphthalin und Diazoessigsäure-äthylester **353**
1a,9b-Dihydro-⟨cyclopropa-[l]-phenanthren⟩ (Dibenzo-norcaradien) 308
8b,9a-Dihydro-9H-⟨cyclopropa-[e]-pyren⟩ 308
7′,8′-Dihydro-15,15′-dehydro-γ-carotin 103
13,14-Dihydro-13,14-diaza-paracyclen 589
NMR-Spektrum 540
5,6-Dihydro-⟨dibenzo-[a;e]-cyclooctatetraen⟩ 495
5,6-Dihydro-⟨dibenzo-[c;g]-1,2-dizocin⟩ 497
3a,7a-Dihydro-inden {Bicyclo[4.3.0]nonatrien-(2,4,7)} 518, 520
3a,7a-Dihydro-indol-1-carbonsäure-äthylester 521
4,5-Dihydro-4,5-methano-pyren 308
trans-(bzw. *cis*)-9,10-Dihydro-naphthalin 550
3,4-Dihydro-octalen 470
trans-15,16-Dihydro-pyren 591
NMR-Spektrum 540
5,6-Dihydro-retinol (5,6-Dihydro-Vitamin A) 186
2,7-Dihydro-thiepin-1,1-dioxid 212
5,6-Dihydro-Vitamin A 186
5,6-Dihydroxy-3,4-bis-[1,3-dioxan-⟨2-spiro-4⟩-cyclohexyl]-hexadien-(1,3) 201
3,3′-Dihydroxy-α-carotin (Xanthophyll) 10
3,3′-Dihydroxy-β-carotin (Zeaxanthin) 10
14,14′-Dihydroxy-15,15′-dehydro-7,7′-dihydro-β-carotin[15,15′-Dehydro-7,7-dihydro-β-C_{40}-diol-(14,14′)] 11, 40
2,9-Dihydroxy-3,8-dimethyl-1,10-bis-[2,6,6-trimethyl-cyclohexen-(1)-yl]-decadien-(3,7)-in-(5) 72
6,7-Dihydroxy-2,6-dimethyl-octadien-(2,4) 201
1,8-Dihydroxy-2,7-dimethyl-octadien-(1,3)-in-(4) 69
1,7-Dihydroxy-3,7-dimethyl-octan 201
2,7-Dihydroxy-2,6-dimethyl-octan 201
1,8-Dihydroxy-2,7-dimethyl-octatrien-(2,4,6) 186
3,4-Dihydroxy-1,6-diphenyl-hexadien-(1,5) 158
2,7-Dihydroxy-1-methoxy-2,6-dimethyl-8-[2,6,6-trimethyl-cyclohexen-(1)-yl]-octen-(5)-in-(3) aus 2,5-Dihydroxy-1-methoxy-2,6-dimethyl-8-[2,6,6-trimethyl-cyclohexen-(1)-yl]-octen-(6)-in-(3) und Schwefelsäure **72**
1,5-Dihydroxy-naphthalin 223
5-[2,4-Dihydroxy-6-oxo-5,6-dihydro-pyrimidyliden-(5)-amino]-2,4,6-trihydroxy-pyrimidin 298
Ammoniumsalz (Murexid) 298

13,13′-Dihydroxy-13,14,13′,14′-tetrahydro-β-carotin [β-C_{40}-Diol-(13,13′)] 11
14,14′-Dihydroxy-7,7′, 14,14′-tetrahydro-15,15′-dehydro-β-carotin [15,15′-Dehydro-7,7′-dihydro-β-C_{40}-diol-(14,14′)] 11, 40
8,11-Dihydroxy-3,7,12,16-tetramethyl-1,18-bis-[2,6,6,-trimethyl-cyclohexen-(1)-yl]-octadecaheptaen-(1,3,5,9,13,15,17) [β-C_{40}-Diol-(14,14′)] 11
1,10-Dihydroxy-1,1,10,10-tetraphenyl-decatetraen-(2,4,6,8) 171, 523
all-trans-1,10-Dihydroxy-1,1,10,10-tetraphenyl-decatetraen-(2,4,6,8) 478
8,11-Diisopropyl-mono-*trans*-⟨dibenzo-[a;c]-furo-[3,4-g]-[10]annulen⟩ 583
1,2-(bzw. 1,3-; bzw. 1,4)-Dimethoxy-7-äthoxycarbonyl-cycloheptatrien 341
2,8-(bzw. 8,9)-Dimethoxy-7-aza-bicyclo[4.2.2]decatetraen-(2,4,7,9) 507
7,8-Dimethoxy-bicyclo[4.2.0]octadien-(2,4) 222, 472
trans-11,12-Dimethoxycarbonyl-⟨{benzo-[e]-cycloocta}-7-oxa-bicyclo[2.2.1]hepten⟩ 454
2,3-Dimethoxycarbonyl-⟨benzo-cyclooctatetraen⟩ 459
7,8-Dimethoxycarbonyl-⟨benzo-cyclooctatetraen⟩ 458
2,3-Dimethoxycarbonyl-bicyclo[6.4.0]dodecapentaen-(1^{8},2,4,6,10) (2,3-Dimethoxycarbonyl-1,4-dihydro-⟨benzo-cyclooctatetraen⟩ 445, 459
14,15-Dimethoxycarbonyl-β-carotin 146
6,7-Dimethoxycarbonyl-3-cyan-tricyclo[3.2.2.$0^{2,4}$]nonadien-(6,8) 384
1,6-Dimethoxycarbonyl-cycloheptatrien aus 5-chlormethyl-cyclohexadien-(1,3)-5,6-dicarbonsäure-dimethylester und Kalium-tert.-butanolat **346, 349**
7,7-Dimethoxycarbonyl-cycloheptatrien 307, 354
1,8-Dimethoxycarbonyl-cyclooctatetraen 432, 444
1,6-Dimethoxycarbonyl-cyclooctatrien-(1,3,5) 473
trans-2,3-Dimethoxycarbonyl-cyclopropan-⟨1-spiro-7⟩-cycloheptatrien 416
5,9-Dimethoxycarbonyl-⟨difuro-[3,4-a; 3,4-e]-cyclooctatetraen⟩ 453
2,3-Dimethoxycarbonyl-1,4-dihydro-⟨benzo-cyclooctatetraen⟩ 445, 459
trans-10,11-Dimethoxycarbonyl-⟨{furo-[3,4-e]-cycloocta}-7-oxa-bicyclo[2.2.1]hepten⟩ 453
18,19-Dimethoxycarbonyl-8-oxa-pentacyclo-[13.2.2.$0^{2,4}$.$0^{3,13}$.$0^{6,10}$]nonadecahexaen-(3^{13},4,6, 9,11,16) 470
15,16-Dimethoxycarbonyl-pentacyclo[12.2.2.$0^{2,13}$.$0^{3,12}$.$0^{4,11}$]octadecapentaen-(5,7,9,15,17) 491, 522
trans-10,11-Dimethoxycarbonyl-⟨{thieno-[3,4-e]-cycloocta}-7-oxa-bicyclo[2.2.1]hepten⟩ 454
1,5-Dimethoxy-3-carboxy-cyclohexadien-(1,4) aus 3,4,5-Trimethoxy-benzoesäure/Methanol und Natriumamid **345**
3,3-Dimethoxy-cyclobuten 519
1,2-Dimethoxy-cycloheptatrien 348
1,3-Dimethoxy-cycloheptatrien 347
aus 1,5-Dimethoxy-3-p-tosyloxymethyl-cyclohexadien-(1,4) durch Solvolyse **345 f.**
2,5-Dimethoxy-cycloheptatrien 384
7,7-Dimethoxy-cycloheptatrien 316
1,2-(bzw. 1,3-; bzw. 1,4)-Dimethoxy-cycloheptatrien-7-carbonsäure-äthylester 341
1,5-Dimethoxy-cyclohexadien-(1,4)-3-carbonsäure aus 3,4,5-Trimethoxy-benzoesäure/Methanol und Natriumamid **345**
trans-7,8-Dimethoxy-cyclooctatrien-(1,3,5) 472
4,4′-Dimethoxy-15,15′-dehydro-β-carotin 74
6,12-Dimethoxy-⟨dibenzo-[b;f]-1,5-diazocin⟩ 466
5,13-Dimethoxy-2,10-dimethyl-[2.2]metacyclophan aus 5-Methoxy-2-methyl-1,3-bis-[jodmethyl]-benzol und Natrium **564**
1,5-Dimethoxy-3-hydroxymethyl-cyclohexadien-(1,4) aus 1,5-Dimethoxy-cyclohexadien-(1,4)-3-carbonsäure und Lithiumalanat **345**
7-(Dimethoxy-methyl)-cycloheptatrien 358, 378, 517
aus Cyclooctatetraen, Quecksilber(II)-acetat in Methanol **359**
4-(3,4-Dimethoxy-phenyl)-buten-(3)-in-(1) 662
1,5-Dimethoxy-3-p-tosyloxymethyl-cyclohexadien-(1,4) aus 1,5-Dimethoxy-3-hydroxymethyl-cyclohexadien-(1,4) und p-Toluolsulfonsäure-chlorid **345 f.**
trans-15,16-Dimethyl-2-acetyl-15,16-dihydropyren 580, 591
1,3-(bzw. 1,4)-Dimethyl-7-äthoxycarbonyl-cycloheptatrien 341
1-{5,5-Dimethyl-3-[3-äthyl-⟨benzo-1,3-thiazolium⟩-yl-(2)-methylen]-cyclohexen-(1)-yl}-3-{5,5-dimethyl-3-[3-äthyl-2,3-dihydro-⟨benzo-1,3-thiazol⟩-ylidenmethyl]-cyclohexen-(2)-yl}-propen-jodid 276
2,2-Dimethyl-5-äthyl-hepten-(5)-in-(3) 622
5,6-Dimethyl-3-äthyl-2-{3-[3-methyl-tetrahydro-1,3-thiazolyliden-(2)]-propenyl}-⟨benzo-1,3-thiazolium⟩-jodid aus 3-Methyl-2-(2-phenyl-imino-äthyliden)-tetrahydro-1,3-thiazol, 2,5,6-Trimethyl-3-äthyl-⟨benzo-1,3-thiazolium⟩-p-toluolsulfonat und Kaliumjodid **259 f.**
5-(2-Dimethylamino-äthylamino)-5H-⟨dibenzo-[a;e]-cycloheptatrien⟩ 322
(2-Dimethylamino-äthyl)-cyclooctatetraen 426, 441
3-(bzw. 5)-Dimethylamino-bicyclo[3.2.0]heptadien-(2,6) 369
7-Dimethylamino-cyloheptatrien-Chromtricarbonyl- bzw. -Molybdäntricarbonyl-Komplex 406
4-Dimethylamino-1-cycloheptatrienyl-(3)-naphthalin aus 1-Dimethylamino-naphthalin und Tropylium-tetrafluoroborat und Umlagerung des 7-Isomeren mit Fluoroborsäure **331**
7-Dimethylamino-heptatrien-(2,4,6)-al 77
(Dimethylamino-methyl)-cyclooctatetraen 441
9-Dimethylamino-nonatetraen-(2,4,6,8)-al 77, 189
1-Dimethylamino-octatrien-(2,4,6) 60
(4-Dimethylamino-phenyl)-cycloheptatrien 319
7-(4-Dimethylamino-phenyl)-cycloheptatrien 322
(4-Dimethylamino-phenyl)-cyclooctatetraen 440
5-(4-Dimethylamino-phenyl)-5H-⟨dibenzo-[a;e]-tropylium⟩-perchlorat durch Umsetzen von 4-Dimethylamino-phenyl-lithium mit 5-Oxo-5H-⟨dibenzo-[a;e]-cycloheptatrien⟩ und Perchlorsäure **396 f.**

4-Dimethylamino-5-phenyl-1,2-dihydro-⟨benzo-[d]-azocin⟩ 498
4-[2-(4-Dimethylamino-phenyl)-vinyl]-chinolin aus 4-Methyl-chinolin und 4-Dimethylamino-benzaldehyd **244**
(3-Dimethylamino-propyl)-cyclooctatetraen 441
13-Dimethylamino-tridecahexaen-(2,4,6,8,10,12)-al 77
11-Dimethylamino-undecapentaen-(2,4,6,8,10)-al 77
1,3-Dimethyl-benzimidazolin-2-[5′-(3′-äthyl-rhodanin)]-O-methin-neutro-cyanin aus 2-Methylmercapto-1-methyl-benzimidazol, Dimethylsulfat, Pyridin, 3-Äthyl-rhodanin und Triäthylamin **286**
trans-15,16-Dimethyl-2-benzoyl-15,16-dihydro-pyren 580, 591
2,2-Dimethyl-bernsteinsäure 213
3,7-Dimethyl-bicyclo[4.4.0]decadien-(1,3)-9,10-dicarbonsäure aus 2,6-Dimethyl-octatetraen-(1,3,5,7) und Maleinsäureanhydrid **207**
4,4-Dimethyl-bicyclo[3.2.0]heptadien-(2,6)-1-carbonsäure-methylester 370
6,6-Dimethyl-bicyclo[3.1.0]hexen-(2) 220
3,8-Dimethyl-bicyclo[4.2.0]octadien-(2,4) 481
7,8-Dimethyl-bicyclo[4.2.0]octadien-(2,4) 472
2,3-Dimethyl-biphenyl 221
1,4-Dimethyl-5,6-bis-[acetoxymethyl]-3-{2-methyl-4-[2,6,6,-trimethyl-cyclohexen-(1)-yl]-butadien-(1,3)-yl}-4-{4-methyl-6-[2,6,6-trimethyl-cyclohexen-(1)-yl]-hexatrien-(1,3,5)-yl}-cyclohexen (Kitol) 10, 224
aus Wal-Leberöl **192**
3,8-Dimethyl-1,10-bis-[2,6,6-trimethyl-cyclohexen-(1)-yl]-decan 194
3,8-Dimethyl-1,10-bis-[2,6,6-trimethyl-cyclohexen-(1)-yl]-decapentaen-(1,3,5,7,9) 11, 83
aus β-C_{30}-Diol-(9,9′) durch Dehydroxylierung mit Diphosphor-tetrajodid und spontaner Jod-Abspaltung **47f.**
3,8-Dimethyl-1,10-bis-[2,6,6-trimethyl-cyclohexen-(1)-yl]-decatetraen-(1,3,7,9)-in-(5) 40
7,7-Dimethyl-3-(4-brom-phenoxycarbonyl)-cycloheptatrien (7,7-Dimethyl-cycloheptatrien-3-carbonsäure-4-brom-phenylester 311
5,5-Dimethyl-2-tert.-butyl-hexen-(1)-in-(3) [2,2,6,6-Tetramethyl-5-methylen-heptin-(3)] 620, 629
1,3-Dimethyl-2-[5-butyloxycarbonyl-5-cyan-pentadien-(2,4)-yliden]-2,3-dihydro-benzimidazol 293
5,5-Dimethyl-1-carboxy-cyclohepten 402
6,6-Dimethyl-cycloheptadien-(1,4)-3-carbonsäure 402
7,x-Dimethyl-cycloheptatrien 358
1,3-(bzw. 1,4)-Dimethyl-cycloheptatrien-7-carbonsäure-äthyleter 341
7,7-Dimethyl-cycloheptatrien-3-carbonsäure-4-brom-phenylester 311
1,7-Dimethyl-cycloheptatrien-4-carbonsäure-methylester 370
5,5-Dimethyl-cyclohepten-(1)-1-carbonsäure 402
1,2-Dimethyl-cyclooctatetraen 426, 442
1,4-Dimethyl-cyclooctatetraen 443
3,8-Dimethyl-cyclooctatrien-(1,3,5) 481
7,8-Dimethyl-cyclooctatrien-(1,3,5) 472, 481
5,8-Dimethyl-cyclooctatrien-(1,3,6) 481
3,3-Dimethyl-cyclopropan-*cis*-1,2-dicarbonsäure durch Ozonisierung von 2-(4-Methoxy-benzoyl-oxy)-3,7,7-trimethyl-cycloheptatrien **399**
2,2-Dimethyl-decadien-(3,4) 687
2,3-Dimethyl-decatetraen-(2,4,6,8) 101
trans-15,16-Dimethyl-2,7-dibenzoyl-15,16-di-hydro-pyren 591
3,7-Dimethyl-9,10-dicarboxy-bicyclo[4.4.0]deca-dien-(1,3) aus 2,6-Dimethyl-octatetraen-(1,3,5,7) und Maleinsäureanhydrid **207**
3,3-Dimethyl-*cis*-1,2-dicarboxy-cyclopropan durch Ozonisierung von 2-(4-Methoxy-benzoyloxy)-3,7,7-trimethyl-cycloheptatrien **399**
1,4-(bwz. 2,5)-Dimethyl-7,7-dicyan-bicyclo [4.1.0]heptadien-(2,4) 343
5,6-Dimethyl-5,6-dihydro-⟨dibenzo-[c;g]-1,2-diazocin⟩ 498
15,16-Dimethyl-15,16-dihydro-pyren (diamagnetische Anisotropie) 541
cis-15,16-Dimethyl-15,16-dihydro-pyren 540, 592
trans-15,16-Dimethyl-15,16-dihydro-pyren 542f., 561, 591
aus *trans*-15,16-Dimethyl-2,7,15,16-tetra-hydro-pyren durch Dehydrierung **564f.**
NMR-Spektrum 540
trans-15,16-Dimethyl-15,16-dihydro-pyren-chinon-(2,7) aus 2,7-Dioxo-15,16-dimethyl-2,4,5,7,9,10,15,16-octahydro-pyren, N-Brom-succinimid und Azoisobuttersäure-dinitril **564**
N,N-Dimethyl-[5-dimethylamino-3-methyl-penta-dien-(2,4)-yliden]-ammonium-perchlorat 236
Dimethyl-[9-dimethylamino-nonatetraen-(2,4,6,8)-yliden]-ammonium-Salz 237
1,3-Dimethyl-2-{5-[1,3-dimethyl-tetrahydro-imidazolyliden-(2)]-pentadien-(1,3)-yl}-4,5-dihydro-imidazolium-Salz 270
1,6-Dimethyl-7,8-diphenyl-bicyclo[4.2.0]octa-trien-(2,4,7) 514
2,7-Dimethyl-1,8-diphenyl-bicyclo[4.2.0]octa-trien-(2,4,7) 514
1,4-Dimethyl-2,3-diphenyl-cyclooctatetraen 514
3,8-Dimethyl-1,10-diphenyl-decapentaen-(1,3,5,7,9) 83
3,8-Dimethyl-1,10-diphenyl-decatetraen-(1,3,7,9)-in-(5) 133
11,12-Dimethyl-5,6-diphenyl-⟨dibenzo-[a;e]-cyclooctatetraen⟩ 464
1,4-Dimethyl-2,3-diphenyl-6,7-dihydro-5H-⟨benzo-cycloheptatrien⟩ 388
5,10-Dimethyl-1,14-diphenyl-tetradecaheptaen-(1,3,5,7,9,11,13) 83
5,10-Dimethyl-1,14-diphenyl-tetradecahexaen-(1,3,5,9,11,13)-in-(7) 133
2,3-Dimethyl-dodecapentaen-(2,4,6,8,10) 101
4,9-Dimethyl-dodecapentaen-(2,4,6,8,10)-dial 145
4,9-Dimethyl-dodecapentaen-(2,4,6,8,10)-disäure-dimethylester 113
trans-15,16-Dimethyl-2-formyl-15,16-dihydro-pyren 581, 592
6,8-Dimethyl-⟨furo-[3,4-e]-thieno-[3,4-a]-cyclo-octatetraen⟩ 453
2,2-Dimethyl-glutarsäure 212
2,6-Dimethyl-heptatrien-(1,3,5) 63
trans-2,6-Dimethyl-heptatrien-(1,3,6) 63
2,6-Dimethyl-hepten-(2)-in-(4) 622, 661
3,6-Dimethyl-hepten-(2)-in-(4) 622, 649, 661
3,6-Dimethyl-hepten-(3)-in-(1) 619

2,15-Dimethyl-hexadecahexaen-(1,5,7,9,11,15)-diin-(3,13) 168
2,5-Dimethyl-hexatrien-(1,3,5) 82
cis-2,5-Dimethyl-hexatrien-(1,3,5) 54
trans-2,5-Dimethyl-hexatrien-(1,3,5) 38, 54
5,5-Dimethyl-hexen-(1)-in-(3) 618
5,5-Dimethyl-hexen-(3)-in-(1) 616, 625
6-Dimethylimminio-3-(4-amino-2-phenyl-benzyliden)-cyclohexadien-(1,4)-chlorid (Malachitgrün) 238
6-Dimethylimminio-3-(bis-[4-dimethylamino-phenyl]-methylen)-cyclohexadien-(1,4)-chlorid (Kristallviolett) 238
6-Dimethylimminio-3-(4-dimethylamino-phenyl-imino)-cyclohexadien-(1,4) (Bindschedlers Grün) 238
7-Dimethylimminio-5-methyl-1-phenyl-heptatrien-(1,3,5)-perchlorat aus 5-Dimethylamino-3-methyl-pentadien-(2,4)-al, 2-Phenyl-vinyl-magnesiumbromid und Perchlorsäure **87**
7-Dimethylimminio-1-phenyl-heptatrien-(1,3,5)-perchlorat 87
3,4-Dimethyl-4-isopropyl-benzol 376
Dimethyl-malonsäure 213
Dimethylmercapto-methylen-malonsäure-dinitril [291
2,2-Dimethyl-[2.2]metacyclophan 551
4,4-Dimethyl-1-methoxycarbonyl-bicyclo [3.2.0]heptadien-(2,6) 370
1,7-Dimethyl-4-methoxycarbonyl-cycloheptatrien 370
3,3-Dimethyl-5-(2-methoxy-vinyl)-3H-pyrazol 694
2,6-Dimethyl-4-methylen-heptadien-(2,5) 36
6,6-Dimethyl-5-methylen-heptin-(3) 620, 625
Dipolmoment 625
4,4-Dimethyl-3-methylen-hexin-(1) 617, 646
5,5-Dimethyl-4-methylen-hexin-(2) 620, 625, 646, 648, 665
Dipolmoment 625
4,4-Dimethyl-3-methylen-pentin-(1) 617, 625, 638, 645, 665
Dipolmoment 625
4,4-Dimethyl-3-methylen-1-phenyl-pentin-(1) 646
1,6-Dimethyl-2-(2-methylmercapto-3-äthoxy-carbonyl-3-cyan-allyliden)-1,2-dihydro-chinolin 291
1,6-Dimethyl-3-(2-methyl-propenyl)-cyclohexen-(1)-4,5-dicarbonsäure-anhydrid 206
3,4-Dimethyl-1-(2-methyl-propenyl)-1,4,4a,9a-tetrahydro-anthrachinon aus Alloocimen und Naphthochinon-(1,2) **206f.**
1,6- (bzw. 2,6)-Dimethyl-naphthalin 216
2,8-Dimethyl-nonatetraen-(1,3,5,7) 101
2,6-Dimethyl-octadien-(2,4) 198
2,6-Dimethyl-octadien-(3,5) 196
2,7-Dimethyl-octadien-(2,6)-in-(4)-dial 183
2,7-Dimethyl-octadien-(2,6)-in-(4)-diol-(1,8) 69
[3,7-Dimethyl-octadien-(2,6)-yliden]-triphenyl-phosphoran (Geranyliden-triphenyl-phosphoran) aus Geranyl-triphenyl-phosphonium-bromid und Phenyl-lithium **97**
2,6-Dimethyl-octatetraen-(1,3,5,7) (Cosmen) 14, 45, 166, 191
2,6-Dimethyl-octatrien-(1,3,5) 66
2,6-Dimethyl-octatrien-(2,4,6) (Alloocimen) 9, 58, 63, 154, 165f., 217, 219
aus α-Pinen durch Pyrolyse **164f.**
Chromtricarbonyl-Komplex 190
2,6-Dimethyl-octatrien-(2,4,6) (Alloocimen) Eisentricarbonyl-Komplex 190
3,7-Dimethyl-octatrien-(1,3,5) 166
2,6-Dimethyl-octatrien-(2,4,6)-aldehyd-säure-äthylester 157
3,7-Dimethyl-octatrien-(2,4,6)-aldehyd-(8)-säure-äthylester 146
2,7-Dimethyl-octatrien-(2,4,6)-dial 11, 128, 161
aus 1,4-Bis-[diäthoxy-phosphonyl]-buten-(2), 2-Oxo-propanal-dimethylacetal und Natriumamid **129**
2,7-Dimethyl-octatrien-(2,4,6)-dial-bis-[diäthyl-acetal] [1,1,8,8-Tetraäthoxy-2,7-dimethyl-octatrien-(2,4,6)] 39, 107
2,7-Dimethyl-octatrien-(2,4,6)-diol-(1,8) 186
2,7-Dimethyl-octatrien-(2,4,6)-disäure-dimethyl-ester aus 3,6-Dibrom-2,7-dimethyl-octen-(4)-disäure-dimethylester durch Abspaltung von Bromwasserstoff **48f.**
3,7-Dimethyl-octatrien-(2,4,6)-säure 150
2,6-Dimethyl-octatrien-(2,4,6)-säure-methylester aus 2-Methyl-buten-(2)-al und 4-Brom-2-methyl-buten-(2)-säure-methylester mit Jod aktiviertem Zink **151**
3,7-Dimethyl-octen-(3) 198
{2,6-Dimethyl-8-[4-oxo-2,6,6-trimethyl-cyclohexen-(2)-yliden]-octadien-(2,6)-in-(4)-yl}-triphenyl-phosphonium-bromid {8-Triphenyl-phosphonio-3,7-dimethyl-1-[4-oxo-2,6,6-tri-methyl-cyclohexen-(2)-yliden]-octadien-(2,6)-in-(4)-bromid} 73
3,4-Dimethyl-1-phenyl-penten-(3)-in-(1) 650
2,2-Dimethyl-propansäure 399
2,6-Dimethyl-pyridin 695
5,10-Dimethyl-tetradecahexaen-(2,4,6,8,10,12)-disäure 62
trans-15,16-Dimethyl-2,7,15,16-tetrahydro-pyren aus *trans*-15,16-Dimethyl-15,16-dihydro-pyrenchinon-(2,7), Lithiumalanat/Aluminium-chlorid **564**
7,8-Dimethyl-9-thia-bicyclo[4.2.1]nonatrien-(2,4,7)-9,9-dioxid 502
x,y-Dimethyl-3,6,7-trimethoxycarbonyl-tricyclo [3.2.2.0^{2,4}]nonadien-(6,8) 383
5,9-Dimethyl-11-[2,6,6-trimethyl-cyclohexen-(1)-yl]-2-cyan-undecapentaen-(2,4,6,8,10)-säure-ester 148
4,8-Dimethyl-10-[2,6,6-trimethyl-cyclohexen-(1)-yl]-1,1-dicyan-decapentaen-(1,3,5,7,9) 148
3,7-Dimethyl-9-[2,6,6-trimethyl-cyclohexen-(2)-yliden]-nonatetraen-(1,3,5,7) (Anhydro-Vitamin A) 9, 43, 55f.
3,7-Dimethyl-1-[2,6,6-trimethyl-cyclohexen-(1)-yl]-nonatetraen-(1,3,5,7) (Axerophthen) 10, 69, 101, 103, 119, 188
{3,7-Dimethyl-9-[2,6,6-trimethyl-cyclohexen-(1)-yl]-nonatetraen-(2,4,6,8)-yl}-triphenyl-phosphonium-chlorid (Retinyl-triphenyl-phosphoniumchlorid) 203
aus Vitamin A, Triphenylphosphin und Salzsäure **96**
{3,7-Dimethyl-9-[2,6,6-trimethyl-cyclohexen-(1)-yl]-nonatetraen-(2,4,6,8)-yl}-triphenyl-phosphonium-hydrogensulfat (Retinyl-triphenyl-phosphonium-hydrogensulfat) 95
aus Triphenyl-phosphonium-hydrogensulfat und *all-trans*-Vitamin A-Acetat **96**

{3,7-Dimethyl-9-[2,6,6-trimethyl-cyclohexen-(1)-yl]-nonatetraen-(2,4,6,8)-yl}-triphenyl-phosphonium- (Retinyl-triphenyl-phosphonium ...)
jodid 95
tetrafluoroborat 96
p-toluolsulfonat 96
3,7-Dimethyl-9-[2,6,6-trimethyl-cyclohexen-(1)-yl]-nonatrien-(2,6,8)-in-(4)-phosphonsäure-diäthylester 51
3,7-Dimethyl-9-[2,6,6-trimethyl-cyclohexen-(1)-yl]-nonatrien-(2,6,8)-in-(4)-säureester 40
3,7-Dimethyl-9-[2,6,6-trimethyl-cyclohexen-(1)-yl]-nonatrien-(2,6,8)-in-(4)-säure-methylester (11,12-Dehydro-Vitamin A-Säure-methylester 153
{3,7-Dimethyl-9-[2,6,6-trimethyl-cyclohexen-(1)-yl]-nonatrien-(2,6,8)-in-(4)-yl}-triphenyl-phosphonium-Salz {9-Triphenylphosphoniono-3,7-dimethyl-1-[2,6,6-trimethyl-cyclohexen-(1)-yl]-nonatrien-(1,3,7)-in-(5)} 51
3,7-Dimethyl-1-[2,6,6-trimethyl-cyclohexen-(1)-yl]-octatetraen-(1,3,5,7) 131
2,6-Dimethyl-8-[2,6,6-trimethyl-cyclohexen-(1)-yl]-octatrien-(2,4,6)-al 11, 44, 52
aus 4-Methyl-6-[2,6,6-trimethyl-cyclohexen-(1)-yl]-hexadien-(2,4)-al, Orthoameisensäure-träthylester, 1-Methoxy-propen und Zinkchlorid **156**
2,6-Dimethyl-8-[2,6,6-trimethyl-cyclohexen-(1)-yl]-octatrien-(2,4,6)-al-diäthylacetal (β-C_{19}-Aldehyd-diäthylacetal) 105
2,6-Dimethyl-8-[2,6,6-trimethyl-cyclohexen-(1)-yl]-octatrien-(1,5,7)-in-(3) 33
5,9-Dimethyl-11-[2,6,6-trimethyl-cyclohexen-(1)-yl]-undecapentaen-(2,4,6,8,10)-al (β-Apo-14′-carotinal) 12
5,9-Dimethyl-11-[2,6,6-trimethyl-cyclohexen-(1)-yl]-undecapentaen-(2,4,6,8,10)-säure (β-Apo-14′-carotinsäure)-säure 184
2,5-Dimethyl-9,10,11-triphenyl-bicyclo[6.3.0] undecapentaen-(2,4,6,8,10) 493
2,10-Dimethyl-undecapentaen-(1,3,5,7,9) 101
Dinaphtho-[1,8,8a-a,b;1,8,8a-f,g]-[10]annulen 551,583
Dinitro-[18]annulene 579
5,8-Dinitro-cyclooctatrien-(1,3,6) 480
2,7-Dinitro-1,6-methano-[10]annulen 585
4,5-Dinitro-⟨tetrabenzo-cyclooctatetraen⟩ 467
6,7-Dioxa-bicyclo[3.2.2]nonadien-(2,8) 398
5-[1,3-Dioxanyl-(4)]-pentadien-(2,4)-säure-äthylester 212
3,8-Dioxo-12-äthoxycarbonyl-⟨4,5-benzo-tetracyclo[$6.3.2.0^{2,7}0^{9,11}$]tridecadien-(4,12)⟩ 382
7,8-Dioxo-bicyclo[4.2.1]nonadien-(2,4) 397
1,10-Dioxo-1,10-bis-[4-brom-phenyl]-decatetraen-(2,4,6,8) 171
1,10-Dioxo-1,10-bis-[4-brom-phenyl]-decatetraen-(*trans*-2,*cis*-4, *cis*-6, *trans*-8) 523
3,3′-Dioxo-β-carotin {3,7,12,16-Tetramethyl-1,18-bis-[4-oxo-2,6,6-trimethyl-cyclohexen-(1)-yl]-octadecanonaen} 197
4,4′-Dioxo-β-carotin (Cantaxanthin) 11, 176
1,3-Dioxo-2-cycloheptatrienyl-(7)-indan 329
2,4-Dioxo-3-cycloheptatrienyl-(7)-pentan 330
aus Pentandion-(2,4) und Tropyliumbromid **329**
12,12′-Dioxo-15,15′-dehydro-7,12,7′,12′-tetrahydro-β-carotin 53
1,3-Dioxo-2,2-dicycloheptatrienyl-(7)-indan 329
5,6-Dioxo-5,6-dihydro-⟨dibenzo-[a;e]-cyclooctatetraen⟩ 497
2,9-Dioxo-3,8-dimethyl-decadien-(3,7)-in-(5) 183
2,7-Dioxo-15,16-dimethyl-2,4,5,7,9,10,15,16-octahydro-pyren aus 5,13-Dimethoxy-2,10-dimethyl-[2.2]methacyclophan, Chrom(VI)-oxid und Schwefelsäure **564**
2,7-Dioxo-3,3-dimethyl-octan 214
1,10-Dioxo-1,10-diphenyl-decatetraen-(2,4,6,8) 171
1,10-Dioxo-1,10-diphenyl-decatetraen-(*trans*-2, *cis*-4, *cis*-6, *trans*-8) 523
2,11-Dioxo-dodecatetraen-(3,5,7,9) 171
2,11-Dioxo-dodecatetraen-(*trans*-3,*cis*-5,*cis*-7, *trans*-9) 523
1,4-Dioxo-1,4,4a,5,12,12a-hexahydro-⟨cycloocta-[b]-naphthalin⟩ 455
3,23-Dioxo-2,6,10,15,19,23-hexamethyl-tetracosanonaen-(4,6,8,10,12,14,16,18,20) 144
1,3-Dioxo-indan 285
2-[1,3-Dioxo-indanyl-(2)]-chinolin (Chinolingelb) 285
3,4-Dioxo-2-methyl-1,2,3,4,4a,14b-hexahydro-⟨dibenzo-[b;f]-pyridazino-[1,2-h]-azocin⟩ 497
16,21-Dioxo-4,9,13,17,17-pentamethyl-docosahexaen-(2,4,6,8,10,12)-al (β-Carotinon-aldehyd) 160
3-[2,4-Dioxo-pentyl-(3)]-8,8,9,9-tetracyan-tricyclo[$3.2.2.0^{2,4}$)nonen-(6) 382
3,3′-Dioxo-retro-dehydro-carotin (Rhodoxanthin) 124
2,5-Dioxo-2,3,5,6-tetrahydro-piperazin 285
6,13-Dioxo-3,7,12,16-tetramethyl-1,18-bis-[2,6,6-trimethyl-cyclohexen-(1)-yl]-octadecahexaen-(2,4,7,11,14,16)-in-(9) 53
16,17-Dioxo-1,5,8,13-tetramethyl-6,7,14,15-tetraphenyl-pentacyclo[$11.2.1.1^{5,8}.0^{2,13}.0^{4,9}$]heptadecen-(10) 387
4,4′-Dioxo-2′-thiono-3,3′-diäthyl-5-anilinomethylen-bi-[tetrahydro-1,3-thiazolyl-(2,5′)] 297
3,7-Dioxo-tricyclo[$8.6.0.0^{3,8}$]hexadecapentaen-(1^{10},5,11,13,15) (1,4-Dioxo-1,4,4a,5,12,12a-hexahydro-⟨cycloocta-[b]-naphthalin⟩) 455
2,3-Diphenyl-8-äthoxycarbonyl-azocin 449
6,7-Diphenyl-5-aza-tricyclo[$8.2.2.0^{2,9}$]tetradecatetraen-(3,5,7,11)-4,13,14-tricarbonsäure-13,14-dimethylester-4-äthylester 449
2,3-Diphenyl-azocin-8-carbonsäure-methylester 449
1,4-Diphenyl-7H-⟨benzo-cycloheptatrien⟩ 344
6,7-Diphenyl-⟨benzo-cyclooctatetraen⟩ 458
7,8-Diphenyl-bicyclo[4.2.2]decatetraen-(2,4,7,9) 504
9,11-Diphenyl-bicyclo[6.3.0]undecapentaen-(2,4,6,8,10) 493
1,4-Diphenyl-buten-(3)-in-(1) 621, 628, 656
aus (Phenyl-äthinyl)-magnesiumchlorid, Kobalt(II)-chlorid und β-Brom-styrol **630**
1,4-Diphenyl-5-cycloheptatrienyl-cyclopentadien-(1,3) {7-[1,4-Diphenyl-cyclopentadien-(1,3)-yl-(5)]-cycloheptatrien} 392
1,2-Diphenyl-cyclooctatetraen 426, 443, 447

1,3- (bzw. 1,4-; bzw. 1,5)-Diphenyl-cyclooctatetraen 443, 447
1,2-Diphenyl-3aH-⟨cyclopenta-cyclooctatetraen⟩ {9,11-Diphenyl-bicyclo[6.3.0]undecapentaen-(2,4,6,8,10)} 493
1,4-Diphenyl-cyclopentadien-⟨5-spiro-8⟩-bicyclo [5.1.0]octadien-(2,5) 392
7-[1,4-Diphenyl-cyclopentadien-(1,3)-yl-(5)]-cycloheptatrien 392
1,10-Diphenyl-decapentaen-(1,3,5,7,9) 47, 171, 524
aus Kalium-tert.-butanolat, Zimtaldehyd und 1,4-Bis-[diäthoxy-phosphonyl]-buten-(2) **129**
1,10-Diphenyl-decatetraen-(2,4,6,8) 196
5,7-Diphenyl-1,11b-dehydro-4H-⟨dibenzo-[a;c]-cycloheptatrien⟩ 362
5,7-Diphenyl-5H-⟨dibenzo-[a;c]-cycloheptatrien⟩ 362
5,6-Diphenyl-⟨dibenzo-[a;e]-cyclooctatetraen⟩ 464
2,5-Diphenyl-1,6-dihydro-⟨benzo-[e]-1,2-diazocin⟩ 498
6,7-Diphenyl-13,14-dimethoxycarbonyl-4-äthoxycarbonyl-5-aza-tricyclo[8.2.2.$0^{2,9}$]tetradecatetraen-(3,5,7,11) 449
6,6-Diphenyl-1-[5,5-diphenyl-2,5-dihydro-furyl-(2)]-hexatrien-(1,3,5) 218
1,22-Diphenyl-docosaundecaen-(1,3,5,7,9,11,13,15,17,19,21) 83
1,12-Diphenyl-dodecahexaen-(1,3,5,7,9,11) aus Hexadien-(2,4)-dicarbonsäure, Zimtaldehyd, Acetanhydrid und Bleiglätte **147**
1,12-Diphenyl-dodecatetraen-(3,5,7,9)-diin-(1,11) 168
2,7-Diphenyl-heptatrien-(2,4,6)-al 86, 187
1,6-Diphenyl-hexadien-(2,4) 196
1,6-Diphenyl-hexatrien-(1,3,5) 16, 46f., 80, 82, 101, 131, 133
Eisentricarbonyl-Komplex 190
trans-cis-trans-1,6-Diphenyl-hexatrien-(1,3,5) 101
all-trans-1,6-Diphenyl-hexatrien-(1,3,5) 101
2,5-Diphenyl-hexatrien-(1,3,5) 167
2,3-Diphenyl-inden-⟨1-spiro-8⟩-bicyclo[5.1.0] octadien-(2,5) 392
2,3-Diphenyl-8-methoxycarbonyl-azocin 449
2,9-Diphenyl-nonatetraen-(2,4,6,8)-al 187
1,8-Diphenyl-octatetraen-(1,3,5,7) 62, 101
aus 3,6-Dihydroxy-1,8-diphenyl-octatrien-(1,4,7) und Diphosphor-tetrajodid **47**
aus Phenylacetylen und Butadien mit Kobalt(III)-Acetylacetonat und Triäthylaluminium **79**
trans-cis-trans-trans-1,8-Diphenyl-octatetraen-(1,3,5,7) 101
all-trans-1,8-Diphenyl-octatetraen-(1,3,5,7) 101
1,8-Diphenyl-octatrien-(2,4,6) 196
3,6-Diphenyl-octatrien-(2,4,6)-disäure 167
3,6-Diphenyl-octatrien-(2,4,6)-disäure-dimethylester 167
1,8-Diphenyl-octatrien-(1,5,7)-in-(3) 690
1,5-Diphenyl-penten-(1)-in-(3) 621, 649
1,14-Diphenyl-tetradecaheptaen aus 7,8-Dihydroxy-1,14-diphenyl-tetradecahexaen-(1,3,5,9,11,13) und Diphosphor-tetrajodid und Jod-Abspaltung **46**
6-(2,2-Diphenyl-vinyl)-3-(4,4-diphenyl-butadienyl)-cyclohexen-(1)-4,5-dicarbonsäure-anhydrid aus 1,1,10,10-Tetraphenyl-decapentaen und Maleinsäureanhydrid **209**
2,6-Dipyridinio-heptadien-(2,4)-tetrathiodisäure-dimethylester-betain-jodid 237
3,4-Divinyl-hexatrien-(1,3,5) 166
Docosadecaen-(2,4,6,8,10,12,14,16,18,20) 32
all-trans-Docosadecaen-(2,4,6,8,10,12,14,16,18,20) aus di-*cis*-Docosadecaen **22**
Dodecachlor-1H,12H-dodecahexaen 29, 85
1,5,6,7,8,13,14,15,16,17,17-Dodecachlor-pentacyclo[11.2.1.$1.^{5,8}0^{2,12}.0^{4,9}$]heptadecatrien-(6,10,14) 386
Dodecahexaen-(1,3,5,7,9,11) 62
Dodecapentaen-(2,4,6,8,10) 47
Dodecapentaen-(2,4,6,8,10)-dial 170
Dodecapentaen-(2,4,6,8,10)-disäure 55
Dodecapentaen-(2,4,6,8,10)-säure 145
Dodecapentaen-(2,4,6,8,10)-säure-äthylester 111
Dodecapreno-β-carotin 10, 14, 27, 42
Dodecatetraen-(3,5,7,9) 61
Dodecatetraen-(2,4,6,8)-diol-(1,12) 191
Dodecen-(1)-in-(3) 618, 658, 665
Dodecen-(3)-in-(1) 616, 651
Dormin 216

E

Eicosanonaen-(2,4,6,8,10,12,14,16,18) 27, 32, 47
Eicosaoctaen-(2,4,6,8,12,14,16,18)-in-(10) aus Hexadien-(-2,4)-yl-triphenyl-phosphonium-bromid, Butyl-lithium und Octadien-(2,6)-in-(4)-dial **96**
Eicosatetraen-(5,8,11,14)-säure-Isomerisierung **65**
Eicosen-(12)-in-(10)-disäure 628
α-Eläostearinsäure (*cis-trans*-Isomere) 191
aus chinesischem Holzöl durch Verseifung **192**
β-Eläostearinsäure (*cis-trans*-Isomere) 191
α-Eläostearinsäure-äthylester [Octadecatrien-(9,11,13)-säure-äthylester] 111
β-Eläostearinsäure-methylester [Octadecatrien-(8,10,12)-säure-methylester] 62
1,6-Epiimino-[10]annulen 543
Radikal-Anion(ESR-Spektrum) 541
1,4-Epiimino-7,10;13,16-bis-[epithio]-[18]annulen (NMR-Spektrum) 541
1,6-Epoxi-[10]annulen 532, 543, 585
NMR-Spektrum 540
Radikal-Anion (ESR-Spektrum) 541
UV-Spektrum 534
1,6-Epoxi-[10]annulen-2-carbonsäure-methylester 585
5,6-Epoxi-axerophthol (5,6-Epoxi-vitamin A) 10, 174
1,4-Epoxi-7,10;13,16-bis-[epithio]-[18]annulen (NMR-Spektrum) 541
9,10 (bzw. 13,14)-Epoxi-canthaxanthin 211
5,8-Epoxi-β-carotin 10, 218
7,8-Epoxi-cyclooctatrien-(1,3,5) 479, 516
aus Cyclooctatetraen und Perbenzoesäure **489**
9,10- (bzw. 13,14)-Epoxi-4,4′-dioxo-β-carotin [9,10- (bzw. 13, 14)-Epoxi-canthaxanthin] 211
5,6-Epoxi-hexadien-(1,3) 210
5,8-Epoxi-isokryptoxanthin 175
syn-8,13-Epoxi-1,6-methano-[14]annulen (NMR-Spektrum) 540
5,6-Epoxi-5-methyl-hexen-(1)-in-(3) 618, 658

6,7-Epoxi-octadien-(2,4)-al-(8)-säure-äthylester 210
5,6-Epoxi-Vitamin A 10, 174

F

2- (bzw. 6-; bzw. 7)-Fluor-bicyclo[4.2.2]decatetraen-(2,4,7,9) 503
2-Fluor-chlor-[18]annulen 523
3-Fluor-2-chlor-bicyclo[4.2.2]decatetraen-(2,4,7,9) 504
8-Fluor-7-chlor-bicyclo[4.2.2]decatetraen-(2,4,7,9) 504
10-Fluor-9-chlor-bicyclo[6.2.0]decatetraen-(2,4,6,9) 492
4-Fluor-5-chlor-pentacyclo[8.8.0.$0^{2,9}0^{3,6}0^{11,18}$] octadecapentaen-(4,7,12,14,16) 523
Fluor-cycloheptatrien 337
Fluor-cyclooctatetraen 439
  aus Brom-cyclooctatetraen und Silber(I)-fluorid in Pyridin **433**
Fluoren-⟨9-spiro-8⟩-bicyclo[5.1.0]octadien-(2,5) 392
2-Fluor-1-methyl-⟨cycloocta-cyclobutadien⟩ 451
trans-2-Fluor-1-phenyl-äthylen (*trans*-β-Fluor-styrol) 517
7-[3- (bzw. -4)-Fluor-phenyl]-cycloheptatrien 319
trans-β-Fluor-styrol 517
10-Fluor-Vitamin A-säure-äthylester 137
14-Fluor-Vitamin A-säure-äthylester (*cis-trans*) 137
7-(1-Formyl-äthyl)-cycloheptatrien [2-Cycloheptatrienyl-(7)-propanal] 330
6-(Formylamino-methyl)-⟨dibenzo-[b;f]-azocin⟩ 466
Formyl-[18]annulen 582
8-Formyl-bicyclo[3.2.2]nonadien-(2,6) 380
9-Formyl-bicyclo[6.1.0]nonatrien-(2,4,6) 485
7-Formyl-cycloheptatrien-(1,3,5) 516
Formyl-cyclooctatetraen-Eisentricarbonyl-Komplex 512
1-Formyl-1a,7a-dihydro-1H-⟨cyclopropa-cyclooctatetraen⟩ {9-Formyl-bicyclo[6.1.0]nonatrien-(2,4,6)} 485
7-Formylmethyl-cycloheptatrien [Cycloheptatrienyl-(7)-acetaldehyd] 329f.
8-Formyl-tricyclo[3.2.2.$0^{2,4}$]nonen-(6) 380
1-(2-Formyl-vinyl)-1,2,3,4-tetrahydro-chinolin 274
Fumaraldehyd-säureester (4-Oxo-buten-(2)-säureester] 214
Fumarsäure-diäthylester 353
Furo-[3,4-e]-benzo-[a]-cyclooctatetraen 454
Furo-[3,4-c]-octalen 469
4-Furyl-(2)-buten-(3)-in-(1) 617, 632, 637, 653

G

Geranyliden-triphenyl-phosphoran aus Geranyl-triphenyl-phosphonium-bromid und Phenyllithium **97**
Geronsäure 213f.
Glaser-Verknüpfung 545

H

Hepaxanthin 10
Heptafulven 398
Heptaphenyl-cycloheptatrien aus 1,2,3-Triphenyl-cyclopropen und Tetraphenyl-cyclopentadienon durch Decarbonylierung **357f.**
Heptatrien-(1,3,5) 38, 49, 170
Heptatrien-(2,4,6)-säureester 79
Heptatrien-(2,4,6)-säure-nitril 79
6-[Heptatrien-(1,3,5)-yl]-2,3,4,5-tetrahydro-pyridin 191
Hepten-(1)-in-(3) 618, 625, 658, 665
  Dipolmoment 625
Hepten-(2)-in-(4) 665
Hepten-(3)-in-(1) 616, 651ff.
Hepten-(*cis*- und -*trans*-3)-in-(1) 616
Hepten-(4)-in-(2) 621
Hexabenzo-octalen 469, 470
1,2,5,6,9,10-Hexabrom-cyclododecan aus *all-trans*-Cyclododecatrien-(1,5,9) und Brom (Isomere A und B) **556**
1,3,5,7,9,11-Hexabrom-*all-cis*-cyclododecatrien-(1,5,9) aus 1,5,9-Tribromo-*all-cis*-cyclododecatrien-(1,5,9) und N-Brom-succinimid **556f.**
1,2,3,4,7,7-Hexachlor-5-äthinyl-bicyclo[2.2.1] hepten-(2) 693
Hexachlor-benzol aus Cycloheptatrien, flüssigem Chlor und Eisen(III)-chlorid **393**
1,2,3,4,5,6-Hexachlor-cycloheptan aus Cycloheptatrien und flüssigem Chlor **392**
1,2,3,4,5,6-Hexachlor-hexatrien 85
1,2,3,4,5,6-Hexachlor-hexen-(3) 199
1,2,6,7,7,8-Hexachlor-pentacyclo[6.4.0.$0^{2,6}$.$0^{3,12}0^{5,9}$]dodecen-(10) 386
1,9,10,11,12,12-Hexachlor-tricyclo[7.2.1.$0^{2,8}$] dodecatrien-(3,5,10) aus Hexachlor-cyclopentadien und Cycloheptatrien **386**
Hexadecachlor-1H,16H-hexadecaoctaen 85
Hexadecaheptaen-(2,4,6,8,10,12,14)-disäure 55
Hexadecahexaen-(3,5,7,9,11,13)-disäure-diester 196
Hexadecanol (Cetylalkohol) 195
Hexadecen-(9)-in-(7) 628
Hexadecen-(10)-in-(12)-säure-äthylester 632
3,4,3′,4′,15,15′-Hexadehydro-β-carotin {3,7,12,16-Tetramethyl-1,18-bis-[2,6,6-trimethyl-cyclohexen-(1)-yl]-octadecaoctaen-(1,3,5,7,11,13,15,17)-in-(9)} 41
Hexadeutero-[18]annulen 569
Hexadeutero-cyclooctatetraen 432
Hexadien-(2,4) 197
Hexadien-(2,4)-dial 170
Hexadien-(1,5)-in-(3) 690
Hexadien-(2,4)-säure 145
4,5,6,7,8,9-Hexafluor-1H-⟨cyclopenta-cyclooctatetraen⟩ 452
1,1,1,3,3,3-Hexafluor-2-phenyl-propan 342, 343
1,1a,1b,2,2a,7b-Hexahydro-⟨bis-cyclopropa-[a;c]-naphthalin⟩ 376
1,2,3,4,5,6-Hexahydro-octalen 469
1,3,7,9,13,15-Hexakis-[dehydro]-[18]annulen
  NMR-Spektrum 538
  UV-Spektrum 535
1,7,13,19,25,31-Hexakis-[dehydro]-[36]annulen aus dem Rohprodukt der oxidativen Verknüpfung von Hexadiin-(1,5) nach Eglinton und Kalium-tert.-butanolat **547**
1,4;7,10;13,16;19,22;25,28;31,34-Hexakis-[epoxi]-[36]annulen (NMR-Spektrum) 541
Hexamethyl-benzol 80
4,8,13,17,21,25-Hexamethyl-hexacosaundecaen-(2,4,6,8,10,12,14,16,18,20,22,24)-al (Apo-6′-lycopinal) 160

4,8,12,17,21,25-Hexamethyl-octacosatridecaen-(2,4,6,8,10,12,14,16,18,20,22,24,26)-dial (Apo-2,2'-carotindial) 109
4,8,12,17,21,25-Hexamethyl-octacosatridecaen-(2,4,6,8,10,12,14,16,18,20,22,24,26)-disäure-diäthylester (Apo-2,2'-carotin-disäure-diäthylester) aus Apo-4,4'-carotindial, (Diäthoxy-phosphonyl)-essigsäure-äthylester und Natriumäthanolat **130**
2,6,11,15,19,23-Hexamethyl-tetracosadecaen-(2,4,6,8,10,12,14,16,18,22)-al (Apo-8'-lycopinal) 105
2,6,11,15,19,23-Hexamethyl-tetracosanonaen-(2,4,6,8,10,12,14,18,22)-säure-methylester 133
2,6,10,15,19,23-Hexamethyl-tetracosaundecaen-(2,4,6,8,10,12,14,16,18,20,22)-dial (Apo-4,4'-carotindial) 109
2,6,10,15,19,23-Hexamethyl-tetracosaundecaen-(2,4,6,8,10,12,14,16,18,20,22)-disäure-diäthylester (Apo-4,4'-carotindisäure-diäthylester) 135
3,7,7,8,9,13-Hexamethyl-tetradecatetraen-(2,4,9,11) 204
3,7,12,16,20,24-Hexamethyl-1-[2,6,6-trimethyl-cyclohexen-(1)-yl]-pentacosadecaen-(1,3,5,7,11,13,15,17,19,23)-in-(9) (15,15'-Dehydro-γ-carotin) 123
3,7,12,16,20,24-Hexamethyl-1-[2,6,6-trimethyl-cyclohexen-(1)-yl]-pentacosadodecaen-(1,3,5,7,9,11,13,15,17,19,21,23) (3',4'-Dehydro-γ-carotin) 103
2,6,10,14,19,23-Hexamethyl-25-[2,6,6-trimethyl-cyclohexen-(1)-yl]-pentacosadodecaen-(2,4,6,8,10,12,14,16,20,22,24)-al (Torularhodin-aldehyd) 107
2,6,10,14,19,23-Hexamethyl-25-[2,6,6-trimethyl-cyclohexen-(1)-yl]-pentacosadodecaen-(2,4,6,8,10,12,14,16,18,20,22,24)-säure-äthylester (Torularhodin-äthylester) 113
3,7,12,16,20,24-Hexamethyl-1-[2,6,6-trimethyl-cyclohexen-(1)-yl]-pentacosanonaen-(1,3,5,7,11,13,15,19,23)-in-(9) (7',8'-Dihydro-15,15'-dehydro-γ-carotin) 103
3,7,12,16,20,24-Hexamethyl-1-[2,6,6-trimethyl-cyclohexen-(1)-yl]-pentacosaundecaen-(1,3,5,7,9,11,13,15,17,19,23) (γ-Carotin) 10, 121
3,7,12,16,20,24-Hexamethyl-1-[2,6,6-trimethyl-cyclohexen-(2)-yl]-pentacosaundecaen-(1,3,5,7,9,11,13,15,17,19,23) (δ-Carotin) 10
Hexan 194
Hexatrien-(1,2,4) 216, 220
Hexatrien-(1,2,5) 169
Hexatrien-(1,3,5) 36, 37, 38, 46, 49, 54, 60, 61, 81, 163, 166, 169, 170
  aus Hexen-(5)-in-(1) und Kalium-tert.-butanolat in tert. Butanol **59**
cis-Hexatrien-(1,3,5) 24, 54
trans-Hexatrien-(1,3,5) 38
all-trans-Hexatrien-(1,3,5) 14
Hexen-(4)-in-(2) 628
Homotropylium-hexachloroantimonat bzw. -tetrafluoroborat 509
1,4;7,10-Hydrazindiyliden-[12]annulen 589
  NMR-Spektren 540
9-Hydrazinocarbonyl-bicyclo[6.1.0]nonatrien-(2,4,6) 485
7-Hydroperoxi-cycloheptatrien 398
(1-Hydroxy-äthyl)-cyclooctatetraen 426, 440
  Eisentricarbonyl-Komplex 513
(2-Hydroxy-äthyl)-cyclooctatetraen 426, 440
7-(1-Hydroxy-äthyl)-cyclooctatrien-(1,3,5) 478
3-Hydroxy-α-apo-10'-carotinal (α-8-Citraurin) 160
3-Hydroxy-β-apo-10'-carotinal 160
7-(α-Hydroxy-benzyl)-cycloheptatrien 360
(α-Hydroxy-benzyl)-cyclooctatetraen 440
7-Hydroxy-bicyclo[3.2.0]hepten-(2) aus 7-Oxo-bicyclo[3.2.0]hepten-(2) und Lithiumalanat **349**
  S-methyl-xanthogenat aus 7-Hydroxy-bicyclo[3.2.0]hepten-(2) **349**
9-Hydroxy-9-(2-carboxy-phenyl)-bicyclo[6.1.0]nonatrien-(2,4,6)-lacton 488
3-(1-Hydroxy-cyclohexyl)-propin-(1) aus Propargylbromid, Zinkstaub und Cyclohexanon **640f.**
7-Hydroxy-cyclooctatrien-(1,3,5) 164, 477
Hydroxy-cyclooctatrienylium-Ion (Hydroxy-homotropylium-Ion) 510
9-Hydroxy-9,10-dihydro-canthaxanthin 201
13-Hydroxy-13,14-dihydro-canthaxanthin 201
1-Hydroxy-2,2-dimethyl-1-cycloheptatrienyl-(7)-propan [7-(1-Hydroxy-2,2-dimethyl-propyl)-cycloheptatrien] 360
9-Hydroxy-3,7-dimethyl-1-cyclohexen-(1)-yl-nonatrien-(3,5,7)-in-(1) 71
8-Hydroxy-2,6-dimethyl-octatrien-(2,4,6)-säure-äthylester aus 6-Hydroxy-4-methyl-hexadien-(2,4)-al, Tris-[dimethyl-amino]-(1-äthoxycarbonyl-äthyl)-phosphoniumbromid und Natriumäthanolat **124f.**
3-Hydroxy-3,4-dimethyl-1-phenyl-pentin-(1) aus Äthyl-magnesiumbromid, Phenylacetylen und 2-Methyl-butanon **640**
7-(1-Hydroxy-2,2-dimethyl-propyl)-cycloheptatrien 360
2-Hydroxy-3,7-dimethyl-9-[2,6,6-trimethyl-cyclohexen-(2)-yliden]-nonatrien-(3,5,7)-säure-äthylester 58
9-Hydroxy-3,7-dimethyl-1-(2,2,6-trimethyl-cyclohexyl)-nonatetraen-(1,3,5,7) (5,6-Dihydro-Vitamin A) 186
3-Hydroxy-4,4'-dioxo-3,4-dehydro-β-carotin (Astacin) 177
9-Hydroxy-4,4'-dioxo-9,10-dihydro-β-carotin (9-Hydroxy-9,10-dihydro-canthaxanthin) 201
13-Hydroxy-4,4'-dioxo-13,14-dihydro-β-carotin (13-Hydroxy-13,14-dihydro-canthaxanthin) 201
9-(α-Hydroxy-diphenyl-methyl)-bicyclo[6.1.0]nonatrien-(2,4,6) 485
Hydroxy-homotropylium-Ion 510
2- (bzw. 11)-Hydroxy-1,6-methano-[10]annulen 584
x-(4-Hydroxy-3-methoxy-phenyl)-cycloheptatrien 321
9-Hydroxy-9-methyl-bicyclo[4.2.1]nonatrien-(2,4,7) 500
9-Hydroxymethyl-bicyclo[6.1.0]nonatrien-(2,4,6) 485
3-Hydroxy-3-methyl-butin-(1) [3-Methyl-butin-(1)-ol-(3)] 644
  aus Natrium-acetylenid in flüssigem Ammoniak und Aceton **639f.**

7-Hydroxymethyl-cycloheptatrien 403
Hydroxymethyl-cyclooctatetraen 426, 440
Eisentricarbonyl-Komplex 513
8-Hydroxymethyl-cyclooctatetraen-1-carbonsäure-methylester 444
7-Hydroxy-7-methyl-cyclooctatrien-(1,3,5) 477
1-Hydroxymethyl-1a,7a-dihydro-1H-⟨cyclopropa-cyclooctatetraen⟩ {9-Hydroxymethyl-bicyclo[6.1.0]nonatrien-(2,4,6)} 485
8-Hydroxymethyl-1-formyl-cyclooctatetraen 452
6-Hydroxy-6-methyl-hepten-(4)-in-(2) 666
5-Hydroxy-5-methyl-hexen-(3)-in-(1) 666, 669
7-Hydroxy-3-methyl-1-(1-hydroxy-2,2,6-trimethyl-cyclohexyl)-octatrien-(1,3,5) 76
8-Hydroxymethyl-1-methoxycarbonyl-cyclooctatetraen 444
7-Hydroxy-3-methyl-octatrien-(1,3,5) 70
5-Hydroxy-3-methyl-4-[1-(5-oxo-3-methyl-4,5-dihydro-1,2-oxazolyliden)-äthyl]-1-phenyl-pyrazol 297
5-Hydroxy-4-methyl-penten-(3)-in-(1) 669
1-[1-(4-Hydroxy-3-methyl-phenyl)-cyclohexyl]-buten-(3)-in-(1) 667
5-(4-Hydroxy-3-methyl-phenyl)-hexen-(1)-in-(3) 667
5-(4-Hydroxy-3-methyl-phenyl)-octen-(1)-in-(3) 667
3-Hydroxy-3-methyl-1-phenyl-pentin-(1) aus Phenylacetylen und Butanon mittels Kaliumhydroxid **639**
1-[5-Hydroxy-3-methyl-1-phenyl-pyrazolyl-(4)]-1-[5-methyl-2-(4-nitro-phenyl)-1,2,3-triazolyl-(4)]-3-[5-oxo-3-methyl-1-phenyl-pyrazolyliden-(4)]-propen 297
7-Hydroxy-3-methyl-1-[2,6,6-trimethyl-cyclohexen-(1)-yl]-heptatrien-(1,3,5) {5-Methyl-7-[2,6,6-trimethyl-cyclohexen-(1)-yl]-heptatrien-(2,4,6)-ol} 186
4-Hydroxy-4-methyl-6-[2,6,6-trimethyl-cyclohexen-(1)-yl]-hexen-(5)-in-(1) (β-C_{16}-Alkohol) 11
3-Hydroxy-3-methyl-1-[2,6,6-trimethyl-cyclohexen-(1)-yl]-pentadien-(1,4) (9-Vinyl-β-jonol) 71
5-Hydroxy-3-methyl-1-[2,6,6-trimethyl-cyclohexen-(1)-yl]-pentadien-(1,3) {3-Methyl-5-[2,6,6-trimethyl-cyclohexen-(1)- yl]-pentadien-(2,4)} (β-C_{15}-Alkohol) 71
9-Hydroxy-nonatetraen-(2,4,6,8)-al 189
18-Hydroxy-octadecatrien-(9,11,13)-säure 111
1-Hydroxy-3-oxo-1-methyl-2,3-dihydro-1H-⟨cyclopenta-cyclooctatetraen⟩ 452
9-Hydroxy-9-phenyl-bicyclo[4.2.1]nonatrien-(2,4,7) 500
(4-Hydroxy-phenyl)-cycloheptatrien 319, 322
aus Phenol und 7-Methoxy-cycloheptatrien **319**
7-(2-Hydroxy-phenyl)-cycloheptatrien 322
2-Hydroxy-1-phenyl-octan 195
5-(2-Hydroxy-phenyl)-penten-(1)-in-(3) aus o-Kresol in Phosphorsäure und Penten-(1)-in-(3)ol-(5) **666**
11-Hydroxy-1-phenyl-undecan (11-Phenyl-undecanol) 195
1-Hydroxy-1-propin-(2)-yl-cyclohexan [3-(1-Hydroxy-cyclohexyl)-propin-(1)] aus Propargylbromid, Zinkstaub und Cyclohexanon **640f.**
7-(1-Hydroxy-propyl)-cycloheptatrien 360
(3-Hydroxy-propyl)-cyclooctatetraen 426, 440
[2-Hydroxy-propyl-(2)]-cyclooctatetraen 426, 440
5-[2-Hydroxy-propyl-(2)]-⟨dibenzo-[a;e]-cyclooctatetraen⟩ 464
3-Hydroxy-retinal 161, 177
9-Hydroxy-9H-⟨tribenzo-cycloheptatrien⟩ 323
(2-Hydroxy-2,6,6-trimethyl-cyclohexyliden)-essigsäure-lacton 215
4-Hydroxy-4,8,12-trimethyl-14-[2,6,6-trimethyl-cyclohexen-(1)-yl]-tetradecapentaen-(5,7,9,11,13)-in-(1) aus 11-Oxo-3,7-dimethyl-1-[2,6,6-trimethyl-cyclohexen-(1)-yl]-dodecapentaen-(1,3,5,7,9), Propargylbromid und aktivierter Zinkwolle **152**
4-Hydroxy-tropon 397
4-Hydroxy-Vitamin A-Aldehyd 161, 177

I

1,6-Imino-[10]annulen 585
NMR-Spektrum 540
7-Indenyl-(1)-cycloheptatrien [1-Cycloheptatrien-yl-(7)-inden] 326
Isoanhydro-Vitamin A 9, 43, 202
Isocarotin 10
Isocrocetin-diäthylester 135
Isodehydrogeraniumsäure-methylester aus Tiglinaldehyd und ω-Brom-tiglinsäure-methylester mit Jod aktiviertem Zink **151**
Isogeronsäure 214
Isokryptoxanthin-5,8-epoxid 175
Isonorbixin-diäthylester 135
Isopropyl-cycloheptatrien 337
7-Isopropyl-cycloheptatrien 326
1-Isopropylmercapto-buten-(3)-in-(1) 652
Isopropyloxy-cyclooctatetraen 436, 439
3-Isopropyl-penten-(3)-in-(1) 619

J

10-Jod-5,12-dioxo-5,12-dihydro-⟨dibenzo-[a;d]-cyclooctatetraen⟩ 496
4-Jod-3-nitro-butin-(1) 685
β-Jonyliden-acetaldehyd 11, 53, 161
β-Jonyliden-acetonitril 187
β-Jonyliden-äthanol 171
(α-Jonyliden-äthyl)-triphenyl-phosphonium-chlorid 73
(β-Jonyliden-äthyl)-triphenyl-phosphonium-chlorid aus 9-Vinyl-β-jonol, Triphenylphosphin und Chlorwasserstoff **73f.**
(ψ-Jonyliden-äthyl)-triphenyl-phosphonium-chlorid
aus Vinyl-ψ-jonol, Triphenylphosphonium und Chlorwasserstoff **73f.**
β-Jonyliden-crotonsäure 11, 59, 141, 149
β-Jonyliden-essigsäure 11

K

Kitol 10, 224
aus Wal-Leberöl **192**
Kristallviolett 238
Krytpocyanin 267

L

Licansäure 191
9-Lithium-9-chlor-9H-⟨tribenzo-cycloheptatrien⟩ 324

Lithium-cyclooctatetraen 436
Lutein 10
Lycopin 9, 34f., 84, 119, 140, 160
aus Geranyliden-triphenyl-phosphoran und Crocetindialdehyd **97 f.**
mono-cis- (bzw. *all-trans*)-Lycopin 23

M

Malachitgrün 238
Maleinaldehyd-säureester [4-Oxo-buten-(2)-säureester] 214
Maleinsäure-anhydrid-Methode 24
Meerwein-Ponndorf-Reduktion 334
1,6-Methano-[10]annulen 543, 550, 553, 584
aus 3,4,8,9-Tetrabrom-tricyclo[4.4.1.$0^{1,6}$]undecan und methanolischer Kalilauge **549f.**
NMR-Spektrum 540
UV-Spektrum 534
Chromtricarbonyl-Komplex 582
Molybdäntricarbonyl-Komplex 582
Radikal-Anion (ESR-Spektrum) 541
1,6-Methano-[10]annulen-2-carbonsäure 532, 584
1,6-Methano-[10]annulen-2,10-dicarbonsäure 584
6,11-Methano-⟨benzocyclobuta-[1,2-a]-[10]annulen⟩ 586
1,5-Methano-cyclononatetraen-Anion 550
5-Methoxy-1- (bzw. -7)-äthoxycarbonyl-bicyclo[3.2.0]heptadien-(2,6) 373
Methoxy-7-äthoxycarbonyl-cycloheptatrien 341
5-Methoxy-3-äthyl-2-[2-äthyl-3-(3-äthyl-2,3-dihydro-⟨benzo-1,3-thiazol⟩-yliden)-propenyl]-⟨benzo-1,3-selenazolium⟩-jodid aus 5-Methoxy-3-äthyl-2-[2-methylmercapto-buten-(1)-yl]-⟨benzo-1,3-selenazolium⟩-jodid und 2-Methyl-3-äthyl-⟨benzo-1,3-thiazolium⟩-jodid **264**
5-Methoxy-3-äthyl-2-[2-anilino-buten-(1)-yl]-⟨benzo-1,3-selenazolium⟩-jodid aus 5-Methoxy-2-methyl-3-äthyl-⟨benzo-1,3-selenazolium⟩-jodid und Thiopropansäure-S-methylester-phenylimid **262**
3-Methoxy-2-aza-bicyclo[4.2.2]decatetraen-(2,4,7,9) 506
8-Methoxy-7-aza-bicyclo[4.2.2]decatetraen-(2,4,7,9) 506, 516
8-Methoxy-7-aza-bicyclo[4.2.0]octadien-(3,7) aus 8-Methoxy-7-aza-bicyclo[4.2.0]octadien-(3,7) und Trimethyloxoniumtetrafluoroborat **448**
14-Methoxy-13-aza-bicyclo[6.4.2]tetradecatetraen-(1^{12},8,10,13) 449
Methoxy-azabullvalen 516
2-Methoxy-azocin aus Chlorsulfonylisocyanat und Cyclohexadien-(1,4) und anschließender mehrstufiger Reaktion **448**
10-Methoxy-⟨2,3-benzo-7-aza-bicyclo[4.2.2]decatetraen-(2,4,7,9)⟩ 507
2-(4-Methoxy-benzoyloxy)-3,7,7-trimethyl-cycloheptatrien 332
5-Methoxy-bicyclo[3.2.0]heptadien-(2,6) 367, 369, 372f.
7-Methoxy-bicyclo[3.2.0]heptadien-(2,6) 371, 373
5-Methoxy-bicyclo[3.2.0]heptadien-(2,6)-1- (bzw. -7)-carbonsäure-äthylester 373
anti-9-Methoxy-bicyclo[6.1.0]nonatrien-(2,4,6) 488
3-Methoxy-buten-(3)-in-(1) 617
7-Methoxycarbonyl-bicyclo[4.2.2]decatetraen-(2,4,7,9) 503
3-Methoxycarbonyl-buten-(2)-phosphonsäure-diäthylester aus 4-Brom-2-methyl-buten-(2)-säure-methylester und Phosphorigsäure-triäthylester **130**
7-Methoxycarbonyl-7-cyan-bicyclo[4.1.0]heptadien 310
7-Methoxycarbonyl-7-cyan-cycloheptatrien 310
Methoxycarbonyl-cyclooctatetraen 432, 436, **441**
2-Methoxycarbonyl-1,6-epoxi-[10]annulen 585
2-Methoxycarbonyl-3-pentadien-(1,3)-yl-glutarsäure-dimethylester 204
3-Methoxycarbonyl-tricyclo[3.2.2.$0^{2,4}$]nonen-(6)-8,9-dicarbonsäure-anhydrid 381
Methoxy-cycloheptatrien 337, 348, 352, 356, 373
1-Methoxy-cycloheptatrien 314, 367, 372
3-Methoxy-cycloheptatrien 314
7-Methoxy-cycloheptatrien 317, 369
aus Natriummethanolat und Tropylium-perchlorat **327**
Methoxy-cycloheptatrien-7-carbonsäure-äthylester 341
Methoxy-cyclooctatetraen 439
aus Brom-cyclooctatetraen und Kalium-methanolat **435**
2-Methoxy-3,4- (bzw. -3,6; bzw. -7,8)-dihydro-azocin 482
anti-1-Methoxy-2a,7a-dihydro-1H-⟨cyclopropa-cyclooctatetraen⟩ {*anti*-9-Methoxy-bicyclo[6.1.0]nonatrien-(2,4,6)} 488
2-Methoxy-3,8-dimethyl-azocin 448
2-Methoxy-3,8-dimethyl-3,4- (bzw. -3,6)-dihydro-azocin 482
2-Methoxy-3,8-dimethyl-6-(α-hydroxy-diphenyl-methyl)-3,6-dihydro-azocin 479
2-Methoxy-hepten-(1)-in-(3) 621
2-Methoxy-hexen-(1)-in-(3) 621
2-Methoxy-6-(α-hydroxy-diphenyl-methyl)-8-(2-hydroxy-2,2-diphenyl-äthyl)-3,6-dihydro-azocin 479
8-Methoxy-2- (bzw. -9)-(4-methoxy-phenyl)-7-aza-bicyclo[4.2.2]decatetraen-(2,4,7,9) 507
8-Methoxy-2- (bzw. -9)-methyl-7-aza-bicyclo[4.2.2]decatetraen-(2,4,7,9) 507
2-Methoxy-8-methyl-azocin 448
5-Methoxy-2-methyl-1,3-bis-[brommethyl]-benzol aus 5-Methoxy-2-methyl-1,3-bis-[hydroxymethyl]-benzol und Phosphor(III)-bromid **563**
5-Methoxy-2-methyl-1,3-bis-[hydroxymethyl]-benzol aus 5-Methoxy-2-methyl-isophthalsäure-dimethylester und Lithiumalanat **563**
5-Methoxy-2-methyl-1,3-bis-[jodmethyl]-benzol aus 5-Methoxy-2-methyl-1,3-bis-[brommethyl]-benzol und Natriumjodid **563, 564**
5-Methoxy-2-methyl-1,3-dicyan-benzol aus 2,6-Dibrom-4-methoxy-1-methyl-benzol und Kupfer(I)-cyanid **563**
2-Methoxy-8-methyl-3,4- (bzw. -3,6)-dihydro-azocin 482
1-Methoxy-5-methylen-heptadien-(1,3) 60
5-Methoxy-2-methyl-isophthalsäure aus 5-Methoxy-2-methyl-1,3-dicyan-benzol und Kaliumhydroxid **563**
5-Methoxy-2-methyl-isophthalsäure-dimethylester aus der 5-Methoxy-2-methyl-isophthalsäure in Methanol und Chlorwasserstoff **563**

5-Methoxy-2-methyl-isophthalsäure-dinitril (5-Methoxy-2-methyl-1,3-dicyan-benzol) aus 2,6-Dibrom-4-methoxy-1-methyl-benzol und Kupfer(I)-cyanid **563**
2-Methoxy-7-methyl-octen-(1)-in-(3) 621
1-[1-(4-Methoxy-3-methyl-phenyl)-cyclohexyl]-buten-(3)-in-(1) 668
5-(4-Methoxy-3-methyl-phenyl)-hexen-(1)-in-(3) 668
9-Methoxy-nonatetraen-(2,4,6,8)-al 70
2-Methoxy-octen-(1)-in-(3) 621
8-Methoxy-2-oxo-7-aza-bicyclo[4.2.2]decatrien-(3,7,9) 507
8-Methoxy-9-oxo-7-aza-bicyclo[4.2.2]decatrien-(2,4,7) 507
2-Methoxy-penten-(1)-in-(3) 620
5-Methoxy-penten-(1)-in-(3) 664
6-Methoxy-penten-(1)-in-(3) 655
8-Methoxy-2- (bzw. -9)-phenyl-7-aza-bicyclo [4.2.2]decatetraen-(2,4,7,9) 507
2-(4-Methoxy-phenyl)-biphenyl 221
cis-4-(2-Methoxy-phenyl)-buten-(3)-in-(1) 617
4-(3-Methoxy-phenyl)-buten-(3)-in-(1) 633
4-(4-Methoxy-phenyl)-buten-(3)-in-(1) 633, 662
7-(4-Methoxy-phenyl)-cycloheptatrien 319
1-[1-(4-Methoxy-phenyl)-cyclohexyl]-buten-(3)-in-(1) 667
(4-Methoxy-phenyl)-cyclooctatetraen 438, 440
5-(3-Methoxy-propyl)-5H-⟨dibenzo-[a;e]-cycloheptatrien⟩ 324
1-[4-Methoxy-1-(4-propyloxy-phenyl)-cyclohexyl]-buten-(3)-in-(1) 668
3-Methoxysulfon-bis-[dehydro]-[14]annulen 582, 590
3-Methoxysulfon-dehydro-[14]annulen 582
2-Methoxy-3,5,6,8-tetramethyl-azocin 448
2-Methoxy-3,5,6,8-tetramethyl-3,4-dihydro-azocin 482
2-Methoxy-4,6,8-trimethyl-azocin 448
2-Methoxy-4,6,8-trimethyl-3,4- (bzw. -3,6; bzw. -7,8)-dihydro-azocin 482
5-Methoxy-6,7,8-triphenyl-5H-⟨benzo-cycloheptatrien⟩ 312
  aus 7-Hydroxy-6,7,8-triphenyl-7H-⟨benzo-cycloheptatrien⟩ mit Methanol-Schwefelsäure **320**
4-Methoxy-tropolon 340
4- (bzw. 5)-2-Methoxy-vinyl)-1,3-diphenyl-3H-pyrazol 694
5-Methyl-1-äthinyl-cyclohexen 638
3-Methyl-1-äthinyl-cyclopenten 619
6-Methyl-4-äthinyl-5,6-dihydro-2H-pyran 648
3-Methyl-2-[4-äthoxy-5-äthoxycarbonyl-5-cyan-pentadien-(2,4)-yliden]-2,3-dihydro-⟨benzo-1,3-thiazol⟩ 292
Methyl-7-äthoxycarbonyl-cycloheptatrien 341
1-[4-Methyl-1-(4-äthoxy-3-methyl-phenyl)-cyclohexyl]-buten-(3)-in-(1) 668
6-Methyl-5-(4-äthoxy-3-methyl-phenyl)-hepten-(1)-in-(3) 668
5-Methyl-5-(4-äthoxy-3-methyl-phenyl)-hexen-(1)-in-(3) 668
1-[4-Methyl-1-(4-äthoxy-phenyl)-cyclohexyl]-buten-(3)-in-(1) 668
5-Methyl-5-(4-äthoxy-phenyl)-hepten-(1)-in-(3) 667
5-Methyl-5-(4-äthoxy-phenyl)-hexen-(1)-in-(3) 667
2-Methyl-1-äthyl-chinolinium-jodid aus 2-Methyl-chinolin und Jod-äthan **246**
3-Methyl-2-(2-äthylmercapto-vinyl)-⟨benzo-1,3-thiazolium⟩-p-toluolsulfonat 292
Methyl-aminomethyl-5,6-dihydro-⟨dibenzo-[b;f]-azocin⟩ 497
7-(N-Methyl-anilino)-heptatrien-(2,4,6)-säure-äthylester 137
9-(N-Methyl-anilino)-nonatetraen-(2,4,6,8)-al 70
8-Methyl-8-aza-bicyclo-[3.2.1]octen-(2) aus Cycloheptatrien-3-carbonsäure und Methylamin **394**
Methyl-5H-⟨benzo-[a]-cycloheptatrien⟩ 347
syn-9-Methyl-bicyclo[6.1.0]nonatrien-(2,4,6) 488
2-Methyl-biphenyl 221
1-Methyl-2,3-bis-[trimethylsilyloxy]-cyclooctatrien-(1,3,6) 473
Methyl-bixin 115, 123
  all-trans, aus der 10,10′-*Mono-cis*-Verbindung durch Umlagerung **22**
3-Methyl-buten-(3)-in-(1) 617, 625, 632, 637f., 645, 651, 655, 665, 667f.
  aus 3-Methyl-butin-(1)-ol-(3) durch Dehydratisierung **644**
  Dipolmoment 625
2-Methyl-2-[buten-(3)-in-(1)-yl]-oxiran [5,6-Epoxi-5-methyl-hexen-(1)-in-(3)] 618, 658
3-Methyl-butin-(1)-ol-(3) [2-Methyl-butin-(3)-ol-(2)] 644
  aus Natrium-acetylenid in flüssigem Ammoniak und Aceton **639f.**
3-[2-Methyl-butyl-(2)]-buten-(3)-in-(1) [4,4-Dimethyl-3-methylen-hexin-(1)] 617, 646
1-Methyl-7-tert.-butyl-cycloheptatrien 312
7-Methyl-x-tert.-butyl-cycloheptatrien 358
1-[4-Methyl-1-(4-butyloxy-3-methyl-phenyl)-cyclohexyl]-buten-(3)-in-(1) 668
5-Methyl-5-(4-butyloxy-3-methyl-phenyl)-hexen-(1)-in-(3) 668
5-(3-Methyl-butyloxy)-penten-(1)-in-(3) 664
5-Methyl-5-(4-butyloxy-phenyl)-hepten-(1)-in-(3) 667
5-Methyl-5-(4-butyloxy-phenyl)-hexen-(1)-in-(3) 667
4-Methyl-3-tert.-butyl-penten-(3)-in-(1) 622, 650
8-Methyl-2-carboxy-8-aza-bicyclo[3.2.1]octen-(2) aus Cycloheptatrien-3-carbonsäure und Methylamin **394**
3-Methyl-2-[2-chlor-buten-(1)-yl]-⟨benzo-1,3-thiazolium⟩-chlorid 263
2-Methyl-3-cyan-decatetraen-(2,4,6,8) 168
Methyl-cycloheptadien 63f., 220
Methyl-cycloheptatrien 337, 347, 356
1-Methyl-cycloheptatrien 332, 336, 366
  aus 5-Methyl-cycloheptadien-(1,3), Brom und Dehydrobromierung **332**
2-Methyl-cycloheptatrien 317, 332, 336, 368
3-Methyl-cycloheptatrien 332, 336
7-Methyl-cycloheptatrien 317, 326, 358, 368
  aus 7-Äthoxy-cycloheptatrien und Methylmagnesiumjodid **319f.**
  Chromtricarbonyl-Komplex 406, 409
  Molybdäntricarbonyl-Komplex 406, 409
Methyl-cycloheptatrien-7-carbonsäure-äthylester 341
5-Methyl-7-cyclohexen-(1)-yl-heptatrien-(2,4,6)-säure 59
3-Methyl-5-cyclohexyl-penten-(3)-in-(1) 619, 647

1-Methyl-⟨cycloocta-cyclobutadien⟩ 451
Methyl-cyclooctatetraen 439
aus Brom-cyclooctatetraen und Methylmagnesiumjodid **437**
aus Propin und Acetylen **427**
2-Methyl-cyclooctatetraen-1-carbonsäure-methylester 432
8-Methyl-cyclooctatetraen-1-carbonsäure-methylester 444, 511
4-Methyl-decen-(3)-in-(5) 649
9-Methyl-3,3'-diäthyl-benzoxo-carbocyanin-jodid aus 2-Methyl-3-äthyl-⟨benzo-1,3-oxazolium⟩-jodid und Orthoessigsäure-triäthylester **255**
2-(3-Methyl-2,3-dihydro-⟨benzo-1,3-thiazol⟩-yliden-amino)-3-methyl-⟨benzo-1,3-thiazolium⟩-jodid 283
syn-1-Methyl-1a,7a-dihydro-1H-⟨cyclopropa-cyclooctatetraen⟩ {*syn*-9-Methyl-bicyclo[6.1.0]nonatrien-(2,4,6)} 488
5-Methyl-5,6-dihydro-⟨dibenzo-[c;g]-1,2-diazocin⟩ 498
1-Methyl-8,9-dihydro-1H-⟨dibenzo-[a;e]-triazolo-[4,5-c]-cyclooctatetraen⟩ 496
3-Methyl-2-{3-[5,5-dimethyl-2-phenyl-4,5-dihydro-furyliden-(4)]-propenyl}-⟨benzo-1,3-oxazolium⟩-perchlorat 266
3-Methyl-1,6-diphenyl-hexatrien-(1,3,5) 53f.
2-Methyl-dodecapentaen-(2,4,6,8,10)-disäure-diäthylester 113, 115
11-Methyl-dodecapentaen-(2,4,6,8,10)-säure-äthylester 111
8-Methylen-7-brommethylen-cyclooctatrien-(1,3,5) 460, 484
7-Methylen-8-chlormethylen-cyclooctatrien-(1,3,5) 484
Methylen-cycloheptatrien (Heptafulven) 398
3-Methylen-cyclohexadien-(1,4) 54
7-Methylen-cyclooctatrien-(1,3,5) 483
2-Methylen-hexadien-(3,5)-säure-äthylester 167
11-Methylen-1,6-methano-[10]annulen 585
6-Methylen-nonin-(4) 620, 632
3-Methylen-pentin-(1) 617, 645
9-Methylen-9H-⟨tribenzo-cycloheptatrien⟩ 324
7-Methylen-undecin-(5) 619f., 629
2-Methyl-heptatrien-(2,4,6) 154
3-Methyl-heptatrien-(1,3,5) 64
3-Methyl-heptatrien-(2,4,6) 64
6-Methyl-heptatrien-(1,3,5) 101
2-Methyl-heptatrien-(2,4,5)-säure-äthylester 217
3-Methyl-hepten-(3)-in-(1) 647
5-Methyl-hepten-(1)-in-(3) 658
5-Methyl-hepten-(3)-in-(1) 651
6-Methyl-hepten-(1)-in-(3) 619, 665
6-Methyl-hepten-(3)-in-(1) 616, 638
2-Methyl-1,2,3,4,4a,14b-hexahydro-⟨dibenzo-[b;f]-pyridazino-[1,2-h]-azocin⟩ 497
2-(bzw. 3)-Methyl-hexatrien-(1,3,5) 49
Chromtricarbonyl-Komplex 190
Eisentricarbonyl-Komplex 190
2-Methyl-hexen-(1)-in-(3) 620, 631
3-Methyl-hexen-(3)-in-(1) 619, 647
4-Methyl-hexen-(3)-in-(1) 619, 652
4-Methyl-hexen-(4)-in-(2) 622, 637, 649
5-Methyl-hexen-(1)-in-(3) 616, 619, 638, 658, 664
5-Methyl-hexen-(4)-in-(1) 650
5-Methyl-hexen-(4)-in-(2) 622, 653
4-Methyl-1-(1-hydroxy-cyclohexyl)-penten-(3)-in-(1) 622
1-Methyl-6-hydroxymethyl-3-{2-methyl-4-(2,6,6-trimethyl-cyclohexen-(1)-yl]-butadienyl}-cyclohexen-(1)-4,5-dicarbonsäure-anhydrid 208
1-[4-Methyl-1-(4-hydroxy-3-methyl-phenyl)-cyclohexyl]-buten-(3)-in-(1) 667
5-(bzw. 6)-Methyl-5-(4-hydroxy-3-methyl-phenyl)-hepten-(1)-in-(3) 667
3-Methyl-5-[1-hydroxy-4-oxo-2,6,6-trimethyl-cyclohexen-(2)-yl]-pentadien-(2,4)-säure 216
1-[4-Methyl-1-(4-hydroxy-phenyl)-cyclohexyl]-buten-(3)-in-(1) 667
5-Methyl-5-(4-hydroxy-phenyl)-hexen-(1)-in-(3) 667
11-Methyl-1,6-imino-[10]annulen 585
3-{3-[2-Methyl-indolyl-(3)]-allyliden}-3H-indolinium-Salz 257
3-Methyl-1-isopropenyl-benzol 690
1-Methyl-5-isopropenyl-cyclohexen-(1)-3,4-dicarbonsäure 691
4-Methyl-1-isopropyl-benzol 223
7-Methyl-x-isopropyl-cycloheptatrien 358
5-Methyl-4-isopropyl-hexen-(4)-in-(2) 623, 650
2-Methyl-3-isopropyl-nonen-(2)-in-(4) 650
4-Methyl-3-isopropyl-penten-(3)-in-(1) 622
5-Methylmercapto-bicyclo[3.2.0]heptadien-(2,6) 368
7-Methylmercapto-cycloheptatrien 317, 368
11-Methylmercapto-5,6-dihydro-⟨dibenzo-[a;e]-cyclooctatetraen⟩ 496
5-(3-Methylmercapto-propyl)-5H-⟨dibenzo-[a;e]-cycloheptatrien⟩ 324
2-Methyl-1-methoxycarbonyl-cyclooctatetraen 432
8-Methyl-1-methoxycarbonyl-cyclooctatetraen 444, 511
3-Methyl-2-methoxycarbonyl-nonadien-(4,6)-disäure-dimethylester 204
1-[4-Methyl-1-(4-methoxy-3-methyl-phenyl)-cyclohexyl]-buten-(3)-in-(1) 668
5-Methyl-5-(4-methoxy-3-methyl-phenyl)-hepten-(1)-in-(3) 668
5-Methyl-5-(4-methoxy-3-methyl-phenyl)-hexen-(1)-in-(3) 668
1-[4-Methyl-1-(4-methoxy-phenyl)-cyclohexyl]-buten-(3)-in-(1) 668
5-Methyl-5-(4-methoxy-phenyl)-hepten-(1)-in-(3) 667
5-Methyl-5-(4-methoxy-phenyl)-hexen-(1)-in-(3) 667
N-Methyl-N-[5-(N-methyl-anilino)-pentadien-(2,4)-yliden]-anilinium-nitrat aus 1-[2,4-Dinitro-phenyl]-pyridiniumchlorid, N-Methyl-anilin und Ammoniumnitrat **235**
1-Methyl-3-(2-methyl-butadienyl)-cyclohexen-(1)-4,5-dicarbonsäure 207
6-Methyl-2-(2-methyl-butadienyl)-cyclohexen-(1)-3,4-dicarbonsäure 207
3-Methyl-5-[2-(bzw. 4-)-methyl-cyclohexyl]-penten-(3)-in-(1) 619
5-Methyl-3-methylen-hexin-(1) 617
3-Methyl-2-(2-methylmercapto-3,3-dicyan-allyliden)-2,3-dihydro-⟨benzo-1,3-thiazol⟩ 291
3-Methyl-2-{4-[1-methyl-1,2,3-triazolyl-(4)]-butadienyl}-⟨benzo-1,3-thiazolium⟩-perchlorat 265

3-Methyl-2-{2-[1-methyl-1,2,3-triazolyl-(4)]-vinyl}-⟨benzo-1,3-thiazolium⟩-perchlorat 265
4-Methyl-2-{2-methyl-4-[2,6,6-trimethyl-cyclohexen-(1)-yl]-butadien-(1,3)-yl}-2H-thiapyran aus 13-*cis*-Vitamin-A-aldehyd in Pyridin und Schwefelwasserstoff **84**
2-Methyl-nonen-(2)-in-(4) 622, 630
3-Methyl-nonen-(2)-in-(4) 649
3-Methyl-nonen-(3)-in-(1) 619, 647
4-Methyl-nonen-(3)-in-(1) 652
4-Methyl-nonen-(4)-in-(2) 649
3-Methyl-octatrien-(2,4,6)-säure 150
5-Methyl-octen-(1)-in-(3) 630
7-Methyl-octen-(1)-in-(3) 619, 665
3-Methyl-2-(2-oxo-propyliden)-2,3-dihydro-⟨benzo-1,3-thiazol⟩ 263
4-Methyl-pentadecen-(3)-in-(1) 649
2-Methyl-penten-(1)-in-(3) 620, 625, 631f., 637, 646, 662, 665
Dipolmoment 625
3-Methyl-penten-(3)-in-(1) 619, 638, 647
4-Methyl-penten-(3)-in-(1) 611, 652, 665
β-(2-Methyl-phenyl)-acrolein (o-Methyl-zimtaldehyd) 516
3-Methyl-1-phenyläthinyl-cyclohexen 650
3-Methyl-1-phenyl-buten-(3)-in-(1) 620, 637, 646, 662
3-Methyl-4-phenyl-buten-(3)-in-(1) 619, 633
4-[2-(bzw. -3)-Methyl-phenyl]-buten-(3)-in-(1) (*cis*) 617, 633
4-(4-Methyl-phenyl)-buten-(3)-in-(1) (*cis*) 616, 633
7-(4-Methyl-phenyl)-cycloheptatrien 319
3-Methyl-7-phenyl-heptatrien-(2,4,6)-säure 149, 150
5-Methyl-7-phenyl-heptatrien-(2,4,6)-säure 62
3-Methyl-1-phenyl-hexen-(3)-in-(1) 649
3-Methyl-2-(2-phenylimminio-äthyliden)-tetrahydro-1,3-thiazol aus 1-Methyl-2-(2-anilino-vinyl)-tetrahydro-1,3-thiazolinium-methylsulfonat und Ammoniak **288**
7-(4-Methyl-phenylmercapto)-cycloheptatrien-Chromtricarbonyl- bzw. -Molybdäntricarbonyl-Komplex 406
3-Methyl-1-phenyl-nonen-(3)-in-(1) 650
3-Methyl-1-phenyl-octen-(3)-in-(1) 623, 649
3-Methyl-1-phenyl-penten-(3)-in-(1) 649
(2-Methyl-propyl)-cyclooctatrien 482
5-Methyl-5-(4-propyloxy-3-methyl-phenyl)-hepten-(1)-in-(3) 668
5-Methyl-5-(4-propyloxy-3-methyl-phenyl)-hexen-(1)-in-(3) 667f.
5-(2-Methyl-propyloxy)-penten-(1)-in-(3) 664
5-Methyl-5-(4-propyloxy-phenyl)-hepten-(1)-in-(3) 667
5-Methyl-5-(4-propyloxy-phenyl)-hexen-(1)-in-(3) 667
2-Methyl-pyridin 678
3-Methyl-tetradecen-(3)-in-(1) 648
x-Methyl-3,6,7-trimethoxycarbonyl-tricyclo $[3.2.2.0^{2,4}]$nonadien-(6,8) 383
2-Methyl-1-(trimethylammoniono-methyl)-cyclooctatetraen-bromid 444
{3-Methyl-5-[2,6,6-trimethyl-cyclohexadien-(1,3)-yl]-pentadien-(2,4)-yl}-triphenyl-phosphonium-chlorid [(3-Dehydro-β-jonyliden-äthyl)-triphenyl-phosphonium-chlorid] 73
4-Methyl-2-[2,6,6-trimethyl-cyclohexen-(1)-yl]-biphenyl 221
2-Methyl-4-[2,6,6-trimethyl-cyclohexen-(1)-yl]-buten-(2)-al (β-C_{14}-Aldehyd) 11
5-Methyl-7-[2,6,6-trimethyl-cyclohexen-(1)-yl]-heptatrien-(2,4,6)-ol 186
5-Methyl-7-[2,6,6-trimethyl-cyclohexen-(1)-yl]-heptatrien-(2,4,6)-säure 11, 59, 141, 149
5-Methyl-7-[2,6,6-trimethyl-cyclohexen-(1)-yl]-heptatrien-(2,4,6)-säure-methylester 41
4-Methyl-6-[2,6,6-trimethyl-cyclohexen-(1)-yl]-hexadien-(2,4)-al 156
4-Methyl-6-[2,6,6-trimethyl-cyclohexen-(1)-yl]-hexadien-(3,5)-in-(1) 11, 51, 56
3-Methyl-1-[2,6,6-trimethyl-cyclohexen-(1)-yl]-hexatrien-(1,3,5) (β-C_{16}-Kohlenwasserstoff) 11, 56
5-Methyl-7-[2,6,6-trimethyl-cyclohexen-(2)-yliden]-heptadien-(3,5)-säure-methylester 41
3-Methyl-5-[2,6,6-trimethyl-cyclohexen-(2)-yliden]-pentadien-(1,3) 71
2-Methyl-4-[2,6,6-trimethyl-cyclohexen-(1)-yl]-1-[4-methyl-2H-thiapyranyl-(2)]-butadien (C_{20}-Thiapyran) 83
3-Methyl-5-[2,6,6-trimethyl-cyclohexen-(1)-yl]-pentadien-(2,4)-al (β-C_{15}-Aldehyd) 11, 53, 161
3-Methyl-5-[2,6,6-trimethyl-cyclohexen-(1)-yl]-pentadien-(2,4)-ol 71
3-Methyl-5-[2,6,6-trimethyl-cyclohexen-(1)-yl]-pentadien-(2,4)-säure (β-C_{15}-Säure) 11
3-Methyl-5-[2,6,6-trimethyl-cyclohexen-(1)-yl]-pentadien-(2,4)-säure-nitril (β-C_{15}-Säure-nitril) 187
{3-Methyl-5-[2,6,6-trimethyl-cyclohexen-(1)-yl]-pentadien-(2,4)-yl}-triphenyl-phosphonium-chlorid (β-Jonylidenäthyl-triphenyl-phosphonium-chlorid) aus 9-Vinyl-β-jonol, Triphenylphosphin und Chlorwasserstoff **73**
4-Methyl-6-[2,6,6-trimethyl-cyclohexen-(1)-yl]-1-phenyl-hexatrien-(1,3,5) aus Cinnamyl-triphenyl-phosphoniumbromid, Butyl-lithium und β-Jonon **97**
3-Methyl-1-trimethylsilyl-buten-(3)-in-(1) 620
7-Methyl-undecansäureester 203
3-Methyl-undecatetraen-(1,5,7,9) 64
6-Methyl-3-vinyl-cyclohexen-(1)-4,5-dicarbonsäure 205
aus *trans,trans*-Heptatrien-(1,3,5) und Maleinsäureanhydrid **206**
6-Methyl-3-vinyl-cyclohexen-(1)-4,5-dicarbonsäure-anhydrid 205
o-Methyl-zimtaldehyd 516
Michaelis-Arbusow-Reaktion 128
Michlers-Hydrolblau 238
Mucondialdehyd 170
Müller-Cunradi-Pieroh-Reaktion 51, 154
Murexid 298
Mutatochrom 10

N

Naphthalin 353, 376
Naphtho-[a]-bicyclo[4.1.0]heptadien 308
1-Naphthyl-(1)-buten-(3)-in-(1) 618
7-Naphthyl-(2)-cycloheptatrien 319
Natrium-2,4-diacetyl-penten-(2)-disäure-diäthylester 296
Neoalloocimen (*trans-cis*) 165

Neocyanin 267
Neurosporen 34
Nigrifactin 191
10-Nitro-5-acetoxy-⟨benzo-cyclooctatetraen⟩ 458
Nitro-[18]-annulen aus [18]Annulen und Kupfer (II)-nitrat **579**
5-(bzw. 6-; bzw. -7)-Nitro-⟨benzo-cyclooctatetraen⟩ 459
3-Nitro-1,8-bis-[dehydro]-[14]-annulen 579, 590
2-Nitro-*syn*-1,6;8,13-bis-[epoxi]-[14]annulen 579
Nitro-dehydro-[14]annulen 579
2-Nitro-*trans*-15,16-diäthyl-15,16-dihydro-pyren 579, 591
2-Nitro-*trans*-15,16-dimethyl-15,16-dihydro-pyren 591
2-(bzw. 3)-Nitro-1,6-epoxi-[10]annulen 579, 585
Nitro-hexatrien-(1,3,5) 186
2-Nitro-1,6-methano-[10]annulen 578, 585
3-Nitro-1,6-methano-[10]annulen 578
4-(4-Nitro-phenoxy)-buten-(3)-in-(1) 652
6-Nitro-1-phenyl-hexatrien-(1,3,5) 39
3-Nitro-1,7,13-tris-[dehydro]-[18]annulen 579
Nonatetraen-(1,3,5,7) 61
Nonen-(1)-in-(3) 618, 625, 658, 665
  Dipolmoment 625
Nonen-(2)-in-(4) 658, 665
Nonen-(3)-in-(1) 616, 661, 665
Nonen-(4)-in-(2) 621
Norbixin 9
Norbixin-diäthylester 113, 135
Norbixin-dimethylester 115, 123
  all-trans, aus der 10,10′-Mono-*cis*-Verbindung durch Umlagerung **22**
Norcaradien 362

O

Ocimen [3,7-Dimethyl-octatrien-(1,3,5)] 166
Octabrom-cyclooctatetraen 428, 446
Octachlor-⟨benzo-cyclobuten⟩ 691
Octachlor-cycloheptatrien 350
Octachlor-cyclooctetatraen 428, 431, 446
1,2,3,4,5,6,7,8-Octachlor-octatetraen 85
Octadecansäure (Stearinsäure) 196
Octadecaoctaen-(2,4,6,8,10,12,14,16) 27, 32
Octadecatrien-(8,10,12)-säure 191
Octadecatrien-(9,11,13)-säure 191
  aus chinesischem Holzöl durch Verseifung **192**
Octadecatrien-(9,11,13)-säure-äthylester 111
Octadecatrien-(8,10,12)-säure-methylester 62
Octadien-(2,4) bzw. -(3,5) 197
Octadien-(1,7)-diin-(3,5) 690
Octadien-(2,6)-diol-(4,5) 158
  aus Octatrien-(2,4,6)-disäure durch Hydrierung mit Natriumamalgam **196**
1,2,3,4,9,10,11,12-Octahydro-5,7,13,15-tetrakis-[dehydro]-⟨dibenzo-[a;g]-[12]annulen⟩ 589
1,3,7,9,13,15,19,21-Octakis-[dehydro]-[24]annulen
  NMR-Spektrum 539
  UV-Spektrum 535
Octalen 469
Octamethyl-cyclooctatetraen 426, 429, 446
2,6,10,14,19,23,27,31-Octamethyl-dotriaconta-dodecaen-(2,6,8,10,12,14,18,20,22,24,26,30)-in-(16) (15,15′-Dehydro-lycopin) 103, 119
2,6,10,14,19,23,27,31-Octamethyl-dotriacontan 194
2,6,10,14,19,23,27,31-Octamethyl-dotriaconta-pentadecaen-(2,4,6,8,10,12,14,16,18,20,22,24,26,28,30) (3,4;3′,4′-Bis-[dehydro]-lycopin)
  aus Lycopin und N-Brom-succinimid **35**
2,6,10,14,19,23,27,31-Octamethyl-dotriaconta-pentadecaen-(2,4,6,8,10,12,14,16,18,20,22,24,26,28,30)-dial [3,3′;4,4′-Tetradehydro-lycopindial-(16,16′)] 109
  aus dem Triphenylphosphonium-Salz des 8-Brom-2,6-dimethyl-octatrien-(2,4,6), Crocetin-dialdehyd und Natriummethanolat **98**
2,6,10,14,19,23,27,31-Octamethyl-dotriaconta-pentadecaen-(2,4,6,8,10,12,14,16,18,20,22,24,26,28,30)-disäure-diäthylester [3,3′,4,4′-Tetradehydro-lycopindisäure-(1,1′)-diäthylester] 137
2,6,10,14,19,23,27,31-Octamethyl-dotriaconta-tridecaen-(2,6,8,10,12,14,16,18,20,22,24,26,30) (Lycopin) 9, **34**f., 84, 119, 140, 160
  aus Geranyliden-triphenyl-phosphoran und Crocetindialdehyd **97**
Octamethyl-*mono-cis*-(bzw. -*all-trans*)-dotriaconta-tridecaen-(2,6,8,10,12,14,16,18,20,22,24,26,30) [*mono-cis*-(bzw. *all-trans*)-Lycopin] 23
2,6,10,14,19,23,27,31-Octamethyl-dotriaconta-undecaen-(2,6,8,10,12,14,16,18,22,26,30) bzw. -(2,6,10,12,14,16,18,20,22,26,30 (ζ-Carotin) 9, 34
Octan 194
Octandisäure 196
Octansäure 196
Octaphenyl-cyclooctatetraen 429, 430, 446
Octatetraen-(1,3,5,7) 14, 37, 61, 167
cis-trans-Octatetraen-(1,3,5,7) 222
Octatrien-(1,3,5) 36
all-trans-Octatrien-(1,3,5) 38
Octatrien-(1,3,6) bzw. -(1,3,7) 78
Octatrien-(2,4,6) 36, 63f., 78, 166, 197
cis-trans-Octatrien-(2,4,6) 78
all-trans-Octatrien-(2,4,6) 78
trans-trans-cis-Octatrien-(2,4,6) 38
all-trans-Octatrien-(2,4,6) 38, 77, 78
  aus Butadien durch Oligomerisierung mit Nickel(0)-bis-[acrylnitril] und Phosphorigsäure-trimorpholid **78**
Octatrien-(2,4,6)-al 164, 170, 525
all-trans-Octatrien-(2,4,6)-al aus *cis-trans*-Octatrien-(2,4,6)-al-(1) durch Umlagerung **22**
Octatrien-(2,4,6)-dial 524
Octatrien-(2,4,6)-disäure 167, 183
  aus 2-Acetoxy-octadien-(3,5)-disäure-diäthylester mit Kalilauge **55**
Octatrien-(2,4,6)-disäure-diäthylester 113, 135
Octatrien-(2,4,6)-disäure-dimethylester 167
Octatrien-(3,5,7)-in-(1) 61
Octatrien-(2,4,6)-säure 145
Octatrien-(2,4,6)-säure-äthylester 111
Octatrien-(2,4,6)-säure-methylester 170, 525
Octen-(1)-in-(3) 618, 625, 658, 665
  Dipolmoment 625
Octen-(2)-in-(4) 665
Octen-(3)-in-(1) 618, 651, 652, 653
Octen-(4)-in-(2) 621
Octen-(5)-in-(3)-disäure-dimethylester 628

Octen-(3)-in-(1)-ol-(6) 669
2-Oxa-bicyclo[3.1.0]hexen-(3) 308
9-Oxa-bicyclo[6.1.0]nonatrien-(2,4,6) [7,8-Epoxi-cyclooctatrien-(1,3,5)] 479, 516
aus Cyclooctatetraen und Perbenzoesäure **489**
5-Oxa-tricyclo[7.2.2.$0^{3,7}$]tridecatetraen-(2,7,10, 12) 505
4-Oxi-3-äthyl-5-(2,4-dioxo-3-äthyl-tetrahydro-1,3-thiazolyliden-methyl)-3-äthyl-2-[3-äthyl-⟨benzo-1,3-thiazol⟩-yl-(2)-methylen]-2,3-dihydro-1,3-thiazol-betain 298
(1-Oximino-äthyl)-cylooctatetraen 441
7-Oximino-cyclooctatrien-(1,3,5) 480
4-Oxo-3-äthyl-5-[4-hydroxy-2-oxo-3-carboxy-methyl-2,3-dihydro-1,3-thiazolyl-(5)-methylen]-2-(4-oxo-2-thiono-3-äthyl-tetrahydro-1,3-thiazolyliden)-tetrahydro-1,3-thiazol 298
4-Oxo-3-äthyl-2-{4-oxo-3-äthyl-5-[2-(3-äthyl-2,3-dihydro-⟨benzo-1,3-thiazol⟩-yliden)-äthylen]-tetrahydro-1,3-thiazolyliden-methyl}-5-[2-(3-äthyl-2,3-dihydro-⟨benzo-1,3-thiazol⟩-yliden)-äthyliden]-4,5-dihydro-1,3-thiazolium-bromid 281
8-Oxo-7-aza-bicyclo[4.2.2]decatrien-(2,4,9) 516
8-Oxo-7-aza-bicyclo[4.2.0]octen-(3) aus Chlorsulfonyl-isocyanat, Cyclohexadien und anschließender Hydrolyse **448**
8-Oxo-7-aza-tricyclo[4.2.2]decatrien-(2,4,9) 506
10-Oxo-⟨2,3-benzo-7-aza-bicyclo[4.2.2]decatrien-(2,4,9)⟩ 507
11-Oxo-⟨7,8-benzo-bicyclo[4.2.1]nonatrien-(2,4,7)⟩ 457
2-Oxo-bicyclo[4.2.0]octadien-(4,7) 170
6-Oxo-3-(bis-[4-hydroxy-phenyl]-methylen)-cyclohexadien-(1,4) 298
16-Oxo-1,6;8,13-butandiyliden-(1,4)-[14]annulen 592
4-Oxo-buten-(2)-säureester 214
Oxo-cycloheptatrien (Tropon) 328, 395, 397, 402
3-Oxo-2-cycloheptatrienyl-(7)-butansäure-äthylester 330
6-Oxo-cyclohexadien-(1,4)-⟨3-spiro-10⟩-9-oxa-bicyclo[6.2.0]decatrien-(2,4,6) 492
7-Oxo-cyclooctatrien-(*trans*-1, *cis*-3, *cis*-5) aus 7,8-Epoxi-cyclooctatrien-(1,3,5) und Lithiumdiäthylamid **479**
3-Oxo-2,3-dihydro-⟨benzo-[b]-furan⟩ 285
3-Oxo-2,3-dihydro-⟨benzo-[b]-thiophen⟩ (3-Oxo-2,3-dihydro-thionaphthen⟩ 285
10-Oxo-7,10-dihydro-β-carotin {15-Oxo-3,7,12,16-tetramethyl-1,18-bis-[2,6,6-trimethyl-cyclohexen-(1)-yl]-octadecaoctaen-(1,3,5,7,9,11, 13,15)} 123
1-Oxo-2,3-dihydro-⟨cycloocta-[c]-furan⟩ 453
6-Oxo-5,6-dihydro-⟨dibenzo-[b;f]-azocin⟩ 497
5-Oxo-5,6-dihydro-⟨dibenzo-[a;e]-cyclooctatetraen⟩ 496
5-Oxo-4,5-dihydro-pyrazole 285
3-Oxo-2,3-dihydro-thionapthen 285
11-Oxo-10,12-dimethyl-4,9-diphenyl-pentacyclo [7.3.0.$0^{3,6}$.$0^{4,12}$.$0^{5,10}$]dodecen-(7) 387
5-Oxo-4,6-dimethyl-2,3-diphenyl-tricyclo [5.3.2.$0^{2,6}$]dodecatrien-(3,9,11) 387
12-Oxo-1,9-dimethyl-10,11-diphenyl-tricyclo [7.2.1.$0^{2,8}$]dodecatrien-(3,5,10) 387
12-Oxo-2,5-dimethyl-3,4-diphenyl-tricyclo [4.4.1.$1^{2,5}$]dodecatrien-(3,7,9) 387
5-Oxo-4,4-dimethyl-heptansäure 214
6-Oxo-2,2-dimethyl-heptansäure 213f.
7-Oxo-3,5-dimethyl-1-phenyl-octatrien-(1,3,5) 86
11-Oxo-3,7-dimethyl-1-[2,6,6-trimethyl-cyclohexen-(1)-yl]-dodecapentaen-(1,3,5,7,9) (Retinyliden-aceton) 143
aus Vitamin A-Alkohol, Aceton und Aluminium-tri-tert.-butanolat **144**
10-Oxo-2,6-dimethyl-undecatetraen-(2,4,6,8) 143
9-Oxo-1,9-diphenyl-nonatetraen-(1,3,5,7) 171, 524
8-Oxo-7-methyl-bicyclo[4.2.0]octadien-(2,4) 480
6-Oxo-1-methyl-3-(bis-[4-hydroxy-phenyl]-methylen)-cyclohexadien-(1,3) 299
8-Oxo-7-methyl-cyclooctatrien 480
1-Oxo-3-methyl-1H-⟨cyclopenta-cyclooctatetraen⟩ 452
3-Oxo-1-methylen-2,3-dihydro-1H-⟨cyclopenta-cyclooctatetraen⟩ 452
7-Oxo-3-methyl-octatrien-(1,3,5) 183
11-Oxo-7-methyl-1-phenyl-tridecapentaen-(1,3,5,7,9) 99
7-Oxo-3-methyl-1-[2,6,6-trimethyl-cyclohexen-(1)-yl]-octatrien-(1,3,5) (β-C_{18}-Keton) 11, 57, 131
all-cis-Oxonin 521
cis,cis,cis-trans-Oxonin 521
8-Oxo-nonatrien-(2,4,6) 164, 170, 525
3-Oxo-octadecatrien-(9,11,13)-säure 191
4-Oxo-5-oxa-pentacyclo[6.3.2.$0^{2,12}$.$0^{3,7}$.$0^{9,12}$]tridecadien-(3^7,10) 505
3-Oxo-4-oxa-tricyclo[5.4.2.$0^{2,6}$]tridecatatraen-(2^6,8,9,11) 505
4-Oxo-5-oxa-tricyclo[7.2.2.$0^{3,7}$]tridecatetraen-(2,7,10,12) 505
1-(4-Oxo-6-oxi-2-thiono-1,2,3,6-tetrahydro-pyrimidyl)-5-(4,6-dioxo-2-thiono-hexahydro-pyrimidyliden)-pentadien-(1,3)-pyridinium-Salz aus 4,6-Dioxo-2-thiono-hexahydro-pyrimidin und Bis-[anilino]-pentamethin-streptonin-bromid **296**
2-Oxo-pentacyclo[7.5.0.$0^{3,8}$.$0^{4,12}$.$0^{5,11}$]tetradecadien-(6,13) 386
19-Oxo-3,7,12,16,20-pentamethyl-1-[2,6,6-trimethyl-cyclohexen-(1)-yl]-heneicosanonaen-(1,3,5,7,9,11,13,15,17) 144
4-Oxo-4-phenyl-buten-(1) 679
1-Oxo-1-phenyl-octatrien-(2,4,6) 170, 525
8-Oxo-8-phenyl-octatrien-(2,4,6) 150
2-(4-Oxo-3-phenyl-tetrahydro-1,3-thiazolyl-idenamino)-3-äthyl-⟨benzo-1,3-thiazolium⟩-bromid 283
2-Oxo-propanal 214
16-Oxo-1,8; 8,13-propandiyliden-(1,3)-[14]annulen 592
15-Oxo-3,7,12,16-tetramethyl-1,18-bis-[2,6,6-trimethyl-cyclohexen-(1)-yl]-octadecaoctaen-(1,3,5,7,9,11,13,15) 123
19-Oxo-3,7,12,16-tetramethyl-1-[2,6,6-trimethyl-cyclohexen-(1)-yl]-eicosanonaen-(1,3,5,7,9, 11,13,15,17) (Citranaxanthin) 11, 14, 143
aus β-Apo-8′-carotinal, Aceton und Kalilauge **144**
17-Oxo-3,7,12,16-tetramethyl-1-[2,6,6-trimethyl-cyclohexen-(1)-yl]-octadecaoctaen-(1,3,5,7, 9,11,13,15) 182

4-Oxo-2-thiono-3-äthyl-5-[2-(3-äthyl-2,3-dihydro-⟨benzo-1,3-thiazol⟩-yliden)-äthyliden]-tetrahydro-1,3-thiazol aus 3-Äthyl-2(2-phenylimino-äthyliden)-2,3-dihydro-⟨benzo-1,3-thiazol⟩ und 3-Äthyl-rhodanin **287f.**
4-Oxo-2-thiono-3-äthyl-5-[(3-äthyl-2,3-dihydro-⟨benzo-1,3-thiazol⟩-yliden-amino)-methylen]-tetrahydro-1,3-thiazol 289
4-Oxo-2-thiono-3-äthyl-5-(3-äthyl-2,3-dihydro-⟨benzo-1,3-thiazol⟩-yliden)-tetrahydro-1,3-thiazol aus 2-Methylmercapto-3-äthyl-⟨benzo-1,3-thiazolium⟩-jodid, Diäthylsulfat, Pyridin und 3-Äthyl-rhodanin **285f.**
4-Oxo-2-thiono-3-äthyl-5-[2-äthylmercapto-2-(3-äthyl-2,3-dihydro-⟨benzo-1,2-thiazol⟩-yliden)-äthyliden]-tetrahydro-1,3-thiazol 280
4-Oxo-2-thiono-3-äthyl-5-[2-(2-äthyl-tetrahydro-pyrryliden)-äthyliden]-tetrahydro-1,3-oxazol aus 1-Äthyl-2-(formylmethylen)-tetrahydropyrrol und 4-Oxo-2-thiono-3-äthyl-tetrahydro-1,3-oxazol **288**
4-Oxo-2-thiono-3-äthyl-5-[buten-(2)-yliden]-tetrahydro-1,3-thiazol aus 3-Äthyl-rhodanin (4-Oxo-2-thiono-3-äthyl-tetrahydro-1,3-thiazol) und Crotonaldehyd **290**
4-Oxo-2-thiono-3-äthyl-5-(3-dimethylamino-allyliden)-tetrahydro-1,3-thiazol 293
4-Oxo-2-thiono-3-äthyl-5-(1,3-dimethyl-2,3-dihydro-benzimidazolyliden)-tetrahydro-1,3-thiazol aus 2-Methylmercapto-1-methyl-benzimidazol, Dimethylsulfat, Pyridin und 3-Äthyl-rhodanin und Triäthylamin **286**
4-(4-Oxo-2-thiono-3-äthyl-tetrahydro-1,3-thiazolyliden)-1-(3-äthyl-2,3-dihydro-⟨benzo-1,3-thiazol⟩-yliden)-buten-(2) aus 2-Methylmercapto-3-äthyl-⟨benzo-1,3-thiazolium⟩-p-toluolsulfonat und 3-Äthyl-5-[buten-(2)-yliden]-rhodanin **290**
4-Oxo-2-thiono-3-alkyl-tetrahydroimidazol 285
4-Oxo-2-thiono-3-alkyl-tetrahydro-1,3-oxazol 285
4-Oxo-2-thiono-3-alkyl-tetrahydro-1,3-selenazol 285
4-Oxo-2-thiono-3-alkyl-tetrahydro-1,3-thiazol 285
4-Oxo-2-thiono-3-aryl-tetrahydroimidazol 285
4-Oxo-2-thiono-3-aryl-tetrahydro-1,3-oxazol 285
4-Oxo-2-thiono-3-aryl-tetrahydro-1,3-selenazol 285
4-Oxo-2-thiono-3-aryl-tetrahydro-1,3-thiazol 285
5-Oxo-2-thiono-1,3-dimethyl-4-[2-(3-methyl-tetrahydro-1,3-thiazolyliden)-äthyliden]-tetrahydro-imidazol aus 3-Methyl-2-(2-phenylimino-äthyliden)-tetrahydro-1,3-thiazol und 1,3-Dimethyl-thiohydantoin (4-Oxo-2-thiono-1,3-dimethyl-tetrahydroimidazol) **288**
5-Oxo-2-thiono-3-methyl-1-äthyl-4-[1-(3-äthyl-2,3-dihydro-⟨benzo-1,3-thiazol⟩-yliden)-äthyliden]-tetrahydro-1,3-thiazol 287
5-Oxo-2-thiono-3-methyl-1-äthyl-4-[1-(3-äthyl-2,3-dihydro-⟨benzo-1,3-thiazol⟩-yliden)-butyliden-(2)]-tetrahydro-1,3-thiazol 287
5-Oxo-2-thiono-3-methyl-1-äthyl-4-[1-(3-äthyl-2,3-dihydro-⟨benzo-1,3-thiazol⟩-yliden)-propyliden-(2)]-tetrahydro-1,3-thiazol 287
2-Oxo-tricyclo[4.3.1.0^{3,8}]decen-(4) 388
4-Oxo-tricyclo[4.3.1.0^{3,9}]decen-(7) 388
10-Oxo-tricyclo[4.3.1.0^{4,8}]decen-(2) 388
8-Oxo-tricyclo[4.4.0.0^{3,9}]decen-(4) 388
9-Oxo-tricyclo[3.3.1.0^{2,8}]nonadien-(3,6) (Barbaralon) 389f.
8-Oxo-2,2,6-trimethyl-7-oxa-bicyclo[4.3.0]nonen-(1^{9}) [(2-Hydroxy-2,6,6-trimethyl-cyclohexyliden)-essigsäure-lacton] 215
14-Oxo-2,6,10-trimethyl-pentadecahexaen-(2,4,6,10,12) 143
10-Oxo-undecatetraen-(2,4,6,8) 99, 143

P

Pauling-Regel 18
Pentacyclo[8.3.3.0^{2,9}.0^{3,8}.0^{13,14}]hexadecatetraen-(4,6,11,15) 390
Pentacyclo[9.3.2.0^{2,14}.0^{3,10}.0^{4,9}]hexadecatetraen-(5,7,12,15) 490, 518
  durch thermische Dimerisierung von Cyclooctatetraen **491**
Pentadecen-(3)-in-(1) 632, 637
Pentadien-(2,4)-säure-nitril (1-Cyan-butadien) 689
1, 7, 13, 19, 25-Pentakis-[dehydro]-[30]annulen
  aus dem Rohprodukt der oxidativen Verknüpfung von Hexadiin-(1,5) nach Eglinton und Kalium-tert.-butanolat **547**
  NMR-Spektrum 537, 539
  UV-Spektrum 535
1,4;7,10;13,16;19,22;25,28-Pentakis-[epoxi]-[30]annulen (NMR-Spektrum) 541
4,9,13,17,21-Pentamethyl-docosanonaen-(2,4,6,8,10,12,14,16,20)-al (Apo-10′-lycopinal) 160
2,7,11,15,19-Pentamethyl-eicosaheptaen-(2,4,6,10,14,18)-al 105
2,6,10,15,19-Pentamethyl-21-[2,6,6-trimethyl-cyclohexen-(1)-yl]-heneicosadecaen-(2,4,6,8,10,12,14,16,18,20)-al (β-Apo-4′-carotinal) 107
2,6,10,15,19-Pentamethyl-21-[2,6,6-trimethyl-cyclohexen-(1)-yl]-heneicosadecaen-(2,4,6,8,10,12,14,16,18,20)-säure-äthylester (β-Apo-4′-carotinsäure-äthylester) 113
4,8,12,17,21-Pentamethyl-23-[2,6,6-trimethyl-cyclohexen-(1)-yl]-tricosaundecaen-(2,4,6,8,10,12,14,16,18,20,22)-al (β-Apo-2′-carotinal) 107
1,2,3,4,5-Pentaphenyl-cyclopentadien 344
Penten-(1)-in-(3) 615, 618, 624, 654, 656, 665, 669, 673
  aus 2-Chlor-pentadien-(1,3) durch Halogenwasserstoff-Abspaltung **636, 638**
  aus 1,4-Bis-[trimethylammoniono]-penten-(2)-dijodid und Kalilauge **655**
  Dipolmoment 625
Penten-(3)-in-(1) 628, 646, 652f., 655, 665
  Dipolmoment 625
cis- (bzw. *trans*)-Penten-(3)-in-(1) 616, 625
Penten-(4)-in-(2)-al-diäthylacetal [5,5-Diäthoxy-penten-(1)-in-(3)] 674
Penten-(3)-in-(1)-ol-(5) 666
Pentin-(1)-ol-(4) aus Natriumacetylenid und Mehyl-oxiran **641**
5-Pentyl-5H-⟨dibenzo-[a;e]-cycloheptatrien⟩ 324
5-(3-Pentyloxy-phenyl)-octen-(1)-in-(3) 667
Perkin-Kondensation 550
Phenanthren 599
Phenyl-acetaldehyd 516
Phenyl-äthan (Äthyl-benzol) 364, 371

7-Phenyläthinyl-cycloheptatrien-Chromtricarbonyl- bzw. Molybdäntricarbonyl-Komplex **406**
1-Phenyläthinyl-cyclohexen 623, 650
(Phenyl-äthinyl)-magnesiumchlorid aus Phenylacetylen und Butyl-magnesiumchlorid **630**
8-Phenyl-bicyclo[4.2.2]decatetraen-(2,4,7,9)-7-carbonsäure-methylester {8-Phenyl-7-methoxycarbonyl-bicyclo[4.2.2]decatetraen-(2,4,7,9)} 504
9-Phenyl-bicyclo[4.2.1]nonatrien-(2,4,7) 404, 500
1-Phenyl-buten-(3)-in-(1) 618, 625, 637, 645, 655, 658, 662
  durch Halogenwasserstoff-Abspaltung aus 4-Brom-1-phenyl-butin-(1) mit Kalium-äthanolat **635**
  Dipolmoment 625
3-Phenyl-buten-(3)-in-(1) 633, 646
4-Phenyl-buten-(3)-in-(1) 616, 625, 633, 637, 662, 669
  durch Halogenwasserstoff-Abspaltung aus 4-Chlor-4-phenyl-butin-(1) mit Natriumamid **635**
  aus Propargyl-triphenyl-phosphoniumbromid und Benzaldehyd **631**
  Dipolmoment 625
1-Phenyl-3-cyan-2-äthoxycarbonyl-pyrrol 202
Phenyl-cycloheptatrien 331, 356
1-Phenyl-cycloheptatrien 367
2-Phenyl-cycloheptatrien 317, 368
3-Phenyl-cycloheptatrien 325
  durch Erwärmen von 7-Phenyl-cycloheptatrien **314**
7-Phenyl-cycloheptatrien 317, 326, 368
  aus 7-Methoxy-cycloheptatrien und Phenylmagnesiumbromid **318**
  Chromtricarbonyl-Komplex 405f., 409
  Molybdäntricarbonyl-Komplex 405f., 409
Phenyl-cyclooctatetraen 426, 432, 438, 440, 447
  aus Cyclooctatetraen und Phenyl-lithium **438**
1-Phenyl-1H-⟨cycloocta-1,2,3-triazol⟩ 454
Phenyl-cyclooctatrien 482
5-Phenyl-2,3-diaza-tetracyclo[5.2.2.$0^{4,9}$.$0^{6,8}$]undecadien-(2,10) 404
1-Phenyl-8,9-dihydro-1H-⟨dibenzo-[a;e]-triazolo-[4,5-c]-cyclooctatetraen⟩ 496
10-Phenyl-1-ferrocenyl-decapentaen-(1,3,5,7,9) 103
6-Phenyl-1-ferrocenyl-hexatrien-(1,3,5) 103
8-Phenyl-1-ferrocenyl-octatetraen-(1,3,5,7) 103
14-Phenyl-1-ferrocenyl-tetradecaheptaen-(1,3,5,7,9,11,13) 103
7-Phenyl-heptatrien-(2,4,6)-al 53
7-Phenyl-heptatrien-(2,4,6)-säure 183
7-Phenyl-heptatrien-(2,4,6)-säure-dimethylamid 148
7-Phenyl-heptatrien-(2,4,6)-säure-methylester 111
1-Phenyl-hexatrien-(1,3,5) 38, 79, 170
3-[6-Phenyl-hexatrien-(1,3,5)-yl]-pyrazol 404
1-Phenyl-hexen-(3)-in-(1) 647
1-Phenyl-hexen-(4)-in-(2) 621, 637, 644
6-Phenyl-hexen-(4)-in-(2) 621
2-Phenyl-indan 340
8-Phenyl-7-methoxycarbonyl-bicyclo[4.2.2]decatetraen-(2,4,7,9) 504
6-Phenyl-1-[2- (bzw. -3)-methyl-phenyl]-hexatrien-(1,3,5) 54
9-Phenyl-nonatetraen-(2,4,6,8)-al 185
1-Phenyl-nonen-(3)-in-(1) 647
1-Phenyl-octen-(1)-in-(3) 621, 628, 647
  aus 1-Phenyl-octin-(3)-ol-(2) durch Dehydratisierung mittels Kaliumhydrogensulfat **644**
8-Phenyl-7-oxa-8-aza-bicyclo[4.2.1]nonadien-(2,4) 378
1-Phenyl-penten-(1)-in-(3) 633, 644
4-Phenyl-penten-(3)-in-(1) 633
5-Phenyl-penten-(3)-in-(1) 617
9-Phenyl-9-phospha-bicyclo[4.2.1]nonatrien-(2,4,7) 501
9-Phenyl-9-phospha-bicyclo[6.1.0]nonatrien-(2,4,6) 490, 501
9-Phenyl-9-phospha-bicyclo[4.2.1]nonatrien-9-oxid 501
6-Phenyl-1-pyrazyl-(3)-hexatrien-(1,3,5) {3-[6-Phenyl-hexatrien-(1,3,5)-yl]-pyrazol} 404
6-Phenyl-1-pyridyl-(2)-hexatrien-(1,3,5) 86
9-Phenyl-9H-⟨tribenzo-cycloheptatrienyl⟩-Radikal 415
9-Phenyl-tricyclo[3.3.1.$0^{2,8}$]nonadien-(3,6) 389,404
13-Phenyl-tridecahexaen-(2,4,6,8,10,12)-al aus 13-Phenyl-tridecahexaen-(2,4,6,8,10,12)-säure-carbazolid und Lithiumalanat **143**
13-Phenyl-tridecahexaen-(2,4,6,8,10,12)-säure aus 11-Phenyl-undecapentaen-(2,4,6,8,10)-al und Malonsäure in Pyridin **145f.**
13-Phenyl-tridecahexaen-(2,4,6,8,10,12)-säure-carbazolid aus 11-Phenyl-undecapentaen-(2,4,6,8,10)-al und N-Carboxyacetyl-carbazol **142**
Phenyl-tropylium-perchlorat 395
  aus 7-Phenyl-cycloheptatrien und Tritylperchlorat **396**
11-Phenyl-undecanol 195
11-Phenyl-undecapentaen-(2,4,6,8,10)-säure-äthylester 111
Phosphonsäure-diester-Verfahren 127
Phytofluen 34
α-Pikolin 678
Pinacyanol 247
α-Pinen aus Terpentinöl **164**
5-Piperidino-11,12-dihydro-⟨dibenzo-[a;e]-cyclooctatetraen⟩ 496
5-Piperidino-2,3,8,9-tetramethoxy-11,12-dihydro-⟨dibenzo-[a;e]-cyclooctatetraen⟩ 496
2-(bzw. 3)-Pikeridyl-1,6-methano-[10]annulen 584
„PO-aktivierte Olefinierung" 127
Polyene, Tritium- (bzw. Deuterium)-markierte 125
Polyenketone vom Typ des 7-Oxo-3,5-dimethyl-1-phenyl-octatriens-(1,3,5) aus der jeweiligen Grignard-Verbindung und 2,4,6-Trimethyl-pyrylium-perchlorat; allgemeine Herstellungsvorschrift **86**
1,6;8,13-Propandiyliden-(1,3)-[14]annulen 533, 592
  NMR-Spektrum 540
Propargyl-triphenyl-phosphoniumbromid aus Triphenyl-phosphin, Bromwasserstoffsäure und 3-Brom-propin **631**
3-[Propen-(*trans*-1)-yl]-cyclohexen-(1)-4,5-dicarbonsäure 205
  und 6-Methyl-3-vinyl-cyclohexen-(1)-4,5-dicarbonsäure aus *trans,trans*-Heptatrien-(1,3,5) und Maleinsäureanhydrid **206**

3-[Propen-(*cis*-1)-yl]-cyclohexen-(1)-4,5-dicarbonsäure-anhydrid 206
3-[Propen-(*trans*-1)-yl]-cyclohexen-(1)-4,5-dicarbonsäure-anhydrid 205
3-[Propen-(*trans*-1)-yl]-4,5-dicarboxy-cyclohexen-(1) 205
und 6-Methyl-3-vinyl-cyclohexen-(1)-4,5-dicarbonsäure aus *trans,trans*-Heptatrien-(1,3,5) und Maleinsäure-anhydrid **206**
7-Propin-(2)-yl-cycloheptatrien
Chromtricarbonyl-Komplex 406, 411
Molybdäntricarbonyl-Komplex 406
1-Propin-(1)-yl-cyclohepten 623, 649
1-Propin-(1)-yl-cyclohexen 623, 649
1-Propin-(1)-yl-cyclopenten 623, 649
Propinyliden-cyclohexan 619, 649, 652, 669
Propinyliden-cyclopentan 619, 652
Propyl-cyclooctatetraen 426, 440
2-Propyl-hepten-(1)-in-(3) 629
3-Propyl-hexen-(3)-in-(1) 648
5-(4-Propyloxy-phenyl)-octen-(1)-in-(3) 667
3-Propyl-1-phenyl-hexen-(3)-in-(1) 623, 650
Pseudo-Vitamin A-Aldehyd 9, 161
Purpursäure 298
Ammoniumsalz (Murexid) 298
4-Pyridyl-(4)-buten-(3)-in-(1) 617, 632

R

Reformatzky-Reaktion 148f., 657
Rehydro-Vitamin A 9
Rehydro-Vitamin A-Acetat (Retrovitamin A-Acetat) 29, 67
Rehydro-Vitamin A-methyläther (Retrovitamin A methyläther) 65
Rehydro-Vitamin A-säure (Retrovitamin A-säure) 59
Rehydro-Vitamin A-säureester (Retrovitamin A-säureester) 68
Retinal 9, 33, 65, 68, 155, 158, 160f., 181f., 185, 187
aus β-Carotin durch oxidative Spaltung **161**
aus der Retina **192**
Eisentricarbonyl-Komplex 189
11-*cis*-Retinal 19
all-trans-Retinal 19, 24
Retinal-diäthylacetal (Vitamin A-aldehyd-diäthylacetal) 105
Retinol (Vitamin A) 9, 15, 33, 138, 159, 181, 183ff., 186
aus Fischleberöl **192**
dimeres 10, 224
aus Wal-Leberöl **192**
Isomere 24
all-trans-Retinol (*all-trans*-Vitamin A)
[14-^{14}C] 17
[15-^{14}C] 17
[6,7-^{14}C] 17
Retinol-Acetat (Vitamin A-Acetat) 16, 29, 67, 119, 123, 139, 179, 189
aus β-Jonylidenäthyl-triphenyl-phosphoniumchlorid und 4-Acetoxy-2-methyl-buten-(2)-al **116**
Eisentricarbonyl-Komplex 190
9-*cis*-Retinol-Acetat (9-*cis*-Vitamin A-Acetat) aus 4-Brom-9-acetoxy-3,7-dimethyl-1-[2,6,6-trimethyl-cyclohexen-(1)-yl]-nonatrien-(1,5,7) und 1,5-Diaza-bicyclo[4.3.0]nonen-(5) **50f.**
Retinol-Amin (Vitamin A-Amin) 186f.
Retinol-methyläther (Vitamin A-methyläther) 178
Retinol-palmitat (Vitamin A-palmitat) 178
Retinol-trimethylsilyläther (Vitamin A-trimethyl-silyläther) 32, 178
Retinyliden-aceton 143
aus Vitamin A-Acetat, Aluminium-tri-tert.-butanolat und Aceton **144**
Retinyl-triphenyl-phosphoniumchlorid 203
aus Vitamin A, Triphenylphosphin und äthanolischer Salzsäure **96**
Retinyl-triphenyl-phosphonium-hydrogensulfat
aus Triphenyl-phosphonium-hydrogensulfat und *all-trans*-Vitamin A-acetat **96**
Retinyl-triphenyl-phosphonium
jodid 95
tetrafluoroborat 96
p-toluolsulfonat 96
Retrodehydrocarotin 10, 45, 172f.
Retro-Jonyliden-Umlagerungen 67
Retro-Vitamin A 9
Retrovitamin A-acetat 29, 67
Retro-Vitamin A-methyläther 65
aus *trans*-Vitamin A-methyläther durch Isomerisierung **66f.**
Retro-Vitamin A-säure 59
Retro-Vitamin A-säureester 68
Rhodamin 238
2-Rhodan-butadien-(1,3) 682
Rhodoxanthin 124
Rosolsäure 299
Rosolscharlach aus 1-[2,4-Dinitro-phenyl]-pyridiniumchlorid, N-Methyl-anilin und Fällung mit Ammoniumnitrat **235**
Rubazonsäure 298
Rubrocyanin 267

S

Semibullvalen 390
Sondheimer-
Hydrierung 545f.
Synthese 556, 567
Stearinsäure 196
Styrol 364, 403
3-Sulfo-1,8-bis-[dehydro]-[14]annulen 582

T

Terephthalsäure 398, 516
1,2,4,6- (bzw. 1,3,5,7)-Tetraäthoxycarbonyl-cyclooctatetraen 427, 446
1,1,8,8-Tetraäthoxy-2,7-dimethyl-octatrien-(2,4,6) 39
1,1,16,16-Tetraäthoxy-2,6,11,15-tetramethyl-hexadecaheptaen-(2,4,6,8,10,12,14) (Crocetindial-bis-[diäthylacetal]) 107
cis,cis- (bzw. -*trans,trans*)-Tetrabenzo-[a;c;g;i]-[12]annulen 588
trans,trans- (bzw. *cis,cis*)-Tetrabenzo-[a;e;g;k]-[12]annulen 555
Tetrabenzo-cyclooctatetraen 467
5,7,8,10-Tetrabrom-7,8-dihydro-⟨benzo-cyclooctatetraen⟩ 494
1,2,3,4-Tetrabrom-1-phenyl-buten-(1) 685

3,4,8,9-Tetrabrom-tricyclo[4.4.1.$0^{1,6}$]undecan aus Tricyclo[4.4.1.$0^{1,6}$]undecadien-(3,8) und Brom in Dichlormethan **549**
1,2,4,6-Tetracarboxy-cyclooctatetraen 446
1,2,3,4-Tetrachlor-5H-⟨benzo-cycloheptatrien⟩ 344
exo-3,4,5,6-Tetrachlor-bicyclo[6.1.0]nonatrien-(2,4,6) 487
2,3,6,7-Tetrachlor-1,4-bis-[trichlormethyl]-5,8-bis-[dichlormethylen]-cyclooctatrien-(1,3,6) 484
1,2,3,4-Tetrachlor-butadien 85
Tetrachlor-buten-(3)-in-(1) 657
1,2,3,4-Tetrachlor-3-(1-chlor-vinyl)-4-(1,2,3-trichlor-butadienyl)-cyclohexen-(1) 224
2,3,4,5-Tetrachlor-cycloheptatrien 357
Tetrachlor-cyclohepten aus Cycloheptatrien und Chlor **393**
Tetrachlor-cyclopentadien-⟨5-spiro-8⟩-bicyclo [5.1.0]octadien-(2,5) 392
3,4,5,6-Tetrachlor-1a,7a-dihydro-1H-⟨cyclopropa-cyclooctatetraen⟩ {*exo*-3,4,5,6-Tetrachlor-bicyclo[6.1.0]nonatrien-(2,4,6)} 487
2,3,4,5-Tetrachlor-hexatrien-(1,3,5) 223
1,2,3,4-Tetrachlor-3-methyl-buten-(1) 686
1,2,3,4-Tetrachlor-5-phenyl-cyclopentadien 344
anti-2,3,4,5-Tetrachlor-tricyclo[4.3.0.$0^{7,9}$]nonadien-(2,4) 487
10,10,11,11-Tetracyan-bicyclo[7.2.0]undecatrien-(2,4,7) 520
1,3,2-Tetracyan-cyclooctatetraen 431
8,8,9,9-Tetracyan-tricyclo[3.2.2.$0^{2,4}$]nonen-(6) 380
Tetracyclo[4.3.3.$0^{2,5}$.$0^{9,10}$]dodecatrien-(3,7,11) 390
Tetradecaheptaen-(1,3,5,7,9,11,13) 82
Tetradecahexaen-(2,4,6,8,10,12) 27, 32
Tetradecahexaen-(2,4,6,8,10,12)-disäure-dimethylester 191
Tetradecen-(3)-in-(1) 616
Tetradecen-(8)-in-(6) 628
3,3′,4,4′-Tetradehydro-C_{40}-disäure-(1,1′)-diäthylester [3,3′,4,4′-Tetradehydro-lycopindisäure-(1,1′)-diäthylester] 137
3,3′;4,4′-Tetradehydro-lycopindial-(1,1′) [C_{40}] 109
aus dem Triphenylphosphonium-Salz des 8-Brom-2,6-dimethyl-octatrien-(2,4,6), Crocetin-dialdehyd und Natriummethanolat **98**
3,3′,4,4′-Tetradehydro-lycopindisäure-diäthylester 137
Tetradeutero-buten-(3)-in-(1) 656
2,2,3,3-Tetrafluor-1-äthinyl-cyclobutan 693
1,2,3,4-Tetrafluor-⟨benzo-cyclooctatetraen⟩ 460
3,3,4,4-Tetrafluor-1-(2,2,3,3-tetrafluor-cyclobutyl)-cyclobuten-(1) 693
3,3,4,4-Tetrafluor-1-vinyl-cyclobuten 693
1,2,3,4-Tetrahydro-azulen 339
1,2,3,4-Tetrahydro-⟨benzo-cyclooctatetraen⟩ 454
1,2,3,4-Tetrahydro-⟨benzo-cyclooctatetraen⟩-2,3-dicarbonsäure-anhydrid 455
β-(1,2,3,4-Tetrahydro-chinolino)-acrolein [1-(2-Formyl-vinyl)-1,2,3,4-tetrahydro-chinolin] 274
1-[3-(1,2,3,4-Tetrahydro-chinolino)-allyliden]-1,2,3,4-tetrahydro-chinolinium-chlorid 274
aus Propargylaldehyd, 1,2,3,4-Tetrahydro-chinolin und Salzsäure **235**
1-(1,2,3,4-Tetrahydro-chinolino)-7-[1,2,3,4-tetrahydro-chinolyliden-(1)]-heptatrien-(1,3,5)-Salz 274
1-(1,2,3,4-Tetrahydro-chinolino)-9-[1,2,3,4-tetrahydro-chinolyliden-(1)]-nonatetraen-(1,3,5,7)-Salz 275
1,2,3,10-Tetrahydro-⟨cycloocta-[e]-benzocyclobutadien⟩ 454, 459
2,3,4,5-Tetrahydro-1H-⟨cycloocta-cycloheptatrien⟩ 469
1,1a,2,6b-Tetrahydro-⟨cyclopropa-[a]-indol⟩ {Benzo-bicyclo[3.1.0]hexen-(2)} 338
13,14,13′,14′-Tetrahydro-*β*-C_{40}-diol-(13,13′) 11
1-[2,3,4,5-Tetrahydro-pyridyl-(6)]-heptatrien-(1,3,5) {6-[Heptatrien-(1,3,5)-yl]-2,3,4,5-tetrahydro-pyridin} 191
1,3,5,7-Tetraisopropenyl-cyclooctatetraen 445
1,3,7,13-Tetrakis-[dehydro]-[18]annulen
NMR-Spektrum 538
UV-Spektrum 535
1,7,13,19-Tetrakis-[dehydro]-[24]annulen 547
NMR-Spektrum 539
UV-Spektrum 535
9,11,21,23-Tetrakis-[dehydro]-⟨bis-phenanthreno-[9,10-a;9,10-g]-[12]annulen⟩ 588
5,7,13,15-Tetrakis-[dehydro]-⟨dibenzo-[a;g]-[12]annulen⟩ 587
7,9,18,20-Tetrakis-[dehydro]-⟨dinaphtha-[1,8,8a-a,b;1,8,8a-h,i]-[14]annulen⟩ 593
2,4,6,8-Tetrakis-[dimethylamino]-1,3,5,7-tetramethoxycarbonyl-cyclooctatetraen 430
1,4;7,10;13,16;19,22-Tetrakis-[epoxi]-[24]annulen (NMR-Spektrum) 541
1,2,4,6- (bzw. 1,2,4,7-; bzw. 1,3,5,7)-Tetrakis-[2-hydroxy-propyl-(2)]-cyclooctatetraen 427, 445
1,1,6,6-Tetrakis-[4- (bzw. 3-; bzw. -2)-methoxy-phenyl]-hexatrien-(1,3,5) 34
2,3,8,9-Tetramethoxy-5,6-bis-[dehydro]-11,12-dihydro-⟨dibenzo-[a;e]-cyclooctatetraen⟩ 495
1,2,4,6-Tetramethoxycarbonyl-cyclooctatetraen 427, 446
1,2,5,6-Tetramethoxycarbonyl-cyclooctatetraen 432, 446
2,3,8,9-Tetramethoxy-⟨dibenzo-[a;e]-cyclooctatetraen⟩ 465
3,4,9,10-Tetramethoxy-⟨3,4,7,8-dibenzo-tricyclo-[8.2.1.$0^{2,9}$]tridecatetraen-(2^9,3,7,11)⟩ 496
2,3,8,9-Tetramethoxy-5,6-didehydro-11,12-dihydro-⟨dibenzo-[a;e]-cyclooctatetraen⟩ 495
1,1,8,8-Tetramethoxy-octadien-(3,5) 202
2,3,4,5- (bzw. 4,4,6,7)-Tetramethyl-bicyclo[3.2.0] heptadien-(2,6) 374
3,7,12,16-Tetramethyl-1,18-bis-[4-hydroxy-2,2,6-trimethyl-cyclohexyl]-octadecan 195
3,7,12,16-Tetramethyl-1,18-bis-[3-oxo-2,6,6-trimethyl-cyclohexen-(2)-yliden]-octadecaoctaen-(2,4,6,8,10,12,14,16) 124
3,7,12,16-Tetramethyl-1,18-bis-[4-oxo-2,6,6-trimethyl-cxclohexen-(1)-yl]-octadecanonaen-(1,3,5,7,9,11,13,15,17) 124, 197
3,7,16,20-Tetramethyl-1,22-bis-[2,6,6-trimethyl-cyclohexen-(1)-yl]-docosaundecaen-(1,3,5,7,9,11,13,15,17,19,21) 78

3,7,12,16-Tetramethyl-1,18-bis-[2,6,6-trimethyl-cyclohexen-(1)-yl]-octadecaoctaen-(1,3,5,7,11,13,15,17)-in-(9) 41
1,2,6,7-Tetramethyl-cycloheptatrien 374
aus Eucarvon, Methyl-magnesiumbromid und anschließende Wasser-Abspaltung **333**
1,2,4,5- (bzw. 1,2,4,7-; bzw. 1,2,5,6)-Tetramethyl-cyclooctatetraen 429, 445
1,3,5,7-Tetramethyl-cyclooctatetraen 430, 445
1,3,3,7-Tetramethyl-8,9-dimethoxycarbonyl-tricyclo[3.2.2.$0^{2,4}$]nonadien-(6,8) {1,3,3,7-Tetramethyl-tricyclo[3.2.2.$0^{2,4}$]nonadien-(6,8)-8,9-dicarbonsäure-dimethylester} 385
4,8,13,17-Tetramethyl-eicosanonaen-(2,4,6,8,10,12,14,16,18)-dial (Apo-6,6'-carotindial) 109, 160
4,8,13,17-Tetramethyl-eicosanonaen-(2,4,6,8,10,12,14,16,18)-disäure (Norbixin) 9
3,8,13,18-Tetramethyl-eicosanonaen-(2,4,6,8,10,12,14,16,18)-disäure-diäthylester (Isonorbixin-diäthylester) 135
4,8,13,17-Tetramethyl-eicosanonaen-(2,4,6,8,10,12,14,16,18)-disäure-diäthylester (Apo-6,6'-carotinsäure-diäthylester) 113, 135
4,8,13,17-Tetramethyl-eicosanonaen-(2,4,6,8,10,12,14,16,18)-disäure-dimethylester (Apo-6,6'-carotindisäure-dimethylester) 115, 123
aus der 10,10'-Mono-*cis*-Verbindung durch Umlagerung **22**
4,8,13,17-Tetramethyl-eicosanonaen-(2,4,6,8,10,12,14,16,18)-disäure-monomethylester (Bixin) 9, 15
2,3,6,6-Tetramethyl-hepten-(2)-in-(4) 623, 661
2,6,11,15-Tetramethyl-hexadecaheptaen-(2,4,6,8,10,12,14)-dial (Crocetindialdehyd, Apo-8,8'-carotindial) 9, 12, 107, 156
all-trans-2,6,11,15-Tetramethyl-hexadecaheptaen-(2,4,6,8,10,12,14)-dial aus dem Rückstand von kristallinen *all-trans*-Dialdehyds durch Isomerisierung **23**
2,6,11,15-Tetramethyl-hexadecaheptaen-(2,4,6,8,10,12,14)-dial-bis-[diäthylacetal] (Apo-8,8'-carotindial-tetraäthylacetal) 107
2,6,11,15-Tetramethyl-hexadecaheptaen-(2,4,6,8,10,12,14)-disäure (Crocetin, Apo-8,8'-carotindisäure) 9, 15
2,6,11,15-Tetramethyl-hexadecaheptaen-(2,4,6,8,10,12,14)-disäure-diäthylester (Apo-8,8'-carotindisäure-diäthylester) 135
3,6,11,14-Tetramethyl-hexadecaheptaen-(2,4,6,8,10,12,14)-disäure-diäthylester (Isocrocetin-diäthylester) 135
2,6,11,15-Tetramethyl-hexadecaheptaen-(2,4,6,8,10,12,14)-disäure-dialkylester (Apo-8,8'-carotindisäure-dialkylester) 115
2,6,11,15-Tetramethyl-hexadecaheptaen-(2,4,6,8,10,12,14)-disäure-dimethylester (Crocetin-dimethylester) 115, 129
aus 2,7-Dimethyl-octatrien-(2,4,6)-dial, 3-Methoxycarbonyl-buten-(2)-phosphonsäure-diäthylester und Natriummethanolat **130**
2,6,11,15-Tetramethyl-*all-trans*-hexadecaheptaen-(2,4,6,8,10,12,14)-disäure-dimethylester (*all-trans*-Apo-8,8'-carotindisäure-dimethylester) **22**
3,7,11,15-Tetramethyl-hexadecahexaen-(2,4,6,8,10,14)-al (Pseudo-Vitamin A-Aldehyd) 9
3,7,11,15-Tetramethyl-hexadecahexaen-(2,4,6,8,10,14)-al (Apo-15-lycopinal) **161**
2,6,11,15-Tetramethyl-hexadecahexaen-(2,4,6,10,12,14)-in-(8) (8,8'-Dehydro-crocetindialdehyd) aus Dehydro-C_{14}-dialdehyd-bis-[diäthylacetal], 1-Äthoxy-propen, Zinkchlorid und Bortrifluorid-Ätherat **157**
2,6,11,15-Tetramethyl-hexadecahexaen-(2,4,6,10,12,14)-in-(8)-disäure-dimethylester (15,15'-Dehydro-apo-8,8'-carotin-disäure-dimethylester) aus 2,7-Dimethyl-octadien-(2,6)-in-(4)-dial und 4-Brom-2-methyl-buten-(2)-säure-methylester mit amalgamiertem Zink **151**
2,2,15,15-Tetramethyl-hexadecatetraen-(5,7,9,11)-diin-(3,13) 168
2,2,6,6-Tetramethyl-5-methylen-heptin-(3) 620, 629
2,3,6,7-Tetramethyl-octatrien-(2,4,6) aus 2,3,3-Trimethyl-cyclopropen und Kupfer-(I)-chlorid/Ammoniumchlorid **165**
2,2,7,7-Tetramethyl-octen-(5)-in-(3) 628
2,3,5,6-Tetramethyl-pyridin 695
1,3,3,7-Tetramethyl-tricyclo-[3.2.2.$0^{2,4}$]nonadien-(6,8)-8,9-dicarbonsäure-anhydrid 385
1,3,3,7-Tetramethyl-tricyclo[3.2.2.$0^{2,4}$]nonadien-(6,8)-8,9-dicarbonsäure-dimethylester 385
2,6,11,15-Tetramethyl-17-[2,6,6-trimethyl-cyclohexen-(1)-yl]-heptadecaoctaen-(2,4,6,8,10,12,14,16)-al (β-Apo-8'-carotinal) 12, 107, 123, 160f.
2,6,11,15-Tetramethyl-17-[2,6,6-trimethyl-cyclohexen-(2)-yl]-heptadecaoctaen-(2,4,6,8,10,12,14,16)-al (α-Apo-8'-carotinal) 160
2,6,11,15-Tetramethyl-17-[2,6,6-trimethyl-cyclohexen-(1)-yl]-heptadecaoctaen-(2,4,6,8,10,12,14,16)-säure-äthylester (β-Apo-8'-carotinsäure-äthylester) aus Retinyl-triphenyl-phosphonium-chlorid, 2,6-Dimethyl-octatrien-(2,4,6)-8-al-1-säure-äthylester und Natriummethanolat **117**
2,6,11,15-Tetramethyl-17-[2,6,6-trimethyl-cyclohexen-(1)-yl]-heptadecaoctaen-(2,4,6,8,10,12,14,16)-säure-nitril (β-Apo-8'-carotinsäure-nitril) 187
3,6,10,14-Tetramethyl-16-[2,6,6-trimethyl-cyclohexen-(1)-yl]-1-(4-methoxy-phenyl)-hexadecaoctaen-(1,3,5,7,9,11,13,15) 121
4,8,13,17-Tetramethyl-19-[2,6,6-trimethyl-cyclohexen-(1)-yl]-nonadecanonaen-(2,4,6,8,10,12,14,16,18)-al (β-Apo-6'-carotinal) 107
3,3',4,4'-Tetraoxo-β-carotin (Astarin) 177
7,7',10,10'-Tetraoxo-4,4'-dimethyl-5'-acetoxy-methyl-5-[2,6,6-trimethyl-cyclohexen-(1)-yl]-bi-{bicyclo[4.4.0]decadien-3,8)-yl-(2)} 209
1,2,3,4-Tetraphenyl-7H-⟨benzo-cycloheptatrien⟩ 344
1,2,3,4-Tetraphenyl-⟨benzo-cyclooctatetraen⟩ 460
1,3,4,6-Tetraphenyl-bicyclo[4.2.2]decatetraen-(2,4,7,9)-7,8-dicarbonsäure-dimethylester 447
1,3,4,4-Tetraphenyl-buten-(3)-in-(1) 623, 632
2,4,6,8-Tetraphenyl-1-carboxy-cyclooctatetraen 431
2,3,4,5-Tetraphenyl-cycloheptatrien 357
1,2,3,4-Tetraphenyl-5-cycloheptatrienyl-(7)-

cyclopentadien-(1,3) {7-[1,2,3,4-Tetraphenyl-cyclopentadien-(1,3)-yl]-cycloheptatrien} 392
Tetraphenyl-cyclooctatetraen 447
1,2,4,7-Tetraphenyl-cyclooctatetraen 429, 431, 445
1,3,5,7-Tetraphenyl-cyclooctatetraen 429, 445
2,4,6,8-Tetraphenyl-cyclooctatetraen-1-carbonsäure 431
7-[1,2,3,4-Tetraphenyl-cyclopentadien-(1,3)-yl]-cycloheptatrien 392
9,10,11,12-Tetraphenyl-⟨dibenzo-[a;c]-cyclooctatetraen⟩ 461
1,3,4,6-Tetraphenyl-7,8-dimethoxycarbonyl-bicyclo[4.2.2]decatetraen-(2,4,7,9) 447
1,1,6,6-Tetraphenyl-hexatrien-(1,3,5) 47, 82, 133, 169
  aus 1,1,6,6-Tetraphenyl-hexadien-(1,5) durch Dehydrierung mit Selendioxid in Eisessig **34**
1,3,5,7-Tetrathia-cyclooctan 450
  Tetraanion 450
4-Thia-axerophthol (4-Thia-vitamin A) 15
Thiapyran-Methode 83
4-Thia-retinol (4-Thia-vitamin A) 15
14-Thia-tricyclo[7.4.1.$0^{2,8}$]tetradecatrien-(2^8,10, 12)-14,14-dioxid 469, 502
13-Thia-tricyclo[6.4.1.$0^{2,7}$]tridecatrien-(2^7,9,11)-13,13-dioxid 454, 502
4-Thia-Vitamin A 15
Thiazolpurpur aus 2-Methyl-⟨benzo-1,3-thiazol⟩, Diäthylsulfat; Orthoameisensäure-triäthylester und Kaliumjodid **254f.**
Thioaldehyd-Verfahren 83
Toluol 216, 220, 365, 366
p-Toluolsulfonsäure-butin-(3)-ylester aus p-Toluolsulfonsäure-chlorid und Butin-(3)-ol-(1) **653**
Torularhodin-äthylester **113**
Torularhodinaldehyd 107
5-Tosyl-5H-⟨dibenzo-[a;e]-cycloheptatrien 321
9-Tosylhydrazonomethyl-bicyclo[6.1.0]nonatrien-(2,4,6) 485
(2-p-Tosyloxy-äthyl)-cyclooctatetraen 441
(3-p-Tosyloxy-propyl)-cyclooctatetraen 441
3,3,9-Triäthyl-benzselenazolo-trimethincyaninjodid aus 2-Methyl-3-äthyl-⟨benzo-1,3-selenazolium⟩-p-tosylat, Orthopropionsäure-triäthylester und Kaliumjodid **256**
1,3,5-Triäthyl-cycloheptatrien 338
4-Triäthylsilyl-2-methyl-hexatrien-(1,3,5) 189
mono-trans-Tribenzo[a;c;g]-[10]annulen 552, 583
Tribenzo-[a;e;i]-[12]annulen 588
  aus 2,2′-Bis-[triphenyl-phosphonium-methyl]-*trans*-stilben-dibromid, Phenyl-lithium und o-Phthalaldehyd **555**
  Radikal-Anion 542
Tribenzo-cycloheptatrien 312
Tribenzo-[a;e;g]-⟨cycloocta-cyclobutadien⟩ 451
⟨Tribenzo-cyclooctatrien⟩-13,14-dicarbonsäure-anhydrid 467
1,3,5-Tribrom-1,6-diferrocenyl-hexatrien-(1,3,5) 46
1,5,9-Tribrom-*all-cis*-dodecatrien-(1,5,9) aus 1,2,5, 6,9,10-Hexabrom-cyclododecan und Natrium-äthanolat **556**
5,12,17-Tricarboxy-1,4;7,10;13,16-tris-[epithio]-[18]annulen aus 5,12,17-Trimethoxycarbonyl-1,4;7,10;13,16-tris-[epithio]-[18]annulen und Kaliumhydroxid **571**
2,3,4-Trichlor-2-(1-chlor-vinyl)-2,5-dihydro-thiophen-1,1-dioxid 212
1,3,5-Trichlor-1,6-diferrocenyl-hexatrien-(1,3,5) 46
Tricyclo[3.3.2.$0^{2,8}$]decadien-(3,6) (Dihydro-bullvalen) 390
Tricyclo[4.2.2.$0^{2,5}$]decadien-(3,7)-9,10-dicarbonsäure-anhydrid 514
Tricyclo[3.3.2.$0^{2,8}$]decatrien-(3,6,9) (Bullvalen) 390, 519
Tricyclo[4.4.0.$0^{1,4}$]decen-(2) 163
Tricyclo[4.4.2.$0^{2,5}$]dodecatetraen-(3,7,9,11) 503
Tricyclo[6.4.0.$0^{9,12}$]dodecatetraen-(2,4,6,10) 491, 522
Tricycloheptatrienyl-(7)-amin 327
Tricyclo[8.6.0.$0^{2,9}$]hexadecahexaen-(3,5,7,11,13, 15) 490f., 518
  aus Cyclooctatetraen durch thermische Dimerisierung **491**
Tricyclo[3.3.1.$0^{2,8}$]nonadien-(3,6)(Barbaralan) 389f.
Tricyclo[3.2.2.$0^{2,4}$]nonadien-(6,8)-8,9-dicarbonsäure-diäthylester 379
Tricyclo[3.2.2.$0^{2,4}$]nonadien-(6,8)-3,8,9-tricarbonsäure-trimethylester 381
Tricyclo[3.3.2.$0^{2,4}$]nonadien-(6,8)-x,6,7-tricarbonsäure-trimethylester 382
Tricyclo[3.2.2.$0^{2,4}$]nonen-(6)-3-carbonsäure-äthylester-8,9-dicarbonsäure-dichlorid 381
Tricyclo[3.2.2.$0^{2,4}$]nonen-(6)-8,9-dicarbonsäure-anhydrid 379
  aus Cycloheptatrien und Maleinsäureanhydrid **377**
Tricyclo[3.2.2.$0^{2,4}$]nonen-(6)-8,9-dicarbonsäure-dichlorid 379
Tricyclo[3.2.2.$0^{2,4}$]nonen-(6)-3,8,9-tricarbonsäure-8,9-anhydrid 380
Tricyclo[3.2.2.$0^{2,4}$]nonen-(6)-3,8,9-tricarbonsäure-3-methylester-8,9-anhydrid 381
Tricyclo[3.3.0.$0^{2,8}$]octadien-(3,6) (Semibullvalen) 390
Tricyclo[4.2.0.$0^{2,5}$]octadien-(3,7) 428
Tricyclo[3.3.0.$0^{2,4}$]octen-(6) 515
Tricyclo[3.3.0.$0^{2,8}$]octen-(3) 515
Tricyclo[4.2.0.$0^{2,4}$]octen-(7) 515
Tricyclo[5.1.0.$0^{2,4}$]octen-(5) 515
Tricyclo[4.4.1.$0^{1,6}$]undecadien-(3,8) aus 11,1-Dichlor-tricyclo[4.4.1.$0^{1,6}$]undecadien-(3,8) und Natriumamid **549**
Tricyclo[4.4.1.$0^{2,5}$]undecatrien-(3,7,9)-Eisendicarbonyl-Komplex 394
Tridecen-(3)-in-(1) 616
Tridecen-(10)-in-(12)-säure-methylester 635, 637
Triene, offenkettige, aus Alkoholen durch Gasphasen-Dehydratisierung mit Aluminiumoxid **37**
5-(4,4,4-Trifluor-butyl)-5H-⟨dibenzo-[a;e]-cycloheptatrien⟩ 324
9,10,10-Trifluor-9-chlor-*cis*-bicyclo[6.2.0]decatrien-(2,4,6) 490
7-Trifluormethyl-7-cyan-bicyclo[4.1.0]heptadien-(2,4) 343
7-Trifluormethyl-7-cyan-cycloheptatrien 307, 310, 343
7-(3-Trifluormethyl-phenyl)-cycloheptatrien 319
2,4,6-Trihydroxy-pyrimidin (Barbitursäure) 285

Triisopropenyl-benzol 691
1,3,5-Triisopropyl-cycloheptatrien 338
Trimethoxy-7-äthoxycarbonyl-cycloheptatrien (Trimethoxy-cycloheptatrien-7-carbonsäure-äthylester) 341
5,6,11,12-Trimethoxy-1-äthoxycarbonyl-8,9-dihydro-1H-⟨dibenzo-[a;e]-triazolo-[4,5-c]-cyclooctatetraen⟩ 496
5,6,11,12-Trimethoxy-1-äthoxycarbonylmethyl-8,9-dihydro-1H-⟨dibenzo-[a;e]-triazolo-[4,5-c]-cyclooctatetraen⟩ 496
1,2,5-Trimethoxycarbonyl-cyclooctatetraen 432, 444
3,8,9-Trimethoxycarbonyl-tricyclo[3.2.2.$0^{2,4}$]nonadien-(6,8) 381
x,6,7-Trimethoxycarbonyl-tricyclo[3.2.2.$0^{2,4}$] nonadien-(6,8) 382
5,12,17-Trimethoxycarbonyl-1,4;7,10;13,16-tris-[epithio]-[18]annulen aus 2,5-Bis-[carboxymethyl]-thiophen, 2,3-Bis-[5-formyl-thienyl-(2)]-acrylsäure-methylester, Essigsäure-anhydrid und Triäthylamin **571**
1,3,5-Trimethoxy-cycloheptatrien 348
Trimethoxy-cycloheptatrien-7-carbonsäure-äthylester 341
5,6,11,12-Trimethoxy-1-methyl-8,9-dihydro-1H-⟨dibenzo-[a;e]-triazolo-[4,5-c]-cyclooctatetraen⟩ 496
5,6,11,12-Trimethoxy-1-phenyl-8,9-dihydro-1H-⟨dibenzo-[a;e]-triazolo-[4,5-c]-cyclooctatetraen⟩ 496
2,6,6-Trimethyl-1-äthinyl-cyclohexen 650
1,3,5-Trimethyl-7-äthoxycarbonyl-cycloheptatrien 341
3,3,7-Trimethyl-2-äthyl-cycloheptatrien 333
11-Trimethylammoniono-1,6-methano-[10]annulen-jodid 585
2,4,4-Trimethyl-bicyclo[3.2.0]heptadien-(2,6) 370
4,4,7-Trimethyl-bicyclo[3.2.0]heptadien-(2,6) 369
  aus 3,7,7-Trimethyl-cycloheptatrien durch Bestrahlung **318**
2,7,7-Trimethyl-bicyclo[3.1.1]hepten-(2) aus Terpentinöl **164**
3,7,7-Trimethyl-2-tert.-butyl-cycloheptatrien 311, 312, 333
1,3,3-Trimethyl-2-[3-cyan-3-(1-äthyl-1,2-dihydro-⟨benzo-[c,d]-indol⟩-yliden)-propenyl-indolinium-chlorid 260
1,3,5-Trimethyl-cycloheptatrien 338
1,3,7-Trimethyl-cycloheptatrien 369f.
  aus 3,7,7-Trimethyl-cycloheptatrien durch Bestrahlung **318**
1,5,7-Trimethyl-cycloheptatrien 318, 369f.
  aus 3,3,7-Trimethyl-cycloheptatrien durch Bestrahlung **318**
3,7,7-Trimethyl-cycloheptatrien 333, 352, 354
  aus Eucarvon, Lithiumalanat und anschließende Wasser-Abspaltung **332f.**
7,x,y-Trimethyl-cycloheptatrien 358
1,3,5-Trimethyl-cycloheptatrien-7-carbonsäure-äthylester 341
1,5,5-Trimethyl-cyclohexadien-(1,3) 219
{5-[2,6,6-Trimethyl-cyclohexen-(1)-yl]-pentadien-(2,4)-yl}-triphenyl-phosphonium-chlorid [(β-Jonyliden-äthyl)-triphenyl-phosphonium-chlorid] aus 9-Vinyl-β-jonol, Triphenylphosphin und Chlorwasserstoff **73f.**
2-(2,2,6-Trimethyl-cyclohexyl)-biphenyl 221
9,11,11-Trimethyl-11H-⟨dibenzo-[a;c]-cycloheptatrien⟩ 312
Trimethyl-6,7-dimethoxycarbonyl-tricyclo [3.2.2.$0^{2,4}$]nonadien-(6,8) 385
2,4,6-Trimethyl-9,11-diphenyl-bicyclo[6.3.0]undecapentaen-(2,4,6,8,10) 493
3,7,11-Trimethyl-dodecatetraen-(2,4,6,10)-säure 109
[3,7,11-Trimethyl-dodecatetraen-(2,4,6,10)-yl]-triphenyl-phosphonium-chlorid [Triphenyl-phosphoniono-3,7,11-trimethyl-dodecatetraen-(2,4,6,10)-chlorid] aus Vinyl-ψ-jonol Triphenylphosphin und Chlorwasserstoff **73f.**
3,7,11-Trimethyl-dodecen-(3)-in-(1) 619
cis-(bzw. *trans*)-2,4,6-Trimethyl-heptatrien-(1,3,5) 36
2,3,6-Trimethyl-hepten-(2)-in-(4) 623, 661
3,5,5-Trimethyl-hepten-(3)-in-(1) 619
3,6,6-Trimethyl-hepten-(2)-in-(4) 649
2,5,5-Trimethyl-hexen-(1)-in-(3) 620, 637, 646
2,5,5-Trimethyl-hexen-(3)-in-(1) 625
4,9,13-Trimethyl-15-[4-hydroxy-2,6,6-trimethyl-cyclohexen-(1)-yl]-pentadecaheptaen-(2,4,6,8 10,12,14)-al (β-8-Citraurin) 160
3,7,7-Trimethyl-2-isopropyl-cycloheptatrien 333
2,6,6-Trimethyl-3-isopropyl-hepten-(2)-in-(4) 623
1,1,3-Trimethyl-2-(4-methyl-phenyl)-cyclohexan 221
2,6,6-Trimethyl-1-[2-oxo-buten-(1)-yl]-cyclohexadien-(1,3) (Dehydro-jonon) 48
3,7,7-Trimethyl-2-phenyl-cycloheptatrien 333
1,1,3-Trimethyl-2-phenyl-cyclohexan 216
2,3,6-(bzw. 2,4,6)-Trimethyl-pyridin 695
1-(Trimethylsilyl-äthinyl)-cyclohexen 623
1-Trimethylsilyl-buten-(3)-in-(1) 618
1-Trimethylsilyl-penten-(1)-in-(3) 621
8-Trimethylsilyl-7-phenyl-bicyclo[4.2.2]decatetraen-(2,4,7,9) 504
1,1,6-Trimethyl-1,2,3,4-tetrahydro-naphthalin 216
Trimethyl-tricyclo[3.2.2.$0^{2,4}$]nonadien-(6,8)-6,7-dicarbonsäure-dimethylester 385
4,8,12-Trimethyl-tridecatetraen-(3,5,7,11)-in-(1)
  aus 4-Acetoxy-4,8,12-trimethyl-tridecatrien-(5,7,11)-in-(1) und Kalium-tert.-butanolat **56**
  aus Propargylbromid, Pseudojonon und Aluminium mit anschließender Wasser-Abspaltung **153**
4,9,13-Trimethyl-15-[2,6,6-trimethyl-cyclohexen-(1)-yl]-pentadecaheptaen-(2,4,6,8,10, 12,14)-al (β-Apo-10′-carotinal) 12, 105, 160f.
2,7,11-Trimethyl-13-[2,6,6-trimethyl-cyclohexen-(1)-yl]-tridecahexaen-(2,4,6,8,10,12)-al (β-Apo-12′-carotinal) 12, 105, 140, 160
  aus [3-Formyl-buten-(2)-yl]-triphenyl-phosphonium-bromid, Orthoameisensäure-triäthylester und Vitamin A-Aldehyd **97f.**
  aus β-Jonylidenäthyl-triphenyl-phosphonium-hydrogensulfat und 2,7-Dimethyl-octatrien-(2,4,6)-dial **116**
2,7,11-Trimethyl-13-[2,6,6-trimethyl-cyclohexen-(1)-yl]-tridecahexaen-(2,4,6,8,10,12)-säure (β-Apo-12′-carotinsäure) 12, 121
2,7,11-Trimethyl-13-[2,6,6-trimethyl-cyclohexen-(1)-yl]-tridecahexaen-(2,4,6,8,10,12)-säure-

äthylester (β-Apo-12′-carotinsäure-äthylester) 121
2,7,11-Trimethyl-13-[2,6,6-trimethyl-cyclohexen-(1)-yl]-tridecahexaen-(2,4,6,8,10,12)-säure-nitril (β-Apo-12′-carotinsäure-nitril) 187
2,7,11-Trimethyl-13-[2,6,6-trimethyl-cyclohexen-(1)-yl]-tridecapentaen-(2,6,8,10,12)-in-(4)-al (15,15′-Dehydro-β-apo-carotinal) 44
2,4,6-Trimethyl-9,10,11-triphenyl-bicyclo[6.3.0] undecapentaen-(2,4,6,8,10) 493
1,4,5-Triphenyl-bicyclo[3.2.0]heptadien-(2,6) 374
9,10,11-Triphenyl-bicyclo[6.3.0]undecapentaen-(2,4,6,8,10) 493
1,2,5-Triphenyl-cycloheptatrien 374
1,2,3-Triphenyl-5-cycloheptatrienyl-(7)-cyclopentadien-(1,3) {7-[1,2,3-Triphenyl-cyclopentadien-(1,3)-yl-(5)]-cycloheptatrien} 392
1,2,3-Triphenyl-3aH-⟨cyclopenta-cyclooctatetraen⟩ {9,10,11-Triphenyl-bicyclo[6.3.0]undecapentaen-(2,4,6,8,10)} 493
1,2,3-Triphenyl-cyclopentadien-⟨5-spiro-8⟩-bicyclo[5.1.0]octadien-(2,5) 392
7-[1,2,3-Triphenyl-cyclopentadien-(1,3)-yl-(5)]-cycloheptatrien 392
5,5,5-Triphenyl-penten-(1)-in-(3) 618, 625
  aus Vinylacetylen (Butenin), Äthyl-magnesiumbromid und Chlor-triphenyl-methan **663**
8-Triphenylphosphoniono-2,6-dimethyl-octatrien-(2,4,6)-al-bromid aus 8-Brom-2,6-dimethyl-octatrien-(2,4,6)-al in Dichlormethan und Triphenylphosphin **95**
8-Triphenylphosphoniono-2,6-dimethyl-octatrien-(2,4,6)-säure-äthylester-bromid aus 8-Brom-2,6-dimethyl-octatrien-(2,4,6)-säure-äthylester in Essigsäure-äthylester und Triphenylphosphin **95**
8-Triphenylphosphoniono-3,7-dimethyl-1-[4-oxo-2,6,6-trimethyl-cyclohexen-(2)-yliden]-octadien-(2,6)-in-(4)-bromid 73
9-Triphenylphosphoniono-3,7-dimethyl-1-[2,6,6-trimethyl-cyclohexen-(1)-yl]-nonatetraen-(1,3,5,7)-chlorid (Retinyl-triphenyl-phosphoniumchlorid) 203
  aus Vitamin A, Triphenylphosphin und Salzsäure **96**
9-Triphenylphosphoniono-3,7-dimethyl-1-[2,6,6-trimethyl-cyclohexen-(1)-yl]-nonatetraen-(1,3,5,7)-hydrogensulfat (Retinyl-triphenyl-phosphonium-hydrogensulfat) aus Triphenyl-phosphonium-hydrogensulfat und *all-trans*-Vitamin A-Acetat **96**
9-Triphenylphosphoniono-3,7-dimethyl-1-[2,6,6-trimethyl-cyclohexen-(1)-yl]-nonatetraen-(1,3,5,7)-(Retinyl-triphenyl-phosphonium-)
  jodid 95
  tetrafluoroborat 96
  p-toluolsulfonat 96
9-Triphenylphosphoniono-3,7-dimethyl-1-[2,6,6-trimethyl-cyclohexen-(1)-yl]-nonatrien-(1,3,7)-in-(5) 51
5-Triphenylphosphoniono-3-methyl-1-[2,6,6-trimethyl-cyclohexadien-(1,3)-yl]-pentadien-(1,3)-chlorid [(3-Dehydro-β-jonylidenäthyl)-triphenyl-phosphonium-chlorid] 73
5-Triphenylphosphoniono-3-methyl-1-[2,6,6-trimethyl-cyclohexen-(1)-yl]-pentadien-(1,3)-chlorid aus 9-Vinyl-β-jonol, Triphenylphosphin und Chlorwasserstoff **73**
1-Triphenylphosphoniono-3,7,11-trimethyl-dodecatetraen-(2,4,6,10)-chlorid aus Vinyl-ψ-jonol, Triphenylphosphin und Chlorwasserstoff **73f.**
1-Triphenylsilyl-buten-(3)-in-(1) 618
1,5,9-Tris-[dehydro]-[12]annulen 586
  aus 1,3,5,7,9,11-Hexabrom-*all-cis*-cyclododecatrien-(1,5,9) und Natriumäthanolat **556f.**
  NMR-Spektrum 538
  Radikal-Anion 542
  UV-Spektrum 535
1,5,9-Tris-[dehydro]-[14]annulen 591
  NMR-Spektrum 538
  UV-Spektrum 535
1,3,9-Tris-[dehydro]-[16]annulen
  NMR-Spektrum 538
  UV-Spektrum 535
1,7,13-Tris-[dehydro-[18]annulen 533, 538
  aus dem Rohprodukt der oxidativen Verknüpfung von Hexadiin-(1,5) nach Eglinton und Kalium-tert.-butanolat **547**
  NMR-Spektrum 538
  UV-Spektrum 535
Tris-[dehydro]-[26]annulen
  NMR-Spektum 537, 539
  UV-Spektrum 535
Tris-[dehydro]-[30]annulen
  NMR-Spektrum 537, 539
  UV-Spektrum 535
5,11,15-Tris-[dehydro]-⟨dibenzo-[a;e]-[12]annulen⟩ 558, 587
5,11,17-Tris-[dehydro]-⟨tribenzo-[a;e;i]-[12] annulen⟩ 532, 588
  aus Kupfer-(2-jod-phenyl)-acetylenid in Pyridin **558**
  Radikal-Anion 542
1,7,7-Tris-[dimethylamino]-1-dimethylimminio-heptatrien-(1,3,5)-Salz 270
1,4;7,16;13,16-Tris-[epithio]-[18]annulen 542
  durch Decarboxylierung des 5,12,17-Tricarboxy-1,4;7,10;13,16-tris-[epithio]-[18]annulen mit Kupferchromit **571**
  NMR-Spektrum 540
  Radikal-Anion 606
1,4;7,10;13,16-Tris-[epithio]-[18]annulen-5,12,17-tricarbonsäure aus 5,12,17-Trimethoxycarbonyl-1,4;7,10; 13,16-tris-[epithio]-[18]annulen und Kalium-hydroxid **571**
1,4;7,10;13,16-Tris-[epithio]-[18]annulen-5,12,17-tricarbonsäure-5-methylester aus 2,5-Bis-[carboxymethyl]-thiophen, 2,3-Bis-[5-formyl-thienyl-(2)]-acrylsäure-methylester, Essigsäureanhydrid und Triäthylamin **571**
1,4;7,10;13,16-Tris-[epithio]-[18]annulen-5,12,17-tricarbonsäure-trimethylester aus 2,5-Bis-[carboxymethyl]-thiophen, 2,3-Bis-[5-formyl-thienyl-(2)]-acrylsäure-methylester, Essigsäureanhydrid und Triäthylamin **571**
1-Tritium-1,6-diphenyl-hexatrien 126
3-Tritium-*all-trans*-1,6-diphenyl-hexatrien-(1,3,5) aus Tricyclohexyl-(3-phenyl-allyl)-

phosphonium-bromid, Natriumäthanolat, O-Tritium-äthanol und Zimtaldehyd **126**
Trivinyl-benzol 691
Tropon 328, 395, 397, 402
Tropylium-chlorid aus Cycloheptatrien, Chlorwasserstoff und Chlor **392**
Tropylium-jodid 393
Tropylium-perchlorat 396
aus Cycloheptatrien durch Oxidation mit Phosphor(V)-chlorid und Perchlorsäure **395**
aus 2-Oxo-1-cycloheptatrienyl-(7)-propan **403**
Tropylium-tetrafluoroborat 399

U

Ullmann-Castro-Reaktion 550, 557, 558
Undecatetraen-(2,4,6,8) 61
Undecatrien-(1,3,5) 57, 191
Undecen-(1)-in-(3) 625, 665
Dipolmoment 625
Undecen-(3)-in-(1) 616
Undecen-(4)-in-(2) 666
Uranocen 513

V

Vinyl-acetylen 615, 624f., 628, 645, 652, 654ff., 658, 662
Dipolmoment 625
aus Acetylen durch Dimerisierung **628**
durch Halogenwasserstoff-Abspaltung aus 1,3-Dichlor-buten-(2) und Kaliumhydroxid **636**
aus p-Toluolsulfonsäure-butin-(3)-ylester und Kaliumhydroxid **653**
Vinyl-acetylene aus
Alkinyläthern durch Abspaltung von Alkoholen mittels Natriumamid; allgemeine Arbeitsvorschrift **651**
Allenyl-thioäthern und Kaliumamid; allgemeine Arbeitsvorschrift **651**
anderen Vinylacetylenen durch Kettenverlängerung mit Natriumamid und Jod-alkanen; allgemeine Arbeitsvorschrift **663**
3-Vinyl-4-butadienyl-cyclohexen-(1) 224
4-Vinyl-cyclohexen 78
3-Vinyl-cyclohexen-(1)-4,5-dicarbonsäure 205
3-Vinyl-cyclohexen-(1)-4,5-dicarbonsäure-anhydrid aus Hexatrien-(1,3,5) und Maleinsäureanhydrid **205**
Vinyl-cyclooctatetraen 440
Vinyl-cyclopropene 692
3-Vinyl-4,5-dicarboxy-cyclohexen 205
9-Vinyl-β-jonol 71, 73, 114, 118
3-Vinyl-1-methylen-cyclopentan 78
Vitamin A 8f., 15, 33, 138, 159, 181, 183ff., 186
aus Fischleberöl **192**
dimeres 10, 224
aus Wal-Leberöl **192**
Isomere 24
all-trans-Vitamin A
[14-^{14}C] 17
[15-^{14}C] 17
[6,7-^{14}C] 17
Vitamin A_2 9, 173, 186
Vitamin A-Acetat 16, 29, 67, 119, 123, 139, 179, 184
aus β-Jonylidenäthyl-triphenyl-phosphonium-chlorid und 4-Acetoxy-2-methyl-buten-(2)-al **116**
Eisentricarbonyl-Komplexe 190
9-*cis*-Vitamin A-Acetat aus 4-Brom-9-acetoxy-3,7-dimethyl-1-[2,6,6-trimethyl-cyclohexen-(1)-yl]-nonatrien-(1,5,7) und 1,5-Diaza-bicyclo [4.3.0]nonen-(5) **50f.**
Vitamin A-Aldehyd 9, 33, 65, 68, 155, 158, 160, 161, 181, 182, 185, 187
aus β-Carotin durch oxidative Spaltung **161**
aus der Retina **192**
Eisentricarbonyl-Komplex 189
11-*cis*-Vitamin A-Aldehyd 19
all-trans-Vitamin A-Aldehyd 19, 24
Vitamin-A-Aldehyd-diäthylacetal 105
Vitamin A-Amin 186f.
Vitamin-A-methyläther 178
Vitamin-A-palmitat 178
Vitamin A-Säure 9, 19, 119, 133, 152ff., 161, 183 f.
aus 4-Brom-3-methyl-buten-(2)-säure-methylester, β-Jonyliden-acetaldehyd und Zinkstaub **152**
aus 9-Vinyl-β-jonol, Triphenylphosphin, Chlorwasserstoff, 3-Methyl-buten-(2)-al-(4)-säure-(1) und Natriummethanolat **116**
13-*cis*-Vitamin A-Säure 154
9-*cis*-Vitamin A-Säure-[14-^{14}C] 17
13-*cis*-Vitamin A-Säure-[14-^{14}C] 17
9,13-*di-cis*-Vitamin-A-Säure 154
all-trans-Vitamin-A-Säure-[6,7-^{14}C] 17
all-trans-Vitamin A-Säure-[15-^{14}C] 17
Vitamin A_2-Säure 24
Vitamin A-Säure-äthylester 180
Vitamin A-Säure-azid 180
Vitamin-A-Säure-chlorid 69
Vitamin-A-Säureester 56, 68, 149, 178 ff.
Vitamin-A-Säure-methylester 56
Vitamin-A-Säure-nitril 75, 137, 187
Vitamin-A-Säure-Vitamin-A-ester 178 f.
Vitamin-A-thiosäure-S-methylester 150, 180
Vitamin-A-trimethylsilyläther 32, 178
Vitamin-A-Vitamin-A-säureester 178 f.

W

„Wasserstoffbrücken"-Bindungen zwischen Lösungsmittel und Polyenmolekül 27
Whiting-Reaktion 45
Wittig-Reaktion 72, 88, 90, 96f., 550ff., 555, 568
modifizierte 127
Woodward-Hoffmann-Regel 306
Wurtz-Reaktion 81
Wurtz-Fittig-Reaktion 550

X

Xanthophyll 10
Xenocyanin 272
m-Xylol 216
Xylole 364

Z

Zeaxanthin 10

International Journal of Methods in Synthetic Organic Chemistry

SYNTHESIS

Reviews and Communications are published in English or German
Abstracts appear only in English

Übersichtsartikel und Originalmitteilungen werden in Englisch oder Deutsch veröffentlicht. Kurzreferate erscheinen nur in Englisch.

Publication Frequency and Subscriptions

Published monthly. Annual Subscription price $ 58.00 postage included

Erscheinungsweise und Bezugsbedingungen

SYNTHESIS erscheint monatlich. Bezugspreis jährlich DM 144,— plus Postgebühren

Joint edition with Academic Press New York · London